CPS

Compendium des produits et spécialités pharmaceutiques

Trente-quatrième édition

1999

L'ouvrage canadien de référence pour les professionnels de la santé

Note de l'éditeur

Les lecteurs de la présente édition du *CPS* remarqueront que ce dernier a été publié en deux volumes. En raison du nombre croissant de monographies de produits et du contenu enrichi des pages en couleur, nous nous sommes rendu compte que toutes les pages du côté français ne pourraient pas être insérées dans un seul volume relié. Ceci ne devrait être qu'une solution temporaire.

Pour l'édition de l'an 2000, nous modifierons nos processus de production et d'impression afin d'être en mesure de retourner au format à volume unique. Nous vous remercions à l'avance pour votre patience.

CPS

Compendium des produits et spécialités pharmaceutiques

Publié par	l'Association des pharmaciens du Canada Ottawa, Ontario, Canada
Président	Garry Cruickshank, BScPharm
Directeur général	Leroy Fevang, BScPharm, MBA
Éditrice	Leesa D. Bruce
Rédactrice en chef	M. Claire Gillis, BSc(Pharm)
Adjointes à la rédactrice	Louise Welbanks, BScPhm Diane Bergeron, BPharm Marline Cormier-Boyd, BSc(Pharm) Frances Hachborn, BScPhm Barbara Jovaisas, BSc(Pharm) Sandra Pagotto, BSP Carol Repchinsky, BSP
Première assistante à la rédactrice	Roxanne Bisson
Coordinatrice de la production	Rita Tremblay
Coordinatrice de la section d'identification des produits	Julie Lévesque
Assistantes à la rédactrice	Dianne Baxter Robin McIntosh, BA
Assistante à la rédaction	Murielle Danis
Gestionnaire de production	Darquise Leblanc
Photocomposition	Bob Heathorn, Lucienne Prévost, Kathleen Régimbald

L'Association des pharmaciens du Canada désire exprimer ses remerciements les plus sincères à l'endroit de Claire Gillis, Rédactrice en chef, pour sa gouverne et sa dévotion au CPS durant les 15 dernières années.

L'équipe de rédaction remercie bien sincèrement Sylvie Brûlé, Nicole Castéran, Patricia Carruthers-Czyzewski, Sylvie Marcotte, Sonal Purohit, Tess Radford, Kate Reid, Erick Scherer et Caroline Shaughnessy pour leur assistance à la production de cette édtion.

Nous désirons remercier tout particulièrement Ken Fremont de C.K. Productions et Mike Collinge et tous ceux qui à Webcom Limitée ont aidé à compléter ce livre.

Le *Compendium des produits et spécialités pharmaceutiques*
est offert en édition imprimée en français et en anglais
ainsi que sur *CD-ROM* (version anglaise seulement).

Des exemplaires du *Compendium des produits et spécialités pharmaceutiques*
peuvent être obtenus auprès de l'Association des pharmaciens du Canada,
1785, promenade Alta Vista, Ottawa, Ontario, Canada, K1G 3Y6.
Tél. (613) 523-7877 (800) 917-9489 Téléc. (613) 523-0445
Demandes par courrier électronique requests@cdnpharm.ca

ISSN 0317-2813
ISBN 0-919115-79-9

Conception, production et photocomposition
Communications graphiques de l'APhC

Conception de la couverture
Lucienne Prévost

Vente d'annonces publicitaires
Keith Health Care Inc.

Toutes les annonces de produits pharmaceutiques sur ordonnance
ont été approuvées par le Conseil consultatif de publicité pharmaceutique.

Imprimé au Canada par Webcom Limitée, Toronto

TABLE DES MATIÈRES

PRÉFACE

Le ***Compendium des produits et spécialités pharmaceutiques (CPS)*** est une réalisation de l'Association des pharmaciens du Canada produite dans l'intérêt de tous les professionnels de la santé.

Les lecteurs sont avisés que l'information fournie dans le *CPS* n'est pas exhaustive. On retrouve dans d'autres sources de référence des renseignements supplémentaires qui peuvent être nécessaires à l'emploi sécuritaire du produit.

Les changements reçus après la date de tombée n'ont pas été insérés dans cette édition du *CPS*.

La rédaction collabore étroitement avec le Conseil consultatif de rédaction du *CPS*, le Programme des produits thérapeutiques, Santé Canada et l'industrie pharmaceutique.

L'équipe de rédaction tient à remercier de leur collaboration les nombreux critiques et collaborateurs énumérés à la page viii.

La rédaction tient également à remercier les usagers du *CPS* de leurs remarques constructives et tous les fabricants et distributeurs qui ont fourni les renseignements nécessaires, donné des suggestions et lu les épreuves en placard. Elle tient aussi à signaler la collaboration du Service régional d'information pharmacothérapeutique de l'Outaouais, du Centre d'information pharmacothérapeutique et de recherche et de nombreux centres d'information pharmacothérapeutique à travers le Canada.

CONSEIL CONSULTATIF DE RÉDACTION

COLLABORATEURS/CRITIQUES

M. Ackerman, MD, FRCPC
Fondation des maladies du cœur du Canada
Sous-comité des soins cardiaques d'urgence
Burlington, Ontario

D.R. Anderson, MD, FRCPC
Professeur agrégé en médecine
Université Dalhousie, Halifax
Division d'hématologie
Queen Elizabeth II Health Sciences Centre, Halifax

C. Bayliff, PharmD
Coordinateur clinique des services de pharmacie
London Health Sciences Centre, Campus Victoria,
London, Ontario

M. Bédard, PharmD
Spécialiste en information pharmacothérapeutique
L'hôpital d'Ottawa, Campus Général

M. Bodie-Collins, RN, BScN
Conseiller en médecine du voyageur
Programme de médecine du voyageur
Bureau des initiatives spéciales de santé
Santé Canada, Ottawa

J. Bruni, MD, FRCPC
Chef, Division de neurologie
Wellesley Hospital, Toronto

P. Camfield, MD, FRCPC
Professeur et Chef, Neurologie pédiatrique
Université Dalhousie
IWK/Grace Health Centre, Halifax

N. Campbell, MD, FRCP
Président, Coalition canadienne pour la prévention et le contrôle de l'hypertension artérielle
Département de médecine
Université de Calgary

S.G. Carruthers, MD, FRCP
Professeur et chaire Richard Ivey
Département de médecine, University of Western Ontario
Chef de médecine
London Health Sciences Centre, London, Ontario

J. Courtemanche, BScN(Ed)
Secrétaire
Association canadienne des centres antipoison
Hôpital pour enfants de l'Est de l'Ontario, Ottawa

S. Cowan, BScPhm
Université McGill, Montréal

P.W.F. Fischer, BSc, PhD
Chef, Division de la recherche en nutrition
Direction des aliments
Direction générale de la protection de la santé
Santé Canada, Ottawa

W.C. Foong, BSc(Hons), PhD
Professeur agrégé
Division de biologie orale, Faculté d'art dentaire
Université Dalhousie, Halifax

M.J. Friedland, MD,FRCPC
Département d'anesthésie
Mississauga Site
Mississauga, Ontario

R.E. Grymonpre, BScPharm, PharmD
Professeur agrégé, Faculté de pharmacie
Université du Manitoba, Winnipeg

A. Guberman, MD, FRCPC
Professeur, Division de neurologie
Université d'Ottawa
L'hôpital d'Ottawa, Campus Général

D.A. Haas, DDS, PhD, FRCDC
Professeur agrégé
Département d'anesthésie, Faculté d'art dentaire
Département de pharmacologie, Faculté de médecine
Université de Toronto

B.G. Hardy, PharmD, FCSHP, FCCP
Coordinateur—Programmes cliniques, Département de pharmacie
Sunnybrook Health Sciences Centre
Professeur agrégé, Faculté de pharmacie
Université de Toronto

R. Hossie, BScPhm, MScPhm, PhD
Bureau de la surveillance des médicaments
Programme des produits thérapeutiques
Santé Canada, Ottawa

S. Ito, MD, ABCP
Division de la pharmacologie clinique
Département de pédiatrie
Hospital for Sick Children, Toronto

M. Jones, MD, FRCPC
Directeur, Laboratoire d'ÉEG
Division de neurologie
Hôpital général de Vancouver

S.H. Kennedy, MD, FRCPC
Chef, Division de l'humeur et anxiété
Clarke Institute of Psychiatry, Toronto
Professeur et chef, Programme des désordres de l'humeur
Université de Toronto

S. Lovell, BScPhm
Département de pharmacie
London Health Sciences Centre, University Campus
London, Ontario

A. Massicotte, BPharm, MSc
Centre d'information pharmacothérapeutique
L'hôpital d'Ottawa, Campus Civic

A.E. McCarthy, MD, FRCPC, DTM&H
Directeur, Clinique en médecine tropicale et santé internationale
L'hôpital d'Ottawa, Campus Général

R.S. McLachlan, MD, FRCPC
Unité de l'épilepsie
London Health Sciences Centre, Campus universitaire
London, Ontario

COLLABORATEURS/CRITIQUES *(suite)*

M.J. McQueen, MB, ChB, PhD, FCACB, FRCPC
Directeur, Hamilton Regional Laboratory Medicine
Directeur, Lipid Research Clinic
Hamilton General Hospital Campus
Professeur de pathologie
Université McMaster, Hamilton, Ontario

D.G. Mills, BSc, PhD
Coordinateur, Services d'information pharmacothérapeutique
Département de pharmacie
London Health Sciences Centre, London, Ontario

S. Otawa, BScPharm
Pharmacien
Mississauga, Ontario

C.J. Patterson, MD, FRCPC, FACP
Professeur
Division de médecine gériatrique
Université McMaster, Hamilton, Ontario

R. Pless, MD, MSc
Chef, Bureau de la surveillance d'incidents adverses reliés à l'administration d'un vaccin
Division de l'immunisation
Laboratoire de lutte contre la maladie
Santé Canada, Ottawa

N. Ramuscak, BScPhm
Pharmacien-clinicien, Neurochirurgie et orthopédie
Trillium Health Centre, Mississauga Site
Mississauga, Ontario

M.B.M. Sundaram, MD
Professeur, Département de neurologie
Université du Mississippi
Jackson, Mississippi USA

H. Sutcliffe, BScPharm
Chef par intérim, Unité de la notification des effets indésirables médicamenteux
Bureau de surveillance sur les médicaments
Santé Canada, Ottawa

G. Sweeney, MD
Université McMaster, Hamilton, Ontario

M.P. Thirlwell, MD, FRCPC, FACP
Professeur en médecine et oncologie
Université McGill, Montréal
Chef par intérim, Département d'oncologie
Hôpital général de Montréal

D. Wong, BScPhm
Pharmacien
Scarborough, Ontario

G.B. Young, MD, FRCPC
Department of Clinical Neurological Sciences
Université of Western Ontario
London Health Sciences Centre, Campus Victoria
London, Ontario

COLLABORATEURS

Nous exprimons notre gratitude aux compagnies suivantes pour leur aide financière:

Abbott
Albert Pharma
Alcon
Allerex
Allergan
Altimed
Alza
Amgen
Apotex
Ashbury Biologicals Herbal Laboratories
Astra
Axcan Pharma
Baxter
Bayer
Bayer, Produits grand public
Bencard
Berlex Canada
Berna Products
BioChem Vaccins
BDH
Biomatrix
Bioniche
Block Drug
Boehringer Ingelheim
Bristol
Bristol-Myers Squibb
Canderm Pharma
Cangene
Carter Horner
Chattem
CIBA Vision
Clintec
Connaught
Crystaal
Dermik Laboratories Canada
Dermtek
Desbergers
Dioptic
Dispensapharm
Dormer
Draxis Health
Duchesnay
DuPont Pharma
Endo
Fabrigen
Faulding
Ferring
Fournier
Frosst
Fujisawa
Galderma
Genpharm
Germiphene
Glaxo Wellcome
Glenwood
Hoechst Marion Roussel
Hoffmann-La Roche
ICN
Janssen-Ortho
Johnson & Johnson • Merck
Key
Knoll
Labcatal
Leo
Ligand
Lilly
Lundbeck
Mallinckrodt
May & Baker Pharma
Mead Johnson
Medican Pharma
Medicis
Medisan Pharmaceuticals
Merck Sharp & Dohme
Milex
Nadeau
Nestlé, Carnation
NeXstar
Novartis Nutrition
Novartis Pharma
Novartis Santé Familiale
Novo Nordisk
Novopharm
Nu-Pharm
Nycomed
Odan
Ophtapharma
Organon
Organon Teknika
Parke-Davis
Pfizer
Pfizer, Soins de la santé
Pharmaceuticals Partners
Pharmacia & Upjohn
Pharmascience
Procter & Gamble
Procter & Gamble Pharmaceuticals
Produits aux consommateurs McNeil
Produits ophtalmiques Rivex
Produits pharmaceutiques de 3M
Purdue Frederick
R&D
Reed & Carnrick
Rhodiapharm
Rhône-Poulenc Rorer
RHO-Pharm
RhoxalPharma
Riva
Rivex Pharma
Roberts
Rougier
Sabex
Sanofi
Schein Pharmaceutical
Schering
Searle
Serono
Servier
Shepherd
Sigma-Tau
SmithKline Beecham
SmithKline Beecham Consumer Healthcare
Smith & Nephew
Solvay Pharma
SpectroPharm Dermatology
Squibb
Stanley
Stiefel
Sun
Swiss Herbal
Tanta
Taro
Technilab
Therapex
Trans CanaDerm
Trianon
UCB Pharma
Warner-Lambert, Santé grand public
Waymar
Welcker-Lyster
West Can
Westwood-Squibb
Whitehall-Robins
Wyeth-Ayerst
Zeneca
Zila

Quoi de neuf dans le *CPS* 1999

- Nouveautés 1999

- Modifications apportées à la section lilas (Info-Clin)
  —Ajouts aux sections Médicaments et art dentaire, Thérapie antiépileptique et Exposition aux médicaments durant l'allaitement
  —Reformatisation et réorganisation complète du tableau des Interactions médicamenteuses
  —Développement des sections portant sur les Valeurs de référence de laboratoire cliniques et les Calendriers de vaccination
  —Revision complète de l'information portant sur les Méthodes de traitement de l'eau pour les voyageurs

- Nouvelle monographie générale
  —Inhibiteurs sélectifs du recaptage de la sérotonine

COMMENT UTILISER CETTE ÉDITION

CONSULTER: **Pour des renseignements sur:**	**SECTION ROSE**	**SECTION VERTE**	**SECTION PRS**	**SECTION JAUNE**	**SECTION LILAS**	**SECTION BLEUE**	**SECTION BLANCHE**
Abréviations médicales et pharmaceutiques du *CPS*							× (p.7)
Administration Médicaments—Aliments					×		×
Administration de suppléments vitaminiques et apports nutritionnels recommandés					×		
Arrêt cardiaque					×		
Calendriers de vaccination					×		
Contraceptifs oraux						×	×
Considérations sur l'emploi des médicaments en présence de porphyrie					×		
Emploi péri-opératoire des médicaments					×		
Évaluation de la clairance de la créatinine					×		
Fabricant(s):							
• Coordonnées				×			
• Gamme de produits				×			
• d'un produit en particulier							×
• d'un même produit		×					
Guide thérapeutique	×						
Hypertension, traitement non pharmacologique de l'					×		
Médicaments et art dentaire					×		
Méthodes de traitement de l'eau pour les voyageurs					×		
Nomogrammes de la surface corporelle					×		
Nomenclature du *CPS* pour les micro-organismes							× (p.5)
Prévention du paludisme					×		
Programme d'accès spécial aux médicaments d'urgence					×		
Renseignements essentiels sur un produit:							
• Nom(s) déposé(s) canadien(s)		×					×
• Nom(s) générique(s)		×					×
• Noms déposés américains		×					
• Pharmacologie/Pharmacocinétique							×
• Indications/Contre-indications/Mises en garde							×
• Précautions:							
• Amoindrissement des facultés (médicaments au volant)							×
• Interactions médicamenteuses					×		×
• Grossesse					×		×
• Allaitement					×		×
• Pédiatrie					×		×
• Gériatrie					×		×
• Effets indésirables					× (Formule/ Résumé)		
• Surdosage (renseignements antipoison)					× (Centres antipoison)		×
• Posologie							×
• Renseignements destinés aux patients						×	×
• Présentation (apparence du produit)			×				×
• Ingrédients non médicinaux:							
• Alcool					× (Tableau)		×
• Gluten					× (Tableau)		×
• Lactose							×
• Sodium							×
• Sulfites					× (Tableau)		×
• Tartrazine					× (Tableau)		×
• Teneur en énergie							×
Répertoire des organismes du domaine de la santé					×		
Sources alimentaires: minéraux et vitamines					×		
Stupéfiants et drogues contrôlées (Résumé des règlements)					×		×
Surveillance des concentrations sériques des médicaments					×		
Thérapie antiépileptique					×		
Valeurs de référence de laboratoire cliniques					×		

NOUVEAUTÉS 1999

Voici un aperçu des nouveautés retrouvées dans le *CPS* 1999! Les nouveaux médicaments (c.-à-d., les nouvelles entités) incluant les indications approuvées, les médicaments anciennement disponibles et leurs nouvelles indications, les nouveaux fabricants ou les nouvelles formes posologiques, les nouveaux produits (p. ex., les nouveaux produits génériques) et les changements de nom de produits sont énumérés. Nous espérons que ce tableau de référence rapide vous aidera à utiliser le *CPS* plus efficacement que jamais! Consulter la section des monographies du *CPS* sous le nom du produit pour plus d'information.

Les utilisateurs du *CPS* sont avisés que cette énumération n'est pas exhaustive, bien que tous les efforts ont été déployés afin d'inclure tous les produits concernés. Seules les informations qui ont rapport aux monographies de produits complètes sont mises en évidence.

Nom déposé	Dénomination commune/ Forme posologique	Fabricant	Classification	Commentaires
Accolate®	Zafirlukast, comprimés de 20 mg	Zeneca	Antagoniste du récepteur des leucotriènes	Nouveau médicament—pour le traitement préventif et chronique de l'asthme chez les patients de 12 ans et plus
Accuretic^MC	Quinapril—Hydrochlorothiazide, comprimés de 10/12,5 mg et 20/12,5 mg	Parke-Davis	Inhibiteur de l'ECA—Diurétique	Nouveau produit—pour le traitement de l'hypertension essentielle lorsque le traitement d'association est approprié
Acel-P^MC	Vaccin anticoquelucheux cellulaire adsorbé en suspension pour injection i.m.	Wyeth-Ayerst	Agent d'immunisation active	Nouveau produit—pour l'immunisation primaire (3 doses) des enfants âgés de 15 mois à 6 ans, contre la maladie causée par *Bordetella pertussis*; également indiqué comme quatrième dose pour l'immunisation de rappel des enfants qui ont déjà reçu l'immunisation primaire
Acyclovir Sodique pour injection	Acyclovir, fioles de 500 mg et 1 g pour infusion i.v.	Novopharm	Antiviral	Nouveau produit
Acyclovir Sodique pour perfusion	Acyclovir 25 mg/mL; fioles de 500 mg et 1 g pour infusion i.v.	Faulding	Antiviral	Nouveau produit
Advil®	Ibuprofène	Whitehall-Robins	Analgésique—Antipyrétique	Nouvelles formes posologiques—caplets (gel) de 200 mg et suspension pour enfants de 100 mg/5 mL
Airomir^MC	Sulfate de salbutamol 100 µg/inhalation, inhalateurs de 200 doses	Produits pharmaceutiques de 3M	Bronchodilatateur—Stimulant des récepteurs β_2-adrénergiques	Nouveau produit—ne contient pas de chlorofluorocarbones
Alesse^MC 21 Alesse^MC 28	Lévonorgestrel 100 µg—Éthinyl œstradiol 20 µg par comprimé	Wyeth-Ayerst	Contraceptif oral	Nouveau produit
Alphagan^MC	Brimonidine, solution ophtalmique à 0,2 %	Allergan	Thérapie pour réduire la pression intra-oculaire—Agoniste des récepteurs alpha-adrénergiques	Nouveau médicament—pour maîtriser la pression intra-oculaire chez les personnes atteintes de glaucone à angle ouvert ou d'hypertension oculaire
Amerge®	Naratriptan, comprimés de 1 et 2,5 mg	Glaxo Wellcome	Antimigraineux—Agoniste des récepteurs 5-HT_1	Nouveau médicament—dans le traitement aigu des migraines avec ou sans aura
Apo®-Acyclovir	Acyclovir, comprimés de 200, 400 et 800 mg	Apotex	Antiviral	Nouveau produit
Apo®-Cefaclor	Cefaclor, suspension orale de 125, 250 et 375 mg/mL	Apotex	Antibiotique	Nouvelle forme posologique—suspension orale
Apo®-Cromolyn	Cromolyn, solution nasale à 2 %	Apotex	Thérapie de la rhinite saisonnière	Nouveau produit
Apo®-Cromolyn, Stérules	Cromolyn, solution d'inhalation à 1 % (2 mL)	Apotex	Prophylaxie des symptômes de l'asthme bronchique	Nouveau produit

Nom déposé	Dénomination commune/ Forme posologique	Fabricant	Classification	Commentaires
Apo®-Domperidone	Dompéridone, comprimés à 10 mg	Apotex	Modificateur de la motilité des voies digestives supérieures	Nouveau produit
Apo®-Etodolac	Étodolac, capsules de 200 et 300 mg	Apotex	Anti-inflammatoire	Nouveau produit
Apo®-Ketoconazole	Kétoconazole, comprimés de 200 mg	Apotex	Antifongique	Nouveau produit
Apo®-Loxapine	Loxapine, comprimés de 5, 10, 25 et 50 mg	Apotex	Antipsychotique	Nouveau produit
Apo®-Moclobemide	Moclobémide, comprimés de 100 et 150 mg	Apotex	Antidépresseur	Nouveau produit
Apo®-Oflox	Ofloxacine, comprimés de 200, 300 et 400 mg	Apotex	Antibactérien	Nouveau produit
Apo®-Terazosin	Térazosine, comprimés de 1, 2, 5 et 10 mg	Apotex	Antihypertenseur—Traitement symptomatique de l'hypertrophie bénigne de la prostate	Nouveau produit
Apo®-Ticlopidine	Ticlopidine, comprimés de 250 mg	Apotex	Antiplaquettaire	Nouveau produit
Aspirin® Enrobé, dose faible journalière	AAS enrobé de 81 mg	Bayer, Produits grand public	Inhibiteur de l'agrégation plaquettaire	Nouvelle concentration
Aspirin® Enrobé Super extra-fort	AAS à enrobage entérosoluble, 650 mg	Bayer, Produits grand public	Analgésique—Anti-inflammatoire—Antipyrétique	Nouvelle concentration
Astracaine®	Articaïne 40 mg/mL—Épinéphrine 1:200 000	Astra	Anesthésique local	Nouveau produit—pour l'anesthésie par infiltration et l'anesthésie par blocage nerveux en dentisterie
Astracaine® Forte	Articaïne 40 mg/mL—Épinéphrine 1:100 000	Astra	Anesthésique local	Nouveau produit—pour l'anesthésie par infiltration et l'anesthésie par blocage nerveux en dentisterie
Atracurium (bésylate), Injectable	Atracurium, fioles de 10 mg/mL pour administration par voie i.v.	Faulding	Inhibiteur neuromusculaire	Nouveau produit
Avapro MC	Irbesartan, comprimés de 75, 150 et 300 mg	Bristol-Myers Squibb/ Sanofi Canada	Bloqueur des récepteurs AT_1 de l'angiotensine II	Nouveau médicament—pour le traitement de l'hypertension essentielle
Baycol®	Cérivastatine, comprimés de 0,2 et 0,3 mg	Bayer	Régulateur du métabolisme lipidique	Nouveau médicament—inhibiteur de l'HMG-CoA-réductase
Beano®	Alpha-D-galactosidase, comprimés de 150 GalU et gouttes de 150 GalU/ 5 gouttes	Block Drug	Enzyme alpha galactosidase	Nouveau produit—prévention des ballonnements digestifs
Benadryl® Formule junior, comprimés à croquer	Diphenhydramine, comprimés à croquer de 12,5 mg	Warner-Lambert, Santé grand public	Antihistaminique	Nouveau produit
Benylin® DM 12 Heures	Dextrométhorphane polistirex, sirop à libération contrôlée de 30 mg/5 mL	Warner-Lambert, Santé grand public	Antitussif	Nouveau produit
Benylin® DM 12 heures pour enfants	Dextrométhorphane polistirex, sirop à libération contrôlée de 15 mg/5 mL	Warner-Lambert, Santé grand public	Antitussif	Nouveau produit
Bléomycine (Sulfate) pour injection, USP	Bléomycine, fioles de 15 unités (poudre lyophilisée) pour usage i.m., s.c., i.v., intra-articulaire, intrapleural ou intrapéritonéal	Faulding	Antinéoplasique	Nouveau produit
Caltrate® Plus	Carbonate de calcium—Vitamine D—Magnésium—Zinc—Cuivre—Manganèse en comprimés	Whitehall-Robins	Supplément vitaminique et de minéraux	Nouveau produit

Nom déposé	Dénomination commune/ Forme posologique	Fabricant	Classification	Commentaires
Cerebyx®	Fosphénytoïne sodique, 75 mg/mL pour infusion i.v. ou administration i.m.	Parke-Davis	Antiépileptique	Nouveau produit—75 mg de fosphénytoïne est équivalant à 50 mg/mL de phénytoïne sodique
Chronovera®	Vérapamil, comprimés à libération prolongée et à délai d'action contrôlé de 180 et 240 mg	Searle	Antihypertenseur—Antiangineux	Nouveau produit—de par sa formulation, conçu de sorte que la libération du vérapamil ne commence qu'environ 4 à 5 heures suivant l'ingestion, après quoi le médicament est libéré à un taux constant sur une période de 12 heures
Cipro®	Ciprofloxacine, suspension orale de 5 g/100 mL et 10 g/100 mL; mini-sacs de 2 mg/mL de 100 et 200 mL	Bayer	Antibiotique	Nouvelles formes posologiques
Claritin®	Loratadine, comprimés ultra-fondants de 10 mg	Schering	Antagoniste des récepteurs H_1 de l'histamine	Nouvelle forme posologique
Climara®	Estradiol-17ß, système transdermique	Berlex Canada	Œstrogène	Nouveau produit—application 1 fois/semaine
Cytovene®	Ganciclovir, capsules de 250 mg et fioles de 500 mg	Roche	Antiviral	Nouvelle indication—pour le traitement des maladies à CMV chez les receveurs de greffe d'organe plein
Dalacin® C Phosphate, Solution stérile	Clindamycin, 150 mg/mL pour injection	Pharmacia & Upjohn	Antibiotique	Nouvelle indication—pour le traitement de la pneumonie à *Pneumocystis carinii* chez les patients atteints du SIDA (en association avec la primaquine pour traiter les patients qui ne tolèrent pas ou ne répondent pas au traitement conventionnel)
Demadex®	Torsémide, comprimés de 5, 10, 20 et 100 mg et ampoules de 10 mg/mL	Roche	Diurétique	Nouveau fabricant—anciennement Boehringer Mannheim
Deproic®	Acide valproïque, sirop de 250 mg/5 mL	Technilab	Anticonvulsivant	Nouvelle forme posologique
Dexiron™	Fer-dextran, fioles à dose unique de 50 mg/mL, 1 et 2 mL	Genpharm	Supplément de fer	Nouveau produit—pour injection i.m.
Diane®-35	Cyprotérone 2 mg—Éthinylœtradiol 0,035 mg en comprimés, distributeurs de 21 jours	Berlex Canada	Antiandrogène—Œstrogène en association	Nouveau produit—pour le traitement d'une acnée androgéno-dépendante chez la femme; également un contraceptif fiable
Diclotec	Diclofénac, Suppositoires de 50 et 100 mg	Technilab	Anti-inflammatoire non stéroïdien	Nouveau produit
Dimetapp® à dissolution rapide	Bromphéniramine 1 mg—Phénylpropanolamine 6,25 mg, comprimés à dissolution rapide	Whitehall-Robins	Antihistaminique—Décongestionnant	Nouvelle forme posologique
Diovan®	Valsartan, capsules de 80 et 160 mg	Novartis Pharmaceuticals	Antagoniste des récepteurs AT_1 de l'angiotensine II	Nouveau médicament—pour le traitement de l'hypertension essentielle légère à modérée
Ditropan®	Oxybutynine, comprimés de 5 mg et sirop de 5 mg/mL	Alza	Antispasmodique	Nouveau fabricant—anciennement Procter & Gamble
Echinacea Angustifolia	Extrait d'Echinacea Angustifolia	Swiss Herbal	Plante médicinale	Nouveau produit—pour soulager les symptômes du rhume et de la grippe légère
Echovist®	Galactose, granules 3 g/fioles et solution à 20 %; 13,5 mL/fiole	Berlex Canada	Agent de rehaussement pour l'échographie	Nouveau produit—pour le rehaussement des échos produits par les ultrasons lors d'examens de la cavité utérine et des trompes de Fallope
Effexor® XR	Venlafaxine, capsules à libération prolongée de 37,5, 75 et 150 mg	Wyeth-Ayerst	Antidépresseur	Nouvelle forme posologique

Nom déposé	Dénomination commune/ Forme posologique	Fabricant	Classification	Commentaires
Efudex®	5-Fluorouracil, crème à 5 %	ICN	Antinéoplasique topique	Nouveau fabricant—anciennement Roche
Elmiron[MD]	Polysulfate de pentosan sodique, capsules de 100 mg	Alza	Traitement de la cystite interstitielle	Nouveau fabricant—anciennement Baker Cummins
Emadine[MD]	Émédastine, solution ophtalmique à 0,05 %	Alcon	Antiallergique	Nouveau médicament—antagoniste des récepteurs histaminiques H_1 topiques
EMLA® Crème	Lidocaïne 25 mg—Prilocaïne 25 mg par gramme	Astra	Anesthésique topique	Nouvelle indication—pour l'analgésie topique des ulcères de jambes en vue d'un nettoyage à l'aide d'instruments/débridement
Epiject® I.V.	Acide valproïque, 100 mg/mL pour injection i.v.; flacons uniservices de 5 mL	Abbott	Anticonvulsivant	Nouveau produit
Euglucon®	Glyburide, comprimés de 2,5 mg et 5 mg	Pharmascience	Hypoglycémiant	Nouveau fabricant—anciennement Boehringer Mannheim
Evista[MC]	Raloxifène, comprimés de 60 mg	Lilly	Modulateur sélectif des récepteurs œstrogéniques	Nouveau médicament—pour la prévention de l'ostéoporose chez la femme postménopausée
Ex-Lax®, Laxatif émollient	Docusate sodique, caplets de 100 mg	Novartis Santé Familiale	Laxatif	Nouveau produit
Ex-Lax®, Morceaux chocolatés, Comprimés dragéifiés et Extra-fort, Comprimés dragéifiés	Sennosides 15 mg (25 mg si extra-fort)	Novartis Santé Familiale	Laxatif	Nouveaux produits
Famvir™	Famciclovir, comprimés de 125, 250 et 500 mg	SmithKline Beecham	Antiviral	Nouvelle indication—pour le traitement ou la suppression des récidives d'herpès génital chez des adultes immunocompétents
Fexicam	Piroxicam, suppositoires de 20 mg	Technilab	Anti-inflammatoire non stéroïdien	Nouveau produit
Flomax®	Tamsulosine, capsules à libération prolongée de 0,4 mg	Boehringer Ingelheim	Antagoniste des récepteurs alpha-1A-adrénergique	Nouveau médicament—pour le traitement de l'hyperplasie bénigne de la prostate
Flovent®	Fluticasone, dispositif d'inhalation en plastique contenant une bande d'aluminium/50, 100, 250 ou 500 µg	Glaxo Wellcome	Corticostéroïde	Nouvelle forme posologique
Fosamax®	Alendronate, comprimés de 5, 10 et 40 mg	MSD	Régulateur du métabolisme osseux	Nouvelles indications—pour la prévention de l'ostéoporose chez la femme postménauposée et pour la prévention des fractures chez la femme postménopausée traitée pour l'ostéoporose Nouvelle concentration—comprimés de 5 mg
Fragmin®	Daltéparine sodique pour injection	Pharmacia & Upjohn	Anticoagulant—Antithrombotique	Nouvelle indication—pour les cardiopathies ischémiques instables, c.-à-d. angine instable et infarctus sous-endocardique sans ondes Q
Fraxiparine[MC]	Nadroparine calcique, seringues préremplies de 9 500 UI anti-Xa/mL	Sanofi	Anticoagulant—Héparine de faible poids moléculaire	Nouveau médicament—pour la prophylaxie des troubles thromboemboliques en général, durant la chirurgie orthopédique, le traitement de la thrombose veineuse profonde et la prévention de la coagulation au cours de l'hémodialyse
Gas-X® Gas-X® Extra fort	Siméthicone, comprimés de 80 et 125 mg	Novartis Santé Familiale	Antiflatulent	Nouveaux produits

Nom déposé	Dénomination commune/ Forme posologique	Fabricant	Classification	Commentaires
Gemzar®	Gemcitabine, fioles de 200 mg et 1 g pour injection i.v.	Lilly	Antinéoplasique	Nouvelle indication—pour le traitement de l'adénocarcinome du pancréas au stade local avancé (stades II ou III non résécables) ou métastatique (stade IV)
Hydrasense®, Soin du nez	Eau de mer de source naturelle à 100 %, isotonique et stérile	Schering	Émollient	Nouveau produit—dégage les voies nasales congestionnées par le rhume, les allergies, la sinusite et la rhinite
Imodium®	Lopéramide, caplets de 2 mg et comprimés linguaux de 2 mg	Janssen-Ortho/ Produits aux consommateurs McNeil	Antidiarrhéique	Nouvelle forme posologique—comprimés linguaux
Imogam® Antirabique Pasteurisé	Immunoglobuline antirabique, fioles de 150 UI/mL, 2 et 10 mL pour injection i.m.	Connaught	Immunoglobuline	Nouveau produit—un processus de traitement par la chaleur a été ajouté au processus de fabrication
Kwellada-P^MC	Perméthrine, lotion à 5 %	R&C	Scabicide topique	Nouveau produit
Lescol®	Fluvastatine, capsules de 20 et 40 mg	Novartis	Régulateur du métabolisme lipidique	Nouvelle indication—pour ralentir la progression de l'athérosclérose chez les patients souffrant de coronaropathie et d'hypercholestérolémie légère à modérée
Levaquin®	Lévofloxacine, comprimés de 250 et 500 mg; injections de 5 et 25 mg/mL	Janssen-Ortho	Antibactérien	Nouveau médicament—une quinolone pour le traitement des infections des voies respiratoires inférieures, de la peau et des voies urinaires causées par les micro-organismes susceptibles
Levotec	Lévothyroxine, comprimés de 25, 50, 75, 100, 112, 125, 150, 175, 200 et 300 µg	Technilab	Supplément thyroïdique	Nouveau produit
Levovist®	Galactose à 99.9 %—Acide palmitique à 0,1 %; granules de 200, 300 et 400 mg à reconstituer pour injection i.v.	Berlex Canada	Produit de contraste pour l'échographie	Nouveau produit—pour l'échographie Doppler du flux sanguin et pour l'échocardiographie de contraste en mode B
Losec®	Oméprazole, comprimés de 10 et 20 mg	Astra	Inhibiteur de la pompe à protons	Nouvelle indication—pour le traitement des ulcères duodénal et gastrique associés aux AINS
Lovenox®	Énoxaparine, seringues préremplies de 30 mg/ 0,3 mL et fioles multidoses de 300 mg/3 mL	Rhône-Poulenc Rorer	Antithrombotique	Nouvelles indications—en prophylaxie des thromboses veineuses profondes consécutives aux interventions chirurgicales abdominale, gynécologique ou urologique et chirurgie colorectale; pour le traitement de l'embolie pulmonaire; pour le traitement de l'angine instable et de l'infarctus du myocarde sans onde Q Nouvelle forme posologique—fioles multidoses
Lupron Dépôt® 3,75 mg, 7,5 mg et 22,5 mg	Leuprolide, injection à effet prolongé de 3,75 mg, 7,5 mg et 22,5 mg	Abbott	Analogue de l'hormone de libération de la gonadotrophine	Nouveau produit—maintenant disponible sous forme de seringues préremplies à double compartiment de même que sous forme de fioles uniservices avec solvant
Maalox H2 Régulateur de l'acidité^MD	Famotidine, comprimés de 10 mg	Novartis Santé Familiale	Antagoniste des récepteurs histaminiques H_2	Nouveau produit—pour le traitement et la prévention des régurgitations acides, des brûlures d'estomac, des irritations ou des aigreurs d'estomac

Nom déposé	Dénomination commune/ Forme posologique	Fabricant	Classification	Commentaires
Malarone[MC]	Atovaquone 250 mg—Proguanil 100 mg en comprimés	Glaxo Wellcome	Antipaludéen	Nouveau produit—pour le traitement du paludisme aigu non compliqué à *Plasmodium falciparum*
Maxipime[MD]	Céfépime, injectable	Bristol-Myers Squibb	Antibiotique	Nouvelle indication—chez les enfants dans le traitement des infections suivantes lorsqu'elles sont attribuables aux souches sensibles de micro-organismes: voies respiratoires inférieures, voies urinaires, peau et structures dermiques; et comme traitement empirique chez les patients neutropéniques fébriles
Mavik[MC]	Trandolapril, comprimés de 0,5, 1 et 2 mg	Knoll	Inhibiteurs de l'ECA	Nouvelle indication—après un infarctus du myocarde aigu chez des patients cliniquement stables présentant un dysfonctionnement ventriculaire gauche, pour améliorer la survie du patient, et réduire les hospitalisations liées à l'insuffisance cardiaque
Méthylprednisolone succinate sodique pour injection, USP	Méthylprednisolone, fioles de 500 mg et 1 g (poudre lyophilisée) pour injection i.v. ou i.m.	Faulding	Glucocorticoïde	Nouveau produit—incluant la fiole d'eau bactériostatique pour injection pour la reconstitution
Micanol®	Anthraline, crème à 1 %	Canderm Pharma	Traitement du psoriasis	Nouveau produit
Micatin®	Miconazole, aérosol à 2 %	Produits aux consommateurs McNeil	Antifongique topique	Nouvelle forme posologique
Millepertuis commun	Extrait de millepertuis commun *(Hypercin perforatum)*	Swiss Herbal	Herbe médicinale	Nouveau produit—pour soulager la nervosité et la fatigue
Mirapex®	Pramipexole, comprimés de 0,25, 1 et 1,5 mg	Boehringer Ingelheim	Antiparkinsonien	Nouveau médicament—un agoniste dopaminergique non dérivé de l'ergot de seigle pour le traitement de la maladie de Parkinson
Mitomycine pour injection, USP	Mitomycine, fioles de 5 et 20 mg (poudre lyophilisée) pour utilisation i.v. et intravésicale	Faulding	Antinéoplasique	Nouveau produit
Motrin® Pour enfants	Ibuprofène, suspension de 100 mg/5 mL	Produits aux consommateurs McNeil	Analgésique—Antipyrétique	Nouveau produit
Neptazane®	Méthazolamide, comprimés de 25 et 50 mg	Wyeth-Ayerst	Inhibiteur de l'anhydrase carbonique	Nouveau fabricant—anciennement Storz
Nidagel[MC]	Métronidazole, gel vaginal à 0,75 %	Produits pharmaceutiques de 3M	Antibactérien	Nouveau dosage—application quotidienne, de même que b.i.d., maintenant approuvé pour le traitement de la vaginose bactérienne
Nitrolingual®, Pompe	Nitroglycérine, pulvérisation sublinguale, 0,4 mg par dose prémesurée	Rhône-Poulenc Rorer	Antiangineux	Nouveau produit—ne contient pas de chlorofluorocarbones
NovaSource™ Renal	Préparation de nutrition pour utilisation orale ou entérale	Novartis Nutrition	Préparation de nutrition	Nouveau produit—préparation de nutrition à teneur forte en calories, à teneur modérée en protéine, faible en résidu conçu pour les patients sous dialyse
Novo-Cyproterone	Cyprotérone, comprimés de 50 mg	Novopharm	Antiandrogène	Nouveau produit
Novo-Domperidone	Dompéridone, comprimés de 10 mg	Novopharm	Modificateur de la motilité des voies digestive supérieures	Nouveau produit
Novo-Terazosin	Térazosine, comprimés de 1, 2, 5 et 10 mg	Novopharm	Antihypertenseur	Nouveau produit

Nom déposé	Dénomination commune/ Forme posologique	Fabricant	Classification	Commentaires
Omniscan®	Gadodiamide 287 mg/mL, pour injection i.v.	Nycomed Imaging A.S.	Agent de rehaussement de contraste pour l'imagerie par résonance magnétique (IRM)	Nouvelle indication—chez les adultes afin d'obtenir un IRM en présence de vascularisation anormale dans les régions thoracique, abdominale, pelvienne, mammaire, rétropéritonéale et musculosquelettique
Oncaspar®	Pegaspargase 750 UI/mL, fioles de 5 mL pour injection i.m. et infusion i.v.	Rhône-Poulenc Rorer	Antinéoplasique	Nouveau médicament—une forme modifiée, par ajout de polyéthylèneglycol, de l'enzyme L-asparaginase isolée d'*Escherichia coli*, indiquée dans le traitement de la leucémie lymphoblastique aiguë de l'enfance, plus particulièrement les patients ayant une hypersensibilité connue aux autres formes de L-asparaginase
Onguent antibiotique pour feux sauvages	Polymyxine B en association	Novartis Santé Familiale	Traitement des feux sauvages	Changement de nom—anciennement Onguent antibiotique Webber pour feux sauvages
Optiray® 240	Ioversol 509 mg/mL	Mallinckrodt	Agent de contraste radiologique	Nouvelle indication—en injection sous-arachnoïdienne pour la myélographie lombaire, thoracique et cervicale
Ostac®	Clodronate, ampoules de 300 mg/10 mL et capsules de 400 mg	Roche	Bisphosphonate	Nouveau fabricant—anciennement Boehringer Mannheim
Oxeze® Turbuhaler®	Formotérol, 6 et 12 µg/ dose mesurée (inhalation de poudre cristalline)	Astra	Bronchodilateur	Nouveau produit
Oxizole™	Oxiconazole (nitrate d'), crème et lotion à 1 %	Stiefel	Antifongique topique	Nouveau médicament—pour le traitement du pied d'athlète (tinea pedis) causé par *Trichophyton rubrum, Trichophyton mentagrophytes* ou *Epidermophyton floccosum*
Paclitaxel, Injectable	Paclitaxel 6 mg/mL, pour infusion i.v.	Boehringer Ingelheim	Antinéoplasique	Nouveau produit
Patanol^MC	Olopatadine, solution ophtalmique à 0,1 %	Alcon	Antiallergique	Nouveau médicament—stabilisant mastocytaire et antagoniste des récepteurs H_1 pour le traitement de la conjonctivite allergique
Pedialyte® Bâtons glacés	Solution buvable pour le maintien de l'équilibre électrolytique	Abbott	Maintient de l'équilibre électrolytique	Nouvelle forme posologique—bâtons glacés de 62,5 mL
PedvaxHIB®	Vaccin contre *Haemophilus influenzae* de type b, suspension pour injection	MSD	Agent d'immunisation active	Nouvelle forme posologique—liquide
Peridex®	Gluconate de chlorhexidine, rince-bouche oral à 0,12 %	Zila Pharmaceuticals	Antigingivite	Nouveau fabricant—anciennement Procter & Gamble
Pethidine, Injection BP	Péthidine,10 mg/mL en seringues préremplies Rapiject de 50 mL à dose unique	Faulding	Analgésique opioïde	Nouveau produit
Phazyme^MD, Préparations	Siméthicone, 125 mg/5 mL	R & C	Antiflatulent	Nouvelle forme posologique—formule liquide pour adultes
Phosphates Solution	Phosphates de sodium, solution	Pharmascience	Laxatif	Changement de nom—anciennement pms-Phosphates Solution
Phosphate-Novartis	Phosphate, comprimés de 500 mg	Novartis Pharmaceuticals	Réapprovisionnement électrolytique	Changement de nom—anciennement Phosphate-Sandoz

Nom déposé	Dénomination commune/ Forme posologique	Fabricant	Classification	Commentaires
Plavix[MC]	Clopidogrel, comprimés de 75 mg	Sanofi/Bristol-Myers Squibb	Inhibiteur de l'agrégation plaquettaire	Nouveau médicament—un inhibiteur sélectif du récepteur plaquettaire de l'ADP, indiqué pour la prévention secondaire des manifestations vasculaires ischémiques (infarctus du myocarde, accident cérébrovasculaire, décès d'origine vasculaire) chez les patients ayant des antécédents de maladie athéroscléreuse symptomatique
Pnu-Imune® 23	Vaccin antipneumococcique polyvalent, solution pour injection i.m. et s.c.	Wyeth-Ayerst	Agent d'immunisation active	Nouveau produit—pour la vaccination contre les affections pneumococciques causées par les types pneumococciques contenus dans le vaccin
Polycitra-K®	Citrate de potassium, cristaux et solution	Alza	Supplément de potassium	Nouveau fabricant—anciennement Baker Cummins
Pregnyl®	Gonadotrophine chorionique, 10 000 unités pour injection i.m.	Organon	Gonadotrophine humaine	Nouveau produit—pour la cryptorchidie prépubertaire non attribuable à une obstruction anatomique, hypogonadisme secondaire à une déficience hypophysaire et pour l'induction de l'ovulation et déclenchement de la grossesse chez la femme anovulatoire non attribuable à une déficience ovarienne primaire
Préparation H®, Gel rafraîchissant	Phényléphrine à 0,25 %—Eau d'hamamélis à 50 % en gel	Whitehall-Robins	Thérapie hémorroïdale	Nouveau produit
Prevacid®	Lansoprazole, capsules de 15 et 30 mg	Abbott	Inhibiteur de l'H+, K+-ATPase	Nouvelle indication—pour l'éradication d'*Helicobacter pylori*; trithérapie: lansoprazole 30 mg, clarithromycine 500 mg et amoxicilline 1 g, les 3 médicaments administrés b.i.d. × 14 jours; bithérapie: lansoprazole 30 mg and amoxicilline 1 g, les 2 médicaments administrés t.i.d. × 14 jours
Prinivil®	Lisinopril, comprimés de 5, 10 et 20 mg	MSD	Inhibiteur de l'ECA	Nouvelle indication—augmentation de la survie à la suite un infarctus aigu du myocarde
Prograf®	Tacrolimus, capsules de 1 et 5 mg et solution pour injection i.v. de 5 mg/mL	Fujisawa	Immunosuppresseur	Nouvelle indication—pour la prophylaxie du rejet d'organe chez les receveurs d'allogreffe hépatique ou rénale
Propecia®	Finastéride, comprimés de 1 mg	MSD	Inhibiteur de l'alpha-réductase de type II	Nouveau produit—nouvelle concentration indiquée dans le traitement de la calvitie commune chez les **hommes** dont la perte des cheveux au vertex et dans la région antéro-médiane du crâne est légère à modérée
Protamine Sulfate, Injectable	Protamine sulfate, 10 mg/mL	Pharmaceutical Partners	Antagoniste de l'héparine	Nouveau fabricant—anciennement Fujisawa
Puregon™	Follitrophine bêta 50 ou 100 UI de follitrophine bêta (FSH), ampoules pour injection i.m. ou s.c.	Organon	Gonadotrophine humaine	Nouveau produit—pour stimuler le développement de follicules multiples chez les femmes participant à un programme de procréation médicalement assistée et pour induire l'ovulation et la grossesse dans l'insuffisance ovarienne secondaire

Nom déposé	Dénomination commune/ Forme posologique	Fabricant	Classification	Commentaires
Pylorid®	Ranitidine citrate de bismuth, comprimés de 400 mg	Glaxo Wellcome	Traitement de l'ulcère duodénal	Nouveau produit—antagoniste des récepteurs H_2 de l'histamine doté d'un pouvoir suppressif à l'égard d'*Helicobacter pylori* indiqué, en association avec la clarithromycine, pour le traitement des patients souffrant d'ulcère duodénal actif
Quibron®-T	Théophylline anhydre, comprimés de 300 mg	Bristol	Bronchodilatateur	Nouvelle forme posologique—comprimés retards
Raxar^MC	Grépafloxacine, comprimés de 200 mg	Glaxo Wellcome	Antibactérien	Nouveau médicament—un antibiotique de la famille des fluoroquinolones pour le traitement de la bronchite aiguë, de pneumonie d'origine extra-hospitalière, de la gonorrhée non compliquée, de l'urétrite et la cervicite non gonococcique causée par des micro-organismes susceptibles
Rebif^MD	Interféron bêta–1a, poudre lyophilisée pour injection de 3 et 12 MUI, et liquide pour injection de 6 et 12 MUI	Serono	Immunomodulateur	Nouveau produit—pour le traitement de la sclérose en plaques rémittente et des condylomes acuminés
Rejuva-A®	Trétinoïne, crème à 0,025 %	Stiefel	Rétinoïde	Nouveau produit—pour le traitement de la peau photo-endommagée
Reopro^MC	Abciximab, solution pour injection i.v. de 2 mg/mL (5 et 20 mL)	Lilly	Anticorps monoclonal chimérique antiplaquettaire	Nouveau médicament—pour le traitement d'appoint lors d'une ACTP pour la prévention des complications cardiaques ischémiques aiguës chez les patients à risque élevé d'occlusion soudaine du vaisseau coronarien traité
Requip™	Ropinirole, comprimés de 0,25, 1, 2 et 5 mg	SmithKline Beecham	Antiparkinsonien	Nouveau médicament—agoniste dopaminergique non dérivé de l'ergot de seigle pour le traitement de la maladie de Parkinson
Resource® Breuvage aux fruits	Source de protéines et de calories, 235 mL	Novartis Nutrition	Préparation diététique	Changement de nom—anciennement Citrisource
Ridaura®	Auranofine, capsules de 3 mg	Pharmascience	Antirhumatismal	Nouveau fabricant—anciennement SmithKline Beecham
Risperdal®, Solution orale	Rispéridone, solution orale de 1 mg/mL	Janssen-Ortho	Antipsychotique	Nouvelle forme posologique
Salofalk®	Acide 5-aminosalicylique, comprimés entérosolubles oraux	Axcan Pharma	Anti-inflammatoire gastrointestinal	Nouvelle indication—pour la prévention des récidives de la maladie de Crohn suivant une résection intestinale
Sandostatin®	Octréotide, ampoules de 50, 100 et 500 µg et flacons multidoses de 1 000 µg/5 mL	Novartis Pharmaceuticals	Analogue synthétique de la somatostatine	Nouvelle indication—dans le traitement d'urgence des hémorragies de varices gastro-oesophagiennes chez les patients atteints de cirrhose et dans la prévention des récidives hémorragiques
Seroquel®	Quétiapine, comprimés de 25,100 et 200 mg	Zeneca	Antipsychotique	Nouveau médicament—traitement d'entretien des manifestations de la schizophrénie
Singulair®	Montélukast, comprimés de 10 mg et comprimés à croquer de 5 mg	MSD	Antagoniste des récepteurs des leucotriènes	Nouveau médicament—pour la prévention et le traitement à long terme de l'asthme, chez les patients adultes et chez les enfants de 6 ans et plus

Nom déposé	Dénomination commune/ Forme posologique	Fabricant	Classification	Commentaires
Sinutab®, Formule nuit, extra-puissant	Acétaminophène 500 mg—Pseudoéphédrine 30 mg—Diphenhydramine 25 mg en caplets	Warner-Lambert, Santé Grand Public	Analgésique—Décongestionnant—Antihistaminique	Nouveau produit
Slow-Mag^MC	Hexahydrate de chlorure de magnésium, comprimés entérosolubles de 535 mg	Roberts	Supplément de minéraux	Nouveau produit
Suprefact®	Buséréline, solution intranasale de 1 mg/mL	Hoechst Marion Roussel	Analogue de l'hormone de libération de la gonadotropine	Nouvelle indication—pour le traitement de l'endométriose chez les patientes qui ne nécessitent pas d'intervention chirurgicale comme traitement de premier recours
Tarka®	Trandolapril—Vérapamil SR 1/180 mg, 2/180 mg et 4/240 mg	Knoll	Antihypertenseur	Nouveau produit—pour le traitement de l'hypertension essentielle légère à modérée chez les patients à qui l'association thérapeutique convient (pas pour la thérapie initiale)
Taxol^MD	Paclitaxel, injection de 6 mg/mL	Bristol-Myers Squibb	Antinéoplasique	Nouvelle indication—pour le traitement de première intention du cancer avancé du poumon non à petites cellules
Tiazac®	Diltiazem, capsules à libération prolongée de 120, 180, 240, 300 et 360 mg	Crystaal	Antihypertenseur—Antiangineux	Nouvelle indication—pour le traitement de l'angine chronique stable (angine associée à l'effort) sans manifestation de vasospasme en dépit de doses adéquates de bêta-bloquants et/ou de dérivés nitrés organiques
Tri-Cyclen®	Norgestimate—Éthinylœstradiol	Janssen-Ortho	Contraceptif oral	Nouvelle indication—dans le traitement de l'acné vulgaire modérée
Trinipatch^MC 0,2, 0,4 et 0,6	Nitroglycérine, dispositifs transdermiques de 0,2, 0,4 et 0,6 mg/heure	Sanofi	Antiangineux	Nouveau produit
Tylenol®, Décongestionnant	Acétaminophène 160 mg—Pseudoéphédrine 15 mg par 5 mL	Produits aux consommateurs McNeil	Analgésique—Antipyrétique—Décongestionnant	Nouveau produit
Urispas®	Flavoxate, comprimés de 200 mg	Pharmascience	Antispasmodique agissant sur les voies urinaires	Nouvelle indication—pour le soulagement des spasmes vésico-urétraux causés par le cathétérisme, la cystoscopie ou les sondes à demeure
Vaccin polysaccharidique pneumococcique Pneumo 23^MC	Vaccin polysaccharidique pneumococcique pour injection i.m. et s.c.	Connaught	Agent d'immunisation active	Nouveau produit—pour la prévention de l'infection provoquée par les 23 types de *Streptococcus pneumoniae* contenus dans le vaccin
Vasopressine, Injectable	Vasopressine, 20 unités/mL	Pharmaceutical Partners	Antidiurétique	Nouveau fabricant—anciennement Fujisawa
Vaxigrip®	Vaccin grippal inactivé trivalent, types A et B (à virion fragmenté)	Connaught	Prophylaxie de la grippe	Nouvelle indication—pour les enfants âgés de 6 mois et plus (auparavant était de 3 ans et plus) et nouvelle posologie de 0,25 mL pour les enfants âgés de 6 à 35 mois
Versed®	Midazolam 1 et 5 mg/mL pour injection i.m. et i.v.	Roche	Prémédication—Sédatif—Anesthétique	Nouvelle indication—pour utilisation chez les patients pédiatriques
Viprinex®	Ancrod, ampoules pour injection s.c. ou infusion i.v. de 70 UI/1 mL	Knoll	Anticoagulant	Changement de nom—anciennement Arvin
Viquin Forte®	Hydroquinone 4 %—Acide glycolique 10 % en crème	ICN	Agent de dépigmentation—Hydratant	Nouveau produit—pour pâlir les tâches de la peau

Nom déposé	Dénomination commune/ Forme posologique	Fabricant	Classification	Commentaires
Vivotif Berna® L Vaccine	Vaccin antityphoïdique vivant oral atténué Ty21a	Berna Products	Agent d'immunisation active	Nouvelle forme posologique—double sachets en feuille d'aluminium, une partie contenant le vaccin et l'autre le tampon, le contenu des deux parties du sachet doit être reconstitué simultanément sous forme liquide avant l'administration orale
Wartec®	Podofilox 0,5 %	Pharmascience	Antimitotique	Nouveau fabricant—anciennement Carter Horner
Wellbutrin® SR	Bupropion, comprimés à libération prolongée de 50, 100 et 150 mg	Glaxo Wellcome	Antidépresseur	Nouveau médicament—une nouvelle classe chimique, une aminocétone, pour le traitement de la dépression
Wellferon®	Interféron alpha-n1, fioles de 3 ou 10 Mu pour injection i.m. ou s.c.	Glaxo Wellcome	Modificateur de réponse biologique	Nouvelle indication—pour le traitement des infections chroniques par l'hépatite C
Zantac® 75	Ranitidine, comprimés de 75 mg	Glaxo Wellcome	Antagoniste des récepteurs H_2 de l'histamine	Nouvelle concentration—pour le traitement ne requérant pas de prescription de la dyspepsie, des brûlures d'estomac et de l'hyperacidité
Zerit^MD	Stavudine, poudre pour solution orale de 1 mg/mL	Bristol-Myers Squibb	Antirétroviral	Nouvelle forme posologique
Zilactin®^MD, Préparations	Alcool benzylique, Benzocaïne, Lidocaïne et écrans solaires; gel, liquide, gel pour la poussée dentaire et baume pour les lèvres	Zila Pharmaceuticals	Protecteur—Analgésique topique—Émollient	Nouveaux produits—pour les feux sauvages et les ulcères buccaux, les maux de gencives et lèvres et les maux de gencives causés par la poussée dentaire chez les jeunes enfants
Zithromax^MC	Azithromycine, capsules de 250 mg, poudre pour suspension orale (100 et 200 mg/5 mL; sachets à dose unique de 1 g), comprimés de 250 et 600 mg	Pfizer	Antibiotique	Nouvelle indication—pour le traitement de la pneumonie extra-hospitalière attribuable à *Haemophilus influenzae, Streptococcus pneumoniae, Mycoplasma pneumoniae ou Chlamydia pneumoniae*
Zoladex®	Goséréline, seringues de 3,6 mg pour injection s.c.	Zeneca	Analogue de la LH-RH	Nouvelle indication—pour le traitement paliatif du cancer du sein avancé chez les femmes en période de pré- et périménopause dont la tumeur contient des récepteurs de l'œstrogène et de la progestérone
Zoloft^MD	Sertraline, capsules de 25, 50 et 100 mg	Pfizer	Antidépresseur—Antipanique—Antiobsessionel	Nouvelle indication—pour le soulagement symptomatique du trouble obsessionel-compulsif

QUELQUES RENSEIGNEMENTS AU SUJET DU *CPS*

Depuis sa première publication en 1960, le CPS a subi de nombreux changements à la fois dans son contenu et dans son format. Chaque année de nouveaux produits y sont ajoutés, quelques-uns y sont retirés et des modifications sont apportées à la présentation du texte lui-même afin d'améliorer son utilité et sa consultation.

Plusieurs des changements que nous effectuons sont le résultat des suggestions et des commentaires que nous recevons des usagers du CPS.

Certaines des lettres que nous recevons renferment des observations ou des questions maintes fois entendues. Les renseignements qui suivent répondent à quelques-unes des questions les plus souvent posées.

Encarts publicitaires: Depuis plusieurs années, la publication du *CPS* a nécessité chaque fois 70 à 80 % de modifications de son contenu. Ce pourcentage reflète le nombre de changements qu'il faut apporter à l'information donnée sur les médicaments pour garder le *CPS* aussi à jour que possible. Les revenus tirés de la publicité ont contribué à financer l'investissement nécessaire pour procéder à ces révisions constantes.

Mises à jour: En réponse aux suggestions reçues, nous avons examiné la possibilité d'employer une reliure à trois anneaux. Ce genre de reliure ne s'avère pas pratique, car le contenu du *CPS* change chaque année dans une proportion d'à peu près 75 %. Presque toutes les pages de l'ouvrage devraient être remplacées. Le travail administratif et les coûts qu'entraîneraient des mises à jour périodiques à fournir aux 100 000 propriétaires et plus du *CPS* seraient prohibitifs. La version électronique du *CPS*, qui comporte une mise à jour semestrielle, répond à ce besoin.

Problèmes de reliure: Certains usagers du *CPS* ont eu des problèmes avec la reliure. La taille du *CPS* a considérablement augmenté au cours des années et la reliure a donc tendance à se défaire à cause des nombreuses manipulations pour consultation et photocopie. Au cours des quelques dernières années, nous avons essayé tour à tour la méthode d'encollage et la méthode de reliure, sans obtenir de succès, car la véritable source du problème était l'augmentation de taille de l'ouvrage. Les solutions plus coûteuses présentement envisagées consistent à publier le *CPS* sous forme cartonnée ou en deux volumes. Nous comptons prendre une décision à ce sujet pour une publication ultérieure. En attendant, nous avons commencé à élargir les marges dans certaines sections afin d'alléger le stress infligé à la colonne vertébrale lorsqu'on appuie sur le livre posé à plat pour faire des photocopies.

Prix des médicaments et numéro d'identification (DIN): Les médecins et les pharmaciens demandent souvent que les prix des médicaments ou les numéros d'identification soient mentionnés dans le *CPS*. Nous reconnaissons qu'il serait commode d'avoir les prix intégrés aux renseignements sur les produits. Cependant, il nous serait difficile d'inscrire sur une seule liste les prix fixés par les gouvernements provinciaux et les prix des fabricants. Il faudrait recueillir manuellement les données sur les DIN et leur mise à jour annuelle exigerait beaucoup de temps. Malheureusement, nos ressources en matière de personnel et d'espace sont trop restreintes pour nous permettre de recueillir et de maintenir des données sur les prix des médicaments et sur les DIN.

Produits électroniques: La version anglaise du *CPS* sur CD-ROM est distribuée par Login Brothers Canada. Pour plus d'information, téléphonez au 1-800-665-1148.

Dénominations communes: Plusieurs usagers nous demandent de lister les médicaments par dénominations communes plutôt que par noms déposés. Nous présentons les monographies des produits selon le nom déposé du médicament afin de souligner l'appui financier accordé par le fabricant. Cet appui, de même que les revenus tirés de la publicité, sont d'une importance capitale pour la viabilité financière du *CPS*. Les dénominations communes peuvent facilement être retrouvées dans l'index des dénominations communes et des noms déposés des médicaments (section verte). Les pharmaciens de l'APhC et les membres du Conseil consultatif de rédaction du *CPS* continuent à préparer de nouvelles monographies générales à insérer dans le Compendium. Un répertoire alphabétique des monographies générales publiées dans cet ouvrage est présenté au début de la section blanche.

Index des dénominations communes et des noms déposés des médicaments (section verte): Un nouvel index augmenté a été incorporé à la 30e édition. À quelques exceptions près, il comprend tous les produits retrouvés dans le *CPS*, tandis qu'auparavant seuls les produits à entité unique et à entité double étaient inclus. Les produits qui sont présentés dans la section du *CPS* consacrée aux monographies sont en caractères ***gras*** et le fait qu'il soient soulignés indique qu'ils offrent des renseignements posologiques complets. Enfin, plusieurs produits américains sont mentionnés. Quelques usagers nous ont demandé d'ajouter, dans la section verte, les numéros de page correspondant aux produits énumérés afin de faciliter le repérage des produits cherchés. Notre logiciel de production actuel ne permet pas de générer automatiquement ce type d'index et cette tâche serait onéreuse pour nos éditeurs. De plus, la mise à jour annuelle de ce listage exigerait beaucoup trop de temps. Le *CPS* sur CD-ROM possède, en fonction standard, la capacité de faire une recherche selon un mot clé, ce qui permet d'accéder presque instantanément à des monographies données.

Produits manquants: Chaque année nous demandons aux fabricants de mettre à jour la liste de leurs produits présentés dans l'édition précédente. La participation au *CPS* est facultative et la décision d'inclure une monographie dans cet ouvrage appartient seulement au fabricant du produit. L'information fournie par le *CPS* n'est pas exhaustive puisque, pour une raison ou une autre, les fabricants peuvent cesser d'inclure certains produits, même si ces produits sont encore sur le marché. Le personnel du *CPS* fait de la sollicitation active auprès des compagnies pour obtenir leur participation et être ainsi en mesure de publier un ouvrage aussi complet que possible. Les usagers peuvent joindre leurs efforts à ceux du personnel du *CPS* en communiquant directement avec les fabricants dont les produits n'apparaissent pas dans l'ouvrage.

Guide thérapeutique (section rose): Nous avons reçu de nombreux commentaires depuis la révision du Guide thérapeutique en 1993. Nous avons conçu une nouvelle organisation plus scientifique adaptée de la version canadienne du Système de classification ATC (anatomique, thérapeutique, chimique) de l'Organisation mondiale de la santé.

En réponse aux commentaires de plusieurs usagers sur l'utilité de ce nouveau système, nous en avons modifié le format tout en conservant les principes de l'index de classification ATC. Les principaux groupes anatomiques ont été éliminés et les catégories thérapeutiques sont maintenant énumérées par ordre alphabétique.

Plusieurs usagers ont aussi suggéré d'ajouter les noms déposés au Guide thérapeutique. Il nous est malheureusement impossible d'énumérer et les dénominations communes et les noms déposés en raison du manque d'espace. L'index des dénominations communes et des noms déposés (section verte) sert de référence croisée pour les deux.

Version abrégée

Nous avons reçu plusieurs commentaires au sujet du manque de renseignements posologiques sur certains produits. Le nombre d'entrées dans le *CPS* n'ayant pas de renseignements posologiques nous inquiète aussi. La décision de soumettre les renseignements posologiques complets ou une version abrégée (présentation) repose sur le fabricant. La rédaction encourage les fabricants à soumettre des monographies complètes. Nous recommandons aux usagers du *CPS* de faire part aux fabricants de leurs préoccupations à ce sujet.

Tableau des vitamines: Le tableau des vitamines a été augmenté et il est désormais présenté dans le *Compendium of Nonprescription Products (CNP)*. L'information sur les apports nutritionnels recommandés, sur l'administration de suppléments vitaminiques, sur les sources alimentaires de vitamines et de minéraux se trouve dans Info-Clin (section lilas).

Nous cherchons continuellement des moyens d'améliorer le CPS et les commentaires que nous recevons des usagers nous sont très utiles pour préparer les éditions suivantes. Si vous avez des observations à faire ou des préoccupations à exprimer, veuillez les inscrire sur la carte prévue à cet effet et nous la retourner.

GÉNÉRALITÉS

On a pris grand soin de s'assurer de la précision et de l'exactitude des renseignements du *CPS*. La politique d'apporter des améliorations demeure en vigueur. Cependant, la rédaction et l'éditeur ne sauraient être tenus responsables des erreurs ni de toute conséquence qui pourraient résulter de l'utilisation des renseignements publiés dans cet ouvrage.

Les lecteurs sont avisés que l'information fournie dans le *CPS* n'est pas exhaustive. On retrouve dans d'autres sources de référence des renseignements supplémentaires qui peuvent être nécessaires à l'emploi sécuritaire du produit.

Les monographies de la **section blanche** sont basées sur les renseignements fournis par les fabricants et le Programme des produits thérapeutiques, Santé Canada. Elles comprennent les produits et les instruments médicaux renfermant un élément médicamenteux qui sont vendus au Canada. Les produits qui, en vertu de la loi sur les aliments et drogues, Division 10 sont offerts au public comme automédication n'ont pas été, en général, inclus.

L'inclusion de monographies des produits d'un fabricant dans cette édition du *CPS* n'implique pas nécessairement que la rédaction ni le Conseil consultatif de rédaction du *CPS* approuvent ou recommandent ces préparations comme étant cliniquement supérieures à des produits similaires fabriqués par d'autres firmes. Certains produits peuvent être de composition différente. Certains peuvent contenir des ingrédients non médicinaux, en sus des ingrédients thérapeutiques ou médicamenteux. Ces ingrédients non médicinaux peuvent être, par exemple, des diluants, des lubrifiants, des liants, des tampons, des antioxydants, des agents de conservation, des agents de remplissage, des aromatisants, des colorants, des édulcorants.

Les monographies des produits renferment des renseignements sur les ingrédients non médicinaux. Les fabricants nous ont spontanément fourni cette information que la division de la rédaction a insérée. On peut retrouver un énoncé sous la rubrique «Présentation» des monographies qui indique la présence ou l'absence de certains ingrédients non médicinaux spécifiques. L'absence d'énoncé indique qu'aucun renseignement concernant un ingrédient non médicinal n'a été fourni à la rédaction. Les usagers du *CPS* feraient bien de consulter la monographie du produit distribué. Pour plus de détails sur ce sujet, consulter la section Info-Clin. Toutes les monographies du *CPS* sont envoyées au fabricant à chaque année pour être révisées. Les monographies qui ont été considérablement révisées par la rédaction, les fabricants ou par le Conseil consultatif du *CPS*, ou les trois, portent la notation «Révision— . . .» et l'année où celle-ci a été apportée. Les produits nouvellement mis en marché au Canada portent la notation *«Nouveau produit 1998»*.

Dans la section des monographies (à l'exception des monographies générales), les produits sont énumérés par ordre alphabétique sous leur nom commercial suivi soit en entier, soit en abrégé, du nom de la compagnie qui les fabrique. La désignation ®, ™ ou ᴹᶜ apparaît près du nom du produit. Par conséquent, tous les usagers du *CPS* sont ainsi mis en garde quant à l'emploi non autorisé de toute marque déposée.

Les monographies présentent des renseignements essentiels et impartiaux sur les médicaments, sous un format pratique à consulter pour les professionnels de la santé. Pour obtenir des renseignements supplémentaires sur les produits, les lecteurs sont priés de se reporter à la documentation scientifique et professionnelle appropriée, à la documentation détaillée du fabricant, ou à ses spécialistes.

Les changements reçus après la date de tombée n'ont pas été insérés dans cette édition du *CPS*.

Les monographies générales ont été élaborées par la rédaction et/ou les collaborateurs du *CPS* et révisées par le Conseil consultatif de rédaction du *CPS*. Une liste des monographies générales est présentée à la page 3. Les lecteurs doivent être avisés que le texte peut contenir certains renseignements différents de ceux qui ont été approuvés par le Programme des produits thérapeutiques, Santé Canada et que l'approbation des fabricants n'a pas été sollicitée.

La **section Info-Clin** présente une sélection de produits qui font état de la teneur en alcool, gluten, sulfites et tartrazine sous forme de tableaux. De plus, on retrouve une section sur les interactions médicamenteuses, l'exposition aux médicaments durant la grossesse et l'allaitement, les médicaments chez les personnes âgées, les médicaments et l'art dentaire, des considérations sur l'emploi de médicaments en présence de porphyrie, la pharmacothérapie antinéoplasique et des approches cliniques sur une variété de sujets ainsi qu'un répertoire des organismes du domaine de la santé. La section Info-Clin contient de l'information qui est révisée annuellement par des experts en la matière. Consultez la table des matières à la page L1 pour une liste complète de ces sujets.

Les commentaires concernant cette trente-quatrième édition du *CPS* (1999), son utilité pour les professionnels de la santé et les suggestions pour l'amélioration des prochaines éditions sont accueillis avec reconnaissance. Utilisez la carte commentaire fournie.

ERRATA

S'il arrivait qu'il se glisse des erreurs importantes dans le texte, par exemple des erreurs graves dans la posologie, des erreurs mettant en danger la santé du patient ou toute autre erreur pouvant entraîner des conséquences graves, un rectificatif ou un supplément serait expédié, si jugé nécessaire, à tous les usagers connus du *CPS*. Des erreurs de moindre importance n'ayant aucun effet délétère seront corrigées dans la prochaine édition du *CPS*.

Dans certains cas, des erreurs d'importance secondaire seront publiées dans des revues telles la *Revue pharmaceutique canadienne* et le *Journal de l'Association médicale canadienne*.

POLITIQUE ÉDITORIALE

Le *CPS* fournit des renseignements sur les produits pour usage humain. Les produits sont inscrits par ordre alphabétique sous leur nom commercial suivi soit en entier, soit en abrégé, du nom de la compagnie qui les fabrique. Les monographies générales de dénominations communes apparaissent dans la section des monographies sous la dénomination commune ou le nom propre du principe actif.

Le *CPS* n'a pas la prétention d'être un répertoire complet des spécialités commercialisées au Canada. La rédaction du *CPS* compile et révise les monographies soumises par le fabricant.

Les lecteurs sont avisés que l'information fournie dans le *CPS* n'est pas exhaustive. On retrouve dans d'autres sources de référence des renseignements supplémentaires qui peuvent être nécessaires à l'emploi sécuritaire d'un produit particulier.

Les changements reçus après la date de tombée n'ont pas été insérés dans cette édition du *CPS*.

Le *CPS* fournit des renseignements sur les produits de dénomination commune ou de nom commercial pour usage humain.

L'information présentée dans les monographies du *CPS* est basée sur les Monographies de produits préparées par les fabricants et autorisées par le Programme des produits thérapeutiques, Santé Canada. L'information publiée dans le *CPS* est l'équivalent de la documentation professionnelle contenue et décrite dans les sections 2, 2 à 2, 12 des directives relatives aux Monographies de produits de la Direction des médicaments, Direction générale de la protection de la santé (1989). Les modifications éditoriales sont limitées à celles qui sont nécessaires à l'uniformité du style, à la clarté et à la disposition typographique.

Bien que les monographies de produits des fabricants, approuvées par le Programme des produits thérapeutiques, mentionnent les mêmes ingrédients thérapeutiques, leurs diverses rubriques (indications, contre-indications, mises en garde, précautions, effets indésirables, posologie) ne sont pas forcément identiques. La rédaction encourage les usagers du *CPS* à se référer à la monographie particulière du produit qui les intéresse pour s'assurer d'avoir la bonne information sur ce produit particulier.

Les informations publiées dans la documentation scientifique peuvent avoir de l'importance pour les usagers du *CPS* et le Conseil consultatif de rédaction du *CPS* peut recommander des renseignements supplémentaires.

Les monographies générales de dénominations communes sont préparées par la rédaction et/ou les collaborateurs du *CPS* à partir de renseignements fournis dans la Monographie de produit du fabricant innovateur et dans la documentation scientifique indépendante. Le Conseil consultatif de rédaction du *CPS* révise les monographies afin de s'assurer qu'elles sont exactes et conformes à la pratique médicale courante. Les lecteurs doivent être avisés que le texte peut contenir certains renseignements différents de ceux qui ont été approuvés par le Programme des produits thérapeutiques, Santé Canada et que l'approbation du fabricant n'a pas été sollicitée.

La documentation professionnelle des produits commercialisés avant la publication de la Lettre de renseignements commerciaux n° 302, 6 juin 1968, est révisée périodiquement en collaboration avec le fabricant concerné, le Programme des produits thérapeutiques et le Conseil consultatif de rédaction du *CPS*.

La section Info-Clin contient des renseignements choisis destinés aux professionnels de la santé et compilés d'après la pratique clinique et la documentation scientifique. La rédaction a rédigé ces renseignements avec l'aide des collaborateurs. Bien que ces renseignements ne soient pas exhaustifs, la rédaction, les collaborateurs et l'éditeur ont tenté de s'assurer de leur exactitude au moment de la publication. Les lecteurs doivent être avisés que le texte peut contenir certains renseignements différents de ceux qui ont été approuvés par le Programme des produits thérapeutiques et que l'approbation du fabricant n'a pas été sollicitée.

Les traitements médicamenteux changent constamment, aussi la responsabilité incombe-t-elle au professionnel de la santé d'obtenir des renseignements additionnels qui viennent étayer ceux dont il dispose déjà, d'évaluer si le traitement est approprié compte tenu de la situation clinique et de prendre en considération les faits nouveaux.

INDEX DES DÉNOMINATIONS COMMUNES ET DES NOMS DÉPOSÉS

Cette section est un index croisé, alphabétique de noms déposés et de dénominations communes. Les noms déposés et les fabricants génériques soulignés en caractères gras paraissent dans la section des monographies du *CPS* en version détaillée. Les noms déposés et les fabricants génériques en caractères gras paraissent dans la section des monographies du *CPS* en version abrégée. Les monographies générales, compilées par la rédaction de l'Association des pharmaciens du Canada (APhC), sont présentées entre crochets, en caractères gras et paraissent dans la section des monographies du *CPS* en version détaillée. Les dénominations communes sont en italique. Les noms déposés en caractères réguliers sont des produits canadiens—ces produits ne paraissent pas dans la section des monographies du *CPS.* Les noms déposés en caractères réguliers avec une croix (†) devant le nom sont offerts aux États-Unis.

Les dénominations communes sont énumérées de la façon suivante:

dénomination commune. dénomination commune alternative. **[Nom de la monographie générale, Monographie générale, APhC]; Nom déposé, Nom déposé,** Nom déposé; **(Fabricant générique), (Fabricant générique),** (Fabricant générique). †Nom déposé offert aux États-Unis.

Les noms déposés sont énumérés de la façon suivante:

Nom déposé (Fabriquant). *dénomination commune.* ou
Nom déposé (Fabricant). *dénomination commune.* ou
Nom déposé (Fabricant). *dénomination commune.* ou
†Nom déposé offert aux États-Unis. *dénomination commune.*

Les produits ayant plus qu'un ingrédient actif sont présentés de la façon suivante (Cet exemple illustre trois dénominations communes):

dénomination commune 1/dénomination commune 2/dénomination commune 3. **Nom déposé.**
dénomination commune 2/dénomination commune 1/dénomination commune 3. **Nom déposé.**
dénomination commune 3/dénomination commune 1/dénomination commune 2. **Nom déposé.**
Nom déposé (Fabricant). *dénomination commune 1/dénomination commune 2/dénomination commune 3.*

Certaines catégories ont été créées pour les produits qui ne pouvaient pas être facilement identifiés par classification de dénominations communes—adhésif pour prothèses dentaires, agent de scellement de fibrinogène, antigènes pour test cutané, base dermatologique, contraceptif intra-utérin, dispositif pour injection d'insuline, eau de mer, électrolytes, émollient, émulsion de gras, gelée lubrifiante, extraits de glandes, minéraux, multivitamines, multivitamines et minéraux, nutrition entérale, préparations pour nourrissons, produits à base d'herbes médicinales, protecteur émollient, ruban pour test glycosurique enzymatique, savon non médicamenteux, solution physiologique équilibrée, solution pour conservation à basse température, test de grossesse, test de la tuberculine.

Il faut noter qu'aucune tentative n'a été faite pour évaluer l'équivalence thérapeutique des médicaments mentionnés. L'équipe de rédaction reconnaît que l'efficacité thérapeutique dépend de la quantité de médicament contenue dans chaque dose, de la présentation pharmaceutique, de la nature physique du principe actif utilisé, de la présence d'autres substances, du mode de fabrication et de l'exercice d'un contrôle approprié de la qualité. Les lecteurs du *CPS* son avisés que malgré tous nos efforts, la liste n'est peut être pas complète.

A

AAS. acide acétylsalicylique. **[AAS, Monographie générale, APhC]; A.A.S., A.A.S. à délitage entérique, Apo-ASA, Asaphen, Asaphen E.C., Aspirin, Aspirin Enrobé, Entrophen, MSD AAS à enrobage entérosoluble, Novasen.**

AAS/butalbital/caféine. **Fiorinal, Tecnal, Trianal.** †Lanorinal.

AAS/butalbital/caféine/codéine, phosphate de. **Fiorinal -C1/4, -C1/2, Tecnal C1/4, C1/2, Trianal C1/4, C1/2.**

AAS/caféine. **Anacin, Anacin Extra-fort, Midol.**

AAS/caféine, citrate de/codéine, phosphate de. **222, 292.**

AAS/caféine, citrate de/codéine, phosphate de/méprobamate. **282 Mep.**

AAS/caféine/codéine, phosphate de. **(WestCan).**

AAS/caféine/orphénadrine, citrate d'. **Norgesic, Norgesic Forte.**

AAS/caféine/propoxyphène, chlorhydrate de. **692.**

AAS/calcium, carbonate de/magnésium, carbonate de/magnésium, oxyde de. **Aspirin avec Gastraide.**

AAS/chlorphéniramine, maléate de. **Coricidin, dragées contre le rhume.**

AAS/chlorphéniramine, maléate de/phénylpropanolamine. **Coricidin «D».**

AAS/codéine, phosphate de/méthocarbamol. **Methoxisal-C, Robaxisal-C.**

AAS/codéine, phosphate de/phénobarbital. **Phenaphen avec Codéine.**

AAS/dipyridamole. **Asasantine.**

AAS/méthocarbamol. **Aspirin Maux de Dos, Methoxisal, Robaxisal.**

AAS/oxycodone, chlorhydrate d'. **Endodan, Oxycodan, Percodan, Percodan-Demi.**

AAS/phénylpropanolamine, chlorhydrate de. **Coricidin non sédatif.**

A.A.S. (WestCan). *AAS.*

A.A.S. à délitage entérique (WestCan). *AAS.*

Abbokinase (Abbott). *urokinase.*

Abbokinase Open-Cath (Abbott). *urokinase.*

abciximab. **ReoPro.**

Abenol (SmithKline Beecham). *acétaminophène.*

acarbose. **Prandase.**

Accolate (Zeneca). *zafirlukast.*

Accupril (Parke-Davis). *quinapril, chlorhydrate de.*

Les noms **soulignés** paraissent en version détaillée dans la section des monographies du *CPS.*

Accuretic (Parke-Davis). *hydrochlorothiazide/quinapril, chlorhydrate de.*

Accutane Roche (Roche). *isotrétinoïne.*

acébutolol, chlorhydrate d'. **Apo-Acebutolol, Monitan, Novo-Acebutolol, Nu-Acebutolol, Rhotral, Sectral.**

Acel-P (Wyeth-Ayerst). *vaccin anticoquelucheux adsorbé (acellulaire).*

acétaminophène. APAP. NAPAP. paracétamol. [**Acétaminophène, Monographie générale, APhC**]; **Abenol, Acétaminophène à croquer pour enfants, Acétaminophène, élixir pour enfants, Acétaminophène extra-puissant, Acétaminophène ordinaire, Acétaminophène, solution orale pour enfants, Apo-Acetaminophen, Atasol, 222 AF, Pediatrix, Tempra, Tylenol; (Stanley), (Trianon).**

Acétaminophène à croquer pour enfants (WestCan). *acétaminophène.*

acétaminophène/caféine, citrate de/codéine, phosphate de. **Atasol-8, -15, -30, Triatec -8, -8 Fort.**

acétaminophène/caféine/codéine, phosphate de. **Acétaminophène extra-puissant avec codéine, Acétaminophène ordinaire avec codéine, Lenoltec No.1, No.2, No.3, Novo-Gesic C8, C15, C30, Tylenol NO.1 avec codéine, Tylenol NO.2 et NO.3 avec codéine; (Stanley).**

acétaminophène/caféine/phéniramine, maléate de/ phénylpropanolamine, chlorhydrate de/pyrilamine, maléate de. **Triaminicin.**

acétaminophène/caféine/pyrilamine, maléate de. **Midol Extra-fort.**

acétaminophène/chlorphéniramine, maléate de/codéine/ pseudoéphédrine, chlorhydrate de. **Sinutab avec codéine.**

acétaminophène/chlorphéniramine, maléate de/ dextrométhorphane, bromhydrate de/pseudoéphédrine, chlorhydrate de. **NeoCitran Extra-fort (Toux, rhume et grippe), Tylenol, Médicament pour le rhume pour enfants plus âgés avec DM, Tylenol, Médicament pour le rhume (pour la nuit), Tylenol rhume et grippe.**

acétaminophène/chlorphéniramine, maléate de/phényléphrine, chlorhydrate de. **Dristan, Dristan Extra-fort.**

acétaminophène/chlorphéniramine, maléate de/pseudoéphédrine, chlorhydrate de. **Sinutab, Tylenol, Médicament Allergie Sinus.**

acétaminophène/chlorzoxazone. **Acetazone Forte, Parafon Forte, Tylenol, Médicament contre les douleurs musculaires.**

acétaminophène/chlorzoxazone/codéine, phosphate de. **Acetazone Forte C8, Parafon Forte C8.**

acétaminophène/codéine, phosphate de. **Empracet-30, -60, Emtec-30, Lenoltec No.4, Triatec-30, Tylenol NO.4 avec codéine, Tylenol, élixir à la codéine.**

acétaminophène/codéine, phosphate de/doxylamine, succinate de. **Mersyndol avec Codéine.**

acétaminophène/codéine, phosphate de/méthocarbamol. **Methoxacet-C, Robaxacet-8.**

acétaminophène/dextrométhorphane, bromhydrate de. **Tylenol, Médicament contre la toux, caplets/suspension liquide.**

acétaminophène/dextrométhorphane, bromhydrate de/ guaifénésine/pseudoéphédrine, chlorhydrate de. **Benylin Grippe, Calmylin Rhume et grippe, Robitussin Toux, Rhume et Grippe Liqui-Gels, Sudafed rhume et grippe.**

acétaminophène/dextrométhorphane, bromhydrate de/ pseudoéphédrine, chlorhydrate de. **Contac Toux, Rhume et Grippe, Jour, NeoCitran Extra-fort Caplets de jour, Sudafed rhume & toux, Triaminic, Rhume et Fièvre, Tylenol, Médicament contre la toux, suspension liquide plus décongestionnant, Tylenol, Médicament pour le rhume (pour le jour).**

acétaminophène/dichloralphénazone/isométheptène, mucrate d'. †Mitride.

acétaminophène/diphenhydramine, chlorhydrate de/ pseudoéphédrine, chlorhydrate de. **Benadryl, Allergies/Sinus/ Maux de tête, Contac Toux, Rhume et Grippe, Nuit, Sinutab, Formule-nuit, Tylenol, Médicament contre la grippe.**

Acétaminophène, élixir pour enfants (WestCan). *acétaminophène.*

Acétaminophène extra-puissant (WestCan). *acétaminophène.*

Acétaminophène extra-puissant avec codéine (WestCan). *acétaminophène/caféine/codéine, phosphate de.*

acétaminophène/méthocarbamol. **Methoxacet, Robaxacet.**

Acétaminophène ordinaire (WestCan). *acétaminophène.*

Acétaminophène ordinaire avec codéine (WestCan). *acétaminophène/caféine/codéine, phosphate de.*

acétaminophène/oxycodone, chlorhydrate d'. **Endocet, Oxycocet, Percocet, Percocet-Demi.**

acétaminophène/pamabrom/pyrilamine, maléate de. **Midol SPM Extra-fort, Pamprin, Pamprin Extra-fort, Pamprin SPM.**

acétaminophène/phéniramine, maléate de/phényléphrine, chlorhydrate de. **NeoCitran Adultes, NeoCitran Extra-fort, NeoCitran Hypocalorique.**

acétaminophène/phényléphrine, chlorhydrate de. **NeoCitran Extra-fort Sinus.**

acétaminophène/phényléphrine, chlorhydrate de/ phénylpropanolamine, chlorhydrate de. **Dimetapp-A Sinus.**

acétaminophène/phénylpropanolamine, chlorhydrate de/ phényltoloxamine, citrate de. **Sinutab SA.**

acétaminophène/propoxyphène, napsylate de. †Propacet 100.

acétaminophène/pseudoéphédrine, chlorhydrate de. **Dristan N.D., Dristan N.D. Extra-fort, Sinutab sans somnolence, Sudafed rhume de cerveau et sinus, Tylenol Décongestionnant, Tylenol, Médicament pour les sinus.**

acétaminophène/pseudoéphédrine, chlorhydrate de/triprolidine, chlorhydrate de. **Actifed Plus Extra-puissant.**

Acétaminophène, solution orale pour enfants (WestCan). *acétaminophène.*

acétazolamide. **Apo-Acetazolamide, Diamox.** †Ak-Zol, †Dazamide.

Acetazone Forte (Technilab). *acétaminophène/chlorzoxazone.*

Acetazone Forte C8 (Technilab). *acétaminophène/chlorzoxazone/ codéine, phosphate de.*

acétohexamide. [**Sulfonylurées, Monographie générale, APhC**].

acetophenazine, maléate de. †Tindal.

Acetoxyl (Stiefel). *benzoyle, peroxyde de.*

acétylcholine, chlorure d'/électrolytes. **Miochol-E.**

N-acétylcystéine. voir *acétylcystéine.*

acétylcystéine. N-acétylcystéine. **Mucomyst, Parvolex.**

acétylsulfisoxazole/érythromycine, éthylsuccinate d'. **Pediazole.** †Sulfimycin.

†Achromycin V. *tétracycline, chlorhydrate de.*

acide acétique/benzéthonium, chlorure de/hydrocortisone/ 1,2-propanediol, diacétate de. **VōSol HC.**

acide acétique/benzéthonium, chlorure de/propanediol-1,2, diacétate de. **VōSol.**

acide acétique/camphre/citron, huile de/sodium, lauryl éther sulfate de. **SH-206.**

acide acétohydroxamique. †Lithostat.

acide acétylsalicylique. voir *AAS.*

acide alginique/aluminium, hydroxyde d'. **Gaviscon, formule pour soulager les brûlures d'estomac, comprimés, Rafton, comprimés.**

acide alginique/calcium, carbonate de. **Gaviscon, formule pour soulager les brûlures d'estomac, comprimés sans aluminium.**

acide aminocaproïque. **Amicar.**

acide 5-aminosalicylique. mesalamine. **Asacol, Mesasal, Novo-5-ASA, Pentasa, Quintasa, Salofalk.** †Rowasa.

acide ascorbique. acide cévitamique. vitamine C. **[Vitamine C, Monographie générale, APhC]; Apo-C, Duo-C.V.P., Redoxon, Revitalose-C-1000, Vitamine C 500 mg, action maintenue, Vitamine C 1 000 mg, action maintenue; (Roberts), (Swiss Herbal).**

acide ascorbique/acide folique/fumarate ferreux. **Palafer CF.**

acide ascorbique/calcium, carbonate de/pyridoxine, chlorhydrate de/vitamine D. **Redoxon-Cal.**

acide ascorbique/chlorphéniramine, maléate de/prednisone, acétate de. **Metreton.**

acide ascorbique/glandes, extraits de. **Revitonus C-1000.**

acide ascorbique/inositol/thiamine. **Vitathion-A.T.P.**

acide ascorbique/minéraux/vitamine D. **Cal-Mag.**

acide ascorbique/sélénium/vitamine du complexe B/vitamine E/ zinc. **Stresstabs Plus.**

acide ascorbique/thiamine, chlorhydrate de. **Penta-Thion.**

acide ascorbique/vitamine B, complexe de la. **Beminal avec C Fortis, Penta/3B + C, Vita 3B + C.**

acide borique. **Collyre.**

acide cétocholanique. voir *acide déhydrocholique.*

acide cévitamique. voir *acide ascorbique.*

acide cis-rétinoïque. voir *isotrétinoïne.*

acide citrique/calcium, carbonate de/calcium, gluconolactate de. **Calcium-Sandoz Forte, Calcium-Sandoz Gramcal, Gramcal.**

acide citrique/sodium, citrate de. **PMS-Dicitrate.**

acide déhydrocholique. acide cétocholanique. **Dycholium.**

acide dichloroacétique. **Bichloracetic Acid.**

acide dimercaptosuccinique. voir *succimer.*

acide éthacrynique. **Edecrin.**

acide folinique, sel calcique d'. voir *calcium, folinate de.*

acide folique. acide ptéroylglutamique. folacine. folate sodique. **[Acide folique, Monographie générale, APhC]; Apo-Folic.**

acide folique/acide ascorbique/fumarate ferreux. **Palafer CF.**

acide folique/sulfate ferreux. **Slow-Fe Folic.**

acide fusidique. fusidate de diéthanolamine. **Fucidin, crème, Fucidin, suspension.**

acide fusidique/hydrocortisone. Fucidin H.

acide glycolique. **Neostrata AHA, crème, Neostrata AHA, crème pour la peau sensible, Neostrata AHA, lotion, Neostrata AHA, solution, Reversa AHA.**

acide glycolique/alcool éthylique. **Biobase-G.**

acide glycolique/hydroquinone. **Viquin Forte.**

acide iocétamique. †Cholebrine.

acide lactique/acide salicylique. **Cuplex, Duofilm.**

acide lactique/acide salicylique/formaline. **Duoplant.**

acide lactique/glycérine. **Epi-Lyt AHA.**

acide lactique/pyrrolidone sodique, carboxylate de. **Lacticare AHA.**

acide méfénamique. **Apo-Mefenamic, PMS-Mefenamic Acid, Ponstan.** †Ponstel.

acide méfénamique. **Nu-Mefenamic.**

acide nalidixique. **NegGram.**

acide nicotinique. voir *niacine.*

acide palmitique/galactose. **Levovist.**

acide pantothénique. pantothénate calcique. vitamine B_5. **[Acide pantothénique, Monographie générale, APhC].**

acide ptéroylglutamique. voir *acide folique.*

acide salicylique. **Acnex, Acnomel Masque antiacné, Duoforte 27, Keralyt, Occlusal, Occlusal-HP, Salac, Sebcur, Soluver, Soluver Plus, Trans-Plantar, Trans•Ver•Sal.**

acide salicylique/acide lactique. **Cuplex, Duofilm.**

acide salicylique/acide lactique/formaline. **Duoplant.**

acide salicylique/benzalkonium, chlorure de. **Ionil.**

acide salicylique/bétaméthasone, dipropionate de. **Diprosalic.**

acide salicylique/cantharidine/podophylline. **Canthacur-PS, Cantharone Plus.**

acide salicylique/diflucortolone, valérate de. **Nerisalic.**

acide salicylique/fluméthasone, pivalate de. **Locasalen.**

acide salicylique/goudron de houille. **Sebcur/T.**

acide salicylique/goudron de houille/menthol. **X-Tar.**

acide salicylique/goudron de houille/menthol/pyrithione, disulfure de. **Polytar AF.**

acide salicylique/goudron de houille/soufre. **Sebutone.**

acide salicylique/liquor carbonis detergens. **Targel S.A.**

acide salicylique/liquor carbonis detergens/triclosan. **Tardan.**

acide salicylique/soufre. **Meted, Pernox, Sastid, Sebulex.**

acide salicylique/thiosulfate sodique/triclosan. **Adasept, gel pour acné.**

acide salicylique/triclosan. **Tersac.**

acide salicylsalicylique. voir *salsalate.*

acides aminés. **Primene, Vamin 18 sans électrolytes.**

acides aminés/bacitracine, zinc de/néomycine, sulfate de. **Cicatrin.**

acides aminés/dextrose. **Travasol sans électrolytes.**

acides aminés/dextrose/électrolytes. **Travasol avec électrolytes.**

acides aminés/électrolytes. **Nutrineal PD4, Vamin N.**

acides aminés/sodium, propionate de/urée. **Amino-Cerv.**

acide sorbique/glycérine/sodium, citrate de/sodium, laurylsulfoacétate de/sorbitol. **Microlax.**

acide sélénieux. †Sele-Pak, †Selepen.

acide tiaprofénique. **Albert Tiafen, Albert Tiafen SR, Apo-Tiaprofenic, Novo-Tiaprofenic, Nu-Tiaprofenic, PMS-Tiaprofenic, Surgam, Surgam SR.**

acide tranexamique. **Cyklokapron.**

acide trans-rétinoïque. voir *trétinoïne.*

acide undécylénique/zinc, undécylénate de. **Desenex.**

acide valproïque. **Alti-Valproic,** Apo-Valproic, **Depakene, Deproic, Epiject I.V., Gen-Valproic, Novo-Valproic, PMS-Valproic Acid, PMS-Valproic Acid E.C.**

Acilac (Technilab). *lactulose.*

acitrétine. **Soriatane.**

Acne-Aid (Stiefel). *savon non médicamenteux.*

Acnex (Dermtek). *acide salicylique.*

Acnomel, crème (Chattem). *alcool isopropylique/résorcine/soufre.*

Acnomel, crème invisible (Chattem). *résorcine/soufre.*

Acnomel Masque antiacné (Chattem). *acide salicylique.*

Act-HIB (Connaught). *vaccin conjugué polysaccharidique contre l'Haemophilus b (Hib) (protéine tétanique-conjugué).*

Acti-B_{12} (Technilab). *hydroxocobalamine.*

†Actibine. *yohimbine, chlorhydrate de.*

†Acticort 100. *hydrocortisone.*

Actifed (Warner-Lambert, Santé grand public). *pseudoéphédrine, chlorhydrate de/triprolidine, chlorhydrate de.*

Actifed Plus Extra-puissant (Warner-Lambert, Santé grand public). *acétaminophène/pseudoéphédrine, chlorhydrate de/ triprolidine, chlorhydrate de.*

†Actigall. *ursodiol.*

†Actimmune. *interféron gamma.*

Les noms **soulignés** paraissent en version détaillée dans la section des monographies du *CPS*.

Actinac (Hoechst Marion Roussel). *allantoïne/butoxyéthyl, nicotinate de/chloramphénicol/hydrocortisone, acétate d'/soufre.*

actinomycine D. voir *dactinomycine.*

Actiprofen (Bayer, Produits grand public). *ibuprofène.*

Activase rt-PA (Roche). *alteplase.*

Acular (Allergan). *kétorolac, trométhamine de.*

acyclovir. **Alti-Acyclovir, Apo-Acyclovir, Avirax, Nu-Acyclovir, Zovirax, crème, Zovirax, onguent, Zovirax Oral.**

acyclovir sodique. **Zovirax pour perfusion; (Abbott), (Faulding), (Novopharm).**

†Adagen. *pegademase bovine.*

Adalat (Bayer). *nifédipine.*

Adalat PA (Bayer). *nifédipine.*

Adalat XL (Bayer). *nifédipine.*

adapalène. **Differin.**

Adasept, gel pour acné (Odan). *acide salicylique/thiosulfate sodique/triclosan.*

Adasept, nettoyeur (Odan). *triclosan.*

Adeks, comprimés (Axcan Pharma). *multivitamines/zinc, oxyde de.*

Adeks, gouttes pédiatriques (Axcan Pharma). *multivitamines/zinc, sulfate de.*

Adenocard (Fujisawa). *adénosine.*

adénosine. **Adenocard.**

adhésif pour prothèses. **Orahesive.**

†Adipex-P. *phentermine, chlorhydrate de.*

Adrenalin (Parke-Davis). *épinéphrine, chlorhydrate d'.*

adrénaline. voir *épinéphrine.*

Adriamycin PFS (Pharmacia & Upjohn). *doxorubicine, chlorhydrate de.*

Adriamycin RDF (Pharmacia & Upjohn). *doxorubicine, chlorhydrate de.*

Adrucil (Pharmacia & Upjohn). *fluorouracile.*

†Adsorbocarpine. *pilocarpine, chlorhydrate de.*

Advantage 24 (Roberts). *nonoxynol-9.*

Advil (Whitehall-Robins). *ibuprofène.*

Advil Rhume et Sinus (Whitehall-Robins). *ibuprofène/pseudoéphédrine, chlorhydrate de.*

agent antivenimeux. **Antivenin (Lactrodectus mactans).**

Agrylin (Roberts). *anagrélide, chlorhydrate d'.*

A-Hydrocort (Abbott). *hydrocortisone, succinate sodique d'.*

aiguilles jetables. **NovoFine 28G, NovoFine 30G.**

Airomir (Produits pharmaceutiques de 3M). *salbutamol, sulfate de.*

Akineton (Knoll). *bipéridène, chlorhydrate de.*

†Ak-Zol. *acétazolamide.*

†Alaxin. *poloxamer 188.*

Albalon-A Liquifilm (Allergan). *antazoline, phosphate d'/naphazoline, chlorhydrate de.*

Albert Docusate (Albert Pharma). *docusate calcique.*

Albert Glyburide (Albert Pharma). *glyburide.*

Albert Oxybutynin (Albert Pharma). *oxybutynine, chlorure d'.*

Albert Pentoxifylline (Albert Pharma). *pentoxifylline.*

Albert Tiafen (Albert Pharma). *acide tiaprofénique.*

Albert Tiafen SR (Albert Pharma). *acide tiaprofénique.*

albumine (humaine). albumine sérique normale (humaine). **Plasbumin-5, Plasbumin-25.**

albumine sérique normale (humaine). voir *albumine (humaine).*

albuterol. voir *salbutamol.*

Alcaine (Alcon). *proparacaïne, chlorhydrate de.*

Alcojel (Roberts). *alcool isopropylique.*

Alcomicin (Alcon). *gentamicine, sulfate de.*

alcool benzylique. **Baby's Own Gel de dentition, Zilactin.**

alcool éthylique. **Biobase, Dilusol, Duonalc-E Doux.**

alcool éthylique/acide glycolique. **Biobase-G.**

alcool éthylique/alcool isopropylique. **Duonalc-E, solution.**

alcool éthylique/érythromycine. **Sans-Acne, T-Stat.**

alcool éthylique/érythromycine/laureth-4. **Staticin.**

alcool éthylique/érythromycine/octyle, méthoxycinnamate d'/Parsol 1789. **Erysol.**

alcool isopropylique. **Alcojel, Duonalc.**

alcool isopropylique/alcool éthylique. **Duonalc-E, solution.**

alcool isopropylique/résorcine/soufre. **Acnomel, crème.**

alcool polyvinylique. **Hypotears, solution, Larmes artificielles, Liquifilm Forte, Liquifilm Tears, Refresh, Scheinpharm Artificial Tears, Scheinpharm Artificial Tears Plus.**

alcool polyvinylique/povidone. **Teardrops, Tears Plus.**

Aldactazide 25 (Searle). *hydrochlorothiazide/spironolactone.*

Aldactazide 50 (Searle). *hydrochlorothiazide/spironolactone.*

Aldactone (Searle). *spironolactone.*

†Aldara. *imiquimod.*

aldesleukine. **Proleukin.**

†Aldoclor. *chlorothiazide/méthyldopa.*

Aldomet, comprimés (MSD). *méthyldopa.*

Aldomet, injection (MSD). *méthyldopa, chlorhydrate de.*

Aldoril-15 (MSD). *hydrochlorothiazide/méthyldopa.*

Aldoril-25 (MSD). *hydrochlorothiazide/méthyldopa.*

alendronate sodique. **Fosamax.**

Alertonic (Hoechst Marion Roussel). *pipradrol/vitamine B, complexe de la.*

Alesse 21 (Wyeth-Ayerst). *éthinylœstradiol/lévonorgestrel.*

Alesse 28 (Wyeth-Ayerst). *éthinylœstradiol/lévonorgestrel.*

alfacalcidol. 1α-hydroxycholécalciférol. 1α-hydroxyvitamine D_3. vitamine D. **[Vitamine D, Monographie générale, APhC]; One Alpha.**

Alfenta (Janssen-Ortho). *alfentanil, chlorhydrate d'.*

alfentanil, chlorhydrate d'. **Alfenta.**

†Alferon N. *interféron alfa-N3.*

alimémazine, tartrate de. voir *triméprazine, tartrate de.*

Alimentum (Abbott). *préparations pour nourrissons, hydrolysat de caséine.*

Alkeran (Glaxo Wellcome). *melphalan.*

allantoïne/butoxyéthyl, nicotinate de/chloramphénicol/hydrocortisone, acétate d'/soufre. **Actinac.**

Allegra (Hoechst Marion Roussel). *fexofénadine, chlorhydrate de.*

Allenburys Savon Neutre (Roberts). *savon non médicamenteux.*

Allerdryl (ICN). *diphenhydramine, chlorhydrate de.*

†Allerest. *naphazoline, chlorhydrate de.*

Allernix (Technilab). *diphenhydramine, chlorhydrate de.*

allopurinol. **[Allopurinol, Monographie générale, APhC]; Apo-Allopurinol, Zyloprim.** †Lopurin.

Alomide (Alcon). *lodoxamide, trométhamine de.*

alpha-D-Galactosidase. **Beano.**

Alphagan (Allergan). *brimonidine, tartrate de.*

†Alphatrex. *bétaméthasone, dipropionate de.*

$alpha_1$-protéinase (humaine), inhibiteur de l'. **Prolastin.**

alprazolam. **[Benzodiazépines, Monographie générale, APhC]; Alti-Alprazolam, Apo-Alpraz, Gen-Alprazolam, Novo-Alprazol, Nu-Alpraz, Xanax, Xanax TS.**

alprostadil. prostaglandine E_1. **Caverject**, Muse, **Prostin VR.**

Alsoy (Nestlé, Carnation). *préparations pour nourrissons à base de soya.*

Altace (Hoechst Marion Roussel). *ramipril.*

alteplase. **Activase rt-PA.**

Alti-Acyclovir (AltiMed). *acyclovir.*

Alti-Alprazolam (AltiMed). *alprazolam.*

Alti-Amiloride HCTZ (AltiMed). *amiloride, chlorhydrate d'/ hydrochlorothiazide.*

Alti-Azathioprine (AltiMed). *azathioprine.*

Alti-Beclomethasone, aérosol pour inhalation (AltiMed). *béclométhasone, dipropionate de.*

Alti-Beclomethasone, suspension aqueuse (AltiMed). *béclométhasone, dipropionate de.*

Alti-Benzydamine (AltiMed). *benzydamine, chlorhydrate de.*

Alti-Bromazepam (AltiMed). *bromazépam.*

Alti-Captopril (AltiMed). *captopril.*

Alti-Cholestyramine Léger (AltiMed). *cholestyramine, résine de.*

Alti-Clobetasol (AltiMed). *clobétasol, 17-propionate de.*

Alti-Clonazepam (AltiMed). *clonazépam.*

Alti-CPA (AltiMed). *cyprotérone, acétate de.*

Alti-Cyclobenzaprine (AltiMed). *cyclobenzaprine, chlorhydrate de.*

Alti-Desipramine (AltiMed). *désipramine, chlorhydrate de.*

Alti-Diltiazem (AltiMed). *diltiazem, chlorhydrate de.*

Alti-Diltiazem CD (AltiMed). *diltiazem, chlorhydrate de.*

Alti-Domperidone (AltiMed). *dompéridone, maléate de.*

Alti-Doxepin (AltiMed). *doxépine, chlorhydrate de.*

Alti-Doxycycline (AltiMed). *doxycycline, hyclate de.*

Alti-Flurbiprofen (AltiMed). *flurbiprofène.*

Alti-Fluvoxamine (AltiMed). *fluvoxamine, maléate de.*

Alti-Ibuprofen (AltiMed). *ibuprofène.*

Alti-Ipratropium (AltiMed). *ipratropium, bromure d'.*

Alti-Mexiletine (AltiMed). *mexilétine, chlorhydrate de.*

Alti-Minocycline (AltiMed). *minocycline, chlorhydrate de.*

Alti-Moclobemide (AltiMed). *moclobémide.*

Alti-MPA (AltiMed). *médroxyprogestérone, acétate de.*

Alti-Nadolol (AltiMed). *nadolol.*

Alti-Orciprenaline (AltiMed). *orciprénaline, sulfate d'.*

Alti-Piroxicam (AltiMed). *piroxicam.*

Alti-Prazosin (AltiMed). *prazosine, chlorhydrate de.*

Alti-Ranitidine (AltiMed). *ranitidine, chlorhydrate de.*

Alti-Salbutamol (AltiMed). *salbutamol.*

Alti-Salbutamol Sulfate (AltiMed). *salbutamol, sulfate de.*

Alti-Sotalol (AltiMed). *sotalol, chlorhydrate de.*

Alti-Sulfasalazine (AltiMed). *sulfasalazine.*

Alti-Terazosin (AltiMed). *térazosine, chlorhydrate dihydraté de.*

Alti-Trazodone (AltiMed). *trazodone, chlorhydrate de.*

Alti-Trazodone Dividose (AltiMed). *trazodone, chlorhydrate de.*

Alti-Triazolam (AltiMed). *triazolam.*

Alti-Tryptophan (AltiMed). *l-tryptophane.*

Alti-Valproic (AltiMed). *acide valproïque.*

Alti-Verapamil (AltiMed). *vérapamil, chlorhydrate de.*

altrétamine. hexaméthylmélamine. **Hexalen.**

aluminium, acétate d'/benzéthonium, chlorure de. **Buro-Sol, poudre, Buro-Sol, solution otique.**

aluminium-carbonate de magnésium, hydroxyde d'/magnésium, alginate de/magnésium, carbonate de. **Maalox HRF.**

aluminium, chlorhydrate d'/méthylprednisolone, acétate de/ néomycine, sulfate de/soufre. **Neo-Medrol, lotion contre l'acné.**

aluminium, chlorhydrate d'/méthylprednisolone, acétate de/soufre. **Medrol, lotion contre l'acné.**

aluminium, dihydroxyallantoïnate d'/cellulose/chloroxylénol. **ZeaSORB.**

aluminium, hydroxyde d'. **Amphojel, Basaljel.**

aluminium, hydroxyde d'/acide alginique. **Gaviscon, formule pour soulager les brûlures d'estomac, comprimés, Rafton, comprimés.**

aluminium, hydroxyde d'/magnésium, hydroxyde de. **Diovol, Diovol EX, Gelusil, Gelusil Extra-puissant, Maalox, Maalox TC, Mylanta, double concentration simple, liquide, Univol.**

aluminium, hydroxyde d'/magnésium, hydroxyde de/oxéthazaïne. **Mucaine.**

aluminium, hydroxyde d'/magnésium, hydroxyde de/siméthicone. **Diovol Plus, Maalox Plus, Maalox Plus Extra forte, Mylanta, concentration normale, Mylanta, double concentration simple, comprimés, Mylanta extra-puissant.**

aluminium, hydroxyde d'/sodium, alginate de. **Gaviscon, formule pour soulager les brûlures d'estomac, liquide, Rafton, liquide.**

aluminium, oxyde d'. **Brasivol.**

Alupent (Boehringer Ingelheim). *orciprénaline, sulfate d'.*

†Alurate. *aprobarbital.*

amantadine, chlorhydrate d'. **Endantadine, Gen-Amantadine (Antiparkinsonien), Gen-Amantadine (Antiviral), Symmetrel (Antiparkinsonien), Symmetrel (Antiviral).** †Symadine.

Amatine (Knoll). *midodrine, chlorhydrate de.*

ambenonium, chlorure d'. †Mytelase.

†Ambien. *zolpidem.*

amcinonide. **[Corticostéroïdes: Topiques, Monographie générale, APhC]; Cyclocort.**

Amerge (Glaxo Wellcome). *naratriptan, chlorhydrate de.*

†A-methaPred. *méthylprednisolone, succinate sodique de.*

améthocaïne. voir *tétracaïne.*

améthoptérine. voir *méthotrexate sodique.*

Ametop (Smith & Nephew). *tétracaïne, chlorhydrate de.*

amfépramone. voir *diéthylpropion, chlorhydrate de.*

Amicar (Wyeth-Ayerst). *acide aminocaproïque.*

†Amidate. *etomidate.*

amifostine. **Ethyol.**

†Amigesic. *salsalate.*

amikacine, sulfate d'. **Amikin.**

Amikin (Bristol). *amikacine, sulfate d'.*

amiloride, chlorhydrate d'. **Midamor.**

amiloride, chlorhydrate d'/hydrochlorothiazide. **Alti-Amiloride HCTZ, Apo-Amilzide, Moduret, Novamilor, Nu-Amilzide.** †Moduretic.

Amino-Cerv (Milex). *acides aminés/sodium, propionate de/urée.*

aminoglutéthimide. **Cytadren.**

aminohippurate sodique. **(MSD).**

aminophylline. théophylline éthylènediamine. **[Théophylline et ses sels, Monographie générale, APhC]; Phyllocontin, Phyllocontin-350; (Abbott).**

aminosalicylate de sodium. para-aminosalicylate sodique. PAS sodium. **[PAS Sodium, Monographie générale, APhC];** †Tubasal.

amiodarone, chlorhydrate d'. **Cordarone, Cordarone I.V.**

amitriptyline, chlorhydrate d'. **[Amitriptyline, Monographie générale, APhC]; Apo-Amitriptyline, Elavil.** †Endep.

amitriptyline, chlorhydrate d'/chlordiazépoxide. †Limbitrol.

amitriptyline, chlorhydrate d'/perphénazine. **Elavil Plus, Etrafon, Triavil.**

amlodipine, bésylate d'. **Norvasc.**

ammonium, chlorure d'/codéine, phosphate de/diphenhydramine, chlorhydrate de. **Calmylin Original avec codéine.**

ammonium, chlorure d'/codéine, phosphate de/guaifénésine. **Cheracol.**

Les noms **soulignés** paraissent en version détaillée dans la section des monographies du *CPS.*

ammonium, chlorure de/dextrométhorphane, bromure de/ diphenhydramine, chlorhydrate de. **Calmylin #4.**

ammonium, chlorure d'/hydrocodone, bitartrate d'/phényléphrine, chlorhydrate de/pyrilamine, maléate de. **Hycomine, Hycomine-S.**

ammonium, lactate d'. **Lac-Hydrin.**

ammonium, molybdate d'. molybdenem. †Molypen.

amobarbital sodique. amylobarbitone sodique. [**Barbituriques, Monographie générale, APhC**]; **Amytal.**

amoxapine. **Asendin.**

amoxicilline, trihydrate d'. amoxycilline, trihydrate d'. [**Amoxicilline, Monographie générale, APhC**]; **Amoxil, Apo-Amoxi, Novamoxin, Nu-Amoxi.** †Trimox, †Wymox.

amoxicilline, trihydrate d'/potassium, clavulanate de. **Clavulin.** †Augmentin.

Amoxil (Wyeth-Ayerst). *amoxicilline, trihydrate d'.*

amoxycilline, trihydrate d'. voir *amoxicilline, trihydrate d'.*

d-amphétamine. voir *dexamphétamine, sulfate de.*

Amphojel (Axcan Pharma). *aluminium, hydroxyde d'.*

amphotéricine B. **Fungizone.**

ampicilline. **Novo-Ampicillin.** †Omnipen, †Principen, †Totacillin.

ampicilline sodique. **Ampicin; (Bioniche).** †Omnipen-N, †Polycillin-N.

ampicilline sodique/sulbactam sodique. †Unasyn.

ampicilline, trihydrate d'. **Apo-Ampi, Nu-Ampi.** †Polycillin.

Ampicin (Bristol). *ampicilline sodique.*

amrinone, lactate d'. **Inocor.**

amsacrine. **Amsa P-D.**

Amsa P-D (Parke-Davis). *amsacrine.*

amyle, nitrite d'. **(Roberts).**

amylobarbitone sodique. voir *amobarbital sodique.*

Amytal (Lilly). *amobarbital sodique.*

Anacin (Whitehall-Robins). *AAS/caféine.*

Anacin Extra-fort (Whitehall-Robins). *AAS/caféine.*

Anafranil (Novartis Pharma). *clomipramine, chlorhydrate de.*

anagrélide, chlorhydrate d'. **Agrylin.**

Ana-Kit (Bayer). *chlorphéniramine, maléate de/épinéphrine.*

Anandron (Hoechst Marion Roussel). *nilutamide.*

Anaprox (Roche). *naproxen sodique.*

Anaprox DS (Roche). *naproxen sodique.*

†Anaspaz. *hyoscyamine, sulfate d'.*

anastrozole. **Arimidex.**

anatoxine diphtérique. **(Connaught).**

anatoxine diphtérique adsorbée/anatoxine tétanique adsorbée. **(BioChem Vaccins), (Connaught).**

anatoxine diphtérique adsorbée/anatoxine tétanique adsorbée/ vaccin anticoquelucheux (acellulaire)/vaccin antipoliomyélite, inactivé. **Quadracel.**

anatoxine diphtérique adsorbée/anatoxine tétanique adsorbée/ vaccin anticoquelucheux adsorbé/vaccin antipoliomyélite adsorbé, inactivé. **(Connaught).**

anatoxine diphtérique adsorbée/anatoxine tétanique adsorbée/ vaccin anticoquelucheux (cellulaire). **(Connaught).**

anatoxine diphtérique adsorbée/anatoxine tétanique adsorbée/ vaccin anticoquelucheux combiné (acellulaire)/vaccin antipoliomyélite, inactivé/vaccin conjugué contre Haemophilus b (protéine tétanique-conjugué). **Pentacel.**

anatoxine diphtérique adsorbée/anatoxine tétanique adsorbée/ vaccin antipoliomyélite adsorbé, inactivé. **(Connaught).**

anatoxine tétanique adsorbée. **(BioChem Vaccins), (Connaught).**

anatoxine tétanique adsorbée/anatoxine diphtérique adsorbée. **(BioChem Vaccins), (Connaught).**

anatoxine tétanique adsorbée/anatoxine diphtérique adsorbée/ vaccin anticoquelucheux (acellulaire)/vaccin antipoliomyélite, inactivé. **Quadracel.**

anatoxine tétanique adsorbée/anatoxine diphtérique adsorbée/ vaccin anticoquelucheux adsorbé/vaccin antipoliomyélite adsorbé, inactivé. **(Connaught).**

anatoxine tétanique adsorbée/anatoxine diphtérique adsorbée/ vaccin anticoquelucheux (cellulaire). **(Connaught).**

anatoxine tétanique adsorbée/anatoxine diphtérique adsorbée/ vaccin anticoquelucheux combiné (acellulaire)/vaccin antipoliomyélite, inactivé/vaccin conjugué contre Haemophilus b (protéine tétanique-conjugué). **Pentacel.**

anatoxine tétanique adsorbée/anatoxine diphtérique adsorbée/ vaccin antipoliomyélite adsorbé, inactivé. **(Connaught).**

Anbesol (Whitehall-Robins). *benzocaïne en association.*

Ancef (SmithKline Beecham). *céfazoline sodique.*

†Ancobon. *flucytosine.*

ancrod. **Viprinex.**

Andriol (Organon). *testostérone, undécanoate de.*

Androcur (Berlex Canada). *cyprotérone, acétate de.*

Androcur Depot (Berlex Canada). *cyprotérone, acétate de.*

†Android-F. *fluoxymestérone.*

†Andronate. *testostérone, cypionate de.*

†Andropository 100. *testostérone, énanthate de.*

Anectine (Glaxo Wellcome). *succinylcholine, chlorure de.*

aneth, essence d'/anis, essence d'/fenouil, essence de/sodium, bicarbonate de. **Baby's Own Eau anticoliques.**

anéthole trithione. voir *anétholtrithione.*

anétholtrithione. anéthole trithione. trithioparaméthoxphénylpropène. **Sialor.**

Anexate (Roche). *flumazénil.*

†Anhydron. *cyclothiazide.*

aniléridine, chlorhydrate d'. [**Opioïdes, Monographie générale, APhC**]; **Leritine, comprimés.**

aniléridine, phosphate d'. [**Opioïdes, Monographie générale, APhC**]; **Leritine, injection.**

anis, essence d'/aneth, essence d'/fenouil, essence de/sodium, bicarbonate de. **Baby's Own Eau anticoliques.**

anisindione. †Miradon.

anistreplase. **Eminase.**

Anodan-HC (Odan). *hydrocortisone, acétate d'/zinc, sulfate monohydraté de.*

Ansaid (Pharmacia & Upjohn). *flurbiprofène.*

Antabuse (Wyeth-Ayerst). *disulfirame.*

antazoline, phosphate d'/naphazoline, chlorhydrate de. **Albalon-A Liquifilm, Vasocon-A.**

antazoline, phosphate d'/naphazoline, chlorhydrate de/zinc, sulfate de. **Zincfrin-A.**

antazoline, sulfate d'/xylométazoline, chlorhydrate de. **Ophtrivin-A.**

Anthraforte (Medican). *anthraline.*

anthraline. dihydroxyanthranol. dithranol. **Anthraforte, Anthranol, Anthrascalp, Micanol.**

Anthranol (Medican). *anthraline.*

Anthrascalp (Medican). *anthraline.*

antigènes pour test cutané. **Multitest IMC.**

Antiphlogistine Rub A-535 (Carter Horner). *capsaïcine.*

Antiphlogistine Rub A-535 Capsaïcine (Carter Horner). *camphre/ eucalyptus, essence d'/menthol/méthyle, salicylate de.*

Antiphlogistine Rub A-535 Glacé (Carter Horner). *menthol.*

Antiphlogistine Rub A-535 Inodore (Carter Horner). *triéthanolamine, salicylate de.*

antipyrine/benzocaïne. **Auralgan.**

antithrombine III (humaine). **Thrombate III.** †Kybernin.
antitoxine botulinique trivalente types A, B et E (équine). **(Connaught).**
antitoxine diphtérique (équine). **(Connaught).**
Antivenin (Wyeth-Ayerst). *sérum anticrotalidés.*
Antivenin (Lactrodectus mactans) (MSD). *agent antivenimeux.*
Antivert (Pfizer). *méclizine, chlorhydrate de/niacine.*
Anturan (Novartis Pharma). *sulfinpyrazone.*
Anugesic-HC (Parke-Davis). *hydrocortisone, acétate d'/pramoxine, chlorhydrate de/zinc, sulfate monohydraté de.*
Anusol (Warner-Lambert, Santé grand public). *zinc monohydraté, sulfate de.*
Anusol-HC (Parke-Davis). *hydrocortisone, acétate d'/zinc, sulfate monohydraté de.*
Anusol Plus (Warner-Lambert, Santé grand public). *pramoxine, chlorhydrate de/zinc monohydraté, sulfate de.*
Anuzinc (Technilab). *zinc monohydraté, sulfate de.*
†Anxanil. *hydroxyzine, chlorhydrate d'.*
Anzemet (Hoechst Marion Roussel). *dolasétron, mésylate de.*
APAP. voir *acétaminophène.*
†Aphrodyne. *yohimbine, chlorhydrate de.*
A.P.L. (Wyeth-Ayerst). *gonadotrophine chorionique (humaine).*
Apo-Acebutolol (Apotex). *acébutolol, chlorhydrate d'.*
Apo-Acetaminophen (Apotex). *acétaminophène.*
Apo-Acetazolamide (Apotex). *acétazolamide.*
Apo-Acyclovir (Apotex). *acyclovir.*
Apo-Allopurinol (Apotex). *allopurinol.*
Apo-Alpraz (Apotex). *alprazolam.*
Apo-Amilzide (Apotex). *amiloride, chlorhydrate d'/ hydrochlorothiazide.*
Apo-Amitriptyline (Apotex). *amitriptyline, chlorhydrate d'.*
Apo-Amoxi (Apotex). *amoxicilline, trihydrate d'.*
Apo-Ampi (Apotex). *ampicilline, trihydrate d'.*
Apo-ASA (Apotex). *AAS.*
Apo-Atenol (Apotex). *aténolol.*
Apo-Baclofen (Apotex). *baclofen.*
Apo-Benztropine (Apotex). *benztropine, mésylate de.*
Apo-Bisacodyl (Apotex). *bisacodyl.*
Apo-Bromazepam (Apotex). *bromazépam.*
Apo-Bromocriptine (Apotex). *bromocriptine, mésylate de.*
Apo-Buspirone (Apotex). *buspirone, chlorhydrate de.*
Apo-C (Apotex). *acide ascorbique.*
Apo-Cal (Apotex). *calcium, carbonate de.*
Apo-Capto (Apotex). *captopril.*
Apo-Carbamazepine (Apotex). *carbamazépine.*
Apo-Cefaclor (Apotex). *céfaclor.*
Apo-Cephalex (Apotex). *céphalexine.*
Apo-Chlorax (Apotex). *chlordiazépoxide, chlorhydrate de/clidinium, bromure de.*
Apo-Chlordiazepoxide (Apotex). *chlordiazépoxide, chlorhydrate de.*
Apo-Chlorpropamide (Apotex). *chlorpropamide.*
Apo-Chlorthalidone (Apotex). *chlorthalidone.*
Apo-Cimetidine (Apotex). *cimétidine.*
Apo-Clomipramine (Apotex). *clomipramine, chlorhydrate de.*
Apo-Clonazepam (Apotex). *clonazépam.*
Apo-Clonidine (Apotex). *clonidine, chlorhydrate de.*
Apo-Clorazepate (Apotex). *clorazépate dipotassique.*
Apo-Cloxi (Apotex). *cloxacilline sodique.*
Apo-Cromolyn (Apotex). *cromoglycate sodique.*
Apo-Cromolyn Sterules (Apotex). *cromoglycate sodique.*
Apo-Cyclobenzaprine (Apotex). *cyclobenzaprine, chlorhydrate de.*
Apo-Desipramine (Apotex). *désipramine, chlorhydrate de.*
Apo-Diazepam (Apotex). *diazépam.*
Apo-Diclo (Apotex). *diclofénac sodique.*
Apo-Diclo SR (Apotex). *diclofénac sodique.*
Apo-Diflunisal (Apotex). *diflunisal.*
Apo-Diltiaz (Apotex). *diltiazem, chlorhydrate de.*
Apo-Diltiaz CD (Apotex). *diltiazem, chlorhydrate de.*
Apo-Diltiaz SR (Apotex). *diltiazem, chlorhydrate de.*
Apo-Dimenhydrinate (Apotex). *dimenhydrinate.*
Apo-Dipyridamole FC (Apotex). *dipyridamole.*
Apo-Domperidone (Apotex). *dompéridone, maléate de.*
Apo-Doxepin (Apotex). *doxépine, chlorhydrate de.*
Apo-Doxy (Apotex). *doxycycline, hyclate de.*
Apo-Doxy-Tabs (Apotex). *doxycycline, hyclate de.*
Apo-Erythro Base (Apotex). *érythromycine.*
Apo-Erythro E-C (Apotex). *érythromycine.*
Apo-Erythro-ES (Apotex). *érythromycine, éthylsuccinate d'.*
Apo-Erythro-S (Apotex). *érythromycine, stéarate d'.*
Apo-Etodolac (Apotex). *étodolac.*
Apo-Famotidine (Apotex). *famotidine.*
Apo-Fenofibrate (Apotex). *fénofibrate.*
Apo-Ferrous Gluconate (Apotex). *fer, gluconate de.*
Apo-Ferrous Sulfate (Apotex). *sulfate ferreux.*
Apo-Fluoxetine (Apotex). *fluoxétine, chlorhydrate de.*
Apo-Fluphenazine (Apotex). *fluphénazine, chlorhydrate de.*
Apo-Flurazepam (Apotex). *flurazépam, chlorhydrate de.*
Apo-Flurbiprofen (Apotex). *flurbiprofène.*
Apo-Fluvoxamine (Apotex). *fluvoxamine, maléate de.*
Apo-Folic (Apotex). *acide folique.*
Apo-Furosemide (Apotex). *furosémide.*
Apo-Gain (Apotex). *minoxidil.*
Apo-Gemfibrozil (Apotex). *gemfibrozil.*
Apo-Glyburide (Apotex). *glyburide.*
Apo-Haloperidol (Apotex). *halopéridol.*
Apo-Hexa (Apotex). *multivitamines.*
Apo-Hydralazine (Apotex). *hydralazine, chlorhydrate d'.*
Apo-Hydro (Apotex). *hydrochlorothiazide.*
Apo-Hydroxyzine (Apotex). *hydroxyzine, chlorhydrate d'.*
Apo-Ibuprofen (Apotex). *ibuprofène.*
Apo-Imipramine (Apotex). *imipramine, chlorhydrate d'.*
Apo-Indapamide (Apotex). *indapamide.*
Apo-Indomethacin (Apotex). *indométhacine.*
Apo-Ipravent (Apotex). *ipratropium, bromure d'.*
Apo-ISDN (Apotex). *isosorbide, dinitrate d'.*
Apo-K (Apotex). *potassium, chlorure de.*
Apo-Keto (Apotex). *kétoprofène.*
Apo-Ketoconazole (Apotex). *kétoconazole.*
Apo-Keto-E (Apotex). *kétoprofène.*
Apo-Ketorolac (Apotex). *kétorolac, trométhamine de.*
Apo-Keto SR (Apotex). *kétoprofène.*
Apo-Ketotifen (Apotex). *kétotifène, fumarate de.*
Apo-Levocarb (Apotex). *carbidopa/lévodopa.*
Apo-Lisinopril (Apotex). *lisinopril.*
Apo-Loperamide (Apotex). *lopéramide, chlorhydrate de.*
Apo-Lorazepam (Apotex). *lorazépam.*

Les noms **soulignés** paraissent en version détaillée dans la section des monographies du *CPS.*

Apo-Lovastatin (Apotex). *lovastatine.*
Apo-Loxapine (Apotex). *loxapine.*
Apo-Mefenamic (Apotex). *acide méfénamique.*
Apo-Megestrol (Apotex). *mégestrol, acétate de.*
Apo-Meprobamate (Apotex). *méprobamate.*
Apo-Metformin (Apotex). *metformine, chlorhydrate de.*
Apo-Methazide (Apotex). *hydrochlorothiazide/méthyldopa.*
Apo-Methoprazine (Apotex). *méthotriméprazine.*
Apo-Methyldopa (Apotex). *méthyldopa.*
Apo-Metoclop (Apotex). *métoclopramide, chlorhydrate de.*
Apo-Metoprolol (Apotex). *métoprolol, tartrate de.*
Apo-Metoprolol (Type L) (Apotex). *métoprolol, tartrate de.*
Apo-Metronidazole (Apotex). *métronidazole.*
Apo-Minocycline (Apotex). *minocycline, chlorhydrate de.*
Apo-Moclobemide (Apotex). *moclobémide.*
Apo-Nadol (Apotex). *nadolol.*
Apo-Napro-Na (Apotex). *naproxen sodique.*
Apo-Napro-Na DS (Apotex). *naproxen sodique.*
Apo-Naproxen (Apotex). *naproxen.*
Apo-Nifed (Apotex). *nifédipine.*
Apo-Nifed PA (Apotex). *nifédipine.*
Apo-Nitrofurantoin (Apotex). *nitrofurantoïne.*
Apo-Nizatidine (Apotex). *nizatidine.*
Apo-Norflox (Apotex). *norfloxacine.*
Apo-Nortriptyline (Apotex). *nortriptyline, chlorhydrate de.*
Apo-Oflox (Apotex). *ofloxacine.*
Apo-Oxazepam (Apotex). *oxazépam.*
Apo-Oxtriphylline (Apotex). *oxtriphylline.*
Apo-Oxybutynin (Apotex). *oxybutynine, chlorure d'.*
Apo-Pentoxifylline SR (Apotex). *pentoxifylline.*
Apo-Pen VK (Apotex). *pénicilline V potassique.*
Apo-Perphenazine (Apotex). *perphénazine.*
Apo-Phenylbutazone (Apotex). *phénylbutazone.*
Apo-Pindol (Apotex). *pindolol.*
Apo-Piroxicam (Apotex). *piroxicam.*
Apo-Prazo (Apotex). *prazosine, chlorhydrate de.*
Apo-Prednisone (Apotex). *prednisone.*
Apo-Primidone (Apotex). *primidone.*
Apo-Procainamide (Apotex). *procaïnamide, chlorhydrate de.*
Apo-Propranolol (Apotex). *propranolol, chlorhydrate de.*
Apo-Quinidine (Apotex). *quinidine, sulfate de.*
Apo-Ranitidine (Apotex). *ranitidine, chlorhydrate de.*
Apo-Salvent (Apotex). *salbutamol.*
Apo-Selegiline (Apotex). *sélégiline, chlorhydrate de.*
Apo-Sotalol (Apotex). *sotalol, chlorhydrate de.*
Apo-Sucralfate (Apotex). *sucralfate.*
Apo-Sulfatrim (Apotex). *sulfaméthoxazole/triméthoprime.*
Apo-Sulfinpyrazone (Apotex). *sulfinpyrazone.*
Apo-Sulin (Apotex). *sulindac.*
Apo-Tamox (Apotex). *tamoxifène, citrate de.*
Apo-Temazepam (Apotex). *témazépam.*
Apo-Tenoxicam (Apotex). *ténoxicam.*
Apo-Terazosin (Apotex). *térazosine, chlorhydrate dihydraté de.*
Apo-Terfenadine (Apotex). *terfénadine.*
Apo-Tetra (Apotex). *tétracycline, chlorhydrate de.*
Apo-Theo-LA (Apotex). *théophylline.*
Apo-Thioridazine (Apotex). *thioridazine, chlorhydrate de.*
Apo-Tiaprofenic (Apotex). *acide tiaprofénique.*
Apo-Ticlopidine (Apotex). *ticlopidine, chlorhydrate de.*
Apo-Timol (Apotex). *timolol, maléate de.*
Apo-Timop (Apotex). *timolol, maléate de.*
Apo-Tolbutamide (Apotex). *tolbutamide.*
Apo-Trazodone (Apotex). *trazodone, chlorhydrate de.*
Apo-Trazodone D (Apotex). *trazodone, chlorhydrate de.*
Apo-Triazide (Apotex). *hydrochlorothiazide/triamtérène.*
Apo-Triazo (Apotex). *triazolam.*
Apo-Trifluoperazine (Apotex). *trifluopérazine, chlorhydrate de.*
Apo-Trihex (Apotex). *trihexyphénidyle, chlorhydrate de.*
Apo-Trimip (Apotex). *trimipramine, maléate de.*
Apo-Valproic (Apotex). *acide valproïque.*
Apo-Verap (Apotex). *vérapamil, chlorhydrate de.*
Apo-Zidovudine (Apotex). *zidovudine.*
Apo-Zopiclone (Apotex). *zopiclone.*
apraclonidine, chlorhydrate d'. **Iopidine.**
Apresoline (Novartis Pharma). *hydralazine, chlorhydrate d'.*
aprobarbital. †Alurate.
aprotinine. **Trasylol.**
†Aquachloral. *chloral, hydrate de.*
Aquacort (Spectropharm Dermatology). *hydrocortisone.*
†Aqua Mephyton. *phytonadione.*
Aquaphor (Smith & Nephew). *pétrolatum.*
Aquasite (CIBA Vision). *dextran 70/polyéthylèneglycol.*
Aquasol E (Novartis Santé Familiale). *vitamine E.*
Aquasol E TPGS (Novartis Santé Familiale). *vitamine E.*
Aquatain (Whitehall-Robins). *émollient.*
Aralen (Sanofi). *chloroquine, phosphate de.*
†Aramine. *métaraminol, bitartrate de.*
†Arduan. *pipécuronium, bromure de.*
Aredia (Novartis Pharma). *pamidronate disodique.*
argent, gluconate d'/cuivre, gluconate de/or colloïdal. **Oligosol, Cuivre-Or-Argent.**
argent, sulfadiazine d'. **Dermazin, Flamazine, SSD.** †Sildimac, †Silvadene, †Thermazene.
argent, sulfadiazine d'/chlorhexidine, digluconate de. **Flamazine C.**
Aricept (Pfizer). *donépézil, chlorhydrate de.*
Arimidex (Zeneca). *anastrozole.*
Aristocort, comprimés (Stiefel/Glades). *triamcinolone.*
Aristocort, préparations parentérales (Stiefel/Glades). *triamcinolone, diacétate de.*
Aristocort, préparations topiques (Stiefel/Glades). *triamcinolone, acétonide de.*
Aristospan (Stiefel/Glades). *triamcinolone, hexacétonide de.*
Arlidin (Rhône-Poulenc Rorer). *nylidrine, chlorhydrate de.*
Arlidin Forte (Rhône-Poulenc Rorer). *nylidrine, chlorhydrate de.*
†Arrestin. *triméthobenzamide, chlorhydrate de.*
Arthrotec (Searle). *diclofénac sodique/misoprostol.*
articaïne, chlorhydrate d'/épinéphrine. **Astracaine, Astracaine Forte, Ultracaine DS, Ultracaine DS Forte.**
†Articulose-L.A. *triamcinolone, diacétate de.*
Asacol (Procter & Gamble, Compagnie pharmaceutique). *acide 5-aminosalicylique.*
Asaphen (Pharmascience). *AAS.*
Asaphen E.C. (Pharmascience). *AAS.*
Asasantine (Boehringer Ingelheim). *AAS/dipyridamole.*
Ascofer (Desbergers). *ascorbate ferreux.*
ascorbate ferreux. [**Sels ferreux, Monographie générale, APhC**]; **Ascofer.**
Asendin (Wyeth-Ayerst). *amoxapine.*
Asmavent (Technilab). *salbutamol, sulfate de.*
asparaginase. voir *L-asparaginase.*
L-asparaginase. asparaginase. colaspase. **Kidrolase.** †Elspar.

Aspirin (Bayer, Produits grand public). *AAS.*

Aspirin avec Gastraide (Bayer, Produits grand public). *AAS/calcium, carbonate de/magnésium, carbonate de/magnésium, oxyde de.*

Aspirin Enrobé (Bayer, Produits grand public). *AAS.*

Aspirin Maux de Dos (Bayer, Produits grand public). *AAS/méthocarbamol.*

astémizole. **Hismanal.**

Astracaine (Astra). *articaïne, chlorhydrate d'/épinéphrine.*

Astracaine Forte (Astra). *articaïne, chlorhydrate d'/épinéphrine.*

Atarax (Pfizer). *hydroxyzine, chlorhydrate d'.*

Atasol (Carter Horner). *acétaminophène.*

Atasol-8, -15, -30 (Carter Horner). *acétaminophène/caféine, citrate de/codéine, phosphate de.*

aténolol. **Apo-Atenol, Gen-Atenolol, Novo-Atenol, Nu-Atenol, PMS-Atenolol, Rho-Aténolol, Scheinpharm Atenolol, Tenolin, Tenormin.**

aténolol/chlorthalidone. **Tenoretic.**

Atgam (Pharmacia & Upjohn). *globuline antilymphocytaire/globuline antithymocyte (équin).*

Ativan (Wyeth-Ayerst). *lorazépam.*

atorvastatine calcique. **Lipitor.**

atovaquone. **Mepron.**

atovaquone/proguanil, chlorhydrate de. **Malarone.**

atracurium, bésylate d'. **Tracrium; (Abbott), (Faulding).**

Atromide-S (Wyeth-Ayerst). *clofibrate.*

atropine, sulfate d'. **Atropisol, Isopto Atropine, Minims Atropine; (Abbott), (Alcon), (Astra), (Bioniche), (CIBA Vision), (Dioptic), (Produits ophtalmiques Rivex).**

atropine, sulfate d'/attapulgite activée/hyoscyamine, sulfate d'/opium/pectine/scopolamine, bromhydrate de. **Diban.**

atropine, sulfate d'/diphénoxylate, chlorhydrate de. **Lomotil.**

atropine, sulfate d'/hyoscyamine, sulfate d'/phénobarbital/scopolamine, bromhydrate de. **Donnatal.**

Atropisol (CIBA Vision). *atropine, sulfate d'.*

Atrovent, atomiseur nasal (Boehringer Ingelheim). *ipratropium, bromure d'.*

Atrovent, aérosol pour inhalation (Boehringer Ingelheim). *ipratropium, bromure d'.*

Atrovent, solution pour inhalation (Boehringer Ingelheim). *ipratropium, bromure d'.*

attapulgite. **Kaopectate.**

attapulgite activée/atropine, sulfate d'/hyoscyamine, sulfate d'/opium/pectine/scopolamine, bromhydrate de. **Diban.**

attapulgite activée/opium/pectine. **Donnagel-PG, capsules.**

†Augmentin. *amoxicilline, trihydrate d'/potassium, clavulanate de.*

Auralgan (Whitehall-Robins). *antipyrine/benzocaïne.*

auranofine. or, composé d'. **Ridaura.**

Aureomycin (Wyeth-Ayerst). *chlortétracycline, chlorhydrate de.*

aurothioglucose. **Solganal.**

Avapro (Bristol-Myers Squibb/Sanofi Canada). *irbesartan.*

AVC (Hoechst Marion Roussel). *sulfanilamide.*

Aventyl (Lilly). *nortriptyline, chlorhydrate de.*

Avirax (Fabrigen). *acyclovir.*

Avlosulfon (Wyeth-Ayerst). *dapsone.*

Avonex (Biogen). *interféron bêta-1a.*

Axid (Lilly). *nizatidine.*

†Aygestin. *noréthindrone, acétate de.*

†Azactam. *aztréonam.*

azatadine, maléate d'. **Optimine.**

azatadine, maléate d'/pseudoéphédrine, sulfate de. **Trinalin.**

azathioprine. **Alti-Azathioprine, Gen-Azathioprine, Imuran, comprimés.**

azathioprine sodique. **Imuran, injection; (Novopharm).**

azidothymidine. voir *zidovudine.*

azithromycine, dihydrate d'. **Zithromax.**

Azmacort (Rhône-Poulenc Rorer). *triamcinolone, acétonide de.*

†Azo-Standard. *phénazopyridine, chlorhydrate de.*

AZT. voir *zidovudine.*

aztréonam. †Azactam.

†Azulfidine. *sulfasalazine.*

B

Baby's Own Eau anticoliques (Block Drug). *aneth, essence d'/anis, essence d'/fenouil, essence de/sodium, bicarbonate de.*

Baby's Own Gel de dentition (Block Drug). *alcool benzylique.*

Baby's Own Gouttes pour bébés (Block Drug). *siméthicone.*

Baby's Own Onguent (Block Drug). *zinc, oxyde de.*

bacampicilline, chlorhydrate de. **Penglobe.** †Spectrobid.

Bacid (Rhône-Poulenc Rorer). *lactobacillus acidophilus.*

Baciguent (Johnson & Johnson • Merck). *bacitracine.*

bacille de Calmette et Guérin (BCG), (intraderme). **(BioChem Vaccins), (Connaught).**

bacille de Calmette et Guérin (BCG), (intravésical). **ImmuCyst, OncoTICE, PACIS.**

bacitracine. **Baciguent; (Pharmacia & Upjohn).**

bacitracine/gramicidine/polymyxine B, sulfate de. **Polysporin, onguent antibiotique triple.**

bacitracine/polymyxine B, sulfate de. **Bioderm, Polycidin, onguent ophtalmique, Polysporin, onguent ophtalmique, Polytopic, onguent.**

bacitracine, zinc de. **(Roberts).**

bacitracine, zinc de/acides aminés/néomycine, sulfate de. **Cicatrin.**

bacitracine, zinc de/hydrocortisone/néomycine, sulfate de/polymyxine B, sulfate de. **Cortisporin, onguent, Cortisporin, onguent ophtalmique.**

bacitracine, zinc de/néomycine, sulfate de/polymyxine B, sulfate de. **Neosporin, onguent/onguent ophtalmique, Neotopic.**

bacitracine, zinc de/polymyxine B, sulfate de. **Optimyxin, onguent.**

baclofen. **Apo-Baclofen, Gen-Baclofen, Lioresal, Lioresal intrathécal, Liotec, Novo-Baclofen, Nu-Baclo, PMS-Baclofen; (BDH).**

Bactigras (Smith & Nephew). *chlorhexidine, acétate de.*

†Bactocill. *oxacilline sodique.*

Bactrim Roche (Roche). *sulfaméthoxazole/triméthoprime.*

Bactroban (SmithKline Beecham). *mupirocine.*

Balminil Camphorub (Rougier). *camphre/eucalyptol/menthol.*

Balminil, décongestionnant (Rougier). *pseudoéphédrine, chlorhydrate de.*

Balminil DM (Rougier). *dextrométhorphane, bromhydrate de.*

Balminil DM Enfants (Rougier). *dextrométhorphane, bromhydrate de.*

Balminil DM + Décongestionnant (Rougier). *dextrométhorphane, bromhydrate de/pseudoéphédrine, chlorhydrate de.*

Balminil DM + Décongestionnant + Expectorant (Rougier). *dextrométhorphane, bromhydrate de/guaifénésine/pseudoéphédrine, chlorhydrate de.*

Balminil DM + Expectorant (Rougier). *dextrométhorphane, bromhydrate de/guaifénésine.*

Balminil, expectorant (Rougier). *guaifénésine.*

Balnetar (Westwood-Squibb). *goudron de houille.*

†Banthine. *méthanthéline, bromure de.*

Les noms **soulignés** paraissent en version détaillée dans la section des monographies du *CPS.*

†Barbita. *phénobarbital.*

barbituriques. **(Monographie générale, APhC).**

Barriere (Roberts). *diméthicone.*

Barriere HC (Roberts). *hydrocortisone/silicone.*

Basaljel (Axcan Pharma). *aluminium, hydroxyde d'.*

base dermatologique. **Base Schering, Glaxal Base.**

Base Schering (Schering). *base dermatologique.*

Baume Analgésique (Warner-Lambert, Santé grand public). *menthol/méthyle, salicylate de.*

Baycol (Bayer). *cérivastatine sodique.*

Baygam (Bayer). *immunoglobuline (humaine), i.m.*

Bayhep B (Bayer). *immunoglobuline anti-hépatite B (humaine).*

Bayrab (Bayer). *immunoglobuline antirabique (humaine).*

Baytet (Bayer). *immunoglobuline antitétanique (humaine).*

B-Composé en haute teneur "50" (Swiss Herbal). *vitamine B, complexe de la.*

Beano (Block Drug). *alpha-D-Galactosidase.*

Beben (Parke-Davis). *bétaméthasone, benzoate de.*

becaplermine. †Regranax.

Beclodisk (Glaxo Wellcome). *béclométhasone, dipropionate de.*

Beclodisk Diskhaler (Glaxo Wellcome). *béclométhasone, dipropionate de.*

Becloforte (Glaxo Wellcome). *béclométhasone, dipropionate de.*

béclométhasone, dipropionate de. **[Corticostéroïdes: Inhalation, Corticostéroïdes: Yeux, Oreilles, Nez, Monographies générales, APhC]; Alti-Beclomethasone, aérosol pour inhalation, Alti-Beclomethasone, suspension aqueuse, Beclodisk, Beclodisk Diskhaler, Becloforte, Beclovent, aérosol-doseur, Beclovent Rotacaps, Beclovent Rotahaler, Beconase Aq, Gen-Beclo Aq., Propaderm, Rivanase Aq., Vancenase, Vanceril.**

Beclovent, aérosol-doseur (Glaxo Wellcome). *béclométhasone, dipropionate de.*

Beclovent Rotacaps (Glaxo Wellcome). *béclométhasone, dipropionate de.*

Beclovent Rotahaler (Glaxo Wellcome). *béclométhasone, dipropionate de.*

Beconase Aq (Glaxo Wellcome). *béclométhasone, dipropionate de.*

†Beepen-VK. *pénicilline V potassique.*

belladone/caféine/ergotamine, tartrate d'/pentobarbital. **Cafergot-PB.**

belladone/ergotamine/phénobarbital. **Bellergal Spacetabs.**

Bellergal Spacetabs (Novartis Pharma). *belladone/ergotamine/phénobarbital.*

Beminal avec C Fortis (Wyeth-Ayerst). *acide ascorbique/vitamine B, complexe de la.*

Benadryl (Warner-Lambert, Santé grand public). *diphenhydramine, chlorhydrate de.*

Benadryl, Allergies/Sinus/Maux de tête (Warner-Lambert, Santé grand public). *acétaminophène/diphenhydramine, chlorhydrate de/pseudoéphédrine, chlorhydrate de.*

Benadryl, crème (Warner-Lambert, Santé grand public). *diphenhydramine.*

bénazépril, chlorhydrate de. **[Inhibiteurs de l'ECA, Monographie générale, APhC]; Lotensin.**

bendroflumethiazide/rauwolfia serpentina. †Rauzide.

Benemid (MSD). *probénécide.*

benoxinate. **Minims Benoxinate.**

Benoxyl (Stiefel). *benzoyle, peroxyde de.*

bensérazide, chlorhydrate de/lévodopa. **Prolopa.**

bentiromide. †Chymex.

Bentylol (Hoechst Marion Roussel). *dicyclomine, chlorhydrate de.*

Benuryl (ICN). *probénécide.*

Benylin Codéine (Warner-Lambert, Santé grand public). *codéine, phosphate de/guaifénésine/pseudoéphédrine, chlorhydrate de.*

Benylin DM (Warner-Lambert, Santé grand public). *dextrométhorphane, bromhydrate de.*

Benylin DM 12 heures (Warner-Lambert, Santé grand public). *dextrométhorphane, bromhydrate de.*

Benylin DM 12 heures pour enfants (Warner-Lambert, Santé grand public). *dextrométhorphane, bromhydrate de.*

Benylin DM-D (Adultes) (Warner-Lambert, Santé grand public). *dextrométhorphane, bromhydrate de/pseudoéphédrine, chlorhydrate de.*

Benylin DM-D-E (Warner-Lambert, Santé grand public). *dextrométhorphane, bromhydrate de/guaifénésine/pseudoéphédrine, chlorhydrate de.*

Benylin DM-D pour enfants (Warner-Lambert, Santé grand public). *dextrométhorphane, bromhydrate de/pseudoéphédrine, chlorhydrate de.*

Benylin DM-E (Warner-Lambert, Santé grand public). *dextrométhorphane, bromhydrate de/guaifénésine.*

Benylin DM pour enfants (Warner-Lambert, Santé grand public). *dextrométhorphane, bromhydrate de.*

Benylin E (Warner-Lambert, Santé grand public). *guaifénésine.*

Benylin Grippe (Warner-Lambert, Santé grand public). *acétaminophène/dextrométhorphane, bromhydrate de/guaifénésine/pseudoéphédrine, chlorhydrate de.*

Benzac AC (Galderma). *benzoyle, peroxyde de.*

Benzac W (Galderma). *benzoyle, peroxyde de.*

Benzac W Nettoyant (Galderma). *benzoyle, peroxyde de.*

2,5 Benzagel, gel contre l'acné (Novartis Santé Familiale). *benzoyle, peroxyde de.*

10 Benzagel, gel contre l'acné (Dermik Laboratories Canada). *benzoyle, peroxyde de.*

10 Benzagel, gel contre l'acné (Novartis Santé Familiale). *benzoyle, peroxyde de.*

5 Benzagel, lotion contre l'acné (Novartis Santé Familiale). *benzoyle, peroxyde de.*

2,5 Benzagel, lotion contre l'acné (Novartis Santé Familiale). *benzoyle, peroxyde de.*

5 Benzagel, solution nettoyante contre l'acné (Novartis Santé Familiale). *benzoyle, peroxyde de.*

benzalkonium, chlorure de. **Zephiran.**

benzalkonium, chlorure de/acide salicylique. **Ionil.**

benzalkonium, chlorure de/goudron de houille. **Ionil-T.**

Benzamycin (Dermik Laboratories Canada). *benzoyle, peroxyde de/érythromycine.*

†BenzaShave 10. *benzoyle, peroxyde de.*

benzethacil. voir *pénicilline G benzathinique.*

benzéthonium, chlorure de/acide acétique/hydrocortisone/1,2-propanediol, diacétate de. **VōSol HC.**

benzéthonium, chlorure de/acide acétique/propanediol-1,2, diacétate de. **VōSol.**

benzéthonium, chlorure de/aluminium, acétate d'. **Buro-Sol, poudre, Buro-Sol, solution otique.**

benzhexol, chlorhydrate de. voir *trihexyphénidyle, chlorhydrate de.*

benzocaïne. éthyle, aminobenzoate d'. **Topicaine, Zilactin-B, Zilactin Bébé.**

benzocaïne/antipyrine. **Auralgan.**

benzocaïne/bicétonium. **Bionet.**

benzocaïne/camphre/menthol/polymyxine B, sulfate de/tyrothricine. **Onguent antibiotique pour feux sauvages.**

benzocaïne en association. **Anbesol.**

benzocaïne/hydrocortisone, acétate d'/zinc, sulfate monohydraté de. **Rectogel HC.**

benzocaïne/magnésium, sulfate de. **Osmopak Plus.**

benzocaïne/tétracaïne, chlorhydrate de. **Panocaine.**

benzocaïne/zinc, sulfate monohydraté de. **Rectogel.**

benzodiazépines. **(Monographie générale, APhC).**

benzonatate. †Tessalon.

benzoyle, peroxyde de. **Acetoxyl, Benoxyl, Benzac AC, Benzac W, Benzac W Nettoyant, 2,5 Benzagel, gel contre l'acné, 10 Benzagel, gel contre l'acné, 10 Benzagel, gel contre l'acné, 5 Benzagel, lotion contre l'acné, 2,5 Benzagel, lotion contre l'acné, 5 Benzagel, solution nettoyante contre l'acné, Desquam-X, Oxyderm, PanOxyl Aquagel, PanOxyl, gel/pain, PanOxyl, nettoyeur, Solugel.** †BenzaShave 10, †Dryox, †Oxy 10, †Persa-Gel.

benzoyle, peroxyde de/érythromycine. **Benzamycin.**

benzoyle, peroxyde de/soufre. **Sulfoxyl.**

benzphétamine, chlorhydrate de. †Didrex.

benzthiazide. †Exna.

benztropine, mésylate de. **[Benztropine (Mésylate), Monographie générale, APhC]; Apo-Benztropine, Cogentin.**

benzydamine, chlorhydrate de. **Alti-Benzydamine, Novo-Benzydamine, PMS-Benzydamine, Sun-Benz, Tantum.**

benzylpénicilline potassique. voir *pénicilline G potassique.*

benzylpénicilloyl-polylysine. **Pre-Pen.**

bépridil, chlorhydrate de. †Vascor.

beractant. **Survanta.**

Berotec, aérosol pour inhalation (Boehringer Ingelheim). *fénotérol, bromhydrate de.*

Berotec Forte, aérosol pour inhalation (Boehringer Ingelheim). *fénotérol, bromhydrate de.*

Berotec, solution pour inhalation (Boehringer Ingelheim). *fénotérol, bromhydrate de.*

Betaderm (Taro). *bétaméthasone, valérate de.*

Betadine, Préparations topiques (Purdue Frederick). *povidone-iode.*

Betadine, Produits vaginaux (Purdue Frederick). *povidone-iode.*

Betagan (Allergan). *lévobunolol, chlorhydrate de.*

bétahistine, chlorhydrate de. **Serc.**

Betaloc (Astra). *métoprolol, tartrate de.*

Betaloc Durules (Astra). *métoprolol, tartrate de.*

bétaméthasone. **Celestone.**

bétaméthasone, 17-valérate de. voir *bétaméthasone, valérate de.*

bétaméthasone, acétate de/bétamétasone, phosphate sodique de. **Celestone Soluspan.**

bétaméthasone, benzoate de. **[Corticostéroïdes: Topiques, Monographie générale, APhC]; Beben.** †Uticort.

bétaméthasone, dipropionate de. **[Corticostéroïdes: Topiques, Monographie générale, APhC]; Diprolene Glycol, Diprosone, Taro-Sone, Topilène, Topisone.** †Alphatrex, †Maxivate.

bétaméthasone, dipropionate de/acide salicylique. **Diprosalic.**

bétaméthasone, dipropionate de/clotrimazole. **Lotriderm.** †Lotrisone.

bétaméthasone, dipropionate de/gentamicine, sulfate de. **Diprogen.**

bétaméthasone, phosphate disodique de. voir *bétaméthasone, phosphate sodique de.*

bétaméthasone, phosphate sodique de. bétaméthasone, phosphate disodique de. **[Corticostéroïdes: Généraux, Corticostéroïdes: Yeux, Oreilles, Nez, Monographies générales, APhC]; Betnesol.** †Selestoject.

bétamétasone, phosphate sodique de/bétaméthasone, acétate de. **Celestone Soluspan.**

bétaméthasone, phosphate sodique de/gentamicine, sulfate de. **Garasone.**

bétaméthasone, valérate de. bétaméthasone, 17-valérate de. **[Corticostéroïdes: Topiques, Monographie générale, APhC]; Betaderm, Betnovate, Celestoderm-V, Celestoderm-V/2, Ectosone Doux, Ectosone, lotion pour le cuir chevelu, Ectosone Régulier, Prevex B, Valisone, lotion pour le cuir chevelu.** †Betatrex, †Beta-Val.

bétaméthasone, valérate de/gentamicine, sulfate de. **Valisone-G.**

†Betapace. *sotalol, chlorhydrate de.*

†Betapen-VK. *pénicilline V potassique.*

bêta-phénoxyéthanol. phénoxétol. **Lanohex, nettoyeur pour la peau.**

Betaseron (Berlex). *interféron bêta-1b.*

†Betatrex. *bétaméthasone, valérate de.*

†Beta-Val. *bétaméthasone, valérate de.*

Betaxin (Sanofi). *thiamine, chlorhydrate de.*

bétaxolol. †Kerlone.

bétaxolol, chlorhydrate de. **Betoptic S.**

béthanéchol, chlorure de. **Duvoid, Myotonachol, Urecholine.**

Betnesol (Roberts). *bétaméthasone, phosphate sodique de.*

Betnovate (Roberts). *bétaméthasone, valérate de.*

Betoptic S (Alcon). *bétaxolol, chlorhydrate de.*

bezafibrate. **Bezalip.**

Bezalip (Roche). *bezafibrate.*

Biaxin (Abbott). *clarithromycine.*

bicalutamide. **Casodex.**

bicétonium/benzocaïne. **Bionet.**

Bichloracetic Acid (Glenwood). *acide dichloroacétique.*

Bicillin L-A (Wyeth-Ayerst). *pénicilline G benzathinique.*

BiCNU (Bristol). *carmustine.*

Biltricide (Bayer). *praziquantel.*

bioalléthrine/pipéronyle, butoxyde de. **Para.**

Biobase (Odan). *alcool éthylique.*

Biobase-G (Odan). *acide glycolique/alcool éthylique.*

Bioderm (Odan). *bacitracine/polymyxine B, sulfate de.*

Biolon (Ophtapharma). *hyaluronate sodique.*

Bionet (Carter Horner). *benzocaïne/bicétonium.*

Bion Tears (Alcon). *dextran 70/hydroxypropylméthylcellulose.*

bipéridène, chlorhydrate de. **Akineton.**

Biquin Durules (Astra). *quinidine, bisulfate de.*

bisacodyl. **Apo-Bisacodyl, Dulcolax, Soflax Ex; (Technilab).**

bisacodyl/magnésium, citrate de. **Royvac.**

Bismutal (Technilab). *bismuth, camphocarbonate de/guaifénésine.*

bismuth, camphocarbonate de/guaifénésine. **Bismutal.**

bismuth, dipropylacétate de. **Neo-Laryngobis.**

bisoprolol, fumarate de. †Zebeta.

bisoprolol, fumarate de/hydrochlorothiazide. †Ziac.

bitolterol, mésylate de. †Tornalate.

Blenoxane (Bristol). *bléomycine, sulfate de.*

bléomycine, sulfate de. **Blenoxane; (Faulding).**

Blephamide (Allergan). *prednisolone, acétate de/sulfacétamide sodique.*

bleu de méthylène. méthylthioninium trihydraté, chlorure de. **(Bioniche), (Faulding).**

Blocadren (Frosst). *timolol, maléate de.*

Bonamil (Wyeth-Ayerst). *préparations pour nourrissons.*

Bonamine (Pfizer). *méclizine, chlorhydrate de.*

Bon Départ (Nestlé, Carnation). *préparations pour nourrissons.*

Bonefos (Rhône-Poulenc Rorer). *clodronate disodique.*

†Bonine. *méclizine, chlorhydrate de.*

Les noms **soulignés** paraissent en version détaillée dans la section des monographies du *CPS*.

†Bontril. *phendimétrazine, tartrate de.*

Botox (Allergan). *toxine botulinique de type A.*

Bradosol (Novartis Santé Familiale). *hexylrésorcinol.*

Bradosol Extra-fort (Novartis Santé Familiale). *hexylrésorcinol.*

Brāsivol (Stiefel). *aluminium, oxyde d'.*

†Brethaire. *terbutaline, sulfate de.*

†Brethine. *terbutaline, sulfate de.*

Bretylate (Glaxo Wellcome). *brétylium, tosylate de.*

brétylium, tosylate de. **Bretylate; (Abbott).** †Bretylol.

brétylium, tosylate de/dextrose monohydraté. **(Abbott).**

†Bretylol. *brétylium, tosylate de.*

Brevibloc (Zeneca). *esmolol, chlorhydrate d'.*

Brevicon 0,5/35 (Searle). *éthinylœstradiol/noréthindrone.*

Brevicon 1/35 (Searle). *éthinylœstradiol/noréthindrone.*

†Brevital. *méthohexital sodique.*

Bricanyl, comprimés (Astra). *terbutaline, sulfate de.*

Bricanyl Turbuhaler (Astra). *terbutaline, sulfate de.*

Brietal Sodique (Lilly). *méthohexital sodique.*

brimonidine, tartrate de. **Alphagan.**

bromazépam. **[Benzodiazépines, Monographie générale, APhC]; Alti-Bromazepam, Apo-Bromazepam, Gen-Bromazepam, Lectopam, Novo-Bromazepam, Nu-Bromazepam.**

bromfenac. †Duract.

bromocriptine, mésylate de. **Apo-Bromocriptine, Parlodel.**

bromphéniramine, maléate de. parabromdylamine, maléate de. **Dimetane.**

bromphéniramine, maléate de/codéine, phosphate de/guaifénésine/phényléphrine, chlorhydrate de/phénylpropanolamine, chlorhydrate de. **Dimetane Expectorant-C.**

bromphéniramine, maléate de/codéine, phosphate de/phényléphrine, chlorhydrate de/phénylpropanolamine, chlorhydrate de. **Dimetapp-C.**

bromphéniramine, maléate de/dextrométhorphane, bromhydrate de/phényléphrine, chlorhydrate de/phénylpropanolamine, chlorhydrate de. **Dimetapp-DM.**

bromphéniramine, maléate de/dextrométhorphane, bromhydrate de/phénylpropanolamine, chlorhydrate de. **Dimetapp Liqui-gels Toux et Rhume.**

bromphéniramine, maléate de/guaifénésine/hydrocodone, bitartrate d'/phényléphrine, chlorhydrate de/phénylpropanolamine, chlorhydrate de. **Dimetane Expectorant-DC.**

bromphéniramine, maléate de/guaifénésine/phényléphrine, chlorhydrate de/phénylpropanolamine, chlorhydrate de. **Dimetane Expectorant.**

bromphéniramine, maléate de/phényléphrine, chlorhydrate de/phénylpropanolamine, chlorhydrate de. **Dimetapp, Dimetapp, gouttes orales pour enfants.**

bromphéniramine, maléate de/phénylpropanolamine, chlorhydrate de. **Dimetapp à dissolution rapide, Dimetapp Clair, Dimetapp, comprimés à croquer, Dimetapp Liqui-gels.**

Bronalide (Boehringer Ingelheim). *flunisolide.*

Broncho-Grippol-DM (Technilab). *dextrométhorphane, bromhydrate de.*

Bronkaid Mistometer (Sanofi). *épinéphrine.*

†Bronkometer. *isoétharine, mésylate d'.*

†Bronkosol. *isoétharine.*

BSS (Alcon). *solution physiologique équilibrée.*

BSS Plus (Alcon). *solution physiologique équilibrée.*

buchu, feuilles de/cascara sagrada/genièvre, baies de/gentiane, racines de/huile de menthe poivrée/réglisse, racines de/rhubarbe, racines de. **Laxatif aux herbes.**

budésonide. **[Corticostéroïdes: Inhalation, Corticostéroïdes: Yeux, Oreilles, Nez, Monographies générales, APhC]; Entocort, capsules, Entocort, lavement, Gen-Budesonide Aq., Pulmicort Nebuamp, Pulmicort Turbuhaler, Rhinocort Aqua, Rhinocort Turbuhaler.**

bumétanide. **Burinex.** †Bumex.

†Bumex. *bumétanide.*

buphénine, chlorhydrate de. voir *nylidrine, chlorhydrate de.*

bupivacaïne, chlorhydrate de. **Marcaine, Sensorcaine; (Abbott).**

bupivacaïne, chlorhydrate de/épinéphrine. **Sensorcaine avec Épinéphrine, Sensorcaine Forte.**

†Buprenex. *buprénorphine, chlorhydrate de.*

buprénorphine, chlorhydrate de. †Buprenex.

bupropion. Zyban.

bupropion, chlorhydrate de. **Wellbutrin SR.**

Burinex (Leo). *bumétanide.*

Buro-Sol, poudre (TCD). *aluminium, acétate d'/benzéthonium, chlorure de.*

Buro-Sol, solution otique (TCD). *aluminium, acétate d'/benzéthonium, chlorure de.*

Buscopan (Boehringer Ingelheim). *scopolamine, butylbromure de.*

buséréline, acétate de. **Suprefact, Suprefact Depot.**

Buspar (Bristol). *buspirone, chlorhydrate de.*

Buspirex (Technilab). *buspirone, chlorhydrate de.*

buspirone, chlorhydrate de. **Apo-Buspirone, Buspar, Buspirex, Bustab, Gen-Buspirone, Novo-Buspirone, Nu-Buspirone, PMS-Buspirone.**

Bustab (ICN). *buspirone, chlorhydrate de.*

busulfan. busulphan. **Myleran.**

busulphan. voir *busulfan.*

butabarbital sodique. secbutabarbital. secbutabarbitone. **[Barbituriques, Monographie générale, APhC]; Butisol Sodique.**

butalbital/AAS/caféine. **Fiorinal, Tecnal, Trianal.** †Lanorinal.

butalbital/AAS/caféine/codéine, phosphate de. **Fiorinal -C1/4, -C1/2, Tecnal C1/4, C1/2, Trianal C1/4, C1/2.**

butambène, picrate de. †Butesin Picrate.

†Butesin Picrate. *butambène, picrate de.*

Butisol Sodique (Carter Horner). *butabarbital sodique.*

butoconazole, nitrate de. †Femstat.

butorphanol, tartrate de. **[Opioïdes, Monographie générale, APhC]; Stadol NS.**

butoxyéthyl, nicotinate de/allantoïne/chloramphénicol/hydrocortisone, acétate d'/soufre. **Actinac.**

C

Caelyx (Schering). *doxorubicine, chlorhydrate de/liposome pegylaté.*

caféine/AAS. **Anacin, Anacin Extra-fort, Midol.**

caféine/AAS/butalbital. **Fiorinal, Tecnal, Trianal.** †Lanorinal.

caféine/AAS/butalbital/codéine, phosphate de. **Fiorinal -C1/4, -C1/2, Tecnal C1/4, C1/2, Trianal C1/4, C1/2.**

caféine/AAS/codéine, phosphate de. **(WestCan).**

caféine/AAS/orphénadrine, citrate d'. **Norgesic, Norgesic Forte.**

caféine/AAS/propoxyphène, chlorhydrate de. **692.**

caféine/acétaminophène/codéine, phosphate de. **Acétaminophène extra-puissant avec codéine, Acétaminophène ordinaire avec codéine, Lenoltec No.1, No.2, No.3, Novo-Gesic C8, C15, C30, Tylenol NO.1 avec codéine, Tylenol NO.2 et NO.3 avec codéine; (Stanley).**

caféine/acétaminophène/phéniramine, maléate de/phénylpropanolamine, chlorhydrate de/pyrilamine, maléate de. **Triaminicin.**

caféine/acétaminophène/pyrilamine, maléate de. **Midol Extra-fort.**

caféine/belladone/ergotamine, tartrate d'/pentobarbital. **Cafergot-PB.**

caféine, citrate de/AAS/codéine, phosphate de. **222, 292.**

caféine, citrate de/AAS/codéine, phosphate de/méprobamate. **282 Mep.**

caféine, citrate de/acétaminophène/codéine, phosphate de. **Atasol-8, -15, -30, Triatec -8, -8 Fort.**

caféine, citrate de/diphenhydramine, chlorhydrate de/ergotamine, tartrate d'. **Ergodryl.**

caféine/dimenhydrinate/ergotamine, tartrate d'. **Gravergol.**

caféine/ergotamine, tartrate d'. **Cafergot.**

caféine, hydrate de/cyclizine, chlorhydrate de/ergotamine, tartrate d'. **Megral.**

Cafergot (Novartis Pharma). *caféine/ergotamine, tartrate d'.*

Cafergot-PB (Novartis Pharma). *belladone/caféine/ergotamine, tartrate d'/pentobarbital.*

Caladryl (Warner-Lambert, Santé grand public). *calamine/diphenhydramine, chlorhydrate de.*

calamine/diphenhydramine, chlorhydrate de. **Caladryl.**

†Calan. *vérapamil, chlorhydrate de.*

†Calcibind. *cellulose, phosphate sodique de.*

calcifédiol. 25-hydroxycholécalciférol. 25-hydroxyvitamine D_3. vitamine D. [**Vitamine D, Monographie générale, APhC**]; †Calderol.

calciférol. voir *ergocalciférol.*

Calcijex (Abbott). *calcitriol.*

Calcimar (Rhône-Poulenc Rorer). *calcitonine (saumon).*

calcipotriol. **Dovonex.**

Calcite 500 (Riva). *calcium, carbonate de.*

Calcite D-500 (Riva). *calcium, carbonate de/vitamine D.*

calcitonine (humaine). †Cibacalcin.

calcitonine (saumon). salcatonine. **Calcimar, Caltine.** †Miacalcin.

calcitriol. 1,25-dihydroxycholécalciférol. 1,25-dihydroxy-vitamine D_3. vitamine D. [**Vitamine D, Monographie générale, APhC**]; **Calcijex, Rocaltrol.**

calcium. **Nu-Cal.**

Calcium 500 (Trianon). *calcium, carbonate de.*

Calcium D 500 (Trianon). *calcium, carbonate de/vitamine D.*

calcium, carbonate de. [**Calcium (Sels): Oral, Monographie générale, APhC**]; **Apo-Cal, Calcite 500, Calcium 500, Calsan, Caltrate 600, Os-Cal, Webber Carbonate de Calcium.**

calcium, carbonate de/AAS/magnésium, carbonate de/magnésium, oxyde de. **Aspirin avec Gastraide.**

calcium, carbonate de/acide alginique. **Gaviscon, formule pour soulager les brûlures d'estomac, comprimés sans aluminium.**

calcium, carbonate de/acide ascorbique/pyridoxine, chlorhydrate de/vitamine D. **Redoxon-Cal.**

calcium, carbonate de/acide citrique/calcium, gluconolactate de. **Calcium-Sandoz Forte, Calcium-Sandoz Gramcal, Gramcal.**

calcium, carbonate de/cholécalciférol. **Os-Cal D.**

calcium, carbonate de/cuivre/magnésium/manganèse/vitamine D/zinc. **Caltrate Plus.**

calcium, carbonate de/magnésium, carbonate de/magnésium, sulfate de/vitamine B, complexe de la. **Redoxon-B.**

calcium, carbonate de/magnésium, hydroxyde de/siméthicone. **Diovol Plus AF.**

calcium, carbonate de/vitamine D. **Calcite D-500, Calcium D 500, Caltrate 600 + D.**

calcium, chlorure de. [**Calcium (Sels): Parentéral, Monographie générale, APhC**]; **(Abbott), (Astra).**

calcium disodique, édétate de. voir *calcium, édétate disodique de.*

Calcium Disodique (versénate) (Produits pharmaceutiques de 3M). *calcium, édétate disodique de.*

calcium, édétate disodique de. calcium disodique, édétate de. **Calcium Disodique (versénate).**

calcium, folinate de. acide folinique, sel calcique d'. facteur citrovorum. leucovorine calcique. **Lederle Leucovorin Calcique; (Faulding), (Novopharm).** †Wellcovorin.

calcium, glubionate de. †Neo-Calglucon.

calcium, glubionate de/calcium, lactobionate de. **Calcium-Sandoz, sirop.**

calcium, glucoheptonate de/calcium, gluconate de. [**Calcium (Sels): Oral, Monographie générale, APhC**]; **Calcium Stanley.**

calcium, gluconate de. [**Calcium (Sels): Oral, Calcium (Sels): Parentéral, Monographies générales, APhC**]; **(Abbott), (Astra).**

calcium, gluconate de/calcium, glucoheptonate de. [**Calcium (Sels): Oral, Monographie générale, APhC**]; **Calcium Stanley.**

calcium, gluconolactate de/acide citrique/calcium, carbonate de. **Calcium-Sandoz Forte, Calcium-Sandoz Gramcal, Gramcal.**

calcium, lactobionate de/calcium, glubionate de. **Calcium-Sandoz, sirop.**

Calcium-Sandoz Forte (Novartis Santé Familiale). *acide citrique/calcium, carbonate de/calcium, gluconolactate de.*

Calcium-Sandoz Gramcal (Novartis Santé Familiale). *acide citrique/calcium, carbonate de/calcium, gluconolactate de.*

Calcium-Sandoz, sirop (Novartis Santé Familiale). *calcium, glubionate de/calcium, lactobionate de.*

Calcium Stanley (Stanley). *calcium, glucoheptonate de/calcium, gluconate de.*

†Calderol. *calcifédiol.*

Caldomine-DH (Technilab). *hydrocodone, bitartrate d'/phéniramine, maléate de/phénylpropanolamine, chlorhydrate de/pyrilamine, maléate de.*

Cal-Mag (Swiss Herbal). *acide ascorbique/minéraux/vitamine D.*

Calmurid (Galderma). *urée.*

Calmurid HC (Galderma). *hydrocortisone/urée.*

Calmydone (Technilab). *doxylamine, succinate de/étafédrine, chlorhydrate d'/hydrocodone, bitartrate d'/sodium, citrate de.*

Calmylin #1 (Technilab). *dextrométhorphane, bromhydrate de.*

Calmylin #2 (Technilab). *dextrométhorphane, bromhydrate de/pseudoéphédrine, chlorhydrate de.*

Calmylin #3 (Technilab). *dextrométhorphane, bromhydrate de/guaifénésine/pseudoéphédrine, chlorhydrate de.*

Calmylin #4 (Technilab). *ammonium, chlorure de/dextrométhorphane, bromure de/diphenhydramine, chlorhydrate de.*

Calmylin Ace (Technilab). *codéine, phosphate de/guaifénésine/phéniramine, maléate de.*

Calmylin avec codéine (Technilab). *codéine, phosphate de/guaifénésine/pseudoéphédrine, chlorhydrate de.*

Calmylin Expectorant (Technilab). *guaifénésine.*

Calmylin Original avec codéine (Technilab). *ammonium, chlorure d'/codéine, phosphate de/diphenhydramine, chlorhydrate de.*

Calmylin Pédiatrique (Technilab). *dextrométhorphane, bromhydrate de/pseudoéphédrine, chlorhydrate de.*

Calmylin Rhume et grippe (Technilab). *acétaminophène/dextrométhorphane, bromhydrate de/guaifénésine/pseudoéphédrine, chlorhydrate de.*

Les noms **soulignés** paraissent en version détaillée dans la section des monographies du *CPS*.

Calsan (Novartis Santé Familiale). *calcium, carbonate de.*
Caltine (Ferring). *calcitonine (saumon).*
Caltrate 600 (Whitehall-Robins). *calcium, carbonate de.*
Caltrate Plus (Whitehall-Robins). *calcium, carbonate de/cuivre/magnésium/manganèse/vitamine D/zinc.*
Caltrate 600 + D (Whitehall-Robins). *calcium, carbonate de/vitamine D.*
camphre/acide acétique/citron, huile de/sodium, lauryl éther sulfate de. **SH-206.**
camphre/benzocaïne/menthol/polymyxine B, sulfate de/tyrothricine. **Onguent antibiotique pour feux sauvages.**
camphre/diphénylpyraline, chlorhydrate de/gaïacol, carbonate de. **Créo-Rectal.**
camphre/eucalyptol/menthol. **Balminil Camphorub.**
camphre/eucalyptus, essence d'/menthol/méthyle, salicylate de. **Antiphlogistine Rub A-535 Capsaïcine.**
camphre/menthol/pramoxine, chlorhydrate de. **Sarna-P.**
Camptosar (Pharmacia & Upjohn). *irinotécan, chlorhydrate trihydraté d'.*
Candistatin (Westwood-Squibb). *nystatine.*
Canesten Topique (Bayer, Produits grand public). *clotrimazole.*
Canesten Vaginal (Bayer, Produits grand public). *clotrimazole.*
Canthacur (Pharmascience). *cantharidine.*
Canthacur-PS (Pharmascience). *acide salicylique/cantharidine/podophylline.*
cantharidine. **Canthacur, Cantharone.**
cantharidine/acide salicylique/podophylline. **Canthacur-PS, Cantharone Plus.**
Cantharone (Dormer). *cantharidine.*
Cantharone Plus (Dormer). *acide salicylique/cantharidine/podophylline.*
†Cantil. *mépenzolate, bromure de.*
†Capitrol. *chloroxine.*
Capoten (Squibb). *captopril.*
†Capozide. *captopril/hydrochlorothiazide.*
capsaïcine. **Antiphlogistine Rub A-535, Zostrix, Zostrix H.P.; (Stiefel/Glades).**
captopril. **[Inhibiteurs de l'ECA, Monographie générale, APhC]; Alti-Captopril, Apo-Capto, Capoten, Captril, Gen-Captopril, Novo-Captoril, Nu-Capto.**
captopril/hydrochlorothiazide. †Capozide.
Captril (Technilab). *captopril.*
†Carafate. *sucralfate.*
carbachol. carbamylcholine, chlorure de. **[Carbachol, Monographie générale, APhC]; Carbastat, Isopto Carbachol, Miostat; (Bioniche).**
carbamazépine. **Apo-Carbamazepine, Novo-Carbamaz, Nu-Carbamazepine, Taro-Carbamazepine, Tegretol.** †Epitol.
carbamylcholine, chlorure de. voir *carbachol.*
Carbastat (CIBA Vision). *carbachol.*
carbidopa/lévodopa. **Apo-Levocarb, Endo Levodopa/Carbidopa, Nu-Levocarb, Sinemet, Sinemet CR.**
Carbocaine (Sanofi). *mépivacaïne, chlorhydrate de.*
Carbolith (ICN). *lithium, carbonate de.*
carbonate, calcium de/fer/multivitamines. **Prenavite.**
carboplatine. **Paraplatin-AQ; (Faulding), (Novopharm).**
carboprost tromethamine. †Hemabate.
carboxyméthylcellulose sodique. **Cellufresh, Cellufresh M-D, Celluvisc.**
Cardene (Roche). *nicardipine, chlorhydrate de.*
Cardioquin (Purdue Frederick). *quinidine, polygalacturonate de.*
Cardizem (Hoechst Marion Roussel). *diltiazem, chlorhydrate de.*
Cardizem CD (Hoechst Marion Roussel). *diltiazem, chlorhydrate de.*
Cardizem, injectable (Hoechst Marion Roussel). *diltiazem, chlorhydrate de.*
Cardizem SR (Hoechst Marion Roussel). *diltiazem, chlorhydrate de.*
Cardura-1 (Astra). *doxazosine, mésylate de.*
Cardura-2 (Astra). *doxazosine, mésylate de.*
Cardura-4 (Astra). *doxazosine, mésylate de.*
carisoprodol. **Soma.**
carmustine. **BiCNU.**
Carnitor (Sigma-Tau). *lévocarnitine.*
cartéolol, chlorhydrate de. †Cartrol, †Ocupress.
†Cartrol. *cartéolol, chlorhydrate de.*
carvédilol. **Coreg.**
casanthranol/docusate sodique. **Peri-Colace.**
cascara sagrada/buchu, feuilles de/genièvre, baies de/gentiane, racines de/huile de menthe poivrée/réglisse, racines de/rhubarbe, racines de. **Laxatif aux herbes.**
Casodex (Zeneca). *bicalutamide.*
†Cataflam. *diclofénac potassique.*
Catapres (Boehringer Ingelheim). *clonidine, chlorhydrate de.*
Caverject (Pharmacia & Upjohn). *alprostadil.*
CCNU. voir *lomustine.*
Ceclor (Lilly). *céfaclor.*
Cedocard SR (Pharmascience). *isosorbide, dinitrate d'.*
CeeNU (Bristol). *lomustine.*
céfaclor. **Apo-Cefaclor, Ceclor, Nu-Cefaclor, PMS-Cefaclor, Scheinpharm Cefaclor.**
céfadroxil. **Duricef.**
†Cefadyl. *céphapirine sodique.*
céfamandole, nafate de. **Mandol.**
céfazoline sodique. **Ancef, Kefzol; (Novopharm).**
céfépime, chlorhydrate de. **Maxipime.**
céfixime. **Suprax.**
Cefizox (SmithKline Beecham). *ceftizoxime sodique.*
cefmetazole sodique. †Zefazone.
†Cefobid. *cefopérazone sodique.*
céfonicide sodique. †Monocid.
cefopérazone sodique. †Cefobid.
Céfotan (Wyeth-Ayerst). *céfotétane disodique.*
céfotaxime sodique. **Claforan.**
céfotétane disodique. **Céfotan.**
céfoxitine sodique. **Mefoxin; (Novopharm).**
cefpodoxime proxetil. †Vantin.
cefprozil. **Cefzil.**
ceftazidime. **Ceptaz, Tazidime.** †Tazicef.
ceftazidime pentahydratée. **Fortaz.**
Ceftin (Glaxo Wellcome). *céfuroxime axétil.*
ceftizoxime sodique. **Cefizox.**
ceftriaxone sodique. **Rocephin.**
céfuroxime axétil. **Ceftin.**
céfuroxime sodique. **Kefurox, Zinacef; (Schein Pharmaceutical).**
Cefzil (Bristol-Myers Squibb). *cefprozil.*
Celestoderm-V (Schering). *bétaméthasone, valérate de.*
Celestoderm-V/2 (Schering). *bétaméthasone, valérate de.*
Celestone (Schering). *bétaméthasone.*
Celestone Soluspan (Schering). *bétaméthasone, acétate de/bétamétasone, phosphate sodique de.*
†Celexa. *citalopram.*
CellCept (Roche). *mofétilmycophénolate.*
Cellufresh (Allergan). *carboxyméthylcellulose sodique.*
Cellufresh M-D (Allergan). *carboxyméthylcellulose sodique.*

cellulose/aluminium, dihydroxyallantoïnate d'/chloroxylénol. **ZeaSORB.**

cellulose/glycérides/polyglycol/polysiloxane, copolyol de/silicones. **Spectro Derm.**

cellulose, phosphate sodique de. †Calcibind.

Celluvisc (Allergan). *carboxyméthylcellulose sodique.*

Celontin (Parke-Davis). *mésuximide.*

Centrum (Whitehall-Robins). *multivitamines et minéraux.*

Centrum Forte (Whitehall-Robins). *multivitamines et minéraux.*

Centrum Junior Complet (Whitehall-Robins). *multivitamines et minéraux.*

Centrum Junior Régulier (Whitehall-Robins). *multivitamines et minéraux.*

Centrum Protegra (Whitehall-Robins). *multivitamines et minéraux.*

Centrum Sélect (Whitehall-Robins). *multivitamines et minéraux.*

céphalexine. **Apo-Cephalex, Keflex, Novo-Lexin, Nu-Cephalex, PMS-Cephalexin.**

céphalexine, chlorhydrate monohydraté de. †Keftab.

céphalothine sodique. **Ceporacin, Keflin.**

céphapirine sodique. †Cefadyl.

Ceporacin (Bioniche). *céphalothine sodique.*

Ceptaz (Glaxo Wellcome). *ceftazidime.*

Cerebyx (Parke-Davis). *fosphénytoïne sodique.*

†Cerespan. *papavérine, chlorhydrate de.*

cérivastatine sodique. **Baycol.**

Cérubidine (Rhône-Poulenc Rorer). *daunorubicine.*

Cerumenex (Purdue Frederick). *triéthanolamine, polypeptide condensé d'oléate de.*

Cerumol (Solvay Pharma). *chlorbutol/paradichlorobenzène/térébinthe, huile de.*

Cervidil (Ferring). *dinoprostone.*

C.E.S. (ICN). *estrogènes conjugués.*

Cesamet (Lilly). *nabilone.*

†Cetacort. *hydrocortisone.*

Cetamide (Alcon). *sulfacétamide sodique.*

cétirizine, chlorhydrate de. **Reactine, Zyrtec.**

cétrimide/chlorhexidine, gluconate de. **Savlodil, Savlon.**

charbon activé. **Charcodote, Charcodote Aqueux, Charcodote TFS.**

Charcodote (Pharmascience). *charbon activé.*

Charcodote Aqueux (Pharmascience). *charbon activé.*

Charcodote TFS (Pharmascience). *charbon activé.*

†Chemet. *succimer.*

Cheracol (Roberts). *ammonium, chlorure d'/codéine, phosphate de/guaifénésine.*

†Chibroxin. *norfloxacine.*

chlophédianol, chlorhydrate de. clofédanol. **Ulone.**

†Chloracol. *chloramphénicol.*

chloral, hydrate de. **[Hydrate de chloral, Monographie générale, APhC]; PMS-Chloral Hydrate.** †Aquachloral.

chlorambucil. **Leukeran.**

chloramphénicol. **[Chloramphénicol, Monographie générale, APhC]; Chloromycetin, injectable, Diochloram, Minims Chloramphénicol, Ophtho-Chloram, Pentamycetin.** †Chloracol, †Econochlor, †Ocu-Chlor.

chloramphénicol/allantoïne/butoxyéthyl, nicotinate de/hydrocortisone, acétate d'/soufre. **Actinac.**

chloramphénicol/hydrocortisone, acétate d'. **Pentamycetin/HC.**

chlorbutol/paradichlorobenzène/térébinthe, huile de. **Cerumol.**

chlordiazépoxide/amitriptyline, chlorhydrate d'. †Limbitrol.

chlordiazépoxide, chlorhydrate de. **[Benzodiazépines, Monographie générale, APhC]; Apo-Chlordiazepoxide, Novo-Poxide.** †Libritabs.

chlordiazépoxide, chlorhydrate de/clidinium, bromure de. **Apo-Chlorax, Librax.**

chlorhexidine, acétate de. **Bactigras.**

chlorhexidine, digluconate de/argent, sulfadiazine d'. **Flamazine C.**

chlorhexidine, gluconate de. **Hibidil 1:2 000, Hibitane, Oro-Clense, Peridex, Spectro Gram «2».**

chlorhexidine, gluconate de/cétrimide. **Savlodil, Savlon.**

chlorhexidine, gluconate de/goudron. **Spectro Tar, shampooing antiseptique.**

chloriguane. voir proguanil.

chlorméthine. voir méchloréthamine, chlorhydrate de.

chlormezanone. †Trancopal.

chloroguanide. voir proguanil.

chloroïodoquine. voir clioquinol.

Chloromycetin, injectable (Parke-Davis). *chloramphénicol.*

chloroprocaïne, chlorhydrate de. **Nesacaine-CE.**

chloroquine, phosphate de. **Aralen.**

chlorothiazide. †Diuril.

chlorothiazide/méthyldopa. **Supres.** †Aldoclor.

chloroxine. †Capitrol.

chloroxylénol/aluminium, dihydroxyallantoïnate d'/cellulose. **ZeaSORB.**

chloroxylénol/goudron de houille/menthol. **Denorex, Denorex Extra-fort.**

chlorphénamine. voir chlorphéniramine, maléate de.

chlorphénésine. **Mycil.**

chlorphéniramine/codéine/éphédrine/gaïacol, carbonate de/phényltoloxamine. **Omni-Tuss.**

chlorphéniramine, maléate de. chlorphénamine. chlorprophenpyridamine. **Chlor-Tripolon.**

d-chlorphéniramine, maléate de. voir dexchlorphéniramine, maléate de.

chlorphéniramine, maléate de/AAS. **Coricidin, dragées contre le rhume.**

chlorphéniramine, maléate de/AAS/phénylpropanolamine. **Coricidin «D».**

chlorphéniramine, maléate de/acétaminophène/codéine/pseudoéphédrine, chlorhydrate de. **Sinutab avec codéine.**

chlorphéniramine, maléate de/acétaminophène/dextrométhorphane, bromhydrate de/pseudoéphédrine, chlorhydrate de. **NeoCitran Extra-fort (Toux, rhume et grippe), Tylenol, Médicament pour le rhume pour enfants plus âgés avec DM, Tylenol, Médicament pour le rhume (pour la nuit), Tylenol rhume et grippe.**

chlorphéniramine, maléate de/acétaminophène/phényléphrine, chlorhydrate de. **Dristan, Dristan Extra-fort.**

chlorphéniramine, maléate de/acétaminophène/pseudoéphédrine, chlorhydrate de. **Sinutab, Tylenol, Médicament Allergie Sinus.**

chlorphéniramine, maléate de/acide ascorbique/prednisone, acétate de. **Metreton.**

chlorphéniramine, maléate de/dextrométhorphane, bromhydrate de/guaifénésine/pseudoéphédrine, chlorhydrate de. **Triaminic-DM Expectorant.**

chlorphéniramine, maléate de/dextrométhorphane, bromhydrate de/pseudoéphédrine, chlorhydrate de. **Triaminic DM Bonne Nuit, Triaminicol DM.**

chlorphéniramine, maléate de/épinéphrine. **Ana-Kit.**

chlorphéniramine, maléate de/guaifénésine/pseudoéphédrine, chlorhydrate de. **Triaminic Expectorant.**

Les noms **soulignés** paraissent en version détaillée dans la section des monographies du *CPS*.

chlorphéniramine, maléate de/phénylpropanolamine, chlorhydrate de. **Chlor-Tripolon Décongestionnant, sirop, Contac Rhume 12 heures de soulagement ordinaire, Contac Rhume 12 heures de soulagement extra fort, Coricidin «D» à action prolongée, Triaminic, Rhume et allergies, sirop.**

chlorphéniramine, maléate de/pseudoéphédrine, sulfate de. **Chlor-Tripolon Décongestionnant, comprimés.**

chlorphthalidone. voir *chlorthalidone.*

Chlorpromanyl (Technilab). *chlorpromazine, chlorhydrate de.*

chlorpromazine, chlorhydrate de. **[Chlorpromazine, Monographie générale, APhC]; Chlorpromanyl, Largactil; (Bioniche).** †Ormazine, †Thorazine, †Thor-Prom.

chlorpropamide. **[Sulfonylurées, Monographie générale, APhC]; Apo-Chlorpropamide, Diabinese.**

chlorprophenpyridamine. voir *chlorphéniramine, maléate de.*

chlorprothixène. †Taractan.

chlortalidone. voir *chlorthalidone.*

chlortétracycline, chlorhydrate de. **[Tétracyclines, Monographie générale, APhC]; Aureomycin.**

chlorthalidone. chlorphthalidone. chlortalidone. **Apo-Chlorthalidone, Hygroton.**

chlorthalidone/aténolol. **Tenoretic.**

chlorthalidone/réserpine. †Regroton.

Chlor-Tripolon (Schering). *chlorphéniramine, maléate de.*

Chlor-Tripolon Décongestionnant, comprimés (Schering). *chlorphéniramine, maléate de/pseudoéphédrine, sulfate de.*

Chlor-Tripolon Décongestionnant, sirop (Schering). *chlorphéniramine, maléate de/phénylpropanolamine, chlorhydrate de.*

Chlor-Tripolon N.D. (Schering). *loratadine/pseudoéphédrine, sulfate de.*

chlorzoxazone. †Paraflex.

chlorzoxazone/acétaminophène. **Acetazone Forte, Parafon Forte, Tylenol, Médicament contre les douleurs musculaires.**

chlorzoxazone/acétaminophène/codéine, phosphate de. **Acetazone Forte C8, Parafon Forte C8.**

Choix D'enfants (Swiss Herbal). *multivitamines et minéraux.*

†Cholebrine. *acide iocétamique.*

cholécalciférol. colécalciférol. vitamine D_3. **[Vitamine D, Monographie générale, APhC].**

cholécalciférol/calcium, carbonate de. **Os-Cal D.**

cholécystokinine. **(Ferring).**

Choledyl (Parke-Davis). *oxtriphylline.*

Choledyl Expectorant (Parke-Davis). *guaifénésine/oxtriphylline.*

Choledyl SA (Parke-Davis). *oxtriphylline.*

cholestyramine, résine de. **Alti-Cholestyramine Léger, Novo-Cholamine, Novo-Cholamine Léger, PMS-Cholestyramine, Questran, Questran Léger.**

choline, salicylate de. **Teejel.**

choline, salicylate de/magnésium, salicylate de. **Trilisate.**

choline, théophyllinate de. voir *oxtriphylline.*

Choloxin (Knoll). *dextrothyroxine sodique.*

Chronovera (Searle). *vérapamil, chlorhydrate de.*

†Chymex. *bentiromide.*

Chymodiactin (Knoll). *chymopapaïne.*

chymopapaïne. **Chymodiactin.**

†Cibacalcin. *calcitonine (humaine).*

†Cibalith-S. *lithium, citrate de.*

Cicatrin (Glaxo Wellcome). *acides aminés/bacitracine, zinc de/néomycine, sulfate de.*

ciclopirox olamine. **Loprox.**

ciclosporine. voir *cyclosporine.*

Cidomycin (Hoechst Marion Roussel). *gentamicine, sulfate de.*

cilastatine sodique/imipénem. **Primaxin.**

cilazapril. **[Inhibiteurs de l'ECA, Monographie générale, APhC]; Inhibace.**

Ciloxan (Alcon). *ciprofloxacine, chlorhydrate de.*

cimétidine. **Apo-Cimetidine, Gen-Cimetidine, Novo-Cimetine, Nu-Cimet, Peptol, PMS-Cimetidine, Tagamet.**

†Cinalone 40. *triamcinolone, diacétate de.*

cinchocaïne. voir *dibucaïne.*

†Cinobac. *cinoxacine.*

†Cinonide 40. *triamcinolone, acétonide de.*

cinoxacine. †Cinobac.

Cipro (Bayer). *ciprofloxacine, chlorhydrate de.*

Cipro I.V. (Bayer). *ciprofloxacine.*

ciprofloxacine. **Cipro I.V., Cipro, suspension buvable.**

ciprofloxacine, chlorhydrate de. **Ciloxan, Cipro.**

Cipro, suspension buvable (Bayer). *ciprofloxacine.*

cisapride, monohydrate de. **Prepulsid.** †Propulsid.

cisatracurium, bésylate de. **Nimbex.**

cisplatine. cis-platinum. **Platinol-AQ; (Faulding).**

cis-platinum. voir *cisplatine.*

citalopram. †Celexa.

Citanest à 4 % (Astra). *prilocaïne, chlorhydrate de.*

Citanest à 4 % Forte (Astra). *épinéphrine/prilocaïne, chlorhydrate de.*

Citrocarbonate (Roberts). *sodium, bicarbonate de/sodium, citrate de.*

Citro-Mag (Rougier). *magnésium, citrate de.*

citron, huile de/acide acétique/camphre/sodium, lauryl éther sulfate de. **SH-206.**

Citrotein (Novartis Nutrition). *nutrition entérale.*

cladribine. **Leustatin.**

Claforan (Hoechst Marion Roussel). *céfotaxime sodique.*

clarithromycine. **Biaxin.**

Claritin (Schering). *loratadine.*

Claritin Extra (Schering). *loratadine/pseudoéphédrine, sulfate de.*

Clavulin (SmithKline Beecham). *amoxicilline, trihydrate d'/potassium, clavulanate de.*

clémastine, fumarate hydrogéné de. **Tavist.**

clémastine, fumarate hydrogéné de/phénylpropanolamine, chlorhydrate de. **Tavist-D.**

†Cleocin. *clindamycine, chlorhydrate de.*

†Cleocin Pediatric. *clindamycine, chlorhydrate de palmitate de.*

†Cleocin T. *clindamycine, phosphate de.*

clidinium, bromure de. †Quarzan.

clidinium, bromure de/chlordiazépoxide, chlorhydrate de. **Apo-Chlorax, Librax.**

Climacteron (Sabex). *estradiol, benzoate d'/estradiol, diénanthate d'/testostérone, benzilylhydrazone énanthate de.*

Climara (Berlex Canada). *estradiol-17*β.

†Clinda-Derm. *clindamycine, phosphate de.*

clindamycine, chlorhydrate de. **Dalacin C.** †Cleocin.

clindamycine, chlorhydrate de palmitate de. **Dalacin C, granulés aromatisés.** †Cleocin Pediatric.

clindamycine, phosphate de. **Dalacin C Phosphate, solution stérile, Dalacin, crème vaginale, Dalacin T, solution topique; (Abbott).** †Cleocin T, †Clinda-Derm.

clioquinol. chloroïodoquine. iodochlorhydroxyquine. **Vioform.**

clioquinol/fluméthasone, pivalate de. **Locacorten Vioform, Locacorten Vioform, gouttes otiques.**

clioquinol/hydrocortisone. **Vioform Hydrocortisone.**

clobazam. **[Benzodiazépines, Monographie générale, APhC]; Frisium, Novo-Clobazam.**

clobétasol, propionate de. voir *clobétasol, 17-propionate de.*

clobétasol, 17-propionate de. clobétasol, propionate de. **[Corticostéroïdes: Topiques, Monographie générale, APhC]; Alti-Clobetasol, Dermasone, Dermovate, Gen-Clobetasol, crème/onguent, Gen-Clobetasol, lotion capillaire, Novo-Clobetasol, PMS-Clobetasol.** †Temovate.

clobétasone, butyrate de. voir *clobétasone, 17-butyrate de.*

clobétasone, 17-butyrate de. clobétasone, butyrate de. **[Corticostéroïdes: Topiques, Monographie générale, APhC]; Eumovate.**

clocortolone, pivalate de. †Cloderm.

†Cloderm. *clocortolone, pivalate de.*

clodronate disodique. dichlorométhylène, diphosphonate de. **Bonefos, Ostac.**

clofazimine. †Lamprene.

clofédanol. voir *chlophédianol, chlorhydrate de.*

clofibrate. **Atromide-S.**

Clomid (Hoechst Marion Roussel). *clomiphène, citrate de.*

clomifène, citrate de. voir *clomiphène, citrate de.*

clomiphène, citrate de. clomifène, citrate de. **Clomid, Serophene.** †Milophene.

clomipramine, chlorhydrate de. **Anafranil, Apo-Clomipramine, Gen-Clomipramine, Novo-Clopamine.**

Clonapam (ICN). *clonazépam.*

clonazépam. **[Benzodiazépines, Monographie générale, APhC]; Alti-Clonazepam, Apo-Clonazepam, Clonapam, Gen-Clonazepam,** Novo-Clonazepam, **Nu-Clonazepam, PMS-Clonazepam, Rho-Clonazepam, Rivotril.** †Klonopin.

clonidine, chlorhydrate de. **Apo-Clonidine, Catapres, Dixarit, Novo-Clonidine, Nu-Clonidine.**

clopidogrel, bisulfate de. **Plavix.**

Clopixol (Lundbeck). *zuclopenthixol, dichlorhydrate de.*

Clopixol-Acuphase (Lundbeck). *zuclopenthixol, acétate de.*

Clopixol Depot (Lundbeck). *zuclopenthixol, décanoate de.*

clorazépate dipotassique. **[Benzodiazépines, Monographie générale, APhC]; Apo-Clorazepate, Novo-Clopate, Tranxene.** †Gen-XENE.

Clotrimaderm (Taro). *clotrimazole.*

clotrimazole. **Canesten Topique, Canesten Vaginal, Clotrimaderm, Scheinpharm Clotrimazole.**

clotrimazole/bétaméthasone, dipropionate de. **Lotriderm.** †Lotrisone.

cloxacilline sodique. **Apo-Cloxi, Novo-Cloxin, Nu-Cloxi, Tegopen.**

clozapine. **Clozaril.**

Clozaril (Novartis Pharma). *clozapine.*

CoActifed (Glaxo Wellcome). *codéine, phosphate de/pseudoéphédrine, chlorhydrate de/triprolidine, chlorhydrate de.*

CoActifed Expectorant (Glaxo Wellcome). *codéine, phosphate de/guaifénésine/pseudoéphédrine, chlorhydrate de/triprolidine, chlorhydrate de.*

cobalamine. voir *cyanocobalamine.*

cobalt, gluconate de/manganèse, gluconate de. **Oligosol Manganèse-Cobalt.**

cobalt, gluconate de/nickel, gluconate de/zinc, gluconate de. **Oligosol, Zinc-Nickel-Cobalt.**

cocaïne, chlorhydrate de. **(BDH).**

codéine/acétaminophène/chlorphéniramine, maléate de/pseudoéphédrine, chlorhydrate de. **Sinutab avec codéine.**

codéine/chlorphéniramine/éphédrine/gaïacol, carbonate de/phényltoloxamine. **Omni-Tuss.**

Codeine Contin (Purdue Frederick). *codéine monohydraté/codéine, trihydrate de sulfate de.*

codéine monohydraté/codéine, trihydrate de sulfate de. **Codeine Contin.**

codéine, phosphate de. **[Opioïdes, Monographie générale, APhC]; (Abbott), (Rougier), (Technilab), (Trianon).**

codéine, phosphate de/AAS/butalbital/caféine. **Fiorinal -C¼, -C½, Tecnal C¼, C½, Trianal C¼, C½.**

codéine, phosphate de/AAS/caféine. **(WestCan).**

codéine, phosphate de/AAS/caféine, citrate de. **222, 292.**

codéine, phosphate de/AAS/caféine, citrate de/méprobamate. **282 Mep.**

codéine, phosphate de/AAS/méthocarbamol. **Methoxisal-C, Robaxisal-C.**

codéine, phosphate de/AAS/phénobarbital. **Phenaphen avec Codéine.**

codéine, phosphate de/acétaminophène. **Empracet-30, -60, Emtec-30, Lenoltec No.4, Triatec-30, Tylenol NO.4 avec codéine, Tylenol, élixir à la codéine.**

codéine, phosphate de/acétaminophène/caféine. **Acétaminophène extra-puissant avec codéine, Acétaminophène ordinaire avec codéine, Lenoltec No.1, No.2, No.3, Novo-Gesic C8, C15, C30, Tylenol NO.1 avec codéine, Tylenol NO.2 et NO.3 avec codéine; (Stanley).**

codéine, phosphate de/acétaminophène/caféine, citrate de. **Atasol-8, -15, -30, Triatec -8, -8 Fort.**

codéine, phosphate de/acétaminophène/chlorzoxazone. **Acetazone Forte C8, Parafon Forte C8.**

codéine, phosphate de/acétaminophène/doxylamine, succinate de. **Mersyndol avec Codéine.**

codéine, phosphate de/acétaminophène/méthocarbamol. **Methoxacet-C, Robaxacet-8.**

codéine, phosphate de/ammonium, chlorure d'/diphenhydramine, chlorhydrate de. **Calmylin Original avec codéine.**

codéine, phosphate de/ammonium, chlorure d'/guaifénésine. **Cheracol.**

codéine, phosphate de/bromphéniramine, maléate de/guaifénésine/phényléphrine, chlorhydrate de/phénylpropanolamine, chlorhydrate de. **Dimetane Expectorant-C.**

codéine, phosphate de/bromphéniramine, maléate de/phényléphrine, chlorhydrate de/phénylpropanolamine, chlorhydrate de. **Dimetapp-C.**

codéine, phosphate de/guaifénésine/phéniramine, maléate de. **Calmylin Ace, Robitussin AC, Robitussin avec Codéine.**

codéine, phosphate de/guaifénésine/pseudoéphédrine, chlorhydrate de. **Benylin Codéine, Calmylin avec codéine.**

codéine, phosphate de/guaifénésine/pseudoéphédrine, chlorhydrate de/triprolidine, chlorhydrate de. **CoActifed Expectorant, Cotridin Expectorant.**

codéine, phosphate de/phéniramine, maléate de/phénylpropanolamine, chlorhydrate de/pyrilamine, maléate de. **Tussaminic C.**

codéine, phosphate de/phényléphrine, chlorhydrate de. **Novahistex C.**

codéine, phosphate de/potassium, gaïacolsulfonate de/prométhazine, chlorhydrate de. **Phénergan Expectorant avec Codéine.**

codéine, phosphate de/pseudoéphédrine, chlorhydrate de/triprolidine, chlorhydrate de. **CoActifed, Cotridin.**

codéine, trihydrate de sulfate de/codéine monohydraté. **Codeine Contin.**

Cogentin (MSD). *benztropine, mésylate de.*

Colace (Roberts). *docusate sodique.*

Les noms **soulignés** paraissent en version détaillée dans la section des monographies du *CPS*.

colaspase. voir *L-asparaginase.*

colchicine. **[Colchicine, Monographie générale, APhC]; (Abbott), (Odan), (Welcker-Lyster).**

colécalciférol. voir *cholécalciférol.*

Colestid (Pharmacia & Upjohn). *colestipol, chlorhydrate de.*

colestipol, chlorhydrate de. **Colestid.**

colfoscéril, palmitate de. **Exosurf Néonatal.**

colistiméthate sodique. **Coly-Mycin M.**

collagénase. **Santyl.**

Collyre (Produits ophtalmiques Rivex). *acide borique.*

Colpermin (R & C). *huile de menthe poivrée.*

Colprone (Wyeth-Ayerst). *médrogestone.*

Coly-Mycin M (Parke-Davis). *colistiméthate sodique.*

Colyte (R & C). *électrolytes/polyéthylène glycol.*

Combantrin (Pfizer, Soins de la santé). *pyrantel, pamoate de.*

Combivent, aérosol pour inhalation (Boehringer Ingelheim). *ipratropium, bromure d'/salbutamol, sulfate de.*

Combivent, solution pour inhalation (Boehringer Ingelheim). *ipratropium, bromure d'/salbutamol, sulfate de.*

†Compa-Z. *prochlorpérazine, édisylate de.*

†Compazine. *prochlorpérazine.*

Compleat Modifié (Novartis Nutrition). *nutrition entérale.*

Complex 15 (Schering). *diméthicone/lécithine.*

complexe de facteurs de coagulation anti-inhibiteurs. **Feiba VH Immuno.**

complexe fer-sorbitol-acide, stabilisé à la dextrine. **Jectofer.**

Comprimés de voyage (WestCan). *dimenhydrinate.*

Condyline (Canderm Pharma). *podofilox.*

Congest (Trianon). *estrogènes conjugués.*

Conray 30 (Mallinckrodt). *méglumine, iothalamate de.*

Conray 43 (Mallinckrodt). *méglumine, iothalamate de.*

Conray 60 (Mallinckrodt). *méglumine, iothalamate de.*

Contac Rhume 12 heures de soulagement ordinaire (SmithKline Beecham Consumer Healthcare). *chlorphéniramine, maléate de/phénylpropanolamine, chlorhydrate de.*

Contac Rhume 12 heures de soulagement extra fort (SmithKline Beecham Consumer Healthcare). *chlorphéniramine, maléate de/phénylpropanolamine, chlorhydrate de.*

Contac Rhume 12 heures de soulagement sans somnolence (SmithKline Beecham Consumer Healthcare). *pseudoéphédrine, chlorhydrate de.*

Contac Toux, Rhume et Grippe, Jour (SmithKline Beecham Consumer Healthcare). *acétaminophène/dextrométhorphane, bromhydrate de/pseudoéphédrine, chlorhydrate de.*

Contac Toux, Rhume et Grippe, Nuit (SmithKline Beecham Consumer Healthcare). *acétaminophène/diphenhydramine, chlorhydrate de/pseudoéphédrine, chlorhydrate de.*

contraceptif intra-utérin. **Gyne-T, Gyne-T 380 Slimline, Nova-T.**

Cophylac (Hoechst Marion Roussel). *hydroxyéphédrine, chlorhydrate d'/norméthadone, chlorhydrate de.*

Cophylac Expectorant (Hoechst Marion Roussel). *émétine, chlorhydrate d'/hydroxyéphédrine, chlorhydrate d'/norméthadone, chlorhydrate de.*

Coptin (Axcan Pharma). *sulfadiazine/triméthoprime.*

Cordarone (Wyeth-Ayerst). *amiodarone, chlorhydrate d'.*

Cordarone I.V. (Wyeth-Ayerst). *amiodarone, chlorhydrate d'.*

†Cordran. *flurandrénolide.*

Coreg (SmithKline Beecham). *carvédilol.*

Corgard (Squibb). *nadolol.*

Coricidin «D» (Schering). *AAS/chlorphéniramine, maléate de/phénylpropanolamine.*

Coricidin «D» à action prolongée (Schering). *chlorphéniramine, maléate de/phénylpropanolamine, chlorhydrate de.*

Coricidin, dragées contre le rhume (Schering). *AAS/chlorphéniramine, maléate de.*

Coricidin non sédatif (Schering). *AAS/phénylpropanolamine, chlorhydrate de.*

Coristex-DH (Technilab). *hydrocodone, bitartrate d'/phényléphrine, chlorhydrate de.*

Coristine-DH (Technilab). *hydrocodone, bitartrate d'/phényléphrine, chlorhydrate de.*

†Corlopam. *fenoldopam, mésylate de.*

Cortamed (Sabex). *hydrocortisone, acétate d'.*

Cortate (Schering). *hydrocortisone.*

†Cort-Dome. *hydrocortisone.*

Cortef (Pharmacia & Upjohn). *hydrocortisone.*

Cortenema (Axcan Pharma). *hydrocortisone.*

†Corticaine. *hydrocortisone, acétate d'.*

corticostéroïdes: généraux. **(Monographie générale, APhC).**

corticostéroïdes: inhalation. **(Monographie générale, APhC).**

corticostéroïdes: topiques. **(Monographie générale, APhC).**

corticostéroïdes: yeux, oreilles, nez. **(Monographie générale, APhC).**

corticosurrénal/cyanocobalamine/orchitique, extrait d'. **Heracline.**

Cortifoam (R & C). *hydrocortisone, acétate d'.*

Cortimyxin (Sabex). *hydrocortisone/néomycine, sulfate de/polymyxine B, sulfate de.*

cortisol. voir *hydrocortisone.*

cortisone, acétate de. **[Corticostéroïdes: Généraux, Monographie générale, APhC]; Cortisone—ICN (Acétate), Cortone, comprimés, Cortone, suspension.**

Cortisone—ICN (Acétate) (ICN). *cortisone, acétate de.*

Cortisporin, onguent (Glaxo Wellcome). *bacitracine, zinc de/hydrocortisone/néomycine, sulfate de/polymyxine B, sulfate de.*

Cortisporin, onguent ophtalmique (Glaxo Wellcome). *bacitracine, zinc de/hydrocortisone/néomycine, sulfate de/polymyxine B, sulfate de.*

Cortisporin, solution otique (Glaxo Wellcome). *hydrocortisone/néomycine, sulfate de/polymyxine B, sulfate de.*

Cortisporin, suspension oto-ophtalmique (Glaxo Wellcome). *hydrocortisone/néomycine, sulfate de/polymyxine B, sulfate de.*

Cortoderm (Taro). *hydrocortisone.*

Cortone, comprimés (MSD). *cortisone, acétate de.*

Cortone, suspension (MSD). *cortisone, acétate de.*

†Cortril. *hydrocortisone.*

Cortrosyn (Organon). *cosyntrophine.*

Cosmegen (MSD). *dactinomycine.*

cosyntrophine. **Cortrosyn.**

cosyntrophine/zinc, hydroxyde de. **Synacthen Dépôt.**

Cotazym (Organon). *pancrélipase.*

†Cotranzine. *prochlorpérazine, édisylate de.*

Cotridin (Technilab). *codéine, phosphate de/pseudoéphédrine, chlorhydrate de/triprolidine, chlorhydrate de.*

Cotridin Expectorant (Technilab). *codéine, phosphate de/guaifénésine/pseudoéphédrine, chlorhydrate de/triprolidine, chlorhydrate de.*

Coumadin (DuPont Pharma). *warfarine sodique.*

Coversyl (Servier). *perindopril erbumine.*

Cozaar (MSD). *losartan potassique.*

Creon 10 (Solvay Pharma). *pancrélipase.*

Creon 25 (Solvay Pharma). *pancrélipase.*

Créo-Rectal (Nadeau). *camphre/diphénylpyraline, chlorhydrate de/gaïacol, carbonate de.*

Crixivan (MSD). *indinavir, sulfate d'.*

cromoglycate sodique. cromolyn sodique. **Apo-Cromolyn, Apo-Cromolyn Sterules, Cromolyn, solution nasale, Cromolyn, solution ophtalmique, Gen-Cromoglycate, solution nasale, Gen-Cromoglycate Sterinebs, Intal, Intal, inhalateur/Syncroner, Intal Spincaps/solution à nébuliser, Nalcrom, Novo-Cromolyn, Nu-Cromolyn, Opticrom, PMS-Sodium Cromoglycate; (Pharmascience).** †Gastrocrom, †Nasalcrom.

cromolyn sodique. voir *cromoglycate sodique.*

Cromolyn, solution nasale (Pharmascience). *cromoglycate sodique.*

Cromolyn, solution ophtalmique (Pharmascience). *cromoglycate sodique.*

crotamiton. **Eurax.**

Crystapen (tamponné) (Bioniche). *pénicilline G sodique.*

†Crysticillin 300 AS. *pénicilline G procaïnique.*

†Crystodigin. *digitoxine.*

cuivre/calcium, carbonate de/magnésium/manganèse/vitamine D/zinc. **Caltrate Plus.**

cuivre, gluconate de. **Oligosol, Cuivre.**

cuivre, gluconate de/argent, gluconate d'/or colloïdal. **Oligosol, Cuivre-Or-Argent.**

cuivre, gluconate de/manganèse, gluconate de. **Oligosol, Manganèse-Cuivre.**

cuivre, oxyde de/multivitamines/zinc, oxyde de. **Stresstabs avec Zinc.**

Cuplex (TCD). *acide lactique/acide salicylique.*

Cuprimine (MSD). *pénicillamine.*

cyanocobalamine. cobalamine. vitamine B_{12}. **[Vitamine B_{12}, Monographie générale, APhC]; Rubramin, Scheinpharm B12; (Abbott), (Taro).**

cyanocobalamine/corticosurrénal/orchitique, extrait d'. **Heracline.**

cyanocobalamine/minéraux. **Oligofer.**

Cyclen (Janssen-Ortho). *éthinylœstradiol/norgestimate.*

cyclizine, chlorhydrate de/caféine, hydrate de/ergotamine, tartrate d'. **Megral.**

cyclobenzaprine, chlorhydrate de. **Alti-Cyclobenzaprine, Apo-Cyclobenzaprine, Flexeril, Flexitec, Gen-Cycloprine, Novo-Cycloprine, Nu-Cyclobenzaprine.** †Cycoflex.

Cyclocort (Stiefel). *amcinonide.*

Cyclogyl (Alcon). *cyclopentolate, chlorhydrate de.*

Cyclomen (Sanofi). *danazol.*

cyclométhicone/pétrolatum. **Prevex, crème.**

cyclopentolate, chlorhydrate de. **[Cyclopentolate (Chlorhydrate), Monographie générale, APhC]; Cyclogyl, Diopentolate, Minims Cyclopentolate.**

cyclophosphamide. **Cytoxan, Procytox.** †Neosar.

cyclosporine. ciclosporine. **Neoral, Sandimmune I.V.**

cyclothiazide. †Anhydron.

†Cycoflex. *cyclobenzaprine, chlorhydrate de.*

†Cycrin. *médroxyprogestérone, acétate de.*

Cyklokapron (Pharmacia & Upjohn). *acide tranexamique.*

Cylert (Abbott). *pémoline.*

cyproheptadine, chlorhydrate de. **Periactin.**

cyprotérone, acétate de. **Alti-CPA, Androcur, Androcur Depot, Novo-Cyproterone.**

cyprotérone, acétate de/éthinylœstradiol. **Diane-35.**

Cystistat (Bioniche). *hyaluronate sodique.*

Cysto-Conray (Mallinckrodt). *méglumine, iothalamate de.*

Cysto-Conray II (Mallinckrodt). *méglumine, iothalamate de.*

†Cystospaz. *hyoscyamine.*

Cytadren (Novartis Pharma). *aminoglutéthimide.*

cytarabine. cytosine arabinoside. **Cytosar; (Faulding), (Novopharm).**

Cytosar (Pharmacia & Upjohn). *cytarabine.*

cytosine arabinoside. voir *cytarabine.*

Cytotec (Searle). *misoprostol.*

Cytovene, capsules (Roche). *ganciclovir.*

Cytovene, injectable (Roche). *ganciclovir sodique.*

Cytoxan (Bristol). *cyclophosphamide.*

D

dacarbazine. **DTIC.**

dactinomycine. actinomycine D. **Cosmegen.**

Dagenan (Rhône-Poulenc Rorer). *sulfapyridine.*

Dairyaid (Tanta). *lactase.*

Dalacin C (Pharmacia & Upjohn). *clindamycine, chlorhydrate de.*

Dalacin C, granulés aromatisés (Pharmacia & Upjohn). *clindamycine, chlorhydrate de palmitate de.*

Dalacin C Phosphate, solution stérile (Pharmacia & Upjohn). *clindamycine, phosphate de.*

Dalacin, crème vaginale (Pharmacia & Upjohn). *clindamycine, phosphate de.*

Dalacin T, solution topique (Pharmacia & Upjohn). *clindamycine, phosphate de.*

†Dalgan. *dezocine.*

Dalmacol (Riva). *doxylamine, succinate de/étafédrine, chlorhydrate d'/hydrocodone, bitartrate d'/sodium, citrate de.*

Dalmane (Roche). *flurazépam, chlorhydrate de.*

daltéparine sodique. **[Héparines de faible poids moléculaire, Monographie générale, APhC]; Fragmin.**

danaparoïde sodique. **Orgaran.**

danazol. **Cyclomen.** †Danocrine.

Dan-Gard (Stiefel). *zinc, pyrithione de.*

†Danocrine. *danazol.*

Dan-Tar Plus (Stiefel). *polytar/pyrithione, disulfure de.*

Dantrium, capsules (Procter & Gamble, Compagnie pharmaceutique). *dantrolène sodique.*

Dantrium Intraveineux (Procter & Gamble, Compagnie pharmaceutique). *dantrolène sodique.*

dantrolène sodique. **Dantrium, capsules, Dantrium Intraveineux.**

dapsone. DDS. diaphénylsulfone. **Avlosulfon.**

†Daranide. *dichlorphenamide.*

Daraprim (Glaxo Wellcome). *pyriméthamine.*

Darvon-N (Lilly). *propoxyphène, napsylate de.*

daunomycine. voir *daunorubicine.*

daunorubicine. daunomycine. **Cérubidine.**

daunorubicine, chlorhydrate de. **(Novopharm).**

daunorubicine liposomique. **DaunoXome.**

DaunoXome (NeXstar). *daunorubicine liposomique.*

Daypro (Searle). *oxaprozine.*

†Dazamide. *acétazolamide.*

DDAVP, comprimés (Ferring). *desmopressine, acétate de.*

DDAVP, injectable (Ferring). *desmopressine, acétate de.*

DDAVP, Vaporisateur et Rhinyle Solution nasale (Ferring). *desmopressine, acétate de.*

ddC. voir *zalcitabine.*

ddI. voir *didanosine.*

DDS. voir *dapsone.*

Decadron, comprimés (MSD). *dexaméthasone.*

Decadron (Phosphate), injectable (MSD). *dexaméthasone, phosphate sodique de.*

Les noms **soulignés** paraissent en version détaillée dans la section des monographies du *CPS*.

Deca-Durabolin (Organon). *nandrolone, décanoate de.*

Declomycin (Wyeth-Ayerst). *déméclocycline, chlorhydrate de.*

Decongest (Technilab). *xylométazoline, chlorhydrate de.*

déféroxamine, mésylate de. desferrioxamine. **Desferal.**

Dehydral (TCD). *méthénamine.*

†Delatest. *testostérone, énanthate de.*

Delatestryl (Squibb). *testostérone, énanthate de.*

delavirdine, mésylate de. Drescriptor.

Delestrogen (Squibb). *estradiol, valérianate d'.*

Delsym (Novartis Santé Familiale). *dextrométhorphane, bromhydrate de.*

†Delta-Cortef. *prednisolone.*

deltacortisone. voir *prednisone.*

deltahydrocortisone. voir *prednisolone, acétate de.*

Deltasone (Pharmacia & Upjohn). *prednisone.*

delta-9-tétrahydrocannabinol. voir *dronabinol.*

Demadex (Roche). *torsémide.*

démécarium, bromure de. †Humorsol.

déméclocycline, chlorhydrate de. déméthylchlortétracycline, chlorhydrate de. **[Tétracyclines, Monographie générale, APhC]; Declomycin.**

Demerol (Sanofi). *péthidine, chlorhydrate de.*

déméthylchlortétracycline, chlorhydrate de. voir *déméclocycline, chlorhydrate de.*

†Demser. *métyrosine.*

Demulen (Searle). *éthinylœstradiol/éthynodiol, diacétate d'.*

Denorex (Whitehall-Robins). *chloroxylénol/goudron de houille/menthol.*

Denorex Extra-fort (Whitehall-Robins). *chloroxylénol/goudron de houille/menthol.*

Depakene (Abbott). *acide valproïque.*

†Depakote. *divalproex sodique.*

Depen (Carter Horner). *pénicillamine.*

†depGynogen. *estradiol, cypionate d'.*

†depMedalone. *méthylprednisolone, acétate de.*

†Depogen. *estradiol, cypionate d'.*

Depo-Medrol (Pharmacia & Upjohn). *méthylprednisolone, acétate de.*

Depo-Medrol avec Lidocaïne (Pharmacia & Upjohn). *lidocaïne, chlorhydrate de/méthylprednisolone, acétate de.*

†Depopred. *méthylprednisolone, acétate de.*

Depo-Provera (Pharmacia & Upjohn). *médroxyprogestérone, acétate de.*

†Depotest. *testostérone, cypionate de.*

Depo-Testostérone (Cypionate) (Pharmacia & Upjohn). *testostérone, cypionate de.*

Deproic (Technilab). *acide valproïque.*

Dequadin (Roberts). *déqualinium, chlorure de.*

déqualinium, chlorure de. **Dequadin.**

Dérivé de protéines purifiées (Connaught). *DPP-B (Mantoux).*

†Dermacort. *hydrocortisone.*

†Dermarest DriCort. *hydrocortisone, acétate d'.*

Dermasone (Technilab). *clobétasol, 17-propionate de.*

Dermazin (Pharmascience). *argent, sulfadiazine d'.*

Dermovate (Glaxo Wellcome). *clobétasol, 17-propionate de.*

†Dermtex HC. *hydrocortisone.*

Desenex (Novartis Santé Familiale). *acide undécylénique/zinc, undécylénate de.*

déserpidine. †Harmonyl.

déserpidine/hydrochlorothiazide. †Oreticyl.

Desferal (Novartis Pharma). *déféroxamine, mésylate de.*

desferrioxamine. voir *déféroxamine, mésylate de.*

desflurane. **Suprane.**

désipramine, chlorhydrate de. desméthylimipramine. **Alti-Desipramine, Apo-Desipramine, Norpramin, Novo-Desipramine, Nu-Desipramine, PMS-Desipramine.**

deslorelin. †Somagard.

desméthylimipramine. voir *désipramine, chlorhydrate de.*

desmopressine, acétate de. **DDAVP, comprimés, DDAVP, injectable, DDAVP, Vaporisateur et Rhinyle Solution nasale, Octostim.**

Desocort (Galderma). *désonide.*

†Desogen. *désogestrel/éthinylœstradiol.*

désogestrel/éthinylœstradiol. **Marvelon, Ortho-Cept.** †Desogen.

désonide. **[Corticostéroïdes: Topiques, Monographie générale, APhC]; Desocort, Scheinpharm Desonide, Tridesilon.** †DesOwen.

†DesOwen. *désonide.*

désoximétasone. **[Corticostéroïdes: Topiques, Monographie générale, APhC]; Topicort.**

désoxyéphédrine. voir *méthamphétamine, chlorhydrate de.*

†Desoxyn. *méthamphétamine, chlorhydrate de.*

Desquam-X (Westwood-Squibb). *benzoyle, peroxyde de.*

Desyrel (Bristol). *trazodone, chlorhydrate de.*

Desyrel Dividose (Bristol). *trazodone, chlorhydrate de.*

222 (Johnson & Johnson • Merck). *AAS/caféine, citrate de/codéine, phosphate de.*

222 AF (Johnson & Johnson • Merck). *acétaminophène.*

282 Mep (Frosst). *AAS/caféine, citrate de/codéine, phosphate de/méprobamate.*

292 (Frosst). *AAS/caféine, citrate de/codéine, phosphate de.*

†Dexair. *dexaméthasone, phosphate sodique de.*

dexaméthasone. **[Corticostéroïdes: Généraux, Corticostéroïdes: Yeux, Oreilles, Nez, Monographies générales, APhC]; Decadron, comprimés, Dexasone, Maxidex.** †Dexone, †Hexadrol, †Mymethasone.

dexaméthasone, acétate de. **[Corticostéroïdes: Généraux, Corticostéro ïdes: Yeux, Oreilles, Nez, Monographies générales, APhC];** †Solurex-LA.

dexaméthasone/framycétine, sulfate de/gramicidine. **Sofracort.**

dexaméthasone/néomycine, sulfate de/polymyxine B, sulfate de. **Dioptrol, Maxitrol.**

dexaméthasone, phosphate disodique de. voir *dexaméthasone, phosphate sodique de.*

dexaméthasone, phosphate sodique de. dexaméthasone, phosphate disodique de. **[Corticostéroïdes: Généraux, Corticostéroïdes: Yeux, Oreilles, Nez, Monographies générales, APhC]; Decadron (Phosphate), injectable, Diodex, Hexadrol (Phosphate); (Produits ophtalmiques Rivex).** †Dexair, †Dexotic, †Storz-Dexa.

dexaméthasone/tobramycine. **Tobradex.**

dexamphétamine, sulfate de. d-amphétamine. dextroamphétamine. **Dexedrine.**

Dexasone (ICN). *dexaméthasone.*

dexbromphéniramine, maléate de/pseudoéphédrine, sulfate de. **Drixoral, Drixoral Nuit, Drixtab.**

dexchlorphéniramine, maléate de. d-chlorphéniramine, maléate de. **Polaramine.**

Dexedrine (SmithKline Beecham). *dexamphétamine, sulfate de.*

dexfenfluramine. †Redux.

Dexiron (Genpharm). *fer-dextran.*

†Dexone. *dexaméthasone.*

†Dexotic. *dexaméthasone, phosphate sodique de.*

dexrazoxane. **Zinecard.**

dextran 40. **Gentran 40, Rheomacrodex.**

dextran 70. **Gentran 70.**

dextran 70/dextrose. **Hyskon.**

dextran 70/hydroxypropylméthylcellulose. **Bion Tears, Tears Naturale, Tears Naturale II, Tears Naturale Free.**

dextran 70/polyéthylèneglycol. **Aquasite.**

dextroamphétamine. voir *dexamphétamine, sulfate de.*

dextrométhorphane, bromhydrate de. **Balminil DM, Balminil DM Enfants, Benylin DM, Benylin DM 12 heures, Benylin DM 12 heures pour enfants, Benylin DM pour enfants, Broncho-Grippol-DM, Calmylin #1, Delsym, Koffex DM, Novahistex DM, Novahistine DM, Robitussin Pédiatrique, Triaminic DM, action prolongée pour enfants.**

dextrométhorphane, bromhydrate de/acétaminophène. **Tylenol, Médicament contre la toux, caplets/suspension liquide.**

dextrométhorphane, bromhydrate de/acétaminophène/chlorphéniramine, maléate de/pseudoéphédrine, chlorhydrate de. **NeoCitran Extra-fort (Toux, rhume et grippe), Tylenol, Médicament pour le rhume pour enfants plus âgés avec DM, Tylenol, Médicament pour le rhume (pour la nuit), Tylenol rhume et grippe.**

dextrométhorphane, bromhydrate de/acétaminophène/guaifénésine/pseudoéphédrine, chlorhydrate de. **Benylin Grippe, Calmylin Rhume et grippe, Robitussin Toux, Rhume et Grippe Liqui-Gels, Sudafed rhume et grippe.**

dextrométhorphane, bromhydrate de/acétaminophène/pseudoéphédrine, chlorhydrate de. **Contac Toux, Rhume et Grippe, Jour, NeoCitran Extra-fort Caplets de jour, Sudafed rhume & toux, Triaminic, Rhume et Fièvre, Tylenol, Médicament contre la toux, suspension liquide plus décongestionnant, Tylenol, Médicament pour le rhume (pour le jour).**

dextrométhorphane, bromhydrate de/bromphéniramine, maléate de/phényléphrine, chlorhydrate de/phénylpropanolamine, chlorhydrate de. **Dimetapp-DM.**

dextrométhorphane, bromhydrate de/bromphéniramine, maléate de/phénylpropanolamine, chlorhydrate de. **Dimetapp Liqui-gels Toux et Rhume.**

dextrométhorphane, bromhydrate de/chlorphéniramine, maléate de/guaifénésine/pseudoéphédrine, chlorhydrate de. **Triaminic-DM Expectorant.**

dextrométhorphane, bromhydrate de/chlorphéniramine, maléate de/pseudoéphédrine, chlorhydrate de. **Triaminic DM Bonne Nuit, Triaminicol DM.**

dextrométhorphane, bromhydrate de/guaifénésine. **Balminil DM + Expectorant, Benylin DM-E, Robitussin DM.**

dextrométhorphane, bromhydrate de/guaifénésine/phénylpropanolamine, chlorhydrate de. **Triaminic DM Bonjour.**

dextrométhorphane, bromhydrate de/guaifénésine/pseudoéphédrine, chlorhydrate de. **Balminil DM + Décongestionnant + Expectorant, Benylin DM-D-E, Calmylin #3, Novahistex DM Décongestionnant Expectorant, Novahistine DM Décongestionnant Expectorant, Robitussin Toux et Rhume, Robitussin Toux et Rhume Liqui-Gels.**

dextrométhorphane, bromhydrate de/phéniramine, maléate de/phényléphrine, chlorhydrate de. **NeoCitran DM.**

dextrométhorphane, bromhydrate de/pseudoéphédrine, chlorhydrate de. **Balminil DM + Décongestionnant, Benylin DM-D (Adultes), Benylin DM-D pour enfants, Calmylin #2, Calmylin Pédiatrique, Novahistex DM Décongestionnant, Novahistine DM Décongestionnant, Robitussin Pédiatrique Toux et Rhume.**

dextrométhorphane, bromure de/ammonium, chlorure de/diphenhydramine, chlorhydrate de. **Calmylin #4.**

dextrose. **Glucodex; (Bioniche).**

dextrose/acides aminés. **Travasol sans électrolytes.**

dextrose/acides aminés/électrolytes. **Travasol avec électrolytes.**

dextrose/dextran 70. **Hyskon.**

dextrose/dopamine, chlorhydrate de. **(Abbott), (Baxter).**

dextrose/électrolytes. **Enfalac Lytren, Gastrolyte, Pedialyte, Pedialyte Bâtons Glacé.**

dextrose/héparine sodique. **(Abbott), (Baxter).**

dextrose/lidocaïne, chlorhydrate de. **(Baxter).**

dextrose monohydraté/brétylium, tosylate de. **(Abbott).**

dextrose/nitroglycérine. **(Baxter).**

dextrothyroxine sodique. d-thyroxine sodique. **Choloxin.**

dezocine. †Dalgan.

†D.H.E. 45. *dihydroergotamine, mésylate de.*

DHT. voir *dihydrotachystérol.*

Diaβeta (Hoechst Marion Roussel). *glyburide.*

Diabinese (Pfizer). *chlorpropamide.*

Diamicron (Servier). *gliclazide.*

diamorphine, chlorhydrate de. **[Opioïdes, Monographie générale, APhC].**

Diamox (Wyeth-Ayerst). *acétazolamide.*

Diane-35 (Berlex Canada). *cyprotérone, acétate de/éthinylœstradiol.*

diaphénylsulfone. voir *dapsone.*

†Diapid. *lypressin.*

Dia-Vite (R&D Laboratories). *multivitamines.*

Diazemuls (Pharmacia & Upjohn). *diazépam.*

diazépam. **[Benzodiazépines, Monographie générale, APhC]; Apo-Diazepam, Diazemuls, Valium Roche Injectable, Valium Roche Oral, Vivol.** †Valrelease, †Zetran.

diazoxide. **Hyperstat, Proglycem.**

Diban (Wyeth-Ayerst). *atropine, sulfate d'/attapulgite activée/hyoscyamine, sulfate d'/opium/pectine/scopolamine, bromhydrate de.*

†Dibenzyline. *phénoxybenzamine, chlorhydrate de.*

dibucaïne. cinchocaïne. **Nupercaïnal, pommade.**

dibucaïne, chlorhydrate de/esculine/framycétine, sulfate de/hydrocortisone. **Proctosedyl, Proctosone.**

dibucaïne/domiphène, bromure de. **Nupercaïnal, crème.**

Dicetel (Solvay Pharma). *pinavérium, bromure de.*

dichloralphénazone/acétaminophène/isométheptène, mucrate d'. †Mitride.

dichlorométhylène, diphosphonate de. voir *clodronate disodique.*

dichlorphenamide. †Daranide.

dichystérol. voir *dihydrotachystérol.*

Diclectin (Duchesnay). *doxylamine, succinate de/pyridoxine, chlorhydrate de.*

diclofénac potassique. **Voltaren Rapide.** †Cataflam.

diclofénac sodique. **Apo-Diclo, Apo-Diclo SR, Diclotec, Novo-Difenac, Novo-Difenac SR, Nu-Diclo, Nu-Diclo-SR, PMS-Diclofenac, PMS-Diclofenac SR,** Vifenal, **Voltaren, Voltaren Ophtha.**

diclofénac sodique/misoprostol. **Arthrotec.**

Diclotec (Technilab). *diclofénac sodique.*

dicloxacilline sodique. †Dynapen.

dicyclomine, chlorhydrate de. dicyclovérine, chlorhydrate de. **Bentylol, Formulex, Lomine.**

dicyclovérine, chlorhydrate de. voir *dicyclomine, chlorhydrate de.*

didanosine. ddI. didésoxyinosine-2'3'. **Videx.**

didésoxyinosine-2'3'. voir *didanosine.*

†Didrex. *benzphétamine, chlorhydrate de.*

Didrocal (Procter & Gamble, Compagnie pharmaceutique). *étidronate disodique.*

Les noms **soulignés** paraissent en version détaillée dans la section des monographies du *CPS.*

Didronel (Procter & Gamble, Compagnie pharmaceutique). *étidronate disodique.*

diénestrol. diénoestrol. **Ortho Dienestrol.**

diénoestrol. voir *diénestrol.*

diéthylpropion, chlorhydrate de. amfépramone. **Tenuate.**

diéthylstilbœstrol diphosphate sodique. stilbœstrol. **Honvol; (Roberts).** †Stilphostrol.

Differin (Galderma). *adapalène.*

diflorasone, diacétate de. †Maxiflor.

Diflucan (Pfizer). *fluconazole.*

Diflucan-150 (Pfizer). *fluconazole.*

diflucortolone, valérate de. **[Corticostéroïdes: Topiques, Monographie générale, APhC]; Nerisone.**

diflucortolone, valérate de/acide salicylique. **Nerisalic.**

diflunisal. **Apo-Diflunisal, Dolobid, Novo-Diflunisal, Nu-Diflunisal.**

difluorophate. voir *isoflurophate.*

Digibind (Glaxo Wellcome). *digoxine [Fab(ovins)], fragments d'anticorps spécifiques de la.*

digitoxine. †Crystodigin.

digoxine. **Lanoxin.** †Lanoxicaps.

digoxine [Fab(ovins)], fragments d'anticorps spécifiques de la. **Digibind.**

dihydrochlorothiazide. voir *hydrochlorothiazide.*

dihydrocodéinone, bitartrate de. voir *hydrocodone, bitartrate d'.*

Dihydroergotamine (DHE) (Novartis Pharma). *dihydroergotamine, mésylate de.*

dihydroergotamine, mésylate de. **Dihydroergotamine (DHE), Migranal.** †D.H.E. 45.

dihydrohydroxycodéinone. voir *oxycodone, chlorhydrate d'.*

dihydromorphinone. voir *hydromorphone, chlorhydrate d'.*

dihydrotachystérol. DHT. dichystérol. vitamine D. **[Vitamine D, Monographie générale, APhC]; Hytakerol.**

dihydroxyanthranol. voir *anthraline.*

1,25-dihydroxycholécalciférol. voir *calcitriol.*

1,25-dihydroxy-vitamine D_3. voir *calcitriol.*

diiodohydroxyquine. voir *iodoquinol.*

diiodohydroxyquinoléine. voir *iodoquinol.*

Dilantin (Parke-Davis). *phénytoïne sodique.*

Dilantin-125 (Parke-Davis). *phénytoïne (forme acide libre).*

Dilantin Infatabs (Parke-Davis). *phénytoïne (forme acide libre).*

Dilantin-30 Pédiatrique (Parke-Davis). *phénytoïne (forme acide libre).*

Dilaudid (Knoll). *hydromorphone, chlorhydrate d'.*

Dilaudid-HP (Knoll). *hydromorphone, chlorhydrate d'.*

Dilaudid-HP-Plus (Knoll). *hydromorphone, chlorhydrate d'.*

Dilaudid, poudre stérile (Knoll). *hydromorphone, chlorhydrate d'.*

Dilaudid-XP (Knoll). *hydromorphone, chlorhydrate d'.*

†Dilor. *dyphylline.*

diltiazem, chlorhydrate de. **Alti-Diltiazem, Alti-Diltiazem CD, Apo-Diltiaz, Apo-Diltiaz CD, Apo-Diltiaz SR, Cardizem, Cardizem CD, Cardizem, injectable, Cardizem SR, Gen-Diltiazem, Gen-Diltiazem SR, Novo-Diltazem, Novo-Diltazem SR, Nu-Diltiaz, Tiazac; (Novopharm).**

Dilusol (Dermtek). *alcool éthylique.*

dimécamine. voir *mécamylamine, chlorhydrate de.*

diméglumine, gadopentétate de. **Magnevist.**

dimenhydrinate. **Apo-Dimenhydrinate, Comprimés de voyage, Gravol, Traveltabs; (Astra), (Bioniche).**

dimenhydrinate/caféine/ergotamine, tartrate d'. **Gravergol.**

Dimetane (Whitehall-Robins). *bromphéniramine, maléate de.*

Dimetane Expectorant (Whitehall-Robins). *bromphéniramine, maléate de/guaifénésine/phényléphrine, chlorhydrate de/phénylpropanolamine, chlorhydrate de.*

Dimetane Expectorant-C (Whitehall-Robins). *bromphéniramine, maléate de/codéine, phosphate de/guaifénésine/phényléphrine, chlorhydrate de/phénylpropanolamine, chlorhydrate de.*

Dimetane Expectorant-DC (Whitehall-Robins). *bromphéniramine, maléate de/guaifénésine/hydrocodone, bitartrate d'/phényléphrine, chlorhydrate de/phénylpropanolamine, chlorhydrate de.*

Dimetapp (Whitehall-Robins). *bromphéniramine, maléate de/phényléphrine, chlorhydrate de/phénylpropanolamine, chlorhydrate de.*

Dimetapp à dissolution rapide (Whitehall-Robins). *bromphéniramine, maléate de/phénylpropanolamine, chlorhydrate de.*

Dimetapp-A Sinus (Whitehall-Robins). *acétaminophène/phényléphrine, chlorhydrate de/phénylpropanolamine, chlorhydrate de.*

Dimetapp-C (Whitehall-Robins). *bromphéniramine, maléate de/codéine, phosphate de/phényléphrine, chlorhydrate de/phénylpropanolamine, chlorhydrate de.*

Dimetapp Clair (Whitehall-Robins). *bromphéniramine, maléate de/phénylpropanolamine, chlorhydrate de.*

Dimetapp, comprimés à croquer (Whitehall-Robins). *bromphéniramine, maléate de/phénylpropanolamine, chlorhydrate de.*

Dimetapp-DM (Whitehall-Robins). *bromphéniramine, maléate de/dextrométhorphane, bromhydrate de/phényléphrine, chlorhydrate de/phénylpropanolamine, chlorhydrate de.*

Dimetapp, gouttes orales pour enfants (Whitehall-Robins). *bromphéniramine, maléate de/phényléphrine, chlorhydrate de/phénylpropanolamine, chlorhydrate de.*

Dimetapp Liqui-gels (Whitehall-Robins). *bromphéniramine, maléate de/phénylpropanolamine, chlorhydrate de.*

Dimetapp Liqui-gels Toux et Rhume (Whitehall-Robins). *bromphéniramine, maléate de/dextrométhorphane, bromhydrate de/phénylpropanolamine, chlorhydrate de.*

diméthicone. diméthylpolyxiloxane. **Barriere.**

diméthicone activée. voir *siméthicone.*

diméthicone/éther perfluoropolyméthylisopropylique/tricontanyl PVP. **Spectro Gluvs «19».**

diméthicone/homosalate/menthol/octyl méthoxycinnamate/oxybenzone. **Zilactin-Lip.**

diméthicone/lécithine. **Complex 15.**

diméthicone/vaseline. **Moisturel.**

diméthylpolyxiloxane. voir *diméthicone.*

diméthylsulfoxyde. DMSO. méthylsulfoxide. **Kemsol, Rimso-50.**

dinoprostone. prostaglandine E_2. **Cervidil, Prepidil, Prostin E_2, Prostin E_2, gel vaginal.**

Diocaine (Dioptic). *proparacaine, chlorhydrate de.*

Diocarpine (Dioptic). *pilocarpine, chlorhydrate de.*

Diochloram (Dioptic). *chloramphénicol.*

dioctyl sulfosuccinate calcique. voir *docusate calcique.*

dioctyl sulfosuccinate sodique. voir *docusate sodique.*

Diodex (Dioptic). *dexaméthasone, phosphate sodique de.*

Diodoquin (Glenwood). *iodoquinol.*

Diofluor Strips (Dioptic). *fluorescéine sodique.*

Diofluor, Injection (Dioptic). *fluorescéine sodique.*

Diogent, onguent (Dioptic). *gentamicine, sulfate de.*

Diogent, solution (Dioptic). *gentamicine, sulfate de.*

Diomycin (Dioptic). *érythromycine.*

Dionephrine (Dioptic). *phényléphrine, chlorhydrate de.*

Diopentolate (Dioptic). *cyclopentolate, chlorhydrate de.*

Diophenyl-T (Dioptic). *phényléphrine, chlorhydrate de/tropicamide.*
Diopred (Dioptic). *prednisolone, acétate de.*
Dioptimyd (Dioptic). *prednisolone, acétate de/sulfacétamide sodique.*
Dioptrol (Dioptic). *dexaméthasone/néomycine, sulfate de/polymyxine B, sulfate de.*
Diosulf (Dioptic). *sulfacétamide sodique.*
Diotrope (Dioptic). *tropicamide.*
Diovan (Novartis Pharma). *valsartan.*
Diovol (Carter Horner). *aluminium, hydroxyde d'/magnésium, hydroxyde de.*
Diovol EX (Carter Horner). *aluminium, hydroxyde d'/magnésium, hydroxyde de.*
Diovol Plus (Carter Horner). *aluminium, hydroxyde d'/magnésium, hydroxyde de/siméthicone.*
Diovol Plus AF (Carter Horner). *calcium, carbonate de/magnésium, hydroxyde de/siméthicone.*
Dipentum (Pharmacia & Upjohn). *olsalazine sodique.*
diphenhydramine. **Benadryl, crème.**
diphenhydramine, chlorhydrate de. **Allerdryl, Allernix, Benadryl, Nytol, Nytol Ultra-fort, PMS-Diphenhydramine, Scheinpharm Diphenhydramine.**
diphenhydramine, chlorhydrate de/acétaminophène/pseudoéphédrine, chlorhydrate de. **Benadryl, Allergies/Sinus/Maux de tête, Contac Toux, Rhume et Grippe, Nuit, Sinutab, Formule-nuit, Tylenol, Médicament contre la grippe.**
diphenhydramine, chlorhydrate de/ammonium, chlorure d'/codéine, phosphate de. **Calmylin Original avec codéine.**
diphenhydramine, chlorhydrate de/ammonium, chlorure de/dextrométhorphane, bromure de. **Calmylin #4.**
diphenhydramine, chlorhydrate de/caféine, citrate de/ergotamine, tartrate d'. **Ergodryl.**
diphenhydramine, chlorhydrate de/calamine. **Caladryl.**
diphenidol, chlorhydrate de. †Vontrol.
diphénoxylate, chlorhydrate de/atropine, sulfate d'. **Lomotil.**
†Diphenylan. *phénytoïne sodique.*
diphénylhydantoïne. voir *phénytoïne.*
diphénylpyraline, chlorhydrate de/camphre/gaïacol, carbonate de. **Créo-Rectal.**
dipivéfrine, chlorhydrate de. **DPE, Ophtho-Dipivefrin, Propine.**
dipivéfrine, chlorhydrate de/lévobunolol, chlorhydrate de. **Probeta.**
Diprivan (Zeneca). *propofol.*
Diprogen (Schering). *bétaméthasone, dipropionate de/gentamicine, sulfate de.*
Diprolene Glycol (Schering). *bétaméthasone, dipropionate de.*
diprophylline. voir *dyphylline.*
Diprosalic (Schering). *acide salicylique/bétaméthasone, dipropionate de.*
Diprosone (Schering). *bétaméthasone, dipropionate de.*
dipyridamole. **Apo-Dipyridamole FC, Novo-Dipiradol, Persantine.**
dipyridamole/AAS. **Asasantine.**
Disalcid (Produits pharmaceutiques de 3M). *salsalate.*
Disipal (Produits pharmaceutiques de 3M). *orphénadrine, chlorhydrate d'.*
disopyramide. **Rythmodan.**
disopyramide, phosphate de. **Rythmodan-LA.**
disulfirame. **Antabuse.**
dithranol. voir *anthraline.*
Ditropan (Alza Canada). *oxybutynine, chlorure d'.*
†Diucardin. *hydrofluméthiazide.*
†Diulo. *métolazone.*
†Diuril. *chlorothiazide.*
divalproex sodique. **Epival.** †Depakote.
Dixarit (Boehringer Ingelheim). *clonidine, chlorhydrate de.*
DMSA. voir *succimer.*
DMSO. voir *diméthylsulfoxyde.*
Doak Oil (TCD). *goudron, distillat de/huile minérale/isopropyle, palmitate d'.*
Doak Oil Forte (TCD). *goudron, distillat de/huile minérale/isopropyle, palmitate d'.*
Doan's (Novartis Santé Familiale). *magnésium, salicylate de.*
dobutamine, chlorhydrate de. **Dobutrex, Scheinpharm Dobutamine; (Abbott), (Novopharm).**
Dobutrex (Lilly). *dobutamine, chlorhydrate de.*
docetaxel. **Taxotere.**
docusate calcique. dioctyl sulfosuccinate calcique. **Albert Docusate, PMS-Docusate Calcium, Surfak; (Taro), (Technilab).**
docusate sodique. dioctyl sulfosuccinate sodique. **Colace, Ex-Lax, laxatif émollient, PMS-Docusate Sodium, Selax, Soflax; (Taro), (Technilab), (Trianon).**
docusate sodique/casanthranol. **Peri-Colace.**
docusate sodique/sennosides. **Senokot•S.**
dolasétron, mésylate de. **Anzemet.**
Dolobid (Frosst). *diflunisal.*
domiphène, bromure de/dibucaïne. **Nupercaïnal, crème.**
dompéridone, maléate de. **Alti-Domperidone, Apo-Domperidone, Motilidone, Motilium, Novo-Domperidone, Nu-Domperidone, PMS-Domperidone.**
donépézil, chlorhydrate de. **Aricept.**
Donnagel-PG, capsules (Wyeth-Ayerst). *attapulgite activée/opium/pectine.*
Donnagel-PG, suspension (Wyeth-Ayerst). *kaolin/opium/pectine.*
Donnatal (Wyeth-Ayerst). *atropine, sulfate d'/hyoscyamine, sulfate d'/phénobarbital/scopolamine, bromhydrate de.*
dopamine, chlorhydrate de. **Intropin.**
dopamine, chlorhydrate de/dextrose. **(Abbott), (Baxter).**
†Dopar. *lévodopa.*
Dopram (Wyeth-Ayerst). *doxapram, chlorhydrate de.*
†Doral. *quazépam.*
dornase alfa recombinant. **Pulmozyme.**
dorzolamide, chlorhydrate de. **Trusopt.**
Dovonex (Leo). *calcipotriol.*
doxacurium, chlorure de. **Nuromax.**
doxapram, chlorhydrate de. **Dopram.**
doxazosine, mésylate de. **Cardura-1, Cardura-2, Cardura-4.**
doxépine, chlorhydrate de. **Alti-Doxepin, Apo-Doxepin, Novo-Doxepin, Sinequan, Zonalon.**
doxorubicine, chlorhydrate de. **Adriamycin PFS, Adriamycin RDF; (Faulding), (Novopharm).**
doxorubicine, chlorhydrate de/liposome pegylaté. Caelyx.
Doxycin (Riva). *doxycycline, hyclate de.*
doxycycline, chorhydrate de. **[Tétracyclines, Monographie générale, APhC].**
doxycycline, hyclate de. **[Tétracyclines, Monographie générale, APhC]; Alti-Doxycycline, Apo-Doxy, Apo-Doxy-Tabs, Doxycin, Doxytec, Novo-Doxylin, Nu-Doxycycline, Vibra-Tabs, Vibra-Tabs C-Pak.**
doxylamine, succinate de/acétaminophène/codéine, phosphate de. **Mersyndol avec Codéine.**

Les noms **soulignés** paraissent en version détaillée dans la section des monographies du *CPS*.

doxylamine, succinate de/étafédrine, chlorhydrate d'/hydrocodone, bitartrate d'/sodium, citrate de. **Calmydone, Dalmacol, Mercodol avec Decapryn.**

doxylamine, succinate de/pyridoxine, chlorhydrate de. **Diclectin.**

Doxytec (Technilab). *doxycycline, hyclate de.*

DPE (Alcon). *dipivéfrine, chlorhydrate de.*

DPP-B (Mantoux). **Dérivé de protéines purifiées.**

d4T. voir *stavudine.*

Drescriptor (Pharmacia & Upjohn). *delavirdine, mésylate de.*

Drisdol (Sanofi). *ergocalciférol.*

Dristan (Whitehall-Robins). *acétaminophène/chlorphéniramine, maléate de/phényléphrine, chlorhydrate de.*

Dristan Extra-fort (Whitehall-Robins). *acétaminophène/chlorphéniramine, maléate de/phényléphrine, chlorhydrate de.*

Dristan N.D. (Whitehall-Robins). *acétaminophène/pseudoéphédrine, chlorhydrate de.*

Dristan N.D. Extra-fort (Whitehall-Robins). *acétaminophène/pseudoéphédrine, chlorhydrate de.*

Dristan Sinus (Whitehall-Robins). *ibuprofène/pseudoéphédrine, chlorhydrate de.*

Dristan, vaporisateur nasal (Whitehall-Robins). *phéniramine, maléate de/phényléphrine, chlorhydrate de.*

Dristan, vaporisateur nasal à effet prolongé (Whitehall-Robins). *oxymétazoline, chlorhydrate d'.*

Drixoral (Schering). *dexbromphéniramine, maléate de/pseudoéphédrine, sulfate de.*

Drixoral Jour (Schering). *pseudoéphédrine, sulfate de.*

Drixoral N.D. (Schering). *pseudoéphédrine, sulfate de.*

Drixoral Nuit (Schering). *dexbromphéniramine, maléate de/pseudoéphédrine, sulfate de.*

Drixoral, solution nasale (Schering). *oxymétazoline, chlorhydrate d'.*

Drixtab (Schering). *dexbromphéniramine, maléate de/pseudoéphédrine, sulfate de.*

dronabinol. delta-9-tétrahydrocannabinol. **Marinol.**

dropéridol. **(Novopharm).**

†Dryox. *benzoyle, peroxyde de.*

DTIC (Bayer). *dacarbazine.*

Dulcolax (Boehringer Ingelheim, Division d'automédication). *bisacodyl.*

Duo-C.V.P. (Rhône-Poulenc Rorer). *acide ascorbique.*

Duofilm (Stiefel). *acide lactique/acide salicylique.*

Duoforte 27 (Stiefel). *acide salicylique.*

Duonalc (ICN). *alcool isopropylique.*

Duonalc-E Doux (ICN). *alcool éthylique.*

Duonalc-E, solution (ICN). *alcool éthylique/alcool isopropylique.*

Duoplant (Stiefel). *acide lactique/acide salicylique/formaline.*

Duovent UDV (Boehringer Ingelheim). *fénotérol, bromhydrate de/ipratropium, bromure d'.*

Duphalac (Solvay Pharma). *lactulose.*

†Duract. *bromfenac.*

†Dura-Estrin. *estradiol, cypionate d'.*

Duragesic (Janssen-Ortho). *fentanyl.*

Duralith (Janssen-Ortho). *lithium, carbonate de.*

†Duramorph. *morphine, sulfate de.*

†Duranest. *épinéphrine/étidocaïne, chlorhydrate d'.*

Duratears Naturale (Alcon). *huile minérale/lanoline/pétrolatum blanc.*

Duricef (Bristol). *céfadroxil.*

Duvoid (Roberts). *béthanéchol, chlorure de.*

Dyazide (SmithKline Beecham). *hydrochlorothiazide/triamtérène.*

Dycholium (Novartis Santé Familiale). *acide déhydrocholique.*

dyflos. voir *isoflurophate.*

†DynaCirc. *isradipine.*

†Dynapen. *dicloxacilline sodique.*

dyphylline. diprophylline. †Dilor, †Lufyllin.

Dyrenium (SmithKline Beecham). *triamtérène.*

E

eau de mer. **Hydrasense, soin du nez.**

Echinacea Angustifolia (Swiss Herbal). *produits à base d'herbes médicinales.*

Echovist (Berlex Canada). *galactose.*

éconazole, nitrate d'. **Ecostatin.** †Spectazole.

†Econochlor. *chloramphénicol.*

†Econopred. *prednisolone, acétate de.*

Ecostatin (Westwood-Squibb). *éconazole, nitrate d'.*

écothiopate, iodure d'. **Phospholine (Iodure).**

Ectosone Doux (Technilab). *bétaméthasone, valérate de.*

Ectosone, lotion pour le cuir chevelu (Technilab). *bétaméthasone, valérate de.*

Ectosone Régulier (Technilab). *bétaméthasone, valérate de.*

Edecrin (MSD). *acide éthacrynique.*

Edecrin Sodium (MSD). *sodium, éthacrynate de.*

édrophonium, chlorure d'. **Enlon, Tensilon.**

EES (Abbott). *érythromycine, éthylsuccinate d'.*

Effexor (Wyeth-Ayerst). *venlafaxine, chlorhydrate de.*

Effexor XR (Wyeth-Ayerst). *venlafaxine, chlorhydrate de.*

†Eflone. *fluorométholone, acétate de.*

éflornithine, chlorhydrate d'. †Ornidyl.

Efudex (ICN). *fluorouracile.*

Elavil (MSD). *amitriptyline, chlorhydrate d'.*

Elavil Plus (MSD). *amitriptyline, chlorhydrate d'/perphénazine.*

Eldepryl (Draxis Health). *sélégiline, chlorhydrate de.*

Eldisine (Lilly). *vindesine, sulfate de.*

Eldopaque (ICN). *hydroquinone.*

Eldoquin (ICN). *hydroquinone.*

électrolytes. **Pediatric Electrolyte, Solution d'oligo-éléments.**

électrolytes/acétylcholine, chlorure d'. **Miochol-E.**

électrolytes/acides aminés. **Nutrineal PD4, Vamin N.**

électrolytes/acides aminés/dextrose. **Travasol avec électrolytes.**

électrolytes/dextrose. **Enfalac Lytren, Gastrolyte, Pedialyte, Pedialyte Bâtons Glacé.**

électrolytes/polyéthylène glycol. **Colyte, Electropeg, GoLytely, Klean-Prep, Lyteprep, PegLyte, Pro-Lax.**

Electropeg (Technilab). *électrolytes/polyéthylène glycol.*

†Elixophyllin. *théophylline.*

Elmiron (Alza Canada). *pentosan sodique, polysulfate de.*

Elocom (Schering). *mométasone, furoate de.*

†Elspar. *L-asparaginase.*

Eltor 120 (Hoechst Marion Roussel). *pseudoéphédrine, chlorhydrate de.*

Eltroxin (Glaxo Wellcome). *lévothyroxine sodique.*

Emadine (Alcon). *émédastine, difumarate d'.*

Emcyt (Pharmacia & Upjohn). *estramustine, phosphate sodique d'.*

émédastine, difumarate d'. **Emadine.**

émétine, chlorhydrate d'/hydroxyéphédrine, chlorhydrate d'/norméthadone, chlorhydrate de. **Cophylac Expectorant.**

†Emgel. *érythromycine.*

Eminase (Roberts). *anistreplase.*

EMLA (Astra). *lidocaïne/prilocaïne.*

Emo-Cort (TCD). *hydrocortisone.*

émollient. **Aquatain.**

Empracet-30, -60 (Glaxo Wellcome). *acétaminophène/codéine, phosphate de.*

Emtec-30 (Technilab). *acétaminophène/codéine, phosphate de.*

émulsion de gras. **Intralipid.**

énalapril, maléate d'. **[Inhibiteurs de l'ECA, Monographie générale, APhC]; Vasotec Oral.**

énalapril, maléate d'/hydrochlorothiazide. **Vaseretic.**

énalaprilat. **[Inhibiteurs de l'ECA, Monographie générale, APhC]; Vasotec I.V.**

Endantadine (Endo). *amantadine, chlorhydrate d'.*

†Endep. *amitriptyline, chlorhydrate d'.*

Endocet (Endo). *acétaminophène/oxycodone, chlorhydrate d'.*

Endodan (Endo). *AAS/oxycodone, chlorhydrate d'.*

Endo Levodopa/Carbidopa (Endo). *carbidopa/lévodopa.*

†Enduron. *méthyclothiazide.*

Enfalac Lytren (Mead Johnson). *dextrose/électrolytes.*

Enfalac Nutramigen (Mead Johnson). *préparations pour nourrissons, hydrolysat de caséine.*

Enfalac Pregestimil (Mead Johnson). *préparations pour nourrissons, hydrolysat de caséine.*

Enfalac Prosobee (Mead Johnson). *préparations pour nourrissons à base de soya.*

enflurane. **Ethrane; (Abbott).**

Engerix-B (SmithKline Beecham). *vaccin contre l'hépatite B (recombiné).*

Enlon (Zeneca). *édrophonium, chlorure d'.*

énoxaparine. **[Héparines de faible poids moléculaire, Monographie générale, APhC]; Lovenox.**

Entacyl (Roberts). *pipérazine, adipate de.*

Entex LA (Purdue Frederick). *guaifénésine/phénylpropanolamine, chlorhydrate de.*

Entocort, capsules (Astra). *budésonide.*

Entocort, lavement (Astra). *budésonide.*

Entrophen (Johnson & Johnson • Merck). *AAS.*

Enuclene (Alcon). *tyloxapol.*

éphédrine, chlorhydrate d'. **(Roberts).**

éphédrine/chlorphéniramine/codéine/gaïacol, carbonate de/ phényltoloxamine. **Omni-Tuss.**

éphédrine, sulfate d'. **(Abbott).**

†Epifoam. *hydrocortisone, acétate d'.*

Epiject I.V. (Abbott). *acide valproïque.*

E-Pilo (CIBA Vision). *épinéphrine, bitartrate d'/pilocarpine, chlorhydrate de.*

Epi-Lyt AHA (Stiefel). *acide lactique/glycérine.*

épinéphrine. adrénaline. **Bronkaid Mistometer, EpiPen, EpiPen Jr.; (Abbott), (Bioniche).**

épinéphrine/articaïne, chlorhydrate d'. **Astracaine, Astracaine Forte, Ultracaine DS, Ultracaine DS Forte.**

épinéphrine, bitartrate d'/pilocarpine, chlorhydrate de. **E-Pilo.**

épinéphrine/bupivacaïne, chlorhydrate de. **Sensorcaine avec Épinéphrine, Sensorcaine Forte.**

épinéphrine, chlorhydrate d'. **Adrenalin, Vaponefrin.**

épinéphrine/chlorphéniramine, maléate de. **Ana-Kit.**

épinéphrine/étidocaïne, chlorhydrate d'. **Xylocaine, solutions parentérales avec épinéphrine.** †Duranest.

épinéphrine/lidocaïne, chlorhydrate de. **Xylocaine, solutions dentaires; (Bioniche).**

épinéphrine/prilocaïne, chlorhydrate de. **Citanest à 4 % Forte.**

EpiPen (Allerex). *épinéphrine.*

EpiPen Jr. (Allerex). *épinéphrine.*

épirubicine, chlorhydrate d'. **Pharmorubicin PFS, Pharmorubicin RDF.**

†Epitol. *carbamazépine.*

Epival (Abbott). *divalproex sodique.*

époétine alfa. **Eprex.** †Epogen.

†Epogen. *époétine alfa.*

époprosténol sodique. **Flolan.**

Eprex (Janssen-Ortho). *époétine alfa.*

Equanil (Wyeth-Ayerst). *méprobamate.*

Ergamisol (Janssen-Ortho). *lévamisole, chlorhydrate de.*

ergocalciférol. calciférol. ergostérol. vitamine D_2. **[Vitamine D, Monographie générale, APhC]; Drisdol, Ostoforte.**

Ergodryl (Parke-Davis). *caféine, citrate de/diphenhydramine, chlorhydrate de/ergotamine, tartrate d'.*

ergoloïdes, mésylates d'. **Hydergine.** †Gerimal.

Ergomar (Rhône-Poulenc Rorer). *ergotamine, tartrate d'.*

ergométrine, maléate d'. voir *ergonovine, maléate d'.*

ergonovine, maléate d'. ergométrine, maléate d'. **[Ergonovine (Maléate), Monographie générale, APhC]; (Abbott), (Bioniche).**

†Ergostat. *ergotamine, tartrate d'.*

ergostérol. voir *ergocalciférol.*

ergotamine/belladone/phénobarbital. **Bellergal Spacetabs.**

ergotamine, tartrate d'. **Ergomar.** †Ergostat.

ergotamine, tartrate d'/belladone/caféine/pentobarbital. **Cafergot-PB.**

ergotamine, tartrate d'/caféine. **Cafergot.**

ergotamine, tartrate d'/caféine, citrate de/diphenhydramine, chlorhydrate de. **Ergodryl.**

ergotamine, tartrate d'/caféine/dimenhydrinate. **Gravergol.**

ergotamine, tartrate d'/caféine, hydrate de/cyclizine, chlorhydrate de. **Megral.**

Erybid (Abbott). *érythromycine.*

Eryc (Parke-Davis). *érythromycine.*

†Erygel. *érythromycine.*

Erysol (Stiefel). *alcool éthylique/érythromycine/octyle, méthoxycinnamate d'/Parsol 1789.*

†Ery-Tab. *érythromycine.*

Erythrocin (Abbott). *érythromycine, stéarate d'.*

Erythrocin I.V. (Abbott). *érythromycine, lactobionate d'.*

†Erythrocot. *érythromycine, stéarate d'.*

Erythromid (Abbott). *érythromycine.*

érythromycine. **[Érythromycine, Monographie générale, APhC]; Apo-Erythro Base, Apo-Erythro E-C, Diomycin, Erybid, Eryc, Erythromid, Novo-Rythro Encap, PCE, PMS-Erythromycin; (Produits ophtalmiques Rivex).** †Emgel, †Erygel, †Ery-Tab.

érythromycine/alcool éthylique. **Sans-Acne, T-Stat.**

érythromycine/alcool éthylique/laureth-4. **Staticin.**

érythromycine/alcool éthylique/octyle, méthoxycinnamate d'/Parsol 1789. **Erysol.**

érythromycine/benzoyle, peroxyde de. **Benzamycin.**

érythromycine, estolate d'. **[Érythromycine, Monographie générale, APhC]; Ilosone.**

érythromycine, éthylsuccinate d'. **[Érythromycine, Monographie générale, APhC]; Apo-Erythro-ES, EES.**

érythromycine, éthylsuccinate d'/acétylsulfisoxazole. **Pediazole.** †Sulfimycin.

érythromycine, gluceptate d'. **[Érythromycine, Monographie générale, APhC].**

Les noms **soulignés** paraissent en version détaillée dans la section des monographies du *CPS.*

érythromycine, lactobionate d'. [**Érythromycine, Monographie générale, APhC**]; **Erythrocin I.V.**

érythromycine, stéarate d'. [**Érythromycine, Monographie générale, APhC**]; **Apo-Erythro-S, Erythrocin, Nu-Erythromycin-S.** †Erythrocot.

érythromycine/trétinoïne. **Stievamycin.**

esculine/dibucaïne, chlorhydrate de/framycétine, sulfate de/hydrocortisone. **Proctosedyl, Proctosone.**

esdépalléthrine/pipéronyle, butoxyde de. **Scabene.**

†Eserine Sulfate. *physostigmine, sulfate de.*

†Esidrix. *hydrochlorothiazide.*

†Esimil. *guanéthidine, monosulfate de/hydrochlorothiazide.*

†Eskalith. *lithium, carbonate de.*

esmolol, chlorhydrate d'. **Brevibloc.**

Estar (Westwood-Squibb). *goudron de houille.*

Estinyl (Schering). *éthinylœstradiol.*

Estrace (Roberts). *estradiol-17β (micronisé).*

Estracomb (Novartis Pharma). *estradiol-17β/noréthindrone, acétate de.*

Estraderm (Novartis Pharma). *estradiol-17β.*

estradiol-17β. œstradiol-17β. **Climara, Estraderm, Estring, Vivelle.**

estradiol-17β (hémihydraté). Estrogel.

estradiol-17β (micronisé). **Estrace.**

estradiol-17β/noréthindrone, acétate de. **Estracomb.**

estradiol, benzoate d'/estradiol, diénanthate d'/testostérone, benzilylhydrazone énanthate de. **Climacteron.**

estradiol, cypionate d'. †depGynogen, †Depogen, †Dura-Estrin, †Estrofem.

estradiol, diénanthate d'/estradiol, benzoate d'/testostérone, benzilylhydrazone énanthate de. **Climacteron.**

estradiol, valérianate d'. **Delestrogen.** †Valergen.

†Estragyn. *estrone.*

estramustine, phosphate sodique d'. **Emcyt.**

†Estratab. *estrogènes estérifiés.*

†Estratest. *estrogènes estérifiés/méthyltestostérone.*

Estring (Pharmacia & Upjohn). *estradiol-17β.*

†Estrofem. *estradiol, cypionate d'.*

Estrogel (Schering). *estradiol-17β (hémihydraté).*

estrogènes conjugués. œstrogènes conjugués. **C.E.S., Congest, Premarin, comprimés, Premarin, crème vaginale, Premarin, intraveineux.**

estrogènes conjugués/médroxyprogestérone, acétate de. †Prempro.

estrogènes estérifiés. œstrogènes estérifiés. †Estratab, †Menest.

estrogènes estérifiés/méthyltestostérone. †Estratest.

estrone. ketohydroxyestrin. †Estragyn.

estropipate. pipérazine-sulfate d'estrone. **Ogen.** †Ortho-Est.

étafédrine, chlorhydrate d'/doxylamine, succinate de/hydrocodone, bitartrate d'/sodium, citrate de. **Calmydone, Dalmacol, Mercodol avec Decapryn.**

éthambutol, chlorhydrate d'. [**Éthambutol (Chlorhydrate), Monographie générale, APhC**]; **Etibi, Myambutol.**

éther glycérogaïacolique. voir *guaifénésine.*

éther perfluoropolyméthylisopropylique/diméthicone/tricontanyl PVP. **Spectro Gluvs «19».**

éthinylœstradiol. **Estinyl.**

éthinylœstradiol/cyprotérone, acétate de. **Diane-35.**

éthinylœstradiol/désogestrel. **Marvelon, Ortho-Cept.** †Desogen.

éthinylœstradiol/éthynodiol, diacétate d'. **Demulen.**

éthinylœstradiol/lévonorgestrel. **Alesse 21, Alesse 28, Min-Ovral 21, Min-Ovral 28, Triphasil 21, Triphasil 28, Triquilar 21, Triquilar 28.** †Nordette, †Tri-Levlen.

éthinylœstradiol/noréthindrone. **Brevicon 0,5/35, Brevicon 1/35, Ortho 0,5/35, Ortho 1/35, Ortho 7/7/7, Ortho 10/11, Select 1/35, Synphasic.** †Genora, †Ovcon, †Tri-Norinyl.

éthinylœstradiol/noréthindrone, acétate de. **Loestrin 1,5/30, Minestrin 1/20.**

éthinylœstradiol/norgestimate. **Cyclen, Tri-Cyclen.**

éthinylœstradiol/norgestrel. **Ovral 21, Ovral 28.** †Lo/Ovral.

ethionamide. †Trecator-SC.

†Ethmozine. *moricizine, chlorhydrate de.*

éthopropazine, chlorhydrate d'. profénamine, chlorhydrate de. **Parsitan.** †Parsidol.

éthosuximide. **Zarontin.**

éthotoïne. †Peganone.

Éthrane (Zeneca). *enflurane.*

éthyle, aminobenzoate d'. voir *benzocaïne.*

éthynodiol, diacétate d'/éthinylœstradiol. **Demulen.**

Ethyol (Lilly). *amifostine.*

Etibi (ICN). *éthambutol, chlorhydrate d'.*

étidocaïne, chlorhydrate d'/épinéphrine. **Xylocaine, solutions parentérales avec épinéphrine.** †Duranest.

étidronate disodique. **Didrocal, Didronel.**

étodolac. **Apo-Etodolac, Ultradol.** †Lodine.

etomidate. †Amidate.

étoposide. **Vepesid; (BDH), (Novopharm).**

Etrafon (Schering). *amitriptyline, chlorhydrate d'/perphénazine.*

eucalyptol/camphre/menthol. **Balminil Camphorub.**

eucalyptus, essence d'/camphre/menthol/méthyle, salicylate de. **Antiphlogistine Rub A-535 Capsaïcine.**

Euflex (Schering). *flutamide.*

Euglucon (Roche). *glyburide.*

†Eulexin. *flutamide.*

Eumovate (Glaxo Wellcome). *clobétasone, 17-butyrate de.*

Eurax (Novartis Santé Familiale). *crotamiton.*

†Everone 200. *testostérone, énanthate de.*

Evista (Lilly). *raloxifène, chlorhydrate de.*

†Exelderm. *sulconazole, nitrate de.*

Ex-Lax, comprimés dragéifiés (Novartis Santé Familiale). *sennosides.*

Ex-Lax, laxatif émollient (Novartis Santé Familiale). *docusate sodique.*

Ex-Lax, morceaux chocolatés (Novartis Santé Familiale). *sennosides.*

†Exna. *benzthiazide.*

Exosurf Néonatal (Glaxo Wellcome). *colfoscéril, palmitate de.*

Eyestil (Ophtapharma). *hyaluronate sodique.*

Eye-Stream (Alcon). *solution saline équilibrée.*

F

facteur antihémophilique (humain). **Koāte-HP.** †Hemofil M, †Humate-P.

facteur antihémophilique (recombinant). **Kogenate.**

facteur citrovorum. voir *calcium, folinate de.*

facteur IX (humain), concentré de. **Immunine VH.**

Factrel (Wyeth-Ayerst). *gonadoréline, acétate de.*

famciclovir. **Famvir.**

famotidine. **Apo-Famotidine, Gen-Famotidine, Maalox H2 régulateur de l'acidité, Novo-Famotidine, Nu-Famotidine, Pepcid, Pepcid AC, Pepcid I.V., Ulcidine.**

Famvir (SmithKline Beecham). *famciclovir.*

Fansidar (Roche). *pyriméthamine/sulfadoxine.*

†Fareston. *torémiphène.*

Fastin (SmithKline Beecham). *phentermine, chlorhydrate de.*

Feiba VH Immuno (Baxter). *complexe de facteurs de coagulation anti-inhibiteurs.*

Feldene (Pfizer). *piroxicam.*

félodipine. **Plendil, Renedil.**

Femara (Novartis Pharma). *létrozole.*

†Femstat. *butoconazole, nitrate de.*

fénofibrate. **Apo-Fenofibrate, Nu-Fenofibrate.**

fénofibrate (micronisé). **Lipidil Micro.** †Tricor.

fenoldopam, mésylate de. †Corlopam.

fénoprofène calcique. **Nalfon.**

fénotérol, bromhydrate de. **Berotec, aérosol pour inhalation, Berotec Forte, aérosol pour inhalation, Berotec, solution pour inhalation.**

fénotérol, bromhydrate de/ipratropium, bromure d'. **Duovent UDV.**

fenouil, essence de/aneth, essence d'/anis, essence d'/sodium, bicarbonate de. **Baby's Own Eau anticoliques.**

fentanyl. **[Opioïdes, Monographie générale, APhC]; Duragesic.**

fentanyl, citrate de. **[Analgésiques opioïdes, Monographie générale, APhC]; (Abbott), (Faulding).**

fer/carbonate, calcium de/multivitamines. **Prenavite.**

fer-dextran. **Dexiron, Infufer.**

fer/foie, extrait de/sérum de bœuf/vitamine B, complexe de la. **Hormodausse.**

fer, gluconate de. **[Sels ferreux, Monographie générale, APhC]; Apo-Ferrous Gluconate.**

Fer-In-Sol (Mead Johnson). *sulfate ferreux.*

Fermalac (Rougier). *lactobacillus acidophilus/lactobacillus bulgaricus/streptococcus lactis.*

Fermalac Vaginal (Rougier). *lactobacillus acidophilus/lactobacillus bulgaricus/streptococcus lactis.*

Fermentol (Carter Horner). *pepsine.*

fer/multivitamines. **Les Pierrafeu Plus Fer, Stresstabs avec Fer.**

Ferodan (Odan). *sulfate ferreux.*

Fero-Grad (Abbott). *sulfate ferreux.*

Fertinorm HP (Serono). *urofollitropine.*

Fexicam (Technilab). *piroxicam.*

fexofénadine, chlorhydrate de. **Allegra.**

filgrastim. **Neupogen.**

finastéride. **Propecia, Proscar.**

Fiorinal (Novartis Pharma). *AAS/butalbital/caféine.*

Fiorinal -C¼, -C½ (Novartis Pharma). *AAS/butalbital/caféine/codéine, phosphate de.*

Flagyl (Rhône-Poulenc Rorer). *métronidazole.*

Flagyl 500, injectable (Baxter). *métronidazole.*

Flagystatin (Rhône-Poulenc Rorer). *métronidazole/nystatine.*

Flamazine (Smith & Nephew). *argent, sulfadiazine d'.*

Flamazine C (Smith & Nephew). *argent, sulfadiazine d'/chlorhexidine, digluconate de.*

Flarex (Alcon). *fluorométholone, acétate de.*

flavoxate, chlorhydrate de. **Urispas.**

Flaxedil (Rhône-Poulenc Rorer). *gallamine, triiodoéthylate de.*

flécaïnide, acétate de. **Tambocor.**

Fleet, lavement (Johnson & Johnson • Merck). *sodium, phosphates de.*

Fleet, lavement à l'huile minérale (Johnson & Johnson • Merck). *huile minérale.*

Fleet Phospho-Soda (Johnson & Johnson • Merck). *sodium, phosphates de.*

Flexall (Chattem). *menthol.*

Flexall en bâton (Chattem). *menthol/méthyle, salicylate de.*

Flexeril (Frosst). *cyclobenzaprine, chlorhydrate de.*

Flexitec (Technilab). *cyclobenzaprine, chlorhydrate de.*

floctafénine. **Idarac.**

Flolan (Glaxo Wellcome). *époprosténol sodique.*

Flomax (Boehringer Ingelheim). *tamsulosine, chlorhydrate de.*

Flonase (Glaxo Wellcome). *fluticasone, propionate de.*

Florinef (Roberts). *fludrocortisone, acétate de.*

†Floropryl. *isoflurophate.*

Flovent (Glaxo Wellcome). *fluticasone, propionate de.*

Floxin (Janssen-Ortho). *ofloxacine.*

floxuridine. †FUDR.

Fluanxol, comprimés (Lundbeck). *flupenthixol, dichlorhydrate de.*

Fluanxol Dépôt (Lundbeck). *flupenthixol, décanoate de.*

fluconazole. **Diflucan, Diflucan-150.**

flucytosine. 5-fluorocytosine. †Ancobon.

Fludara (Berlex Canada). *fludarabine, phosphate de.*

fludarabine, phosphate de. **Fludara.**

fludrocortisone, acétate de. **[Corticostéroïdes: Généraux, Monographie générale, APhC]; Florinef.**

†Flumadine. *rimantadine, chlorhydrate de.*

flumazénil. **Anexate.**

fluméthasone, pivalate de. **[Corticostéroïdes: Topiques, Monographie générale, APhC].**

fluméthasone, pivalate de/acide salicylique. **Locasalen.**

fluméthasone, pivalate de/clioquinol. **Locacorten Vioform, Locacorten Vioform, gouttes otiques.**

flunisolide. **[Corticostéroïdes: Inhalation, Corticostéroïdes: Yeux, Oreilles, Nez, Monographies générales, APhC]; Bronalide, Rhinalar.** †Nasalide.

†Fluocet. *fluocinolone, acétonide de.*

†Fluocin. *fluocinonide.*

fluocinolone, acétonide de. **[Corticostéroïdes: Topiques, Monographie générale, APhC]; Fluoderm, Synalar.** †Fluocet, †Flurosyn.

fluocinonide. **[Corticostéroïdes: Topiques, Monographie générale, APhC]; Lidemol, Lidex, Lyderm, Lydonide, Tiamol, Topsyn.** †Fluocin, †Licon.

Fluoderm (Taro). *fluocinolone, acétonide de.*

Fluoracaine (Dioptic). *fluorescéine sodique/proparacaïne, chlorhydrate de.*

Fluor-A-Day (Pharmascience). *fluorure sodique.*

fluorescéine sodique. **Diofluor Strips, Diofluor, Injection, Fluorescite, Fluorets, Minims Fluorescéine.**

fluorescéine sodique/lidocaïne. **Minims Lidocaïne/Fluorescéine.**

fluorescéine sodique/proparacaïne, chlorhydrate de. **Fluoracaine.**

Fluorescite (Alcon). *fluorescéine sodique.*

Fluorets (Ophtapharma). *fluorescéine sodique.*

5-fluorocytosine. voir *flucytosine.*

fluorométholone. **[Corticostéroïdes: Yeux, Oreilles, Nez, Monographie générale, APhC]; FML Forte, FML Liquifilm.** †Fluor-Op.

fluorométholone, acétate de. **[Corticostéroïdes: Yeux, Oreilles, Nez, Monographie générale, APhC]; Flarex.** †Eflone.

†Fluor-Op. *fluorométholone.*

Fluoroplex (Allergan). *fluorouracile.*

fluorouracile. 5-FU. **Adrucil, Efudex, Fluoroplex.**

fluorouracile sodique. **Fluorouracil Roche.**

Fluorouracil Roche (Roche). *fluorouracile sodique.*

fluorure sodique. **Fluor-A-Day, Fluotic, Pedi-Dent.**

Fluotic (Hoechst Marion Roussel). *fluorure sodique.*

Les noms **soulignés** paraissent en version détaillée dans la section des monographies du *CPS.*

fluoxétine, chlorhydrate de. **[Inhibiteurs sélectifs du recaptage de la sérotonine, Monographie générale, APhC]; Apo-Fluoxetine, Novo-Fluoxetine, Nu-Fluoxetine, PMS-Fluoxetine, Prozac.**

fluoxymestérone. **Halotestin.** †Android-F.

flupenthixol, décanoate de. **Fluanxol Dépôt.**

flupenthixol, dichlorhydrate de. **Fluanxol, comprimés.**

fluphénazine, chlorhydrate de. **[Fluphénazine, Monographie générale, APhC]; Apo-Fluphenazine, Moditen (Chlorhydrate).**

fluphénazine, décanoate de. **[Fluphénazine, Monographie générale, APhC]; Modecate, Modecate Concentré, PMS-Fluphenazine Decanoate, Rho-Fluphenazine Decanoate.**

fluphénazine, énanthate de. **[Fluphénazine, Monographie générale, APhC]; Moditen Énanthate.**

flurandrénolide. **[Corticostéroïdes: Topiques, Monographie générale, APhC];** †Cordran.

flurazépam, chlorhydrate de. **[Benzodiazépines, Monographie générale, APhC]; Apo-Flurazepam, Dalmane.**

flurazépam, monochlorhydrate de. **Somnol.**

flurbiprofène. **Alti-Flurbiprofen, Ansaid, Apo-Flurbiprofen, Froben, Froben SR, Novo-Flurprofen, Nu-Flurbiprofen.**

flurbiprofène sodique. **Ocufen.**

†Flurosyn. *fluocinolone, acétonide de.*

flutamide. **Euflex, Novo-Flutamide, PMS-Flutamide.** †Eulexin.

†Flutex. *triamcinolone, acétonide de.*

fluticasone, propionate de. **[Corticostéroïdes: Inhalation, Corticostéroïdes: Yeux, Oreilles, Nez, Monographies générales, APhC]; Flonase, Flovent.**

fluvastatine sodique. **Lescol.**

Fluviral (BioChem Vaccins). *vaccin grippal trivalent, inactivé à virion entier.*

Fluviral S/F (BioChem Vaccins). *vaccin viral contre la grippe, inactivé.*

fluvoxamine, maléate de. **[Inhibiteurs sélectifs du recaptage de la sérotonine, Monographie générale, APhC]; Alti-Fluvoxamine, Apo-Fluvoxamine, Luvox.**

Fluzone (Connaught). *vaccin viral contre la grippe, inactivé.*

FML Forte (Allergan). *fluorométholone.*

FML Liquifilm (Allergan). *fluorométholone.*

foie, extrait de/fer/sérum de bœuf/vitamine B, complexe de la. **Hormodausse.**

folacine. voir *acide folique.*

folate sodique. voir *acide folique.*

†Folex. *méthotrexate sodique.*

follitrophine bêta. **Puregon.**

follitropine alpha (origine ADN recombinant). **Gonal-F.**

Foradil (Novartis Pharma). *formotérol, fumarate de.*

Forane (Zeneca). *isoflurane.*

formaline/acide lactique/acide salicylique. **Duoplant.**

formotérol, fumarate de. **Foradil.**

formotérol, fumarate dihydraté de. **Oxeze Turbuhaler.**

Formulex (ICN). *dicyclomine, chlorhydrate de.*

Fortaz (Glaxo Wellcome). *ceftazidime pentahydratée.*

Fosamax (MSD). *alendronate sodique.*

foscarnet, sodium de. †Foscavir.

†Foscavir. *foscarnet, sodium de.*

fosinopril sodique. **[Inhibiteurs de l'ECA, Monographie générale, APhC]; Monopril.**

fosphénytoïne sodique. **Cerebyx.**

fractar. **Pentrax.**

Fragmin (Pharmacia & Upjohn). *daltéparine sodique.*

framycétine, sulfate de. **Soframycin, gouttes ophtalmiques, Sofra Tulle.**

framycétine, sulfate de/dexaméthasone/gramicidine. **Sofracort.**

framycétine, sulfate de/dibucaïne, chlorhydrate de/esculine/hydrocortisone. **Proctosedyl, Proctosone.**

framycétine, sulfate de/gramicidine. **Soframycin, pommade.**

Fraxiparine (Sanofi). *nadroparine calcique.*

Frisium (Hoechst Marion Roussel). *clobazam.*

Froben (Knoll). *flurbiprofène.*

Froben SR (Knoll). *flurbiprofène.*

frusémide. voir *furosémide.*

5-FU. voir *fluorouracile.*

Fucidin, comprimés (Leo). *sodium, fusidate de.*

Fucidin, crème (Leo). *acide fusidique.*

Fucidin H (Leo). *acide fusidique/hydrocortisone.*

Fucidin Intertulle (Leo). *sodium, fusidate de.*

Fucidin I.V. (Leo). *sodium, fusidate de.*

Fucidin, onguent (Leo). *sodium, fusidate de.*

Fucidin, suspension (Leo). *acide fusidique.*

†FUDR. *floxuridine.*

Fulvicin P/G (Schering). *griséofulvine.*

Fulvicin U/F (Schering). *griséofulvine.*

fumarate ferreux. **[Sels ferreux, Monographie générale, APhC]; Palafer, Scheinpharm Ferrous Fumarate.**

fumarate ferreux/acide ascorbique/acide folique. **Palafer CF.**

Fungizone (Squibb). *amphotéricine B.*

†Furadantin. *nitrofurantoïne.*

furazolidone. †Furoxone.

furosémide. frusémide. **Apo-Furosemide, Lasix, Lasix Spécial; (Abbott).**

†Furoxone. *furazolidone.*

fusidate de diéthanolamine. voir *acide fusidique.*

G

gabapentine. **Neurontin.**

†Gabitril. *tiagabine.*

gadodiamide. **Omniscan.**

gaïacol, carbonate de/chlorphéniramine/codéine/éphédrine/phényltoloxamine. **Omni-Tuss.**

gaïacol, carbonate de/camphre/diphénylpyraline, chlorhydrate de. **Créo-Rectal.**

galactose. **Echovist.**

galactose/acide palmitique. **Levovist.**

gallamine, triiodoéthylate de. **Flaxedil.**

gallium, nitrate de. †Ganite.

Gamimune N (Bayer). *immunoglobuline (humaine), i.v.*

ganciclovir. **Cytovene, capsules.**

ganciclovir sodique. **Cytovene, injectable.**

†Ganite. *gallium, nitrate de.*

Garamycin, injectable (Schering). *gentamicine, sulfate de.*

Garamycin, ophtalmique/otique (Schering). *gentamicine, sulfate de.*

Garamycin, topique (Schering). *gentamicine, sulfate de.*

Garasone (Schering). *bétaméthasone, phosphate sodique de/gentamicine, sulfate de.*

Garatec (Technilab). *gentamicine, sulfate de.*

†Gastrocrom. *cromoglycate sodique.*

Gastrolyte (Rhône-Poulenc Rorer). *dextrose/électrolytes.*

†Gastrosed. *hyoscyamine, sulfate d'.*

Gas-X (Novartis Santé Familiale). *siméthicone.*

Gas-X Extra fort (Novartis Santé Familiale). *siméthicone.*

Gaviscon, formule pour soulager les brûlures d'estomac, comprimés (SmithKline Beecham Consumer Healthcare). *acide alginique/aluminium, hydroxyde d'.*

Gaviscon, formule pour soulager les brûlures d'estomac, comprimés sans aluminium (SmithKline Beecham Consumer Healthcare). *acide alginique/calcium, carbonate de.*

Gaviscon, formule pour soulager les brûlures d'estomac, liquide (SmithKline Beecham Consumer Healthcare). *aluminium, hydroxyde d'/sodium, alginate de.*

gélatine. **Gelfilm, Gelfoam.**

gelée lubrifiante. **Taro Gel.**

Gelfilm (Pharmacia & Upjohn). *gélatine.*

Gelfoam (Pharmacia & Upjohn). *gélatine.*

Gelusil (Warner-Lambert, Santé grand public). *aluminium, hydroxyde d'/magnésium, hydroxyde de.*

Gelusil Extra-puissant (Warner-Lambert, Santé grand public). *aluminium, hydroxyde d'/magnésium, hydroxyde de.*

gemcitabine, chlorhydrate de. **Gemzar.**

gemfibrozil. **Apo-Gemfibrozil, Gen-Fibro, Lopid, Novo-Gemfibrozil, Nu-Gemfibrozil, PMS-Gemfibrozil; (AltiMed).**

Gemzar (Lilly). *gemcitabine, chlorhydrate de.*

†Genabid. *papavérine, chlorhydrate de.*

Gen-Alprazolam (Genpharm). *alprazolam.*

Gen-Amantadine (Antiparkinsonien) (Genpharm). *amantadine, chlorhydrate d'.*

Gen-Amantadine (Antiviral) (Genpharm). *amantadine, chlorhydrate d'.*

Gen-Atenolol (Genpharm). *aténolol.*

Gen-Azathioprine (Genpharm). *azathioprine.*

Gen-Baclofen (Genpharm). *baclofen.*

Gen-Beclo Aq. (Genpharm). *béclométhasone, dipropionate de.*

Gen-Bromazepam (Genpharm). *bromazépam.*

Gen-Budesonide Aq. (Genpharm). *budésonide.*

Gen-Buspirone (Genpharm). *buspirone, chlorhydrate de.*

Gen-Captopril (Genpharm). *captopril.*

Gen-Cimetidine (Genpharm). *cimétidine.*

Gen-Clobetasol, crème/onguent (Genpharm). *clobétasol, 17-propionate de.*

Gen-Clobetasol, lotion capillaire (Genpharm). *clobétasol, 17-propionate de.*

Gen-Clomipramine (Genpharm). *clomipramine, chlorhydrate de.*

Gen-Clonazepam (Genpharm). *clonazépam.*

Gen-Cromoglycate, solution nasale (Genpharm). *cromoglycate sodique.*

Gen-Cromoglycate Sterinebs (Genpharm). *cromoglycate sodique.*

Gen-Cycloprine (Genpharm). *cyclobenzaprine, chlorhydrate de.*

Gen-Diltiazem (Genpharm). *diltiazem, chlorhydrate de.*

Gen-Diltiazem SR (Genpharm). *diltiazem, chlorhydrate de.*

Gen-Famotidine (Genpharm). *famotidine.*

Gen-Fibro (Genpharm). *gemfibrozil.*

Gen-Glybe (Genpharm). *glyburide.*

genièvre, baies de/buchu, feuilles de/cascara sagrada/gentiane, racines de/huile de menthe poivrée/réglisse, racines de/rhubarbe, racines de. **Laxatif aux herbes.**

Gen-Indapamide (Genpharm). *indapamide, hémihydrate d'.*

Gen-Medroxy (Genpharm). *médroxyprogestérone, acétate de.*

Gen-Metformin (Genpharm). *metformine, chlorhydrate de.*

Gen-Minocycline (Genpharm). *minocycline, chlorhydrate de.*

Gen-Minoxidil (Genpharm). *minoxidil.*

Gen-Nifédipine (Genpharm). *nifédipine.*

Gen-Nortriptyline (Genpharm). *nortriptyline, chlorhydrate de.*

†Genoptic. *gentamicine, sulfate de.*

†Genora. *éthinylœstradiol/noréthindrone.*

Gen-Oxybutynin (Genpharm). *oxybutynine, chlorure d'.*

Gen-Pindolol (Genpharm). *pindolol.*

Gen-Piroxicam (Genpharm). *piroxicam.*

Gen-Ranitidine (Genpharm). *ranitidine, chlorhydrate de.*

Gen-Salbutamol, solution pour respirateur (Genpharm). *salbutamol, sulfate de.*

Gen-Salbutamol Sterinebs P.F. (Genpharm). *salbutamol, sulfate de.*

Gen-Selegiline (Genpharm). *sélégiline, chlorhydrate de.*

Gen-Sotalol (Genpharm). *sotalol, chlorhydrate de.*

Gentacidin (CIBA Vision). *gentamicine, sulfate de.*

gentamicine, sulfate de. **Alcomicin, Cidomycin, Diogent, onguent, Diogent, solution, Garamycin, injectable, Garamycin, ophtalmique/otique, Garamycin, topique, Garatec, Gentacidin, Minims Gentamicine, Scheinpharm Gentamicin; (Novopharm), (Produits ophtalmiques Rivex), (Technilab).** †Genoptic, †G-Mycin, †Ocu-Mycin.

gentamicine, sulfate de/bétaméthasone, dipropionate de. **Diprogen.**

gentamicine, sulfate de/bétaméthasone, phosphate sodique de. **Garasone.**

gentamicine, sulfate de/bétaméthasone, valérate de. **Valisone-G.**

gentamicine, sulfate de/sodium, chlorure de. **(Abbott), (Baxter).**

Gen-Tamoxifen (Genpharm). *tamoxifène, citrate de.*

Genteal (CIBA Vision). *hydroxypropylméthylcellulose.*

Gen-Temazepam (Genpharm). *témazépam.*

gentiane, racines de/buchu, feuilles de/cascara sagrada/genièvre, baies de/huile de menthe poivrée/réglisse, racines de/rhubarbe, racines de. **Laxatif aux herbes.**

gentiane, racines de/réglisse, poudre de/scutellaire/valériane, racines de. **Herbes pour les nerfs.**

Gen-Timolol (Genpharm). *timolol, maléate de.*

Gent-L-Tip (Baxter). *sodium, phosphates de.*

Gentran 40 (Baxter). *dextran 40.*

Gentran 70 (Baxter). *dextran 70.*

Gen-Trazodone (Genpharm). *trazodone.*

Gen-Triazolam (Genpharm). *triazolam.*

Gen-Valproic (Genpharm). *acide valproïque.*

Gen-Verapamil SR (Genpharm). *vérapamil, chlorhydrate de.*

†Gen-XENE. *clorazépate dipotassique.*

†Geocillin. *indanyl-carbénicilline sodique.*

†Gerimal. *ergoloïdes, mésylates d'.*

glandes, extraits de/acide ascorbique. **Revitonus C-1000.**

Glaxal Base (Roberts). *base dermatologique.*

glibenclamide. voir *glyburide.*

gliclazide. **[Sulfonylurées, Monographie générale, APhC]; Diamicron, Novo-Gliclazide.**

glipizide. †Glucotrol XL.

globuline antilymphocytaire/globuline antithymocyte (équin). **Atgam.**

globuline antirabique (humaine). voir *immunoglobuline antirabique (humaine).*

globuline anti Rh_o *(humaine).* voir *immunoglobuline anti* Rh_o *(humaine).*

globuline antitétanique (humaine). voir *immunoglobuline antitétanique (humaine).*

globuline antithymocyte (équin)/globuline antilymphocytaire. **Atgam.**

Les noms **soulignés** paraissent en version détaillée dans la section des monographies du *CPS.*

globuline (humaine), i.v. voir *immunoglobuline (humaine), i.v.*

glucagon. **(Lilly).**

Glucodex (Rougier). *dextrose.*

gluconolactone. **Neostrata AHA, conditionneur pour le contour des lèvres, Neostrata AHA, crème pour le contour des yeux, Neostrata AHA, crème ultra hydratante, Neostrata AHA, lotion nettoyante.**

Glucophage (Hoechst Marion Roussel). *metformine, chlorhydrate de.*

glucose/lidocaïne, chlorhydrate de. **Xylocaine Rachidienne à 5 %.**

†Glucotrol XL. *glipizide.*

glutaraldéhyde. **Sonacide.**

glyburide. glibenclamide. **[Sulfonylurées, Monographie générale, APhC]; Albert Glyburide, Apo-Glyburide, Diaβeta, Euglucon, Gen-Glybe, Novo-Glyburide, Nu-Glyburide, PMS-Glyburide.** †Glynase PresTab, †Micronase.

glycérides/cellulose/polyglycol/polysiloxane, copolyol de/silicones. **Spectro Derm.**

glycérine. **(Nadeau), (Warner-Lambert, Santé grand public).**

glycérine/acide lactique. **Epi-Lyt AHA.**

glycérine/acide sorbique/sodium, citrate de/sodium, laurylsulfoacétate de/sorbitol. **Microlax.**

glycérine/hamamélis, eau d'. **Préparation H, tampons nettoyants.**

glycéryle, gaïacolate de. voir *guaifénésine.*

glycéryle, trinitrate de. voir *nitroglycérine.*

Glycon (ICN). *metformine, chlorhydrate de.*

glycophénylate, bromure de. voir *mépenzolate, bromure de.*

glycopyrrolate. glycopyrronium, bromure de. **Robinul, Robinul Forte, Robinul, injectable.**

glycopyrronium, bromure de. voir *glycopyrrolate.*

†Glynase PresTab. *glyburide.*

Glysennid (Novartis Santé Familiale). *sennosides.*

†G-Mycin. *gentamicine, sulfate de.*

GoLytely (Baxter). *électrolytes/polyéthylène glycol.*

gonadoréline, acétate de. **Factrel, Lutrepulse.**

gonadotrophine chorionique (humaine). HCG. **A.P.L., Humegon, Pregnyl, Profasi HP.**

gonadotrophines humaines de femmes ménopausées. ménotropines. **Pergonal.**

Gonal-F (Serono). *follitropine alpha (origine ADN recombinant).*

goséréline, acétate de. **Zoladex, Zoladex LA.**

goudron/chlorhexidine, gluconate de. **Spectro Tar, shampooing antiseptique.**

goudron de genévrier/goudron de houille/goudron de pin/zinc, pyrithione de. **Multi-Tar Plus.**

goudron de houille. **Balnetar, Estar, Ionil-T Plus, Liquor Carbonis Detergens, Psorigel, Spectro Tar Wash/Lavage, Zétar.**

goudron de houille/acide salicylique. **Sebcur/T.**

goudron de houille/acide salicylique/menthol. **X-Tar.**

goudron de houille/acide salicylique/menthol/pyrithione, disulfure de. **Polytar AF.**

goudron de houille/acide salicylique/soufre. **Sebutone.**

goudron de houille/benzalkonium, chlorure de. **Ionil-T.**

goudron de houille/chloroxylénol/menthol. **Denorex, Denorex Extra-fort.**

goudron de houille/goudron de genévrier/goudron de pin/zinc, pyrithione de. **Multi-Tar Plus.**

goudron de pin/goudron de genévrier/goudron de houille/zinc, pyrithione de. **Multi-Tar Plus.**

goudron, distillat de. **Tersa-Tar.**

goudron, distillat de/huile minérale/isopropyle, palmitate d'. **Doak Oil, Doak Oil Forte.**

Gouttes oculaires (Produits ophtalmiques Rivex). *tétrahydrozoline, chlorhydrate de.*

Gramcal (Novartis Santé Familiale). *acide citrique/calcium, carbonate de/calcium, gluconolactate de.*

gramicidine/bacitracine/polymyxine B, sulfate de. **Polysporin, onguent antibiotique triple.**

gramicidine/dexaméthasone/framycétine, sulfate de. **Sofracort.**

gramicidine/framycétine, sulfate de. **Soframycin, pommade.**

gramicidine/lidocaïne, chlorhydrate de/polymyxine B, sulfate de. **Lidosporin, crème, Polysporin, gouttes ophtalmiques/otiques.**

gramicidine/néomycine, sulfate de/nystatine/triamcinolone, acétonide de. **Kenacomb, Triacomb, Viaderm-K.C.**

gramicidine/néomycine, sulfate de/polymyxine B, sulfate de. **Neosporin, crème, Neosporin, solution oto-ophtalmique, Optimyxin Plus, solution.**

gramicidine/polymyxine B, sulfate de. **Optimyxin, solution, Polycidin, gouttes ophtalmiques/otiques, Polysporin, crème, Polysporin, gouttes oto-ophtalmiques, Polytopic, crème.**

granisétron, chlorhydrate de. **Kytril.**

Gravergol (Carter Horner). *caféine/dimenhydrinate/ergotamine, tartrate d'.*

Gravol (Carter Horner). *dimenhydrinate.*

grépafloxacine, chlorhydrate de. **Raxar.**

†Grifulvin V. *griséofulvine.*

†Grisactin. *griséofulvine.*

griséofulvine. **Fulvicin P/G, Fulvicin U/F, Grisovin FP.** †Grifulvin V, †Grisactin, †Gris-PEG.

Grisovin FP (Roberts). *griséofulvine.*

†Gris-PEG. *griséofulvine.*

guaifénésine. éther glycérogaïacolique. glycéryle, gaïacolate de. méthoxypropanediol. methphénoxydiol. **[Guaifénésine, Monographie générale, APhC]; Balminil, expectorant, Benylin E, Calmylin Expectorant, Robitussin.**

guaifénésine/acétaminophène/dextrométhorphane, bromhydrate de/pseudoéphédrine, chlorhydrate de. **Benylin Grippe, Calmylin Rhume et grippe, Robitussin Toux, Rhume et Grippe Liqui-Gels, Sudafed rhume et grippe.**

guaifénésine/ammonium, chlorure d'/codéine, phosphate de. **Cheracol.**

guaifénésine/bismuth, camphocarbonate de. **Bismutal.**

guaifénésine/bromphéniramine, maléate de/codéine, phosphate de/phényléphrine, chlorhydrate de/phénylpropanolamine, chlorhydrate de. **Dimetane Expectorant-C.**

guaifénésine/bromphéniramine, maléate de/hydrocodone, bitartrate d'/phényléphrine, chlorhydrate de/phénylpropanolamine, chlorhydrate de. **Dimetane Expectorant-DC.**

guaifénésine/bromphéniramine, maléate de/phényléphrine, chlorhydrate de/phénylpropanolamine, chlorhydrate de. **Dimetane Expectorant.**

guaifénésine/chlorphéniramine, maléate de/dextrométhorphane, bromhydrate de/pseudoéphédrine, chlorhydrate de. **Triaminic-DM Expectorant.**

guaifénésine/chlorphéniramine, maléate de/pseudoéphédrine, chlorhydrate de. **Triaminic Expectorant.**

guaifénésine/codéine, phosphate de/phéniramine, maléate de. **Calmylin Ace, Robitussin AC, Robitussin avec Codéine.**

guaifénésine/codéine, phosphate de/pseudoéphédrine, chlorhydrate de. **Benylin Codéine, Calmylin avec codéine.**

guaifénésine/codéine, phosphate de/pseudoéphédrine, chlorhydrate de/triprolidine, chlorhydrate de. **CoActifed Expectorant, Cotridin Expectorant.**

guaifénésine/dextrométhorphane, bromhydrate de. **Balminil DM + Expectorant, Benylin DM-E, Robitussin DM.**

guaifénésine/dextrométhorphane, bromhydrate de/phénylpropanolamine, chlorhydrate de. **Triaminic DM Bonjour.**

guaifénésine/dextrométhorphane, bromhydrate de/pseudoéphédrine, chlorhydrate de. **Balminil DM + Décongestionnant + Expectorant, Benylin DM-D-E, Calmylin #3, Novahistex DM Décongestionnant Expectorant, Novahistine DM Décongestionnant Expectorant, Robitussin Toux et Rhume, Robitussin Toux et Rhume Liqui-Gels.**

guaifénésine/hydrocodone, bitartrate d'/phéniramine, maléate de/phénylpropanolamine, chlorhydrate de/pyrilamine, maléate de. **Triaminic Expectorant DH.**

guaifénésine/hydrocodone, bitartrate d'/phényléphrine, chlorhydrate de. **Novahistex DH Expectorant.**

guaifénésine/mépyramine, maléate de/potassium, iodure de/théophylline. **Theo-Bronc.**

guaifénésine/oxtriphylline. **Choledyl Expectorant.**

guaifénésine/phénylpropanolamine, chlorhydrate de. **Entex LA.**

guanabenz, acétate de. †Wytensin.

guanadrel, sulfate de. †Hylorel.

guanéthidine, monosulfate de/hydrochlorothiazide. †Esimil.

guanfacine, chlorhydrate de. †Tenex.

Gynecure (Pfizer, Soins de la santé). *tioconazole.*

Gyne-T (Janssen-Ortho). *contraceptif intra-utérin.*

Gyne-T 380 Slimline (Janssen-Ortho). *contraceptif intra-utérin.*

H

Habitrol (Novartis Santé Familiale). *(s-)-nicotine.*

halazépam. †Paxipam.

halcinonide. **[Corticostéroïdes: Topiques, Monographie générale, APhC]; Halog.**

Halcion (Pharmacia & Upjohn). *triazolam.*

Haldol (Janssen-Ortho). *halopéridol.*

Haldol LA (Janssen-Ortho). *halopéridol, décanoate d'.*

Halfan (SmithKline Beecham). *halofantrine, chlorhydrate d'.*

halobétasol, propionate d'. **Ultravate.**

halofantrine, chlorhydrate d'. **Halfan.**

Halog (Westwood-Squibb). *halcinonide.*

halopéridol. **Apo-Haloperidol, Haldol, Novo-Péridol, Peridol, PMS-Haloperidol LA; (Sabex).**

halopéridol, décanoate d'. **Haldol LA, Rho-Haloperidol Decanoate.**

Halotestin (Pharmacia & Upjohn). *fluoxymestérone.*

hamamélis, eau d'/glycérine. **Préparation H, tampons nettoyants.**

hamamélis, eau d'/phényléphrine, chlorhydrate de. **Préparation H, gel rafraîchissant.**

†Harmonyl. *déserpidine.*

Havrix (SmithKline Beecham). *vaccin contre l'hépatite A, inactivé.*

HCG. voir *gonadotrophine chorionique (humaine).*

Healon (Pharmacia & Upjohn). *hyaluronate sodique.*

Healon GV (Pharmacia & Upjohn). *hyaluronate sodique.*

†Hemabate. *carboprost tromethamine.*

Hemarexin (Technilab). *multivitamines et minéraux.*

Hemcort HC (Technilab). *hydrocortisone, acétate d'/zinc, sulfate monohydraté de.*

†Hemofil M. *facteur antihémophilique (humain).*

†Hemril-HC. *hydrocortisone, acétate d'.*

Hépaléan (Organon Teknika). *héparine sodique.*

Hépaléan-Lok (Organon Teknika). *héparine sodique.*

Héparine Leo (Leo). *héparine sodique.*

héparines de faible poids moléculaire. **(Monographie générale, APhC).**

héparine sodique. **[Héparine non fractionnée, Monographie générale, APhC]; Hépaléan, Hépaléan-Lok, Héparine Leo, Solution de rinçage héparinée.**

héparine sodique/dextrose. **(Abbott), (Baxter).**

héparine sodique/sodium, chlorure de. **(Baxter).**

héparine sodique/zinc, sulfate de. **Lipactin.**

Heracline (Technilab). *corticosurrénal/cyanocobalamine/orchitique, extrait d'.*

herbe à poux adsorbé sur tyrosine, extrait de. **Pollinex-R.**

Herbes pour les nerfs (Swiss Herbal). *gentiane, racines de/réglisse, poudre de/scutellaire/valériane, racines de.*

Herplex (Allergan). *idoxuridine.*

Herplex-D (Allergan). *idoxuridine.*

Hexabrix (Mallinckrodt). *méglumine, ioxaglate de/sodium, ioxaglate de.*

hexachlorophane. voir *hexachlorophène.*

hexachlorophène. hexachlorophane. **pHisoHex.**

†Hexadrol. *dexaméthasone.*

Hexadrol (Phosphate) (Organon Teknika). *dexaméthasone, phosphate sodique de.*

Hexalen (Lilly). *altrétamine.*

hexaméthylmélamine. voir *altrétamine.*

hexamine. voir *méthénamine.*

hexavitamines. voir *multivitamines.*

hexétidine. **Steri/Sol.**

Hexit (Odan). *lindane.*

hexylrésorcinol. **Bradosol, Bradosol Extra-fort.**

Hibidil 1:2 000 (Zeneca). *chlorhexidine, gluconate de.*

Hibitane (Zeneca). *chlorhexidine, gluconate de.*

†Hi-Cor. *hydrocortisone.*

Hip-Rex (Produits pharmaceutiques de 3M). *méthénamine, hippurate de.*

Hismanal (Johnson & Johnson • Merck). *astémizole.*

histaméthizine. voir *méclizine, chlorhydrate de.*

histamine, phosphate d'. **(Bioniche).**

Hivid (Roche). *zalcitabine.*

homatropine. **[Homatropine, Monographie générale, APhC]; Minims Homatropine.**

homatropine, bromhydrate d'. **[Homatropine, Monographie générale, APhC]; Isopto Homatropine.**

homosalate/diméthicone/menthol/octyl méthoxycinnamate/oxybenzone. **Zilactin-Lip.**

Honvol (Carter Horner). *diéthylstilbœstrol diphosphate sodique.*

Hormodausse (Technilab). *fer/foie, extrait de/sérum de bœuf/vitamine B, complexe de la.*

Hp-PAC (Abbott). *lansoprazole.*

huile de jojoba/huile minérale. **Prevex, huile.**

huile de menthe poivrée/buchu, feuilles de/cascara sagrada/genièvre, baies de/gentiane, racines de/réglisse, racines de/rhubarbe, racines de. **Laxatif aux herbes.**

huile de triglycérides à chaîne moyenne. **M.C.T., huile.**

huile de menthe poivrée. **Colpermin.**

huile minérale. **Fleet, lavement à l'huile minérale, Lansoÿl, Oilatum, savon; (BDH).**

Les noms **soulignés** paraissent en version détaillée dans la section des monographies du *CPS.*

huile minérale/goudron, distillat de/isopropyle, palmitate d'. **Doak Oil, Doak Oil Forte.**

huile minérale/huile de jojoba. **Prevex, huile.**

huile minérale/lanoline, alcools de/pétrolatum blanc. **Lacri-Lube S.O.P.**

huile minérale/lanoline/pétrolatum blanc. **Duratears Naturale.**

huile minérale/pétrolatum blanc. **Hypotears, onguent oculaire.**

huile d'onagre. **(Swiss Herbal).**

huile de paraffine. **Oilatum, huile dermatologique de douche et de bain.**

Humalog (Lilly). *insuline lispro.*

†Humate-P. *facteur antihémophilique (humain).*

Humatin (Parke-Davis). *paromomycine, sulfate de.*

Humatrope (Lilly). *somatropine.*

Humegon (Organon). *gonadotrophine chorionique (humaine).*

†Humorsol. *démécarium, bromure de.*

Humulin 10/90 (Lilly). *insuline injectable (humaine)/insuline isophane (humaine).*

Humulin 20/80 (Lilly). *insuline injectable (humaine)/insuline isophane (humaine).*

Humulin 30/70 (Lilly). *insuline injectable (humaine)/insuline isophane (humaine).*

Humulin 40/60 (Lilly). *insuline injectable (humaine)/insuline isophane (humaine).*

Humulin 50/50 (Lilly). *insuline injectable (humaine)/insuline isophane (humaine).*

Humulin-L (Lilly). *insuline zinc (humaine).*

Humulin-N (Lilly). *insuline isophane (humaine).*

Humulin-R (Lilly). *insuline injectable (humaine).*

Humulin-U (Lilly). *insuline zinc injectable-prolongée (humaine).*

hyaluronate sodique. **Biolon, Cystistat, Eyestil, Healon, Healon GV, Suplasyn.**

hyaluronidase. **Wydase.**

†Hybolin Decanoate. *nandrolone, décanoate de.*

†Hybolin Decanoate. *nandrolone, décanoate de.*

†Hybolin-Improved. *nandrolone, phenpropionate de.*

Hycamtin (SmithKline Beecham). *topotécan, chlorhydrate de.*

Hycodan (DuPont Pharma). *hydrocodone, bitartrate d'.*

Hycomine (DuPont Pharma). *ammonium, chlorure d'/hydrocodone, bitartrate d'/phényléphrine, chlorhydrate de/pyrilamine, maléate de.*

Hycomine-S (DuPont Pharma). *ammonium, chlorure d'/hydrocodone, bitartrate d'/phényléphrine, chlorhydrate de/pyrilamine, maléate de.*

Hycort (ICN). *hydrocortisone.*

†Hydeltrasol. *prednisolone, phosphate sodique de.*

†Hydeltra T.B.A. *prednisolone, tébutate de.*

Hydergine (Novartis Pharma). *ergoloïdes, mésylates d'.*

Hyderm (Taro). *hydrocortisone, acétate d'.*

hydralazine, chlorhydrate d'. hydrallazine. **Apo-Hydralazine, Apresoline, Novo-Hylazin, Nu-Hydral.**

hydralazine, chlorhydrate d'/hydrochlorothiazide/réserpine. **Ser-Ap-Es.**

hydrallazine. voir *hydralazine, chlorhydrate d'.*

Hydrasense, soin du nez (Schering). *eau de mer.*

hydrazide de l'acide isonicotinique. voir *isoniazide.*

Hydrea (Squibb). *hydroxyurée.*

hydrochlorothiazide. dihydrochlorothiazide. **[Hydrochlorothiazide, Monographie générale, APhC]; Apo-Hydro, HydroDiuril.** †Esidrix, †Oretic.

hydrochlorothiazide/amiloride, chlorhydrate d'. **Alti-Amiloride HCTZ, Apo-Amilzide, Moduret, Novamilor, Nu-Amilzide.** †Moduretic.

hydrochlorothiazide/bisoprolol, fumarate de. †Ziac.

hydrochlorothiazide/captopril. †Capozide.

hydrochlorothiazide/déserpidine. †Oreticyl.

hydrochlorothiazide/énalapril, maléate d'. **Vaseretic.**

hydrochlorothiazide/guanéthidine, monosulfate de. †Esimil.

hydrochlorothiazide/hydralazine, chlorhydrate d'/réserpine. **Ser-Ap-Es.**

hydrochlorothiazide/lisinopril. **Prinzide, Zestoretic.**

hydrochlorothiazide/losartan potassique. **Hyzaar.**

hydrochlorothiazide/méthyldopa. **Aldoril-15, Aldoril-25, Apo-Methazide.**

hydrochlorothiazide/pindolol. **Viskazide.**

hydrochlorothiazide/propranolol, chlorhydrate de. **Indéride.**

hydrochlorothiazide/quinapril, chlorhydrate de. **Accuretic.**

hydrochlorothiazide/réserpine. **Hydropres-25.**

hydrochlorothiazide/spironolactone. **Aldactazide 25, Aldactazide 50, Novo-Spirozine.**

hydrochlorothiazide/timolol, maléate de. **Timolide.**

hydrochlorothiazide/triamtérène. **Apo-Triazide, Dyazide, Novo-Triamzide, Nu-Triazide.** †Maxzide.

hydrocodone, bitartrate d'. dihydrocodéinone, bitartrate de. **[Opioïdes, Monographie générale, APhC]; Hycodan, Robidone.**

hydrocodone, bitartrate d'/ammonium, chlorure d'/phényléphrine, chlorhydrate de/pyrilamine, maléate de. **Hycomine, Hycomine-S.**

hydrocodone, bitartrate d'/bromphéniramine, maléate de/guaifénésine/phényléphrine, chlorhydrate de/phénylpropanolamine, chlorhydrate de. **Dimetane Expectorant-DC.**

hydrocodone, bitartrate d'/doxylamine, succinate de/étafédrine, chlorhydrate d'/sodium, citrate de. **Calmydone, Dalmacol, Mercodol avec Decapryn.**

hydrocodone, bitartrate d'/guaifénésine/phéniramine, maléate de/phénylpropanolamine, chlorhydrate de/pyrilamine, maléate de. **Triaminic Expectorant DH.**

hydrocodone, bitartrate d'/guaifénésine/phényléphrine, chlorhydrate de. **Novahistex DH Expectorant.**

hydrocodone, bitartrate d'/phéniramine, maléate de/phénylpropanolamine, chlorhydrate de/pyrilamine, maléate de. **Caldomine-DH, Tussaminic DH.**

hydrocodone, bitartrate d'/phényléphrine, chlorhydrate de. **Coristex-DH, Coristine-DH, Novahistex DH, Novahistine DH.**

hydrocodone/phényltoloxamine. **Tussionex.**

hydrocortisone. cortisol. **[Corticostéroïdes: Généraux, Corticostéroïdes: Topiques, Monographies générales, APhC]; Aquacort, Cortate, Cortef, Cortenema, Cortoderm, Emo-Cort, Hycort, Prevex HC, Sarna HC.** †Acticort 100, †Cetacort, †Cort-Dome, †Cortril, †Dermacort, †Dermtex HC, †Hi-Cor, †Hydrocortone, †Hydro-Tex, †Hytone, †Nutracort, †Penecort, †Proctocort, †Synacort.

hydrocortisone, acétate d'. **[Corticostéroïdes: Topiques, Monographie générale, APhC]; Cortamed, Cortifoam, Hyderm, Rectocort.** †Corticaine, †Dermarest DriCort, †Epifoam, †Hemril-HC.

hydrocortisone, acétate d'/allantoïne/butoxyéthyl, nicotinate de/chloramphénicol/soufre. **Actinac.**

hydrocortisone, acétate d'/benzocaïne/zinc, sulfate monohydraté de. **Rectogel HC.**

hydrocortisone, acétate d'/chloramphénicol. **Pentamycetin/HC.**

hydrocortisone, acétate d'/néomycine, sulfate de. **Neo-Cortef.**

hydrocortisone, acétate d'/pramoxine, chlorhydrate de. **Pramox HC, Proctofoam-HC.**

hydrocortisone, acétate d'/pramoxine, chlorhydrate de/zinc, sulfate monohydraté de. **Anugesic-HC, Proctodan-HC.**

hydrocortisone, acétate d'/urée. **Uremol HC.**

hydrocortisone, acétate d'/zinc, sulfate monohydraté de. **Anodan-HC, Anusol-HC, Hemcort HC, PMS-Egozinc HC, Rivasol HC.**

hydrocortisone/acide acétique/benzéthonium, chlorure de/ 1,2-propanediol, diacétate de. **VōSol HC.**

hydrocortisone/acide fusidique. Fucidin H.

hydrocortisone/bacitracine, zinc de/néomycine, sulfate de/ polymyxine B, sulfate de. **Cortisporin, onguent, Cortisporin, onguent ophtalmique.**

hydrocortisone, butyrate d'. **[Corticostéroïdes: Topiques, Monographie générale, APhC]**; †Locoid.

hydrocortisone/clioquinol. **Vioform Hydrocortisone.**

hydrocortisone/dibucaïne, chlorhydrate de/esculine/framycétine, sulfate de. **Proctosedyl, Proctosone.**

hydrocortisone/néomycine, sulfate de/polymyxine B, sulfate de. **Cortimyxin, Cortisporin, solution otique, Cortisporin, suspension oto-ophtalmique.**

hydrocortisone/silicone. **Barriere HC.**

hydrocortisone, succinate sodique d'. **[Corticostéroïdes: Généraux, Monographie générale, APhC]; A-Hydrocort, Solu-Cortef;** Novopharm).

hydrocortisone/urée. **Calmurid HC, Ti-U-Lac HC.**

hydrocortisone, 17-valérate d'. **[Corticostéroïdes: Topiques, Monographie générale, APhC]; Westcort.**

†Hydrocortone. *hydrocortisone.*

HydroDiuril (MSD). *hydrochlorothiazide.*

hydrofluméthiazide. †Diucardin, †Saluron.

Hydromorph Contin (Purdue Frederick). *hydromorphone, chlorhydrate d'.*

hydromorphone, chlorhydrate d'. dihydromorphinone. **[Opioïdes, Monographie générale, APhC]; Dilaudid, Dilaudid-HP, Dilaudid-HP-Plus, Dilaudid, poudre stérile, Dilaudid-XP, Hydromorph Contin, PMS-Hydromorphone; (Sabex).**

†Hydromox. *quinéthazone.*

Hydropres-25 (MSD). *hydrochlorothiazide/réserpine.*

hydroquinone. **Eldopaque, Eldoquin, Neostrata HQ, Solaquin, Solaquin Forte, Ultraquin.**

hydroquinone/acide glycolique. **Viquin Forte.**

†Hydro-Tex. *hydrocortisone.*

hydroxocobalamine. hydroxycobalamine. vitamine B_{12a}. **[Vitamine** B_{12}**, Monographie générale, APhC]; Acti-**B_{12}**.**

hydroxychloroquine, sulfate d'. **Plaquenil.**

1α-hydroxycholécalciférol. voir *alfacalcidol.*

25-hydroxycholécalciférol. voir *calcifédiol.*

hydroxycobalamine. voir *hydroxocobalamine.*

hydroxyéphédrine, chlorhydrate d'/émétine, chlorhydrate d'/ norméthadone, chlorhydrate de. **Cophylac Expectorant.**

hydroxyéphédrine, chlorhydrate d'/norméthadone, chlorhydrate de. **Cophylac.**

hydroxyéthylcellulose/sodium, chlorure de. **Minims Larmes artificielles.**

hydroxyprogestérone, caproate d'. †Hy/Gestrone, †Hylutin.

hydroxypropylcellulose. **Lacrisert.**

hydroxypropylméthylcellulose. **Genteal, Isopto Tears.** †Ocucoat.

hydroxypropylméthylcellulose/dextran 70. **Bion Tears, Tears Naturale, Tears Naturale II, Tears Naturale Free.**

hydroxyurée. **Hydrea.**

1α-hydroxyvitamine D_3. voir *alfacalcidol.*

25-hydroxyvitamine D_3. voir *calcifédiol.*

hydroxyzine, chlorhydrate d'. **Apo-Hydroxyzine, Atarax, Multipax, Novo-Hydroxyzin, PMS-Hydroxyzine.** †Anxanil, †Quiess, †Vistazine 50.

hydroxyzine, pamoate d'. †Vistaril.

†Hy/Gestrone. *hydroxyprogestérone, caproate d'.*

Hygroton (Novartis Pharma). *chlorthalidone.*

hylane G-F 20. **Synvisc.**

†Hylorel. *guanadrel, sulfate de.*

†Hylutin. *hydroxyprogestérone, caproate d'.*

hyoscine, bromhydrate d'. voir *scopolamine, bromhydrate de.*

hyoscine, butylbromure d'. voir *scopolamine, butylbromure de.*

hyoscyamine. †Cystospaz.

hyoscyamine, sulfate d'. **Levsin.** †Anaspaz, †Gastrosed.

hyoscyamine, sulfate d'/atropine, sulfate d'/attapulgite activée/ opium/pectine/scopolamine, bromhydrate de. **Diban.**

hyoscyamine, sulfate d'/atropine, sulfate d'/phénobarbital/ scopolamine, bromhydrate de. **Donnatal.**

Hypaque Parentéral (Nycomed Imaging A.S.). *méglumine, diatrizoate de/sodium, diatrizoate de.*

Hyperstat (Schering). *diazoxide.*

Hypotears, onguent oculaire (CIBA Vision). *huile minérale/ pétrolatum blanc.*

Hypotears, solution (CIBA Vision). *alcool polyvinylique.*

Hyskon (Medisan Pharmaceuticals). *dextran 70/dextrose.*

Hytakerol (Sanofi). *dihydrotachystérol.*

†Hytone. *hydrocortisone.*

Hytrin (Abbott). *térazosine, chlorhydrate dihydraté de.*

Hyzaar (MSD). *hydrochlorothiazide/losartan potassique.*

I

†Ibu. *ibuprofène.*

ibuprofène. **Actiprofen, Advil, Alti-Ibuprofen, Apo-Ibuprofen, Motrin, Motrin IB, Motrin Pour enfants, Novo-Profen, Nu-Ibuprofen.** †Ibu, †Rufen.

ibuprofène/pseudoéphédrine, chlorhydrate de. **Advil Rhume et Sinus, Dristan Sinus.**

Icaps (CIBA Vision). *multivitamines et minéraux.*

Icaps Action prolongée (CIBA Vision). *multivitamines et minéraux.*

Idamycin (Pharmacia & Upjohn). *idarubicine, chlorhydrate d'.*

Idarac (Sanofi). *floctafénine.*

idarubicine, chlorhydrate d'. **Idamycin.**

idoxuridine. IDU. **Herplex, Herplex-D.**

IDU. voir *idoxuridine.*

Ifex (Bristol). *ifosfamide.*

ifosfamide. **Ifex.**

Iletin II Porc Lente (Lilly). *insuline zinc (porc).*

Iletin II Porc NPH (Lilly). *insuline isophane (porc).*

Iletin II Porc Régulière (Lilly). *insuline injectable (porc).*

Iletin Lente (Lilly). *insuline zinc (bœuf et porc).*

Iletin NPH (Lilly). *insuline isophane (bœuf et porc).*

Iletin Régulière (Lilly). *insuline injectable (bœuf et porc).*

Ilosone (Lilly). *érythromycine, estolate d'.*

†Imagent GI. *perflubron.*

Imdur (Astra). *isosorbide, 5-mononitrate d'.*

imipénem/cilastatine sodique. **Primaxin.**

imipramine, chlorhydrate d'. **Apo-Imipramine, Tofranil.** †Norfranil, †Tipramine.

imiquimod. †Aldara.

Imitrex, comprimés/injectable (Glaxo Wellcome). *sumatriptan, succinate de.*

Les noms **soulignés** paraissent en version détaillée dans la section des monographies du *CPS.*

Imitrex, vaporisaton nasale (Glaxo Wellcome). *sumatriptan, hémisulfate de.*

immoglobuline antirabique pasteurisé (humaine). **Imogam Rage.**

ImmuCyst (Connaught). *bacille de Calmette et Guérin (BCG), (intravésical).*

Immunine VH (Baxter). *facteur IX (humain), concentré de.*

immunoglobuline anti-hépatite B (humaine). **Bayhep B.**

immunoglobuline antirabique (humaine). globuline antirabique (humaine). **Bayrab.**

immunoglobuline anti Rh_o *(humaine). globuline anti* Rh_o *(humaine).* **WinRho SDF.**

immunoglobuline antitétanique (humaine). globuline antitétanique (humaine). **[Immunoglobuline antitétanique (humaine), Monographie générale, APhC]; Baytet.**

immunoglobuline (humaine), i.m. **Baygam.**

immunoglobuline (humaine), i.v. globuline (humaine), i.v. **Gamimune N, Iveegam Immuno.**

Imodium (Janssen-Ortho/Produits aux consommateurs McNeil). *lopéramide, chlorhydrate de.*

Imogam Rage (Connaught). *immoglobuline antirabique pasteurisé (humaine).*

Imovane (Rhône-Poulenc Rorer). *zopiclone.*

Imovax (Connaught). *vaccin antirabique inactivé (cultivé sur cellules diploïdes).*

Imuran, comprimés (Glaxo Wellcome). *azathioprine.*

Imuran, injection (Novopharm). *azathioprine sodique.*

indanyl-carbénicilline sodique. †Geocillin.

indapamide. **Apo-Indapamide, Novo-Indapamide.** †Lozol.

indapamide, hémihydrate d'. **Gen-Indapamide, Lozide, Nu-Indapamide.**

Indéral (Wyeth-Ayerst). *propranolol, chlorhydrate de.*

Indéral-LA (Wyeth-Ayerst). *propranolol, chlorhydrate de.*

Indéride (Wyeth-Ayerst). *hydrochlorothiazide/propranolol, chlorhydrate de.*

indinavir, sulfate d'. **Crixivan.**

Indocid (MSD). *indométhacine.*

Indocid P.D.A. (MSD). *indométhacine sodique.*

Indocid SR (MSD). *indométhacine.*

†Indocin. *indométhacine.*

indométhacine. **Apo-Indomethacin, Indocid, Indocid SR, Indotec, Novo-Méthacin, Nu-Indo, Rhodacine.** †Indocin.

indométhacine sodique. **Indocid P.D.A.**

Indotec (Technilab). *indométhacine.*

Infantol (Carter Horner). *multivitamines.*

Inflamase Forte (CIBA Vision). *prednisolone, phosphate sodique de.*

Inflamase Mild (CIBA Vision). *prednisolone, phosphate sodique de.*

Infufer (Sabex). *fer-dextran.*

INH. voir *isoniazide.*

Inhibace (Roche). *cilazapril.*

inhibiteurs de l'ECA. **(Monographie générale, APhC).**

inhibiteurs sélectifs du recaptage de la sérotonine. **(Monographie générale, APhC).**

Innohep (Leo). *tinzaparine sodique.*

Inocor (Sanofi). *amrinone, lactate d'.*

inosiplex. **Isoprinosine.**

inositol/acide ascorbique/thiamine. **Vitathion-A.T.P.**

insuline, dispositif pour injection d'. **Novolin-Pen 1.5, Novolin-Pen 3.**

insuline injectable (bœuf et porc). **Iletin Régulière.**

insuline injectable (humaine). **Humulin-R, Novolin ge Toronto.**

insuline injectable (humaine)/insuline isophane (humaine). **Humulin 10/90, Humulin 20/80, Humulin 30/70, Humulin 40/60, Humulin 50/50, Novolin ge 10/90, Novolin ge 20/80, Novolin ge 30/70, Novolin ge 40/60, Novolin ge 50/50.**

insuline injectable (porc). **Iletin II Porc Régulière.**

insuline isophane (bœuf et porc). **Iletin NPH.**

insuline isophane (humaine). **Humulin-N, Novolin ge NPH.**

insuline isophane (humaine)/insuline injectable (humaine). **Humulin 10/90, Humulin 20/80, Humulin 30/70, Humulin 40/60, Humulin 50/50, Novolin ge 10/90, Novolin ge 20/80, Novolin ge 30/70, Novolin ge 40/60, Novolin ge 50/50.**

insuline isophane (porc). **Iletin II Porc NPH.**

insuline lispro. **Humalog.**

insuline zinc (bœuf et porc). **Iletin Lente.**

insuline zinc (humaine). **Humulin-L, Novolin ge Lente.**

insuline zinc injectable-prolongée (humaine). **Humulin-U, Novolin ge Ultralente.**

insuline zinc (porc). **Iletin II Porc Lente.**

Intal (Rhône-Poulenc Rorer). *cromoglycate sodique.*

Intal, inhalateur/Syncroner (Rhône-Poulenc Rorer). *cromoglycate sodique.*

Intal Spincaps/solution à nébuliser (Rhône-Poulenc Rorer). *cromoglycate sodique.*

interféron alfa-2a. **Roferon-A.**

interféron alfa-2b. **Intron A.**

interféron alfa-N3. †Alferon N.

interféron alpha-n1 (Ins). **Wellferon.**

interféron bêta-1a. Avonex, **Rebif.**

interféron bêta-1b. **Betaseron.**

interféron gamma. †Actimmune.

Intralipid (Pharmacia & Upjohn). *émulsion de gras.*

Intron A (Schering). *interféron alfa-2b.*

Intropin (DuPont Pharma). *dopamine, chlorhydrate de.*

†Inversine. *mécamylamine, chlorhydrate de.*

Invirase (Roche). *saquinavir, mésylate de.*

iodixanol. **Visipaque.**

iodochlorhydroxyquine. voir *clioquinol.*

iodoquinol. diiodohydroxyquine. diiodohydroxyquinoléine. **Diodoquin.** †Yodoquinol.

iohexol. **Omnipaque.**

Ionamin (Rhône-Poulenc Rorer). *phentermine.*

Ionil (Galderma). *acide salicylique/benzalkonium, chlorure de.*

Ionil-T (Galderma). *benzalkonium, chlorure de/goudron de houille.*

Ionil-T Plus (Galderma). *goudron de houille.*

Iopidine (Alcon). *apraclonidine, chlorhydrate d'.*

iopromide. **Ultravist.**

iotrolan. **Osmovist.**

ioversol. **Optiray.**

ipéca. **(Monographie générale, APhC).**

†I-Phrine. *phényléphrine, chlorhydrate de.*

†I-Picamide. *tropicamide.*

ipratropium, bromure d'. **Alti-Ipratropium, Apo-Ipravent, Atrovent, atomiseur nasal, Atrovent, aérosol pour inhalation, Atrovent, solution pour inhalation, Novo-Ipramide, Nu-Ipratropium, PMS-Ipratropium.**

ipratropium, bromure d'/fénotérol, bromhydrate de. **Duovent UDV.**

ipratropium, bromure d'/salbutamol, sulfate de. **Combivent, aérosol pour inhalation, Combivent, solution pour inhalation.**

†I-Pred. *prednisolone, phosphate sodique de.*

IPV. voir vaccin antipoliomyélite, inactivé (culture sur cellules diploïdes).

irbesartan. **Avapro.**

irinotécan, chlorhydrate trihydraté d'. **Camptosar.**

Ismo (Wyeth-Ayerst). *isosorbide, 5-mononitrate d'.*

Isocal (Mead Johnson). *nutrition entérale.*

Isocal avec fibres (Mead Johnson). *nutrition entérale.*

Isocal HN (Mead Johnson). *nutrition entérale.*

isoétharine. †Bronkosol.

isoétharine, mésylate d'. †Bronkometer.

isoflurane. **Forane; (Abbott), (Schein Pharmaceutical), (Technilab).**

isoflurophate. difluorophate. dyflos. †Floropryl.

isométheptène, mucrate d'/acétaminophène/dichloralphénazone. †Mitride.

Isomil (Abbott). *préparations pour nourrissons à base de soya.*

isoniazide. hydrazide de l'acide isonicotinique. INH. isonicotinylhydrazide. **[Isoniazide, Monographie générale, APhC]; Isotamine, PMS-Isoniazid.** †Nydrazid.

isoniazide/pyrazinamide/rifampine. **Rifater.**

isoniazide/rifampine. †Rifamate.

isonicotinylhydrazide. voir *isoniazide.*

isonipécaïne. voir *péthidine, chlorhydrate de.*

Isoprinosine (Rivex Pharma). *inosiplex.*

isopropamide, iodure d'/trifluopérazine, chlorhydrate de. **Stelabid.**

isopropyle, palmitate d'/goudron, distillat de/huile minérale. **Doak Oil, Doak Oil Forte.**

isoprotérénol, chlorhydrate d'. **Isuprel.**

Isoptin (Knoll). *vérapamil, chlorhydrate de.*

Isoptin I.V. (Knoll). *vérapamil, chlorhydrate de.*

Isoptin SR (Knoll). *vérapamil, chlorhydrate de.*

Isopto Atropine (Alcon). *atropine, sulfate d'.*

Isopto Carbachol (Alcon). *carbachol.*

Isopto Carpine (Alcon). *pilocarpine, chlorhydrate de.*

†Isopto Eserine. *physostigmine, salicylate de.*

Isopto Homatropine (Alcon). *homatropine, bromhydrate d'.*

Isopto Tears (Alcon). *hydroxypropylméthylcellulose.*

Isordil (Wyeth-Ayerst). *isosorbide, dinitrate d'.*

isosorbide, dinitrate d'. sorbide, nitrate de. **Apo-ISDN, Cedocard SR, Isordil.**

isosorbide, 5-mononitrate d'. **Imdur, Ismo.**

Isosource (Novartis Nutrition). *nutrition entérale.*

Isosource HN (Novartis Nutrition). *nutrition entérale.*

Isosource VHN (Novartis Nutrition). *nutrition entérale.*

Isotamine (ICN). *isoniazide.*

isotrétinoïne. acide cis-rétinoïque. **Accutane Roche, Isotrex.**

Isotrex (Stiefel). *isotrétinoïne.*

isoxsuprine, chlorhydrate d'. †Vasodilan.

isradipine. †DynaCirc.

Isuprel (Sanofi). *isoprotérénol, chlorhydrate d'.*

itraconazole. **Sporanox, capsules, Sporanox, solution orale.**

Iveegam Immuno (Baxter). *immunoglobuline (humaine), i.v.*

J

Jectofer (Astra). *complexe fer-sorbitol-acide, stabilisé à la dextrine.*

Je-Vax (Connaught). *vaccin viral contre l'encéphalite japonaise, inactivé.*

K

Kabikinase (Pharmacia & Upjohn). *streptokinase.*

†Kabolin. *nandrolone, décanoate de.*

Kadian (Knoll). *morphine, sulfate de.*

kanamycine, sulfate de. †Kantrex.

†Kantrex. *kanamycine, sulfate de.*

Kaochlor (Pharmacia & Upjohn). *potassium, chlorure de.*

kaolin/opium/pectine. **Donnagel-PG, suspension.**

Kaon (Pharmacia & Upjohn). *potassium, gluconate de.*

Kaopectate (Johnson & Johnson • Merck). *attapulgite.*

Kayexalate (Sanofi). *polystyrène sodique, sulfonate de.*

K-10 (SmithKline Beecham). *potassium, chlorure de.*

K-Dur (Key). *potassium, chlorure de.*

Keflex (Lilly). *céphalexine.*

Keflin (Lilly). *céphalothine sodique.*

†Keftab. *céphalexine, chlorhydrate monohydraté de.*

Kefurox (Lilly). *céfuroxime sodique.*

Kefzol (Lilly). *céfazoline sodique.*

Kemadrin (Glaxo Wellcome). *procyclidine, chlorhydrate de.*

Kemsol (Carter Horner). *diméthylsulfoxyde.*

†Kenac. *triamcinolone, acétonide de.*

Kenacomb (Westwood-Squibb). *gramicidine/néomycine, sulfate de/nystatine/triamcinolone, acétonide de.*

Kenalog (Westwood-Squibb). *triamcinolone, acétonide de.*

Kenalog-10 (Westwood-Squibb). *triamcinolone, acétonide de.*

Kenalog-40 (Westwood-Squibb). *triamcinolone, acétonide de.*

Kenalog-Orabase (Westwood-Squibb). *triamcinolone, acétonide de.*

†Kenonel. *triamcinolone, acétonide de.*

Keralyt (Westwood-Squibb). *acide salicylique.*

†Kerlone. *bétaxolol.*

Ketalar (Parke-Davis). *kétamine, chlorhydrate de.*

kétamine, chlorhydrate de. **Ketalar.**

kétoconazole. **Apo-Ketoconazole, Nizoral, comprimés, Nizoral, crème, Nizoral, shampooing.**

ketohydroxyestrin. voir *estrone.*

kétoprofène. **Apo-Keto, Apo-Keto-E, Apo-Keto SR, Novo-Keto, Novo-Keto-EC, Nu-Ketoprofen, Nu-Ketoprofen-E, Nu-Ketoprofen-SR, Orafen, Orudis, Orudis E, Orudis SR, Oruvail, Rhodis, Rhodis-EC, Rhodis SR, Rhovail.**

kétorolac, trométhamine de. **Acular,** Apo-Ketorolac, **Novo-Ketorolac, Toradol, Toradol IM.**

kétotifène, fumarate de. **Apo-Ketotifen, Novo-Ketotifen, Zaditen.**

Kidrolase (Rhône-Poulenc Rorer). *L-asparaginase.*

Klean-Prep (Rivex Pharma). *électrolytes/polyéthylène glycol.*

†Klonopin. *clonazépam.*

K-Lor (Abbott). *potassium, chlorure de.*

†Klor-Con. *potassium, chlorure de.*

K-Lyte (Roberts). *potassium, citrate de.*

K-Lyte/Cl (Roberts). *potassium, chlorure de.*

Koāte-HP (Bayer). *facteur antihémophilique (humain).*

Koffex DM (Rougier). *dextrométhorphane, bromhydrate de.*

Kogenate (Bayer). *facteur antihémophilique (recombinant).*

†Konakion. *phytonadione.*

Kwellada-P (R & C). *perméthrine.*

†Kybernin. *antithrombine III (humaine).*

Kytril (SmithKline Beecham). *granisétron, chlorhydrate de.*

Les noms **soulignés** paraissent en version détaillée dans la section des monographies du *CPS*.

L

labétalol, chlorhydrate de. **Trandate.** †Normodyne.

Lac-Hydrin (Westwood-Squibb). *ammonium, lactate d'.*

Lacri-Lube S.O.P. (Allergan). *huile minérale/lanoline, alcools de/pétrolatum blanc.*

Lacrisert (MSD). *hydroxypropylcellulose.*

Lactaid (Produits aux consommateurs McNeil). *lactase.*

lactase. **Dairyaid, Lactaid, Lactrase.**

Lacticare AHA (Stiefel). *acide lactique/pyrrolidone sodique, carboxylate de.*

lactobacillus acidophilus. **Bacid.**

lactobacillus acidophilus/lactobacillus bulgaricus/streptococcus lactis. **Fermalac, Fermalac Vaginal.**

lactobacillus bulgaricus/lactobacillus acidophilus/streptococcus lactis. **Fermalac, Fermalac Vaginal.**

lactoflavine. voir *riboflavine.*

lactose. **Placébo.**

Lactrase (Rivex Pharma). *lactase.*

lactulose. **Acilac, Duphalac, Laxilose, PMS-Lactulose.**

Lamictal (Glaxo Wellcome). *lamotrigine.*

Lamisil (Novartis Pharma). *terbinafine, chlorhydrate de.*

lamivudine. 3TC. **3TC.**

lamotrigine. **Lamictal.**

†Lamprene. *clofazimine.*

Lanohex, nettoyeur pour la peau (Rougier). *bêta-phénoxyéthanol.*

lanoline, alcools de/huile minérale/pétrolatum blanc. **Lacri-Lube S.O.P.**

lanoline/huile minérale/pétrolatum blanc. **Duratears Naturale.**

†Lanorinal. *AAS/butalbital/caféine.*

†Lanoxicaps. *digoxine.*

Lanoxin (Glaxo Wellcome). *digoxine.*

lansoprazole. Hp-PAC, **Prevacid.**

Lansoÿl (Axcan Pharma). *huile minérale.*

Lanvis (Glaxo Wellcome). *thioguanine.*

Largactil (Rhône-Poulenc Rorer). *chlorpromazine, chlorhydrate de.*

†Largon. *propiomazine, chlorhydrate de.*

Lariam (Roche). *méfloquine, chlorhydrate de.*

Larmes artificielles (Produits ophtalmiques Rivex). *alcool polyvinylique.*

Lasix (Hoechst Marion Roussel). *furosémide.*

Lasix Spécial (Hoechst Marion Roussel). *furosémide.*

latanoprost. **Xalatan.**

laureth-4/alcool éthylique/érythromycine. **Staticin.**

Laxatif aux herbes (Swiss Herbal). *buchu, feuilles de/cascara sagrada/genièvre, baies de/gentiane, racines de/huile de menthe poivrée/réglisse, racines de/rhubarbe, racines de.*

Laxilose (Technilab). *lactulose.*

lécithine/diméthicone. **Complex 15.**

Lectopam (Roche). *bromazépam.*

Ledercillin VK (Wyeth-Ayerst). *pénicilline V potassique.*

Lederle Leucovorin Calcique (Wyeth-Ayerst). *calcium, folinate de.*

Lenoltec No.1, No.2, No.3 (Technilab). *acétaminophène/caféine/codéine, phosphate de.*

Lenoltec No.4 (Technilab). *acétaminophène/codéine, phosphate de.*

Leritine, comprimés (Frosst). *aniléridine, chlorhydrate d'.*

Leritine, injection (Frosst). *aniléridine, phosphate d'.*

Lescol (Novartis Pharma). *fluvastatine sodique.*

Les Pierrafeu (Bayer, Produits grand public). *multivitamines.*

Les Pierrafeu Extra C (Bayer, Produits grand public). *multivitamines.*

Les Pierrafeu formule intégrale (Bayer, Produits grand public). *multivitamines et minéraux.*

Les Pierrafeu Plus Fer (Bayer, Produits grand public). *fer/multivitamines.*

létrozole. **Femara.**

leucovorine calcique. voir *calcium, folinate de.*

Leukeran (Glaxo Wellcome). *chlorambucil.*

†Leukine. *sargramostim.*

leuprolide, acétate de. **Lupron Dépôt 3,75 mg, Lupron/Lupron Dépôt 3,75 mg/7,5 mg, Lupron/Lupron Dépôt 7,5 mg/22,5 mg.**

Leustatin (Janssen-Ortho). *cladribine.*

lévamisole, chlorhydrate de. **Ergamisol, Novo-Levamisole.**

Levaquin (Janssen-Ortho). *lévofloxacine.*

†Levatol. *penbutolol, sulfate de.*

lévobunolol, chlorhydrate de. **Betagan, Novo-Levobunolol, Ophtho-Bunolol; (Produits ophtalmiques Rivex).**

lévobunolol, chlorhydrate de/dipivéfrine, chlorhydrate de. **Probeta.**

lévocabastine, chlorhydrate de. **Livostin, gouttes ophtalmiques, Livostin, vaporisant nasal.**

lévocarnitine. **Carnitor.** †VitaCarn.

lévodopa. †Dopar.

lévodopa/bensérazide, chlorhydrate de. **Prolopa.**

lévodopa/carbidopa. **Apo-Levocarb, Endo Levodopa/Carbidopa, Nu-Levocarb, Sinemet, Sinemet CR.**

lévofloxacine. **Levaquin.**

lévomépromazine. voir *méthotriméprazine, maléate de.*

lévonordéfrine/mépivacaïne, chlorhydrate de. **Polocaine à 2 % et Lévonordéfrine 1:20 000.**

lévonorgestrel. **Norplant.**

lévonorgestrel/éthinylœstradiol. **Alesse 21, Alesse 28, Min-Ovral 21, Min-Ovral 28, Triphasil 21, Triphasil 28, Triquilar 21, Triquilar 28.** †Nordette, †Tri-Levlen.

Levophed (Sanofi). *norépinéphrine, bitartrate de.*

Levotec (Technilab). *lévothyroxine sodique.*

†Levothroid. *lévothyroxine sodique.*

lévothyroxine sodique. **Eltroxin, Levotec, Synthroid.** †Levothroid, †Levoxyl.

Levovist (Berlex Canada). *acide palmitique/galactose.*

†Levoxyl. *lévothyroxine sodique.*

Levsin (Rivex Pharma). *hyoscyamine, sulfate d'.*

levure/requin, huile de foie de. **Préparation H crème/onguent/suppositoires.**

Librax (Roche). *chlordiazépoxide, chlorhydrate de/clidinium, bromure de.*

†Libritabs. *chlordiazépoxide, chlorhydrate de.*

†Licon. *fluocinonide.*

Lidemol (Medicis). *fluocinonide.*

Lidex (Medicis). *fluocinonide.*

lidocaïne. lignocaïne. **Lidodan, pommade, Xylocaine, pommade/pommade dentaire à 5 %, Xylocaine Topique à 5 %, Zilactin-L.**

lidocaïne, chlorhydrate de. **Lidodan Endotrachéale, Lidodan Visqueuse, Xylocaine à 4 %, solution stérile, Xylocaine Endotrachéale, Xylocaine Gelée à 2 %, Xylocaine, solutions parentérales sans épinéphrine, Xylocaine Topique à 4 %, Xylocaine Visqueuse à 2 %, Xylocard; (Abbott), (Bioniche).**

lidocaïne, chlorhydrate de/dextrose. **(Baxter).**

lidocaïne, chlorhydrate de/épinéphrine. **Xylocaine, solutions dentaires; (Bioniche).**

lidocaïne, chlorhydrate de/glucose. **Xylocaine Rachidienne à 5 %.**

lidocaïne, chlorhydrate de/gramicidine/polymyxine B, sulfate de. **Lidosporin, crème, Polysporin, gouttes ophtalmiques/otiques.**

lidocaïne, chlorhydrate de/méthylprednisolone, acétate de. **Depo-Medrol avec Lidocaïne.**

lidocaïne, chlorhydrate de/polymyxine B, sulfate de. **Lidosporin, gouttes otiques.**

lidocaïne/fluorescéine sodique. **Minims Lidocaïne/Fluorescéine.**

lidocaïne, hydrocarbonate de. **Xylocaine CO_2.**

lidocaïne/prilocaïne. **EMLA.**

Lidodan Endotrachéale (Odan). *lidocaïne, chlorhydrate de.*

Lidodan, pommade (Odan). *lidocaïne.*

Lidodan Visqueuse (Odan). *lidocaïne, chlorhydrate de.*

Lidosporin, crème (Warner-Lambert, Santé grand public). *gramicidine/lidocaïne, chlorhydrate de/polymyxine B, sulfate de.*

Lidosporin, gouttes otiques (Warner-Lambert, Santé grand public). *lidocaïne, chlorhydrate de/polymyxine B, sulfate de.*

lignocaïne. voir *lidocaïne.*

†Limbitrol. *amitriptyline, chlorhydrate d'/chlordiazépoxide.*

Lincocin (Pharmacia & Upjohn). *lincomycine, chlorhydrate monohydraté de.*

lincomycine, chlorhydrate monohydraté de. **Lincocin.** †Lincorex.

†Lincorex. *lincomycine, chlorhydrate monohydraté de.*

lindane. **Hexit, PMS-Lindane.**

Lioresal (Novartis Pharma). *baclofen.*

Lioresal intrathécal (Novartis Pharma). *baclofen.*

Liotec (Technilab). *baclofen.*

liotrix. †Thyrolar.

Lipactin (Novartis Santé Familiale). *héparine sodique/zinc, sulfate de.*

Lipidil Micro (Fournier). *fénofibrate (micronisé).*

Lipisorb (Mead Johnson). *nutrition entérale.*

Lipitor (Parke-Davis). *atorvastatine calcique.*

liposome pegylaté/doxorubicine, chlorhydrate de. Caelyx.

Liquifilm Forte (Allergan). *alcool polyvinylique.*

Liquifilm Tears (Allergan). *alcool polyvinylique.*

Liquor Carbonis Detergens (Odan). *goudron de houille.*

liquor carbonis detergens. **Targel.**

liquor carbonis detergens/acide salicylique. **Targel S.A.**

liquor carbonis detergens/acide salicylique/triclosan. **Tardan.**

lisinopril. **[Inhibiteurs de l'ECA, Monographie générale, APhC]; Apo-Lisinopril, Prinivil, Zestril.**

lisinopril/hydrochlorothiazide. **Prinzide, Zestoretic.**

†Lite Pred. *prednisolone, phosphate sodique de.*

Lithane (Pfizer). *lithium, carbonate de.*

lithium, carbonate de. **[Lithium, Monographie générale, APhC]; Carbolith, Duralith, Lithane, PMS-Lithium Carbonate.** †Eskalith.

lithium, citrate de. **[Lithium, Monographie générale, APhC]; PMS-Lithium Citrate.** †Cibalith-S.

†Lithostat. *acide acétohydroxamique.*

Livostin, gouttes ophtalmiques (CIBA Vision). *lévocabastine, chlorhydrate de.*

Livostin, vaporisant nasal (Janssen-Ortho). *lévocabastine, chlorhydrate de.*

Locacorten Vioform (Novartis Pharma). *clioquinol/fluméthasone, pivalate de.*

Locacorten Vioform, gouttes otiques (Novartis Pharma). *clioquinol/fluméthasone, pivalate de.*

Locasalen (Novartis Pharma). *acide salicylique/fluméthasone, pivalate de.*

†Locoid. *hydrocortisone, butyrate d'.*

†Lodine. *étodolac.*

lodoxamide, trométhamine de. **Alomide.**

Loestrin 1,5/30 (Parke-Davis). *éthinylœstradiol/noréthindrone, acétate de.*

Lofenalac (Mead Johnson). *nutrition entérale.*

Lomine (Riva). *dicyclomine, chlorhydrate de.*

Lomotil (Searle). *atropine, sulfate d'/diphénoxylate, chlorhydrate de.*

lomustine. CCNU. **CeeNU.**

Loniten (Pharmacia & Upjohn). *minoxidil.*

†Lo/Ovral. *éthinylœstradiol/norgestrel.*

Loperacap (ICN). *lopéramide, chlorhydrate de.*

lopéramide, chlorhydrate de. **Apo-Loperamide, Imodium, Loperacap, Novo-Lopéramide, Rho-Lopéramide.**

Lopid (Parke-Davis). *gemfibrozil.*

Lopresor (Novartis Pharma). *métoprolol, tartrate de.*

Loprox (Hoechst Marion Roussel). *ciclopirox olamine.*

†Lopurin. *allopurinol.*

†Lorabid. *loracarbef.*

loracarbef. †Lorabid.

loratadine. **Claritin.**

loratadine/pseudoéphédrine, sulfate de. **Chlor-Tripolon N.D., Claritin Extra.**

lorazépam. **[Benzodiazépines, Monographie générale, APhC]; Apo-Lorazepam, Ativan, Novo-Lorazem, Nu-Loraz.**

losartan potassique. **Cozaar.**

losartan potassique/hydrochlorothiazide. **Hyzaar.**

Losec (Astra). *oméprazole.*

Lotensin (Novartis Pharma). *bénazépril, chlorhydrate de.*

Lotriderm (Schering). *bétaméthasone, dipropionate de/clotrimazole.*

†Lotrisone. *bétaméthasone, dipropionate de/clotrimazole.*

lovastatine. **Apo-Lovastatin, Mevacor.**

Lovenox (Rhône-Poulenc Rorer). *énoxaparine.*

Loxapac (Wyeth-Ayerst). *loxapine.*

loxapine. oxilapine. **Apo-Loxapine, Loxapac, PMS-Loxapine.** †Loxitane.

loxapine, succinate de. **Nu-Loxapine.**

†Loxitane. *loxapine.*

Lozide (Servier). *indapamide, hémihydrate d'.*

†Lozol. *indapamide.*

Ludiomil (Novartis Pharma). *maprotiline, chlorhydrate de.*

†Lufyllin. *dyphylline.*

†Luminal. *phénobarbital.*

Lupron Dépôt 3,75 mg (Abbott). *leuprolide, acétate de.*

Lupron/Lupron Dépôt 3,75 mg/7,5 mg (Abbott/Tap Pharmaceuticals). *leuprolide, acétate de.*

Lupron/Lupron Dépôt 7,5 mg/22,5 mg (Abbott). *leuprolide, acétate de.*

Lutrepulse (Ferring). *gonadoréline, acétate de.*

Luvox (Solvay Pharma). *fluvoxamine, maléate de.*

Lyderm (Taro). *fluocinonide.*

Lydonide (Technilab). *fluocinonide.*

†Lyphocin. *vancomycine, chlorhydrate de.*

lypressin. †Diapid.

Lysodren (Bristol). *mitotane.*

Lyteprep (Therapex). *électrolytes/polyéthylène glycol.*

Les noms **soulignés** paraissent en version détaillée dans la section des monographies du *CPS*.

M

Maalox (Novartis Santé Familiale). *aluminium, hydroxyde d'/magnésium, hydroxyde de.*

Maalox H2 régulateur de l'acidité (Novartis Santé Familiale). *famotidine.*

Maalox HRF (Novartis Santé Familiale). *aluminium-carbonate de magnésium, hydroxyde d'/magnésium, alginate de/magnésium, carbonate de.*

Maalox Plus (Novartis Santé Familiale). *aluminium, hydroxyde d'/magnésium, hydroxyde de/siméthicone.*

Maalox Plus Extra forte (Novartis Santé Familiale). *aluminium, hydroxyde d'/magnésium, hydroxyde de/siméthicone.*

Maalox TC (Novartis Santé Familiale). *aluminium, hydroxyde d'/magnésium, hydroxyde de.*

MacroBID (Procter & Gamble, Compagnie pharmaceutique). *nitrofurantoïne/nitrofurantoïne monohydraté.*

Macrodantin (Procter & Gamble, Compagnie pharmaceutique). *nitrofurantoïne.*

magaldrate. magnésium hydrate, aluminate de. monalium, hydrate de. **Riopan.**

magaldrate/siméthicone. **Riopan Plus.**

Maglucate (Pharmascience). *magnésium, gluconate de.*

magnésium, alginate de/aluminium-carbonate de magnésium, hydroxyde d'/magnésium, carbonate de. **Maalox HRF.**

magnésium/calcium, carbonate de/cuivre/manganèse/vitamine D/zinc. **Caltrate Plus.**

magnésium, carbonate de/AAS/calcium, carbonate de/magnésium, oxyde de. **Aspirin avec Gastraide.**

magnésium, carbonate de/aluminium-carbonate de magnésium, hydroxyde d'/magnésium, alginate de. **Maalox HRF.**

magnésium, carbonate de/calcium, carbonate de/magnésium, sulfate de/vitamine B, complexe de la. **Redoxon-B.**

magnésium, chlorure de. **Slow-Mag.**

magnésium, citrate de. **Citro-Mag.**

magnésium, citrate de/bisacodyl. **Royvac.**

magnésium, glucoheptonate de. **Magnésium-Rougier.**

magnésium, gluconate de. **Maglucate, Oligosol, Magnésium.**

magnésium hydrate, aluminate de. voir *magaldrate.*

magnésium, hydroxyde de/aluminium, hydroxyde d'. **Diovol, Diovol EX, Gelusil, Gelusil Extra-puissant, Maalox, Maalox TC, Mylanta, double concentration simple, liquide, Univol.**

magnésium, hydroxyde de/aluminium, hydroxyde d'/oxéthazaïne. **Mucaine.**

magnésium, hydroxyde de/aluminium, hydroxyde d'/siméthicone. **Diovol Plus, Maalox Plus, Maalox Plus Extra forte, Mylanta, concentration normale, Mylanta, double concentration simple, comprimés, Mylanta extra-puissant.**

magnésium, hydroxyde de/calcium, carbonate de/siméthicone. **Diovol Plus AF.**

magnésium, oxyde de/AAS/calcium, carbonate de/magnésium, carbonate de. **Aspirin avec Gastraide.**

Magnésium-Rougier (Rougier). *magnésium, glucoheptonate de.*

magnésium, salicylate de. **Doan's.**

magnésium, salicylate de/choline, salicylate de. **Trilisate.**

magnésium, sulfate de. **(Abbott).**

magnésium, sulfate de/benzocaïne. **Osmopak Plus.**

magnésium, sulfate de/calcium, carbonate de/magnésium, carbonate de/vitamine B, complexe de la. **Redoxon-B.**

Magnevist (Berlex Canada). *diméglumine, gadopentétate de.*

Majeptil (Rhône-Poulenc Rorer). *thiopropérazine, mésylate de.*

Malarone (Glaxo Wellcome). *atovaquone/proguanil, chlorhydrate de.*

Maltlevol (Carter Horner). *multivitamines.*

Maltlevol-12 (Carter Horner). *multivitamines.*

Maltlevol-M (Carter Horner). *multivitamines et minéraux.*

Mandelamine (Parke-Davis). *méthénamine, mandélate de.*

Mandol (Lilly). *céfamandole, nafate de.*

Manerix (Roche). *moclobémide.*

manganèse/calcium, carbonate de/cuivre/magnésium/vitamine D/zinc. **Caltrate Plus.**

manganèse, gluconate de. **Oligosol, Manganèse.**

manganèse, gluconate de/cobalt, gluconate de. **Oligosol Manganèse-Cobalt.**

manganèse, gluconate de/cuivre, gluconate de. **Oligosol, Manganèse-Cuivre.**

mannitol. **Osmitrol; (Abbott).**

maprotiline, chlorhydrate de. **Ludiomil, Novo-Maprotiline.**

Marcaine (Sanofi). *bupivacaïne, chlorhydrate de.*

Marinol (Sanofi). *dronabinol.*

Marvelon (Organon). *désogestrel/éthinylœstradiol.*

Materna (Wyeth-Ayerst). *multivitamines et minéraux.*

matricaire standardisée. **Tanacet 125.**

†Matulane. *procarbazine, chlorhydrate de.*

Mavik (Knoll). *trandolapril.*

†Maxalt. *rizatriptan.*

Maxeran (Hoechst Marion Roussel). *métoclopramide, chlorhydrate de.*

Maxidex (Alcon). *dexaméthasone.*

†Maxiflor. *diflorasone, diacétate de.*

Maxipime (Bristol-Myers Squibb). *céfépime, chlorhydrate de.*

Maxitrol (Alcon). *dexaméthasone/néomycine, sulfate de/polymyxine B, sulfate de.*

†Maxivate. *bétaméthasone, dipropionate de.*

†Maxzide. *hydrochlorothiazide/triamtérène.*

†Mazanor. *mazindol.*

mazindol. **Sanorex.** †Mazanor.

M.C.T., huile (Mead Johnson). *huile de triglycérides à chaîne moyenne.*

MD-76 (Mallinckrodt). *méglumine, diatrizoate de/sodium, diatrizoate de.*

mébendazole. **Vermox.**

mécamylamine, chlorhydrate de. dimécamine. †Inversine.

méchloréthamine, chlorhydrate de. chlorméthine. moutarde azotée. mustine, chlorhydrate de. **Mustargen.**

†Meclan. *méclocycline, sulfosalicylate de.*

méclizine, chlorhydrate de. histaméthizine. méclozine, chlorhydrate de. **Bonamine.** †Bonine.

méclizine, chlorhydrate de/niacine. **Antivert.**

méclocycline, sulfosalicylate de. †Meclan.

méclofenamate sodique. †Meclomen.

†Meclomen. *méclofenamate sodique.*

méclozine, chlorhydrate de. voir *méclizine, chlorhydrate de.*

†Medralone. *méthylprednisolone, acétate de.*

médrogestone. métrogestone. **Colprone.**

Medrol (Pharmacia & Upjohn). *méthylprednisolone.*

Medrol, lotion contre l'acné (Pharmacia & Upjohn). *aluminium, chlorhydrate d'/méthylprednisolone, acétate de/soufre.*

Medrol Veriderm, crème (Pharmacia & Upjohn). *méthylprednisolone, acétate de.*

médroxyprogestérone, acétate de. **Alti-MPA, Depo-Provera, Gen-Medroxy, Novo-Medrone, Provera.** †Cycrin.

médroxyprogestérone, acétate de/estrogènes conjugués. †Prempro.

méfloquine, chlorhydrate de. **Lariam.**

Mefoxin (MSD). *céfoxitine sodique.*

Megace (Bristol). *mégestrol, acétate de.*

Megace OS (Bristol). *mégestrol, acétate de.*

mégestrol, acétate de. **Apo-Megestrol, Megace, Megace OS, Nu-Megestrol.**

méglumine, diatrizoate de/sodium, diatrizoate de. **Hypaque Parentéral, MD-76.**

méglumine, iothalamate de. **Conray 30, Conray 43, Conray 60, Cysto-Conray, Cysto-Conray II.**

méglumine, ioxaglate de/sodium, ioxaglate de. **Hexabrix.**

méglumine, ioxitalamate de/sodium, ioxitalamate de. **Telebrix 38 Oral.**

Megral (Glaxo Wellcome). *caféine, hydrate de/cyclizine, chlorhydrate de/ergotamine, tartrate d'.*

†Melfiat-105. *phendimétrazine, tartrate de.*

Mellaril (Novartis Pharma). *thioridazine, chlorhydrate de.*

melphalan. **Alkeran.**

ménadiol sodique diphosphate de. *vitamine* K_4. †Synkayvite.

†Menest. *estrogènes estérifiés.*

ménotropines. voir *gonadotrophines humaines de femmes ménopausées.*

menthol. **Antiphlogistine Rub A-535 Glacé, Flexall.**

menthol/acide salicylique/goudron de houille. **X-Tar.**

menthol/acide salicylique/goudron de houille/pyrithione, disulfure de. **Polytar AF.**

menthol/benzocaïne/camphre/polymyxine B, sulfate de/tyrothricine. **Onguent antibiotique pour feux sauvages.**

menthol/camphre/eucalyptol. **Balminil Camphorub.**

menthol/camphre/eucalyptus, essence d'/méthyle, salicylate de. **Antiphlogistine Rub A-535 Capsaïcine.**

menthol/camphre/pramoxine, chlorhydrate de. **Sarna-P.**

menthol/chloroxylénol/goudron de houille. **Denorex, Denorex Extra-fort.**

menthol/diméthicone/homosalate/octyl méthoxycinnamate/ oxybenzone. **Zilactin-Lip.**

menthol/méthyle, salicylate de. **Baume Analgésique, Flexall en bâton.**

menthol/pramoxine, chlorhydrate de. **Pramegel.**

menthol/triéthanolamine, salicylate de. **Myoflex Glacé Plus.**

menthol/zinc, pyrithione de. **Z-Plus.**

mépenzolate, bromure de. *glycophénylate, bromure de.* †Cantil.

mépéridine, chlorhydrate de. voir *péthidine, chlorhydrate de.*

†Mephyton. *phytonadione.*

mépivacaïne, chlorhydrate de. **Carbocaine, Polocaine à 3 %.**

mépivacaïne, chlorhydrate de/lévonordéfrine. **Polocaine à 2 % et Lévonordéfrine 1:20 000.**

méprobamate. **Apo-Meprobamate, Equanil.**

méprobamate/AAS/caféine, citrate de/codéine, phosphate de. **282 Mep.**

†Meprolone. *méthylprednisolone.*

Mepron (Glaxo Wellcome). *atovaquone.*

mépyramine, maléate de/guaifénésine/potassium, iodure de/ théophylline. **Theo-Bronc.**

mercaptopurine. **Purinethol.**

Mercodol avec Decapryn (Hoechst Marion Roussel). *doxylamine, succinate de/étafédrine, chlorhydrate d'/hydrocodone, bitartrate d'/sodium, citrate de.*

†Meridia. *sibutramine.*

Meritene (Novartis Nutrition). *nutrition entérale.*

méropenem. **Merrem.**

Merrem (Zeneca). *méropenem.*

Mersyndol avec Codéine (Hoechst Marion Roussel). *acétaminophène/codéine, phosphate de/doxylamine, succinate de.*

mesalamine. voir *acide 5-aminosalicylique.*

Mesasal (SmithKline Beecham). *acide 5-aminosalicylique.*

M-Eslon (Rhône-Poulenc Rorer). *morphine, sulfate de.*

mesna. **Uromitexan.** †Mesnex.

†Mesnex. *mesna.*

mésoridazine, bésylate de. **Serentil.**

Mestinon (ICN). *pyridostigmine, bromure de.*

Mestinon-SR (ICN). *pyridostigmine, bromure de.*

mestranol/noréthindrone. **Norinyl 1/50, Ortho-Novum 1/50.**

mésuximide. **Celontin.**

métacortandracine. voir *prednisone.*

metacortandrolone. voir *prednisolone, acétate de.*

†Metahydrin. *trichlorméthiazide.*

Metamucil (Procter & Gamble). *psyllium.*

Metandren (Novartis Pharma). *méthyltestostérone.*

métaprotérénol, sulfate de. voir *orciprénaline, sulfate d'.*

métaraminol, bitartrate de. †Aramine.

metaxalone. †Skelaxin.

Meted (Medicis). *acide salicylique/soufre.*

metformine, chlorhydrate de. **Apo-Metformin, Gen-Metformin, Glucophage, Glycon, Novo-Metformin, Nu-Metformin, Rho-Metformin; (BDH).**

methacholine, chlorhydrate de. †Provocholine.

méthadone, chlorhydrate de. **[Opioïdes, Monographie générale, APhC]**; †Methadose.

†Methadose. *méthadone, chlorhydrate de.*

méthamphétamine, chlorhydrate de. *désoxyéphédrine.* †Desoxyn.

méthanthéline, bromure de. †Banthine.

méthazolamide. **Neptazane.**

methdilazine, chlorhydrate de. †Tacaryl.

méthénamine. *hexamine.* **Dehydral.**

méthénamine, composé de. **Urasal.**

méthénamine, hippurate de. **Hip-Rex.** †Urex.

méthénamine, mandélate de. **Mandelamine.**

†Methergine. *méthylergonovine, maléate de.*

methicilline sodique. †Staphcillin.

méthimazole. *thiamazole.* **Tapazole.**

méthocarbamol. **Robaxin, Robaxin, injectable, Robaxin-750.**

méthocarbamol/AAS. **Aspirin Maux de Dos, Methoxisal, Robaxisal.**

méthocarbamol/AAS/codéine, phosphate de. **Methoxisal-C, Robaxisal-C.**

méthocarbamol/acétaminophène. **Methoxacet, Robaxacet.**

méthocarbamol/acétaminophène/codéine, phosphate de. **Methoxacet-C, Robaxacet-8.**

méthohexital sodique. **Brietal Sodique.** †Brevital.

méthotrexate. **(Faulding).**

méthotrexate sodique. *améthoptérine.* **Rheumatrex; (Faulding), (Novopharm), (Wyeth-Ayerst).** †Folex, †Mexate.

méthotriméprazine. Apo-Methoprazine.

méthotriméprazine, maléate de. *lévomépromazine.* **Novo-Meprazine, Nozinan, PMS-Methotrimeprazine.**

Methoxacet (Technilab). *acétaminophène/méthocarbamol.*

Methoxacet-C (Technilab). *acétaminophène/codéine, phosphate de/méthocarbamol.*

méthoxamine, chlorhydrate de. **Vasoxyl.**

Methoxisal (Technilab). *AAS/méthocarbamol.*

Methoxisal-C (Technilab). *AAS/codéine, phosphate de/ méthocarbamol.*

Les noms **soulignés** paraissent en version détaillée dans la section des monographies du *CPS.*

méthoxsalen. **Oxsoralen, Oxsoralen-Ultra, UltraMOP, capsules, UltraMOP, lotion.** †8-MOP.

méthoxyflurane. †Penthrane.

méthoxypropanediol. voir *guaifénésine.*

methphénoxydiol. voir *guaifénésine.*

méthscopolamine, bromure de. †Pamine.

méthyclothiazide. †Enduron.

méthyldopa. **Aldomet, comprimés, Apo-Methyldopa, Novo-Medopa, Nu-Medopa.**

méthyldopa, chlorhydrate de. **Aldomet, injection.**

méthyldopa/chlorothiazide. **Supres.** †Aldoclor.

méthyldopa/hydrochlorothiazide. **Aldoril-15, Aldoril-25, Apo-Methazide.**

méthylergonovine, maléate de. †Methergine.

méthyle, salicylate de/camphre/eucalyptus, essence d'/menthol. **Antiphlogistine Rub A-535 Capsaïcine.**

méthyle, salicylate de/menthol. **Baume Analgésique, Flexall en bâton.**

méthylphénidate, chlorhydrate de. méthylphénidylacétate, chlorhydrate de. **PMS-Methylphenidate, Riphenidate, Ritalin, Ritalin SR.**

méthylphénidylacétate, chlorhydrate de. voir *méthylphénidate, chlorhydrate de.*

méthylprednisolone. **[Corticostéroïdes: Généraux, Monographie générale, APhC]; Medrol.** †Meprolone.

méthylprednisolone, acétate de. **[Corticostéroïdes: Généraux, Corticostéroïdes Topiques, Monographies générales, APhC]; Depo-Medrol, Medrol Veriderm, crème.** †depMedalone, †Depopred, †Medralone.

méthylprednisolone, acétate de/aluminium, chlorhydrate d'/néomycine, sulfate de/soufre. **Neo-Medrol, lotion contre l'acné.**

méthylprednisolone, acétate de/aluminium, chlorhydrate d'/soufre. **Medrol, lotion contre l'acné.**

méthylprednisolone, acétate de/lidocaïne, chlorhydrate de. **Depo-Medrol avec Lidocaïne.**

méthylprednisolone, acétate de/néomycine, sulfate de. **Neo-Medrol Veriderm, crème.**

méthylprednisolone, succinate sodique de. **[Corticostéroïdes: Généraux, Monographie générale, APhC]; Solu-Medrol; (Faulding).** †A-methaPred.

méthylsulfoxide. voir *diméthylsulfoxyde.*

méthyltestostérone. **Metandren.** †Oreton, †Testred, †Virilon.

méthyltestostérone/estrogènes estérifiés. †Estratest.

méthylthioninium trihydraté, chlorure de. voir *bleu de méthylène.*

méthysergide, maléate de. **Sansert.**

†Meticorten. *prednisone.*

Metimyd (Schering). *prednisolone, acétate de/sulfacétamide sodique.*

métipranolol, chlorhydrate de. †OptiPranolol.

métoclopramide, chlorhydrate de. **Apo-Metoclop, Maxeran, Nu-Metoclopramide, PMS-Metoclopramide, Reglan.**

métolazone. **Zaroxolyn.** †Diulo, †Mykrox.

métoprolol, succinate de. †Toprol-XL.

métoprolol, tartrate de. **Apo-Metoprolol, Apo-Metoprolol (Type L), Betaloc, Betaloc Durules, Lopresor, Novo-Metoprol, Nu-Metop, PMS-Metoprolol-B, PMS-Metoprolol-L.**

Metreton (Schering). *acide ascorbique/chlorphéniramine, maléate de/prednisone, acétate de.*

†Metric 21. *métronidazole.*

MetroCrème (Galderma). *métronidazole.*

MetroGel (Galderma). *métronidazole.*

métrogestone. voir *médrogestone.*

†Metro I.V. *métronidazole.*

métronidazole. **[Métronidazole, Monographie générale, APhC]; Apo-Metronidazole, Flagyl, Flagyl 500, injectable, MetroCrème, MetroGel, Nidagel, Noritate, Novo-Nidazol; (Abbott).** †Metric 21, †Metro I.V., †Protostat.

métronidazole/nystatine. **Flagystatin.**

métyrosine. †Demser.

Mevacor (MSD). *lovastatine.*

†Mexate. *méthotrexate sodique.*

mexilétine, chlorhydrate de. **Alti-Mexiletine, Mexitil, Novo-Mexiletine.**

Mexitil (Boehringer Ingelheim). *mexilétine, chlorhydrate de.*

†Mezlin. *mezlocilline sodique.*

mezlocilline sodique. †Mezlin.

†Miacalcin. *calcitonine (saumon).*

mibefradil. †Posicor.

Micanol (Canderm Pharma). *anthraline.*

Micatin (Produits aux consommateurs McNeil). *miconazole, nitrate de.*

miconazole, nitrate de. **Micatin, Micozole, Monazole 7, Monistat 3, Monistat 7, Monistat Derm.**

Micozole (Taro). *miconazole, nitrate de.*

Micro-K Extencaps (Wyeth-Ayerst). *potassium, chlorure de.*

Micro-K-10 Extencaps (Wyeth-Ayerst). *potassium, chlorure de.*

Microlax (Pharmacia & Upjohn). *acide sorbique/glycérine/sodium, citrate de/sodium, laurylsulfoacétate de/sorbitol.*

†Micronase. *glyburide.*

Micronor (Janssen-Ortho). *noréthindrone.*

Midamor (MSD). *amiloride, chlorhydrate d'.*

midazolam, chlorhydrate de. **[Benzodiazépines, Monographie générale, APhC]; Versed.**

midodrine, chlorhydrate de. **Amatine.**

Midol (Bayer, Produits grand public). *AAS/caféine.*

Midol Extra-fort (Bayer, Produits grand public). *acétaminophène/caféine/pyrilamine, maléate de.*

Midol SPM Extra-fort (Bayer, Produits grand public). *acétaminophène/pamabrom/pyrilamine, maléate de.*

Migranal (Novartis Pharma). *dihydroergotamine, mésylate de.*

Millepertuis Commun (Swiss Herbal). *produits à base d'herbes médicinales.*

†Milontin. *phensuximide.*

†Milophene. *clomiphène, citrate de.*

milrinone, lactate de. **Primacor.**

minéraux/acide ascorbique/vitamine D. **Cal-Mag.**

minéraux/cyanocobalamine. **Oligofer.**

Minestrin 1/20 (Parke-Davis). *éthinylœstradiol/noréthindrone, acétate de.*

Minims Atropine (Ophtapharma). *atropine, sulfate d'.*

Minims Benoxinate (Ophtapharma). *benoxinate.*

Minims Chloramphénicol (Ophtapharma). *chloramphénicol.*

Minims Chlorure de sodium (Ophtapharma). *sodium, chlorure de.*

Minims Cyclopentolate (Ophtapharma). *cyclopentolate, chlorhydrate de.*

Minims Fluorescéine (Ophtapharma). *fluorescéine sodique.*

Minims Gentamicine (Ophtapharma). *gentamicine, sulfate de.*

Minims Homatropine (Ophtapharma). *homatropine.*

Minims Larmes artificielles (Ophtapharma). *hydroxyéthylcellulose/sodium, chlorure de.*

Minims Lidocaïne/Fluorescéine (Ophtapharma). *fluorescéine sodique/lidocaïne.*

Minims Phényléphrine (Ophtapharma). *phényléphrine.*

Minims Pilocarpine (Ophtapharma). *pilocarpine, nitrate de.*

Minims Prednisolone (Ophtapharma). *prednisolone.*

Minims Tetracaïne (Ophtapharma). *tétracaïne.*

Minims Tropicamide (Ophtapharma). *tropicamide.*

Minipress (Pfizer). *prazosine, chlorhydrate de.*

Minitran (Produits pharmaceutiques de 3M). *nitroglycérine.*

Minocin (Wyeth-Ayerst). *minocycline, chlorhydrate de.*

minocycline, chlorhydrate de. [**Tétracyclines, Monographie générale, APhC**]; **Alti-Minocycline, Apo-Minocycline, Gen-Minocycline, Minocin, Novo-Minocycline.**

Min-Ovral 21 (Wyeth-Ayerst). *éthinylœstradiol/lévonorgestrel.*

Min-Ovral 28 (Wyeth-Ayerst). *éthinylœstradiol/lévonorgestrel.*

Minox (Riva). *minoxidil.*

minoxidil. **Apo-Gain, Gen-Minoxidil, Loniten, Minox, Rogaine.**

Mintezol (MSD). *thiabendazole.*

Miocarpine (CIBA Vision). *pilocarpine, chlorhydrate de.*

Miochol-E (CIBA Vision). *acétylcholine, chlorure d'/électrolytes.*

Miostat (Alcon). *carbachol.*

†Miradon. *anisindione.*

Mirapex (Boehringer Ingelheim). *pramipexole, dichlorhydrate de.*

Mireze (Allergan). *nédocromil sodique.*

misoprostol. **Cytotec.**

misoprostol/diclofénac sodique. **Arthrotec.**

†Mithracin. *plicamycine.*

mithramycine. voir *plicamycine.*

mitomycine. **Mutamycin; (Faulding), (Novopharm).**

mitotane. **Lysodren.**

mitoxantrone, chlorhydrate de. **Novantrone.**

†Mitride. *acétaminophène/dichloralphénazone/isométheptène, mucrate d'.*

Mivacron (Glaxo Wellcome). *mivacurium, chlorure de.*

mivacurium, chlorure de. **Mivacron.**

M-M-R II (MSD). *vaccin ourlien (vivant, atténué)/vaccin rougeoleux (vivant, atténué)/vaccin rubéoleux (vivant, atténué).*

†Moban. *molindone, chlorhydrate de.*

Mobiflex (Roche). *ténoxicam.*

moclobémide. **Alti-Moclobemide, Apo-Moclobemide, Manerix.**

†Moctanin. *monooctanoïne.*

Modecate (Squibb). *fluphénazine, décanoate de.*

Modecate Concentré (Squibb). *fluphénazine, décanoate de.*

Moditen (Chlorhydrate) (Squibb). *fluphénazine, chlorhydrate de.*

Moditen Énanthate (Squibb). *fluphénazine, énanthate de.*

†Modrastane. *trilostane.*

Modulon (Axcan Pharma). *trimébutine, maléate de.*

Moduret (MSD). *amiloride, chlorhydrate d'/hydrochlorothiazide.*

†Moduretic. *amiloride, chlorhydrate d'/hydrochlorothiazide.*

mofétilmycophénolate. **CellCept.**

Mogadon (Roche). *nitrazépam.*

Moisturel (Westwood-Squibb). *diméthicone/vaseline.*

molindone, chlorhydrate de. †Moban.

molybdenem. voir *ammonium, molybdate d'.*

†Molypen. *ammonium, molybdate d'.*

mométasone, furoate de. [**Corticostéroïdes: Topiques, Corticostéroïdes: Yeux, Oreilles, Nez, Monographies générales, APhC**]; **Elocom.**

mométasone, furoate monohydraté de. Nasonex.

monalium, hydrate de. voir *magaldrate.*

Monazole 7 (Technilab). *miconazole, nitrate de.*

Monistat 3 (Produits aux consommateurs McNeil). *miconazole, nitrate de.*

Monistat 7 (Produits aux consommateurs McNeil). *miconazole, nitrate de.*

Monistat Derm (Produits aux consommateurs McNeil). *miconazole, nitrate de.*

Monitan (Wyeth-Ayerst). *acébutolol, chlorhydrate d'.*

†Monocid. *céfonicide sodique.*

monooctanoïne. †Moctanin.

Monopril (Bristol-Myers Squibb). *fosinopril sodique.*

montélukast sodique. **Singulair.**

†8-MOP. *méthoxsalen.*

moricizine, chlorhydrate de. †Ethmozine.

morphine, chlorhydrate de. [**Opioïdes, Monographie générale, APhC**]; **Morphitec, M.O.S, M.O.S.-SR.**

morphine, sulfate de. [**Opioïdes, Monographie générale, APhC**]; **Kadian, M-Eslon, M.O.S.-Sulfate, MS Contin, MS•IR, Oramorph SR, Statex; (Abbott), (Faulding), (Sabex).** †Duramorph, †RMS Uniserts, †Roxanol.

Morphitec (Technilab). *morphine, chlorhydrate de.*

MoRu-Viraten Berna (Berna Products). *vaccin viral contre la rougeole (vivant, atténué)/vaccin viral contre la rubéole (vivant, atténué).*

M.O.S (ICN). *morphine, chlorhydrate de.*

M.O.S.-SR (ICN). *morphine, chlorhydrate de.*

M.O.S.-Sulfate (ICN). *morphine, sulfate de.*

Motilidone (Technilab). *dompéridone, maléate de.*

Motilium (Janssen-Ortho). *dompéridone, maléate de.*

Motrin (Pharmacia & Upjohn). *ibuprofène.*

Motrin IB (Produits aux consommateurs McNeil). *ibuprofène.*

Motrin Pour enfants (Produits aux consommateurs McNeil). *ibuprofène.*

moutarde azotée. voir *méchloréthamine, chlorhydrate de.*

MS Contin (Purdue Frederick). *morphine, sulfate de.*

MSD AAS à enrobage entérosoluble (Johnson & Johnson • Merck). *AAS.*

MS•IR (Purdue Frederick). *morphine, sulfate de.*

Mucaine (Axcan Pharma). *aluminium, hydroxyde d'/magnésium, hydroxyde de/oxéthazaïne.*

Mucomyst (Roberts). *acétylcystéine.*

Multipax (Rhône-Poulenc Rorer). *hydroxyzine, chlorhydrate d'.*

Multi-Tar Plus (ICN). *goudron de genévrier/goudron de houille/goudron de pin/zinc, pyrithione de.*

Multitest IMC (Connaught). *antigènes pour test cutané.*

multivitamines. hexavitamines. **Apo-Hexa, Dia-Vite, Infantol, Les Pierrafeu, Les Pierrafeu Extra C, Maltlevol, Maltlevol-12, M.V.I.-12 (perfusion multivitaminique), Penta/3B Plus, Sopalamine/3B, Sopalamine/3B Plus C, Stresstabs.**

multivitamines/carbonate, calcium de/fer. **Prenavite.**

multivitamines/cuivre, oxyde de/zinc, oxyde de. **Stresstabs avec Zinc.**

multivitamines et minéraux. **Centrum, Centrum Forte, Centrum Junior Complet, Centrum Junior Régulier, Centrum Protegra, Centrum Sélect, Choix D'enfants, Hemarexin, Icaps, Icaps Action prolongée, Les Pierrafeu formule intégrale, Maltlevol-M, Materna, Natavite, One A Day Advance, Orifer.F, Suplevit, Swiss Une, Swiss Une "50", action maintenue.**

multivitamines/fer. **Les Pierrafeu Plus Fer, Stresstabs avec Fer.**

multivitamines/zinc, oxyde de. **Adeks, comprimés.**

multivitamines/zinc, sulfate de. **Adeks, gouttes pédiatriques, Z-BEC.**

Mumpsvax (MSD). *vaccin viral contre les oreillons (vivants, atténu&eacut e;s).*

Les noms **soulignés** paraissent en version détaillée dans la section des monographies du *CPS.*

mupirocine. **Bactroban.**
muromonab-CD3. **Orthoclone OKT 3.**
Muse (Janssen-Ortho). *alprostadil.*
Mustargen (MSD). *méchloréthamine, chlorhydrate de.*
mustine, chlorhydrate de. voir *méchloréthamine, chlorhydrate de.*
Mutacol Berna (Berna Products). *vaccin anticholérique (vivant oral).*
Mutamycin (Bristol). *mitomycine.*
M.V.I.-12 (perfusion multivitaminique) (Rhône-Poulenc Rorer). *multivitamines.*
Myambutol (Wyeth-Ayerst). *éthambutol, chlorhydrate d'.*
Mycifradin (Pharmacia & Upjohn). *néomycine, sulfate de.*
Myciguent (Pharmacia & Upjohn). *néomycine, sulfate de.*
Mycil (Roberts). *chlorphénésine.*
Mycobutin (Pharmacia & Upjohn). *rifabutine.*
Mycostatin (Squibb). *nystatine.*
Mydfrin (Alcon). *phényléphrine, chlorhydrate de.*
Mydriacyl (Alcon). *tropicamide.*
†Mydriafair. *tropicamide.*
†Myidone. *primidone.*
†Mykrox. *métolazone.*
Mylanta, concentration normale (Warner-Lambert, Santé grand public). *aluminium, hydroxyde d'/magnésium, hydroxyde de/ siméthicone.*
Mylanta, double concentration simple, comprimés (Warner-Lambert, Santé grand public). *aluminium, hydroxyde d'/ magnésium, hydroxyde de/siméthicone.*
Mylanta, double concentration simple, liquide (Warner-Lambert, Santé grand public). *aluminium, hydroxyde d'/magnésium, hydroxyde de.*
Mylanta extra-puissant (Warner-Lambert, Santé grand public). *aluminium, hydroxyde d'/magnésium, hydroxyde de/siméthicone.*
Myleran (Glaxo Wellcome). *busulfan.*
†Mymethasone. *dexaméthasone.*
Myochrysine (Rhône-Poulenc Rorer). *sodium, aurothiomalate de.*
Myoflex (Bayer, Produits grand public). *triéthanolamine, salicylate de.*
Myoflex Glacé Plus (Bayer, Produits grand public). *menthol/ triéthanolamine, salicylate de.*
Myotonachol (Glenwood). *béthanéchol, chlorure de.*
Mysoline (Wyeth-Ayerst). *primidone.*
†Mytelase. *ambenonium, chlorure d'.*

N

nabilone. **Cesamet.**
nabumétone. **Relafen.**
nadolol. **Alti-Nadolol, Apo-Nadol, Corgard, Novo-Nadolol.**
Nadopen-V (Nadeau). *pénicilline V potassique.*
Nadostine (Nadeau). *nystatine.*
nadroparine. **[Héparines de faible poids moléculaire, Monographie générale, APhC].**
nadroparine calcique. **[Héparines de faible poids moléculaire, Monographie générale, APhC]; Fraxiparine.**
nafaréline, acétate de. **Synarel.**
†Nafcil. *nafcilline sodique.*
nafcilline sodique. †Nafcil, †Nallpen.
naftifine, chlorhydrate de. **Naftin.**
Naftin (Allergan). *naftifine, chlorhydrate de.*
nalbuphine, chlorhydrate de. **[Opioïdes, Monographie générale, APhC]; Nubain.**
Nalcrom (Rhône-Poulenc Rorer). *cromoglycate sodique.*
Nalfon (Lilly). *fénoprofène calcique.*
†Nallpen. *nafcilline sodique.*
naloxone, chlorhydrate de. **Narcan.**
naltrexone, chlorhydrate de. **ReVia.** †Trexan.
nandrolone, décanoate de. †Hybolin Decanoate.
nandrolone, décanoate de. **Deca-Durabolin.** †Hybolin Decanoate, †Kabolin.
nandrolone, phenpropionate de. †Hybolin-Improved.
NAPAP. voir *acétaminophène.*
naphazoline, chlorhydrate de. **Naphcon Forte, Rubifuge, Vasocon.** †Allerest.
naphazoline, chlorhydrate de/antazoline, phosphate d'. **Albalon-A Liquifilm, Vasocon-A.**
naphazoline, chlorhydrate de/antazoline, phosphate d'/zinc, sulfate de. **Zincfrin-A.**
naphazoline, chlorhydrate de/phéniramine, maléate de. **Naphcon-A.**
Naphcon-A (Alcon). *naphazoline, chlorhydrate de/phéniramine, maléate de.*
Naphcon Forte (Alcon). *naphazoline, chlorhydrate de.*
Naprosyn (Roche). *naproxen.*
naproxen. **Apo-Naproxen, Naprosyn, Naxen, Novo-Naprox, Novo-Naprox Sodium DS, Nu-Naprox, Rhodiaprox.**
naproxen sodique. **Anaprox, Anaprox DS, Apo-Napro-Na, Apo-Napro-Na DS, Novo-Naprox Sodium, Synflex, Synflex DS.**
†Naqua. *trichlorméthiazide.*
naratriptan, chlorhydrate de. **Amerge.**
Narcan (DuPont Pharma). *naloxone, chlorhydrate de.*
Nardil (Parke-Davis). *phénelzine, sulfate de.*
Naropin (Astra). *ropivacaïne, chlorhydrate de.*
Nasacort (Rhône-Poulenc Rorer). *triamcinolone, acétonide de.*
Nasacort Aq (Rhône-Poulenc Rorer). *triamcinolone, acétonide de.*
†Nasalcrom. *cromoglycate sodique.*
†Nasalide. *flunisolide.*
Nasonex (Schering). *mométasone, furoate monohydraté de.*
†Natacyn. *natamycine.*
natamycine. pimaricine. †Natacyn.
Natavite (Schein Pharmaceutical). *multivitamines et minéraux.*
Navane (Pfizer). *thiothixène.*
Navelbine (Glaxo Wellcome). *vinorelbine, tartrate de.*
Naxen (AltiMed). *naproxen.*
Nebcin (Lilly). *tobramycine, sulfate de.*
†NebuPent. *pentamidine, iséthionate de.*
nédocromil sodique. **Mireze, Tilade.**
néfazodone, chlorhydrate de. **Serzone.**
NegGram (Sanofi). *acide nalidixique.*
Nemasol Sodium—ICN (ICN). *sodium para-aminosalicylate.*
Nembutal Sodique (Abbott). *pentobarbital sodique.*
†Neo-Calglucon. *calcium, glubionate de.*
NeoCitran A (Novartis Santé Familiale). *phéniramine, maléate de/ phényléphrine, chlorhydrate de.*
NeoCitran Adultes (Novartis Santé Familiale). *acétaminophène/ phéniramine, maléate de/phényléphrine, chlorhydrate de.*
NeoCitran DM (Novartis Santé Familiale). *dextrométhorphane, bromhydrate de/phéniramine, maléate de/phényléphrine, chlorhydrate de.*
NeoCitran Extra-fort (Novartis Santé Familiale). *acétaminophène/ phéniramine, maléate de/phényléphrine, chlorhydrate de.*
NeoCitran Extra-fort Caplets de jour (Novartis Santé Familiale). *acétaminophène/dextrométhorphane, bromhydrate de/ pseudoéphédrine, chlorhydrate de.*

NeoCitran Extra-fort Sinus (Novartis Santé Familiale). *acétaminophène/phényléphrine, chlorhydrate de.*

NeoCitran Extra-fort (Toux, rhume et grippe) (Novartis Santé Familiale). *acétaminophène/chlorphéniramine, maléate de/dextrométhorphane, bromhydrate de/pseudoéphédrine, chlorhydrate de.*

NeoCitran Hypocalorique (Novartis Santé Familiale). *acétaminophène/phéniramine, maléate de/phényléphrine, chlorhydrate de.*

Neo-Cortef (Pharmacia & Upjohn). *hydrocortisone, acétate d'/néomycine, sulfate de.*

Neo-Laryngobis (Technilab). *bismuth, dipropylacétate de.*

Neo-Medrol, lotion contre l'acné (Pharmacia & Upjohn). *aluminium, chlorhydrate d'/méthylprednisolone, acétate de/néomycine, sulfate de/soufre.*

Neo-Medrol Veriderm, crème (Pharmacia & Upjohn). *méthylprednisolone, acétate de/néomycine, sulfate de.*

néomycine, sulfate de. **Mycifradin, Myciguent.**

néomycine, sulfate de/acides aminés/bacitracine, zinc de. **Cicatrin.**

néomycine, sulfate de/aluminium, chlorhydrate d'/méthylprednisolone, acétate de/soufre. **Neo-Medrol, lotion contre l'acné.**

néomycine, sulfate de/bacitracine, zinc de/hydrocortisone/polymyxine B, sulfate de. **Cortisporin, onguent, Cortisporin, onguent ophtalmique.**

néomycine, sulfate de/bacitracine, zinc de/polymyxine B, sulfate de. **Neosporin, onguent/onguent ophtalmique, Neotopic.**

néomycine, sulfate de/dexaméthasone/polymyxine B, sulfate de. **Dioptrol, Maxitrol.**

néomycine, sulfate de/gramicidine/nystatine/triamcinolone, acétonide de. **Kenacomb, Triacomb, Viaderm-K.C.**

néomycine, sulfate de/gramicidine/polymyxine B, sulfate de. **Neosporin, crème, Neosporin, solution oto-ophtalmique, Optimyxin Plus, solution.**

néomycine, sulfate de/hydrocortisone, acétate d'. **Neo-Cortef.**

néomycine, sulfate de/hydrocortisone/polymyxine B, sulfate de. **Cortimyxin, Cortisporin, solution otique, Cortisporin, suspension oto-ophtalmique.**

néomycine, sulfate de/méthylprednisolone, acétate de. **Neo-Medrol Veriderm, crème.**

néomycine, sulfate de/polymyxine B, sulfate de. **Neosporin, solution pour irrigation.**

Neoral (Novartis Pharma). *cyclosporine.*

†Neosar. *cyclophosphamide.*

Neosporin, crème (Glaxo Wellcome). *gramicidine/néomycine, sulfate de/polymyxine B, sulfate de.*

Neosporin, onguent/onguent ophtalmique (Glaxo Wellcome). *bacitracine, zinc de/néomycine, sulfate de/polymyxine B, sulfate de.*

Neosporin, solution oto-ophtalmique (Glaxo Wellcome). *gramicidine/néomycine, sulfate de/polymyxine B, sulfate de.*

Neosporin, solution pour irrigation (Glaxo Wellcome). *néomycine, sulfate de/polymyxine B, sulfate de.*

néostigmine, bromure de. **Prostigmin, comprimés.**

néostigmine, méthylsulfate de. **Prostigmin Injectable.**

Neostrata AHA, conditionneur pour le contour des lèvres (Canderm Pharma). *gluconolactone.*

Neostrata AHA, crème (Canderm Pharma). *acide glycolique.*

Neostrata AHA, crème pour la peau sensible (Canderm Pharma). *acide glycolique.*

Neostrata AHA, crème pour le contour des yeux (Canderm Pharma). *gluconolactone.*

Neostrata AHA, crème ultra hydratante (Canderm Pharma). *gluconolactone.*

Neostrata AHA, lotion (Canderm Pharma). *acide glycolique.*

Neostrata AHA, lotion nettoyante (Canderm Pharma). *gluconolactone.*

Neostrata AHA, solution (Canderm Pharma). *acide glycolique.*

Neostrata HQ (Canderm Pharma). *hydroquinone.*

Neo-Synephrine (Sanofi). *phényléphrine, chlorhydrate de.*

Neotopic (Technilab). *bacitracine, zinc de/néomycine, sulfate de/polymyxine B, sulfate de.*

Neptazane (Wyeth-Ayerst). *méthazolamide.*

Nerisalic (Stiefel). *acide salicylique/diflucortolone, valérate de.*

Nerisone (Stiefel). *diflucortolone, valérate de.*

Nesacaine-CE (Astra). *chloroprocaïne, chlorhydrate de.*

nétilmicine, sulfate de. **Netromycin.**

Netromycin (Schering). *nétilmicine, sulfate de.*

Neuleptil (Rhône-Poulenc Rorer). *péricyazine.*

Neupogen (Amgen). *filgrastim.*

Neurontin (Parke-Davis). *gabapentine.*

Neutrexin (Lilly). *trimétrexate, glucuronate de.*

nevirapine. Viramune.

niacinamide. nicotinamide. **[Niacinamide/Niacine, Monographie générale, APhC].**

niacine. acide nicotinique. vitamine B_3. **[Niacinamide/Niacine, Monographie générale, APhC]; (Stanley).** †Nicobid Tempules.

niacine/méclizine, chlorhydrate de. **Antivert.**

nicardipine, chlorhydrate de. **Cardene.**

nickel, gluconate de/cobalt, gluconate de/zinc, gluconate de. **Oligosol, Zinc-Nickel-Cobalt.**

†Nicobid Tempules. *niacine.*

Nicoderm (Hoechst Marion Roussel). *nicotine.*

Nicorette (Hoechst Marion Roussel). *nicotine.*

Nicorette Plus (Hoechst Marion Roussel). *nicotine.*

nicotinamide. voir *niacinamide.*

nicotine. **Nicoderm, Nicorette, Nicorette Plus, Nicotrol.**

(s-)-nicotine. **Habitrol.**

Nicotrol (Johnson & Johnson • Merck). *nicotine.*

nicoumalone. **Sintrom.**

Nidagel (Produits pharmaceutiques de 3M). *métronidazole.*

nifédipine. **Adalat, Adalat PA, Adalat XL, Apo-Nifed, Apo-Nifed PA, Gen-Nifédipine, Novo-Nifedin, Nu-Nifed, Nu-Nifedipine-PA, PMS-Nifedipine; (Schein Pharmaceutical).** †Procardia.

Nilstat (Technilab). *nystatine.*

nilutamide. **Anandron.**

Nimbex (Glaxo Wellcome). *cisatracurium, bésylate de.*

nimodipine. **Nimotop, Nimotop I.V.**

Nimotop (Bayer). *nimodipine.*

Nimotop I.V. (Bayer). *nimodipine.*

Nipride (Roche). *sodium, nitroprusside de.*

Nitoman (Roche). *tétrabénazine.*

Nitrazadon (ICN). *nitrazépam.*

nitrazépam. **[Benzodiazépines, Monographie générale, APhC]; Mogadon, Nitrazadon, Rho-Nitrazepam.**

Nitro-Dur (Key). *nitroglycérine.*

nitrofurantoïne. **Apo-Nitrofurantoin, Macrodantin, Novo-Furantoin.** †Furadantin.

nitrofurantoïne monohydraté/nitrofurantoïne. **MacroBID.**

nitrofurantoïne/nitrofurantoïne monohydraté. **MacroBID.**

Les noms **soulignés** paraissent en version détaillée dans la section des monographies du *CPS*.

nitroglycérine. glycéryle, trinitrate de. **[Nitroglycérine, Monographie générale, APhC]; Minitran, Nitro-Dur, Nitrol, Nitrolingual, pompe, Nitrolingual, pulvérisateur, Nitrong SR, Nitrostat, Transderm-Nitro, Tridil, Trinipatch 0.2, Trinipatch 0.4, Trinipatch 0.6; (Faulding).**

nitroglycérine/dextrose. **(Baxter).**

Nitrol (Rhône-Poulenc Rorer). *nitroglycérine.*

Nitrolingual, pompe (Rhône-Poulenc Rorer). *nitroglycérine.*

Nitrolingual, pulvérisateur (Rhône-Poulenc Rorer). *nitroglycérine.*

Nitrong SR (Rhône-Poulenc Rorer). *nitroglycérine.*

†Nitropress. *sodium, nitroprusside de.*

nitroprussiate sodique. voir *sodium, nitroprusside de.*

Nitrostat (Parke-Davis). *nitroglycérine.*

Nix, après shampooing (Warner-Lambert, Santé grand public). *perméthrine.*

Nix, crème pour la peau (Glaxo Wellcome). *perméthrine.*

nizatidine. **Apo-Nizatidine, Axid.**

Nizoral, comprimés (Janssen-Ortho). *kétoconazole.*

Nizoral, crème (Janssen-Ortho). *kétoconazole.*

Nizoral, shampooing (Produits aux consommateurs McNeil). *kétoconazole.*

†Nolahist. *phénindamine, tartrate de.*

Nolvadex (Zeneca). *tamoxifène, citrate de.*

Nolvadex-D (Zeneca). *tamoxifène, citrate de.*

nonoxynol-9. **Advantage 24.**

Norcuron (Organon). *vécuronium, bromure de.*

†Nordette. *éthinylœstradiol/lévonorgestrel.*

norépinéphrine, bitartrate de. **Levophed.**

noréthindrone. **Micronor.** †Nor-QD.

noréthindrone, acétate de. **Norlutate.** †Aygestin.

noréthindrone, acétate de/estradiol-17β. **Estracomb.**

noréthindrone, acétate de/éthinylœstradiol. **Loestrin 1,5/30, Minestrin 1/20.**

noréthindrone/éthinylœstradiol. **Brevicon 0,5/35, Brevicon 1/35, Ortho 0,5/35, Ortho 1/35, Ortho 7/7/7, Ortho 10/11, Select 1/35, Synphasic.** †Genora, †Ovcon, †Tri-Norinyl.

noréthindrone/mestranol. **Norinyl 1/50, Ortho-Novum 1/50.**

Norflex (Produits pharmaceutiques de 3M). *orphénadrine, citrate d'.*

norfloxacine. Apo-Norflox, **Noroxin, Noroxin, solution ophtalmique,** Novo-Norfloxacin. †Chibroxin.

†Norfranil. *imipramine, chlorhydrate d'.*

Norgesic (Produits pharmaceutiques de 3M). *AAS/caféine/orphénadrine, citrate d'.*

Norgesic Forte (Produits pharmaceutiques de 3M). *AAS/caféine/orphénadrine, citrate d'.*

norgestimate/éthinylœstradiol. **Cyclen, Tri-Cyclen.**

norgestrel. †Ovrette.

norgestrel/éthinylœstradiol. **Ovral 21, Ovral 28.** †Lo/Ovral.

Norinyl 1/50 (Searle). *mestranol/noréthindrone.*

Noritate (Dermik Laboratories Canada). *métronidazole.*

Norlutate (Parke-Davis). *noréthindrone, acétate de.*

Normacol (Rivex Pharma). *sterculia.*

norméthadone, chlorhydrate de/émétine, chlorhydrate d'/hydroxyéphédrine, chlorhydrate d'. **Cophylac Expectorant.**

norméthadone, chlorhydrate de/hydroxyéphédrine, chlorhydrate d'. **Cophylac.**

†Normodyne. *labétalol, chlorhydrate de.*

Noroxin (MSD). *norfloxacine.*

Noroxin, solution ophtalmique (MSD). *norfloxacine.*

Norplant (Wyeth-Ayerst). *lévonorgestrel.*

Norpramin (Hoechst Marion Roussel). *désipramine, chlorhydrate de.*

†Nor-Pred T.B.A. *prednisolone, tébutate de.*

†Nor-QD. *noréthindrone.*

nortriptyline, chlorhydrate de. **Apo-Nortriptyline, Aventyl, Gen-Nortriptyline, Norventyl, Novo-Nortriptyline, Nu-Nortriptyline, PMS-Nortriptyline.** †Pamelor.

Norvasc (Pfizer). *amlodipine, bésylate d'.*

Norventyl (ICN). *nortriptyline, chlorhydrate de.*

Norvir (Abbott). *ritonavir.*

†Norzine. *thiéthylpérazine, maléate de.*

†Nostril Spray Pump. *phényléphrine, chlorhydrate de.*

Novahistex C (Hoechst Marion Roussel). *codéine, phosphate de/phényléphrine, chlorhydrate de.*

Novahistex DH (Hoechst Marion Roussel). *hydrocodone, bitartrate d'/phényléphrine, chlorhydrate de.*

Novahistex DH Expectorant (Hoechst Marion Roussel). *guaifénésine/hydrocodone, bitartrate d'/phényléphrine, chlorhydrate de.*

Novahistex DM (Hoechst Marion Roussel). *dextrométhorphane, bromhydrate de.*

Novahistex DM Décongestionnant (Hoechst Marion Roussel). *dextrométhorphane, bromhydrate de/pseudoéphédrine, chlorhydrate de.*

Novahistex DM Décongestionnant Expectorant (Hoechst Marion Roussel). *dextrométhorphane, bromhydrate de/guaifénésine/pseudoéphédrine, chlorhydrate de.*

Novahistine DH (Hoechst Marion Roussel). *hydrocodone, bitartrate d'/phényléphrine, chlorhydrate de.*

Novahistine DM (Hoechst Marion Roussel). *dextrométhorphane, bromhydrate de.*

Novahistine DM Décongestionnant (Hoechst Marion Roussel). *dextrométhorphane, bromhydrate de/pseudoéphédrine, chlorhydrate de.*

Novahistine DM Décongestionnant Expectorant (Hoechst Marion Roussel). *dextrométhorphane, bromhydrate de/guaifénésine/pseudoéphédrine, chlorhydrate de.*

Novamilor (Novopharm). *amiloride, chlorhydrate d'/hydrochlorothiazide.*

Novamoxin (Novopharm). *amoxicilline, trihydrate d'.*

Novantrone (Wyeth-Ayerst). *mitoxantrone, chlorhydrate de.*

Nova Rectal (Sabex). *pentobarbital sodique.*

Novasen (Novopharm). *AAS.*

Novasource Renal (Novartis Nutrition). *nutrition entérale.*

Nova-T (Berlex Canada). *contraceptif intra-utérin.*

Novo-Acebutolol (Novopharm). *acébutolol, chlorhydrate d'.*

Novo-Alprazol (Novopharm). *alprazolam.*

Novo-Ampicillin (Novopharm). *ampicilline.*

Novo-Atenol (Novopharm). *aténolol.*

Novo-AZT (Novopharm). *zidovudine.*

Novo-Baclofen (Novopharm). *baclofen.*

Novo-Benzydamine (Novopharm). *benzydamine, chlorhydrate de.*

Novo-Bromazepam (Novopharm). *bromazépam.*

Novo-Buspirone (Novopharm). *buspirone, chlorhydrate de.*

Novocain (Sanofi). *procaïne, chlorhydrate de.*

Novo-Captoril (Novopharm). *captopril.*

Novo-Carbamaz (Novopharm). *carbamazépine.*

Novo-Cholamine (Novopharm). *cholestyramine, résine de.*

Novo-Cholamine Léger (Novopharm). *cholestyramine, résine de.*

Novo-Cimetine (Novopharm). *cimétidine.*

Novo-5-ASA (Novopharm). *acide 5-aminosalicylique.*

Novo-Clobazam (Novopharm). *clobazam.*

Novo-Clobetasol (Novopharm). *clobétasol, 17-propionate de.*

Novo-Clonazepam (Novopharm). *clonazépam.*
Novo-Clonidine (Novopharm). *clonidine, chlorhydrate de.*
Novo-Clopamine (Novopharm). *clomipramine, chlorhydrate de.*
Novo-Clopate (Novopharm). *clorazépate dipotassique.*
Novo-Cloxin (Novopharm). *cloxacilline sodique.*
Novo-Cromolyn (Novopharm). *cromoglycate sodique.*
Novo-Cycloprine (Novopharm). *cyclobenzaprine, chlorhydrate de.*
Novo-Cyproterone (Novopharm). *cyprotérone, acétate de.*
Novo-Desipramine (Novopharm). *désipramine, chlorhydrate de.*
Novo-Difenac (Novopharm). *diclofénac sodique.*
Novo-Difenac SR (Novopharm). *diclofénac sodique.*
Novo-Diflunisal (Novopharm). *diflunisal.*
Novo-Diltazem (Novopharm). *diltiazem, chlorhydrate de.*
Novo-Diltazem SR (Novopharm). *diltiazem, chlorhydrate de.*
Novo-Dipiradol (Novopharm). *dipyridamole.*
Novo-Domperidone (Novopharm). *dompéridone, maléate de.*
Novo-Doxepin (Novopharm). *doxépine, chlorhydrate de.*
Novo-Doxylin (Novopharm). *doxycycline, hyclate de.*
Novo-Famotidine (Novopharm). *famotidine.*
NovoFine 28G (Novo Nordisk). *aiguilles jetables.*
NovoFine 30G (Novo Nordisk). *aiguilles jetables.*
Novo-Fluoxetine (Novopharm). *fluoxétine, chlorhydrate de.*
Novo-Flurprofen (Novopharm). *flurbiprofène.*
Novo-Flutamide (Novopharm). *flutamide.*
Novo-Furantoin (Novopharm). *nitrofurantoïne.*
Novo-Gemfibrozil (Novopharm). *gemfibrozil.*
Novo-Gesic C8, C15, C30 (Novopharm). *acétaminophène/caféine/codéine, phosphate de.*
Novo-Gliclazide (Novopharm). *gliclazide.*
Novo-Glyburide (Novopharm). *glyburide.*
Novo-Hydroxyzin (Novopharm). *hydroxyzine, chlorhydrate d'.*
Novo-Hylazin (Novopharm). *hydralazine, chlorhydrate d'.*
Novo-Indapamide (Novopharm). *indapamide.*
Novo-Ipramide (Novopharm). *ipratropium, bromure d'.*
Novo-Keto (Novopharm). *kétoprofène.*
Novo-Keto-EC (Novopharm). *kétoprofène.*
Novo-Ketorolac (Novopharm). *kétorolac, tométhamine de.*
Novo-Ketotifen (Novopharm). *kétotifène, fumarate de.*
Novo-Levamisole (Novopharm). *lévamisole, chlorhydrate de.*
Novo-Levobunolol (Novopharm). *lévobunolol, chlorhydrate de.*
Novo-Lexin (Novopharm). *céphalexine.*
Novolin ge 10/90 (Novo Nordisk). *insuline injectable (humaine)/insuline isophane (humaine).*
Novolin ge 20/80 (Novo Nordisk). *insuline injectable (humaine)/insuline isophane (humaine).*
Novolin ge 30/70 (Novo Nordisk). *insuline injectable (humaine)/insuline isophane (humaine).*
Novolin ge 40/60 (Novo Nordisk). *insuline injectable (humaine)/insuline isophane (humaine).*
Novolin ge 50/50 (Novo Nordisk). *insuline injectable (humaine)/insuline isophane (humaine).*
Novolin ge Lente (Novo Nordisk). *insuline zinc (humaine).*
Novolin ge NPH (Novo Nordisk). *insuline isophane (humaine).*
Novolin ge Toronto (Novo Nordisk). *insuline injectable (humaine).*
Novolin ge Ultralente (Novo Nordisk). *insuline zinc injectable-prolongée (humaine).*
Novolin-Pen 1.5 (Novo Nordisk). *insuline, dispositif pour injection d'.*
Novolin-Pen 3 (Novo Nordisk). *insuline, dispositif pour injection d'.*
Novo-Lopéramide (Novopharm). *lopéramide, chlorhydrate de.*
Novo-Lorazem (Novopharm). *lorazépam.*
Novo-Maprotiline (Novopharm). *maprotiline, chlorhydrate de.*
Novo-Medopa (Novopharm). *méthyldopa.*
Novo-Medrone (Novopharm). *médroxyprogestérone, acétate de.*
Novo-Meprazine (Novopharm). *méthotriméprazine, maléate de.*
Novo-Metformin (Novopharm). *metformine, chlorhydrate de.*
Novo-Méthacin (Novopharm). *indométhacine.*
Novo-Metoprol (Novopharm). *métoprolol, tartrate de.*
Novo-Mexiletine (Novopharm). *mexilétine, chlorhydrate de.*
Novo-Minocycline (Novopharm). *minocycline, chlorhydrate de.*
Novo-Mucilax (Novopharm). *psyllium.*
Novo-Nadolol (Novopharm). *nadolol.*
Novo-Naprox (Novopharm). *naproxen.*
Novo-Naprox Sodium (Novopharm). *naproxen sodique.*
Novo-Naprox Sodium DS (Novopharm). *naproxen.*
Novo-Nidazol (Novopharm). *métronidazole.*
Novo-Nifedin (Novopharm). *nifédipine.*
Novo-Norfloxacin (Novopharm). *norfloxacine.*
Novo-Nortriptyline (Novopharm). *nortriptyline, chlorhydrate de.*
Novo-Oxybutynin (Novopharm). *oxybutynine, chlorure d'.*
Novo-Pen-VK (Novopharm). *pénicilline V potassique.*
Novo-Péridol (Novopharm). *halopéridol.*
Novo-Pindol (Novopharm). *pindolol.*
Novo-Pirocam (Novopharm). *piroxicam.*
Novo-Poxide (Novopharm). *chlordiazépoxide, chlorhydrate de.*
Novo-Prazin (Novopharm). *prazosine, chlorhydrate de.*
Novo-Profen (Novopharm). *ibuprofène.*
Novo-Ranidine (Novopharm). *ranitidine, chlorhydrate de.*
Novo-Rythro Encap (Novopharm). *érythromycine.*
Novo-Salmol (Novopharm). *salbutamol, sulfate de.*
Novo-Salmol, inhalateur (Novopharm). *salbutamol.*
Novo-Selegiline (Novopharm). *sélégiline, chlorhydrate de.*
Novo-Sotalol (Novopharm). *sotalol, chlorhydrate de.*
Novo-Spiroton (Novopharm). *spironolactone.*
Novo-Spirozine (Novopharm). *hydrochlorothiazide/spironolactone.*
Novo-Sucralate (Novopharm). *sucralfate.*
Novo-Sundac (Novopharm). *sulindac.*
Novo-Tamoxifen (Novopharm). *tamoxifène, citrate de.*
Novo-Temazepam (Novopharm). *témazépam.*
Novo-Tenoxicam (Novopharm). *ténoxicam.*
Novo-Terazosin (Novopharm). *térazosine, chlorhydrate de.*
Novo-Tétra (Novopharm). *tétracycline, chlorhydrate de.*
Novo-Theophyl SR (Novopharm). *théophylline.*
Novo-Tiaprofenic (Novopharm). *acide tiaprofénique.*
Novo-Timol, comprimés (Novopharm). *timolol, maléate de.*
Novo-Timolol, solution ophtalmique (Novopharm). *timolol, maléate de.*
Novo-Tolmetin (Novopharm). *tolmétine sodique.*
Novo-Trazodone (Novopharm). *trazodone, chlorhydrate de.*
Novo-Triamzide (Novopharm). *hydrochlorothiazide/triamtérène.*
Novo-Trimel (Novopharm). *sulfaméthoxazole/triméthoprime.*
Novo-Trimel D.S. (Novopharm). *sulfaméthoxazole/triméthoprime.*
Novo-Tripramine (Novopharm). *trimipramine, maléate de.*
Novo-Valproic (Novopharm). *acide valproïque.*
Novo-Veramil (Novopharm). *vérapamil, chlorhydrate de.*
Novo-Veramil SR (Novopharm). *vérapamil, chlorhydrate de.*
Nozinan (Rhône-Poulenc Rorer). *méthotriméprazine, maléate de.*

Les noms **soulignés** paraissent en version détaillée dans la section des monographies du *CPS*.

Nu-Acebutolol (Nu-Pharm). *acébutolol, chlorhydrate d'.*
Nu-Acyclovir (Nu-Pharm). *acyclovir.*
Nu-Alpraz (Nu-Pharm). *alprazolam.*
Nu-Amilzide (Nu-Pharm). *amiloride, chlorhydrate d'/ hydrochlorothiazide.*
Nu-Amoxi (Nu-Pharm). *amoxicilline, trihydrate d'.*
Nu-Ampi (Nu-Pharm). *ampicilline, trihydrate d'.*
Nu-Atenol (Nu-Pharm). *aténolol.*
Nu-Baclo (Nu-Pharm). *baclofen.*
Nubain (DuPont Pharma). *nalbuphine, chlorhydrate de.*
Nu-Bromazepam (Nu-Pharm). *bromazépam.*
Nu-Buspirone (Nu-Pharm). *buspirone, chlorhydrate de.*
Nu-Cal (Odan). *calcium.*
Nu-Capto (Nu-Pharm). *captopril.*
Nu-Carbamazepine (Nu-Pharm). *carbamazépine.*
Nu-Cefaclor (Nu-Pharm). *céfaclor.*
Nu-Cephalex (Nu-Pharm). *céphalexine.*
Nu-Cimet (Nu-Pharm). *cimétidine.*
Nu-Clonazepam (Nu-Pharm). *clonazépam.*
Nu-Clonidine (Nu-Pharm). *clonidine, chlorhydrate de.*
Nu-Cloxi (Nu-Pharm). *cloxacilline sodique.*
Nu-Cotrimox (Nu-Pharm). *sulfaméthoxazole/triméthoprime.*
Nu-Cromolyn (Nu-Pharm). *cromoglycate sodique.*
Nu-Cyclobenzaprine (Nu-Pharm). *cyclobenzaprine, chlorhydrate de.*
Nu-Desipramine (Nu-Pharm). *désipramine, chlorhydrate de.*
Nu-Diclo (Nu-Pharm). *diclofénac sodique.*
Nu-Diclo-SR (Nu-Pharm). *diclofénac sodique.*
Nu-Diflunisal (Nu-Pharm). *diflunisal.*
Nu-Diltiaz (Nu-Pharm). *diltiazem, chlorhydrate de.*
Nu-Domperidone (Nu-Pharm). *dompéridone, maléate de.*
Nu-Doxycycline (Nu-Pharm). *doxycycline, hyclate de.*
Nu-Erythromycin-S (Nu-Pharm). *érythromycine, stéarate d'.*
Nu-Famotidine (Nu-Pharm). *famotidine.*
Nu-Fenofibrate (Nu-Pharm). *fénofibrate.*
Nu-Fluoxetine (Nu-Pharm). *fluoxétine, chlorhydrate de.*
Nu-Flurbiprofen (Nu-Pharm). *flurbiprofène.*
Nu-Gemfibrozil (Nu-Pharm). *gemfibrozil.*
Nu-Glyburide (Nu-Pharm). *glyburide.*
Nu-Hydral (Nu-Pharm). *hydralazine, chlorhydrate d'.*
Nu-Ibuprofen (Nu-Pharm). *ibuprofène.*
Nu-Indapamide (Nu-Pharm). *indapamide, hémihydrate d'.*
Nu-Indo (Nu-Pharm). *indométhacine.*
Nu-Ipratropium (Nu-Pharm). *ipratropium, bromure d'.*
Nu-Ketoprofen (Nu-Pharm). *kétoprofène.*
Nu-Ketoprofen-E (Nu-Pharm). *kétoprofène.*
Nu-Ketoprofen-SR (Nu-Pharm). *kétoprofène.*
Nu-Levocarb (Nu-Pharm). *carbidopa/lévodopa.*
Nu-Loraz (Nu-Pharm). *lorazépam.*
Nu-Loxapine (Nu-Pharm). *loxapine, succinate de.*
Nu-Medopa (Nu-Pharm). *méthyldopa.*
Nu-Mefenamic (Nu-Pharm). *acide méfénamique.*
Nu-Megestrol (Nu-Pharm). *mégestrol, acétate de.*
Nu-Metformin (Nu-Pharm). *metformine, chlorhydrate de.*
Nu-Metoclopramide (Nu-Pharm). *métoclopramide, chlorhydrate de.*
Nu-Metop (Nu-Pharm). *métoprolol, tartrate de.*
Numorphan (DuPont Pharma). *oxymorphone, chlorhydrate d'.*
Nu-Naprox (Nu-Pharm). *naproxen.*
Nu-Nifed (Nu-Pharm). *nifédipine.*
Nu-Nifedipine-PA (Nu-Pharm). *nifédipine.*
Nu-Nortriptyline (Nu-Pharm). *nortriptyline, chlorhydrate de.*
Nu-Oxybutyn (Nu-Pharm). *oxybutynine, chlorure d'.*
Nu-Pentoxifylline-SR (Nu-Pharm). *pentoxifylline.*
Nu-Pen-VK (Nu-Pharm). *pénicilline V potassique.*
Nupercaïnal, crème (Novartis Santé Familiale). *dibucaïne/ domiphène, bromure de.*
Nupercaïnal, pommade (Novartis Santé Familiale). *dibucaïne.*
Nu-Pindol (Nu-Pharm). *pindolol.*
Nu-Pirox (Nu-Pharm). *piroxicam.*
Nu-Prazo (Nu-Pharm). *prazosine, chlorhydrate de.*
Nu-Prochlor (Nu-Pharm). *prochlorperazine, bimaléate de.*
Nu-Propranolol (Nu-Pharm). *propranolol, chlorhydrate de.*
Nu-Ranit (Nu-Pharm). *ranitidine, chlorhydrate de.*
Nuromax (Glaxo Wellcome). *doxacurium, chlorure de.*
Nursoy (Wyeth-Ayerst). *préparations pour nourrissons à base de soya.*
Nu-Salbutamol, comprimés (Nu-Pharm). *salbutamol, sulfate de.*
Nu-Salbutamol, solution (Nu-Pharm). *salbutamol, sulfate de.*
Nu-Selegiline (Nu-Pharm). *sélégiline, chlorhydrate de.*
Nu-Sotalol (Nu-Pharm). *sotalol, chlorhydrate de.*
Nu-Sucralfate (Nu-Pharm). *sucralfate.*
Nu-Sulfinpyrazone (Nu-Pharm). *sulfinpyrazone.*
Nu-Sulindac (Nu-Pharm). *sulindac.*
Nu-Temazepam (Nu-Pharm). *témazépam.*
Nu-Terazosin (Nu-Pharm). *térazosine, chlorhydrate dihydraté de.*
Nu-Tetra (Nu-Pharm). *tétracycline, chlorhydrate de.*
Nu-Tiaprofenic (Nu-Pharm). *acide tiaprofénique.*
Nu-Ticlopidine (Nu-Pharm). *ticlopidine, chlorhydrate de.*
Nu-Timolol (Nu-Pharm). *timolol, maléate de.*
†Nutracort. *hydrocortisone.*
Nu-Trazodone (Nu-Pharm). *trazodone, chlorhydrate de.*
Nu-Trazodone-D (Nu-Pharm). *trazodone, chlorhydrate de.*
Nu-Triazide (Nu-Pharm). *hydrochlorothiazide/triamtérène.*
Nu-Trimipramine (Nu-Pharm). *trimipramine, maléate de.*
Nutrineal PD4 (Baxter). *acides aminés/électrolytes.*
Nutrisource (Novartis Nutrition). *nutrition entérale.*
Nutrisource HN (Novartis Nutrition). *nutrition entérale.*
nutrition entérale. **Citrotein, Compleat Modifié, Isocal, Isocal avec fibres, Isocal HN, Isosource, Isosource HN, Isosource VHN, Lipisorb, Lofenalac, Meritene, Novasource Renal, Nutrisource, Nutrisource HN, PediaSure, Portagen, Resource, Resource Breuvage aux fruits, Resource Diabétique, Resource Plus, Resource pour enfants, Sandosource Peptide, Sustacal, Tolerex, Vivonex Pediatric, Vivonex Plus, Vivonex T.E.N.**
Nutropin (Roche). *somatropine.*
Nutropin Aq (Roche). *somatropine.*
Nu-Verap (Nu-Pharm). *vérapamil, chlorhydrate de.*
Nu-Zopiclone (Nu-Pharm). *zopiclone.*
Nyaderm (Taro). *nystatine.*
†Nydrazid. *isoniazide.*
nylidrine, chlorhydrate de. buphénine, chlorhydrate de. **Arlidin, Arlidin Forte.**
nystatine. **Candistatin, Mycostatin, Nadostine, Nilstat, Nyaderm, PMS-Nystatin.**
nystatine/gramicidine/néomycine, sulfate de/triamcinolone, acétonide de. **Kenacomb, Triacomb, Viaderm-K.C.**
nystatine/métronidazole. **Flagystatin.**

Nytol (Block Drug). *diphenhydramine, chlorhydrate de.*
Nytol d'origine naturelle (Block Drug). *produits à base d'herbes médicinales.*
Nytol Ultra-fort (Block Drug). *diphenhydramine, chlorhydrate de.*

O

Occlusal (Medicis). *acide salicylique.*
Occlusal-HP (Medicis). *acide salicylique.*
Octostim (Ferring). *desmopressine, acétate de.*
octréotide, acétate d'. **Sandostatin.**
octyle, méthoxycinnamate d'/alcool éthylique/érythromycine/Parsol 1789. **Erysol.**
octyle, méthoxycinnamate d'/octyle, salicylate d'/oxybenzone. **Pro•Tec Sport.**
octyle, méthoxycinnamate d'/octyle, salicylate d'/oxybenzone/Parsol 1789. **PreSun Ultra 30.**
octyle, salicylate d'/octyle, méthoxycinnamate d'/oxybenzone. **Pro•Tec Sport.**
octyle, salicylate d'/octyle, méthoxycinnamate d'/oxybenzone/Parsol 1789. **PreSun Ultra 30.**
octyl méthoxycinnamate/diméthicone/homosalate/menthol/ oxybenzone. **Zilactin-Lip.**
†Ocu-Caine. *proparacaïne, chlorhydrate de.*
†Ocu-Carpine. *pilocarpine, chlorhydrate de.*
†Ocu-Chlor. *chloramphénicol.*
Ocuclair (Schering). *oxymétazoline, chlorhydrate d'.*
†Ocucoat. *hydroxypropylméthylcellulose.*
Ocufen (Allergan). *flurbiprofène sodique.*
Ocuflox (Allergan). *ofloxacine.*
†Ocu-Mycin. *gentamicine, sulfate de.*
†Ocu-Phrin. *phényléphrine, chlorhydrate de.*
†Ocupress. *cartéolol, chlorhydrate de.*
†Ocu-Tropic. *tropicamide.*
œstradiol-17β. voir *estradiol-17β.*
œstrogènes conjugués. voir *estrogènes conjugués.*
œstrogènes estérifiés. voir *estrogènes estérifiés.*
ofloxacine. **Apo-Oflox, Floxin, Ocuflox.**
Ogen (Pharmacia & Upjohn). *estropipate.*
Oilatum, huile dermatologique de douche et de bain (Stiefel). *huile de paraffine.*
Oilatum, savon (Stiefel). *huile minérale.*
olanzapine. **Zyprexa.**
Oligofer (Sabex). *cyanocobalamine/minéraux.*
Oligosol, Cuivre (Labcatal). *cuivre, gluconate de.*
Oligosol, Cuivre-Or-Argent (Labcatal). *argent, gluconate d'/ cuivre, gluconate de/or colloïdal.*
Oligosol, Magnésium (Labcatal). *magnésium, gluconate de.*
Oligosol, Manganèse (Labcatal). *manganèse, gluconate de.*
Oligosol Manganèse-Cobalt (Labcatal). *cobalt, gluconate de/ manganèse, gluconate de.*
Oligosol, Manganèse-Cuivre (Labcatal). *cuivre, gluconate de/ manganèse, gluconate de.*
Oligosol, Zinc-Nickel-Cobalt (Labcatal). *cobalt, gluconate de/ nickel, gluconate de/zinc, gluconate de.*
olopatadine, chlorhydrate d'. **Patanol.**
olsalazine sodique. **Dipentum.**
oméprazole. **Losec.** †Prilosec.
Omnipaque (Nycomed Imaging A.S.). *iohexol.*
†Omnipen. *ampicilline.*
†Omnipen-N. *ampicilline sodique.*
Omniscan (Nycomed Imaging A.S.). *gadodiamide.*
Omni-Tuss (Rhône-Poulenc Rorer). *chlorphéniramine/codéine/ éphédrine/gaïacol, carbonate de/phényltoloxamine.*
Oncaspar (Rhône-Poulenc Rorer). *pegaspargase.*
OncoTICE (Organon Teknika). *bacille de Calmette et Guérin (BCG), (intravésical).*
ondansétron dihydraté, chlorhydrate de. **Zofran.**
One A Day Advance (Bayer, Produits grand public). *multivitamines et minéraux.*
One Alpha (Leo). *alfacalcidol.*
Onguent antibiotique pour feux sauvages (Novartis Santé Familiale). *benzocaïne/camphre/menthol/polymyxine B, sulfate de/tyrothricine.*
†Ophthacet. *sulfacétamide sodique.*
†Ophthaine. *proparacaïne, chlorhydrate de.*
Ophthetic (Allergan). *proparacaïne, chlorhydrate de.*
Ophtho-Bunolol (AltiMed). *lévobunolol, chlorhydrate de.*
Ophtho-Chloram (AltiMed). *chloramphénicol.*
Ophtho-Dipivefrin (AltiMed). *dipivéfrine, chlorhydrate de.*
Ophtho-Tate (AltiMed). *prednisolone, acétate de.*
Ophtrivin-A (CIBA Vision). *antazoline, sulfate d'/xylométazoline, chlorhydrate de.*
opioïdes. **(Monographie générale, APhC).**
opium/atropine, sulfate d'/attapulgite activée/hyoscyamine, sulfate d'/pectine/scopolamine, bromhydrate de. **Diban.**
opium/attapulgite activée/pectine. **Donnagel-PG, capsules.**
opium/kaolin/pectine. **Donnagel-PG, suspension.**
Opticrom (Allergan). *cromoglycate sodique.*
Optimine (Schering). *azatadine, maléate d'.*
Optimyxin, onguent (Sabex). *bacitracine, zinc de/polymyxine B, sulfate de.*
Optimyxin Plus, solution (Sabex). *gramicidine/néomycine, sulfate de/polymyxine B, sulfate de.*
Optimyxin, solution (Sabex). *gramicidine/polymyxine B, sulfate de.*
†OptiPranolol. *métipranolol, chlorhydrate de.*
Optiray (Mallinckrodt). *ioversol.*
or colloïdal/argent, gluconate d'/cuivre, gluconate de. **Oligosol, Cuivre-Or-Argent.**
Orabase (Squibb). *protecteur-émollient.*
Oracort (Taro). *triamcinolone, acétonide de.*
Orafen (Technilab). *kétoprofène.*
Orahesive (Squibb). *adhésif pour prothèses.*
†Oralone. *triamcinolone, acétonide de.*
Oramorph SR (Boehringer Ingelheim). *morphine, sulfate de.*
Orap (Janssen-Ortho). *pimozide.*
Orascan (Germiphene). *toluidine O, bleu de.*
†Orasone. *prednisone.*
orchitique, extrait d'/corticosurrénal/cyanocobalamine. **Heracline.**
Orcipren (Technilab). *orciprénaline, sulfate d'.*
orciprénaline, sulfate d'. métaprotérénol, sulfate de. **Alti-Orciprenaline, Alupent, Orcipren, Tanta Orciprénaline.**
or, composé d'. voir *auranofine.*
†Oretic. *hydrochlorothiazide.*
†Oreticyl. *déserpidine/hydrochlorothiazide.*
†Oreton. *méthyltestostérone.*
Orgaran (Organon). *danaparoïde sodique.*
Orifer.F (Hoechst Marion Roussel). *multivitamines et minéraux.*
†Ormazine. *chlorpromazine, chlorhydrate de.*
†Ornidyl. *éflornithine, chlorhydrate d'.*

Les noms **soulignés** paraissent en version détaillée dans la section des monographies du *CPS*.

Oro-Clense (Germiphene). *chlorhexidine, gluconate de.*
orphénadrine, chlorhydrate d'. **Disipal.**
orphénadrine, citrate d'. **Norflex.**
orphénadrine, citrate d'/AAS/caféine. **Norgesic, Norgesic Forte.**
Ortho 0,5/35 (Janssen-Ortho). *éthinylœstradiol/noréthindrone.*
Ortho 1/35 (Janssen-Ortho). *éthinylœstradiol/noréthindrone.*
Ortho 7/7/7 (Janssen-Ortho). *éthinylœstradiol/noréthindrone.*
Ortho 10/11 (Janssen-Ortho). *éthinylœstradiol/noréthindrone.*
Ortho-Cept (Janssen-Ortho). *désogestrel/éthinylœstradiol.*
Orthoclone OKT 3 (Janssen-Ortho). *muromonab-CD3.*
Ortho Dienestrol (Janssen-Ortho). *diénestrol.*
†Ortho-Est. *estropipate.*
Ortho-Novum 1/50 (Janssen-Ortho). *mestranol/noréthindrone.*
Orudis (Rhône-Poulenc Rorer). *kétoprofène.*
Orudis E (Rhône-Poulenc Rorer). *kétoprofène.*
Orudis SR (Rhône-Poulenc Rorer). *kétoprofène.*
Oruvail (May & Baker Pharma). *kétoprofène.*
Os-Cal (Wyeth-Ayerst). *calcium, carbonate de.*
Os-Cal D (Wyeth-Ayerst). *calcium, carbonate de/cholécalciférol.*
Osmitrol (Baxter). *mannitol.*
Osmopak Plus (Technilab). *benzocaïne/magnésium, sulfate de.*
Osmovist (Berlex Canada). *iotrolan.*
Ostac (Roche). *clodronate disodique.*
Ostoforte (Frosst). *ergocalciférol.*
Otrivin (Novartis Santé Familiale). *xylométazoline, chlorhydrate de.*
†Ovcon. *éthinylœstradiol/noréthindrone.*
Ovol (Carter Horner). *siméthicone.*
Ovral 21 (Wyeth-Ayerst). *éthinylœstradiol/norgestrel.*
Ovral 28 (Wyeth-Ayerst). *éthinylœstradiol/norgestrel.*
†Ovrette. *norgestrel.*
oxacilline sodique. †Bactocill, †Prostaphlin.
oxamniquine. †Vansil.
oxaprozine. **Daypro.**
oxazépam. **[Benzodiazépines, Monographie générale, APhC]; Apo-Oxazepam, Serax.**
oxéthazaïne/aluminium, hydroxyde d'/magnésium, hydroxyde de. **Mucaine.**
Oxeze Turbuhaler (Astra). *formotérol, fumarate dihydraté de.*
oxiconazole, nitrate d'. **Oxizole.** †Oxistat.
oxilapine. voir *loxapine.*
†Oxistat. *oxiconazole, nitrate d'.*
Oxizole (Stiefel). *oxiconazole, nitrate d'.*
oxprénolol, chlorhydrate d'. **Slow-Trasicor, Trasicor.**
Oxsoralen (ICN). *méthoxsalen.*
Oxsoralen-Ultra (ICN). *méthoxsalen.*
oxtriphylline. choline, théophyllinate de. **[Théophylline et ses sels, Monographie générale, APhC]; Apo-Oxtriphylline, Choledyl, Choledyl SA.**
oxtriphylline/guaifénésine. **Choledyl Expectorant.**
oxybenzone/diméthicone/homosalate/menthol/octyl méthoxycinnamate. **Zilactin-Lip.**
oxybenzone/octyle, méthoxycinnamate d'/octyle, salicylate d'. **Pro•Tec Sport.**
oxybenzone/octyle, méthoxycinnamate d'/octyle, salicylate d'/Parsol 1789. **PreSun Ultra 30.**
Oxybutyn (ICN). *oxybutynine, chlorure d'.*
oxybutynine, chlorure d'. **Albert Oxybutynin, Apo-Oxybutynin, Ditropan, Gen-Oxybutynin, Novo-Oxybutynin, Nu-Oxybutyn, Oxybutyn.**
Oxycocet (Technilab). *acétaminophène/oxycodone, chlorhydrate d'.*
Oxycodan (Technilab). *AAS/oxycodone, chlorhydrate d'.*
oxycodone, chlorhydrate d'. dihydrohydroxycodéinone. **[Opioïdes, Monographie générale, APhC]; OxyContin, Supeudol.** †Roxicodone.
oxycodone, chlorhydrate d'/AAS. **Endodan, Oxycodan, Percodan, Percodan-Demi.**
oxycodone, chlorhydrate d'/acétaminophène. **Endocet, Oxycocet, Percocet, Percocet-Demi.**
OxyContin (Purdue Frederick). *oxycodone, chlorhydrate d'.*
Oxyderm (ICN). *benzoyle, peroxyde de.*
oxymétazoline, chlorhydrate d'. **Dristan, vaporisateur nasal à effet prolongé, Drixoral, solution nasale, Ocuclair.**
oxymorphone, chlorhydrate d'. **[Opioïdes, Monographie générale, APhC]; Numorphan.**
†Oxy 10. *benzoyle, peroxyde de.*
oxytétracycline, chlorhydrate d'. †Terramycin.
oxytocine. **(Abbott).** †Pitocin.

P

PACIS (Faulding). *bacille de Calmette et Guérin (BCG), (intravésical).*
paclitaxel. **Taxol; (Boehringer Ingelheim).**
Palafer (SmithKline Beecham). *fumarate ferreux.*
Palafer CF (SmithKline Beecham). *acide ascorbique/acide folique/fumarate ferreux.*
Paludrine (Wyeth-Ayerst). *proguanil.*
pamabrom/acétaminophène/pyrilamine, maléate de. **Midol SPM Extra-fort, Pamprin, Pamprin Extra-fort, Pamprin SPM.**
†Pamelor. *nortriptyline, chlorhydrate de.*
pamidronate disodique. **Aredia.**
†Pamine. *méthscopolamine, bromure de.*
Pamprin (Chattem). *acétaminophène/pamabrom/pyrilamine, maléate de.*
Pamprin Extra-fort (Chattem). *acétaminophène/pamabrom/pyrilamine, maléate de.*
Pamprin SPM (Chattem). *acétaminophène/pamabrom/pyrilamine, maléate de.*
Pancrease (Janssen-Ortho). *pancrélipase.*
Pancrease MT (Janssen-Ortho). *pancrélipase.*
pancrélipase. **Cotazym, Creon 10, Creon 25, Pancrease, Pancrease MT, Ultrase, Ultrase MT, Viokase.**
pancuronium, bromure de. **(Abbott).**
Panectyl (Rhône-Poulenc Rorer). *triméprazine, tartrate de.*
†Panmycin. *tétracycline, chlorhydrate de.*
Panocaine (Hoechst Marion Roussel). *benzocaïne/tétracaïne, chlorhydrate de.*
PanOxyl Aquagel (Stiefel). *benzoyle, peroxyde de.*
PanOxyl, gel/pain (Stiefel). *benzoyle, peroxyde de.*
PanOxyl, nettoyeur (Stiefel). *benzoyle, peroxyde de.*
Pantoloc (Solvay Pharma/Byk Canada). *pantoprazole.*
pantoprazole. **Pantoloc.**
pantothénate calcique. voir *acide pantothénique.*
†Panwarfin. *warfarine sodique.*
papavérine, chlorhydrate de. **(Frosst).** †Cerespan, †Genabid.
Para (Technilab). *bioalléthrine/pipéronyle, butoxyde de.*
para-aminosalicylate sodique. voir *aminosalicylate de sodium.*
parabromdylamine, maléate de. voir *bromphéniramine, maléate de.*
paracétamol. voir *acétaminophène.*
paradichlorobenzène/chlorbutol/térébinthe, huile de. **Cerumol.**
†Paraflex. *chlorzoxazone.*
Parafon Forte (Johnson & Johnson • Merck). *acétaminophène/chlorzoxazone.*

Parafon Forte C8 (Johnson & Johnson • Merck). *acétaminophène/chlorzoxazone/codéine, phosphate de.*

†Paral. *paraldéhyde.*

paraldéhyde. **(Faulding).** †Paral.

Paraplatin-AQ (Bristol). *carboplatine.*

†Parathar. *tériparatide, acétate de.*

Parlodel (Novartis Pharma). *bromocriptine, mésylate de.*

Parnate (SmithKline Beecham). *tranylcypromine, sulfate de.*

paromomycine, sulfate de. **Humatin.**

paroxétine, chlorhydrate de. **[Inhibiteurs sélectifs du recaptage de la sérotonine, Monographie générale, APhC]; Paxil.**

†Parsidol. *éthopropazine, chlorhydrate d'.*

Parsitan (Rhône-Poulenc Rorer). *éthopropazine, chlorhydrate d'.*

Parsol 1789/alcool éthylique/érythromycine/octyle, méthoxycinnamate d'. **Erysol.**

Parsol 1789/octyle, méthoxycinnamate d'/octyle, salicylate d'/oxybenzone. **PreSun Ultra 30.**

Parvolex (Bioniche). *acétylcystéine.*

PAS sodium. voir *aminosalicylate de sodium.*

Patanol (Alcon). *olopatadine, chlorhydrate d'.*

Paxil (SmithKline Beecham). *paroxétine, chlorhydrate de.*

†Paxipam. *halazépam.*

PCE (Abbott). *érythromycine.*

pectine/atropine, sulfate d'/attapulgite activée/hyoscyamine, sulfate d'/opium/scopolamine, bromhydrate de. **Diban.**

pectine/attapulgite activée/opium. **Donnagel-PG, capsules.**

pectine/kaolin/opium. **Donnagel-PG, suspension.**

Pedialyte (Abbott). *dextrose/électrolytes.*

Pedialyte Bâtons Glacé (Abbott). *dextrose/électrolytes.*

Pediapred (Rhône-Poulenc Rorer). *prednisolone, phosphate sodique de.*

PediaSure (Abbott). *nutrition entérale.*

Pediatric Electrolyte (Pharmascience). *électrolytes.*

Pediatrix (Technilab). *acétaminophène.*

Pediazole (Abbott). *acétylsulfisoxazole/érythromycine, éthylsuccinate d'.*

Pedi-Dent (Stanley). *fluorure sodique.*

PedvaxHIB (MSD). *vaccin conjugué polysaccharidique contre l'Haemophilus b (Hib) (complexe protéinique méningococcique).*

pegademase bovine. †Adagen.

†Peganone. *éthotoïne.*

pegaspargase. **Oncaspar.**

PegLyte (Pharmascience). *électrolytes/polyéthylène glycol.*

pémoline. **Cylert.**

penbutolol, sulfate de. †Levatol.

†Penecort. *hydrocortisone.*

Penglobe (Astra). *bacampicilline, chlorhydrate de.*

pénicillamine. **Cuprimine, Depen.**

pénicilline G benzathinique. benzethacil. **[Pénicilline G/Pénicilline V, Monographie générale, APhC]; Bicillin L-A.**

pénicilline G potassique. benzylpénicilline potassique. **[Pénicilline G/Pénicilline V, Monographie générale, APhC];** †Pentids, †Pfizerpen.

pénicilline G procaïnique. **[Pénicilline G/Pénicilline V, Monographie générale, APhC];** †Crysticillin 300 AS.

pénicilline G sodique. **[Pénicilline G/Pénicilline V, Monographie générale, APhC]; Crystapen (tamponné), Scheinpharm Penicillin G Sodium.**

pénicilline V. **[Pénicilline G/Pénicilline V, Monographie générale, APhC].**

pénicilline V benzathinique. phénoxyméthyl pénicilline benzathinique. **[Pénicilline G/Pénicilline V, Monographie générale, APhC].**

pénicilline V potassique. phénoxyméthyl pénicilline potassique. **[Pénicilline G/Pénicilline V, Monographie générale, APhC]; Apo-Pen VK, Ledercillin VK, Nadopen-V, Novo-Pen-VK, Nu-Pen-VK.** †Beepen-VK, †Betapen-VK, †Veetids.

Pentacarinat (Rhône-Poulenc Rorer). *pentamidine, iséthionate de.*

Pentacel (Connaught). *anatoxine diphtérique adsorbée/anatoxine tétanique adsorbée/vaccin anticoquelucheux combiné (acellulaire)/vaccin antipoliomyélite, inactivé/vaccin conjugué contre Haemophilus b (protéine tétanique-conjugué).*

pentaérythritol, tétranitrate de. †Pentylan.

†Pentam 300. *pentamidine, iséthionate de.*

pentamidine, iséthionate de. **Pentacarinat; (Faulding).** †NebuPent, †Pentam 300.

Pentamycetin (Sabex). *chloramphénicol.*

Pentamycetin/HC (Sabex). *chloramphénicol/hydrocortisone, acétate d'.*

Pentasa (Hoechst Marion Roussel). *acide 5-aminosalicylique.*

Pentaspan (DuPont Pharma). *pentastarch.*

pentastarch. **Pentaspan.**

Penta-Thion (Sabex). *acide ascorbique/thiamine, chlorhydrate de.*

Penta/3B (Sabex). *vitamine B, complexe de la.*

Penta/3B Plus (Sabex). *multivitamines.*

Penta/3B + C (Sabex). *acide ascorbique/vitamine B, complexe de la.*

pentazocine, chlorhydrate de. **[Opioïdes, Monographie générale, APhC]; Talwin, comprimés.**

pentazocine, lactate de. **[Opioïdes, Monographie générale, APhC]; Talwin, injectable.**

†Penthrane. *méthoxyflurane.*

†Pentids. *pénicilline G potassique.*

pentobarbital/belladone/caféine/ergotamine, tartrate d'. **Cafergot-PB.**

pentobarbital sodique. pentobarbitone sodique. **[Barbituriques, Monographie générale, APhC]; Nembutal Sodique, Nova Rectal.**

pentobarbitone sodique. voir *pentobarbital sodique.*

pentosan sodique, polysulfate de. **Elmiron.**

Pentothal (Abbott). *thiopental sodique.*

pentoxifylline. **Albert Pentoxifylline, Apo-Pentoxifylline SR, Nu-Pentoxifylline-SR, Trental.**

Pentrax (Medicis). *fractar.*

†Pentylan. *pentaérythritol, tétranitrate de.*

Pepcid (MSD). *famotidine.*

Pepcid AC (Johnson & Johnson • Merck). *famotidine.*

Pepcid I.V. (MSD). *famotidine.*

pepsine. **Fermentol.**

Peptol (Carter Horner). *cimétidine.*

Percocet (DuPont Pharma). *acétaminophène/oxycodone, chlorhydrate d'.*

Percocet-Demi (DuPont Pharma). *acétaminophène/oxycodone, chlorhydrate d'.*

Percodan (DuPont Pharma). *AAS/oxycodone, chlorhydrate d'.*

Percodan-Demi (DuPont Pharma). *AAS/oxycodone, chlorhydrate d'.*

perflubron. †Imagent GI.

pergolide, mésylate de. **Permax.**

Les noms **soulignés** paraissent en version détaillée dans la section des monographies du *CPS*.

Pergonal (Serono). *gonadotrophines humaines de femmes ménopausées.*

Periactin (Johnson & Johnson • Merck). *cyproheptadine, chlorhydrate de.*

Peri-Colace (Roberts). *casanthranol/docusate sodique.*

péricyazine. propéricyazine. **Neuleptil.**

Peridex (Zila Pharmaceuticals). *chlorhexidine, gluconate de.*

Peridol (Technilab). *halopéridol.*

perindopril erbumine. [**Inhibiteurs de l'ECA, Monographie générale, APhC**]; **Coversyl.**

Permax (Draxis Health). *pergolide, mésylate de.*

perméthrine. **Kwellada-P, Nix, après shampooing, Nix, crème pour la peau.**

Pernox (Westwood-Squibb). *acide salicylique/soufre.*

perphénazine. **Apo-Perphenazine, Trilafon.**

perphénazine/amitriptyline, chlorhydrate d'. **Elavil Plus, Etrafon, Triavil.**

†Persa-Gel. *benzoyle, peroxyde de.*

Persantine (Boehringer Ingelheim). *dipyridamole.*

péthidine, chlorhydrate de. isonipécaïne. mépéridine, chlorhydrate de. [**Opioïdes, Monographie générale, APhC**]; **Demerol; (Abbott), (Faulding).**

pétrolatum. **Aquaphor, Prevex, lotion.**

pétrolatum blanc/huile minérale. **Hypotears, onguent oculaire.**

pétrolatum blanc/huile minérale/lanoline. **Duratears Naturale.**

pétrolatum blanc/huile minérale/lanoline, alcools de. **Lacri-Lube S.O.P.**

pétrolatum/cyclométhicone. **Prevex, crème.**

†Pfizerpen. *pénicilline G potassique.*

Pharmorubicin PFS (Pharmacia & Upjohn). *épirubicine, chlorhydrate d'.*

Pharmorubicin RDF (Pharmacia & Upjohn). *épirubicine, chlorhydrate d'.*

Phazyme (R & C). *siméthicone.*

phénacémide. phénacétylcarbamide. †Phenurone.

phénacétylcarbamide. voir *phénacémide.*

Phenaphen avec Codéine (Wyeth-Ayerst). *AAS/codéine, phosphate de/phénobarbital.*

Phenazo (ICN). *phénazopyridine, chlorhydrate de.*

†Phenazodine. *phénazopyridine, chlorhydrate de.*

phénazopyridine, chlorhydrate de. **Phenazo, Pyridium.** †Azo-Standard, †Phenazodine, †Pyridiate, †Urodine, †Urogesic.

†Phendiet. *phendimétrazine, tartrate de.*

†Phendimet. *phendimétrazine, tartrate de.*

phendimétrazine, tartrate de. †Bontril, †Melfiat-105, †Phendiet, †Phendimet, †Plegine, †Prelu-2, †PT 105, †Wehless.

phénelzine, sulfate de. **Nardil.**

Phénergan, comprimés (Novartis Santé Familiale). *prométhazine, chlorhydrate de.*

Phénergan, crème (Novartis Santé Familiale). *prométhazine.*

Phénergan Expectorant avec Codéine (Novartis Santé Familiale). *codéine, phosphate de/potassium, gaïacolsulfonate de/prométhazine, chlorhydrate de.*

Phénergan, injectable (Rhône-Poulenc Rorer). *prométhazine, chlorhydrate de.*

phénindamine, tartrate de. †Nolahist.

phéniramine, maléate de/acétaminophène/caféine/phénylpropanolamine, chlorhydrate de/pyrilamine, maléate de. **Triaminicin.**

phéniramine, maléate de/acétaminophène/phényléphrine, chlorhydrate de. **NeoCitran Adultes, NeoCitran Extra-fort, NeoCitran Hypocalorique.**

phéniramine, maléate de/codéine, phosphate de/guaifénésine. **Calmylin Ace, Robitussin AC, Robitussin avec Codéine.**

phéniramine, maléate de/codéine, phosphate de/phénylpropanolamine, chlorhydrate de/pyrilamine, maléate de. **Tussaminic C.**

phéniramine, maléate de/dextrométhorphane, bromhydrate de/phényléphrine, chlorhydrate de. **NeoCitran DM.**

phéniramine, maléate de/guaifénésine/hydrocodone, bitartrate d'/phénylpropanolamine, chlorhydrate de/pyrilamine, maléate de. **Triaminic Expectorant DH.**

phéniramine, maléate de/hydrocodone, bitartrate d'/phénylpropanolamine, chlorhydrate de/pyrilamine, maléate de. **Caldomine-DH, Tussaminic DH.**

phéniramine, maléate de/naphazoline, chlorhydrate de. **Naphcon-A.**

phéniramine, maléate de/phényléphrine, chlorhydrate de. **Dristan, vaporisateur nasal, NeoCitran A.**

phéniramine, maléate de/phénylpropanolamine, chlorhydrate de/pyrilamine, maléate de. **Triaminic, comprimés.**

phéniramine, maléate de/phénylpropanolamine, chlorhydrate de/pyrilamine, maléate de/sulfadiazine/sulfamérazine/sulfaméthazine. **Trisulfaminic.**

phénobarbital. phénobarbitone. [**Barbituriques, Monographie générale, APhC**]; **(Abbott).** †Barbita, †Luminal, †Solfoton.

phénobarbital/AAS/codéine, phosphate de. **Phenaphen avec Codéine.**

phénobarbital/atropine, sulfate d'/hyoscyamine, sulfate d'/scopolamine, bromhydrate de. **Donnatal.**

phénobarbital/belladone/ergotamine. **Bellergal Spacetabs.**

phénobarbital sodique. [**Barbituriques, Monographie générale, APhC**].

phénobarbitone. voir *phénobarbital.*

phénoxétol. voir *bêta-phénoxyéthanol.*

phénoxybenzamine, chlorhydrate de. †Dibenzyline.

phénoxyméthyl pénicilline benzathinique. voir *pénicilline V benzathinique.*

phénoxyméthyl pénicilline potassique. voir *pénicilline V potassique.*

phensuximide. †Milontin.

†Phentercot. *phentermine, chlorhydrate de.*

phentermine. **Ionamin.**

phentermine, chlorhydrate de. **Fastin.** †Adipex-P, †Phentercot, †T-Diet, †Zantryl.

phentolamine, mésylate de. **Rogitine.** †Regitine.

†Phenurone. *phénacémide.*

phénylbutazone. **Apo-Phenylbutazone.**

phényléphrine. **Minims Phényléphrine.**

phényléphrine, chlorhydrate de. **Dionephrine, Mydfrin, Neo-Synephrine.** †I-Phrine, †Nostril Spray Pump, †Ocu-Phrin.

phényléphrine, chlorhydrate de/acétaminophène. **NeoCitran Extra-fort Sinus.**

phényléphrine, chlorhydrate de/acétaminophène/chlorphéniramine, maléate de. **Dristan, Dristan Extra-fort.**

phényléphrine, chlorhydrate de/acétaminophène/phéniramine, maléate de. **NeoCitran Adultes, NeoCitran Extra-fort, NeoCitran Hypocalorique.**

phényléphrine, chlorhydrate de/acétaminophène/phénylpropanolamine, chlorhydrate de. **Dimetapp-A Sinus.**

phényléphrine, chlorhydrate de/ammonium, chlorure d'/hydrocodone, bitartrate d'/pyrilamine, maléate de. **Hycomine, Hycomine-S.**

phényléphrine, chlorhydrate de/bromphéniramine, maléate de/codéine, phosphate de/guaifénésine/phénylpropanolamine, chlorhydrate de. **Dimetane Expectorant-C.**

phényléphrine, chlorhydrate de/bromphéniramine, maléate de/codéine, phosphate de/phénylpropanolamine, chlorhydrate de. **Dimetapp-C.**

phényléphrine, chlorhydrate de/bromphéniramine, maléate de/dextrométhorphane, bromhydrate de/phénylpropanolamine, chlorhydrate de. **Dimetapp-DM.**

phényléphrine, chlorhydrate de/bromphéniramine, maléate de/guaifénésine/hydrocodone, bitartrate d'/phénylpropanolamine, chlorhydrate de. **Dimetane Expectorant-DC.**

phényléphrine, chlorhydrate de/bromphéniramine, maléate de/guaifénésine/phénylpropanolamine, chlorhydrate de. **Dimetane Expectorant.**

phényléphrine, chlorhydrate de/bromphéniramine, maléate de/phénylpropanolamine, chlorhydrate de. **Dimetapp, Dimetapp, gouttes orales pour enfants.**

phényléphrine, chlorhydrate de/codéine, phosphate de. **Novahistex C.**

phényléphrine, chlorhydrate de/dextrométhorphane, bromhydrate de/phéniramine, maléate de. **NeoCitran DM.**

phényléphrine, chlorhydrate de/guaifénésine/hydrocodone, bitartrate d'. **Novahistex DH Expectorant.**

phényléphrine, chlorhydrate de/hamamélis, eau d'. **Préparation H, gel rafraîchissant.**

phényléphrine, chlorhydrate de/hydrocodone, bitartrate d'. **Coristex-DH, Coristine-DH, Novahistex DH, Novahistine DH.**

phényléphrine, chlorhydrate de/phéniramine, maléate de. **Dristan, vaporisateur nasal, NeoCitran A.**

phényléphrine, chlorhydrate de/tropicamide. **Diophenyl-T.**

phényléphrine, chlorhydrate de/zinc, sulfate de. **Zincfrin.**

phénylpropanolamine/AAS/chlorphéniramine, maléate de. **Coricidin «D».**

phénylpropanolamine, chlorhydrate de/AAS. **Coricidin non sédatif.**

phénylpropanolamine, chlorhydrate de/acétaminophène/caféine/phéniramine, maléate de/pyrilamine, maléate de. **Triaminicin.**

phénylpropanolamine, chlorhydrate de/acétaminophène/phényléphrine, chlorhydrate de. **Dimetapp-A Sinus.**

phénylpropanolamine, chlorhydrate de/acétaminophène/phényltoloxamine, citrate de. **Sinutab SA.**

phénylpropanolamine, chlorhydrate de/bromphéniramine, maléate de. **Dimetapp à dissolution rapide, Dimetapp Clair, Dimetapp, comprimés à croquer, Dimetapp Liqui-gels.**

phénylpropanolamine, chlorhydrate de/bromphéniramine, maléate de/codéine, phosphate de/guaifénésine/phényléphrine, chlorhydrate de. **Dimetane Expectorant-C.**

phénylpropanolamine, chlorhydrate de/bromphéniramine, maléate de/codéine, phosphate de/phényléphrine, chlorhydrate de. **Dimetapp-C.**

phénylpropanolamine, chlorhydrate de/bromphéniramine, maléate de/dextrométhorphane, bromhydrate de. **Dimetapp Liqui-gels Toux et Rhume.**

phénylpropanolamine, chlorhydrate de/bromphéniramine, maléate de/dextrométhorphane, bromhydrate de/phényléphrine, chlorhydrate de. **Dimetapp-DM.**

phénylpropanolamine, chlorhydrate de/bromphéniramine, maléate de/guaifénésine/hydrocodone, bitartrate d'/phényléphrine, chlorhydrate de. **Dimetane Expectorant-DC.**

phénylpropanolamine, chlorhydrate de/bromphéniramine, maléate de/guaifénésine/phényléphrine, chlorhydrate de. **Dimetane Expectorant.**

phénylpropanolamine, chlorhydrate de/bromphéniramine, maléate de/phényléphrine, chlorhydrate de. **Dimetapp, Dimetapp, gouttes orales pour enfants.**

phénylpropanolamine, chlorhydrate de/chlorphéniramine, maléate de. **Chlor-Tripolon Décongestionnant, sirop, Contac Rhume 12 heures de soulagement ordinaire, Contac Rhume 12 heures de soulagement extra fort, Coricidin «D» à action prolongée, Triaminic, Rhume et allergies, sirop.**

phénylpropanolamine, chlorhydrate de/clémastine, fumarate hydrogéné de. **Tavist-D.**

phénylpropanolamine, chlorhydrate de/codéine, phosphate de/phéniramine, maléate de/pyrilamine, maléate de. **Tussaminic C.**

phénylpropanolamine, chlorhydrate de/dextrométhorphane, bromhydrate de/guaifénésine. **Triaminic DM Bonjour.**

phénylpropanolamine, chlorhydrate de/guaifénésine. **Entex LA.**

phénylpropanolamine, chlorhydrate de/guaifénésine/hydrocodone, bitartrate d'/phéniramine, maléate de/pyrilamine, maléate de. **Triaminic Expectorant DH.**

phénylpropanolamine, chlorhydrate de/hydrocodone, bitartrate d'/phéniramine, maléate de/pyrilamine, maléate de. **Caldomine-DH, Tussaminic DH.**

phénylpropanolamine, chlorhydrate de/phéniramine, maléate de/pyrilamine, maléate de. **Triaminic, comprimés.**

phénylpropanolamine, chlorhydrate de/phéniramine, maléate de/pyrilamine, maléate de/sulfadiazine/sulfamérazine/sulfaméthazine. **Trisulfaminic.**

phényltoloxamine/chlorphéniramine/codéine/éphédrine/gaïacol, carbonate de. **Omni-Tuss.**

phényltoloxamine, citrate de/acétaminophène/phénylpropanolamine, chlorhydrate de. **Sinutab SA.**

phényltoloxamine/hydrocodone. **Tussionex.**

†Phenytex. *phénytoïne sodique.*

phénytoïne. diphénylhydantoïne. **[Phénytoïne, Monographie générale, APhC].**

phénytoïne (forme acide libre). **Dilantin-125, Dilantin Infatabs, Dilantin-30 Pédiatrique.**

phénytoïne sodique. **Dilantin; (Abbott).** †Diphenylan, †Phenytex.

pHisoHex (Sanofi). *hexachlorophène.*

phosphate acide sodique. **Phosphate-Novartis.**

Phosphate-Novartis (Novartis Pharma). *phosphate acide sodique.*

Phosphates Solution (Pharmascience). *sodium, phosphates de.*

Phospholine (Iodure) (Wyeth-Ayerst). *écothiopate, iodure d'.*

Photofrin (Ligand). *porfimer sodique.*

Phyllocontin (Purdue Frederick). *aminophylline.*

Phyllocontin-350 (Purdue Frederick). *aminophylline.*

phylloquinone. voir *phytonadione.*

physostigmine, salicylate de. †Isopto Eserine.

physostigmine, sulfate de. †Eserine Sulfate.

phytoménadione. voir *phytonadione.*

phytonadione. phylloquinone. phytoménadione. vitamine K_1. **[Vitamine K, Monographie générale, APhC]; (Abbott).** †Aqua Mephyton, †Konakion, †Mephyton.

†Pilagan. *pilocarpine, nitrate de.*

pilocarpine, chlorhydrate de. **Diocarpine, Isopto Carpine, Miocarpine, Pilopine HS, Salagen, Scheinpharm Pilocarpine; (Produits ophtalmiques Rivex), (Technilab).** †Adsorbocarpine, †Ocu-Carpine, †Piloptic.

pilocarpine, chlorhydrate de/épinéphrine, bitartrate d'. **E-Pilo.**

pilocarpine, chlorhydrate de/timolol, maléate de. **Timpilo.**

pilocarpine, nitrate de. **Minims Pilocarpine.** †Pilagan.

Pilopine HS (Alcon). *pilocarpine, chlorhydrate de.*

†Piloptic. *pilocarpine, chlorhydrate de.*

pimaricine. voir *natamycine.*

pimozide. **Orap.**

pinavérium, bromure de. **Dicetel.**

Les noms **soulignés** paraissent en version détaillée dans la section des monographies du *CPS.*

pindolol. **Apo-Pindol, Gen-Pindolol, Novo-Pindol, Nu-Pindol, Visken.**
pindolol/hydrochlorothiazide. **Viskazide.**
pipécuronium, bromure de. †Arduan.
pipéracilline sodique. **Pipracil.**
pipéracilline sodique/tazobactam sodique. **Tazocin.**
pipérazine, adipate de. **Entacyl.**
pipérazine-sulfate d'estrone. voir *estropipate.*
pipéronyle, butoxyde de/bioalléthrine. **Para.**
pipéronyle, butoxyde de/esdépalléthrine. **Scabene.**
pipéronyle, butoxyde de/pyréthrine. **R & C II, aérosol, R & C, shampooing revitalisant.**
Piportil L4 (Rhône-Poulenc Rorer). *pipotiazine, palmitate de.*
pipotiazine, palmitate de. **Piportil L4.**
Pipracil (Wyeth-Ayerst). *pipéracilline sodique.*
pipradrol/vitamine B, complexe de la. **Alertonic.**
piroxicam. **Alti-Piroxicam, Apo-Piroxicam, Feldene, Fexicam, Gen-Piroxicam, Novo-Pirocam, Nu-Pirox.**
†Pitocin. *oxytocine.*
Pitrex (Taro). *tolnaftate.*
pivampicilline. **Pondocillin.**
pivmécillinam, chlorhydrate de. **Selexid.**
pizotifène, malête de. **Sandomigran, Sandomigran DS.**
Placébo (Odan). *lactose.*
Plaquenil (Sanofi). *hydroxychloroquine, sulfate d'.*
Plasbumin-5 (Bayer). *albumine (humaine).*
Plasbumin-25 (Bayer). *albumine (humaine).*
Platinol-AQ (Bristol). *cisplatine.*
Plavix (Sanofi/Bristol-Myers Squibb). *clopidogrel, bisulfate de.*
†Plegine. *phendimétrazine, tartrate de.*
Plendil (Astra). *félodipine.*
plicamycine. mithramycine. †Mithracin.
PMS-Atenolol (Pharmascience). *aténolol.*
PMS-Baclofen (Pharmascience). *baclofen.*
PMS-Benzydamine (Pharmascience). *benzydamine, chlorhydrate de.*
PMS-Buspirone (Pharmascience). *buspirone, chlorhydrate de.*
PMS-Cefaclor (Pharmascience). *céfaclor.*
PMS-Cephalexin (Pharmascience). *céphalexine.*
PMS-Chloral Hydrate (Pharmascience). *chloral, hydrate de.*
PMS-Cholestyramine (Pharmascience). *cholestyramine, résine de.*
PMS-Cimetidine (Pharmascience). *cimétidine.*
PMS-Clobetasol (Pharmascience). *clobétasol, 17-propionate de.*
PMS-Clonazepam (Pharmascience). *clonazépam.*
PMS-Desipramine (Pharmascience). *désipramine, chlorhydrate de.*
PMS-Dicitrate (Pharmascience). *acide citrique/sodium, citrate de.*
PMS-Diclofenac (Pharmascience). *diclofénac sodique.*
PMS-Diclofenac SR (Pharmascience). *diclofénac sodique.*
PMS-Diphenhydramine (Pharmascience). *diphenhydramine, chlorhydrate de.*
PMS-Docusate Calcium (Pharmascience). *docusate calcique.*
PMS-Docusate Sodium (Pharmascience). *docusate sodique.*
PMS-Domperidone (Pharmascience). *dompéridone, maléate de.*
PMS-Egozinc (Pharmascience). *zinc, sulfate de.*
PMS-Egozinc HC (Pharmascience). *hydrocortisone, acétate d'/zinc, sulfate monohydraté de.*
PMS-Erythromycin (Pharmascience). *érythromycine.*
PMS-Fluoxetine (Pharmascience). *fluoxétine, chlorhydrate de.*
PMS-Fluphenazine Decanoate (Pharmascience). *fluphénazine, décanoate de.*
PMS-Flutamide (Pharmascience). *flutamide.*
PMS-Gemfibrozil (Pharmascience). *gemfibrozil.*
PMS-Glyburide (Pharmascience). *glyburide.*
PMS-Haloperidol LA (Pharmascience). *halopéridol.*
PMS-Hydromorphone (Pharmascience). *hydromorphone, chlorhydrate d'.*
PMS-Hydroxyzine (Pharmascience). *hydroxyzine, chlorhydrate d'.*
PMS-Ipratropium (Pharmascience). *ipratropium, bromure d'.*
PMS-Isoniazid (Pharmascience). *isoniazide.*
PMS-Lactulose (Pharmascience). *lactulose.*
PMS-Lindane (Pharmascience). *lindane.*
PMS-Lithium Carbonate (Pharmascience). *lithium, carbonate de.*
PMS-Lithium Citrate (Pharmascience). *lithium, citrate de.*
PMS-Loxapine (Pharmascience). *loxapine.*
PMS-Mefenamic Acid (Pharmascience). *acide méfénamique.*
PMS-Methotrimeprazine (Pharmascience). *méthotriméprazine, maléate de.*
PMS-Methylphenidate (Pharmascience). *méthylphénidate, chlorhydrate de.*
PMS-Metoclopramide (Pharmascience). *métoclopramide, chlorhydrate de.*
PMS-Metoprolol-B (Pharmascience). *métoprolol, tartrate de.*
PMS-Metoprolol-L (Pharmascience). *métoprolol, tartrate de.*
PMS-Nifedipine (Pharmascience). *nifédipine.*
PMS-Nortriptyline (Pharmascience). *nortriptyline, chlorhydrate de.*
PMS-Nystatin (Pharmascience). *nystatine.*
PMS-Salbutamol Respirator Solution (Pharmascience). *salbutamol, sulfate de.*
PMS-Sennosides (Pharmascience). *sennosides.*
PMS-Sodium Cromoglycate (Pharmascience). *cromoglycate sodique.*
PMS-Sodium Polysterene Sulfonate (Pharmascience). *polystyrène sodique, sulfonate de.*
PMS-Temazepam (Pharmascience). *témazépam.*
PMS-Tiaprofenic (Pharmascience). *acide tiaprofénique.*
PMS-Timolol (Pharmascience). *timolol, maléate de.*
PMS-Trazodone (Pharmascience). *trazodone, chlorhydrate de.*
PMS-Tryptophan (Pharmascience). *l-tryptophane.*
PMS-Valproic Acid (Pharmascience). *acide valproïque.*
PMS-Valproic Acid E.C. (Pharmascience). *acide valproïque.*
PMS-Yohimbine (Pharmascience). *yohimbine, chlorhydrate de.*
Pneumo 23 (Connaught). *vaccin polysaccharidique pneumococcique.*
Pneumovax 23 (MSD). *vaccin polyvalent pneumococcique.*
Pnu-Immune 23 (Wyeth-Ayerst). *vaccin polyvalent pneumococcique.*
Podofilm (Pharmascience). *podophyllum, résine de.*
podofilox. **Condyline, Wartec.**
podophylline/acide salicylique/cantharidine. **Canthacur-PS, Cantharone Plus.**
podophyllum, résine de. **Podofilm.**
Polaramine (Schering). *dexchlorphéniramine, maléate de.*
Pollinex-R (Bencard). *herbe à poux adsorbé sur tyrosine, extrait de.*
Polocaine à 3 % (Astra). *mépivacaïne, chlorhydrate de.*
Polocaine à 2 % et Lévonordéfrine 1:20 000 (Astra). *lévonordéfrine/mépivacaïne, chlorhydrate de.*
poloxamer 188. †Alaxin.
polycarbophile. **Replens.**
Polycidin, gouttes ophtalmiques/otiques (CIBA Vision). *gramicidine/polymyxine B, sulfate de.*
Polycidin, onguent ophtalmique (CIBA Vision). *bacitracine/polymyxine B, sulfate de.*

†Polycillin. *ampicilline, trihydrate d'.*

†Polycillin-N. *ampicilline sodique.*

†Polycitra. *tricitrates.*

Polycitra-K (Alza Canada). *potassium, citrate de.*

polyéthylèneglycol/dextran 70. **Aquasite.**

polyéthylène glycol/électrolytes. **Colyte, Electropeg, GoLytely, Klean-Prep, Lyteprep, PegLyte, Pro-Lax.**

polyéthylène glycol/propylène glycol. **Rhinaris, Salinol, Secaris.**

polyglycol/cellulose/glycérides/polysiloxane, copolyol de/silicones. **Spectro Derm.**

polyméthylsiloxane ativée. voir *siméthicone.*

polymyxine B, sulfate de/bacitracine. **Bioderm, Polycidin, onguent ophtalmique, Polysporin, onguent ophtalmique, Polytopic, onguent.**

polymyxine B, sulfate de/bacitracine/gramicidine. **Polysporin, onguent antibiotique triple.**

polymyxine B, sulfate de/bacitracine, zinc de. **Optimyxin, onguent.**

polymyxine B, sulfate de/bacitracine, zinc de/hydrocortisone/néomycine, sulfate de. **Cortisporin, onguent, Cortisporin, onguent ophtalmique.**

polymyxine B, sulfate de/bacitracine, zinc de/néomycine, sulfate de. **Neosporin, onguent/onguent ophtalmique, Neotopic.**

polymyxine B, sulfate de/benzocaïne/camphre/menthol/tyrothricine. **Onguent antibiotique pour feux sauvages.**

polymyxine B, sulfate de/dexaméthasone/néomycine, sulfate de. **Dioptrol, Maxitrol.**

polymyxine B, sulfate de/gramicidine. **Optimyxin, solution, Polycidin, gouttes ophtalmiques/otiques, Polysporin, crème, Polysporin, gouttes oto-ophtalmiques, Polytopic, crème.**

polymyxine B, sulfate de/gramicidine/lidocaïne, chlorhydrate de. **Lidosporin, crème, Polysporin, gouttes ophtalmiques/otiques.**

polymyxine B, sulfate de/gramicidine/néomycine, sulfate de. **Neosporin, crème, Neosporin, solution oto-ophtalmique, Optimyxin Plus, solution.**

polymyxine B, sulfate de/hydrocortisone/néomycine, sulfate de. **Cortimyxin, Cortisporin, solution otique, Cortisporin, suspension oto-ophtalmique.**

polymyxine B, sulfate de/lidocaïne, chlorhydrate de. **Lidosporin, gouttes otiques.**

polymyxine B, sulfate de/néomycine, sulfate de. **Neosporin, solution pour irrigation.**

polymyxine B, sulfate de/triméthoprime, sulfate de. **Polytrim.**

polysiloxane cellulose, complexe de. **Spectro Jel «609».**

polysiloxane, copolyol de/cellulose/glycérides/polyglycol/silicones. **Spectro Derm.**

polysorbate 80. **Tears Encore.**

Polysporin, crème (Warner-Lambert, Santé grand public). *gramicidine/polymyxine B, sulfate de.*

Polysporin, gouttes ophtalmiques/otiques (Warner-Lambert, Santé grand public). *gramicidine/lidocaïne, chlorhydrate de/polymyxine B, sulfate de.*

Polysporin, gouttes oto-ophtalmiques (Warner-Lambert, Santé grand public). *gramicidine/polymyxine B, sulfate de.*

Polysporin, onguent antibiotique triple (Warner-Lambert, Santé grand public). *bacitracine/gramicidine/polymyxine B, sulfate de.*

Polysporin, onguent ophtalmique (Warner-Lambert, Santé grand public). *bacitracine/polymyxine B, sulfate de.*

polystyrène calcique, sulfonate de. **Resonium Calcium.**

polystyrène sodique, sulfonate de. **Kayexalate, PMS-Sodium Polysterene Sulfonate.**

Polytar (Stiefel). *polytar.*

polytar. **Polytar.**

Polytar AF (Stiefel). *acide salicylique/goudron de houille/menthol/pyrithione, disulfure de.*

polytar/pyrithione, disulfure de. **Dan-Tar Plus.**

Polytopic, crème (Technilab). *gramicidine/polymyxine B, sulfate de.*

Polytopic, onguent (Technilab). *bacitracine/polymyxine B, sulfate de.*

Polytrim (Allergan). *polymyxine B, sulfate de/triméthoprime, sulfate de.*

Pondocillin (Leo). *pivampicilline.*

Ponstan (Parke-Davis). *acide méfénamique.*

†Ponstel. *acide méfénamique.*

Pontocaine (Sanofi). *tétracaïne, chlorhydrate de.*

porfimer sodique. **Photofrin.**

Portagen (Mead Johnson). *nutrition entérale.*

†Posicor. *mibefradil.*

Postacné (Dermik Laboratories Canada). *soufre.*

Potaba (Glenwood). *potassium, aminobenzoate de.*

potassium, aminobenzoate de. **Potaba.**

potassium, chlorure de. **[Potassium (Sels), Monographie générale, APhC]; Apo-K, Kaochlor, K-10, K-Dur, K-Lor, K-Lyte/Cl, Micro-K Extencaps, Micro-K-10 Extencaps, Roychlor, Slow-K; (Abbott), (Astra).** †Klor-Con.

potassium, citrate de. **[Potassium (Sels), Monographie générale, APhC]; K-Lyte, Polycitra-K.**

potassium, clavulanate de/amoxicilline, trihydrate d'. **Clavulin.** †Augmentin.

potassium, clavulanate de/ticarcilline disodique. **Timentin.**

potassium, gaïacolsulfonate de/codéine, phosphate de/prométhazine, chlorhydrate de. **Phénergan Expectorant avec Codéine.**

potassium, gluconate de. **[Potassium (Sels), Monographie générale, APhC]; Kaon.**

potassium, iodure de. **Thyro-Block.**

potassium, iodure de/guaifénésine/mépyramine, maléate de/théophylline. **Theo-Bronc.**

potassium, phosphates de. **(Abbott).**

povidone/alcool polyvinylique. **Teardrops, Tears Plus.**

povidone-iode. **Betadine, Préparations topiques, Betadine, Produits vaginaux, Proviodine.**

pralidoxime, chlorure de. **Protopam (Chlorure).**

Pramegel (Medicis). *menthol/pramoxine, chlorhydrate de.*

pramipexole, dichlorhydrate de. **Mirapex.**

Pramox HC (Dermtek). *hydrocortisone, acétate d'/pramoxine, chlorhydrate de.*

pramoxine, chlorhydrate de/camphre/menthol. **Sarna-P.**

pramoxine, chlorhydrate de/hydrocortisone, acétate d'. **Pramox HC, Proctofoam-HC.**

pramoxine, chlorhydrate de/hydrocortisone, acétate d'/zinc, sulfate monohydraté de. **Anugesic-HC, Proctodan-HC.**

pramoxine, chlorhydrate de/menthol. **Pramegel.**

pramoxine, chlorhydrate de/zinc monohydraté, sulfate de. **Anusol Plus.**

Prandase (Bayer). *acarbose.*

†Prandin. *repaglinide.*

Pravachol (Squibb). *pravastatine sodique.*

pravastatine sodique. **Pravachol.**

praziquantel. **Biltricide.**

prazosine, chlorhydrate de. **Alti-Prazosin, Apo-Prazo, Minipress, Novo-Prazin, Nu-Prazo.**

Les noms **soulignés** paraissent en version détaillée dans la section des monographies du *CPS*.

†Predaject-50. *prednisolone, acétate de.*

†Predalone 50. *prednisolone, acétate de.*

†Predalone T.B.A. *prednisolone, tébutate de.*

†Predcor. *prednisolone.*

Pred Forte (Allergan). *prednisolone, acétate de.*

Pred Mild (Allergan). *prednisolone, acétate de.*

†Prednicen-M. *prednisone.*

prednisolone. **[Corticostéroïdes: Généraux, Corticostéroïdes: Yeux, Oreilles, Nez, Monographies générales, APhC]; Minims Prednisolone.** †Delta-Cortef, †Predcor, †Prelone.

prednisolone, acétate de. deltahydrocortisone. metacortandrolone. **[Corticostéroïdes: Généraux, Corticostéroïdes: Yeux, Oreilles, Nez, Monographies générales, APhC]; Diopred, Ophtho-Tate, Pred Forte, Pred Mild.** †Econopred, †Predaject-50, †Predalone 50.

prednisolone, acétate de/sulfacétamide sodique. **Blephamide, Dioptimyd, Metimyd.**

prednisolone, phosphate sodique de. **[Corticostéroïdes: Généraux, Corticostéroïdes, Yeux, Oreilles, Nez, Monographies générales, APhC]; Inflamase Forte, Inflamase Mild, Pediapred; (Produits ophtalmiques Rivex).** †Hydeltrasol, †I-Pred, †Lite Pred.

prednisolone, phosphate sodique de/sulfacétamide sodique. **Vasocidin.**

prednisolone, tébutate de. **[Corticostéroïdes: Généraux, Monographie générale, APhC];** †Hydeltra T.B.A., †Nor-Pred T.B.A., †Predalone T.B.A.

prednisone. deltacortisone. métacortandracine. **[Corticostéroïdes: Généraux, Monographie générale, APhC]; Apo-Prednisone, Deltasone, Winpred.** †Meticorten, †Orasone, †Prednicen-M.

prednisone, acétate de/acide ascorbique/chlorphéniramine, maléate de. **Metreton.**

Pregnyl (Organon). *gonadotrophine chorionique (humaine).*

†Prelone. *prednisolone.*

†Prelu-2. *phendimétrazine, tartrate de.*

Premarin, comprimés (Wyeth-Ayerst). *estrogènes conjugués.*

Premarin, crème vaginale (Wyeth-Ayerst). *estrogènes conjugués.*

Premarin, intraveineux (Wyeth-Ayerst). *estrogènes conjugués.*

†Prempro. *estrogènes conjugués/médroxyprogestérone, acétate de.*

Prenavite (Roberts). *carbonate, calcium de/fer/multivitamines.*

Préparation H crème/onguent/ suppositoires (Whitehall-Robins). *levure/requin, huile de foie de.*

Préparation H, gel rafraîchissant (Whitehall-Robins). *hamamélis, eau d'/phényléphrine, chlorhydrate de.*

Préparation H, tampons nettoyants (Whitehall-Robins). *glycérine/hamamélis, eau d'.*

préparations pour nourrissons. **Bonamil, Bon Départ, SMA, Préparations, Transition.**

préparations pour nourrissons à base de soya. **Alsoy, Enfalac Prosobee, Isomil, Nursoy, Transition au soya.**

préparations pour nourrissons de poids faible. **SMA, Preemie.**

préparations pour nourrissons, hydrolysat de caséine. **Alimentum, Enfalac Nutramigen, Enfalac Pregestimil.**

préparations pour nourrissons sans lactose. **Similac LF.**

Pre-Pen (Rivex Pharma). *benzylpénicilloyl-polylysine.*

Prepidil (Pharmacia & Upjohn). *dinoprostone.*

Prepulsid (Janssen-Ortho). *cisapride, monohydrate de.*

Pressyn (Ferring). *vasopressine.*

PreSun Ultra 30 (Westwood-Squibb). *octyle, méthoxycinnamate d'/octyle, salicylate d'/oxybenzone/Parsol 1789.*

PreSun Écran Solaire 28 (Westwood-Squibb). *titane, dioxyde de.*

Prevacid (Abbott). *lansoprazole.*

Prevex B (TCD). *bêtaméthasone, valérate de.*

Prevex Bébé, crème pour érythème fessier (TCD). *zinc, oxyde de.*

Prevex, crème (TCD). *cyclométhicone/pétrolatum.*

Prevex HC (TCD). *hydrocortisone.*

Prevex, huile (TCD). *huile de jojoba/huile minérale.*

Prevex, lotion (TCD). *pétrolatum.*

†Priftin. *rifapentine.*

prilocaïne, chlorhydrate de. propitocaïne, chlorhydrate de. **Citanest à 4 %.**

prilocaïne, chlorhydrate de/épinéphrine. **Citanest à 4 % Forte.**

prilocaïne/lidocaïne. **EMLA.**

†Prilosec. *oméprazole.*

primaclone. voir *primidone.*

Primacor (Sanofi). *milrinone, lactate de.*

primaquine, phosphate de. **(Sanofi).**

Primaxin (MSD). *cilastatine sodique/imipénem.*

Primene (Clintec). *acides aminés.*

primidone. primaclone. **Apo-Primidone, Mysoline.** †Myidone.

†Principen. *ampicilline.*

Prinivil (MSD). *lisinopril.*

Prinzide (MSD). *hydrochlorothiazide/lisinopril.*

†Probalan. *probénécide.*

Pro-Banthine (Roberts). *propanthéline, bromure de.*

probénécide. **Benemid, Benuryl.** †Probalan.

Probeta (Allergan). *dipivéfrine, chlorhydrate de/lévobunolol, chlorhydrate de.*

procaïnamide, chlorhydrate de. **Apo-Procainamide, Procan SR, Pronestyl, Pronestyl-SR.** †Promine.

procaïne, chlorhydrate de. **Novocain.**

Procan SR (Parke-Davis). *procaïnamide, chlorhydrate de.*

procarbazine, chlorhydrate de. †Matulane.

†Procardia. *nifédipine.*

prochlorpérazine. **Stémétil, suppositoires.** †Compazine.

prochlorperazine, bimaléate de. **Nu-Prochlor, Stémétil, comprimés.**

prochlorpérazine, édisylate de. †Compa-Z, †Cotranzine, †Ultrazine-10.

prochlorpérazine, mésylate de. **Stémétil, injection/liquide.**

†Pro-50. *prométhazine, chlorhydrate de.*

†Proctocort. *hydrocortisone.*

Proctodan-HC (Odan). *hydrocortisone, acétate d'/pramoxine, chlorhydrate de/zinc, sulfate monohydraté de.*

Proctofoam-HC (R & C). *hydrocortisone, acétate d'/pramoxine, chlorhydrate de.*

Proctosedyl (Hoechst Marion Roussel). *dibucaïne, chlorhydrate de/esculine/framycétine, sulfate de/hydrocortisone.*

Proctosone (Technilab). *dibucaïne, chlorhydrate de/esculine/framycétine, sulfate de/hydrocortisone.*

Procyclid (ICN). *procyclidine, chlorhydrate de.*

procyclidine, chlorhydrate de. **Kemadrin, Procyclid.**

Procytox (Carter Horner). *cyclophosphamide.*

Prodiem Plus (Novartis Santé Familiale). *psyllium/séné.*

Prodiem Simple (Novartis Santé Familiale). *psyllium.*

produits à base d'herbes médicinales. **Echinacea Angustifolia, Millepertuis Commun, Nytol d'origine naturelle.**

Profasi HP (Serono). *gonadotrophine chorionique (humaine).*

†Profenal. *suprofen.*

profénamine, chlorhydrate de. voir *éthopropazine, chlorhydrate d'.*

progestérone. **Prometrium.**

Proglycem (Schering). *diazoxide.*

Prograf (Fujisawa). *tacrolimus.*

proguanil. chloriguane. chloroguanide. **Paludrine.**
proguanil, chlorhydrate de/atovaquone. **Malarone.**
Prolastin (Bayer). *alpha₁-protéinase (humaine), inhibiteur de l'.*
Pro-Lax (Rivex Pharma). *électrolytes/polyéthylène glycol.*
Proleukin (Ligand). *aldesleukine.*
Prolopa (Roche). *bensérazide, chlorhydrate de/lévodopa.*
Proloprim (Glaxo Wellcome). *triméthoprime.*
promazine, chlorhydrate de. **(Abbott).** †Sparine.
prométhazine. **Phénergan, crème.**
prométhazine, chlorhydrate de. **Phénergan, comprimés, Phénergan, injectable; (Bioniche).** †Pro-50.
prométhazine, chlorhydrate de/codéine, phosphate de/potassium, gaïacolsulfonate de. **Phénergan Expectorant avec Codéine.**
Prometrium (Schering). *progestérone.*
†Promine. *procaïnamide, chlorhydrate de.*
Pronestyl (Squibb). *procaïnamide, chlorhydrate de.*
Pronestyl-SR (Squibb). *procaïnamide, chlorhydrate de.*
†Propacet 100. *acétaminophène/propoxyphène, napsylate de.*
Propaderm (Roberts). *béclométhasone, dipropionate de.*
propafénone, chlorhydrate de. **Rythmol.**
propanediol-1,2, diacétate de/acide acétique/benzéthonium, chlorure de. **VōSol.**
1,2-propanediol, diacétate de/acide acétique/benzéthonium, chlorure de/hydrocortisone. **VōSol HC.**
Propanthel (ICN). *propanthéline, bromure de.*
propanthéline, bromure de. **Pro-Banthine, Propanthel.**
proparacaïne, chlorhydrate de. proxymétacaïne, chlorhydrate de. **Alcaine, Diocaine, Ophthetic.** †Ocu-Caine, †Ophthaine.
proparacaïne, chlorhydrate de/fluorescéine sodique. **Fluoracaine.**
Propecia (MSD). *finastéride.*
propéricyazine. voir *péricyazine.*
Propine (Allergan). *dipivéfrine, chlorhydrate de.*
propiomazine, chlorhydrate de. †Largon.
propitocaïne, chlorhydrate de. voir *prilocaïne, chlorhydrate de.*
propofol. **Diprivan; (Abbott).**
propoxyphène, chlorhydrate de. [**Opioïdes, Monographie générale, APhC**].
propoxyphène, chlorhydrate de/AAS/caféine. **692.**
propoxyphène, napsylate de. [**Opioïdes, Monographie générale, APhC**]; **Darvon-N.**
propoxyphène, napsylate de/acétaminophène. †Propacet 100.
propranolol, chlorhydrate de. **Apo-Propranolol, Indéral, Indéral-LA, Nu-Propranolol.**
propranolol, chlorhydrate de/hydrochlorothiazide. **Indéride.**
†Propulsid. *cisapride, monohydrate de.*
propylène glycol/polyéthylène glycol. **Rhinaris, Salinol, Secaris.**
propylène glycol/triéthanolamine, polypeptide concentré de cocoate de/tyrothricine. **Soropon.**
propylthiouracile. **Propyl-Thyracile.**
Propyl-Thyracile (Frosst). *propylthiouracile.*
Proscar (MSD). *finastéride.*
prostaglandine E_2. voir *dinoprostone.*
prostaglandine E_1. voir *alprostadil.*
†Prostaphlin. *oxacilline sodique.*
Prostigmin, comprimés (ICN). *néostigmine, bromure de.*
Prostigmin Injectable (ICN). *néostigmine, méthylsulfate de.*
Prostin E_2 (Pharmacia & Upjohn). *dinoprostone.*
Prostin E_2**, gel vaginal** (Pharmacia & Upjohn). *dinoprostone.*
Prostin VR (Pharmacia & Upjohn). *alprostadil.*
protamine, sulfate de. **(Pharmaceutical Partners), (Sabex).**
Pro•Tec Sport (Allergan). *octyle, méthoxycinnamate d'/octyle, salicylate d'/oxybenzone.*
protecteur-émollient. **Orabase.**
protiréline. **Relefact TRH.**
Protopam (Chlorure) (Wyeth-Ayerst). *pralidoxime, chlorure de.*
†Protostat. *métronidazole.*
protriptyline, chlorhydrate de. **Triptil.** †Vivactil.
Protropin (Roche). *somatrem.*
†Proventil. *salbutamol.*
Provera (Pharmacia & Upjohn). *médroxyprogestérone, acétate de.*
Proviodine (Rougier). *povidone-iode.*
†Provocholine. *methacholine, chlorhydrate de.*
proxymétacaïne, chlorhydrate de. voir *proparacaïne, chlorhydrate de.*
Prozac (Lilly). *fluoxétine, chlorhydrate de.*
PRP-OMP. voir *vaccin conjugué polysaccharidique contre l'Haemophilus b (Hib) (complexe protéinique méningococcique).*
PRP-T. voir *vaccin conjugué polysaccharidique contre l'Haemophilus b (Hib) (protéine tétanique-conjugué).*
pseudoéphédrine, chlorhydrate de. **Balminil, décongestionnant, Contac Rhume 12 heures de soulagement sans somnolence, Eltor 120, Sudafed Décongestionnant, Sudafed Décongestionnant 12 heures, Triaminic, gouttes orales pédiatriques.**
pseudoéphédrine, chlorhydrate de/acétaminophène. **Dristan N.D., Dristan N.D. Extra-fort, Sinutab sans somnolence, Sudafed rhume de cerveau et sinus, Tylenol Décongestionnant, Tylenol, Médicament pour les sinus.**
pseudoéphédrine, chlorhydrate de/acétaminophène/ chlorphéniramine, maléate de. **Sinutab, Tylenol, Médicament Allergie Sinus.**
pseudoéphédrine, chlorhydrate de/acétaminophène/ chlorphéniramine, maléate de/codéine. **Sinutab avec codéine.**
pseudoéphédrine, chlorhydrate de/acétaminophène/ chlorphéniramine, maléate de/dextrométhorphane, bromhydrate de. **NeoCitran Extra-fort (Toux, rhume et grippe), Tylenol, Médicament pour le rhume pour enfants plus âgés avec DM, Tylenol, Médicament pour le rhume (pour la nuit), Tylenol rhume et grippe.**
pseudoéphédrine, chlorhydrate de/acétaminophène/ dextrométhorphane, bromhydrate de. **Contac Toux, Rhume et Grippe, Jour, NeoCitran Extra-fort Caplets de jour, Sudafed rhume & toux, Triaminic, Rhume et Fièvre, Tylenol, Médicament contre la toux, suspension liquide plus décongestionnant, Tylenol, Médicament pour le rhume (pour le jour).**
pseudoéphédrine, chlorhydrate de/acétaminophène/ dextrométhorphane, bromhydrate de/guaifénésine. **Benylin Grippe, Calmylin Rhume et grippe, Robitussin Toux, Rhume et Grippe Liqui-Gels, Sudafed rhume et grippe.**
pseudoéphédrine, chlorhydrate de/acétaminophène/ diphenhydramine, chlorhydrate de. **Benadryl, Allergies/Sinus/ Maux de tête, Contac Toux, Rhume et Grippe, Nuit, Sinutab, Formule-nuit, Tylenol, Médicament contre la grippe.**
pseudoéphédrine, chlorhydrate de/acétaminophène/triprolidine, chlorhydrate de. **Actifed Plus Extra-puissant.**
pseudoéphédrine, chlorhydrate de/chlorphéniramine, maléate de/ dextrométhorphane, bromhydrate de. **Triaminic DM Bonne Nuit, Triaminicol DM.**
pseudoéphédrine, chlorhydrate de/chlorphéniramine, maléate de/ dextrométhorphane, bromhydrate de/guaifénésine. **Triaminic-DM Expectorant.**

Les noms **soulignés** paraissent en version détaillée dans la section des monographies du *CPS*.

pseudoéphédrine, chlorhydrate de/chlorphéniramine, maléate de/guaifénésine. **Triaminic Expectorant.**

pseudoéphédrine, chlorhydrate de/codéine, phosphate de/guaifénésine. **Benylin Codéine, Calmylin avec codéine.**

pseudoéphédrine, chlorhydrate de/codéine, phosphate de/guaifénésine/triprolidine, chlorhydrate de. **CoActifed Expectorant, Cotridin Expectorant.**

pseudoéphédrine, chlorhydrate de/codéine, phosphate de/triprolidine, chlorhydrate de. **CoActifed, Cotridin.**

pseudoéphédrine, chlorhydrate de/dextrométhorphane, bromhydrate de. **Balminil DM + Décongestionnant, Benylin DM-D (Adultes), Benylin DM-D pour enfants, Calmylin #2, Calmylin Pédiatrique, Novahistex DM Décongestionnant, Novahistine DM Décongestionnant, Robitussin Pédiatrique Toux et Rhume.**

pseudoéphédrine, chlorhydrate de/dextrométhorphane, bromhydrate de/guaifénésine. **Balminil DM + Décongestionnant + Expectorant, Benylin DM-D-E, Calmylin #3, Novahistex DM Décongestionnant Expectorant, Novahistine DM Décongestionnant Expectorant, Robitussin Toux et Rhume, Robitussin Toux et Rhume Liqui-Gels.**

pseudoéphédrine, chlorhydrate de/ibuprofène. **Advil Rhume et Sinus, Dristan Sinus.**

pseudoéphédrine, chlorhydrate de/triprolidine, chlorhydrate de. **Actifed.**

pseudoéphédrine, sulfate de. **Drixoral Jour, Drixoral N.D.**

pseudoéphédrine, sulfate de/azatadine, maléate d'. **Trinalin.**

pseudoéphédrine, sulfate de/chlorphéniramine, maléate de. **Chlor-Tripolon Décongestionnant, comprimés.**

pseudoéphédrine, sulfate de/dexbromphéniramine, maléate de. **Drixoral, Drixoral Nuit, Drixtab.**

pseudoéphédrine, sulfate de/loratadine. **Chlor-Tripolon N.D., Claritin Extra.**

Psorigel (Galderma). *goudron de houille.*

psyllium. **Metamucil, Novo-Mucilax, Prodiem Simple.**

psyllium/séné. **Prodiem Plus.**

†PT 105. *phendimétrazine, tartrate de.*

Pulmicort Nebuamp (Astra). *budésonide.*

Pulmicort Turbuhaler (Astra). *budésonide.*

Pulmozyme (Roche). *dornase alfa recombinant.*

Puregon (Organon). *follitrophine bêta.*

Purinethol (Glaxo Wellcome). *mercaptopurine.*

Pylorid (Glaxo Wellcome). *ranitidine, citrate de bismuth de.*

pyrantel, pamoate de. **Combantrin.**

pyrazinamide. **Tebrazid.**

pyrazinamide/isoniazide/rifampine. **Rifater.**

pyréthrine/pipéronyle, butoxyde de. **R & C II, aérosol, R & C, shampooing revitalisant.**

Pyribenzamine (Novartis Santé Familiale). *tripélennamine, chlorhydrate de.*

†Pyridiate. *phénazopyridine, chlorhydrate de.*

Pyridium (Parke-Davis). *phénazopyridine, chlorhydrate de.*

pyridostigmine, bromure de. **Mestinon, Mestinon-SR.**

pyridoxine, chlorhydrate de. vitamine B_6. **[Vitamine B_6, Monographie générale, APhC]; (Abbott).**

pyridoxine, chlorhydrate de/acide ascorbique/calcium, carbonate de/vitamine D. **Redoxon-Cal.**

pyridoxine, chlorhydrate de/doxylamine, succinate de. **Diclectin.**

pyrilamine, maléate de/acétaminophène/caféine. **Midol Extra-fort.**

pyrilamine, maléate de/acétaminophène/caféine/phéniramine, maléate de/phénylpropanolamine, chlorhydrate de. **Triaminicin.**

pyrilamine, maléate de/acétaminophène/pamabrom. **Midol SPM Extra-fort, Pamprin, Pamprin Extra-fort, Pamprin SPM.**

pyrilamine, maléate de/ammonium, chlorure d'/hydrocodone, bitartrate d'/phényléphrine, chlorhydrate de. **Hycomine, Hycomine-S.**

pyrilamine, maléate de/codéine, phosphate de/phéniramine, maléate de/phénylpropanolamine, chlorhydrate de. **Tussaminic C.**

pyrilamine, maléate de/guaifénésine/hydrocodone, bitartrate d'/phéniramine, maléate de/phénylpropanolamine, chlorhydrate de. **Triaminic Expectorant DH.**

pyrilamine, maléate de/hydrocodone, bitartrate d'/phéniramine, maléate de/phénylpropanolamine, chlorhydrate de. **Caldomine-DH, Tussaminic DH.**

pyrilamine, maléate de/phéniramine, maléate de/phénylpropanolamine, chlorhydrate de. **Triaminic, comprimés.**

pyrilamine, maléate de/phéniramine, maléate de/phénylpropanolamine, chlorhydrate de/sulfadiazine/sulfamérazine/sulfaméthazine. **Trisulfaminic.**

pyriméthamine. **Daraprim.**

pyriméthamine/sulfadoxine. **Fansidar.**

pyrithione, disulfure de/acide salicylique/goudron de houille/menthol. **Polytar AF.**

pyrithione, disulfure de/polytar. **Dan-Tar Plus.**

pyrrolidone sodique, carboxylate de/acide lactique. **Lacticare AHA.**

pyrvinium, pamoate de. viprynium, pamoate de. **Vanquin.**

Q

Quadracel (Connaught). *anatoxine diphtérique adsorbée/anatoxine tétanique adsorbée/vaccin anticoquelucheux (acellulaire)/vaccin antipoliomyélite, inactivé.*

†Quarzan. *clidinium, bromure de.*

quazépam. †Doral.

Quelicin (Chlorure) (Abbott). *succinylcholine, chlorure de.*

Questran (Bristol). *cholestyramine, résine de.*

Questran Léger (Bristol). *cholestyramine, résine de.*

quétiapine, fumarate de. **Seroquel.**

Quibron-T (Bristol). *théophylline.*

Quibron-T/SR (Bristol). *théophylline.*

†Quiess. *hydroxyzine, chlorhydrate d'.*

quinalbarbitone. voir *sécobarbital sodique.*

quinapril, chlorhydrate de. **[Inhibiteurs de l'ECA, Monographie générale, APhC]; Accupril.**

quinapril, chlorhydrate de/hydrochlorothiazide. **Accuretic.**

Quinate (Rougier). *quinidine, gluconate de.*

quinéthazone. †Hydromox.

Quinidex Extentabs (Wyeth-Ayerst). *quinidine, sulfate de.*

quinidine, bisulfate de. **[Quinidine, Monographie générale, APhC]; Biquin Durules.**

quinidine, gluconate de. **[Quinidine, Monographie générale, APhC]; Quinate.**

quinidine, phényléthylbarbiturate de. **Quinobarb.**

quinidine, polygalacturonate de. **[Quinidine, Monographie générale, APhC]; Cardioquin.**

quinidine, sulfate de. **[Quinidine, Monographie générale, APhC]; Apo-Quinidine, Quinidex Extentabs; (Abbott), (Glaxo Wellcome).**

quinine, sulfate de. **[Quinine (Sulfate), Monographie générale, APhC].**

Quinobarb (Rougier). *quinidine, phényléthylbarbiturate de.*

Quintasa (Ferring). *acide 5-aminosalicylique.*

R

Rafton, comprimés (Ferring). *acide alginique/aluminium, hydroxyde d'.*

Rafton, liquide (Ferring). *aluminium, hydroxyde d'/sodium, alginate de.*

raloxifène, chlorhydrate de. **Evista.**

raltitrexed disodique. **Tomudex.**

ramipril. [**Inhibiteurs de l'ECA, Monographie générale, APhC**]; **Altace.**

ranitidine, chlorhydrate de. **Alti-Ranitidine, Apo-Ranitidine, Gen-Ranitidine, Novo-Ranidine, Nu-Ranit, Zantac, Zantac 75.**

ranitidine, citrate de bismuth de. **Pylorid.**

†Raudixin. *rauwolfia serpentina.*

†Rauval. *rauwolfia serpentina.*

rauwolfia serpentina. †Raudixin, †Rauval, †Wolfina.

rauwolfia serpentina/bendrofluméthiazide. †Rauzide.

†Rauzide. *bendrofluméthiazide/rauwolfia serpentina.*

Raxar (Glaxo Wellcome). *grépafloxacine, chlorhydrate de.*

Reactine (Pfizer, Soins de la santé). *cétirizine, chlorhydrate de.*

Rebif (Serono). *interféron bêta-1a.*

Recombivax HB (MSD). *vaccin contre l'hépatite B (recombiné).*

Rectocort (Welcker-Lyster). *hydrocortisone, acétate d'.*

Rectogel (Riva). *benzocaïne/zinc, sulfate monohydraté de.*

Rectogel HC (Riva). *benzocaïne/hydrocortisone, acétate d'/zinc, sulfate monohydraté de.*

Redoxon (Roche). *acide ascorbique.*

Redoxon-B (Roche). *calcium, carbonate de/magnésium, carbonate de/magnésium, sulfate de/vitamine B, complexe de la.*

Redoxon-Cal (Roche). *acide ascorbique/calcium, carbonate de/pyridoxine, chlorhydrate de/vitamine D.*

†Redux. *dexfenfluramine.*

Refresh (Allergan). *alcool polyvinylique.*

†Regitine. *phentolamine, mésylate de.*

Reglan (Wyeth-Ayerst). *métoclopramide, chlorhydrate de.*

réglisse, poudre de/gentiane, racines de/scutellaire/valériane, racines de. **Herbes pour les nerfs.**

réglisse, racines de/buchu, feuilles de/cascara sagrada/genièvre, baies de/gentiane, racines de/huile de menthe poivrée/rhubarbe, racines de. **Laxatif aux herbes.**

†Regranax. *becaplermine.*

†Regroton. *chlorthalidone/réserpine.*

Rejuva-A (Stiefel). *trétinoïne.*

Relafen (SmithKline Beecham). *nabumétone.*

Relefact TRH (Hoechst Marion Roussel). *protiréline.*

rémifentanil, chlorhydrate de. **Ultiva.**

Renedil (Hoechst Marion Roussel). *félodipine.*

Renova (Janssen-Ortho). *trétinoïne.*

ReoPro (Lilly). *abciximab.*

repaglinide. †Prandin.

Replens (Roberts). *polycarbophile.*

requin, huile de foie de/levure. **Préparation H crème/onguent/suppositoires.**

Requip (SmithKline Beecham). *ropinirole, chlorhydate de.*

réserpine. **Serpasil.** †Serpalan.

réserpine/chlorthalidone. †Regroton.

réserpine/hydralazine, chlorhydrate d'/hydrochlorothiazide. **Ser-Ap-Es.**

réserpine/hydrochlorothiazide. **Hydropres-25.**

Resonium Calcium (Sanofi). *polystyrène calcique, sulfonate de.*

résorcine/alcool isopropylique/soufre. **Acnomel, crème.**

résorcine/soufre. **Acnomel, crème invisible.**

Resource (Novartis Nutrition). *nutrition entérale.*

Resource Breuvage aux fruits (Novartis Nutrition). *nutrition entérale.*

Resource Diabétique (Novartis Nutrition). *nutrition entérale.*

Resource Plus (Novartis Nutrition). *nutrition entérale.*

Resource pour enfants (Novartis Nutrition). *nutrition entérale.*

†Respbid. *théophylline.*

Restoril (Novartis Pharma). *témazépam.*

R & C II, aérosol (R & C). *pipéronyle, butoxyde de/pyréthrine.*

R & C, shampooing revitalisant (R & C). *pipéronyle, butoxyde de/pyréthrine.*

Retin-A (Janssen-Ortho). *trétinoïne.*

rétinol. voir *vitamine A.*

Retisol-A (Stiefel). *trétinoïne.*

Retrovir (AZT) (Glaxo Wellcome). *zidovudine.*

Reversa AHA (Dermtek). *acide glycolique.*

ReVia (DuPont Pharma). *naltrexone, chlorhydrate de.*

Revitalose-C-1000 (Rivex Pharma). *acide ascorbique.*

Revitonus C-1000 (Sabex). *acide ascorbique/glandes, extraits de.*

Rheomacrodex (Medisan Pharmaceuticals). *dextran 40.*

Rheumatrex (Wyeth-Ayerst). *méthotrexate sodique.*

Rhinalar (Roche). *flunisolide.*

Rhinaris (Pharmascience). *polyéthylène glycol/propylène glycol.*

Rhinocort Aqua (Astra). *budésonide.*

Rhinocort Turbuhaler (Astra). *budésonide.*

Rho-Aténolol (Rhodiapharm). *aténolol.*

Rho-Clonazepam (RhoxalPharma). *clonazépam.*

Rhodacine (Rhodiapharm). *indométhacine.*

Rhodiaprox (Rhodiapharm). *naproxen.*

Rhodis (Rhodiapharm). *kétoprofène.*

Rhodis-EC (Rhodiapharm). *kétoprofène.*

Rhodis SR (Rhodiapharm). *kétoprofène.*

Rho-Fluphenazine Decanoate (Rhodiapharm). *fluphénazine, décanoate de.*

Rho-Haloperidol Decanoate (Rhodiapharm). *halopéridol, décanoate d'.*

Rho-Lopéramide (RhoxalPharma). *lopéramide, chlorhydrate de.*

Rho-Metformin (RhoxalPharma). *metformine, chlorhydrate de.*

Rho-Nitrazepam (RhoxalPharma). *nitrazépam.*

Rho-Salbutamol (Rhodiapharm). *salbutamol, sulfate de.*

Rho-Sotalol (RhoxalPharma). *sotalol, chlorhydrate de.*

Rhotral (Rhodiapharm). *acébutolol, chlorhydrate d'.*

Rhotrimine (Rhodiapharm). *trimipramine, maléate de.*

Rhovail (RHO-Pharm). *kétoprofène.*

Rhovane (Rhodiapharm). *zopiclone.*

rhubarbe, racines de/buchu, feuilles de/cascara sagrada/genièvre, baies de/gentiane, racines de/huile de menthe poivrée/réglisse, racines de. **Laxatif aux herbes.**

ribavirine. **Virazole (lyophilisé).**

riboflavine. lactoflavine. vitamine B_2. vitamine G. [**Vitamine B_2, Monographie générale, APhC**].

Ridaura (Pharmascience). *auranofine.*

rifabutine. **Mycobutin.**

Rifadin (Hoechst Marion Roussel). *rifampine.*

†Rifamate. *isoniazide/rifampine.*

rifampicine. voir *rifampine.*

Les noms **soulignés** paraissent en version détaillée dans la section des monographies du *CPS.*

rifampine. rifampicine. **[Rifampine, Monographie générale, APhC]; Rifadin, Rimactane, Rofact.**

rifampine/isoniazide. †Rifamate.

rifampine/isoniazide/pyrazinamide. **Rifater.**

rifapentine. †Priftin.

Rifater (Hoechst Marion Roussel). *isoniazide/pyrazinamide/rifampine.*

Rimactane (Novartis Pharma). *rifampine.*

rimantadine, chlorhydrate de. †Flumadine.

rimexolone. **Vexol.**

Rimso-50 (Roberts). *diméthylsulfoxyde.*

Riopan (Whitehall-Robins). *magaldrate.*

Riopan Plus (Whitehall-Robins). *magaldrate/siméthicone.*

Riphenidate (Technilab). *méthylphénidate, chlorhydrate de.*

Risperdal, comprimés (Janssen-Ortho). *rispéridone.*

Risperdal, solution orale (Janssen-Ortho). *rispéridone, tartrate de.*

rispéridone. **Risperdal, comprimés.**

rispéridone, tartrate de. **Risperdal, solution orale.**

Ritalin (Novartis Pharma). *méthylphénidate, chlorhydrate de.*

Ritalin SR (Novartis Pharma). *méthylphénidate, chlorhydrate de.*

ritodrine, chlorhydrate de. **Yutopar.**

ritonavir. **Norvir.**

†Rituxan. *rituximab.*

rituximab. †Rituxan.

Rivanase Aq. (Riva). *béclométhasone, dipropionate de.*

Riva-Senna (Riva). *sennosides.*

Rivasol (Riva). *zinc, sulfate monohydraté de.*

Rivasol HC (Riva). *hydrocortisone, acétate d'/zinc, sulfate monohydraté de.*

Rivotril (Roche). *clonazépam.*

rizatriptan. †Maxalt.

†RMS Uniserts. *morphine, sulfate de.*

Robaxacet (Whitehall-Robins). *acétaminophène/méthocarbamol.*

Robaxacet-8 (Whitehall-Robins). *acétaminophène/codéine, phosphate de/méthocarbamol.*

Robaxin (Whitehall-Robins). *méthocarbamol.*

Robaxin, injectable (Wyeth-Ayerst). *méthocarbamol.*

Robaxin-750 (Whitehall-Robins). *méthocarbamol.*

Robaxisal (Whitehall-Robins). *AAS/méthocarbamol.*

Robaxisal-C (Whitehall-Robins). *AAS/codéine, phosphate de/méthocarbamol.*

Robidone (Wyeth-Ayerst). *hydrocodone, bitartrate d'.*

Robinul (Wyeth-Ayerst). *glycopyrrolate.*

Robinul Forte (Wyeth-Ayerst). *glycopyrrolate.*

Robinul, injectable (Wyeth-Ayerst). *glycopyrrolate.*

Robitussin (Whitehall-Robins). *guaifénésine.*

Robitussin AC (Whitehall-Robins). *codéine, phosphate de/guaifénésine/phéniramine, maléate de.*

Robitussin avec Codéine (Whitehall-Robins). *codéine, phosphate de/guaifénésine/phéniramine, maléate de.*

Robitussin DM (Whitehall-Robins). *dextrométhorphane, bromhydrate de/guaifénésine.*

Robitussin Pédiatrique (Whitehall-Robins). *dextrométhorphane, bromhydrate de.*

Robitussin Pédiatrique Toux et Rhume (Whitehall-Robins). *dextrométhorphane, bromhydrate de/pseudoéphédrine, chlorhydrate de.*

Robitussin Toux et Rhume (Whitehall-Robins). *dextrométhorphane, bromhydrate de/guaifénésine/pseudoéphédrine, chlorhydrate de.*

Robitussin Toux et Rhume Liqui-Gels (Whitehall-Robins). *dextrométhorphane, bromhydrate de/guaifénésine/pseudoéphédrine, chlorhydrate de.*

Robitussin Toux, Rhume et Grippe Liqui-Gels (Whitehall-Robins). *acétaminophène/dextrométhorphane, bromhydrate de/guaifénésine/pseudoéphédrine, chlorhydrate de.*

Rocaltrol (Roche). *calcitriol.*

Rocephin (Roche). *ceftriaxone sodique.*

rocuronium, bromure de. **Zemuron.**

Rofact (ICN). *rifampine.*

Roferon-A (Roche). *interféron alfa-2a.*

Rogaine (Pharmacia & Upjohn). *minoxidil.*

Rogitine (Novartis Pharma). *phentolamine, mésylate de.*

ropinirole, chlorhydate de. **Requip.**

ropivacaïne, chlorhydrate de. **Naropin.**

Rovamycine (Rhône-Poulenc Rorer). *spiramycine.*

†Rowasa. *acide 5-aminosalicylique.*

†Roxanol. *morphine, sulfate de.*

†Roxicodone. *oxycodone, chlorhydrate d'.*

Roychlor (Waymar). *potassium, chlorure de.*

Royflex (Waymar). *triéthanolamine, salicylate de.*

Royvac (Waymar). *bisacodyl/magnésium, citrate de.*

ruban pour test glycosurique enzymatique. **Tes-Tape.**

Rubifuge (Produits ophtalmiques Rivex). *naphazoline, chlorhydrate de.*

Rubramin (Squibb). *cyanocobalamine.*

†Rufen. *ibuprofène.*

Rylosol (ICN). *sotalol, chlorhydrate de.*

Rythmodan (Hoechst Marion Roussel). *disopyramide.*

Rythmodan-LA (Hoechst Marion Roussel). *disopyramide, phosphate de.*

Rythmol (Knoll). *propafénone, chlorhydrate de.*

S

Sabril (Hoechst Marion Roussel). *vigabatrine.*

Saizen (Serono). *somatropine.*

Salac (Medicis). *acide salicylique.*

Salagen (Pharmacia & Upjohn). *pilocarpine, chlorhydrate de.*

Salazopyrin (Pharmacia & Upjohn). *sulfasalazine.*

Salazopyrin En-Tabs (Pharmacia & Upjohn). *sulfasalazine.*

salazosulfapyridine. voir *sulfasalazine.*

salbutamol. albuterol. **Alti-Salbutamol, Apo-Salvent, Novo-Salmol, inhalateur, Ventolin, aérosol-doseur/liquide oral.** †Proventil.

Salbutamol Nebuamp (Astra). *salbutamol, sulfate de.*

salbutamol, sulfate de. **Airomir, Alti-Salbutamol Sulfate, Asmavent, Gen-Salbutamol, solution pour respirateur, Gen-Salbutamol Sterinebs P.F., Novo-Salmol, Nu-Salbutamol, comprimés, Nu-Salbutamol, solution, PMS-Salbutamol Respirator Solution, Rho-Salbutamol, Salbutamol Nebuamp, Ventodisk Disk/Diskhaler, Ventolin Injectable, Ventolin Nebules P.F., Ventolin Rotacaps/Rotahaler; (BDH).**

salbutamol, sulfate de/ipratropium, bromure d'. **Combivent, aérosol pour inhalation, Combivent, solution pour inhalation.**

salcatonine. voir *calcitonine (saumon).*

†Salflex. *salsalate.*

salicylazosulfapyridine. voir *sulfasalazine.*

Saline d'Otrivin (Novartis Santé Familiale). *sodium, chlorure de.*

Salinex (Technilab). *sodium, chlorure de.*

Salinol (Technilab). *polyéthylène glycol/propylène glycol.*

salmétérol, xinafoate de. **Serevent.**

Salofalk (Axcan Pharma). *acide 5-aminosalicylique.*

salsalate. acide salicylsalicylique. **Disalcid.** †Amigesic, †Salflex, †Salsitab.

†Salsitab. *salsalate.*

†Saluron. *hydroflumethiazide.*

Sandimmune I.V. (Novartis Pharma). *cyclosporine.*

Sandomigran (Novartis Pharma). *pizotifène, maléte de.*

Sandomigran DS (Novartis Pharma). *pizotifène, maléte de.*

Sandosource Peptide (Novartis Nutrition). *nutrition entérale.*

Sandostatin (Novartis Pharma). *octréotide, acétate d'.*

Sanorex (Novartis Pharma). *mazindol.*

Sans-Acne (Galderma). *alcool éthylique/érythromycine.*

Sansert (Novartis Pharma). *méthysergide, maléate de.*

Santyl (Knoll). *collagénase.*

saquinavir, mésylate de. **Invirase.**

sargramostim. †Leukine.

Sarna HC (Stiefel). *hydrocortisone.*

Sarna-P (Stiefel). *camphre/menthol/pramoxine, chlorhydrate de.*

S.A.S. (ICN). *sulfasalazine.*

Sastid (Stiefel). *acide salicylique/soufre.*

Savlodil (Zeneca). *cétrimide/chlorhexidine, gluconate de.*

Savlon (Zeneca). *cétrimide/chlorhexidine, gluconate de.*

savon non médicamenteux. **Acne-Aid, Allenburys Savon Neutre.**

Scabene (Medican). *esdépalléthrine/pipéronyle, butoxyde de.*

scellement fibrinogène, agent de. **Tisseel Kit VH.**

Scheinpharm Artificial Tears (Schein Pharmaceutical). *alcool polyvinylique.*

Scheinpharm Artificial Tears Plus (Schein Pharmaceutical). *alcool polyvinylique.*

Scheinpharm Atenolol (Schein Pharmaceutical). *aténolol.*

Scheinpharm B12 (Schein Pharmaceutical). *cyanocobalamine.*

Scheinpharm Cefaclor (Schein Pharmaceutical). *céfaclor.*

Scheinpharm Clotrimazole (Schein Pharmaceutical). *clotrimazole.*

Scheinpharm Desonide (Schein Pharmaceutical). *désonide.*

Scheinpharm Diphenhydramine (Schein Pharmaceutical). *diphenhydramine, chlorhydrate de.*

Scheinpharm Dobutamine (Schein Pharmaceutical). *dobutamine, chlorhydrate de.*

Scheinpharm Ferrous Fumarate (Schein Pharmaceutical). *fumarate ferreux.*

Scheinpharm Gentamicin (Schein Pharmaceutical). *gentamicine, sulfate de.*

Scheinpharm Penicillin G Sodium (Scheinpharm Pharmaceutical). *pénicilline G sodique.*

Scheinpharm Pilocarpine (Schein Pharmaceutical). *pilocarpine, chlorhydrate de.*

Scheinpharm Testone-Cyp (Schein Pharmaceutical). *testostérone, cypionate de.*

Scheinpharm Tobramycin (Schein Pharmaceutical). *tobramycine, sulfate de.*

Scheinpharm Triamcine-A (Schein Pharmaceutical). *triamcinolone, acétonide de.*

scopolamine. **[Scopolamine, Monographie générale, APhC]; Transderm-V.**

scopolamine, bromhydrate de. hyoscine, bromhydrate d'. **[Scopolamine, Monographie générale, APhC]; (Abbott).**

scopolamine, bromhydrate de/atropine, sulfate d'/attapulgite activée/hyoscyamine, sulfate d'/opium/pectine. **Diban.**

scopolamine, bromhydrate de/atropine, sulfate d'/hyoscyamine, sulfate d'/phénobarbital. **Donnatal.**

scopolamine, butylbromure de. hyoscine, butylbromure d'. **[Scopolamine, Monographie générale, APhC]; Buscopan.**

scutellaire/gentiane, racines de/réglisse, poudre de/valériane, racines de. **Herbes pour les nerfs.**

Sebcur (Dermtek). *acide salicylique.*

Sebcur/T (Dermtek). *acide salicylique/goudron de houille.*

Sebulex (Westwood-Squibb). *acide salicylique/soufre.*

Sebulon (Westwood-Squibb). *zinc, pyrithione de.*

Sebutone (Westwood-Squibb). *acide salicylique/goudron de houille/soufre.*

Secaris (Pharmascience). *polyéthylène glycol/propylène glycol.*

secbutabarbital. voir *butabarbital sodique.*

secbutabarbitone. voir *butabarbital sodique.*

sécobarbital sodique. quinalbarbitone. **[Barbituriques, Monographie générale, APhC].**

sécrétine. **(Ferring).**

Sectral (Rhône-Poulenc Rorer). *acébutolol, chlorhydrate d'.*

Selax (Odan). *docusate sodique.*

Seldane (Hoechst Marion Roussel). *terfénadine.*

Select 1/35 (Dispensapharm). *éthinylœstradiol/noréthindrone.*

sélégiline, chlorhydrate de. **Apo-Selegiline, Eldepryl, Gen-Selegiline, Novo-Selegiline, Nu-Selegiline.**

sélénium/acide ascorbique/vitamine du complexe B/vitamine E/zinc. **Stresstabs Plus.**

sélénium, sulfure de. **Versel.**

†Sele-Pak. *acide sélénieux.*

†Selepen. *acide sélénieux.*

†Selestoject. *bétaméthasone, phosphate sodique de.*

Selexid (Leo). *pivmécilliname, chlorhydrate de.*

sels ferreux. **(Monographie générale, APhC).**

séné/psyllium. **Prodiem Plus.**

sennosides. **Ex-Lax, comprimés dragéifiés, Ex-Lax, morceaux chocolatés, Glysennid, PMS-Sennosides, Riva-Senna, Senokot, X-Prep.**

sennosides/docusate sodique. **Senokot•S.**

Senokot (Purdue Frederick). *sennosides.*

Senokot•S (Purdue Frederick). *docusate sodique/sennosides.*

Sensorcaine (Astra). *bupivacaïne, chlorhydrate de.*

Sensorcaine avec Épinéphrine (Astra). *bupivacaïne, chlorhydrate de/épinéphrine.*

Sensorcaine Forte (Astra). *bupivacaïne, chlorhydrate de/épinéphrine.*

Septra (Glaxo Wellcome). *sulfaméthoxazole/triméthoprime.*

Septra DS (Glaxo Wellcome). *sulfaméthoxazole/triméthoprime.*

Septra pour Injection (Glaxo Wellcome). *sulfaméthoxazole/triméthoprime.*

Ser-Ap-Es (Novartis Pharma). *hydralazine, chlorhydrate d'/hydrochlorothiazide/réserpine.*

Serax (Wyeth-Ayerst). *oxazépam.*

Serc (Solvay Pharma). *bétahistine, chlorhydrate de.*

Serentil (Novartis Pharma). *mésoridazine, bésylate de.*

Serevent (Glaxo Wellcome). *salmétérol, xinafoate de.*

Serophene (Serono). *clomiphène, citrate de.*

Seroquel (Zeneca). *quétiapine, fumarate de.*

†Serpalan. *réserpine.*

Serpasil (Novartis Pharma). *réserpine.*

sertraline, chlorhydrate de. **[Inhibiteurs sélectifs du recaptage de la sérotonine, Monographie générale, APhC]; Zoloft.**

sérum anticrotalidés. **Antivenin.**

Les noms **soulignés** paraissent en version détaillée dans la section des monographies du *CPS*.

sérum de bœuf/fer/foie, extrait de/vitamine B, complexe de la. **Hormodausse.**

Serzone (Bristol-Myers Squibb). *néfazodone, chlorhydrate de.*

sevoflurane. **Sevorane.**

Sevorane (Abbott). *sevoflurane.*

SH-206 (Pharmascience). *acide acétique/camphre/citron, huile de/sodium, lauryl éther sulfate de.*

Sialor (Solvay Pharma). *anétholtrithione.*

sibutramine. †Meridia.

sildenafil, citrate de. †Viagra.

†Sildimac. *argent, sulfadiazine d'.*

silicone/hydrocortisone. **Barriere HC.**

silicones/cellulose/glycérides/polyglycol/polysiloxane, copolyol de. **Spectro Derm.**

†Silvadene. *argent, sulfadiazine d'.*

siméthicone. diméthicone activée. polyméthylsiloxane ativée. **Baby's Own Gouttes pour bébés, Gas-X, Gas-X Extra fort, Ovol, Phazyme.**

siméthicone/aluminium, hydroxyde d'/magnésium, hydroxyde de. **Diovol Plus, Maalox Plus, Maalox Plus Extra forte, Mylanta, concentration normale, Mylanta, double concentration simple, comprimés, Mylanta extra-puissant.**

siméthicone/calcium, carbonate de/magnésium, hydroxyde de. **Diovol Plus AF.**

siméthicone/magaldrate. **Riopan Plus.**

Similac LF (Abbott). *préparations pour nourrissons sans lactose.*

simvastatine. **Zocor.**

Sinemet (DuPont Pharma). *carbidopa/lévodopa.*

Sinemet CR (DuPont Pharma). *carbidopa/lévodopa.*

Sinequan (Pfizer). *doxépine, chlorhydrate de.*

Singulair (MSD). *montélukast sodique.*

Sintrom (Novartis Pharma). *nicoumalone.*

Sinutab (Warner-Lambert, Santé grand public). *acétaminophène/chlorphéniramine, maléate de/pseudoéphédrine, chlorhydrate de.*

Sinutab avec codéine (Warner-Lambert, Santé grand public). *acétaminophène/chlorphéniramine, maléate de/codéine/pseudoéphédrine, chlorhydrate de.*

Sinutab, Formule-nuit (Warner-Lambert, Santé grand public). *acétaminophène/diphenhydramine, chlorhydrate de/pseudoéphédrine, chlorhydrate de.*

Sinutab SA (Warner-Lambert, Santé grand public). *acétaminophène/phénylpropanolamine, chlorhydrate de/phényltoloxamine, citrate de.*

Sinutab sans somnolence (Warner-Lambert, Santé grand public). *acétaminophène/pseudoéphédrine, chlorhydrate de.*

692 (Frosst). *AAS/caféine/propoxyphène, chlorhydrate de.*

†Skelaxin. *metaxalone.*

Slo-Bid (Rhône-Poulenc Rorer). *théophylline.*

Slow-Fe (Novartis Santé Familiale). *sulfate ferreux.*

Slow-Fe Folic (Novartis Santé Familiale). *acide folique/sulfate ferreux.*

Slow-K (Novartis Pharma). *potassium, chlorure de.*

Slow-Mag (Roberts). *magnésium, chlorure de.*

Slow-Trasicor (Novartis Pharma). *oxprénolol, chlorhydrate d'.*

SMA, Preemie (Wyeth-Ayerst). *préparations pour nourrissons de poids faible.*

SMA, Préparations (Wyeth-Ayerst). *préparations pour nourrissons.*

sodium, alginate de/aluminium, hydroxyde d'. **Gaviscon, formule pour soulager les brûlures d'estomac, liquide, Rafton, liquide.**

sodium, aurothiomalate de. thiomalate de sodium et d'or. **Myochrysine.**

sodium, bicarbonate de. **[Sodium (Bicarbonate), Monographie générale, APhC]; (Abbott), (Astra).**

sodium, bicarbonate de/aneth, essence d'/anis, essence d'/fenouil, essence de. **Baby's Own Eau anticoliques.**

sodium, bicarbonate de/sodium, citrate de. **Citrocarbonate.**

sodium, chlorure de. **Minims Chlorure de sodium, Saline d'Otrivin, Salinex, Thalaris; (Abbott), (Astra), (BDH).**

sodium, chlorure de/gentamicine, sulfate de. **(Abbott), (Baxter).**

sodium, chlorure de/héparine sodique. **(Baxter).**

sodium, chlorure de/hydroxyéthylcellulose. **Minims Larmes artificielles.**

sodium, citrate de/acide citrique. **PMS-Dicitrate.**

sodium, citrate de/acide sorbique/glycérine/sodium, laurylsulfoacétate de/sorbitol. **Microlax.**

sodium, citrate de/doxylamine, succinate de/étafédrine, chlorhydrate d'/hydrocodone, bitartrate d'. **Calmydone, Dalmacol, Mercodol avec Decapryn.**

sodium, citrate de/sodium, bicarbonate de. **Citrocarbonate.**

sodium, diatrizoate de/méglumine, diatrizoate de. **Hypaque Parentéral, MD-76.**

sodium, éthacrynate de. **Edecrin Sodium.**

sodium, fusidate de. **Fucidin, comprimés, Fucidin Intertulle, Fucidin I.V., Fucidin, onguent.**

sodium, ioxaglate de/méglumine, ioxaglate de. **Hexabrix.**

sodium, ioxitalamate de/méglumine, ioxitalamate de. **Telebrix 38 Oral.**

sodium, lauryl éther sulfate de/acide acétique/camphre/citron, huile de. **SH-206.**

sodium, laurylsulfoacétate de/acide sorbique/glycérine/sodium, citrate de/sorbitol. **Microlax.**

sodium, nitroprusside de. nitroprussiate sodique. **Nipride.** †Nitropress.

sodium para-aminosalicylate. **Nemasol Sodium—ICN.**

sodium, phosphates de. **Fleet, lavement, Fleet Phospho-Soda, Gent-L-Tip, Phosphates Solution.**

sodium, propionate de/acides aminés/urée. **Amino-Cerv.**

†Sofarin. *warfarine sodique.*

Soflax (Pharmascience). *docusate sodique.*

Soflax Ex (Pharmascience). *bisacodyl.*

Sofracort (Hoechst Marion Roussel). *dexaméthasone/framycétine, sulfate de/gramicidine.*

Soframycin, gouttes ophtalmiques (Hoechst Marion Roussel). *framycétine, sulfate de.*

Soframycin, pommade (Hoechst Marion Roussel). *framycétine, sulfate de/gramicidine.*

Sofra Tulle (Hoechst Marion Roussel). *framycétine, sulfate de.*

Solaquin (ICN). *hydroquinone.*

Solaquin Forte (ICN). *hydroquinone.*

†Solfoton. *phénobarbital.*

Solganal (Schering). *aurothioglucose.*

Solu-Cortef (Pharmacia & Upjohn). *hydrocortisone, succinate sodique d'.*

Solugel (Stiefel). *benzoyle, peroxyde de.*

Solu-Medrol (Pharmacia & Upjohn). *méthylprednisolone, succinate sodique de.*

†Solu-Phyllin. *théophylline.*

†Solurex-LA. *dexaméthasone, acétate de.*

Solution de rinçage héparinée (Abbott). *héparine sodique.*

Solution d'oligo-éléments (Faulding). *électrolytes.*

solution physiologique équilibrée. **BSS, BSS Plus.**

solution pour conservation à basse température. **Viaspan.**

solution saline équilibrée. **Eye-Stream.**

Soluver (Dermtek). *acide salicylique.*

Soluver Plus (Dermtek). *acide salicylique.*

Soma (Carter Horner). *carisoprodol.*

†Somagard. *deslorelin.*
somatostatine. **Stilamin.**
somatrem. **Protropin.**
somatropine. **Humatrope, Nutropin, Nutropin Aq, Saizen.**
Somnol (Carter Horner). *flurazépam, monochlorhydrate de.*
Sonacide (Wyeth-Ayerst). *glutaraldéhyde.*
Sopalamine/3B (Technilab). *multivitamines.*
Sopalamine/3B Plus C (Technilab). *multivitamines.*
sorbide, nitrate de. voir *isosorbide, dinitrate d'.*
sorbitol/acide sorbique/glycérine/sodium, citrate de/sodium, laurylsulfoacétate de. **Microlax.**
Soriatane (Roche). *acitrétine.*
Soropon (Purdue Frederick). *propylène glycol/triéthanolamine, polypeptide concentré de cocoate de/tyrothricine.*
Sotacor (Bristol). *sotalol, chlorhydrate de.*
sotalol, chlorhydrate de. **Alti-Sotalol, Apo-Sotalol, Gen-Sotalol, Novo-Sotalol, Nu-Sotalol, Rho-Sotalol, Rylosol, Sotacor, Sotamol.** †Betapace.
Sotamol (Technilab). *sotalol, chlorhydrate de.*
soufre. **Postacné; (Stiefel).**
soufre/acide salicylique. **Meted, Pernox, Sastid, Sebulex.**
soufre/acide salicylique/goudron de houille. **Sebutone.**
soufre/alcool isopropylique/résorcine. **Acnomel, crème.**
soufre/allantoïne/butoxyéthyl, nicotinate de/chloramphénicol/hydrocortisone, acétate d'. **Actinac.**
soufre/aluminium, chlorhydrate d'/méthylprednisolone, acétate de. **Medrol, lotion contre l'acné.**
soufre/aluminium, chlorhydrate d'/méthylprednisolone, acétate de/néomycine, sulfate de. **Neo-Medrol, lotion contre l'acné.**
soufre/benzoyle, peroxyde de. **Sulfoxyl.**
soufre/résorcine. **Acnomel, crème invisible.**
soufre/sulfacétamide sodique. **Sulfacet-R.**
†Sparine. *promazine, chlorhydrate de.*
†Spectazole. *éconazole, nitrate d'.*
†Spectrobid. *bacampicilline, chlorhydrate de.*
Spectro Derm (Spectropharm Dermatology). *cellulose/glycérides/polyglycol/polysiloxane, copolyol de/silicones.*
Spectro Gluvs «19» (Spectropharm Dermatology). *diméthicone/éther perfluoropolyméthylisopropylique/tricontanyl PVP.*
Spectro Gram «2» (Spectropharm Dermatology). *chlorhexidine, gluconate de.*
Spectro Jel «609» (Spectropharm Dermatology). *polysiloxane cellulose, complexe de.*
†Spectro-Sulf. *sulfacétamide sodique.*
Spectro Tar, shampooing antiseptique (Spectropharm Dermatology). *chlorhexidine, gluconate de/goudron.*
Spectro Tar Wash/Lavage (Spectropharm Dermatology). *goudron de houille.*
spiramycine. **Rovamycine.**
spironolactone. **Aldactone, Novo-Spiroton.**
spironolactone/hydrochlorothiazide. **Aldactazide 25, Aldactazide 50, Novo-Spirozine.**
Sporanox, capsules (Janssen-Ortho). *itraconazole.*
Sporanox, solution orale (Janssen-Ortho). *itraconazole.*
SSD (Knoll). *argent, sulfadiazine d'.*
Stadol NS (Bristol-Myers Squibb). *butorphanol, tartrate de.*
†Staphcillin. *methicilline sodique.*
Statex (Pharmascience). *morphine, sulfate de.*
Staticin (Westwood-Squibb). *alcool éthylique/érythromycine/laureth-4.*
stavudine. d4T. **Zerit.**
Stelabid (SmithKline Beecham). *isopropamide, iodure d'/trifluopérazine, chlorhydrate de.*
Stelazine (SmithKline Beecham). *trifluopérazine, chlorhydrate de.*
†Stemetic. *triméthobenzamide, chlorhydrate de.*
Stémétil, comprimés (Rhône-Poulenc Rorer). *prochlorperazine, bimaléate de.*
Stémétil, suppositoires (Rhône-Poulenc Rorer). *prochlorpérazine.*
Stémétil, injection/liquide (Rhône-Poulenc Rorer). *prochlorpérazine, mésylate de.*
sterculia. **Normacol.**
Steri/Sol (Warner-Lambert, Santé grand public). *hexétidine.*
StieVA-A (Stiefel). *trétinoïne.*
StieVA-A Forte (Stiefel). *trétinoïne.*
Stievamycin (Stiefel). *érythromycine/trétinoïne.*
Stilamin (Serono). *somatostatine.*
stilbœstrol. voir *diéthylstilbœstrol diphosphate sodique.*
†Stilphostrol. *diéthylstilbœstrol diphosphate sodique.*
†Storz-Dexa. *dexaméthasone, phosphate sodique de.*
Streptase (Hoechst Marion Roussel). *streptokinase.*
streptococcus lactis/lactobacillus acidophilus/lactobacillus bulgaricus. **Fermalac, Fermalac Vaginal.**
streptokinase. **Kabikinase, Streptase.**
streptomycine, sulfate de. **[Streptomycine, Monographie générale, APhC]; (Pfizer).**
streptozocine. **Zanosar.**
Stresstabs (Whitehall-Robins). *multivitamines.*
Stresstabs avec Fer (Whitehall-Robins). *fer/multivitamines.*
Stresstabs avec Zinc (Whitehall-Robins). *cuivre, oxyde de/multivitamines/zinc, oxyde de.*
Stresstabs Plus (Whitehall-Robins). *acide ascorbique/sélénium/vitamine du complexe B/vitamine E/zinc.*
succimer. acide dimercaptosuccinique. DMSA. †Chemet.
succinylcholine, chlorure de. suxaméthonium. **Anectine, Quelicin (Chlorure); (Bioniche).** †Sucostrin.
†Sucostrin. *succinylcholine, chlorure de.*
sucralfate. **Apo-Sucralfate, Novo-Sucralate, Nu-Sucralfate, Sulcrate, Sulcrate Suspension Plus.** †Carafate.
Sudafed Décongestionnant (Warner-Lambert, Santé grand public). *pseudoéphédrine, chlorhydrate de.*
Sudafed Décongestionnant 12 heures (Warner-Lambert, Santé grand public). *pseudoéphédrine, chlorhydrate de.*
Sudafed rhume de cerveau et sinus (Warner-Lambert, Santé grand public). *acétaminophène/pseudoéphédrine, chlorhydrate de.*
Sudafed rhume et grippe (Warner-Lambert, Santé grand public). *acétaminophène/dextrométhorphane, bromhydrate de/guaifénésine/pseudoéphédrine, chlorhydrate de.*
Sudafed rhume & toux (Warner-Lambert, Santé grand public). *acétaminophène/dextrométhorphane, bromhydrate de/pseudoéphédrine, chlorhydrate de.*
Sufenta (Janssen-Ortho). *sufentanil, citrate de.*
sufentanil, citrate de. **Sufenta.**
Sulamyd Sodique (Schering). *sulfacétamide sodique.*
sulbactam sodique/ampicilline sodique. †Unasyn.
sulconazole, nitrate de. †Exelderm.
Sulcrate (Hoechst Marion Roussel). *sucralfate.*
Sulcrate Suspension Plus (Hoechst Marion Roussel). *sucralfate.*
†Sulf-10. *sulfacétamide sodique.*
sulfabenzamide/sulfacétamide/sulfathiazole. **Sultrin.** †Sulfa-Gyn, †Sulnac, †V.V.S.

Les noms **soulignés** paraissent en version détaillée dans la section des monographies du *CPS*.

sulfacétamide sodique. **Cetamide, Diosulf, Sulamyd Sodique.** †Ophthacet, †Spectro-Sulf, †Sulf-10, †Sulfamide, †Sulten-10.

sulfacétamide sodique/prednisolone, acétate de. **Blephamide, Dioptimyd, Metimyd.**

sulfacétamide sodique/prednisolone, phosphate sodique de. **Vasocidin.**

sulfacétamide sodique/soufre. **Sulfacet-R.**

sulfacétamide/sulfabenzamide/sulfathiazole. **Sultrin.** †Sulfa-Gyn, †Sulnac, †V.V.S.

Sulfacet-R (Dermik Laboratories Canada). *soufre/sulfacétamide sodique.*

sulfadiazine/phéniramine, maléate de/phénylpropanolamine, chlorhydrate de/pyrilamine, maléate de/sulfamérazine/ sulfaméthazine. **Trisulfaminic.**

sulfadiazine/triméthoprime. **Coptin.**

sulfadoxine/pyriméthamine. **Fansidar.**

†Sulfa-Gyn. *sulfabenzamide/sulfacétamide/sulfathiazole.*

sulfamérazine/phéniramine, maléate de/phénylpropanolamine, chlorhydrate de/pyrilamine, maléate de/sulfadiazine/ sulfaméthazine. **Trisulfaminic.**

sulfaméthazine/phéniramine, maléate de/phénylpropanolamine, chlorhydrate de/pyrilamine, maléate de/sulfadiazine/ sulfamérazine. **Trisulfaminic.**

sulfaméthizole. †Thiosulfil Forte.

sulfaméthoxazole/triméthoprime. **Apo-Sulfatrim, Bactrim Roche, Novo-Trimel, Novo-Trimel D.S., Nu-Cotrimox, Septra, Septra DS, Septra pour Injection.** †Sulfatrim.

†Sulfamide. *sulfacétamide sodique.*

sulfanilamide. **AVC.** †Vagitrol.

sulfapyridine. **[Sulfapyridine, Monographie générale, APhC]; Dagenan.**

sulfasalazine. salazosulfapyridine. salicylazosulfapyridine. sulphasalazine. **Alti-Sulfasalazine, Salazopyrin, Salazopyrin En-Tabs, S.A.S.** †Azulfidine.

sulfate ferreux. **[Sels ferreux, Monographie générale, APhC]; Apo-Ferrous Sulfate, Fer-In-Sol, Ferodan, Fero-Grad, Slow-Fe.**

sulfate ferreux/acide folique. **Slow-Fe Folic.**

sulfathiazole/sulfabenzamide/sulfacétamide. **Sultrin.** †Sulfa-Gyn, †Sulnac, †V.V.S.

†Sulfatrim. *sulfaméthoxazole/triméthoprime.*

†Sulfimycin. *acétylsulfisoxazole/érythromycine, éthylsuccinate d'.*

sulfinpyrazone. **Anturan, Apo-Sulfinpyrazone, Nu-Sulfinpyrazone.**

sulfonylurées. **(Monographie générale, APhC).**

Sulfoxyl (Stiefel). *benzoyle, peroxyde de/soufre.*

sulindac. **Apo-Sulin, Novo-Sundac, Nu-Sulindac.**

†Sulnac. *sulfabenzamide/sulfacétamide/sulfathiazole.*

sulphasalazine. voir sulfasalazine.

†Sulten-10. *sulfacétamide sodique.*

Sultrin (Janssen-Ortho). *sulfabenzamide/sulfacétamide/ sulfathiazole.*

sumatriptan, hémisulfate de. **Imitrex, vaporisaton nasale.**

sumatriptan, succinate de. **Imitrex, comprimés/injectable.**

Sun-Benz (Sun). *benzydamine, chlorhydrate de.*

Supeudol (Sabex). *oxycodone, chlorhydrate d'.*

Suplasyn (Bioniche). *hyaluronate sodique.*

Suplevit (Riva). *multivitamines et minéraux.*

Supracaine (Hoechst Marion Roussel). *tétracaïne.*

Suprane (Zeneca). *desflurane.*

Suprax (Rhône-Poulenc Rorer). *céfixime.*

Suprefact (Hoechst Marion Roussel). *buséréline, acétate de.*

Suprefact Depot (Hoechst Marion Roussel). *buséréline, acétate de.*

Supres (Frosst). *chlorothiazide/méthyldopa.*

suprofen. †Profenal.

Surfak (Hoechst Marion Roussel). *docusate calcique.*

Surgam (Hoechst Marion Roussel). *acide tiaprofénique.*

Surgam SR (Hoechst Marion Roussel). *acide tiaprofénique.*

Surmontil (Rhône-Poulenc Rorer). *trimipramine, maléate de.*

Survanta (Abbott). *beractant.*

Sustacal (Mead Johnson). *nutrition entérale.*

suxaméthonium. voir succinylcholine, chlorure de.

Swiss Une (Swiss Herbal). *multivitamines et minéraux.*

Swiss Une "50", action maintenue (Swiss Herbal). *multivitamines et minéraux.*

†Symadine. *amantadine, chlorhydrate d'.*

Symmetrel (Antiparkinsonien) (DuPont Pharma). *amantadine, chlorhydrate d'.*

Symmetrel (Antiviral) (DuPont Pharma). *amantadine, chlorhydrate d'.*

†Synacort. *hydrocortisone.*

Synacthen Dépôt (Novartis Pharma). *cosyntrophine/zinc, hydroxyde de.*

Synalar (Roche). *fluocinolone, acétonide de.*

Synarel (Searle). *nafaréline, acétate de.*

Synflex (AltiMed). *naproxen sodique.*

Synflex DS (AltiMed). *naproxen sodique.*

†Synkayvite. *ménadiol sodique diphosphate de.*

Synphasic (Searle). *éthinylœstradiol/noréthindrone.*

Synthroid (Knoll). *lévothyroxine sodique.*

Synvisc (Biomatrix/Rhône-Poulenc Rorer). *hylane G-F 20.*

†Syprine. *trientine, chlorhydrate de.*

T

†Tacaryl. *methdilazine, chlorhydrate de.*

tacrolimus. **Prograf.**

Tagamet (SmithKline Beecham). *cimétidine.*

Talwin, comprimés (Sanofi). *pentazocine, chlorhydrate de.*

Talwin, injectable (Sanofi). *pentazocine, lactate de.*

Tambocor (Produits pharmaceutiques de 3M). *flécaïnide, acétate de.*

Tamofen (Rhône-Poulenc Rorer). *tamoxifène, citrate de.*

Tamone (Pharmacia & Upjohn). *tamoxifène, citrate de.*

tamoxifène, citrate de. **Apo-Tamox, Gen-Tamoxifen, Nolvadex, Nolvadex-D, Novo-Tamoxifen, Tamofen, Tamone.**

tamsulosine, chlorhydrate de. **Flomax.**

Tanacet 125 (Ashbury Biologicals/Herbal Laboratories). *matricaire standardisée.*

Tanta Orciprénaline (Tanta). *orciprénaline, sulfate d'.*

Tantum (Produits pharmaceutiques de 3M). *benzydamine, chlorhydrate de.*

Tapazole (Lilly). *méthimazole.*

†Taractan. *chlorprothixène.*

Tardan (Odan). *acide salicylique/liquor carbonis detergens/ triclosan.*

Targel (Odan). *liquor carbonis detergens.*

Targel S.A. (Odan). *acide salicylique/liquor carbonis detergens.*

Tarka (Knoll). *trandolapril/vérapamil, chlorhydrate de.*

Taro-Carbamazepine (Taro). *carbamazépine.*

Taro Gel (Taro). *gelée lubrifiante.*

Taro-Sone (Taro). *bétaméthasone, dipropionate de.*

Tavist (Novartis Santé Familiale). *clémastine, fumarate hydrogéné de.*

Tavist-D (Novartis Santé Familiale). *clémastine, fumarate hydrogéné de/phénylpropanolamine, chlorhydrate de.*

Taxol (Bristol-Myers Squibb). *paclitaxel.*

Taxotere (Rhône-Poulenc Rorer). *docetaxel.*

tazarotène. **Tazorac.**

†Tazicef. *ceftazidime.*

Tazidime (Lilly). *ceftazidime.*

tazobactam sodique/pipéracilline sodique. **Tazocin.**

Tazocin (Wyeth-Ayerst). *pipéracilline sodique/tazobactam sodique.*

Tazorac (Allergan). *tazarotène.*

†T-Diet. *phentermine, chlorhydrate de.*

Teardrops (CIBA Vision). *alcool polyvinylique/povidone.*

Tears Encore (Dioptic). *polysorbate 80.*

Tears Naturale (Alcon). *dextran 70/hydroxypropylméthylcellulose.*

Tears Naturale II (Alcon). *dextran 70/ hydroxypropylméthylcellulose.*

Tears Naturale Free (Alcon). *dextran 70/ hydroxypropylméthylcellulose.*

Tears Plus (Allergan). *alcool polyvinylique/povidone.*

Tebrazid (ICN). *pyrazinamide.*

Tecnal (Technilab). *AAS/butalbital/caféine.*

Tecnal C¼, C½ (Technilab). *AAS/butalbital/caféine/codéine, phosphate de.*

Teejel (Purdue Frederick). *choline, salicylate de.*

†Tegamide. *triméthobenzamide, chlorhydrate de.*

Tegopen (Bristol). *cloxacilline sodique.*

Tegretol (Novartis Pharma). *carbamazépine.*

Telebrix 38 Oral (Mallinckrodt). *méglumine, ioxitalamate de/ sodium, ioxitalamate de.*

†Temaril. *triméprazine, tartrate de.*

témazépam. **[Benzodiazépines, Monographie générale, APhC]; Apo-Temazepam, Gen-Temazepam, Novo-Temazepam, Nu-Temazepam, PMS-Temazepam, Restoril.**

†Temovate. *clobétasol, 17-propionate de.*

Tempra (Mead Johnson). *acétaminophène.*

†Tenex. *guanfacine, chlorhydrate de.*

téniposide. **Vumon.**

Tenolin (Technilab). *aténolol.*

Tenoretic (Zeneca). *aténolol/chlorthalidone.*

Tenormin (Zeneca). *aténolol.*

ténoxicam. **Apo-Tenoxicam, Mobiflex, Novo-Tenoxicam.**

Tensilon (ICN). *édrophonium, chlorure d'.*

Tenuate (Hoechst Marion Roussel). *diéthylpropion, chlorhydrate de.*

Terazol (Janssen-Ortho). *terconazole.*

térazosine, chlorhydrate de. **Novo-Terazosin.**

térazosine, chlorhydrate dihydraté de. **Alti-Terazosin, Apo-Terazosin, Hytrin, Nu-Terazosin.**

terbinafine, chlorhydrate de. **Lamisil.**

terbutaline, sulfate de. **Bricanyl, comprimés, Bricanyl Turbuhaler.** †Brethaire, †Brethine.

terconazole. **Terazol.**

térébinthe, huile de/chlorbutol/paradichlorobenzène. **Cerumol.**

terfénadine. **Apo-Terfenadine, Seldane.**

tériparatide, acétate de. †Parathar.

†Terramycin. *oxytétracycline, chlorhydrate d'.*

Tersac (TCD). *acide salicylique/triclosan.*

Tersaseptic (TCD). *triclosan.*

Tersa-Tar (TCD). *goudron, distillat de.*

†Teslac. *testolactone.*

†Tessalon. *benzonatate.*

†Testamone 100. *testostérone.*

Tes-Tape (Lilly). *ruban pour test glycosurique enzymatique.*

†Testaqua. *testostérone.*

test de la tuberculine. **Tuberculine ancienne, Tine Test, Tuberculine dérivée de protéines purifiées (Mantoux)-Tubersol.**

†Testex. *testostérone, propionate de.*

†Testoderm. *testostérone.*

testolactone. †Teslac.

testostérone. †Testamone 100, †Testaqua, †Testoderm.

testostérone, benzilylhydrazone énanthate de/estradiol, benzoate d'/estradiol, diénanthate d'. **Climacteron.**

testostérone, cyclopentylpropionate de. voir *testostérone, cypionate de.*

testostérone, cypionate de. testostérone, cyclopentylpropionate de. **Depo-Testostérone (Cypionate), Scheinpharm Testone-Cyp.** †Andronate, †Depotest, †Testred Cypionate 200, †Virilon IM.

testostérone, énanthate de. **Delatestryl; (Taro).** †Andropository 100, †Delatest, †Everone 200, †Testrin-P.A.

testostérone, propionate de. **(Taro).** †Testex.

testostérone, undécanoate de. **Andriol.**

†Testred. *méthyltestostérone.*

†Testred Cypionate 200. *testostérone, cypionate de.*

†Testrin-P.A. *testostérone, énanthate de.*

tétrabénazine. **Nitoman.**

tétracaïne. améthocaïne. **Minims Tetracaïne, Supracaine.**

tétracaïne, chlorhydrate de. **Ametop, Pontocaine.**

tétracaïne, chlorhydrate de/benzocaïne. **Panocaine.**

tétracycline, chlorhydrate de. **[Tétracyclines, Monographie générale, APhC]; Apo-Tetra, Novo-Tétra, Nu-Tetra.** †Achromycin V, †Panmycin, †Topicycline.

tétradécyle sodique, sulfate de. **Trombovar.**

tétrahydrozoline, chlorhydrate de. **Gouttes oculaires.**

Thalaris (Technilab). *sodium, chlorure de.*

†Theo-24. *théophylline.*

Theo-Bronc (Rougier). *guaifénésine/mépyramine, maléate de/ potassium, iodure de/théophylline.*

Théochron SR (Riva). *théophylline.*

Theo-Dur (Astra). *théophylline.*

Theolair (Produits pharmaceutiques de 3M). *théophylline.*

Theolair-SR (Produits pharmaceutiques de 3M). *théophylline.*

théophylline. **[Théophylline et ses sels, Monographie générale, APhC]; Apo-Theo-LA, Novo-Theophyl SR, Quibron-T, Quibron-T/SR, Slo-Bid, Théochron SR, Theo-Dur, Theolair, Theolair-SR, Theo-SR, Uniphyl; (Desbergers), (Technilab).** †Elixophyllin, †Respbid, †Solu-Phyllin, †Theo-24, †Theovent Long-Acting.

théophylline/guaifénésine/mépyramine, maléate de/potassium, iodure de. **Theo-Bronc.**

théophylline éthylènediamine. voir *aminophylline.*

Theo-SR (Rhône-Poulenc Rorer). *théophylline.*

†Theovent Long-Acting. *théophylline.*

†Thermazene. *argent, sulfadiazine d'.*

thiabendazole. **Mintezol.**

thiamazole. voir *méthimazole.*

thiamine/acide ascorbique/inositol. **Vitathion-A.T.P.**

thiamine, chlorhydrate de. vitamine B_1. **[Vitamine B_1, Monographie générale, APhC]; Betaxin; (Bioniche), (Faulding).**

thiamine, chlorhydrate de/acide ascorbique. **Penta-Thion.**

thiéthylpérazine, maléate de. †Norzine, †Torecan.

Les noms **soulignés** paraissent en version détaillée dans la section des monographies du *CPS.*

6-thioguanine. voir *thioguanine.*

thioguanine. 6-thioguanine. **Lanvis.**

†Thiola. *tiopronin.*

thiomalate de sodium et d'or. voir *sodium, aurothiomalate de.*

thiopental sodique. **Pentothal.**

thiopropérazine, mésylate de. **Majeptil.**

thioridazine, chlorhydrate de. **Apo-Thioridazine, Mellaril.**

thiosulfate sodique. **(Faulding).**

thiosulfate sodique/acide salicylique/triclosan. **Adasept, gel pour acné.**

†Thiosulfil Forte. *sulfaméthizole.*

thiotépa. **(Wyeth-Ayerst).**

thiothixène. **Navane.**

†Thorazine. *chlorpromazine, chlorhydrate de.*

†Thor-Prom. *chlorpromazine, chlorhydrate de.*

Thrombate III (Bayer). *antithrombine III (humaine).*

thrombine (bovine). **Thrombostat.**

Thrombostat (Parke-Davis). *thrombine (bovine).*

Thyro-Block (Carter Horner). *potassium, iodure de.*

thyroïde. **(Parke-Davis).**

†Thyrolar. *liotrix.*

d-thyroxine sodique. voir *dextrothyroxine sodique.*

tiagabine. †Gabitril.

Tiamol (Spectropharm Dermatology). *fluocinonide.*

Tiazac (Crystaal). *diltiazem, chlorhydrate de.*

ticarcilline disodique/potassium, clavulanate de. **Timentin.**

Ticlid (Roche). *ticlopidine, chlorhydrate de.*

ticlopidine, chlorhydrate de. **Apo-Ticlopidine, Nu-Ticlopidine, Ticlid.**

†Tigan. *triméthobenzamide, chlorhydrate de.*

†Tiject-20. *triméthobenzamide, chlorhydrate de.*

Tilade (Rhône-Poulenc Rorer). *nédocromil sodique.*

Tim-Ak (Dioptic). *timolol, maléate de.*

Timentin (SmithKline Beecham). *potassium, clavulanate de/ticarcilline disodique.*

Timolide (Frosst). *hydrochlorothiazide/timolol, maléate de.*

Timolol (BDH). *timolol, maléate de.*

timolol, maléate de. **Apo-Timol, Apo-Timop, Blocadren, Gen-Timolol, Novo-Timol, comprimés, Novo-Timolol, solution ophtalmique, Nu-Timolol, PMS-Timolol, Tim-Ak, Timolol, Timoptic, Timoptic-XE.**

timolol, maléate de/hydrochlorothiazide. **Timolide.**

timolol, maléate de/pilocarpine, chlorhydrate de. **Timpilo.**

Timoptic (MSD). *timolol, maléate de.*

Timoptic-XE (MSD). *timolol, maléate de.*

Timpilo (MSD). *pilocarpine, chlorhydrate de/timolol, maléate de.*

Tinactin (Schering). *tolnaftate.*

Tinactin Plus (Schering). *tolnaftate.*

Tinactin pour démengeaisons de l'aine (Schering). *tolnaftate.*

†Tindal. *acetophenazine, maléate de.*

tinzaparine sodique. [**Héparines de faible poids moléculaire, Monographie générale, APhC**]; **Innohep.**

tioconazole. **Gynecure, Trosyd AF, Trosyd J.**

tiopronin. †Thiola.

†Tipramine. *imipramine, chlorhydrate d'.*

triéthanolamine, salicylate de/menthol. **Myoflex Glacé Plus.**

Tisseel Kit VH (Baxter). *scellement fibrinogène, agent de.*

titane, dioxyde de. **PreSun Écran Solaire 28.**

Ti-U-Lac HC (Spectropharm Dermatology). *hydrocortisone/urée.*

Tobradex (Alcon). *dexaméthasone/tobramycine.*

tobramycine. **Tobrex.**

tobramycine/dexaméthasone. **Tobradex.**

tobramycine, sulfate de. **Nebcin, Scheinpharm Tobramycin.**

Tobrex (Alcon). *tobramycine.*

tocaïnide, chlorhydrate de. **Tonocard.**

tocofersolan. voir *vitamine E.*

α-tocophéryl. voir *vitamine E.*

Tofranil (Novartis Pharma). *imipramine, chlorhydrate d'.*

tolazamide. †Tolinase.

tolbutamide. [**Sulfonylurées, Monographie générale, APhC**]; **Apo-Tolbutamide.**

Tolectin (Janssen-Ortho). *tolmétine sodique.*

Tolerex (Novartis Nutrition). *nutrition entérale.*

†Tolinase. *tolazamide.*

tolmétine sodique. **Novo-Tolmetin, Tolectin.**

tolnaftate. **Pitrex, Tinactin, Tinactin Plus, Tinactin pour démengeaisons de l'aine, ZeaSORB AF.**

toluidine O, bleu de. **Orascan.**

Tomudex (Zeneca). *raltitrexed disodique.*

Tonocard (Astra). *tocaïnide, chlorhydrate de.*

Topamax (Janssen-Ortho). *topiramate.*

Topicaine (Hoechst Marion Roussel). *benzocaïne.*

Topicort (Hoechst Marion Roussel). *désoximétasone.*

†Topicycline. *tétracycline, chlorhydrate de.*

Topilène (Technilab). *bétaméthasone, dipropionate de.*

topiramate. **Topamax.**

Topisone (Technilab). *bétaméthasone, dipropionate de.*

topotécan, chlorhydrate de. **Hycamtin.**

†Toprol-XL. *métoprolol, succinate de.*

Topsyn (Medicis). *fluocinonide.*

Toradol (Roche). *kétorolac, trométhamine de.*

Toradol IM (Roche). *kétorolac, trométhamine de.*

†Torecan. *thiéthylpérazine, maléate de.*

torémiphène. †Fareston.

†Tornalate. *bitolterol, mésylate de.*

torsémide. **Demadex.**

†Totacillin. *ampicilline.*

toxine botulinique de type A. **Botox.**

Tracrium (Glaxo Wellcome). *atracurium, bésylate d'.*

tramadol. †Ultram.

†Trancopal. *chlormezanone.*

Trandate (Roberts). *labétalol, chlorhydrate de.*

trandolapril. [**Trandolapril, Monographie générale, APhC**]; **Mavik.**

trandolapril/vérapamil, chlorhydrate de. **Tarka.**

Transderm-Nitro (Novartis Pharma). *nitroglycérine.*

Transderm-V (Novartis Pharma). *scopolamine.*

Transition (Nestlé, Carnation). *préparations pour nourrissons.*

Transition au soya (Nestlé, Carnation). *préparations pour nourrissons à base de soya.*

Trans-Plantar (Westwood-Squibb). *acide salicylique.*

Trans•Ver•Sal (Westwood-Squibb). *acide salicylique.*

Tranxene (Abbott). *clorazépate dipotassique.*

tranylcypromine, sulfate de. **Parnate.**

Trasicor (Novartis Pharma). *oxprénolol, chlorhydrate d'.*

Trasylol (Bayer). *aprotinine.*

Travasol avec électrolytes (Clintec). *acides aminés/dextrose/électrolytes.*

Travasol sans électrolytes (Clintec). *acides aminés/dextrose.*

Traveltabs (Stanley). *dimenhydrinate.*

trazodone. **Gen-Trazodone.**

trazodone, chlorhydrate de. **Alti-Trazodone, Alti-Trazodone Dividose, Apo-Trazodone, Apo-Trazodone D, Desyrel, Desyrel Dividose, Novo-Trazodone, Nu-Trazodone, Nu-Trazodone-D, PMS-Trazodone, Trazorel.** †Trazon, †Trialodine.

†Trazon. *trazodone, chlorhydrate de.*

Trazorel (ICN). *trazodone, chlorhydrate de.*

†Trecator-SC. *ethionamide.*

Trental (Hoechst Marion Roussel). *pentoxifylline.*

trétinoïne. acide trans-rétinoïque. **Rejuva-A, Renova, Retin-A, Retisol-A, StieVA-A, StieVA-A Forte, Vesanoid, Vitamin A Acid, Vitinoin.**

trétinoïne/érythromycine. **Stievamycin.**

†Trexan. *naltrexone, chlorhydrate de.*

†Triacet. *triamcinolone, acétonide de.*

Triacomb (Technilab). *gramicidine/néomycine, sulfate de/nystatine/triamcinolone, acétonide de.*

Triaderm (Taro). *triamcinolone, acétonide de.*

†Trialodine. *trazodone, chlorhydrate de.*

triamcinolone. **[Corticostéroïdes: Généraux, Monographie générale, APhC]; Aristocort, comprimés.**

triamcinolone, acétonide de. **[Corticostéroïdes: Généraux, Corticostéroïdes: Inhalation, Corticostéroïdes: Topiques, Corticostéroïdes: Yeux, Oreilles, Nez, Monographies générales, APhC]; Aristocort, préparations topiques, Azmacort, Kenalog, Kenalog-10, Kenalog-40, Kenalog-Orabase, Nasacort, Nasacort Aq, Oracort, Scheinpharm Triamcine-A, Triaderm.** †Cinonide 40, †Triam-Forte, †Trilone.

triamcinolone, acétonide de/gramicidine/néomycine, sulfate de/nystatine. **Kenacomb, Triacomb, Viaderm-K.C.**

triamcinolone, diacétate de. **[Corticostéroïdes: Généraux, Monographie générale, APhC]; Aristocort, préparations parentérales; (Taro).** †Articulose-L.A., †Cinalone 40, †Triam-Forte, †Trilone.

triamcinolone, hexacétonide de. **[Corticostéroïdes: Généraux, Monographie générale, APhC]; Aristospan.**

†Triam-Forte. *triamcinolone, diacétate de.*

Triaminic, comprimés (Novartis Santé Familiale). *phéniramine, maléate de/phénylpropanolamine, chlorhydrate de/pyrilamine, maléate de.*

Triaminic DM, action prolongée pour enfants (Novartis Santé Familiale). *dextrométhorphane, bromhydrate de.*

Triaminic DM Bonjour (Novartis Santé Familiale). *dextrométhorphane, bromhydrate de/guaifénésine/phénylpropanolamine, chlorhydrate de.*

Triaminic DM Bonne Nuit (Novartis Santé Familiale). *chlorphéniramine, maléate de/dextrométhorphane, bromhydrate de/pseudoéphédrine, chlorhydrate de.*

Triaminic-DM Expectorant (Novartis Santé Familiale). *chlorphéniramine, maléate de/dextrométhorphane, bromhydrate de/guaifénésine/pseudoéphédrine, chlorhydrate de.*

Triaminic Expectorant (Novartis Santé Familiale). *chlorphéniramine, maléate de/guaifénésine/pseudoéphédrine, chlorhydrate de.*

Triaminic Expectorant DH (Novartis Santé Familiale). *guaifénésine/hydrocodone, bitartrate d'/phéniramine, maléate de/phénylpropanolamine, chlorhydrate de/pyrilamine, maléate de.*

Triaminic, gouttes orales pédiatriques (Novartis Santé Familiale). *pseudoéphédrine, chlorhydrate de.*

Triaminicin (Novartis Santé Familiale). *acétaminophène/caféine/phéniramine, maléate de/phénylpropanolamine, chlorhydrate de/pyrilamine, maléate de.*

Triaminicol DM (Novartis Santé Familiale). *chlorphéniramine, maléate de/dextrométhorphane, bromhydrate de/pseudoéphédrine, chlorhydrate de.*

Triaminic, Rhume et allergies, sirop (Novartis Santé Familiale). *chlorphéniramine, maléate de/phénylpropanolamine, chlorhydrate de.*

Triaminic, Rhume et Fièvre (Novartis Santé Familiale). *acétaminophène/dextrométhorphane, bromhydrate de/pseudoéphédrine, chlorhydrate de.*

triamtérène. **Dyrenium.**

triamtérène/hydrochlorothiazide. **Apo-Triazide, Dyazide, Novo-Triamzide, Nu-Triazide.** †Maxzide.

Trianal (Trianon). *AAS/butalbital/caféine.*

Trianal C¼, C½ (Trianon). *AAS/butalbital/caféine/codéine, phosphate de.*

Triatec -8, -8 Fort (Trianon). *acétaminophène/caféine, citrate de/codéine, phosphate de.*

Triatec-30 (Trianon). *acétaminophène/codéine, phosphate de.*

Triavil (MSD). *amitriptyline, chlorhydrate d'/perphénazine.*

triazolam. **[Benzodiazépines, Monographie générale, APhC]; Alti-Triazolam, Apo-Triazo, Gen-Triazolam, Halcion.**

†Tribenzagan. *triméthobenzamide, chlorhydrate de.*

†Trichlorex. *trichlorméthiazide.*

trichlorméthiazide. †Metahydrin, †Naqua, †Trichlorex.

tricitrates. †Polycitra.

triclosan. **Adasept, nettoyeur, Tersaseptic.**

triclosan/acide salicylique. **Tersac.**

triclosan/acide salicylique/liquor carbonis detergens. **Tardan.**

triclosan/acide salicylique/thiosulfate sodique. **Adasept, gel pour acné.**

tricontanyl PVP/diméthicone/éther perfluoropolyméthylisopropylique. **Spectro Gluvs «19».**

†Tricor. *fénofibrate (micronisé).*

Tri-Cyclen (Janssen-Ortho). *éthinylœstradiol/norgestimate.*

†Triderm. *triamcinolone, acétonide de.*

Tridesilon (Bayer). *désonide.*

Tridil (DuPont Pharma). *nitroglycérine.*

trientine, chlorhydrate de. triéthylènetétramine, bichlorhydrate de. †Syprine.

triéthanolamine, polypeptide concentré de cocoate de/propylène glycol/tyrothricine. **Soropon.**

triéthanolamine, polypeptide condensé d'oléate de. **Cerumenex.**

triéthanolamine, salicylate de. **Antiphlogistine Rub A-535 Inodore, Myoflex, Royflex.**

triéthylènetétramine, bichlorhydrate de. voir *trientine, chlorhydrate de.*

trifluopérazine, chlorhydrate de. **Apo-Trifluoperazine, Stelazine.**

trifluopérazine, chlorhydrate de/isopropamide, iodure d'. **Stelabid.**

triflupromazine, chlorhydrate de. †Vesprin.

trifluridine. **Viroptic.**

†Trihexane. *trihexyphénidyle, chlorhydrate de.*

†Trihexy. *trihexyphénidyle, chlorhydrate de.*

trihexyphénidyle, chlorhydrate de. benzhexol, chlorhydrate de. **[Trihexyphénidyle (Chlorhydrate), Monographie générale, APhC]; Apo-Trihex.** †Trihexane, †Trihexy.

†Tri-K. *trikates.*

trikates. †Tri-K.

Trilafon (Schering). *perphénazine.*

†Tri-Levlen. *éthinylœstradiol/lévonorgestrel.*

Trilisate (Purdue Frederick). *choline, salicylate de/magnésium, salicylate de.*

Les noms **soulignés** paraissent en version détaillée dans la section des monographies du *CPS.*

†Trilog. *triamcinolone, acétonide de.*

†Trilone. *triamcinolone, diacétate de.*

trilostane. †Modrastane.

trimébutine, maléate de. **Modulon.**

triméprazine, tartrate de. alimémazine, tartrate de. **Panectyl.** †Temaril.

triméthobenzamide, chlorhydrate de. †Arrestin, †Stemetic, †Tegamide, †Tigan, †Tiject-20, †Tribenzagan.

triméthoprime. **Proloprim.** †Trimpex.

triméthoprime/sulfadiazine. **Coptin.**

triméthoprime/sulfaméthoxazole. **Apo-Sulfatrim, Bactrim Roche, Novo-Trimel, Novo-Trimel D.S., Nu-Cotrimox, Septra, Septra DS, Septra pour Injection.** †Sulfatrim.

triméthoprime, sulfate de/polymyxine B, sulfate de. **Polytrim.**

trimétrexate, glucuronate de. **Neutrexin.**

trimipramine, maléate de. **Apo-Trimip, Novo-Tripramine, Nu-Trimipramine, Rhotrimine, Surmontil.**

†Trimox. *amoxicilline, trihydrate d'.*

†Trimpex. *triméthoprime.*

Trinalin (Schering). *azatadine, maléate d'/pseudoéphédrine, sulfate de.*

Trinipatch 0.2 (Sanofi). *nitroglycérine.*

Trinipatch 0.4 (Sanofi). *nitroglycérine.*

Trinipatch 0.6 (Sanofi). *nitroglycérine.*

†Tri-Norinyl. *éthinylœstradiol/noréthindrone.*

trioxsalen. **Trisoralen.**

tripélennamine, chlorhydrate de. **Pyribenzamine.**

Triphasil 21 (Wyeth-Ayerst). *éthinylœstradiol/lévonorgestrel.*

Triphasil 28 (Wyeth-Ayerst). *éthinylœstradiol/lévonorgestrel.*

triprolidine, chlorhydrate de/acétaminophène/pseudoéphédrine, chlorhydrate de. **Actifed Plus Extra-puissant.**

triprolidine, chlorhydrate de/codéine, phosphate de/guaifénésine/pseudoéphédrine, chlorhydrate de. **CoActifed Expectorant, Cotridin Expectorant.**

triprolidine, chlorhydrate de/codéine, phosphate de/pseudoéphédrine, chlorhydrate de. **CoActifed, Cotridin.**

triprolidine, chlorhydrate de/pseudoéphédrine, chlorhydrate de. **Actifed.**

Triptil (MSD). *protriptyline, chlorhydrate de.*

Triquilar 21 (Berlex Canada). *éthinylœstradiol/lévonorgestrel.*

Triquilar 28 (Berlex Canada). *éthinylœstradiol/lévonorgestrel.*

Trisoralen (ICN). *trioxsalen.*

Trisulfaminic (Shepherd). *phéniramine, maléate de/phénylpropanolamine, chlorhydrate de/pyrilamine, maléate de/sulfadiazine/sulfamérazine/sulfaméthazine.*

trithioparaméthoxphénylpropène. voir *anétholtrithione.*

3TC (Glaxo Wellcome). *lamivudine.*

3TC. voir *lamivudine.*

Trombovar (Therapex). *tétradécyle sodique, sulfate de.*

tropicamide. **Diotrope, Minims Tropicamide, Mydriacyl; (Produits ophtalmiques Rivex).** †I-Picamide, †Mydriafair, †Ocu-Tropic.

tropicamide/phényléphrine, chlorhydrate de. **Diophenyl-T.**

Trosyd AF (Pfizer, Soins de la santé). *tioconazole.*

Trosyd J (Pfizer, Soins de la santé). *tioconazole.*

trovafloxine. †Trovan.

†Trovan. *trovafloxine.*

Trusopt (MSD). *dorzolamide, chlorhydrate de.*

Tryptan (ICN). *l-tryptophane.*

l-tryptophane. **Alti-Tryptophan, PMS-Tryptophan, Tryptan.**

T-Stat (Westwood-Squibb). *alcool éthylique/érythromycine.*

†Tubasal. *aminosalicylate de sodium.*

Tuberculine ancienne, Tine Test (Wyeth-Ayerst). *test de la tuberculine.*

Tuberculine dérivée de protéines purifiées (Mantoux)-Tubersol (Connaught). *test de la tuberculine.*

Tussaminic C (Novartis Santé Familiale). *codéine, phosphate de/phéniramine, maléate de/phénylpropanolamine, chlorhydrate de/pyrilamine, maléate de.*

Tussaminic DH (Novartis Santé Familiale). *hydrocodone, bitartrate d'/phéniramine, maléate de/phénylpropanolamine, chlorhydrate de/pyrilamine, maléate de.*

Tussionex (Rhône-Poulenc Rorer). *hydrocodone/phényltoloxamine.*

Twinrix (SmithKline Beecham). *vaccin contre l'hépatite A/vaccin contre l'hépatite B.*

Tylenol (Produits aux consommateurs McNeil). *acétaminophène.*

Tylenol NO.1 avec codéine (Produits aux consommateurs McNeil). *acétaminophène/caféine/codéine, phosphate de.*

Tylenol NO.2 et NO.3 avec codéine (Janssen-Ortho). *acétaminophène/caféine/codéine, phosphate de.*

Tylenol NO.4 avec codéine (Janssen-Ortho). *acétaminophène/codéine, phosphate de.*

Tylenol Décongestionnant (Produits aux consommateurs McNeil). *acétaminophène/pseudoéphédrine, chlorhydrate de.*

Tylenol, élixir à la codéine (Janssen-Ortho). *acétaminophène/codéine, phosphate de.*

Tylenol, Médicament Allergie Sinus (Produits aux consommateurs McNeil). *acétaminophène/chlorphéniramine, maléate de/pseudoéphédrine, chlorhydrate de.*

Tylenol, Médicament contre la grippe (Produits aux consommateurs McNeil). *acétaminophène/diphenhydramine, chlorhydrate de/pseudoéphédrine, chlorhydrate de.*

Tylenol, Médicament contre la toux, caplets/suspension liquide (Produits aux consommateurs McNeil). *acétaminophène/dextrométhorphane, bromhydrate de.*

Tylenol, Médicament contre la toux, suspension liquide plus décongestionnant (Produits aux consommateurs McNeil). *acétaminophène/dextrométhorphane, bromhydrate de/pseudoéphédrine, chlorhydrate de.*

Tylenol, Médicament contre les douleurs musculaires (Produits aux consommateurs McNeil). *acétaminophène/chlorzoxazone.*

Tylenol, Médicament pour le rhume pour enfants plus âgés avec DM (Produits aux consommateurs McNeil). *acétaminophène/chlorphéniramine, maléate de/dextrométhorphane, bromhydrate de/pseudoéphédrine, chlorhydrate de.*

Tylenol, Médicament pour le rhume (pour la nuit) (Produits aux consommateurs McNeil). *acétaminophène/chlorphéniramine, maléate de/dextrométhorphane, bromhydrate de/pseudoéphédrine, chlorhydrate de.*

Tylenol, Médicament pour le rhume (pour le jour) (Produits aux consommateurs McNeil). *acétaminophène/dextrométhorphane, bromhydrate de/pseudoéphédrine, chlorhydrate de.*

Tylenol, Médicament pour les sinus (Produits aux consommateurs McNeil). *acétaminophène/pseudoéphédrine, chlorhydrate de.*

Tylenol rhume et grippe (Produits aux consommateurs McNeil). *acétaminophène/chlorphéniramine, maléate de/dextrométhorphane, bromhydrate de/pseudoéphédrine, chlorhydrate de.*

tyloxapol. **Enuclene.**

Typhim Vi (Connaught). *vaccin polysaccharidique capsulaire Vi Salmonella typhi.*

tyrothricine/benzocaïne/camphre/menthol/polymyxine B, sulfate de. **Onguent antibiotique pour feux sauvages.**

tyrothricine/propylène glycol/triéthanolamine, polypeptide concentré de cocoate de. **Soropon.**

U

Ulcidine (ICN). *famotidine.*

Ulone (Produits pharmaceutiques de 3M). *chlophédianol, chlorhydrate de.*

Ultiva (Glaxo Wellcome). *rémifentanil, chlorhydrate de.*

Ultracaine DS (Hoechst Marion Roussel). *articaïne, chlorhydrate d'/épinéphrine.*

Ultracaine DS Forte (Hoechst Marion Roussel). *articaïne, chlorhydrate d'/épinéphrine.*

Ultradol (Procter & Gamble, Compagnie pharmaceutique). *étodolac.*

†Ultram. *tramadol.*

UltraMOP, capsules (Canderm Pharma). *méthoxsalen.*

UltraMOP, lotion (Canderm Pharma). *méthoxsalen.*

Ultraquin (Canderm Pharma). *hydroquinone.*

Ultrase (Axcan Pharma). *pancrélipase.*

Ultrase MT (Axcan Pharma). *pancrélipase.*

Ultravate (Westwood-Squibb). *halobétasol, propionate d'.*

Ultravist (Berlex Canada). *iopromide.*

†Ultrazine-10. *prochlorpérazine, édisylate de.*

†Unasyn. *ampicilline sodique/sulbactam sodique.*

Uniphyl (Purdue Frederick). *théophylline.*

Univol (Carter Horner). *aluminium, hydroxyde d'/magnésium, hydroxyde de.*

Urasal (Carter Horner). *méthénamine, composé de.*

Urecholine (Frosst). *béthanéchol, chlorure de.*

urée. **Calmurid, Uremol 10, Uremol 20, UriSec.**

urée/acides aminés/sodium, propionate de. **Amino-Cerv.**

urée/hydrocortisone. **Calmurid HC, Ti-U-Lac HC.**

urée/hydrocortisone, acétate d'. **Uremol HC.**

Uremol 10 (TCD). *urée.*

Uremol 20 (TCD). *urée.*

Uremol HC (TCD). *hydrocortisone, acétate d'/urée.*

†Urex. *méthénamine, hippurate de.*

UriSec (Odan). *urée.*

Urispas (Pharmascience). *flavoxate, chlorhydrate de.*

†Urodine. *phénazopyridine, chlorhydrate de.*

urofollitropine. **Fertinorm HP.**

†Urogesic. *phénazopyridine, chlorhydrate de.*

urokinase. **Abbokinase, Abbokinase Open-Cath.**

Uromitexan (Bristol). *mesna.*

ursodiol. **Ursofalk.** †Actigall.

Ursofalk (Axcan Pharma). *ursodiol.*

†Uticort. *bétaméthasone, benzoate de.*

V

vaccin anticholérique. **(Connaught).**

vaccin anticholérique (vivant oral). **Mutacol Berna.**

vaccin anticoquelucheux (acellulaire)/anatoxine diphtérique adsorbée/anatoxine tétanique adsorbée/vaccin antipoliomyélite, inactivé. **Quadracel.**

vaccin anticoquelucheux adsorbé (acellulaire). **Acel-P.**

vaccin anticoquelucheux adsorbé/anatoxine diphtérique adsorbée/anatoxine tétanique adsorbée/vaccin antipoliomyélite adsorbé, inactivé. **(Connaught).**

vaccin anticoquelucheux (cellulaire)/anatoxine diphtérique adsorbée/anatoxine tétanique adsorbée. **(Connaught).**

vaccin anticoquelucheux combiné (acellulaire)/anatoxine diphtérique adsorbée/anatoxine tétanique adsorbée/vaccin antipoliomyélite, inactivé/vaccin conjugué contre Haemophilus b (protéine tétanique-conjugué). **Pentacel.**

vaccin antigrippal inactivé trivalent types A et B (virion sous-unitaire). **Vaxigrip.**

vaccin antipoliomyélite adsorbé, inactivé/anatoxine diphtérique adsorbée/anatoxine tétanique adsorbée/vaccin anticoquelucheux adsorbé. **(Connaught).**

vaccin antipoliomyélite adsorbé, inactivé/anatoxine diphtérique adsorbée/anatoxine tétanique adsorbée. **(Connaught).**

vaccin antipoliomyélite, inactivé/anatoxine diphtérique adsorbée/anatoxine tétanique adsorbée/vaccin anticoquelucheux (acellulaire). **Quadracel.**

vaccin antipoliomyélite, inactivé/anatoxine diphtérique adsorbée/anatoxine tétanique adsorbée/vaccin anticoquelucheux combiné (acellulaire)/vaccin conjugué contre Haemophilus b (protéine tétanique-conjugué). **Pentacel.**

vaccin antipoliomyélite, inactivé (cultivé). **(Connaught).**

vaccin antipoliomyélite, inactivé (culture sur cellules diploïdes). IPV. **(Connaught).**

vaccin antirabique inactivé (cultivé sur cellules diploïdes). Imovax; **(Connaught).**

vaccin antirougeoleux (vivant, atténué). **(Connaught).**

vaccin conjugué contre Haemophilus b (protéine tétanique-conjugué)/anatoxine diphtérique adsorbée/anatoxine tétanique adsorbée/vaccin anticoquelucheux combiné (acellulaire)/vaccin antipoliomyélite, inactivé. **Pentacel.**

vaccin conjugué polysaccharidique contre l'Haemophilus b (Hib) (complexe protéinique méningococcique). PRP-OMP. **PedvaxHIB.**

vaccin conjugué polysaccharidique contre l'Haemophilus b (Hib) (protéine tétanique-conjugué). PRP-T. **Act-HIB.**

vaccin contre la fièvre jaune (virus 17D vivant). **(Connaught).**

vaccin contre la typhoïde (vivant oral, atténué Ty21a). **Vivotif Berna, Vivotif Berna L.**

vaccin contre le poliovirus (vivant oral trivalent) (types 1, 2 & 3). VPO. **(Connaught).**

vaccin contre l'hépatite A, inactivé. **Havrix.**

vaccin contre l'hépatite A, (purifié, inactivé). **Vaqta.**

vaccin contre l'hépatite A/vaccin contre l'hépatite B. **Twinrix.**

vaccin contre l'hépatite B (recombiné). **Engerix-B, Recombivax HB.**

vaccin contre l'hépatite B/vaccin contre l'hépatite A. **Twinrix.**

vaccin grippal trivalent, inactivé à virion entier. **Fluviral.**

vaccin ourlien (vivant, atténué)/vaccin rougeoleux (vivant, atténué)/vaccin rubéoleux (vivant, atténué). **M-M-R II.**

vaccin polysaccharidique capsulaire Vi Salmonella typhi. **Typhim Vi.**

vaccin polysaccharidique contre le méningocoque. **(Connaught).**

vaccin polysaccharidique pneumococcique. **Pneumo 23.**

vaccin polyvalent pneumococcique. **Pneumovax 23, Pnu-Immune 23.**

vaccin rougeoleux (vivant, atténué)/vaccin ourlien (vivant, atténué)/vaccin rubéoleux (vivant, atténué). **M-M-R II.**

vaccin rubéoleux (vivant, atténué)/vaccin ourlien (vivant, atténué)/vaccin rougeoleux (vivant, atténué). **M-M-R II.**

vaccin viral contre la grippe, inactivé. **Fluviral S/F, Fluzone.**

vaccin viral contre la rougeole (vivant, atténué)/vaccin viral contre la rubéole (vivant, atténué). **MoRu-Viraten Berna.**

vaccin viral contre la rubéole (vivant, atténué)/vaccin viral contre la rougeole (vivant, atténué). **MoRu-Viraten Berna.**

vaccin viral contre l'encéphalite japonaise, inactivé. **Je-Vax.**

Les noms **soulignés** paraissent en version détaillée dans la section des monographies du *CPS.*

vaccin viral contre les oreillons (vivants, atténu&eacut e;s). **Mumpsvax.**

†Vagitrol. *sulfanilamide.*

valacyclovir, chlorhydrate de. **Valtrex.**

†Valergen. *estradiol, valérianate d'.*

valériane, racines de/gentiane, racines de/réglisse, poudre de/scutellaire. **Herbes pour les nerfs.**

Valisone-G (Schering). *bétaméthasone, valérate de/gentamicine, sulfate de.*

Valisone, lotion pour le cuir chevelu (Schering). *bétaméthasone, valérate de.*

Valium Roche Injectable (Roche). *diazépam.*

Valium Roche Oral (Roche). *diazépam.*

†Valrelease. *diazépam.*

valsartan. **Diovan.**

Valtrex (Glaxo Wellcome). *valacyclovir, chlorhydrate de.*

Vamin 18 sans électrolytes (Pharmacia & Upjohn). *acides aminés.*

Vamin N (Pharmacia & Upjohn). *acides aminés/électrolytes.*

Vancenase (Schering). *béclométhasone, dipropionate de.*

Vanceril (Schering). *béclométhasone, dipropionate de.*

Vancocin (Lilly). *vancomycine, chlorhydrate de.*

†Vancoled. *vancomycine, chlorhydrate de.*

vancomycine, chlorhydrate de. **Vancocin.** †Lyphocin, †Vancoled.

Vanquin (Warner-Lambert, Santé grand public). *pyrvinium, pamoate de.*

†Vansil. *oxamniquine.*

†Vantin. *cefpodoxime proxetil.*

Vaponefrin (Rhône-Poulenc Rorer). *épinéphrine, chlorhydrate d'.*

Vaqta (MSD). *vaccin contre l'hépatite A, (purifié, inactivé).*

†Vascor. *bépridil, chlorhydrate de.*

vaseline/diméthicone. **Moisturel.**

Vaseretic (Frosst). *énalapril, maléate d'/hydrochlorothiazide.*

Vasocidin (CIBA Vision). *prednisolone, phosphate sodique de/sulfacétamide sodique.*

Vasocon (CIBA Vision). *naphazoline, chlorhydrate de.*

Vasocon-A (CIBA Vision). *antazoline, phosphate d'/naphazoline, chlorhydrate de.*

†Vasodilan. *isoxsuprine, chlorhydrate d'.*

vasopressine. **Pressyn; (Pharmaceutical Partners).**

Vasotec I.V. (Frosst). *énalaprilat.*

Vasotec Oral (Frosst). *énalapril, maléate d'.*

Vasoxyl (Glaxo Wellcome). *méthoxamine, chlorhydrate de.*

Vaxigrip (Connaught). *vaccin antigrippal inactivé trivalent types A et B (virion sous-unitaire).*

vécuronium, bromure de. **Norcuron.**

†Veetids. *pénicilline V potassique.*

†Velban. *vinblastine, sulfate de.*

Velbe (Lilly). *vinblastine, sulfate de.*

†Velsar. *vinblastine, sulfate de.*

venlafaxine, chlorhydrate de. **Effexor, Effexor XR.**

Ventodisk Disk/Diskhaler (Glaxo Wellcome). *salbutamol, sulfate de.*

Ventolin, aérosol-doseur/liquide oral (Glaxo Wellcome). *salbutamol.*

Ventolin Injectable (Glaxo Wellcome). *salbutamol, sulfate de.*

Ventolin Nebules P.F. (Glaxo Wellcome). *salbutamol, sulfate de.*

Ventolin Rotacaps/Rotahaler (Glaxo Wellcome). *salbutamol, sulfate de.*

Vepesid (Bristol). *étoposide.*

vérapamil, chlorhydrate de. **Alti-Verapamil, Apo-Verap, Chronovera, Gen-Verapamil SR, Isoptin, Isoptin I.V., Isoptin SR, Novo-Veramil, Novo-Veramil SR, Nu-Verap, Verelan; (Abbott).** †Calan.

vérapamil, chlorhydrate de/trandolapril. **Tarka.**

Verelan (Wyeth-Ayerst). *vérapamil, chlorhydrate de.*

Vermox (Janssen-Ortho). *mébendazole.*

Versed (Roche). *midazolam, chlorhydrate de.*

Versel (TCD). *sélénium, sulfure de.*

Vesanoid (Roche). *trétinoïne.*

†Vesprin. *triflupromazine, chlorhydrate de.*

Vexol (Alcon). *rimexolone.*

Viaderm-K.C. (Taro). *gramicidine/néomycine, sulfate de/nystatine/triamcinolone, acétonide de.*

†Viagra. *sildénafil, citrate de.*

Viaspan (DuPont Pharma). *solution pour conservation à basse température.*

Vibra-Tabs (Pfizer). *doxycycline, hyclate de.*

Vibra-Tabs C-Pak (Pfizer). *doxycycline, hyclate de.*

Videx (Bristol). *didanosine.*

Vifenal (Alcon). *diclofénac sodique.*

vigabatrine. **Sabril.**

vinblastine, sulfate de. **Velbe; (Faulding).** †Velban, †Velsar.

†Vincasar PFS. *vincristine, sulfate de.*

†Vincrex. *vincristine, sulfate de.*

vincristine, sulfate de. **(Faulding), (Novopharm).** †Vincasar PFS, †Vincrex.

vindesine, sulfate de. **Eldisine.**

vinorelbine, tartrate de. **Navelbine.**

Vioform (Novartis Pharma). *clioquinol.*

Vioform Hydrocortisone (Novartis Pharma). *clioquinol/hydrocortisone.*

Viokase (Axcan Pharma). *pancrélipase.*

Viprinex (Knoll). *ancrod.*

viprynium, pamoate de. voir *pyrvinium, pamoate de.*

Viquin Forte (ICN). *acide glycolique/hydroquinone.*

Viramune (Boehringer Ingelheim). *nevirapine.*

Virazole (lyophilizé) (ICN). *ribavirine.*

†Virilon. *méthyltestostérone.*

†Virilon IM. *testostérone, cypionate de.*

Viroptic (Glaxo Wellcome). *trifluridine.*

Visipaque (Nycomed Imaging A.S.). *iodixanol.*

Viskazide (Novartis Pharma). *hydrochlorothiazide/pindolol.*

Visken (Novartis Pharma). *pindolol.*

†Vistaril. *hydroxyzine, pamoate d'.*

†Vistazine 50. *hydroxyzine, chlorhydrate d'.*

†VitaCarn. *lévocarnitine.*

Vitamin A Acid (Dermik Laboratories Canada). *trétinoïne.*

vitamine A. rétinol. **[Vitamine A, Monographie générale, APhC].**

vitamine B_1. voir *thiamine, chlorhydrate de.*

vitamine B_2. voir *riboflavine.*

vitamine B_3. voir *niacine.*

vitamine B_5. voir *acide pantothénique.*

vitamine B_6. voir *pyridoxine, chlorhydrate de.*

vitamine B_{12}. voir *cyanocobalamine.*

vitamine B_{12a}. voir *hydroxocobalamine.*

vitamine B, complexe de la. **B-Composé en haute teneur "50", Penta/3B, Vita 3B.**

vitamine B, complexe de la/acide ascorbique. **Beminal avec C Fortis, Penta/3B + C, Vita 3B + C.**

vitamine B, complexe de la/calcium, carbonate de/magnésium, carbonate de/magnésium, sulfate de. **Redoxon-B.**

vitamine B, complexe de la/fer/foie, extrait de/sérum de bœuf. **Hormodausse.**

vitamine B, complexe de la/pipradrol. **Alertonic.**

vitamine C. voir *acide ascorbique.*

Vitamine C 500 mg, action maintenue (Swiss Herbal). *acide ascorbique.*

Vitamine C 1 000 mg, action maintenue (Swiss Herbal). *acide ascorbique.*

vitamine D. voir *alfacalcidol.*

vitamine D. voir *calcifédiol.*

vitamine D. voir *calcitriol.*

vitamine D. voir *dihydrotachystérol.*

vitamine D_2. voir *ergocalciférol.*

vitamine D_3. voir *cholécalciférol.*

vitamine D/acide ascorbique/calcium, carbonate de/pyridoxine, chlorhydrate de. **Redoxon-Cal.**

vitamine D/acide ascorbique/minéraux. **Cal-Mag.**

vitamine D/calcium, carbonate de. **Calcite D-500, Calcium D 500, Caltrate 600 + D.**

vitamine D/calcium, carbonate de/cuivre/magnésium/manganèse/zinc. **Caltrate Plus.**

vitamine du complexe B/acide ascorbique/sélénium/vitamine E/zinc. **Stresstabs Plus.**

vitamine E. tocofersolan. α-tocophéryl. **[Vitamine E, Monographie générale, APhC]; Aquasol E, Aquasol E TPGS, Webber Vitamin E; (Swiss Herbal).**

vitamine E/acide ascorbique/sélénium/vitamine du complexe B/zinc. **Stresstabs Plus.**

vitamine G. voir *riboflavine.*

vitamine K_1. voir *phytonadione.*

vitamine K_4. voir *ménadiol sodique diphosphate de.*

Vitathion-A.T.P. (Servier). *acide ascorbique/inositol/thiamine.*

Vita 3B (Riva). *vitamine B, complexe de la.*

Vita 3B + C (Riva). *acide ascorbique/vitamine B, complexe de la.*

Vitinoin (Pharmascience). *trétinoïne.*

†Vivactil. *protriptyline, chlorhydrate de.*

Vivelle (Novartis Pharma). *estradiol-17β.*

Vivol (Carter Horner). *diazépam.*

Vivonex Pediatric (Novartis Nutrition). *nutrition entérale.*

Vivonex Plus (Novartis Nutrition). *nutrition entérale.*

Vivonex T.E.N. (Novartis Nutrition). *nutrition entérale.*

Vivotif Berna (Berna Products). *vaccin contre la typhoïde (vivant oral, atténué Ty21a).*

Vivotif Berna L (Berna Products). *vaccin contre la typhoïde (vivant oral, atténué Ty21a).*

Voltaren (Novartis Pharma). *diclofénac sodique.*

Voltaren Ophtha (CIBA Vision). *diclofénac sodique.*

Voltaren Rapide (Novartis Pharma). *diclofénac potassique.*

†Vontrol. *diphenidol, chlorhydrate de.*

VōSol (Carter Horner). *acide acétique/benzéthonium, chlorure de/propanediol-1,2, diacétate de.*

VōSol HC (Carter Horner). *acide acétique/benzéthonium, chlorure de/hydrocortisone/1,2-propanediol, diacétate de.*

VPO. voir *vaccin contre le poliovirus (vivant oral trivalent) (types 1, 2 & 3).*

Vumon (Bristol). *téniposide.*

†V.V.S. *sulfabenzamide/sulfacétamide/sulfathiazole.*

W

warfarine sodique. **Coumadin, Warfilone.** †Panwarfin, †Sofarin.

Warfilone (Frosst). *warfarine sodique.*

Wartec (Pharmascience). *podofilox.*

Webber Carbonate de Calcium (Novartis Santé Familiale). *calcium, carbonate de.*

Webber Vitamin E (Novartis Santé Familiale). *vitamine E.*

†Wehless. *phendimétrazine, tartrate de.*

Wellbutrin SR (Glaxo Wellcome). *bupropion, chlorhydrate de.*

†Wellcovorin. *calcium, folinate de.*

Wellferon (Glaxo Wellcome). *interféron alpha-n1 (lns).*

Westcort (Westwood-Squibb). *hydrocortisone, 17-valérate d'.*

Winpred (ICN). *prednisone.*

WinRho SDF (Cangene). *immunoglobuline anti* Rh_o *(humaine).*

†Wolfina. *rauwolfia serpentina.*

Wydase (Wyeth-Ayerst). *hyaluronidase.*

†Wymox. *amoxicilline, trihydrate d'.*

†Wytensin. *guanabenz, acétate de.*

X

Xalatan (Pharmacia & Upjohn). *latanoprost.*

Xanax (Pharmacia & Upjohn). *alprazolam.*

Xanax TS (Pharmacia & Upjohn). *alprazolam.*

X-Prep (Purdue Frederick). *sennosides.*

X-Tar (Dormer). *acide salicylique/goudron de houille/menthol.*

Xylocaine à 4 %, solution stérile (Astra). *lidocaïne, chlorhydrate de.*

Xylocaine CO_2 (Astra). *lidocaïne, hydrocarbonate de.*

Xylocaine Endotrachéale (Astra). *lidocaïne, chlorhydrate de.*

Xylocaine Gelée à 2 % (Astra). *lidocaïne, chlorhydrate de.*

Xylocaine, pommade/pommade dentaire à 5 % (Astra). *lidocaïne.*

Xylocaine Rachidienne à 5 % (Astra). *glucose/lidocaïne, chlorhydrate de.*

Xylocaine, solutions dentaires (Astra). *épinéphrine/lidocaïne, chlorhydrate de.*

Xylocaine, solutions parentérales avec épinéphrine (Astra). *épinéphrine/étidocaïne, chlorhydrate d'.*

Xylocaine, solutions parentérales sans épinéphrine (Astra). *lidocaïne, chlorhydrate de.*

Xylocaine Topique à 5 % (Astra). *lidocaïne.*

Xylocaine Topique à 4 % (Astra). *lidocaïne, chlorhydrate de.*

Xylocaine Visqueuse à 2 % (Astra). *lidocaïne, chlorhydrate de.*

Xylocard (Astra). *lidocaïne, chlorhydrate de.*

xylométazoline, chlorhydrate de. **Decongest, Otrivin.**

xylométazoline, chlorhydrate de/antazoline, sulfate d'. **Ophtrivin-A.**

Y

Yocon (Glenwood). *yohimbine, chlorhydrate de.*

†Yodoquinol. *iodoquinol.*

yohimbine, chlorhydrate de. **PMS-Yohimbine, Yocon; (Odan), (Rougier), (Tanta), (Welcker-Lyster).** †Actibine, †Aphrodyne, †Yohimex.

†Yohimex. *yohimbine, chlorhydrate de.*

Yutopar (Bristol). *ritodrine, chlorhydrate de.*

Les noms **soulignés** paraissent en version détaillée dans la section des monographies du *CPS.*

Z

Zaditen (Novartis Pharma). *kétotifène, fumarate de.*

zafirlukast. **Accolate.**

zalcitabine. ddC. **Hivid.**

Zanosar (Pharmacia & Upjohn). *streptozocine.*

Zantac (Glaxo Wellcome). *ranitidine, chlorhydrate de.*

Zantac 75 (Glaxo Wellcome). *ranitidine, chlorhydrate de.*

†Zantryl. *phentermine, chlorhydrate de.*

Zarontin (Parke-Davis). *éthosuximide.*

Zaroxolyn (Rhône-Poulenc Rorer). *métolazone.*

Z-BEC (Whitehall-Robins). *multivitamines/zinc, sulfate de.*

ZeaSORB (Stiefel). *aluminium, dihydroxyallantoïnate d'/cellulose/chloroxylénol.*

ZeaSORB AF (Stiefel). *tolnaftate.*

†Zebeta. *bisoprolol, fumarate de.*

†Zefazone. *cefmetazole sodique.*

Zemuron (Organon). *rocuronium, bromure de.*

Zephiran (Sanofi). *benzalkonium, chlorure de.*

Zerit (Bristol-Myers Squibb). *stavudine.*

Zestoretic (Zeneca). *hydrochlorothiazide/lisinopril.*

Zestril (Zeneca). *lisinopril.*

Zétar (Dermik Laboratories Canada). *goudron de houille.*

†Zetran. *diazépam.*

†Ziac. *bisoprolol, fumarate de/hydrochlorothiazide.*

zidovudine. azidothymidine. AZT. **Apo-Zidovudine, Novo-AZT, Retrovir (AZT).**

Zilactin (Zila Pharmaceuticals). *alcool benzylique.*

Zilactin-B (Zila Pharmaceuticals). *benzocaïne.*

Zilactin Bébé (Zila Pharmaceuticals). *benzocaïne.*

Zilactin-L (Zila Pharmaceuticals). *lidocaïne.*

Zilactin-Lip (Zila Pharmaceuticals). *diméthicone/homosalate/menthol/octyl méthoxycinnamate/oxybenzone.*

Zinacef (Glaxo Wellcome). *céfuroxime sodique.*

zinc/acide ascorbique/sélénium/vitamine du complexe B/vitamine E. **Stresstabs Plus.**

zinc/calcium, carbonate de/cuivre/magnésium/manganèse/vitamine D. **Caltrate Plus.**

Zincfrin (Alcon). *phényléphrine, chlorhydrate de/zinc, sulfate de.*

Zincfrin-A (Alcon). *antazoline, phosphate d'/naphazoline, chlorhydrate de/zinc, sulfate de.*

zinc, gluconate de/cobalt, gluconate de/nickel, gluconate de. **Oligosol, Zinc-Nickel-Cobalt.**

zinc, hydroxyde de/cosyntrophine. **Synacthen Dépôt.**

zinc monohydraté, sulfate de. **Anusol, Anuzinc.**

zinc monohydraté, sulfate de/pramoxine, chlorhydrate de. **Anusol Plus.**

Zincofax (Warner-Lambert, Santé grand public). *zinc, oxyde de.*

zinc, oxyde de. **Baby's Own Onguent, Prevex Bébé, crème pour érythème fessier, Zincofax.**

zinc, oxyde de/cuivre, oxyde de/multivitamines. **Stresstabs avec Zinc.**

zinc, oxyde de/multivitamines. **Adeks, comprimés.**

zinc, pyrithione de. **Dan-Gard, Sebulon, ZNP.**

zinc, pyrithione de/goudron de genévrier/goudron de houille/goudron de pin. **Multi-Tar Plus.**

zinc, pyrithione de/menthol. **Z-Plus.**

zinc, sulfate de. **PMS-Egozinc.**

zinc, sulfate de/antazoline, phosphate d'/naphazoline, chlorhydrate de. **Zincfrin-A.**

zinc, sulfate de/héparine sodique. **Lipactin.**

zinc, sulfate de/multivitamines. **Adeks, gouttes pédiatriques, Z-BEC.**

zinc, sulfate de/phényléphrine, chlorhydrate de. **Zincfrin.**

zinc, sulfate monohydraté de. **Rivasol.**

zinc, sulfate monohydraté de/benzocaïne. **Rectogel.**

zinc, sulfate monohydraté de/benzocaïne/hydrocortisone, acétate d'. **Rectogel HC.**

zinc, sulfate monohydraté de/hydrocortisone, acétate d'. **Anodan-HC, Anusol-HC, Hemcort HC, PMS-Egozinc HC, Rivasol HC.**

zinc, sulfate monohydraté de/hydrocortisone, acétate d'/pramoxine, chlorhydrate de. **Anugesic-HC, Proctodan-HC.**

zinc, undécylénate de/acide undécylénique. **Desenex.**

Zinecard (Pharmacia & Upjohn). *dexrazoxane.*

Zithromax (Pfizer). *azithromycine, dihydrate d'.*

ZNP (Stiefel). *zinc, pyrithione de.*

Zocor (Frosst). *simvastatine.*

Zofran (Glaxo Wellcome). *ondansétron dihydraté, chlorhydrate de.*

Zoladex (Zeneca). *goséréline, acétate de.*

Zoladex LA (Zeneca). *goséréline, acétate de.*

zolmitriptan. †Zomig.

Zoloft (Pfizer). *sertraline, chlorhydrate de.*

zolpidem. †Ambien.

†Zomig. *zolmitriptan.*

Zonalon (Medicis). *doxépine, chlorhydrate de.*

zopiclone. **Apo-Zopiclone, Imovane, Nu-Zopiclone, Rhovane.**

Zostrix (Medicis). *capsaïcine.*

Zostrix H.P. (Medicis). *capsaïcine.*

Zovirax, crème (Glaxo Wellcome). *acyclovir.*

Zovirax, onguent (Glaxo Wellcome). *acyclovir.*

Zovirax Oral (Glaxo Wellcome). *acyclovir.*

Zovirax pour perfusion (Glaxo Wellcome). *acyclovir sodique.*

Z-Plus (Dormer). *menthol/zinc, pyrithione de.*

zuclopenthixol, acétate de. **Clopixol-Acuphase.**

zuclopenthixol, décanoate de. **Clopixol Depot.**

zuclopenthixol, dichlorhydrate de. **Clopixol.**

Zyban (Glaxo Wellcome). *bupropion.*

Zyloprim (Glaxo Wellcome). *allopurinol.*

Zyprexa (Lilly). *olanzapine.*

Zyrtec (UCB Pharma). *cétirizine, chlorhydrate de.*

Une gracieuseté de

MERCK FROSST

Découvrir toujours plus. Vivre toujours mieux.

Lorsque Charles E. Frosst & Co. fut fondée en 1899 par Charles Frosst, ses quatre associés et cinq mille dollars, l'industrie pharmaceutique canadienne était, à toutes fins pratiques, inexistante. Charles E. Frosst et ses associés eurent tôt fait d'établir la vocation innovatrice de leur entreprise en lançant rapidement des nouveaux produits tels les fameux analgésiques 222® (comprimés d'acide acétylsalicylique, de phosphate de codéine, de caféine, USP) et ^{N}292® [375 mg d'acide acétylsalicylique, 30 mg de phosphate de codéine et 15 mg de caféine (sous forme de citrate de caféine), USP], deux médicaments que l'on utilise encore aujourd'hui au Canada. Au cours des années vingt, Charles E. Frosst & Co. devenait une entreprise familiale et consolidait sa réputation en tant que société d'innovation. Deux des anciens associés de Charles E. Frosst, William S. Ayerst et Frank W. Horner, se retirèrent pour fonder d'autres entreprises pharmaceutiques au Canada. Vers le milieu des années quarante, Charles E. Frosst mettait au point les premiers produits pharmaco-radioactifs vendus au Canada et outre-mer, devenant ainsi le pionnier de la médecine nucléaire au Canada. En 1965, Charles E. Frosst fusionnait avec Merck & Co., Inc. du New Jersey.

L'entreprise familiale Merck fut fondée en 1668 à Darmstadt, en Allemagne, puis transplantée en Amérique du Nord par George Merck en 1891. Il était logique que les deux entreprises fusionnent : Merck s'était établie à Montréal en 1911, d'abord à titre d'importateur et de commerçant de produits pharmaceutiques et de produits de la chimie fine puis, à compter de 1930, en tant que fabricant. De son côté, Merck suivait le même cheminement que ses collègues canadiens sur le plan de l'innovation et de la découverte. En 1940, l'entreprise fabriquait de la vitamine B1 et, en 1944, elle commençait à fabriquer la pénicilline suivant un procédé de fermentation submergé encore jamais utilisé dans les pays du Commonwealth. Par la suite, les innovations s'enchaînèrent rapidement. Les recherches de Merck sur la vitamine devaient mener à des découvertes dans le domaine des sulfamides, des pénicillines et des corticostéroïdes. La société entreprit ses premiers travaux en médecine nucléaire à la suite d'une demande du Conseil national de recherches concernant la mise au point de composés spécialisés devant être utilisés comme traceurs dans l'étude des processus chimiques et biologiques. En 1955, Merck fusionna avec la société torontoise Sharp & Dohme, engagée elle aussi dans la fabrication de médicaments. L'entreprise ainsi formée établit son siège social à Montréal et adopta, en 1961, la raison sociale Merck Sharp & Dohme Canada Limited.

Les bases étaient ainsi jetées pour la plus récente phase d'une histoire longue et prestigieuse, phase qui débuta en 1965 avec l'acquisition de Charles E. Frosst & Co. par Merck & Co., Inc. En 1968, la société Merck Frosst Laboratories fut fondée à titre d'entreprise de prestation de services aux deux sociétés de vente, Merck Sharp & Dohme Canada Limited et Charles E. Frosst & Co. En 1982, les trois entreprises firent l'objet d'une restructuration au terme de laquelle fut fondée Merck Frosst Canada Inc., la société pharmaceutique entièrement intégrée que l'on connaît aujourd'hui.

® Marques déposées de Merck Frosst Canada Inc.

Voir à l'intérieur

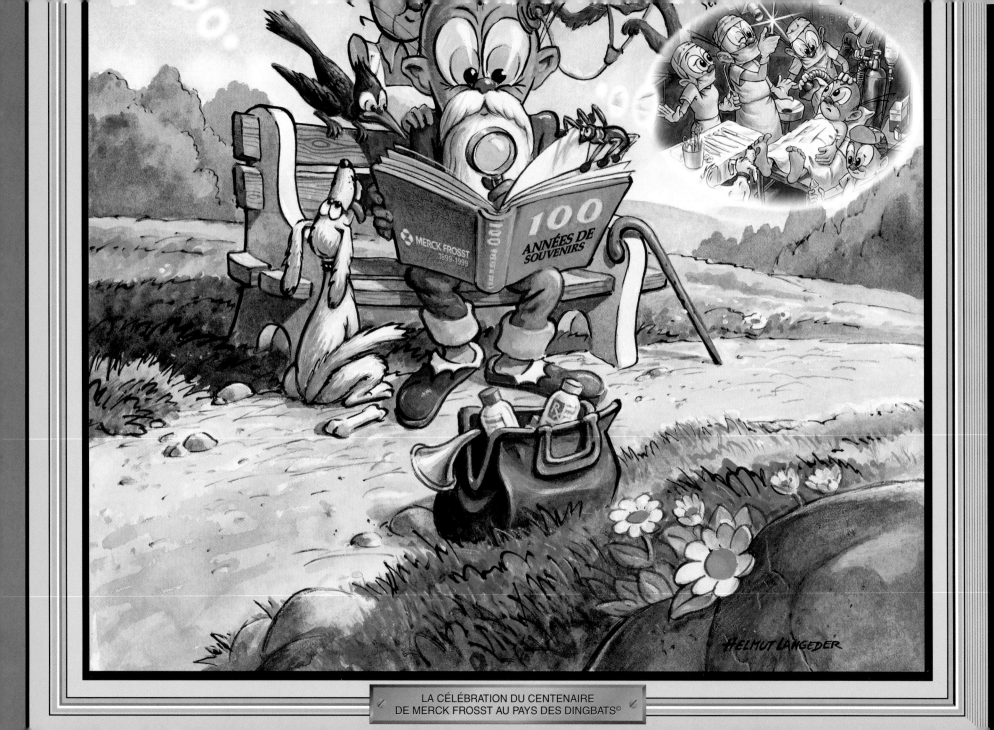

LA CÉLÉBRATION DU CENTENAIRE
DE MERCK FROSST AU PAYS DES DINGBATS©

Fabrication - 1951
Pharmacologie - 1952
R-D pharmaceutique - 1969
Recherche - 1915
Vaccins - 1940
Formation médicale continue - 1979
HIRUDO MEDICINALIS

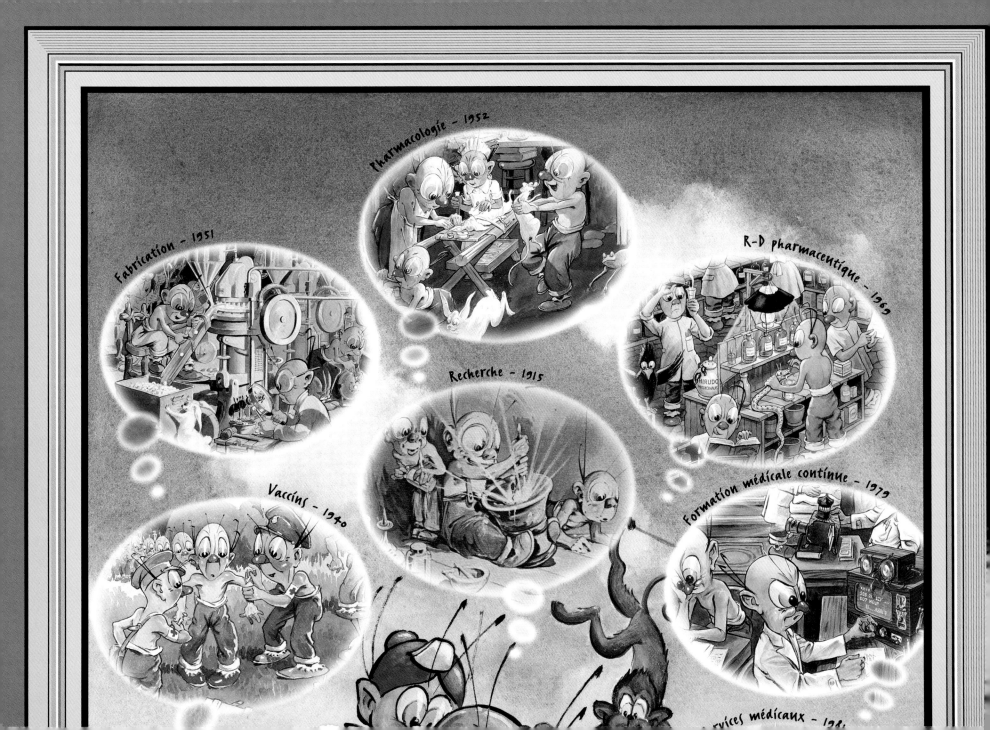

La quête de l'excellence dans la recherche

Le passé de Merck Frosst est fermement enraciné dans l'histoire de la recherche scientifique au Canada. C'est là un fait historique et une constante dans l'évolution de l'entreprise. Au cours des années soixante-dix, les chercheurs de Merck Frosst découvraient PrBLOCADREN® (comprimé de maléate de timolol, norme de Frosst), le premier et le seul bêta-bloquant à être découvert au Canada, et PrFLEXERIL® (comprimé de chlorhydrate de cyclobenzaprine, norme de Frosst), un relaxant musculaire. Les études cliniques sur le maléate de timolol révélèrent que ce composé possédait une autre propriété thérapeutique, celle de diminuer la tension intraoculaire. Pour des millions de personnes dans le monde qui souffrent de glaucome, l'une des causes principales de cécité, le maléate de timolol constituait une première percée dans le traitement de cette affection depuis un demi-siècle.

Aujourd'hui, le Centre de recherche thérapeutique Merck Frosst abrite les plus vastes installations de recherche biomédicale au Canada et il est l'un des centres thérapeutiques de recherche entièrement intégrés au pays. Plus de 225 scientifiques de classe mondiale travaillent au Centre, perpétuant la tradition d'excellence de Merck Frosst dans le domaine de la recherche au Canada. En outre, la Recherche clinique emploie plus de 60 autres chercheurs. Le mandat du Centre est l'élaboration de nouvelles approches pour le traitement de maladies inflammatoires et respiratoires ainsi que d'autres affections. Ses chercheurs ont récemment mené l'offensive contre l'asthme bronchique en mettant au point un médicament qui ouvre la porte à un nouveau type de traitement : les antagonistes des récepteurs des leucotriènes. PrSINGULAIRMC (montélukast sodique) constitue la première percée réalisée dans le traitement de l'asthme depuis plus de 20 ans. Dernièrement, des progrès ont été accomplis dans le cadre d'un nouveau programme de mise au point de médicaments anti-inflammatoires, plus sûrs que les anti-inflammatoires non stéroïdiens actuels, pour le traitement de l'arthrose et de la polyarthrite rhumatoïde. Un autre important programme de recherche présentement en cours est né de la découverte faite chez Merck Frosst d'une série de nouvelles protéases à cystéine associées à l'apoptose (mort cellulaire programmée). La régulation de ce processus corporel clé pourrait mener à d'importantes applications thérapeutiques pour plusieurs affections, dont le cancer et les accidents cérébrovasculaires, ainsi que des maladies neurodégénératives et cardio-vasculaires. En 1997, Merck Frosst a investi plus de 80 millions de dollars dans des programmes de recherche et de mise au point de nouveaux médicaments.

Des produits de haute qualité

La Division Fabrication Merck emploie plus de 350 personnes et fabrique des comprimés, des gélules, des liquides, des produits injectables stériles et des produits pharmaceutiques marqués aux isotopes radioactifs, ce qui représente plus de 150 médicaments vendus en 290 formats différents. Depuis 1992, Merck Frosst a investi plus de 112 millions de dollars dans la modernisation et l'expansion de son usine, ce qui témoigne de l'engagement continu de Merck Frosst envers l'innovation. Les installations de fabrication de Merck Frosst sont ainsi devenues des installations d'avant-garde de classe mondiale qui permettront à Merck Frosst de conquérir les marchés canadien et internationaux.

Notre responsabilité

Merck Frosst assume sa responsabilité d'entreprise dans les secteurs qu'elle connaît le mieux et dans lesquels elle peut donc intervenir avec succès. La promotion de la recherche médicale et pharmaceutique dans les universités, les hôpitaux et d'autres institutions du Canada, la commandite de programmes destinés à améliorer la qualité et la rentabilité du système de soins de santé canadien et le soutien à l'éducation scientifique générale chez les jeunes figurent parmi ses principaux secteurs d'intervention. De plus, Merck Frosst est membre de deux Réseaux de centres d'excellence parrainés par le gouvernement fédéral dans les domaines de la recherche génétique et du génie des protéines.

Un engagement indéfectible envers le réseau de santé

Bien que sa mission première soit la mise au point de nouveaux médicaments, Merck Frosst est un partenaire très engagé du réseau de santé. Elle collabore activement avec le monde de l'enseignement, la communauté médicale, les patients, le secteur privé, les divers intervenants clés et tous les gouvernements canadiens pour améliorer la qualité et le rapport coût-efficacité des soins de même que pour élaborer et recommander des politiques judicieuses dans le domaine de la santé pour les Canadiens.

Le personnel de Merck Frosst

Le leadership de Merck Frosst lui a valu le respect des autres membres de l'industrie et de la collectivité des soins de santé. Cependant, la société reconnaît que sa réputation est acquise et maintenue grâce aux efforts soutenus des membres de son personnel. C'est pourquoi Merck Frosst affecte des ressources considérables au recrutement des professionnels les plus compétents dans leur domaine et les plus aptes à perpétuer sa tradition d'excellence.

Les Dingbats© - série 1999

MERCK FROSST
Merck Frosst Canada Inc., Kirkland, Québec

Papier recyclé
10% fibres post-consommation
Recyclable

GUIDE THÉRAPEUTIQUE

Le Guide thérapeutique a été adapté de la version canadienne de l'index de classification Anatomique, Thérapeutique et Chimique (ATC) de l'OMS[1] dans le but de fournir une ligne de conduite clinique pratique lors de l'utilisation des médicaments énumérés dans le *CPS.*

COMMENT UTILISER LE GUIDE THÉRAPEUTIQUE

Les médicaments énumérés dans ce guide sont classifiés en plusieurs catégories thérapeutiques (p. ex., antihypertenseurs, diurétiques, hypolipidémiants, thérapie cardiaque, etc.). Les médicaments sont ensuite classifiés selon un sous-titre thérapeutique, pharmacologique ou chimique à l'intérieur de leur catégorie thérapeutique.

Les médicaments peuvent être classifiés sous plus d'une section s'ils sont utilisés dans plus d'une indication. Par exemple, quelques bêta-bloquants peuvent être trouvés à la fois sous Antihypertenseurs et Cardiothérapie. Les références croisées énumérées sous une catégorie thérapeutique guideront les utilisateurs aux autres catégories thérapeutiques où un médicament est également listé.

Les combinaisons de médicaments ne sont habituellement pas énumérées, à quelques exceptions près (p. ex., contraceptifs oraux).

Pour trouver le nom commercial d'un médicament, les utilisateurs du *CPS* doivent consulter l'index des dénominations communes et des noms déposés des médicaments (section verte).

Ce guide ne prétend pas être exhaustif; une entité médicamenteuse pouvant ne pas être énumérée sous chacune de ses indications approuvées. Les utilisateurs doivent exercer leur jugement professionnel en consultant le guide thérapeutique. Pour plus d'informations sur les médicaments énumérés dans le guide, on recommande aux lecteurs de consulter la section des monographies des produits du *CPS.*

Bibliographie:

1. Conseil d'examen du prix des médicaments brevetés (CEPMB). Système de classification ATC pour médicaments pour usage humain (Canada). Ottawa, ON: CEPMB. 1995.

INDEX DU GUIDE THÉRAPEUTIQUE

Acné (traitement de l')

Systémique
Antibiotiques
érythromycine
érythromycine, estolate d'
minocycline, chlorhydrate de
tétracycline, chlorhydrate de
Association œstro-antiandrogénique
cyprotérone, acétate de/éthinylœstradiol
Rétinoïdes
isotrétinoïne

Topique
Antibiotiques
clindamycine, phosphate de
érythromycine
Corticostéroïdes
méthylprednisolone, acétate de
Peroxydes
peroxyde de benzoyle
Rétinoïdes
tazarotène
trétinoïne
Soufre (préparations contenant du)
soufre
Diverses préparations topiques pour le traitement de l'acné
acide salicylique
adapalène
aluminium, oxyde d'
povidone-iode
triclosan

Affections rhumatismales (traitement des)

voir aussi Analgésiques; Corticosurrénaux

Corticostéroïdes
bétaméthasone, phosphate sodique de
cortisone, acétate de
dexaméthasone
dexaméthasone, phosphate sodique de
méthylprednisolone, acétate de
prednisolone
prednisone
triamcinolone
triamcinolone, diacétate de

Médicaments modifiant le cours de l'affection rhumatismale (DMARDS)
Cytotoxiques
azathioprine
méthotrexate sodique
Préparations de sels d'or
aurothioglucose
aurothiomalate de sodium
Autres DMARDS
hydroxychloroquine, sulfate d'
pénicillamine
sulfasalazine

Divers agents pour le traitement des affections rhumatismales
Produits topiques pour douleurs articulaires et musculaires
capsaïcine
menthol
triéthanolamine, salicylate de

Agglutination du phosphate (agents d')

Aluminium (préparations contenant de l')
aluminium, gel d'hydroxyde d'

Alcoolisme (traitement de l')

disulfirame
naltrexone, chlorhydrate de

Allergie (traitement de l')

voir aussi Anti-inflammatoires topiques; Antiprurigineux; Corticosurrénaux; Préparations nasales; Produits ophtalmiques

Allergie gastro-intestinale
cromoglycate sodique

Anaphylaxie (traitement de l')
épinéphrine

Antihistaminiques
Alkylamines
bromphéniramine, maléate de
chlorphéniramine, maléate de
dexchlorphéniramine, maléate de
Éthanolamines
clémastine, hydrogénofumarate
diphenhydramine, chlorhydrate de
Éthylènediamines
tripélennamine, chlorhydrate de
Phénothiazine (dérivés de la)
prométhazine, chlorhydrate de
triméprazine, tartrate de
Pipérazine (dérivés de la)
cétirizine, chlorhydrate de
cyclizine, lactate de
hydroxyzine, chlorhydrate de
méclizine, chlorhydrate de
Pipéridine (dérivés de la)
astémizole
azatadine, maléate d'
cyproheptadine, chlorhydrate de
loratadine
terfénadine

Rhinite allergique de l'herbe à poux (traitement de la)
Immunothérapie
vaccin de l'herbe à poux

Analgésiques

voir aussi Affections rhumatismales; Goutte et hyperuricémie; Thérapie buccale et traitement de la bouche sèche

Anti-inflammatoires non stéroïdiens (AINS)
Dérivés de l'acide acétique (incluant dérivés de l'indole)
diclofénac potassique
diclofénac sodique
étodolac
indométhacine
kétorolac, trométhamine de
sulindac
tolmétine sodique
Dérivés de l'acide propionique
acide tiaprofénique
fénoprofène calcique
flurbiprofène
ibuprofène
kétoprofène
naproxen
naproxen sodique
oxaprozine
Dérivés de l'acide salicylique
acide acétylsalicylique (AAS)
diflunisal
salicylate de magnésium
trisalicylate de choline et de magnésium (salicylate de choline/salicylate de magnésium)
Fénamates
acide méfénamique
floctafénine
Oxicames
piroxicam
ténoxicam
Divers anti-inflammatoires non stéroïdiens
nabumétone

Dérivés para-aminophénoliques
Anilides
acétaminophène

Névralgie (traitement de la)
Névralgie du trijumeau
carbamazépine
Névralgie (traitement topique de la)
capsaïcine

Opioïdes
Alcaloïdes naturels de l'opium
codéine, phosphate de
diamorphine, chlorhydrate de
hydromorphone, chlorhydrate d'
morphine, chlorhydrate de
morphine, sulfate de
oxycodone, chlorhydrate d'
oxymorphone, chlorhydrate d'
Dérivés de benzomorphan
pentazocine, chlorhydrate de
pentazocine, lactate de
Dérivés de la diphénylpropylamine
propoxyphène, chlorhydrate de
propoxyphène, napsylate de
Dérivés de la phénylpipéridine
alfentanyl, chlorhydrate d'
aniléridine
fentanyl, citrate de
péthidine, chlorhydrate de
sufentanil, citrate de
Dérivés de morphinan
butorphanol, tartrate de
nalbuphine, chlorhydrate de

Préparations contre la migraine
Agonistes de la sérotonine (5-HT$_{1D}$)
naratriptan, chlorhydrate de
sumatriptan, hémisulfate de
sumatriptan, succinate de
Alcaloïdes de l'ergot de seigle
dihydroergotamine, mésylate de
ergotamine, tartrate d'
méthysergide, maléate de
Antagonistes sélectifs calciques
flunarizine, chlorhydrate de
Barbituriques
butalbital
Bêta-bloquants adrénergiques
propranolol, chlorhydrate de
Diverses préparations contre la migraine
matricaire standardisée (feverfew)
pizotifène

Anémie (traitement de l')

voir aussi Minéraux; Vitamines

Facteurs de stimulation de l'érythropoïèse
époétine alfa

Préparations de fer
Fer bivalent, préparations orales
ascorbate ferreux
fumarate ferreux
gluconate ferreux
sulfate ferreux
Fer complexe, préparations parentérales
fer-dextran
Fer trivalent, préparations parentérales
fer-sorbitol-acide citrique, complexe de

Vitamine B_{12} et acide folique
Acide folique
acide folique
Vitamine B_{12}, dérivés de la
cyanocobalamine
hydroxocobalamine

Divers agents pour le traitement de l'anémie
Stéroïdes anabolisants-androgènes
nandrolone, décanoate de
nandrolone, phenpropionate de

Anesthésiques généraux

Anesthésiques opioïdes
alfentanil, chlorhydrate d'
aniléridine
fentanyl, citrate de
rémifentanil, chlorhydrate de
sulfentanil, citrate de

Barbituriques
méthohexital sodique
thiopental sodique

Hydrocarbures halogénés
desflurane
enflurane
halothane
isoflurane
sevoflurane

Divers anesthésiques généraux
kétamine, chlorhydrate de
midazolam, chlorhydrate de
propofol

Anesthésiques locaux

voir aussi Antiprurigineux; Produits ophtalmiques; Produits otiques; Thérapie buccale et traitement de la bouche sèche

Amides
articaïne, chlorhydrate d'
bupivacaïne, chlorhydrate de
lidocaïne
lidocaïne, chlorhydrate de
lidocaïne, hydrocarbonate de
mépivacaïne, chlorhydrate de
prilocaïne, chlorhydrate de
ropivacaïne, chlorhydrate de
Esters de l'acide aminobenzoïque
benzocaïne
chloroprocaïne, chlorhydrate de
cocaïne, chlorhydrate de
procaïne, chlorhydrate de
tétracaïne
tétracaïne, chlorhydrate de

Anthelminthiques

Dérivés de la pipérazine
pipérazine
Dérivés de la pyrimidine
pyrantel, pamoate de
Divers anthelminthiques
mébendazole
praziquantel
pyrvinium, pamoate de
thiabendazole

Antiacides

voir aussi Reflux; Ulcères gastro-duodénaux

Aluminium (préparations contenant de l')
aluminium, hydroxyde d'
Aluminium/magnésium (préparations contenant de l')
aluminium, hydroxyde d'/magnésium, hydroxyde de
magaldrate
Calcium (préparations contenant du)
calcium, carbonate de
Magnésium (préparations contenant du)
magnésium, carbonate de
magnésium, hydroxyde de

Antibactériens

voir aussi Acné; Antidiarrhéiques et anti-infectieux; Antiprotozoaires; Antituberculeux; Pansements médicamentés; Préparations vaginales; Produits ophtalmiques; Produits otiques; Produits urologiques

Antibactériens topiques
acide fusidique
bacitracine
bacitracine de zinc
chloramphénicol
chlorhexidine, acétate de
chlorhexidine, gluconate de
chlortétracycline, chlorhydrate de
clioquinol
framycétine, sulfate de
fusidate de sodium
gentamicine, sulfate de
mupirocine
néomycine, sulfate de
polymyxine B, sulfate de
sulfadiazine d'argent
tétracycline, chlorhydrate de

Antibiotiques
Aminosides
amikacine, sulfate d'
gentamicine, sulfate de
nétilmicine, sulfate de
paromomycine, sulfate de
streptomycine, sulfate de
tobramycine, sulfate de
Carbapénems
imipénem/cilastatine sodique
méropénem
Céphalosporines, 1re génération
céfadroxil
céfazoline sodique
céphalexine
céphalothine sodique
Céphalosporines, 2e génération
céfaclor
céfamandole, nafate de
céfotétane disodique
céfoxitine sodique
cefprozil
céfuroxime axétil
céfuroxime sodique
Céphalosporines, 3e génération
céfixime
céfotaxime sodique
ceftazidime
ceftazidime, pentahydrate de
ceftizoxime sodique
ceftriaxone sodique
Céphalosporines, 4e génération
céfépime, chlorhydrate de
Fluoroquinolones
ciprofloxacine
ciprofloxacine, chlorhydrate de
grépafloxacine, chlorhydrate de
lévofloxacine
norfloxacine
ofloxacine
Glycopeptides
vancomycine, chlorhydrate de
Lincosamides
clindamycine, chlorhydrate de
clindamycine, chlorhydrate de palmitate de
clindamycine, phosphate de
lincomycine, chlorhydrate monohydraté de
Macrolides
azithromycine, dihydrate d'
clarithromycine
érythromycine
érythromycine, estolate d'
érythromycine, éthylsuccinate d'
érythromycine, gluceptate d'
érythromycine, lactobionate d'
érythromycine, stéarate d'
spiramycine
Pénicillines, Aminopénicillines
amoxicilline
amoxicilline, trihydrate d'
ampicilline
ampicilline sodique
ampicilline, trihydrate d'
bacampicilline, chlorhydrate de
pivampicilline
pivmécillinam, chlorhydrate de
Pénicillines antipseudomonas
pipéracilline sodique
ticarcilline disodique
Pénicillines résistantes aux pénicillinases
cloxacilline sodique
Pénicillines sensibles aux pénicillinases
pénicilline G benzathinique
pénicilline G potassique
pénicilline G sodique
phénoxyméthyl pénicilline
phénoxyméthyl pénicilline benzathinique
phénoxyméthyl pénicilline potassique
Pénicillines/inhibiteurs de β-lactamases en association
amoxicilline/potassium, clavulanate de
pipéracilline sodique/tazobactam sodique
potassium, clavulanate de/ticarcilline disodique
Sulfamides
sulfaméthoxazole
sulfapyridine
Sulfamides en association
co-trimazine (sulfadiazine/triméthoprime)
co-trimoxazole (sulfaméthoxazole/triméthoprime)
érythromycine, éthylsuccinate d'/sulfisoxazole

Tétracyclines
déméclocycline, chlorhydrate de
doxycycline, hyclate de
minocycline, chlorhydrate de
tétracycline, chlorhydrate de

Triméthoprime et dérivés
triméthoprime

Divers antibactériens
acide fusidique
bacitracine
chloramphénicol
colistiméthate sodique
fusidate de sodium
métronidazole
polymyxine B, sulfate de
rifabutine

Anticoagulants

Antagonistes de la vitamine K
nicoumalone
warfarine sodique

Héparines de faible poids moléculaire (HFPM)
daltéparine sodique
énoxaparine sodique
nadroparine calcique
tinzaparine sodique

Héparines standards
héparine sodique

Héparinoïdes
danaparoïde sodique

Divers anticoagulants
ancrod
antithrombine III (humaine)

Anticonvulsivants

voir aussi Anxiolytiques; Hypnotiques et sédatifs

Barbituriques et dérivés
phénobarbital
primidone

Dérivés de l'acide carboxylique
acide valproïque
divalproex sodique

Dérivés de l'acide gamma-aminobutyrique (GABA)
gabapentine
vigabatrine

Benzodiazépines
clobazam
clonazépam
diazépam
lorazépam
nitrazépam

Dérivés hydantoïnes
fosphénytoïne sodique
phénytoïne
phénytoïne sodique

Dérivés iminostilbènes
carbamazépine

Dérivés succinimides
éthosuximide
methsuximide

Divers anticonvulsivants
lamotrigine
magnésium, sulfate de
paraldéhyde
topiramate

Antidépresseurs

voir aussi Antiobsessionnels; Antipaniques; Troubles alimentaires

Inhibiteurs non sélectifs de la monoamine oxydase (IMAO) (types A, B)
phénelzine, sulfate de
tranylcypromine, sulfate de

Inhibiteurs sélectifs (type A) de la monoamine oxydase (IMAO)
moclobémide

Inhibiteurs non sélectifs du recaptage de la monoamine
amitriptyline, chlorhydrate d'
amoxapine
clomipramine, chlorhydrate de
désipramine, chlorhydrate de
doxépine, chlorhydrate de
imipramine, chlorhydrate d'
maprotiline, chlorhydrate de
nortriptyline, chlorhydrate de
protriptyline, chlorhydrate de
trimipramine, maléate de

Inhibiteurs du recaptage de la sérotonine-norépinéphrine
venlafaxine, chlorhydrate de

Inhibiteurs sélectifs du recaptage de la sérotonine (ISRS)
fluoxétine, chlorhydrate de
fluvoxamine, maléate de
paroxétine, chlorhydrate de
sertraline, chlorhydrate de

Divers antidépresseurs
bupropion, chlorhydrate de
l-tryptophane
néfazodone, chlorhydrate de
trazodone, chlorhydrate de

Antidiarrhéiques et anti-infectieux

voir aussi Antibactériens; Antifongiques

Adsorbants intestinaux
attapulgite activée
bismuth, subsalicylate de

Anti-infectieux intestinaux

Antibactériens
ciprofloxacine, chlorhydrate de
co-trimoxazole (sulfaméthoxazole/triméthoprime)
doxycycline, hyclate de
métronidazole
néomycine, sulfate de
vancomycine, chlorhydrate de

Antifongiques
nystatine

Antipéristaltiques
diphénoxylate, chlorhydrate de/atropine, sulfate d'
lopéramide, chlorhydrate de

Modificateurs de la flore
lactobacillus acidophilus

Antidotes

Acétaminophène (antidote de l')
acétylcystéine

Antagonistes de l'héparine
protamine, sulfate de

Antagonistes des benzodiazépines
flumazénil

Antagonistes des opiacés
naloxone, chlorhydrate de
naltrexone, chlorhydrate de

Anticorps de la digoxine
digoxine [Fab (ovins)]

Chélateurs
calcium disodique, édétate de
déféroxamine, mésylate de

Cyanure (antidotes du)
amyle, nitrite d'
thiosulfate sodique

Insecticides organophosphorés (antidotes des)

Réactivateurs de la cholinestérase
pralidoxime, chlorure de

Traitement non spécifique des surdosages

Adsorbants
charbon activé

Émétiques
ipéca

Antiémétiques et antinauséeux

voir aussi Modificateurs de la motilité gastro-intestinale; Reflux

Antagonistes de la dopamine
chlorpromazine, chlorhydrate de
dropéridol
métoclopramide, chlorhydrate de
perphénazine
prochlorpérazine
prochlorpérazine, mésylate de
trifluopérazine, chlorhydrate de

Antagonistes de la sérotonine (5-HT$_3$)
dolasétron, mésylate de
granisétron, chlorhydrate de
ondansétron, chlorhydrate d' (dihydraté)

Anticholinergiques
scopolamine

Antihistaminiques
cyclizine, lactate de
dimenhydrinate
hydroxyzine, chlorhydrate de
prométhazine, chlorhydrate de

Cannabinoïdes
dronabinol
nabilone

Antiémétiques et antinauséeux (Grossesse)

doxylamine/pyridoxine

Antiflatulents

Agents de coalescence
siméthicone

Enzymes
alpha-D-galactosidase

Antifongiques

voir aussi Antidiarrhéiques et anti-infectieux; Préparations dermatologiques; Préparations vaginales; Thérapie buccale et traitement de la bouche sèche

Antifongiques systémiques

Allylamines
terbinafine, chlorhydrate de

Antibiotiques antifongiques
amphotéricine B
griséofulvine
Imidazoles
kétoconazole
Pyrimidines
flucytosine
Triazoles
fluconazole
itraconazole

Antifongiques topiques

voir aussi Préparations vaginales
Allylamines
naftifine, chlorhydrate de
terbinafine, chlorhydrate de
Antibiotiques antifongiques
nystatine
Imidazoles
clotrimazole
éconazole, nitrate d'
kétoconazole
miconazole, nitrate de
oxiconazole, nitrate d'
tioconazole
Divers antifongiques pour usage topique
acide undécylénique
chlorphénésine
ciclopirox olamine
clioquinol
sélénium, sulfure de
tolnaftate

Antihypertenseurs

voir aussi Cardiothérapie; Diurétiques

Agents agissant sur la musculature lisse artériolaire

Antagonistes calciques
amlodipine, bésylate d'
diltiazem, chlorhydrate de
félodipine
nicardipine, chlorhydrate de
nifédipine
vérapamil, chlorhydrate de
Vasodilatateurs
diazoxide
époprosténol sodique
hydralazine, chlorhydrate d'
minoxidil
nitroglycérine
nitroprussiate sodique

Agents agissant sur le système rénine-angiotensine

Antagonistes du récepteur de l'angiotensine II
irbesartan
losartan potassique
valsartan
Inhibiteurs de l'enzyme de conversion de l'angiotensine (ECA)
benazépril, chlorhydrate de
captopril
cilazapril
énalapril, maléate d'
énalaprilat
fosinopril sodique
lisinopril
perindopril erbumine
quinapril, chlorhydrate de
ramipril
trandolapril

Bloqueurs adrénergiques

Alpha$_1$-bloquants adrénergiques
doxazosine, mésylate de
prazosine, chlorhydrate de
térazosine, chlorhydrate dihydraté de
Alpha$_1$- et alpha$_2$-bloquants adrénergiques
phentolamine, mésylate de
Alpha$_1$- et bêta-bloquants adrénergiques
labétalol, chlorhydrate de
Bêta-bloquants adrénergiques sélectifs, activité sympathomimétique intrinsèque (A.S.I.)
acébutolol, chlorhydrate d'
Bêta-bloquants adrénergiques sélectifs, sans A.S.I.
aténolol
esmolol, chlorhydrate d'
métoprolol, tartrate de
Bêta-bloquants adrénergiques non sélectifs, A.S.I.
oxprénolol, chlorhydrate d'
pindolol
Bêta-bloquants adrénergiques non sélectifs, sans A.S.I.
nadolol
propranolol, chlorhydrate de
timolol, maléate de
Bloqueurs adrénergiques centraux
clonidine, chlorhydrate de
méthyldopa
réserpine
Bloqueurs postganglionnaires
guanéthidine, monosulfate de

Diurétiques

Diurétiques de l'anse
acide éthacrynique
éthacrynate sodique
furosémide
torsémide
Diurétiques épargneurs de potassium
amiloride, chlorhydrate d'
spironolactone
triamtérène
Diurétiques osmotiques
mannitol
Thiazidiques et apparentés
chlorthalidone
hydrochlorothiazide
indapamide
indapamide, hémihydrate d'
métolazone

Anti-inflammatoires topiques

voir aussi Antiprurigineux; Asthme; Préparations nasales; Produits ophtalmiques

Corticostéroïdes topiques

Corticostéroïdes faibles (groupe I)
hydrocortisone
hydrocortisone, acétate d'
méthylprednisolone
méthylprednisolone, acétate de
Corticostéroïdes modérément puissants (groupe II)
clobétasone, 17-butyrate de
désonide
fluméthasone, pivalate de
hydrocortisone, acétate d'
hydrocortisone, 17-valérate d'
triamcinolone, acétonide de
Corticostéroïdes puissants (groupe III)
amcinonide
bétaméthasone, benzoate de
bétaméthasone, dipropionate de
bétaméthasone, valérate de
désoximétasone
diflucortolone, valérate de
fluocinolone, acétonide de
fluocinonide
mométasone, furoate de
Corticostéroïdes très puissants (groupe IV)
clobétasol, 17-propionate de
halcinonide

Antinéoplasiques

voir aussi Affections rhumatismales; Chimiothérapie du cancer (prévention de la toxicité de la); Immunostimulants; Immunosuppresseurs; Psoriasis; Vessie (traitement local de la)

Agents alkylants

Analogues des moutardes azotées
chlorambucil
cyclophosphamide
estramustine, phosphate sodique d'
ifosfamide
méchloréthamine, chlorhydrate de
melphalan
Dérivés du platine
carboplatine
cisplatine
Éthylènes-imines
thiotépa
Nitrosourées
carmustine
lomustine
streptozocine
Sulfonates d'alkyle
busulfan

Alcaloïdes de plantes et autres produits naturels

Alcaloïdes de la pervenche et analogues
vinblastine, sulfate de
vincristine, sulfate de
vindésine, sulfate de
vinorelbine, tartrate de
Dérivés de la camptothécine
irinotécan, chlorhydrate d'
Dérivés de la podophyllotoxine
étoposide
téniposide
Taxanes
docétaxel
paclitaxel

Antagonistes d'hormones

Antiandrogènes
bicalutamide
cyprotérone, acétate de
flutamide
nilutamide
Antiœstrogènes
tamoxifène, citrate de
Inhibiteurs de la biosynthèse des corticostéroïdes surrénaliens
aminoglutéthimide
Inhibiteurs de l'aromatase non stéroïdiens
anastrozole
létrozole

Antibiotiques cytotoxiques

Actinomycines
dactinomycine

Anthracyclines
daunorubicine
daunorubicine liposomique
doxorubicine, chlorhydrate de
épirubicine, chlorhydrate d'
idarubicine, chlorhydrate d'

Divers antibiotiques cytotoxiques
bléomycine, sulfate de
mitomycine
mitotane
mitoxantrone, chlorhydrate de

Antimétabolites

Analogues de l'acide folique
méthotrexate sodique
raltitrexed disodique

Analogues des cytidines
gemcitabine, chlorhydrate de

Analogues des purines
cladribine
mercaptopurine
thioguanine

Analogues des pyrimidines
cytarabine
fluorouracile

Dérivés de l'urée
hydroxyurée

Divers antinéoplasiques

altrétamine
amsacrine
dacarbazine
fludarabine, phosphate de
l-asparaginase
pegaspargase
porfimer sodique
procarbazine, chlorhydrate de
topotécan, chlorhydrate de
trétinoïne (acide tout-trans rétinoïque), systémique

Hormones

Analogues de l'hormone de la libération de la gonadotrophine
buséréline, acétate de
goséréline, acétate de
leuprolide, acétate de

Œstrogènes
diéthylstilbestrol, diphosphate sodique de

Progestatifs
médroxyprogestérone, acétate de
mégestrol, acétate de

Antiobsessionnels

voir aussi Antidépresseurs

Dérivés tricycliques
clomipramine, chlorhydrate de

Inhibiteurs sélectifs du recaptage de la sérotonine (ISRS)
fluoxétine, chlorhydrate de
fluvoxamine, maléate de
paroxétine, chlorhydrate de
sertraline, chlorhydrate de

Antipaniques

voir aussi Antidépresseurs; Anxiolytiques

Benzodiazépines
alprazolam

Inhibiteurs sélectifs du recaptage de la sérotonine (ISRS)
paroxétine, chlorhydrate de
sertraline, chlorhydrate de

Antiparkinsoniens

Agents anticholinergiques

benztropine, mésylate de
bipéridène, chlorhydrate de
éthopropazine, chlorhydrate d'
orphénadrine, chlorhydrate d'
procyclidine, chlorhydrate de
trihexyphénidyle, chlorhydrate de

Agents dopaminergiques

Agonistes dopaminergiques
bromocriptine, mésylate de
pergolide, mésylate de
pramipexol, dichlorhydrate de
ropinirole, chlorhydrate de

Inhibiteurs sélectifs (types B) de la monoamine oxydase (IMAO)
sélégiline, chlorhydrate de

Précurseurs de la dopamine
lévodopa

Précurseurs de la dopamine et Inhibiteurs de la décarboxylase
lévodopa/bensérazide, chlorhydrate de
lévodopa/carbidopa

Divers agents dopaminergiques
amantadine, chlorhydrate d'

Antiprotozoaires

voir aussi Antibactériens

Amœbicides

Aminoglycosides
paromomycine, sulfate de

Dérivés de la nitroimidazole
métronidazole

Dérivés de l'hydroxy-8 quinoléine
iodoquinol

Antipaludéens

Alcaloïdes de la cinchona
quinidine, gluconate de, injectable
quinine, sulfate de

Antagonistes de l'acide folique
pyriméthamine

Biguanides
proguanil

Dérivés de la quinoléine
chloroquine, phosphate de
hydroxychloroquine, sulfate d'
méfloquine, chlorhydrate de
primaquine, phosphate de

Sulfamides en association
sulfadoxine/pyriméthamine

Pneumocystis carinii (traitement de)

atovaquone
co-trimoxazole (sulfaméthoxazole/triméthoprime)
pentamidine, iséthionate de
trimétrexate, glucuronate de

Divers antiprotozoaires

halofantrine, chlorhydrate d'

Antiprurigineux

voir aussi Allergie; Anesthésiques locaux; Anti-inflammatoires topiques; Corticosurrénaux

Anesthésiques topiques

benzocaïne
chloroprocaïne, chlorhydrate de
dibucaïne, chlorhydrate de
lidocaïne, chlorhydrate de
tétracaïne
tétracaïne, chlorhydrate de

Antihistaminiques systémiques

Alkylamines
bromphéniramine, maléate de
chlorphéniramine, maléate de
dexchlorphéniramine, maléate de

Dérivés des phénothiazines
prométhazine, chlorhydrate de
triméprazine, tartrate de

Dérivés pipéraziniques
cétirizine, chlorhydrate de
hydroxyzine, chlorhydrate d'

Dérivés pipéridinés
astémizole
azatadine, maléate d'
cyproheptadine, chlorhydrate de
loratadine
terfénadine

Éthanolamines
clémastine, fumarate de
diphenhydramine, chlorhydrate de

Éthylènediamines
tripélennamine, chlorhydrate de

Antihistaminiques topiques

diphenhydramine
doxépine, chlorhydate de
prométhazine

Antipsychotiques

Dérivés de la benzisoxazole
rispéridone

Dérivés de la butyrophénone
halopéridol
halopéridol, décanoate d'

Dérivés de la dibenzodiazépine
clozapine

Dérivés de la dibenzothiazépine
quétiapine, fumarate de

Dérivés de la dibenzoxazépine
loxapine

Dérivés de la diphénylbutylpipéridine
pimozide

Dérivés de la thiénobenzodiazépine
olanzapine

Dérivés du thioxanthène
flupenthixol, décanoate de
flupenthixol, dichlorhydrate de
thiothixène
zuclopenthixol, acétate de
zuclopenthixol, décanoate de
zuclopenthixol, dichlorhydrate de

Phénothiazines aliphatiques
chlorpromazine, chlorhydrate de
méthotriméprazine, maléate de
promazine, chlorhydrate de

Phénothiazines pipéraziniques
fluphénazine, chlorhydrate de
fluphénazine, décanoate de
fluphénazine, énanthate de
perphénazine
prochlorpérazine
thiopropérazine, mésylate de
trifluopérazine, chlorhydrate de

Phénothiazines pipéridiniques
mésoridazine, bésylate de
péricyazine
pipotiazine, palmitate de
thioridazine, chlorhydrate de

Divers antipsychotiques
réserpine

Antiseptiques

voir aussi Préparations vaginales; Thérapie buccale et traitement de la bouche sèche

Alcools
alcool éthylique
alcool isopropylique

Ammoniums quaternaires
benzalkonium, chlorure de
cétrimide

Biguanidines et amidines
chlorhexidine, gluconate de

Dérivés du phénol
phénol
triclosan

Produits iodés
povidone-iode

Antispasmodiques

voir aussi Produits urologiques

Agents anticholinergiques

Alcaloïdes naturels, amines tertiaires
atropine, sulfate d'
hyoscine, bromhydrate d'
hyoscine, butylbromure d'
hyoscyamine, sulfate d'

Amines synthétiques, préparations d'ammonium quaternaire
glycopyrrolate
pinavérium, bromure de
propanthéline, bromure de

Amines synthétiques, préparations d'amines tertiaires
dicyclomine, chlorhydrate de
oxybutynine, chlorure d'

Divers antispasmodiques

Régulateurs de la motilité du tractus gastro-intestinal inférieur
trimébutine, maléate de

Antituberculeux

voir aussi Antibactériens

Antibiotiques
cyclosérine
rifampine
streptomycine, sulfate de

Antituberculeux en association
pyrazinamide/isoniazide/rifampine

Dérivés de l'acide aminosalicylique
para-aminosalicylate de sodium (PAS sodium)

Hydrazides
isoniazide

Divers antituberculeux
éthambutol, chlorhydrate d'
pyrazinamide

Antiviraux

Amines cycliques
amantadine, chlorhydrate d'

Analogues nucléosidiques inhibiteurs de la transcriptase inverse (antirétroviraux)
didanosine (ddI)
lamivudine (3TC)
stavudine (d4T)
zalcitabine (ddC)
zidovudine (AZT)

Inhibiteurs de la protéase
indinavir, sulfate d'
ritonavir
saquinavir, mésylate de

Nucléosides
acyclovir
famciclovir
ganciclovir sodique
ribavirine
valacyclovir, chlorhydrate de

Antiviraux topiques

voir aussi Produits ophtalmiques

Nucléosides
acyclovir
idoxuridine
trifluridine

Anxiolytiques

voir aussi Anticonvulsivants; Antipaniques; Hypnotiques et sédatifs

Dérivés azaspirodécanediones
buspirone, chlorhydrate de

Benzodiazépines
alprazolam
bromazépam
chlordiazépoxide, chlorhydrate de
clorazépate dipotassique
diazépam
lorazépam
oxazépam

Divers anxiolytiques
hydroxyzine, chlorhydrate d'
méprobamate
trifluopérazine, chlorhydrate de

Asthme (traitement de l')

voir aussi Corticosurrénaux

Adrénergiques et anticholinergiques pour inhalation en association

salbutamol sulfate de/ipratropium, bromure d'

Adrénergiques, produits pour inhalation

Agonistes alpha- et bêta-adrénergiques
épinéphrine
épinéphrine, bitartrate d'
épinéphrine racémique, chlorhydrate d'

Agonistes bêta-adrénergiques non sélectifs
isoprotérénol, chlorhydrate d'
orciprénaline, sulfate d'

Agonistes bêta-2-adrénergiques sélectifs
fénotérol, bromhydrate de
formotérol, fumarate de
formotérol dihydraté, fumarate de
salbutamol
salmétérol, xinafoate de
terbutaline, sulfate de

Adrénergiques systémiques

Agonistes alpha- et bêta-adrénergiques
épinéphrine

Agonistes bêta-adrénergiques non sélectifs
isoprotérénol, chlorhydrate d'
orciprénaline, sulfate d'

Agonistes bêta-2-adrénergiques sélectifs
fénotérol, bromhydrate de
salbutamol
terbutaline, sulfate de

Antagonistes du récepteur des leucotriènes systémiques

montélukast sodique
zafirlukast

Antiallergiques, produits pour inhalation

cromoglycate sodique

Antiallergiques systémiques

kétotifène, fumarate de

Anticholinergiques, produits pour inhalation

ipratropium, bromure d'

Anti-inflammatoires bronchiques, produits pour inhalation

Agents non stéroïdiens
nédocromil sodique

Corticostéroïdes
béclométhasone, dipropionate de
budésonide
flunisolide
fluticasone, propionate de
triamcinolone, acétonide de

Anti-inflammatoires bronchiques systémiques

Corticostéroïdes
hydrocortisone, succinate sodique d'
méthylprednisolone, succinate sodique de
prednisone
triamcinolone

Xanthines systémiques

Théophylline (sels de)
aminophylline
oxtriphylline
théophylline

Auxiliaires antitabagiques

Nicotine (thérapie de remplacement de la)

Nicotine (gomme de)
nicotine, polacrilex de

Nicotine transdermique
nicotine

Cardiothérapie

voir aussi Antihypertenseurs; Diurétiques

Angine, traitement de l'

Bêta-bloquants adrénergiques sélectifs, activité sympathomimétique intrinsèque (A.S.I.)
acébutolol, chlorhydrate d'

Bêta-bloquants adrénergiques sélectifs, sans A.S.I.
aténolol
métoprolol, tartrate de

Bêta-bloquants adrénergiques non sélectifs, A.S.I.
pindolol

Bêta-bloquants adrénergiques non sélectifs, sans A.S.I.
nadolol
propranolol, chlorhydrate de
timolol, maléate de

Bloquants calciques
amlodipine, bésylate d'
diltiazem, chlorhydrate de
nicardipine
nifédipine
vérapamil, chlorhydrate de

Vasodilatateurs coronariens, nitrates
isosorbide, dinitrate d'
isosorbide, mononitrate-5 d'
nitroglycérine
pentaérythritol, tétranitrate de

Antiarythmiques

Classe I, Type IA
disopyramide
disopyramide, phosphate de
procaïnamide, chlorhydrate de
quinidine, bisulfate de
quinidine, gluconate de
quinidine, phényléthylbarbiturate de
quinidine, polygalacturonate de
quinidine, sulfate de
Classe I, Type IB
lidocaïne, chlorhydrate de
mexilétine, chlorhydrate de
tocaïnide, chlorhydrate de
Classe I, Type IC
flécaïnide, acétate de
propafénone, chlorhydrate de
Classe II, Bêta-bloquants adrénergiques
esmolol, chlorhydrate d'
propranolol, chlorhydrate de
sotalol, chlorhydrate de
Classe III
amiodarone, chlorhydrate d'
brétylium, tosylate de
Classe IV, Bloquants calciques
diltiazem, chlorhydrate de
vérapamil, chlorhydrate de
Glucosides cardiotoniques
digoxine
Divers antiarythmiques
adénosine

Insuffisance cardiaque congestive (traitement de l')

Bêta-bloquants adrénergiques non sélectifs, sans A.S.I.
carvédilol
Diurétiques
acide éthacrynique
amiloride, chlorhydrate d'
bumétanide
chlorthalidone
éthacrynate sodique
furosémide
hydrochlorothiazide
méthyclothiazide
métolazone
spironolactone
torsémide
triamtérène
Glucosides cardiotoniques
digitoxine
digoxine
Inhibiteurs de l'enzyme de conversion de l'angiotensine (ECA)
captopril
cilazapril
énalapril, maléate d'
fosinopril sodique
lisinopril
quinapril, chlorhydrate de
Inotropes
amrinone, lactate d'
dobutamine, chlorhydrate de
dopamine, chlorhydrate de
milrinone, lactate de

Sympathomimétiques cardiaques

dobutamine, chlorhydrate de
dopamine, chlorhydrate de
épinéphrine, chlorhydrate d'
isoprotérénol, chlorhydrate d'
méthoxamine, chlorhydrate de
norépinéphrine, bitartrate de
phényléphrine, chlorhydrate de

Diverses préparations cardiaques

Canal artériel (fermeture du)
indométhacine sodique
Canal artériel (maintien d'une ouverture provisoire du)
alprostadil

Chimiothérapie du cancer (prévention de la toxicité de la)

Cardioprotecteurs

dexrazoxane

Cytoprotecteurs

amifostine

Protecteurs de la toxicité du méthotrexate

folinate de calcium

Uroprotecteurs

mesna

Corticosurrénaux

voir aussi Affections rhumatismales; Anti-inflammatoires topiques; Antiprurigineux; Asthme; Goutte et hyperuricémie; Immunosuppresseurs; Préparations nasales; Produits ophtalmiques

Corticostéroïdes, systémiques

Glucocorticoïdes
bétaméthasone, phosphate sodique de
cortisone, acétate de
dexaméthasone
dexaméthasone, phosphate sodique de
hydrocortisone
hydrocortisone, succinate sodique d'
méthylprednisolone
méthylprednisolone, succinate sodique de
prednisolone, phosphate sodique de
prednisone
triamcinolone
triamcinolone, acétonide de
triamcinolone, diacétate de
Minéralocorticoïdes
fludrocortisone, acétate de

Inhibiteurs surrénaliens

aminoglutéthimide

Désordres d'hyperkinésie (traitement des)

voir aussi Antipsychotiques; Anxiolytiques

Agents de déplétion des monoamines

tétrabénazine

Diabète (traitement du)

Agents oraux

Biguanides
metformine, chlorhydrate de
Inhibiteurs de l'alpha-glucosidase
acarbose
Sulfonylurées
chlorpropamide
gliclazide
glyburide
tolbutamide

Insulines analogues

Action très rapide
insuline lispro

Insulines (bœuf et porc)

Action rapide
insuline régulière
Action intermédiaire
insuline lente
insuline NPH

Insulines humaines

Action rapide
insuline régulière biosynthétique
Action intermédiaire
insuline lente biosynthétique
insuline NPH biosynthétique
Action prolongée
insuline ultralente biosynthétique
Prémélangées (régulière/NPH)
insuline (10/90) biosynthétique
insuline (20/80) biosynthétique
insuline (30/70) biosynthétique
insuline (40/60) biosynthétique
insuline (50/50) biosynthétique

Insulines (porc)

Action rapide
insuline régulière
Action intermédiaire
insuline lente
insuline NPH

Diagnostiques, de contraste et radiopharmaceutiques (agents)

Diagnostiques (agents)

Cancer oral
toluidine O, bleu de
Cholécystocinétique
sincalide
Diabète
dextrose
glucagon
Fertilité (troubles de la)
gonadoréline, acétate de
Gastriques (sécrétions)
bleu de méthylène
histamine, phosphate d'
Glucosurie
rubans pour test glycosurique enzymatique
Hypersensibilité
antigènes pour test cutané
Immunothérapeutiques
épinéphrine
Intestinale (absorption)
D-xylose
Méthémoglobinémie
bleu de méthylène
Ophtalmique
fluorescéine sodique
Pancréatique (fonction)
cholécystokinine
sécrétine
Pénicilline (hypersensibilité à la)
benzylpénicilloyl-polylysine
Phéochromocytome
phentolamine, mésylate de
Pituitaire (fonction de la)
sermoreline, acétate de
Rénale (perméabilité)
bleu de méthylène

Surrénales (fonction des)
cosyntrophine
dexaméthasone, phosphate sodique de

Thyroïde (fonction de la)
protiréline

Tuberculose
tuberculine
tuberculine dérivée de protéines purifiées (Mantoux)

Contraste (agents de)

Contraste échographique (agents de)
galactose
galactose/acide palmitique

Contraste paramagnétique (agents de)
diméglumine, gadopentétate de
gadotéridol

Contraste radiologique à faible osmolarité, iodé, hydrosoluble, néphrotropique (agents de)
iopamidol
iopromide
iotrolan
ioversol
méglumine, ioxaglate de
sodium, ioxaglate de

Contraste radiologique à haute osmolarité, iodé, hydrosoluble, néphrotropique (agents de)
méglumine, diatrizoate de
méglumine, iodipamide de
méglumine, iothalamate de
sodium, diatrizoate de

Radiopharmaceutiques (agents)

Dérivés du technétium 99m
mébrofénine marquée au technétium 99m

Diurétiques

voir aussi Antihypertenseurs; Cardiothérapie

Diurétiques de l'anse
acide éthacrynique
bumétanide
éthacrynate sodique
furosémide
torsémide

Diurétiques épargneurs de potassium
amiloride, chlorhydrate d'
spironolactone
triamtérène

Diurétiques osmotiques
mannitol

Thiazidiques et apparentés
chlorthalidone
hydrochlorothiazide
indapamide
indapamide, hémihydrate d'
métolazone

Électrolytes

voir aussi Hypercalcémie et maladie de Paget; Hyperkaliémie; Minéraux

Bicarbonate (préparations de)
bicarbonate de sodium

Calcium (préparations de)

Calcium (sels de)
calcium, carbonate de
calcium, chlorure de
calcium, citrate de
calcium, gluconate de
calcium, gluconogalactogluconate de
calcium, lactobionate

Magnésium (préparations de)

Magnésium (sels de)
magnésium, hexahydrate de chlorure de
magnésium, glucoheptonate de
magnésium, gluconate de
magnésium, sulfate de

Potassium (préparations de)

Potassium (sels de)
potassium, acétate de
potassium, bicarbonate de
potassium, chlorure de
potassium, citrate de
potassium, gluconate de
potassium, phosphates de

Réhydratation (préparations pour la)
électrolytes oraux

Sodium (préparations de)

Sodium (sels de)
sodium, chlorure de

Émollients et protecteurs

Silicone (produits contenant du)
diméthicone
silicone

Urée (produits contenant de l')
urée

Zinc (produits contenant du)
zinc, oxyde de
zinc, sulfate monohydraté de

Divers émollients et protecteurs
acide glycolique
acide lactique
aluminium, acétate d'
ammonium, lactate d'
huile minérale
isopropanol
pétrolatum

Enzymes

voir aussi Plaies et ulcères

Enzymes digestives

Enzymes digestives du lactose
lactase

Enzymes pancréatiques
pancrélipase

Enzymes protéolytiques
chymopapaïne

Goutte et hyperuricémie (traitement de la)

voir aussi Affections rhumatismales; Analgésiques

Goutte (traitement de la)

Anti-inflammatoires non stéroïdiens (AINS)
indométhacine
phénylbutazone
sulindac

Antimitotiques
colchicine

Corticostéroïdes
dexaméthasone
dexaméthasone, phosphate sodique de
hydrocortisone, succinate sodique d'
méthylprednisolone, acétate de
prednisone
triamcinolone

Hyperuricémie (traitement de l')

Inhibiteurs de la xanthine-oxydase
allopurinol

Uricosuriques
probénécide
sulfinpyrazone

Gynécologiques (agents)

voir aussi Antinéoplasiques, Hormones; Hormones sexuelles; Préparations vaginales

Endométriose (traitement de l')

Analogues de l'hormone de libération de la gonadotrophine (GnRH)
nafaréline, acétate de

Associations œstroprogestatives
mestranol/noréthindrone

Inhibiteurs de la gonadotrophine
danazol

Progestatifs
médroxyprogestérone, acétate de
noréthindrone, acétate de

Inhibiteurs de la prolactine
bromocriptine, mésylate de

Inhibiteurs du travail

Sympathomimétiques
ritodrine, chlorhydrate de

Ocytociques

Alcaloïdes de l'ergot de seigle
ergométrine (ergonovine), maléate d'

Dérivés de l'ocytocine
ocytocine

Prostaglandines
dinoprostone

Hémorragie (traitement de l')

Antifibrinolytiques

Acides aminés
acide aminocaproïque
acide tranexamique

Inhibiteurs de la protéinase
aprotinine

Vitamine K, analogues de la
phytonadione

Hémostatiques

Facteurs de coagulation
facteur antihémophilique VIII (humain)
facteur antihémophilique IX concentré (humain)
facteur antihémophilique (recombinant)

Hémostatiques locaux
thrombine bovine

Divers hémostatiques
gélatine absorbable
desmopressine, acétate de

Hémorragie subarachnoïdienne (traitement de l')

voir aussi Hémorragie

Antifibrinolytiques
acide aminocaproïque

Bloquants calciques
nimodipine

Hormones hypophysaires et hypothalamiques

voir aussi Antinéoplasiques, Hormones; Gynécologiques (agents); Hormones sexuelles; Thyroïde

Hormones antéhypophysaires

Hormones adrénocorticotropes (ACTH)
cosyntrophine
cosyntrophine/hydroxyde de zinc

Hormones de croissance
somatrem
somatrophine

Hormones hypothalamiques

Analogues de l'hormone de libération de la gonadotrophine (GnRH)
buséréline, acétate de
gonadoréline, chlorhydrate de
goséréline, acétate de
leuprolide, acétate de
nafaréline, acétate de

Somatostatine et analogues
octréotide, acétate d'
somatostatine

Hormones posthypophysaires

Analogues de l'hormone antidiurétique
desmopressine, acétate de
vasopressine

Ocytociques
ocytocine

Hormones pancréatiques

Hyperglycémiants (agents)
glucagon

Hormones sexuelles

voir aussi Antinéoplasiques; Gynécologiques (agents)

Androgènes-stéroïdes anabolisants
fluoxymestérone
méthyltestostérone
nandrolone, décanoate de
testostérone, cypionate de
testostérone, énanthate de
testostérone, undécanoate de

Contraceptifs oraux

Œstrogènes et progestatifs monophasiques
désogestrel/éthinylœstradiol
éthinylœstradiol/éthynodiol, diacétate d'
éthinylœstradiol/lévonorgestrel
éthinylœstradiol/noréthindrone
éthinylœstradiol/noréthindrone, acétate de
éthinylœstradiol/norgestimate
éthinylœstradiol/norgestrel
mestranol/noréthindrone

Œstrogènes et progestatifs biphasiques
éthinylœstradiol/noréthindrone

Œstrogènes et progestatifs triphasiques
éthinylœstradiol/lévonorgestrel
éthinylœstradiol/noréthindrone
éthylnylœstradiol/norgestimate

Progestatifs
lévonorgestrel
noréthindrone

Œstrogènes

Œstrogènes oraux
estradiol-17β
estropipate
éthinylœstradiol
œstrogènes conjugués
œstrogènes estérifiés

Œstrogènes parentéraux
estradiol, valérate d'

Œstrogènes (préparations vaginales)
diénœstrol
estradiol
œstrogènes conjugués

Œstrogènes transdermiques
estradiol 17-β

Progestatifs
médrogestone
médroxyprogestérone, acétate de
mégestrol, acétate de
noréthindrone
progestérone

Régulateurs de la fertilité

Gonadotrophines
follitropine alpha (origine ADN recombinant)
follitropine bêta (FSH rec)
gonadotrophine chorionique
gonadotrophine humaine
ménotropines
urofollitropine

Stimulants synthétiques de l'ovulation
clomiphène, citrate de
gonadoréline, acétate de

Diverses associations œstroprogestatives

Œstroprogestatives, associations orales
mestranol/noréthindrone

Œstroprogestatives, associations transdermiques
estradiol-17β/noréthindrone

Hypercalcémie et maladie de Paget (traitement de l')

Régulateurs du métabolisme osseux

Bisphosphonates
alendronate monosodique
clodronate disodique
étidronate disodique
pamidronate disodique

Hormones antiparathyroïdiennes
calcitonine saumon

Hyperkaliémie (traitement de l')

voir aussi Électrolytes

Résines échangeuses de potassium

Résines échangeuses de cations
polystyrène sodique, sulfonate de

Résines échangeuses d'ions
polystyrène calcique, sulfonate de sodium

Hyperplasie de la prostate (traitement de l')

Hyperplasie bénigne de la prostate (traitement de l')

Alpha$_1$-bloquants
doxazosine
tamsulosine, chlorhydrate de
térazosine

Inhibiteurs de la 5-α-réductase
finastéride

Hypnotiques et sédatifs

voir aussi Anxiolytiques

Aldéhydes et dérivés
chloral, hydrate de
paraldéhyde

Barbituriques
amobarbital
amobarbital sodique
butabarbital sodique
pentobarbital sodique
phénobarbital
sécobarbital sodique

Benzodiazépines
alprazolam
bromazépam
clorazépate dipotassique
diazépam
flurazépam, chlorhydrate de
flurazépam, monochlorhydrate de
lorazépam
midazolam, chlorhydrate de
nitrazépam
oxazépam
témazépam
triazolam

Cyclopyrrolones
zopiclone

Divers hypnotiques et sédatifs
ethchlorvynol
propofol

Hypolipidémiants

Réducteurs du cholestérol et des triglycérides

Fibrates
bezafibrate
clofibrate
fénofibrate (micronisé)
gemfibrozil

Inhibiteurs de la 3-hydroxy-3-méthylglutéryl(HMG)-CoA réductase
atorvastatine calcique
cérivastatine sodique
fluvastatine sodique
lovastatine
pravastatine sodique
simvastatine

Niacine et dérivés
niacine

Séquestrants d'acides biliaires
cholestyramine, résine de
colestipol, chlorhydrate de

Divers réducteurs du cholestérol et des triglycérides
dextrothyroxine sodique

Immunoglobulines et sérums immuns

Immunoglobulines spécifiques
immunoglobuline anti-hépatite B (humaine)
immunoglobuline antirabique (humaine)
immunoglobuline antirabique (humaine, pasteurisée)
immunoglobuline antitétanique (humaine)
immunoglobuline Rh_o (D) (humaine)

Immunoglobulines standards
immunoglobuline (humaine), i.m.
immunoglobuline (humaine), i.v.

Sérums immuns
antitoxine botulinique trivalente types A, B et E (équine)

antitoxine diphtérique (équine)
antivenin pour les morsures de l'araignée «veuve noire»
antivenin crotalidé, polyvalent (équin)

Immunostimulants

Immunomodulateurs
interféron bêta-1a
interféron bêta-1b
lévamisole, chlorhydrate de

Modificateurs de la réponse biologique
aldesleukin
filgrastim (G-CSF)
interféron alfa-n1
interféron alfa-2a
interféron alfa-2b

Immunosuppresseurs

voir aussi Affections rhumatismales; Antinéoplasiques; Corticosurrénaux

Agents cytotoxiques
azathioprine

Anticorps monoclonaux
muromonab-CD3

Corticostéroïdes systémiques
Glucocorticoïdes
bétaméthasone, phosphate sodique de
cortisone, acétate de
dexaméthasone
hydrocortisone
hydrocortisone, succinate sodique d'
méthylprednisolone
méthylprednisolone, succinate sodique de
prednisolone
prednisone
triamcinolone, diacétate de

Immunoglobulines
globuline antithymocyte (équine)

Immunosuppresseurs sélectifs
mofétilmycophénolate
tacrolimus

Peptides cycliques
cyclosporine

Inhibiteurs de l'agrégation plaquettaire

Anticorps monoclonal chimérique antiplaquettaire
abciximab
Inhibiteurs du diphosphate de l'adénosine
clopidogrel, bisulfate de
dipyridamole
sulfinpyrazole
Inhibiteurs de la liaison plaquettes-fibrinogène
ticlopidine, chlorhydrate de
Inhibiteurs de la thromboxane-A_2
acide acétylsalicylique (AAS)

Laxatifs

Agents de masse
gomme sterculia
psyllium, muciloïde hydrophile de

Laxatifs émollients
docusate calcique
docusate sodique

Laxatifs hyperosmotiques rectaux
glycérine

Laxatifs lubrifiants
huile minérale

Laxatifs osmotiques
lactulose
magnésium, citrate de
magnésium, hydroxyde de
polyéthylèneglycol/électrolytes
sodium, phosphates de

Laxatifs stimulants
bisacodyl
sennosides

Maladie d'Alzheimer (traitement de la)

Inhibiteurs de la cholinestérase
donépézil, chlorhydrate de

Maladie inflammatoire des intestins (traitement de la)

Corticostéroïdes pour usage rectal
bétaméthasone, phosphate sodique de
budésonide
hydrocortisone
hydrocortisone, acétate d'
tixocortol, pivalate de
Dérivés de l'acide 5-aminosalicylique
acide 5-aminosalicylique (mésalazine)
olsalazine sodique
sulfasalazine

Manie (traitement de la)

Dérivés iminostilbènes
carbamazépine
Sels de lithium
lithium, carbonate de
lithium, citrate de
Divers adjuvants thérapeutiques
l-tryptophane

Minéraux

voir aussi Anémie; Électrolytes; Vitamines

Fer (thérapie de remplacement)
Fer bivalent, préparations orales
ascorbate ferreux
fumarate ferreux
gluconate ferreux
sulfate ferreux
Fer trivalent, préparations parentérales
fer-sorbitol-acide citrique, complexe de

Fluorure (thérapie de remplacement)
Fluorure
fluorure de sodium

Oligo-éléments
cuivre, gluconate de
magnésium, gluconate de

Zinc (thérapie de remplacement)
Zinc (Sels de)
zinc, gluconate de
zinc, sulfate de

Modificateurs de la motilité gastro-intestinale

voir aussi Antiémétiques et antinauséeux; Reflux

Agents prokinétiques gastro-intestinaux
Agents pour les voies digestives supérieures
dompéridone, maléate de
métoclopramide, chlorhydrate de
Agents pour les voies digestives supérieures et inférieures
cisapride, monohydrate de

Musculo-squelettique (traitement des désordres du système)

voir aussi Affections rhumatismales; Goutte et hyperuricémie; Hypercalcémie et maladie de Paget; Relaxants musculaires

Remplacement du liquide synovial
hylan G-F 20

Ostéoporose

voir aussi Hormones sexuelles; Hypercalcémie et maladie de Paget

Modulateurs des récepteurs œstrogéniques
Benzothiophènes
raloxifène, chlorhydrate de

Pansements médicamentés

voir aussi Plaies et ulcères
Anti-infectieux (pansements contenant un)
framycétine, sulfate de
fusidate de sodium
povidone-iode

Parasympathomimétiques centraux

Esters de choline
carbachol
Inhibiteurs de la cholinestérase
édrophonium, chlorure d'
néostigmine, bromure de
néostigmine, méthylsulfate de
pyridostigmine, bromure de

Pédiculicides et scabicides

Pédiculicides
pipéronyle, butoxyde de/pyréthrines

Pédiculicides et scabicides
lindane (hexachloro-gamma-benzène)
perméthrine

Scabicides
esdépalléthrine/pipéronyle, butoxyde de

Plaies et ulcères (traitement des)

voir aussi Pansements médicamentés

Agents débridants
Enzymes protéolytiques
collagénase

Hyperosmotiques
sulfate de magnésium

Pousse des cheveux

Systémique
Inhibiteurs de la 5-α-réductase
finastéride

Topique
minoxidil

Préparations dermatologiques

voir aussi Acné; Antibactériens; Antifongiques; Anti-inflammatoires topiques; Antiprurigineux; Antiseptiques; Antiviraux topiques; Émollients et protecteurs; Pansements médicamentés; Pédiculicides et scabicides; Plaies et ulcères; Psoriasis

Acné rosacée
métronidazole

Antihyperhidrose (antisudorifiques)
méthénamine

Dépigmentation (agents de)
hydroquinone

Dermatite herpétiforme (traitement de la)
dapsone
sulfapyridine

Écrans solaires
Absorbants UVA (spectre large)
benzophénones
méthoxydibenzoylméthane, butyl de (Parsol 1789)
Absorbants UVB (spectre étroit)
acide p-aminobenzoïque (PABA)
éthoxyéthyl p-méthoxycinnamate
méthoxycinnamate, octyl de (Parsol MCX)
méthylbenzylidène-camphre (Parsol 5000)
octocrylène
octyl diméthyl PABA
phénylbenzymidazole, acide sulfonique de (Parsol HS)
salicylate, octyl de
Écrans physiques
titane, dioxyde de
zinc, oxyde de

Kératolytiques
acide lactique
acide salicylique

Névralgie (traitement de la)
capsaïcine

Peau photo-endommagée (traitement de la)
trétinoïne

Shampooings médicamentés
acide salicylique
goudron de houille
kétoconazole
povidone-iode
soufre
zinc, pyrithione de

Verrues et callosités (préparations contre les)
acide dichloroacétique
acide salicylique
cantharidine
podofilox
podophyllum, résine de

Vitiligo (traitement du)
méthoxsalen
trioxsalen

Préparations nasales

voir aussi Allergie; Toux et rhume

Antiallergiques
cromoglycate sodique
lévocabastine, chlorhydrate de

Anticholinergiques
ipratropium, bromure d'

Anti-inflammatoires
Corticostéroïdes
béclométhasone, dipropionate de
budésonide
flunisolide
fluticasone, propionate de
triamcinolone, acétonide de

Décongestionnants
Sympathomimétiques
oxymétazoline, chlorhydrate d'
phényléphrine, chlorhydrate de
xylométazoline, chlorhydrate de

Humidifiants nasaux/Lubrifiants
chlorure de sodium
eau de mer
polyéthylèneglycol/propylèneglycol

Préparations vaginales

voir aussi Antibactériens; Antifongiques

Antibactériens vaginaux
Lincosamides
clindamycine, phosphate de

Antifongiques vaginaux
Antibiotiques
nystatine
Imidazoles
clotrimazole
éconazole, nitrate d'
métronidazole
miconazole, nitrate de
tioconazole
Triazoles
terconazole

Contraceptifs vaginaux
nonoxynol-9

Trichomonase (traitement vaginal de la)
Nitro-imidazoles
métronidazole

Divers anti-infectieux vaginaux et antiseptiques
povidone-iode

Produits ophtalmiques

Agents de diagnostic ophtalmiques
Agents colorants
fluorescéine sodique

Anesthésiques locaux ophtalmiques
benoxinate
proparacaïne, chlorhydrate de
tétracaïne, chlorhydrate de

Antiallergiques ophtalmiques
cromoglycate sodique
émédastine, difumarate d'
lévocabastine, chlorhydrate de
lodoxamide, trométhamine de
nédocromil sodique
olopatadine, chorhydrate d'

Anti-infectieux ophtalmiques
Antibactériens
chloramphénicol
chlortétracycline, chlorhydrate de
ciprofloxacine, chlorhydrate de
érythromycine
framycétine, sulfate de
gentamicine, sulfate de
norfloxacine
ofloxacine
polymyxine B, sulfate de
sulfacétamide sodique
tétracycline, chlorhydrate de
tobramycine
Antiviraux
idoxuridine
trifluridine

Anti-inflammatoires ophtalmiques
Anti-inflammatoires non stéroïdiens
diclofénac sodique
flurbiprofène sodique
indométhacine
kétorolac, trométhamine de
Corticostéroïdes
dexaméthasone, phosphate sodique de
fluorométholone
fluorométholone, acétate de
prednisolone, acétate de
prednisone, phosphate sodique de
rimexolone

Décongestionnants ophtalmiques
Sympathomimétiques
naphazoline, chlorhydrate de
oxymétazoline, chlorhydrate d'
phényléphrine, chlorhydrate de
tétrahydrozoline, chlorhydrate de

Glaucome (traitement ophtalmique du)
Agonistes des récepteurs alpha-adrénergiques
brimonidine, tartrate de
Analogues de la prostaglandine F_2
latanoprost
Bêta-bloquants
bétaxolol, chlorhydrate de
lévobunolol, chlorhydrate de
timolol, maléate de
Bêta-bloquants/sympathomimétiques en association
dipivéfrine, chlorhydrate de/lévobunolol, chlorhydrate de
Inhibiteurs systémiques de l'anhydrase carbonique
acétazolamide
méthazolamide
Inhibiteurs topiques de l'anhydrase carbonique
dorzolamide, chlorhydrate de
Myotiques anticholinestérasiques
échothiophate, iodure d'
Myotiques parasympathomimétiques
acétylcholine, chlorure d'
carbachol
pilocarpine, chlorhydrate de
Sympathomimétiques
dipivéfrine, chlorhydrate de
épinéphrine, bitartrate d'

Larmes artificielles
alcool polyvinylique
carboxyméthylcellulose sodique

dextran 70/hydroxypropylméthylcellulose
glycérine
hyaluronate sodique
hydroxypropylcellulose
hydroxypropylméthylcellulose
méthylcellulose
polysorbate 80

Mydriatiques et cycloplégiques
Anticholinergiques
atropine, sulfate d'
cyclopentolate, chlorhydrate de
homatropine
tropicamide
Mydriatiques sympathomimétiques
phényléphrine, chlorhydrate de

Produits ophtalmiques de soins chirurgicaux
Préparations enzymatiques
chymotrypsine
Substances visco-élastiques
hyaluronate sodique
Divers produits ophtalmiques de soins chirurgicaux
gélatine absorbable

Divers produits ophtalmiques
acide borique
apraclonidine, chlorhydrate d'
sodium, chlorure de (hypertonique)
toxine botulinique de type A
tyloxapol

Produits otiques

Anesthésiques otiques
lidocaïne, chlorhydrate de

Antibiotiques otiques
chloramphénicol
gentamicine, sulfate de

Anti-inflammatoires otiques
bétaméthasone, phosphate sodique de
dexaméthasone sodique

Céruménolytiques
oléate de triéthanolamine (polypeptide condensé d')

Produits urologiques

voir aussi Antispasmodiques; Chimiothérapie du cancer (prévention de la toxicité de la)

Analgésiques urinaires
Colorants azoïques
phénazopyridine, chlorhydrate de

Antiseptiques et anti-infectieux urinaires
voir aussi Antibactériens
Dérivés de nitrofuran
nitrofurantoïne
nitrofurantoïne, monohydrate de
Quinolones
acide nalidixique
Sels de méthénamine
méthénamine (hexamine)
méthénamine, hippurate de
méthénamine, mandélate de

Antispasmodiques urinaires
Anticholinergiques
hyoscine, butylbromure d'
hyoscyamine, sulfate d'
Relaxants des muscles lisses
flavoxate, chlorhydrate de
oxybutynine, chlorure d'

Énurésie (traitement de l')
Analogues de l'hormone antidiurétique
desmopressine, acétate de
Tricycliques
imipramine, chlorhydrate d'

Rétention urinaire (traitement de la)
Agents parasympathomimétiques
béthanéchol, chlorure de

Psoriasis (traitement du)

Traitement du psoriasis, voie systémique
Cytotoxiques
méthotrexate sodique
Psoralènes
méthoxsalen
Rétinoïdes
acitrétine

Traitement du psoriasis, voie topique
Agents non stéroïdiens
calcipotriol
Dérivés de l'anthracène
anthraline
Goudrons
fractar
goudron de houille
Psoralènes
méthoxsalen
Divers produits topiques pour le traitement du psoriasis
acide salicylique
phénol

Reflux (traitement du)

voir aussi Antiacides; Antiémétiques et antinauséeux; Modificateurs de la motilité gastro-intestinale; Ulcères gastro-duodénaux

Agents moussants
acide alginique
alginate de sodium

Agents prokinétiques
cisapride, monohydrate de

Antagonistes du récepteur (H_2) de l'histamine
cimétidine
famotidine
nizatidine
ranitidine, chlorhydrate de

Antiacides
Aluminium (préparations contenant de l')
aluminium, hydroxyde d'
Aluminium/magnésium (préparations contenant de l')
aluminium, hydroxyde d'/magnésium hydroxyde de
magaldrate
Calcium (préparations contenant du)
calcium, carbonate de
Magnésium (préparations contenant du)
magnésium, carbonate de
magnésium, hydroxyde de

Inhibiteurs de la pompe à protons
lansoprazole
oméprazole
pantoprazole

Relaxants musculaires

voir aussi Anxiolytiques; Hypnotiques et sédatifs

Agents de blocage neuromusculaire
Agents dépolarisants (dérivés de la choline)
succinylcholine, chlorure de
Agents nondépolarisants (composés d'ammonium quaternaire)
atracurium, bésylate d'
cisatracurium, bésylate de
doxacurium, chlorure de
gallamine, triéthiodure de
mivacurium, chlorure de
pancuronium, bromure de
rocuronium, bromure de
vécuronium, bromure de

Myorelaxants à action centrale
Benzodiazépines
chlordiazépoxide, chlorhydrate de
diazépam
Dérivés de l'acide gamma-aminobutyrique (GABA)
baclofen
Dérivés des antihistaminiques
orphénadrine, citrate d'
Dérivés des tricycliques
cyclobenzaprine, chlorhydrate de
Esters de l'acide carbamique
carisoprodol
méprobamate
méthocarbamol

Myorelaxants à action directe
dantrolène sodique

Respiratoire (agents du système)

voir aussi Allergie; Asthme; Préparations nasales; Toux et rhume

Mucolytiques
acétylcystéine
dornase alfa, recombinant

Surfactants pulmonaires
béractant
colfoscéril, palmitate de
inhibiteur de l'alpha$_1$-protéinase (humain)

SNC (agents du)

Stimulants
Dérivés de la phényléthylamine
dexamphétamine, sulfate de
Trouble déficitaire de l'attention avec hyperactivité (TDAH)
méthylphénidate, chlorhydrate de
pémoline

Divers agents du SNC
ergoloïdes, mésylates d'
inosiplex

Substituts du plasma

Dérivés sanguins
albumine (humaine)
fraction protéinique de plasma (humain)

Expanseurs du volume plasmatique
dextran
pentastarch

Thérapie biliaire

Agents solubilisateurs pour le calcul biliaire
ursodiol

Diverses préparations pour la bile
acide déhydrocholique
anéthole trithione

Thérapie buccale et traitement de la bouche sèche

voir aussi Antiseptiques

Analgésiques
benzydamine, chlorhydrate de
choline, salicylate de

Anesthésiques
benzocaïne

Antifongiques
nystatine

Antiseptiques
hexétidine
povidone-iode

Aphte (traitement de l')
bétaméthasone, phosphate disodique de

Carie dentaire (prophylaxie de la)
fluorure sodique

Gingivite (traitement de la)
chlorhexidine, gluconate de

Sialagogues (stimulants salivaires)
anéthole trithione
pilocarpine, chlorhydrate de

Thrombolytiques (agents)

Activateurs du plasminogène
Enzymes naturelles
urokinase
Protéines, d'origine ADN recombinant
alteplase
anistreplase
Protéines, d'origine bactérienne
streptokinase

Autres antithrombolytiques
anagrélide, chlorhydrate d'

Thyroïde (traitement de la)

voir aussi Hormones hypophysaires et hypothalamiques

Antithyroïdiens
méthimazole
propylthiouracile

Hormones thyroïdiennes
lévothyroxine sodique
thyroïde

Iode (traitement à l')
iodure de potassium

Toux et rhume (préparations pour)

voir aussi Préparations nasales

Antitussifs
Opioïdes
codéine, phosphate de
hydrocodone, bitartrate d'
Non opioïdes
chlophédianol, chlorhydrate de
dextrométhorphane, bromhydrate de

Décongestionnants, préparations nasales
Sympathomimétiques
oxymétazoline, chlorhydrate d'
phényléphrine, chlorhydrate de
xylométazoline, chlorhydrate de

Décongestionnants systémiques
Sympathomimétiques
éphédrine, chlorhydrate d'
phényléphrine, chlorhydrate de
phénylpropanolamine, chlorhydrate de
pseudoéphédrine, chlorhydrate de
pseudoéphédrine, sulfate de

Expectorants
guaifénésine

Mal de gorge (traitement local du)
Antiseptiques
déqualinium, chlorure de
hexylrésorcinol

Troubles alimentaires

voir aussi Antidépresseurs

Anorexigènes
Dérivés amphétaminiques
diéthylpropion, chlorhydrate de
mazindol
phentermine, chlorhydrate de

Antianorexiques/Anticachexiques
mégestrol, acétate de

Antiboulimiques
fluoxétine, chlorhydrate de

Troubles vasculaires périphériques (traitement des)

Vasodilatateurs périphériques
nylidrine, chlorhydrate de
papavérine, chlorhydrate de
pentoxifylline
tolazoline, chlorhydrate de

Ulcères gastro-duodénaux (traitement des)

voir aussi Antiacides; Reflux
Antagonistes du récepteur H_2 de l'histamine
cimétidine
famotidine
nizatidine
ranitidine, chlorhydrate de
ranitidine citrate de bismuth
Antiacides
aluminium, hydroxyde d'
aluminium, hydroxyde d'/magnésium, hydroxyde de
magaldrate
Cytoprotecteurs
sucralfate
Inhibiteurs de la pompe à protons
lansoprazole
oméprazole
pantoprazole
Prostaglandines
misoprostol

Vaccins

Vaccins d'origine bactérienne et anatoxines
Anatoxines
anatoxine diphtérique
anatoxines diphtérique et tétanique adsorbées—DT
anatoxine tétanique adsorbée
Vaccins d'origine bactérienne à entité unique
vaccin bacilles vivants de Calmette-Guérin (BCG), atténués
vaccin anticholérique, inactivé
vaccin anticholérique, vivant oral atténué
vaccin anticoquelucheux (acellulaire) adsorbé
vaccin conjugué oligosaccharidique contre Haemophilus b (complexe protéique diphtérique)—HbOC
vaccin conjugué polysaccharidique contre Haemophilus b (complexe protéique méningococcique)—PRP-OMP
vaccin conjugué polysaccharidique contre Haemophilus b (protéine tétanique conjugué)—PRP-T
vaccin contre la typhoïde (vivant oral atténué Ty21a)
vaccin pneumococcique polyvalent
vaccin polysaccharidique méningococcique, groupes A, C, Y et W-135
vaccin polysaccharidique pneumococcique
vaccin polysaccharidique capsulaire Vi Salmonella typhi
Vaccins d'origine bactérienne et anatoxines combinés
anatoxines diphtérique et tétanique et vaccin anticoquelucheux (cellulaire) adsorbés—DPT

Vaccins d'origine virale
Vaccins contre l'hépatite
vaccin contre l'hépatite A (inactivé)
vaccin contre l'hépatite A (purifié, inactivé)
vaccin contre l'hépatite B (recombiné)
vaccin bivalent contre l'hépatite A inactivé et l'hépatite B recombiné
Vaccins antigrippaux
vaccin grippal inactivé
vaccin grippal inactivé, trivalent types A et B (virion sous-unitaire)
vaccin grippal inactivé, trivalent (virion entier)
Vaccins d'origine virale à entité unique
vaccin antipoliomyélitique inactivé (d'origine cellulaire diploïde)—IVP
vaccin antipoliomyélitique vivant atténué oral trivalent (types 1, 2 & 3)—OPV
vaccin antirabique inactivé (d'origine cellulaire diploïde)
vaccin à virus de l'encéphalite japonaise inactivé
vaccin contre la fièvre jaune (virus vivant 17D)
vaccin contre les oreillons vivant atténué
vaccin rougeoleux vivant atténué

Vaccins d'origine virale combinés
vaccin rougeoleux, ourlien et rubéoleux vivant atténué—MMR

Vaccins d'origine bactérienne et virale combinés
anatoxines diphtérique et tétanique et vaccins anticoquelucheux (acellulaire) adsorbés et antipoliomyélitique inactivé—DPT Polio
anatoxines tétanique et diphtérique et vaccins anticoquelucheux (acellulaire) adsorbés et antipoliomyélitique inactivé, et vaccin conjugué contre Haemophilus b (protéine tétanique-conjugué)
anatoxines tétanique et diphtérique et vaccin antipoliomyélitique inactivé adsorbés—DT Polio

Vasculaires (agents)

Hypertension artérielle pulmonaire primitive
Prostaglandines
époprosténol sodique

Impotence
Bloqueurs $alpha_2$-adrénergiques
yohimbine
Prostaglandines
alprostadil

Varices (traitement des)
Agents sclérosants pour injection locale
tétradécyl, sulfate sodique de

Vessie (traitement local de la)

Carcinome-in-situ (traitement du)
Instillations intravésicales
bacille Calmette-Guérin (BCG), souche TICE, intravésical
bacille Calmette-Guérin (BCG), sous-souche Connaught, intravésical
bacille Calmette-Guérin (BCG), sous-souche Montréal, intravésical
doxorubicine, chlorhydrate de

Cystite (traitement local de la)
Agents anti-inflammatoires intravésicaux
diméthylsulfoxide
Couches de remplacement du glycosaminoglycan (GAG)
hyaluronate sodique
pentosan, polysulfate sodique de

VIH (Virus de l'immunodéficience humaine) (Infections du) et traitement des désordres apparentés

voir aussi Antibactériens; Antidiarrhéiques et anti-infectieux; Antiémétiques et antinauséeux; Antifongiques; Antituberculeux; Antiviraux; Troubles alimentaires; Vaccins

Prophylactique (traitement)
Cytomégalovirus
ganciclovir
Complexe Mycobacterium avium
azithromycine
clarithromycine
rifabutine
Mycobacterium tuberculosis
isoniazide
Pneumocystis carinii (pneumonie à)
atovaquone
co-trimoxazole (sulfaméthoxazole/triméthoprime)
dapsone
pentamidine, iséthionate de
Toxoplasma gondii (encéphalite à)
co-trimoxazole (sulfaméthoxazole/triméthoprime)
dapsone
pyriméthamine

Infections bactériennes
Complexe Mycobacterium avium
azithromycine
clarithromycine
éthambutol, chlorhydrate d'
rifabutine
rifampine

Infections fongiques
Espèces Candida
amphotéricine B
fluconazole
kétoconazole
itraconazole
Cryptococcus neoformans
amphotéricine B
fluconazole

Infections parasitiques
Pneumocystis carinii (pneumonie à)
atovaquone
co-trimoxazole (sulfaméthoxazole/triméthoprime)
dapsone
pentamidine, iséthionate de
trimétrexate, glucuronate de
Toxoplasma gondii
atovaquone
azithromycine
clarithromycine
co-trimoxazole (sulfaméthoxazole/triméthoprime)
dapsone
pyriméthamine
sulfadiazine

Infections virales
Cytomégalovirus
ganciclovir
Analogues nucléosidiques inhibiteurs de la transcriptase inverse (antirétroviraux)
didanosine (ddI)
lamivudine (3TC)
stavudine (d4T)
zalcitabine (ddC)
zidovudine (AZT)
Inhibiteurs de la protéase
indinavir, sulfate d'
ritovanir
saquinavir, mésylate de

Désordres apparentés (traitement des)
Anémie (liée au traitement à l'AZT)
époétine alfa
Perte de poids, anorexie, cachexie
mégestrol, acétate de
nutrition liquide spécialisée
Sarcome de Kaposi
daunorubicine liposomique
interféron alfa-2a
interféron alfa-2b

Vitamines

voir aussi Anémie; Minéraux

Vitamine A (liposoluble)
Vitamine A
rétinol

Vitamine B, complexe de la (hydrosoluble)
Acide folique
acide folique
Vitamine B_1
thiamine, chlorhydrate de
Vitamine B_2
riboflavine
Vitamine B_3
niacine
niacinamide
Vitamine B_5
acide pantothénique
pantothénate de calcium
Vitamine B_6
pyridoxine, chlorhydrate de
Vitamine B_{12}
cyanocobalamine
hydroxocobalamine

Vitamine C (hydrosoluble)
Acide ascorbique
acide ascorbique

Vitamine D, analogues de la (liposoluble)
Vitamine D_2 (analogues de la)
calciférol
ergocalciférol
Vitamine D_3 (analogues de la)
alfacalcidol
calcifédiol
calcitriol
cholécalciférol
Vitamine D (divers analogues de la)
dihydrotachystérol

Vitamine E (liposoluble)
Tocophérols
alpha tocophérol

Vitamine K, analogues de la (liposoluble)
Vitamine K_1
phytonadione

PRODUCT RECOGNITION SECTION
SECTION D'IDENTIFICATION DES PRODUITS

This section contains full-color reproductions of products selected for inclusion by manufacturers. Products which appear in this section are cross-referenced within the product monograph in the white section.

Cette section contient la photographie en couleurs des produits choisis à cette fin par les compagnies. La section des monographies (pages blanches) comporte des renvois à ces monographies de produits.

PARTICIPATING MANUFACTURERS/COMPAGNIES PARTICIPANTES

Abbott
Allerex
Astra
Axcan Pharma
Bayer
BDH
Berlex Canada
Boehringer Ingelheim
Bristol-Myers Squibb
Carter Horner
Crystaal
Dispensapharm
DuPont Pharma
Fabrigen
Fournier
Frosst
Fujisawa
Glaxo Wellcome
Glenwood
Hoechst Marion Roussel
Janssen-Ortho
Johnson & Johnson • Merck
Key
Knoll
Leo
Lundbeck
May & Baker Pharma
McNeil Consumer Products (Produits aux Consommateurs McNeil)
MSD
Novartis Consumer Health (Novartis Santé Familiale)
Novartis Pharmaceuticals (Novartis Pharma)
Novo Nordisk
Organon
Parke-Davis
Pfizer
Pfizer Consumer (Pfizer, Soins de la santé)
Pharmacia & Upjohn
Procter & Gamble Pharmaceuticals
Purdue Frederick
Rhône-Poulenc Rorer
Roberts
Roche
Sabex
Sanofi
Schering
Searle
Servier
SmithKline Beecham
Solvay Pharma
Squibb
3M Pharmaceuticals
UCB Pharma
Warner-Lambert Consumer Healthcare (Warner-Lambert, Santé grand public)
Wyeth-Ayerst
Zeneca

	Page	Code
Lamisil® 1% Cream/crème	R36	C1
Lamisil® 250 mg	R11	D1
Lanoxin® 0.0625 mg	R21	E6
Lanoxin® 0.125 mg	R16	C6
Lanoxin® 0.25 mg	R8	B3
Lansoÿl® Gel/gelée	R39	C5
Lansoÿl® Jelly Unidose/gelée unidose	R39	D5
Lanvis® 40 mg	R17	D1
Largactil®	R34	A1
Lariam® 250 mg	R11	A8
Lasix® 20 mg	R7	A4
Lasix® 40 mg	R17	A2
Lasix® 80 mg	R18	D1
Lasix® Special/Spécial 500 mg	R17	C5
Lectopam® 1.5 mg	R9	E3
Lectopam® 3 mg	R22	D3
Lectopam® 6 mg	R25	E8
Leritine® 25 mg	R8	E6
Lescol® 20 mg	R33	C1
Lescol® 40 mg	R33	D1
Leukeran® 2 mg	R7	B3
Levaquin® 250 mg	R23	E8
Levaquin® 500 mg	R24	C1
Levaquin® 25 mg/mL	R34	C8
Librax®	R31	D7
Lincocin® 500 mg	R32	B5
Lioresal® 10 mg	R13	C7
Lioresal® D.S. 20 mg	R15	B5
Lioresal® Intrathecal 0.05 mg/mL	R35	C1
Lioresal® Intrathecal 0.5 mg/mL	R35	D1
Lioresal® Intrathecal 2 mg/mL	R35	E1
Lipidil Micro®	R30	E3
Lipitor™ 10 mg	R13	C6
Lipitor™ 20 mg	R13	B8
Lipitor™ 40 mg	R14	C3
Lithane™ 300 mg	R32	A8
Livostin® Nasal Spray/vaporisant nasal	R35	C5
Loestrin™ 1.5/30 21-day/jours	R37	E5
Loestrin™ 1.5/30 28-day/jours	R37	E6
Lomotil® 2.5 mg	R7	C2
Loniten® 2.5 mg	R7	C8
Loniten® 10 mg	R7	D8
Lopid® 300 mg	R31	A4
Lopid® 600 mg	R14	D4
Lopresor® 50 mg	R23	C8
Lopresor® 100 mg	R27	E7
Lopresor® SR 100 mg	R18	A8
Lopresor® SR 200 mg	R17	D3
Losec® 10 mg	R20	A5
Losec® 20 mg	R20	B5
Lotensin® 5 mg	R19	D2
Lotensin® 10 mg	R19	A3
Lotensin® 20 mg	R25	E1
Lozide® 1.25 mg	R19	B6
Lozide® 2.5 mg	R22	B1
Ludiomil® 10 mg	R16	B7
Ludiomil® 25 mg	R24	D2
Ludiomil® 50 mg	R18	C5
Ludiomil® 75 mg	R24	D7
Luvox® 50 mg	R9	B6
Luvox® 100 mg	R14	D2

M

	Page	Code
Majeptil®	R19	E6
Malarone™	R40	E5
Maltlevol®-M	R18	A1
Mandelamine® 500 mg	R25	A3
Manerix® 150 mg	R21	E5
Marvelon® 21	R37	D5
Marvelon® 28	R37	D6
Maxeran® 5 mg	R12	D8
Maxeran® 10 mg	R9	C1
Medrol® 4 mg	R13	A5
Medrol® 16 mg	R13	D7
Megace® 40 mg	R27	C2
Megace® 160 mg	R14	A3
Megral®	R10	D5
Mellaril® Solution	R39	A2
Mellaril® Suspension	R39	C1
Mepron® Suspension	R39	D2
Mersyndol® with Codeine/avec codéine	R10	A7
Mesasal® 500 mg	R20	C1
M-Eslon® 10 mg	R28	A7
M-Eslon® 15 mg	R29	B5
M-Eslon® 30 mg	R31	E1
M-Eslon® 60 mg	R30	B3
M-Eslon® 100 mg	R29	D2
M-Eslon® 200 mg	R29	E2
Metreton®	R8	A6
Mevacor® 20 mg	R27	A4
Mevacor® 40 mg	R26	D1
Micatin® Cream 2%	R36	A2
Micatin® Spray Powder/aérosol	R36	B2
Micro-K Extencaps® 600 mg	R30	D1
Micro-K Extencaps® 750 mg	R30	C3
Micronor® 28-day/jours	R36	C3
Midamor®	R17	D6
Midol® Regular	R15	E2
Midol® PMS Extra Strength/SPM extra-fort	R15	A5
Migranal® 4 mg/mL	R35	E5
Minestrin™ 1/20 21-day/jours	R37	A5
Minestrin™ 1/20 28-day/jours	R37	A6
Minipress™ 1 mg	R20	D2
Minipress™ 2 mg	R9	E1
Minipress™ 5 mg	R13	C3
Minitran™ 0.2 mg/h Patches	R40	A3
Minitran™ 0.4 mg/h Patches	R40	B3
Minitran™ 0.6 mg/h Patches	R40	C3
Min-Ovral® 21	R37	A3
Min-Ovral® 28	R37	B3
Mintezol® 500 mg	R21	C2
Mirapex® 0.25 mg	R13	E4
Mirapex® 1 mg	R9	E7
Mirapex® 1.5 mg	R11	E1
Mobiflex® 20 mg	R19	E2
Moditen® HCl 5 mg	R9	B4
Moditen® HCl 10 mg	R24	C5
Modulon® 100 mg	R9	B3
Modulon® 200 mg	R12	A4
Moduret®	R21	E3
Mogadon® 5 mg	R7	D4
Mogadon® 10 mg	R8	B6
Monistat® 3 Ovules 400 mg	R33	B7
Monistat® 7 Supp. 100 mg	R33	C7
Monitan® 100 mg	R7	A7
Monitan® 200 mg	R13	A8
Monitan® 400 mg	R15	D3
Monopril® 10 mg	R13	E2
Monopril® 20 mg	R14	A8
Motrin® 300 mg	R11	E8
Motrin® 400 mg	R19	D7
Motrin® 600 mg	R21	A6
Motrin® (Children's) Suspension	R39	B3
Motrin® IB Caplets	R15	B2
Motrin® IB Tablets/comprimés	R10	B5
MS Contin® 15 mg	R25	E6
MS Contin® 30 mg	R28	A2
MS Contin® 60 mg	R20	E4
MS Contin® 100 mg	R28	B2
MS Contin® 200 mg	R24	C6
MSD® Enteric Coated ASA/AAS à enrobage entéro-soluble 325 mg	R25	A1
MSD® Enteric Coated ASA/AAS à enrobage entéro-soluble 650 mg	R20	B1
MS•IR® 5 mg	R7	B8
MS•IR® 10 mg	R9	E5
MS•IR® 20 mg	R14	D6
MS•IR® 30 mg	R14	B7
Multipax® 25 mg	R26	C2
Mycifradin® 0.5 g	R11	A5
Mycostatin® 500 000 units	R24	E8
Myleran® 2 mg	R7	C6
Myoflex® Ultra	R36	A1
Mysoline® 250 mg	R10	A6
Mysoline® Pediatric/pédiatrique	R8	E5

N

	Page	Code
Nalcrom® 100 mg	R28	D7
Naprosyn® 250 mg	R17	E8
Naprosyn® 375 mg	R23	A6
Naprosyn® 500 mg	R18	C2
Naprosyn® 500 mg Supp.	R34	B1
Naprosyn® E 250 mg	R10	C3
Naprosyn® E 375 mg	R14	A2
Naprosyn® E 500 mg	R15	E3
Naprosyn® SR 750 mg	R21	B6
Nardil® 15 mg	R24	B5
Nasacort® AQ	R35	D5
Nasacort® Nasal Aerosol	R38	A1
Navane™ 2 mg	R28	E5
Navane™ 5 mg	R30	C2
Navane™ 10 mg	R30	D3
NegGram® 500 mg	R18	D2
Neoral® 10 mg	R29	A3
Neoral® 25 mg	R29	B3
Neoral® 50 mg	R29	C3
Neoral® 100 mg	R29	D3
Neoral® Oral Solution/solution orale	R35	B1
Neptazane® 25 mg	R12	A8
Neptazane® 50 mg	R7	E6
Neuleptil® 5 mg	R32	A3
Neuleptil® 10 mg	R32	A1
Neuleptil® 20 mg	R32	C1
Neurontin™ 100 mg	R28	C6
Neurontin™ 300 mg	R29	D6
Neurontin™ 400 mg	R30	C1
Nicotrol® 5 mg/16 h Patches	R39	A8
Nicotrol® 10 mg/16 h Patches	R39	B8
Nicotrol® 15 mg/16 h Patches	R39	C8
Nimotop® 30 mg	R29	A4
Nimotop® I.V.	R35	A1
Nitro-Dur® 0.2 mg/h Patches	R40	A1
Nitro-Dur® 0.3 mg/h Patches	R40	B1
Nitro-Dur® 0.4 mg/h Patches	R40	C1
Nitro-Dur® 0.6 mg/h Patches	R40	D1
Nitro-Dur® 0.8 mg/h Patches	R40	E1
Nitrolingual® Spray/pulvérisateur 0.4 mg	R35	C4
Nitrong® SR 2.6 mg	R26	A2
Nitrostat® 0.3 mg	R7	B1
Nitrostat® 0.6 mg	R7	C1
Nizoral® 200 mg	R16	D4
Nizoral® 2% Cream/crème	R36	B1
Nizoral® 2% Shampoo/shampooing	R36	C2
Norinyl® 1/50 (21s)	R37	A7
Norinyl® 1/50 (28s)	R37	A8
Norlutate® 5 mg	R21	A8
Noroxin® 400 mg	R13	C8
Norpramin® 10 mg	R26	A6
Norpramin® 25 mg	R18	D6
Norpramin® 50 mg	R25	B7
Norpramin® 75 mg	R24	A8
Norpramin® 100 mg	R19	C7
Norvasc™ 5 mg	R12	D7
Norvasc™ 10 mg	R12	E7
Nova-T	R37	E8
NovoFine® 30G	R35	D6
Novolin® **ge** Penfill®	R35	E6
Novolin-Pen® 3	R35	C6
Nozinan® 25 mg	R17	B3

O

	Page	Code
Ogen® 0.625 mg	R18	C1
Ogen® 1.25 mg	R21	B5
Ogen® 2.5 mg	R27	D7
One A Day® Advance Fem/forme logique fem	R20	A2
Optimine®	R8	C8
Orifer®.F	R22	B6
Ortho® 0.5/35 21-day/jours	R36	B7
Ortho® 0.5/35 28-day/jours	R36	B8
Ortho® 1/35 21-day/jours	R36	C7
Ortho® 1/35 28-day/jours	R36	C8
Ortho® 7/7/7 21-day/jours	R36	D5
Ortho® 7/7/7 28-day/jours	R36	E5
Ortho® 10/11 21-day/jours	R36	C4
Ortho® 10/11 28-day/jours	R36	C5
Ortho-Cept® 21-day/jours	R36	B3
Ortho-Cept® 28-day/jours	R36	B4
Ortho-Novum® 1/50 21-day/jours	R36	D7
Ortho-Novum® 1/50 28-day/jours	R36	D8
Orudis® 50 mg Capsules	R32	C8
Orudis® 100 mg Supp.	R34	A2
Orudis® E-50 50 mg	R17	B2
Orudis® E-100 100 mg	R17	E4
Orudis® SR-200 200 mg	R11	A7
Oruvail® 150 mg	R31	C1
Oruvail® 200 mg	R33	A5
Os-Cal® 250 mg	R26	A1
Os-Cal® 500 mg	R26	B4
Os-Cal®-D 500 mg	R15	B6
Ostac® 400 mg	R29	A1
Ostoforte® 50 000 units	R29	D7
Ovol®-40	R11	B4
Ovol®-80	R12	D3
Ovol®-160	R12	A1
Ovral® 21	R37	C3
Ovral® 28	R37	D3
Oxeze® Turbuhaler® 6 µg	R38	A6
Oxeze® Turbuhaler® 12 µg	R38	B6
OxyContin® 10 mg	R7	E8
OxyContin® 20 mg	R22	B2
OxyContin® 40 mg	R17	B1
OxyContin® 80 mg	R25	D8

P

	Page	Code
Paludrine®	R8	B4
Pancrease®	R29	C1
Pancrease® MT 4	R29	D4
Pancrease® MT 10	R30	D7
Pancrease® MT 16	R30	E7
Panectyl® 2.5 mg	R21	D6
Panectyl® 5 mg	R20	D4
Pantoloc™ 40 mg	R17	D7
Parlodel® 2.5 mg Tablets/comprimés	R13	B6
Parlodel® 5 mg Capsules/gélules	R31	E3
Parnate® 10 mg	R24	C4
Parsitan®	R9	E8
Paxil® 10 mg	R19	D1
Paxil® 20 mg	R23	A8

	Page	Code
Paxil® 30 mg	R27	C8
Penglobe® 400 mg	R15	C3
Penglobe® 800 mg	R15	D8
Pentasa® 250 mg	R25	A4
Pentasa® 500 mg	R25	B4
Pepcid® 20 mg	R18	B3
Pepcid® 40 mg	R25	C3
Pepcid AC® 10 mg Chewable Tablets/ comprimés à croquer	R22	E7
Pepcid AC® 10 mg Tablets/comprimés	R23	A3
Peptol® 300 mg	R27	A3
Peptol® 400 mg	R21	B2
Peptol® 600 mg	R27	B7
Peptol® 800 mg	R20	B2
Percocet®	R12	B1
Percocet®-Demi	R27	B3
Percodan®	R17	A6
Percodan®-Demi	R23	B1
Periactin® 4 mg	R9	A3
Phosphate-Novartis	R12	C1
Phyllocontin® 225 mg	R10	E3
Phyllocontin®-350 350 mg	R13	A1
Plaquenil® 200 mg	R14	D7
Plavix™ 75 mg	R40	A6
Plendil® 2.5 mg	R18	E7
Plendil® 5 mg	R22	D5
Plendil® 10 mg	R24	D8
Polaramine® 2 mg	R24	B2
Pondocillin® 500 mg	R14	D3
Ponstan® 250 mg	R32	D8
Prandase® 50 mg	R8	C7
Prandase® 100 mg	R10	B1
Pravachol® 10 mg	R23	B2
Pravachol® 20 mg	R17	A7
Pravachol® 40 mg	R26	E1
Premarin® 0.3 mg Prem-30 Pak	R26	A3
Premarin® 0.625 mg Prem-30 Pak	R25	C2
Premarin® 0.9 mg Prem-30 Pak	R23	A5
Premarin® 1.25 mg Prem-30 Pak	R17	A8
Prepidil® Gel	R34	E2
Prepulsid® 5 mg	R8	E1
Prepulsid® 10 mg	R9	B5
Prepulsid® 20 mg	R27	A7
Prepulsid® Suspension	R38	A8
Primaquine 15 mg	R22	D2
Prinivil® 5 mg	R13	B1
Prinivil® 10 mg	R17	E6
Prinivil® 20 mg	R21	C3
Prinzide® 10/12.5	R27	E3
Prinzide® 20/12.5	R18	A4
Prinzide® 20/25	R21	B3
Pro-Banthine® 7.5 mg	R7	A2
Pro-Banthine® 15 mg	R20	E3
Procan® SR 250 mg	R26	E2
Procan® SR 500 mg	R19	E3
Procan® SR 750 mg	R19	E8
Procytox® 25 mg	R8	A2
Procytox® 50 mg	R8	E3
Prograf™ 1 mg	R28	C5
Prograf™ 5 mg	R30	D6
Prograf™ 5 mg/1mL	R35	B3
Prolopa® 50-12.5	R32	B3
Prolopa® 100-25	R32	D2
Prolopa® 200-50	R33	A6
Proloprim® 100 mg	R9	B2
Proloprim® 200 mg	R17	E1
Prometrium™ 100 mg	R29	C7
Pronestyl® 100 mg/mL Injection	R34	D8
Pronestyl® 250 mg	R29	E6
Pronestyl® 375 mg	R30	A3
Pronestyl® 500 mg	R32	D6
Pronestyl®-SR 500 mg	R18	B1
Propecia® 1 mg	R23	E1

	Page	Code
Propyl-Thyracil®/Propyl-Thyracile® 50 mg	R9	B8
Propyl-Thyracil®/Propyl-Thyracile® 100 mg	R10	D8
Proscar® 5 mg	R27	B4
Prostin® E_2 Tablets	R12	E8
Prostin® E_2 1 mg Vaginal Gel/gel vaginal	R34	C2
Prostin® E_2 2 mg Vaginal Gel/gel vaginal	R34	D2
Provera® 2.5 mg	R20	C4
Provera® 5 mg	R26	B6
Provera® 10 mg	R7	E5
Provera® 100 mg	R9	A5
Pulmicort® Nebuamp® 0.125 mg/mL	R38	B4
Pulmicort® Nebuamp® 0.25 mg/mL	R38	C4
Pulmicort® Nebuamp® 0.5 mg/mL	R38	D4
Pulmicort® Turbuhaler® 100 μg	R38	C5
Pulmicort® Turbuhaler® 200 μg	R38	D5
Pulmicort® Turbuhaler® 400 μg	R38	E5
Purinethol® 50 mg	R10	C2
Pylorid® 400 mg	R27	D8
Pyridium® 100 mg	R24	B8
Pyridium® 200 mg	R25	B1

Q

	Page	Code
Questran® Pouches/ sachet	R36	A3
Questran® Light/Léger	R36	A4
Quibron®-T/SR 300 mg	R16	B1
Quinidex Extentabs®	R12	C3
Quinidine Sulfate 200 mg	R9	E4

R

	Page	Code
Raxar™ 200 mg	R10	E4
Reactine™ 5 mg	R14	A6
Reactine™ 10 mg	R13	D3
Redoxon-B®	R21	E2
Redoxon-Cal® Effervescent	R21	A3
Redoxon® 1 g Effervescent, Lemon/ citron	R16	C5
Redoxon® 1 g Effervescent, Orange	R19	E7
Reglan®-10	R26	A8
Relafen™ 500 mg	R15	C4
Relafen™ 750 mg	R24	D1
Renedil® 2.5 mg	R18	E6
Renedil® 5 mg	R22	C4
Renedil® 10 mg	R22	D8
Replens™	R34	E3
Requip™ 0.25 mg	R12	D6
Requip™ 1 mg	R16	B3
Requip™ 2 mg	R23	A2
Requip™ 5 mg	R12	E6
Restoril® 15 mg	R31	B6
Restoril® 30 mg	R33	C6
Retrovir® (AZT™)	R28	E6
ReVia®	R17	C7
Rifadin® 150 mg	R31	A5
Rifadin® 300 mg	R31	D4
Rifater™	R22	B8
Rimactane® 300 mg	R31	C6
Risperdal® 1 mg	R14	C8
Risperdal® 2 mg	R21	A5
Risperdal® 3 mg	R18	E1
Risperdal® 4 mg	R26	D3
Risperdal® Oral Solution	R38	C8
Ritalin® 10 mg	R26	E7
Ritalin® 20 mg	R16	C8
Ritalin® SR	R7	A8
Rivotril® 0.5 mg	R22	A4
Rivotril® 2 mg	R8	E7
Rocaltrol® 0.25 μg	R30	C7
Rocaltrol® 0.5 μg	R30	C8
Rovamycine® "250"	R33	C4
Rovamycine® "500"	R33	E3
Rythmodan® 100 mg	R32	B8
Rythmodan® 150 mg	R28	C7
Rythmodan®-LA 250 mg	R11	C7
Rythmol® 150 mg	R9	D6
Rythmol® 300 mg	R11	D4

S

	Page	Code
Sabril®	R14	E2
Salofalk® 500 mg Tablets	R19	D5
Salofalk® Rectal Suspension	R35	D3
Sandimmune® I.V. 50 mg/1mL	R35	A2
Sandimmune® I.V. 250 mg/5 mL	R35	B2
Sandomigran® 0.5 mg	R16	D3
Sandomigran DS® 1 mg	R8	C3
Sandostatin® 50 μg/mL	R35	C2
Sandostatin® 100 μg/mL	R35	D2
Sandostatin® 200 μg/mL	R34	C7
Sandostatin® 500 μg/mL	R35	E2
Sanorex® 1 mg	R13	A4
Sanorex® 2 mg	R18	A5
Sansert® 2 mg	R16	A6
Sectral® 100 mg	R13	A2
Sectral® 200 mg	R27	A5
Sectral® 400 mg	R13	B2
Seldane® 60 mg Tablets/ comprimés	R11	A3
Seldane® 120 mg Caplets	R15	D2
Select™ 1/35 21-day/jours	R37	C5
Select™ 1/35 28-day/jours	R37	C6
Selexid® 200 mg	R9	C5
Senokot®	R25	E3
Senokot®•S	R19	B7
Septra® Adult/adulte	R11	A6
Septra® DS	R14	E4
Ser-Ap-Es®	R24	A4
Serax® 10 mg	R17	D2
Serax® 15 mg	R17	C1
Serax® 30 mg	R20	B6
Serc® 4 mg	R22	B3
Serentil® 10 mg	R24	E2
Serentil® 25 mg	R24	D4
Serentil® 50 mg	R24	A5
Serevent® Diskhaler	R38	A4
Serevent® Diskus®	R38	A5
Serevent® Inhalation Aerosol/aérosol-doseur	R38	E2
Seroquel® 25 mg	R21	B8
Seroquel® 100 mg	R16	B4
Seroquel® 200 mg	R11	B6
Serzone® 100 mg	R15	E8
Serzone® 150 mg	R21	D4
Serzone® 200 mg	R18	C3
Sinemet® 100/10	R27	E5
Sinemet® 100/25	R17	C8
Sinemet® 250/25	R27	A6
Sinemet® CR 100/25	R23	D6
Sinemet® CR 200/50	R21	C5
Sinequan™ 10 mg	R31	D2
Sinequan™ 25 mg	R33	B5
Sinequan™ 50 mg	R31	D1
Sinequan™ 75 mg	R30	E6
Sinequan™ 100 mg	R33	E5
Sinequan™ 150 mg	R31	A3
Singulair® 5 mg	R23	C2
Singulair® 10 mg	R22	D4
Sintrom® 1 mg	R20	D3
Sintrom® 4 mg	R8	B7
Sinutab®	R19	A5
Sinutab® Extra Strength/ extra-puissant	R19	B5
Sinutab® N.D.	R19	B8
Sinutab® N.D. Extra Strength/extra-puissant	R19	C8

	Page	Code
Sinutab® Nightime Extra Strength/formule-nuit, extra-puissant	R15	E7
Sinutab® SA	R23	B7
Sinutab® with Codeine/ avec codéine	R27	B2
692®	R23	C6
Slo-Bid® 50 mg	R28	A6
Slo-Bid® 100 mg	R28	B6
Slo-Bid® 200 mg	R28	C8
Slo-Bid® 300 mg	R28	D8
Slow-K® 600 mg	R19	B1
Slow-Mag™	R12	A2
Slow-Trasicor® 80 mg	R24	E3
Slow-Trasicor® 160 mg	R10	C4
Somnol® 15 mg	R13	E6
Somnol® 30 mg	R27	C6
Soriatane® 10 mg	R31	E5
Soriatane® 25 mg	R33	B2
Sotacor® 80 mg	R27	C7
Sotacor® 160 mg	R27	A8
Sotacor® 240 mg	R27	B8
Sporanox® 100 mg	R33	C5
Sporanox® Oral Solution	R40	B6
Stadol™ NS	R35	A4
Stelabid® Forte	R18	B6
Stelabid® No. 1	R20	B4
Stelabid® No. 2	R18	A6
Stelazine® 1 mg	R26	E6
Stelazine® 2 mg	R27	A1
Stelazine® 5 mg	R27	B1
Stelazine® 10 mg	R27	C1
Stemetil® 10 mg	R19	D6
Sudafed® Cold & Cough Extra Strength/rhume et toux extra-fort	R15	A4
Sudafed® Cold & Flu Gel Capsules/rhume et grippe gel cap	R30	C6
Sudafed® Decongestant Extra Strength/ décongestionnant extra-puissant	R9	D1
Sudafed® Decongestant Regular Strength/ décongestionnant régulier	R24	D3
Sudafed® Decongestant 12-Hour/ décongestionnant, 12 heures	R15	A6
Sudafed® Head Cold and Sinus Extra Strength/ rhume de cerveau et sinus, extra-puissant	R15	B4
Sulcrate® 1 g	R15	C8
Supeudol® 5 mg	R26	B7
Supeudol® 10 mg	R8	C4
Suprax® 400 mg	R16	A2
Supres®-150	R23	C5
Supres®-250	R26	D2
Surfak® 240 mg	R31	C5
Surgam® 200 mg	R9	C6
Surgam® 300 mg	R10	C7
Surgam® SR 300 mg	R31	E4
Surmontil® 50 mg Tablets	R22	D1
Surmontil® 75 mg Capsules	R32	A7
Symmetrel® 100 mg	R31	B3
Symmetrel® Syrup/sirop	R38	E8
Synarel® 6.5 mL	R35	A5
Synarel® 10 mL	R35	B5
Synphasic® 21-day/jours	R37	D7
Synphasic® 28-day/jours	R37	D8
Synthroid® 25 μg	R20	E5
Synthroid® 50 μg	R7	D6
Synthroid® 75 μg	R28	C2
Synthroid® 88 μg	R25	C6
Synthroid® 100 μg	R16	E7
Synthroid® 112 μg	R22	E1
Synthroid® 125 μg	R8	E2
Synthroid® 150 μg	R26	A7

	Page	Code
Synthroid® 175 μg	R28	D2
Synthroid® 200 μg	R22	A2
Synthroid® 300 μg	R25	D6

T

	Page	Code
Talwin® 50 mg	R20	D6
Tamofen® 10 mg	R8	C1
Tamofen® 20 mg	R8	D8
Tasmar™ 100 mg	R19	B3
Tasmar™ 200 mg	R19	C3
Tegretol®/Tégrétol® 200 mg	R10	A2
Tegretol®/Tégrétol® 100 mg Chewtabs/ comprimés à mâcher	R22	E4
Tegretol®/Tégrétol® 200 mg Chewtabs/ comprimés à mâcher	R23	D5
Tegretol®/Tégrétol® CR 200 mg	R20	E2
Tegretol®/Tégrétol® CR 400 mg	R21	D5
Tegretol®/Tégrétol® Suspension	R39	E2
Tenuate® 25 mg	R10	D6
Tenuate® Dospan® 75 mg	R15	C7
Terazol® 3 Dual-Pak	R34	A5
Terazol® 3 Vaginal Cream	R34	B5
Terazol® 3 Vaginal Ovules	R34	C5
Terazol® 7 Vaginal Cream	R34	D5
Theo-Dur® 100 mg	R10	D3
Theo-Dur® 200 mg	R13	E8
Theo-Dur® 300 mg	R15	A3
Theo-Dur® 450 mg	R15	D7
Theo-SR® 300 mg	R15	D4
3TC® 10 mg/mL Oral Solution/solution orale	R39	D1
3TC® 150 mg Tablets	R13	B3
Tiazac™ 120 mg	R32	A6
Tiazac™ 180 mg	R31	A7
Tiazac™ 240 mg	R31	E8
Tiazac™ 300 mg	R32	E5
Tiazac™ 360 mg	R31	D8
Ticlid® 250 mg	R14	C1
Timolide®	R27	C4
Tofranil® 25 mg	R24	C2
Tofranil® 50 mg	R24	B3
Tofranil® 75 mg	R24	E7
Tolectin® 200 mg Tablets/ comprimés	R17	D4
Tolectin® 400 mg Capsules	R30	E4
Tolectin® 600 mg Tablets/ comprimés	R20	A1
Tonocard® 400 mg	R19	C1
Topamax® 25 mg	R7	E2
Topamax® 100 mg	R18	B8
Topamax® 200 mg	R21	E1
Toradol® 10 mg	R9	C2
Trandate® 100 mg	R19	A2
Trandate® 200 mg	R14	D8
Trandate® Injection	R34	A8
Transderm-Nitro® 0.2 Patches	R40	A2
Transderm-Nitro® 0.4 Patches	R40	B2
Transderm-Nitro® 0.6 Patches	R40	C2
Trasicor® 40 mg	R8	D6
Trasicor® 80 mg	R18	D7
Trental® 400 mg	R24	B1
Triavil®	R23	B8
Tri-Cyclen® Dialpak 21-day/jours	R36	D3
Tri-Cyclen® Dialpak 28-day/jours	R36	E3
Tri-Cyclen® Discreet 21-day/jours	R37	C1
Tri-Cyclen® Discreet 28-day/jours	R37	D1
Trilafon® 2 mg	R16	B2
Trilafon® 4 mg	R16	C2
Trinalin®	R16	D2
Triphasil® 21	R36	A5
Triphasil® 28	R36	B5
Triptil® 10 mg	R8	B1
Triquilar® 21	R36	E7
Triquilar® 28	R36	E8
Trosyd™ AF	R36	D1
Trosyd™ J	R36	E1
Tussionex®	R25	D4
282 MEP®	R12	E1
292®	R21	A2
222®	R11	D5
Tylenol® 325 mg Caplets	R15	C2
Tylenol® 325 mg Tablets	R10	B7
Tylenol® 500 mg Caplets	R15	C5
Tylenol® 500 mg Tablets	R11	E5
Tylenol® Aches and Strains Medication	R28	B1
Tylenol® Allergy Sinus Extra Strength	R18	E2
Tylenol® Chewable Tablets (fruit)	R22	A7
Tylenol® Chewable Tablets sucrose-free (bubble gum)	R22	B7
Tylenol® Chewable Tablets sucrose-free (grape)	R28	B3
Tylenol® Children's Elixir	R39	D4
Tylenol® Children's Suspension Liquid (bubble gum)	R39	B4
Tylenol® Children's Suspension Liquid (grape)	R39	E5
Tylenol® Cold Medications Children's Chewable Tablets	R22	C7
Tylenol® Cold Medications Children's DM Chewable Tablets	R22	D7
Tylenol® Cold Medications Children's Suspension	R39	D3
Tylenol® Cold Medications Children's DM Suspension	R39	E3
Tylenol® Cold Medications Extra Strength Cold and Flu (honey-lemon) Powder	R38	D7
Tylenol® Cold Medications Extra Strength (Daytime) Caplets	R19	D4
Tylenol® Cold Medications Extra Strength (Nighttime) Caplets	R19	E4
Tylenol® Cold Medications Infant's Suspension	R39	C6
Tylenol® Cold Medications Jr. Strength DM Chewable Tablets	R28	D3
Tylenol® Cold Medications Regular Strength (Daytime) Caplets	R19	B4
Tylenol® Cold Medications Regular Strength (Nighttime) Caplets	R19	C4
Tylenol® Cough Medication Extra Strength Caplets	R24	D6
Tylenol® Decongestant Liquid	R39	A4
Tylenol® Flu Medication	R32	C2
Tylenol® Gelcaps 500 mg	R32	E7
Tylenol® Infant's Suspension Drops (grape)	R39	D6
Tylenol® Infant's Suspension Drops (cherry)	R39	E6
Tylenol® Jr. Strength Chewable Tablets (fruit)	R23	C1
Tylenol® Jr. Strength Chewable Tablets, sucrose-free (bubble gum)	R23	D1
Tylenol® Jr. Strength Chewable Tablets, sucrose-free (grape)	R28	C3
Tylenol® Sinus Medication Extra Strength	R26	A4
Tylenol® Sinus Medication Regular Strength	R26	C3
Tylenol® with Codeine NO. 2, 15 mg	R11	B3
Tylenol® with Codeine NO. 3, 30 mg	R11	C3
Tylenol® with Codeine NO. 4, 60 mg	R11	D3
Tylenol® with Codeine Elixir	R39	A5

U

	Page	Code
Ultrase® MT6	R29	B6
Ultrase® MT12	R29	C5
Ultrase® MT20	R32	E8
Uniphyl® 400 mg	R11	E2
Uniphyl® 600 mg	R16	C1
Urecholine® 10 mg	R11	C6
Urecholine® 25 mg	R17	C4
Ursofalk® 250 mg	R29	B1

V

	Page	Code
Valium® Roche® 5 mg	R16	A8
Valium® Roche® 10 mg	R26	B8
Valtrex® 500 mg	R28	A1
Vaseretic®	R24	E1
Vasotec® 2.5 mg	R18	A3
Vasotec® 5 mg	R12	C8
Vasotec® 10 mg	R25	D3
Vasotec® 20 mg	R21	C4
Ventodisk® 200 μg	R38	B3
Ventodisk® 400 μg	R38	C3
Ventolin® 100 μg	R38	A3
Ventolin® Oral/liquide	R39	A1
Ventolin® Rotacaps® 200 μg	R31	B7
Ventolin® Rotacaps® 400 μg	R32	B2
Vepesid® 50 mg	R30	B7
Vesanoid™ 10 mg	R29	E7
Vibramycin® I.V. 100 mL	R34	B7
Vibra-Tabs™ 100 mg	R18	C7
Vibra-Tabs™ C-Pak™	R36	D2
Videx™ 25 mg	R12	B4
Videx™ 50 mg	R12	C4
Videx™ 100 mg	R12	D4
Videx™ 150 mg	R12	E4
Viskazide® 10/25	R20	A8
Viskazide® 10/50	R20	B8
Visken® 5 mg	R8	C2
Visken® 10 mg	R8	D2
Visken® 15 mg	R10	D1
Vitathion® -A.T.P. Granules	R38	E7
Vivelle® 37.5 mg Patches	R39	D7
Vivelle® 50 mg Patches	R39	E7
Vivelle® 75 mg Patches	R39	D8
Vivelle® 100 mg Patches	R39	E8
Vivol® 2 mg	R25	C7
Vivol® 5 mg	R25	D7
Vivol® 10 mg	R25	E7
Voltaren® 25 mg	R18	D4
Voltaren® 50 mg	R18	D5
Voltaren Rapide® 50 mg	R24	B4
Voltaren® SR 75 mg	R23	E3
Voltaren® SR 100 mg	R20	E7
Voltaren® 50 mg Supp.	R33	D8
Voltaren® 100 mg Supp.	R33	E8

W

	Page	Code
Warfilone® 5 mg	R9	A4
Wellbutrin® SR 100 mg	R27	A2
Wellbutrin® SR 150 mg	R28	A3

X

	Page	Code
Xanax® 0.25 mg	R13	E5
Xanax® 0.5 mg	R21	E4
Xanax® 1 mg	R28	A4
Xanax® 2 mg	R16	A1

Y

	Page	Code
Yocon®	R10	A3

Z

	Page	Code
Zaditen® 1 mg	R7	B5
Zaditen® Syrup/sirop	R39	B1
Zantac® 75 Tablets/ comprimés	R23	D3
Zantac® 150 mg Capsules	R30	A8
Zantac® 150 mg Tablets/ comprimés	R10	A5
Zantac® 300 mg Capsules	R30	B8
Zantac® 300 mg Tablets/ comprimés	R15	E6
Zantac® Oral Solution/ solution orale	R39	B2
Zarontin® 250 mg	R30	A6
Zaroxolyn® 2.5 mg	R21	D8
Zaroxolyn® 5 mg	R26	C6
Zerit™ 15 mg	R33	A1
Zerit™ 20 mg	R30	B1
Zerit™ 30 mg	R33	B1
Zerit™ 40 mg	R30	C4
Zestoretic® 10/12.5 mg	R21	C7
Zestoretic® 20/12.5 mg	R9	A2
Zestoretic® 20/25 mg	R20	C6
Zestril® 5 mg	R21	E7
Zestril® 10 mg	R20	A7
Zestril® 20 mg	R20	B7
Zithromax™ 250 mg Capsules	R31	E2
Zithromax™ Powder for Oral Suspension/ poudre pour suspension orale	R38	E6
Zocor® 5 mg	R18	D3
Zocor® 10 mg	R23	C3
Zocor® 20 mg	R21	D3
Zocor® 40 mg	R23	B4
Zofran® 4 mg	R19	B2
Zofran® 8 mg	R19	D3
Zofran® Injection/ injectable	R34	A6
Zofran® Oral Solution/ solution orale	R39	E1
Zoloft™ 25 mg	R29	E5
Zoloft™ 50 mg	R29	D5
Zoloft™ 100 mg	R30	D5
Zovirax™ 200 mg	R27	E4
Zovirax™ 400 mg	R23	C4
Zovirax™ 800 mg	R28	C1
Zyloprim® 100 mg	R9	C8
Zyloprim® 200 mg	R9	D8
Zyloprim® 300 mg	R21	D1
Zyrtec®	R14	E7

Use code A, B, C, D, E, horizontal bar and 1 to 8 vertical bar to locate illustrated products

Utiliser le code A, B, C, D, E de la ligne horizontale et les chiffres 1 à 8 de la ligne verticale pour repérer les produits illustrés

	A	B	C	D	E
1	DIN 02041464 Pr W 1 Ativan® Sublingual 1 mg **WYETH-AYERST**	DIN 00037613 Nitrostat® 0.3 mg **PARKE-DAVIS**	DIN 00037621 Nitrostat® 0.6 mg **PARKE-DAVIS**	DIN 02123274 Pr Coversyl® 2 mg **SERVIER**	DIN 02225190 Pr M 021 Estrace® 0.5 mg **ROBERTS**
2	DIN 02030829 Pro-Banthine® 7.5 mg **ROBERTS**	DIN 01926713 Arlidin® 6 mg **RHÔNE-POULENC RORER**	DIN 00036323 N Searle 61 Lomotil® 2.5 mg **SEARLE**	DIN 02224550 Pr LB G Diaβeta® 2.5 mg **HOECHST MARION ROUSSEL**	DIN 02230893 TOP 25 Topamax® 25 mg **JANSSEN-ORTHO**
3	DIN 00353914 Pr Blocadren® 5 mg **FROSST**	DIN 00004626 Pr 635 Leukeran® 2 mg **GLAXO WELLCOME**	DIN 00210188 Pr 45 Deltasone® 5 mg **PHARMACIA & UPJOHN**	DIN 02138018 N Demerol® 50 mg **SANOFI**	DIN 02184478 Pr Casodex® **ZENECA**
4	DIN 02224690 Pr DLF Lasix® 20 mg **HOECHST MARION ROUSSEL**	DIN 01916599 N Hycodan® 5 mg **DUPONT PHARMA**	DIN 02224135 Pr A 1 Arimidex® **ZENECA**	DIN 00511528 Pr 5 Mogadon® 5 mg **ROCHE**	DIN 02213192 Pr Eltroxin® 50 µg **GLAXO WELLCOME**
5	DIN 02221799 Pr B GL Frisium® 10 mg **HOECHST MARION ROUSSEL**	DIN 00577308 Pr Zaditen® 1 mg **NOVARTIS PHARMACEUTICALS**	DIN 02223066 Pr Froben® 50 mg **KNOLL**	DIN 00402591 Pr LP Anafranil® 50 mg **NOVARTIS PHARMACEUTICALS**	DIN 00729973 Pr 50 Provera® 10 mg **PHARMACIA & UPJOHN**
6	DIN 01934392 Pr Amatine® 2.5 mg **KNOLL**	DIN 00016357 Pr 60 Cogentin® 2 mg **MSD**	DIN 00004618 Pr K2A Myleran® 2 mg **GLAXO WELLCOME**	DIN 02172070 Pr Synthroid® 50 µg **KNOLL**	DIN 02022389 Pr N 1 Neptazane® 50 mg **WYETH-AYERST**
7	DIN 02036290 Pr 100 Monitan® 100 mg **WYETH-AYERST**	DIN 00813966 Pr Cytotec® 100 µg **SEARLE**	DIN 02041510 Avlosulfon® **WYETH-AYERST**	DIN 01958100 Pr Cardura -1™ **ASTRA**	DIN 00818658 Pr DF Hytrin® 1 mg **ABBOTT**
8	DIN 00632775 C Ritalin® SR **NOVARTIS PHARMACEUTICALS**	DIN 02014203 N MS•IR® 5 mg **PURDUE FREDERICK**	DIN 00514497 Pr U/121 2½ Loniten® 2.5 mg **PHARMACIA & UPJOHN**	DIN 00514500 Pr 10 U/137 Loniten® 10 mg **PHARMACIA & UPJOHN**	DIN 02202441 N OxyContin® 10 mg **PURDUE FREDERICK**

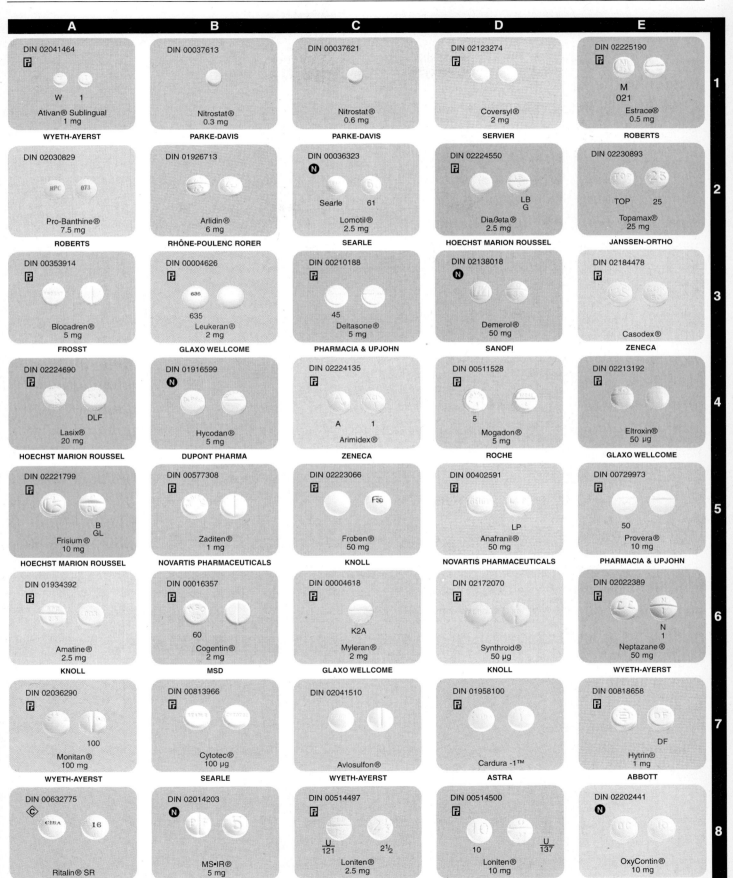

Use code A, B, C, D, E, horizontal bar and 1 to 8 vertical bar to locate illustrated products

Utiliser le code A, B, C, D, E de la ligne horizontale et les chiffres 1 à 8 de la ligne verticale pour repérer les produits illustrés

	A	B	C	D	E
1	DIN 00004758 S3A Kemadrin® 5 mg **GLAXO WELLCOME**	DIN 00322741 47 Triptil® 10 mg **MSD**	DIN 01926624 Tamofen® 10 mg **RHÔNE-POULENC RORER**	DIN 02103087 Bentylol® 10 mg **HOECHST MARION ROUSSEL**	DIN 00836311 5 Prepulsid® 5 mg **JANSSEN-ORTHO**
2	DIN 00262676 Procytox® 25 mg **CARTER HORNER**	DIN 00016497 Edecrin® 50 mg **MSD**	DIN 00417270 LB VISKEN 5 Visken® 5 mg **NOVARTIS PHARMACEUTICALS**	DIN 00443174 VISKEN 10 Visken® 10 mg **NOVARTIS PHARMACEUTICALS**	DIN 02172119 Synthroid® 125 µg **KNOLL**
3	DIN 02232043 Aricept™ 5 mg **PFIZER**	DIN 00004685 X3A Lanoxin® 0.25 mg **GLAXO WELLCOME**	DIN 00511552 Sandomigran DS® 1 mg **NOVARTIS PHARMACEUTICALS**	DIN 02221861 Anandron® 50 mg **HOECHST MARION ROUSSEL**	DIN 00013749 Procytox® 50 mg **CARTER HORNER**
4	DIN 00176176 Hydergine® **NOVARTIS PHARMACEUTICALS**	DIN 02043068 Paludrine® **WYETH-AYERST**	DIN 00443948 Supeudol® 10 mg **SABEX**	DIN 01926705 Arlidin® Forte 12 mg **RHÔNE-POULENC RORER**	DIN 00411892 Drixtab® **SCHERING**
5	DIN 00728284 133 Burinex® 1 mg **LEO**	DIN 00068500 M2A Actifed® **WARNER-LAMBERT CANADA**	DIN 00004715 A2A Alkeran® 2 mg **GLAXO WELLCOME**	DIN 00016438 126 Cortone® 5 mg **MSD**	DIN 02042363 Mysoline® Pediatric / pédiatrique **WYETH-AYERST**
6	DIN 00177091 Metreton® **SCHERING**	DIN 00511536 10 Mogadon® 10 mg **ROCHE**	DIN 02042622 10 Isordil® Titradose® 10 mg **WYETH-AYERST**	DIN 00402575 Trasicor® 40 mg **NOVARTIS PHARMACEUTICALS**	DIN 00010014 Leritine® 25 mg **FROSST**
7	DIN 02103095 Bentylol® 20 mg **HOECHST MARION ROUSSEL**	DIN 00010391 Sintrom® 4 mg **NOVARTIS PHARMACEUTICALS**	DIN 02190885 G 50 Prandase® 50 mg **BAYER**	DIN 02155931 Cipro® 100 mg **BAYER**	DIN 00382841 Rivotril® 2 mg **ROCHE**
8	DIN 00004774 A3A Daraprim® 25 mg **GLAXO WELLCOME**	DIN 02182912 Hismanal® **JOHNSON & JOHNSON • MERCK**	DIN 00355666 Optimine® **SCHERING**	DIN 01926632 Tamofen® 20 mg **RHÔNE-POULENC RORER**	DIN 00013781 Honvol® **CARTER HORNER**

Use code A, B, C, D, E, horizontal bar and 1 to 8 vertical bar to locate illustrated products

Utiliser le code A, B, C, D, E de la ligne horizontale et les chiffres 1 à 8 de la ligne verticale pour repérer les produits illustrés

	A	B	C	D	E
1	DIN 00402605 A BB Betaloc® 50 mg **ASTRA**	DIN 02233055 925 Fosamax® 5 mg **MSD**	DIN 02099209 Maxeran® 10 mg **HOECHST MARION ROUSSEL**	DIN 02154986 S7A Sudafed® Decongestant Extra Strength **WARNER-LAMBERT CANADA**	DIN 00560960 Minipress™ 2 mg **PFIZER**
2	DIN 02045737 Zestoretic® 20 / 12.5 mg **ZENECA**	DIN 00675229 09A Proloprim® 100 mg **GLAXO WELLCOME**	DIN 02162660 KET 10 Toradol® 10 mg **ROCHE**	DIN 00335363 5 Bricanyl® 5 mg **ASTRA**	DIN 02236606 20 Accolate® 20 mg **ZENECA**
3	DIN 00016454 62 Periactin® 4 mg **JOHNSON & JOHNSON • MERCK**	DIN 00587869 Modulon® 100 mg **AXCAN PHARMA**	DIN 00765996 Diamicron® 80 mg **SERVIER**	DIN 00704431 BV Androcur® 50 mg **BERLEX CANADA**	DIN 00682314 1.5 Lectopam® 1.5 mg **ROCHE**
4	DIN 00010308 Warfilone® 5 mg **FROSST**	DIN 00029408 Moditen® HCl 5 mg **SQUIBB**	DIN 00335355 2.5 Bricanyl® 2.5 mg **ASTRA**	DIN 02042614 30 Isordil® Titradose® 30 mg **WYETH-AYERST**	DIN 00004782 P4A Quinidine Sulfate 200 mg **GLAXO WELLCOME**
5	DIN 00030945 Provera® 100 mg **PHARMACIA & UPJOHN**	DIN 00836338 P 10 Prepulsid® 10 mg **JANSSEN-ORTHO**	DIN 00657212 Selexid® 200 mg **LEO**	DIN 00016446 219 Cortone® 25 mg **MSD**	DIN 02014211 MS•IR® 10 mg **PURDUE FREDERICK**
6	DIN 02230542 Imodium® Quick-Dissolve Tablets **McNEIL CONSUMER PRODUCTS**	DIN 01919342 S Luvox® 50 mg **SOLVAY PHARMA**	DIN 01989782 200 Surgam® 200 mg **HOECHST MARION ROUSSEL**	DIN 00603708 Rythmol® 150 mg **KNOLL**	DIN 00220442 Bonamine™ 25 mg **PFIZER**
7	DIN 00030910 10 Cortef® 10 mg **PHARMACIA & UPJOHN**	DIN 02017628 Idarac® 200 mg **SANOFI**	DIN 02223074 Froben® 100 mg **KNOLL**	DIN 01918362 Coumadin® 10 mg **DUPONT PHARMA**	DIN 02237146 U U 9 9 Mirapex® 1 mg **BOEHRINGER INGELHEIM**
8	DIN 00344877 504 25 Cytoxan® 25 mg **BRISTOL-MYERS SQUIBB**	DIN 00010200 Propyl-Thyracil®/ Propyl-Thyracile® 50 mg **FROSST**	DIN 00004588 UA4 Zyloprim® 100 mg **GLAXO WELLCOME**	DIN 00506370 F9B Zyloprim® 200 mg **GLAXO WELLCOME**	DIN 01927744 Parsitan® **RHÔNE-POULENC RORER**

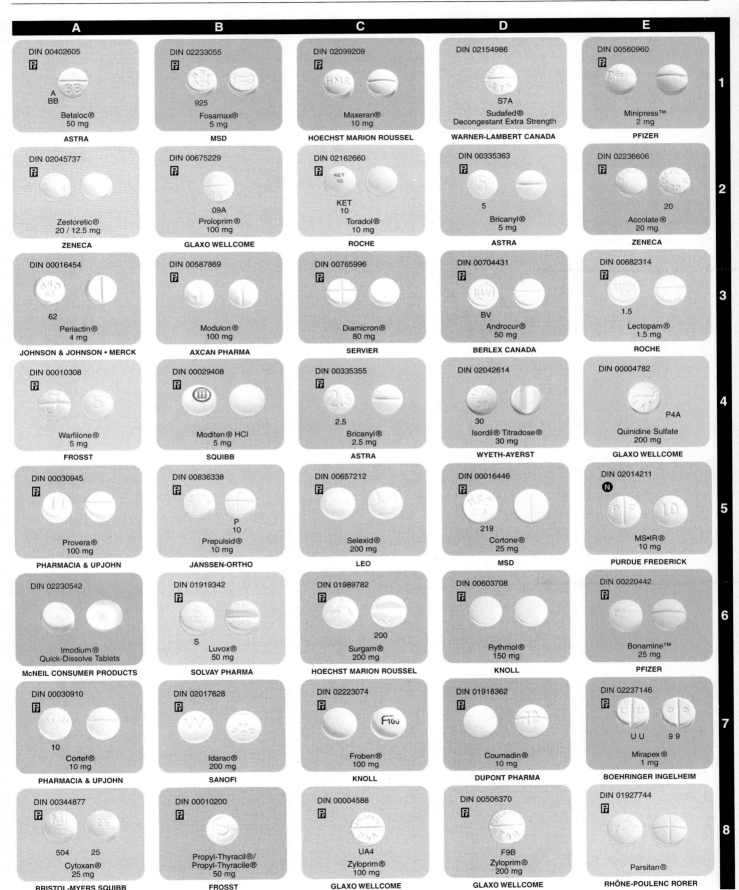

Use code A, B, C, D, E, horizontal bar and 1 to 8 vertical bar to locate illustrated products

Utiliser le code A, B, C, D, E de la ligne horizontale et les chiffres 1 à 8 de la ligne verticale pour repérer les produits illustrés

	A	B	C	D	E
1	DIN 02176076 Burinex® 2 mg LEO	DIN 02190893 Prandase® 100 mg BAYER	DIN 01947931 Duvoid® 25 mg ROBERTS	DIN 00417289 JU VISKEN 15 Visken® 15 mg NOVARTIS PHARMACEUTICALS	DIN 02201011 Fosamax® 10 mg MSD
2	DIN 00010405 Tegretol® / Tégrétol® 200 mg NOVARTIS PHARMACEUTICALS	DIN 01907123 120 Isoptin® -SR 120 mg SEARLE	DIN 00004723 04A Purinethol® 50 mg GLAXO WELLCOME	DIN 00030929 20 Cortef® 20 mg PHARMACIA & UPJOHN	DIN 00124982 11 Akineton® 2 mg KNOLL
3	DIN 00795283 Yocon® GLENWOOD	DIN 00180408 201 Aldactazide 25® SEARLE	DIN 01937340 250 Naprosyn® E 250 mg ROCHE	DIN 00460982 Theo-Dur 100 Theo-Dur® 100 mg ASTRA	DIN 02014270 P PF Phyllocontin® 225 mg PURDUE FREDERICK
4	DIN 00010529 Anturan® 200 mg NOVARTIS PHARMACEUTICALS	DIN 02091879 Clomid® 50 mg HOECHST MARION ROUSSEL	DIN 00534587 BNB CG Slow-Trasicor® 160 mg NOVARTIS PHARMACEUTICALS	DIN 02221888 Anandron® 100 mg HOECHST MARION ROUSSEL	DIN 02237735 Raxar™ 200 mg GLAXO WELLCOME
5	DIN 00553379 Zantac® 150 mg GLAXO WELLCOME	DIN 02186934 Motrin® IB Tablets / comprimés McNEIL CONSUMER PRODUCTS	DIN 00068608 P4B CoActifed® GLAXO WELLCOME	DIN 00068586 A4A Megral® GLAXO WELLCOME	DIN 00028606 205 Aldactone® 25 mg SEARLE
6	DIN 02042355 Mysoline® 250 mg WYETH-AYERST	DIN 00293482 Atasol® Tablets 325 mg CARTER HORNER	DIN 00587729 GG Cytadren® 250 mg NOVARTIS PHARMACEUTICALS	DIN 02047675 Tenuate® 25 mg HOECHST MARION ROUSSEL	DIN 02084082 Bezalip® 200 mg ROCHE
7	DIN 02047667 Mersyndol® with Codeine / avec codéine HOECHST MARION ROUSSEL	DIN 00559393 Tylenol® 325 mg Tablets / comprimés McNEIL CONSUMER PRODUCTS	DIN 02221950 300 Surgam® 300 mg HOECHST MARION ROUSSEL	DIN 00728276 5 mg Burinex® 5 mg LEO	DIN 01917056 1411 Arthrotec® 50 mg SEARLE
8	DIN 00252417 Deltasone® 50 mg PHARMACIA & UPJOHN	DIN 00272469 Bactrim™ Roche® Adult / adulte ROCHE	DIN 02017539 Aralen® 250 mg SANOFI	DIN 00010219 Propyl-Thyracil® Propyl-Thyracile® 100 mg FROSST	DIN 00402540 A ME Betaloc® 100 mg ASTRA

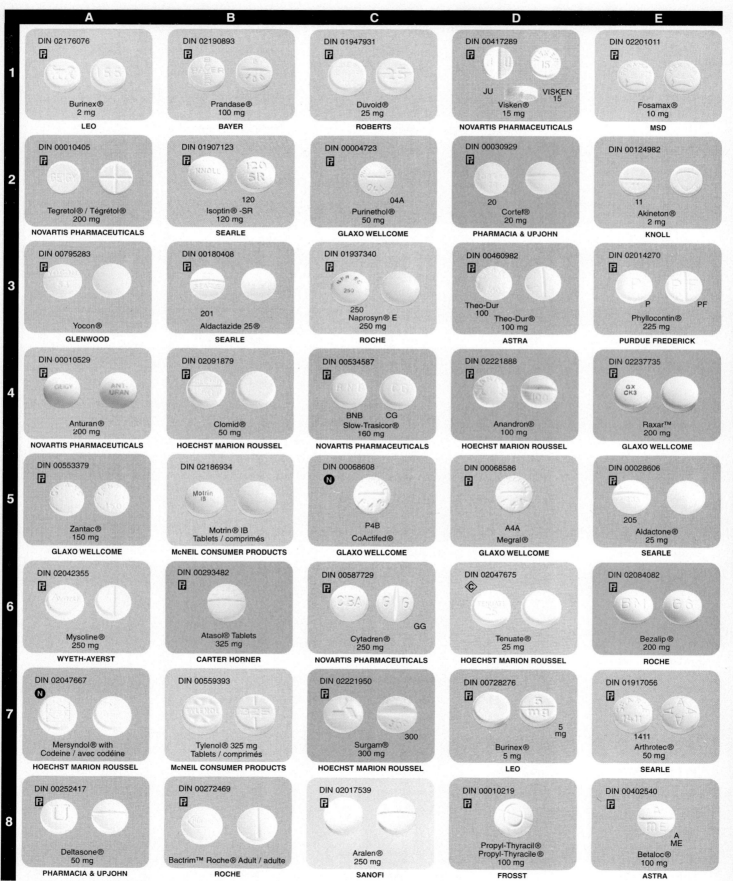

Use code A, B, C, D, E, horizontal bar and 1 to 8 vertical bar to locate illustrated products

Utiliser le code A, B, C, D, E de la ligne horizontale et les chiffres 1 à 8 de la ligne verticale pour repérer les produits illustrés

1

A
DIN 00285455

210
Aldactone® 100 mg
SEARLE

B
DIN 02041375

Antabuse® 250 mg
WYETH-AYERST

C
DIN 02150328

Aspirin® 325 mg Tablets
BAYER

D
DIN 02031116
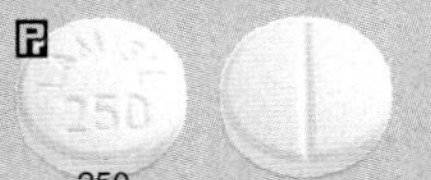
250
Lamisil® 250 mg
NOVARTIS PHARMACEUTICALS

E
DIN 02237147

U U 37 37
Mirapex® 1.5 mg
BOEHRINGER INGELHEIM

2

A
DIN 00140597

456
Aldoril® -25
MSD

B
DIN 02155958

250
Cipro® 250 mg
BAYER

C
DIN 01970399

Chlor-Tripolon N.D.®
SCHERING

D
GP 02229980

Aspirin® with Stomach Guard™ 325 mg
BAYER

E
DIN 02014165

PF U400
Uniphyl® 400 mg
PURDUE FREDERICK

3

A
DIN 02103648
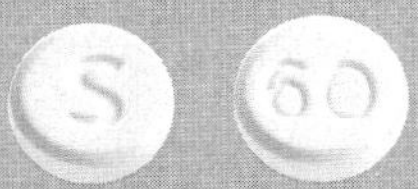

Seldane® 60 mg
HOECHST MARION ROUSSEL

B
DIN 00425370

Tylenol® NO. 2 with Codeine / avec codéine 15 mg
JANSSEN-ORTHO

C
DIN 00425389

Tylenol® NO. 3 with Codeine / avec codéine 30 mg
JANSSEN-ORTHO

D
DIN 00396516
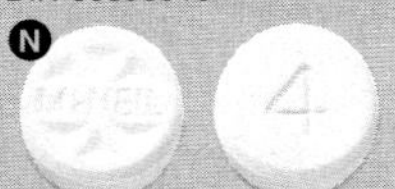
Tylenol® NO. 4 with Codeine / avec codéine 60 mg
JANSSEN-ORTHO

E
DIN 02150336
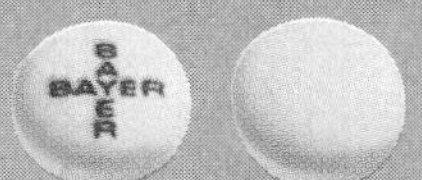

Aspirin® 500 mg Extra Strength Tablets
BAYER

4

A
DIN 00275328

Fiorinal® Tablets
NOVARTIS PHARMACEUTICALS

B
DIN 00013811

Ovol® -40
CARTER HORNER

C
DIN 00554324

Isoptin® 120 mg
SEARLE

D
DIN 00603716
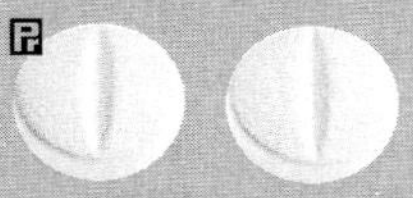
Rythmol® 300 mg
KNOLL

E
DIN 00594377

244
Aldactazide 50®
SEARLE

5

A
DIN 00030996

Mycifradin® 0.5 mg
PHARMACIA & UPJOHN

B
DIN 01945157
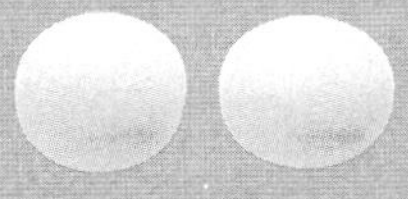
Claritin® Extra
SCHERING

C
DIN 00028274
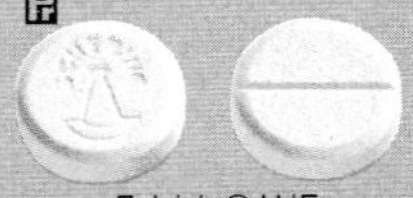
Fulvicin® U/F 250 mg
SCHERING

D
DIN 00108162
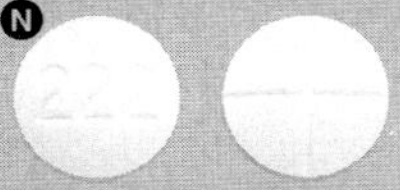
222
222®
JOHNSON & JOHNSON • MERCK

E
DIN 00559407

500
Tylenol® 500 mg Tablets
McNEIL CONSUMER PRODUCTS

6

A
DIN 00270636

Y2B
Septra® Adult / adulte
GLAXO WELLCOME

B
DIN 02236953
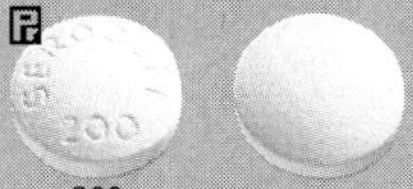
200
Seroquel® 200 mg
ZENECA

C
DIN 00349720

412
Urecholine® 10 mg
FROSST

D
DIN 00580503
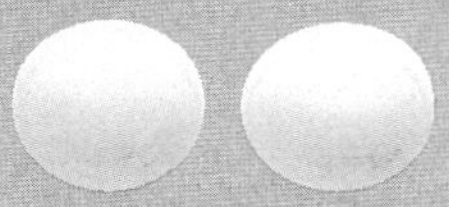
Coricidin "D"®
SCHERING

E
DIN 02083523
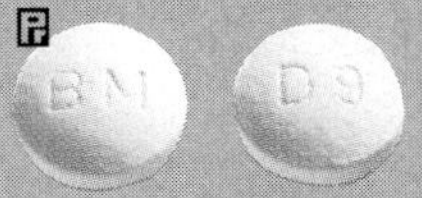
Bezalip® 400 mg
ROCHE

7

A
DIN 01926373

Orudis® SR-200 200 mg
RHÔNE-POULENC RORER

B
DIN 02039222
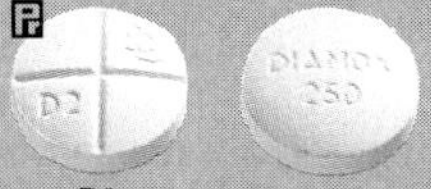
D2
Diamox® 250 mg
WYETH-AYERST

C
DIN 01989545
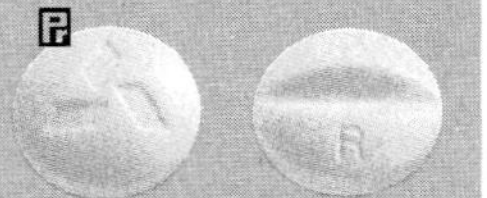
Rythmodan® -LA 250 mg
HOECHST MARION ROUSSEL

D
DIN 00028282
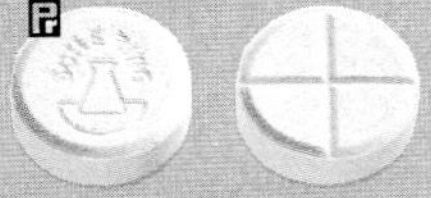
Fulvicin® U/F 500 mg
SCHERING

E
DIN 00579378

BL
Desyrel® 100 mg
BRISTOL-MYERS SQUIBB

8

A
DIN 02018055

Lariam® 250 mg
ROCHE

B
DIN 02231677
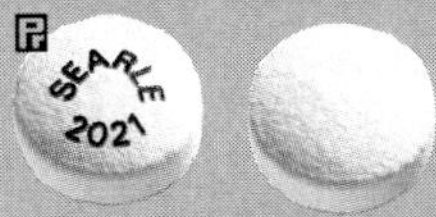

Chronovera® 240 mg
SEARLE

C
DIN 02099233
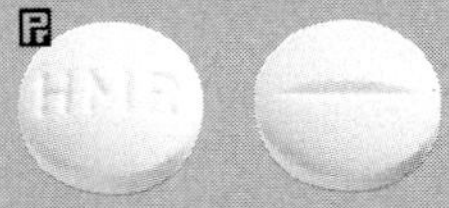
Glucophage® 500 mg
HOECHST MARION ROUSSEL

D
DIN 02229837

1421
Arthrotec® 75 mg
SEARLE

E
DIN 00327794
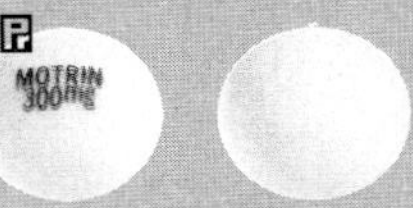

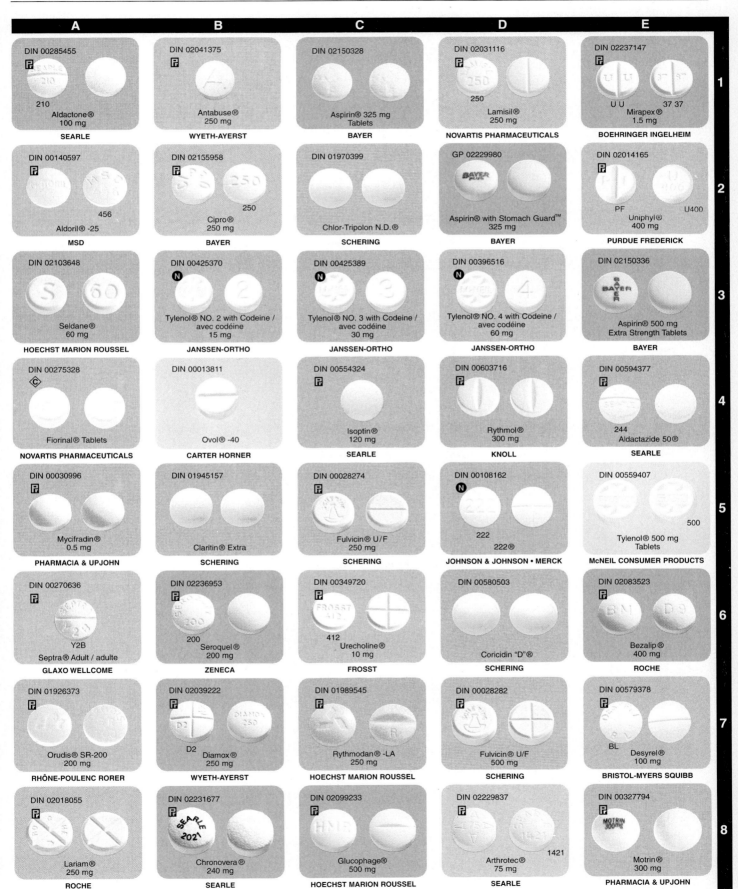

Motrin® 300 mg
PHARMACIA & UPJOHN

Use code A, B, C, D, E, horizontal bar and 1 to 8 vertical bar to locate illustrated products

Utiliser le code A, B, C, D, E de la ligne horizontale et les chiffres 1 à 8 de la ligne verticale pour repérer les produits illustrés

	A	B	C	D	E
1	DIN 02013576 * 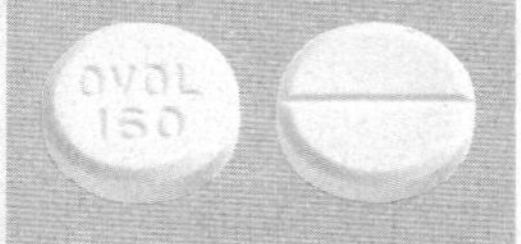 Ovol® -160 **CARTER HORNER**	DIN 01916475 N 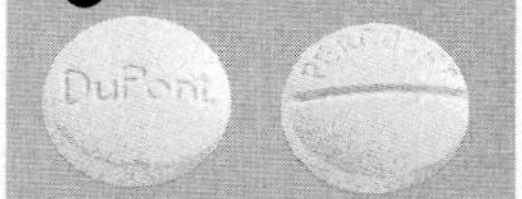 Percocet® **DUPONT PHARMA**	DIN 00225819 *  Phosphate - Novartis **NOVARTIS PHARMACEUTICALS**	DIN 02041391  Antabuse® 500 mg **WYETH-AYERST**	DIN 00108316 N  282 262 MEP® **FROSST**
2	DIN 02237626 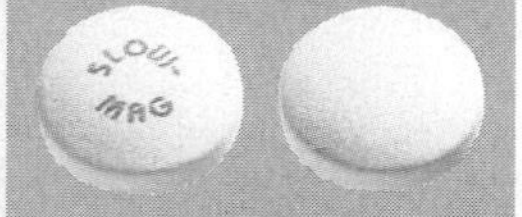 Slow-Mag™ **ROBERTS**	DIN 00016616 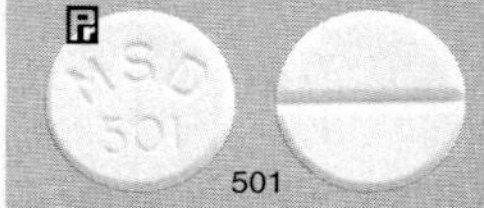 501 Benemid® 500 mg **MSD**	DIN 00013838 * 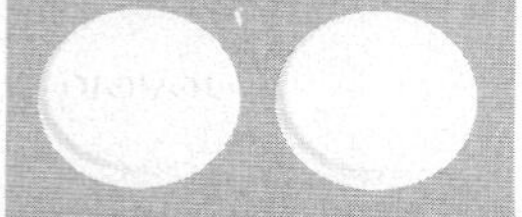 Diovol® Tablets **CARTER HORNER**	DIN 00621544  Diovol® Ex **CARTER HORNER**	DIN 02157624 * 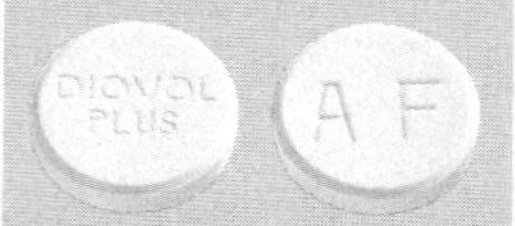 Diovol Plus® AF **CARTER HORNER**
3	DIN 00590665  Duralith® **JANSSEN-ORTHO**	DIN 00692719 * 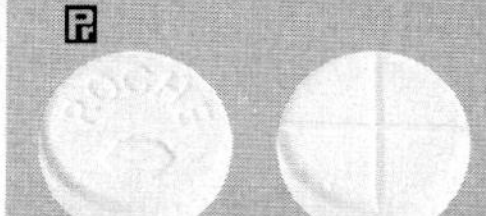 Fansidar® **ROCHE**	DIN 02043505 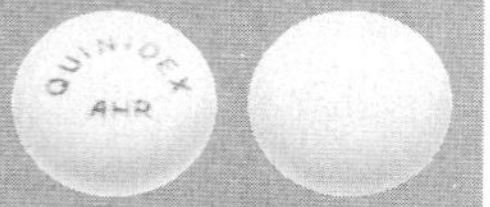 Quinidex Extentabs® **WYETH-AYERST**	DIN 00292990  Ovol® -80 **CARTER HORNER**	DIN 01944827 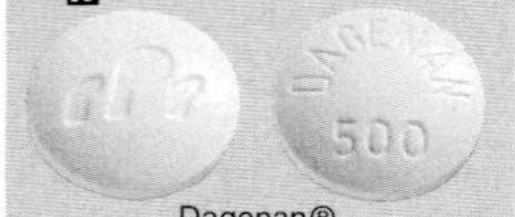 Dagenan® **RHÔNE-POULENC RORER**
4	DIN 00803499 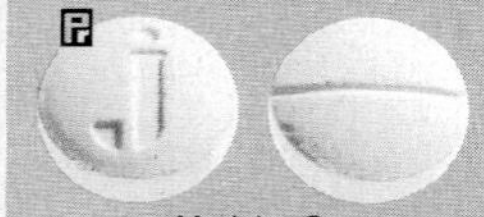 Modulon® 200 mg **AXCAN PHARMA**	DIN 01940511 * 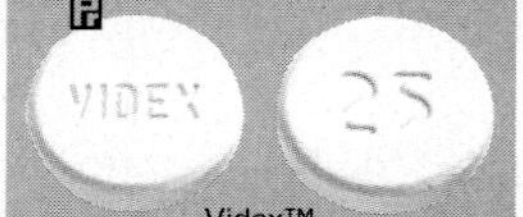 Videx™ 25 mg **BRISTOL-MYERS SQUIBB**	DIN 01940538 * 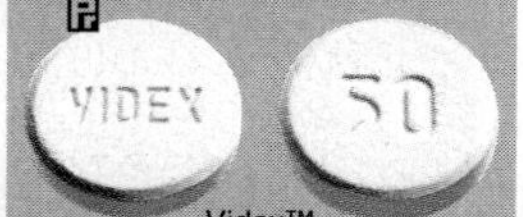 Videx™ 50 mg **BRISTOL-MYERS SQUIBB**	DIN 01940546 * 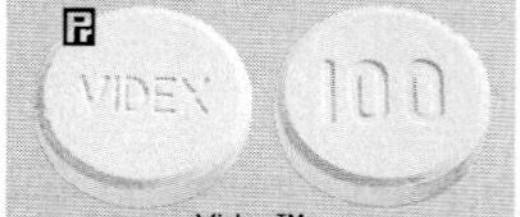 Videx™ 100 mg **BRISTOL-MYERS SQUIBB**	DIN 01940554 * 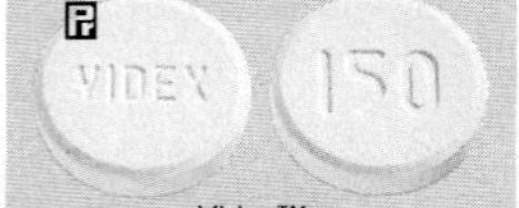 Videx™ 150 mg **BRISTOL-MYERS SQUIBB**
5	DIN 00116785  Bionet® Lozenges / pastilles **CARTER HORNER**	DIN 00027588 *  Calcium-Sandoz® Forte **NOVARTIS CONSUMER HEALTH**	DIN 00259497  Gramcal® **NOVARTIS CONSUMER HEALTH**	DIN 02229110  125 Famvir™ 125 mg **SMITHKLINE BEECHAM**	DIN 02229129  250 Famvir™ 250 mg **SMITHKLINE BEECHAM**
6	DIN 02142082  Lamictal™ 25 mg **GLAXO WELLCOME**	DIN 00016462  41 Decadron® 0.5 mg **MSD**	DIN 00354309  97 Decadron® 4 mg **MSD**	DIN 02232565  4890 Requip™ 0.25 mg **SMITHKLINE BEECHAM**	DIN 02232569 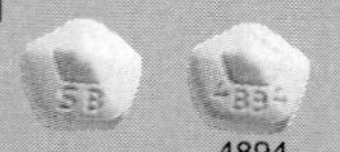 4894 Requip™ 5 mg **SMITHKLINE BEECHAM**
7	DIN 00632600  1461 Cytotec® 200 µg **SEARLE**	DIN 02042282 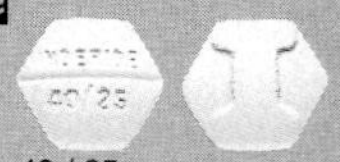 40 / 25 Inderide® / Indéride® 40 mg **WYETH-AYERST**	DIN 02042290 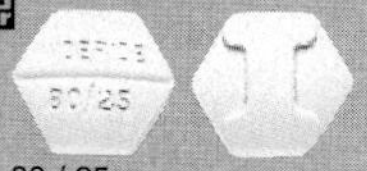 80 / 25 Inderide® / Indéride® 80 mg **WYETH-AYERST**	DIN 00878928  Norvasc™ 5 mg **PFIZER**	DIN 00878936  Norvasc™ 10 mg **PFIZER**
8	DIN 02019604  N2 Neptazane® 25 mg **WYETH-AYERST**	DIN 00546283  25 Capoten® 25 mg **SQUIBB**	DIN 00708879  712 Vasotec® 5 mg **FROSST**	DIN 02099195  Maxeran® 5 mg **HOECHST MARION ROUSSEL**	DIN 00400688  Prostin® E_2 Tablets **PHARMACIA & UPJOHN**

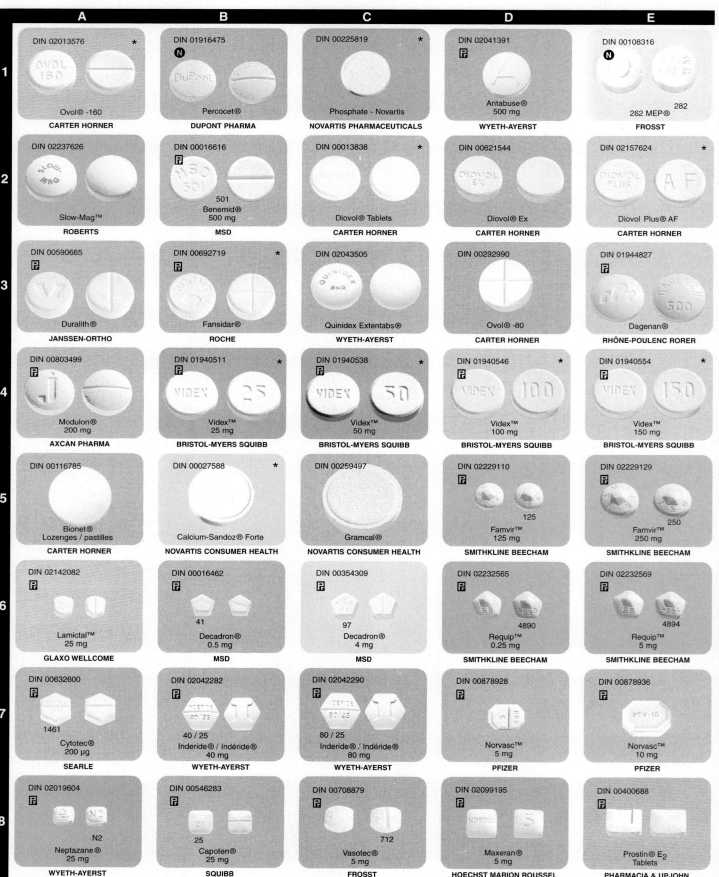

*ILLUSTRATION LESS THAN ACTUAL SIZE / ILLUSTRATION RÉDUITE

Use code A, B, C, D, E, horizontal bar and 1 to 8 vertical bar to locate illustrated products

Utiliser le code A, B, C, D, E de la ligne horizontale et les chiffres 1 à 8 de la ligne verticale pour repérer les produits illustrés

1

A1 DIN 02014289

Phyllocontin® -350
350 mg
PURDUE FREDERICK

B1 DIN 00839388

19
Prinivil®
5 mg
MSD

C1 DIN 02185881

Kytril™
1 mg
SMITHKLINE BEECHAM

D1 DIN 00786543

Dilaudid®
8 mg
KNOLL

E1 DIN 02201038

Fosamax®
40 mg
MSD

2

A2 DIN 01926543

Sectral®
100 mg
RHÔNE-POULENC RORER

B2 DIN 01926578

Sectral®
400 mg
RHÔNE-POULENC RORER

C2 DIN 00023698

Dilantin® Infatabs
50 mg
PARKE-DAVIS

D2 DIN 00013668

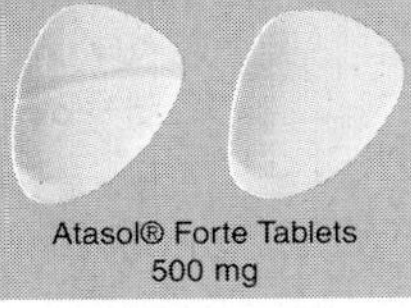

Atasol® Forte Tablets
500 mg
CARTER HORNER

E2 DIN 01907107

10
Monopril®
10 mg
BRISTOL-MYERS SQUIBB

3

A3 DIN 01958119

Cardura-4™
ASTRA

B3 DIN 02192683

3TC® 150 mg
Tablets
GLAXO WELLCOME

C3 DIN 00560979

Minipress™
5 mg
PFIZER

D3 DIN 02223554

Reactine™
10 mg
PFIZER CONSUMER

E3 DIN 00603821

BL 10
Buspar®
10 mg
BRISTOL-MYERS SQUIBB

4

A4 DIN 00432407

Sanorex®
1 mg
NOVARTIS PHARMACEUTICALS

B4 DIN 02229650

39
Coreg™
3.125 mg
SMITHKLINE BEECHAM

C4 DIN 02229651

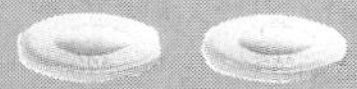

4140 4140
Coreg™
6.25 mg
SMITHKLINE BEECHAM

D4 DIN 02129000

102 5
Demadex®
5 mg
ROCHE

E4 DIN 02237145

U U 4 4
Mirapex®
0.25 mg
BOEHRINGER INGELHEIM

5

A5 DIN 00030988

Medrol®
4 mg
PHARMACIA & UPJOHN

B5 DIN 00782696

10
Claritin®
10 mg
SCHERING

C5 DIN 02041448

2
Ativan®
2 mg
WYETH-AYERST

D5 DIN 02170299

Choloxin®
4 mg
KNOLL

E5 DIN 00548359

29
Xanax®
0.25 mg
PHARMACIA & UPJOHN

6

A6 DIN 02237923

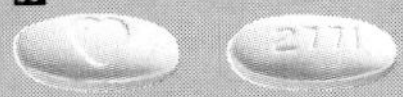

2771
Avapro™
75 mg
BMS / SANOFI

B6 DIN 00371033

Parlodel® 2.5 mg
Tablets
NOVARTIS PHARMACEUTICALS

C6 DIN 02230711

10
Lipitor™
10 mg
PARKE-DAVIS

D6 DIN 02129019

103 10
Demadex®
10 mg
ROCHE

E6 DIN 00483826

15
Somnol®
15 mg
CARTER HORNER

7

A7 DIN 02229652

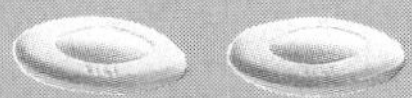

4141 4141
Coreg™
12.5 mg
SMITHKLINE BEECHAM

B7 DIN 00546291

Capoten®
50 mg
SQUIBB

C7 DIN 00455881

KJ
Lioresal®
10 mg
NOVARTIS PHARMACEUTICALS

D7 DIN 00036129

Medrol®
16 mg
PHARMACIA & UPJOHN

E7 DIN 00647942

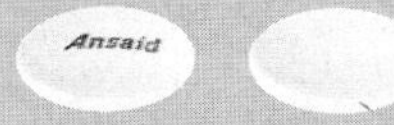

Ansaid®
50 mg
PHARMACIA & UPJOHN

8

A8 DIN 02036436

200
Monitan®
200 mg
WYETH-AYERST

B8 DIN 02230713

20
Lipitor™
20 mg
PARKE-DAVIS

C8 DIN 00643025

Noroxin®
400 mg
MSD

D8 DIN 02229653

4142 4142
Coreg™
25 mg
SMITHKLINE BEECHAM

E8 DIN 00460990

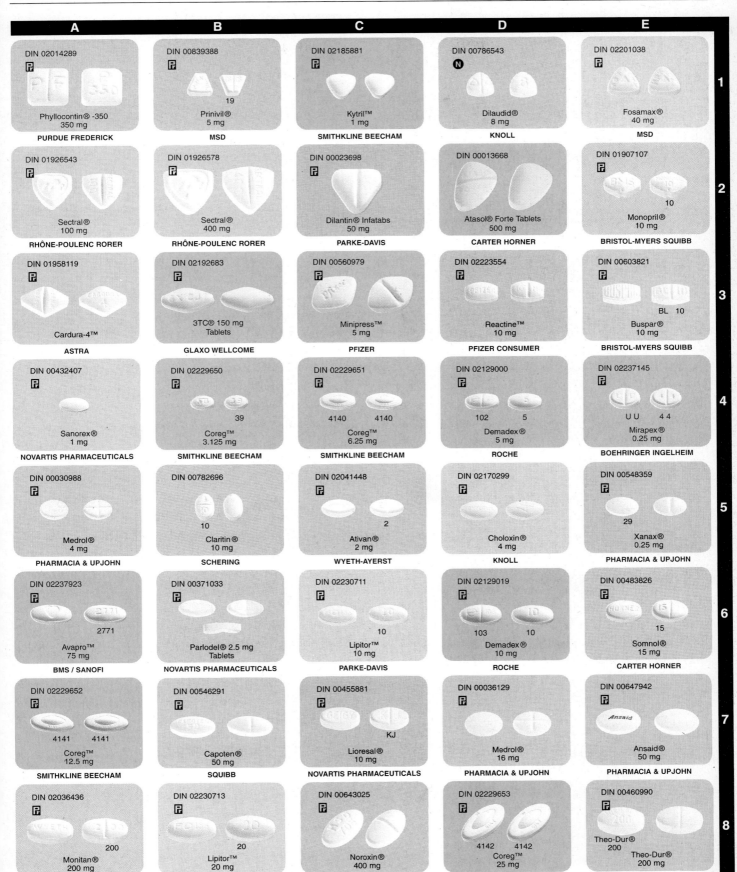

Theo-Dur®
200
Theo-Dur®
200 mg
ASTRA

Use code A, B, C, D, E, horizontal bar and 1 to 8 vertical bar to locate illustrated products

Utiliser le code A, B, C, D, E de la ligne horizontale et les chiffres 1 à 8 de la ligne verticale pour repérer les produits illustrés

	A	B	C	D	E
1	DIN 00511641 37 4401 Depen® 250 mg CARTER HORNER	DIN 02129027 104 20 Demadex® 20 mg ROCHE	DIN 02162776 Ticlid® 250 mg ROCHE	DIN 02237924 2772 Avapro™ 150 mg BMS / SANOFI	DIN 01916866 DIN 01916858 -250 -500F Clavulin® SMITHKLINE BEECHAM
2	DIN 01937359 375 Naprosyn® E 375 mg ROCHE	DIN 00497827 A MD Betaloc® Durules® 200 mg ASTRA	DIN 00546305 Capoten® 100 mg SQUIBB	DIN 01919369 S Luvox® 100 mg SOLVAY PHARMA	DIN 02065819 Sabril® HOECHST MARION ROUSSEL
3	DIN 00731323 Megace® 160 mg BRISTOL-MYERS SQUIBB	DIN 00249580 Biquin® Durules® 250 mg ASTRA	DIN 02230714 40 Lipitor™ 40 mg PARKE-DAVIS	DIN 00582247 Pondocillin® 500 mg LEO	DIN 00371823 Bactrim™ Roche® DS ROCHE
4	DIN 02163667 7721 500 Cefzil™ 500 mg BRISTOL-MYERS SQUIBB	DIN 00513237 Fulvicin® P/G 330 mg SCHERING	DIN 00024716 Diabinese™ 250 mg PFIZER	DIN 00659606 Lopid® 600 mg PARKE-DAVIS	DIN 00368040 02C Septra® DS GLAXO WELLCOME
5	DIN 02237925 2773 Avapro™ 300 mg BMS / SANOFI	DIN 02177102 500 Famvir™ 500 mg SMITHKLINE BEECHAM	DIN 00293482 Atasol® Caplets 325 mg CARTER HORNER	DIN 00013668 Atasol® Forte Caplets 500 mg CARTER HORNER	DIN 00695661 Capoten® 12.5 mg SQUIBB
6	DIN 02223546 5 mg Reactine™ 5 mg PFIZER CONSUMER	DIN 02123282 Coversyl® 4 mg SERVIER	DIN 02041421 1 Ativan® 1 mg WYETH-AYERST	DIN 02014238 Ⓝ MS•IR® 20 mg PURDUE FREDERICK	DIN 01958097 Cardura-2™ ASTRA
7	DIN 00860743 A-D 2 mg Imodium® Caplets JANSSEN-ORTHO / McNEIL CONSUMER	DIN 02014254 Ⓝ MS•IR® 30 mg PURDUE FREDERICK	DIN 02224569 LDI LDI Diaßeta® 5 mg HOECHST MARION ROUSSEL	DIN 02017709 Plaquenil® 200 mg SANOFI	DIN 02145790 Y Y Zyrtec® UCB PHARMA
8	DIN 01907115 20 Monopril® 20 mg BRISTOL-MYERS SQUIBB	DIN 02231507 Lactaid® Ultra Caplets McNEIL CONSUMER PRODUCTS	DIN 02025280 R 1 Risperdal® 1 mg JANSSEN-ORTHO	DIN 02106280 200 R P Trandate® 200 mg ROBERTS	DIN 02129035 105 100 Demadex® 100 mg ROCHE

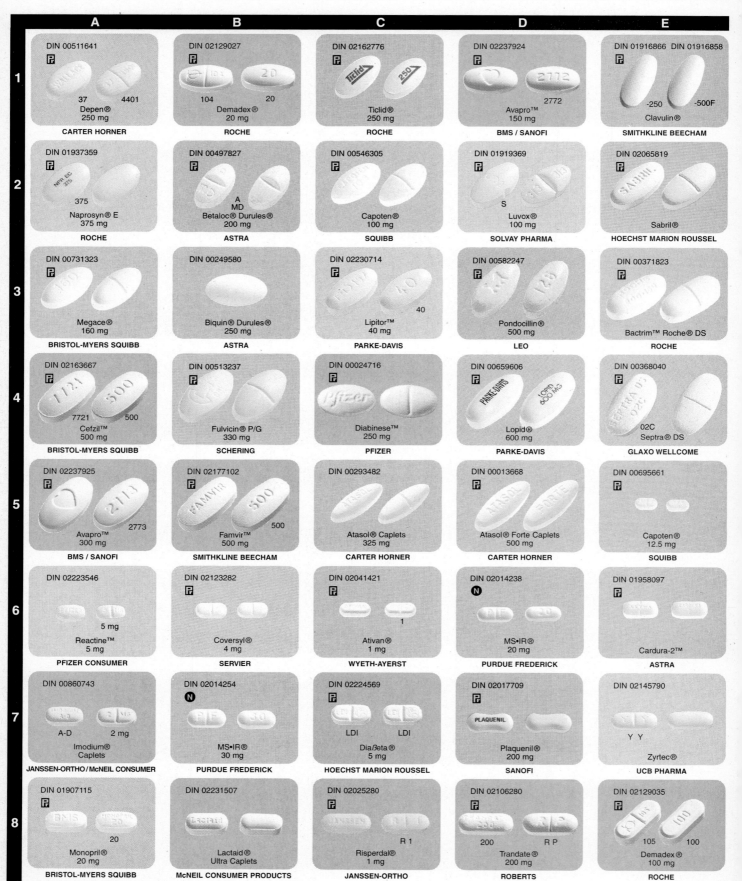

Use code A, B, C, D, E, horizontal bar and 1 to 8 vertical bar to locate illustrated products

Utiliser le code A, B, C, D, E de la ligne horizontale et les chiffres 1 à 8 de la ligne verticale pour repérer les produits illustrés

	A	B	C	D	E
1	DIN 02230653 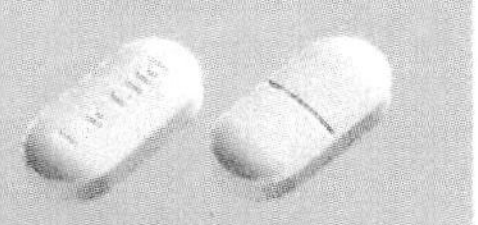 Lactaid® Tablets Regular Strength **McNEIL CONSUMER PRODUCTS**	DIN 02230654 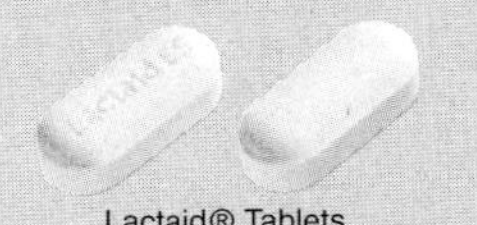 Lactaid® Tablets Extra Strength **McNEIL CONSUMER PRODUCTS**	DIN 02150794 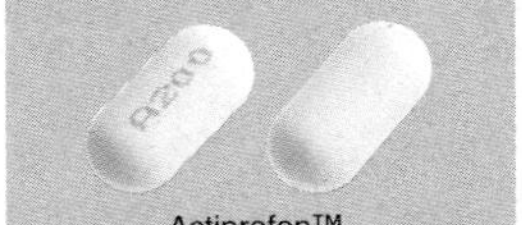 Actiprofen™ 200 mg **BAYER**	DIN 02103109 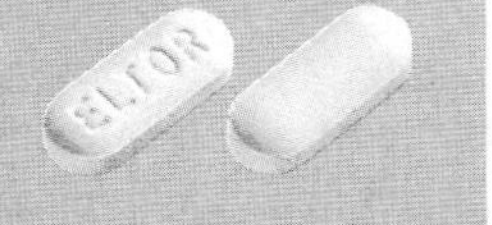 Eltor® 120 **HOECHST MARION ROUSSEL**	DIN 02150328 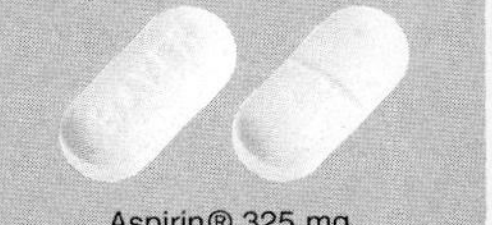 Aspirin® 325 mg Caplets **BAYER**
2	DIN 00886890 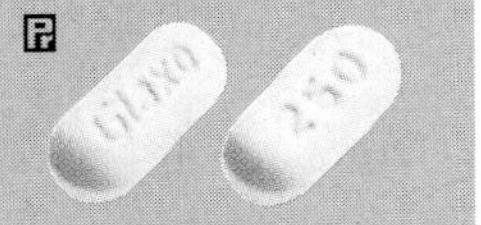 Ceftin® 250 mg Tablets **GLAXO WELLCOME**	DIN 02187124 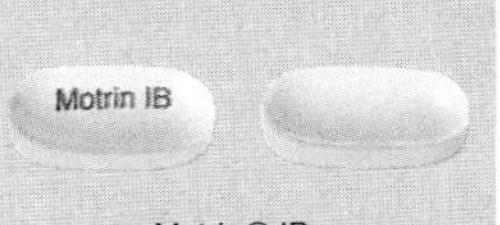 Motrin® IB Caplets **McNEIL CONSUMER PRODUCTS**	DIN 00723894 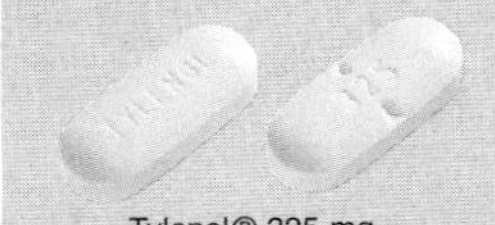 Tylenol® 325 mg Caplets **McNEIL CONSUMER PRODUCTS**	DIN 02103575 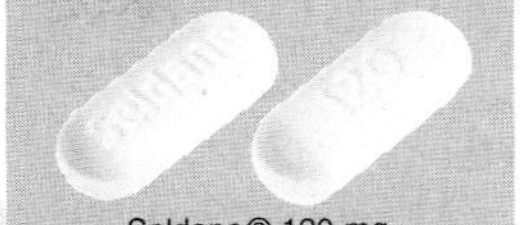 Seldane® 120 mg Caplets **HOECHST MARION ROUSSEL**	GP 02237094  Midol® Regular **BAYER**
3	DIN 00461008 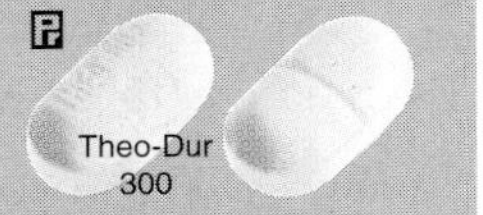 Theo-Dur 300 Theo-Dur® 300 mg **ASTRA**	DIN 00713376 * 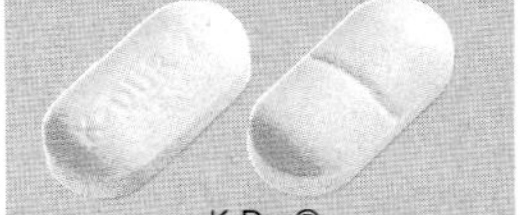 K-Dur® 20 mmol **KEY**	DIN 00627127  Penglobe® 400 mg **ASTRA**	DIN 02036444 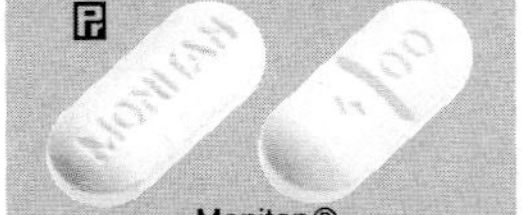 Monitan® 400 mg **WYETH-AYERST**	DIN 01937332  500 Naprosyn® E 500 mg **ROCHE**
4	DIN 02156954 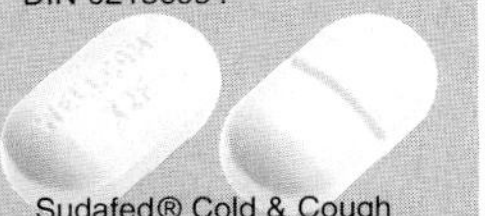 Sudafed® Cold & Cough Extra Strength / rhume et toux extra-fort **WARNER-LAMBERT CANADA**	DIN 02156555 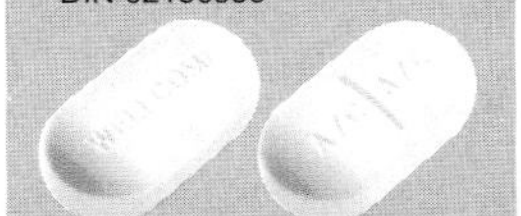 Sudafed® Head Cold and Sinus Extra Strength **WARNER-LAMBERT CANADA**	DIN 02083531 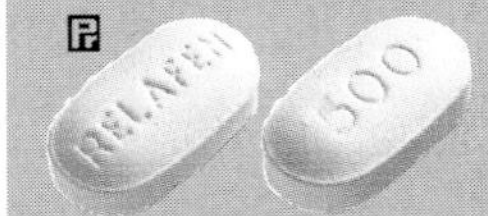 Relafen™ 500 mg **SMITHKLINE BEECHAM**	DIN 01926640 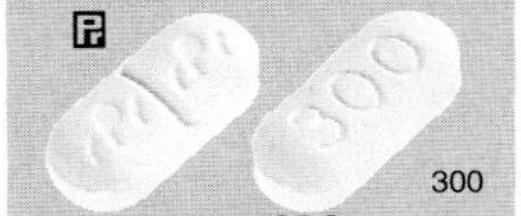 300 Theo-SR® 300 mg **RHÔNE-POULENC RORER**	DIN 01933655 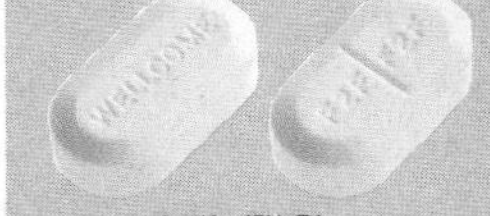 Actifed™ Plus Extra Strength / extra-fort **WARNER-LAMBERT CANADA**
5	DIN 02150506 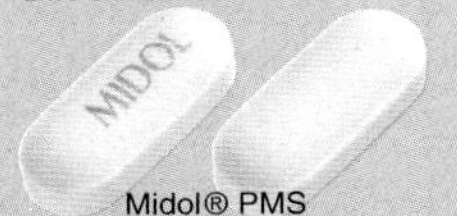 Midol® PMS Extra Strength / SPM extra-fort **BAYER**	DIN 00636576  GW Lioresal® D.S. 20 mg **NOVARTIS PHARMACEUTICALS**	DIN 00723908  500 Tylenol® 500 mg Caplets **McNEIL CONSUMER PRODUCTS**	DIN 00566933  Coptin® 500 mg **AXCAN PHARMA**	DIN 02229967 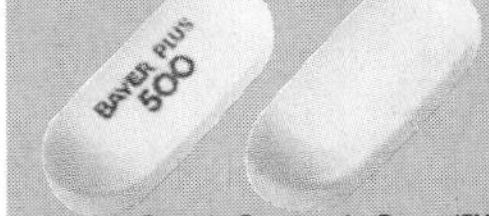 Aspirin® with Stomach Guard™ Extra Strength 500 mg **BAYER**
6	DIN 02154994 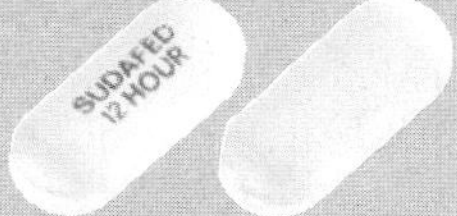 Sudafed® Decongestant 12-Hour **WARNER-LAMBERT CANADA**	DIN 02043025 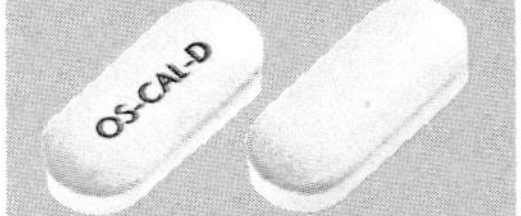 Os-Cal® -D 500 mg **WYETH-AYERST**	DIN 02027860 * 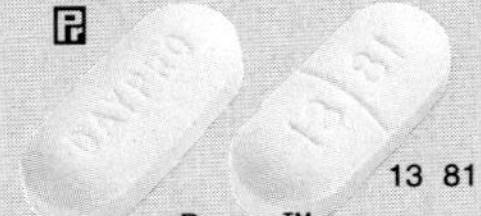 13 81 Daypro™ 600 mg **SEARLE**	DIN 02064405 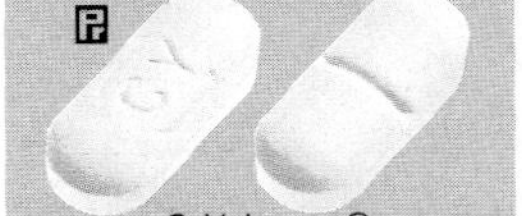 Cyklokapron® 500 mg **PHARMACIA & UPJOHN**	DIN 00641790 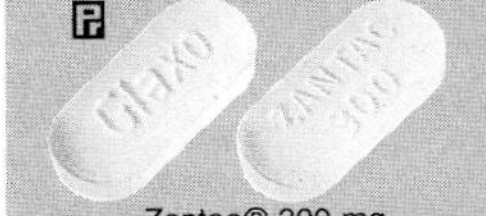 Zantac® 300 mg Tablets **GLAXO WELLCOME**
7	DIN 02155966 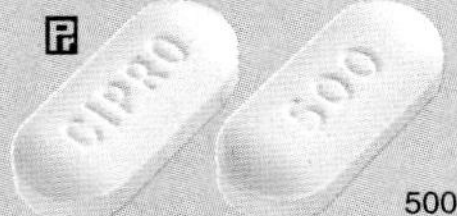 500 Cipro® 500 mg **BAYER**	DIN 02155974 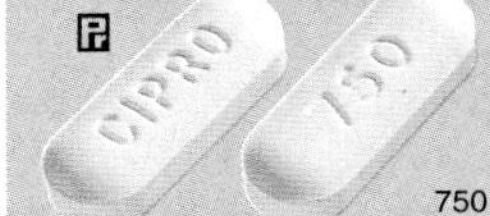 750 Cipro® 750 mg **BAYER**	DIN 02052490 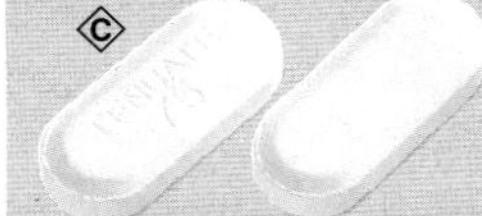 Tenuate® Dospan® 75 mg **HOECHST MARION ROUSSEL**	DIN 00461008 * 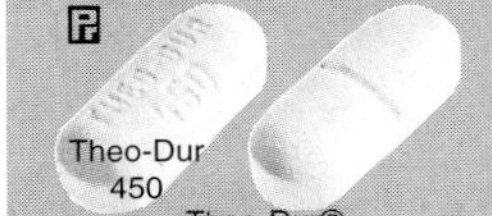 Theo-Dur 450 Theo-Dur® 450 mg **ASTRA**	DIN 02215241 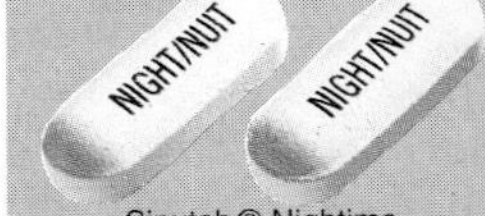 Sinutab® Nightime Extra Strength **WARNER-LAMBERT CANADA**
8	DIN 00886904 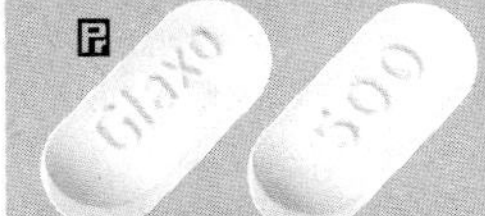 Ceftin® 500 mg Tablets **GLAXO WELLCOME**	DIN 02162849 * 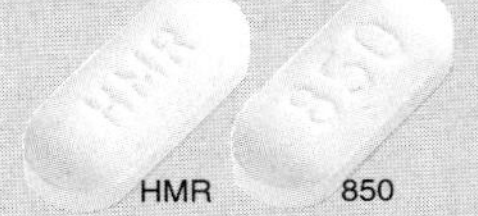 HMR 850 Glucophage® 850 mg **HOECHST MARION ROUSSEL**	DIN 02100622 * 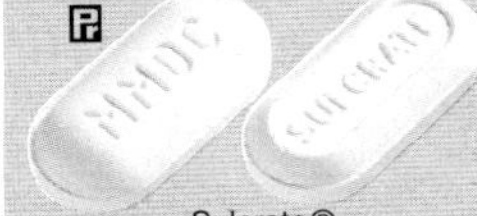 Sulcrate® 1 g **HOECHST MARION ROUSSEL**	DIN 00627135  Penglobe® 800 mg **ASTRA**	DIN 02087375 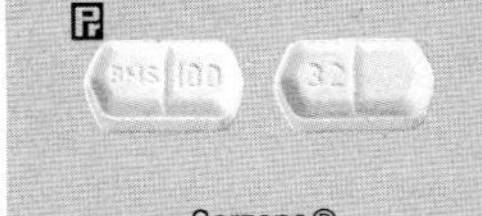 Serzone® 100 mg **SQUIBB**

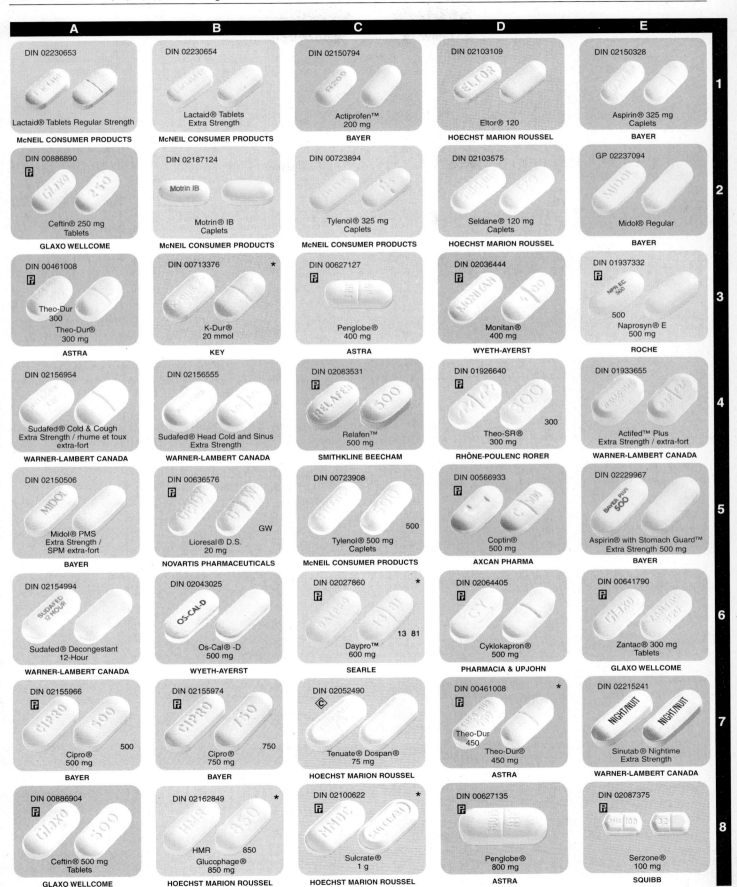

*ILLUSTRATION LESS THAN ACTUAL SIZE / ILLUSTRATION RÉDUITE

Use code A, B, C, D, E, horizontal bar and 1 to 8 vertical bar to locate illustrated products

Utiliser le code A, B, C, D, E de la ligne horizontale et les chiffres 1 à 8 de la ligne verticale pour repérer les produits illustrés

	A	B	C	D	E
1	DIN 00813958 Pr 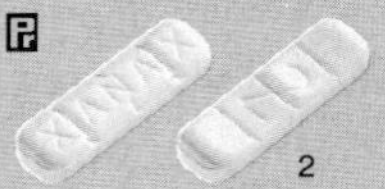 2 Xanax® 2 mg **PHARMACIA & UPJOHN**	DIN 00556742 Pr  Quibron® -T / SR 300 mg **BRISTOL-MYERS SQUIBB**	DIN 02014181 Pr 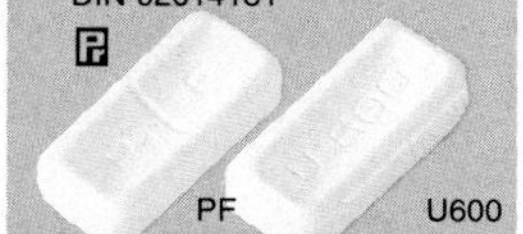 PF U600 Uniphyl® 600 mg **PURDUE FREDERICK**	DIN 02230897 * Pr 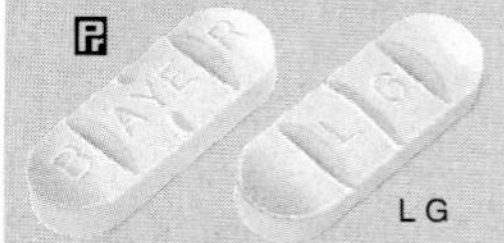 L G Biltricide® **BAYER**	DIN 00648345 * 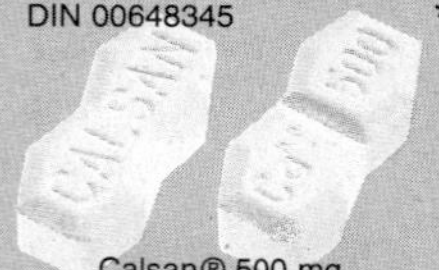 Calsan® 500 mg Chewable Tablets **NOVARTIS CONSUMER HEALTH**
2	DIN 00868981 Pr 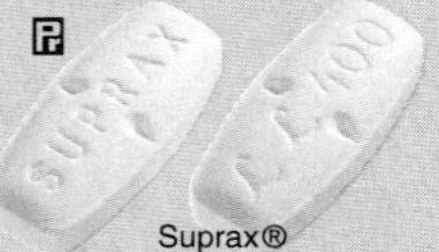 Suprax® 400 mg **RHÔNE-POULENC RORER**	DIN 00028290 Pr  2 Trilafon® 2 mg **SCHERING**	DIN 00028304 Pr 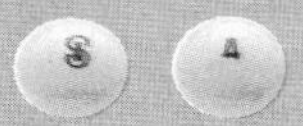 4 Trilafon® 4 mg **SCHERING**	DIN 00517895 Pr 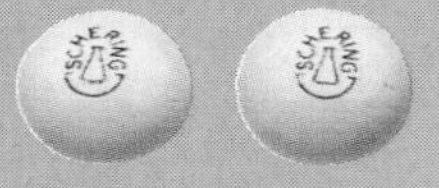 Trinalin® **SCHERING**	DIN 02237821 Pr  GX CE5 Amerge® 2.5 mg **GLAXO WELLCOME**
3	DIN 02212897 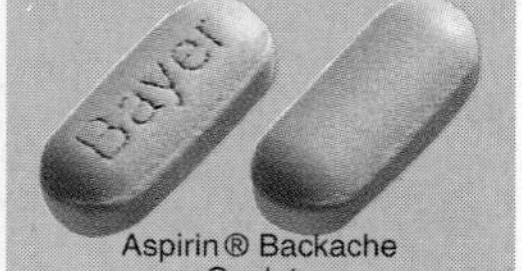 Aspirin® Backache Caplets **BAYER**	DIN 02232567 Pr 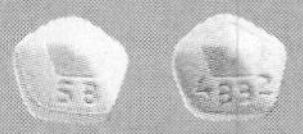 4892 Requip™ 1 mg **SMITHKLINE BEECHAM**	DIN 02142112 Pr  Lamictal™ 150 mg **GLAXO WELLCOME**	DIN 00329320 Pr  Sandomigran® 0.5 mg **NOVARTIS PHARMACEUTICALS**	DIN 02233542 Pr 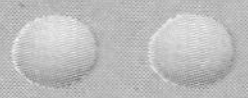 Diane® -35 **BERLEX CANADA**
4	DIN 02237325 Pr  200 MCG 283 Baycol® 0.2 mg **BAYER**	DIN 02236952 Pr  100 Seroquel® 100 mg **ZENECA**	DIN 00607126 Pr 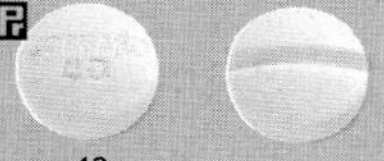 40 Corgard® 40 mg **SQUIBB**	DIN 00633836 Pr  Nizoral® 200 mg **JANSSEN-ORTHO**	DIN 02097389 Pr 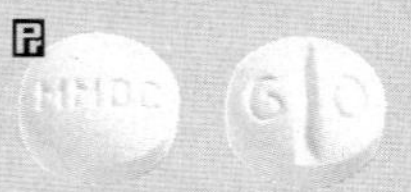 Cardizem® 60 mg **HOECHST MARION ROUSSEL**
5	DIN 00463256 Pr 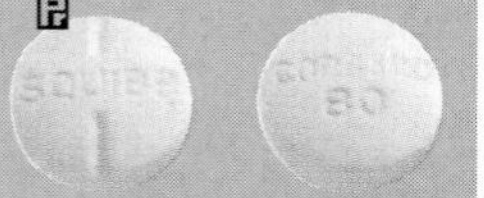 Corgard® 80 80 mg **SQUIBB**	DIN 02017636 Pr  Idarac® 400 mg **SANOFI**	DIN 00897221 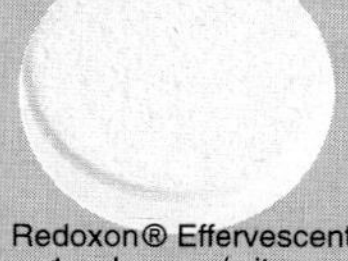 Redoxon® Effervescent 1 g, Lemon / citron **ROCHE**	DIN 02126710 Pr 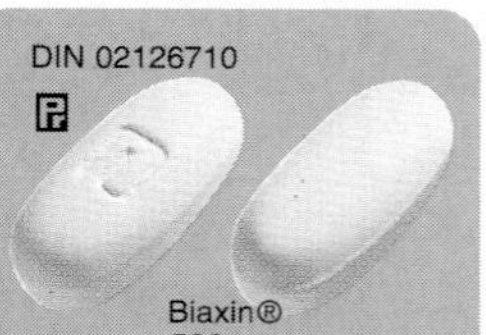 Biaxin® 500 mg **ABBOTT**	DIN 00324019 Pr  F H Anafranil® 25 mg **NOVARTIS PHARMACEUTICALS**
6	DIN 00027499 Pr  Sansert® 2 mg **NOVARTIS PHARMACEUTICALS**	DIN 00125121 Ⓝ  4 Dilaudid® 4 mg **KNOLL**	DIN 00035319  Y3B Lanoxin® 0.125 mg **GLAXO WELLCOME**	DIN 00511196  Gravol® 15 mg **CARTER HORNER**	DIN 00894737 Pr  Clozaril® 25 mg **NOVARTIS PHARMACEUTICALS**
7	DIN 00016330 Pr  45 Elavil® 25 mg **MSD**	DIN 00641855 Pr  Ludiomil® 10 mg **NOVARTIS PHARMACEUTICALS**	DIN 00012297 Pr 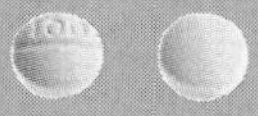 Eltroxin® 100 µg **GLAXO WELLCOME**	DIN 00010413 Pr  Hygroton® 50 mg **NOVARTIS PHARMACEUTICALS**	DIN 02172100 Pr 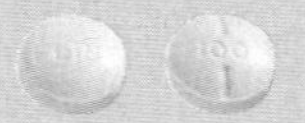 Synthroid® 100 µg **KNOLL**
8	DIN 00013285 Pr  5 Valium® Roche® 5 mg **ROCHE**	DIN 01919563 Pr 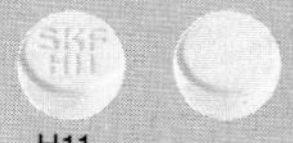 H11 Dyrenium® -50 50 mg **SMITHKLINE BEECHAM**	DIN 00005614 Ⓒ  Ritalin® 20 mg **NOVARTIS PHARMACEUTICALS**	DIN 02028212  Gravol® 25 mg **CARTER HORNER**	DIN 00738972  Chlor-Tripolon® 4 mg **SCHERING**

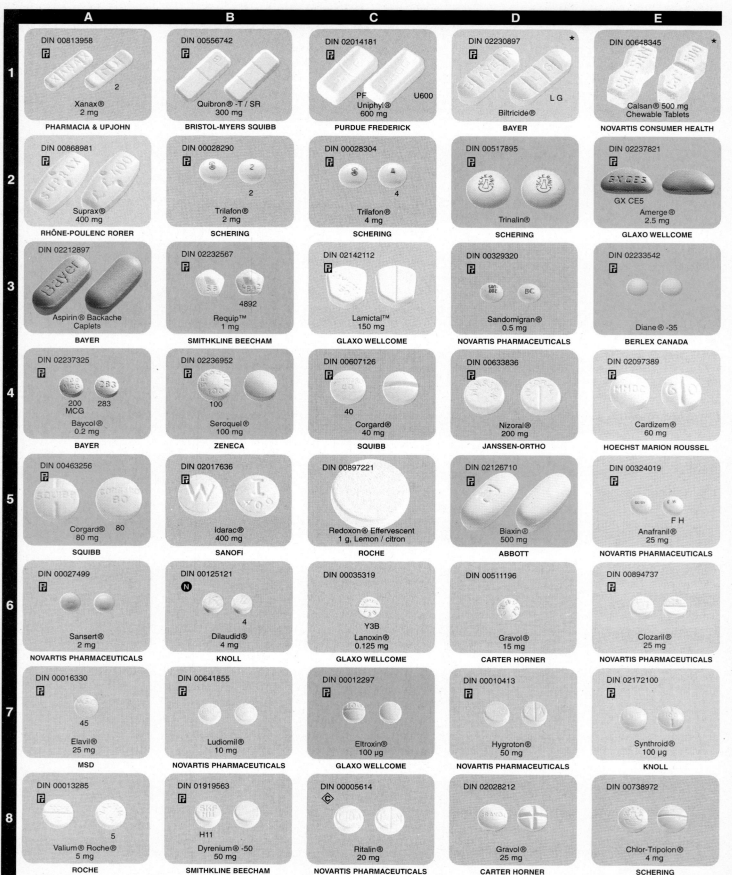

*ILLUSTRATION LESS THAN ACTUAL SIZE / ILLUSTRATION RÉDUITE

Use code A, B, C, D, E, horizontal bar and 1 to 8 vertical bar to locate illustrated products

Utiliser le code A, B, C, D, E de la ligne horizontale et les chiffres 1 à 8 de la ligne verticale pour repérer les produits illustrés

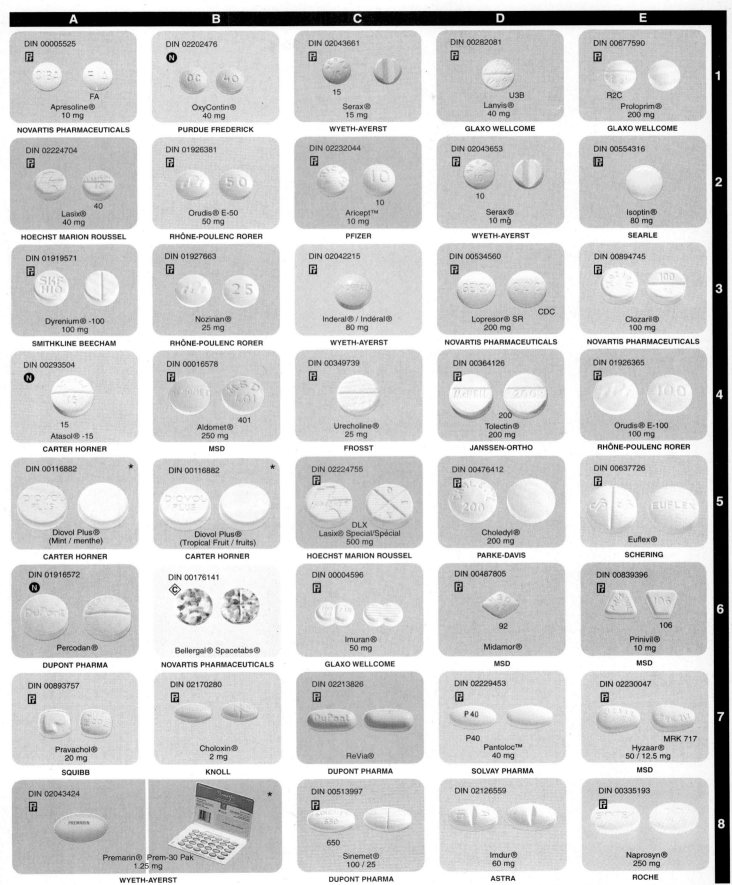

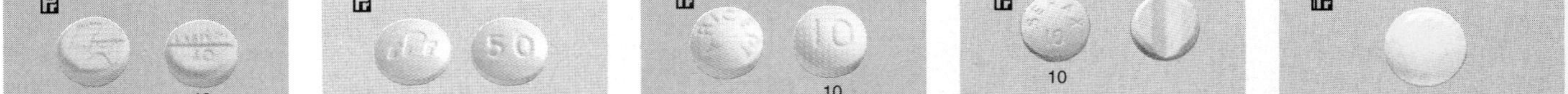
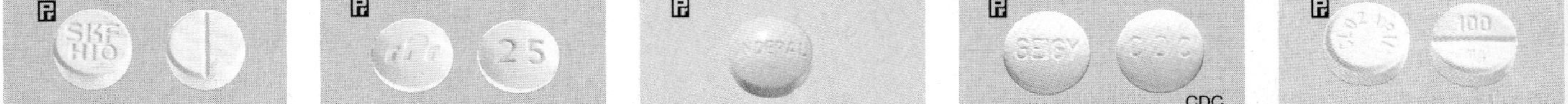
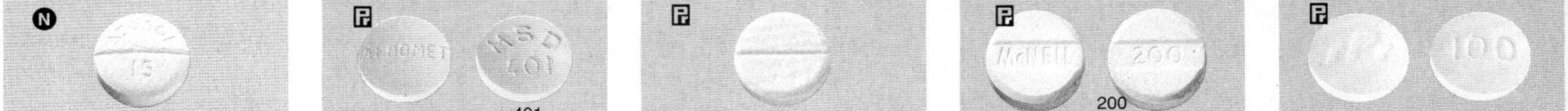
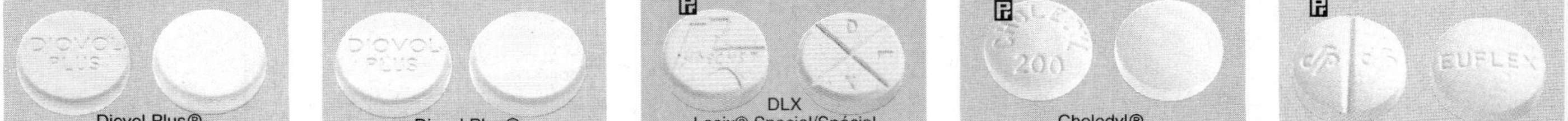
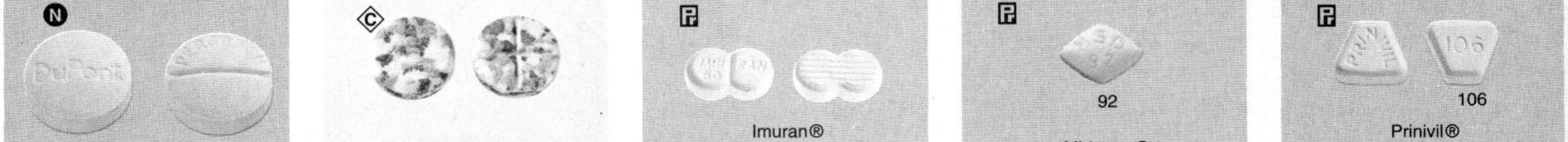
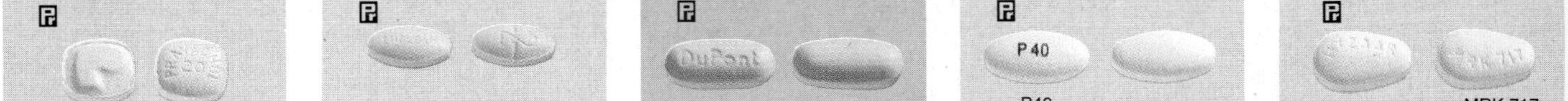
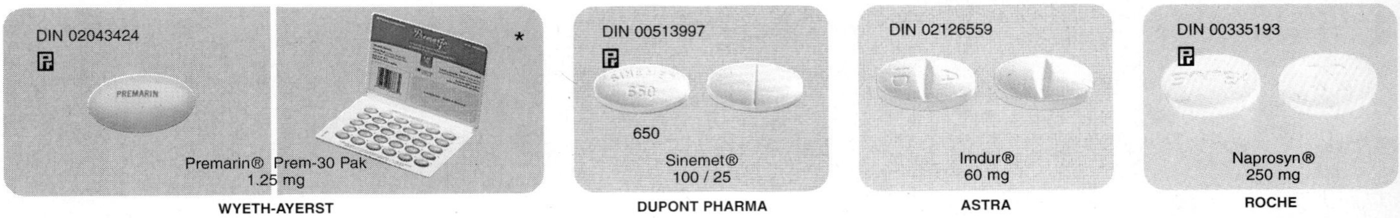

	A	B	C	D	E
1	DIN 00005525 FA Apresoline® 10 mg NOVARTIS PHARMACEUTICALS	DIN 02202476 OxyContin® 40 mg PURDUE FREDERICK	DIN 02043661 15 Serax® 15 mg WYETH-AYERST	DIN 00282081 U3B Lanvis® 40 mg GLAXO WELLCOME	DIN 00677590 R2C Proloprim® 200 mg GLAXO WELLCOME
2	DIN 02224704 40 Lasix® 40 mg HOECHST MARION ROUSSEL	DIN 01926381 Orudis® E-50 50 mg RHÔNE-POULENC RORER	DIN 02232044 10 Aricept™ 10 mg PFIZER	DIN 02043653 10 Serax® 10 mg WYETH-AYERST	DIN 00554316 Isoptin® 80 mg SEARLE
3	DIN 01919571 Dyrenium® -100 100 mg SMITHKLINE BEECHAM	DIN 01927663 Nozinan® 25 mg RHÔNE-POULENC RORER	DIN 02042215 Inderal® / Indéral® 80 mg WYETH-AYERST	DIN 00534560 CDC Lopresor® SR 200 mg NOVARTIS PHARMACEUTICALS	DIN 00894745 Clozaril® 100 mg NOVARTIS PHARMACEUTICALS
4	DIN 00293504 15 Atasol® -15 CARTER HORNER	DIN 00016578 401 Aldomet® 250 mg MSD	DIN 00349739 Urecholine® 25 mg FROSST	DIN 00364126 200 Tolectin® 200 mg JANSSEN-ORTHO	DIN 01926365 Orudis® E-100 100 mg RHÔNE-POULENC RORER
5	DIN 00116882 * Diovol Plus® (Mint / menthe) CARTER HORNER	DIN 00116882 * Diovol Plus® (Tropical Fruit / fruits) CARTER HORNER	DIN 02224755 DLX Lasix® Special/Spécial 500 mg HOECHST MARION ROUSSEL	DIN 00476412 Choledyl® 200 mg PARKE-DAVIS	DIN 00637726 Euflex® SCHERING
6	DIN 01916572 Percodan® DUPONT PHARMA	DIN 00176141 Bellergal® Spacetabs® NOVARTIS PHARMACEUTICALS	DIN 00004596 Imuran® 50 mg GLAXO WELLCOME	DIN 00487805 92 Midamor® MSD	DIN 00839396 106 Prinivil® 10 mg MSD
7	DIN 00893757 Pravachol® 20 mg SQUIBB	DIN 02170280 Choloxin® 2 mg KNOLL	DIN 02213826 ReVia® DUPONT PHARMA	DIN 02229453 P40 Pantoloc™ 40 mg SOLVAY PHARMA	DIN 02230047 MRK 717 Hyzaar® 50 / 12.5 mg MSD
8	DIN 02043424 Premarin® 1.25 mg WYETH-AYERST	Prem-30 Pak * WYETH-AYERST	DIN 00513997 650 Sinemet® 100 / 25 DUPONT PHARMA	DIN 02126559 Imdur® 60 mg ASTRA	DIN 00335193 Naprosyn® 250 mg ROCHE

*ILLUSTRATION LESS THAN ACTUAL SIZE / ILLUSTRATION RÉDUITE

Use code A, B, C, D, E, horizontal bar and 1 to 8 vertical bar to locate illustrated products

Utiliser le code A, B, C, D, E de la ligne horizontale et les chiffres 1 à 8 de la ligne verticale pour repérer les produits illustrés

	A	B	C	D	E
1	DIN 00373761  Maltlevol® -M **CARTER HORNER**	DIN 00639885 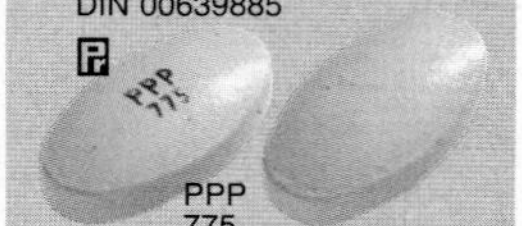 PPP 775 Pronestyl® -SR 500 mg **SQUIBB**	DIN 02089793  3772 Ogen® 0.625 mg **PHARMACIA & UPJOHN**	DIN 02224712  DKF Lasix® 80 mg **HOECHST MARION ROUSSEL**	DIN 02025302  R 3 Risperdal® 0.3 mg **JANSSEN-ORTHO**
2	DIN 02150417  325 Coated Aspirin® / Aspirin® enrobé 325 mg **BAYER**	DIN 02150425 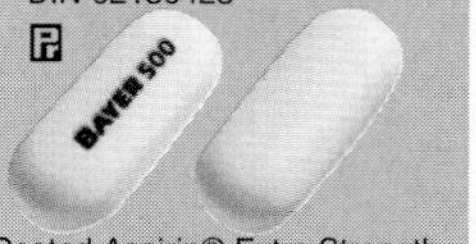 Coated Aspirin® Extra Strength 500 mg **BAYER**	DIN 00525537 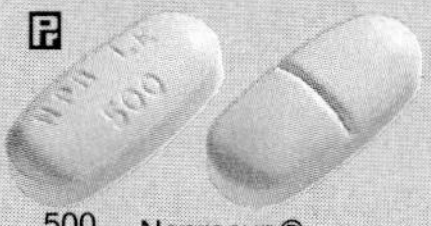 500 Naprosyn® 500 mg **ROCHE**	DIN 02017687  500 NegGram® 500 mg **SANOFI**	DIN 01933728 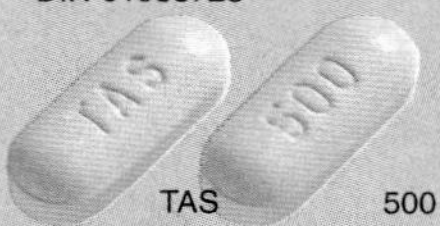 TAS 500 Tylenol® Allergy Sinus Extra Strength **McNEIL CONSUMER PRODUCTS**
3	DIN 00851795  14 Vasotec® 2.5 mg **FROSST**	DIN 00710121  963 Pepcid® 20 mg **MSD**	DIN 02087391 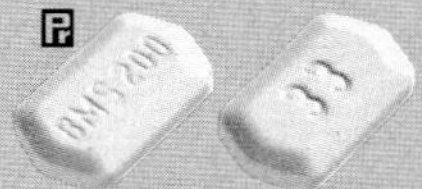 Serzone® 200 mg **SQUIBB**	DIN 00884324  726 Zocor® 5 mg **FROSST**	DIN 00782742  931 Flexeril® 10 mg **FROSST**
4	DIN 00884413  140 Prinzide® 20 / 12.5 **MSD**	DIN 02237326 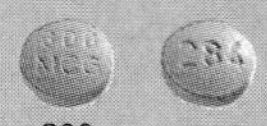 300 MCG 284 Baycol® 0.3 mg **BAYER**	DIN 02231384  Femara® 2.5 mg **NOVARTIS PHARMACEUTICALS**	DIN 00514004 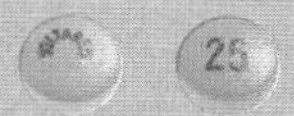 Voltaren® 25 mg **NOVARTIS PHARMACEUTICALS**	DIN 00176931 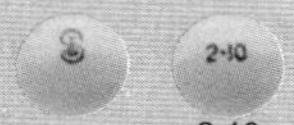 2-10 Etrafon® **SCHERING**
5	DIN 00285544 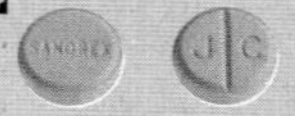 JC Sanorex® 2 mg **NOVARTIS PHARMACEUTICALS**	DIN 02156008  Fluanxol® 0.5 mg **LUNDBECK**	DIN 00360503  E R Ludiomil® 50 mg **NOVARTIS PHARMACEUTICALS**	DIN 00514012  Voltaren® 50 mg **NOVARTIS PHARMACEUTICALS**	DIN 00016349 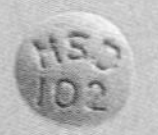 102 Elavil® 50 mg **MSD**
6	DIN 01918273  P91 Stelabid® No. 2 **SMITHKLINE BEECHAM**	DIN 01918281 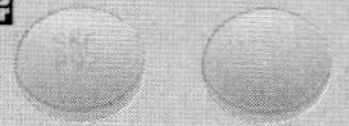 P92 Stelabid® Forte **SMITHKLINE BEECHAM**	DIN 02058472  ISMO® 20 mg **WYETH-AYERST**	DIN 02099128  25 Norpramin® 25 mg **HOECHST MARION ROUSSEL**	DIN 02221985  H FF 2.5 Renedil® 2.5 mg **HOECHST MARION ROUSSEL**
7	DIN 02156016  Fluanxol® 3 mg **LUNDBECK**	DIN 00176095 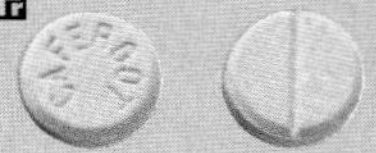 Cafergot® **NOVARTIS PHARMACEUTICALS**	DIN 00578452 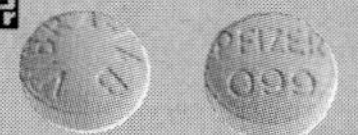 VIBRA TAB 099 Vibra-Tabs™ 100 mg **PFIZER**	DIN 00402583 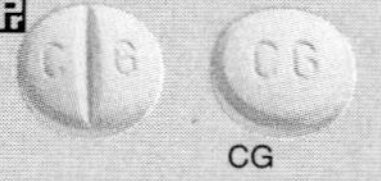 CG Trasicor® 80 mg **NOVARTIS PHARMACEUTICALS**	DIN 02057778  A FL 2.5 Plendil® 2.5 mg **ASTRA**
8	DIN 00658855  KR Lopresor® SR 100 mg **NOVARTIS PHARMACEUTICALS**	DIN 02230894  Topamax® 100 mg **JANSSEN-ORTHO**	DIN 01944363 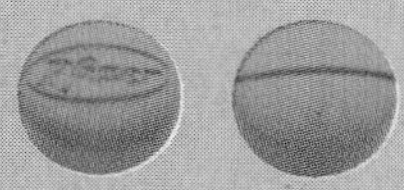 Combantrin® 125 mg **PFIZER CONSUMER**	DIN 02163748 N 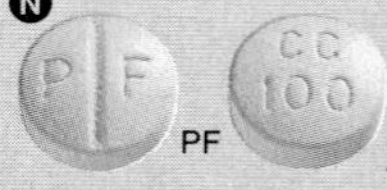 PF CC 100 Codeine Contin® 100 mg **PURDUE FREDERICK**	DIN 00293490 N  8 Atasol® -8 **CARTER HORNER**

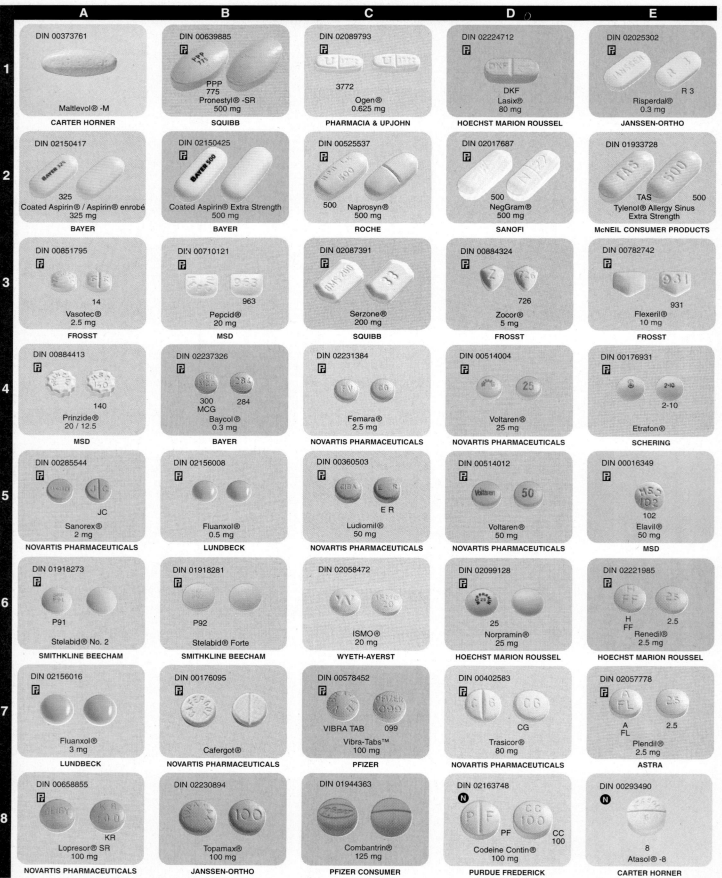

Use code A, B, C, D, E, horizontal bar and 1 to 8 vertical bar to locate illustrated products

Utiliser le code A, B, C, D, E de la ligne horizontale et les chiffres 1 à 8 de la ligne verticale pour repérer les produits illustrés

	A	B	C	D	E
1	DIN 00746304  Drixoral® N.D. **SCHERING**	DIN 00074225 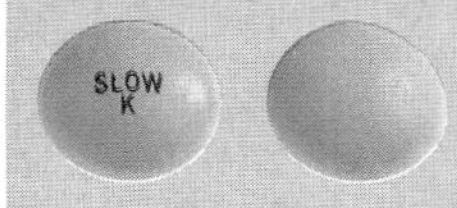 Slow-K® 600 mg **NOVARTIS PHARMACEUTICALS**	DIN 00598941  Tonocard® 400 mg **ASTRA**	DIN 02027887  Paxil® 10 mg **SMITHKLINE BEECHAM**	DIN 01911465  1 Inhibace® 1 mg **ROCHE**
2	DIN 02106272 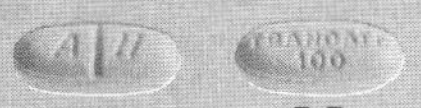 100 R P Trandate® 100 mg **ROBERTS**	DIN 01925970  Zofran® 4 mg **GLAXO WELLCOME**	DIN 00024708 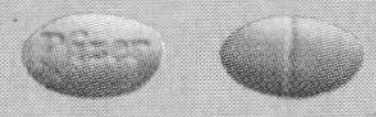 Diabinese™ 100 mg **PFIZER**	DIN 00885835  LV Lotensin® 5 mg **NOVARTIS PHARMACEUTICALS**	DIN 00884367 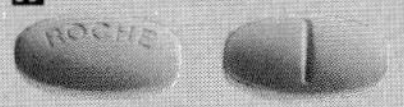 Mobiflex® 20 mg **ROCHE**
3	DIN 00885843  HO Lotensin® 10 mg **NOVARTIS PHARMACEUTICALS**	DIN 02235914  Tasmar™ 100 mg **ROCHE**	DIN 02235921  Tasmar™ 200 mg **ROCHE**	DIN 02213575 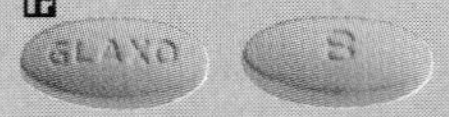 Zofran® 8 mg **GLAXO WELLCOME**	DIN 00638676 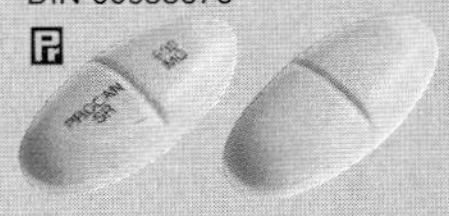 Procan® SR 500 mg **PARKE-DAVIS**
4	DIN 02050161 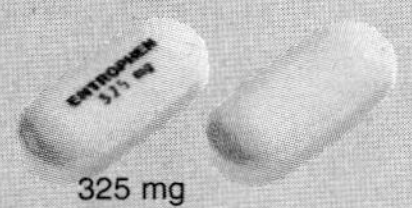 325 mg Entrophen® 325 mg Caplets **JOHNSON & JOHNSON • MERCK**	DIN 00743283 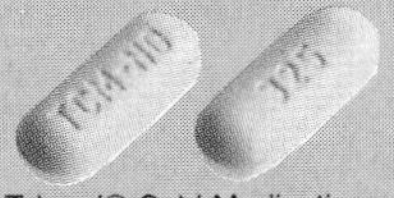 Tylenol® Cold Medications Regular Strength (Daytime) Caplets **McNEIL CONSUMER PRODUCTS**	DIN 00574007 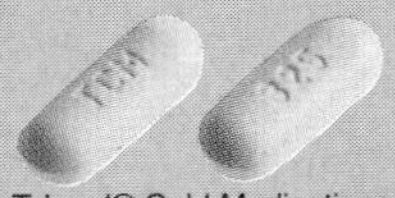 Tylenol® Cold Medications Regular Strength (Nightime) Caplets **McNEIL CONSUMER PRODUCTS**	DIN 00743267 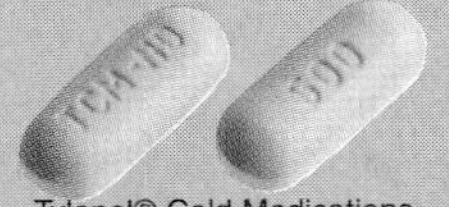 Tylenol® Cold Medications Extra Strength (Daytime) Caplets **McNEIL CONSUMER PRODUCTS**	DIN 00743275 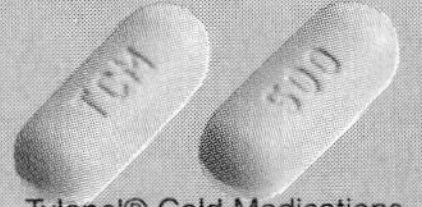 Tylenol® Cold Medications Extra Strength (Nightime) Caplets **McNEIL CONSUMER PRODUCTS**
5	GP 01926004 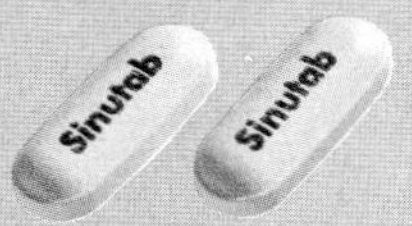 Sinutab® **WARNER-LAMBERT CANADA**	DIN 01986988 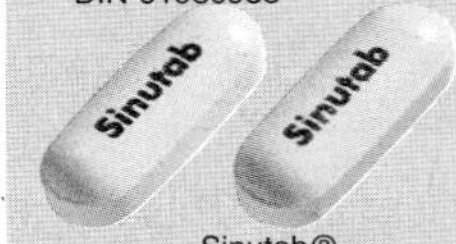 Sinutab® Extra Strength / extra puissant **WARNER-LAMBERT CANADA**	DIN 01984853  Biaxin® 250 mg **ABBOTT**	DIN 02112787 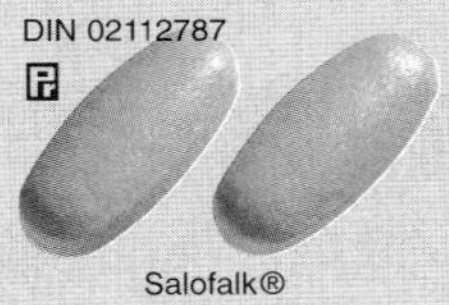 Salofalk® 500 mg **AXCAN PHARMA**	DIN 02031388 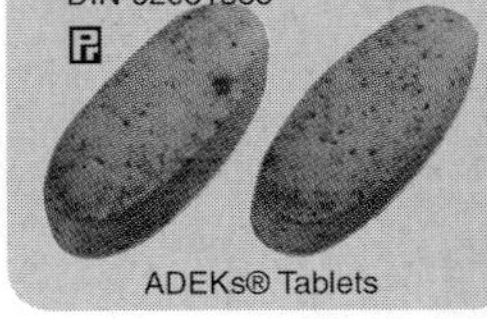 ADEKs® Tablets **AXCAN PHARMA**
6	DIN 00176958  A Etrafon® -A **SCHERING**	DIN 02179709 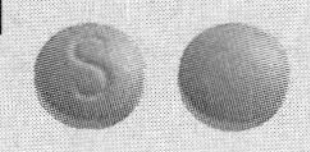 Lozide® 1.25 mg **SERVIER**	DIN 01950592  Dicetei® 50 mg **SOLVAY PHARMA**	DIN 01927760 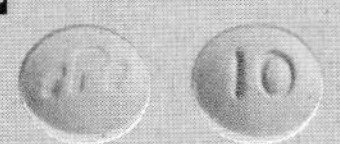 Stemetil® 10 mg **RHÔNE-POULENC RORER**	DIN 01927639 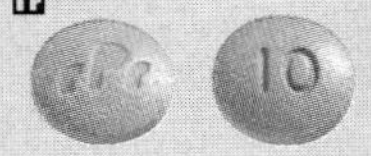 Majeptil® **RHÔNE-POULENC RORER**
7	DIN 00354295  430 Elavil® 75 mg **MSD**	DIN 00026123 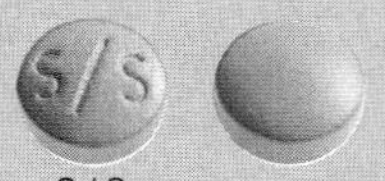 S / S Senokot® •S **PURDUE FREDERICK**	DIN 02103591 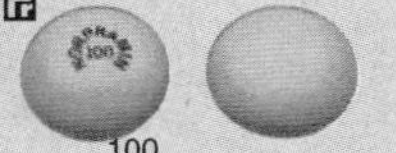 100 Norpramin® 100 mg **HOECHST MARION ROUSSEL**	DIN 00364142  Motrin® 400 mg **PHARMACIA & UPJOHN**	DIN 00897256  Redoxon® Effervescent 1 g, Orange **ROCHE**
8	DIN 00024376  Atarax™ 10 mg **PFIZER**	GP 01926055 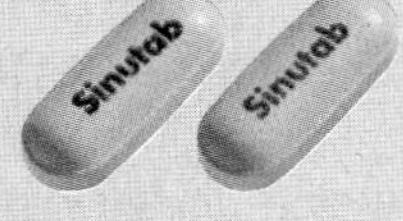 Sinutab® N.D. **WARNER-LAMBERT CANADA**	DIN 01938371 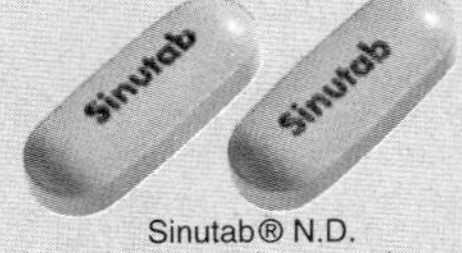 Sinutab® N.D. Extra Strength / extra puissant **WARNER-LAMBERT CANADA**	DIN 00596426 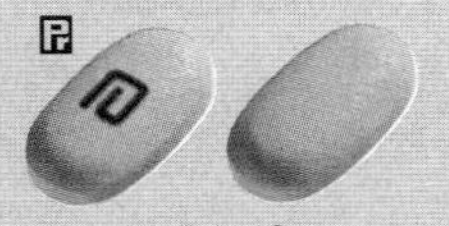 Epival® 250 mg **ABBOTT**	DIN 00638684 * 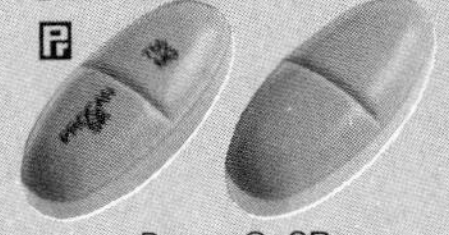 Procan® SR 750 mg **PARKE-DAVIS**

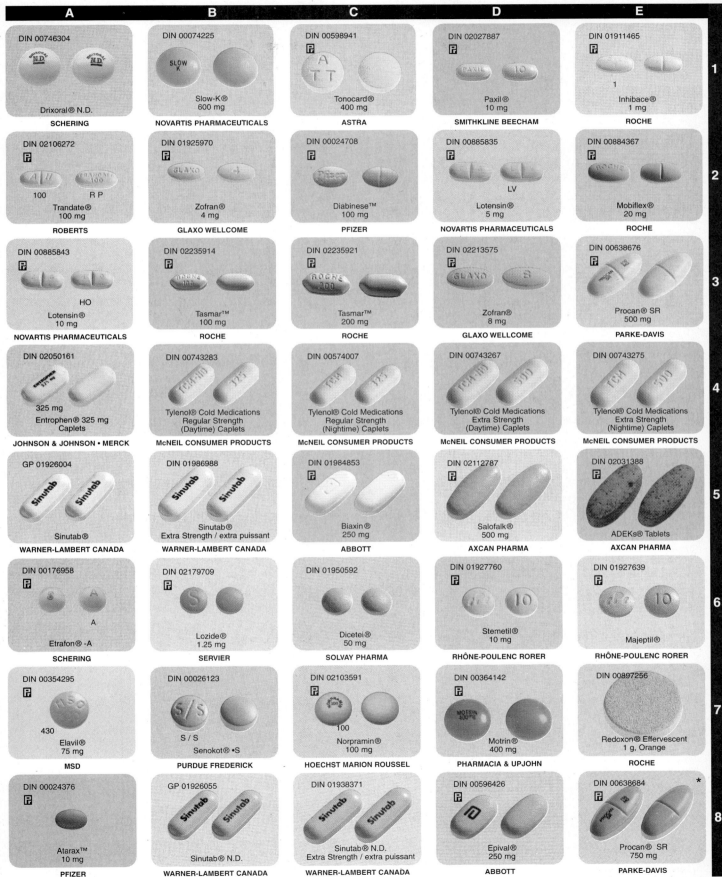

*ILLUSTRATION LESS THAN ACTUAL SIZE / ILLUSTRATION RÉDUITE

Use code A, B, C, D, E, horizontal bar and 1 to 8 vertical bar to locate illustrated products

Utiliser le code A, B, C, D, E de la ligne horizontale et les chiffres 1 à 8 de la ligne verticale pour repérer les produits illustrés

	A	B	C	D	E
1	DIN 00632740 Tolectin® 600 mg JANSSEN-ORTHO	DIN 02046261 MSD® Enteric Coated ASA 650 mg JOHNSON & JOHNSON • MERCK	DIN 01914030 Mesasal® 500 mg SMITHKLINE BEECHAM	DIN 00010340 Entrophen® 10 Tablets 650 mg JOHNSON & JOHNSON • MERCK	DIN 01905392 Entrophen® 10 Caplets 650 mg JOHNSON & JOHNSON • MERCK
2	DIN 02150573 One A Day® Advance Fem BAYER	DIN 00618616 800 Peptol® 800 mg CARTER HORNER	DIN 02163799 Codeine Contin® 200 mg PURDUE FREDERICK	DIN 00560952 Minipress™ 1 mg PFIZER	DIN 00773611 Tegretol® / Tégrétol® CR 200 mg NOVARTIS PHARMACEUTICALS
3	DIN 00576131 Dolobid® 500 mg FROSST	DIN 00253200 921 Elavil Plus® MSD	DIN 01924516 E19 Dexedrine® 5 mg SMITHKLINE BEECHAM	DIN 00010383 Sintrom® 1 mg NOVARTIS PHARMACEUTICALS	DIN 02030837 Pro-Banthine® 15 mg ROBERTS
4	DIN 00125083 2 Dilaudid® 2 mg KNOLL	DIN 01918265 P90 Stelabid® No. 1 SMITHKLINE BEECHAM	DIN 00708917 U 64 Provera® 2.5 mg PHARMACIA & UPJOHN	DIN 01926292 Panectyl® 5 mg RHÔNE-POULENC RORER	DIN 02014300 MS Contin® 60 mg PURDUE FREDERICK
5	DIN 02220737 Losec® 10 mg ASTRA	DIN 02190915 Losec® 20 mg ASTRA	DIN 01934406 Amatine® 5 mg KNOLL	DIN 00818682 DH Hytrin® 2 mg ABBOTT	DIN 02172062 Synthroid® 25 µg KNOLL
6	DIN 00028231 Estinyl® 0.5 mg SCHERING	DIN 02043688 30 Serax® 30 mg WYETH-AYERST	DIN 02045729 Zestoretic® 20 / 25 mg ZENECA	DIN 02137984 21 Talwin® 50 mg SANOFI	DIN 00028215 Estinyl® 0.02 mg SCHERING
7	DIN 02049376 Zestril® 10 mg ZENECA	DIN 02049384 Zestril® 20 mg ZENECA	DIN 00397512 TI Cylert® 37.5 mg ABBOTT	DIN 00013803 Gravol® 50 mg CARTER HORNER	DIN 00590827 Voltaren® SR 100 mg NOVARTIS PHARMACEUTICALS
8	DIN 00568627 Viskazide® 10 / 25 NOVARTIS PHARMACEUTICALS	DIN 00568635 Viskazide® 10 / 50 NOVARTIS PHARMACEUTICALS	DIN 00579351 BL Desyrel® 50 mg BRISTOL-MYERS SQUIBB	DIN 01919547 Dyazide® SMITHKLINE BEECHAM	DIN 01947958 Duvoid® 10 mg ROBERTS

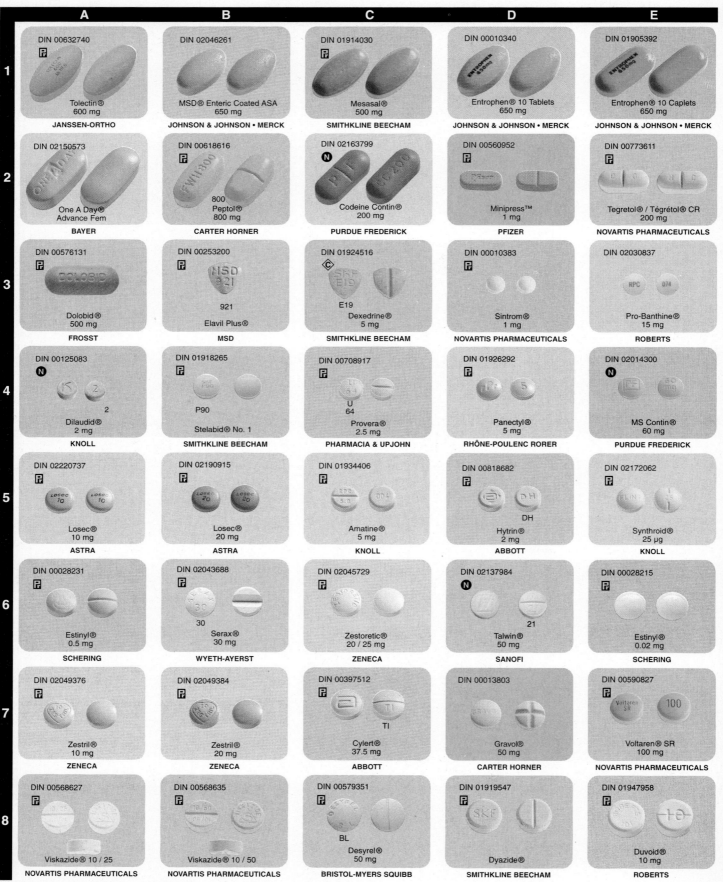

Use code A, B, C, D, E, horizontal bar and 1 to 8 vertical bar to locate illustrated products

Utiliser le code A, B, C, D, E de la ligne horizontale et les chiffres 1 à 8 de la ligne verticale pour repérer les produits illustrés

	A	B	C	D	E
1	DIN 00397520 TJ Cylert® 75 mg **ABBOTT**	DIN 00666130 K9B Empracet® -30 **GLAXO WELLCOME**	DIN 00666149 L9B Empracet® -60 **GLAXO WELLCOME**	DIN 00294322 C9B Zyloprim® 300 mg **GLAXO WELLCOME**	DIN 02230896 Topamax® 200 mg **JANSSEN-ORTHO**
2	DIN 00219843 292 292® **FROSST**	DIN 00568449 Peptol® 400 mg **CARTER HORNER**	DIN 00140228 907 Mintezol® 500 mg **MSD**	DIN 00013803 50 Gravol® Chewable for Adults / à croquer pour adultes 50 mg **CARTER HORNER**	DIN 07986228 Redoxon-B® **ROCHE**
3	DIN 00012297 Redoxon-Cal® Effervescent **ROCHE**	DIN 00884421 142 Prinzide® 20 / 25 **MSD**	DIN 00839418 207 Prinivil® 20 mg **MSD**	DIN 00884340 740 Zocor® 20 mg **FROSST**	DIN 00487813 917 Moduret® **MSD**
4	DIN 02103680 Effexor® 37.5 mg **WYETH-AYERST**	DIN 02103702 Effexor® 75 mg **WYETH-AYERST**	DIN 00670928 Vasotec® 20 mg **FROSST**	DIN 02087383 Serzone® 150 mg **SQUIBB**	DIN 00548367 55 Xanax® 0.5 mg **PHARMACIA & UPJOHN**
5	DIN 02025299 R 2 Risperdal® 2 mg **JANSSEN-ORTHO**	DIN 02089769 3773 Ogen® 1.25 mg **PHARMACIA & UPJOHN**	DIN 00870935 Sinemet® CR 200 / 50 **DUPONT PHARMA**	DIN 00755583 Tegretol® / Tégrétol® CR 400 mg **NOVARTIS PHARMACEUTICALS**	DIN 00899356 Manerix® 150 mg **ROCHE**
6	DIN 00484911 Motrin® 600 mg **PHARMACIA & UPJOHN**	DIN 00788767 750 Naprosyn® SR 750 mg **ROCHE**	DIN 02042606 Isordil® Sublingual 5 mg **WYETH-AYERST**	DIN 01926306 Panectyl® 2.5 mg **RHÔNE-POULENC RORER**	DIN 00731269 Lanoxin® 0.0625 mg **GLAXO WELLCOME**
7	DIN 02213222 Eltroxin® 200 µg **GLAXO WELLCOME**	DIN 02086026 Florinef® Acetate **ROBERTS**	DIN 02103729 Zestoretic® 10 / 12.5 mg **ZENECA**	DIN 02155885 Adalat® PA 10 **BAYER**	DIN 02049333 5 Zestril® 5 mg **ZENECA**
8	DIN 00023760 Norlutate® 5 mg **PARKE-DAVIS**	DIN 02236951 25 Seroquel® 25 mg **ZENECA**	DIN 00016500 42 HydroDIURIL® 25 mg **MSD**	DIN 00301663 Zaroxolyn® 2.5 mg **RHÔNE-POULENC RORER**	DIN 02063190 Betnesol® Effervescent Tablets / comprimés effervescents 0.5 mg **ROBERTS**

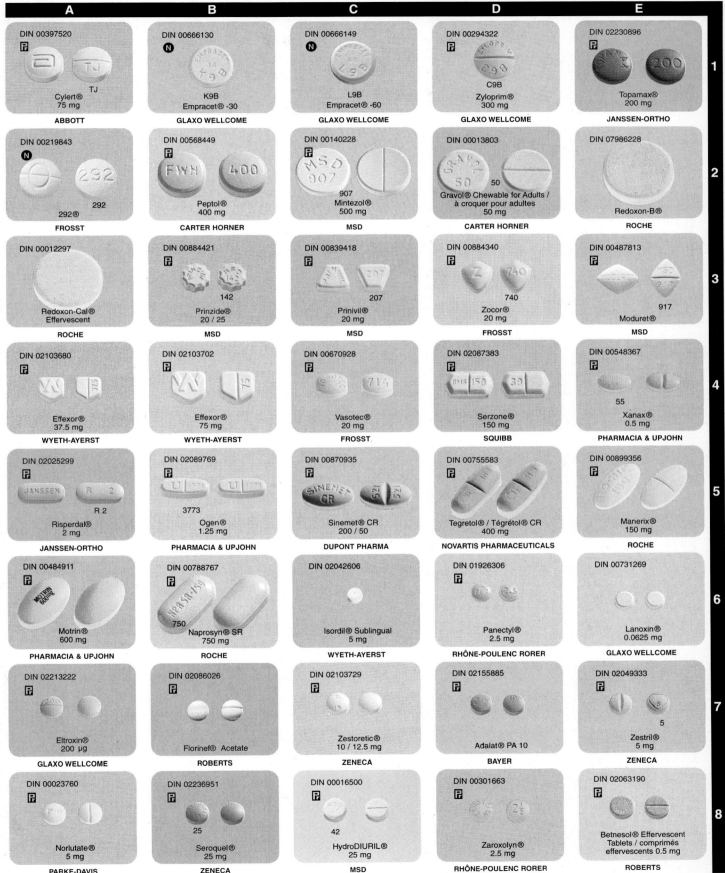

Use code A, B, C, D, E, horizontal bar and 1 to 8 vertical bar to locate illustrated products

Utiliser le code A, B, C, D, E de la ligne horizontale et les chiffres 1 à 8 de la ligne verticale pour repérer les produits illustrés

	A	B	C	D	E
1	DIN 02155893 20 Adalat® PA 20 BAYER	DIN 00564966 Lozide® 2.5 mg SERVIER	DIN 00176966 D Etrafon® -D SCHERING	DIN 01926330 Surmontil® 50 mg Tablets RHÔNE-POULENC RORER	DIN 02171228 Synthroid® 112 µg KNOLL
2	DIN 02172143 Synthroid® 200 µg KNOLL	DIN 02202468 Ⓝ OxyContin® 20 mg PURDUE FREDERICK	DIN 02042177 Inderal® / Indéral® 10 mg WYETH-AYERST	DIN 02017776 P97 Primaquine 15 mg SANOFI	DIN 02150352 Children's Size Aspirin® 80 mg Tablets BAYER
3	DIN 00016519 105 HydroDIURIL® 50 mg MSD	DIN 02222035 Serc® 4 mg SOLVAY PHARMA	DIN 00028223 Estinyl® 0.05 mg SCHERING	DIN 00518123 3 Lectopam® 3 mg ROCHE	DIN 01918311 Coumadin® 1 mg DUPONT PHARMA
4	DIN 00382825 0.5 Rivotril® 0.5 mg ROCHE	DIN 02237618 Adalat® XL® 20 mg BAYER	DIN 02221993 Renedil® 5 mg HOECHST MARION ROUSSEL	DIN 02238216 275 Singulair® 5 mg MSD	DIN 00369810 MR Tegretol® / Tégrétol® 100 mg Chewtabs NOVARTIS PHARMACEUTICALS
5	DIN 02036282 Cordarone® 200 mg WYETH-AYERST	DIN 00511196 15 Gravol® Chewable for Children / à croquer pour enfants 15 mg CARTER HORNER	DIN 00581313 Ⓒ Butisol® Sodium 100 mg CARTER HORNER	DIN 00851779 A FM 5 Plendil® 5 mg ASTRA	DIN 01918354 Coumadin® 5 mg DUPONT PHARMA
6	DIN 02155907 Adalat® XL® 30 mg BAYER	DIN 02103044 Orifer® .F HOECHST MARION ROUSSEL	DIN 01947923 Duvoid® 50 mg ROBERTS	DIN 02231462 Allegra™ 60 mg HOECHST MARION ROUSSEL	DIN 01078635 Avirax™ 400 mg FABRIGEN
7	GP 01967800 Tylenol® Chewable Tablets (fruit) comprimés à croquer (fruits) 80 mg McNEIL CONSUMER PRODUCTS	GP 02176270 Tylenol® Chewable Tablets sucrose-free (bubble gum) 80 mg McNEIL CONSUMER PRODUCTS	DIN 00743224 80 Tylenol® Cold Medication Children's Chewable Tablets McNEIL CONSUMER PRODUCTS	DIN 00870455 80 Tylenol® Cold Medication Children's DM Chewable Tablets McNEIL CONSUMER PRODUCTS	DIN 02185911 Pepcid AC® 10 mg Chewable Tablets JOHNSON & JOHNSON • MERCK
8	DIN 00140589 423 Aldoril® -15 MSD	DIN 02148625 Rifater™ HOECHST MARION ROUSSEL	DIN 02042223 Inderal® / Indéral® 120 mg WYETH-AYERST	DIN 02222000 Renedil® 10 mg HOECHST MARION ROUSSEL	DIN 02155990 Adalat® XL® 60 mg BAYER

Use code A, B, C, D, E, horizontal bar and 1 to 8 vertical bar to locate illustrated products

Utiliser le code A, B, C, D, E de la ligne horizontale et les chiffres 1 à 8 de la ligne verticale pour repérer les produits illustrés

	A	B	C	D	E
1	DIN 00811351 Coricidin® Non-Drowsy **SCHERING**	DIN 01916556 Ⓝ Percodan® -Demi **DUPONT PHARMA**	GP 01989979 160 Tylenol® Jr. Strength Chewable (fruit) 160 mg **McNEIL CONSUMER PRODUCTS**	GP 02186861 Tylenol® Jr. Strength Chewable Sucrose-Free (bubble gum) 160 mg **McNEIL CONSUMER PRODUCTS**	DIN 02238213 71 Propecia® 1 mg **MSD**
2	DIN 02232568 4893 Requip™ 2 mg **SMITHKLINE BEECHAM**	DIN 00893749 Pravachol® 10 mg **SQUIBB**	DIN 02238217 117 Singulair® 10 mg **MSD**	DIN 00891800 50 Diflucan™ 50 mg **PFIZER**	DIN 00891819 100 Diflucan™ 100 mg **PFIZER**
3	DIN 02185938 Pepcid AC® 10 mg Tablets **JOHNSON & JOHNSON • MERCK**	DIN 02142104 Lamictal™ 100 mg **GLAXO WELLCOME**	DIN 00884332 735 Zocor® 10 mg **FROSST**	DIN 02230287 Zantac® 75 Tablets **GLAXO WELLCOME**	DIN 00782459 Voltaren® SR 75 mg **NOVARTIS PHARMACEUTICALS**
4	DIN 02237368 Accuretic™ 20 / 12.5 mg **PARKE-DAVIS**	DIN 00884359 Zocor® 40 mg **FROSST**	DIN 01911627 400 Zovirax™ 400 mg **GLAXO WELLCOME**	DIN 02237367 Accuretic™ 10 / 12.5 mg **PARKE-DAVIS**	DIN 02041685 125 Amoxil® Chewable Tablets 125 mg **WYETH-AYERST**
5	DIN 02043416 Premarin® Prem-30 Pak 0.9 mg * **WYETH-AYERST**		DIN 00231169 Supres® -150 **FROSST**	DIN 00665088 * PU Tegretol® / Tégrétol® Chewtabs 200 mg **NOVARTIS PHARMACEUTICALS**	DIN 01934317 180 Isoptin® -SR 180 mg **SEARLE**
6	DIN 00583367 375 Naprosyn® 375 mg **ROCHE**	DIN 02041286 250 Amoxil® Chewable Tablets 250 mg **WYETH-AYERST**	DIN 00108146 Ⓝ 692® **FROSST**	DIN 02028786 CR 601 Sinemet® CR 100 / 25 **DUPONT PHARMA**	DIN 00852015 460 Entrophen® Extra Strength / extra-fort 500 mg **JOHNSON & JOHNSON • MERCK**
7	DIN 00596434 Epival® 500 mg **ABBOTT**	DIN 01938398 Sinutab® SA **WARNER-LAMBERT CANADA**	DIN 00503436 Choledyl® SA 400 mg **PARKE-DAVIS**	DIN 01990918 Hivid® 0.375 mg **ROCHE**	DIN 02212161 * Imitrex® Tablets/comprimés **GLAXO WELLCOME**
8	DIN 01940481 Paxil® 20 mg **SMITHKLINE BEECHAM**	DIN 00140651 Triavil® **MSD**	DIN 00397423 51 Lopresor® 50 mg **NOVARTIS PHARMACEUTICALS**	DIN 02017849 Benadryl® 25 mg **WARNER-LAMBERT CANADA**	DIN 02236841 Levaquin® 250 mg **JANSSEN-ORTHO**

*ILLUSTRATION LESS THAN ACTUAL SIZE / ILLUSTRATION RÉDUITE

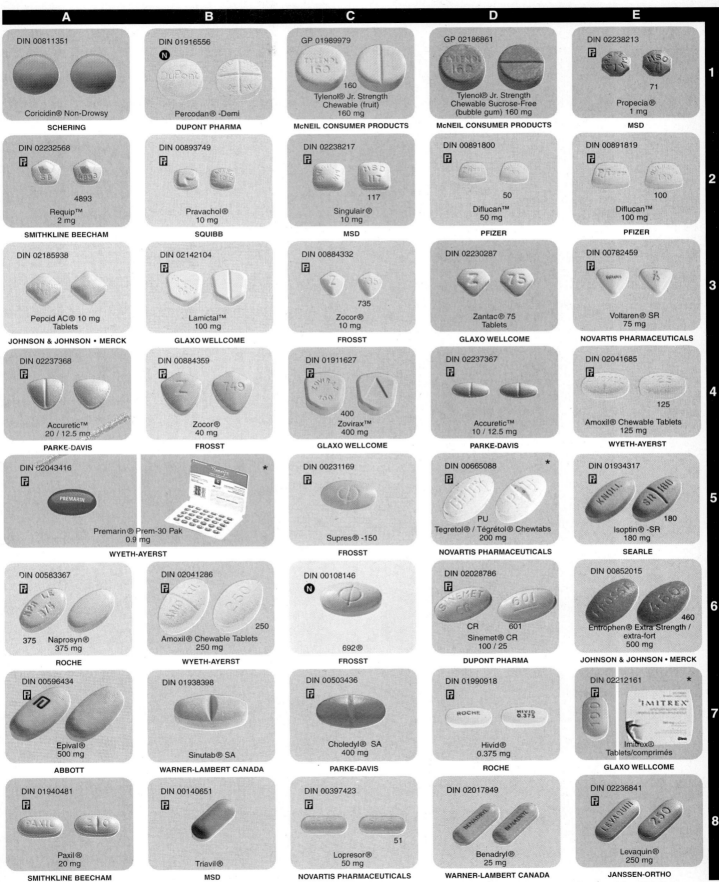

Use code A, B, C, D, E, horizontal bar and 1 to 8 vertical bar to locate illustrated products

Utiliser le code A, B, C, D, E de la ligne horizontale et les chiffres 1 à 8 de la ligne verticale pour repérer les produits illustrés

	A	B	C	D	E
1	DIN 02163659 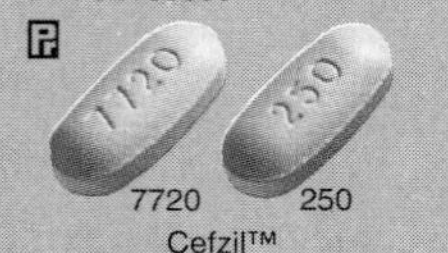 7720 250 Cefzil™ 250 mg **BRISTOL-MYERS SQUIBB**	DIN 02221977 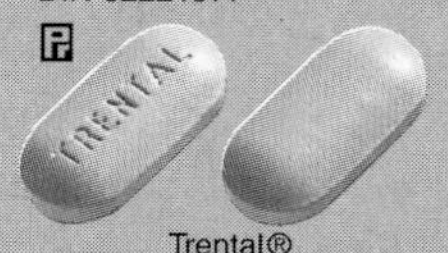 Trental® 400 mg **HOECHST MARION ROUSSEL**	DIN 02236842 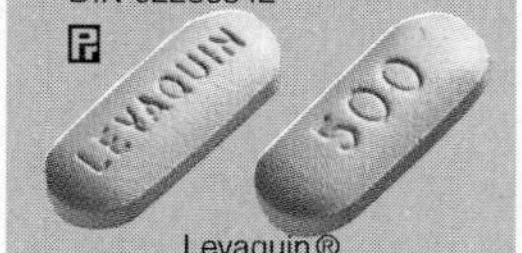 Levaquin® 750 mg **JANSSEN-ORTHO**	DIN 02083558 * 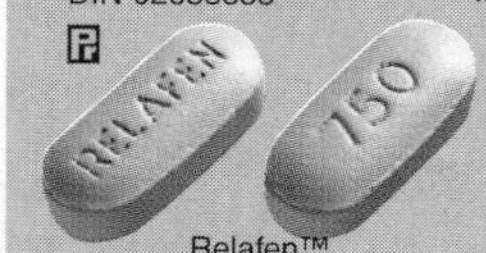 Relafen™ 750 mg **SMITHKLINE BEECHAM**	DIN 00657298 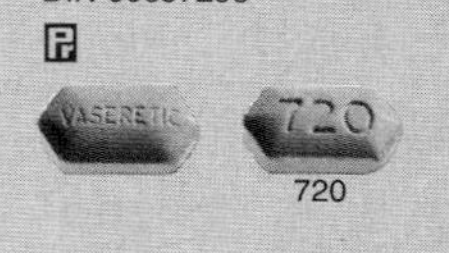 720 Vaseretic® **FROSST**
2	DIN 00702277 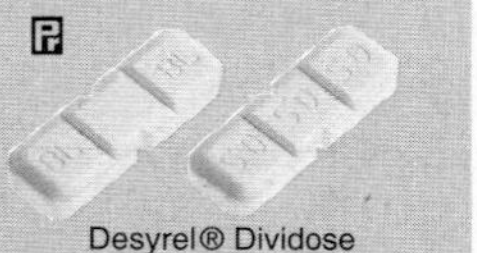 Desyrel® Dividose 150 mg **BRISTOL-MYERS SQUIBB**	DIN 00028207 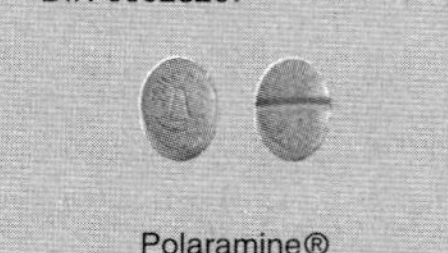 Polaramine® 2 mg **SCHERING**	DIN 00010472 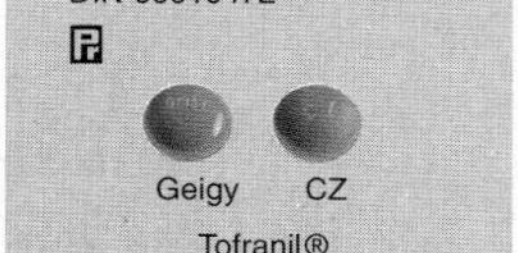 Geigy CZ Tofranil® 25 mg **NOVARTIS PHARMACEUTICALS**	DIN 00360481 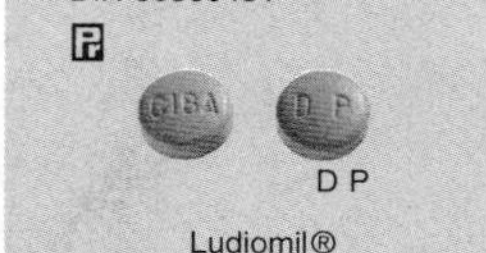 D P Ludiomil® 25 mg **NOVARTIS PHARMACEUTICALS**	DIN 00027448 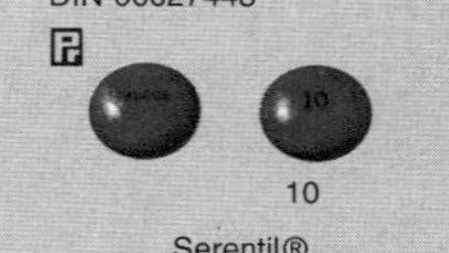 10 Serentil® 10 mg **NOVARTIS PHARMACEUTICALS**
3	DIN 00176974 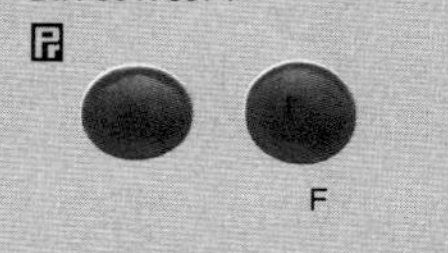 F Etrafon® -F **SCHERING**	DIN 00010480 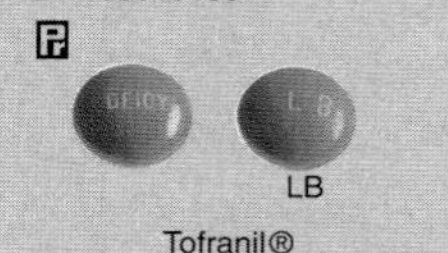 LB Tofranil® 50 mg **NOVARTIS PHARMACEUTICALS**	DIN 00818666 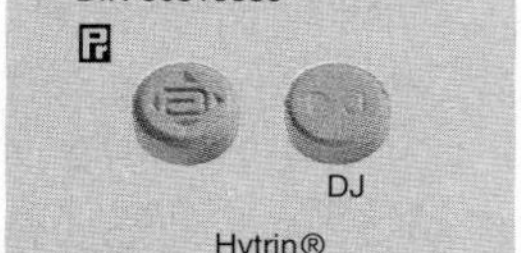 DJ Hytrin® 5 mg **ABBOTT**	DIN 02172372 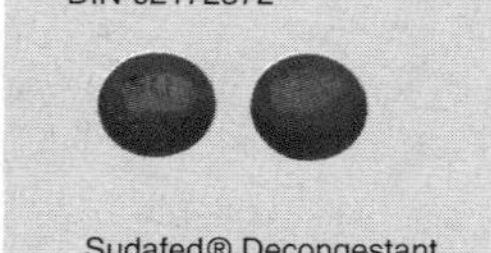 Sudafed® Decongestant Regular Strength **WARNER-LAMBERT CANADA**	DIN 00534579 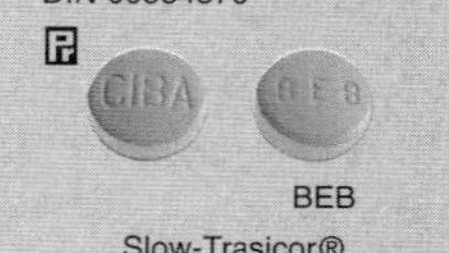 BEB Slow-Trasicor® 80 mg **NOVARTIS PHARMACEUTICALS**
4	DIN 00074608 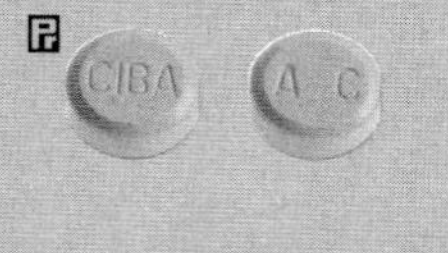 Ser-Ap-Es® **NOVARTIS PHARMACEUTICALS**	DIN 00881635  Voltaren Rapide® 50 mg **NOVARTIS PHARMACEUTICALS**	DIN 01919598 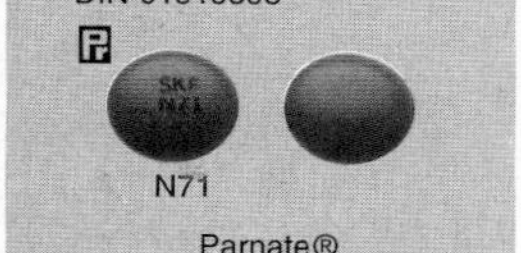 N71 Parnate® 10 mg **SMITHKLINE BEECHAM**	DIN 00027456 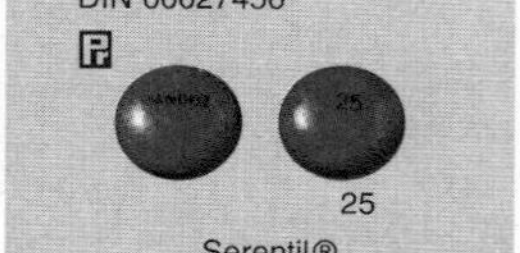 25 Serentil® 25 mg **NOVARTIS PHARMACEUTICALS**	DIN 00738964 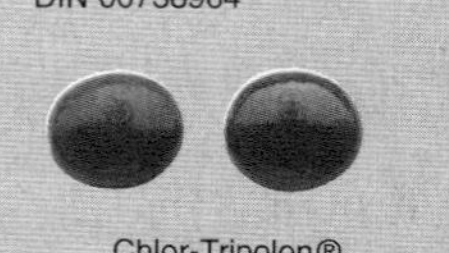 Chlor-Tripolon® 12 mg **SCHERING**
5	DIN 00027464 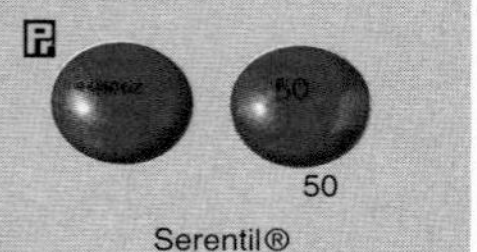 50 Serentil® 50 mg **NOVARTIS PHARMACEUTICALS**	DIN 00476552  Nardil® 15 mg **PARKE-DAVIS**	DIN 00582514 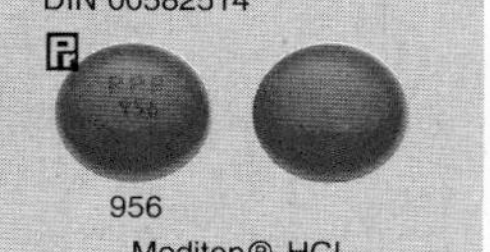 956 Moditen® HCl 10 mg **SQUIBB**	DIN 00580511 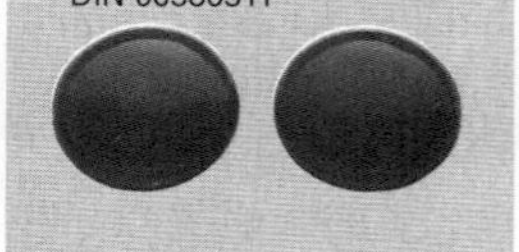 Coricidin® Cold **SCHERING**	DIN 02163780 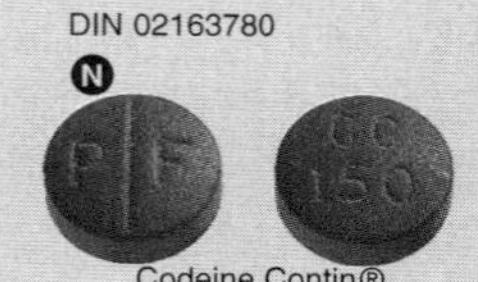 Codeine Contin® 150 mg **PURDUE FREDERICK**
6	DIN 00024392 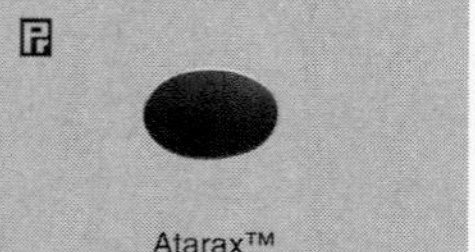 Atarax™ 50 mg **PFIZER**	DIN 00596418 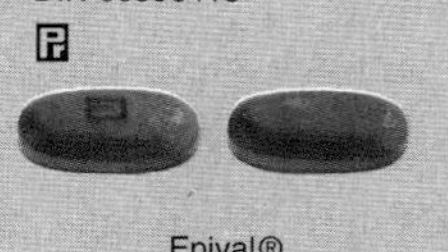 Epival® 125 mg **ABBOTT**	DIN 02014327 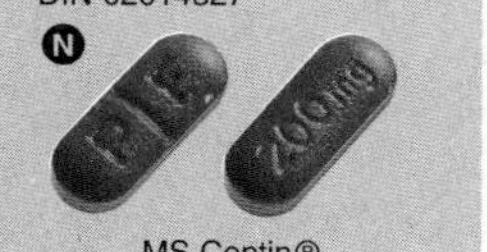 MS Contin® 200 mg **PURDUE FREDERICK**	DIN 02017377 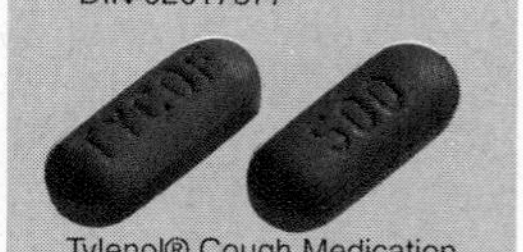 Tylenol® Cough Medication Extra Strength Caplets **McNEIL CONSUMER PRODUCTS**	DIN 02230402 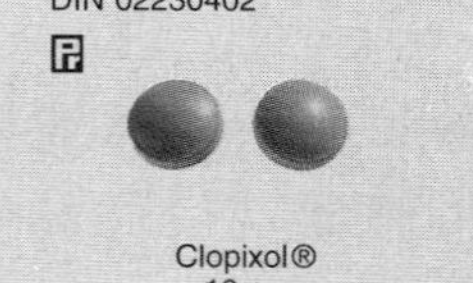 Clopixol® 10 mg **LUNDBECK**
7	DIN 02230403 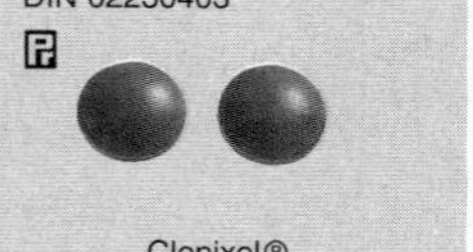 Clopixol® 25 mg **LUNDBECK**	DIN 02230404 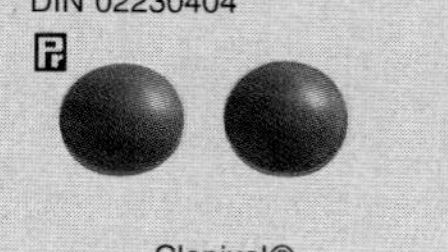 Clopixol® 40 mg **LUNDBECK**	DIN 02017601  Hytakerol® 0.125 mg **SANOFI**	DIN 00360511 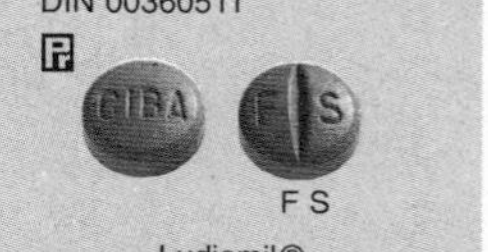 F S Ludiomil® 75 mg **NOVARTIS PHARMACEUTICALS**	DIN 00306487 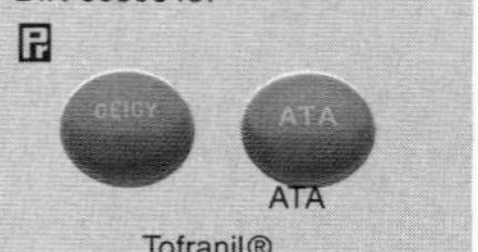 ATA Tofranil® 75 mg **NOVARTIS PHARMACEUTICALS**
8	DIN 02099144 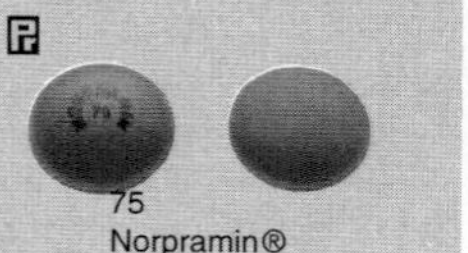 75 Norpramin® 75 mg **HOECHST MARION ROUSSEL**	DIN 00476714 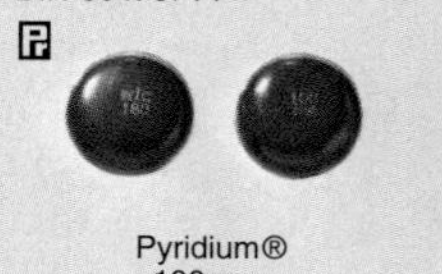 Pyridium® 100 mg **PARKE-DAVIS**	DIN 01947680 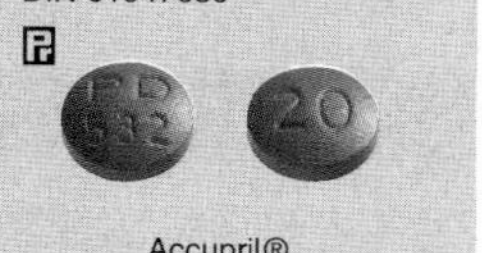 Accupril® 20 mg **PARKE-DAVIS**	DIN 00851787 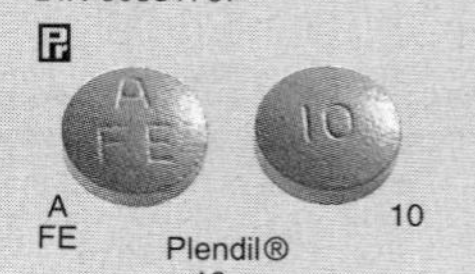 A FE 10 Plendil® 10 mg **ASTRA**	DIN 00029416 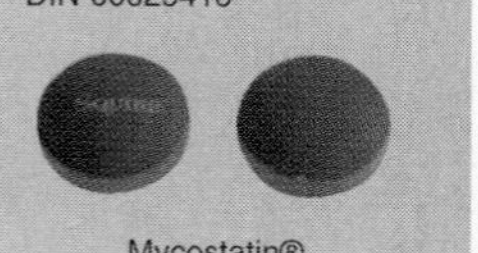 Mycostatin® 500 000 units **SQUIBB**

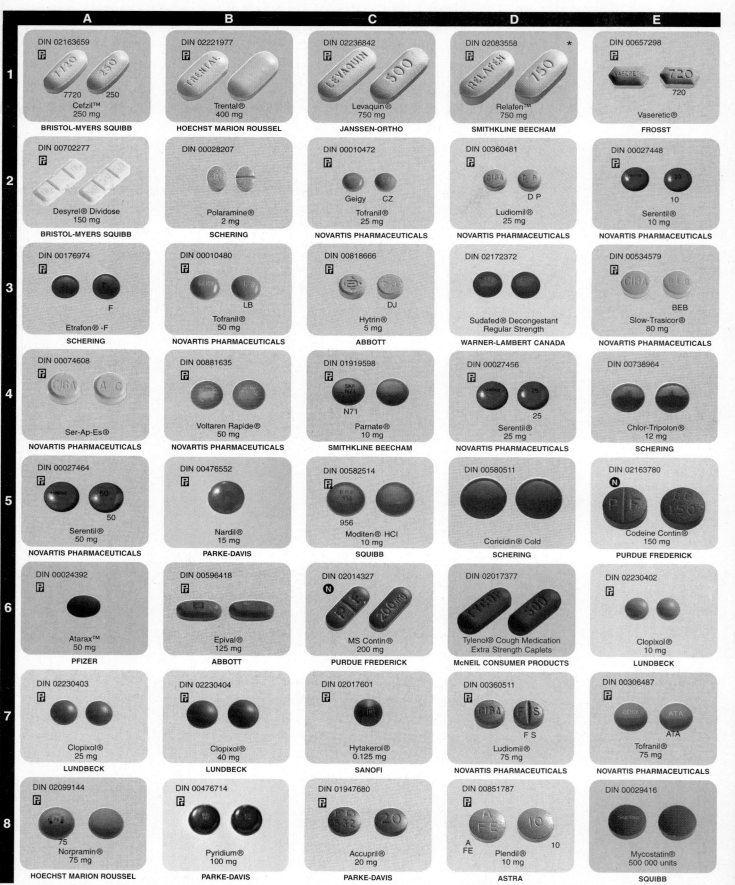

*ILLUSTRATION LESS THAN ACTUAL SIZE / ILLUSTRATION RÉDUITE

Use code A, B, C, D, E, horizontal bar and 1 to 8 vertical bar to locate illustrated products

Utiliser le code A, B, C, D, E de la ligne horizontale et les chiffres 1 à 8 de la ligne verticale pour repérer les produits illustrés

	A	B	C	D	E
1	DIN 02046253  MSD® Enteric Coated ASA 325 mg **JOHNSON & JOHNSON • MERCK**	DIN 00476722 Pr  Pyridium® 200 mg **PARKE-DAVIS**	DIN 00010332  325 mg Entrophen® 325 mg Tablets **JOHNSON & JOHNSON • MERCK**	DIN 01947664 Pr 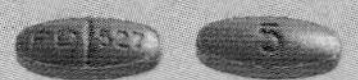 527 5 Accupril® 5 mg **PARKE-DAVIS**	DIN 00885851 Pr  H P Lotensin® 20 mg **NOVARTIS PHARMACEUTICALS**
2	DIN 01911473 Pr  Inhibace® 2.5 mg **ROCHE**	DIN 01947699 Pr 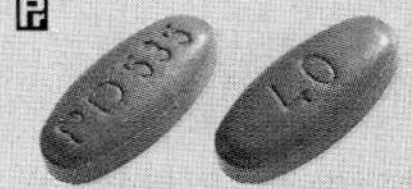 Accupril® 40 mg **PARKE-DAVIS**	DIN 02043408 Pr  * Premarin® Prem-30 Pak 0.625 mg **WYETH-AYERST**		DIN 01911481 Pr 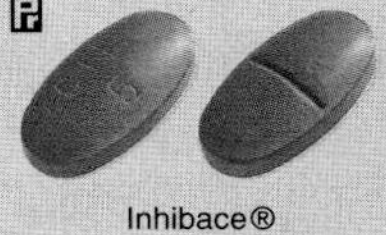 Inhibace® 5 mg **ROCHE**
3	DIN 00499013  Mandelamine® 500 mg **PARKE-DAVIS**	DIN 01947672 Pr  Accupril® 10 mg **PARKE-DAVIS**	DIN 00710113 Pr  964 Pepcid® 40 mg **MSD**	DIN 00670901 Pr  Vasotec® 10 mg **FROSST**	DIN 00026158  Senokot® **PURDUE FREDERICK**
4	DIN 02099675 Pr  Pentasa® 250 mg **HOECHST MARION ROUSSEL**	DIN 02099683 Pr 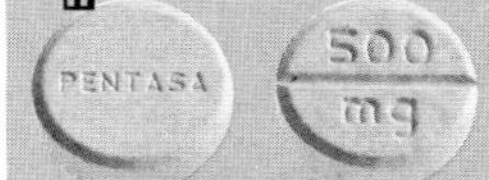 Pentasa® 500 mg **HOECHST MARION ROUSSEL**	DIN 00536709 Pr  Choledyl® SA 600 mg **PARKE-DAVIS**	DIN 01916963 N  Tussionex® **RHÔNE-POULENC RORER**	DIN 02041456 Pr  0.5 Ativan® Sublingual 0.5 mg **WYETH-AYERST**
5	DIN 02041413 Pr  W 0.5 Ativan® 0.5 mg **WYETH-AYERST**	DIN 00328952 Pr  Ergomar® **RHÔNE-POULENC RORER**	DIN 00705438 N  1 Dilaudid® 1 mg **KNOLL**	DIN 00140619 Pr  Hydropres® -25 **MSD**	DIN 02148595 Pr  Estrace® 2 mg **ROBERTS**
6	DIN 02213230 Pr  300 Eltroxin® 300 µg **GLAXO WELLCOME**	DIN 00030902 Pr  Halotestin® 5 mg **PHARMACIA & UPJOHN**	DIN 02172097 Pr 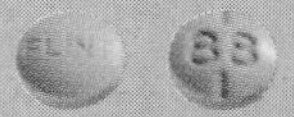 Synthroid® 88 µg **KNOLL**	DIN 02172151 Pr  Synthroid® 300 µg **KNOLL**	DIN 02015439 N 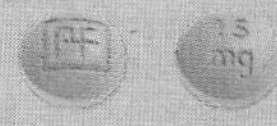 MS Contin® 15 mg **PURDUE FREDERICK**
7	DIN 02042207 Pr  Inderal®/Indéral® 40 mg **WYETH-AYERST**	DIN 02099136 Pr 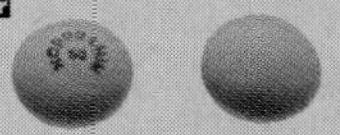 50 Norpramin® 50 mg **HOECHST MARION ROUSSEL**	DIN 00013757 Pr  2 Vivol® 2 mg **CARTER HORNER**	DIN 00013765 Pr  5 Vivol® 5 mg **CARTER HORNER**	DIN 00013773 Pr 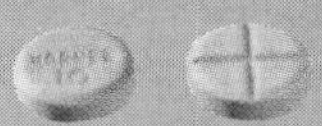 10 Vivol® 10 mg **CARTER HORNER**
8	DIN 00581291 C 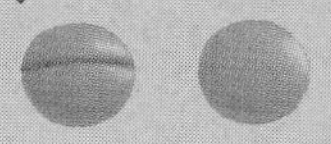 Butisol® Sodium 30 mg **CARTER HORNER**	DIN 01918346 Pr 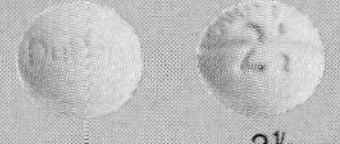 2½ Coumadin® 2.5 mg **DUPONT PHARMA**	DIN 02097073 Pr  Cardizem® 30 mg **HOECHST MARION ROUSSEL**	DIN 02202484 N  OxyContin® 80 mg **PURDUE FREDERICK**	DIN 00518131 Pr  Lectopam® 6 mg **ROCHE**

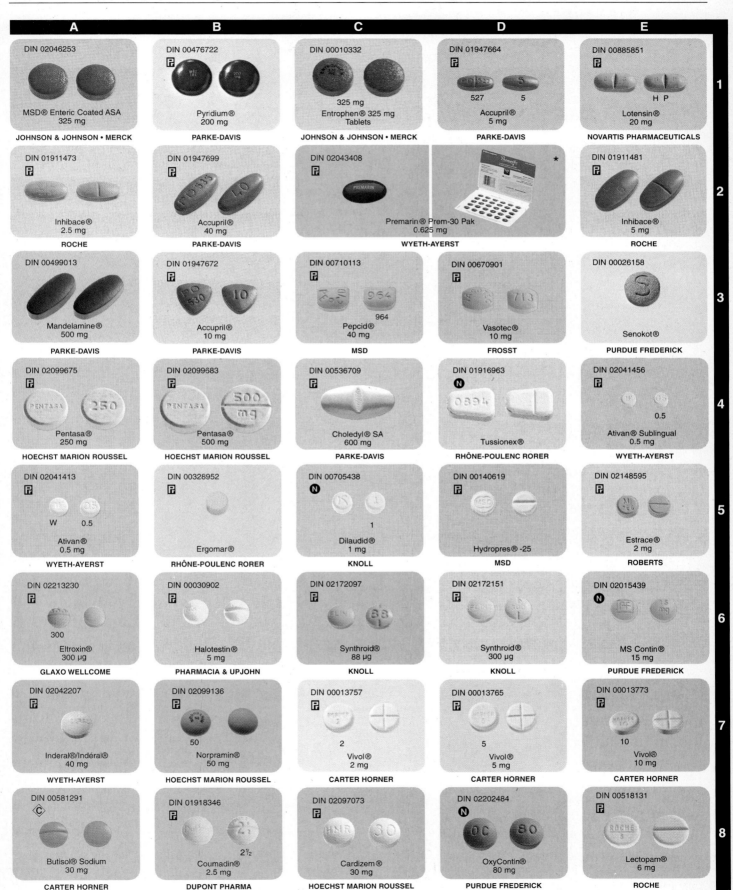

*ILLUSTRATION LESS THAN ACTUAL SIZE / ILLUSTRATION RÉDUITE

Use code A, B, C, D, E, horizontal bar and 1 to 8 vertical bar to locate illustrated products

Utiliser le code A, B, C, D, E de la ligne horizontale et les chiffres 1 à 8 de la ligne verticale pour repérer les produits illustrés

	A	B	C	D	E
1	DIN 02042983 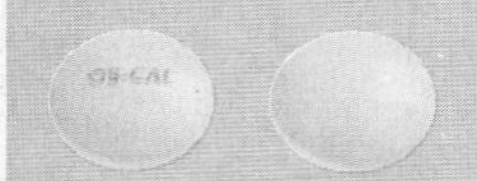 Os-Cal® 250 mg **WYETH-AYERST**	DIN 00298433  Drixoral® **SCHERING**	DIN 00293512 Ⓝ  30 Atasol® -30 **CARTER HORNER**	DIN 00795852 Ⓟ  Mevacor® 40 mg **MSD**	DIN 02222051 Ⓟ  Pravachol® 40 mg **SQUIBB**
2	DIN 01927809  Nitrong® SR 2.6 mg **RHÔNE-POULENC RORER**	DIN 00024384 Ⓟ  Atarax™ 25 mg **PFIZER**	DIN 01938835 Ⓟ 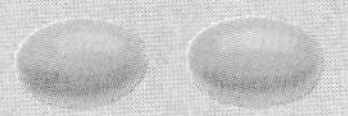 Multipax® 25 mg **RHÔNE-POULENC RORER**	DIN 00231177 Ⓟ  Supres® - 250 **FROSST**	DIN 00638692 * Ⓟ  Procan® SR 250 mg **PARKE-DAVIS**
3	DIN 02043394 Ⓟ 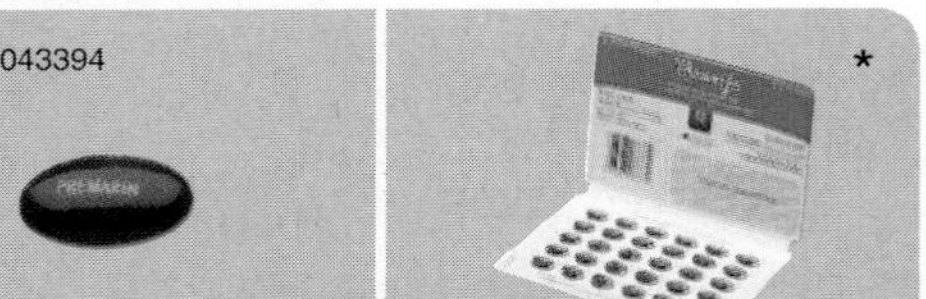 * Premarin® Prem-30 Pak 0.3 mg **WYETH-AYERST**		GP 00778400  Tylenol® Sinus Medication Regular Strength / médicament pour les sinus régulier **McNEIL CONSUMER PRODUCTS**	DIN 02025310 Ⓟ 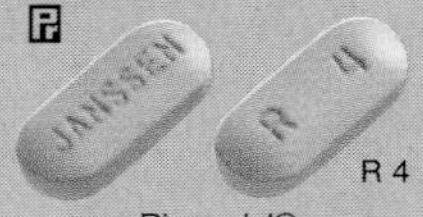 R 4 Risperdal® 4 mg **JANSSEN-ORTHO**	DIN 00742554 * Ⓟ 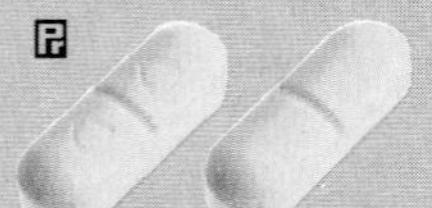 Isoptin® -SR 240 mg **SEARLE**
4	DIN 00663980 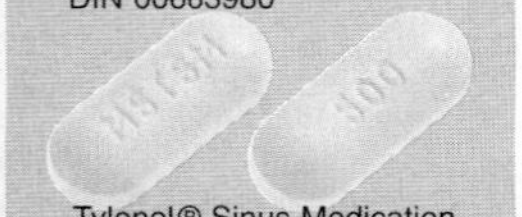 Tylenol® Sinus Medication Extra Strength / médicament pour les sinus extra-fort **McNEIL CONSUMER PRODUCTS**	DIN 02042991 * 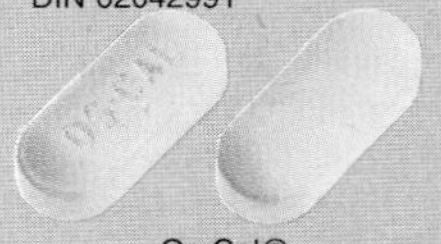 Os-Cal® 500 mg **WYETH-AYERST**	DIN 02229367 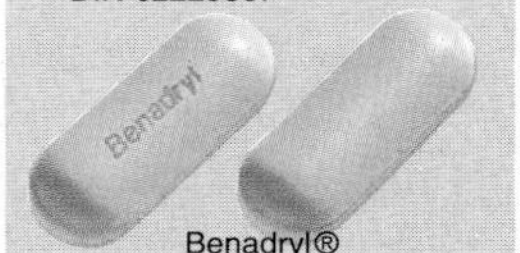 Benadryl® Allergy / Sinus / Headache **WARNER-LAMBERT CANADA**	DIN 02218186 * 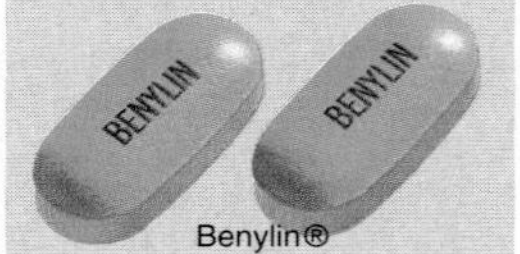 Benylin® 4 Flu **WARNER-LAMBERT CANADA**	DIN 02182815 Ⓟ 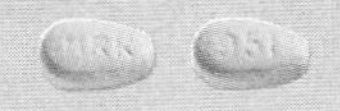 Cozaar® 25 mg **MSD**
5	DIN 02182874 Ⓟ  Cozaar® 50 mg **MSD**	DIN 02182882 Ⓟ 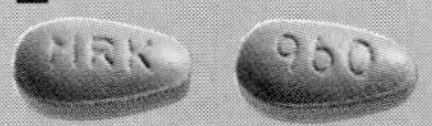 Cozaar® 100 mg **MSD**	DIN 02041472 Ⓟ 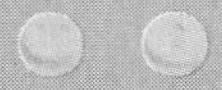 2 Ativan® Sublingual 2 mg **WYETH-AYERST**	DIN 02148587 Ⓟ  Estrace® 1 mg **ROBERTS**	DIN 02213214 Ⓟ 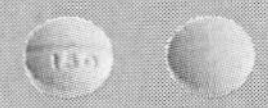 Eltroxin® 150 µg **GLAXO WELLCOME**
6	DIN 02103583 Ⓟ 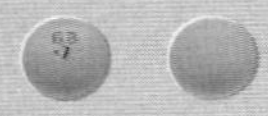 Norpramin® 10 mg **HOECHST MARION ROUSSEL**	DIN 00030937 Ⓟ  Provera® 5 mg **PHARMACIA & UPJOHN**	DIN 00301698 Ⓟ  Zaroxolyn® 5 mg **RHÔNE-POULENC RORER**	DIN 00016322 Ⓟ  23 Elavil® 10 mg **MSD**	DIN 01918206 Ⓟ  SKF 1 Stelazine® 1 mg **SMITHKLINE BEECHAM**
7	DIN 02172127 Ⓟ 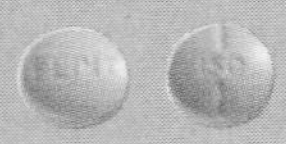 Synthroid® 150 µg **KNOLL**	DIN 00789739 Ⓝ  Supeudol® 5 mg **SABEX**	DIN 00818674 Ⓟ  Hytrin® 10 mg **ABBOTT**	DIN 02230302 Ⓝ  PF CC 50 Codeine Contin® 50 mg **PURDUE FREDERICK**	DIN 00005606 Ⓒ  Ritalin® 10 mg **NOVARTIS PHARMACEUTICALS**
8	DIN 02043521 Ⓟ  Reglan® -10 **WYETH-AYERST**	DIN 00013293 Ⓟ 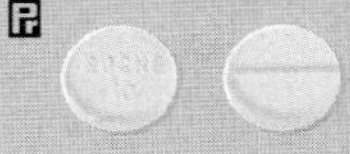 10 Valium® Roche® 10 mg **ROCHE**	DIN 00581305 Ⓒ 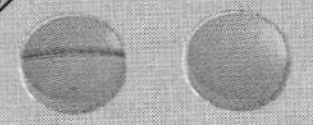 Butisol® Sodium 15 mg **CARTER HORNER**	DIN 00028185 Ⓟ  Celestone® Tablets 0.5 mg **SCHERING**	DIN 02208156 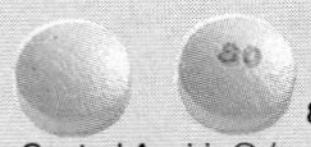 80 Coated Aspirin® / Aspirin® enrobé 80 mg **BAYER**

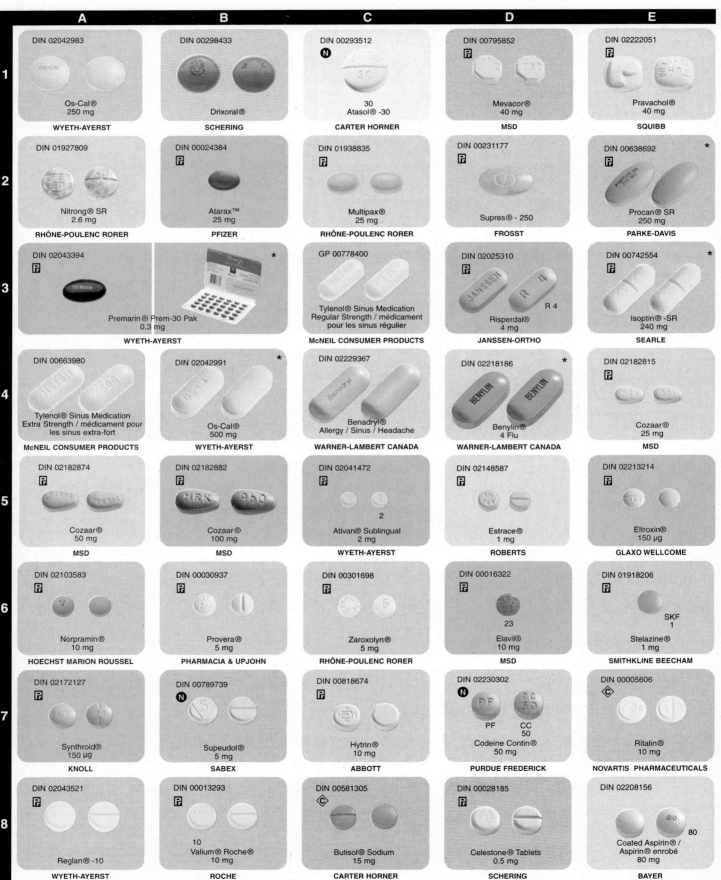

*ILLUSTRATION LESS THAN ACTUAL SIZE / ILLUSTRATION RÉDUITE

Use code A, B, C, D, E, horizontal bar and 1 to 8 vertical bar to locate illustrated products

Utiliser le code A, B, C, D, E de la ligne horizontale et les chiffres 1 à 8 de la ligne verticale pour repérer les produits illustrés

	A	B	C	D	E
1	DIN 01918214 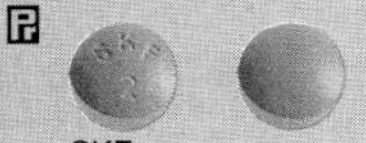 SKF 2 Stelazine® 2 mg **SMITHKLINE BEECHAM**	DIN 01918222 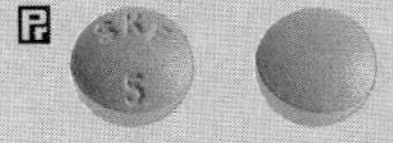 SKF 5 Stelazine® 5 mg **SMITHKLINE BEECHAM**	DIN 01918230  SKF 10 Stelazine® 10 mg **SMITHKLINE BEECHAM**	DIN 00353922  Blocadren® 10 mg **FROSST**	DIN 00723819 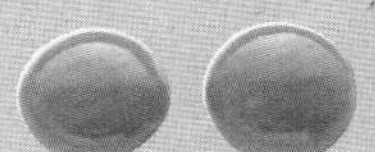 Coricidin "D"® Long Acting **SCHERING**
2	DIN 02237824  Wellbutrin® SR 100 mg **GLAXO WELLCOME**	DIN 01938363  Sinutab® with Codeine / avec codéine **WARNER-LAMBERT CANADA**	DIN 00386391  596 40 Megace® 40 mg **BRISTOL-MYERS SQUIBB**	DIN 02078627  Avirax™ 200 mg **FABRIGEN**	DIN 02231676  Chronovera® 180 mg **SEARLE**
3	DIN 00546240 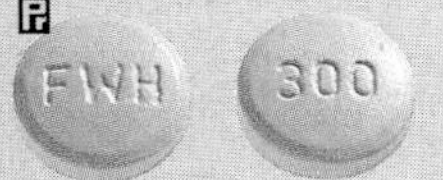 Peptol® 300 mg **CARTER HORNER**	DIN 01916491  Percocet® -Demi **DUPONT PHARMA**	DIN 02007959 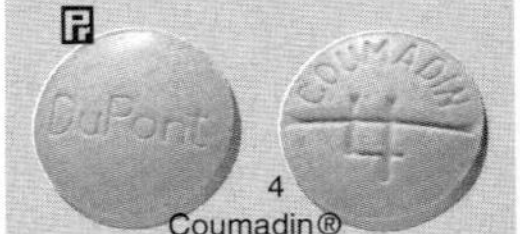 4 Coumadin® 4 mg **DUPONT PHARMA**	DIN 00344885  503 50 Cytoxan® 50 mg **BRISTOL-MYERS SQUIBB**	DIN 02108194  145 Prinzide® 10 / 12.5 **MSD**
4	DIN 00795860  731 Mevacor® 20 mg **MSD**	DIN 02010909 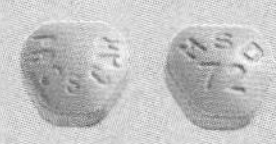 72 Proscar® 5 mg **MSD**	DIN 00509353  67 Timolide® **FROSST**	DIN 02042193  Inderal® / Indéral® 20 mg **WYETH-AYERST**	DIN 00634506  Zovirax™ 200 mg **GLAXO WELLCOME**
5	DIN 01926551  Sectral® 200 mg **RHÔNE-POULENC RORER**	DIN 00443158  17 Halcion® 0.25 mg **PHARMACIA & UPJOHN**	DIN 01926799  Imovane® 7.5 mg **RHÔNE-POULENC RORER**	DIN 00158127 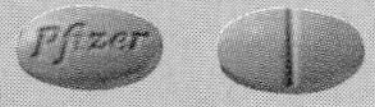 Antivert™ **PFIZER**	DIN 00355658  100 10 Sinemet® 100 / 10 **DUPONT PHARMA**
6	DIN 00328219 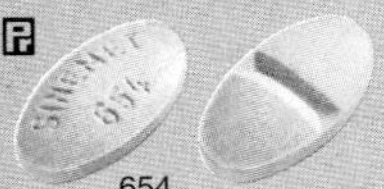 654 Sinemet® 250 / 25 **DUPONT PHARMA**	DIN 00600792 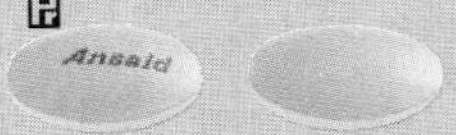 Ansaid® 100 mg **PHARMACIA & UPJOHN**	DIN 00483818 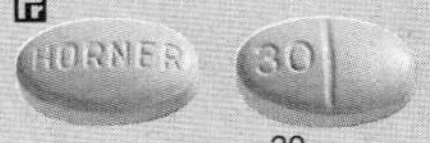 30 Somnol® 30 mg **CARTER HORNER**	DIN 01910620 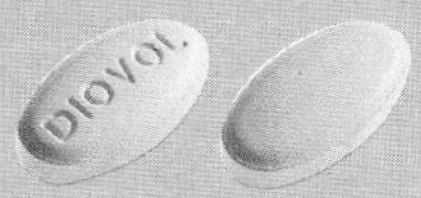 Diovol® Caplets **CARTER HORNER**	DIN 02162725 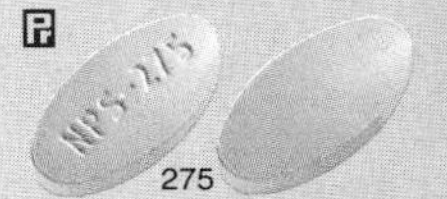 275 Anaprox® 275 mg **ROCHE**
7	DIN 02054817 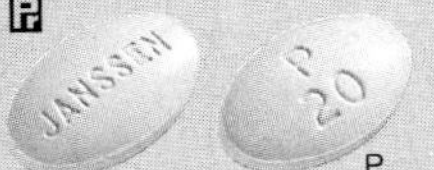 P 20 Prepulsid® 20 mg **JANSSEN-ORTHO**	DIN 00584282 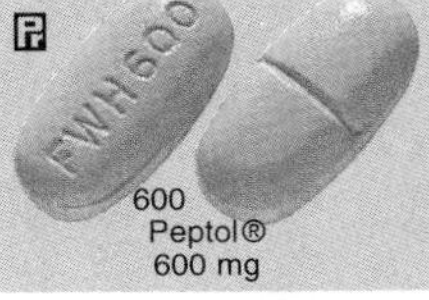 600 Peptol® 600 mg **CARTER HORNER**	DIN 00897272  BL 80 Sotacor® 80 mg **BRISTOL-MYERS SQUIBB**	DIN 02089777  3774 Ogen® 2.5 mg **PHARMACIA & UPJOHN**	DIN 00397431  71 Lopresor® 100 mg **NOVARTIS PHARMACEUTICALS**
8	DIN 00483923 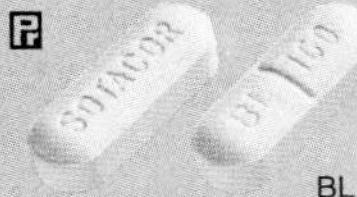 BL 160 Sotacor® 160 mg **BRISTOL-MYERS SQUIBB**	DIN 00897280  BL 240 Sotacor® 240 mg **BRISTOL-MYERS SQUIBB**	DIN 01940473  Paxil® 30 mg **SMITHKLINE BEECHAM**	DIN 02231831  Pylorid® 400 mg **GLAXO WELLCOME**	DIN 02231572 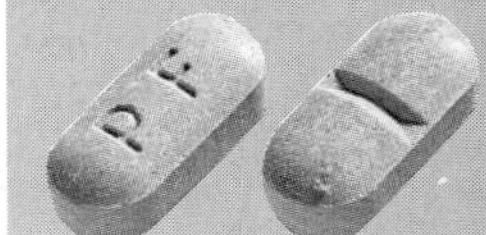 Entex® LA **PURDUE FREDERICK**

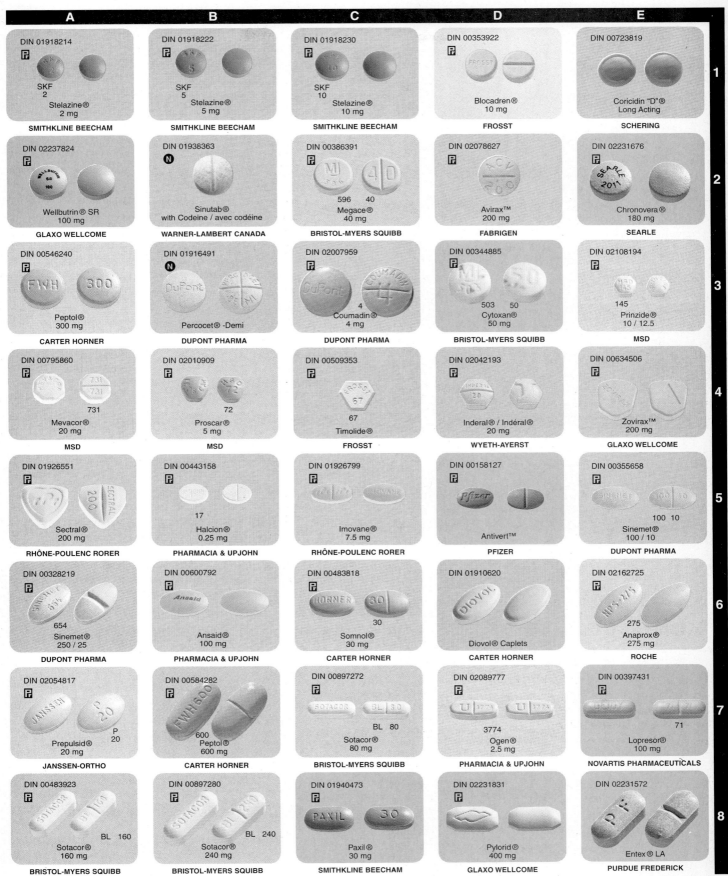

Use code A, B, C, D, E, horizontal bar and 1 to 8 vertical bar to locate illustrated products

Utiliser le code A, B, C, D, E de la ligne horizontale et les chiffres 1 à 8 de la ligne verticale pour repérer les produits illustrés

	A	B	C	D	E
1	DIN 02219492 Valtrex® 500 mg GLAXO WELLCOME	DIN 02155214 Tylenol® Aches and Strains Medication McNEIL CONSUMER PRODUCTS	DIN 01911635 Zovirax™ 800 mg GLAXO WELLCOME	DIN 00523372 160 Corgard® 160 mg SQUIBB	DIN 02162717 550 Anaprox® DS 550 mg ROCHE
2	DIN 02014297 30 MS Contin® 30 mg PURDUE FREDERICK	DIN 02014319 MS Conlin® 100 mg PURDUE FREDERICK	DIN 02172089 Synthroid® 75 µg KNOLL	DIN 02172135 Synthroid® 175 µg KNOLL	DIN 01918338 2 Coumadin® 2 mg DUPONT PHARMA
3	DIN 02237825 Wellbutrin® SR 150 mg GLAXO WELLCOME	GP 00766224 Tylenol® Chewable Tablets sucrose-free (grape) 80 mg McNEIL CONSUMER PRODUCTS	GP 01967819 Tylenol® Jr. Strength Chewable sucrose free (grape) 160 mg McNEIL CONSUMER PRODUCTS	DIN 00890677 Tylenol® Cold Medication Jr. Strength DM Chewable McNEIL CONSUMER PRODUCTS	DIN 02061287 12.5 Benadryl® Junior Strength Chewable WARNER-LAMBERT CANADA
4	DIN 00723770 90 Xanax® 1 mg PHARMACIA & UPJOHN	DIN 01990896 Hivid® 0.75 mg ROCHE	DIN 02078651 Avirax™ 800 mg FABRIGEN	DIN 02237484 Cellcept® 500 mg ROCHE	DIN 02151227 * Flintstones® Multiple Vitamins Complete BAYER
5	DIN 02176017 * Didrocal® PROCTOR & GAMBLE PHARMACEUTICALS		DIN 02175991 Prograf™ 1 mg FUJISAWA	DIN 02236859 D63 Agrylin™ 0.5 mg ROBERTS	DIN 00024430 Navane™ 2 mg PFIZER
6	DIN 01926616 Slo-Bid® 50 mg RHÔNE-POULENC RORER	DIN 01926586 Slo-Bid® 100 mg RHÔNE-POULENC RORER	DIN 02084260 Neurontin™ 100 mg PARKE-DAVIS	DIN 02162741 Cardene® 20 mg ROCHE	DIN 01902660 Retrovir® (AZT ™) GLAXO WELLCOME
7	DIN 02019930 M-Eslon® 10 mg RHÔNE-POULENC RORER	DIN 00360430 CeeNU® 10 mg BRISTOL-MYERS SQUIBB	DIN 01989561 150 Rythmodan® 150 mg HOECHST MARION ROUSSEL	DIN 00500895 101 Nalcrom® 100 mg RHÔNE-POULENC RORER	DIN 02229161 Crixivan® 200 mg MSD
8	DIN 02141442 Diflucan-150™ PFIZER	DIN 00456233 65 B Cotazym® -65 B ORGANON	DIN 01926594 Slo-Bid® 200 mg RHÔNE-POULENC RORER	DIN 01926608 Slo-Bid® 300 mg RHÔNE-POULENC RORER	DIN 00263818 Cotazym® ORGANON

*ILLUSTRATION LESS THAN ACTUAL SIZE / ILLUSTRATION RÉDUITE

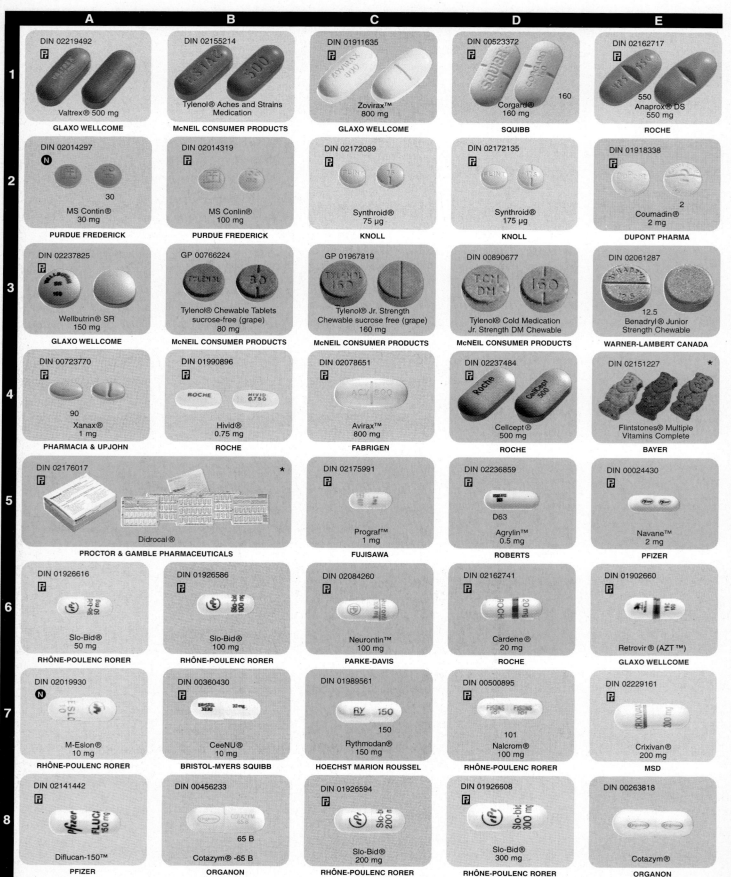

Use code A, B, C, D, E, horizontal bar and 1 to 8 vertical bar to locate illustrated products

Utiliser le code A, B, C, D, E de la ligne horizontale et les chiffres 1 à 8 de la ligne verticale pour repérer les produits illustrés

A	B	C	D	E	
DIN 01927078 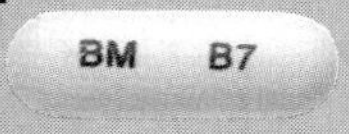 Ostac® 400 mg ROCHE	DIN 01945254  Ursofalk® 250 mg AXCAN PHARMA	DIN 00591548 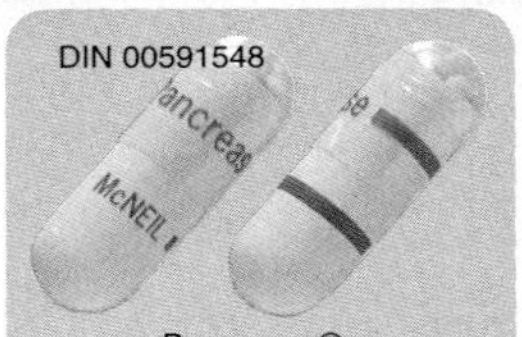 Pancrease® JANSSEN-ORTHO	DIN 02229196  Crixivan® 400 mg MSD	DIN 02125382  Hydromorph Contin® 24 mg PURDUE FREDERICK	1
DIN 02184435  Kadian® 20 mg KNOLL	DIN 02184443 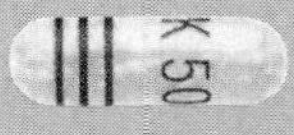 Kadian® 50 mg KNOLL	DIN 02184451  Kadian® 100 mg KNOLL	DIN 02019965  M-Eslon® 100 mg RHÔNE-POULENC RORER	DIN 02177757  M-Eslon® 200 mg RHÔNE-POULENC RORER	2
DIN 02237671  Neoral® 10 mg NOVARTIS PHARMACEUTICALS	DIN 02150689  Neoral® 25 mg NOVARTIS PHARMACEUTICALS	DIN 02150662 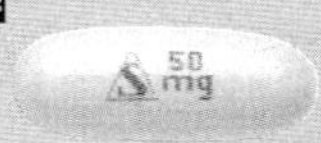 Neoral® 50 mg NOVARTIS PHARMACEUTICALS	DIN 02150670  Neoral® 100 mg NOVARTIS PHARMACEUTICALS	DIN 00648353 * 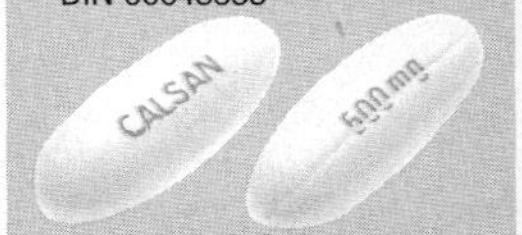 Calsan® Capsules 500 mg NOVARTIS CONSUMER HEALTH	3
DIN 02155923 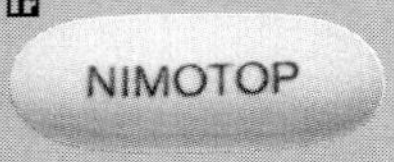 Nimotop® 30 mg BAYER	DIN 01949993  Beclovent Rotacaps® 100 µg GLAXO WELLCOME	DIN 02221829 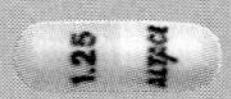 1.25 Altace® 1.25 mg HOECHST MARION ROUSSEL	DIN 00789445  Pancrease® MT 4 JANSSEN-ORTHO	DIN 00463248  693 Indocid® SR 75 mg MSD	4
DIN 00261238  Intal® Spincaps® 20 mg RHÔNE-POULENC RORER	DIN 02177749  M-Eslon® 15 mg RHÔNE-POULENC RORER	DIN 02045834 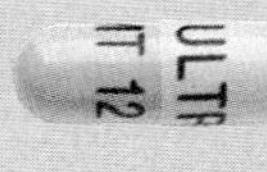 Ultrase® MT12 AXCAN PHARMA	DIN 01962817  Zoloft™ 50 mg PFIZER	DIN 02132702  Zoloft™ 25 mg PFIZER	5
DIN 00502790  Cotazym® ECS 8 ORGANON	DIN 02045850 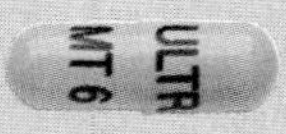 Ultrase® MT6 AXCAN PHARMA	DIN 00016055  602 602 Cuprimine® 250 mg MSD	DIN 02084279  Neurontin™ 300 mg PARKE-DAVIS	DIN 00029076  ppp 758 Pronestyl® 250 mg SQUIBB	6
DIN 02223082  Froben SR® 200 mg KNOLL	DIN 00507989  Depakene® 500 mg ABBOTT	DIN 02166704 * 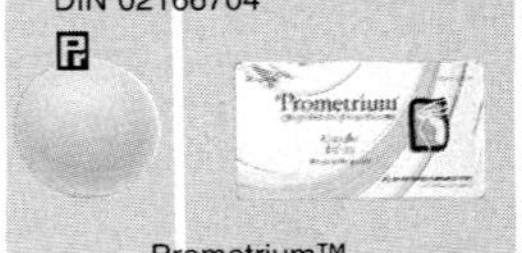 Prometrium™ 100 mg SCHERING	DIN 00009830  Ostoforte® 50 000 units FROSST	DIN 02145839 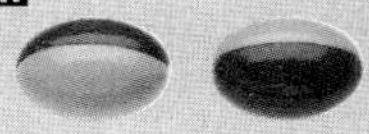 Vesanoid™ 10 mg ROCHE	7
DIN 02155869 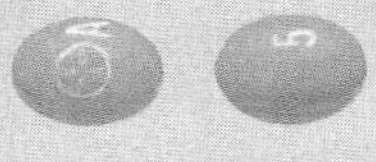 Adalat® 5 mg BAYER	DIN 00582352  Accutane™ Roche® 40 mg ROCHE	DIN 02155877  Adalat® 10 mg BAYER	DIN 02063808  Dipentum® 250 mg PHARMACIA & UPJOHN	DIN 01984845  Bonefos® 400 mg RHÔNE-POULENC RORER	8

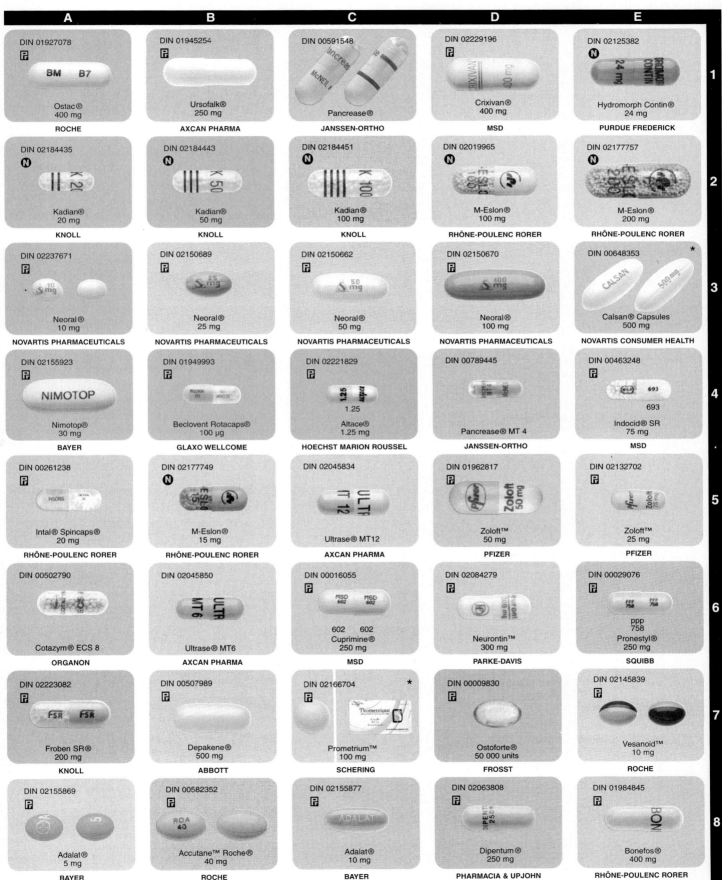

*ILLUSTRATION LESS THAN ACTUAL SIZE / ILLUSTRATION RÉDUITE

Use code A, B, C, D, E, horizontal bar and 1 to 8 vertical bar to locate illustrated products

Utiliser le code A, B, C, D, E de la ligne horizontale et les chiffres 1 à 8 de la ligne verticale pour repérer les produits illustrés

	A	B	C	D	E
1	DIN 00227927 ◇C 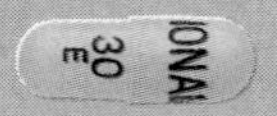 Ionamin® 30 mg **RHÔNE-POULENC RORER**	DIN 02216094 Pr  Zerit™ 20 mg **BRISTOL-MYERS SQUIBB**	DIN 02084287 Pr  Neurontin™ 400 mg **PARKE-DAVIS**	DIN 02042304  Micro-K Extencaps® 600 mg **WYETH-AYERST**	DIN 00821373  Cotazym® ECS 20 **ORGANON**
2	DIN 02018152 Pr  100 Cyclomen® 100 mg **SANOFI**	DIN 02221837 Pr  2.5 Altace® 2.5 mg **HOECHST MARION ROUSSEL**	DIN 00024449 Pr 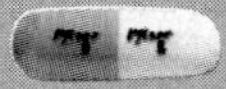 5 Navane™ 5 mg **PFIZER**	DIN 00022780 Pr  100 Dilantin® 100 mg **PARKE-DAVIS**	DIN 02018144 Pr  50 Cyclomen® 50 mg **SANOFI**
3	DIN 00296031 Pr  Pronestyl® 375 mg **SQUIBB**	DIN 02019957 Ⓝ  M-Eslon® 60 mg **RHÔNE-POULENC RORER**	DIN 02042312  Micro-K Extencaps® 750 mg **WYETH-AYERST**	DIN 00024457 Pr  10 10 Navane™ 10 mg **PFIZER**	DIN 02146959 Pr  Lipidil Micro® **FOURNIER**
4	DIN 01927906  Bacid® **RHÔNE-POULENC RORER**	DIN 02125366 Ⓝ 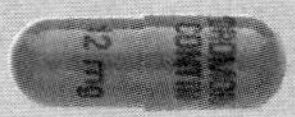 Hydromorph Contin® 12 mg **PURDUE FREDERICK**	DIN 02216116 Pr 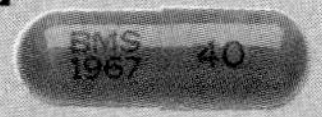 Zerit™ 40 mg **BRISTOL-MYERS SQUIBB**	DIN 02018160 Pr 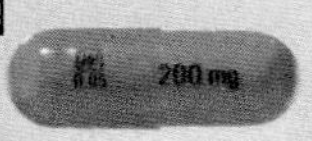 200 Cyclomen® 200 mg **SANOFI**	DIN 00484938 Pr  Tolectin® Capsules 400 mg **JANSSEN-ORTHO**
5	DIN 02237281 Pr  Effexor® XR 150 mg **WYETH-AYERST**	DIN 00607142 Pr  PD 696 Eryc® 250 mg **PARKE-DAVIS**	DIN 02039230 Pr  Diamox® Sequels® 500 mg **WYETH-AYERST**	DIN 01962779 Pr  100 mg Zoloft™ 100 mg **PFIZER**	DIN 02041480 Pr  Atromid-S® / Atromide-S® 500 mg **WYETH-AYERST**
6	DIN 00022799 Pr  Zarontin® 250 mg **PARKE-DAVIS**	DIN 00443840 Pr  Depakene® 250 mg **ABBOTT**	DIN 02156563  Sudafed® Cold & Flu Gel Capsules **WARNER-LAMBERT CANADA**	DIN 02175983 Pr  Prograf™ 5 mg **FUJISAWA**	DIN 00400750 Pr  Sinequan™ 75 mg **PFIZER**
7	DIN 02237280 Pr 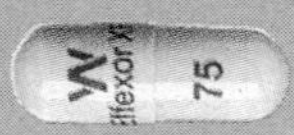 Effexor® XR 75 mg **WYETH-AYERST**	DIN 00616192 Pr  Vepesid® 50 mg **BRISTOL-MYERS SQUIBB**	DIN 00481823 Pr 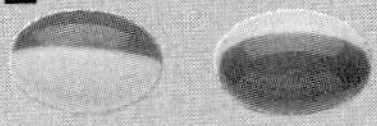 Rocaltrol® 0.25 µg **ROCHE**	DIN 00789437  Pancrease® MT 10 **JANSSEN-ORTHO**	DIN 00789429 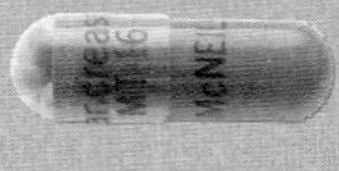 Pancrease® MT 16 **JANSSEN-ORTHO**
8	DIN 00849421 Pr 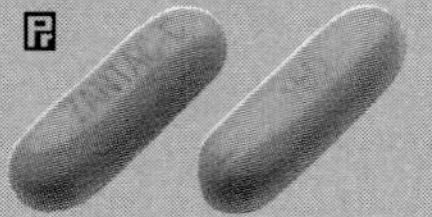 Zantac® Capsules 150 mg **GLAXO WELLCOME**	DIN 00849448 Pr  Zantac® Capsules 300 mg **GLAXO WELLCOME**	DIN 00481815 Pr 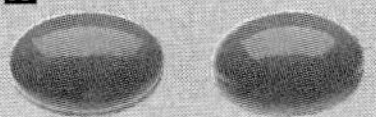 Rocaltrol® 0.5 µg **ROCHE**	DIN 00582344 Pr 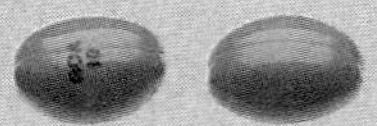 Accutane™ Roche® 10 mg **ROCHE**	DIN 02229293 Pr  Entocort® Capsules **ASTRA**

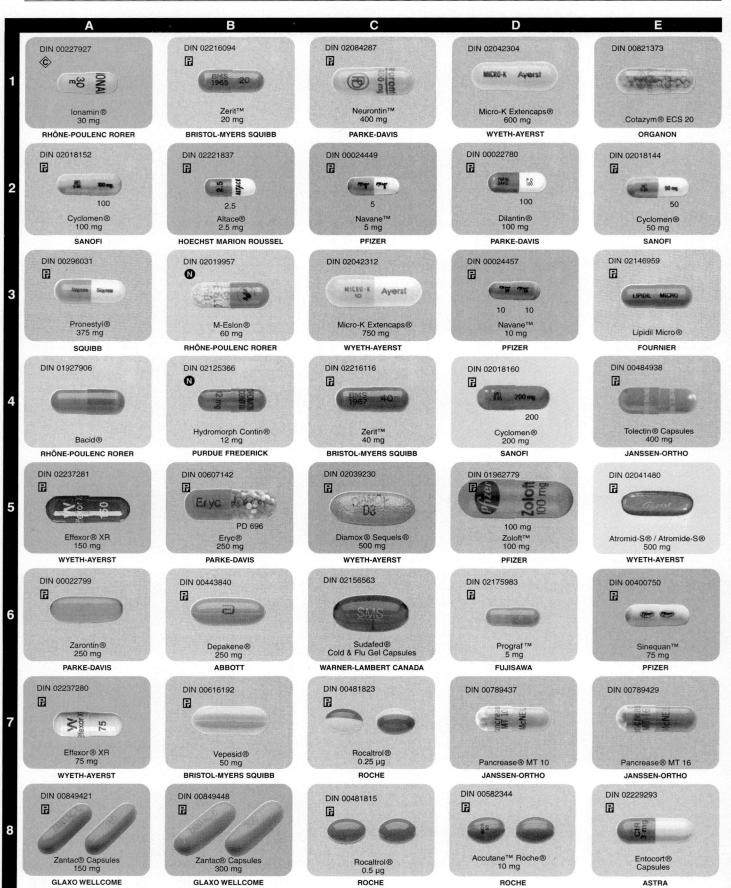

Use code A, B, C, D, E, horizontal bar and 1 to 8 vertical bar to locate illustrated products

Utiliser le code A, B, C, D, E de la ligne horizontale et les chiffres 1 à 8 de la ligne verticale pour repérer les produits illustrés

A	B	C	D	E	
DIN 00022772 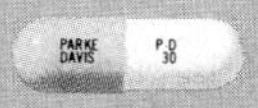 30 Dilantin® 30 mg **PARKE-DAVIS**	DIN 02019671  Benadryl® 50 mg **WARNER-LAMBERT CANADA**	DIN 01913050  Oruvail® 150 mg **MAY & BAKER PHARMA**	DIN 00024341  Sinequan™ 50 mg **PFIZER**	DIN 02019949  M-Eslon® 30 mg **RHÔNE-POULENC RORER**	1
DIN 02237279  Effexor® XR 37.5 mg **WYETH-AYERST**	DIN 02236808  Diovan® 80 mg **NOVARTIS PHARMACEUTICALS**	DIN 02125331  Hydromorph Contin® 6 mg **PURDUE FREDERICK**	DIN 00024325  Sinequan™ 10 mg **PFIZER**	DIN 02091291 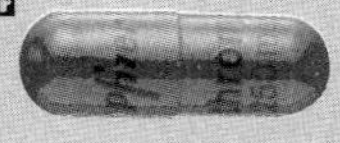 Zithromax™ 250 mg **PFIZER**	2
DIN 00584274  Sinequan™ 150 mg **PFIZER**	DIN 01914006 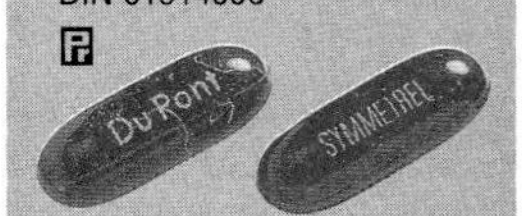 Symmetrel® 100 mg **DUPONT PHARMA**	DIN 02041499  Atromid-S® / Atromide-S® 1 g **WYETH-AYERST**	DIN 02221845  5 Altace® 5 mg **HOECHST MARION ROUSSEL**	DIN 00568643  Parlodel® Capsules 5 mg **NOVARTIS PHARMACEUTICALS**	3
DIN 00599026  Lopid® 300 mg **PARKE-DAVIS**	DIN 00525618  Feldene™ 20 mg **PFIZER**	DIN 00030570  225 Dalacin® C 150 mg **PHARMACIA & UPJOHN**	DIN 02092808  Rifadin® 300 mg **HOECHST MARION ROUSSEL**	DIN 02221969 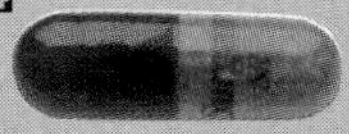 Surgam® SR 300 mg **HOECHST MARION ROUSSEL**	4
DIN 02091887  Rifadin® 150 mg **HOECHST MARION ROUSSEL**	DIN 02125390 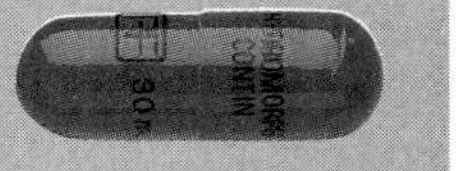 Hydromorph Contin® 30 mg **PURDUE FREDERICK**	DIN 02224666  Surfak® 240 mg **HOECHST MARION ROUSSEL**	DIN 00782327 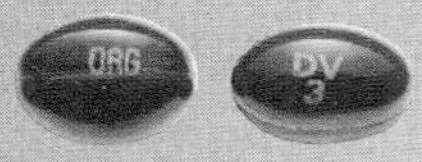 Andriol **ORGANON**	DIN 02070847  Soriatane® 10 mg **ROCHE**	5
DIN 01950002  Beclovent Rotacaps® 200 μg **GLAXO WELLCOME**	DIN 00604453  Restoril® 15 mg **NOVARTIS PHARMACEUTICALS**	DIN 00210463 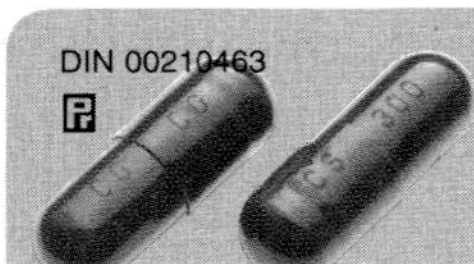 CS 300 Rimactane® 300 mg **NOVARTIS PHARMACEUTICALS**	DIN 02200104  Creon® 10 **SOLVAY PHARMA**	DIN 00507245  Duricef® 500 mg **BRISTOL-MYERS SQUIBB**	6
DIN 02231151  BVF 180 Tiazac™ 180 mg **CRYSTAAL**	DIN 02212315  Ventolin® Rotacaps® 200 μg **GLAXO WELLCOME**	DIN 00360422  3031 40 CeeNU® 40 mg **BRISTOL-MYERS SQUIBB**	DIN 00115630  Librax® **ROCHE**	DIN 02125323  Hydromorph Contin® 3 mg **PURDUE FREDERICK**	7
DIN 02186802  Cytovene® **ROCHE**	DIN 00360414  3032 100 mg CeeNU® 100 mg **BRISTOL-MYERS SQUIBB**	DIN 00116858  Gravergol® **CARTER HORNER**	DIN 02231155 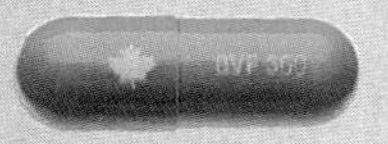 BVF 360 Tiazac™ 360 mg **CRYSTAAL**	DIN 02231152  BVF 240 Tiazac™ 240 mg **CRYSTAAL**	8

Use code A, B, C, D, E, horizontal bar and 1 to 8 vertical bar to locate illustrated products

Utiliser le code A, B, C, D, E de la ligne horizontale et les chiffres 1 à 8 de la ligne verticale pour repérer les produits illustrés

	A	B	C	D	E
1	DIN 01926772  Neuleptil® 10 mg **RHÔNE-POULENC RORER**	DIN 02042231  Inderal® -LA / Indéral® -LA 60 mg **WYETH-AYERST**	DIN 01926764  Neuleptil® 20 mg **RHÔNE-POULENC RORER**	DIN 00176192 Ⓝ  Fiorinal® -C$^{1}/_{4}$ **NOVARTIS PHARMACEUTICALS**	DIN 00116645  Gravol® L/A 75 mg **CARTER HORNER**
2	DIN 02221853  Altace® 10 mg **HOECHST MARION ROUSSEL**	DIN 01938851  Ventolin® Rotacaps® 400 µg **GLAXO WELLCOME**	DIN 02167670  Tylenol® Flu Medication **McNEIL CONSUMER PRODUCTS**	DIN 00366464  100-25 Prolopa® 100-25 **ROCHE**	DIN 02097273  300 mg Cardizem® CD 300 mg **HOECHST MARION ROUSSEL**
3	DIN 01926780  Neuleptil® 5 mg **RHÔNE-POULENC RORER**	DIN 00522597  50-12.5 Prolopa® 50-12.5 **ROCHE**	DIN 00791709  Cardene® 30 mg **ROCHE**	DIN 02097249  120 mg Cardizem® CD 120 mg **HOECHST MARION ROUSSEL**	DIN 02097257  180 mg Cardizem® CD 180 mg **HOECHST MARION ROUSSEL**
4	DIN 00176206 Ⓝ  Fiorinal® -C$^{1}/_{2}$ **NOVARTIS PHARMACEUTICALS**	DIN 02042258  80 Inderal® -LA / Indéral® -LA 80 mg **WYETH-AYERST**	DIN 02042266 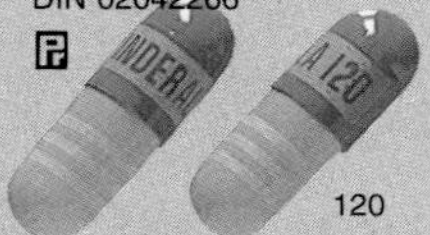 120 Inderal® -LA / Indéral® -LA 120 mg **WYETH-AYERST**	DIN 02042274 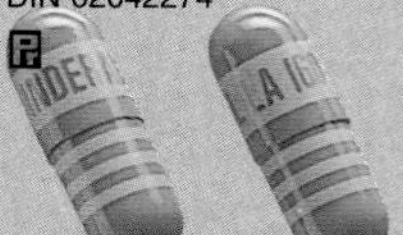 Inderal® -LA / Indéral® -LA 160 mg **WYETH-AYERST**	DIN 02097265  240 mg Cardizem® CD 240 mg **HOECHST MARION ROUSSEL**
5	DIN 02182866 *  Dalacin® C 300 mg **PHARMACIA & UPJOHN**	DIN 00030589  Lincocin® 500 mg **PHARMACIA & UPJOHN**	DIN 00226327 Ⓒ  Fiorinal® Capsules **NOVARTIS PHARMACEUTICALS**	DIN 00497894 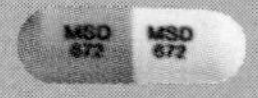 672 Cuprimine® 125 mg **MSD**	DIN 02231154  BVF 300 Tiazac™ 300 mg **CRYSTAAL**
6	DIN 02231150  BVF 120 Tiazac™ 120 mg **CRYSTAAL**	DIN 00012696  Dalmane® 15 mg **ROCHE**	DIN 00022802  Celontin® 300 mg **PARKE-DAVIS**	DIN 00353523  PPP 757 Pronestyl® 500 mg **SQUIBB**	DIN 00873454  Eryc® 333 mg **PARKE-DAVIS**
7	DIN 01926349  Surmontil® 75 mg Capsules **RHÔNE-POULENC RORER**	DIN 02041294 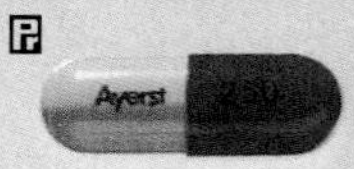 250 Amoxil® Capsules 250 mg **WYETH-AYERST**	DIN 02041308 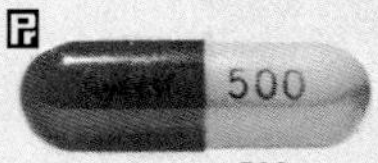 500 Amoxil® Capsules 500 mg **WYETH-AYERST**	DIN 00012718  Dalmane® 30 mg **ROCHE**	DIN 00863270  Tylenol® Gelcaps 500 mg **McNEIL CONSUMER PRODUCTS**
8	DIN 00406775  Lithane™ 300 mg **PFIZER**	DIN 01989553 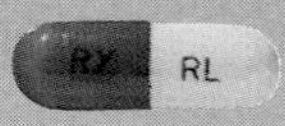 Rythmodan® 100 mg **HOECHST MARION ROUSSEL**	DIN 01926403 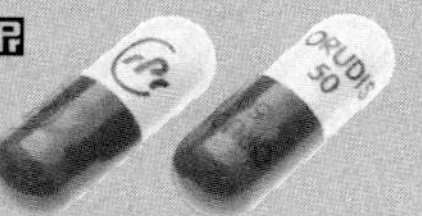 Orudis® Capsules 50 mg **RHÔNE-POULENC RORER**	DIN 00155225  Ponstan® 250 mg **PARKE-DAVIS**	DIN 02045869 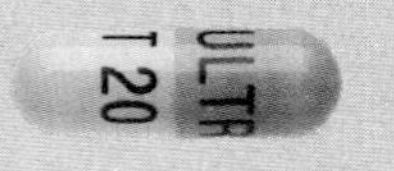 Ultrase® MT20 **AXCAN PHARMA**

*ILLUSTRATION LESS THAN ACTUAL SIZE / ILLUSTRATION RÉDUITE

Use code A, B, C, D, E, horizontal bar and 1 to 8 vertical bar to locate illustrated products

Utiliser le code A, B, C, D, E de la ligne horizontale et les chiffres 1 à 8 de la ligne verticale pour repérer les produits illustrés

	A	B	C	D	E
1	DIN 02216086  Zerit™ 15 mg **BRISTOL-MYERS SQUIBB**	DIN 02216108  Zerit™ 30 mg **BRISTOL-MYERS SQUIBB**	DIN 02061562  Lescol® 20 mg **NOVARTIS PHARMACEUTICALS**	DIN 02061570  Lescol® 40 mg **NOVARTIS PHARMACEUTICALS**	DIN 02078759  Humatin™ 250 mg **PARKE-DAVIS**
2	DIN 00227935  Ionamin® 15 mg **RHÔNE-POULENC RORER**	DIN 02070863  Soriatane® 25 mg **ROCHE**	DIN 01924559  E13 Dexedrine® Spansule® 10 mg **SMITHKLINE BEECHAM**	DIN 01924567  E14 Dexedrine® Spansule® 15 mg **SMITHKLINE BEECHAM**	DIN 02097214  Cardizem® SR 60 mg **HOECHST MARION ROUSSEL**
3	DIN 02097222  Cardizem® SR 90 mg **HOECHST MARION ROUSSEL**	DIN 02097230  Cardizem® SR 120 mg **HOECHST MARION ROUSSEL**	DIN 02238123  BI 58 Flomax® 0.4 mg **BOEHRINGER INGELHEIM**	DIN 02216965  Invirase™ **ROCHE**	DIN 01927817  Rovamycine® "500" **RHÔNE-POULENC RORER**
4	DIN 01926853  Flagyl® 500 mg Capsules **RHÔNE-POULENC RORER**	DIN 02192748 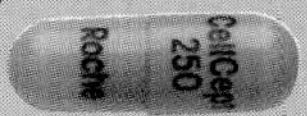 CellCept® 250 mg **ROCHE**	DIN 01927825  Rovamycine® "250" **RHÔNE-POULENC RORER**	DIN 00156086  Ergodryl® **PARKE-DAVIS**	DIN 00465283  BMS 303 Hydrea® 500 mg **SQUIBB**
5	DIN 01913069  200 Oruvail® 200 mg **MAY & BAKER**	DIN 00024333  Sinequan™ 25 mg **PFIZER**	DIN 02047454  Sporanox® 100 mg **JANSSEN-ORTHO**	DIN 02236809  Diovan® 160 mg **NOVARTIS PHARMACEUTICALS**	DIN 00326925  Sinequan™ 100 mg **PFIZER**
6	DIN 00386472  200-50 Prolopa® 200-50 **ROCHE**	DIN 00525596  10 Feldene™ 10 mg **PFIZER**	DIN 00604461  Restoril® 30 mg **NOVARTIS PHARMACEUTICALS**	DIN 01926888 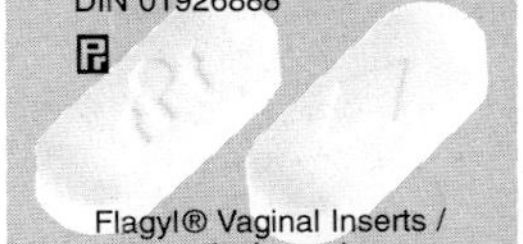 Flagyl® Vaginal Inserts / comprimés vaginaux 500 mg **RHÔNE-POULENC RORER**	DIN 01926837 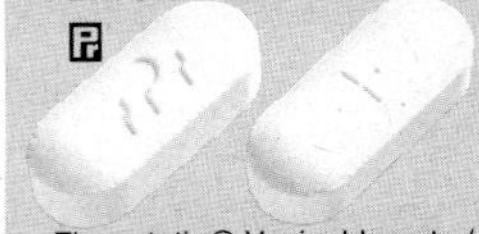 Flagystatin® Vaginal Inserts / comprimés vaginaux **RHÔNE-POULENC RORER**
7	DIN 01926829  Flagystatin® Vaginal Ovules / ovules vaginaux **RHÔNE-POULENC RORER**	DIN 02126605  Monistat® 3 Ovules 400 mg **McNEIL CONSUMER PRODUCTS**	DIN 02084295  Monistat® 7 Supp. 100 mg **McNEIL CONSUMER PRODUCTS**	DIN 00176214 *  Cafergot-PB® Supp. **NOVARTIS PHARMACEUTICALS**	DIN 00632716  Feldene™ Supp. 20 mg **PFIZER**
8	DIN 00783595  Gravol® Children's Supp. / supp. pour enfants 25 mg **CARTER HORNER**	DIN 00013595  Gravol® Junior Strength Supp. / supp. pour enfants plus âgés 50 mg **CARTER HORNER**	DIN 00013609  Gravol® Adult Supp. / supp. pour adultes 100 mg **CARTER HORNER**	DIN 00632724  Voltaren® Supp. 50 mg **NOVARTIS PHARMACEUTICALS**	DIN 00632732  Voltaren® Supp. 100 mg **NOVARTIS PHARMACEUTICALS**

*ILLUSTRATION LESS THAN ACTUAL SIZE / ILLUSTRATION RÉDUITE

Use code A, B, C, D, E, horizontal bar and 1 to 8 vertical bar to locate illustrated products

Utiliser le code A, B, C, D, E de la ligne horizontale et les chiffres 1 à 8 de la ligne verticale pour repérer les produits illustrés

	A	B	C	D	E
1	DIN 01930001 Ⓟ  Largactil® **RHÔNE-POULENC RORER**	DIN 00531022 Ⓟ  Naprosyn® Supp. 500 mg **ROCHE**	DIN 00594466 Ⓟ  Indocid® Supp. 50 mg **MSD**	DIN 00016233 Ⓟ  Indocid® Supp. 100 mg **MSD**	DIN 00782920 Ⓟ  Cafergot® Supp. **NOVARTIS PHARMACEUTICALS**
2	DIN 01926411 Ⓟ 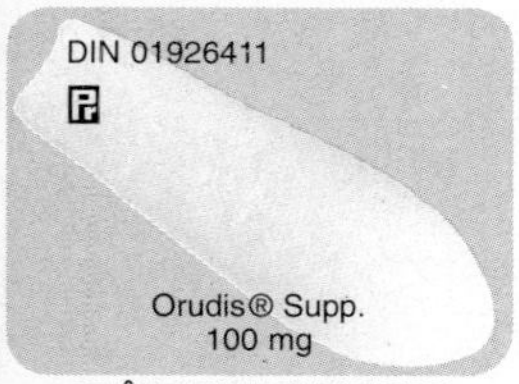 Orudis® Supp. 100 mg **RHÔNE-POULENC RORER**	DIN 00125105 Ⓝ  Dilaudid® Supp. 3 mg **KNOLL**	DIN 01919679 Ⓟ * 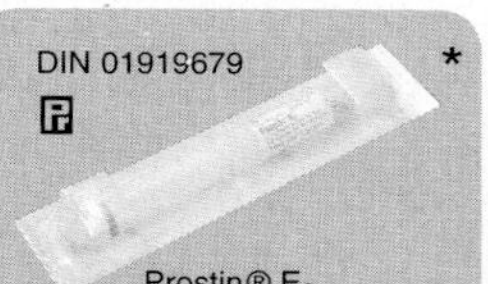 Prostin® E_2 Vaginal Gel / gel vaginal 1 mg **PHARMACIA & UPJOHN**	DIN 01919687 Ⓟ * 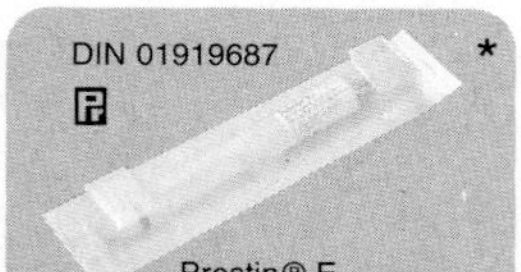 Prostin® E_2 Vaginal Gel / gel vaginal 2 mg **PHARMACIA & UPJOHN**	DIN 00860786 Ⓟ * 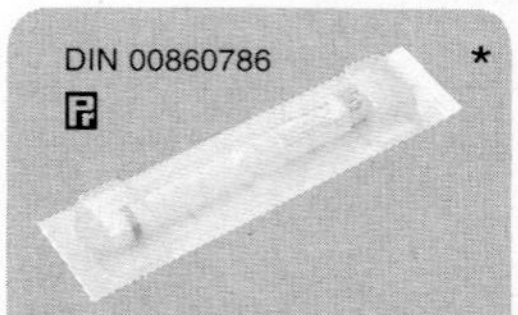 Prepidil® Gel **PHARMACIA & UPJOHN**
3	DIN 02150948 * 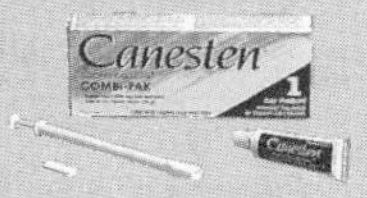 Canesten® Combi-Pak 1 Day **BAYER**	DIN 02150921 *  Canesten® Combi-Pak 3 Day **BAYER**	DIN 02230509 *  Canesten® 1 Day Cream Combi-Pak **BAYER**	DIN 02150905 *  Canesten® 2% Vaginal Cream **BAYER**	*  Replens™ **ROBERTS**
4	DIN 02095017 *  Gynecure™ Vaginal Ointment **PFIZER CONSUMER**	DIN 02218291 *  Gynecure™ Vaginal Ointment Tandempak **PFIZER CONSUMER**	DIN 02095009 *  Gynecure™ Vaginal Ovules **PFIZER CONSUMER**	DIN 02218283 *  Gynecure™ Vaginal Ovules Tandempak **PFIZER CONSUMER**	*  Advantage 24™ Spermicidal Gel **ROBERTS**
5	DIN 02130874 Ⓟ * 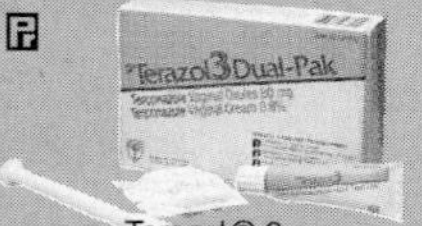 Terazol® 3 Dual-Pak **JANSSEN-ORTHO**	DIN 01934155 Ⓟ * 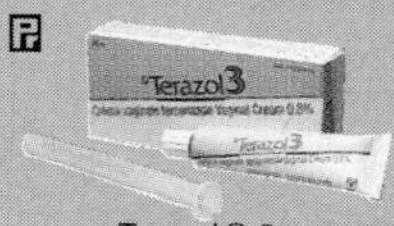 Terazol® 3 Vaginal Cream **JANSSEN-ORTHO**	DIN 00894710 Ⓟ * 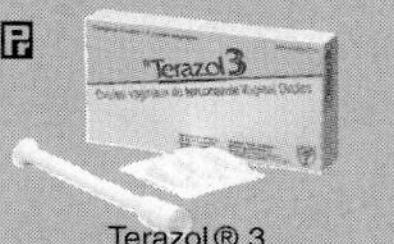 Terazol® 3 Vaginal Ovules **JANSSEN-ORTHO**	DIN 00894729 Ⓟ * 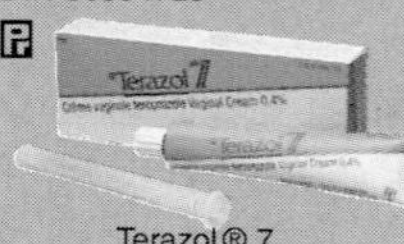 Terazol® 7 Vaginal Cream **JANSSEN-ORTHO**	DIN 02206072 Ⓟ *  Eprex® 20 000 IU Vial **JANSSEN-ORTHO**
6	DIN 01911821 Ⓟ *  Zofran® Injection / injectable **GLAXO WELLCOME**	DIN 01950606 Ⓟ * 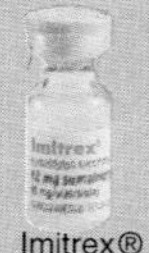 Imitrex® Injection / injectable **GLAXO WELLCOME**	DIN 02059762 Ⓟ * 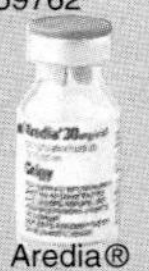 Aredia® 30 mg **NOVARTIS PHARMACEUTICALS**	DIN 02059770 Ⓟ * 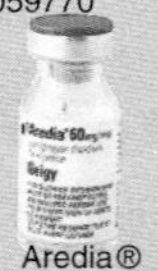 Aredia® 60 mg **NOVARTIS PHARMACEUTICALS**	DIN 02059789 Ⓟ * 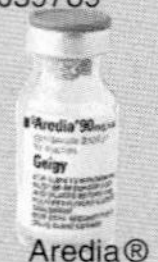 Aredia® 90 mg **NOVARTIS PHARMACEUTICALS**
7	DIN 02155982 Ⓟ * 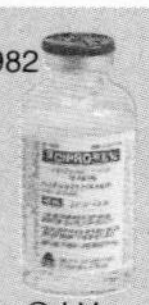 Cipro® I.V. 10 mg/mL **BAYER**	DIN 00246026 Ⓟ * 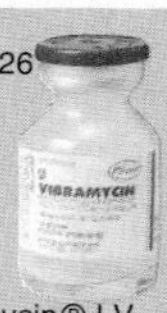 Vibramycin® I.V. 100 mL **PFIZER**	DIN 02049392 Ⓟ * 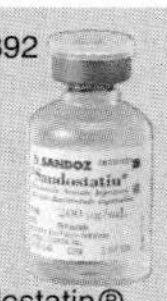 Sandostatin® 200 µg/mL **NOVARTIS PHARMACEUTICALS**	DIN 01989537 Ⓟ *  Fludara® **BERLEX CANADA**	DIN 02169649 Ⓟ * 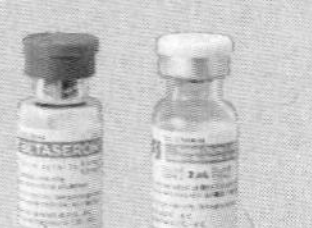 Betaseron® **BERLEX CANADA**
8	DIN 02091518 Ⓟ *  Trandate® Injection **ROBERTS**	DIN 02229390 Ⓟ * 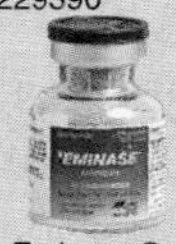 Eminase® Injection / injectable **ROBERTS**	DIN 02236840 Ⓟ *  Levaquin® 25 mg / mL **JANSSEN-ORTHO**	DIN 00029181 Ⓟ * 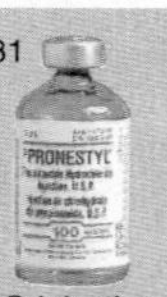 Pronestyl® Injection 100 mg/mL **SQUIBB**	DIN 00891835 Ⓟ *  Diflucan™ I.V. **PFIZER**

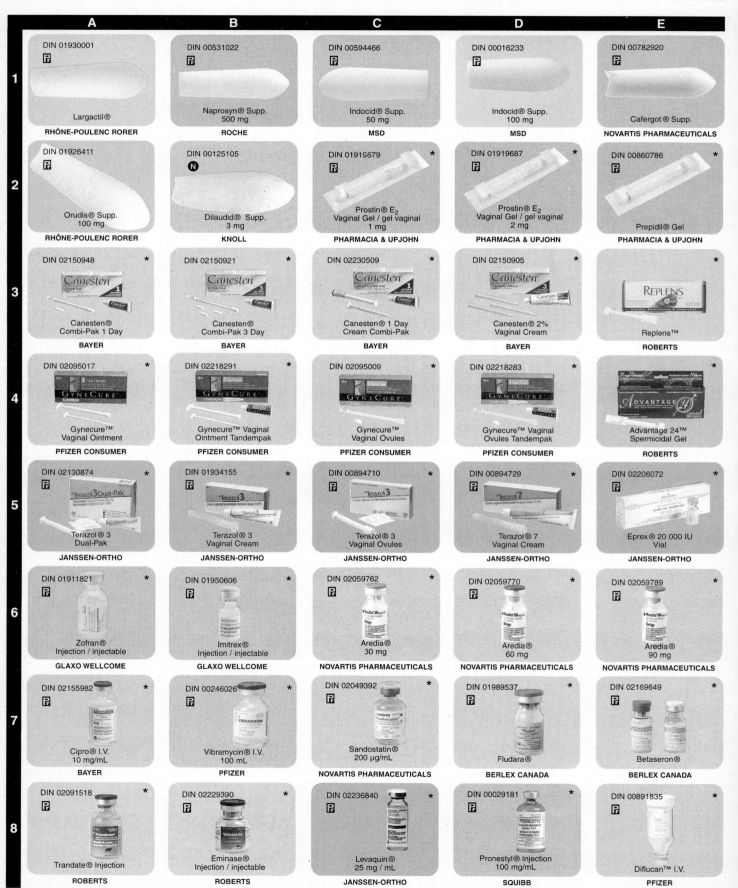

*ILLUSTRATION LESS THAN ACTUAL SIZE / ILLUSTRATION RÉDUITE

Use code A, B, C, D, E, horizontal bar and 1 to 8 vertical bar to locate illustrated products

Utiliser le code A, B, C, D, E de la ligne horizontale et les chiffres 1 à 8 de la ligne verticale pour repérer les produits illustrés

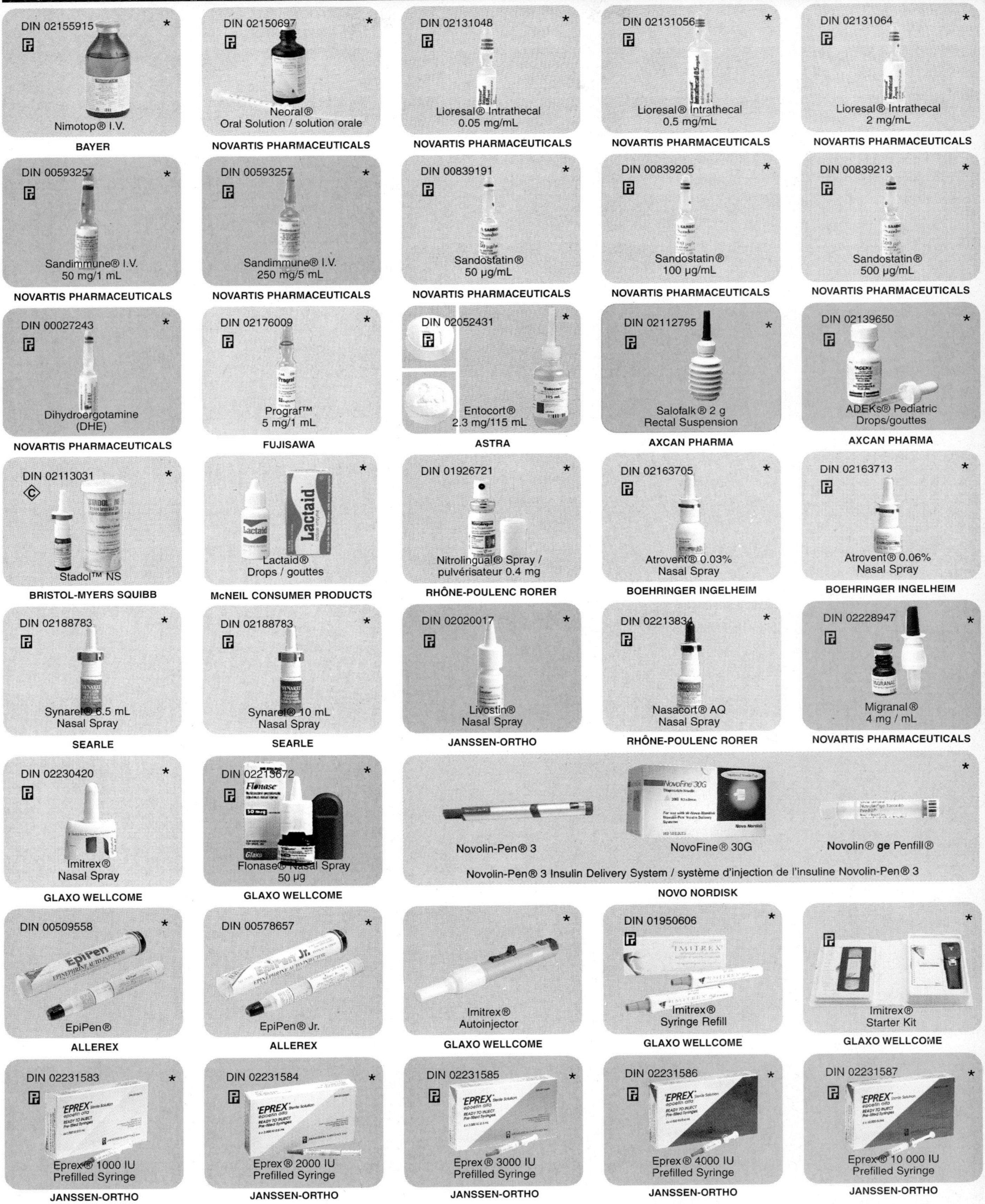

	A	B	C	D	E
1	DIN 02155915 * Nimotop® I.V. — BAYER	DIN 02150697 * Neoral® Oral Solution / solution orale — NOVARTIS PHARMACEUTICALS	DIN 02131048 * Lioresal® Intrathecal 0.05 mg/mL — NOVARTIS PHARMACEUTICALS	DIN 02131056 * Lioresal® Intrathecal 0.5 mg/mL — NOVARTIS PHARMACEUTICALS	DIN 02131064 * Lioresal® Intrathecal 2 mg/mL — NOVARTIS PHARMACEUTICALS
2	DIN 00593257 * Sandimmune® I.V. 50 mg/1 mL — NOVARTIS PHARMACEUTICALS	DIN 00593257 * Sandimmune® I.V. 250 mg/5 mL — NOVARTIS PHARMACEUTICALS	DIN 00839191 * Sandostatin® 50 µg/mL — NOVARTIS PHARMACEUTICALS	DIN 00839205 * Sandostatin® 100 µg/mL — NOVARTIS PHARMACEUTICALS	DIN 00839213 * Sandostatin® 500 µg/mL — NOVARTIS PHARMACEUTICALS
3	DIN 00027243 * Dihydroergotamine (DHE) — NOVARTIS PHARMACEUTICALS	DIN 02176009 * Prograf™ 5 mg/1 mL — FUJISAWA	DIN 02052431 * Entocort® 2.3 mg/115 mL — ASTRA	DIN 02112795 * Salofalk® 2 g Rectal Suspension — AXCAN PHARMA	DIN 02139650 * ADEKs® Pediatric Drops/gouttes — AXCAN PHARMA
4	DIN 02113031 * Stadol™ NS — BRISTOL-MYERS SQUIBB	* Lactaid® Drops / gouttes — McNEIL CONSUMER PRODUCTS	DIN 01926721 * Nitrolingual® Spray / pulvérisateur 0.4 mg — RHÔNE-POULENC RORER	DIN 02163705 * Atrovent® 0.03% Nasal Spray — BOEHRINGER INGELHEIM	DIN 02163713 * Atrovent® 0.06% Nasal Spray — BOEHRINGER INGELHEIM
5	DIN 02188783 * Synarel® 6.5 mL Nasal Spray — SEARLE	DIN 02188783 * Synarel® 10 mL Nasal Spray — SEARLE	DIN 02020017 * Livostin® Nasal Spray — JANSSEN-ORTHO	DIN 02213834 * Nasacort® AQ Nasal Spray — RHÔNE-POULENC RORER	DIN 02228947 * Migranal® 4 mg / mL — NOVARTIS PHARMACEUTICALS
6	DIN 02230420 * Imitrex® Nasal Spray — GLAXO WELLCOME	DIN 02213672 * Flonase® Nasal Spray 50 µg — GLAXO WELLCOME	* Novolin-Pen® 3; NovoFine® 30G; Novolin® ge Penfill® — Novolin-Pen® 3 Insulin Delivery System / système d'injection de l'insuline Novolin-Pen® 3 — NOVO NORDISK		
7	DIN 00509558 * EpiPen® — ALLEREX	DIN 00578657 * EpiPen® Jr. — ALLEREX	* Imitrex® Autoinjector — GLAXO WELLCOME	DIN 01950606 * Imitrex® Syringe Refill — GLAXO WELLCOME	* Imitrex® Starter Kit — GLAXO WELLCOME
8	DIN 02231583 * Eprex® 1000 IU Prefilled Syringe — JANSSEN-ORTHO	DIN 02231584 * Eprex® 2000 IU Prefilled Syringe — JANSSEN-ORTHO	DIN 02231585 * Eprex® 3000 IU Prefilled Syringe — JANSSEN-ORTHO	DIN 02231586 * Eprex® 4000 IU Prefilled Syringe — JANSSEN-ORTHO	DIN 02231587 * Eprex® 10 000 IU Prefilled Syringe — JANSSEN-ORTHO

*ILLUSTRATION LESS THAN ACTUAL SIZE / ILLUSTRATION RÉDUITE

Use code A, B, C, D, E, horizontal bar and 1 to 8 vertical bar to locate illustrated products

Utiliser le code A, B, C, D, E de la ligne horizontale et les chiffres 1 à 8 de la ligne verticale pour repérer les produits illustrés

	A	B	C	D	E
1	GP 02226014 *  Myoflex® Ultra **BAYER**	DIN 00703974 * 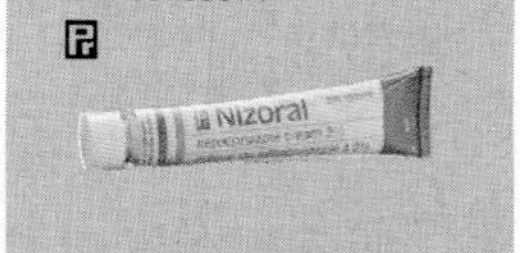 Nizoral® Cream / crème 2% **JANSSEN-ORTHO**	DIN 02031094 * 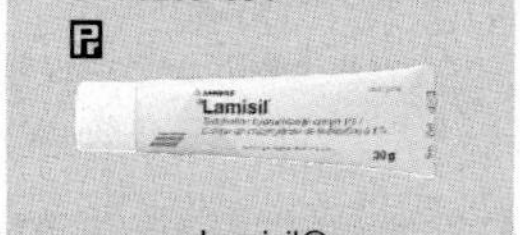 Lamisil® 1% Cream **NOVARTIS PHARMACEUTICALS**	DIN 02095025 * 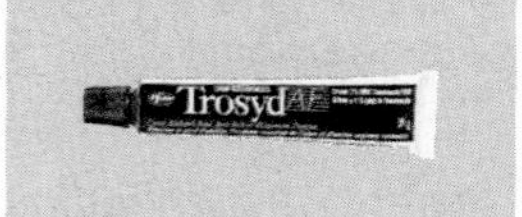 Trosyd™ AF **PFIZER CONSUMER**	DIN 02217406 *  Trosyd™ J **PFIZER CONSUMER**
2	DIN 02085852 * 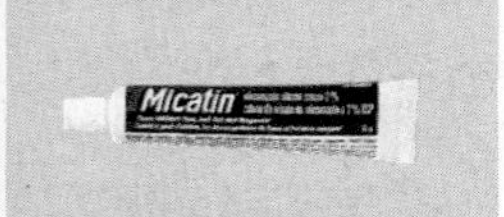 Micatin® 2% Cream **McNEIL CONSUMER PRODUCTS**	DIN 02230304 * 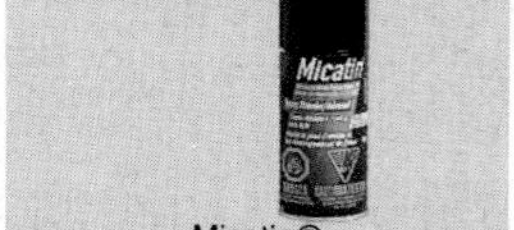 Micatin® Spray Powder **McNEIL CONSUMER PRODUCTS**	DIN 02182920 *  Nizoral® 2% Shampoo / shampooing **McNEIL CONSUMER PRODUCTS**	DIN 00578452 * 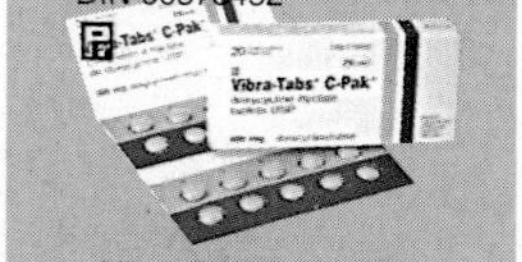 Vibra-Tabs™ C-Pak™ **PFIZER**	*  Lacrisert® 5 mg **MSD**
3	DIN 00464880 *  Questran® Pouches **BRISTOL-MYERS SQUIBB**	DIN 02042541 * 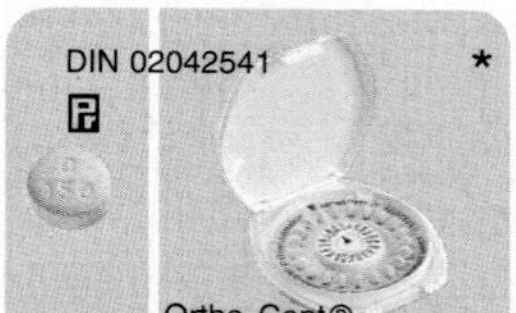 Ortho-Cept® 21-day / jours **JANSSEN-ORTHO**	DIN 00037605 * 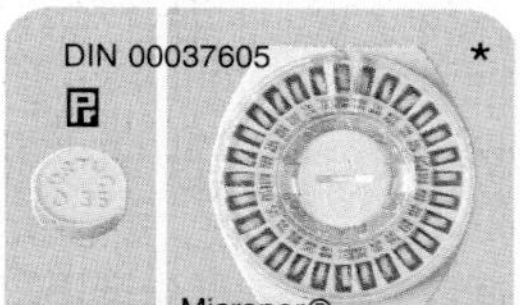 Micronor® 28-day / jours **JANSSEN-ORTHO**	DIN 02028700 * 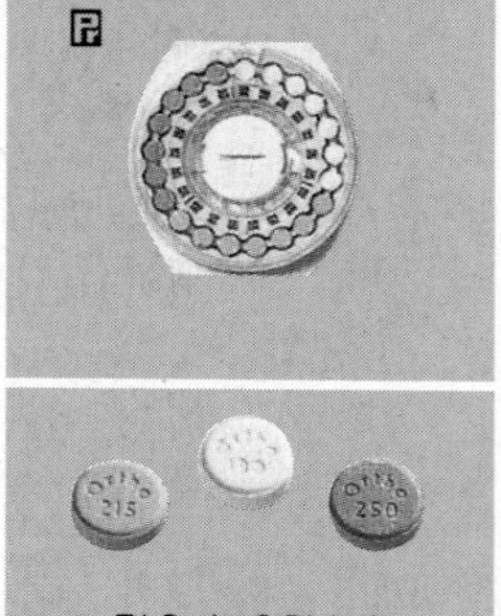 Tri-Cyclen® Dialpak 21-day/jours **JANSSEN-ORTHO**	DIN 02029421 * 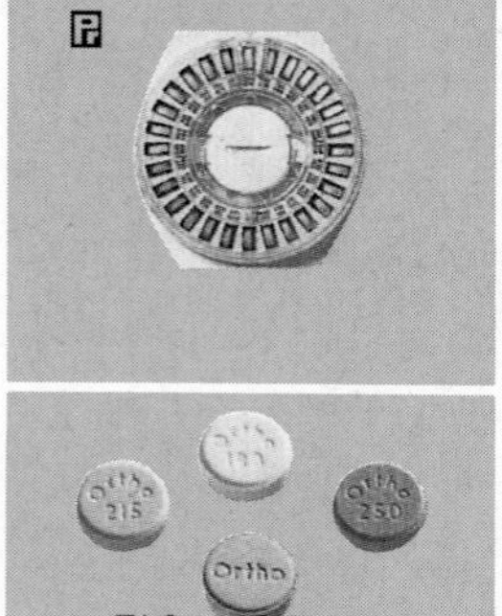 Tri-Cyclen® Dialpak 28-day/jours **JANSSEN-ORTHO**
4	DIN 01918486 *  Questran® Light / Léger **BRISTOL-MYERS SQUIBB**	DIN 02042533 * 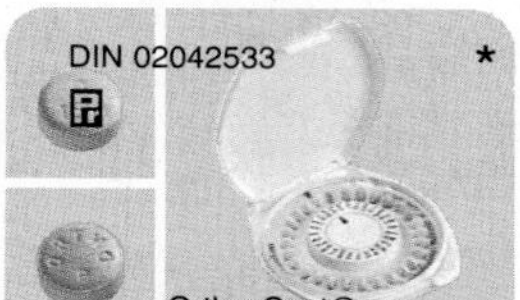 Ortho-Cept® 28-day / jours **JANSSEN-ORTHO**	DIN 00538590 * 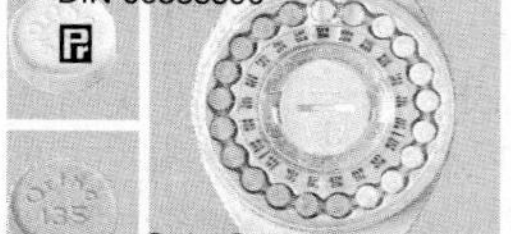 Ortho® 10 / 11 21-day / jours **JANSSEN-ORTHO**		
5	DIN 02043726 * 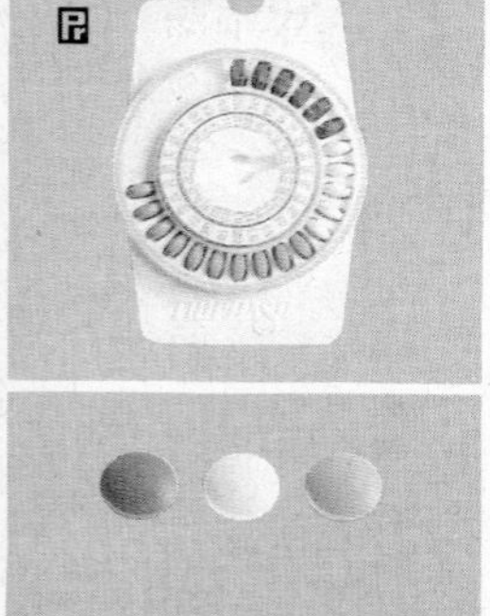 Triphasil® 21 **WYETH-AYERST**	DIN 02043734 * 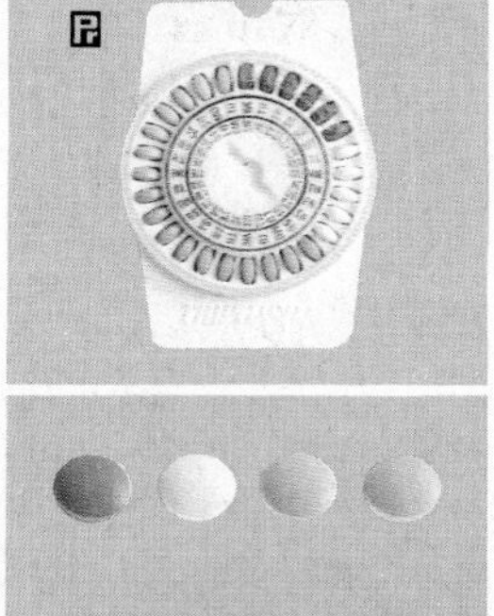 Triphasil® 28 **WYETH-AYERST**	DIN 00538582 * 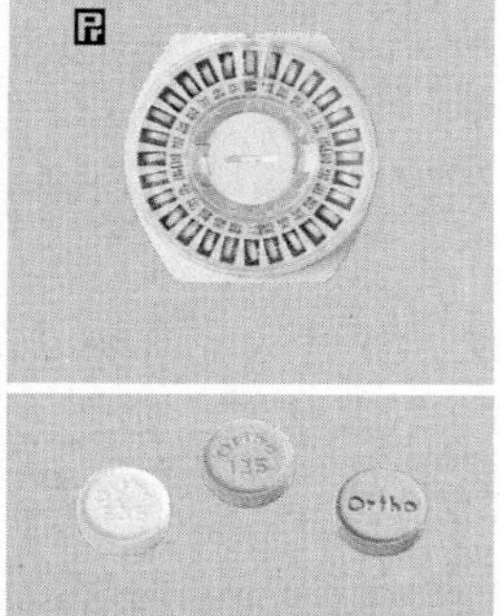 Ortho® 10 / 11 28-day / jours **JANSSEN-ORTHO**	DIN 00602957 * 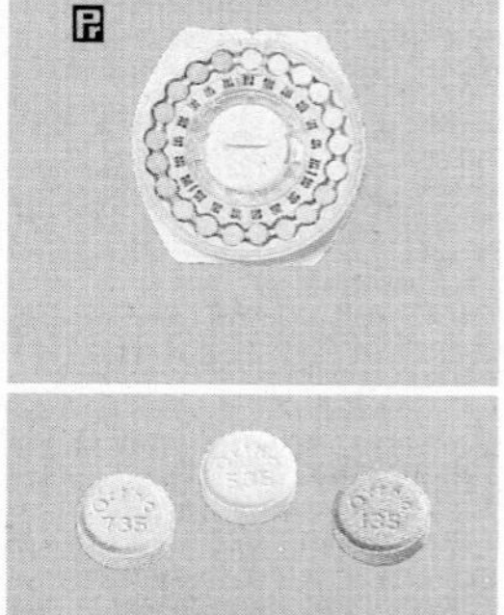 Ortho® 7 / 7 / 7 21-day / jours **JANSSEN-ORTHO**	DIN 00602965 * 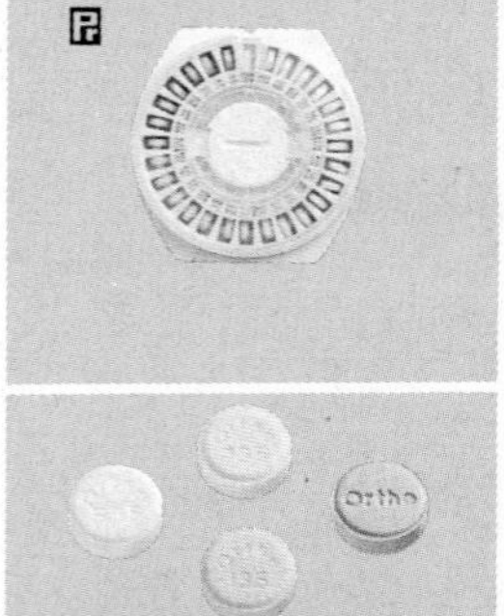 Ortho® 7 / 7 / 7 28-day / jours **JANSSEN-ORTHO**
6					
7	DIN 01968440 * 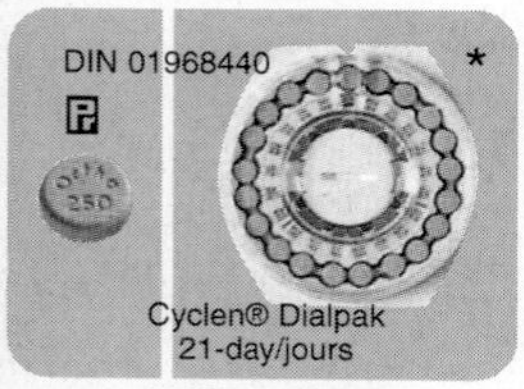 Cyclen® Dialpak 21-day/jours **JANSSEN-ORTHO**	DIN 00317047 * 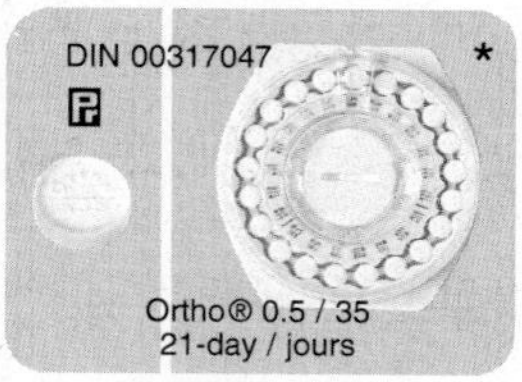 Ortho® 0.5 / 35 21-day / jours **JANSSEN-ORTHO**	DIN 00372846 * 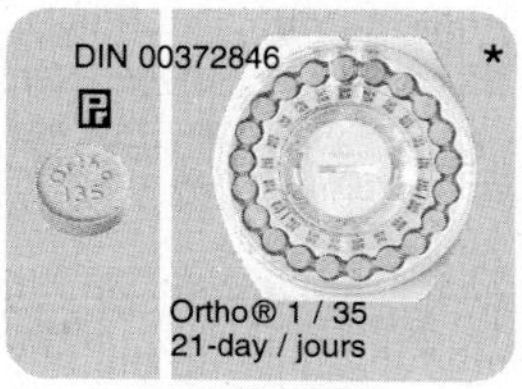 Ortho® 1 / 35 21-day / jours **JANSSEN-ORTHO**	DIN 00022608 * 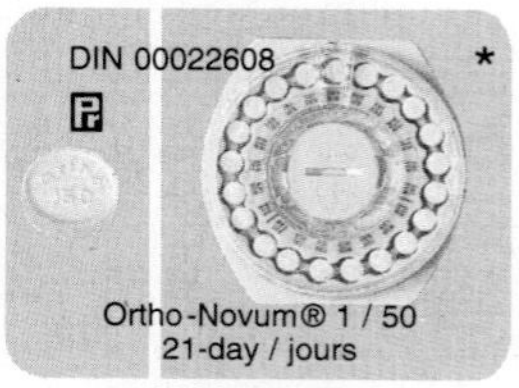 Ortho-Novum® 1 / 50 21-day / jours **JANSSEN-ORTHO**	DIN 00707600 *  Triquilar® 21 **BERLEX CANADA**
8	DIN 01992872 * 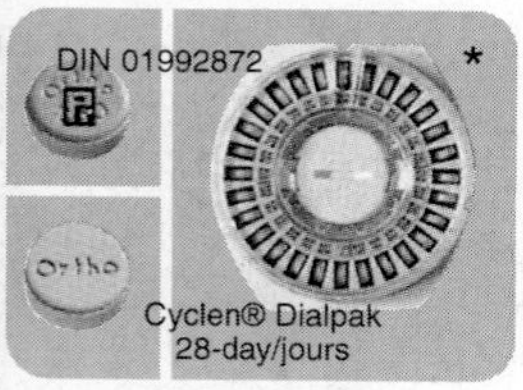 Cyclen® Dialpak 28-day/jours **JANSSEN-ORTHO**	DIN 00340731 * 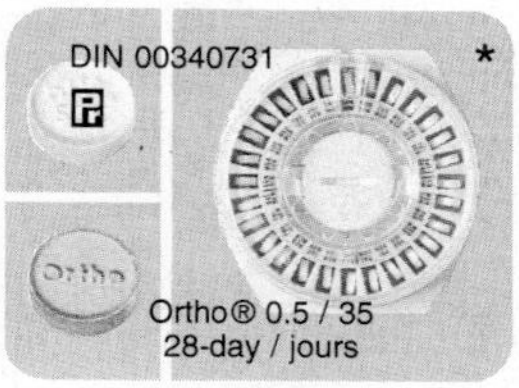 Ortho® 0.5 / 35 28-day / jours **JANSSEN-ORTHO**	DIN 00372838 * 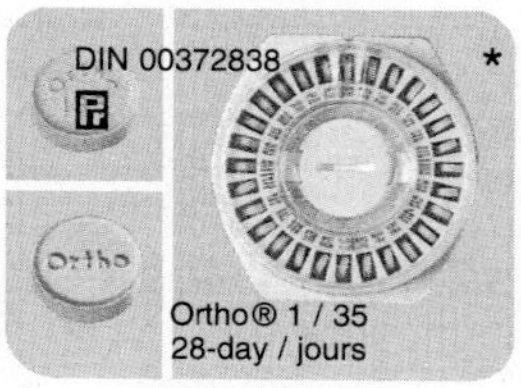 Ortho® 1 / 35 28-day / jours **JANSSEN-ORTHO**	DIN 00340758 * 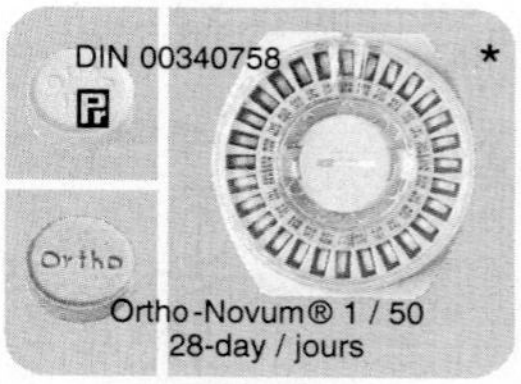 Ortho-Novum® 1 / 50 28-day / jours **JANSSEN-ORTHO**	DIN 00707503 * 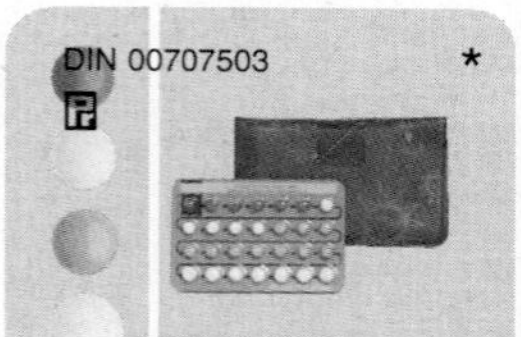 Triquilar® 28 **BERLEX CANADA**

*ILLUSTRATION LESS THAN ACTUAL SIZE / ILLUSTRATION RÉDUITE

Use code A, B, C, D, E, horizontal bar and 1 to 8 vertical bar to locate illustrated products

Utiliser le code A, B, C, D, E de la ligne horizontale et les chiffres 1 à 8 de la ligne verticale pour repérer les produits illustrés

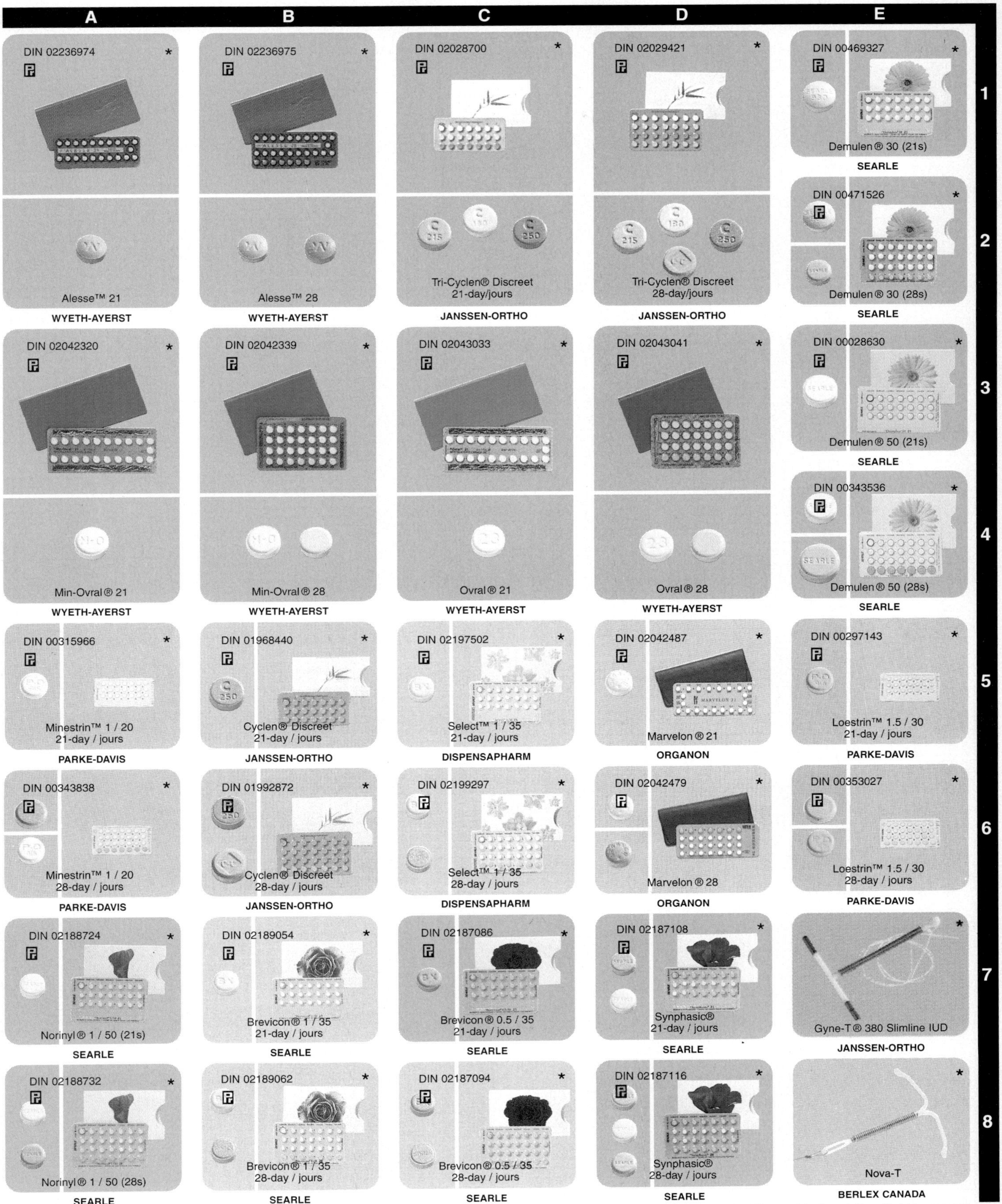

*ILLUSTRATION LESS THAN ACTUAL SIZE / ILLUSTRATION RÉDUITE

Use code A, B, C, D, E, horizontal bar and 1 to 8 vertical bar to locate illustrated products

Utiliser le code A, B, C, D, E de la ligne horizontale et les chiffres 1 à 8 de la ligne verticale pour repérer les produits illustrés

	A	B	C	D	E
1	DIN 01913328 * Nasacort® Nasal Aerosol — RHÔNE-POULENC RORER	DIN 02163721 * Combivent™ Inhalation Aerosol — BOEHRINGER INGELHEIM	DIN 00576158 * Atrovent® Inhalation Aerosol — BOEHRINGER INGELHEIM	DIN 02174731 * Flovent® 25 µg — GLAXO WELLCOME	DIN 00893683 * Beclovent® Inhaler 50 µg — GLAXO WELLCOME
2	DIN 02174758 * Flovent® 50 µg — GLAXO WELLCOME	DIN 02174766 * Flovent® 125 µg — GLAXO WELLCOME	DIN 02174774 * Flovent® 250 µg — GLAXO WELLCOME	DIN 02215055 * Becloforte® Inhaler 250 µg — GLAXO WELLCOME	DIN 02136139 * Serevent® Inhalation Aerosol — GLAXO WELLCOME
3	DIN 02213478 * Ventolin® 100 µg — GLAXO WELLCOME	DIN 02214997 * Ventodisk® 200 µg — GLAXO WELLCOME	DIN 02215004 * Ventodisk® 400 µg — GLAXO WELLCOME	DIN 02213710 * Beclodisk® 100 µg — GLAXO WELLCOME	DIN 02213729 * Beclodisk® 200 µg — GLAXO WELLCOME
4	DIN 02214261 * Serevent® Diskhaler — GLAXO WELLCOME	DIN 02229099 * Pulmicort® Nebuamp® 0.125 mg — ASTRA	DIN 01978918 * Pulmicort® Nebuamp® 0.25 mg / mL — ASTRA	DIN 01978926 * Pulmicort® Nebuamp® 0.5 mg / mL — ASTRA	DIN 02237246 * Flovent® Diskus® 250 µg — GLAXO WELLCOME
5	DIN 02231129 * Serevent® Diskus® 50 µg — GLAXO WELLCOME	DIN 00786616 * Bricanyl® Turbuhaler® — ASTRA	DIN 00852074 * Pulmicort® Turbuhaler® 100 µg — ASTRA	DIN 00851752 * Pulmicort® Turbuhaler® 200 µg — ASTRA	DIN 00851760 * Pulmicort® Turbuhaler® 400 µg — ASTRA
6	DIN 02237225 * Oxeze® Turbuhaler® 6 µg — ASTRA	DIN 02237224 * Oxeze® Turbuhaler® 12 µg — ASTRA	DIN 02230898 * Foradil® 12 µg — NOVARTIS PHARMACEUTICALS	DIN 02024152 * Diflucan™ Powder for Oral Suspension — PFIZER	DIN 02223724 * Zithromax™ Powder for Oral Suspension — PFIZER
7	DIN 02231527 Duphalac® — SOLVAY PHARMA	DIN 01943049 Ceftin® 125 mg / 5 mL Oral Suspension — GLAXO WELLCOME	DIN 02145286 Ceftin® 250 mg Sachet — GLAXO WELLCOME	DIN 01938169 Tylenol® Cold Medications Extra Strength Cold and Flu (honey lemon) — McNEIL CONSUMER PRODUCTS	DIN 00517909 Vitathion®-A.T.P. Granules — SERVIER
8	DIN 00836354 * Prepulsid® Suspension — JANSSEN-ORTHO		DIN 02236950 * Risperdal® Oral Solution — JANSSEN-ORTHO		DIN 01913999 Symmetrel® Syrup / sirop — DUPONT PHARMA

*ILLUSTRATION LESS THAN ACTUAL SIZE / ILLUSTRATION RÉDUITE

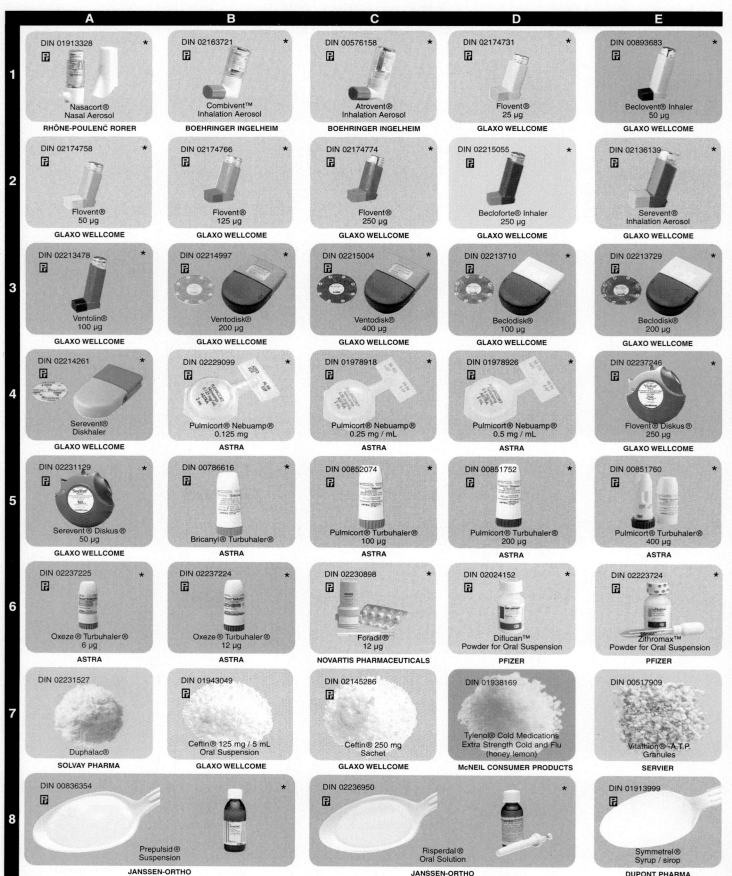

Use code A, B, C, D, E, horizontal bar and 1 to 8 vertical bar to locate illustrated products

Utiliser le code A, B, C, D, E de la ligne horizontale et les chiffres 1 à 8 de la ligne verticale pour repérer les produits illustrés

	A	B	C	D	E
1	DIN 02035421 Pr Ventolin® Oral / liquide GLAXO WELLCOME	DIN 00600784 Pr Zaditen® Syrup / sirop NOVARTIS PHARMACEUTICALS	DIN 00027375 Pr Mellaril® Suspension NOVARTIS PHARMACEUTICALS	DIN 02192691 Pr 3TC® Oral Solution 10 mg/mL GLAXO WELLCOME	DIN 02229639 Pr Zofran® Oral Solution / solution orale GLAXO WELLCOME
2	DIN 00027359 Pr Mellaril® Solution NOVARTIS PHARMACEUTICALS	DIN 00782386 Pr Zantac® Oral Solution / solution orale GLAXO WELLCOME	DIN 01944355 Combantrin® Suspension PFIZER CONSUMER	DIN 02217422 Pr Mepron® Suspension GLAXO WELLCOME	DIN 02194333 Pr Tegretol® Suspension NOVARTIS PHARMACEUTICALS
3	DIN 02049562 Calcium-Sandoz® Syrup / sirop NOVARTIS CONSUMER HEALTH	DIN 02236894 Motrin® (Children's) Suspension McNEIL CONSUMER PRODUCTS	DIN 01916564 (N) Hycomine® Syrup / sirop DUPONT PHARMA	DIN 02039982 Tylenol® Cold Medications Children's Suspension McNEIL CONSUMER PRODUCTS	DIN 02039990 Tylenol® Cold Medications Children's DM Suspension McNEIL CONSUMER PRODUCTS
4	DIN 02229538 Tylenol® Decongestant Liquid McNEIL CONSUMER PRODUCTS	GP 02176297 Tylenol® Children's Suspension Liquid (bubble gum)160 mg McNEIL CONSUMER PRODUCTS	DIN 00443832 Pr Depakene® Syrup / sirop ABBOTT	GP 00852740 Tylenol® Children's Elixir 160 mg McNEIL CONSUMER PRODUCTS	DIN 01916580 (N) Hycodan® Syrup / sirop DUPONT PHARMA
5	DIN 02163942 (N) * Tylenol® with Codeine Elixir JANSSEN-ORTHO		DIN 00608734 Lansoÿl® Gel / gelée AXCAN PHARMA	DIN 00608734 Lansoÿl® Jelly Unidose / gelée unidose AXCAN PHARMA	GP 02046040 Tylenol® Children's Suspension Liquid (grape) 160 mg McNEIL CONSUMER PRODUCTS
6	DIN 01916521 (N) Hycomine®-S Pediatric Syrup / sirop pédiatrique DUPONT PHARMA	DIN 01959646 (N) Cocaine HCl Topical Solution / Chlorhydrate de cocaine solution topique BDH	DIN 02182424 * Tylenol® Cold Medications Infant's Suspension McNEIL CONSUMER PRODUCTS	GP 02046059 * Tylenol® Infant's Suspension Drops (grape) McNEIL CONSUMER PRODUCTS	GP 02176289 * Tylenol® Infant's Suspension Drops (cherry) McNEIL CONSUMER PRODUCTS
7	DIN 00756849 Pr * CG DWD Estraderm® 25 µg Patches NOVARTIS PHARMACEUTICALS	DIN 00756857 Pr * CG EFE Estraderm® 50 µg Patches NOVARTIS PHARMACEUTICALS	DIN 00756792 Pr * CG FBF Estraderm® 100 µg Patches NOVARTIS PHARMACEUTICALS	DIN 02204401 Pr * Vivelle® 37.5 mg Patches NOVARTIS PHARMACEUTICALS	DIN 02204428 Pr * Vivelle® 50 mg Patches NOVARTIS PHARMACEUTICALS
8	DIN 02065738 Pr * Nicotrol® 5 mg/16 h Patches JOHNSON & JOHNSON • MERCK	DIN 02065754 Pr * Nicotrol® 10 mg/16 h Patches JOHNSON & JOHNSON • MERCK	DIN 02065762 Pr * Nicotrol® 15 mg/16 h Patches JOHNSON & JOHNSON • MERCK	DIN 02204436 Pr * Vivelle® 75 mg Patches NOVARTIS PHARMACEUTICALS	DIN 02204444 Pr Vivelle® 100 mg Patches NOVARTIS PHARMACEUTICALS

*ILLUSTRATION LESS THAN ACTUAL SIZE / ILLUSTRATION RÉDUITE

Use code A, B, C, D, E, horizontal bar and 1 to 8 vertical bar to locate illustrated products

Utiliser le code A, B, C, D, E de la ligne horizontale et les chiffres 1 à 8 de la ligne verticale pour repérer les produits illustrés

1

A1 — DIN 01911910 *

Nitro-Dur® 0.2 mg/h Patches
KEY

B1 — DIN 02213370 *

Nitro-Dur® 0.3 mg/h Patches
KEY

C1 — DIN 01911902 *

Nitro-Dur® 0.4 mg/h Patches
KEY

D1 — DIN 01911929 *
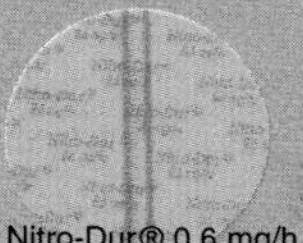
Nitro-Dur® 0.6 mg/h Patches
KEY

E1 — DIN 02011271 *
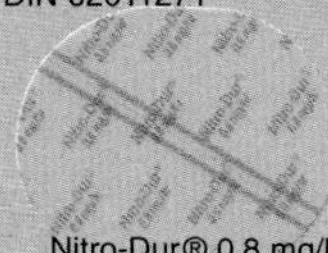
Nitro-Dur® 0.8 mg/h Patches
KEY

2

A2 — DIN 00584223 *

CG DOD
Transderm-Nitro® 0.2 Patches
NOVARTIS PHARMACEUTICALS

B2 — DIN 00852384 *

CG DPD
Transderm-Nitro® 0.4 Patches
NOVARTIS PHARMACEUTICALS

C2 — DIN 02046156 *

CG EJE
Transderm-Nitro® 0.6 Patches
NOVARTIS PHARMACEUTICALS

D2 — DIN 01943057 * Ⓟ

CG CWC
Habitrol® 7 mg Patches
NOVARTIS CONSUMER HEALTH

E2 — DIN 01943065 * Ⓟ

CG FEF
Habitrol® 14 mg Patches
NOVARTIS CONSUMER HEALTH

3

A3 — DIN 02162806 *

Minitran™ 0.2 mg/h Patches
3M PHARMACEUTICALS

B3 — DIN 02163527 *

Minitran™ 0.4 mg/h Patches
3M PHARMACEUTICALS

C3 — DIN 02163535 *

Minitran™ 0.6 mg/h Patches
3M PHARMACEUTICALS

D3 — DIN 02108186 * Ⓟ
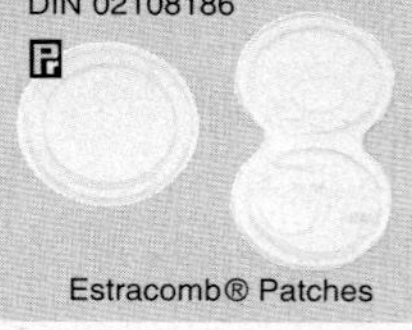
Estracomb® Patches
NOVARTIS PHARMACEUTICALS

E3 — DIN 01943073 * Ⓟ
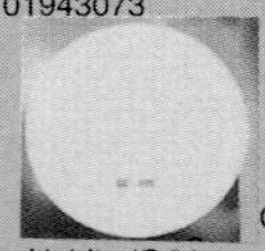
CG EME
Habitrol® 21 mg Patches
NOVARTIS CONSUMER HEALTH

4

A4 — DIN 02057794 *

EMLA® Patches
ASTRA

B4 — DIN 01937383 * Ⓝ

Duragesic® 25 Patches
JANSSEN-ORTHO

C4 — DIN 01937391 * Ⓝ
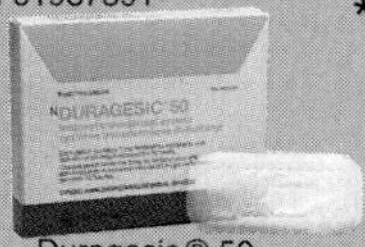
Duragesic® 50 Patches
JANSSEN-ORTHO

D4 — DIN 01937405 * Ⓝ
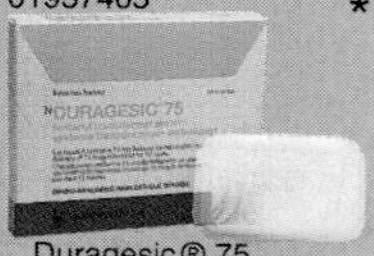
Duragesic® 75 Patches
JANSSEN-ORTHO

E4 — DIN 01937413 * Ⓝ
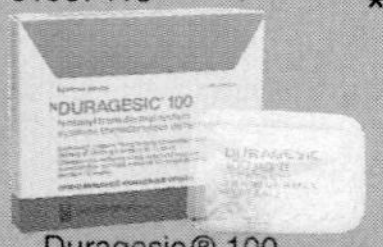
Duragesic® 100 Patches
JANSSEN-ORTHO

5

A5 — DIN 02231509 * Ⓟ

Climara® 3.9 mg Patches
BERLEX CANADA

B5 — DIN 02231510 * Ⓟ

Climara® 7.8 mg Patches
BERLEX CANADA

C5 — DIN 02237726
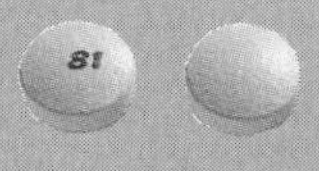
Coated Aspirin® Daily Low Dose
BAYER

D5 — DIN 02237900
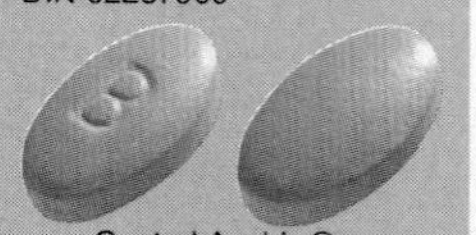
Coated Aspirin® Super Extra Strength
BAYER

E5 — DIN 02238151 Ⓟ
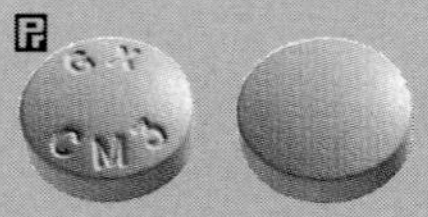
Malarone™
GLAXO WELLCOME

6

A6 — Ⓟ

Plavix™ 75 mg
SANOFI / BMS

B6 — DIN 02231347 Ⓟ

Sporanox® Oral Solution
JANSSEN-ORTHO

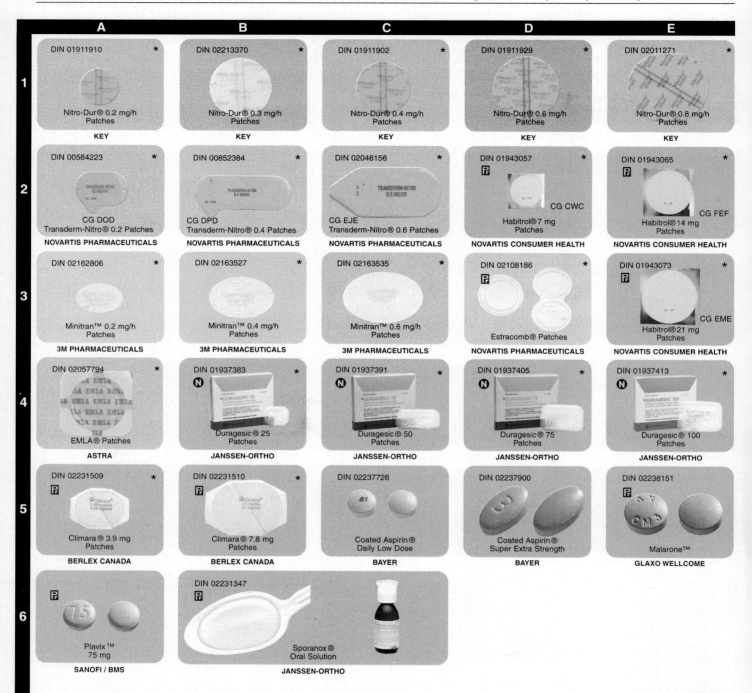

7

8

*ILLUSTRATION LESS THAN ACTUAL SIZE / ILLUSTRATION RÉDUITE

INDEX DES FABRICANTS

Cette section comprend les noms, adresses, numéros de téléphone et de télécopieur des fabricants et distributeurs canadiens de préparations pharmaceutiques. Pour plus d'informations sur les médicaments énumérés dans cet index, on recommande aux lecteurs de consulter la section des monographies du CPS.

LABORATOIRES ABBOTT LIMITÉE

Siège social:

8401, route Transcanadienne
Saint-Laurent QC H4S 1Z1
C.P. 6150, succ. A
Montréal QC H3C 3K6
Tél.: (514) 832-7000
Tél. sans frais (au Canada): 1-800-361-7852
Téléc.: (514) 832-7800

Bureau de commandes (Montréal):

Hôpital/Établissement de santé:
Tél. (tous codes régionaux): 1-888-832-7755
Tél. (Montréal): (514) 832-7755

Détail/Pharmacie:
Tél. (tous codes régionaux): 1-800-567-2226
Tél. (Montréal): (514) 832-7333

Centres de distribution:

Dartmouth:
47, av. Fielding
Dartmouth NS B3B 1E3
Tél.: (902) 468-5906
Téléc.: (902) 468-9251

Terre-Neuve:
Provincial Medical Supplies
51, Pl. Pippy, C.P. 13427
Saint-Jean NF A1B 4B7
Tél.: (709) 754-3033
Tél. sans frais: 1-800-563-8755
Téléc.: (709) 754-3014

Edmonton:
16607–116e av.
Edmonton AB T5M 3V1
Tél.: (403) 451-4297
Téléc.: (403) 455-7275

Montréal:
5685, rue Cypihot
Saint-Laurent QC H4S 1R3
Tél.: (514) 340-7900
Téléc.: (514) 337-2811

Toronto:
7115, ch. Millcreek
Mississauga ON L5N 3R3
Tél. (905) 821-4912
Tél. sans frais: 1-800-263-5922
Téléc.: (905) 821-3284

Vancouver:
7403 Progress Way
Delta BC V4G 1E7
Tél.: (604) 940-4148
Téléc.: (604) 940-4102

Winnipeg:
989, rue A. Keewatin
Winnipeg MB R2X 2X4
Tél.: (204) 633-1094
Téléc.: (204) 694-2380

Usines:

Usine principale:
5400, ch. Côte-de-Liesse
Montréal QC H4P 1A5
Tél.: (514) 341-6880
Téléc.: (514) 341-6803

Usine de Toronto:
500, ch. Oakdale
Downsview ON M3N 1W5
Tél.: (416) 745-0411
Téléc.: (416) 745-5895

Usine de Wolsley:
551, rue Garnet
Wolseley SK S0G 5H0
Tél.: (306) 698-2518
Téléc.: (306) 698-2812

Service à la clientèle (Saskatchewan seulement):

Tél. sans frais: 1-800-667-8969 (poste 10)

Division des produits hospitaliers (DPH)

Dopamine (chlorhydrate) et dextrose, soluté injectable
Enflurane
Gentamicine (sulfate) avec chlorure de sodium à 0,9 %, injectable
Héparine sodique avec dextrose à 5 %, injectable
Isoflurane, USP
Mépéridine
Métronidazole, injectable
Morphine (sulfate)
Pentothal®
Propofol, injectable
Sevorane™

Solutions parentérales de petits volumes

Acyclovir sodique, injectable
A-Hydrocort
Aminophylline
Atracurium (bésylate), injectable
Atropine (sulfate)
Brétylium (tosylate), injectable
Brétylium (tosylate) et dextrose, injectable
Bupivacaïne (chlorhydrate), injectable
Calcijex®
Calcium (chlorure)
Calcium (gluconate)
Clindamycine (phosphate), injectable
Codéine (phosphate)
Dobutamine (chlorhydrate), injectable
Éphédrine (sulfate)
Épinéphrine
Ergonovine (maléate)
Erythrocin™ I.V.
Fentanyl (citrate)
Furosémide, injectable
Lidocaïne parentérale
Magnésium (sulfate)
Mannitol
Mépéridine
Morphine (sulfate)
Nembutal® sodique
Oxytocine USP, injectable
Pancuronium (bromure), injectable
Phénobarbital
Phénytoïne sodique USP, injectable
Phosphates de potassium, injectable
Potassium (chlorure)
Promazine (chlorhydrate)
Pyridoxine (chlorhydrate)
Quelicin® (chlorure), injectable
Quinidine (sulfate)
Scopolamine (bromhydrate)
Sodium (bicarbonate), injectable
Sodium (chlorure) USP, injectable
Solution de rinçage héparinée
Vérapamil Injectable
Vitamine B_{12}
Vitamine K_1

Division des produits pharmaceutiques (DPP)

Abbokinase®
Abbokinase® Open-Cath®
Biaxin®
Colchicine
Cylert®
Depakene®
EES® 200
EES® 400
EES® 600
Epival®
Epiject® I.V.
Erybid™
Erythrocin®
Erythromid®
Fero-Grad®
Hytrin®
K-Lor®
Nembutal® sodique
Norvir®
PCE®
Pediazole®
Survanta®
Tranxene®

Division des produits Ross

Siège social:

8401, route Transcanadienne
Saint-Laurent QC H4S 1Z1

C.P. 6150, succ. Centre-ville
Montréal QC H3C 3K6
Tél.: (514) 832-7000
Tél. sans frais: indicatifs régionaux 416/418/506/514/519/613/705/819/902: 1-800-361-7852;
Tél. sans frais: indicatifs régionaux 204/306/403/604/709/807: 1-800-361-7894
Téléc.: (514) 340-9219

Alimentum®
Isomil®, Préparations
Pedialyte®
Pedialyte® Bâtons Glacés
Pediasure™
Similac® LF

Laboratoires Abbott Limitée: Réactifs diagnostiques: Division des produits de diagnostiques
7115, ch. Millcreek
Mississauga ON L5N 3R3
Tél.: (905) 858-2450
Tél. sans frais: 1-800-387-8378
Téléc.: (905) 858-2462

Produits cardiovasculaires

Abbokinase®
Hytrin®

Surveillance des taux plasmatiques des médicaments

Lidocaïne parentéral
Phénobarbital
Quinidine (sulfate)

Distributeur canadien pour:
TAP Pharmaceuticals
North Chicago IL 60064 É.-U.

Lupron Dépôt® 3,75 mg
Lupron®/Lupron® Dépôt 3,75 mg/7,5 mg
Lupron®/Lupron® Dépôt® 7,5 mg/22,5 mg
Prevacid®

ALBERT PHARMA INC.

2100 Syntex Court
Mississauga ON L5N 3X4

Relation avec la clientèle:

Tél. sans frais: 1-800-337-2584
Téléc. sans frais: 1-800-361-7141

Albert® Docusate *
Albert® Glyburide *
Albert® Oxybutynin *
Albert® Pentoxifylline *
Albert® Tiafen *
Albert® Tiafen SR

* *Distribué par AltiMed Pharmaceutical Company*

ALCON CANADA INC.

2145, boul. Meadowpine
Mississauga ON L5N 6R8
Tél.: (905) 826-6700
Tél. sans frais: 1-800-268-4574;
(Québec): 1-800-387-8184
Téléc.: (905) 826-1448/567-0592

Information médicale:

Sans frais: 1-800-613-2245

AlcaineMD
AlcomicinMD
Alomide®
AtropineMC, pommade
BetopticMD S
Bion TearsMD
BSSMD
BSSMD Plus
CetamideMD
CiloxanMD
CyclogylMD
DPEMD
DuratearsMD Naturale
EmadineMD
EnucleneMC
Eye-StreamMD
FlarexMD
FluoresciteMD
Iopidine® 0,5 %
Iopidine® 1 %
IsoptoMD Atropine
IsoptoMD Carbachol
IsoptoMD Carpine
IsoptoMD Homatropine
IsoptoMD Tears
MaxidexMD
MaxitrolMD
MiostatMD
MydfrinMD
MydriacylMD
NaphconMD-A
NaphconMD Forte
PatanolMC
Pilopine HSMD
Tears NaturaleMD
Tears NaturaleMD II
Tears NaturaleMD Free
TobradexMD
TobrexMD ophtalmique
VexolMC
Zincfrin®
Zincfrin®-A

LABORATOIRE ALLEREX LTÉE

580, prom. Terry Fox, bureau 408
Kanata ON K2L 4B9
Tél.: (613) 592-8200
Téléc.: (613) 592-6347

EpiPen®
EpiPen® Jr.

ALLERGAN INC.

110, prom. Cochrane
Markham ON L3R 9S1
Tél.: (905) 940-1660
Téléc.: (905) 940-1902

Renseignements médicaux/
Notification d'événement indésirable:

Tél.: (905) 940-7164
Tél. sans frais: 1-877-ALLERGAN (255-3746)

Renseignements sur le produit Botox®:

Tél. sans frais: 1-800-433-8871

Acular®
Albalon®-A Liquifilm®
AlphaganMC
Betagan®
Blephamide®
Botox®
Cellufresh®
Cellufresh® M-D™
CelluviscMD
Fluoroplex®
FML Forte®
FML® Liquifilm®
Herplex®
Herplex®-D
Lacri-Lube® S.O.P.®
Liquifilm® Forte
Liquifilm® Tears
Mireze®
Naftin®, Préparations
OcufenMD
OcufloxMC
Ophthetic®
Opticrom®
PolytrimMD
Pred Forte®
Pred Mild®
Probeta®
Propine®
Pro•Tec SportMC
Refresh™
TazoracMC
Tears Plus®

ALTIMED PHARMACEUTICAL COMPANY

auparavant Kenral et SynCare

2100 Syntex Court, bureau 100
Mississauga ON L5N 3X4
Tél.: (905) 821-7610
Tél. sans frais: 1-800-266-ALTI (2584)
Téléc.: (905) 542-5170
Téléc. sans frais: 1-800-881-5175
Adresse Web: www.altimed.com

Service à la clientèle:

Tél. sans frais: 1-800-337-ALTI (2584)
Téléc. sans frais: 1-800-361-7141
Courriel: clients@altimed.com

Information médicale:

Courriel: medinfo@altimed.com

Alti-Acyclovir
Alti-Alprazolam
Alti-Amiloride HCTZ
Alti-Azathioprine
Alti-Beclomethasone, aérosol pour inhalation
Alti-Beclomethasone, suspension aqueuse
Alti-Benzydamine
Alti-Bromazepam
Alti-Captopril
Alti-Cholestyramine Léger
Alti-Clobetasol
Alti-Clonazepam
Alti-CPA
Alti-Cyclobenzaprine
Alti-Desipramine
Alti-Diltiazem
Alti-Diltiazem CD
Alti-Domperidone
Alti-Doxepin
Alti-Doxycycline
Alti-Flurbiprofen
Alti-Fluvoxamine
Alti-Ibuprofen
Alti-Ipratropium
Alti-Mexiletine
Alti-Minocycline
Alti-Moclobemide
Alti-MPA
Alti-Nadolol
Alti-Orciprenaline
Alti-Piroxicam
Alti-Prazosin
Alti-Ranitidine
Alti-Salbutamol
Alti-Salbutamol Sulfate
Alti-Sotalol
Alti-Sulfasalazine
Alti-Terazosin
Alti-Trazodone
Alti-Trazodone Dividose
Alti-Triazolam
Alti-Tryptophan
Alti-Valproic
Alti-Verapamil
Gemfibrozil
Naxen®
Ophtho-Bunolol®
Ophtho-Chloram®
Ophtho-DipivefrinMC
Ophtho-Tate®
Synflex®
Synflex® DS

ALZA CANADA

2900, rue John, Unit 1
Markham, ON L3R 5G3
Tél.: (905) 475-9777
Tél. sans frais: 1-800-668-3535
Téléc.: (905) 475-2996

Ditropan®
ElmironMD
Polycitra-K®

AMGEN CANADA INC.

6733, rue Mississauga, bureau 303
Mississauga ON L5N 6J5
Tél.: (905) 542-7277
Tél. sans frais au Canada: 1-800-665-4273;
Québec: 1-800-565-9654
Téléc.: (905) 542-7450

Commandes:

Tél. (Toronto): (905) 847-8113
Tél. sans frais: 1-800-563-9798
Téléc. sans frais: 1-800-495-3187

Neupogen®

APOTEX INC.

150, prom. Signet
Weston ON M9L 1T9
Tél.: (416) 749-9300
Tél. sans frais au Canada: 1-800-268-4623
Téléc.: (416) 749-9578

Commandes:

Toronto local: 749-1234
Tél. sans frais en Ont.: 1-800-668-4823
Tél. sans frais au Qué. et provinces de l'Atlantique (français): 1-800-361-1685
Téléc. sans frais: 1-800-665-2854

Renseignements médicaux:

Tél. sans frais: 1-800-667-4708
Courriel: druginfo@apotex.ca

Succursales:

2970, av. André
Dorval QC H9P 2P2
Tél.: (514) 421-9555
Tél. sans frais: 1-800-361-1685
Téléc.: (514) 421-2120
Téléc. sans frais: 1-800-665-4385

1575, boul. Inkster
Winnipeg MB R2X 1R2
Tél.: (204) 694-2661
Tél. sans frais au Man., en Sask. et dans le N.-O. de l'Ont.: 1-800-665-0370
Téléc.: (204) 694-5245

34–36 est 69e av.
Vancouver BC V5X 4K6
Tél.: (604) 324-6030
Tél. sans frais en C.-B. et en Alb.: 1-800-663-6716
Téléc.: (604) 324-0823
Téléc. sans frais: 1-800-661-8105

C.P. 5355
Saint-Jean NF A1C 5W2
Tél.: (709) 753-3362
Téléc.: (709) 753-0975

2712—37e av. nord-est
Calgary AB T1Y 5L3
Tél.: (403) 735-6195
Téléc.: (403) 735-6199

Apo®-Acebutolol
Apo®-Acetaminophen
Apo®-Acetazolamide
Apo®-Acyclovir
Apo®-Allopurinol
Apo®-Alpraz
Apo®-Amilzide
Apo®-Amitriptyline
Apo®-Amoxi
Apo®-Ampi
Apo®-ASA
Apo®-Atenol
Apo®-Baclofen
Apo®-Benztropine
Apo®-Bisacodyl
Apo®-Bromazepam
Apo®-Bromocriptine
Apo®-Buspirone
Apo®-C
Apo®-Cal
Apo®-Capto
Apo®-Carbamazepine
Apo®-Cefaclor
Apo®-Cephalex
Apo®-Chlorax
Apo®-Chlordiazepoxide
Apo®-Chlorpropamide
Apo®-Chlorthalidone
Apo®-Cimetidine
Apo®-Clomipramine
Apo®-Clonazepam
Apo®-Clonidine
Apo®-Clorazepate
Apo®-Cloxi
Apo®-Cromolyn
Apo®-Cromolyn, stérules
Apo®-Cyclobenzaprine
Apo®-Desipramine
Apo®-Diazepam
Apo®-Diclo
Apo®-Diclo SR
Apo®-Diflunisal
Apo®-Diltiaz
Apo®-Diltiaz CD
Apo®-Diltiaz SR
Apo®-Dimenhydrinate
Apo®-Dipyridamole FC
Apo®-Domperidone
Apo®-Doxepin
Apo®-Doxy
Apo®-Doxy-Tabs
Apo®-Erythro Base
Apo®-Erythro E-C
Apo®-Erythro-ES
Apo®-Erythro-S
Apo®-Etodolac
Apo®-Famotidine
Apo®-Fenofibrate
Apo®-Ferrous Gluconate
Apo®-Ferrous Sulfate
Apo®-Fluoxetine
Apo®-Fluphenazine
Apo®-Flurazepam
Apo®-Flurbiprofen
Apo®-Fluvoxamine
Apo®-Folic
Apo®-Furosemide
Apo®-Gain
Apo®-Gemfibrozil
Apo®-Glyburide
Apo®-Haloperidol
Apo®-Hexa
Apo®-Hydralazine
Apo®-Hydro
Apo®-Hydroxyzine
Apo®-Ibuprofen
Apo®-Imipramine
Apo®-Indapamide
Apo®-Indomethacin
Apo®-Ipravent
Apo®-ISDN
Apo®-K
Apo®-Keto
Apo®-Ketoconazole
Apo®-Keto-E
Apo®-Keto SR
Apo®-Ketotifen
Apo®-Levocarb
Apo®-Lisinopril
Apo®-Loperamide
Apo®-Lorazepam
Apo®-Lovastatin
Apo®-Loxapine
Apo®-Mefenamic
Apo®-Megestrol
Apo®-Meprobamate
Apo®-Metformin
Apo®-Methazide
Apo®-Methyldopa
Apo®-Metoclop
Apo®-Metoprolol
Apo®-Metoprolol (Type L)
Apo®-Metronidazole
Apo®-Minocycline
Apo®-Moclobemide
Apo®-Nadol
Apo®-Napro-Na
Apo®-Napro-Na DS
Apo®-Naproxen
Apo®-Nifed
Apo®-Nifed PA
Apo®-Nitrofurantoin
Apo®-Nizatidine
Apo®-Nortriptyline
Apo®-Oflox
Apo®-Oxazepam
Apo®-Oxtriphylline
Apo®-Oxybutynin
Apo®-Pen VK
Apo®-Pentoxifylline SR
Apo®-Perphenazine
Apo®-Phenylbutazone
Apo®-Pindol
Apo®-Piroxicam
Apo®-Prazo
Apo®-Prednisone
Apo®-Primidone
Apo®-Procainamide
Apo®-Propranolol
Apo®-Quinidine
Apo®-Ranitidine
Apo®-Salvent
Apo®-Selegiline
Apo®-Sotalol
Apo®-Sucralfate
Apo®-Sulfatrim
Apo®-Sulfinpyrazone
Apo®-Sulin
Apo®-Tamox
Apo®-Temazepam
Apo®-Tenoxicam
Apo®-Terazosin
Apo®-Terfenadine
Apo®-Tetra
Apo®-Theo LA
Apo®-Thioridazine
Apo®-Tiaprofenic
Apo®-Ticlopidine
Apo®-Timol
Apo®-Timop
Apo®-Tolbutamide
Apo®-Trazodone
Apo®-Trazodone D
Apo®-Triazide
Apo®-Triazo
Apo®-Trifluoperazine
Apo®-Trihex
Apo®-Trimip
Apo®-Verap
Apo®-Zidovudine
Apo®-Zopiclone

ASHBURY BIOLOGICALS INC./HERBAL LABORATORIES LTD.

4700, rue Keele
Édifice Farquharson
Toronto ON M3J 1P3
Tél.: (416) 736-5585
Tél. sans frais: 1-800-567-5060
Téléc.: (416) 736-5846

Tanacet 125MD

ASTRA PHARMA INC.

Siège social:

1004, ch. Middlegate
Mississauga ON L4Y 1M4
Tél.: (905) 277-7111
Téléc.: (905) 270-3248

Relations avec la clientèle/Renseignements sur les produits/Service des commandes:

Tél.: (905) 566-4015 (anglais)
Tél. sans frais:
1-800-461-3787 (français);
1-800-668-6000 (anglais)
Téléc.: (905) 896-4745
Téléc. sans frais: 1-800-268-0774

Service d'information médicale:

Tél.:
(905) 896-6124 (français et anglais);
(905) 896-6623 (anglais)
Tél. sans frais:
1-800-461-3787, poste 6124 (français);
1-800-668-6000, poste 6623 ou 6126 (anglais)

Astracaine®
Astracaine® Forte
Atropine (sulfate) injectable USP
Betaloc®
Betaloc® Durules®
Biquin Durules®
Bricanyl®, comprimés
Bricanyl® Turbuhaler®
Calcium (chlorure), injectable USP
Calcium (gluconate), injectable USP
Cardura-1MC, -2MC, -4MC *
Citanest® à 4 %
Citanest® à 4 % Forte
Dimenhydrinate, injectable
EMLA®, crème/timbre
Entocort®, capsules
Entocort®, lavement
Imdur®
Jectofer®
Losec®
Naropin®
Nesacaine®-CE
Oxeze® Turbuhaler
Penglobe®
Plendil®
Polocaine® à 3 %
Polocaine® 2 % et lévonordéfrine 1:20 000
Potassium (chlorure), concentré pour injection, USP
Pulmicort® Nebuamp®
Pulmicort® Turbuhaler®
Rhinocort® Aqua
Rhinocort® Turbuhaler®
Salbutamol Nebuamp®
Sensorcaine®
Sensorcaine® avec épinéphrine
Sensorcaine® Forte
Sodium (bicarbonate), injectable USP
Sodium (chlorure), en solution pour irrigation USP
Sodium (chlorure), injectable USP
Theo-Dur®
Tonocard®
Xylocaine® CO_2
Xylocaine® Endotrachéale
Xylocaine®, gelée à 2 %
Xylocaine®, pommade à 5 %
Xylocaine®, pommade dentaire à 5 %
Xylocaine® Rachidienne à 5 %
Xylocaine®, solutions dentaires
Xylocaine®, solutions parentérales
Xylocaine® à 4 %, solution stérile
Xylocaine® Topique à 4 %
Xylocaine® Topique à 5 %
Xylocaine® Visqueuse à 2 %
Xylocard®

** MC Pfizer Products Inc., employée sous licence.*

AXCAN PHARMA INC.

597, boul. Laurier
Mont St-Hilaire QC J3H 4X8
Tél.: (514) 467-5138
Tél. sans frais: ligne directe: 1-800-565-3255
Téléc.: (514) 464-9979
Courriel: axcan@axcan.com

ADEKs®, comprimés
ADEKs®, gouttes pédiatriques
Amphojel®
Basaljel®
Coptin®
Cortenema®
Lansoÿl®
Lansoÿl® sans sucre
Modulon®
Mucaine®
Salofalk®
Ultrase®
Ultrase® MT
Ursofalk®
Viokase®

BAKER CUMMINS INC.

voir «Alza Canada»

BAXTER CORPORATION

Siège social:

4 Robert Speck Pkwy, bureau 700
Mississauga ON L4Z 3Y4
Tél.: (905) 270-1125
Tél. sans frais: 1-800-387-8399
Téléc.: (905) 281-6420

Produits hospitaliers

Dopamine (chlorhydrate) et dextrose à 5 % injectable
Flagyl® 500, injectable
Gentamicine (sulfate) dans du chlorure de sodium à 0,9 %, injectable
Gentran® 40
Gentran® 70
Héparine sodique dans du dextrose à 5 %, injectable
Héparine sodique et chlorure de sodium à 0,9 %, injectable
Lidocaïne (chlorhydrate) 0,4 % et 0,8 % dans du dextrose à 5% pour perfusion i.v.
Nitroglyérine dans du dextrose à 5 %, injectable
Nutrineal™ PD4
Osmitrol®

Produits pharmaceutiques

Gent-L-Tip®
GoLytelyMC

Baxter Corporation, Hyland/ Immuno Division

Feiba® VH Immuno
Immunine® VH
Iveegam Immuno®
Tisseel® Kit VH

BAYER INC.

77, ch. Belfield
Toronto ON M9W 1G6
Tél.: (416) 248-0771
Tél. sans frais: 1-800-268-1331
Téléc.: (416) 248-1846

Information médicale et sur l'innocuité des médicaments (Division de soins de santé):

Tél. sans frais au Canada: 1-800-265-7382

Service à la clientèle (Divisions de soins de santé et des produits d'automédication):

Tél. sans frais: 1-800-268-1432
Téléc. sans frais: 1-800-567-1710

Division des produits d'automédication

ActiprofenMD
Aspirin®
Aspirin® Avec Gastraide
Aspirin® Enrobé
Aspirin® Maux de dos
Canesten®, topique
Canesten®, vaginal
Les Pierrafeu®
Midol®
Midol® Extra-Fort
Midol® SPM Extra-Fort
Myoflex®
Myoflex® Glacé Plus
One A Day® Advance, Préparations

Division de soins de santé

Adalat®
Adalat® PA 10
Adalat® PA 20
Adalat® XL®
Baycol®
BaygamMC
Bayhep BMC
BayrabMC
BaytetMC
Biltricide®
Cipro®
Cipro® I.V.
Cipro®, suspension buvable
DTIC®
Nimotop®
Nimotop® I.V.
Prandase®
Trasylol®
Tridesilon®

(Produits biologiques)

Ana-Kit®
Gamimune® N
Koāte®-HP
Kogenate®
Plasbumin®-5
Plasbumin®-25
Prolastin®
Thrombate® III

BDH INC.
Health Care Group
350, av. Evans
Toronto ON M8Z 1K5
Tél.: (416) 255-8521
Tél. sans frais: 1-800-268-0310
Téléc.: (416) 255-7453
Téléc. sans frais: 1-800-551-7052
Baclofen
Chlorure de sodium en solution pour l'inhalation
Cocaïne (chlorhydrate)
Étoposide, injectable
Metformine
Salbutamol
Timolol

LABORATOIRES D'ALLERGIE BENCARD
Une compagnie de Allergy Therapeutics (Canada) Ltd.
1345, prom. Fewster
Mississauga ON L4W 2A5
Tél.: (905) 624-6250
Tél. sans frais: 1-800-268-2038
Téléc.: (905) 624-6418
Pollinex®-R

BERLEX CANADA INC.
2260, 32e av.
Lachine QC H8T 3H4
Tél.: (514) 631-7400
Tél. sans frais: 1-800-361-0240
Téléc.: (514) 636-9177
Commandes:
Tél. sans frais: 1-888-323-7539
Téléc.: (514) 631-3879
Androcur®
Androcur® Depot
Betaseron®
Climara®
Diane®-35
Echovist®
Fludara®
Levovist®
Magnevist®
Nova-T
Osmovist®
Triquilar® 21
Triquilar® 28
Ultravist®

BERNA PRODUCTS, CORP.
Bureau chef nord-américain:
4216 Ponce de Leon Blvd.
Coral Gables, FL 33146 É.-U.
Tél. sans frais: 1-800-533-5899
Téléc. sans frais: 1-800-392-9490
MoRu-Viraten BernaMD
Mutacol Berna®
Vivotif BernaMD
Vivotif Berna® L

BIOCHEM VACCINS INC.
2323, boul. Parc Technologique
Sainte-Foy QC G1P 4R8
Tél.: (418) 650-0010
Téléc.: (418) 650-0080
Information médicale:
Tél.: (418) 650-0010
Anatoxines diphtérique et tétanique (d2T5) adsorbées
Anatoxine tétanique adsorbée
Fluviral®
Fluviral S/F®
PacisMD *

** Fabriqué par BioChem Vaccins Inc. Disbribué par Faulding (Canada) Inc.*

BIOMATRIX MEDICAL CANADA INC.
275, av. Labrosse
Pointe-Claire QC H9R 1A3
Tél.: (514) 697-8851
Tél. sans frais : 1-800-263-8851
Téléc.: (514) 697-3670
Synvisc® *

** Développé par Biomatrix Inc. et fabriqué par Biomatrix Medical Canada Inc. Distribué par Rhône-Poulenc Rorer Canada Inc.*

BIONICHE INC.
383, rue Sovereign
London ON N6M 1A3
Tél.: (519) 453-0641
Tél. sans frais: 1-800-567-2028
Téléc.: (519) 453-2418
Ampicilline sodique
Atropine, injectable
Bleu de méthylène
Carbachol
Ceporacin®
Chlorpromazine (chlorhydrate), injectable
Crystapen® (tamponné)
Cystistat®
Dextrose 50 %, injectable
Dimenhydrinate, injectable
Épinéphrine, injectable
Ergonovine (maléate)
Histamine
Lidocaïne parentérale
Parvolex®
Prométhazine (chlorhydrate), injectable
Succinylcholine (chlorure), injectable
Suplasyn®
Thiamine (chlorhydrate), injectable

BLOCK DRUG COMPANY (CANADA) LTD.
7600 cres. Danbro
Mississauga ON L5N 6L6
Tél.: (905) 542-9527
Téléc.: (905) 542-7785
Baby's OwnMC, eau anticoliques
Baby's OwnMC, gel de dentition
Baby's OwnMC, gouttes pour bébés
Baby's OwnMC, onguent
Beano®
NytolMC
NytolMC Ultra-fort
NytolMC d'origine naturelle

BOEHRINGER INGELHEIM (CANADA) LTÉE
5180, ch. South Service
Burlington ON L7L 5H4
Tél.: (905) 639-0333
Tél. sans frais: 1-800-263-9107
Téléc.: (905) 639-3769
Information médicale:
Tél.: (905) 639-4633 (4-MED)
Tél. sans frais: 1-800-263-5103, poste 4633 (4-MED)
Service à la clientèle:
Tél. sans frais: 1-800-263-BICL (2425)
Commandes et centres de distribution:
(BC, AB, SK, MB, ON, QC)
Tél. sans frais: 1-800-263-BICL (2425)
Téléc.: (905) 634-4421
Téléc. sans frais: 1-800-665-3405
Provinces de l'Atlantique:
Tél.: (506) 861-0270
Tél. sans frais: 1-800-561-3933
Téléc.: (506) 861-0273
Alupent®, Préparations
Asasantine®
Atrovent®, aérosol pour inhalation
Atrovent®, atomiseur nasal
Atrovent®, solution pour inhalation
Berotec®, aérosol pour inhalation
Berotec® Forte, aérosol pour inhalation
Berotec®, solution pour inhalation
Bronalide®
Buscopan®
Catapres®
Combivent®, aérosol pour inhalation
Combivent®, solution pour inhalation
Dixarit®
Duovent® UDV
Flomax®
Mexitil®
Mirapex®
Oramorph SRMC
Paclitaxel, injectable
Persantine®

BOEHRINGER INGELHEIM (CANADA) LTÉE, DIVISION D'AUTOMÉDICATION
5180, ch. South Service
Burlington ON L7L 5H4
Tél.: (905) 637-7800
Tél. sans frais: 1-800-263-9107
Téléc.: (905) 639-5293
Information médicale:
Tél.: (604) 261-0611
Tél. sans frais: 1-800-958-9966
Commandes et centres de distribution:
Tél. sans frais: 1-800-381-WELL (9355)
Téléc.: (905) 634-4421
Téléc. sans frais: 1-800-665-3405
Dulcolax®

BOEHRINGER MANNHEIM (CANADA) LTÉE
voir «Hoffmann-La Roche Limitée»

BRISTOL
voir «Bristol-Myers Squibb Canada Inc.»

BRISTOL-MYERS SQUIBB CANADA INC.
Siège social:
2365, ch. Côte-de-Liesse
Montréal QC H4N 2M7
Tél.: (514) 333-3200
Téléc.: (514) 335-4102
Information générale:
Tél. sans frais: 1-800-267-1088
Information médicale: poste 2269/4302
Notification d'effets indésirables: poste 2274/4215
Tél. sans frais: 1-800-267-1088
Téléc.: (514) 331-8880

Commandes:

Tél. sans frais: 1-800-361-7124

Service à la clientèle:

Tél. sans frais: 1-800-267-0005

Laboratoires Bristol du Canada

Amikin®
Ampicin®
BiCNU®
Blenoxane®
Buspar®
CeeNU®
Cytoxan®
Desyrel®
Desyrel® Dividose
Duricef™
Ifex®
Lysodren
Megace®
Megace® OS
Mutamycin®
Paraplatin-AQ
Platinol-AQ®
Questran®
Questran® léger
Quibron® -T
Quibron®-T/SR
Sotacor®
Tegopen®
Uromitexan^MC
Vepesid®
Videx^MC
Vumon® parentéral
Yutopar®

Bristol-Myers Squibb

Cefzil^MD
Maxipime^MD
Monopril™
Serzone®
Stadol NS^MD
Taxol^MD
Zerit^MD

Bristol-Myers Squibb/Sanofi Canada

Avapro^MC [a]
Plavix™ [a,b]

Squibb Canada

Capoten™
Corgard®
Delatestryl®
Delestrogen®
Fungizone® Intraveineux
Hydrea®
Modecate®
Modecate® Concentré
Moditen® (chlorhydrate)
Moditen® Énanthate
Mycostatin®, Préparations
Orabase®
Orahesive®
Pravachol®
Pronestyl®
Pronestyl®-SR
Rubramin®

[a] *Découvert par Sanofi Research. Distribué par Bristol-Myers Squibb/Sanofi Canada.*
[b] *Contactez Sanofi Canada Inc. pour renseignements sur le produit.*

CANDERM PHARMA INC.

5353, boul. Thimens
Saint-Laurent QC H4R 2H4
Tél.: (514) 334-3835
Téléc.: (514) 334-7078
Courriel: mail@canderm.com

Condyline™
Micanol®
NeoStrata™ AHA, Préparations
UltraMOP™, capsules
UltraMOP™, lotion
Ultraquin™, Préparations

CANGENE CORPORATION

104, ch. Chancellor Matheson
Winnipeg MB R3T 5Y3
Tél.: (204) 989-6850
Téléc.: (204) 269-7003

WhinRho SDF^MC

CARNATION NUTRITIONAL PRODUCTS

voir «Nesté, Carnation»

CARTER HORNER INC.

Siège social:

6600, rue Kitimat
Mississauga ON L5N 1L9
Tél. (Toronto): (905) 826-6200
Tél. sans frais: 1-800-387-2130
Téléc.: (905) 826-0389

Service à la clientèle et commandes:

5485, ch. Ferrier
Montréal QC H4P 1M6
Tél. (Montréal): (514) 731-3931
Tél. sans frais: 1-800-361-5541
Tél. sans frais: 1-800-GRAVOL8 (1-800-472-8658)
Téléc. (Montréal): (514) 738-4124

Renseignements médicaux:

Tél.: (514) 731-3931
Tél. sans frais: 1-800-361-5541
Télécopieur: (514) 738-5509

Antiphlogistine Rub A-535
Antiphlogistine Rub A-535 Capsaïcine
Antiphlogistine Rub A-535 Glacé
Antiphlogistine Rub A-535 Inodore
Atasol®, Préparations
Atasol®-8, -15, -30
Bionet®
Butisol® sodique
Depen®
Diovol®
Diovol® Ex
Diovol Plus®
Diovol Plus® AF
Fermentol®
Gravergol®
Gravol®, Préparations
Honvol®
Infantol®
Kemsol®
Maltlevol®/Maltlevol®-12
Maltlevol®-M
Ovol®
Peptol®
Procytox®
Soma®
Somnol®
Thyro-Block®
Univol®
Urasal®
Vivol®
VōSol®
VōSol® HC

LES LABORATOIRES CHARTON

voir «Technilab Inc.»

CHATTEM (CANADA) INC.

2220, ch. Argentia
Mississauga ON L5N 2K7
Tél.: (905) 821-4975
Téléc.: (905) 821-0544

Acnomel®
Acnomel®, masque antiacné
Flexall®
Felxall® en bâton
Pamprin®
Pamprin® extra-fort
Pamprin® SPM

CIBA, AUTOMÉDICATION

voir «Novartis Santé Familiale Canada Inc.»

CIBA, SPÉCIALITÉS PHARMACEUTIQUES

voir «Novartis Pharma Canada Inc.»

CIBA VISION CANADA INC.

2150 Torquay Mews
Mississauga ON L5N 2M6
Tél.: (905) 821-4774
Téléc.: (905) 821-8106

Commandes:

Tél. sans frais: 1-888-366-2206

AquaSite^MC
Atropine
Atropisol®
Carbastat®
E-Pilo®
Gentacidin®
Genteal®
Hypotears®
Hypotears®, onguent oculaire
ICAPS®
ICAPS Action prolongée^MC
Inflamase® Forte
Inflamase® Mild
Livostin^MD, gouttes ophtalmiques
Miocarpine®
Miochol®-E
Ophtrivin-A®
Polycidin^MC, gouttes ophtalmiques/otiques
Polycidin^MC, onguent ophtalmique
TearDrops®
Vasocidin®
Vasocon®
Vasocon-A®
Voltaren Ophtha®

CLINTEC

Une division de Baxter Corporation

4 Robert Speck Pkwy, bureau 700
Mississauga ON L4Z 3Y4
Tél.: (905) 270-1125
Tél. sans frais: 1-800-387-8399
Téléc.: (905) 281-6560

Alimentation parentérale

Primene®
Travasol®

CONNAUGHT LABORATORIES LIMITED

voir «Pasteur Mérieux Connaught Canada »

CRYSTAAL CORPORATION
Subsidiaire de Biovail Corporation International

2480, prom. Dunwin
Mississauga ON L5L 1J9
Tél. (905) 607-6555
Téléc.: (905) 607-3555

Commandes:

Tél. sans frais (de 8h30 à 19h30, heure de l'est): 1-888-214-6001
Téléc. (24 heures): (905) 607-3555

Tiazac®

CYTEX PHARMACEUTICALS INC.
5545, rue Macara
Halifax NS B3K 1W1
Tél.: (902) 453-1230
Tél. sans frais: 1-888-453-1230
Téléc.: (902) 453-5753
Courriel: cytex@netcom.ca

DERMIK LABORATORIES CANADA INC.
Siège social:

6205, ch. Airport, Édifice B
Bureau 100
Mississauga ON L4V 1E1
Tél.: (905) 677-6399
Téléc.: (905) 677-6397

Centre de distribution:

4707, rue Lévy
Ville St-Laurent QC H4R 2P9
Tél. sans frais: 1-800-361-1141
Téléc. sans frais: 1-800-267-0329

10 Benzagel®, gel contre l'acné
Benzamycin®
Noritate®
Postacné®
Sulfacet-R®
Vitamin A Acid
Zetar®, Préparations

DERMTEK PHARMACEUTIQUE LTÉE
1600, route Transcanadienne
Dorval QC H9P 1H7
Tél.: (514) 685-3333
Tél. sans frais: 1-800-465-8383
Téléc.: (514) 685-8828

Acnex®
Dilusol®
Pramox® HC
Reversa® AHA, Préparations
Sebcur®
Sebcur/T®
Soluver®
Soluver®-Plus

DESBERGERS LIMITÉE
Siège social et usine:

8480, boul. Saint-Laurent
Montréal QC H2P 2M6
Tél.: (514) 381-5631
Tél. sans frais: 1-800-361-3808
Téléc.: (514) 383-4493
Courriel: sylviet@rougier.com

Laboratoires et usine:

1000, boul. Industriel
Chambly QC J3L 3H9
Tél.: (514) 658-1704

Livingston Distribution Centres Inc.

320, prom. Edimburgh
Moncton NB E1C 8P2
Tél.: (506) 857-4960

7403 Progress Way
Delta BC V4G 1E7
Tél.: (604) 940-4116

4441-76e, av. sud-est
Calgary AB T2C 2G8
Tél.: (403) 279-2700

10 Corinne Court
Vaughan ON L4K 4T7
Tél.: (905) 879-0114

Northwest Drug Co. Ltée
966, rue Powell
Winnipeg MB R3H OH6
Tél.: (204) 633-9502

Ascofer®
Théophylline, solution

LES LABORATOIRES DIOPTIC
Division des Produits pharmaceutiques Akorn Canada Ltée

1405, rue Denison
Markham ON L3R 5V2
Tél.: (905) 513-6393
Tél. sans frais: 1-800-465-3845
Téléc.: (905) 415-1440 / (905) 415-0827

Commandes:

Tél. sans frais: 1-800-465-3845

Atropine
Diocaine
Diocarpine
Diochloram
Diodex
Diofluor®, injection
Diofluor Strips®
Diogent, onguent
Diogent, solution
Diomycin
Dionephrine
Diopentolate
Diophenyl-T
Diopred
Dioptimyd
Dioptrol
Diosulf
Diotrope
Fluoracaine™
Tears Encore®
Tim-Ak

DISPENSAPHARM
Une unité de Monsanto Canada Inc.

2233, ch. Argentia
Mississauga ON L5N 2X7
Tél.: (905) 819-9666
Téléc.: (905) 819-9994

La Tour Digital
3333 Côte-Vertu, bureau 202
Ville St-Laurent QC H4R 2N1
Tél.: (514) 856-7470
Tél. sans frais: 1-800-263-1705
Téléc.: (514) 745-2919

Commandes:

Toronto & les environs:
Tél.: (905) 819-9311
Tél. sans frais: 1-800-263-1705
Téléc.: (905) 819-9344

Information médicale:

Tél.: (905) 814-2421
Tél. sans frais: 1-800-387-7942

Select^MC 1/35

LABORATOIRES DORMER INC.
91, rue Kelfield, Unité 5
Rexdale ON M9W 5A3
Tél.: (416) 242-6167
Tél. sans frais: 1-800-363-5040
Téléc.: (416) 242-9487

Cantharone®
Cantharone Plus®
X-Tar®
Z-Plus®

DRAXIS HEALTH INC.
6870, prom. Goreway
Mississauga ON L4V 1P1
Tél.: (905) 677-5500
Téléc.: (905) 677-5502

Eldepryl®
Permax®

DUCHESNAY INC.
2925, boul. Industriel
Laval QC H7L 3W9
Tél.: (514) 668-5200
Tél. sans frais: 1-888-666-0611
Téléc.: (514) 668-4173

Diclectin®

DUPONT PHARMA
2655, North Sheridan Way, bureau 180
Mississauga ON L5K 2P8
Tél.: (905) 855-4380
Téléc.: (905) 855-9278

Service à la clientèle/Bureau de commandes:

Tél. sans frais: 1-800-268-5490
Téléc.: (905) 855-8876

Information médicale/Notification d'événement indésirable:

Tél. sans frais: 1-800-263-5901
Téléc.: (905) 855-8544

DuPont Pharma

Coumadin^MD *
Hycodan®
Hycomine®
Hycomine-S®
Intropin^MD
Narcan^MD
Nubain®
Numorphan®
Pentaspan®
Percocet®
Percocet®-Demi
Percodan®
Percodan®-Demi
ReVia®
Sinemet®
Sinemet® CR
Symmetrel^MD (Antiparkinsonien)
Symmetrel^MD (Antiviral)
Tridil®
Viaspan™

Endo

Endantadine®
Endocet®

Endodan®
Endo® Levodopa/Carbidopa

* *Le nom, la couleur et la forme des comprimés Coumadin sont des marques déposées et de commerce de DuPont Pharmaceuticals Company. L'utilisation non autorisée de ces marques est strictement interdite.*

ELI LILLY

voir «Lilly»

ENDO CANADA INC.

voir «DuPont Pharma»

FABRIGEN, INC.

C.P. 507
Pierrefonds QC H9H 4M6
Tél.: (514) 695-3165
Téléc.: (514) 695-5118

Distributeur:

Technilab Inc.
17 800, rue Lapointe
Mirabel QC J7J 1P3
Tél.: (514) 433-7673
Téléc.: (514) 433-7434

Tél. sans frais:
(À Montréal): 1-800-361-6667
(À Toronto): 1-800-267-9999
(À Vancouver): 1-800-663-5611

Avirax™

FAULDING (CANADA) INC.

334, Aimé-Vincent
Vaudreuil QC J7V 5V5
Tél. (514) 424-0490
Tél. sans frais: 1-800-567-2855
Téléc.: (514) 424-0489
Courriel: science@faulding.com

Service à la clientèle seulement:

Téléc.: (514) 424-9247
Téléc. sans frais: 1-800-471-9171
Courriel: customer@faulding.com

Acyclovir sodique pour perfusion
Atracurium (bésylate), injectable
Bléomycine (sulfate) pour injection, USP
Bleu de Méthylène, injectable USP
Carboplatine, injection de
Cisplatine, injection de
Cytarabine, injection
Doxorubicine (chlorhydrate) pour injection USP
Leucovorine calcique, injectable
Méthotrexate, comprimés USP
Méthotrexate sodique, injectable USP
Méthylprednisolone succinate sodique pour injection, USP
Mitomycine pour injection, USP
Nitroglycérine, injectable USP
Pacis^MD *
Paraldéhyde, injectable BP
Pentamidine, Iséthionate pour injection BP
Péthidine, injection BP
Solution d'oligo-éléments
Thiamine (chlorhydrate), injectable USP
Thiosulfate de sodium USP, injectable USP
Vinblastine (sulfate), injectable
Vincristine (sulfate), injectable USP

* *Fabriqué par BioChem Vaccins Inc. Distribué par Faulding (Canada) Inc.*

Les commandes de médicaments contrôlés doivent être adressées à:

Faulding (Canada) Inc.
a/s Distributions Pharmaceutiques Livingston Ltée
3015 Brabant-Marineau
Ville St-Laurent QC H4S 1R8
Tél.: (514) 956-1505
Téléc.: (514) 956-0325

Les commandes n'étant pas adressées à cet endroit ne pourront être expédiées.

Fentanyl (citrate), injectable USP
Morphine (sulfate), injectable BP (1 mg/mL et 2 mg/mL)
Morphine (sulfate), injectable BP (50 mg/mL)

FERRING INC.

Siège social:

200, boul. Yorkland, bureau 800
Toronto ON M2J 5C1
Tél.: (416) 490-0121
Tél. sans frais: 1-800-263-4057
Téléc.: (416) 493-1692

Bureau au Québec:

7333, place des Roseraies, bureau 100
Anjou QC H1M 2X6
Tél.: (514) 354-3677
Téléc.: (514) 352-6090

Bureaux de commandes:

Toronto métropolitain:
Tél.: (416) 661-7979
Téléc.: (905) 879-0123

Ontario:
Tél. sans frais: 1-800-268-4937
Téléc.: (905) 879-0123

Montréal métropolitain:
Tél.: (514) 683-7717
Téléc.: (514) 683-9805

Québec:
Tél. sans frais: 1-800-361-3362
Téléc.: (514) 683-9805

Provinces maritimes:
Tél. sans frais: 1-800-268-4937
Téléc.: (905) 879-0123

L'ouest du Canada:
Tél. sans frais: 1-800-661-1237
Téléc.: (403) 236-9104

Calgary:
Tél.: (403) 236-1787
Téléc.: (403) 236-9104

Commandes postales:

Ferring Inc.
C.P. 4500
Concord ON L4K 1B6

Caltine®
Cervidil™
Cholecystokinine
DDAVP®, comprimés
DDAVP®, injectable
DDAVP®, Vaporisateur et Rhinyle Solution nasale
Lutrepulse^MC
Octostim®
Pressyn®
Quintasa®
Rafton®, comprimés
Rafton®, liquide
Sécrétine

FOURNIER PHARMA INC.

1010, ch. Sherbrooke ouest
C.P. 16, 19e étage
Montréal QC H3A 2R7
Tél.: (514) 287-1049
Téléc.: (514) 287-9798

Lipidil Micro®

FROSST

Division de Merck Frosst Canada Inc.

16711, route Transcanadienne
Sortie 52
Kirkland QC H9H 3L1

Adresse postale:

C.P. 1005
Pointe-Claire—Dorval QC H9R 4P8
Tél.: (514) 428-7920

Succursales:

C.P. 1900
Mississauga ON L5M 2P1
Tél.: (905) 542-3010
Téléc.: (905) 542-9675

11131 Hammersmith Gate
Richmond BC V7A 5E6
Tél.: (604) 277-1433
Téléc.: (604) 227-0353

Service d'information à la clientèle:

Tél. sans frais au Canada:
1-800-567-2594

Commandes:

Tél. sans frais au Canada:
1-800-463-7251

Blocadren®
282 MEP®
292®, comprimés
Dolobid®
Flexeril®
Leritine®, comprimés
Leritine®, injection
Ostoforte®
Papavérine (chlorhydrate)
Propyl-Thyracil®
692®, comprimés
Supres®
Timolide®
Urecholine®
Vaseretic®
Vasotec®
Vasotec® I.V.
Warfilone®
Zocor®

FUJISAWA CANADA INC.

625, prom. Cochrane, bureau 800
Markham ON L3R 9R9
Tél.: (905) 470-7990
Tél. sans frais: 1-800-668-8641
Téléc.: (905) 470-7799

Adenocard®
Prograf®

GALDERMA CANADA INC.

7300, av. Warden, bureau 210
Markham ON L3R 9Z6
Tél.: (905) 944-0717
Tél. sans frais: 1-800-467-2081
Téléc.: (905) 944-0790
Adresse Web: www.galderma.com

Benzac® AC 5
Benzac® AC 10
Benzac® W Nettoyeur 5
Benzac® W Nettoyeur 10

Benzac® W5
Benzac® W10
Calmurid®
Calmurid®-HC
Desocort®
Differin®
Ionil®
Ionil-T®
Ionil-T® Plus
MetroCrème[MC]
MetroGel®
Psorigel®
Sans-Acné®

GEIGY, SPÉCIALITÉS PHARMACEUTIQUES

voir «Novartis Pharma Canada Inc.»

GENDERM CANADA INC.

voir «Medicis Canada Ltd.»

GENPHARM INC.

37, ch. Advance
Etobicoke ON M8Z 2S6
Tél.: (416) 236-2631
Tél. sans frais: 1-800-668-3174
Téléc.: (416) 236-2940

Dexiron™
Gen-Alprazolam
Gen-Amantadine (Antiparkinsonien)
Gen-Amantadine (Antiviral)
Gen-Atenolol
Gen-Azathioprine
Gen-Baclofen
Gen-Beclo Aq.
Gen-Bromazepam
Gen-Budesonide Aq.
Gen-Buspirone
Gen-Captopril
Gen-Cimetidine
Gen-Clobetasol
Gen-Clobetasol, lotion capillaire
Gen-Clomipramine
Gen-Clonazepam
Gen-Cromoglycate, solution nasale
Gen-Cromoglycate Sterinebs®
Gen-Cycloprine
Gen-Diltiazem
Gen-Diltiazem SR
Gen-Famotidine
Gen-Fibro
Gen-Glybe
Gen-Indapamide
Gen-Medroxy
Gen-Metformin
Gen-Minocycline
Gen-Minoxidil
Gen-Nifédipine
Gen-Nortriptyline
Gen-Oxybutynin
Gen-Pindolol
Gen-Piroxicam
Gen-Ranitidine
Gen-Salbutamol, solution pour respirateur
Gen-Salbutamol Sterinebs[MC] P.F.
Gen-Selegiline
Gen-Sotalol
Gen-Tamoxifen
Gen-Temazepam
Gen-Timolol
Gen-Trazodone
Gen-Triazolam
Gen-Valproic
Gen-Verapamil SR

GERMIPHENE CORPORATION

1379, rue Colborne est
C.P. 1748
Brantford ON N3T 5V7
Tél.: (519) 759-7100
Tél. sans frais: 1-800-265-9931
Téléc.: (519) 759-1625

Orascan[MD]
Oro-Clense

GLAXO WELLCOME INC.

Siège social:

7333, ch. Mississauga nord
Mississauga ON L5N 6L4
Tél.: (905) 819-3000
Téléc.: (905) 819-3099

Bureau d'affaires du Québec:

771, rue Gougeon
Saint-Laurent QC H4T 2B4
Tél. sans frais: 1-800-463-6314
Téléc.: (514) 738-9391

Centre de renseignements pour la clientèle:

Tél. sans frais: 1-800-268-0324
Téléc.: 1-800-367-9609

Information médicale/Notification d'événement indésirable:

Tél. sans frais: 1-800-668-6051

Gestion des commandes/Ligne d'urgence pour les hôpitaux 24 heures:

Tél. sans frais: 1-800-387-7374
Téléc. sans frais: 1-800-565-2935

Service des comptes clients:

Tél. sans frais: 1-888-224-1050

Alkeran®
Amerge®
Anectine®
Beclodisk®
Beclodisk® Diskhaler®
Becloforte®
Beclovent®, aérosol-doseur
Beclovent®, Rotacaps
Beclovent®, Rotahaler
Beconase Aq®
Bretylate®
Ceftin®
Ceptaz®
Cicatrin®
CoActifed®, Préparations
Cortisporin®
Daraprim®
Dermovate®
Digibind®
Eltroxin®
Empracet®-30
Empracet®-60
Eumovate®
Exosurf® Néonatal
Flolan®
Flonase®
Flovent®
Fortaz®
Imitrex®, comprimés/injectable
Imitrex®, vaporisation nasale
Imuran®
Kemadrin®
Lamictal®
Lanoxin®
Lanvis®
Leukeran®
Malarone[MC]
Megral®
Mepron®
Mivacron®
Myleran®
Navelbine[MD]
Neosporin®, Préparations
Nimbex®
Nix®, crème pour la peau
Nuromax™
Proloprim®
Purinethol®
Pylorid®
Quinidine (sulfate)
Raxar[MC]
Retrovir® (AZT™)
Septra®
Septra® DS
Septra® pour injection
Serevent®
Tracrium®
3TC®
Ultiva®
Valtrex®
Vasoxyl®
Ventolin®, injectable
Ventolin®, liquide oral
Ventolin®, Ventodisk®, Ventodisk® Diskhaler®, Ventolin® Rotacaps®, Ventolin® Rotahaler®, Ventolin®, solution pour respirateur, Ventolin® Nebules P.F.
Viroptic™
Wellbutrin® SR
Wellferon®
Zantac®
Zantac® 75
Zinacef®
Zofran®
Zovirax®, crème
Zovirax®, onguent
Zovirax® oral
Zovirax® pour perfusion
Zyloprim®

LABORATOIRES GLENWOOD CANADA LTÉE

2406, ch. Speers
Oakville ON L6L 5M2
Tél.: (905) 825-8244
Téléc.: (905) 825-9543

Bichloracetic Acid®
Diodoquin®
Myotonachol®
Potaba®
Yocon®

HOECHST MARION ROUSSEL CANADA INC.

Siège social:

2150, boul. Saint-Elzéar ouest
Laval QC H7L 4A8
Tél.: (514) 331-9220
Tél. sans frais: 1-800-363-6364
Téléc.: (514) 334-8016

Service à la clientèle/Information médicale:

Tél. sans frais: 1-800-265-7927
Téléc. sans frais: 1-800-268-3846

Actinac®
Alertonic®
Allegra[MC]
Altace®
Anandron®
Anzemet[MC]
AVC®
Bentylol®

Cardizem®
Cardizem® CD
Cardizem®, injectable
Cardizem® SR
Cidomycin®
Claforan®
Clomid®
Cophylac®
Diaβeta®
Eltor® 120
Fluotic®
Frisium®
Glucophage®
Lasix®
Lasix® Spécial
Loprox®
Maxeran®
Mercodol® avec Decapryn®
Mersyndol® avec codéine
Nicoderm®
Nicorette®
Nicorette™ Plus
Norpramin®
Novahistex® C
Novahistex® DH
Novahistex® DH Expectorant
Novahistex® DM
Novahistex® DM Décongestionnant
Novahistex® DM Décongestionnant Expectorant
Novahistine® DH
Novahistine® DM
Novahistine® DM Décongestionnant
Novahistine® DM Décongestionnant Expectorant
Orifer®.F
Panocaine®
Pentasa®
Proctosedyl®
Relefact® TRH
Renedil®
Rifadin®
Rifater™
Rythmodan®
Rythmodan®-LA
Sabril®
Seldane®
Sofracort®
Soframycin®, pommade
Soframycin®, ophtalmique
Sofra-Tulle®
Streptase®
Sulcrate®
Sulcrate® Suspension Plus
Supracaine®
Suprefact®
Suprefact® Depot
Surfak®
Surgam®
Surgam® SR
Tenuate®
Tenuate® Dospan®
Topicaine®
Topicort®, Préparations
Trental®
Ultracaine® DS
Ultracaine® DS Forte

HOFFMANN-LA ROCHE LIMITÉE

Siège social:

2455, boul. Meadowpine
Mississauga ON L5N 6L7
Tél.: (905) 542-5555
Téléc.: (905) 542-7130

Service à la clientèle:

Tél. (905) 542-5500
Tél. sans frais: 1-800-268-0440

Information médicale:

Montréal:
Tél. sans frais: 1-888-8ROCHE8
Téléc.: (514) 686-7697

Canada:
Tél: (905) 542-5537
Téléc.: (905) 542-5610
Tél. sans frais: 1-888-ROCHE88
Courriel: medinfo.canada@roche.com

Accutane™ Roche®
Activase® rt-PA
Anaprox®
Anaprox® DS
Anexate®
Bactrim™ Roche®
Bezalip®
Cardene®
CellCept®
Cytovene®, capsules
Cytovene®, injectable
Dalmane®
Demadex®
Fansidar®
Fluorouracil Roche®
Hivid®
Inhibace®
Invirase™
Lariam®
Lectopam®
Librax®
Manerix®
Mobiflex®
Mogadon®
Naprosyn®
Nipride®
Nitoman®
Nutropin®
Nutropin® Aq
Ostac®
Prolopa®
Protropin®
Pulmozyme™
Redoxon®
Redoxon-B®
Redoxon-Cal®
Rhinalar®
Rivotril®
Rocaltrol®
Rocephin®
Roferon®-A
Soriatane™
Synalar®
Ticlid®
Toradol®
Toradol® IM
Valium® Roche®, injectable
Valium® Roche® Oral
Versed®
Vesanoid™

IAF BIOVAC INC.

voir «BioChem Vaccins Inc.»

ICN CANADA LTÉE

1956, rue Bourdon
Montréal QC H4M 1V1
Tél.: (514) 744-6792
Tél. sans frais: 1-800-361-1448
Téléc.: (514) 744-1842
Adresse Web: www.icncanada.com

Bureau de commandes:

Tél. sans frais: 1-800-361-4261
Téléc. sans frais: 1-800-361-4266

Allerdryl®
BenurylMC
Bustab®
Carbolith®
C.E.S.®
Clonapam
Cortisone—ICN (acétate)
Dexasone®
Duonalc®, Duonalc-E® doux
Duonalc-E®, solution
Efudex®
EldopaqueMD
EldopaqueMD Forte
EldoquinMD
EldoquinMD Forte
Etibi®
Formulex®
Glycon
HycortMC
Isotamine®
Loperacap
Mestinon®
Mestinon®-SR
M.O.S.MD
M.O.S.-SRMD
M.O.S.-Sulfate
Multi-Tar Plus
Nemasol Sodium®—ICN
Nitrazadon
Norventyl
OxsoralenMD
Oxsoralen-UltraMD
Oxybutyn
OxydermMD 5 %
OxydermMD 10 % et 20 %
PhenazoMD
ProcyclidMD
PropanthelMC
Prostigmin®, Préparations
RofactMD
Rylosol
S.A.S.MD
SolaquinMD
Solaquin ForteMD
TebrazidMD
Tensilon®
Trazorel
TrisoralenMD
TryptanMD
Ulcidine®
Viquin Forte®
VirazoleMD (lyophilisé)
WinpredMD

IMMUNO (CANADA) LTD.

voir «Baxter Corporation»

JANSSEN-ORTHO INC.

19, prom. Green Belt
Toronto ON M3C 1L9
Tél.: (416) 449-9444
Tél. sans frais: 1-800-567-5667
Téléc.: (416) 449-2658

Information médicale:

Tél. sans frais: 1-800-567-3331

Pharmacovigilance:

Tél.: (416) 382-5105
Téléc.: (416) 449-5248

Alfenta®
Cyclen®
Duragesic®

Duralith®
Eprex®
Ergamisol®
Floxin®
Gyne-T®, contraceptif intra-utérin en cuivre
Gyne-T® 380 Slimline dispositif intra-utérin en cuivre
Haldol^MD
Haldol^MD-LA
Imodium®, caplets, capsules
Leustatin^MD
Levaquin®
Livostin^MC, vaporisant nasal
Micronor®
Motilium®
Nizoral®, comprimés
Nizoral®, crème
Orap®
Orthoclone OKT^MD 3
Ortho® 0.5/35
Ortho® 1/35
Ortho® 7/7/7
Ortho® 10/11
Ortho-Cept®
Ortho® Dienestrol
Ortho-Novum® 1/50
Pancrease®
Pancrease® MT
Prepulsid®
Renova^MC
Retin-A®
Risperdal®, comprimés
Risperdal®, solution orale
Sporanox®, capsules
Sporanox®, solution orale
Sufenta^MD
Sultrin®
Terazol®
Tolectin®
Topamax®
Tri-Cyclen®
Tylenol® avec codéine NO.2
Tylenol® avec codéine NO.3
Tylenol® avec codéine élixir
Vermox®

JANSSEN PHARMACEUTICA
voir «Janssen-Ortho Inc.»

JOHNSON & JOHNSON • MERCK CONSUMER PHARMACEUTICALS
890, ch. Woodlawn ouest
Guelph ON N1K 1A5
Tél.: (519) 826-6300
Tél. sans frais: 1-888-730-4636
Téléc.: (519) 826-6301
Baciguent®
222® AF
222®, comprimés
Entrophen®
Fleet®, lavement
Fleet®, lavement à l'huile minérale
Fleet® Phospho®-Soda
Hismanal®
Kaopectate®
MSD® AAS à enrobage entérosoluble
Nicotrol®
Parafon Forte®
Parafon Forte® C8
Pepcid AC®
Periactin®

JOUVEINAL INC.
voir «Axcan Pharma Inc.»

KEY
Divison de Schering Canada Inc.
3535, route Transcanadienne
Pointe-Claire QC H9R 1B4
Tél.: (514) 426-7300; Télex: 05-821657
Téléc.: (514) 695-7641
Renseignements médicaux seulement:
Tél. sans frais: 1-800-463-5442
Téléc. sans frais: 1-800-369-3090
Courriel: med-afrs@schering.ca
K-Dur®
Nitro-Dur®

KNOLL PHARMA INC.
100 Allstate Pkwy, bureau 600
Markham ON L3R 6H3
Tél.: (905) 475-7070
Information médicale: poste 228/231
Téléc.: (905) 475-3064
Commandes auprès des Services de Santé Livingston Inc.:
Provinces de l'Atlantique:
320, prom. Edimburgh
Moncton NB E1E 2L1
Adresse postale:
Casier postale 1010
Moncton NB E1C 8P2
Tél.: (506) 857-4960
Tél. sans frais: 1-800-561-3933
Téléc.: (506) 857-4970
Québec:
Livingston Healthcare Services Inc.
3015 Brabant-Marineau
Ville St-Laurent QC H4S 1R8
Tél. (Administration): (514) 956-1505; (bureau des commandes): (514) 956-0768 / 1-800-361-3362
Téléc.: (514) 956-0325
Ontario:
10 Corinne Court
Vaughan ON L4K 4T7
Tél.: (416) 661-7979
Pour information: (905) 879-0114
Tél. sans frais: 1-800-268-4937
Téléc.: (905) 879-0123
Manitoba et région de Lakehead:
Rue 989-A Keewatin
Winnipeg MB R2X 2X4
Tél.: (204) 633-2621
Tél. sans frais: 1-800-665-7315
Téléc.: (204) 694-2380
Alberta et Saskatchewan:
4441-76e av. sud-est
West building
Calgary AB T2C 2G8
Tél.: (403) 236-1787
Tél. sans frais: 1-800-661-1237
Téléc.: (403) 236-9104
Colombie-Britannique:
7403 Progress Way
Delta BC V4G 1E7
Tél.: (604) 940-4116
Tél. sans frais: 1-800-661-1237
Téléc.: (604) 940-4102
Akineton®
Amatine®
Choloxin®
Chymodiactin®
Dilaudid®
Dilaudid®, poudre stérile
Dilaudid-HP®
Dilaudid-HP-Plus®
Dilaudid-XP®
Froben®
Froben SR®
Isoptin®
Isoptin® I.V.
Isoptin® SR
Kadian®
Mavik^MC
Rythmol®
Santyl®
SSD^MC
Synthroid®
Tarka®
Viprinex®

LABCATAL INC.
3750, boul. Crémazie est, bureau 408
Montréal QC H2A 1B6
Tél.: (514) 593-5504
Tél. sans frais: 1-800-667-6544
Téléc.: (514) 593-1484
Courriel: labcatal@microtec.net
Oligosol®, Cuivre
Oligosol®, Cuivre-Or-Argent
Oligosol®, Magnésium
Oligosol®, Manganèse
Oligosol®, Manganèse-Cobalt
Oligosol®, Manganèse-Cuivre
Oligosol®, Zinc-Nickel-Cobalt

LABORATOIRES LEE-ADAMS
Division de Pharmascience Inc.
8400, ch. Darnley
Montréal QC H4T 1M4
Tél.: (514) 340-1114
Téléc.: (514) 342-7764
Succursale:
8521-132 rue
Surrey BC V3W 4N8
Tél.: (604) 929-2521
Téléc.: (604) 929-0232

LEO PHARMA INC.
555, rue Kingston ouest
Ajax ON L1S 6M1
Tél.: (905) 427-8828
Tél. sans frais: 1-800-668-7234
Téléc.: (905) 427-8161
Information scientifique:
Tél. sans frais: 1-800-263-4218
Commandes:
c/o Centres de distribution Livingston
10 Corinne Court
Vaughan ON L4K 4T7
Tél.: (905) 879-0114
Tél. sans frais: 1-800-268-4937
Montréal QC
Tél.: (514) 683-9150
Tél. sans frais: 1-800-361-3362/8/9
Calgary AB
Tél.: (403) 253-8216
Tél. sans frais: 1-800-661-1237
Burinex®
Dovonex®
Fucidin®, comprimés
Fucidin®, crème
Fucidin®, intertulle
Fucidin®, I.V.
Fucidin®, onguent
Fucidin®, suspension
Héparine Leo®
Innohep®
One-Alpha®

Pondocillin®
Selexid®

LIGAND PHARMACEUTICALS (CANADA) INC.

10275 Science Center Dr.
San Diego, California 92121 É.-U.
Tél.: (619) 535-3900
Téléc.: (619) 550-7707

Photofrin®
Proleukin®

ELI LILLY CANADA INC.

3650, av. Danforth
Scarborough ON M1N 2E8
Tél.: (416) 694-3221
Tél. sans frais: 1–800-268-4446
Téléc.: (416) 699-7274

Relations avec la clientèle et information médicale (Heures d'ouverture: du lundi au vendredi de 8 h à 18 h, heure de l'est):

Tél.: (416) 693-3510
Tél. sans frais: 1–888-545-5972
Téléc. sans frais: 1–888-898-2961

Amytal®
Aventyl®
Axid®
Brietal® sodique
Ceclor®
Cesamet®
Darvon-N®
Dobutrex®
Eldisine®, injectable
Ethyol®
Evista^MC
Gemzar®
Glucagon pour injection
Hexalen®
Humalog^MD
Humatrope®
Humulin®
Iletin®
Iletin® II Porc
Ilosone®
Keflex®
Keflin®
Kefurox®
Kefzol®
Mandol®
Nalfon®
Nebcin®
Neutrexin®
Prozac®
Reopro^MC
Tapazole®
Tazidime®
Tes-Tape®
Vancocin®
Velbe®
Zyprexa®

LUNDBECK CANADA INC.

413, rue St-Jacques ouest
Bureau FB-230
Montréal QC H2Y 1N9
Tél.: (514) 844-8515
Téléc.: (514) 844-5495

Clopixol®
Clopixol-Acuphase®
Clopixol® Dépôt
Fluanxol®, comprimés
Fluanxol® Dépôt, injectable

MALLINCKRODT MEDICAL INC.

7500, route Transcanadienne
Pointe-Claire QC H9R 5H8
Tél.: (514) 695-1220
Tél. sans frais: 1–800-361-7360
Téléc.: (514) 695-1889

7400, prom. MacPherson, bureau 100
Burnaby BC V5J 5B6
Tél.: (604) 435-3234
Téléc.: (604) 432-9289

Conray® 30
Conray® 43
Conray® 60
Cysto-Conray®
Cysto-Conray® II
Hexabrix® 200
Hexabrix® 320
MD-76®
Optiray®
Telebrix® 38 Oral

MAY & BAKER PHARMA

Siège social et Commandes:

4707, rue Lévy
Ville St-Laurent QC H4R 2P9
Tél.: (514) 856-8300
Tél. sans frais: 1–800-361-5870
Téléc. sans frais: 1–800-267-0329

Oruvail®

MCNEIL PHARMACEUTIQUE

voir «Janssen-Ortho Inc.»

McNEIL, LA COMPAGNIE DE PRODUITS AUX CONSOMMATEURS

890, ch. Woodlawn ouest
Guelph ON N1K 1A5
Tél.: (519) 836-6500
Tél. sans frais: 1–800-265-7323
Téléc.: (519) 826-6200

Imodium®, caplets, solution orale
Lactaid®
Micatin® *
Monistat® Derm, crème
Monistat® 3 Duopak
Monistat® 3, ovules vaginaux
Monistat® 7, crème
Monistat® 7 Duopak®
Monistat® 7, suppositoires vaginaux
Motrin® IB
Motrin® Pour enfants
Nizoral®, shampooing
Tylenol®
Tylenol avec Codéine NO. 1
Tylenol® avec Codéine NO. 1 Forte
Tylenol®, Décongestionnant
Tylenol®, Médicament Allergie Sinus
Tylenol®, Médicament contre la grippe
Tylenol®, Médicament contre les douleurs musculaires
Tylenol®, Médicament pour les sinus
Tylenol®, Médicaments contre la toux
Tylenol®, Médicaments pour le rhume

* *Marque déposée de Pharmacia & Upjohn Inc.*

MEAD JOHNSON NUTRITIONALS™

Division de Bristol-Myers Squibb Canada Inc.

Siège social:

333, rue Preston
Ottawa ON K1S 5N4
Tél.: (613) 567-3536
Tél. sans frais: 1–800-263-7464
Téléc.: (613) 239-3996

Enfalac Lytren®
Enfalac Nutramigen®
Enfalac Pregestimil®
Enfalac ProSobee®
Fer-In-Sol®
Isocal®
Isocal® avec fibres
Isocal® HN
Lipisorb^MD
Lofenalac®
M.C.T.®, huile
Portagen®
Sustacal®
Tempra®

LABORATOIRE MEDIC LTÉE

2925, boul. Industriel
Laval QC H7L 3W9
Tél.: (514) 668-9750
Tél. sans frais: 1–800-361-8559
Téléc.: (514) 668-3585

MEDICAN PHARMA INC.

1315, rue Bishop, bureau 170
Cambridge ON N1R 6Z2
Tél.: (519) 740-6154
Tél. sans frais: 1–800-727-2076
Téléc.: (519) 740-6941

Anthraforte®
Anthranol®
Anthrascalp®
Scabene®

MEDICIS CANADA LTD.

355, rue McCaffrey
Ville St-Laurent QC H4T 1Z7
Tél.: (514) 738-1808
Tél. sans frais: 1–800-661-DERM (3376)
Téléc.: (514) 738-5435

Lidemol®
Lidex®
Meted®, shampooing
Occlusal^MD
Occlusal^MD-HP
Pentrax®
Pramegel^MD
Salac™
Topsyn®
Zonalon
Zostrix®
Zostrix® H.P.

MEDISAN PHARMACEUTICALS AB

AR4, S-741 74 Uppsala
Suède
Tél.: +46 18 34 99 00
Téléc.: +46 18 34 94 95

Hyskon® *
Rheomacrodex® *

* *Distribué par Pharmacia & Upjohn Inc.*

MERCK SHARP & DOHME CANADA
Division de Merck Frosst Canada Inc.

16711, route Transcanadienne
Sortie 52
Kirkland QC H9H 3L1

Adresse postale:

C.P. 1005
Pointe-Claire—Dorval QC H9R 4P8
Tél.: (514) 428-7920

Succursales:

C.P. 1900
Mississauga ON L5M 2P1
Tél.: (905) 542-3010
Téléc.: (905) 542-9675

11131 Hammersmith Gate
Richmond BC V7A 5E6
Tél.: (604) 277-1433
Téléc.: (604) 277-0353

Service d'information à la clientèle:

Tél. sans frais au Canada:
1-800-567-2594

Commandes:

Tél. sans frais au Canada:
1-800-463-7251

Aldomet®, comprimés
Aldomet®, injection
Aldoril®-15
Aldoril®-25
Aminohippurate sodique
Benemid®
Cogentin®
Cortone®, comprimés
Cortone®, suspension
Cosmegen®
Cozaar®
Crixivan®
Cuprimine®
Decadron®, comprimés
Decadron® (phosphate), injectable
Edecrin®
Edecrin® Sodium
Elavil®
Elavil Plus®
Fosamax®
HydroDIURIL®
Hydropres®- 25
Hyzaar®
Indocid®
Indocid® P.D.A.
Indocid® SR
Lacrisert®
Mefoxin®
Mevacor®
Midamor®
Mintezol®
M-M-R® II
Moduret®
Mumpsvax®
Mustargen®
Noroxin®
Noroxin®, solution ophtalmique
PedvaxHIB®
Pepcid®
Pepcid® I.V.
Pneumovax® 23
Primaxin®
Prinivil®
Prinzide®
Propecia®
Proscar®
Recombivax HB®
Singulair®
Timoptic®
Timoptic-XE®
Timpilo®
Triavil®
Triptil®
Trusopt®
Vaqta®

MILEX PRODUCTS, INC.

Siège social:

4311 N. Normandy
Chicago, IL 60634-1403
É.-U.
Tél. sans frais: 1-800-621-1278
Téléc. sans frais: 1-800-972-0696
Adresse Web: www.milexproducts.com

Amino-Cerv

LABORATOIRE NADEAU LIMITÉE

Siège social et usine:

8480, boul. Saint-Laurent
Montréal QC H2P 2M6
Tél.: (514) 381-5631
Tél. sans frais: 1-800-361-3808
Téléc.: (514) 383-4493
Courriel: sylviet@rougier.com

Laboratoires et usine:

1000, boul. Industriel
Chambly QC J3L 3H9
Tél.: (514) 658-1704

Livingston Distribution Centres Inc.

320, prom. Edimburgh
Moncton NB E1C 8P2
Tél.: (506) 857-4960

7403 Progress Way
Delta BC V4G 1E7
Tél.: (604) 940-4116

4441-76e, av. sud-est
Calgary AB T2C 2G8
Tél.: (403) 279-2700

10 Corinne Court
Vaughan ON L4K 4T7
Tél.: (905) 879-0114

Northwest Drug Co. Ltée
966, rue Powell
Winnipeg MB R3H 0H6
Tél.: (204) 633-9502

Créo-Rectal®
Glycérine, suppositoires
Nadopen-V®
Nadostine®, Préparations

NESTLÉ, CARNATION

25, av. Sheppard ouest
North York ON M2N 6S8
Tél.: (416) 512-9000
Téléc.: (416) 218-2691

AlsoyMC
Bon DépartMD
TransitionMD
Transition au soyaMD

NEXSTAR PHARMACEUTICALS, INC.

Siège social:

5961, ch. Hemingway
Mississauga ON L5M 5M1
Tél.: (905) 812-0743
Téléc.: (905) 812-0742

Site du fabricant:

NeXstar Pharmaceuticals, Inc.
650 Cliffside Dr.
San Dimas, California 91773 É.-U.

Service à la clientèle/Bureau de commandes:

NeXstar Pharmaceuticals, Inc.
155, ch. Orenda, Unit 3
Brampton ON L6W 1W3
Tél.: (905) 451-5243
Tél. sans frais: 1-888-756-1745
Téléc.: 1-800-786-1967

Les commandes reçues avant 15h00, heure de l'est sont ramassées par le messager le même jour. Les commandes ne portant pas l'adresse susmentionnée ne peuvent être expédiées.

Urgences médicales:

Pour urgences médicales, 24 heures par jour, les fins de semaine et les jours fériés, composez le: 1-800-403-3945.

DaunoXome®

NOVARTIS NUTRITION CORPORATION

111, prom. Consumers
Whitby ON L1N 5Z5
Tél. sans frais: 1-800-265-6254
Téléc.: (905) 430-4272

Citrotein®
Compleat® Modifié
Isosource®
Isosource® HN
Isosource® VHN
Meritene®
NovasourceTM Renal
Nutrisource®
Nutrisource® HN
Resource®
Resource® breuvage aux fruits
Resource® Diabétique
Resource® Plus
Resource® pour enfants
SandosourceMC Peptide
Tolerex®
Vivonex® Pediatric
Vivonex® Plus
Vivonex® T.E.N.

NOVARTIS PHARMA CANADA INC.

Siège social:

C.P. 385
Dorval QC H9R 4P5
Tél.: (514) 631-6775
Téléc.: (514) 631-1867

Distribution, service à la clientèle et commandes:

111, prom. Consumers
Whitby ON L1N 5Z5
Tél. sans frais: 1-800-465-2244
Téléc.: 1-800-435-4423 ou
(905) 666-4711

Service d'information médicale:

Tél.: (514) 631-6775
Tél. sans frais: 1-800-363-8883
Téléc.: (514) 633-7054

Réseau d'assistance et de soutien Clozaril (RASC):

Tél.: (514) 631-6775
Tél. sans frais: 1-800-267-2726
Téléc.: 1-800-465-1312

Programme d'accès spécial aux médicaments (Dorval, Québec):

Tél.: (514) 631-6775
Tél. sans frais: 1-800-263-6775
Téléc.: (514) 631-9303

Anafranil®
Anturan®
Apresoline®
Aredia®
Bellergal® Spacetabs
Cafergot®
Cafergot-PB®
Clozaril®
Cytadren
Desferal®
Dihydroergotamine (DHE)
Diovan®
Estracomb®
Estraderm®
Femara®
Fiorinal®
Fiorinal®-C 1/4, 1/2
Foradil®
Hydergine®
Hygroton®
Lamisil®
Lescol®
Lioresal®
Lioresal® intrathécal
Locacorten® Vioform®
Locacorten® Vioform®, gouttes otiques
Locasalen®
Lopresor®
Lotensin®
Ludiomil®
Mellaril®
Metandren®
Migranal^MD
Neoral®/Sandimmune® I.V.
Parlodel®
Phosphate-Novartis
Restoril®
Rimactane®
Ritalin®
Ritalin® SR
Rogitine®
Sandomigran®
Sandomigran DS®
Sandostatin®
Sanorex®
Sansert®
Ser-Ap-Es®
Serentil®
Serpasil®
Sintrom®
Slow-K®
Slow-Trasicor®
Synacthen™ Dépôt
Tegretol®
Tofranil®
Transderm-Nitro®
Transderm-V®
Trasicor®
Vioform®
Vioform® Hydrocortisone
Viskazide®
Visken®
Vivelle®
Voltaren®
Voltaren Rapide®
Zaditen®

NOVARTIS SANTÉ FAMILIALE CANADA INC.

2233, ch. Argentia, bureau 205
Mississauga ON L5N 2X7
Tél.: (905) 812-4100
Téléc.: (905) 821-4936

Service à la clientèle/Bureau des commandes:

Tél.: 1-800-689-9916
Téléc.: 1-800-926-6693

Information médicale:

Tél.: 1-888-788-8181
Téléc.: (905) 812-4058

Ligne sans frais d'information et de soutien Habitrol®:

Tél. sans frais: 1-888-227-5777
Adresse Web: www.habitrol.com

Aquasol® E
Aquasol® E TPGS
2.5 Benzagel®, gel contre l'acné
5 Benzagel®, gel contre l'acné
2.5 Benzagel®, lotion contre l'acné
5 Benzagel®, lotion contre l'acné
5 Benzagel®, solution nettoyante contre l'acné
Bradosol®
Bradosol® extra fort
Calcium-Sandoz®
Caisan®
Delsym®
Desenex®
Doan's
Dycholium®
Eurax®
Ex-Lax®, comprimés dragéifiés
Ex-Lax® extra-fort, comprimés dragéifiés
Ex-Lax®, laxatif émollient
Ex-Lax®, morceaux chocolatés
Gas-X®
Gax-X® Extra fort
Glysennid®
Gramcal®
Habitrol®
Lipactin®
Maalox®
Maalox H2 régulateur de l'acidité^MD
Maalox® HRF
Maalox® Plus
Maalox® Plus extra fort
Maalox® TC
NeoCitran, Préparations
Nupercaïnal®, crème
Nupercaïnal®, pommade
Onguent antibiotique pour feux sauvages
Otrivin®
Phénergan® Expectorant avec codéine
Phénergan®, Préparations
Prodiem® simple
Prodiem® Plus
Pyribenzamine®
Saline d'Otrivin®
Slow-Fe®
Slow-Fe Folic®
Tavist®
Tavist-D®
Triaminic®, comprimés
Triaminic® DM action prolongée pour enfants
Triaminic® DM Bonjour
Triaminic® DM Bonne nuit
Triaminic® DM Expectorant
Triaminic® Expectorant
Triaminic® Expectorant DH
Triaminic®, gouttes orales pédiatriques
Triaminic®, Rhume et allergies, sirop
Triaminic®, Rhume et fièvre
Triaminicin®
Triaminicol® DM
Tussaminic® C Forte
Tussaminic® C Ped
Tussaminic® DH Forte
Tussaminic DH Ped
Webber® Carbonate de calcium
Webber® Vitamin E, onguent

NOVO NORDISK CANADA INC.

2700, boul. Matheson est
3e Étage, Tour ouest
Mississauga ON L4W 4V9
Tél.: (905) 629-4222
Tél. sans frais:
1-800-361-4191 (français)
1-800-465-4334 (anglais)
Téléc.: (905) 629-8662

Insuline Humaine (Biosynthétique)

Novolin®ge Lente
Novolin®ge NPH
Novolin®ge NPH Penfill®
Novolin®ge 10/90 Penfill®
Novolin®ge 20/80 Penfill®
Novolin®ge 30/70
Novolin®ge 30/70 Penfill®
Novolin®ge 40/60 Penfill®
Novolin®ge 50/50 Penfill®
Novolin®ge Toronto
Novolin®ge Toronto Penfill®
Novolin®ge Ultralente

Dispositif d'administration

NovoFine® 28G
NovoFine® 30G
Novolin-Pen® 1.5
Novolin-Pen® 3

NOVOPHARM LIMITED

30 Novopharm Court
Toronto ON M1B 2K9
Tél.: (416) 291-8876; Télex: 065-25376
Tél. sans frais: 1-800-268-4127
Téléc.: (416) 291-1874

Succursales:

4-3751, Fraser Way nord
Burnaby BC V5J 5G4
Tél.: (604) 431-9300
Tél. sans frais: 1-800-663-1618
Téléc.: (604) 431-9199

Bay 7-6020, 11e rue sud-est
Calgary AB T2H 2L7
Tél.: (403) 253-6020
Tél. sans frais: 1-800-661-8469
Téléc.: (403) 253-6656

7880, route Transcanadienne
Ville St-Laurent QC H4T 1A5
Tél.: (514) 731-6451
Tél. sans frais: 1-800-361-9586
Téléc.: (514) 731-6286

21, av. Frazee
Dartmouth NS B3B 1Z4
Tél.: (902) 468-6686
Tél. sans frais: 1-800-565-1593
Téléc.: (902) 468-1016

133, rue Hamelin
Winnipeg MB R3T 3Z1
Tél.: (204) 452-0432
Tél. sans frais: 1-800-665-6686
Téléc.: (204) 452-0497

Acyclovir sodique pour injection
Azathioprine sodique, injectable USP
Carboplatine, injectable
Céfazoline sodique USP
Céfoxitine sodique USP
Cytarabine, injectable USP
Daunorubicine (chlorhydrate), injectable USP
Diltiazem (chlorhydrate), injectable
Dobutamine (chlorhydrate), injectable
Doxorubicine (chlorhydrate), injectable
Dropéridol, injectable USP
Étoposide, injectable
Gentamicine (sulfate), injectable USP
Leucovorine calcique, injectable USP
Méthotrexate sodique, injectable USP
Mitomycine pour injection, USP
Novamilor
Novamoxin®
Novasen
Novo-Acebutolol
Novo-Alprazol
Novo-Ampicillin
Novo-Atenol
Novo-Azt
Novo-Baclofen
Novo-Benzydamine
Novo-Bromazepam
Novo-Buspirone
Novo-Captoril
Novo-Carbamaz
Novo-Cholamine
Novo-Cholamine Léger
Novo-Cimetine
Novo-5-ASA
Novo-Clobazam
Novo-Clobetasol
Novo-Clonidine
Novo-Clopamine
Novo-Clopate
Novo-Cloxin
Novo-Cromolyn
Novo-Cycloprine
Novo-Cyproterone
Novo-Desipramine
Novo-Difenac®
Novo-Difenac® SR
Novo-Diflunisal
Novo-Diltazem
Novo-Diltazem SR
Novo-Dipiradol
Novo-Domperidone
Novo-Doxepin
Novo-Doxylin
Novo-Famotidine
Novo-Fluoxetine
Novo-Flurprofen
Novo-Flutamide
Novo-Furantoin
Novo-Gemfibrozil
Novo-Gesic C8, C15, C30
Novo-Gliclazide
Novo-Glyburide
Novo-Hydroxyzin
Novo-Hylazin
Novo-Indapamide
Novo-Ipramide
Novo-Keto
Novo-Keto-EC
Novo-Ketorolac
Novo-Ketotifen
Novo-Levamisole
Novo-Levobunolol
Novo-Lexin®
Novo-Lopéramide
Novo-Lorazem®
Novo-Maprotiline
Novo-Medopa®
Novo-Medrone
Novo-Meprazine
Novo-Metformin
Novo-Méthacin
Novo-Metoprol
Novo-Mexiletine
Novo-Minocycline
Novo-Mucilax
Novo-Nadolol
Novo-Naprox
Novo-Naprox Sodium
Novo-Naprox Sodium DS
Novo-Nidazol
Novo-Nifedin
Novo-Nortriptyline
Novo-Oxybutynin
Novo-Pen-VK®
Novo-Péridol
Novo-Pindol
Novo-Pirocam®
Novo-Poxide
Novo-Prazin
Novo-Profen®
Novo-Ranidine
Novo-Rythro Encap
Novo-Salmol
Novo-Salmol, inhalateur
Novo-Selegiline
Novo-Sotalol
Novo-Spiroton
Novo-Spirozine
Novo-Sucralate
Novo-Sundac
Novo-Tamoxifen
Novo-Temazepam
Novo-Tenoxicam
Novo-Terazosin
Novo-Tétra
Novo-Theophyl SR
Novo-Tiaprofenic
Novo-Timol
Novo-Timol, solution ophtalmique
Novo-Tolmetin
Novo-Trazodone
Novo-Triamzide
Novo-Trimel
Novo-Trimel D.S.
Novo-Tripramine
Novo-Valproic
Novo-Veramil
Novo-Veramil SR
Vincristine (sulfate), injectable USP

NU-PHARM INC.

380, ch. Elgin Mills est
Richmond Hill ON L4C 5H2
Tél.: (905) 884-0470
Tél. sans frais au Canada: 1-800-267-1438; Alberta, C.-B.: 1-800-661-8203
Téléc.: (905) 884-9876

Nu-Acebutolol
Nu-Acyclovir
Nu-Alpraz
Nu-Amilzide
Nu-Amoxi
Nu-Ampi
Nu-Atenol
Nu-Baclo
Nu-Bromazepam
Nu-Buspirone
Nu-Capto
Nu-Carbamazepine
Nu-Cefaclor
Nu-Cephalex
Nu-Cimet
Nu-Clonazepam
Nu-Clonidine
Nu-Cloxi
Nu-Cotrimox
Nu-Cromolyn
Nu-Cyclobenzaprine
Nu-Desipramine
Nu-Diclo
Nu-Diclo-SR
Nu-Diflunisal
Nu-Diltiaz
Nu-Domperidone
Nu-Doxycycline
Nu-Erythromycin-S
Nu-Famotidine
Nu-Fenofibrate
Nu-Fluoxetine
Nu-Flurbiprofen
Nu-Gemfibrozil
Nu-Glyburide
Nu-Hydral
Nu-Ibuprofen
Nu-Indapamide
Nu-Indo
Nu-Ipratropium
Nu-Ketoprofen
Nu-Ketoprofen-E
Nu-Ketoprofen-SR
Nu-Levocarb
Nu-Loraz
Nu-Loxapine
Nu-Medopa
Nu-Mefenamic
Nu-Megestrol
Nu-Metformin
Nu-Metoclopramide
Nu-Metop
Nu-Naprox
Nu-Nifed
Nu-Nifedipine-PA
Nu-Nortriptyline
Nu-Oxybutyn
Nu-Pentoxifylline-SR
Nu-Pen-VK
Nu-Pindol
Nu-Pirox
Nu-Prazo
Nu-Prochlor
Nu-Propranolol
Nu-Ranit
Nu-Salbutamol, comprimés
Nu-Salbutamol, solution
Nu-Selegiline
Nu-Sotalol
Nu-Sulcralfate
Nu-Sulfinpyrazone
Nu-Sulindac
Nu-Temazepam
Nu-Terazosin
Nu-Tetra
Nu-Tiaprofenic
Nu-Ticlopidine
Nu-Timolol
Nu-Trazodone
Nu-Trazodone-D
Nu-Triazide
Nu-Trimipramine

Nu-Verap
Nu-Zopiclone

NYCOMED AMERSHAM CANADA LIMITED
1166, ch. South Service Ouest
Oakville ON L6L 5T7
Tél.: (905) 847-1166
Téléc.: (905) 847-7790
Hypaque® Parentéral
Omnipaque®
Omniscan®
Visipaque^MC

LABORATOIRES ODAN LTÉE
847, rue McCaffrey
Saint-Laurent QC H4T 1N3
Tél.: (514) 738-5567
Tél. sans frais: 1-800-387-9342
Téléc.: (514) 738-7150
Téléc. sans frais: 1-800-FAX-ODAN
Adasept®, Préparations
Anodan™-HC
Biobase^MD
Biobase-G^MD
Bioderm®
Colchicine
Ferodan™, gouttes pédiatriques
Ferodan™, sirop
Hexit™
Lidodan^MD, endotrachéale
Lidodan^MD, pommade
Lidodan^MD, visqueuse
Liquor Carbonis Detergens
Nu-Cal
Placébo
Proctodan™-HC
Selax®
Tardan
Targel, Préparations
UriSec®
Yohimbine

OPHTAPHARMA CANADA INC.
1100 Crémazie est, bureau 708
Montréal QC H2P 2X2
Tél.: (514) 374-2556
Tél. sans frais: 1-800-661-2556
Téléc.: (514) 374-4549
Biolon™
Eyestil
Fluorets™
Minims®

ORGANON CANADA LTÉE
200, place Consilium, bureau 700
Scarborough ON M1H 3E4
Tél.: (416) 290-6131
Téléc.: (416) 290-6133
Courriel: organon@organon.srh.akzonobel.nl
Adresse Web: www.organon.ca
Service à la clientèle et commandes seulement:
Tout le Canada à l'exception du Québec:
Tél. sans frais: 1-800-465-7114
Québec seulement:
Tél. sans frais: 1-800-663-1326
Commandes par télécopieur seulement:
Téléc.: (416) 290-5050
Téléc. sans frais: 1-888-974-5050
Ligne d'information Marvelon:
Tél. sans frais: 1-800-892-5201
Andriol
Cortrosyn®
Cotazym®
Deca-Durabolin®
Humegon®
Marvelon®
Norcuron®
Orgaran®
Pregnyl®
Puregon™
Zemuron™

ORGANON TEKNIKA INC.
30, place North Wind
Scarborough ON M1S 3R5
Tél.: (416) 754-4344
Téléc.: (416) 754-4488
Commandes:
Tél. sans frais: 1-800-387-5348
Centres de distribution:
30, place North Wind
Scarborough ON M1S 3R5
Tél.: (416) 754-4344
Téléc.: (416) 754-4488
13B-6125 12e rue sud-est
Calgary AB T2H 2K1
Tél.: (403) 253-9453
Téléc.: (403) 255-8994
Hépaléan®
Hépaléan®-Lok
Hexadrol® (phosphate) injectable
OncoTICE™

ORTHO BIOTECH
voir «Janssen-Ortho Inc.»

ORTHO PHARMACEUTIQUE
voir «Janssen-Ortho Inc.»

PARKE-DAVIS
Division de Warner-Lambert Canada Inc.
Siège social:
2200, av. Eglinton est
Scarborough ON M1L 2N3
Tél.: (416) 288-2321
Téléc.: (416) 288-2180
Adresse postale:
C.P. 2200, succ. A
Scarborough ON M1K 5C9
Information médicale:
Tél.: (416) 288-2402
Tél. sans frais: 1-800-611-5889
Téléc.: (416) 701-3053
Courriel: medinfo@wl.com
Bureaux de ventes:
3333, Côte Vertu, bureau 810
Ville St-Laurent QC H4R 2N1
Tél.: (514) 334-5045
Téléc.: (514) 334-5462
2200, av. Eglinton est
Scarborough ON M1L 2N3
Tél.: (416) 288-2321
Téléc.: (514) 288-2180
Service à la clientèle:
C.P. 2200, succ. A.
Scarborough ON M1K 5C9
Tél. pour la région de Toronto: (416) 288-2321
Tél. sans frais: 1-800-387-6577
Téléc.: (416) 288-2283
Téléc. sans frais: 1-800-563-2103
Laboratoire:
2337, av. Parkdale
Brockville ON K6V 5W5
Tél.: (613) 342-4436
Téléc.: (613) 342-6584
Accupril™
Accuretic^MC
Adrenalin®
AMSA P-D^MD
Anugesic®-HC
Anusol®-HC
Beben®
Celontin®
Cerebyx®
Chloromycetin®, injectable
Choledyl®
Choledyl® Expectorant
Choledyl® SA
Coly-Mycin® M parentéral
Dilantin®, capsules
Dilantin® Infatabs
Dilantin®-30 Pédiatrique
Dilantin®-125
Ergodryl®
ERYC®
Hormone Thyroïdienne
Humatin®
Ketalar®
Lipitor^MC
Loestrin^MD 1,5/30
Lopid®
Mandelamine®
Minestrin^MD 1/20
Nardil®
Neurontin^MC
Nitrostat^MD
Norlutate®
Ponstan®
Procan^MD SR
Pyridium®
Thrombostat^MD
Zarontin®

PARTENAIRES PHARMACEUTIQUES DU CANADA INC.
625, prom. Cochrane, bureau 800
Markham ON L3R 9R9
Tél.: (905) 513-7724
Tél. sans frais: 1-877-821-7724
Télec.: (905) 513-0029
Protamine Sulfate, injectable
Vasopressine, injectable

PASTEUR MÉRIEUX CONNAUGHT CANADA
1755, av. Steeles ouest
North York ON M2R 3T4
Adresse Web: www.pmc-vacc.com
Commandes pour produits:
Tél.: (416) 667-2611
Tél. sans frais: 1-800-268-4171
Téléc.: (416) 667-2998
Service de renseignements pour vaccins:
Tél.: (416) 667-2779
Tél. sans frais: 1-888-621-1146
Téléc.: (416) 667-2629

Act-HIB®
Anatoxine diphtérique
Anatoxine tétanique adsorbée
Anatoxines diphtérique et tétanique adsorbées (DT adsorbés)
Anatoxines diphtérique et tétanique et vaccin anticoquelucheux adsorbées (DCT adsorbés)
Anatoxines diphtérique et tétanique adsorbées et vaccins anticoquelucheux et antipoliomyélitique inactivé (DCT Polio adsorbés)
Anatoxines diphtérique et tétanique adsorbées et vaccin antipoliomyélitique (DT Polio adsorbé)
Anatoxines tétanique et diphtérique adsorbées (Td adsorbées)
Antitoxine botulinique trivalente types A, B et E (équine)
Antitoxine diphtérique (équine)
Dérivé de protéines purifiées
Fluzone®
ImmuCyst®
Imogam® Antirabique pasteurisé
Je-Vax®
Multitest® IMC
Pentacel^MC
Quadracel^MC
Td Polio adsorbés (anatoxines tétanique et diphtérique et vaccin antipoliomyélitique inactivé adsorbés)
Tuberculine dérivée de protéines purifiées (Mantoux)—Tubersol®
Typhim Vi^MC
Vaccin anticholérique
Vaccin antipoliomyélitique inactivé (cultivé sur cellules diploïdes)—IPV
Vaccin antipoliomyélitique vivant oral trivalent
Vaccin antirabique inactivé (cultivé sur cellules diploïdes), desséché
Vaccin antirougeoleux à virus vivant atténué (séché)
Vaccin BCG (lyophilisé)
Vaccin contre la fièvre jaune
Vaccin polysaccharidique contre le méningocoque, groupes A, C, Y et W-135 combinés, Menomune®
Vaccin polysaccharidique pneumococcique Pneumo 23^MC
Vaxigrip®

PFIZER CANADA INC.

17300, route Transcanadienne
Kirkland QC H9J 2M5

Adresse postale:

C.P. 800
Pointe-Claire—Dorval QC H9R 4V2
Tél.: (514) 695-0500
Téléc.: (514) 426-7423

Information médicale
Groupe pharmaceutique:

Tél.: 1-800-463-6001

Service à la clientèle
Groupe pharmaceutique:

Tél.: (514) 426-7430
Tél. sans frais: 1-800-387-4974
Téléc. sans frais: 1-800-420-2019

Centres de distribution:

17300, route Transcanadienne
Kirkland QC H9J 2M5

6404-6A, rue sud-ouest
Calgary AB T2H 2B7

Usine:

Pfizer Canada Inc.
C.P. 3003
Arnprior ON K7S 3H7
Tél.: (613) 623-4221
Téléc.: (613) 623-1259

Antivert^MC
Aricept^MC
Atarax^MC
Bonamine^MC
Diabinese^MC
Diflucan^MC
Diflucan-150^MC
Feldene^MC
Lithane^MC
Minipress^MC
Navane^MC
Norvasc^MC
Sinequan^MC
Streptomycine (sulfate)^MC
Vibra-Tabs^MC
Vibra-Tabs^MC C-Pak^MC
Zithromax^MC
Zoloft^MD

PFIZER CANADA INC., DIVISION DES SOINS DE LA SANTÉ

17300, route Transcanadienne
Kirkland QC H9J 2M5

Adresse postale:

C.P. 800
Pointe-Claire—Dorval QC H9R 4V2
Tél.: (514) 695-0500
Téléc.: (514) 426-6921

Succursales:

6404-6A rue sud-est
Calgary AB T2H 2B7
Tél.: (403) 253-7235
Téléc.: (403) 255-9265

Usine:

Pfizer Canada Inc.
C.P. 3003
Arnprior ON K7S 3H7
Tél.: (613) 623-4221

Adresse postale:

C.P. 800
Pointe-Claire—Dorval QC H9R 4V2

Dépôt:

17300, route Transcanadienne
Kirkland QC H9J 2M5

Combantrin®
GyneCure^MC
Reactine^MC
Trosyd^MC AF
Trosyd^MC J

PHARMACIA & UPJOHN INC.

Siège social:

5100 Spectrum Way
Mississauga ON L4W 5J5
Tél.: (905) 212-8000
Tél. sans frais: 1-800-563-5905
Téléc.:(905) 212-1212

Service à la clientèle / Commandes:

Tél. sans frais: 1-800-268-7879
Téléc. sans frais: 1-800-361-6978
Courriel:
canada.customerservice@am.pnu.com

Après les heures de bureau (en cas de commande urgente de produit):

Tél. (français): (514) 747-7329
Tél. (anglais): (416) 441-1504

Service d'information médicale et unité de pharmacovigilance:

Tél. sans frais: 1-800-268-7888
Courriel: micapu@am.pnu.com

Centre de distribution de Montréal:

1157, ouest Autoroute Laval
Chomedy, Laval QC H3L 3W3
Tél.: (450) 967-2448
Téléc.: (450) 967-2445

Centre de distribution de Toronto:

861, ch. York Mills
Don Mills ON M3B 1Y2

Centre de distribution de Vancouver:

8184, rue Winston
Burnaby BC V5A 2H5

Adriamycin®
Adrucil®
Ansaid®
Atgam®
Bacitracine
Camptosar^MC
Caverject^MC
Colestid®
Cortef®
Cyklokapron®
Cytosar®
Dalacin®, crème vaginale
Dalacin® C
Dalacin® C, granulés aromatisés
Dalacin® C Phosphate, solution stérile
Dalacin® T, solution topique
Deltasone®
Depo-Medrol®
Depo-Medrol® avec lidocaïne
Depo-Provera®
Depo-Testostérone (Cypionate)
Diazemuls®
Dipentum®
Emcyt®
Estring®
Fragmin®
Gelfilm®
Gelfoam®
Halcion®
Halotestin®
Healon®
Healon® GV
Idamycin®
Intralipid® 10 %
Intralipid® 20 %
Intralipid® 30 %
Kabikinase®
Kaochlor®-10
Kaochlor®-20
Kaon®
Lincocin®
Loniten®
Medrol®
Medrol®, lotion contre l'acné
Medrol® Veriderm®, crème
Microlax®
Motrin®
Mycifradin®
Myciguent®
Mycobutin®
Neo-Cortef®, Préparations
Neo-Medrol®, lotion contre l'acné
Neo-Medrol® Veriderm®, crème
Ogen®
Pharmorubicin®

Prepidil®, gel
Prostin® E_2
Prostin® E_2, gel vaginal
Prostin® VR
Provera®
Rogaine®
Salagen®
Salazopyrin®
Salazopyrin® EN-Tabs®
Solu-Cortef®
Solu-Medrol®
Tamone®
Vamin® N
Vamin® 18 sans électrolytes
Xalatan®
Xanax®
Xanax TSMC
Zanosar®
ZinecardMC

PHARMASCIENCE INC.

8400, ch. Darnley
Montréal QC H4T 1M4
Tél.: (514) 340-1114
Tél. sans frais: 1-800-363-8805
Téléc.: (514) 342-7764

Information médicale:

Tél: (514) 340-5073
Tél. sans frais: 1-888-550-6060

Asaphen
Asaphen E.C.
Canthacur®
Canthacur®-PS
Cedocard® SR
Charcodote®
Charcodote® Aqueux
Charcodote® TFS
Cromolyn, solution nasale
Cromolyn, solution ophtalmique
Dermazin
Euglucon®
Fluor-A-Day®
Maglucate™
Pediatric Electrolyte
PegLyte™
Phosphates Solution
PMS-Atenolol
PMS-Baclofen
PMS-Benzydamine
PMS-Buspirone
PMS-Cefaclor
PMS-Cephalexin
PMS-Chloral Hydrate
PMS-Cholestyramine
PMS-Cimetidine
PMS-Clobetasol
PMS-Clonazepam
PMS-Desipramine
PMS-Dicitrate™
PMS-Diclofenac
PMS-Diclofenac SR
PMS-Diphenhydramine
PMS-Docusate Calcium
PMS-Docusate Sodium
PMS-Domperidone
PMS-Egozinc
PMS-Egozinc HC
PMS-Erythromycin
PMS-Fluoxetine
PMS-Fluphenazine Decanoate
PMS-Flutamide
PMS-Gemfibrozil
PMS-Glyburide
PMS-Haloperidol LA
PMS-Hydromorphone
PMS-Hydroxyzine
PMS-Ipratropium
PMS-Isoniazid
PMS-Lactulose
PMS-Lindane
PMS-Lithium Carbonate
PMS-Lithium Citrate
PMS-Loxapine
PMS-Mefenamic Acid
PMS-Methotrimeprazine
PMS-Methylphenidate
PMS-Metoclopramide
PMS-Metoprolol-B
PMS-Metoprolol-L
PMS-Nifedipine
PMS-Nortriptyline
PMS-Nystatin
PMS-Salbutamol Respirator Solution
PMS-Sennosides
PMS-Sodium Cromoglycate, solution à nébuliser
PMS-Sodium Polystyrene Sulfonate
PMS-Temazepam
PMS-Tiaprofenic
PMS-Timolol
PMS-Trazodone
PMS-Tryptophan
PMS-Valproic Acid
PMS-Valproic Acid E.C.
PMS-Yohimbine
Podofilm®
Rhinaris®
Ridaura®
Secaris®
SH-206
Soflax™
Soflax® Ex
Statex®
Urispas®
VitinoinMC
Wartec®

LA COMPAGNIE PHARMACEUTIQUE PROCTER & GAMBLE CANADA, INC.

C.P. 355, succ. A
4711, rue Yonge
Toronto ON M5W 1C5
Tél.: (416) 730-4711
Tél. sans frais: 1-800-565-0814
Téléc.: (416) 730-6049

Bureau de commandes:

Tél.: (519) 622-3000 ou
Tél. sans frais: 1-800-265-8676

Information médicale:

Tél. sans frais: 1-800-565-0814

Cas d'urgence médicale après les heures normales de travail:

Tél. sans frais: 1-800-565-0814

Asacol®
Dantrium®, capsules
Dantrium®, intraveineux
DidrocalMC
Didronel®
MacroBID®
Macrodantin®
UltradolMC

PROCTER & GAMBLE INC.

C.P. 355, succ. A
Toronto ON M5W 1C5
Tél.: (416) 730-4711; Télex: 069-86195
Tél. sans frais: 1-800-668-0152
Téléc.: (416) 733-0142

Metamucil®, Préparations

PRO DOC LIMITÉE

2925, boul. Industriel
Laval QC H7L 3W9
Tél.: (514) 668-9750
Tél. sans frais: 1-800-361-8559
Téléc.: (514) 668-3585

PURDUE FREDERICK INC.

575, Granite Court
Pickering ON L1W 3W8
Tél.: (905) 420-6400
Tél. sans frais: 1-800-387-5349
Téléc.: (905) 420-1075

Betadine®, Préparations topiques
Betadine®, Produits vaginaux
Cardioquin®
Cerumenex®
Codeine Contin®
Entex® LA
Hydromorph Contin®
MS Contin®
MS•IR®
OxyContin®
Phyllocontin®
Phyllocontin®-350
Senokot®, Préparations
Senokot®•S
Soropon®
Teejel®
Trilisate®
Uniphyl®
X-Prep®

REED & CARNRICK

Une division de Block Drug Company (Canada) Ltd.

7600, cres. Danbro
Mississauga ON L5N 6L6
Tél.: (905) 542-7282
Téléc.: (905) 542-7785

ColperminMD
ColyteMD
CortifoamMD
Kwellada-PMC
PhazymeMD, Préparations
ProctofoamMD-HC
R & CMD II, aérosol
R & CMD, shampooing revitalisant

R&D LABORATORIES, INC.

4640 Admiralty Way, suite 710
Marina del Rey, California 90292 É.-U.
Tél.: (310) 305-8053
Tél. sans frais: 1-800-338-9066
Téléc.: (310) 305-8103

Dia-Vite® *

* *Distribué au Canada par Schein Pharmaceutical Canada Inc.*

RHODIAPHARM INC.

4707, rue Lévy
Ville St-Laurent QC H4R 2P9
Tél.: (514) 856-8300
Tél. sans frais: 1-800-361-5870
Téléc. sans frais: 1-800-267-0329

Commandes et service à la clientèle:

Tél. sans frais: 1-800-361-1141
Téléc. sans frais: 1-800-267-0329

Rho®-Aténolol
Rhodacine®
Rhodiaprox®
Rhodis™
Rhodis-EC™
Rhodis SR™
Rho®-Fluphenazine Decanoate
Rho®-Haloperidol Decanoate
Rho®-Salbutamol
Rhotral
Rhotrimine®
Rhovane®

RHÔNE-POULENC RORER CANADA INC.

Siège social:

4707, rue Lévy
Ville St-Laurent QC H4R 2P9
Tél.: (514) 856-8300
Tél. sans frais: 1-800-361-5870
Téléc. sans frais: 1-800-267-0329

Commandes et service à la clientèle:

Tél. sans frais: 1-800-361-1141
Téléc. sans frais: 1-800-267-0329

Information médicale:

Tél.: (514) 856-8301
Tél. sans frais: 1-800-361-5870

Commandes de stupéfiants:

Rhône-Poulenc Rorer Canada Inc.
4707, rue Lévy
Ville St-Laurent QC H4R 2P9
Tél. sans frais: 1-800-361-1141
Téléc. sans frais: 1-800-267-0329

Arlidin®
Arlidin® Forte
Azmacort®
Bacid®
Bonefos®
Calcimar®
Cérubidine®
Dagenan®
Duo-C.V.P.®
Ergomar®
Flagyl®
Flagystatin®
Flaxedil®
Gastrolyte®
Imovane® [a]
Intal®, Inhalateur
Intal® Syncroner®
Intal® Spincaps®
Intal®, solution à nébuliser
Ionamin®
Kidrolase®
Largactil®
Lovenox®
Majeptil®
M-Eslon®
Multipax®
M.V.I.®-12 (perfusion multivitaminique)
Myochrysine®
Nalcrom®
Nasacort^MD
Nasacort® Aq
Neuleptil®
Nitrol®
Nitrolingual®, pompe
Nitrolingual®, pulvérisateur
Nitrong® SR
Nozinan®
Omni-Tuss®
Oncaspar®
Orudis®
Orudis® E
Orudis® SR
Panectyl®
Parsitan®
Pediapred®
Pentacarinat®
Phénergan®, injectable
Piportil L4®
Rovamycine®
Sectral®
Slo-Bid®
Stémétil®
Suprax®
Surmontil®
Synvisc® [b]
Tamofen®
Taxotere®
Theo-SR®
Tilade®
Tussionex®
Vaponefrin®
Zaroxolyn®

[a] *Imovane 5 mg: Développé et fabriqué par Rhône-Poulenc Rorer Canada Inc.; Distribué par ICN Canada Ltée.*
[b] *Développé par Biomatrix Inc. et fabriqué par Biomatrix Medical Canada Inc. Distribué par Rhône-Poulenc Rorer Canada Inc.*

RHO-PHARM INC.

4707, rue Lévy
Ville St-Laurent QC H4R 2P9
Tél.: (514) 856-8300
Tél. sans frais: 1-800-361-5870
Téléc. sans frais: 1-800-267-0329

Commandes et service à la clientèle:

Tél. sans frais: 1-800-361-1141
Téléc. sans frais: 1-800-267-0329

Rhovail^MC

RHOXALPHARMA INC.

4707, rue Lévy
Ville St-Laurent QC H4R 2P9
Tél.: (514) 856-8300
Tél. sans frais: 1-800-361-5870
Téléc. sans frais: 1-800-267-0329

Commandes et service à la clientèle:

Tél. sans frais: 1-800-361-1141
Téléc.: 1-800-267-0329

Rho®-Clonazepam
Rho®-Lopéramide
Rho®-Metformin
Rho®-Nitrazepam
Rho®-Sotalol

LABORATOIRE RIVA INC.

660, boul. Industriel
Blainville QC J7C 3V4
Tél.: (514) 434-7482; (514) 389-6701
Tél. sans frais: 1-800-363-7988
Téléc.: (514) 434-2500

Calcite 500
Calcite D-500
Dalmacol
Doxycin
Lomine
Minox
Rectogel
Rectogel HC
Rivanase Aq.
Riva-Senna
Rivasol
Rivasol-HC
Suplevit
Théochron® SR
Vita 3B
Vita 3B+C

PRODUITS OPHTALMIQUES RIVEX

3-305 Industrial Pkwy sud
Aurora ON L4G 6X7
Tél.: (905) 841-2300
Tél. sans frais: 1-800-784-0975
Téléc.: (905) 841-2244
Téléc. sans frais: 1-800-784-0976

Atropine (sulfate)
Collyre
Dexaméthasone (phosphate de sodium)
Érythromycine
Gentamicine (sulfate)
Gouttes Oculaires
Larmes Artificielles
Lévobunolol (chlorhydrate)
Pilocarpine (chlorhydrate)
Prednisolone (phosphate de sodium) Forte
Rubifuge®
Tropicamide

RIVEX PHARMA INC.

3-305 Industrial Pkwy sud
Aurora ON L4G 6X7
Tél.: (905) 841-2300
Tél. sans frais: 1-800-784-0975
Téléc.: (905) 841-2244
Téléc. sans frais: 1-800-784-0976

Isoprinosine®
Klean-Prep®
Lactrase®
Levsin®
Normacol®
Pre-Pen®
Pro-Lax®
Revitalose-C-1000®

ROBERTS PHARMACEUTICAL CANADA INC.

400, ch. Iroquois Shore
Oakville ON L6H 1M5
Tél.: (905) 337-3538
Tél. sans frais: 1-800-268-2772
Téléc.: (905) 337-3539

Service à la clientèle:

Tél. sans frais: 1-800-268-2772

Notification concernant un effet indésirable:

Tél. sans frais: 1-800-268-2772

Advantage 24™
Agrylin™
Alcojel®
Allenburys® Savon Neutre
Amyl Nitrite
Ascorbic Acid
Bacitracine-Zinc
Barriere™
Barriere-HC®
Betnesol®, Préparations
Betnovate®, Préparations
Cheracol®
Citrocarbonate®
Colace®
Dequadin®, Préparations

Duvoid®
Eminase®
Entacyl®
Éphédrine (chlorhydrate)
Estrace®
Florinef®
Glaxal® Base
Grisovin® FP
K-Lyte®
K-Lyte®/Cl
Mucomyst®
Mycil®
Peri-Colace®
Prénavite®
Pro-Banthine®
Propaderm®
Replens®
Rimso®-50
Slow-Mag^MC
Stilbestrol
Trandate®

ROCHE

voir «Hoffmann-La Roche Limitée»

ROSS

voir «Abbott»

ROUGIER INC.

Distributeur pour:

Desbergers Ltée
Laboratoire Nadeau Ltée
Rodeca Inc.
Welcker-Lyster Ltée

Siège social et usine:

8480, boul. Saint-Laurent
Montréal QC H2P 2M6
Tél.: (514) 381-5631
Tél. sans frais: 1-800-361-3808
Téléc.: (514) 383-4493
Courriel: sylviet@rougier.com

Laboratoires et usine:

1000, boul. Industriel
Chambly QC J3L 3H9
Tél.: (514) 658-1704

Livingston Distribution Centres Inc.

320, prom. Edimburgh
Moncton NB E1C 8P2
Tél.: (506) 857-4960

7403 Progress Way
Delta BC V4G 1E7
Tél.: (604) 940-4116

4441–76e, av. sud-est
Calgary AB T2C 2G8
Tél.: (403) 279-2700

10 Corinne Court
Vaughan ON L4K 4T7
Tél.: (905) 879-0114

Northwest Drug Co. Ltée
966, rue Powell
Winnipeg MB R3H 0H6
Tél.: (204) 633-9502

Balminil® Camphorub
Balminil® décongestionnant
Balminil® DM
Balminil® DM enfants
Balminil DM + Décongestionnant
Balminil DM + Décongestionnant + Expectorant
Balminil® DM + Expectorant
Balminil®, Expectorant
Citro-Mag®
Codeine Phosphate
Fermalac®
Fermalac® Vaginal
Glucodex®
Koffex® DM
Lanohex®, nettoyeur pour la peau
Magnésium-Rougier
Proviodine®
Quinate
Quinobarb®
Theo-Bronc
Yohimbine

SABEX INC.

145, rue Jules-Léger
Boucherville QC J4B 7K8
Tél.: (514) 596-0000
Tél. sans frais: 1-800-361-3062
Téléc.: (514) 596-1460

Climacteron®
Cortamed®
Cortimyxin®
Halopéridol LA
Hydromorphone (chlorhydrate)
Infufer®
Morphine HP®
Nova Rectal®
Oligofer®
Optimyxin®
Optimyxin Plus®
Pentamycetin®
Pentamycetin®/HC
Penta-Thion®
Penta/3B®
Penta/3B® Plus
Penta/3B® + C
Protamine (sulfate), injectable
Revitonus® C-1000
Supeudol®

SANDOZ CANADA INC.

voir «Novartis Pharma Canada Inc.»

SANDOZ CANADA INC. (DIVISION SOINS DE SANTÉ)

voir «Novartis Santé Familiale Canada Inc.»

SANDOZ NUTRITION CORPORATION

voir «Novartis Nutrition Corporation»

SANOFI CANADA INC.

Siège social et usine:

90, Allstate Pkwy
Markham ON L3R 6H3
Tél.: (905) 513-4444

Demande de renseignements généraux sur les médicaments:

Tél.: (905) 513-4495
Tél. sans frais: 1-800-668-7401, poste 4495
Téléc.: (905) 513-4585

Affaires médicales:

Bonny Houghton
Suzanne Wighardt
Anson Tang

Service à la clientèle:

Tél. sans frais:
Québec et provinces de l'Atlantique: 1-800-263-2216;
Ontario: 1-800-263-2211;
Provinces de l'ouest: 1-800-263-2222

Aralen®
Avapro^MC [a,b]
Betaxin®
Bronkaid® Mistometer®
Carbocaine®
Cyclomen®
Demerol®
Drisdol®
Fraxiparine^MC
Hytakerol®
Idarac®
Inocor®
Isuprel®
Kayexalate®
Levophed®
Marcaine®
Marinol®
NegGram®
Neo-Synephrine®, parentérale
Novocain®
pHisoHex®
Plaquenil®
Plavix^MC [a]
Pontocaine®
Primacor®
Primaquine
Resonium Calcium
Talwin®, comprimés
Talwin®, injectable
Trinipatch^MC 0,2
Trinipatch^MC 0,4
Trinipatch^MC 0,6
Zephiran®

[a] *Découvert par Sanofi Research. Distribué par Bristol-Myers Squibb/Sanofi Canada.*
[b] *Contactez Bristol-Myers Squibb Canada Inc. pour renseignements sur le produit.*

SANOFI WINTHROP

voir «Sanofi Canada Inc.»

SCHEIN PHARMACEUTICAL CANADA INC.

77, ch. Belfield
Etobicoke ON M9W 1G6
Tél.: (416) 248-3600
Téléc.: (416) 248-3605

Service à la clientèle:

Tél. sans frais: 1-800-329-2393

Céfuroxime sodique USP, stérile
Isoflurane, USP
Natavite™
Nifédipine PA 10
Nifédipine PA 20
Scheinpharm Artificial Tears
Scheinpharm Artificial Tears Plus
Scheinpharm Atenolol
Scheinpharm B12
Scheinpharm Cefaclor
Scheinpharm™ Clotrimazole
Scheinpharm Desonide
Scheinpharm Diphenhydramine
Scheinpharm™ Dobutamine
Scheinpharm™ Ferrous Fumarate
Scheinpharm Gentamicin
Scheinpharm Penicillin G Sodium
Scheinpharm Pilocarpine
Scheinpharm Testone-Cyp

Scheinpharm™ Tobramycin
Scheinpharm Triamcine-A

SCHERING CANADA INC.

3535, route Transcanadienne
Pointe-Claire QC H9R 1B4
Tél.: (514) 426-7300
Téléc.: (514) 695-7641

Service à la clientèle:

Montréal:
Français: (514) 426-7340
Anglais : (514) 426-7344

Province de Québec:
Tél. sans frais: 1-800-361-2431

Ontario et Maritimes:
Tél. sans frais: 1-800-361-6550

Ouest du Canada:
Tél. sans frais: 1-800-661-3134

Renseignements médicaux seulement:

Tél. sans frais: 1-800-463-5442
Téléc. sans frais: 1-800-369-3090
Courriel: med-afrs@schering.ca

Base Schering®
Celestoderm®-V
Celestoderm®-V/2
Celestone®
Celestone® Soluspan®
Chlor-Tripolon®
Chlor-Tripolon® décongestionnant, comprimés
Chlor-Tripolon® décongestionnant, sirop
Chlor-Tripolon N.D.®
Claritin®
Claritin® Extra
Complex 15®
Coricidin «D»
Coricidin®, dragées contre le rhume
Coricidin® non sédatif
Cortate® 0,5 %
Cortate® 1 %
Diprogen®
Diprolene^MC Glycol
Diprosalic®
Diprosone®
Drixoral®, Drixtab®
Drixoral® jour/nuit
Drixoral® N.D.
Drixoral®, solution nasale
Elocom
Estinyl®
Etrafon®
Euflex®
Fulvicin® P/G
Fulvicin® U/F
Garamycin®, injectable
Garamycin®, Préparations oto-ophtalmiques
Garamycin®, Préparations topiques
Garasone™, Préparations oto-ophtalmiques
Hydrasense®, soin du nez
Hyperstat® I.V., injectable
Intron A®
Lotriderm®
Metimyd®
Metreton®
Netromycin®
Ocuclair®
Optimine®
Polaramine®
Proglycem®
Prometrium^MD
Solganal®
Sulamyd Sodique®
Tinactin®
Tinactin® Plus
Tinactin pour démangeaisons de l'aine
Trilafon®
Trinalin®
Valisone®, lotion pour le cuir chevelu
Valisone-G®
Vancenase®
Vanceril®

SEARLE CANADA

Une unité de Monsanto Canada Inc.

2233, ch. Argentia
Mississauga ON L5N 2X7
Tél. (905) 819-9666
Téléc.: (905) 819-9994

La Tour Digital
3333 Côte-Vertu, bureau 202
Ville St-Laurent QC H4R 2N1
Tél.: (514) 856-7470
Tél. sans frais: 1-800-263-1705
Téléc.: (514) 745-2919

Commandes:

Toronto & les environs:
Tél.: (905) 819-9311
Tél. sans frais: 1-800-263-1705
Téléc.: (905) 819-9344

Information médicale:

Tél.: (905) 814-2421
Tél. sans frais: 1-800-387-7942

Aldactazide 25®
Aldactazide 50®
Aldactone®
Arthrotec®
Brevicon® 0,5/35
Brevicon® 1/35
Chronovera®
Cytotec®
Daypro^MC
Demulen® 30
Demulen® 50
Lomotil®
Norinyl® 1/50
Synarel® *
Synphasic®

** Distribué par Ferring Inc.*

SERONO CANADA INC.

1075, ch. North Service, bureau 100
Oakville ON L6M 2G2
Tél.: (905) 825-9200
Téléc.: (905) 825-9449

Fertinorm® HP
Gonal-F®
Pegonal®
Profasi® HP
Rebif^MD
Saizen^MD
Serophene®
Stilamin®

SERVIER CANADA INC.

235, boul. Armand-Frappier
Laval QC H7V 4A7
Tél.: (450) 978-9700

Commandes:

Tél. sans frais: 1-800-363-6093
Téléc.: (450) 978-0402

Information médicale:

Tél. sans frais: 1-800-663-0839
Téléc.: (450) 978-0401

Coversyl®
Diamicron®
Lozide®
Vitathion®-A.T.P.

PHARMACEUTIQUES SHEPHERD INC.

3332, rue Yonge
C.P. 94018
Toronto ON M4N 3R1
Tél.: (416) 488-7180
Téléc.: (416) 484-1875

Bureau de commandes:

a/s Pharmaceutiques Waymar Inc.
330, prom. Marwood, Unit 4
Oshawa ON L1H 8B4
Tél.: (Oshawa) (905) 434-1814
Téléc.: (905) 434-1816

Trisulfaminic®

SIGMA-TAU PHARMACEUTICALS, INC.

800 South Frederick Ave., suite 300
Gaithersburg MD 20877 É.-U.
Tél.: (301) 948-1041
Tél. sans frais: 1-800-447-0169
Téléc.:
(Ventes et Marketing): (301) 948-3194;
(Affaires scientifiques): (301) 948-3679;
(Affaires régulatoires): (301) 948-8627
Courriel: info@sigmatau.com

Carnitor®

SMITHKLINE BEECHAM CONSUMER HEALTHCARE

Division of SmithKline Beecham Inc.

2030 Bristol Circle
Oakville ON L6H 5V2
Tél.: (905) 829-2030
Téléc.: (905) 829-6071

Information médicale:

Tél. (Oakville): (905) 829-2030

Service à la clientèle:

Tél. (Oakville): (905) 829-2030
Tél. sans frais: 1-800-268-4600

Contac® Rhume 12 heures de soulagement ordinaire
Contac® Rhume 12 heures de soulagement sans somnolence
Contac® Rhume 12 heures de soulagement extra fort
Contac® Toux, Rhume et Grippe, Jour et Nuit^MC
Gaviscon®, Formule pour soulager les brûlures d'estomac

SMITHKLINE BEECHAM PHARMA

Division de SmithKline Beecham Inc.

2030 Bristol Circle
Oakville ON L6H 5V2
Tél.: (905) 829-2030
Téléc.: (905) 829-6064

Bureau des commandes:

Toronto:
Tél.: (905) 829-2030

Ontario:
Tél. sans frais: 1-800-565-5468

Québec et Maritimes:
Tél. sans frais: 1-800-663-1945

Provinces de l'ouest:
Tél. sans frais: 1-800-565-9497

Information médicale et pharmacovigilance:

Tél. (Toronto): (905) 829-2030
Tél. sans frais: 1-800-567-1550

Abenol®
Ancef®
Bactroban®
Cefizox®
Clavulin®
Coreg™
Dexedrine®
Dyazide®
Dyrenium®
Engerix®-B
Famvir™
Fastin®
Halfan™
Havrix™
Hycamtin™
K-10®
Kytril™
Mesasal™
Palafer®
Palafer® CF
Parnate®
Paxil®
Relafen™
Requip™
Stelabid®, Préparations
Stelazine®
Tagamet®
Timentin®
Twinrix™

SMITH & NEPHEW INC.

2100, 52e av.
Lachine QC H8T 2Y5
Tél.: (514) 636-0772; Télex: 05-822580
Téléc.: (514) 636-1684

Centre d'action pour les clients:

Tél. sans frais: 1-800-463-7439

Livingston Distribution Centres Inc. (hôpitaux seulement):

7475, ch. Flint sud-est
Calgary AB T2H 1G3
Tél.: (403) 253-8221
Téléc.: (403) 255-3386

Centre de distribution de Terre-Neuve:

C.P. 13427
Saint-Jean NF A1B 4B7
Tél.: (709) 744-3033
Téléc.: (709) 754-3014

Centre de distribution canadien:

Smith & Nephew Inc.
185-A, prom. Courtneypark
Mississauga ON L5T 2T6

Ametop^MC
Aquaphor®
Bactigras®
Flamazine®
Flamazine® C

SOLVAY PHARMA INC.

50, prom. Venture
Scarborough ON M1B 3L6
Tél.: (416) 284-7666

Information médicale et pharmacovigilance:

Tél. sans frais: 1-800-268-4276
Téléc.: (416) 284-6895

Cerumol®
Creon® 10
Creon® 25
Dicetel®
Duphalac®
Luvox®
Pantoloc™
Serc®
Sialor®

Solvay Pharma/Byk Canada

Pantoloc™

SPECTROPHARM DERMATOLOGIE

Une division de Draxis Health Inc.

6870, prom. Goreway
Mississauga ON L4V 1P1
Tél.: (905) 677-5500
Téléc.: (905) 677-5502

Aquacort®
Spectro Derm®
Spectro Gluvs "19"®
Spectro Gram "2"^MD
Spectro Jel "609"®
Spectro Tar^MD, shampooing antiseptique
Spectro Tar® Wash/Lavage
Tiamol®
Ti-U-Lac® HC

SQUIBB CANADA INC.

voir «Bristol-Myers Squibb Canada Inc.»

STANLEY PHARMACEUTICALS LTD.

1353, rue Main
North Vancouver BC V7J 1C5

Siège social:

 # 117-260, Esplanade ouest
North Vancouver BC V7M 3G7
Tél.: (604) 987-3391
Tél. sans frais: 1-800-663-5903
Téléc.: (604) 984-8532

Usine et Laboratoire:

1353, rue Main
North Vancouver BC V7J 1C5
Tél.: (604) 987-0445
Tél. sans frais: 1-800-663-5903
Téléc.: (604) 980-4574

Succursale:

Toronto ON
Tél.: (416) 289-7720
Tél. sans frais: 1-800-268-4130
Téléc.: (416) 289-7978

Acétaminophène
Acétaminophène, Caféine et Codéine
Calcium Stanley
Niacine à libération prolongée
Pedi-dent™
Traveltabs

STIEFEL CANADA INC.

6635, boul. Henri-Bourassa ouest
Montréal QC H4R 1E1
Tél.: (514) 332-3800
Tél. sans frais: 1-800-363-2862
Téléc.: (514) 332-1961
Téléc. sans frais: 1-800-561-1898
Courriel: stiefel.canada@sympatico.ca
Adresse Web: www.stiefel.ca

Acetoxyl® 2,5 % et 5 %
Acetoxyl® 10 %
Acne-Aid, savon
Benoxyl® 5 %, lotion
Benoxyl® 10 % et 20 %, lotion
Brasivol®
Cyclocort®
Dan-Gard®
Dan-Tar Plus®
Duofilm®
Duoforte® 27
Duoplant®
Epi-Lyt, lotion AHA médicamenteuse®
Erysol®
Isotrex®
Lacticare® AHA
Nerisalic®
Nerisone®
Oilatum®, huile dermatologique de douche et de bain
Oilatum®, savon
Oxizole™
PanOxyl® Aquagel 2,5 % et 5 %
PanOxyl® Aquagel 10 % et 20 %
PanOxyl® 5 %, nettoyeur
PanOxyl® 10 %, nettoyeur
PanOxyl® 5 %
PanOxyl® 10 %, 15 % et 20 %
Polytar® AF
Polytar®, Préparations
Retisol-A®
Rejuva-A®
Sarna® HC
Sarna-P®
Sastid®
Solugel® 4, Solugel® 8
Soufre, savon
Stieva-A®, Préparations
Stieva-A® Forte
Stievamycin®, Préparations
Sulfoxyl®
ZeaSORB®
ZeaSORB® AF
ZNP®

Division de Glades, Stiefel Canada Inc.

Aristocort®, comprimés
Aristocort®, Préparations parentérales
Aristocort®, topiques
Aristospan®
Capsaïcin
Capsaïcin HP

SUN PHARMACEUTICAL INDUSTRIES INC.

1111, ch. Flint, unité 23
Downsview ON M3J 3C7
Tél.: (416) 665-4033
Téléc.: (905) 669-5299 ou (416) 665-6923

Sun-Benz *

* *Distribué par Kinsmor Pharmaceuticals Canada Inc. (1-800-454-6766)*

SWISS HERBAL REMEDIES LTD.

35 Leek Crescent
Richmond Hill ON L4B 4C2
Tél.: (905) 886-9500
Téléc.: (905) 886-5434

Bureaux régionaux:

264, rue Benjamin-Hudon
Saint-Laurent QC H4N 1J4
Tél.: (514) 334-5740
Téléc.: (514) 334-7566

2439, av. Beta, Unit 8
Burnaby BC V5C 5N1
Tél.: (604) 298-4114
Téléc.: (604) 298-4119

B-Composé en haute teneur ''50''
Cal-Mag
Choix d'enfantsᴹᴰ Super multi-vitamines et minéraux
Echinacea Angustifolia
Herbes pour les nerfs
Huile d'onagre
Laxatif aux herbes
Millepertuis Commun
Swiss Une
Swiss Une ''50'', action maintenue
Vitamine C
Vitamine C 1000 mg, action maintenue
Vitamine C 500 mg, action maintenue
Vitamine E

TANTA PHARMACEUTICALS INC.

1009, rue Burns est
Whitby ON L1N 6A6
Tél.: (905) 430-8440
Tél. sans frais: 1-800-668-2682
Téléc.: (905) 430-8449

DairyAid®
Tanta Orciprénaline
Yohimbine

TAP PHARMACEUTICALS

voir «Abbott»

TARO PHARMACEUTICALS INC.

130, prom. East
Bramalea ON L6T 1C3
Tél.: (905) 791-8276
Tél. sans frais: 1-800-268-1975
Téléc.: (905) 791-5008

Betaderm
Clotrimaderm
Cortoderm
Docusate Calcium
Docusate Sodique
Fluoderm
Hyderm
Lyderm
Micozole
Nyaderm
Oracort
Pitrex
Taro-Carbamazepine
Taro Gel
Taro-Sone
Testosterone Enanthate Injection, USP
Testosterone Propionate Injection, USP
Triaderm
Triamcinolone Diacetate Injectable Suspension, USP
Viaderm-K.C.
Vitamine B_{12}

TECHNILAB INC.

17 800, rue Lapointe
Mirabel QC J7J 1P3
Tél.: (514) 433-7673
Tél. sans frais: 1-800-361-6667
Téléc.: (514) 433-7434
Adresse Web: www.technilab.ca

Acetazone Forte
Acetazone Forte C8
Acilac®
Acti-B_{12}®
Allernix
Anuzinc®
Asmavent®
Bisacodyl
Bismutal
Broncho-Grippol-DM
Buspirex
Caldomine®-DH
Calmydone®
Calmylin® Ace
Calmylin® Expectorant
Calmylin® Original avec codéine
Calmylin® avec codéine
Calmylin®, Préparations
Captril
Chlorpromanyl
Codéine (phosphate)
Coristex®-DH
Coristine®-DH
Cotridin
Cotridin Expectorant
Decongest
Deproic®
Dermasone®, Préparations
Diclotec
Docusate Calcium
Docusate Sodium
Doxytec
Ectosone® Doux
Ectosone®, lotion pour le cuir chevelu
Ectosone® Régulier
Electropeg
Emtec®-30
Fexicam
Flexitec
Garatec
Gentamicin Sulfate
Hemarexin®
Hemcort®-HC
Heracline®
Hormodausse®
Indotec®
Isoflurane
Laxilose®
Lenoltec No. 1, 2 & 3
Lenoltec No. 4
Levotec
Liotec
Lydonide
Methoxacet
Methoxacet-C
Methoxisal
Methoxisal-C
Monazole® 7
Morphitec® -1, -5, -10, -20
Motilidone
Neo-Laryngobis
Neotopic
Nilstat®
Orafen®
Orcipren®
Osmopak Plus
Oxycocet®
Oxycodan®
Para®
Pediatrix
Peridol®
Pilocarpine (chlorhydrate)
Polytopic, crème
Polytopic, onguent
Proctosone®
Riphenidate
Salinex®
Salinol
Sopalamine/3B
Sopalamine/3B Plus C
Sotamol
Tecnal®
Tecnal® C 1/4, C 1/2
Tenolin
Thalaris
Theophylline
Topilène®
Topisone
Triacomb®

THERAPEX

Division de E-Z-EM Canada Inc.
11 100, rue Colbert
Ville d'Anjou QC H1J 2M9
Tél.: (514) 353-5820
Tél. sans frais: 1-800-465-5820
Téléc.: (514) 351-3450

Lyteprepᴹᶜ
Trombovar®

TRANS CANADERM INC.

Filiale de Stiefel Canada Inc.
6635, boul. Henri Bourassa Ouest
Montréal QC H4R 1E1
Tél.: (514) 332-3800
Tél. sans frais: 1-800-363-2862
Téléc.: (514) 332-1961
Téléc. sans frais: 1-800-561-1898
Courriel: stiefel.canada@sympatico.ca
Adresse Web: www.stiefel.ca

Buro-Sol®
Buro-Sol®, solution otique
Cuplex®
Dehydral®
Doak™ Oil
Doak™ Oil Forte
Emo-Cort®
Prevex®
Prevex® B
Prevex® Bébé, crème pour érythème fessier
Prevex® HC
TersAc®
Tersaseptic®
Tersa-Tar®
Uremol® 10
Uremol® 20
Uremol®-HC
Versel®

LABORATOIRES TRIANON INC.

660, boul. Industriel
Blainville QC J7C 3V4
Tél.: (514) 434-7482/(514) 389-6701
Tél. sans frais: 1-800-363-7988
Téléc.: (514) 434-2500

Acétaminophène
Calcium 500
Calcium D 500
Codéine
Congest
Docusate de sodium
Trianal
Trianal C 1/4, C 1/2
Triatec-8
Triatec-8 Fort
Triatec-30

PRODUITS PHARMACEUTIQUES DE 3M

Siège social:
C.P. 5757
London ON N6A 4T1
Tél.: (519) 451-2500
Tél. sans frais: 1-800-668-9295
Centre de distribution:
6611, prom. Northwest
Mississauga ON L4V 1L1

Airomic^MC^
Calcium Disodique (versénate)
Disalcid^MC^
Disipal^MC^
Hip-Rex^MC^
Minitran^MC^
NidaGel^MC^
Norflex^MC^
Norgesic^MC^
Norgesic^MC^ Forte
Tambocor^MC^
Tantum^MC^
Theolair^MC^
Theolair^MC^-SR
Ulone^MC^

UCB PHARMA INC.

1950, prom. Lake Park
Smyrna, Georgia 30080 É.-U.
Tél.: (770) 437-5500
Téléc.: (770) 437-5511

Affaires médicales:

Suzan Leake

Zyrtec®

VITA HEALTH PRODUCTS INC.

150, av. Beghin
Winnipeg MB R2J 3W2
Tél.: (204) 661-8386
Téléc.: (204) 663-8386

VITA PHARM CANADA LIMITED

2835, prom. Kew
Windsor ON N8T 3B7
Tél.: (519) 944-7007
Téléc.: (519) 944-7796

WARNER-LAMBERT, SANTÉ GRAND PUBLIC

Siège social:

2200, av. Eglinton est
Scarborough ON M1L 2N3
Tél.: (416) 288-2200
Téléc.: (416) 288-2588

Adresse postale:

C.P. 2200, succ. A
Scarborough ON M1K 5C9

Information médicale:

Tél.: (416) 288-2402
Tél. sans frais: 1-800-611-5889
Téléc.: (416) 701-3053

Info-ligne consommateurs:

Tél. sans frais: 1-800-661-4659

Bureaux de ventes:

3333, boul. Côte Vertu, bureau 810
Ville St-Laurent QC H4R 2N1
Tél.: (514) 337-6186
Téléc.: (514) 337-6424

2200, av. Eglinton est
Scarborough ON M1L 2N3
Tél.: (416) 288-2242
Téléc.: (416) 288-2588

Service à la clientèle:

C.P. 2200, succ. A
Scarborough ON M1K 5C9
Tél. (Toronto): (416) 288-2321
Tél. sans frais: 1-800-387-6577
Téléc.: (416) 288-2283
Téléc. sans frais: 1-800-563-2013

Laboratoire:

2337, av. Parkdale
Brockville ON K6V 5W5
Tél.: (613) 342-4436
Téléc.: (613) 342-6584

Actifed®
Actifed^MC^ Plus Extra-puissant
Anusol®
Anusol® Plus
Baume Analgésique
Benadryl®, Préparations
Benadryl®, Allergies/Sinus/Maux de tête
Benylin® Codéine 3,3 mg D-E (EVL)
Benylin® DM
Benylin® DM 12 heures
Benylin® DM 12 heures pour enfants
Benylin® DM pour enfants
Benylin®-DM-D (Adultes)
Benylin®-DM-D pour enfants
Benylin®-DM-D-E
Benylin®-DM-D-E extra-puissant
Benylin®-DM-E
Benylin®-DM-E extra-puissant
Benylin® E extra-puissant
Benylin® Grippe
Caladryl®
Gelusil®
Gelusil® extra-puissant
Glycérine, suppositoires
Lidosporin®, crème
Lidosporin®, gouttes otiques
Mylanta^MD^, Préparations
Nix®, après-shampooing
Polysporin®, crème antibiotique pour les brûlures
Polysporin®, Préparations
Sinutab®
Sinutab® avec codéine
Sinutab®, formule-nuit
Sinutab® sans somnolence
Sinutab® SA
Steri/Sol®
Sudafed® Décongestionnant
Sudafed® Décongestionnant Extra-puissant
Sudafed® Décongestionnant 12 heures
Sudafed rhume et toux, extra-puissant
Sudafed® rhume et grippe
Sudafed® rhume de cerveau et sinus, extra-puissant
Vanquin®
Zincofax®

WAYMAR PHARMACEUTICALS INC.

330, prom. Marwood, unité 4
Oshawa ON L1H 8B4
Tél.: (905) 434-1814
Tél. sans frais (Québec et Ontario): 1-800-810-8065
Téléc.: (905) 434-1816
Courriel: kings@osha.igs.com

Roychlor®
Royflex®
Royvac®

WELCKER-LYSTER LTÉE

Siège social et usine:

8480, boul. Saint-Laurent
Montréal QC H2P 2M6
Tél.: (514) 381-5631
Tél. sans frais: 1-800-361-3808
Téléc.: (514) 383-4493
Courriel: sylviet@rougier.com

Laboratoires et usine:

1000, boul. Industriel
Chambly QC J3L 3H9
Tél.: (514) 658-1704

Livingston Distribution Centres Inc.

320, prom. Edimburgh
Moncton NB E1C 8P2
Tél.: (506) 857-4960

7403 Progress Way
Delta BC V4G 1E7
Tél.: (604) 940-4116

4441-76e, av. sud-est
Calgary AB T2C 2G8
Tél.: (403) 279-2700

10 Corinne Court
Vaughan ON L4K 4T7
Tél.: (905) 879-0114

Northwest Drug Co. Ltée
966, rue Powell
Winnipeg MB R3H OH6
Tél.: (204) 633-9502

Colchicine
Rectocort
Yohimbine

WESTCAN PHARMACEUTICALS LTD.

Division de Vita Health Products Inc.

150, av. Beghin
Winnipeg MB R2J 3W2
Tél.: (204) 661-8386
Téléc.: (204) 663-8386

A.A.S.
A.A.S. à délitage entérique
A.C.&C.
Acétaminophène à croquer pour enfants
Acétaminophène, élixir pour enfants
Acétaminophène extra-puissant
Acétaminophène extra-puissant avec codéine
Acétaminophène ordinaire
Acétaminophène ordinaire avec codéine
Acétaminophène, solution orale pour enfants
Comprimés de voyage

WESTWOOD-SQUIBB

2365, rue Côte de Liesse
Montréal QC H4N 2M7

Bureau de commandes:

Tél. sans frais: 1-800-BMS-0005
Téléc.: (514) 333-6741

Bureau exécutif:

Tél. sans frais: 1-800-333-0950
Téléc.: (716) 887-7735

Balnetar®
Candistatin®
Desquam-X®, Préparations
Ecostatin®, Préparations
Estar®
Halog®, Préparations
Kenacomb®, Préparations
Kenalog®
Kenalog®-10, injectable
Kenalog®-40, injectable
Kenalog®-Orabase
Keralyt®
Lac-Hydrin®
Moisturel®
Pernox®
PreSun® Écran Solaire 28
PreSun® Ultra 30, Préparations

Sebulex®
Sebulon®
Sebutone®
Staticin®
Trans-Plantar®
Trans•Ver•Sal®
T-Stat®
Ultravate^MD, Préparations
Westcort®, Préparations

WHITEHALL-ROBINS INC.

5975, rue Whittle
Mississauga ON L4Z 3M6
Tél.: (905) 507-7000
Tél. sans frais: 1-800-387-8647
Téléc.: (905) 507-7111

Centres de distribution:

Québec et provinces de l'Atlantique
5950, Côte-de-Liesse
Montréal QC H4T 1E2

Ontario et l'ouest du Canada
2360, rue Southfield
Mississauga ON L5N 3R6
Tél.: (905) 821-8820

Commandes:

Tél.: (905) 507-7000
Tél. sans frais: 1-800-387-8647

Advil®
Advil® Rhume et Sinus
Anacin®
Anacin® Extra-fort
Anbesol®, Préparations
Aquatain®
Auralgan®
Caltrate® 600
Caltrate 600+D
Caltrate Plus
Centrum®
Centrum® Forte
Centrum® Junior Complet
Centrum Junior Régulier
Centrum® Protegra
Centrum® Sélect
Denorex®
Denorex® extra-fort
Dimetane®
Dimetane® Expectorant
Dimetane® Expectorant-C
Dimetane® Expectorant-DC
Dimetapp®
Dimetapp®-A Sinus
Dimetapp®-C
Dimetapp® Clair
Dimetapp® à dissolution rapide
Dimetapp®, comprimés à croquer
Dimetapp®-DM
Dimetapp®, gouttes orales pour enfants
Dimetapp® Liqui-Gels®
Dimetapp® Liqui-Gels® Toux et Rhume
Dristan
Dristan Extra-fort
Dristan® N.D.
Dristan N.D. Extra-fort
Dristan Sinus
Dristan®, vaporisateur nasal
Dristan, vaporisateur nasal à effet prolongé
Préparation H®, crème
Préparation H®, gel rafraîchissant
Préparation H®, onguent
Préparation H®, suppositoires
Préparation H®, tampons nettoyants
Riopan®
Riopan® Plus
Robaxacet®
Robaxacet® Extra Forte
Robaxacet®-8
Robaxin®
Robaxin®-750
Robaxisal®-C
Robaxisal®/Robaxisal® Extra Fort
Robitussin®
Robitussin® AC
Robitussin® avec Codéine
Robitussin® DM
Robitussin® Extra-Fort
Robitussin® Extra-Fort DM
Robitussin® Extra-Fort Toux et Rhume
Robitussin® Pédiatrique
Robitussin® Pédiatrique Toux et Rhume
Robitussin® Toux et Rhume
Robitussin® Toux et Rhume Liqui-Gels®
Robitussin® Toux, Rhume et Grippe Liqui-Gels®
Stresstabs®
Stresstabs® avec fer
Stresstabs® avec zinc
Stresstabs® Plus
Z-BEC®

WYETH-AYERST CANADA INC.

Siège social:

1025, boul. Marcel Laurin
Saint-Laurent QC H4R 1J6
Tél.: (514) 744-6771
Tél. sans frais: 1-800-361-1336
Téléc.: (514) 744-4256

Bureau commercial:

110, av. Sheppard est, 10ième étage
North York ON M2N 6R5
Tél.: (416) 225-7500
Tél. sans frais: 1-800-268-1946
Téléc.: (416) 225-6111

Renseignements sur les médicaments:

Tél. sans frais: 1-800-461-8844

Service à la clientèle/Bureau de commandes:

Tél.: (514) 744-3111
Tél. sans frais: 1-800-665-2110; 1-800-361-6943

Centres de distribution:

Montréal:
1025, boul. Marcel Laurin
Saint-Laurent QC H4R 1J6
Tél.: (514) 748-3529
Téléc.: (514) 744-3208

Winnipeg:
975, ch. Sherwin
Winnipeg MB R3H 0T8
Tél.: (204) 697-7634
Téléc.: (204) 694-0024

Acel-P^MC
Alesse^MC 21
Alesse^MC 28
Amicar®
Amoxil®
Antabuse®
Antivenin
A.P.L.®
Asendin®
Ativan®
Atromide-S®
Aureomycin®
Avlosulfon®
Béminal® avec C Fortis, injectable
Bicillin® L-A
Bonamil®
Céfotan®
Colprone®
Cordarone®
Cordarone® I.V.
Declomycin®
Diamox®
Diban®
Donnagel®-PG, capsules
Donnagel®-PG, suspension
Donnatal®
Dopram®
Effexor®
Effexor® XR
Equanil®
Factrel®
Indéral®
Indéral-LA®
Indéride®
ISMO®
Isordil®
Ledercillin® VK
Lederle Leucovorin® calcique
Loxapac®
Materna®
Méthotrexate
Micro-K Extencaps®
Micro-K-10 Extencaps®
Minocin®
Min-Ovral® 21
Min-Ovral® 28
Monitan®
Myambutol®
Mysoline®
Neptazane®
Norplant®
Novantrone®
Nursoy®
Os-Cal®
Os-Cal® D
Ovral® 21
Ovral® 28
Paludrine®
Phenaphen® avec codéine
Phospholine (iodure)®
Pipracil®
Pnu-Imune® 23
Premarin®, comprimés
Premarin®, crème vaginale
Premarin® intraveineux
Protopam® (chlorure)
Quinidex Extentabs®
Reglan®
Rheumatrex^MD
Robaxin®, injectable
Robidone®
Robinul®
Robinul Forte
Robinul®, injectable
Serax®
SMA®, Preemie
SMA®, Préparations
Sonacide®
Tazocin®
Thiotépa
Triphasil® 21
Triphasil® 28
Tuberculine ancienne, Tine Test®
Verelan®
Wydase®

ZENECA PHARMA INC.

2505, boul. Meadowvale
Mississauga ON L5N 5R7
Tél..: (905) 821-8000
Tél. sans frais: 1-800-268-3992

Information médicale:

Téléc.: (905) 821-8882
Courriel:
canada.medinfo@cams.zeneca.com

Commandes:

Tél. (local): (905) 821-8156
Téléc. (local): (905) 821-4332
Tél. sans frais (français):
1-800-668-6932;
(anglais): 1-800-387-8338
Téléc. sans frais: 1-800-807-4242

Accolate®
Arimidex®
Brevibloc®
Casodex®
Diprivan®
Enlon®
Ethrane®
Forane®
Hibidil® 1:2 000
Hibitane®, détersif pour la peau
Merrem®
Nolvadex®
Nolvadex®-D
Savlodil® 1:100
Savlon®, concentré pour usage hospitalier
Seroquel®
Suprane®
Tenoretic®
Tenormin®
Tomudex®
Zestoretic®
Zestril®
Zoladex®
Zoladex® LA

ZILA PHARMACEUTICALS INC.

1111, ch. Flint
Downsview ON M3J 3C7
Tél.: (416) 665-2134
Téléc.: (416) 665-9251

Commandes:

Tél. sans frais: 1-800-433-5706

Information médicale:

Tél. sans frais: 1-800-565-0814

Peridex®

5227 North 7th St.
Phoenix, Arizona 85014 É-U.
Tél.: (602) 266-6700
Téléc.: (602) 234-2264
Adresse Web: www.zila.com

Zilactin®
Zilactin-B®
Zilactin-Bébé®
Zilactin-L®
Zilactin-Lip®

INFO-CLIN

La section Info-Clin contient des renseignements choisis destinés aux professionnels de la santé et compilés d'après la pratique clinique et la documentation scientifique. La rédaction a rédigé ces renseignements avec l'aide des collaborateurs. Bien que ces renseignements ne soient pas exhaustifs, la rédaction, les collaborateurs et l'éditeur ont tenté de s'assurer de leur exactitude au moment de la publication. Le lecteur doit savoir que le texte peut contenir des renseignements différents de ceux qui ont été approuvés par le Programme des produits thérapeutiques, Santé Canada et que les présents renseignements n'ont pas reçu l'approbation des fabricants.

Les traitements médicamenteux changent constamment, aussi la responsabilité incombe-t-elle au professionnel de la santé d'obtenir des renseignements additionnels qui viennent étayer ceux dont il dispose déjà, d'évaluer si le traitement est approprié compte tenu de la situation clinique et de prendre en considération les faits nouveaux.

TABLE DES MATIÈRES

TABLE DES MATIÈRES *(suite)*

CENTRES ANTIPOISON

La liste suivante fournit une mise à jour des Centres antipoison du Canada. Il y a traitement d'intoxications dans les services d'urgence de la plupart des hôpitaux de soins actifs.

Révision 1999 par l'Association canadienne des centres antipoison (J. Courtemanche).

ALBERTA

Poison Drug Information Service
Foothills Hospital
1403-29th St., nord-ouest
Calgary, AB
T2N 2T9
1-800-332-1414
(403) 670-1414
(403) 670-1472 télécopieur

COLOMBIE-BRITANNIQUE

B.C. Drug and Poison Information Centre
St. Paul's Hospital
1081, rue Burrard
Vancouver, BC
V6Z 1Y6
1-800-567-8911
(604) 682-5050
(604) 631-5262 télécopieur

ÎLE-DU-PRINCE-ÉDOUARD

Consulter l'en-tête de la Nouvelle-Écosse pour l'adresse.
1-800-565-8161

MANITOBA

Centre antipoison du Manitoba
Children's Hospital
840, rue Sherbrook
Winnipeg, MB
R3A 1S1
(204) 787-2591
(204) 787-1775 télécopieur

NOUVEAU-BRUNSWICK

Centre de renseignements antipoison
774, rue Main, 6e étage
Moncton, NB
E1C 9Y3
Les appels téléphoniques des lignes d'urgence des hôpitaux locaux seront réacheminés automatiquement.
(506) 867-3259 télécopieur

NOUVELLE-ÉCOSSE

Centre de renseignements antipoison
The IWK Grace Health Centre
C.P. 3070
Halifax, NS
B3J 3G9
1-800-565-8161
(902) 428-8161
(902) 428-3213 télécopieur

ONTARIO

Ottawa

Centre de renseignements antipoison régional de l'Ontario
Hôpital pour enfants de l'Est de l'Ontario
401, chemin Smyth
Ottawa, ON
K1H 8L1
1-800-267-1373
(613) 737-1100
(613) 738-4862 télécopieur

Toronto

Centre de renseignements antipoison régional de l'Ontario
Hospital for Sick Children
555, avenue University
Toronto, ON
M5G 1X8
1-800-268-9017
(416) 813-5900
(416) 813-7489 télécopieur

QUÉBEC

Centre anti-poison du Québec
2705, boulevard Laurier
Sainte-Foy, QC
G1V 4G2
1-800-463-5060
(418) 656-8090
(418) 654-2747 télécopieur

SASKATCHEWAN

Régina

Service d'urgence
Regina General Hospital
1440-14e Avenue
Régina, SK
S4P 0W5
1-800-667-4545
(306) 766-4545
(306) 766-4357 télécopieur

Saskatoon

Clinique d'urgence
Royal University Hospital
Saskatoon, SK
S7N 0W8
1-800-363-7474
(306) 655-1010
(306) 655-1011 télécopieur

TERRE-NEUVE

Service d'urgence
The Janeway Child Health Centre
710, place Janeway
Saint-Jean, NF
A1A 1R8
(709) 722-1110
(709) 726-0830 télécopieur

TERRITOIRES DU NORD-OUEST

Service d'urgence
Stanton Regional Hospital
C.P. 10
Yellowknife, NT
X1A 2N1
(867) 669-4100
(867) 669-4171 télécopieur

YUKON

Service d'urgence
Whitehorse General Hospital
5, chemin Hospital
Whitehorse, YT
Y1A 3H7
(867) 667-8726
(867) 667-8762 télécopieur

STUPÉFIANTS ET DROGUES CONTRÔLÉES

Le tableau I est un résumé des exigences concernant les ordonnances, l'exécution des ordonnances et les registres pour les stupéfiants et les drogues contrôlées. L'information présentée ne doit pas être considérée comme une revue complète; de ce fait, le lecteur est encouragé à approfondir et à corroborer l'information (p. ex. la Loi réglementant certaines drogues et autres substances, les Règlements sur les stupéfiants, les Règlements sur les aliments et drogues).

Révision 1999 par le Bureau de la surveillance des médicaments, Santé Canada.

Tableau I—Stupéfiants et drogues contrôlées—Résumé

Classification et description	Formalités légales
Stupéfiants[a] • 1 stupéfiant (p. ex. cocaïne, codéine, hydromorphone, morphine) • 1 stupéfiant + 1 ingrédient actif non stupéfiant (p. ex. Cophylac, Empracet-30, Penntuss, Tylenol No. 4) • Toutes formes injectables de stupéfiants (p. ex. fentanyl, péthidine) • Tout produit contenant de la diamorphine (hôpitaux seulement), hydrocodone, oxycodone, méthadone ou pentazocine • Dextropropoxyphène, propoxyphène (seul) (p. ex. Darvon-N, 642)	• Ordonnance écrite requise. • Ordonnances verbales non permises. • Renouvellements non permis. • Ordonnances écrites peuvent être exécutées partiellement si le praticien l'indique. • Pour les ordonnances partiellement remplies, on devra rédiger des copies de ces ordonnances avec référence à l'ordonnance originale. Indiquer sur l'ordonnance originale: le nouveau numéro d'ordonnance, la date du renouvellement partiel, la quantité fournie et les initiales du pharmacien. • Consigner au registre et conserver tous les actes de ventes et d'achats de manière à permettre une vérification. • Rapporter dans les 10 jours, toute perte ou tout vol de stupéfiants et/ou de drogues contrôlées ainsi que les fausses ordonnances à votre bureau régional, Programme des médicaments à l'adresse indiquée au verso des formules du Rapport de falsification des médicaments ou du Rapport de perte ou vol des médicaments.
Préparations de stupéfiants[a] • Stupéfiants d'ordonnance verbale: 1 stupéfiant + 2 ingrédients actifs non stupéfiants ou plus (p. ex. Cophylac Expectorant, Darvon-N Composé, Fiorinal avec Codéine, 282, 292, 692, Tylenol No. 2 et No. 3) • Composés de codéine exonérés: contiennent jusqu'à 8 mg de codéine/dose solide ou 20 mg/30 mL de liquide + 2 ingrédients actifs non stupéfiants ou plus (p. ex. Atasol-8, Robitussin avec codéine).	• Ordonnances écrites ou verbales permises. • Renouvellements non permis. • Ordonnances écrites ou verbales peuvent être exécutées partiellement si le praticien l'indique. • Pour les ordonnances partiellement remplies, on devra rédiger des copies de ces ordonnances avec référence à l'ordonnance originale. Indiquer sur l'ordonnance originale: le nouveau numéro d'ordonnance, la date du renouvellement partiel, la quantité fournie et les initiales du pharmacien. • Pour l'exécution d'ordonnances de composés exonérés, suivre les mêmes règlements que pour les stupéfiants d'ordonnance verbale. • Consigner au registre et conserver tous les actes de ventes et d'achats de manière à permettre une vérification. • Rapporter dans les 10 jours, toute perte ou tout vol de stupéfiants et/ou de drogues contrôlées ainsi que les fausses ordonnances à votre bureau régional, Programme des médicaments à l'adresse indiquée au verso des formules du Rapport de falsification des médicaments ou du Rapport de perte ou vol des médicaments.
Drogues contrôlées[a] • Partie I p. ex. amphétamines (Dexedrine) méthylphénidate (Ritalin) pentobarbital (Nembutal) sécobarbital (Seconal, Tuinal) préparations: 1 drogue contrôlée + 1 drogue active non contrôlée ou plus (Cafergot-PB)	• Ordonnances écrites ou verbales permises. • Renouvellements non permis pour ordonnances verbales. • Renouvellements permis pour ordonnances écrites si le praticien a indiqué par écrit le nombre de renouvellements et les dates ou les intervalles entre les renouvellements. • Ordonnances écrites ou verbales peuvent être exécutées partiellement si le praticien l'indique. • Pour les renouvellements et pour les ordonnances partiellement remplies, on devra rédiger des copies de ces ordonnances avec référence à l'ordonnance originale. Indiquer sur l'ordonnance originale: le nouveau numéro d'ordonnance, la date du renouvellement complet ou partiel, la quantité fournie et les initiales du pharmacien. • Consigner au registre et conserver tous les actes de ventes et d'achats de manière à permettre une vérification. • Rapporter dans les 10 jours, toute perte ou tout vol de stupéfiants et/ou de drogues contrôlées ainsi que les fausses ordonnances à votre bureau régional, Programme des médicaments à l'adresse indiquée au verso des formules du Rapport de falsification des médicaments ou du Rapport de perte ou vol des médicaments.

Tableau I—Stupéfiants et drogues contrôlées—Résumé *(suite)*

Classification et description	Formalités légales
Drogues contrôlées[a] *(suite)* • Partie II p. ex. barbituriques (amobarbital, phénobarbital) butorphanol (Stadol NS) diéthylpropion (Tenuate) nalbuphine (Nubain) phentermine (Fastin, Ionamin) préparations: 1 drogue contrôlée + 1 ingrédient actif non contrôlé ou plus (Fiorinal, Neo-Pause, Tecnal) • Partie III p. ex. stéroïdes anaboliques (méthyltestostérone, décanoate de nandrolone)	• Ordonnances écrites ou verbales permises. • Renouvellements permis pour ordonnances écrites ou verbales si le praticien a autorisé par écrit ou verbalement (au moment d'émettre l'ordonnance) le nombre de renouvellements et les dates ou les intervalles entre les renouvellements. • Ordonnances écrites ou verbales peuvent être exécutées partiellement si le praticien l'indique. • Pour les renouvellements ou pour les ordonnances partiellement remplies, on devra rédiger des copies de ces ordonnances avec référence à l'ordonnance originale. Indiquer sur l'ordonnance originale: le nouveau numéro d'ordonnance, la date du renouvellement complet ou partiel, la quantité fournie et les initiales du pharmacien. • Consigner au registre et conserver tous les actes de ventes et d'achats de manière à permettre une vérification. • Rapporter dans les 10 jours, toute perte ou tout vol de stupéfiants et/ou de drogues contrôlées ainsi que les fausses ordonnances à votre bureau régional, Programme des médicaments à l'adresse indiquée au verso des formules du Rapport de falsification des médicaments ou du Rapport de perte ou vol des médicaments.

[a] Les produits indiqués ne sont que des exemples.

CALENDRIERS DE VACCINATION POUR LES NOURRISSONS ET LES ENFANTS

Cette section présente une vue d'ensemble des calendriers de vaccination systématique pour les nourrissons et les enfants. L'information présentée ne doit pas être considérée comme une revue complète. De ce fait, le lecteur est encouragé à approfondir et à corroborer l'information.

Révision 1999 par V. Marchessault.

Dans le domaine de la médecine préventive, peu de mesures ont une valeur aussi reconnue et sont d'une application aussi facile que la vaccination systématique contre les maladies infectieuses. Exécutée selon les calendriers qui suivent (tableaux I, II et III), l'immunisation procurera à la plupart des enfants une protection contre les maladies indiquées.

Les vaccins contre la poliomyélite vivant et inactivé ont été utilisés au Canada avec un égal succès pour la prévention de la poliomyélite paralytique, mais on privilégie maintenant le vaccin inactivé.

Le respect du calendrier indiqué permet d'assurer une protection complète et adéquate. Cependant, il se peut que l'on doive modifier le calendrier recommandé à cause de rendez-vous manqués ou d'une maladie. Il n'est jamais nécessaire de reprendre au début une série vaccinale recommandée qui a été interrompue, peu importe le laps de temps écoulé.

Des vaccins similaires sont maintenant offerts par différents fabricants, mais ils peuvent ne pas être indentiques. Il faut donc que l'utilisateur lise le chapitre pertinent du dernier *Guide canadien d'immunisation,* de même que la monographie du fabricant.

Tableau I—Calendrier de vaccination systématique pour les nourrissons et les enfants

Âge/Moment	DCaT[a]	Polio	Hib[b]	RRO	dT[c]	Hép. B[d] (3 doses)
âgés de 2 mois	X	X	X			Petite enfance
âgés de 4 mois	X	X	X			
âgés de 6 mois	X	X[e]	X			ou
âgés de 12 mois				X		
âgés de 18 mois	X	X	X	X[f] ou		
âgés de 4 à 6 ans	X	X		X[f]		pré-adolescence
de la 3e à la 7e année scolaire						(9–13 ans)
âgés de 14 à 16 ans					X	

Légende: DCaT=Vaccin contre la diphtérie, la coqueluche (acellulaire) et le tétanos, Hép. B=Séries de vaccins contre l'hépatite B (recombinant), Hib=Vaccin conjugué contre Haemophilus influenzae type b, RRO=Vaccin contre la rougeole, la rubéole et les oreillons, dT=Anatoxines diphtérique et tétanique de type «adultes».

Tableau II—Calendrier de vaccination systématique pour les enfants de moins de 7 ans non immunisés pendant la première enfance

Moment propice à la vaccination	DCaT[a]	Polio	Hib	RRO	dT[c]	Hép. B[d] (3 doses)
1ère visite	X	X	X	X[g]		
2 mois après la 1ère visite	X	X	X[h]	X[f]		
2 mois après la 2e visite	X	X[e]				
6 à 12 mois après la 3e visite	X	X	X[h]			
4 à 6 ans[i] (préscolaire)	X	X				Pré-adolescence
entre 14 et 16 ans					X	(9–13 ans)

Tableau III—Calendrier de vaccination systématique pour les enfants de 7 ans et plus non immunisés pendant la première enfance

Moment propice à la vaccination	dT[c]	Polio	RRO	Hép. B[d] (3 doses)
1ère visite	X	X	X	
2 mois après la 1ère visite	X	X	X[f]	
6 à 12 mois après la 2e visite	X	X		Pré-adolescence
10 ans après la 3e visite	X			(9–13 ans)

[a] Le vaccin DCaT (diphtérie, coqueluche acellulaire, tétanos) est le vaccin privilégié pour toutes les doses de la série vaccinale, y compris dans le cas des enfants qui ont reçu ≥ 1 dose du vaccin DCT (composante anticoquelucheuse à bacille entier).

[b] Le calendrier indiqué pour Hib s'applique aux vaccins HbOC ou PRP-T. Si l'on utilise le vaccin PRP-OMP, on administrera la première dose à 2 mois, la deuxième dose à 4 mois et la dose de rappel à 12 mois.

[c] La préparation associant les anatoxines diphtérique et tétanique (dT) sous forme adsorbée de type «adultes» est destinée aux personnes de 7 ans ou plus. Elle contient moins d'anatoxine diphtérique que les préparations destinées aux enfants plus jeunes et risque moins d'entraîner des effets secondaires chez les personnes plus âgées. On répétera la dose tous les 10 ans, la vie durant.

[d] Le vaccin contre l'hépatite B peut être administré systématiquement aux jeunes enfants ou aux pré-adolescents, selon la politique provinciale ou territoriale; il est recommandé d'administrer trois doses à des intervalles de 0, 1 et 6 mois. La deuxième dose devrait être administrée au moins 1 mois après la première dose, et la troisième dose, au moins 4 mois après la première dose et au moins 2 mois après la deuxième dose.

[e] Il n'est pas nécessaire d'administrer cette dose systématiquement. On peut le faire pour des raisons de commodité.

[f] Il est recommandé d'administrer une deuxième dose du RRO, au moins 1 mois après l'administration de la première dose. On peut, pour des raisons de commodité, administrer le vaccin à la période de vaccination suivante, soit à l'âge de 18 mois, ou entre 4 à 6 ans durant la période précédant l'entrée à l'école (selon la politique provinciale ou territoriale), ou à tout âge qui convient entre ces deux périodes.
[g] Il convient d'attendre la visite subséquente si l'enfant a moins de 12 ans.
[h] Le calendrier et le nombre de doses recommandés varient selon le produit utilisé et l'âge de l'enfant au début de la vaccination (voir le dernier *Guide canadien d'immunisation* ou la monographie du fabricant pour des recommandations spécifiques). Ce vaccin n'est pas requis après l'âge de 5 ans.
[i] Ces doses peuvent être omises si les doses antérieures du vaccin DCaT et du vaccin contre la poliomyélite ont été administrées après le 4e anniversaire.

Adapté du *Guide canadien d'immunisation, 5e édition*, Santé Canada, 1998, avec la permission du ministre des Travaux publics et Services gouvernementaux Canada, 1998.

Bibliographie:
1. Comité consultatif national de l'immunisation. Guide canadien d'immunisation, 5e éd. Ottawa, ON: Santé Canada, 1998.

EFFETS SECONDAIRES ASSOCIÉS À UN VACCIN: PHARMACOVIGILANCE ET DÉCLARATION

L'exposé qui suit est une description du programme d'Incidents adverses reliés à l'administration d'un vaccin. L'information présentée ne doit pas être considérée comme une revue complète.

Révision 1999 par la Division de l'immunisation, Bureau des maladies infectieuses, Laboratoire de lutte contre la maladie, Santé Canada (R. Pless).

La surveillance des effets secondaires reliés aux vaccins se fait par un réseau relié aux services de la santé publique locaux, provinciaux et territoriaux. Ce réseau est distinct du Programme de surveillance des effets indésirables des médicaments.

La formule reproduite dans la présente section est la version nationale de la formule de déclaration des effets secondaires reliés à l'administration d'un vaccin. On suggère au lecteur de photocopier cette formule et de l'utiliser au besoin. Les provinces peuvent avoir une version différente ou elles peuvent utiliser cette formule avec leur propre logo et adresse. *Par conséquent, il est important de consulter les services de santé locaux, afin de vérifier leur méthode de déclaration des effets indésirables. On peut y obtenir des renseignements concernant les mécanismes spécifiques de déclaration ainsi que des exemplaires de la formule de déclaration.*

Généralités

La déclaration d'effets secondaires reliés à l'emploi d'un vaccin est d'une importance cruciale. En effet, la confiance du public dans les programmes de vaccination dépend de l'innocuité et de l'efficacité des vaccins. La surveillance de l'innocuité des vaccins relève de responsabilités communes: celle du fabricant, celle de l'organisme qui licencie le vaccin et celle de la personne qui l'administre. Parce qu'ils transmettent leurs déclarations d'effets secondaires aux services de santé publique, qui les évaluent et les expédient à leur tour à la division de l'immunisation et à la division des vaccins de Santé Canada pour collecte et analyse, les médecins sont la plus importante source de données pour la surveillance continue de l'innocuité des vaccins. Avec ces rapports comme matériel de base, le Canada a mis au point un programme unique de surveillance de l'innocuité comprenant les mécanismes suivants:

—formation du Advisory Committe on Causality Assessment, comité consultatif d'experts qui se réunit régulièrement pour réviser des cas choisis et évaluer les questions de l'heure sur l'innocuité des vaccins

—système de surveillance active par la Société canadienne de pédiatrie, afin de surveiller les effets secondaires rares et sérieux observés dans les hôpitaux pour enfants

—interaction avec le Comité consultatif national de l'immunisation qui révise et met à jour le *Guide canadien d'immunisation*

—interaction avec le Programme international de pharmacovigilance de l'Organisation mondiale de la santé, laquelle échange des données sur l'innocuité des médicaments avec plus de 45 pays participants. Cette interaction nous permet de mieux déceler les cas préoccupants.

La déclaration des effets secondaires des vaccins est une composante vitale dans le processus de consentement éclairé, en particulier étant donné que l'une des critiques à propos des vaccins soutient que leurs effets secondaires ne sont pas toujours déclarés, ce qui rend «trompeuse» toute discussion sur les effets secondaires. En signalant les effets secondaires, les professionnels de la santé font en sorte qu'on soit toujours bien informé sur les effets de l'immunisation. Ceux qui s'opposent aux programmes d'immunisation sont peu nombreux, mais leurs messages sont souvent bien publicisés et il s'ensuit qu'il est de plus en plus difficile de renseigner les patients ou les parents sur l'innocuité de la vaccination. Pour de plus amples renseignements sur les vaccins et sur le nouveau livre pour les parents— Faire vacciner mon enfant, c'est important, consulter la liste de lectures suggérées à la fin de la présente section. La présente édition du *Guide canadien d'immunisation* présente un nouveau chapitre sur les conseils à donner aux personnes qui ont des inquiétudes relativement à l'immunisation. Le service de santé publique local peut aussi être consulté.

Considérations concernant la déclaration d'effets secondaires

Les professionnels de la santé doivent surveiller avec vigilance les points suivants et les déclarer aux autorités compétentes:

- **Manifestations «sérieuses»:** Ce sont des manifestations qui nécessitent une hospitalisation ou une intervention médicale importante, qui entraînent une maformation congénitale, qui provoquent une invalidité ou une incapacité persistantes ou importantes, qui menacent le pronostic vital et enfin qui entraînent le décès. Afin d'assurer l'innocuité des vaccins et de pouvoir bien conseiller les patients, il est de la plus haute importance d'évaluer le lien de causalité entre ces manifestations et la vaccination.
- **Manifestations «inattendues»:** Ce sont des manifestations qui ne sont pas décrites dans la documentation du produit, et que l'on n'a donc pas pu faire connaître adéquatement au patient. Il est par conséquent crucial de signaler ces manifestations, afin que l'on puisse effectuer les modifications nécessaires dans la documentation du produit ou que l'on puisse renseigner les autres utilisateurs sur la probabilité que se produisent ces manifestations et sur la conduite à tenir, le cas échéant.
- **Modification de l'incidence des manifestations prévues.** Les réactions à la vaccination sont plus prévisibles que celles qui surviennent avec les autres produits, car l'immunisation provoque une réponse physiologique normale (p. ex. des éruptions cutanées surviennent 7 à 10 jours après la vaccination contre la rougeole). Il n'est généralement pas nécessaire de signaler les réactions courantes et bien connues. Toutefois, si une réaction courante (p. ex. fièvre, rougeur et sensibilité au point d'injection) se produit plus fréquemment, cela peut être signe:

  —que le vaccin n'a pas été gardé constamment au froid durant le transport et qu'il s'en est ensuivi un produit plus réactogène ou un mauvais lot

  —qu'une contamination inopinée a eu lieu durant la manutention

  —qu'un problème est survenu au cours du procédé de fabrication ou dans le contrôle de la qualité, situation très rare, mais qu'il est vital de détecter.
- **Réactions à un vaccin utilisé dans le cadre d'un programme spécial ou réaction à un nouveau vaccin sur le marché.** Certains vaccins peuvent faire l'objet d'une attention marquée par moments (p. ex. durant une campagne de vaccination massive).
- **Réactions secondaires qui créent un dilemme quant à la vaccination subséquente.** Le *Guide canadien d'immunisation* indique les contre-indications absolues à la vaccination et les précautions. Ces recommandations sont basées sur des résultats et peuvent parfois être différentes de celles qui figurent dans la monographie du produit. Si le parent ou le

prestataire de soins ne savent pas s'il faut administrer les doses subséquentes, ils peuvent communiquer avec les services de santé publique, auprès desquels ils pourront recevoir des recommandations appropriées. En outre, la déclaration de ces situations cliniques permet l'accumulation de renseignements et l'inclusion de ceux-ci dans les documents informatifs sur les vaccins.

Liste de lectures suggérées

- Comité consultatif national de l'immunisation. Guide canadien d'immunisation. 5e éd. Ottawa, ON. Santé Canada, 1998. Disponible sur Internet au <www.hc-sc.gc.ca/hpb/lcdc/bid/di>.
- Société canadienne de pédiatrie. Faire vacciner mon enfant, c'est important. Ottawa, ON. Société canadienne de pédiatrie, 1997. Pour commander, appeler (613) 526-9397 ou <www.cps.ca>.
- Grabenstein JD. ImmunoFacts: Vaccines and immunologic drugs. St. Louis, MO: Facts and Comparisons, 1995. Disponible au (314) 878-2515. Par télécopieur: (314) 878-5563.
- Plotkin SA, Mortimer EA, éditeurs. Vaccines, 2e éd. Philadelphie, PA: WB Saunders, 1994.

Bibliographie:
1. Division de l'immunisation. Effets secondaires reliés dans le temps à des vaccins, rapport de 1992. RMTC 1995; 21(13):117–28.
2. Duclos P, Pless R, et collab. Adverse events temporally associated with immunizing agents. Can Fam Physician 1993; 39:1907–13.
3. Laboratoire de lutte contre la maladie. Atelier sur la standardisation des définitions pour la surveillance des effets secondaires des vaccins après commercialisation. Rapport hebdomadaire des maladies au Canada 1991; 17S4:1–9.
4. Morris R, Halperin S, et collab. IMPACT monitoring network: a better mousetrap. Can J Infect Dis 1993; 4(4):194–5.
5. Pless R, Duclos P, et collab. Reinforcing surveillance for vaccine-associated adverse events: the Advisory Committee on Causality Assessment. Can J Infect Dis 1996; 7(2):98–9.

Health Canada / Santé Canada

ACHEMINER À : Division de l'immunisation
L.L.C.M., Pré Tunney, 0603E1
Ottawa, Ontario K1A 0L2
(613) 957-1340 1-800-363-6456 FAX (613) 998-6413

RAPPORT D'INCIDENT ASSOCIÉ TEMPORELLEMENT À L'ADMINISTRATION DE VACCINS

Protégé une fois rempli

IDENTIFICATION DU CLIENT

CODE D'IDENTIFICATION DU PATIENT	PROVINCE/TERRITOIRE	DATE DE NAISSANCE (ANNÉE, MOIS, JOUR)	SEXE	DATE DE VACCINATION (ANNÉE, MOIS, JOUR)
			☐ Homme ☐ Femme	

VACCINS

VACCIN(S) ADMINISTRÉ(S)	# DOSE	SITE D'ADMINISTRATION	VOIE D'ADMINISTRATION	QUANTITÉ ADMINISTRÉE	FABRICANT	NUMÉRO DE LOT

INCIDENT(S)

Ne pas signalez les incidents qui peuvent être attribuables à une infection concomitante. Les incidents marqués d'un astérisque (*) doivent être diagnostiqués par un médecin. Tout autre renseignement concernant l'incident rapporté, y compris la durée, peut être fourni dans la case RENSEIGNEMENTS SUPPLÉMENTAIRES au verso. S.V.P. inscrire l'intervalle entre l'administration du vaccin et l'apparition de chaque incident en minutes, heures ou jours.

REACTION LOCALE AU SITE D'ADMINISTRATION

☐ **ABCÈS INFECTÉ** (Cocher l'un des éléments ci-dessous ou les deux) — MIN | HEURES | JOURS
(i) coloration de gram positive ou culture ☐
(ii) écoulement purulent avec signes d'inflammation ☐

☐ **ABCÈS/NODULE STÉRILE** — MIN | HEURES | JOURS
Aucun signe d'infection microbienne aiguë

☐ **DOULEUR INTENSE ET/OU OEDÈME IMPORTANT** — MIN | HEURES | JOURS
(Cocher l'un des éléments ci-dessous ou les deux)
(i) qui dure 4 jours ou plus ☐
(ii) qui s'étend au-delà de l'articulation la plus proche ☐

☐ **ÉPISODE DE CRIS OU PLEURS PERSISTANTS** — MIN | HEURES | JOURS
Inconsolable pendant 3 heures ou plus; OU type de pleurs vraiment anormal pour l'enfant et jamais observé par les parents

☐ **FIÈVRE** — MIN | HEURES | JOURS
Température la plus élevée enregistrée (seulement si elle atteint 39,0°C (102,2°F) ou plus)
Température: ________ °C (ou ________ °F)
Voie: rectale ☐ buccale ☐ axillaire ☐ cutanée ☐ tympanique ☐
Température jugée élevée mais non mesurée ☐
Doit être accompagnée d'autres symptômes généraux

☐ **ADÉNOPATHIE** (Cocher l'un des éléments ci-dessous ou les deux) — MIN | HEURES | JOURS
(i) tuméfaction ganglionnaire ☐
(ii) suppuration lymphatique ☐
Site(s) ____________________

☐ **PAROTIDITE** — MIN | HEURES | JOURS
Glande(s) parotide(s) tuméfiée(s) douloureuse(s) ou sensible(s)

*☐ **CHOC ANAPHYLACTIQUE** — MIN | HEURES | JOURS
Dans les 30 min suivant l'immunisation, associé habituellement à une réaction allergique et évoluant rapidement vers un collapsus cardio-vasculaire. Requiert l'administration d'adrénaline.

☐ **RÉACTION ALLERGIQUE** (Cocher un ou plusieurs des éléments ci-dessous) — MIN | HEURES | JOURS
(i) difficulté respiratoire due à un bronchospasme ☐
(ii) oedème au niveau de la bouche ou de la gorge ☐
(iii) manifestations cutanées: urticaire ☐ autre (avec prurit) ☐
(iv) oedème du visage ou généralisé ☐

☐ **ÉRUPTION CUTANÉE** — MIN | HEURES | JOURS
(Sans prurit) qui dure 4 jours ou plus ET/OU requiert une hospitalisation
généralisée ☐ localisée (indiquer le site) ☐ ____________
Veuiller caractériser l'éruption ____________

☐ **ÉPISODE D'HYPOTONIE-HYPORÉACTIVITÉ** (enfants <2 ans, seulement) — MIN | HEURES | JOURS
Présence de toutes les caractéristiques suivantes : i) diminution/perte généralisée du tonus musculaire; ET ii) baisse du niveau de conscience ou perte de conscience.
Ne devrait pas être confondu avec un évanouissement, un choc vagal, un état

☐ **ARTHRALGIE/ARTHRITE** — MIN | HEURES | JOURS
Douleur ou inflammation articulaire qui dure au moins 24 heures
S'il s'agit d'une poussée évolutive d'une maladie préexistante, fournir des détails (au verso) dans la case **RENSEIGNEMENTS SUPPLÉMENTAIRES**

☐ **VOMISSEMENTS ET/OU DIARRHÉE SÉVÈRES** — MIN | HEURES | JOURS
Doivent être assez sévères pour nuire aux activités quotidiennes

☐ **CONVULSIONS** — MIN | HEURES | JOURS
Fébriles ☐ Afébriles ☐
Antécédents de : A) Convulsions fébriles Oui ☐ Non ☐
B) Convulsions afébriles Oui ☐ Non ☐
Ne pas tenir compte des évanouissements, convulsions qui surviennent dans les 30 minutes qui suivent l'immunisation, ni les convulsions qui entrent dans le cadre d'une encéphalopathie ou d'une méningite/encéphalite

*☐ **ENCÉPHALOPATHIE** — MIN | HEURES | JOURS
Apparition rapide d'une condition neurologique grave caractérisée par au moins deux des signes suivants : i) convulsions; ii) changement marqué dans le niveau de conscience ou l'état mental (comportement et/ou personnalité) qui dure 24 heures ou plus; iii) signes neurologiques en foyer qui persistent pendant plus de 24 heures

*☐ **MÉNINGITE ET/OU ENCÉPHALITE** — MIN | HEURES | JOURS
Résultats anormaux du LCR et installation rapide de : i) fièvre avec raideur de la nuque ou signes d'atteinte méningée; OU ii) signes et symptômes d'encéphalopathie (voir ENCÉPHALOPATHIE ci-dessus)
Inscrire le résultats de l'analyse du LCR dans les **Renseignements supplémentaires** (verso)

*☐ **ANESTHÉSIE/PARESTHÉSIE** — MIN | HEURES | JOURS
Qui dure plus de 24 heures
Généralisée ☐ Localisée (indiquer le site) ☐ ____________

*☐ **SYNDROME DE GUILLAIN-BARRÉ** — MIN | HEURES | JOURS
Diminution progressive et subaiguë de la force musculaire de plus d'un membre (habituellement symétrique) avec **hyporéflexie/aréflexie**

*☐ **PARALYSIE** (Ne pas cocher si syndrome de Guillain-Barré déjà coché) — MIN | HEURES | JOURS
Paralysie des membres ☐ Paralysie faciale ou des nerfs crâniens ☐
Décrire ____________

*☐ **THROMBOCYTOPÉNIE** — MIN | HEURES | JOURS
Inscrire les résultats d'analyses dans les **Renseignements supplémentaires** (verso)

☐ **AUTRES INCIDENTS** — MIN | HEURES | JOURS
Inclure tout incident susceptible d'être associé à l'immunisation, qui ne peut être classé dans aucune des catégories énumérées ci-dessus ni être clairement relié à une autre cause
Signaler les réactions qui présentent un intérêt clinique mais pour lesquelles il faut consulter un médecin, en particulier les réactions qui sont i) mortelles ii) menacent le pronostic vital, iii) requièrent une hospitalisation, ou iv) entraînent une incapacité permanente

DESCRIPTION

____

NOM DU DÉCLARANT	NUMÉRO DE TÉLÉPHONE ( )	ADRESSE (Établissement/n°, rue, etc.)		
PROFESSION: MD ☐ INF ☐ AUTRE ____		Ville	Province	Code Postal
SIGNATURE	DATE Année Mois Jour			

HC/SC 4229 (03-96) - 1

AV 1714

Canada

La présentation de cette formule de déclaration a été adaptée au format des pages du CPS. Reproduit avec la permission du ministre des Travaux publics et Services gouvernementaux, 1998.

ÉVOLUTION DE L'INCIDENT AU MOMENT DU RAPPORT VEUILLEZ TRANSMETTRE TOUTE INFORMATION SUBSÉQUENTE	RÉCUPÉRATION ☐	SÉQUELLES (DÉCRIRE) ☐	DÉCÈS ☐	NON DISPONIBLE ☐	INCONNU ☐
CONSULTATION MÉDICALE (Urgences, clinique externe, clinique médicale, etc.)	NON ☐ OUI ☐	(Si oui, inscrire les détails pertinents du traitement dans la case **Renseignements supplémentaires**)			
HOSPITALISATION SUITE À L'APPARITION DE(S) L'INCIDENT(S)	NON ☐ OUI ☐	**DATE D'ADMISSION** Année Mois Jour		**DURÉE DE SÉJOUR** (JOURS)	
MÉDICATION(S) CONCOMITANTE(S) LORS DE L'APPARITION DE L'INCIDENT (à l'exclusion des médicaments utilisés pour traiter l'incident)			**ANTÉCÉDENTS MÉDICAUX** Veuiller fournir des renseignements sur les antécédents médicaux pertinents (Voir instructions #6, ci-après)		

RENSEIGNEMENTS SUPPLÉMENTAIRES

INDIQUER TOUTE INFORMATION PERTINENTE DANS CETTE SECTION (EX.: DURÉE DE L'INCIDENT, RÉSULTATS LABORATOIRE, ETC.).

CONSIGNES POUR REMPLIR LE RAPPORT D'INCIDENT

1. Signaler uniquement les incidents associés dans le temps à l'administration d'un vaccin et qui ne peuvent être clairement attribués à une ou des conditions coexistantes et tenir compte des définitions proposées. **Il n'est pas nécessaire d'établir une relation de cause à effet entre l'immunisation et l'incident. La soumission d'un rapport ne met pas nécessairement en cause le vaccin.**
2. Les incidents marqués d'un astérisque (*) doivent être diagnostiqués par un médecin. Fournir les détails pertinents dans la case **RENSEIGNEMENTS SUPPLÉMENTAIRES.**
3. Inscrire l'intervalle entre l'administration du ou des vaccins et l'apparition de chacun des incidents (en minutes, heures ou jours.) Noter la durée de chaque incident dans la case **RENSEIGNEMENTS SUPPLÉMENTAIRES.**
4. Fournir au besoin tout renseignement pertinent dans la case **RENSEIGNEMENTS SUPPLÉMENTAIRES,** notamment : détails des réactions diagnostiquées par le médecin (voir 3 ci-dessus), résultats des tests diagnostiques ou de laboratoire, traitements à l'hôpital et diagnostics au moment du congé lorsqu'une personne vaccinée est hospitalisée par suite d'une réaction vaccinale. Si on le juge indiqué ou si l'on préfère, des photocopies des dossiers originaux peuvent être soumises.
5. Fournir des renseignements détaillés sur les antécédents médicaux qui se rapportent à l'incident signalé, par exemple : antécédents d'allergie chez le vacciné, incidents antérieurs et maladies concomitantes qui peuvent être associées aux symptômes ou à l'incident actuel.

RECOMMANDATIONS POUR L'ADMINISTRATION D'AUTRES VACCINS (À REMPLIR PAR LA SANTE PUBLIQUE)

NOM:	SIGNATURE	DATE Année Mois Jour

La présentation de cette formule de déclaration a été adaptée au format des pages du CPS. Reproduit avec la permission du ministre des Travaux publics et Services gouvernementaux, 1998.

LES EFFETS INDÉSIRABLES DES MÉDICAMENTS: PHARMACOVIGILANCE ET DÉCLARATION

L'exposé qui suit est une description du programme de la surveillance des effets indésirables médicamenteux (EIM). Les renseignements qu'il contient ne sont pas exhaustifs.

Révision 1999 par le Bureau de la surveillance des médicaments, Santé Canada (H. Sutcliffe).

Programme de surveillance des EIM: Bien que, pour en assurer l'innocuité et l'efficacité, les médicaments soient soumis à des épreuves rigoureuses avant d'obtenir leur avis de conformité, ce n'est qu'après la commercialisation du médicament, lorsqu'un nombre suffisant de personnes est exposé, que les effets indésirables rares sont dépistés. La déclaration d'un effet indésirable, rédigée par les professionnels de la santé, est cruciale à la découverte de ces effets indésirables. Grâce aux déclarations des professionnels en provenance de tout le pays, le programme de pharmacovigilance et de déclaration des effets indésirables de Santé Canada représente un élément important de l'évaluation continue des risques et avantages des spécialités pharmaceutiques. Le programme fournit des renseignements sur l'innocuité des médicaments auxquels les agences régulatrices peuvent accéder pour la surveillance postcommercialisation continue. Les éléments clés de ce programme sont la déclaration spontanée des effets indésirables, l'évaluation de ces effets et la diffusion de l'information.

Définition: L'Organisation mondiale de la santé définit l'effet indésirable comme étant une réponse nocive et non souhaitée à un médicament, qui se produit chez l'humain avec une dose normale ou expérimentale, employée à des fins prophylactiques, diagnostiques, ou pour le traitement d'une maladie ou la modification d'une fonction physiologique. Cette définition a été adoptée par le programme canadien.

Reconnaissance: Dans de nombreux cas, la présence d'un effet indésirable est non décelée parce que les modifications ou les manifestations cliniques qu'il produit sont attribuées à la maladie sous-jacente du patient. En outre, le tableau clinique est souvent si complexe, en particulier chez les personnes âgées ou très malades, qu'il est parfois difficile de déceler un effet indésirable.

Lorsqu'un effet indésirable possible est noté, il faut songer à poser les questions suivantes:

- Le temps écoulé avant l'apparition de l'effet indésirable est-il raisonnable?
- L'état du patient s'est-il amélioré après l'interruption du traitement?
- L'état clinique du patient peut-il fournir une explication plausible à l'effet indésirable?

Types d'effets indésirables à rapporter: Les praticiens de la santé devraient rapporter tous les effets indésirables possiblement associés à l'emploi d'un médicament. Cela veut dire:

- **tout effet indésirable possible inattendu.** Un effet indésirable inattendu est un effet imprévu qui ne figure pas dans les renseignements posologiques ou sur l'étiquette du produit.
- **tout effet indésirable possible grave.** Un effet indésirable grave est un effet qui nécessite l'hospitalisation du patient ou le prolongement du séjour à l'hôpital, qui cause des malformations congénitales, qui entraîne une invalidité ou une incapacité persistantes ou importantes, qui menace la vie ou qui conduit à la mort. Les EIM qui nécessitent une intervention médicale importante afin de prévenir les autres issues énumérées ci-dessus sont aussi considérés comme graves.
- **tout effet indésirable possible observé avec un médicament récemment commercialisé** (depuis moins de 5 ans), indépendamment de sa nature ou de sa gravité.

Comment notifier un EIM: *La notification d'un EIM n'implique pas un lien causal—il suffit qu'il existe une association temporelle ou possible.* Pour notifier un effet indésirable à un médicament, les praticiens de la santé devraient compléter une copie du formulaire de notification disponible dans cette section. L'identité du déclarant et du patient sont traitées de façon confidentielle.

Pour tout renseignement sur le programme, pour l'obtention de formulaires ou pour notifier des EIM, les médecins, pharmaciens et autres practiciens de la santé sont invités à contacter un des centres mentionnés au tableau I.

Tableau I—Centres régionaux d'effets indésirables des médicaments

Colombie-Britannique
Centre régional EIM de la Colombie-Britannique
Att: Centre d'information sur les médicaments et les poisons de la Colombie-Britannique
1081, rue Burrard
Vancouver BC V6Z 1Y6
Tél.: (604) 631-5625
Téléc.: (604) 631-5262
adr@dpic.bc.ca

Nouvelle-Écosse, Nouveau-Brunswick, Terre-Neuve et l'Ile du Prince-Édouard
Centre EIM régional de l'Atlantique
a/s Queen Elizabeth II Health Sciences Centre
Centre d'information sur les médicaments
1796, rue Summer, bureau 2421
Halifax NS B3H 3A7
Tél.: (902) 473-7171
Téléc.: (902) 473-8612
rxklsl@qe2-hsc.ns.ca

Ontario
Centre régional EIM de l'Ontario
LonDIS Drug Information Centre
London Health Sciences Centre
339, chemin Windermere
London ON N6A 5A5
Téléc.: (519) 663-2968
adr@lhsc.on.ca

Québec
Centre régional EIM du Québec
Centre d'information pharmaceutique
Hôpital du Sacré-Cœur de Montréal
5400, boul. Gouin Ouest
Montréal QC H4J 1C5
Tél.: (514) 338-2961 ou 1-888-265-7692
Téléc.: (514) 338-3670
cip.hscm@sympatico.ca

Saskatchewan
Centre régional Sask EIM
Service téléphonique d'information sur les médicaments
Collège de pharmacie et nutrition
Université de la Saskatchewan
110, place Science
Saskatoon SK S7N 5C9
Tél.: (306) 966-6340 ou 1-800-667-3425
Téléc.: (306) 966-6377

Autres provinces et territoires
Unité nationale EIM
Division de l'évaluation continue
Bureau de la surveillance des médicaments
Programme des produits thérapeutiques
AL0201C2
Ottawa ON K1A 1B9
Tél.: (613) 957-0337
Téléc.: (613) 957-0335
cadrmp@hc-sc-gc.ca

Bibliographie:
1. Direction des médicaments, Santé Canada. Bulletin des Effets indésirables des médicaments. Can Med Assoc J 1996; 154(7):1057–64.

Health Canada / Santé Canada

PROTECTED
PROTÉGÉ

Report of adverse reaction suspected due to drugs, cosmetics and biological products (Vaccines excluded)

Notification concernant un effet indésirable présumé dû à des médicaments, cosmétiques et produits biologiques (Vaccins exclus)

FOR H.P.B. USE ONLY
RÉSERVÉ À LA D.G.P.S.

Patient Data - Données relatives au patient

Initials - Initiales	Chart number - Numéro de dossier	Age - Âge	Sex - Sexe ☐ Male - Homme ☐ Female - Femme	Weight - Poids	Height - Taille	Ethnic origin - Origine éthnique

Allergies or previous adverse reactions / Allegies ou effets indésirables précédents ☐ No / Non ☐ Yes (Specify) / Oui (Préciser)

Relevant medical history - Histoire médicale pertinente

Adverse Reaction - Effet indésirable

ONSET - DÉBUT
☐ Gradual / Graduel ☐ Sudden (specify in min. and hrs.) / Soudain (préciser en min. et hres.) ☐ Other (Specify) / Autre (Préciser)

Date (D - M - Y) / (J - M - A)

Description of adverse reaction - Description de l'effet indésirable

Laboratory results - Résultats de laboratoire

Intensity of reaction / Intensité de l'effet ☐ Mild / Légère ☐ Moderate / Modérée ☐ Severe / Grave

Hospitalized because of reaction / Hospitalisé à cause de l'effet ☐ No / Non ☐ Yes / Oui

TREATMENT OF REACTION - TRAITEMENT DE L'EFFET

Suspected drug - Produit suspect
☐ Discontinued / Discontinué ☐ Dose reduced / Dose réduite ☐ Unchanged / Non changé ☐ Other (Specify) / Autre (Préciser)

Treatment drugs or therapy / Médicaments de traitement ou thérapie
☐ No / Non ☐ Yes (Specify) / Oui (Préciser)

OUTCOME OF REACTION - SUITES DE L'EFFET

☐ Recovered / Rétabli ☐ Recovered with residual effects / Rétabli avec séquelles ☐ Not yet recovered / Pas encore rétabli ☐ Unknown / Inconnues ☐ Fatal / Décès

Date (D - M - Y) (J - M - A)

Cause

Product Data - Données relatives au produit

Suspected drugs or products - Trade name / Chemicals / Lot number Médicaments ou produits suspects - Nom déposé / Produit chimique / No. de lot	Started (D-M-Y) Début (J-M-A)	Ended (D-M-Y) Fin (J-M-A)	Daily Dose Dose quotidienne	Route Voie d'administration	Reason for use Raison de l'usage
Drugs taken concomitantly / Produits associés ☐ No / Non ☐ Yes (Specify) / Oui (Préciser)					Other comments Autres commentaires

Reporter's name - Nom du déclarant	City - Ville	Province
Name of institution - Nom de l'établissement		Telephone number - Numéro de téléphone

HC 4016 (08-97)

Canada

PROGRAMME D'ACCÈS SPÉCIAL AUX MÉDICAMENTS

Voici un résumé du Programme d'accès spécial aux médicaments de Santé Canada (auparavant appelé le Programme des médicaments d'urgence). L'information présentée ne doit pas être considérée comme une revue complète.

Révision 1999 par le Programme d'accès spécial aux médicaments, Santé Canada (I. MacKay).

Mandat du Programme: Le Programme d'accès spécial aux médicaments permet aux praticiens d'accéder aux médicaments non commercialisés pour traiter les patients atteints de conditions graves ou qui mettent la vie du patient en danger lorsque les traitements conventionnels ont échoué, ne sont pas appropriés, ne sont pas disponibles, ou offrent des choix limités. Le Programme d'accès spécial aux médicaments autorise un fabricant à vendre une quantité spécifique de médicament qui ne peut autrement être vendu ou distribué au Canada. Le Programme d'accès spécial aux médicaments n'autorise pas l'emploi ou l'administration d'un médicament—cette autorité relève de la pratique médicale, qui est contrôlée au niveau provincial. Les médicaments qui peuvent être obtenus par le Programme d'accès spécial aux médicaments incluent les produits pharmaceutiques, biologiques et radiopharmaceutiques qui ne sont pas approuvés pour la vente au Canada.

Comment obtenir accès spécial à un médicament d'urgence: Les praticiens peuvent télécopier, téléphoner ou écrire au Programme d'accès spécial aux médicaments pour obtenir un médicament d'urgence avec les renseignements suivants:

- le nom du praticien et son numéro de téléphone
- l'adresse du bureau/clinique du praticien ou de la pharmacie de l'hôpital où doit se faire la livraison du médicament
- le nom du médicament et la forme posologique (p. ex. comprimé, onguent)
- le nom et l'adresse du fabricant
- la quantité totale de médicament demandé
- les initiales du patient, date de naissance, sexe
- l'indication médicale du médicament.

Après examen, une autorisation peut être accordée. Le fabricant est alors averti par téléphone ou par télécopieur, ou les deux. Cette autorisation initiale est suivie d'une lettre d'autorisation qui est envoyée au fabricant. Une copie de l'autorisation est aussi envoyée au praticien. Les fabricants ont la prérogative de fournir ou de ne pas fournir le produit demandé.

Lorsque le praticien cherche et reçoit accès à un médicament par l'entremise du Programme d'accès spécial aux médicaments, il consent à fournir un rapport sur les résultats de l'emploi du médicament comprenant de l'information sur les réactions adverses au médicament et, sur demande, il devra rendre compte de toutes les quantités de médicament obtenu.

Information contact pour les demandes de médicament d'urgence ou de renseignements sur le Programme d'accès spécial aux médicaments:

Programme d'accès spécial aux médicaments
Programme des produits thérapeutiques
Finance Building, 2e étage
Tunney's Pasture
Ottawa, Ontario
K1A 1B6
Indice de l'adresse 0202C1

(613) 941-2108 (8 h 30 à 16 h 30 heure normale de l'Est)
(613) 941-3061 (après les heures de bureau)
(613) 941-3194 télécopieur
www.hc-sc.gc.ca/hpb-dgps/therapeut

RÉPERTOIRE DES ORGANISMES DU DOMAINE DE LA SANTÉ

Le tableau I fournit un répertoire des adresses de différents organismes de la santé. Cette information a été adaptée avec la permission de *Pharmacy Practice* 1998; 14(7):19–24. La plupart des organismes fournissent de l'information qui convient au public et aux professionnels. Les organismes sont listés par ordre alphabétique selon la maladie ou le sujet, si possible. Cette liste n'étant pas exhaustive, on conseille au lecteur de consulter d'autres ouvrages.

Révision 1999

Tableau I—Répertoire des organismes du domaine de la santé

Abus des médicaments: *Voir* Fondation de la recherche sur la toxicomanie; Concerns Canada; PRIDE Canada; et Centre canadien de lutte contre l'alcoolisme et la toxicomanie

Acupuncture Foundation of Canada
C.P. 93688
Comptoir postal, Shopper's World
3003, avenue Danforth
Toronto ON M4C 5R5
Tél.: (416) 752-3988
Téléc.: (416) 752-4398
info@afcinstitute.com
www.afcinstitute.com

Affections du sommeil/éveil Canada
5055-3080, rue Yonge
Toronto ON M4N 3N1
Tél.: (416) 483-9654
1-800-387-9253 (anglais)
Téléc.: (416) 483-7081
swdc@globalserve.net
www.geocities.com~sleepwake

Alcoolisme et toxicomanie, Centre canadien de lutte contre l'
300-75, rue Albert
Ottawa ON K1P 5E7
Tél.: (613) 235-4048
Téléc.: (613) 235-8101
webmaster@ccsa.ca
www.ccsa.ca
Voir aussi Fondation de la recherche sur la toxicomanie; PRIDE Canada; et Concerns Canada

Allaitement, exposition aux médicaments durant l':
Voir Motherisk

Allergies du Canada, Fondation des
C.P. 1904
Saskatoon SK S7K 3S5
Tél.: (306) 373-7591
sswoynarski@sk.sympatico.ca

Allergie et asthme, Association de l'information sur l'
750-30, avenue Eglinton Ouest
Mississauga ON L5R 3E7
Tél.: (905) 712-2242
Téléc.: (905) 712-2245

Alzheimer du Canada, Société
1200-20, avenue Eglinton Ouest
Toronto ON M4R 1K8
Tél.: (416) 488-8772
1-800-616-8816
Téléc.: (416) 488-3778
info@alzheimer.ca
www.alzheimer.ca

Aphérèse, Groupe canadien d'
206-435, boulevard St. Laurent
Ottawa ON K1K 2Z8
Tél.: (613) 748-9613
Téléc.: (613) 748-6392
cag@magi.com

Aplastic Anemia Association of Canada
22, chemin Aikenhead
Etobicoke ON M9R 2Z3
Tél.: (416) 235-0468
1-888-840-0039 (anglais)
Téléc.: (416) 235-1756
aplastic@enterprise.ca

Arthrite, Société de l'
901-250, rue Bloor Est
Toronto ON M4W 3P2
Tél.: (416) 967-1414
1-800-321-1433
Téléc.: (416) 967-7171
www.arthritis.ca

Association pulmonaire du Canada
508-1900, promenade City Park
Gloucester ON K1J 1A3
Tél.: (613) 747-6776
Téléc.: (613) 747-7430
info@lung.ca
www.lung.ca

Asthme, Société canadienne de l'
425-130, avenue Bridgeland
Toronto ON M6A 1Z4
Tél.: (416) 787-4050
1-800-787-3880
Téléc.: (416) 787-5807
asthma@myna.com
www.asthmasociety.com
Voir aussi Association de l'information sur l'allergie et l'asthme

Ataxie de Friedreich, Association canadienne de
5620 C.A., rue Jobin
Montréal QC H1P 1H8
Tél.: (514) 321-8684
1-800-222-3968
Téléc.: (514) 321-9257

Aveugles, Conseil canadien des
200-396, rue Cooper
Ottawa ON K2P 2H7
Tél.: (613) 567-0311
Téléc.: (613) 567-2728

Aveugles, Institut national canadien pour les
1929, avenue Bayview
Toronto ON M4G 3E8
Tél.: (416) 486-2500
Téléc.: (416) 480-7503
www.cnib.org

Back Association of Canada
83, rue Cottingham
Toronto ON M4V 1B9
Tél.: (416) 967-4670
Téléc.: (416) 967-0945

Boulimie et anorexie, Association pour la
300, chemin Cabana Est
Windsor ON N9G 1A3
Tél.: (519) 969-2112
Téléc.: (519) 969-0227

Breast Cancer Foundation, Canadian
1000-790, rue Bay
Toronto ON M5G 1N8
Tél.: (416) 596-6773
1-800-387-9816 (Maritimes, Québec et Ontario)
Téléc.: (416) 596-7857

British Institute of Homeopathy (Canada)
1960, rue Boake
Ottawa ON K4A 3K1
Tél.: (613) 830-4759
1-800-579-4325
Téléc.: (613) 830-9174
www.homeopathy.com/index.html

Tableau I—Répertoire des organismes du domaine de la santé *(suite)*

Cancer, Société canadienne du/ Institut canadien national du cancer
200-10, avenue Alcorn
Toronto ON M4V 3B1
Tél.: (416) 961-7223
1-888-939-3333
Téléc.: (416) 961-4189
ccs@cancer.ca
www.cancer.ca

Cardiologie, Société canadienne de
1403-222, rue Queen
Ottawa ON K1P 5V9
Tél.: (613) 569-3407
Téléc.: (613) 569-6574
ccsinfo@ccs.ca
www.cc.ca

Chronic Pain Association of Canada
105-150, promenade Central Park
Brampton ON L6T 2T9
Tél.: (905) 793-5230
1-800-616-7246 (anglais)
Téléc.: (905) 793-8781
nacpac@sympatico.ca
www3.sympatico.ca/nacpac

Concerns Canada
(Prévention de la toxicomanie)
H112-4500, avenue Sheppard Est
Toronto ON M1S 3R6
Tél.: (416) 293-3400
Téléc.: (416) 293-1142
concerns@sympatico.ca
Voir aussi Fondation de la recherche sur la toxicomanie; PRIDE Canada; et Centre canadien de lutte contre l'alcoolisme et la toxicomanie

Consumer Health Organization of Canada
412-1220, avenue Sheppard Est
North York ON M2K 2S5
Tél.: (416) 490-0986
Téléc.: (416) 490-9949
www.hookup.net/~cho

Diabète: *Voir* Fondation du diabète juvénile

Diabète, Association canadienne du
800-15, rue Toronto
Toronto ON M5C 2E3
Tél.: (416) 363-3373
1-800-BANTING
Téléc.: (416) 363-3393
info@diabetes.ca
www.diabetes.ca

Diabète juvénile, Fondation du
89, promenade Granton
Richmond Hill ON L4B 2N5
Tél.: (905) 889-4171
1-800-668-0274
Téléc.: (905) 889-4209
general@jdfc.ca
www.jdfc.ca

Dos, Centre de réadaptation du/ CBI Santé
1200-330, rue Front Ouest
Toronto ON M5V 3B7
Tél.: (416) 595-6185
1-800-463-2225
Téléc.: (416) 595-1658

Down Syndrome Society, Canadian
811-14e Rue, Nord-Ouest
Calgary AB T2N 2A4
Tél.: (403) 270-8500
Téléc.: (403) 270-8291

Dystrophie musculaire, Association canadienne de
900-2345, rue Yonge
Toronto ON M4P 2E5
Tél.: (416) 488-0030
1-800-567-2873
Téléc.: (416) 488-7523
www.mdac.ca

Endometriosis Association, International
8585 N. 76th Place
Milwaukee, WI 53223, USA
Tél.: (414) 355-2200
1-800-426-2363 (Canada)
Téléc.: (414) 355-6065
endo@endometriosis.assn.org
www.endometriosis.assn.org

Épilepsie Canada
745-1470, rue Peel
Montréal QC H3A 1T1
Tél.: (514) 845-7855
Téléc.: (514) 845-7866
epilepsy@epilepsy.ca
www.epilepsy.ca

Éthique dans les sports, Centre canadien pour l'
702-1600, promenade James Naismith
Gloucester ON K1B 5N4
Tél.: (613) 748-5755
Téléc.: (613) 748-5746
info@cces.ca

Fibrose kystique, Fondation canadienne de la
601-2221, rue Yonge
Toronto ON M4S 2B4
Tél.: (416) 485-9149
1-800-378-2233
Téléc.: (416) 485-0960
info@ccff.ca
www.ccff.ca/~fwww/index.html

Gériatrie: *Voir* Medication Use & the Elderly, Canadian Coalition on

Gérontologie, Association canadienne de
500-1306, rue Wellington
Ottawa ON K1Y 3B2
Tél.: (613) 728-9347
Téléc.: (613) 728-8913
cagacg@magi.com
www.cadacg.ca

Grossesse, exposition aux médicaments durant la:
Voir Motherisk

Hemochromatosis Society, Canadian
272-7000, boulevard Minoru
Richmond BC V6Y 3Z5
Tél.: (604) 279-7135
Téléc.: (604) 279-7138
chcts@istar.ca
www.home.istar.ca/~chcts

Hémophilie, Fondation mondiale de l'
500-1310, avenue Greene
Montréal QC H3Z 2B2
Tél.: (514) 933-7944
Téléc.: (514) 933-8916
wfh@wfh.org
www.wfh.org

Hémophilie, Société canadienne de l'
1210-625, avenue Président Kennedy
Montréal QC H3A 1K2
Tél.: (514) 848-0503
1-800-668-2686
Téléc.: (514) 848-9661
chs@odyssee.net

Huntington du Canada, Société
13, rue Water Nord, C.P. 1269
Cambridge ON N1R 7G6
Tél.: (519) 622-1002
1-800-998-7398
Téléc.: (519) 622-7370

Hygiène et de sécurité au travail, Centre canadien d'
250, rue Main Est
Hamilton ON L8N 1H6
Tél.: (905) 572-2981
1-800-263-8466
Téléc.: (905) 572-4500
custserv@ccohs.ca
www.ccohs.ca

International Association for Medical Assistance to Travellers (IAMAT)
40, chemin Regal
Guelph ON N1K 1B5
Tél.: (519) 836-0102
Téléc.: (519) 836-3412
iamat@sentex.net
www.sentex.net/~iamat

Interstitial Cystitis Society, Canadian
C.P. 28625, 406, avenue S. Wellington
Burnaby BC V5C 6J4
Tél.: (250) 758-3207
Téléc.: (250) 758-4894
www.ichelp.com

Tableau I—Répertoire des organismes du domaine de la santé *(suite)*

Lupus Canada
C.P. 64034, 5512-4e Ave. Nord-Ouest
Calgary AB T2K 6J1
Tél.: (403) 274-5599
(514) 849-0955 (français)
1-800-661-1468 (anglais)

Maladie coéliaque, Association canadienne de la
11-190, chemin Britannia
Mississauga ON L4Z 1W6
Tél.: (905) 507-6208
1-800-363-7296
Téléc.: (905) 507-4673

Maladies du cœur du Canada, Fondation des
1402-222, rue Queen
Ottawa ON K1P 5V9
Tél.: (613) 569-4361
Téléc.: (613) 569-3278
www.hsf.ca

Maladies du foie, Fondation canadienne des
200-365, rue Bloor Est
Toronto ON M4W 3L4
Tél.: (416) 964-1953
1-800-563-5483
Téléc.: (416) 964-0024
clf@liver.ca
www.liver.ca

Maladies du rein, Fondation canadienne des
300-5165, rue Sherbrooke Ouest
Montréal QC H4A 1T6
Tél.: (514) 369-4806
1-800-361-7494
Téléc.: (514) 369-2472
kidney-f-c@vir.com
www.kidney.ca

Maladies inflammatoires de l'intestin, Fondation canadienne des
301-21, avenue St. Clair Est
Toronto ON M4T 1L9
Tél.: (416) 920-5035
1-800-387-1479
Téléc.: (416) 929-0364
ccfc@netcom.ca
www.ccfc.ca

Maladies thyroïdiennes, Fondation canadienne pour les
C-1040, chemin Gardiners
Kingston ON K7P 1R7
Tél.: (613) 634-3426
1-800-267-8822 (anglais)
Téléc.: (613) 634-3483
thyroid@limestone.kosone.com
home.ican.net/~thyroid/Canada.html

Malentendants canadiens, Association des
205-2435 Holly Lane
Ottawa ON K1V 7P2
Tél.: (613) 526-1584
ATS: (613) 526-2692
1-800-263-8068
Téléc.: (613) 526-4718
chhanational@cyberus.ca
Voir aussi Société canadienne de l'ouïe; et sous «Surdité»

Malignant Hyperthermia Association
127, avenue Sheppard Est
Willowdale ON M2N 3A5
Tél.: (416) 222-0150
Téléc.: (416) 224-0360

M.E. Canada
(Encéphalomyélite myalgique/Syndrome de la fatigue chronique)
400-246, rue Queen
Ottawa ON K1P 5E4
Tél.: (613) 563-1565
Téléc.: (613) 567-0614
tharvey@netcom.ca

Médecine sportive, Académie canadienne de
502-1600, promenade James Naismith
Gloucester ON K1B 5N4
Tél.: (613) 748-5851
Téléc.: (613) 748-5792
jburke@globalserve.net

Médecine sportive, Conseil canadien des sciences et de la
1600, promenade James Naismith
Gloucester ON K1B 5N4
Tél.: (613) 748-5671
Téléc.: (613) 748-5729
smscc@smscc.ca
www.smscc.ca

Medication Use & the Elderly, Canadian Coalition on
1005-350, rue Sparks
Ottawa ON K1R 7S8
Tél.: (613) 238-7624
Téléc.: (613) 235-4497
iahale@ibm.net

Migraine du Canada, Association de la
1912-365, rue Bloor Est
Toronto ON M4W 3L4
Tél.: (416) 920-4916
ligne d'information 24 h: (416) 920-4917
1-800-663-3557 (anglais)
Téléc.: (416) 920-3677
cindy@migraine.ca
www.migraine.ca

Motherisk
Division de la Pharmacologie clinique
Hospital for Sick Children
555, avenue University
Toronto ON M5G 1X8
Tél.: (416) 813-6780
momrisk@sickkids.on.ca
www.motherisk.org

Nutrition, Institut national de la
302-265, avenue Carling
Ottawa ON K1S 2E1
Tél.: (613) 235-3355
Téléc.: (613) 235-7032
nin@nin.ca
www.nin.ca
Voir aussi Association pour la boulimie et l'anorexie; et Centre national d'information sur les troubles d'alimentation

Ostéoporose du Canada, Société de l'
33, promenade Laird
Toronto ON M4G 3S9
Tél.: (416) 696-2663
1-800-463-6842 (anglais)
1-800-977-1778 (français)
Téléc.: (416) 696-2673

Ouïe, Société canadienne de l'
271, chemin Spadina
Toronto ON M5R 2V3
Tél.: (416) 964-9595
ATS: (416) 964-0023
Téléc.: (416) 928-2525
www.chs.ca
Voir aussi Association des malentendants canadiens; et sous «Surdité»

Paraplégiques, Association canadienne des
2e étage, 520, promenade Sutherland
Toronto ON M4G 3V9
Tél.: (416) 422-5644
Téléc.: (416) 422-5943
cpaont@idirect.com

Parkinson, Fondation canadienne de la maladie
710-390, rue Bay
Toronto ON M5H 2Y2
Tél.: (416) 366-0099
1-800-565-3000 (anglais)
1-800-720-1307 (français)
Téléc.: (416) 366-9190
www.parkinson.ca

Personnes à déficiences auditaires, Le Centre de la région de la Capitale pour les
310, avenue Elmgrove
Ottawa ON K1Z 6V1
Tél.: (613) 729-1467
Téléc.: (613) 729-5167
crchi@iosphere.net

Personnes âgées: *Voir* Medication Use and the Elderly, Canadian Coalition on; et Association canadienne de gérontologie

Tableau I—Répertoire des organismes du domaine de la santé *(suite)*

Porphyria Foundation Inc., Canadian
C.P. 1206
Neepawa MB R0J 1H0
Tél.: (204) 476-2800

PRIDE Canada (Parent Resources Institute for Drug Education)
Collège de pharmacie et nutrition
Université de Saskatchewan
110, place Science
Saskatoon SK S7N 5C9
Tél.: (306) 975-3755
1-800-667-3747
Téléc.: (306) 975-0503
pride@noinnovplace.saskatoon.sk.ca
Voir aussi Abus des médicaments

Protection médicale, Association canadienne de
301-250, promenade Ferrand
Toronto ON M3C 2T9
Tél.: (416) 696-0267
1-800-668-1507 (anglais)
1-800-668-6381 (français)
Téléc.: (416) 696-0156 ou 1-800-392-8422
medinfo@medicalalert.ca

Psoriasis, Fondation canadienne du
500A-1306, rue Wellington
Ottawa ON K1Y 3B2
Tél.: (613) 728-4000
1-800-265-0926
Téléc.: (613) 728-8913

Psoriasis, Société canadienne de
C.P. 25015
Halifax NS B3M 4H4
Tél.: (902) 443-8680
1-800-656-4494 (anglais)
Téléc.: (902) 457-1664

Santé infantile, Institut canadien de la
512-885, promenade Meadowlands Est
Ottawa ON K2C 3N2
Tél.: (613) 224-4144
Téléc.: (613) 224-4145
cich@igs.net
www.cich.ca

Santé mentale, Association canadienne pour la
3e étage, 2160, rue Yonge
Toronto ON M4S 2Z3
Tél.: (416) 484-7750
Téléc.: (416) 484-4617
cmhanat@interlog.com
www.icomm.ca

Schizophrénie, Société canadienne de
814-75 The Donway Ouest
Don Mills ON M3C 2E9
Tél.: (416) 445-8204
1-800-809-HOPE
Téléc.: (416) 445-2270

Sclérose en plaques, Société canadienne de la
1000-250, rue Bloor Est
Toronto ON M4W 3P9
Tél.: (416) 922-6065
1-800-268-7582
Téléc.: (416) 922-7538
www.mssoc.ca

Sclérose latérale amyotrophique, Société canadienne de la
(maladie de Lou Gehrig)
220-6, rue Adelaide Est
Toronto ON M5C 1H6
Tél.: (416) 362-0269
1-800-267-4-ALS
Téléc.: (416) 362-0414
alssoc@inforamp.net
www.als.ca

SIDA, Centre national de documentation sur le
a/s de l'Association canadienne de santé publique
400-1565, avenue Carling
Ottawa ON K1Z 8R1
Tél.: (613) 725-3434
Téléc.: (613) 725-1205
aids/sida@cpha.ca
www.cpha.ca

SIDA, Fondation canadienne de recherche sur le
901-165, avenue University
Toronto ON M5H 3B8
Tél.: (416) 361-6281
1-800-563-CURE (anglais)
Téléc.: (416) 361-5736

SIDA, Société canadienne du
400-100, rue Sparks
Ottawa ON K1P 5B7
Tél.: (613) 230-3580
1-800-499-1986
Téléc.: (613) 563-4998
cndaids@cyberus.ca
www.cdnaids.ca

Société des services pour la toxicomanie et la santé mentale
Site Fondation de la recherche sur la toxicomanie
33, rue Russell
Toronto ON M5S 2S1
Tél.: (416) 595-6014 ou (416) 595-6552
Ligne d'information sur les médicaments et l'alcool
1-800-INFO-ARF (Ontario)
Téléc.: (416) 595-6606
ejanecek@arf.org
Voir aussi Concerns Canada; PRIDE Canada; et Centre canadien de lutte contre l'alcoolisme et la toxicomanie

Sourds du Canada, Association des
203-251, rue Bank
Ottawa ON K2P 1X3
Tél.: (613) 565-2882
Téléc.: (613) 565-1207

Spina-bifida et hydrocéphalie du Canada, Association de
220-388, rue Donald
Winnipeg MB R3B 2J4
Tél.: (204) 925-3650
1-800-565-9488
Téléc.: (204) 925-3654
spinab@mts.net
www.sphac.ca

Stuttering Treatment & Research, Institute for
3e étage, 8220-114e Rue
Edmonton AB T6G 2P4
Tél.: (403) 492-2619
Téléc.: (403) 492-8457
istar@gpu.srv.ualberta.ca

Surdité: *Voir* Société canadienne de l'ouïe; et Association des malentendants canadiens

Syndrome de fatigue chronique: *Voir* M.E. Canada

Syndrome de Tourette, Fondation canadienne du
206-194, rue Jarvis
Toronto ON M5B 2B7
Tél.: (416) 861-8398
1-800-361-3120
Téléc.: (416) 861-2472
tsfc.org@sympatico.ca
www.tourette.ca

Syndrome de Turner, Association du
814, avenue Glencairn
North York ON M6B 2A3
Tél.: (416) 781-2086
1-800-465-6744 (anglais)
Téléc.: (416) 781-7245
tssincan@web.net

Troubles d'alimentation, Centre national d'information sur les
200, rue Elizabeth
College Wing, 1er étage, bureau 211
Toronto ON M5G 2C4
Tél.: (416) 340-4156
Téléc.: (416) 340-4736
Voir aussi Association pour la boulimie et l'anorexie; et Institut national de la nutrition

Voyages: *Voir* International Association for Medical Assistance to Travellers (IAMAT)

CONSIDÉRATIONS SUR L'EMPLOI DE MÉDICAMENTS EN PRÉSENCE DE PORPHYRIE

Cette section présente une vue d'ensemble de la porphyrie ainsi que des considérations générales sur l'emploi des médicaments. Elle traite en particulier de 3 types de porphyries que l'on ne considère pas comme rares au Canada, soit la porphyrie aiguë intermittente, la porphyrie cutanée tardive et la protoporphyrie érythropoïétique. Il existe environ 8 porphyries différentes, mais les autres ne sont pas présentées ici. Les renseignements que contient cette section ne sont pas exhaustifs; par conséquent, on encourage le lecteur à consulter des ouvrages complémentaires pour obtenir des informations additionnelles.

Révision 1999 par G. Sweeney.

Généralités

Toutes les porphyries ont pour cause un trouble de la biosynthèse de l'hème, groupe prosthétique des cytochromes et de l'hémoglobine. Chaque type est cependant distinct sur le plan biochimique faisant intervenir une enzyme et touchant des tissus particuliers. La figure I présente de manière simplifiée les différentes étapes de la biosynthèse de l'hème.

Figure I—Biosynthèse de l'hème (schéma simplifié)

aminolévulinate (ALA) → porphobilinogène (PBG) → uroporphyrinogène → coproporphyrinogène → protoporphyrinogène → protoporphyrine → hème

Il n'existe pas d'études cliniques valables sur le traitement de la porphyrie, car même les formes les plus courantes sont rares. Toutes les porphyries sont héréditaires, mais comme la pénétrance est variable, des antécédents familiaux négatifs n'aident en rien à exclure le diagnostic.

- La porphyrie aiguë intermittente (PAI) résulte d'une activité déficiente de la PBG désaminase, enzyme qui convertit le PBG en uroporphyrinogène. Lorsque cette anomalie devient le facteur limitant de la vitesse, il se produit une accumulation d'ALA et de PBG. Les accès de porphyrie aiguë surviennent en présence de PAI ainsi qu'en présence des formes plus rares que sont la porphyrie variegata et la coproporphyrie. Il est probable que l'accumulation d'ALA soit à l'origine des caractéritiques cliniques de la porphyrie aiguë.
- La porphyrie cutanée tardive (PCT) s'observe surtout en dermatologie et résulte d'un blocage de la biosynthèse du coproporphyrinogène à partir de l'uroporphyrinogène. Toutefois, seules certaines cellules hépatiques présentent une réduction importante de l'activité de l'uroporphyrinogène décarboxylase. L'administration d'œstrogènes synthétiques (et de certaines hépatotoxines) peut entraîner la PCT. En outre, les patients qui souffrent de PCT peuvent réagir gravement à l'administration de 4-aminoquinolines (p. ex. la chloroquine), mais ils répondent normalement aux autres médicaments.
- La protoporphyrie érythropoïétique (PPE) s'observe généralement chez les enfants et se caractérise par l'apparition d'une photosensibilité se manifestant par une réaction rapide à l'insolation. L'enzyme affectée est la ferrochélatase, laquelle opère l'insertion du fer dans la protoporphyrine. L'administration de médicaments n'entraîne pas de problèmes particuliers chez les sujets qui souffrent de PPE.

Caractéristiques cliniques de la porphyrie aiguë intermittente

Les personnes qui souffrent de PAI ou d'une de ses 2 formes apparentées, la coproporphyrie héréditaire (CPH) et la porphyrie variegata (PV), sont tous susceptibles de faire un accès de porphyrie aiguë. Durant cette crise, de grandes quantités d'ALA et de PBG sont excrétées dans l'urine. Les autres symptômes de la crise aiguë sont la douleur abdominale, les vomissements, la constipation, une dysfonction du système nerveux autonome, la neuropathie périphérique (surtout motrice) et une perte de sodium due à l'incapacité du rein à maintenir le bilan hydrosodé à la normale. Comme il peut exister plusieurs anomalies du gène codant pour la PBG désaminase, la gravité de la maladie peut varier grandement. Ainsi, il y a des femmes qui, même si elles n'ont été exposées à aucun médicament, connaissent de fréquents épisodes aigus, associés généralement à leurs règles. Peu importe le sexe, la PAI ne se rencontre presque jamais avant la puberté et ce ne sont pas toutes les personnes porteuses du gène défectif qui deviennent malades. Le traitement des accès aigus est efficace à court terme, mais il convient d'en discuter avec un expert, en particulier si l'on songe à employer de la panhématine.

Considérations concernant l'emploi de médicaments

Les effets secondaires des médicaments chez les personnes souffrant de porphyrie ne concernent généralement que la PAI, la CPH et la PV, aussi le médecin doit-il s'assurer que le bon type de porphyrie (c'est là un critère important) a été diagnostiqué. On ne sait cependant pas avec précision quels médicaments peuvent être utilisés sans danger chez les personnes qui souffrent de PAI. En effet, les personnes qui sont atteintes de porphyrie sont susceptibles de faire un accès aigu si elles sont exposées à certains facteurs de risque, dont les plus courants sont les médicaments. Voici 2 considérations générales concernant l'utilisation des médicaments en présence de porphyrie:

—éviter si possible l'emploi de médicaments qui interagissent avec le cytochrome P450 au niveau du foie

—ne pas employer de médicaments qui induisent le cytochrome P450, car ceux-ci sont formellement contre-indiqués. En effet, l'induction du cytochrome P450 augmente la biosynthèse de l'hème, aussi l'activité déficiente de la PBG désaminase devient-elle critique.

Des listes de médicaments ont été publiées dans lesquelles les produits sont classés en 3 groupes selon qu'on les considère sûrs ou dangereux, ou qu'on ignore leurs effets.

À titre d'exemple, les barbituriques, la carbamazépine, la griséofulvine, le méprobamate, la progestérone et les sulfamides sont considérés comme contre-indiqués dans les monographies du *CPS* et comme dangereux dans la référence ci-dessous. Toutefois, si l'on fait exception des médicaments qui sont formellement contre-indiqués, l'approche doit être la même que pour l'administration de médicaments au début de la grossesse (c.-à-d. qu'il faut éviter si possible le traitement pharmacologique).

Bibliographie:

1. Moore Mr, Hift RJ. Drugs in the acute porphyrias-toxicogenetic diseases. Cell Mol Biol 1997;43(1):89-94.

MÉDICAMENTS UTILISÉS LORS DE LA RÉANIMATION CARDIAQUE

Les tableaux I et II fournissent un point de référence rapide sur des médicaments choisis utilisés lors de la réanimation cardiaque chez l'adulte et l'enfant. L'information présentée ne doit pas être considérée comme une revue complète. De ce fait, le lecteur est encouragé à approfondir et à corroborer l'information.

Révision 1999 par le personnel du Centre d'information pharmacothérapeutique et du département de Pharmacie, London Health Sciences Centre, London, Ontario, et le Comité de soins d'urgence cardiaque, Fondation des maladies du cœur du Canada (M. Ackerman).

Tableau I—Médicaments utilisés lors de la réanimation cardiaque chez l'adulte

Médicament	Indications	Posologie (i.v. à moins d'indication contraire)	Commentaires
AAS	Traitement adjuvant de l'IAM.	Administrer le plus vite possible 160 à 325 mg po sous forme de comprimés à croquer ou à avaler.	Ne pas administrer aux patients qui sont allergiques à l'AAS ou qui ont un ulcère gastro-duodénal actif. Employer avec prudence chez les asthmatiques.
Adénosine	Utile dans la TSVP stable à complexe étroit. Peut être employée (après administration de lidocaïne) pour le diagnostic d'une tachycardie stable à complexe large de type incertain.	La dose initiale est de 6 mg en bolus rapide de 1 à 3 s, suivie d'un bolus de 20 mL de soluté isotonique de NaCl. En l'absence de réponse, répéter 1 ou 2 min plus tard avec 12 mg. Une troisième dose de 12 mg peut être administrée après 1 ou 2 min.	Les bouffées vasomotrices, la dyspnée et les douleurs thoraciques sont habituellement passagères. Une asystole ou une bradycardie transitoires et une ectopie ventriculaire peuvent se produire. Vu la courte demi-vie de l'adénosine (<5 s), la TSVP peut réapparaître. Pour la TSVP récurrente, on peut utiliser de l'adénosine ou un antagoniste du calcium. La théophylline et les méthylxanthines peuvent bloquer l'effet de l'adénosine. Le dipyridamole augmente cet effet et la carbamazépine le prolonge.
Amiodarone	TV ou FV rebelles, malgré l'administration de lidocaïne.	Dose initiale: 150 mg sur une période de 10 min, suivis de 1 mg/min pendant 6 h. Perfusion d'entretien: 0,5 mg/min.	Surveiller de près les signes d'hypotension. Peut être principalement efficace pour les accès de FV.
Atropine	Asystole (après administration d'épinéphrine). Bradycardie symptomatique.	Asystole: 1 mg, répéter après 3 à 5 min si l'asystole persiste, jusqu'à 3 mg ou 0,04 mg/kg au total. Bradycardie: 0,5 à 1 mg, répéter aux 3 à 5 min, jusqu'à 3 mg ou 0,04 mg/kg au total. ET: 2 à 3 mg dilués dans 10 mL de soluté isotonique de NaCl.	Une dose même inférieure à 0,5 mg peut causer de la bradycardie. Employer avec prudence en présence d'ischémie ou d'infarctus aigus du myocarde.
Bêta-bloquants (voir Métoprolol ci-dessous)			
Bicarbonate de sodium	Hyperkaliémie, surdosage d'antidépresseurs tricycliques, réanimation cardiaque prolongée avec ventilation adéquate ou alcalinisation de l'urine dans les cas de surdosage médicamenteux.	Administrer d'abord 1 mmol/kg, puis pas plus de 0,5 mmol/kg aux 10 min par la suite.	N'employer qu'après confirmation des interventions d'usage (ventilation adéquate, compression, défibrillation et plus d'un essai d'administration d'épinéphrine). Décider du traitement en fonction de l'analyse des gaz du sang artériel.
Brétylium	FV ou TV rebelles ou récurrentes malgré l'emploi d'épinéphrine, de lidocaïne et/ou de la défibrillation, et tachycardies à complexe large non maîtrisées par la lidocaïne ou l'adénosine. Peut être efficace comme premier agent antiarythmique dans la FV hypothermique.	Arrêt cardiaque: 5 mg/kg en bolus i.v. Peut administrer 10 mg/kg après 5 min si nécessaire. TV: 5 à 10 mg/kg dans 50 mL de dextrose à 5 % dans l'eau pendant 8 à 10 min. Dose maximale totale: 30 à 35 mg/kg. Perfusion d'entretien: 1 g dans 250 mL de dextrose à 5 % dans l'eau à raison de 1 à 2 mg/min.	Hypotension orthostatique fréquente et possibilité de nausées et de vomissements. Les effets sympathomimétiques durent pendant 20 min et sont suivis d'un blocage adrénergique.

Tableau I—Médicaments utilisés lors de la réanimation cardiaque chez l'adulte *(suite)*

Médicament	Indications	Posologie (i.v. à moins d'indication contraire)	Commentaires
Calcium, chlorure de	Surdosage par les antagonistes du calcium, hyperkaliémie, hypocalcémie prononcée ou en prophylaxie avant l'administration i.v. d'antagonistes du calcium pour prévenir l'hypotension chez les patients avec une pression sanguine marginale ou un dysfonctionnement ventriculaire gauche.	Administrer une dose prophylactique de 2 à 4 mg/kg (habituellement 2 mL d'une solution à 10 %) pendant 1 à 2 min avant l'injection i.v. d'un antagoniste du calcium. Administrer 8 à 16 mg/kg (habituellement 5 à 10 mL d'une solution à 10 %) pour le traitement de l'hyperkaliémie et le surdosage par un antagoniste du calcium.	Ne pas mélanger à du bicarbonate de sodium.
Diltiazem	Maîtrise du rythme ventriculaire en présence de FV ou de TPSV rebelle à complexe étroit, avec pression sanguine adéquate.	Administrer 0,25 mg/kg pendant une période de 2 min. Répéter au besoin après 15 min avec 0,35 mg/kg sur 2 min. Perfusion d'entretien: 5 à 15 mg/h.	Ne pas administrer en présence de maladie du sinus ou de bloc AV. Surveiller de près les signes d'hypotension, en particulier si le patient reçoit également un bêta-bloquant.
Épinéphrine	Asystole, FV, TV non pulsatile ou activité électrique non pulsatile.	Administrer 1 mg en bolus i.v. (10 mL d'une solution 1:10 000) aux 3 à 5 min durant l'arrêt. ET: 2 à 2,5 mg dilués dans 10 mL de soluté isotonique de NaCl. Perfusion d'une forte dose (au lieu d'un bolus): 30 mg (utiliser 30 mL d'une solution 1:1 000) dans 250 mL de soluté isotonique de NaCl ou de dextrose à 5% dans l'eau à raison de 100 mL/h et ajuster jusqu'à obtention de l'effet désiré.	L'injection intracardiaque ne doit être pratiquée qu'en cas de massage cardiaque à thorax ouvert ou lorsque d'autres voies ne sont pas disponibles. Éviter de mélanger à des solutions alcalines.
	Bradycardie symptomatique.	Perfusion d'une faible dose (perfusions inotrope et chronotrope): 1 mg dans 250 mL de soluté isotonique de NaCl à raison de 30 à 150 mL/h (2 à 10 μg/min).	
Héparine	Comme adjuvant aux agents thrombolytiques dans le traitement de l'IAM.	Avec l'altéplase (rtPA), administrer 5 000 unités en bolus i.v. en même temps que l'altéplase. Maintenir la perfusion à 1 000 à 1 200 unités/h.	Vérifier le TCK après 6 et 12 h, puis aux 12 h par la suite. Maintenir le TCK du patient supérieur à 1,5 à 2 fois celui du témoin pour 48 h.
		Avec la streptokinase, l'emploi de l'héparine demeure obscur. Chez les patients à risque élevé de thrombo-embolie, 7 500 unités s.c. q12h a été utilisé au moins 4 h après avoir commencé la streptokinase.	Surveiller le TCK après 4 h et maintenir le TCK du patient supérieur à 1,5 à 2 fois celui du témoin. Si le TCK est inférieur à cette plage, changer pour la voie i.v., comme dans le cas de l'altéplase.
Isoprotérénol	Torsades de pointes rebelles et maîtrise provisoire de la bradycardie chez les patients ayant subi une transplantation cardiaque.	Administrer 1 mg dans 250 mL de dextrose à 5 % dans l'eau à raison de 2 à 10 μg/min et ajuster jusqu'à obtention de la fréquence et du rythme cardiaques désirés.	N'employer qu'après utilisation d'atropine, afin de maintenir la fréquence cardiaque jusqu'à insertion d'un stimulateur cardiaque. La stimulation électrique percutanée peut être préférable à l'isoprotérénol. Ne pas mélanger à des solutions alcalines. En présence de torsades de pointes, ajuster la dose afin d'augmenter la fréquence cardiaque, jusqu'à suppression de la TV.
Lidocaïne	FV ou TV non pulsatile ne répondant pas à l'épinéphrine ni à la défibrillation. TV stable, tachycardies à complexe large de type incertain, TSVP à complexe large.	Arrêt cardiaque: Dose initiale: 1 à 1,5 mk/kg en bolus. Peut répéter une fois après 3 à 5 min avant l'essai d'un autre antiarythmique. En perfusion d'entretien après la réanimation. ET: 2 à 4 mg/kg. Tachycardie stable: 1 à 1,5 mg/kg en 3 à 5 min. Administrer par la suite 0,5 à 0,75 mg/kg aux 5 à 10 min, jusqu'à un total de 3 mg/kg. Perfusion d'entretien: 1 g dans 250 mL de dextrose à 5 % dans l'eau à raison de 2 à 4 mg/min.	Les symptômes d'intoxication comprennent la dysarthrie, une altération de la conscience, des secousses musculaires et des convulsions. Une réduction de la dose d'entretien peut être nécessaire chez les personnes âgées ou chez les insuffisants hépatiques (ne pas réduire la dose de charge).

Tableau I—Médicaments utilisés lors de la réanimation cardiaque chez l'adulte *(suite)*

Médicament	Indications	Posologie (i.v. à moins d'indication contraire)	Commentaires
Magnésium, sulfate de	Hypomagnésiémie, FV/TV rebelles qui s'ensuivent. Traitement de choix pour les torsades de pointes.	Arrêt cardiaque: 1 à 2 g (2 à 4 mL d'une solution à 50 %) en bolus i.v. dilués dans 10 mL de dextrose à 5 % dans l'eau. Torsades de pointes: 1 à 2 g dans 50 à 100 mL de dextrose à 5 % dans l'eau pendant 5 à 60 min suivis de 1 à 4 g/h ajusté jusqu'à obtention de l'effet désiré.	Protéger le patient contre toute hypotension ou asystole cliniquement importantes. Employer avec prudence en présence d'insuffisance rénale.
Métoprolol	IAM, TPSV ou FV rebelles.	Administrer lentement 5 mg par voie i.v. Répéter aux 5 à 10 min, jusqu'à atteindre 15 mg au total. Après 15 min, si toléré, administrer 50 mg po b.i.d. pour 2 doses, puis 100 mg po b.i.d.	Ne pas administrer en présence de FC < 60, PS systolique < 100, IC, bloc AV ou bronchospasme.
Morphine, sulfate de	Traitement de la douleur et réduction de l'œdème pulmonaire.	Administrer 1 à 3 mg sur une période de 1 à 5 min; puis répéter aux 5 min jusqu'à obtention d'une réponse.	Une dépression respiratoire et de l'hypotension peuvent survenir.
Procaïnamide	FV rebelle/TV non pulsatile, TSVP rebelle, TV à répétition non contrôlée par la lidocaïne, ou tachycardie stable à complexe large d'étiologie inconnue.	Administrer 1 g dans 250 mL de dextrose à 5 % dans l'eau à raison de 20 à 30 mg/min jusqu'à obtention d'une réponse ou jusqu'à ce qu'une chute de pression se produise, ou encore jusqu'à ce que le complexe QRS se soit élargi de >50 %, jusqu'à un total de 17 mg/kg (1,2 g pour un patient de 70 kg). Perfusion d'entretien: 1 à 4 mg/min.	Le procaïnamide est un inotrope négatif et un vasodilatateur. Il peut donc produire un retard de conduction grave et de l'hypotension. Éviter l'emploi en présence de prolongation de l'intervalle QT et de torsades de pointes. Réduire la posologie en présence d'insuffisance rénale.
Thrombolytiques (p. ex. alteplase (rt-PA), streptokinase)	Infarctus du myocarde aigu Élévation du segment ST ≥1 mm dans au moins 2 dérivations contiguës.	Administrer le plus tôt possible une fois posé le diagnostic d'IAM (si possible en moins de 30 min). Streptokinase: 1,5 million d'UI en perfusion d'une heure. Alteplase: la dose totale dépend du poids mais ne doit pas être supérieure à 100 mg. Perfusion accélérée: 15 mg en bolus, suivis de 0,75 mg/kg durant les 30 prochaines minutes (sans dépasser 50 mg). Administrer ensuite 0,50 mg/kg durant les 60 prochaines minutes (sans dépasser 35 mg).	Rechercher les critères d'exclusion: hémorragie, AVC, traumatisme, chirurgie récente, dissection aortique, hypertension non maîtrisée, troubles hémorragiques, RCR prolongée ou traumatique. Un traitement adjuvant par l'AAS et l'héparine (voir AAS et Héparine ci-dessus). Employer une ligne de perfusion réservée exclusivement à l'agent thrombolytique.
Vérapamil	TSVP stable à complexe étroit et tension artérielle adéquate.	Administrer 2,5 à 5 mg en bolus i.v. pendant 1 à 2 min. Des doses supplémentaires de 5 à 10 mg aux 15 à 30 min jusqu'à un maximum de 30 mg peuvent être employées pour produire une réponse thérapeutique. Administrer plus lentement chez les patients âgés.	Surveiller de près les signes d'hypotension, de bradycardie sinusale et de bloc AV (en particulier durant l'administration concomitante d'un bêta-bloquant ou d'un autre antihypertenseur).

Légende: AV=auriculoventriculaire, ET=endotrachéale, FA=fibrillation auriculaire et flutter, FV=fibrillation ventriculaire, IAM=infarctus aigu du myocarde, rt-PA=activateur du plasminogène tissulaire recombinant, TSVP=tachycardie supraventriculaire paroxystique, TV=tachycardie ventriculaire.

Bibliographie:
1. 1996 Handbook of emergency cardiac care for healthcare providers. Dallas, TX: American Heart Association, 1996.
2. Cummins RO, éd. Textbook of advanced cardiac life support. Dallas, TX: American Heart Association, 1997.
3. Handbook of ACLS algorithms, Heart and Stroke Foundation of Canada, 1994.
4. Kowey PR, Levine JH, et collab. Randomized, double-blind comparison of intravenous amiodarone and bretylium in the treatment of patients with recurrent, hemodynamically destabilizing ventricular tachycardia or fibrillation. Circulation 1995; 92(11):3255–63.

Tableau II—Médicaments utilisés lors d'un arrêt cardiaque et de la réanimation chez l'enfant

Médicament	Indication	Posologie (i.v. ou i.o. à moins d'indication contraire)	Dilution
Adénosine	Médicament de choix pour la TSVP symptomatique chez les enfants <1 an.	0,1 mg/kg par i.v. rapide durant 1 à 3 s. Répéter à 0,2 mg/kg dans 1 à 2 min au besoin. Dose unique max.: 12 mg. À noter: demi-vie très courte.	Non dilué. Suivre avec 2 à 3 mL de solution de rinçage de saline normale (5 à 10 mL de solution de rinçage si par catéther périphérique).
Atropine	Bradycardie symptomatique ne répondant ni à l'oxygène, ni à la ventilation, ni à l'épinéphrine.	0,02 mg/kg (min. 0,1 mg). Peut doubler pour la deuxième dose. Dose unique max. 0,5 mg (enfant) et 1 mg (adolescent). Répéter toutes les 5 min jusqu'à une dose totale max. de 1 mg (enfant) et 2 mg (adolescent).	Non dilué; peut être donné ET.
Bicarbonate de sodium	Utiliser avec précaution seulement après avoir essayé des interventions confirmées (ventilation adéquate, compression, défibrillation et épinéphrine) dans un arrêt prolongé. Hyperkaliémie ou intoxication aux ADT.	1 mmol/kg. Perfuser lentement et seulement si la ventilation est adéquate.	Non dilué 1 mmol/mL (enfant ≥2 ans) ou dilué jusqu'à 0,5 mmol/mL avec dextrose à 5 % dans l'eau (nouveau-nés et enfants <2 ans).
Brétylium	TV/FV réfractaire.	5 mg/kg par i.v. rapide. Répéter à 10 mg/kg si TV/FV persiste.	Non dilué.
Calcium, chlorure de	Hypocalcémie, hyperkaliémie, hypermagnésiémie, surdosage de bloquants du canal calcique.	0,2 mL (20 mg)/kg de chlorure de calcium à 10 % (5,4 mg/kg de calcium élémentaire) par i.v. lent.	Non dilué.
Dobutamine	Supporte le débit cardiaque.	2 à 20 µg/kg/min par perfusion i.v.	6 x poids corporel (kg)=mg du médicament ajouté à la solution i.v. pour faire un volume total de 100 mL. Une vitesse de perfusion de 1 mL/h fournit 1 µg/kg/min.
Dopamine	Supporte le débit cardiaque.	2 à 20 µg/kg/min par perfusion i.v.	
Épinéphrine	Bradycardie.	0,01 mg/kg (1:10 000, 0,1 mL/kg). ET: 0,1 mg/kg (1:1 000, 0,1 mL/kg).	Perfusion: 0,6 x poids corporel (kg)=mg du médicament ajouté à la solution i.v. pour faire un volume total de 100 mL. Une vitesse de perfusion de 1 mL/h fournit 0,1 µg/kg/min.
	Asystolie ou arrêt sans pouls.	Première dose: i.v./i.o.: 0,01 mg/kg (1:10 000, 0,1 mL/kg). ET: 0,1 mg/kg (1:1 000, 0,1 mL/kg). Deuxième et doses répétées: i.v./i.o./ET: 0,1 mg/kg (1:1 000, 0,1 mL/kg) toutes les 3 à 5 min. Les doses jusqu'à 0,2 mg/kg (1:1 000, 0,2 mL/kg) peuvent être efficaces. Nouveau-nés: 0,01 à 0,03 mg/kg (1:10 000, 0,1 à 0,3 mLkg).	
	Supporte le débit cardiaque.	0,1 à 1 µg/kg/min par perfusion i.v.	
Glucose	Hypoglycémie.	0,5 à 1 g/kg i.v.	Dextrose à 25 % dans l'eau (nouveau-nés: dextrose à 10 % dans l'eau).
Lidocaïne	FV, TV sans pouls ne répondant ni à la défibrillation ni à l'épinéphrine.	1 mg/kg bolus rapide, suivi d'une perfusion de 20 à 50 µg/kg/min.	I.V. rapide: Non dilué (solution à 2 %=20 mg/mL). Perfusion: 60 x poids corporel (kg)=mg du médicament ajouté à la solution i.v. pour faire un volume total de 100 mL. Une vitesse de perfusion de 1 mL/h fournit 10 µg/kg/min.
Naloxone	Intoxication aux opioïdes.	0-5 ans (≤20 kg): 0,1 mg/kg. ≥5 ans (>20 kg): 2,0 mg. Répéter les doses toutes les 2 à 3 min si nécessaire.	Non dilué; peut être donné ET.
		Perfusion: 0,04-0,16 mg/kg/h.	Dilué jusqu'à 4 µg/mL avec dextrose à 5 % dans l'eau ou saline normale.

Légende: ADT=antidépresseurs tricycliques, ET=endotrachéale, FV=fibrillation ventriculaire, i.o.=intraosseux, i.v.=intraveineux, TV=tachycardie ventriculaire.

Bibliographie

1. 1996 Handbook of emergency cardiac care for healthcare providers. Dallas, TX: American Heart Association, 1996.
2. Handbook of ACLS algorithms, Heart and Stroke Foundation of Canada, 1994.
3. Phelps SJ, et coll. Guidelines for administration of intravenous medications to pediatric patients, 5e éd. Bethesda, MD: American Society of Health System Pharmacists, 1996.

ALGORITHMES LORS D'UN ARRÊT CARDIAQUE

Les figures suivantes présentent les algorithmes lors d'un arrêt cardiaque chez les adultes et chez les enfants développés par le Comité de soins d'urgence cardiaque de la Fondation des maladies du cœur du Canada. L'information présentée ne doit pas être considérée comme une revue complète. De ce fait, le lecteur est encouragé à approfondir et à corroborer l'information.

Révision 1999 par le Comité de soins d'urgence cardiaque, Fondation des maladies du cœur du Canada (M. Ackerman).

Algorithmes pour soins cardiaques avancés chez les adultes (Figures I–VI)

Adulte Figure I—Fibrillation ventriculaire (FV)/ Tachycardie ventriculaire sans pouls (TV)

ABC

↓

RCR jusqu'à défibrillateur disponible

↓

Vérifier moniteur: persistance de FV ou TV

↓

Défibriller 200 J

↓

Défibriller 200–300 J

↓

Défibriller 360 J

↓

RCR—Intuber—Accès veineux

↓

Épinéphrine 1 mg i.v. bolus (répéter toutes les 3 à 5 min)

↓

Défibriller 360 J dans 30–60 s*

↓

Lidocaïne 1,5 mg/kg i.v. bolus (répéter dans 3 à 5 min; max. 3 mg/kg)

↓

Défibriller 360 J 30–60 s après chaque médication*

↓

Brétylium ou Amiodarone

- ↓ Brétylium 5 mg/kg i.v. bolus, répéter dans 5 min à 10 mg/kg; max. 35 mg/kg
- ↓ Amiodarone 150 mg en 10 min suivi de 1 mg/min pour 6 h. Perfusion d'entretien à 0,5 mg/min

↓

Défibriller 360 J 30–60 s après chaque médication*

↓

Sulfate de magnésium 1–2 g i.v.

↓

Défibriller 360 J 30–60 s après chaque médication*

↓

Procaïnamide 30 mg/min i.v. (max. 1 g ou 17 mg/kg)

* Médication-défibrillation-médication-défibrillation.

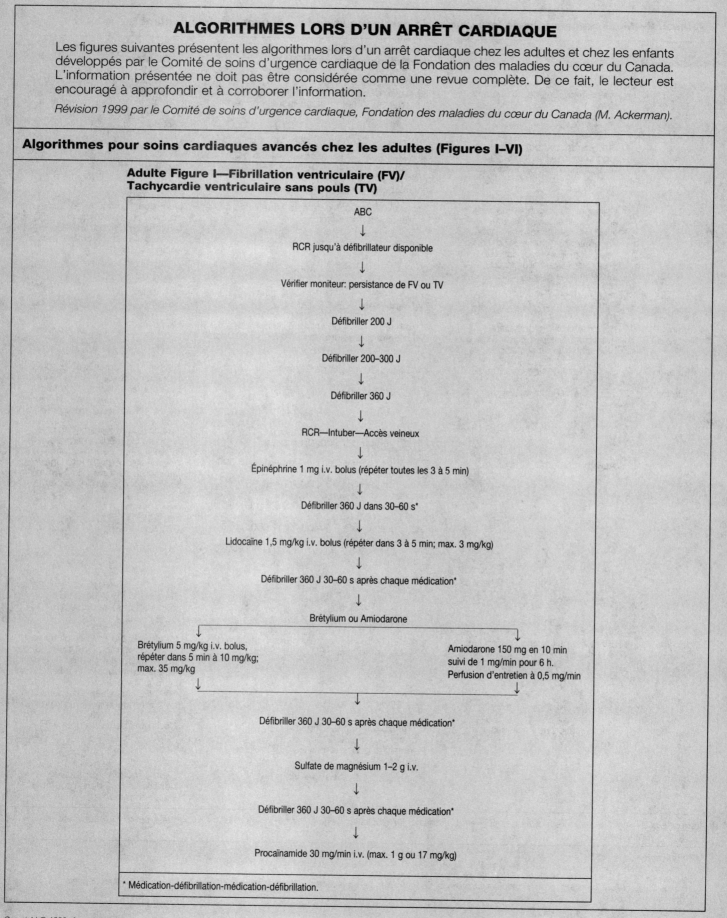

Algorithmes pour soins cardiaques avancés chez les adultes *(suite)*

Adulte Figure II—Bradycardie (R.C. <60 battements/min)

- Vérifier ABC
- Administrer O_2
- Commencer i.v.
- Attacher moniteur

↓

Bradycardie (<60 battements/min)

↓

Signes ou symptômes graves?
(hypotension, douleur thoracique, dyspnée, perte de conscience, insuffisance cardiaque, infarctus du myocarde)

Non

↓

Bloc AV 2e degré type II ou bloc AV 3e degré

- Non → Observer
- Oui → Préparer pour un stimulateur cardiaque interne → Utiliser un stimulateur cardiaque externe* comme mesure provisoire

Oui

↓

Atropine 0,5–1 mg i.v. toutes les 3 à 5 min (max. 3 mg ou 0,04 mg/kg)

↓

Stimulateur cardiaque externe* (préparer pour un stimulateur cardiaque interne)

↓

Dopamine 5–20 μg/kg/min i.v.

↓

Épinephrine 2–10 μg/min i.v.

*Stimulateur cardiaque à électrodes cutanées.

Adulte Figure III—Asystolie

L'asystolie doit être confirmée
(deux dérivations perpendiculaires)

↓

Continuer RCR
Intuber immédiatement
Accès i.v.

↓

Considérer les causes possibles:
hypoxie
hypokaliémie
hyperkaliémie
acidose
intoxication médicamenteuse
hypothermie

↓

À considérer immédiatement un stimulateur cardiaque externe*

↓

Épinéphrine 1 mg i.v. bolus toutes les 3 à 5 min

↓

Atropine 1 mg i.v. toutes les 3 à 5 min (max. 3 mg ou 0,04 mg/kg)

↓

Considérer cessation des manœuvres

*Stimulateur cardiaque à électrodes cutanées.

Adulte Figure IV—Activité électrique sans pouls

Continuer RCR

↓

Intuber immédiatement

↓

Accès i.v.

↓

Considérer les causes possibles:
hypovolémie (volume)
hypoxie (ventilation)
tamponnade cardiaque (péricardiocenthèse)
pneumothorax sous tension (décompression à l'aiguille)
hypothermie
embolie pulmonaire massive
intoxication médicamenteuse (p. ex. ADT)
hyperkaliémie
acidose
infarctus du myocarde massif

↓

Épinéphrine 1 mg i.v. bolus toutes les 3 à 5 min

↓

Si bradycardie, Atropine 1 mg i.v.
toutes les 3 à 5 min (max. 3 mg ou 0,04 mg/kg)

↓

Traiter les causes réversibles

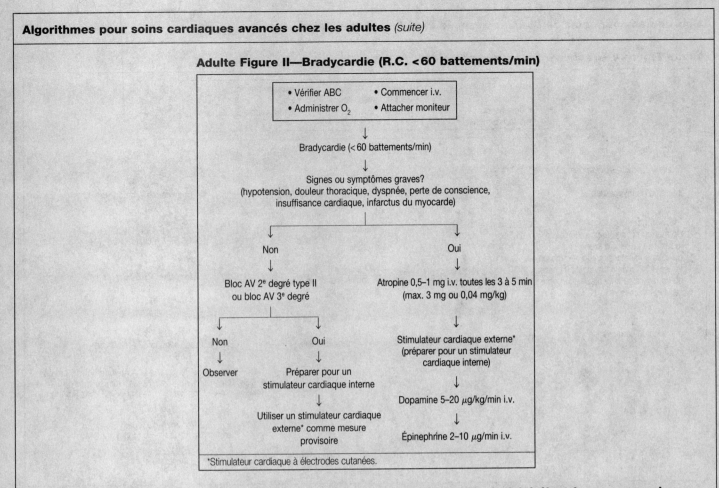

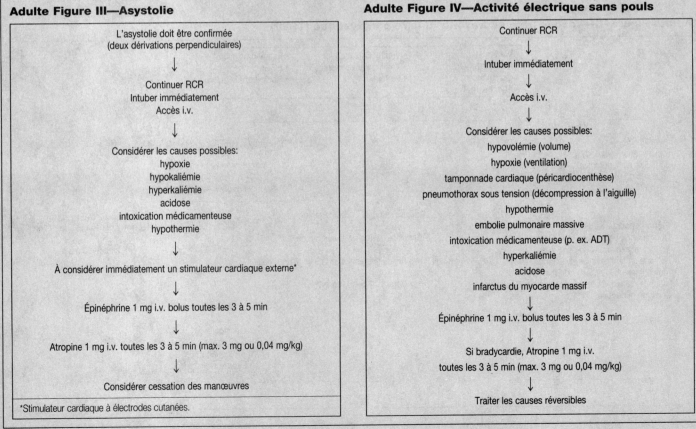

Algorithmes pour soins cardiaques avancés chez les adultes *(suite)*

Adulte Figure V—Tachycardie à large complexe

- Vérifier ABC
- Administrer O_2
- Commencer i.v.
- Attacher moniteur
- Vérifier O_2 saturation
- Vérifier signes vitaux
- Histoire
- Examen physique
- ÉCG
- Radiographie pulmonaire

Instable
(douleur thoracique, dyspnée, perte de conscience, hypotension, insuffisance cardiaque, infarctus du myocarde)
↓
Préparer pour la cardioversion. Donner un sédatif en prémédication (p. ex. midazolam, diazépam) avec ou sans un analgésique (p. ex. morphine, fentanyl, alfentanyl). Avoir du flumazénil ou du naloxone à sa disposition pour une sédation excessive.
↓
Peut tenter la médication en attendant la cardioversion.
↓
Cardioversion synchronisée

Stable

→ Tachycardie à complexe large type indéterminé
↓
Lidocaïne 1–1,5 mg/kg i.v. en 3 à 5 min
↓
Lidocaïne 0,5–0,75 mg/kg i.v. bolus toutes les 5 à 10 min (max. 3 mg/kg)
↓
Adénosine 6 mg i.v. bolus
↓
Adénosine 12 mg i.v. bolus → Procaïnamide ou Amiodarone

→ Tachycardie ventriculaire
↓
Lidocaïne 1–1,5 mg/kg i.v. en 3 à 5 min
↓
Lidocaïne 0,5–0,75 mg/kg i.v. bolus toutes les 5 à 10 min (max. 3 mg/kg)
↓
Procaïnamide ou Amiodarone
- Procaïnamide 20–30 mg/min i.v. (max. 1 g ou 17 mg/kg)
- Amiodarone 150 mg en 10 min suivi de 1 mg/min pour 6 h, puis 0,5 mg/min

↓
Brétylium 5–10 mg/kg i.v. en 8 à 10 min (max. 30 mg/kg sur 24 h)
↓
Cardioversion synchronisée

Adulte Figure VI—Tachycardie supraventriculaire paroxystique (TSVP)

- Vérifier ABC
- Administrer O_2
- Commencer i.v.
- Attacher moniteur
- Vérifier O_2 saturation
- Vérifier signes vitaux
- Histoire
- Examen physique
- ÉCG
- Radiographie pulmonaire

Instable
(douleur thoracique, dyspnée, perte de conscience, hypotension, insuffisance cardiaque, infarctus du myocarde)
↓
Préparer pour la cardioversion. Donner un sédatif en prémédication (p. ex. midazolam, diazépam) avec ou sans un analgésique (p. ex. morphine, fentanyl, alfentanyl). Avoir du flumazénil ou de la naloxone à sa disposition pour une sédation excessive.
↓
Cardioversion synchronisée

TSV stable, étroite, complexe
↓
Manœuvres vagales
↓
Adénosine ou Vérapamil

→ Adénosine 6 mg i.v. bolus rapide
↓
Adénosine 12 mg i.v. bolus rapide
↓
Vérapamil 2,5–5 mg i.v.(si tension artérielle est normale)
↓
Vérapamil 5–10 mg i.v.

→ Vérapamil 2,5–5 mg i.v. (si tension artérielle est normale)
↓
Vérapamil 5–10 mg i.v.

↓
Considérer
Digoxine
ß-bloquants
Diltiazem
↓
Cardioversion synchronisée

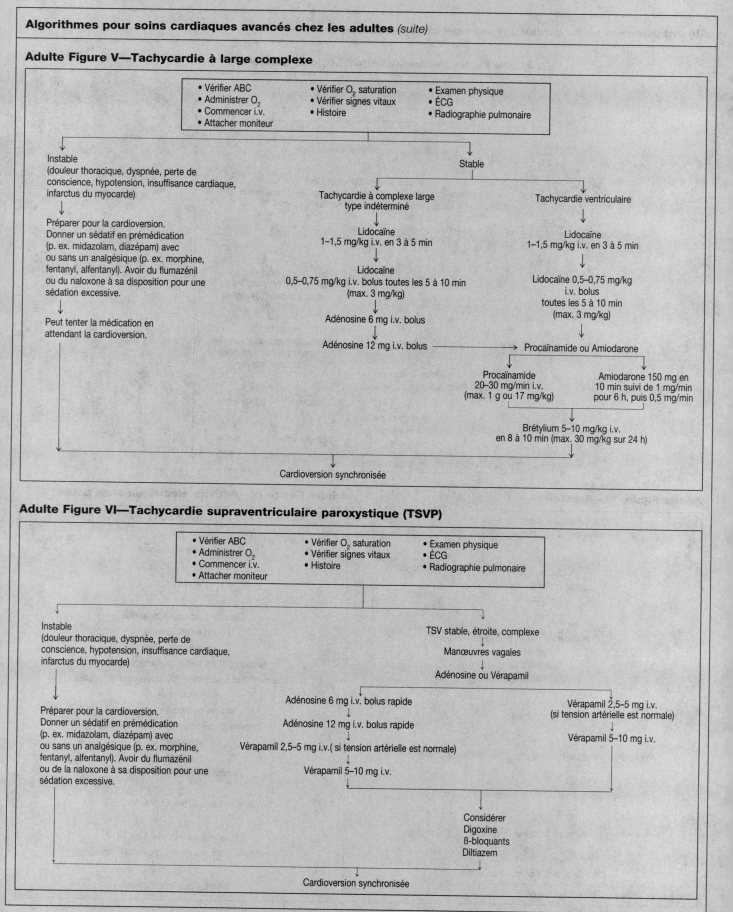

Algorithmes pour soins cardiaques avancés en pédiatrie (Figures I–IV)

Pédiatrie Figure I—Asystolie

L'asystolie doit être confirmée
(deux dérivations perpendiculaires)

↓

Continuer RCR
Dégager les voies aériennes
Hyperventiler avec O_2 à 100 %
Obtenir un accès i.v./i.o.

↓

Épinéphrine, première dose
i.v./i.o.: 0,01 mg/kg (1:10 000, 0,1 mL/kg)
ET: 0,1 mg/kg (1:1 000, 0,1 mL/kg)

↓

Épinéphrine, deuxième dose et doses suivantes
i.v./i.o./ET: 0,1 mg/kg (1:1 000, 0,1 mL/kg)
Les doses jusqu'à 0,2 mg/kg (1:1 000, 0,2 mL/kg) peuvent être utiles
Répéter toutes les 3 à 5 min

Pédiatrie Figure II—Dissociation électromécanique/ Activité électrique sans pouls

Continuer RCR
Dégager les voies aériennes
Hyperventiler avec O_2 à 100 %
Obtenir un accès i.v./i.o.

↓

Identifier et traiter la cause:
hypoxie sévère
acidose sévère
hypovolémie sévère
tamponnade cardiaque
pneumothorax sous tension
hypothermie sévère

↓

Continuer RCR

↓

Protocole pour asystolie

Pédiatrie Figure III—Bradycardie

- Vérifier ABC
- Dégager les voies aériennes
- Administrer O_2 à 100 %
- Commencer un accès i.v. ou i.o.
- Vérifier signes vitaux

↓

Compressions sont nécessaires,
si après l'oxygénation et la ventilation, le pouls est <60/min,
et la perfusion n'est pas adéquate

↓

Épinéphrine
i.v./i.o.: 0,01 mg/kg (1:10 000, 0,1 mL/kg)
ET: 0,1 mg/kg (1:1 000, 0,1 mL/kg)
Répéter la même dose toutes les 3 à 5 min

↓

Atropine 0,02 mg/kg i.v.
Dose unique minimum: 0,1 mg
Dose unique maximum: enfant: 0,5 mg
adolescent: 1 mg
Répéter la même dose si nécessaire

Pédiatrie Figure IV—Tachycardie ventriculaire sans pouls/ Fibrillation ventriculaire

Continuer RCR
Dégager les voies aériennes
Hyperventiler avec O_2 à 100 %
Obtenir un accès i.v./i.o. mais
ne pas retarder la défibrillation

↓

Défibriller 2 J/kg
Répéter si nécessaire 4 J/kg, 4 J/kg

↓

Épinéphrine, première dose
i.v./i.o.: 0,01 mg/kg (1:10 000, 0,1 mL/kg)
ET: 0,1 mg/kg (1:1 000, 0,1 mL/kg)

↓

Défibriller 4 J/kg 30–60 s après chaque médication

↓

Lidocaïne 1 mg/kg i.v./i.o.

↓

Défibriller 4 J/kg 30–60 s après chaque médication

↓

Épinéphrine, deuxième dose et doses suivantes
i.v./i.o./ET: 0,1 mg/kg (1:1 000, 0,1 mL/kg)
Les doses jusqu'à 0,2 mg/kg (1:1 000, 0,2 mL/kg) peuvent être utiles
Répéter toutes les 3 à 5 min*

↓

Lidocaïne 1 mg/kg i.v./i.o.*

↓

Considérer Brétylium première dose 5 mg/kg i.v.,
deuxième dose 10 mg/kg i.v.*

*Défibriller 4 J/kg 30–60 s après chaque médication.

Légende: ET = endotrachéal, i.o. = intra-osseux, i.v. = intraveineux

Bibliographie:

1. 1996 Handbook of emergency cardiac care for healthcare providers. Dallas, TX: American Heart Association, 1996.
2. Cummins RO, éd, Textbook of advanced cardiac life support. Dallas, TX: American Heart Association, 1997.
3. Handbook of ACLS algorithms, Heart and Stroke Foundation of Canada, 1994.
4. Kowey PR, Levine JH, et collab. Randomized, double-blind comparison of intravenous amiodarone and bretylium in the treatment of patients with recurrent, hemodynamically destabilizing ventricular tachycardia or fibrillation. Circulation 1995; 92(11): 3255–63.

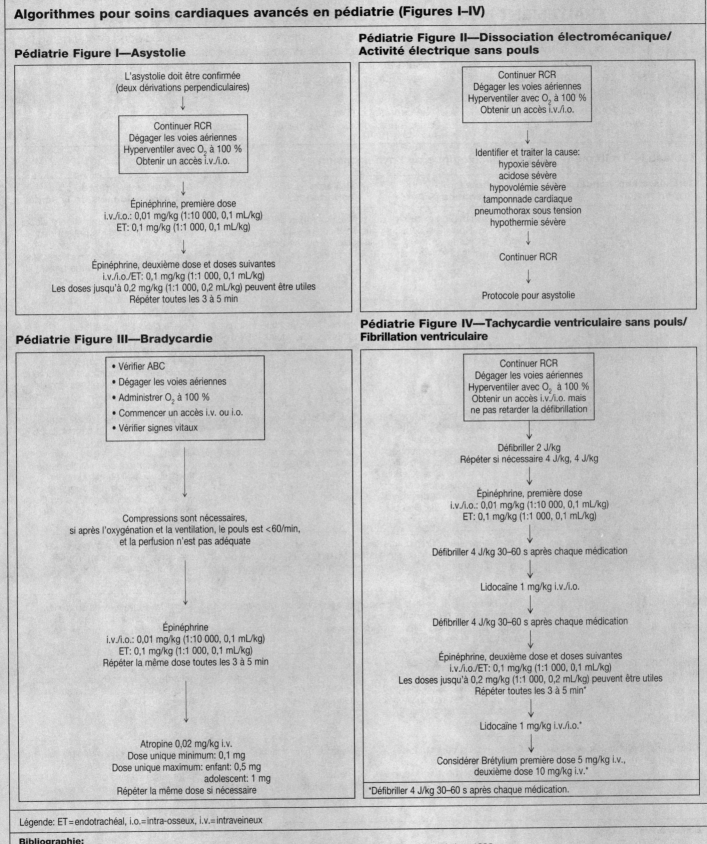

TRAITEMENT NON PHARMACOLOGIQUE DE L'HYPERTENSION

Le tableau I fournit un résumé des recommandations sur les approches non pharmacologiques concernant la prévention et la maîtrise de l'hypertension conformes à celles qu'a élaborées le Groupe de travail canadien sur la prévention et la maîtrise non pharmacologiques de l'hypertension. Les renseignements ci-après ne sont pas exhaustifs; on conseille donc au lecteur de consulter d'autres ouvrages qui corroborent l'information présentée ici.

Révision 1999 par N. Campbell pour la Coalition canadienne pour la prévention et le contrôle de l'hypertension artérielle, Société canadienne d'hypertension, Santé Canada et Fondation des maladies du cœur du Canada.

Tableau I—Traitement non pharmacologique de l'hypertension

Considérations concernant l'hypertension	Personnes normotendues	Patients hypertendus	Approches suggérées aux professionnels de la santé
Alcool	La consommation excessive d'alcool augmente la pression sanguine. Réduire la consommation quotidienne à 2 verres ou moins (4 on. de vin, 1 on. de spiritueux, 12 on. de bière). Ne pas prendre plus de 9 (femmes) ou 14 (hommes) consommations par semaine.		Déterminer la consommation d'alcool du patient. Informer le patient des effets de la surconsommation d'alcool et lui indiquer des moyens possibles pour la réduire; adresser le patient à un organisme communautaire approprié.
Masse	L'augmentation de la masse élève la pression sanguine. L'obésité est une importante cause d'hypertension. Chez les hypertendus ayant un excédent de poids, une diminution d'au moins 4,5 kg est nécessaire pour obtenir une réduction significative de la pression sanguine.		Déterminer l'indice de masse corporelle (IMC) du patient et le renseigner sur sa signification. Conseiller aux patients obèses de perdre au moins 4,5 kg; faire une demande de consultation (traitement) appropriée. Utiliser un brassard de dimension appropriée.
Sel (sodium)	Des données indiquent qu'une restriction sodée à court terme ne réduit pas la pression sanguine chez les personnes normotendues, mais il existe une controverse à ce sujet. Le régime alimentaire de plusieurs Canadiens contient de grandes quantités de sel, ce qui peut être nuisible.	La restriction sodée réduit la pression sanguine chez les patients hypertendus. L'apport sodique recommandé fixé se situe entre 90–130 mmol/d (2–3 g) de sodium ou 5–7,5 g (1–1,5 c. à thé) de chlorure de sodium.	Déterminer quelle est la consommation de sel chez le patient. Lui conseiller de consommer des aliments à teneur réduite en sel, d'éviter les mets salés et de ne pas trop saler les aliments durant la cuisson ou à table. Lui suggérer de suivre les recommandations du Guide alimentaire canadien pour manger sainement.
Exercice physique	Des séances régulières d'activité physique de faible intensité (45 à 60 % de la consommation maximale d'oxygène) d'une durée de 50 à 60 minutes 3 ou 4 fois/semaine permettent de réduire la pression sanguine.		Encourager le patient à faire des exercices physiques appropriés à son état 3 ou 4 fois/ semaine.
Calcium Magnésium Potassium	Des données indiquent que l'apport complémentaire de calcium, de magnésium ou de potassium ne réduit pas la pression sanguine. Le régime alimentaire de plusieurs Canadiens est faible en calcium et en potassium.		Suggérer au patient de suivre les recommandations du Guide alimentaire canadien pour manger sainement.
Relaxation et prise en charge du stress	Il n'existe pas de données adéquates permettant de déterminer les effets d'une prise en charge du stress sur la pression sanguine des personnes normotendues.	Un traitement cognitif individualisé du comportement permet de réduire la pression sanguine chez certains patients hypertendus choisis.	Évaluer le degré de stress chez les patients hypertendus et, si possible, adresser les patients sous stress intense au service de psychologie.
Traitement non pharmacologique concomitant	Chez certains patients fortement exposés, le recours à des mesures concomitantes non pharmacologiques peut prévenir l'apparition de l'hypertension.	Chez certains patients modérément hypertendus, l'administration concomitante d'un traitement non pharmacologique peut remplacer le traitement médicamenteux.	Traitement non pharmacologique individualisé pour les patients fortement exposés ou hypertendus. Il semble que l'intervention non pharmacologique la plus efficace soit d'éviter la surcharge pondérale.

Bibliographie:

1. Recommandations du Groupe de travail canadien sur la prévention et la maîtrise non pharmacologiques de l'hypertension, un symposium satellite lors de la 4e Conférence internationale sur la cardiologie préventive, Montréal, 4 juillet 1997.

MÉDICAMENTS ET ART DENTAIRE

L'exposé qui suit est un aperçu de l'emploi des analgésiques, des agents anti-infectieux, des anesthésiques ainsi que des médicaments pour urgence médicale en art dentaire. L'information présentée ne doit pas être considérée comme une revue complète. De ce fait, le lecteur est encouragé à approfondir et à corroborer l'information.

Révision 1999 par W.C. Foong et D.A. Haas.

Analgésiques

Il faut considérer les points suivants lors de l'emploi d'analgésiques:

- Éliminer la source de douleur.
- Personnaliser le régime thérapeutique.
- Optimiser la posologie avant de substituer un autre médicament.
- Maximaliser la dose d'analgésique non opioïde avant d'ajouter des opioïdes.
- En ce qui a trait aux anti-inflammatoires non stéroïdiens (AINS), considérer l'administration d'une dose d'attaque et(ou) d'une dose préopératoire.
- Éviter l'utilisation chronique d'analgésiques.
- Réduire la dose chez les personnes âgées.
- Prendre note des contre-indications et des précautions suivantes en ce qui concerne l'administration d'AAS et d'AINS:
  —réaction allergique aux AINS, y compris à l'AAS
  —asthme induit par l'AAS et polypes nasaux
  —inflammation ou ulcère gastrique
  —antécédents d'hémorragie ou utilisation concomitante d'anticoagulants
  —utilisation concomitante d'antihypertenseurs (sauf les antagonistes du calcium), si les AINS sont prescrits pour plus de 5 jours
  —utilisation concomitante de méthotrexate en doses antinéoplasiques
- Prendre note des contre-indications et des précautions suivantes en ce qui concerne l'administration d'opioïdes:
  —maladie respiratoire grave
  —entéropathie inflammatoire grave
  —utilisation concomitante d'alcool ou d'autres dépresseurs du SNC

Les analgésiques communs et la dose recommandée pour traiter la douleur orofaciale chez les adultes sont présentés au tableau I.

Tableau I—Analgésiques pour douleur orofaciale

Médicament	Dose recommandée pour adultes
Non opioïdes (y compris les AINS)	
acétaminophène	325–1 000 mg q4–6h
acide acétylsalicylique	325–1 000 mg q4–6h
diflunisal	500 mg q12h
floctafénine	200–400 mg q6–8h
flurbiprofène	50 mg q4–6h
ibuprofène	400 mg q4–6h
kétoprofène	25–50 mg q6–8h
kétorolac	10 mg q4–6h
naproxen	250 mg q6–8h
Opioïdes (avec un non opioïde)	
codéine	30–60 mg q4–6h
oxycodone	5–10 mg q4–6h

Anesthétiques locaux

Interactions potentielles avec l'épinéphrine ou la lévonordéphrine

L'ajout d'épinéphrine ou de lévonordéphrine à la préparation d'anesthésique local augmente la profondeur et la durée de l'anesthésie. Il faut cependant être prudent si le patient a des antécédents de maladie cardiovasculaire grave ou s'il prend l'un des médicaments suivants en concomitance:

- ß-bloquants non sélectifs (p. ex. nadolol, oxprénolol, pindolol, propranolol, sotalol, timolol), provoquant une augmentation de la pression sanguine
- antidépresseurs tricycliques (entre autres, amitriptyline, doxépine, imipramine, nortriptyline), provoquant possiblement une augmentation de la pression artérielle et des dysrythmies cardiaques
- phénothiazines, en particulier la chlorpromazine, la thioridazine et la clozapine, provoquant possiblement une hypotension.

En pareils cas, réduire la dose d'épinéphrine à <40 µg et la dose de lévonordéphrine à <200 µg.

La quantité de vasoconstricteur contenue dans les cartouches dentaires de 1,8 mL se lit comme suit:
—1 cartouche avec épinéphrine 1:200 000=9 µg
—1 cartouche avec épinéphrine 1:100 000=18 µg
—1 cartouche avec épinéphrine 1:50 000=36 µg
—1 cartouche avec lévonordéphrine 1:20 000=90 µg.

Les doses maximum recommandées des anesthétiques locaux sont présentées au tableau II et le tableau III donne un aperçu leur durée d'action prévue.

Tableau II—Doses maximum recommandées des anesthésiques locaux

Médicament	Dose adulte maximum mg/kg	Nombre maximum de cartouches*
articaïne 4 % avec épinéphrine 1:100 000 ou 1:200 000	7	7
bupivacaïne 0,5 % avec épinéphrine 1:200 000	2	10
lidocaïne 2 % avec épinéphrine 1:50 000 ou 1:100 000	7	13
mépivacaïne 2 % avec lévonordéfrine 1:20 000	7	11
mépivacaïne 3 % ordinaire	6	7
prilocaïne 4 % ordinaire	8	8
prilocaïne 4 % avec épinéphrine 1:200 000	8	8

* Volume de 1,8 mL sauf pour l'articaïne qui peut être de 1,7 mL ou 1,8 mL selon le fabricant.

Tableau III—Durée d'action prévue (en min) des anesthésiques locaux

Médicament	Infiltration maxillaire – Pulpe dentaire	Infiltration maxillaire – Tissus mous	Bloc alvéolaire inférieur – Pulpe dentaire	Bloc alvéolaire inférieur – Tissus mous
articaïne 4 % avec épinéphrine 1:100 000 ou 1:200 000	60	170	90	220
bupivacaïne 0,5 % avec épinéphrine 1:200 000	40	340	240	440
lidocaïne 2 % avec épinéphrine 1:50 000 ou 1:100 000	60	170	85	190
mépivacaïne 2 % avec lévonordéfrine 1:20 000	50	130	75	185
mépivacaïne 3 % ordinaire	25	90	40	165
prilocaïne 4 % ordinaire	20	105	55	190
prilocaïne 4 % avec épinéphrine 1:200 000	40	140	60	220

Antibiotiques

Les antibiotiques communs et les doses recommandées pour traiter les infections orofaciales sont présentés au tableau IV.

Tableau IV—Posologie des antibiotiques pour infections orofaciales

Médicament	Dose recommandée pour adultes
amoxicilline	250–500 mg t.i.d.
amoxicilline/clavulanate	250–500 mg t.i.d.
céphalexine	250–500 mg q.i.d.
clarithromycine	250–500 mg b.i.d.
clindamycine	150–300 mg q.i.d.
cloxacilline	250–500 mg q.i.d.
doxycycline	100 mg 1 fois/jour ou b.i.d.
érythromycine	250–500 mg q.i.d.
métronidazole	250–500 mg t.i.d.
pénicilline V	300–600 mg q.i.d.

Antibiotiques en prophylaxie de l'endocardite

- La prophylaxie antibiotique **est recommandée** dans les cas suivants:
  - Prothèse valvulaire
  - Endocardite bactérienne antérieure
  - Cardiopathie congénitale cyanogène complexe
  - Anastomoses ou conduits pulmonaires systémiques construits par chirurgie
  - Affection rhumatismale et autres dysfonctionnements valvulaires acquis
  - Myocardiopathie hypertrophique
  - Prolapsus de la valvule mitrale avec régurgitation et (ou) épaississement des valves
  - La plupart des malformations cardiaques congénitales autres que celles qui sont listées ci-dessous.
- La prophylaxie antibiotique **n'est pas recommandée** dans les états suivants:
  - Communication interauriculaire isolée de type secundum
  - Restauration chirurgicale de la communication interauriculaire, communication interventriculaire ou persistance du canal artériel, sans séquelle au-delà de 6 mois
  - Pontage aorto-coronarien récent
  - Prolapsus de la valvule mitrale sans régurgitation
  - Souffle physiologique, fonctionnel ou anorganique
  - Maladie de Kawasaki récente sans dysfonction valvulaire
  - Fièvre rhumatismale récente sans dysfonction valvulaire
  - Stimulateur cardiaque ou défibrillateur implanté.
- Les patients qui requièrent une prophylaxie, comme ci-dessus, doivent recevoir des antibiotiques avant les interventions dentaires énumérées au tableau V.

Tableau V—Interventions dentaires nécessitant une antibiothérapie prophylactique

—Extraction dentaire
—Intervention périodontique comprenant chirurgie, détartrage, surfaçage radiculaire, sondage et rappel d'entretien
—Mise en place d'un implant dentaire ou réimplantation d'une dent extraite
—Tenon endodontique ou chirurgie uniquement au-delà de l'apex
—Mise en place de fibres ou de bandelettes antibiotiques sous les gencives
—Mise en place initiale de bandes orthodontiques mais non de verrous
—Injections intraligamentaires d'un anesthésique local
—Nettoyage prophylactique des dents ou des implants lorsqu'on prévoit des saignements.

- La prophylaxie de l'endocardite **n'est pas recommandée** dans les interventions dentaires suivantes:
  - Dentisterie restauratrice (selon le jugement clinique, on emploiera des antibiotiques dans certaines circonstances où il peut y avoir une hémorragie importante)
  - Injections d'un anesthésique local (non intraligamentaire)
  - Traitement de canal; pose de pivots et reconstruction
  - Mise en place d'une digue
  - Enlèvement des sutures après une opération
  - Mise en place d'un appareil prosthodontique ou orthodontique amovibles
  - Prise d'empreintes dentaires
  - Traitement au fluorure
  - Radiographie de la cavité buccale
  - Ajustement d'un appareil orthodontique
  - Chute de dents temporaires.

Le tableau VI présente les schémas posologiques recommandés pour la prophylaxie de l'endocardite. Il est important que le médecin se serve de son jugement pour déterminer le type d'antibiotique et la dose à utiliser dans chaque cas, où en présence de circonstances particulières. Les schémas posologiques recommandés par l'American Heart Association sont également acceptables.

Tableau VI—Prophylaxie de l'endocardite[a]

A. Voie orale

Médicament	Posologie pour les adultes	Posologie pour les enfants[b]
Schéma standard		
amoxicilline	2 g 1 h avant l'intervention.	50 mg/kg 1 h avant l'intervention.
Allergie à la pénicilline		
clindamycine *ou*	600 mg 1 h avant l'intervention.	20 mg/kg 1 h avant l'intervention.
azithromycine *ou*	500 mg 1 h avant l'intervention.	15 mg/kg 1 h avant l'intervention.
clarithromycine *ou*	500 mg 1 h avant l'intervention.	15 mg/kg 1 h avant l'intervention.
céphalexine *ou*	2 g 1 h avant l'intervention.	50 mg/kg 1 h avant l'intervention.
céfadroxil	2 g 1 h avant l'intervention.	50 mg/kg 1 h avant l'intervention.

B. Voie parentérale

Médicament	Posologie pour les adultes	Posologie pour les enfants[b]
Schéma standard		
ampicilline	2 g i.m. ou i.v. 30 min ou moins avant l'intervention.	50 mg/kg i.m. ou i.v. 30 min ou moins avant l'intervention.
Allergie à la pénicilline		
clindamycine *ou*	600 mg i.v. 30 min ou moins avant l'intervention.	20 mg/kg i.v. 30 min ou moins avant l'intervention.
céfazoline[c]	1 g i.m. ou i.v. 30 min ou moins avant l'intervention.	25 mg/kg i.m. ou i.v. 30 min ou moins avant l'intervention.

[a] Si le patient prend déjà un antibiotique utilisé normalement pour la prophylaxie de l'endocardite, le médecin devrait envisager d'utiliser un médicament appartenant à une autre classe. Si possible, on retardera l'intervention pendant au moins 9 jours après la fin de l'antibiothérapie, ce qui permettra l'emploi du même médicament.

[b] La dose totale ne doit pas dépasser la dose recommandée pour les adultes.

[c] Les céphalosporines ne doivent pas être utilisées chez les patients qui ont des antécédents d'hypersensibilité de type immédiat (urticaire, œdème de Quincke ou anaphylaxie) aux pénicillines.

Antibiothérapie prophylactique chez les patients en consultation dentaire et arthroplastie totale

- L'antibiothérapie prophylactique n'est pas indiquée pour les patients qui ont des broches, des plaques ou des vis ni, de manière générale, pour la plupart des patients qui ont subi une arthroplastie totale quelconque.
- L'antibiothérapie prophylactique peut être justifiée chez un petit nombre de patients ayant subi une arthroplastie totale et qui présentent les caractéristiques suivantes:

—Patients immunocompromis/immunodéprimés:
  Arthropathies inflammatoires; polyarthrite rhumatoïde, lupus érythémateux systémique
  Immunodépression induite par la maladie, les médicaments ou les radiations

—Autres patients:
  Diabète insulinodépendant (type I)
  Premiers 2 ans après l'arthroplastie
  Infection récente dans la prothèse articulaire
  Malnutrition
  Hémophilie

Consulter le tableau V pour connaître les interventions dentaires nécessitant une antibiothérapie prophylactique et le tableau VI pour connaître les schémas qui peuvent être utilisés dans ces cas. Prendre note que les patients qui ne sont pas allergiques à la pénicilline peuvent recevoir 2 g de céphalexine par voie orale 1 heure avant l'intervention au lieu de l'amoxicilline.

Tableau VII—Antifongiques destinés au traitement de la candidose buccale

Médicament	Posologie pour les adultes
Patients immunocompétents	
suspension orale de nystatine	100 000–500 000 unités q.i.d. × 10 jours
Patients immunocompromis	
kétoconazole	200–400 mg/jour × 1 à 2 sem.
fluconazole	50–100 mg/jour × 1 à 2 sem.
itraconazole	200 mg/jour × 1 à 2 sem.

Urgences médicales

Le traitement d'une urgence médicale dans le cabinet du dentiste commence par l'évaluation et, au besoin, par le dégagement des voies respiratoires et le rétablissement de la respiration et de la circulation (réanimation cardiorespiratoire). La plupart du temps, ce n'est qu'après ces mesures préliminaires que l'on peut envisager le recours aux médicaments présentés dans le tableau VIII. Ces médicaments doivent toutefois être immédiatement disponibles pour le traitement d'une urgence. D'autres agents peuvent être utiles, selon la nature des interventions dentaires pratiquées.

Tableau VIII—Médicaments pour urgences médicales

Médicament	Indication	Dose recommandée pour adultes[a]	Dose pédiatrique[b]
oxygène	La plupart des urgences médicales.	inhalation à 100 %	inhalation à 100 %
épinéphrine	Anaphylaxie.	0,3 mg i.v. ou 0,5 mg i.m.	0,01 mg/kg i.v. ou i.m.
	Bronchospasme asthmatique qui ne répond pas au salbutamol.	0,3 mg i.v. ou 0,5 mg i.m.	
	Arrêt cardiaque.	1 mg i.v. ou i.m.	
nitroglycérine	Angine de poitrine.	0,3 ou 0,4 mg sublingual	
diphenhydramine	Réactions allergiques.	50 mg i.v. ou i.m.	1 mg/kg i.v. ou i.m.
ou chlorphéniramine		10 mg i.v. ou i.m.	
salbutamol aérosol pour inhalation	Bronchospasme asthmatique.	2 bouffées (100 μg/bouffée).	1 bouffée (100 μg)

[a] La dose suggérée pour la voie i.m. est aussi appropriée pour les injections sublinguales.
[b] La dose pédiatrique totale ne devra pas dépasser la dose recommandée pour adultes.

Bibliographie:

1. American Dental Association; American Academy of Orthopaedic Surgeons. Advisory statement on antibiotic prophylaxis for dental patients with total joint replacements JADA 1997; 128:1004–1008.
2. Becker DE. Drug interactions in dental practice: a summary of facts and controversies. Compend Contin Dent Educ 1994; 15:1228–43.
3. Coco JW, Pankey GA. The use of antimicrobials in dentistry. Compend Contin Dent Educ 1989; 10(12):664–72.
4. Dajani AS, Taubert KA, Wilson W, et coll. Prevention of bacterial endocarditis. Recommendations of the American Heart Association. JAMA 1997; 277(22):1794–1801.
5. Dionne RA, Gordon SM. Nonsteroidal anti-inflammatory drugs for acute pain control. Den Clin North Am 1994; 38(4):645–67.
6. Haas DA. Current concepts in the use of analgesics in dentistry. Oral Health 1993; 82(2):7–12.
7. Haas DA. Pharmacologic considerations for the treatment of temporomandibular disorders. J Can Dent Assoc 1995; 61:105–14.
8. Jastak JT, Yagiela JA, Donaldson D, eds. Local anesthesia of the oral cavity. Philadelphie: Saunders, 1995.
9. Levine M, Lexchin J, Pellizzari R. éds. Drugs of choice: a formulary for general practice 2e éd. Ottawa, ON: Association médicale canadienne, 1997:69.
10. Malamed SF. Handbook of local anesthesia. 4e éd. St. Louis: Mosby, 1997.
11. Malamed SF. Medical emergencies in the dental office. 4e éd. St. Louis: Mosby, 1993.
12. Pallasch TJ. Antibiotics for acute orofacial infections. California Dent Assoc J 1993; 21:34–44.
13. Pérusse R, Goulet JP, Turcotte JY. Contraindications to vasoconstrictors in dentistry. Oral Surg Oral Med Oral Pathol 1992; 74:679–97.
14. Peterson LJ. Principles of antibiotic therapy. In: Oral and Maxillofacial Infections, 3e éd. Philadelphie: Saunders, 1994.
15. United States Pharmacopeial Drug Information Index, 1998.
16. Yagiela JA, Neidle EA, Dowd FJ, éds. Pharmacology and therapeutics for dentistry. 4e éd. St. Louis: Mosby, 1998.

EMPLOI PÉRI-OPÉRATOIRE DES MÉDICAMENTS

La présente section donne un aperçu de l'emploi chronique de médicaments avant l'anesthésie et la chirurgie. Les considérations péri-opératoires mentionnées au tableau I se veulent une approche conservatrice applicable dans la majorité des cas. Les pratiques individuelles peuvent varier. Les renseignements que contient cette section ne sont pas exhaustifs; par conséquent, on conseille au lecteur de consulter des ouvrages complémentaires pour obtenir des informations additionnelles.

Révision 1999 par M. Friedland, S. Otawa et N. Ramuscak.

Les termes péri-opératoire, préopératoire et peropératoire employés dans la présente section signifient respectivement: 1) avant, pendant et après la chirurgie; 2) avant la chirurgie; et 3) durant la chirurgie. Les médicaments essentiels au maintien de l'homéostasie durant la période péri-opératoire nécessitent une attention spéciale avant l'opération.

Certains principes de base concernant l'administration préopératoire des médicaments sont présentés ci-dessous.

- Diminuer la charge gastrique des médicaments non essentiels.
- Administrer les médicaments nécessaires au maintien d'une homéostasie optimale. Administrer les médicaments essentiels par voie orale jusqu'à 2 heures avant l'opération, afin d'assurer une certaine absorption et de diminuer le contenu gastrique. Si l'heure à laquelle le patient devrait normalement recevoir ses médicaments se situe dans un intervalle de 0 à 2 heures avant l'opération, administrer ces médicaments 2 heures avant l'opération.
- Les agents employés en prémédication sont utilisés pour leurs effets peropératoires favorables et peuvent donc être administrés moins de 2 heures avant l'opération.

Afin de pouvoir administrer des soins peropératoires adéquats, l'anesthésiste doit savoir si son patient a fait usage de médicaments de prescription, de médicaments en vente libre, d'alcool ou de drogues illicites. Le tableau I présente des recommandations générales concernant l'administration préopératoire chronique de divers agents en vue d'une anesthésie et d'une chirurgie électives. Afin d'optimiser les avantages par rapport aux risques, on peut apporter des modifications en fonction du type d'anesthésie, de la technique chirurgicale et des besoins individuels du patient.

Le tableau II énumère les demi-vies des antidépresseurs cycliques et des AINS. Le tableau III résume les recommandations relatives au spectre d'action péri-opératoire recommandé des corticostéroïdes.

Tableau I—Emploi péri-opératoire des médicaments

Médicament(s)	Considérations péri-opératoires
Agents immunodépresseurs (p. ex. cyclosporine)	• Employer selon les directives du chirurgien responsable de la greffe.
Analgésiques	
Anti-inflammatoires non stéroïdiens (AINS)	• Interrompre l'administration afin de permettre l'élimination du médicament, environ 5 demi-vies (voir tableau II). • L'emploi préopératoire chronique est associé à une augmentation des complications hémorragiques postopératoires. Ils peuvent être administrés durant la période péri-opératoire pour l'analgésie préemptive.
Opioïdes	• Poursuivre l'administration chronique avant l'opération. • Tenir compte des doses préopératoires et de la durée du traitement, afin d'éviter un syndrome de sevrage.
Antiacides	
Non particulaires (p. ex. acide citrique et citrate de sodium)	• Administrer 15 à 30 minutes avant l'induction de l'anesthésie. Agents recommandés, car aucune lésion pulmonaire ne résulte de l'aspiration de ces produits.
Particulaires (p. ex. aluminium/magnésium)	• L'aspiration de ces produits pouvant causer des lésions pulmonaires, interrompre l'administration au moins 4 heures avant l'opération.
Antibactériens	• Poursuivre l'administration avant l'opération s'ils sont utilisés dans le cadre d'un traitement de longue durée (p. ex. infection des voies urinaires).
Anticoagulants	• La ligne de conduite relative aux anticoagulants en phase préopératoire exige la prise en considération de plusieurs facteurs : l'indication médicale justifiant l'emploi de l'anticoagulant, l'urgence de la chirurgie, le type d'intervention chirurgicale et d'anesthésie prévu. Soupeser les avantages thérapeutiques par rapport aux risques.
Héparine	• Interrompre l'administration 4 à 6 heures avant l'opération. Dans le cas d'une chirurgie urgente, l'effet peut être neutralisé avec de la protamine, 1 mg/100 unités d'héparine estimée dans la circulation.

Tableau I—Emploi péri-opératoire des médicaments *(suite)*

Médicament(s)	Considérations péri-opératoires
Anticoagulants *(suite)*	
Héparines de faible poids moléculaire	• Prophylaxie : l'administration peut se poursuivre avant l'opération. • Traitement : la ligne de conduite dépend du schéma posologique : 1 fois/jour : interrompre 24 heures avant l'opération ; 2 fois/jour : interrompre 12 heures avant l'intervention chirurgicale. • Dans le cas d'une chirurgie urgente, l'effet peut être neutralisé avec de la protamine, 1 mg/kg, jusqu'à un maximum de 50 mg. • Soupeser les avantages thérapeutiques par rapport aux risques lorsqu'on envisage une anesthésie rachidienne/péridurale.
Inhibiteurs de l'agrégation des plaquettes	
AAS	• Interrompre l'administration au moins 7 jours avant l'opération. • Inhibiteur irréversible de la fonction plaquettaire agissant pendant toute la durée de vie (7 à 10 jours). • Soupeser les risques d'AVC par rapport aux risques d'hémorragie.
ticlopidine	• Interrompre l'administration 14 jours avant la chirurgie. • Inhibiteur irréversible de la fonction plaquettaire possédant un spectre d'action plus large que celui de l'AAS et prolongeant le temps de saignement de manière importante. • L'administration de plasma frais congelé est sans effet sur l'action anticoagulante.
Warfarine	• Interrompre l'administration en général 1 à 3 jours avant l'opération. • Possibilité d'admission des patients à l'hôpital en vue d'une administration temporaire d'héparine i.v. devant être interrompue 6 heures avant l'opération. • Soupeser les risques d'AVC par rapport aux risques d'hémorragie.
Anticonvulsivants (p. ex. acide valproïque, carbamazépine, gabapentine, lamotrigine, phénytoïne, topiramate, vigabatrine)	• Poursuivre l'administration avant l'opération.
Antidépresseurs	
Antidépresseurs cycliques	• L'administration peut se poursuivre avant l'opération. • Les patients peuvent être prédisposés à des dysrythmies peropératoires. • Évaluer avec le psychiatre les risques de syndrome de sevrage par rapport aux risques peropératoires. • Si le traitement est interrompu, compter au moins 5 demi-vies avant d'entreprendre l'opération (voir tableau II).
Inhibiteurs de la monoamine oxydase (IMAO)	• L'inhibition du catabolisme des catécholamines rend les patients sujets à une instabilité autonome. • Possibilité de réponse hypertensive très exagérée due à la libération de catécholamines endogènes provoquée par l'intubation endotrachéale ou les manipulations chirurgicales. • L'interaction avec la mépéridine peut entraîner de l'hyperthermie, une instabilité cardiovasculaire ou le coma. La morphine peut être utilisée à doses réduites. • Sujet à controverse, soupeser les risques du retrait par rapport au risques peropératoires.
moclobémide (IMAO A réversible)	• Interrompre l'administration au moins 2 jours avant la chirurgie.
phénelzine (IMAO A & B irréversible)	• Interrompre l'administration au moins 10 à 14 jours avant la chirurgie.
tranylcypromine (IMAO A & B irréversible)	• Interrompre l'administration 7 jours avant l'opération.
Inhibiteurs de la recaptation de la sérotonine et de la norépinéphrine (IRSN) (p. ex. venlafaxine)	• Aucune donnée n'est disponible. • Si le traitement doit être interrompu, diminuer progressivement la dose pendant une période de 2 semaines avant la chirurgie.
Inhibiteurs sélectifs du recaptage de la sérotonine (ISRS) (p. ex. fluoxétine)	• L'administration peut se poursuivre avant l'opération.
Antihistaminiques (p. ex. astémizole, terfénadine)	• Poursuivre le traitement durant la période péri-opératoire. • Le patient peut être davantage prédisposé aux arythmies.
Antinéoplasiques	• Avec l'oncologue du patient, examiner la pertinence d'interrompre ou non le traitement avant l'opération.
Inhibiteurs de l'aromatase non stéroïdiens (p. ex. anastrozole, létrozole)	• Poursuivre l'administration avant l'opération.*
Antiparkinsoniens (p. ex. anticholinergiques, bromocriptine, lévodopa, ropinorole, sélégiline)	• Poursuivre l'administration avant l'opération. • Le retrait de lévodopa-carbidopa a été associé à un syndrome pseudo-malin des neuroleptiques.

*Fondé sur l'expérience clinique des auteurs et l'évaluation de la pharmacologie du médicament.

Tableau I—Emploi péri-opératoire des médicaments *(suite)*

Médicament(s)	Considérations péri-opératoires
Antipsychotiques (p. ex. chlorpromazine, halopéridol, thioridazine)	• Poursuivre l'administration avant l'opération. • Utilisés parfois pour la prémédication en vue de l'anesthésie. • Le patient peut être davantage prédisposé à l'hypotension.
Antipsychotiques atypiques (p. ex. clozapine, olanzapine, quétiapine, rispéridone)	• Poursuivre l'administration avant l'opération.*
Antituberculeux (p. ex. éthambutol, isoniazide, rifampine)	• Poursuivre l'administration avant l'opération. • Peut affecter le métabolisme hépatique de certains anesthésiques.
Antitussifs et Décongestionnants	• Interrompre l'administration avant l'opération. • Les patients souffrant d'infections respiratoires ne sont habituellement pas de bons candidats à la chirurgie.
Antiviraux	
Analogues nucléosidiques inhibiteurs de la transcriptase inverse (p. ex. didanosine, lamivudine, stavudine, zalcitabine, zidovudine)	• Poursuivre l'administration avant l'opération.*
Inhibiteurs de la protéase (p. ex. indinavir, ritonavir, saquinavir)	• Poursuivre l'administration avant l'opération.*
Corticostéroïdes, en inhalation (p. ex. béclométhasone, budésonide)	• Administrer avant l'opération. • Réduisent l'hyperréactivité pulmonaire causée par l'insertion et le retrait de la sonde endotrachéale.
Corticostéroïdes, généraux (p. ex. dexaméthasone, prednisone)	• Les patients souffrant d'insuffisance surrénalienne (p. ex. ceux qui suivent une corticothérapie au long cours) nécessitent une corticothérapie substitutive, habituellement sous forme d'hydrocortisone i.v. immédiatement avant et pendant une chirurgie majeure, ainsi que pendant les 24 à 48 heures qui suivent (voir tableau III). Après cette période, le patient peut recevoir de nouveau son traitement oral habituel. • Si la chirurgie est mineure, administrer au patient ses stéroïdes oraux habituels.
Diabète, Traitement du	
Hypoglycémiants oraux	• Interrompre l'administration des agents oraux le matin de la chirurgie, car le patient doit être à jeun; l'administration d'agents dont l'action est plus longue (p. ex. chlorpropamide) doit être interrompue 1 jour avant la chirurgie.
Insuline	• La dose d'insuline devra être modifiée. • Selon la gravité du diabète ainsi que le type et la durée de la chirurgie, l'insuline pourra être administrée par perfusion i.v. ou par injection s.-c. dans le cadre d'un traitement à doses ajustées.
Diurétiques Agents d'épargne potassique (p. ex. spironolactone) Diurétiques de l'anse (p. ex. furosémide) Thiazides	• Interrompre le traitement au matin du jour précédant l'opération, à cause de la possibilité d'un déséquilibre hydro-électrolytique.
Goutte, Traitement de la	
Allopurinol	• Poursuivre le traitement avant l'opération.
Hormones sexuelles	
Contraceptifs oraux	• Le traitement ne doit être interrompu que si la patiente doit subir une chirurgie majeure avec risques de complications thrombotiques. Dans ce cas, l'interruption a lieu 1 mois avant l'intervention. • Si la patiente doit subir une chirurgie mineure, le traitement peut être poursuivi jusqu'à la veille de l'intervention.
Œstrogènes	• Même s'ils ne jouent aucun rôle dans la thrombogenèse, interrompre l'administration de ces médicaments le matin de la chirurgie.
Hormones thyroïdiennes	• Poursuivre l'administration avant l'opération.
Hypnotiques et Sédatifs	
Barbituriques	• Poursuivre le traitement au long cours avant l'opération. • Connaître la posologie préopératoire et la durée du traitement, afin d'éviter un syndrome de sevrage.
Benzodiazépines	• Le traitement peut continuer avant l'opération (les benzodiazépines sont souvent employées en prémédication).

*Fondé sur l'expérience clinique des auteurs et l'évaluation de la pharmacologie du médicament.

Tableau I—Emploi péri-opératoire des médicaments *(suite)*

Médicament(s)	Considérations péri-opératoires
Hypnotiques et Sédatifs *(suite)* Benzodiazépines *(suite)*	• L'administration chronique peut retarder les effets de l'anesthésie. • Si le patient recevait un traitement chronique avant son admission, reprendre le traitement après l'opération, afin de prévenir un syndrome de sevrage.
Hypolipidémiants Inhibiteurs de la HMG-CoA réductase (p. ex. atorvastatine, fluvastatine, lovastatine, pravastatine, simvastatine)	• Interrompre l'administration 4 à 7 jours avant la chirurgie majeure, car le patient pourrait être prédisposé à la rhabdomyolyse.
Maladie d'Alzheimer, traitement de la Inhibiteurs de la cholinestérase (p. ex. donépézil)	• L'administration peut se poursuivre avant l'opération. • Ils peuvent amplifier la relaxation musculaire qu'entraîne les curarisants comme la succinylcholine durant l'anesthésie.
Maladies intestinales inflammatoires, Traitement des (p. ex. acide 5-aminosalicylique, olsalazine)	• Poursuivre l'administration avant l'opération.
Manie, Traitement de la Lithium	• Poursuivre l'administration avant l'opération. • La déplétion sodique causée par la perte de liquide peut accroître la réabsorption rénale de lithium, entraînant ainsi une augmentation des taux de lithium.
Médicaments agissant sur l'appareil digestif Agents prokinétiques cisapride	• Le médecin doit soupeser les avantages thérapeutiques par rapport aux risques. Il est recommandé d'interrompre l'administration avant l'opération chez les patients avec dysfonctions arrythmiques cardiaques, cardiopathie ischémique et troubles électrolytiques non corrigés (p. ex. hypokaliémie, hypomagnésiémie).
dompéridone, métoclopramide	• Administrer 2 heures avant l'opération. • Peuvent être employés en prémédication, afin d'assurer la vidange gastrique, en particulier chez les diabétiques.
Antagonistes du récepteur H_2 de l'histamine (p. ex. cimétidine, ranitidine)	• Administrer 2 heures avant l'opération. • Souvent utilisés en prémédication, afin de réduire l'acidité gastrique.
Inhibiteurs de la pompe à protons (p. ex. oméprazole)	• Administrer 2 heures avant l'opération.
Médicaments agissant sur l'appareil respiratoire Agonistes β-adrénergique, en inhalation (p. ex. salbutamol)	• Administrer avant l'opération. • On peut administrer une dose supplémentaire en prémédication, afin de maximaliser la fonction pulmonaire.
Antagonistes du récepteur des leucotriènes systémiques (p. ex. zafirlukast)	• Poursuivre l'administration avant l'opération.*
Théophyllines	• L'administration peut se poursuivre avant l'opération. • Peuvent élever le potentiel arythmogène. • L'anesthésie générale diminue la clairance de la théophylline.
Médicaments pour affections cardiovasculaires Agonistes α-adrénergiques Antagonistes du calcium Antiarythmiques β-bloquants Digoxine Vasodilatateurs coronariens	• Poursuivre l'administration avant l'opération. • Administrer environ 2 heures avant l'opération avec un peu d'eau. • Si on doit en interrompre l'administration, diminuer graduellement les doses de β-bloquants et d'agonistes centraux α-adrénergiques à cause d'un syndrome de sevrage.
Antagonistes du récepteur de l'angiotensine II (p. ex. losartan, valsartan) Inhibiteurs de l'enzyme de conversion de l'angiotensine (ECA) (p. ex. captopril, cilazapril, énalapril, lisinopril, quinapril)	• Poursuivre normalement l'administration avant l'opération. L'administration peut être interrompue chez certains patients lorsque même une brève période d'hypotension est contre-indiquée (p. ex. chirurgie cardiaque ou vasculaire majeures).
Multivitamines et fer	• Interrompre l'administration le matin de la chirurgie; agents non essentiels.
Myasthénie grave, Traitement de la (p. ex. néostigmine, pyridostigmine)	• Selon les besoins du patient, on peut continuer d'administrer la dose habituelle avant l'opération, conformément aux directives du neurologue du patient. • Si les symptômes du patient sont légers, l'administration du médicament peut être interrompue.

*Fondé sur l'expérience clinique des auteurs et l'évaluation de la pharmacologie du médicament.

Tableau I—Emploi péri-opératoire des médicaments *(suite)*

Médicament(s)	Considérations péri-opératoires
Ophtalmologiques	• Poursuivre l'administration avant l'opération; voir ci-dessous les effets généraux et les effets sur l'anesthésie.
Bêta-bloquants (p. ex. bétaxolol, timolol)	• Peuvent entraîner une dépression cardiaque et, possiblement, augmenter la résistance bronchique.
Cyclopentolate	• Les effets anticholinergiques peuvent entraîner une intoxication du SNC: dysarthrie, désorientation et psychose.
Écothiopate	• Myotique à effet prolongé, cet inhibiteur de la cholinestérase peut prolonger les effets de la succinylcholine.
Épinéphrine et phényléphrine	• Les effets cardiovasculaires comprennent l'hypertension et la tachycardie.
Usage abusif de certains médicaments	
Alcool	• L'usage chronique peut faire augmenter la quantité requise d'anesthésique tandis que l'intoxication aiguë la fait diminuer. • Les symptômes de sevrage (p. ex. changements de la personnalité, tremblements, agitation, confusion, DT, convulsions) peuvent constituer une complication postopératoire. • Le traitement du DT comprend l'administration de thiamine, d'électrolytes et de benzodiazépines. • Envisager l'administration prophylactique de thiamine chez les patients hautement exposés.
Barbituriques—voir Hypnotiques et sédatifs	
Marijuana	• Peut causer des effets cardiodépresseurs et affecter l'homéothermie.
Opioïdes—voir Analgésiques	
Stimulants (p. ex. cocaïne)	• Peut entraîner une vasoconstriction, de l'hypertension et des tachyarythmies. • L'utilisation chronique fait augmenter la quantité requise d'anesthésique et l'intoxication aiguë la fait diminuer.

Tableau II[a]—Demi-vie des antidépresseurs cycliques et des AINS

Antidépresseurs	Demi-vie (heures)	AINS[b]	Demi-vie (heures)
amitriptyline	10-50	acide méfénamique	3-4
amoxapine	8-30	acide tiaprofénique	2
clomipramine	35	diclofénac	2
désipramine	12-30	diflunisal	8-12
doxépine	8-24	étodolac	3-11
imipramine	9-20	fénoprofène	3
maprotiline	27-58	floctafénine	8
nortriptyline	16-90	flurbiprofène	4
protriptyline	54-198	ibuprofène	2
trimipramine	7-40	indométhacine	5
		kétoprofène	2-4
		kétorolac	4-9
		nabumétone	23-30
		naproxen	13
		oxaprozine	50
		phénylbutazone	72
		piroxicam	50
		sulindac	8-16
		ténoxicam	32-110
		tolmétine	1-3

[a] La demi-vie peut être plus longue chez les personnes âgées.
[b] L'administration d'AINS à courte durée d'action doit être interrompue 4 à 7 jours avant l'opération, et celle des AINS à longue durée d'action, 7 à 10 jours avant l'opération. S'il doit subir une chirurgie au cours de laquelle une hémorragie même mineure peut être catastrophique (p. ex. une chirurgie de l'œil), avertir le patient d'interrompre la prise d'AINS 2 semaines avant la date de l'opération.

Tableau III—Spectre d'action péri-opératoire recommandé des corticostéroïdes pour l'insuffisance surrénale

Degré de stress chirurgical	Dose d'hydrocortisone équivalente	Durée recommandée
Mineur (p. ex. réfection d'une hernie inguinale)	25 mg	Préopératoire
Modéré (p. ex. cholécystectomie)	50-75 mg/jour	2 jours
Important (p. ex. chirurgie cardiaque avec circulation extracorporelle)	100-150 mg/jour	2-3 jours

Bibliographie sommaire:

1. Barash PG, Cullen BF, Stoelting RK, éds. Clinical anesthesia. 3e éd. Philadelphia: JB Lipincott Company, 1996.
2. Chung DC, Lam AM, éds. Essentials of anesthesiology. 3e éd. Philadelphia: Saunders, 1996.
3. Connelly CS, Panush RS. Should nonsteroidal anti-inflammatory drugs be stopped before elective surgery? Arch Intern Med 1991; 151:1963–66.
4. Horlocker TT, Wedel DJ. Spinal and epidural blockade and perioperative low molecular weight heparin: smooth sailing on the Titanic. Anesth Analg 1998; 86:1153–56.
5. Longnecker DE, Murphy FL, éds. Introduction to anesthesia. 9e éd. Toronto: WB Saunders, 1997.
6. Matsuno A, Tsuchida H, Maeda T, et coll. Perioperative hemodynamics in patients treated with angiotensin-converting enzyme inhibitors. Anesth Analg 1997; 84:s43.
7. McGoldrick KE. Ocular drugs and anesthesia. Int Anesth Clin 1990; 28:72–7.
8. McGough EK, Monroe MC, éds. Preoperative evalution, part II. Problems in Anesthesia 1992; 6:1–89.
9. Otawa SM, Ramuscak N. Pre- and postoperative care of surgical patients. Pharmacy Practice 1996; 12(2):(National CE program) 1–7.
10. Pennock JL. Perioperative management of drug therapy. Surg Clin North Am 1983; 63:1049–56.
11. Salem M, Tainsh RE, Bromberg J, et coll. Perioperative glucocorticoid coverage. Ann Surg 1994; 219:416–25.
12. Smith MS, Muir H, Hall R. Perioperative management of drug therapy: clinical considerations. Drugs 1996; 51(2):238–59.
13. Stoelting RK. Pharmacology and physiology in anesthetic practice. 2e éd. Philadelphia: Lippincott-Raven, 1991.

PRÉVENTION DU PALUDISME

L'exposé suivant est un résumé des recommandations canadiennes pour la prévention du paludisme correspondant à celles du Comité consultatif de la médecine tropicale et de la médecine des voyages (CCMTMV). L'information présentée ne doit pas être considérée comme une revue complète. De ce fait, le lecteur est encouragé à approfondir et à corroborer l'information.

Révision 1999 par A.E. McCarthy et le Service de médecine des voyages, Bureau des initiatives spéciales en matière de santé, Santé Canada (M. Bodie-Collins).

Le paludisme est causé par un parasite du genre Plasmodium (P.), dont 4 espèces peuvent infecter l'être humain: P. falciparum, P. vivax, P. ovale et P. malariae. Ils sont tous transmis par la piqûre du moustique anophèle femelle infecté. Le paludisme peut être transmis, quoique rarement, par transfusion sanguine, lors du partage d'une seringue souillée ou par voie placentaire de la mère au fœtus (paludisme congénital). La maladie est caractérisée par de la fièvre et des symptômes semblables à ceux de la grippe: myalgies, maux de tête, douleur abdominale et malaise. Des raideurs et des frissons se produisent fréquemment. Les cas les plus graves de paludisme dû à P. falciparum peuvent provoquer convulsions, coma, insuffisance rénale et insuffisance respiratoire qui peuvent entraîner la mort. Il est important de noter qu'on ne peut pas faire un diagnostic précis du paludisme sans frottis sanguin.

La résistance de P. falciparum à la chloroquine s'observe dans de nombreux pays, ce qui complique la prévention et le traitement du paludisme. Plusieurs souches de Plasmodium résistantes aux médicaments sont maintenant courantes dans diverses régions du monde. Des zones géographiques ont été établies qui indiquent l'ensemble des environnements dans lesquels on retrouve des souches de P. falciparum résistantes aux médicaments. Ces zones doivent être mises à jour régulièrement, au fur et à mesure de l'évolution de la situation du paludisme.

Il est important que les voyageurs s'informent auprès d'une clinique de voyage pour connaître leurs besoins individuels. Une liste des cliniques de voyage dans votre région peut être obtenue auprès du Service de médecine des voyages de Santé Canada au (613) 957-8739. On peut obtenir les *Recommandations canadiennes pour la prévention et le traitement du paludisme (malaria) chez les voyageurs internationaux 1997* de l'Association médicale canadienne en contactant le centre des Services aux membres au (613) 731-8610 poste 2307 ou auprès du site web du Laboratoire de lutte contre la maladie (LCDC) (http://www.hc-sc.gc.ca) et de leur système de recherche par télécopieur, FAXlink, en composant le (613) 941-3900, en vous servant du combiné de votre télécopieur et en suivant les instructions.

Risque de contracter le paludisme

La transmission du paludisme s'observe dans la plus grande partie de l'Afrique subsaharienne et de la Nouvelle Guinée, dans de vastes étendues du Sud asiatique, dans certaines régions du Sud-Est asiatique, de l'Océanie, d'Haïti, d'Amérique centrale et d'Amérique du Sud et dans des régions limitées du Mexique, de l'Afrique du Nord, de la République Dominicaine et du Moyen-Orient. La transmission survient entre le crépuscule et l'aube, ce qui correspond aux habitudes hématophages de l'anophèle femelle. Le risque de transmission augmente en région rurale et varie selon les saisons dans plusieurs régions, étant le plus élevé à la fin de la saison des pluies. Le risque dépend de la durée d'exposition d'un individu. La transmission diminue aux altitudes au-dessus desquelles l'anophèle ne se reproduit pas (au-dessus de 2 000 à 3 000 mètres).

Conseils aux voyageurs

Il existe deux mesures principales de protection contre le paludisme:

- Protection personnelle contre les piqûres d'insecte: On conseille aux voyageurs qui se rendent dans des régions où sévit le paludisme de prendre des mesures de protection personnelle pour réduire le risque de piqûre de moustique la nuit. Les mesures suivantes réduiront l'exposition à l'anophèle femelle durant ses périodes d'activité hématophage nocturne et diminueront ainsi le risque de contracter le paludisme. On peut ainsi diminuer le risque d'être piqué par des insectes en demeurant dans des endroits climatisés et bien protégés par des grillages, en dormant sous une moustiquaire imprégnée d'un insectifuge et en portant des vêtements qui limitent la surface de la peau exposée.

  De plus, il est fortement recommandé d'appliquer un insectifuge sur les parties du corps exposées, particulièrement entre le crépuscule et l'aube. Le N,N-dyéthylméthyltoluamide (DEET) est le plus efficace. La teneur en DEET varie d'un produit à un autre, et plus elle est élevée, plus longue est la protection (p. ex. DEET à 35 % protège pour 4 à 6 heures, tandis que DEET à 95 % protège pour 10 à 12 heures). Comme l'application d'insectifuge contenant plus de 35 % de DEET a produit quelques cas de convulsions chez de jeunes enfants, on recommande d'appliquer le DEET avec modération chez les enfants et uniquement sur les parties exposées. Une fois à l'intérieur, on veillera à se laver pour débarrasser la peau de ce produit. Des formulations qui contiennent une plus faible concentration de DEET (10 à 35 %) et qui protègent pour plus longtemps que 4 à 6 heures sont disponibles.

  On conseille fortement aux voyageurs exposés au paludisme de dormir sous une moustiquaire imprégnée d'un insectifuge (traité au perméthrine ou au deltaméthrine), à moins qu'ils ne se couchent dans un endroit grillagé, ou dans un endroit protégé des insectes. Les moustiquaires imprégnées de perméthrine ou de deltaméthrine sont beaucoup plus efficaces pour prévenir le paludisme que celles qui ne le sont pas, et elles ne présentent aucun danger pour les enfants ou les femmes enceintes. Ces moustiquaires, que l'on devrait utiliser conjointement avec les mesures énoncées plus haut, peuvent être obtenues au Canada.
- Médicaments chimiosuppresseurs (tableau I): Les voyageurs doivent savoir que si tous les antipaludéens diminuent le risque de contracter le paludisme, **aucun** cependant ne garantit une protection complète. Les symptômes du paludisme peuvent apparaître dès la première semaine après l'exposition ou plusieurs années après que le voyageur a quitté la zone où sévit le paludisme, qu'il ait ou non pris des médicaments chimiosuppresseurs.

  Si les voyageurs développent une maladie fébrile, en particulier durant les 3 premiers mois après leur retour d'une région d'endémicité paludique, ils devraient consulter un médecin **immédiatement** et demander une évaluation afin d'exclure un diagnostic de paludisme. Celle-ci doit inclure des frottis sanguins pour diagnostiquer le paludisme

Tableau I—Médicaments chimiosuppresseurs pour la prévention du paludisme

Médicament	Dose pour adultes[a]	Dose pour enfants[a]	Effets indésirables	Commentaires
Phosphate de chloroquine	300 mg 1 fois/ semaine sous forme de base libre	<4 mois: 25 mg sous forme de base libre 4-11 mois: 50 mg sous forme de base libre 1-2 ans: 75 mg sous forme de base libre 3-4 ans: 100 mg sous forme de base libre 5-7 ans: 125 mg sous forme de base libre 8-10 ans: 200 mg sous forme de base libre 11-13 ans: 250 mg sous forme de base libre ≥14 ans: 300 mg sous forme de base libre 1 fois/semaine *ou* 5 mg/kg 1 fois/ semaine sous forme de base libre, jusqu'à 300 mg 1 fois/semaine sous forme de base libre.	**Courants:** prurit non allergique (en particulier chez les personnes ayant la peau foncée), nausées, céphalées. **Occasionnels:** éruptions cutanées, opacité cornéenne réversible, alopécie partielle, vision brouillée. **Rares:** changement de couleur des ongles et des muqueuses, surdité nerveuse, photophobie, myopathie, rétinopathie (avec l'emploi quotidien à long terme d'une dose élevée), dyscrasie sanguine, psychose et convulsions.	Médicament de choix dans les régions où le micro-organisme pathogène est sensible à la chloroquine. Peut aggraver le psoriasis. Convient aux femmes enceintes et à tous les groupes d'âges, mais le surdosage est souvent fatal. Réduire la dose en présence d'insuffisance rénale.
Doxycycline	100 mg 1 fois/jour	<8 ans: contre-indiquée ≥8 ans: 1,5 mg/kg 1 fois/jour, jusqu'à 100 mg/jour.	**Courants:** troubles gastro-intestinaux, candidose vaginale, photosensibilité. **Occasionnels:** hyperazotémie en présence de néphropathie. **Rares:** réactions allergiques, dyscrasie sanguine.	Médicament de choix là où le micro-organisme pathogène résiste à la chloroquine et à la méfloquine; s'emploie aussi par les personnes incapables de prendre la méfloquine dans les régions où le micro-organisme résiste à la chloroquine. Ne devrait pas être utilisée durant la grossesse, l'allaitement ou chez les enfants de moins de 8 ans. Utiliser un écran solaire qui protège des rayons UVA.
Méfloquine	250 mg 1 fois/ semaine[b]	<5 kg: non recommandé 5–20 kg: 62,5 mg[b] >20–30 kg: 125 mg[b] >30–45 kg: 187,5 mg[b] >45 kg: 250 mg[b] Administrée 1 fois/semaine.	**Courants:** étourdissements, nausées, diarrhée, céphalées, insomnie, rêves étranges, changements d'humeur. **Rares:** psychose, convulsions.	Médicament de choix dans les régions où le micro-organisme pathogène résiste à la chloroquine. Ne devrait pas être utilisée chez les personnes qui ont des troubles convulsifs ou des antécédents de maladie psychiatrique grave. Administrer avec prudence durant la grossesse (en particulier durant le 1er trimestre); chez les enfants de <5 kg; dans les emplois ou activités qui nécessitent de la coordination motrice fine ou dans lesquels des vertiges peuvent mettre en péril la sécurité des gens, comme les pilotes de ligne; dans les troubles de conduction sous-jacents; et dans l'emploi concomitant de chloroquine ou de médicaments du genre de la quinine y compris l'halofantrine. Les réactions neuropsychiatriques graves (psychose, convulsions) sont rares avec des doses prophylactiques.
Proguanill	Dans les régions où le micro-organisme résiste à la chloroquine: 200 mg 1 fois/jour plus chloroquine 1 fois/ semaine.	<8 mois: 25 mg 8 mois–3 ans: 50 mg 4–7 ans: 75 mg 8–10 ans: 100 mg 11–13 ans: 150 mg ≥14 ans: 200 mg.	**Occasionnels:** anorexie, nausées, diarrhée, ulcères buccaux. **Rares:** hématurie.	Employer en association avec la chloroquine dans les régions où le micro-organisme résiste à la chloroquine, lorsque la méfloquine ou la doxycycline ne peuvent être utilisées. La chloroquine plus le proguanil sont moins efficaces que la méfloquine ou la doxycycline dans les régions où le micro-organisme résiste à la chloroquine. Il faut noter que 100 mg/jour de proguanil n'est plus recommandé dans les régions d'endémicité paludique.

Tableau I—Médicaments chimiosuppresseurs pour la prévention du paludisme *(suite)*

[a] Pour tous les médicaments, commencer le traitement 1 semaine avant l'arrivée en zone où sévit le paludisme (sauf pour la doxycycline et le proguanil, qui peuvent être pris 1 jour avant) et le poursuivre jusqu'à 4 semaines après avoir quitté les lieux.

[b] Une dose de charge de méfloquine prise 1 fois/jour pendant 3 jours avant le départ suivie d'une dose hebdomadaire (tel qu'indiqué ci-dessus) peut être administrée aux voyageurs qui courent un risque élevé immédiat de contracter une infection à falciparum pharmacorésistante.

Bibliographie:

1. Santé Canada. 1997 Recommandations canadiennes pour la prévention et le traitement du paludisme (malaria) chez les voyageurs internationaux. Relevé des maladies transmissibles au Canada (RMTC) 1997; 23S5 (Suppl).

MÉTHODES DE TRAITEMENT DE L'EAU POUR LES VOYAGEURS

Cette section présente une vue d'ensemble des principes et des méthodes de traitement de l'eau pour les voyageurs effectuant un voyage à l'étranger aussi bien qu'à l'intérieur du Canada où ils pourraient s'approvisionner en eau à partir de lacs, de rivières, de ruisseaux ou d'étangs. L'information présentée ne doit pas être considérée comme une revue complète. De ce fait, le lecteur est encouragé à approfondir et à corroborer l'information.

Révision 1999 par D. Wong.

Plusieurs maladies d'origine virale, bactérienne ou protozoaire sont contractées en buvant de l'eau contaminée. L'hépatite A, le choléra, la dysenterie, la fièvre typhoïde, la diarrhée du voyageur, la giardiase et l'amibiase sont quelques-unes de ces maladies. Les agents étiologiques principaux de la diarrhée du voyageur de nature bactérienne ou protozoaire sont l'*Escherichia coli* entérotoxinogène, la *Salmonella*, la *Shigella*, le *Campylobacter*, le *Giardia lamblia* (giardiase), l'*Entamœba histolytica* (amibiase), les Cyclospores et le Cryptosporidium. Puisqu'aucune protection adéquate contre ces maladies ne peut être obtenue par la vaccination, le voyageur doit prendre les précautions nécessaires pour minimiser le risque d'infection.

Méthodes de prévention

Les voyageurs devraient se familiariser avec les précautions à prendre en regard des aliments et des boissons. Rappelez-vous: *cuire, peler ou ne pas consommer!*

Précautions concernant l'eau et les aliments

- Évitez de vous brosser les dents avec de l'eau du robinet non purifiée.
- Éviter d'utiliser des glaçons, à moins qu'ils n'aient été faits avec de l'eau purifiée.
- Éviter de consommer des produits laitiers non pasteurisés, y compris le lait, la crème glacée et les fromages.
- Éviter de consommer des aliments crus, en particulier les crustacés et coquillages, les salades, les fruits et légumes crus ou non pelés. Les fruits pouvant être pelés sont généralement sans danger.
- Consommez des aliments bien cuits et encore chauds au moment où ils sont servis.
- Éviter de consommer des aliments offerts par des vendeurs itinérants.

L'aliment le plus sûr pour les nourrissons de moins de 6 mois est le lait maternel. Les préparations faites à partir de produits commerciaux en poudre et d'eau ayant été portée à ébullition constituent l'aliment le plus sûr et le plus pratique après le sevrage.

Boissons sans risque pour la consommation

En cas de doute sur l'innocuité de l'approvisionnement en eau, seules les boissons suivantes peuvent être consommées sans danger:

- Thé ou café, préparés avec de l'eau bouillante.
- Bière et vin.
- Eau gazéifiée et boissons gazeuses en canettes ou en bouteilles.

Il faut essuyer les contenants mouillés, en particulier le goulot, avant de les porter à la bouche. Le voyageur devrait demander qu'on décapsule les bouteilles ou qu'on ouvre les canettes en sa présence, de manière à pouvoir s'assurer que celles-ci étaient bien scellées. En outre, il devrait boire à même ce contenant, plutôt que dans un verre de provenance douteuse. On peut généralement se procurer des boissons en bouteilles ou en canettes dans les hôtels ou les restaurants. Les voyageurs qui sortent des sentiers battus sont davantage exposés aux maladies transmissibles par de l'eau contaminée; on leur recommande fortement d'employer une méthode de purification de l'eau qui a fait ses preuves.

Méthodes de purification de l'eau

Les eaux contenant du limon ou des algues doivent être passées à travers un linge ou un filtre propres avant d'être désinfectées. Les méthodes de purification de l'eau recommandées actuellement sont indiquées dans le tableau I. Une fois désinfectée, l'eau doit être gardée dans un contenant propre et couvert, afin que le risque de contamination soit minimal.

- Faire **bouillir** l'eau est la méthode la plus sûre et la plus recommandée pour la rendre potable. La période d'ébullition de 10 à 20 minutes recommandée antérieurement est passée à 1 à 3 minutes, ce qui rend cette méthode encore plus pratique.
- Si aucune source de chaleur n'est disponible, on recommande la **désinfection chimique**, au moyen d'un produit à base d'iode (c.-à-d. teinture d'iode à 2 %, solution saturée d'iode ou comprimés d'hydroperiodure de tétraglycine). La chloration n'est pas aussi fiable que l'iodation et elle n'est pas recommandée par les Centers for Disease Control (CDC). En effet, la chloration seule peut épargner certains virus entériques ainsi que G. lamblia et E. histolytica en phase enkystée et les micro-organismes du genre Cryptosporidium.
- Certaines boutiques d'écotourisme peuvent recommander l'usage de dispositifs de purification de l'eau comme des dispositifs munis de résine d'iode, des filtres ou des microfiltres, ce dont se gardent les CDC, faute de données scientifiques à leur sujet. Les filtres ou les microfiltres dont la dimension des pores est suffisamment petite (0,2 micron) peuvent retenir les protozoaires, les kystes de Giardia et les bactéries de grande taille, mais non les virus. La filtration seule n'est donc pas une technique de purification adéquate.
- On peut se procurer divers dispositifs de purification de l'eau (filtres, résine d'iode) dans les boutiques de camping et d'écotourisme. Le tableau II présente quelques-uns de ces dispositifs, lesquels sont disponibles sous forme de récipient à usage unique ou de pompe, pour la purification de grands volumes. Certains d'entre eux peuvent être pourvus d'un préfiltre, que l'on peut nettoyer par rinçage à l'inverse ou remplacer moyennant certains frais. Les dispositifs unitaires sont généralement chers et sont offerts en grandeurs, poids et capacités variables. Pour plus amples informations sur ces dispositifs, consulter le fabricant.
- Si l'on ne dispose d'aucun moyen de purifier l'eau, il peut être plus sûr, en dernier ressort, d'employer de l'eau du robinet trop chaude au toucher, plutôt que de l'eau froide.

Tableau I—Méthodes de traitement de l'eau recommandés

Méthode	Procédé	Efficacité	Avantages	Inconvénients	Commentaires
CHALEUR	Faire bouillir l'eau vigoureusement pendant 1 min, laisser refroidir à la température de la pièce. À haute altitude (>2 km), faire bouillir l'eau pendant 3 min ou utiliser une désinfection chimique complémentaire.	La méthode la plus sûre et la plus efficace de purification de l'eau.	Détruit tous les micro-organismes incluant les kystes de Giardia.	Une source de chaleur peut ne pas être disponible.	On peut améliorer le goût «plat» de l'eau en y ajoutant une pincée de sel/L d'eau ou en transvidant l'eau d'un contenant propre à un autre à quelques reprises.
CHIMIQUE Iodation					
Teinture d'iode à 2 %[a]	Ajouter 5 gouttes (0,25 mL)/L d'eau claire (10 gouttes si l'eau est trouble). Mélanger avec soin. Laisser reposer au moins 30 min avant de boire l'eau (plus longtemps si l'eau est froide ou trouble). L'eau traitée devrait avoir un léger goût d'iode; si ce n'est pas le cas, répéter le procédé.	La méthode de choix lorsqu'on ne peut faire bouillir. Approuvée par le CDC. L'efficacité diminue en eau froide — le temps de contact doit être allongé pour assurer un effet germicide. Peut ne pas être efficace contre les kystes de Giardia en eau froide.	Facilement disponible; peu coûteux, portatif.	Utilisation à long terme à éviter. Utiliser avec précaution chez la femme enceinte, le nourrisson, l'enfant et le voyageur souffrant d'une affection de la thyroïde. Tache. Donne un goût désagréable à l'eau. Période d'attente gênante.	Le goût peut être amélioré en ajoutant un mélange de boisson en poudre après avoir respecté le temps de contact requis. Les autres produits à base d'iode, comme la povidone iodée ou la solution de Lugol ne sont pas recommandés.
Solution d'iode saturée (Polar Pure®)[b]	Ajouter 12,5 mL/L et laisser reposer pour 15 à 20 min (20 mL/L pour au moins 20 min si l'eau est froide ou trouble).	Comme pour la teinture d'iode.	Comme pour la teinture d'iode.	Comme pour la teinture d'iode.	Les cristaux de Polar Pure® doivent être reconstitués. Dosé par le bouchon du flacon et guide d'ajustement basé sur la température.
Hydroperiodide de tétraglycine (Coghlan's Emergency Drinking Water Germicidal Tablets ou AquaXcell Tablets[d])	Utiliser 1 comprimé/L d'eau à la température de la pièce. Attendre 15 min avant l'utilisation. Utiliser 2 comprimés/L d'eau froide ou trouble. Attendre 20 min.	Comme pour la teinture d'iode.	Comme pour la teinture d'iode.	Comme pour la teinture d'iode mais ne tache pas.	Comme pour la teinture d'iode.

[a] Solution de teinture d'iode à 2 % (de l'armoire à pharmacie ou d'une trousse de premiers soins). Disponible dans la plupart des pharmacies.
[b] Polar Equipment, Saratoga, CA. En vente dans des magasins d'équipement de camping.
[c] Coghlan's Ltd., Winnipeg, MB, (204) 284-9550. Disponible chez les grossistes en pharmacie et dans les magasins d'articles de sport.
[d] AquaXcell - disponible chez les grossistes en pharmacie, les pharmacies ou les magasins d'articles de sport. Distributeur canadien: Aerokure International, Sherbrooke, QC, (819) 821-2238.

Tableau II—Méthodes de traitement de l'eau choisies

Type de dispositif et nom du produit	Fabricant
Filtres	
Katadyn Combi, Katadyn Mini, Katadyn Pocket	Katadyn. Distribué par Suunto Canada, 2151 Las Palmas Dr., Ste G. Carlsbad, CA 92009 1-800-776-7770
MSR MiniWorks Ceramic, MSR WaterWorks II	MSR Mountain Safety Research, Box 24547, Seattle, WA 98124 1-800-877-9677
PŪR Hiker, PŪR Pioneer	PŪR 9300 North 75th Ave, Minneapolis, MN 55428 1-800-787-5463
Sweetwater Guardian Microfilter, Sweetwater WalkAbout Microfilter	Sweetwater Cascade Designs Inc., 4000 First Ave., Seattle, WA 98134 1-800-531-9531
Sigg Microlite	Sigg AG. Distribué par Outbound Products, 8585, rue Fraser, Vancouver, BC, V5X 3Y1 1-800-663-9262

Tableau II—Méthodes de traitement de l'eau choisies *(suite)*

Type de dispositif et nom du produit	Fabricant
Résines imprégnées d'iode	
Watermate Travel Filter, Watermate Jug Filter System	Watermate. Distribué par World Famous Sales, 333 Confederation Pkwy., Concord, ON, L4K 4S1 1-905-738-4777
Appareils combinés (filtre et résines d'iode)	
Passport Adventure, Passport Travel Cup	Passport SMI Ltd., 181, Chemin Big Bay Point, Barrie, ON, L4N 8M5 1-800-309-9977
PŪR Explorer, PŪR Scout, PŪR Voyageur	Voir PŪR ci-dessus
Sweetwater Guardian, Sweetwater Global Water Express Kit	Voir Sweetwater Cascade Designs Inc. ci-dessus
Travel Well Trekker, Travel Well Pocket	Travel Well. Distribué par Outbound Products, 8585, rue Fraser, Vancouver, BC, V5X 3Y1 1-800-663-9262

Bibliographie:
1. Backer H. Field water disinfection. JAMA 1988;259(21): 3185.
2. Direction générale de la protection de la santé. Dispositifs de traitement de l'eau—pour l'élimination des micro-organismes présents dans l'eau. Actualités 1991 15 août. Ottawa, ON: Santé et Bien-être social Canada.
3. Harrison M., éd. Water treatment. Explore Gear Guide 1998:90–2.
4. Santé Canada. Diarrhée associée avec les voyages dans les tropiques. Direction générale de la protection de la santé—Laboratoire de lutte contre la maladie. Ottawa, ON. <http://www.HC-SC.GC.CA/hpb/lcdc/osh/travel/diarre_e.html>. 13 mars 1997.
5. Santé et Bien-être social Canada, Environnement Canada. Les eaux naturelles—Guide pour la consommation de l'eau dans la nature (dépliant). Ottawa, ON: Ministre des Approvisionnements et Services Canada, 1991.
6. The Yellow Book: Health information for international travel 1996-97. Division of Quarantine, National Center for Infectious Diseases, Centers for Disease Control and Prevention. Atlanta, GA. <http://www.cdc.gov/travel/yellowbk/page182c.htm>. 10 juillet 1998.

MÉDICAMENTS CHEZ LES PERSONNES ÂGÉES

L'exposé qui suit est un aperçu de l'emploi des médicaments chez les personnes âgées. L'information présentée ne doit pas être considérée comme une revue complète. De ce fait, le lecteur est encouragé à approfondir et à corroborer l'information.

Révision 1999 par R. Grymonpre et C. Patterson.

Les personnes âgées prennent plus de médicaments parce qu'elles ont en général plus de maladies et de problèmes de santé que les jeunes adultes. Le terme «personnes âgées» convient le mieux pour décrire les aînés puisque chacun vieillit à sa façon. La plupart des gens de 70 à 80 ans jouissent d'une excellente santé, mais il s'en trouve qui subissent à ce stade de leur vie les complications de maladies chroniques, comme l'insuffisance vasculaire, la détérioration intellectuelle et divers troubles dégénératifs. Les généralisations sur les personnes âgées et les médicaments sont habituellement incorrectes. Mais il est vrai que les risques d'effets indésirables associés à l'absorption des médicaments augmentent avec l'âge. Ce phénomène a plusieurs causes, y compris l'association de nombreux médicaments, la présence accrue de désordres neurologiques, rénaux et vasculaires et enfin la pharmacodynamique et pharmacocinétique inhérente à l'âge. Il est possible de traiter la plupart des personnes âgées comme les jeunes adultes, mais il faut tenir compte des transformations physiologiques et savoir reconnaître les patients qui présentent un risque élevé d'effets indésirables à certains médicaments.

Pour plus de renseignements sur l'Épilepsie chez les personnes âgées, consulter Thérapie antiépileptique dans la section Info-Clin.

Modifications pharmacocinétiques

Le vieillissement modifie la pharmacocinétique, agissant sur l'absorption, la distribution, le métabolisme et l'excrétion des médicaments. Le tableau I présente ces modifications pharmacocinétiques, leurs conséquences et des exemples de médicaments affectés par ces changements.

Modifications pharmacodynamiques

La modification des effets biochimiques et physiologiques des médicaments et de leurs mécanismes d'action (pharmacodynamique) revêt un caractère vital chez les personnes âgées. Bien que la réponse varie largement d'un sujet à l'autre, les généralisations suivantes s'appliquent:

- Le pouvoir sédatif des benzodiazépines augmente chez les personnes âgées.
- Les effets hypotenseurs des vasodilatateurs s'accroissent parfois chez les personnes âgées.
- Les propriétés sédatives et analgésiques des opioïdes tendent à augmenter chez les personnes âgées.
- L'action anticoagulante de la warfarine s'accentue chez les personnes âgées.

Effets indésirables des médicaments

Effets indésirables d'ordre général: Les plus courants sont la sédation excessive due aux sédatifs, l'irritation gastro-intestinale et la constipation, la fatigue, le délire et les problèmes d'élimination urinaire. Le risque d'effets indésirables augmente considérablement avec le nombre de médicaments absorbés. Il est maximal chez les personnes très âgées (de 85 ans et plus), celles qui présentent des problèmes cardiaques (insuffisance cardiaque antérieure ou actuelle), un ralentissement de la fonction hépatique (en particulier, hépatopathie parenchymateuse diffuse), une insuffisance rénale, de la malnutrition et qui suivent un traitement comportant de nombreux médicaments. La présence de détérioration intellectuelle (démence, maladie de Parkinson avancée ou accidents vasculaires cérébraux antérieurs) pose un danger particulier de délire. Quant aux sujets qui ont des troubles de l'équilibre et qui prennent des sédatifs ou des antihypertenseurs, ils risquent encore plus de tomber et de se blesser. Le risque de tomber et le risque d'avoir un accident de voiture augmentent avec l'emploi des benzodiazépines, en particulier celles à action prolongée.

Un déclin non spécifique de l'état physique, cognitif ou émotif chez une personne âgée frêle peut constituer la principale manifestation d'un large éventail de maladies physiques, d'une démence progressive ou d'une dépression. De nombreux médicaments provoquent des symptômes non spécifiques; par conséquent une révision du régime thérapeutique s'impose. Par exemple, il est important de s'assurer que les inhibiteurs de la cholinestérase utilisés dans la maladie d'Alzheimer (p. ex. le donépézil) ne soient pas utilisés en concomitance avec les agents anticholinergiques puisqu'ils peuvent inhiber l'effet de l'inhibiteur de la cholinestérase.

Le tableau II présente certains des effets indésirables les plus courants chez les personnes âgées et des exemples de médicaments qui vont probablement causer l'effet indésirable du médicament.

Conseils pour la prescription judicieuse des médicaments

L'étude de l'information présentée ci-dessus met en évidence la nécessité d'user de prudence lors de la prescription de médicaments aux personnes âgées. Des doses initiales faibles et leur augmentation progressive sont recommandées pour les sédatifs, les antipsychotiques, les antidépresseurs, les anticholinergiques, les antihypertenseurs et la digoxine. Et il y a lieu de suivre étroitement et périodiquement les patients faisant un usage prolongé des benzodiazépines, de la digoxine, des corticostéroïdes topiques, des antihypertenseurs, des laxatifs et des antiulcéreux.

Parmi les règles simples qui devraient régir la prescription judicieuse des médicaments se trouvent:

- l'établissement d'un diagnostic avant la rédaction d'une ordonnance
- la détermination de la durée du traitement
- le choix du traitement; une approche non pharmacologique peut se révéler appropriée
- l'évaluation de la réponse par rapport à la durée du traitement
- la révision du régime thérapeutique et l'interruption du traitement si possible
- le maintien à son minimum du nombre total de médicaments et le nombre de doses quotidiennes.

Fidélité au traitement

Les facteurs tels la fréquence accrue des troubles de la mémoire et de la vue, la réduction de la dextérité manuelle et la complexité des régimes thérapeutiques rendent la fidélité au traitement difficile chez les personnes âgées. Pour la favoriser, il faut fournir au patient des instructions verbales claires et précises renforcées par des renseignements écrits lisibles, des directives écrites sur les étiquettes, des flacons dont l'ouverture n'est ni compliquée ni difficile, ainsi que des trucs pour empêcher les oublis et diminuer la fréquence posologique (c.-à-d. 2 fois ou 1 fois par jour). Aussi, il faut le prévenir contre l'accumulation de médicaments et l'emploi de produits destinés à d'autres.

Conclusion

La prescription des médicaments aux personnes âgées doit s'accompagner de la plus grande prudence. Mais elle ne doit pas exclure l'efficacité qui, en fin de compte, peut apporter une amélioration considérable de la qualité de la vie et assurer le maintien de l'autonomie.

Tableau I—Conséquences pharmacocinétiques du vieillissement

Paramètre pharmacocinétique	Exemple représentatif*	Commentaires
Absorption	non significatif	**Modification pharmacocinétique** • Il est commun de rencontrer une perte modérée de l'absorption au niveau du petit intestin ainsi qu'un ralentissement du transit gastro-intestinal et de la circulation sanguine mésentérique. **Conséquence** • En général, les modifications de l'absorption qu'entraîne le vieillissement sont cliniquement les moins importantes. • En raison de la diminution de la sécrétion d'acide gastrique, il y a réduction de l'absorption des médicaments nécessitant un milieu acide pour être absorbés (p. ex. le kétoconazole, les sels de fer) ou se dissoudre (p. ex. le carbonate de calcium). • L'absorption de certaines formes à libération progressive peut être grandement erratique. Ceci est dû à la diminution modérée de l'absorption du petit intestin.
Distribution	**Liposolubles:** sédatifs autres psychotropes	**Modification pharmacocinétique** • La composition de l'organisme change en vieillissant, ce qui conduit à une diminution du pourcentage d'eau corporelle totale et de la masse musculaire proportionnelle à l'augmentation du contenu lipidique. **Conséquence** • Les changements de la composition corporelle expliquent en partie la longue durée d'action des médicaments liposolubles chez les personnes âgées. Le volume de distribution des médicaments liposolubles augmente.
	Hydrosolubles: digoxine lithium	**Conséquence** • À cause de la diminution du pourcentage d'eau corporelle totale, le volume de distribution des médicaments d'abord diffusés dans l'eau diminue; il faut donc employer des doses de charge plus faibles.
	Fixation à l'albumine hypoglycémiants oraux phénytoïne warfarine **Fixation à l'α_1-glycoprotéine acide** lidocaïne propranolol	**Modification pharmacocinétique** • Une diminution du taux d'albumine sérique à cause de l'âge avancé, de la maladie chronique ou de la malnutrition. • L'α_1-glycoprotéine acide se lie surtout aux médicaments basiques et tend à augmenter avec l'âge et dans les cas de maladies aiguës (p. ex. l'infarctus du myocarde, la polyarthrite rhumatoïde, le cancer, la chirurgie, la douleur chronique). **Conséquence** • Il faut interpréter avec soin les taux sériques du médicament qui mesurent à la fois la fraction libre et la fraction liée, spécialement pour les médicaments qui sont fortement liés aux protéines.
Métabolisme	**Métabolisme du foie** barbituriques benzodiazépines (p. ex. chlordiazépoxide, diazépam, flurazépam) lidocaïne dérivés nitrés propranolol théophylline vérapamil	**Modification pharmacocinétique** • Une diminution de la masse hépatique et du débit sanguin chez les personnes âgées. • Le métabolisme oxydatif peut ralentir un peu avec l'âge, particulièrement chez la personne âgée de constitution frêle et souffrant de malnutrition. • La conjugaison et l'acétylation ne semblent pas être significativement altérées par l'âge. **Conséquence** • Une diminution du métabolisme peut conduire à une diminution de la clairance du médicament entraînant des niveaux sériques plus élevés à l'état d'équilibre et possiblement des effets toxiques. • Augmentation de la biodisponibilité des médicaments métabolisés significativement lors du premier passage hépatique (p. ex. labétalol, morphine, nifédipine, propranolol).

Tableau I—Conséquences pharmacocinétiques du vieillissement *(suite)*

Paramètre pharmacocinétique	Exemple représentatif*	Commentaires
Excrétion	**Excrétion rénale** AINS allopurinol amantadine aminosides digoxine inhibiteurs de l'ECA lithium procaïnamide	**Modification pharmacocinétique** • De nombreuses personnes âgées présentent une baisse de leur capacité de concentration et d'excrétion rénale. Par contre, de nombreuses personnes âgées conservent, jusqu'à un âge avancé, une fonction rénale stable. Il est donc essentiel de vérifier l'état de la fonction rénale avant d'administrer des médicaments qui sont en grande partie excrétés par les reins. Les taux sériques de créatinine peuvent être un indicateur de peu de valeur, car ceux-ci peuvent être normaux chez les personnes âgées dont la fonction rénale est altérée à cause d'une diminution de la masse musculaire. Il est possible d'évaluer la clairance de la créatinine en utilisant la formule de Cockroft et de Gault (voir Surveillance des concentrations sériques des médicaments dans la section Info-Clin). **Conséquence** • Une clairance diminuée des médicaments résultant en une augmentation des taux sériques.

* La liste des exemples n'est pas exhaustive. Pour de plus amples renseignements, consultez les monographies des produits ou les références spécifiques en gériatrie.

Tableau II—Effets indésirables chez les personnes âgées

Système et effet indésirable	Exemple représentatif*	Commentaires
Cardiovasculaire Hypotension orthostatique	antidépresseurs tricycliques antihypertenseurs antiparkinsoniens antipsychotiques (p. ex. chlorpromazine, thioridazine) dérivés nitrés diurétiques	• La possibilité de stabiliser la tension artérielle est compromise chez les personnes âgées. • Les cas d'étourdissements ou de chutes doivent être évalués par la prise de la tension artérielle en position debout et couchée.
Insuffisance cardiaque	agents inotropes négatifs (p. ex. bêta-bloquants, bloqueurs des canaux calciques, antiarythmiques tels que disopyramide et procaïnamide) AINS (p. ex. naproxen, diclofénac, ibuprofène, kétoprofène)	• Bien que les bêta-bloquants et les bloqueurs des canaux calciques soient efficaces dans le dysfonctionnement diastolique, et bien que les bêta-bloquants jouent un rôle dans la cardiomyopathie congestive, ils doivent néanmoins être utilisés avec prudence chez les personnes âgées à risque de développer une insuffisance systolique ventriculaire gauche. • Les AINS, à cause de leur capacité d'accentuer la rétention aqueuse, doivent être utilisés avec grande prudence chez les patients atteints d'insuffisance cardiaque.
Gastro-intestinal (GI) Constipation	antiacides contenant de l'aluminium anticholinergiques bloqueurs des canaux calciques (p. ex. diltiazem, nifédipine et surtout vérapamil) fer opioïdes (surtout codéine)	• Le traitement non médicamenteux comprend l'augmentation de l'apport en eau et d'autres liquides, plus d'exercice physique et l'alimentation plus riche en fibres. • Usage de laxatifs à court terme et traitement individualisé, en tenant compte de l'état hydrique du patient, de son niveau d'activité physique (p. ex. patient hospitalisé), de l'association médicamenteuse et de la condition du système GI. Bien que les laxatifs agissant par effet de masse (son, psyllium) soient mieux adaptés au fonctionnement de l'organisme chez la majorité des personnes âgées, ils ne sont pas recommandés dans les cas de motilité GI réduite (p. ex. maladie de Parkinson, constipation causée par les opioïdes) alors qu'on doit donner la préférence aux laxatifs émollients ± laxatifs de contact (p. ex. senna, bisacodyl).

Tableau II—Effets indésirables chez les personnes âgées *(suite)*

Système et effet indésirable	Exemple représentatif*	Commentaires
Gastro-intestinal (GI) *(suite)* Ulcère, saignement, perforation Œsophagite, sténose Maladie érosive de l'intestin	AINS	• Une hémorragie, un ulcère et une perforation de la muqueuse digestive, accompagnés ou non de symptômes précurseurs, peuvent survenir à un moment quelconque durant le traitement par les AINS. • La plupart des atteintes GI fatales surviennent chez les gens âgés. Jusqu'à présent, il n'existe aucun sous-groupe spécifique de patients chez qui le risque d'ulcère gastro-duodénal et d'hémorragie est **NUL**. • L'augmentation de l'incidence des complications induites par les AINS a été associée à une histoire antérieure de problèmes GI (p. ex. ulcère peptique, saignement GI); un âge avancé, l'utilisation à long terme de corticostéroïdes, de fortes doses d'AINS, l'utilisation de plus d'un AINS, et à la période des premiers 30 à 90 jours après l'initiation ou l'augmentation des doses d'une thérapie aux AINS. • Dans les cas non inflammatoires d'arthrose, il a été démontré que l'acétaminophène est aussi efficace que certains AINS. • Le misoprostol peut être utilisé comme agent prophylactique éprouvé comme agent protecteur de la muqueuse GI, mais son usage régulier chez toutes les personnes âgées prenant des AINS n'est pas recommandé. L'oméprazole est indiqué pour la prévention ou le traitement des ulcères gastriques ou duodéraux causés par les AINS. L'usage des antagonistes des récepteurs H_2 et du sucralfate comme agents protecteurs n'est habituellement pas efficace en prophylaxie.
Rénal et urinaire Débalancement électro-hydrique	AINS antidépresseurs (tricycliques, ISRS, IMAO) bloqueurs des canaux calciques (p. ex. œdème périphérique avec nifédipine, félodipine) corticostéroïdes diurétiques inhibiteurs de l'ECA	• Les diurétiques représentent des agents efficaces contre l'hypertension, l'insuffisance cardiaque et les ascites. Mais leur emploi contre l'œdème non compliqué des membres inférieurs n'est pas justifié, vu le risque d'effets secondaires comme l'hypovolémie, l'hypotension orthostatique, l'incontinence et les troubles du métabolisme. Ils provoquent tous d'autre part l'hyponatrémie, l'hypokaliémie, l'hyperglycémie, l'hypomagnésiémie, l'hyperuricémie et l'alcalose métabolique. • La rétention sodique et l'œdème peuvent résulter de l'effet bloquant des AINS sur les prostaglandines. • Plusieurs médicaments causant un syndrome d'antidiurèse inappropriée (SIADH) peuvent provoquer une hyponatrémie, p. ex. les antidépresseurs, la carbamazépine, le chlorpropamide. Les personnes âgées peuvent être plus sensibles à cet effet. • L'hyperkaliémie est un effet reconnu de l'emploi des AINS, des diurétiques épargneurs de potassium et des inhibiteurs de l'ECA chez les personnes âgées. • On a signalé de l'hypoglycémie avec les inhibiteurs de l'ECA, ce qui pourrait avoir des conséquences graves chez les personnes âgées diabétiques qui reçoivent de l'insuline ou des sulfonylurées.
Incontinence urinaire	diurétiques (p. ex. diurétiques puissants comme furosémide)	• L'aggravation d'autres formes d'incontinence peut être due à l'augmentation de la fréquence et du volume du débit urinaire ainsi qu'à l'augmentation des spasmes de la vessie secondaires à l'usage des diurétiques. • Les diurétiques peuvent causer de l'incontinence par regorgement particulièrement chez les hommes présentant une obstruction due à une hypertrophie de la prostate.
Insuffisance rénale aiguë	AINS aminosides inhibiteurs de l'ECA	• Avant d'entreprendre un traitement médicamenteux susceptible de provoquer de l'insuffisance rénale aiguë, on doit entreprendre des tests de l'exploitation fonctionnelle rénale au départ, puis à intervalles réguliers durant le traitement. • L'insuffisance rénale aiguë associée à la prise d'inhibiteurs de l'ECA est habituellement vue chez les patients souffrant d'une maladie rénovasculaire bilatérale ou de sténose de l'artère rénale. • La fonction rénale retourne habituellement à son niveau de base après avoir cessé l'AINS ou l'inhibiteur de l'ECA.
Rétention urinaire	anticholinergiques diurétiques sympathomimétiques (p. ex. salbutamol, pseudoéphédrine)	• La rétention urinaire est courante, surtout chez les hommes âgés ayant une hypertrophie de la prostate.

Tableau II—Effets indésirables chez les personnes âgées *(suite)*

Système et effet indésirable	Exemple représentatif*	Commentaires
Système nerveux central Confusion mentale (délire)	acyclovir AINS (p. ex. AAS, ibuprofène, indométhacine, naproxen) antagonistes des récepteurs H_2 (p. ex. cimétidine, ranitidine) anticholinergiques (p. ex. antispasmodiques, antidépresseurs tricycliques, quelques antiarythmiques, antihistaminiques, antiparkinsoniens) antiépileptiques antihypertenseurs (p. ex. antagonistes du calcium, bêta-bloquants) digoxine prednisone tous les sédatifs	• Il est important de surveiller de près la présence de confusion ou de sédation excessive chez les personnes âgées. Une sédation de plus en plus marquée est l'effet indésirable dû au médicament le plus significatif; il en résulte une détérioration de l'activité physique et cérébrale qui risque d'avoir des répercussions catastrophiques sur une personne âgée de constitution frêle telles que la perte de l'autonomie, des chutes pouvant causer des blessures et un placement en institution prématuré. • Il y a un plus grand risque de confusion mentale chez les personnes dont le fonctionnement intellectuel est altéré (p. ex. maladie d'Alzheimer). • Le délire peut être provoqué par l'usage concomitant de plusieurs agents qui, lorsqu'utilisés seuls, ne produiraient pas nécessairement cet effet. • La toxicité du SNC par les AINS est plus commune avec les AINS lipophiles puisqu'ils traversent facilement la barrière hémato-encéphalique.

* La liste des exemples n'est pas exhaustive. Pour de plus amples renseignements, consultez les monographies des produits ou les références spécifiques en gériatrie.

Bibliographie:

1. Delafuente JC, Stewart RB. Therapeutics in the elderly. 2e éd. Cincinnati, Ohio: Harvey Whitney Books, 1995: 191–2, 364–5.
2. De Maagd GA. Review of the pharmacologic causes of delirium in the elderly. The Consult Pharm 1995; 10(5): 461–74.
3. Girgis L, Brooks P. Nonsteroidal anti-inflammatory drugs: differential use in older patients. Drugs and Aging 1994; 4(2): 101–12.
4. Hemmelgarn B, Suissa S, et al. Benzodiazepine use and the risk of motor vehicle crash in the elderly. JAMA 1997; 278(1): 27–31.
5. Iber FL, Murphy PA, et collab. Age-related changes in the gastrointestinal system: effects on drug therapy. Drugs and Aging 1994; 5(1): 34–48.
6. Lederle FA. Epidemiology of constipation in elderly patients: drug utilisation and cost-containment strategies. Drugs and Aging 1995; 6(6): 465–79.
7. Morris AD, Boyle D, et collab. ACE inhibitor use is associated with hospitalization for severe hypoglycemia in patients with diabetes. Diabetes Care 1997; 20(9):1363–67.
8. Ravid M, Ravid D. ACE inhibitors in elderly patients with hypertension: special considerations. Drugs and Aging 1996; 8(1): 29–37.
9. Pitner JK, Wiley K, et collab. Prevention of NSAID-induced gastropathy in the elderly. The Consult Pharm 1994; 9(5): 568–79.
10. Woodhouse K, Wynne H. Age-related changes in hepatic function: implications for drug therapy. Drugs and Aging 1992; 2(3): 243–55.

EXPOSITION AUX MÉDICAMENTS DURANT LA GROSSESSE

La présente section donne un aperçu des risques reliés à l'emploi de médicaments durant la grossesse. Les renseignements qu'elle contient ne sont pas exhaustifs; par conséquent, on conseille au lecteur de consulter des ouvrages complémentaires pour obtenir des informations additionnelles.

Révision 1999 par S. Ito et A. Massicotte.

Les anomalies de la grossesse sont rarement dues uniquement aux médicaments. Il faut toutefois être prudent avec certains d'entre eux. En outre, il est important de reconnaître que le rapport entre les risques et les avantages varie d'une patiente à une autre. La présente section traite de médicaments utilisés couramment, ou connus pour augmenter considérablement les risques d'anomalies de la grossesse. Le choix des médicaments a été fait en fonction de la fréquence de demandes de renseignements reçues au Hospital for Sick Children de Toronto dans le cadre du Motherisk program. Veuillez tenir compte des points suivants dans l'interprétation des renseignements ci-dessous:

- une augmentation importante du risque pour le fœtus ne doit pas être interprétée nécessairement comme une indication à l'avortement thérapeutique
- les médicaments dont les risques théoriques n'ont pas été établis ne sont pas inclus dans la présente section
- les abortifs, les anticancéreux et les radio-isotopes ne sont pas inclus dans la présente section
- la décision finale quant à l'emploi d'un médicament durant la grossesse ne doit pas reposer uniquement sur les critères présentés dans cette section. En effet, celle-ci n'a nullement la prétention d'être exhaustive, ni complète.

Amiodarone

Quelques cas sporadiques suggèrent que l'exposition in utero à l'amiodarone peut causer un dysfonctionnement transitoire de la fonction thyroïdienne (hypothyroïdie ou hyperthyroïdie). L'incidence précise n'est pas connue. Vu les effets pharmacologiques de l'amiodarone, une bradycardie transitoire peut aussi se manifester. Réserver ce médicament pour les femmes qui ne répondent pas aux autres antiarythmiques.

Antiépileptiques (consulter également la rubrique portant sur le traitement antiépileptique dans la section Info-Clin)

Même si elles ne prennent aucun médicament antiépileptique, les femmes atteintes d'épilepsie idiopathique (c'est-à-dire non acquise) courent plus de risques de mettre au monde un enfant affligé de malformations (le risque est environ deux fois plus élevé que dans la population générale, où il se chiffre à 2 ou 3 %).

L'emploi de la phénytoïne expose l'enfant à naître au syndrome d'intoxication fœtale par les hydantoïnes (la phénytoïne), caractérisé principalement par des altérations craniofaciales, une microencéphalie, un retard mental, un retard de croissance et une hypoplasie des ongles. Le risque de syndrome constitué est d'environ 10 % ou moins, et le risque que les anomalies ne soient que mineures s'élève à environ 30 %. Une étude récente suggère qu'en moyenne, la fonction cognitive des nourrissons ayant été exposés au médicament in utero est légèrement inférieure à celle des nourrissons témoins n'ayant pas été exposés. L'interaction de la phénytoïne avec le métabolisme de la vitamine K justifie l'administration de suppléments de cette vitamine.

Afin de prévenir l'hémorragie du nouveau-né, on doit administrer de la vitamine K_1 (phytonadione) à raison de 10 mg/jour par voie orale à partir de 36 semaines de grossesse chez les femmes qui prennent des anticonvulsivants (en particulier de la carbamazépine, du phénobarbital ou de la phénytoïne). Comme la vitamine K_1 n'est pas offerte au Canada sous forme de comprimés, on peut utiliser une forme parentérale que l'on ajoutera à du jus pour l'administration orale. À la naissance, administrer 1 mg i.m. de vitamine K_1 au bébé.

On ne sait pas avec certitude si la carbamazépine cause un syndrome fœtal typique, mais on estime que le risque de lésion ouverte du tube neural est d'environ 1 % chez les sujets exposés à ce médicament. Dans la population générale, ce risque est d'environ 0,1 %. Prendre note que le risque varie considérablement d'un pays ou d'une province à l'autre. Une étude récente a démontré que la fonction cognitive des nourrissons exposés in utero à ce médicament n'est pas différente de celle des nourrissons témoins n'ayant pas été exposés. On recommande d'administrer un supplément d'acide folique.

Le risque associé à l'acide valproïque quant aux lésions ouvertes du tube neural est d'environ 1 à 2 %. Bien que certaines études suggèrent que le risque de malformations mineures est plus élevé chez les nourrissons exposés au médicament in utero, la cause de ce phénomène n'est pas claire. On recommande d'administrer un supplément d'acide folique.

La période critique de la formation du tube neural se situe autour de 17 à 30 jours après la conception. Une carence en acide folique perturbe la formation du tube neural, ce qui se traduit par une lésion ouverte du tube neural. On recommande donc, afin de réduire ce risque, que toute femme enceinte ou souhaitant le devenir reçoive un supplément d'acide folique (0,5 à 1 mg/jour). Étant donné que la prise d'anticonvulsivants (en particulier d'acide valproïque ou de carbamazépine) est un facteur de risque de lésions ouvertes du tube neural, il est nécessaire d'administrer un supplément d'acide folique en prophylaxie (4 à 5 mg/jour) 4 semaines avant la conception et tout au long de la grossesse chez les femmes qui prennent ces médicaments. Les lésions ouvertes du tube neural peuvent être décelées par un test de dépistage pratiqué sur le sang maternel suivi d'une échographie de niveau II ou d'une analyse du liquide amniotique concomitantes. On recommande de consulter un obstétricien expérimenté.

Quant aux nouveaux antiépileptiques comme la gabapentine, la lamotrigine, la topiramate et le vigabatrin, bien que la tératologie animale semble favorable, les expositions chez la femme enceinte sont limitées pour le moment et l'incertitude au sujet de la tératogénicité de ces antiépileptiques prévaut toujours.

Antihistaminiques

Les antihistaminiques sont souvent utilisés dans le traitement des symptômes de l'allergie. Une récente analyse méta et une importante étude de cohortes n'ont pas pu mettre en évidence de lien entre l'emploi d'antihistaminiques d'ancienne génération (sédatifs) durant le premier trimestre et les malformations congénitales majeures. La plupart de nos connaissances et les données rassurantes que nous avons proviennent de l'emploi de la chlorphéniramine et de la tripélennamine. De plus, selon les résultats d'études prospectives contrôlées de petite envergure menées par observation chez des femmes ayant pris de l'astémizole, de l'hydroxyzine ou de la cétirizine durant la grossesse, les antihistaminiques n'augmenteraient pas le risque de malformations congénitales. Pour le traitement de la rhinite allergique, les préparations topiques peuvent aussi être considérées sûres durant la grossesse (cromoglycate de sodium, béclométhasone nasale).

Anti-inflammatoires non stéroïdiens

Bien que l'administration d'anti-inflammatoires non stéroïdiens (AINS) durant le premier et le deuxième trimestre de la grossesse soit rarement risquée, leur emploi durant le dernier mois d'une grossesse normale peut être préoccupant. En effet, à cause de leurs effets inhibiteurs sur la synthèse des prostaglandines, les AINS peuvent entraîner un saignement utérin excessif durant l'accouchement et prolonger le travail. Ils peuvent également causer une constriction du canal artériel, phénomène en grande partie réversible après l'arrêt du traitement. L'hypertension pulmonaire chez le nouveau-né est une conséquence théorique de la fermeture du canal, mais la relation exacte de cause à effet et l'incidence de cette affection n'ont pas été établies. Des cas d'altération de la fonction rénale et d'oligoamnios ont également été signalés. L'emploi de faibles doses d'AAS pour traiter l'hypertension induite par la grossesse peut cependant être justifié.

Pour faire baisser la fièvre, l'acétaminophène est le médicament de premier choix pour les femmes enceintes, en particulier au terme de la grossesse. Compte tenu de la diversité des conditions sous-jacentes, il est difficile d'énoncer des règles générales concernant le soulagement de la douleur durant la grossesse; néanmoins, l'acétaminophène, avec ou sans opioïde (voir Opioïdes et sédatifs), peut être essayé en premier.

Antithyroïdiens

Le propylthiouracile (PTU) est, parmi les antithyroïdiens, le médicament de choix pour traiter l'hyperthyroïdie chez la femme enceinte. Toutefois, un goitre peut se développer chez environ 10 à 15 % des fœtus exposés in utero au médicament. Le goitre causé par le PTU semble relié à la dose et est imprévisible. Quoi qu'il en soit, la dose doit être la plus faible possible (<400 mg/jour). Le méthimazole et le carbimazole (converti in vivo en méthimazole) ne sont pas considérés comme des agents de choix, à cause du lien possible (qui reste à prouver) entre le méthimazole et l'aplasie ectodermique (lésions du cuir chevelu) chez le fœtus exposé.

Contraceptifs oraux (œstrogènes et progestatifs)

Actuellement, les contraceptifs oraux n'ont été associés à aucune malformation congénitale importante telle qu'une anomalie cardiaque et une malformation des membres. Plusieurs études récentes n'ont pas réussi à démontrer qu'il existe un risque accru d'anomalies génitales à la suite d'une exposition in utero à des contraceptifs oraux et à d'autres composés de la progestérone, bien qu'un rapport récent révèle un risque accru d'anomalies congénitales des voies urinaires. Il est important de savoir que les progestatifs administrés à doses élevées peuvent augmenter le risque de virilisation et de pseudo-hermaphrodisme chez le nourrisson femelle.

Danazol

Quelques données suggèrent que cet androgène synthétique peut entraîner une virilisation du fœtus femelle dans environ 20 à 30 % des grossesses. Le risque de pseudo-hermaphrodisme féminin semble négligeable si le traitement est interrompu avant la 8e semaine de la gestation (c.-à-d. avant que les récepteurs des androgènes ne deviennent sensibles). Aucun effet secondaire associé au danazol n'a été observé chez le fœtus mâle.

Diurétiques

L'emploi des thiazides pendant la grossesse ne semble pas être associé à un risque accru de malformations. Cependant, des complications périnatales telles que la thrombocytopénie et un déséquilibre électrolytique ont été rapportées.

On possède peu d'information sur l'amiloride et le furosémide, bien que la tératogénicité n'ait pas été fortement suggérée jusqu'à présent.

Les diurétiques doivent être utilisés avec prudence durant la grossesse, car la diurèse peut faire diminuer la volémie chez la mère, réduisant ainsi l'irrigation utéro-placentaire et, partant, l'oxygénation du fœtus. Cet effet peut être plus prononcé avec les diurétiques de l'anse.

Éthanol

La consommation d'alcool durant la grossesse expose le fœtus à des risques considérables. L'incidence de fœtopathie alcoolique (FA) est d'environ 30 % chez les femmes alcooliques (c.-à-d. chez celles dont l'ingestion d'alcool est ≥8 consommations/ jour ou 2 g/kg/jour tout au long de la grossesse). La FA est caractérisée principalement par un retard mental, des anomalies du visage ainsi qu'un retard de croissance général. On croit que les effets de l'alcool sur le fœtus, caractérisés principalement par des troubles de conduite et un dysfonctionnement du SNC sans altérations morphologiques typiques, sont plus fréquents que la FA. On ignore encore si la consommation irrégulière d'alcool (ingestion massive intermittente) durant la période critique entraîne ou non la FA ainsi que d'autres effets sur le fœtus. La consommation modérée d'alcool peut également augmenter le risque d'avortement spontané. On n'a pas établi de niveau en deça duquel la consommation d'alcool par la mère est inoffensive.

Hypoglycémiants oraux (sulfonylurées)

Bien que des études réalisées chez l'animal aient démontré que certains hypoglycémiants oraux sont tératogènes, la tératogénicité chez l'humain reste imprécise à cause du plus grand potentiel tératogène inhérent au diabète lui-même. Une étude comparative effectuée à petite échelle suggère que les sulfonylurées augmentent les risques de malformations, mais on ignore toujours si cela est dû au médicament ou au mauvais contrôle glycémique. D'autres études n'ont pas réussi à démontrer le lien possible. Quelques cas d'hypoglycémie postnatale ont été signalés. De toute évidence, ce groupe de médicaments ne représente pas un premier choix durant la grossesse car il ne permet pas de bien maîtriser le niveau de glycémie chez la femme enceinte. L'insuline demeure l'agent d'élection.

Inhibiteurs de l'enzyme de conversion de l'angiotensine et antagonistes des récepteurs de l'angiotensine II

L'utilisation des inhibiteurs de l'enzyme de conversion de l'angiotensine (ECA) pour maîtriser l'hypertension durant la grossesse, en particulier durant les deuxième et troisième trimestres, est associée à un risque d'insuffisance rénale néonatale (anurie) et d'hypotension marquée. L'incidence est inconnue, mais elle est probablement faible. La diminution du flux sanguin rénal produite chez le fœtus par ces médicaments peut causer un oligoamnios, situation pouvant se traduire par diverses malformations fœtales. Bien qu'on ignore l'incidence de base des cas d'anurie et d'hypotension observés chez des nourrissons nés de mères hypertendues ayant reçu d'autres antihypertenseurs, réserver l'emploi des inhibiteurs de l'ECA durant la grossesse pour les femmes qui ne peuvent suivre d'autre traitement.

On n'a pas encore évalué le risque que pose l'utilisation des antagonistes des récepteurs de l'angiotensine II (losartan) pour le fœtus humain. En théorie toutefois, les mêmes mesures de précaution que pour les inhibiteurs de l'ECA peuvent s'appliquer.

Iode (iodures)

La glande thyroïde du fœtus commence à fonctionner environ 10 à 12 semaines après la conception; avant ce délai, ni l'iode, ni les antithyroïdiens n'atteignent cette glande. Après, il y a accumulation d'iode dans la thyroïde du fœtus, et, si la mère emploie régulièrement des iodures ou des médicaments contenant de l'iode ou des iodures (p. ex., des expectorants, des antiseptiques topiques ou de l'amiodarone) durant la grossesse, une hypothyroïdie ou un goitre médicamenteux peuvent se développer chez le nourrisson (voir également Amiodarone). Alors que l'emploi prolongé d'iode ou d'iodures durant la grossesse peut entraîner un dysfonctionnement de la thyroïde chez le fœtus (goitre ou hypothyroïdie causés par les iodures), l'emploi à court terme, comme lors d'un prétraitement de 10 jours en vue d'une chirurgie de la thyroïde chez la mère, ne semble pas présenter de risque.

Lithium

Dans une étude de cohortes prospective menée auprès de 148 femmes enceintes prenant du lithium pendant le premier trimestre et de 148 femmes témoins enceintes, un cas d'anomalie d'Ebstein (insertion basse de la valvule tricuspide dans le ventricule droit) a été observé chez un fœtus dans le groupe de traitement. Bien que le risque de mettre au monde un enfant souffrant de cette rare anomalie cardiaque semble plus élevé chez les femmes qui prennent du lithium que dans la population générale (environ 1 cas sur 20 000), il importe de remarquer que l'incidence peut néanmoins être inférieure à 1 %. D'autres anomalies cardiovasculaires et troubles de la fonction thyroïdienne ont également été signalés. Une échographie de niveau II ainsi qu'une échocardiographie fœtale peuvent être justifiées si la mère doit prendre du lithium, de même qu'un suivi de l'état général et de la fonction thyroïdienne après la naissance de l'enfant.

Méthotrexate

Les effets antimétaboliques du méthotrexate sur l'acide folique sont directement reliés au mécanisme d'action de ce médicament et entraînent des lésions ouvertes du tube neural ainsi que d'autres anomalies du SNC, des anomalies faciales, un retard de croissance, etc. (similaires à ceux que cause l'aminoptérine, un autre antagoniste de l'acide folique). Ce médicament possède également des propriétés abortives. Dans un petit groupe constitué de 8 femmes, l'administration de faibles doses de méthotrexate (7,5 mg/semaine) pour traiter la polyarthrite rhumatoïde a causé 3 avortements spontanés, alors que 5 bébés normaux sont nés à terme. Un autre compte-rendu fait état d'une femme ayant donné naissance à un enfant affligé de multiples anomalies congénitales après avoir reçu de faibles doses de méthotrexate (12,5 mg/semaine) 1 fois/semaine pendant les 8 premières semaines de la grossesse. Étant donné la rétention possible du méthotrexate dans les tissus de la mère avant la conception, on recommande habituellement de continuer d'employer un moyen contraceptif sûr pendant un minimum de 3 à 4 mois après la fin du traitement. En outre, on recommande fortement l'administration d'un supplément quotidien d'acide folique chez les femmes en âge de procréer. Afin de déceler toute anomalie de structure importante, on recommande également de pratiquer une échographie de niveau II entre la 16ᵉ et la 18ᵉ semaine de la gestation.

Misoprostol

Le misoprostol est utilisé pour la prévention des ulcères car il protège la muqueuse gastrique contre l'effet des AINS. Le médicament exerce aussi une activité sur la contraction utérine; en effet, il a été démontré que le misoprostol, utilisé en association avec le méthotrexate ou le mifépristone, provoque un avortement. Plusieurs séries de cas de même qu'une étude de contrôle de cas laissent supposer qu'il existe un lien entre l'emploi du misoprostol durant le premier trimestre de la grossesse et le syndrome de Möbius (p. ex. paralysie congénitale du nerf facial, malformations des membres). L'incidence n'a pas été établie mais pourrait être inférieure à 1 %.

Opioïdes et sédatifs

Les opioïdes et les sédatifs ne semblent pas augmenter le risque d'anomalies congénitales importantes. Toutefois, l'emploi prolongé d'un des agents de cette classe durant la grossesse peut entraîner un syndrome de sevrage chez le nouveau-né, dont les symptômes peuvent durer plusieurs semaines après la naissance. De plus, l'emploi de ces médicaments durant l'accouchement peut produire une sédation et une dépression cardio-respiratoire chez le nouveau-né.

Pénicillamine

Même si plusieurs cas de malformations ont été associés à l'emploi de la pénicillamine, le lien n'a pas été établi au-dessus de tout doute. En théorie, la déplétion du cuivre entraînée par la pénicillamine peut inhiber la synthèse du collagène, causant ainsi des lésions de la peau telles que la cutis laxa (état où la peau et les tissus sous-cutanés s'hypertrophient et retombent en plis). Il faut noter qu'il existe plus de 100 cas connus où la pénicillamine a été utilisée durant la grossesse sans provoquer d'anomalies sur le fœtus. Durant la grossesse, ce médicament devrait être réservé aux femmes atteintes de la maladie de Wilson ou d'autres pathologies pour lesquelles aucune autre médication n'est offerte.

Rétinoïdes oraux (acitrétine, étrétinate, isotrétinoïne)

Les rétinoïdes oraux ont été associés à une forte incidence ($\geq$ 25 % pour l'isotrétinoïne et l'étrétinate) d'anomalies congénitales importantes (lésions du SNC, malformations craniofaciales et squelettiques) causées par l'exposition durant le premier trimestre de la grossesse.

Une méthode contraceptive efficace doit être utilisée pendant un minimum de 1 mois avant de commencer le traitement par les rétinoïdes oraux. Il faut faire un test de grossesse fiable, au moyen d'un échantillon sanguin, dans les 2 semaines qui précèdent le traitement, et l'administration des rétinoïdes doit commencer le deuxième ou le troisième jour du cycle menstruel suivant, et seulement si le test s'est avéré négatif.

Une méthode contraceptive fiable doit être utilisée pendant au moins 1 mois après l'arrêt du traitement par l'isotrétinoïne. Comme sa demi-vie d'élimination est relativement courte (10 à 20 heures), plus de 99 % du médicament est éliminé de l'organisme après 1 semaine.

Puisque la demi-vie d'élimination de l'étrétinate est longue (environ 100 à 120 jours), il est encore possible de déceler le médicament dans le sérum plus de 2 ans après l'arrêt du traitement. À l'heure actuelle, on ne connaît pas avec certitude le moment à partir duquel une femme peut concevoir sans danger après que le traitement a été interrompu.

Quant à l'acitrétine, il est recommandé d'utiliser une méthode contraceptive sûre pendant au moins 2 ans après la fin du traitement. Bien que l'acitrétine ait une demi-vie d'élimination plus courte (50 heures) que l'étrétinate, ce médicament est en partie transformé en étrétinate, surtout s'il y a consommation d'alcool.

Rétinoïdes topiques (trétinoïne)

Une étude de cohortes prospective a comparé l'incidence de malformations congénitales chez des fœtus exposés (94 cas) et chez des fœtus non exposés (133 cas témoins) à la trétinoïne, appliquée topiquement. L'issue de la grossesse a été la même dans les deux groupes. Aucune différence n'a été notée entre les deux groupes quant aux taux de naissances vivantes, d'avortements spontanés ou de malformations majeures. Selon une étude ayant utilisé un modèle d'évaluation du risque, l'application topique de trétinoïne ne serait pas potentiellement tératogène.

Sulfonamides

On recommande de s'abstenir d'utiliser les sulfonamides vers la fin de la grossesse (1 à 2 semaines avant la date prévue de l'accouchement), car ils peuvent déplacer la bilirubine de l'albumine sérique, ce qui augmente le risque d'ictère nucléaire chez les nouveau-nés hyperbilirubinémiques. Les sulfonamides en tant que tels n'entraînent généralement pas de jaunisse (sauf chez les patients atteints d'un déficit en G-6-PD et souffrant d'une hémolyse médicamenteuse). Les sulfonamides ne se sont pas révélés tératogènes.

Tétracyclines

La coloration des dents temporaires (en brun-jaunâtre), qui peut survenir chez jusqu'à 50 % des nourrissons exposés in utero à ces médicaments après 14 à 16 semaines de gestation, constitue la préoccupation majeure concernant l'utilisation de cette classe d'antibiotiques. Au lieu des tétracyclines, on devrait donc administrer d'autres antibiotiques par voie générale durant la grossesse, en particulier durant le deuxième trimestre.

Warfarine

Le syndrome d'intoxication par la warfarine chez le nouveau-né est caractérisé par une hypoplasie du nez, des modifications osseuses, un retard mental et un retard de croissance. La période critique d'exposition semble se situer autour de la 6e à la 9e semaine de la gestation et l'incidence d'embryopathie est de 25 %. Même après le premier trimestre, l'exposition présente un risque d'anomalie du SNC avec séquelles à long terme (5 %). Avant l'accouchement, l'héparine sous-cutanée constitue le meilleur choix pour le traitement anticoagulant durant la grossesse. On peut également opter pour une administration d'héparine durant le premier trimestre, de warfarine durant les deuxième et troisième trimestres et enfin, d'héparine encore au terme de la grossesse.

Bibliographie:
1. Briggs GG, Freeman RK, Yaffe SJ. Drugs in pregnancy and lactation: a reference guide to fetal and neonatal risk. 4e éd. Baltimore, MD: Williams and Wilkins; 1994.
2. Bracken MB. Oral contraception and congenital malformations in offspring: a review and meta-analysis of the prospective studies. Obstet gynecol 1990; 76:552–7.
3. Buckley LM, Bullaboy CA, et collab. Multiple congenital anomalies associated with weekly low-dose methotrexate treatment of the mother. Arthritis and Rheumatism 1997; 40:971–3.
4. Busser J, Rudolph S. Drug use in pregnancy. Pharmacy Practice 1994; (Avril): 28–36.
5. Castilla EE, Orioli IM. Teratogenicity of misoprostol: data from the Latin-American Collaborative Study of congenital malformations. Am J Med Genet 1994; 51:161–2.
6. Chan A, Hanna M, et collab. Oral retinoids and pregnancy. Med J Aust 1996; 165:164–7.
7. Einarson A, Bailey B, et collab. Prospective controlled study of hydroxyzine and cetirizine in pregnancy. Ann Allergy Asthma Immunol 1997; 78:183–6.
8. Hellmuth E, Damm P, Mølsted-Pedersen L. Congenital malformations in offspring of diabetic women treated with oral hypoglycemic agents during embryogenesis. Diabetic Medicine 1994; 11:471–4.
9. Johnson EM. A risk assessment of topical tretinoin as a potential human developmental toxin based on animal and comparative human data. J Am Acad Dermatol 1997; 36:S86–S90.
10. Knoben JE, Anderson PO. Handbook of clinical drug data. 7e éd. Hamilton: Drug Intelligence Publications; 1993.
11. Koren G. Maternal-fetal toxicology: a clinician's guide. 2e éd. New York: Marcel Dekker Inc; 1994.
12. Kozlowski RD, Steinbrunner JV, et collab. Outcome of first-trimester exposure to low-dose methotrexate in eight patients with rheumatic disease. Am J Med 1990; 88:589–92.
13. Li DK, Daling JR, et collab. Oral contraceptive use after conception in relation to the risk of congenital urinary tract anomalies. Teratology 1995; 51:30–6.
14. Morrell MJ. The new antiepileptic drugs and women: efficacy, reproductive health, pregnancy, and fetal outcome. Epilepsia 1996; 37(Suppl 6): S34–S44.
15. Pastuszak A, Schick B, et collab. The safety of astemizole in pregnancy. J Allergy Clin Immunol 1996; 98:748–750.
16. Raman-Wilms L, Tseng AL, et collab. Fetal genital effects of first trimester sex hormone exposure: a meta-analysis. Obstet Gynecol 1995; 85:141–9.
17. Schatz M, Petitti D. Antihistamines and pregnancy. Ann Allergy Asthma Immunol 1997; 78:157–9.
18. Schatz M, Zeiger RS, et collab. The safety of asthma and allergy medications during pregnancy. J Allergy Clin Immunol 1997; 100:301–6.
19. Seto A, Einarson T, Koren G. Pregnancy outcome following first trimester exposure to antihistamines: meta-analysis. Am J Perinatol 1997; 14:119–124.
20. Shapirol L, Pastuszak A, et collab. Safety of first-trimester exposure to topical tretinoin: prospective cohort study. Lancet 1997; 350:1143–44.
21. Shepard TH. Möbius syndrome after misoprostol: a possible teratogenic mechanism. Lancet 1995; 346:780.
22. Stockton DL, Paller AS. Drug administration to the pregnant or lactating woman: a reference guide to dermatologists. J Am Acad Dermatol 1990; 23:87–103.
23. Towner D, Kjos SL, et collab. Congenital malformations in pregnancies complicated by NIDDM. Diabetes Care 1995; 18:1446–51.

EXPOSITION AUX MÉDICAMENTS DURANT L'ALLAITEMENT

Cette information est une vue d'ensemble des médicaments et de l'allaitement. L'information présentée ne doit pas être considérée comme une revue complète; de ce fait, le lecteur est encouragé à approfondir et à corroborer l'information.

Révision 1999 par S. Ito.

Les principes généraux suivants pourraient se révéler utiles pour le clinicien qui s'occupe des cas où l'ingestion de médicament par le nourrisson est mise en doute:

- Presque tous les médicaments sont excrétés, jusqu'à un certain degré, dans le lait maternel.
- La concentration d'un médicament dans le lait maternel ne dépasse habituellement pas la concentration plasmatique de la mère.
- Même lorsque le rapport lait maternel: concentration plasmatique de la mère approche ou dépasse 1,0, la quantité du médicament ingérée par le nourrisson atteint rarement la concentration thérapeutique de ce médicament.
- Une brève exposition à un médicament, comme c'est le cas lorsqu'un analgésique est administré pour soulager la douleur consécutive à un accouchement, est habituellement moins grave que l'administration d'un médicament pendant une longue période. La quantité de médicament ingéré par le nourrisson peut à l'occasion être réduite si la femme nourrit son enfant juste avant de recevoir un médicament, ou au moment où elle prend son médicament.
- Dans le cas d'un traitement médicamenteux prolongé, le nourrisson est habituellement exposé à des concentrations moins importantes de médicaments que lorsqu'il se trouvait toujours dans l'utérus de sa mère. Dans la plupart des cas, les conséquences à long terme d'une exposition prolongée à des concentrations thérapeutiques inférieures ne sont pas connues.
- Lorsque la mère reçoit des médicaments, les recommandations concernant l'allaitement dépendent de la possibilité que de faibles quantités du médicament (quantités inférieures à la concentration thérapeutique), administrées même pendant une courte période, puissent être associées à ce qui suit:
  - —causent des réactions idiosyncrasiques (p. ex. chloramphénicol)
  - —altèrent des voies métaboliques génétiquement anormales (p. ex. la nitrofurantoïne chez les personnes qui présentent des carences en G-6-PD)
  - —agissent de façon synergique avec des médicaments que l'enfant reçoit (la théobromine contenue dans le chocolat, p. ex., accentue la réaction indésirable à la théophylline).

Il est donc nécessaire de posséder une connaissance raisonnable de la pharmacologie et de la thérapeutique qui s'appliquent au nouveau-né et de connaître également la quantité d'un médicament excrétée dans le lait maternel.

Il existe un grand nombre de rapports de synthèse et de chapitres de livres qui traitent de l'excrétion des médicaments dans le lait maternel et des recommandations à suivre lorsqu'une femme qui allaite bénéficie d'un traitement médicamenteux. En fait, la plupart de ces textes se fondent sur des données tirées de rapports de cas isolés de concentrations de médicaments observées dans le lait maternel, généralement dans des conditions où on pouvait mal contrôler la consommation de médicaments par la mère. De nombreux rapports font état de cas isolés et ne contiennent pas de données suffisantes pour qu'on puisse évaluer pharmacologiquement la dynamique du transfert du médicament dans le lait. Malheureusement, le prélèvement d'échantillons uniques de plasma et de lait peut prêter à erreur et, en fait, on effectue rarement des prélèvements multiples de lait sur une période de 24 heures. Il est plutôt dommage qu'on procède ainsi, car cette dernière méthode est la seule qui permette d'évaluer de façon fiable la dose qui est transmise au nourrisson.

Les paragraphes suivants constituent de brefs résumés destinés à fournir un fondement rationnel à partir duquel des décisions individuelles concernant les médicaments et l'allaitement seront formulées. Pour chacune de ces décisions, il sera important d'évaluer le rapport risque/avantage de chaque milieu thérapeutique. Les avantages que présente la poursuite de l'allaitement sont importants. On doit donc toujours s'assurer que le médicament choisi donnera lieu à des effets bénéfiques importants pour la mère ou avoir de bonnes raisons pour cesser l'allaitement durant le traitement.

Analgésiques

Dans la plupart des périodes entourant l'accouchement, on n'utilise les analgésiques que pendant quelques heures ou, au plus, quelques jours. La quantité d'analgésiques narcotiques excrétée dans le lait maternel est faible et ne devrait pas causer d'inquiétudes et de même, les AINS sont compatibles avec l'allaitement.

Anticholinergiques

Les données concernant l'excrétion d'anticholinergiques (particulièrement l'atropine) dans le lait maternel et la diminution de la production de lait attribuable à ces agents sont insuffisantes ou contradictoires. Aucune donnée n'étaye les problèmes rencontrés chez les humains. Cependant, il est recommandé de surveiller attentivement les nourrissons pour déceler l'apparition d'effets secondaires anticholinergiques possibles.

Anticoagulants

La thrombophlébite puerpérale de la veine profonde est une complication qui nécessite un traitement aux anticoagulants à court terme et, souvent, à long terme. Par contre, on rencontre plus rarement des cas de personnes ayant reçu une prothèse valvulaire et qui sont traitées à long terme aux anticoagulants. On n'a pas remarqué la présence de l'héparine dans le lait maternel lorsque cette dernière était administrée par voie parentérale pour un traitement aigu de la thrombophlébite. Du reste, l'héparine n'est pas efficace lorsqu'elle est prise oralement. Les anticoagulants oraux sont fréquemment utilisés pour les traitements à long terme. Ils sont plus commodes à prendre pour le malade et ont été contre-indiqués en se basant sur un seul rapport signalant l'apparition d'un hématome au site de l'intervention chirurgicale subie par le nourrisson pour une hernie inguinale. La mère du nourrisson avait reçu de la phénindione (non utilisée au Canada). On croit que le nourrisson avait ingéré une quantité suffisante du médicament contenu dans le lait maternel pour qu'il se produise une hémostase anormale.

Des études plus récentes qui portent sur la warfarine ont montré que le lait maternel provenant des femmes ayant reçu une quantité adéquate d'anticoagulants ne contenait pas une quantité mesurable de médicament. On n'a de plus observé ni signe d'anticoagulation chez les nourrissons, ni d'autres signes de la présence du médicament dans leur plasma. La warfarine semble compatible avec l'allaitement.

Antiépileptiques*

Avec la plupart des antiépileptiques traditionnels (p. ex. carbamazépine, phénytoïne et acide valproïque), les taux auxquels sont exposés les nourrissons sont inférieurs à 10 % de ce qu'ils seraient si ces médicaments leur étaient administrés directement, aux doses thérapeutiques. Malgré que des effets indésirables aient été rapportés dans quelques cas isolés, on croit que ces antiépileptiques sont compatibles avec l'allaitement.

Il faut par contre faire plus attention avec le phénobarbital, l'éthosuximide et la primidone, car les taux auxquels sont exposés les nourrissons peuvent atteindre les concentrations thérapeutiques. On estime que les taux de phénobarbital, d'éthosuximide et de primidone auxquels sont exposés les nourrissons sont équivalents à 100 %, 50 % et >10 % respectivement de ce qu'ils seraient si ces médicaments leur étaient administrés directement, aux doses thérapeutiques. La forte exposition au phénobarbital et à l'éthosuximide est principalement due à la faible clairance de ces médicaments chez le nourrisson. Cependant, la décision d'allaiter ou non compte tenu de cette forte exposition dépend, dans chacun des cas, de plusieurs facteurs. Dans certains cas choisis, une surveillance périodique des signes cliniques (p. ex. léthargie, mauvaise alimentation, sédation) et la détermination de la concentration du médicament dans le lait maternel et dans le plasma du nourrisson peuvent aider à prendre la décision de poursuivre ou non l'allaitement.

Antihistaminiques*

Les données concernant les antagonistes des récepteurs H_1 traditionnels, comme la diphénhydramine et le dimenhydrinate, sont incomplètes. Avec la terfénadine et la loratadine, les taux auxquels sont exposés les nourrissons sont inférieurs à 1 % de ce qu'ils seraient si ces médicaments leur étaient administrés directement, aux doses thérapeutiques. Il faudra attendre d'autres études avant de savoir si cette faible exposition provoque des symptômes. En général cependant, on considère que les antagonistes des récepteurs H_1 ne sont pas contre-indiqués durant l'allaitement.

Antihypertenseurs*

Tous les bêta-bloquants semblent compatibles avec l'allaitement. Cependant, avec l'aténolol et le sotalol (bien que ce dernier ne soit pas indiqué comme antihypertenseur), les taux auxquels sont exposés les nourrissons sont relativement élevés, 25 % et 20 % respectivement de ce qu'ils seraient si ces médicaments leur étaient administrés directement, aux doses thérapeutiques. Ceci peut ne pas poser de problème chez les nourrissons en période postnéonatale. Cependant, il faut être prudent au début de la période néonatale puisque la clairance de l'aténolol peut être faible chez les nouveau-nés due à l'immaturité de leur fonction rénale (filtration glomérulaire faible).

Les diurétiques et les bloqueurs des canaux calciques peuvent être utilisés sans danger durant l'allaitement. Les inhibiteurs de l'enzyme de conversion de l'angiotensine tels que le captopril et l'énalapril ne sont pas éliminés dans le lait maternel en quantités cliniquement significatives et sont considérés compatibles avec l'allaitement.

Antimicrobiens

Dans les infections du postpartum, l'endométriose puerpérale constitue l'indication la plus fréquente pour l'utilisation d'une thérapie antimicrobienne. Celle-ci consiste en un traitement antibiotique relativement court. Les médicaments les plus fréquemment utilisés alors sont la pénicilline ou l'ampicilline en association avec un aminoside. Les personnes qui présentent une allergie à la pénicilline sont généralement traitées à l'aide d'une céphalosporine. On soupçonne parfois des infections à micro-organismes anaérobies et, lorsque c'est le cas, la clindamycine, le chloramphénicol ou le métronidazole sont utilisés. L'infection des voies urinaires est une complication fréquente de la puerpéralité dont le traitement peut comprendre le recours à l'ampicilline, aux sulfamides, à la nitrofurantoïne ou à l'une des tétracyclines. Une antibiothérapie à long terme peut parfois se révéler nécessaire pour prévenir une infection récurrente des voies urinaires. Les infections vaginales telles que la vaginose bactérienne et la vaginite attribuable à Trichomonas vaginalis, réagissent au métronidazole.

On a constaté la présence de la plupart de ces antimicrobiens dans le lait maternel. On note que le rapport lait/plasma pour ces médicaments est généralement inférieur à 1,0, mais les données sont souvent recueillies à partir d'un nombre restreint de cas. Pour bon nombre de ces médicaments, la quantité de médicament (la pénicilline, p. ex.) ingérée par le nourrisson est inférieure au niveau thérapeutique, mais elle peut se révéler suffisante pour entraîner des réactions idiosyncrasiques (c'est le cas du chloramphénicol) ou pour causer de l'anémie chez l'enfant présentant une déficience en G-6-PD (la nitrofurantoïne, p. ex.). D'autres problèmes pouvant survenir chez le nourrisson, incluent une modification de la flore gastro-intestinale pouvant causer un muguet on une diarrhée, une hypersensibilité (ex. pénicilline) ou encore une interférence dans l'interprétation des résultats de culture chez le nourrisson si celle-ci s'avérait nécessaire. Cependant, l'importance clinique de ces risques n'est pas assez grande pour arrêter l'allaitement.

Les aminosides sont excrétés dans le lait maternel lorsqu'ils sont administrés par voie i.m. à la mère. Parce que l'absorption de ces médicaments est faible à partir du tractus gastro-intestinal, il est peu probable que le nourrisson puisse présenter une néphrotoxicité ou une ototoxicité.

Le chloramphénicol est présent dans le lait maternel en quantité suffisante pour qu'on puisse redouter une dépression médullaire osseuse idiosyncrasique. On n'a jamais observé chez le nourrisson cette complication grave découlant du traitement au chloramphénicol, mais la possibilité qu'elle puisse se produire devrait, à elle seule, être suffisante pour empêcher l'administration de ce médicament à une femme qui allaite son enfant.

On a noté le fait que le métronidazole était contre-indiqué pendant l'allaitement. Cette recommandation se fonde sur des comptes rendus selon lesquels ce médicament est mutagène chez les bactéries et carcinogène chez les rongeurs qui ont reçu ce composé pendant toute leur vie. On n'a remarqué aucun effet fâcheux spécifique à la suite de l'ingestion de métronidazole chez le nourrisson. Sans preuve vraiment tangible des effets nocifs du traitement à court terme au métronidazole chez l'être humain, il peut sembler trop prudent de ne pas recommander ce médicament aux femmes ou de les empêcher d'allaiter lorsqu'elles présentent des parasitoses symptomatiques (amibiase, giardiase ou trichomonase) pour lesquelles le métronidazole serait le traitement de choix. Cette constatation est particulièrement pertinente si des formes alternatives de traitement n'ont pas réussi à guérir l'infection.

Les quinolones (p. ex. ciprofloxacine, norfloxacine) sont excrétées dans le lait maternel en petites quantités, ce qui ne provoque pas de concentrations sériques importantes du médicament chez les nouveau-nés allaités. De plus, on n'a rapporté aucune réaction indésirable chez les nourrissons allaités suite à la prise de quinolone par la mère. Les quinolones ne sont pas contre-indiquées de façon absolue en pédiatrie. Certains experts croient qu'elles sont incompatibles avec l'allaitement maternel. On doit d'abord avoir recours à un antibiotique de relais. Cela dit, les quinolones ne sont pas contre-indiquées de façon absolue durant l'allaitement.

* Les pourcentages exprimant l'exposition du nourrisson sont estimés d'après les valeurs rapportées dans la documentation médicale.

Les sulfamides sont excrétés dans le lait maternel. On n'a toutefois pas encore réussi à déterminer le rapport lait/plasma pour ces médicaments chez l'être humain. La nitrofurantoïne est excrétée en quantités difficiles à déceler dans le lait maternel des femmes. Dans chacun de ces cas, on se préoccupe du fait que ces médicaments peuvent causer de l'anémie chez un nourrisson qui présente une déficience en G-6-PD. Par conséquent, on devrait utiliser d'autres médicaments à moins que l'infection (généralement une infection urinaire) ne réagisse pas à un autre traitement. Si la nitrofurantoïne ou les sulfamides deviennent les médicaments de choix, on devra surveiller attentivement l'apparition d'anémie chez le nourrisson qui présente une déficience en G-6-PD.

Antithyroïdiens*

Pendant la grossesse, on peut traiter l'hyperthyroïdie soit par une thyroïdectomie subtotale, soit par l'administration d'antithyroïdiens. Ceux-ci constituent le traitement le plus courant en Amérique du Nord. Mis à part l'iode radioactif, le méthimazole et le propylthiouracile (PTU) sont les deux antithyroïdiens les plus utilisés. Le méthimazole peut être utilisé à faibles doses (p. ex. <15 mg/jour) durant l'allaitement si la fonction thyroïdienne du nourrisson est surveillée toutes les 2 semaines. On estime que la quantité de méthimazole qu'un nourrisson pourrait absorber de par le lait maternel équivaut à environ 2 à 12 % de la dose administrée à la mère sur une base pondérale. Comparativement, on estime que la quantité de propylthiouracile que le nourrisson pourrait absorber équivaut à moins de 1 % de la dose administrée à la mère sur une base pondérale. Ces chiffres suggèrent donc que le PTU serait le médicament de choix pour le traitement de l'hyperthyroïdie chez les mères qui allaitent. Bien que cette faible exposition au PTU ne risque probablement pas de causer une suppression de la fonction thyroïdienne chez le nourrisson, il peut être justifié de surveiller les taux de thyrotropine et de T4, ainsi que les signes et symptômes, en attendant que les résultats d'études plus approfondies soient disponibles. Jusqu'à présent, on n'a rapporté aucun effet indésirable concernant l'un ou l'autre médicament chez les nourrissons de mères qui allaitent.

Drogues «sociales»

Le tabac et l'alcool sont les deux substances non médicamenteuses les plus acceptées socialement au Canada auxquelles sont exposés les nourrissons. Du fait qu'elles sont toutes deux fréquemment présentes chez une même personne, il est difficile d'étudier leurs effets indépendants. De plus en plus, on utilise ces drogues «sociales» en association avec d'autres drogues moins en vogue et parfois même illicites, telles que la marijuana et la cocaïne.

On ne connaît pas très bien les effets du tabagisme sur les nourrissons. On sait qu'une faible quantité de nicotine est excrétée dans le lait maternel des femmes qui fument. La nicotine et la fumée auxquelles est exposé le nourrisson viennent principalement de l'inhalation de produits provenant de la combustion du tabac (tabagisme passif). En dépit du fait que plus le tabagisme est important chez la mère, plus l'allaitement du nourrisson est réduit, aucun effet fâcheux n'est en général attribué au tabagisme chez la mère.

L'alcool et l'allaitement maternel sont incompatibles. Le rapport lait:plasma pour l'éthanol est d'environ 1,0 et la capacité de métaboliser l'alcool (alcool-déshydrogénase et aldéhyde-déshydrogénase) est inadéquate pendant toute la période néonatale et infantile. En général, le développement moteur est légèrement plus lent chez les nourrissons allaités dont la mère boit. En outre, il semblerait que la consommation d'alcool, même pendant une courte période, ait un effet immédiat sur l'odeur du lait maternel et sur le comportement du nourrisson, effet qui se traduit par une consommation moindre de lait. Les mères qui allaitent devraient donc connaître les effets potentiels de la consommation d'alcool sur leur nourrisson. Elles devraient éviter d'allaiter si elles boivent, que ce soit pendant l'allaitement ou immédiatement après.

Il n'existe aucune étude systématique qui porte sur l'excrétion des médicaments ou des métabolites des médicaments chez les personnes qui consomment d'autres drogues «sociales» ou des drogues «de la rue». On a toutefois observé un syndrome de sevrage chez les nourrissons dont la mère était toxicomane, et ce, même après le sevrage du nourrisson. Cela indique qu'après une longue période, une quantité suffisante de drogue est excrétée dans le lait maternel pour causer une dépendance physiologique chez le nourrisson. (Une autre explication pourrait être que la «dépendance» s'est produite in utero, et la présence de drogue dans le lait maternel n'a fait qu'entretenir cette dépendance physiologique.)

Méthylxanthines

Les femmes qui allaitent leur enfant consomment fréquemment des substances faisant partie de ce groupe. Celles-ci comprennent la caféine qu'on retrouve dans le café, le thé ou les boissons gazeuses; la théobromine qu'on retrouve dans le chocolat et le cacao; ou la théophylline prescrite pour le traitement de l'asthme.

En ce qui concerne la caféine, le rapport lait/plasma s'établit à 0,52. Un nouveau-né qui consommerait 90 mL de lait, 1 heure et 2 heures après que la mère ait ingéré 150 mg de caféine (1 ou 2 tasses de café), en recevrait 170 μg, soit 0,11 % de la dose qu'a absorbée la mère. Cette quantité est probablement négligeable, mais on ne doit pas oublier que la demi-vie de la caféine est de 80 h chez l'enfant né à terme et de 97,5 h chez l'enfant prématuré (de 20 à 30 fois plus élevée que pour un adulte). Par conséquent, l'ingestion répétée de caféine pourrait entraîner chez l'enfant une accumulation de cette substance pendant ses 2 premières semaines de vie. Cette hypothèse demeure à approfondir.

On a découvert que la théophylline se caractérisait par un rapport lait/plasma de 0,6 à 0,73. On croit que la quantité totale de théophylline excrétée dans le lait maternel ne dépasse pas la dose qu'a reçue la mère de plus de 1 %. On doit toutefois tenir compte de la demi-vie prolongée de la théophylline chez les prématurés (30,2 h) et du fait que lorsqu'une femme qui désire allaiter son enfant est également traitée pour l'asthme, la caféine et la théobromine qu'on retrouve dans les aliments peuvent additionner leurs effets à celui de la théophylline.

Médicaments pour lesquels l'allaitement est contre-indiqué

Le nombre de médicaments considérés compatibles avec l'allaitement dépassent de beaucoup le nombre de médicaments considérés contre-indiqués durant l'allaitement. Le tableau I présente une liste de médicaments pour lesquels l'allaitement est considéré contre-indiqué, publiée originellement par l'American Academy of Pediatrics.

Tableau I—Médicaments pour lesquels l'allaitement est considéré contre-indiqué
bromocriptine
cocaïne
cyclophosphamide
cyclosporine
doxorubicine
ergotamine
lithium
méthotrexate
phencyclidine (PCP)

* Les pourcentages exprimant l'exposition du nourrisson sont estimés d'après les valeurs rapportées dans la documentation médicale.

Compte tenu des avantages énormes de l'allaitement maternel, des médicaments tels la cyclosporine et le lithium peuvent être administrés durant l'allaitement au sein. Cette approche individualisée est particulièrement importante lorsque les mères comprennent parfaitement les avantages et les risques de l'allaitement pendant la pharmacothérapie et lorsque les médecins expérimentés sont en mesure d'exercer une surveillance étroite de la mère et du nourrisson.

On recommande d'interrompre temporairement l'allaitement maternel en présence de certains composés radioactifs. La technique choisie peut être amorcée après que la mère eût tiré suffisamment de lait pour couvrir la période d'interruption de l'allaitement. Le temps d'arrêt dépend du composé radioactif utilisé.

Psychotropes et sédatifs

Les benzodiazépines, lorsqu'utilisées sporadiquement comme sédatif au cours de la période d'accouchement, ne sont pas contre-indiquées.

On devrait se préoccuper davantage de l'administration prolongée des médicaments à la mère. Les psychotropes les plus fréquemment utilisés, les benzodiazépines et leurs métabolites, sont excrétés dans le lait maternel, sont mal métabolisés par le nouveau-né et peuvent provoquer de la somnolence chez le nourrisson. Le lithium, médicament de choix pour traiter certains états maniacodépressifs, est excrété dans le lait maternel quelquefois en quantité suffisante pour atteindre des niveaux d'exposition semblables à ceux atteints lorsque le médicament est administré directement au nourrisson à une dose thérapeutique. En conséquence, l'utilisation prolongée soit d'une benzodiazépine, soit du lithium est à proscrire chez les mères qui allaitent leur enfant à moins que les concentrations du médicament dans le lait et la condition du nourrisson ne soient surveillées de près.

On n'a pas étudié de façon systématique les antidépresseurs tricycliques. Même si on croit qu'ils peuvent être présents dans le lait maternel, on n'a pas signalé, à l'heure actuelle, d'effets fâcheux que ces médicaments pourraient entraîner chez les nourrissons. Cela est peut-être dû à leur espace de distribution considérable chez la mère.

Liste de contrôle de questions

Il y a plusieurs questions importantes que le médecin doit se poser lorsqu'une mère qui allaite son enfant commence un traitement médicamenteux:

- Le médicament est-il absorbé par voie orale?
- Arrive-t-il qu'on administre le médicament directement aux nourrissons pour des raisons thérapeutiques?
- La dose qu'on estime être absorbée de par le lait maternel approche-t-elle les taux thérapeutiques?
- Les effets du médicament sont-ils facilement reconnaissables chez le nourrisson?
- Existe-t-il des réactions idiosyncrasiques ou allergiques qui ne sont pas reliées à la dose du médicament en question?
- Existe-t-il un médicament moins toxique que la mère pourrait prendre?
- Y a-t-il possibilité d'accumulation du médicament par suite d'un traitement prolongé?
- Des quantités inférieures aux doses thérapeutiques pourraient-elles masquer certains signes précoces d'une affection chez le nourrisson?
- Le risque que pose le médicament est-il assez grand pour justifier l'interruption de l'allaitement, dont les bienfaits sont reconnus?

Bibliographie:

1. American Academy of Pediatrics, Committee on Drugs. The transfer of drugs and other chemicals into human milk. Pediatrics 1994; 93(1):137–50.
2. Briggs GG, Freeman RK, et al. Drugs in pregnancy and lactation. 4e éd. Baltimore, MD: Williams and Wilkins, 1994: 349/e–350/e.
3. Little RE, Anderson KW, et al. Maternal alcohol use during breast-feeding and infant mental and motor development at one year. N Engl J Med 1989; 321(7):425–30.
4. Mennella JA, Beauchamp GK. The transfer of alcohol to human milk: effects on flavor and the infant's behavior. N Engl J Med 1991; 325(14):981–5.
5. Taddio A, Ito S. Drug use during lactation—a review. In: Koren G, ed. Maternal fetal toxicology: a clinician's guide. 2e éd. New York: Marcel Dekker, 1994:133–219.

THÉRAPIE ANTIÉPILEPTIQUE

Cet exposé est un résumé de la thérapie antiépileptique. L'information présentée ne doit pas être considérée comme une revue complète. De ce fait, le lecteur est encouragé à approfondir et à corroborer l'information.

Révision 1999 par un comité de la Ligue canadienne contre l'épilepsie (C. Bayliff, J. Bruni, P. Camfield, S. Cowan, A. Guberman, M. Jones, S. Lovell, R.S. McLachlan, M. Sundaram et G.B. Young).

Principes généraux du traitement antiépileptique

- Si un patient a besoin d'un antiépileptique, choisir un seul médicament, approprié pour la catégorie de convulsion qu'il présente, et faire un essai raisonnable. Ne pas cesser le médicament jusqu'à ce que les points suivants aient été vérifiés:
  —la fidélité au traitement est confirmée, et
  —la dose du médicament a été augmentée jusqu'à la maîtrise des convulsions ou jusqu'à l'apparition d'effets indésirables.
- On doit commencer l'administration de tous les antiépileptiques, sauf la phénytoïne et l'éthosuximide, avec de petites doses et augmenter ces dernières de façon graduelle de manière à minimiser les effets indésirables reliés à la dose.
- La mesure des concentrations sériques des médicaments peut être utile si on maîtrise mal les convulsions ou si on soupçonne des effets toxiques. De toute façon, l'écart thérapeutique n'est qu'un repère pour le traitement et on maîtrise les convulsions de plusieurs patients avec des concentrations sériques en deça de l'écart thérapeutique standard. Si le patient n'éprouve pas d'effets indésirables et que ses convulsions sont bien maîtrisées, la dose du médicament n'a pas à être ajustée même si la concentration sérique est en dessous ou même légèrement au-dessus de l'écart thérapeutique. Il n'y a pas de corrélation établie entre la concentration sérique du médicament et l'efficacité clinique pour les nouveaux antiépileptiques (c.-à-d., clobazam, gabapentine, lamotrigine, topiramate et vigabatrin). La détermination de leur concentration sérique n'est donc pas recommandée comme traitement de routine.
- La fraction libre (portion non liée) du médicament dans le sérum est élevée dans les situations où le médicament est déplacé des sites de liaison aux protéines et où la clairance ou le métabolisme sont réduits. Ceci peut arriver quand la phénytoïne et le valproate sont utilisés ensemble. Le valproate déplace la phénytoïne des protéines du plasma et ralentit son métabolisme. Donc, la fraction libre peut devenir élevée jusqu'à des valeurs toxiques (intervalles thérapeutiques 2,4 à 8 µmol/L) même si la concentration totale de la phénytoïne est dans l'intervalle thérapeutique (40 à 80 µmol/L). La liaison aux protéines de la phénytoïne est aussi réduite dans l'urémie, l'hypoalbuminémie et durant la grossesse; les mesures de la fraction libre peuvent être utiles pour faire les ajustements de dosage.
- Il n'a jamais été démontré qu'une surveillance de routine de la formule sanguine, des plaquettes et des enzymes hépatiques chez les patients recevant une thérapie antiépileptique permettait de prévoir les effets indésirable graves reliés aux antiépileptiques. Les examens de laboratoire systématiques peuvent être valables chez les patients à haut risque de présenter un effet indésirable grave, tels les enfants qui reçoivent une polythérapie incluant l'acide valproïque. On devrait informer les patients des signes et symptômes précoces des effets indésirables graves connus avant de débuter la thérapie et les aviser d'appeler leur médecin immédiatement si ces effets se produisent.
- Des interactions médicamenteuses cliniquement significatives impliquant des médicaments antiépileptiques peuvent se produire. Consulter le tableau Interactions médicamenteuses dans la section Info-Clin et la section Interactions médicamenteuses des monographies de produits pour plus d'information. La phénytoïne, le phénobarbital, la primidone et la carbamazépine sont de puissants inducteurs enzymatiques. Par conséquent, les concentrations ou l'activité de certains médicaments (p. ex. les antidépresseurs cycliques, les contraceptifs oraux, les corticostéroïdes, la cyclosporine, la quinidine, la théophylline, le topiramate) peuvent être diminuées lorsqu'on les utilise avec ces antiépileptiques. Les concentrations ou l'activité de certains médicaments (p. ex. la théophylline, la warfarine) peuvent être augmentées lorsque l'inducteur enzymatique est arrêté. La concentration sérique de la carbamazépine est aussi diminuée par les antiépileptiques mentionnés précédemment. Dans certains cas, la clairance du médicament est inhibée, entraînant de la toxicité; p. ex. la clarithromycine, l'érythromycine, le vérapamil et le diltiazem peuvent augmenter la concentration de la carbamazépine et l'acide valproïque (inhibiteur enzymatique) peut augmenter la concentration du phénobarbital. L'utilisation concomitante de topiramate peut entraîner une diminution de l'activité ou de la concentration sérique de certains médicaments (p. ex., digoxine, contraceptifs oraux). Lorsque donnée en concomitance avec l'acide valproïque, la lamotrigine devrait être débutée et maintenue à des doses réduites.

Début du traitement antiépileptique

Ce ne sont pas tous les patients qui ont eu une crise ou plus qui doivent recevoir un traitement antiépileptique de longue durée. Certains patients souffrant d'épilepsie bénigne peuvent être traités sans médicament, comme dans le cas de l'épilepsie rolandique chez les enfants, forme bénigne dans laquelle les convulsions sont généralement brèves; les crises, nocturnes ou diurnes, sont courtes et partielles, et l'enfant les «domine» toujours.

Après la survenue d'une crise spontanée, le risque combiné de crises subséquentes est de 35 à 50 %. La plupart des neurologues ne prescriront pas de traitement à long terme après la survenue d'une seule crise, à moins que le risque de crises subséquentes soit particulièrement élevé (p. ex., crises partielles avec résultats anormaux de l'examen neurologique ou de l'imagerie et activité épileptiforme démontrée à l'ÉEG) ou qu'il y ait une forte probabilité qu'une autre crise entraîne des traumatismes chez le patient ou des conséquences fâcheuses dans sa vie sociale.

Après la survenue de 2 ou 3 crises spontanées, le risque d'épisodes subséquents atteint environ 75 % en 4 ans. La plupart des rechutes surviennent moins d'un an après la deuxième ou la troisième crise. Le risque d'une troisième crise est plus élevé chez les personnes que des facteurs prédisposent probablement à l'épilepsie. La décision de traiter un patient avec des antiépileptiques doit être individualisée; elle doit tenir compte du risque de rechutes et des effets secondaires.

Fin du traitement antiépileptique

La décision de mettre fin ou non au traitement antiépileptique dépend du risque estimatif de crise avec ou sans traitement, de la morbidité psychosociale et physique potentielle dues aux rechutes et de la perception qu'a le patient des effets indésirables (sur les plans physique, psychologique, pratique et pécuniaire) du traitement. La crainte de se voir retirer le permis de conduire en cas de rechute peut inciter certains adultes à poursuivre le traitement pharmacologique. Après réduction progressive des doses d'antiépileptique à la suite d'une période sans crise d'au moins 2 ans, l'incidence moyenne de rechutes est de 20 à 30 % chez les enfants et de 30 à 40 % chez les adultes. Les facteurs associés à un risque plus élevé de rechutes sont:

—l'apparition tardive des symptômes (passée l'enfance)
—une maîtrise initiale des crises inadéquate
—la présence de certains syndromes épileptiques (p. ex., épilepsie myoclonique de l'enfance)
—l'épilepsie symptomatique.

La probabilité de rechutes est beaucoup plus importante si, durant la période pendant laquelle les doses diminuent, l'ÉEG montre une activité épileptiforme généralisée ou une aggravation sur le tracé.

Si l'on décide d'interrompre le traitement pharmacologique, il faut alors diminuer les doses de la plupart des antiépileptiques de manière progressive, pendant une période d'au moins 6 semaines. Les benzodiazépines et les barbituriques sont davantage associés aux convulsions dues au sevrage; il vaut probablement mieux, avec ces médicaments, que la diminution des doses s'étale sur plusieurs mois. Règle générale, lorsqu'un patient reçoit plusieurs médicaments, on doit réduire les doses de ceux qui sont les plus sédatifs en premier (p. ex., barbituriques, benzodiazépines et vigabatrin).

Traitement de l'épilepsie durant la grossesse et l'allaitement

- L'évolution de la grossesse s'effectue habituellement bien chez les patientes atteintes d'épilepsie (le risque de malformations est environ de 4 à 6 %); il est généralement possible de contrôler les crises durant la grossesse si la patiente est soumise à une surveillance étroite et appropriée et si la posologie est ajustée au besoin.
- Il est préférable de prévenir l'état de mal épileptique durant la grossesse. Les médecins doivent évaluer les risques de crises d'épilepsie par rapport aux risques associés aux médicaments durant le premier trimestre. Il vaut mieux étudier ce problème avec la patiente avant la conception.
- Si des antiépileptiques sont utilisés, il est préférable de choisir, si possible, un médicament ayant la dose efficace la plus faible. Il faut envisager de donner le médicament en plusieurs doses quotidiennes afin d'éviter des concentrations sériques maximales élevées.
- Donner 5 mg/jour d'acide folique 4 semaines avant le conception et durant la grossesse, surtout durant le premier trimestre. Cela vaut spécialement pour le valproate et la carbamazépine. Surveiller les concentrations de folates dans les hématies et le sérum durant le premier trimestre.
- Donner 10 mg/jour de vitamine K_1 (phytonadione) par voie orale à partir de 36 semaines de grossesse pour prévenir un syndrome hémorragique chez le nouveau-né. Étant donné que les comprimés de vitamine K_1 ne sont pas offerts au Canada, la forme parentérale peut être ajoutée au jus et prise par voie orale. Donner aussi 1 mg de vitamine K_1 par voie i.m. au bébé à la naissance.
- Pratiquer une échographie entre les 18e et 20e semaines pour vérifier s'il y a risque de spina bifida et d'autres malformations du tube neural, surtout chez les femmes qui prennent de la carbamazépine et du valproate.
- Éviter le valproate et la carbamazépine, si possible, en présence d'antécédents familiaux de malformations du tube neural.
- Il y a des altérations dans la liaison des anticonvulsivants aux protéines plasmatiques pendant la grossesse, surtout en ce qui concerne la phénytoïne. Pour cette raison, la concentration sérique de la fraction libre de phénytoïne doit être surveillée pendant toute la grossesse dans des cas choisis. Il peut s'avérer nécessaire d'ajuster la dose pour maintenir les concentrations thérapeutiques surtout durant le troisième trimestre.
- Les antiépileptiques sont présents dans le lait maternel. L'allaitement maternel est recommandé pourvu que le bébé continue à prendre du poids et ne présente pas trop de sédation.
- La grossesse altère la pharmacocinétique de nombreux antiépileptiques. Si la dose des antiépileptiques a été augmentée au cours de la grossesse, il faut revenir à la dose initiale au cours du mois qui suit l'accouchement afin d'éviter la toxicité.
- On définit l'éclampsie comme la manifestation d'une ou de plusieurs convulsions chez une patiente prééclamptique. La prééclampsie est un trouble plurifonctionnel rencontré durant la grossesse, et qui consiste principalement en une élévation récente de la pression artérielle et en la présence de protéinurie. Elle est souvent accompagnée de thrombocytopénie et d'une augmentation de la transaminase glutamique oxaloacétique sérique.

L'éclampsie représente un cas particulier de convulsions qui doivent être traitées à l'aide de sulfate de magnésium. De même, on doit traiter les crises de prééclampsie graves à l'aide de ce médicament, afin de diminuer le risque de convulsion. Il faut toutefois user de prudence si la patiente est urémique, si elle souffre d'un trouble de la transmission neuromusculaire, comme la myasthénie grave, ou si elle reçoit des bloqueurs neuromusculaires.

Le sulfate de magnésium peut être administré soit par la voie i.m., soit par la voie i.v. La voie i.v. peut être recommandée dans les cas urgents (p. ex. durant une crise convulsive ou en présence d'hypertension grave), mais aucune de ces deux voies n'est meilleure que l'autre. Administrer d'abord 4 g i.v. pendant une période de 5 minutes, puis poursuivre le traitement, soit en administrant 5 g i.m. dans chaque fesse suivis d'une injection i.m. de 5 g alternativement dans une fesse et dans l'autre aux 4 heures pendant 24 heures, soit en administrant une perfusion continue de 1 g/h pendant 24 heures. On peut aussi administrer une première dose de 10 g i.m., suivie d'une injection i.m. de 5 g aux 4 heures, administrée comme ci-dessus. Surveiller la patiente, afin de déceler tout signe d'intoxication par le magnésium. Vérifier que la fréquence respiratoire est >12/min, que le débit urinaire est >100 mL aux 4 heures et que le réflexe rotulien est toujours présent. L'intoxication par le magnésium est d'abord traitée avec 3,5 mmol (7 mÉq) de calcium i.v., des doses additionnelles peuvent être nécessaires selon la réponse. (À noter: 1 g de gluconate de calcium = 2,3 mmol de Ca^{++} = 4,5 mÉq de Ca^{++} et 1 g de chlorure de calcium = 6,8 mmol de Ca^{++} = 13,5 mÉq de Ca^{++}.)

Traitement des crises fébriles

- Les crises fébriles sont des manifestations convulsives courantes chez les enfants âgés de 6 mois à 5 ans et revêtent un caractère héréditaire. La plupart des crises fébriles sont brèves et généralisées; elles ne sont pas douloureuses bien que les parents soient habituellement terrifiés à l'idée que leur enfant puisse mourir.
- L'évaluation doit exclure la méningite. La ponction lombaire s'avère obligatoire s'il subsiste le moindre doute sur la possibilité d'une méningite. Étant donné que les signes de la méningite sont presque imperceptibles chez les jeunes enfants, il faut considérer fortement une ponction lombaire chez la plupart des enfants de moins d'un an qui ont des crises fébriles pour la première fois. Il faut effectuer d'autres examens en vue de trouver la cause de la fièvre. Un ÉEG ou une tacographie ne

présentent pas d'avantages dans la majorité des cas et ne sont habituellement pas nécessaires. Le traitement doit mettre l'accent sur le besoin de rassurer le patient et sa famille.

- Après une première crise fébrile, le risque global de récurrence est de 40 %. Le risque est majoré dans les cas suivants: si l'enfant a moins d'un an, si la crise est accompagnée de température subfébrile, si la maladie dure plus de quelques heures, si l'enfant présente des antécédents familiaux de crises fébriles et possiblement s'il passe ses journées en garderie. L'absence de ces facteurs est reliée à un faible risque de récurrence.
- La plupart des patients n'ont pas besoin de médicaments. Des doses de 4 mg/kg/jour de phénobarbital peuvent prévenir la récurrence des crises fébriles; cependant, à cause des réactions indésirables cognitivo-comportementales, la prise quotidienne de médicaments n'est pas indiquée compte tenu de la bénignité de cette affection. La carbamazépine et la phénytoïne sont inefficaces. L'administration orale de diazépam au moment de la maladie réduit très peu le risque de récurrence, mais 40 % des patients ont des effets indésirables prononcés. Le traitement antipyrétique compulsif ne réduit pas les récurrences mais augmente la «phobie de la fièvre».
- La préparation parentérale de diazépam administrée par voie rectale (0,5 mg/kg) empêchera souvent une crise de progresser et peut être utilisée à domicile en toute sécurité pourvu que la personne chargée d'administrer le médicament connaisse bien la technique appropriée. Pour administrer le diazépam par voie rectale, il faut disposer du matériel nécessaire, soit
  —une ampoule de diazépam (10 mg/2 mL)
  —une aiguille de calibre 18
  —une seringue de 3 mL.
  La technique recommandée est la suivante:
  (a) Ouvrir l'ampoule.
  (b) Placer l'aiguille à l'extrémité de la seringue.
  (c) Retirer la dose requise.
  (d) Enlever l'aiguille de la seringue.
  (e) Introduire doucement l'extrémité lubrifiée de la seringue jusqu'à l'embout dans le rectum et instiller le contenu. Rester avec l'enfant pendant 20 minutes pour surveiller sa respiration.

  Cette méthode minimise l'exposition au médicament et réduit le risque de crises fébriles prolongées (>20 minutes). Le diazépam par voie rectale peut être particulièrement efficace chez les patients qui ont des antécédents de crises prolongées, ont peu accès aux soins médicaux ou présentent un risque élevé de récurrence des crises fébriles.
- Les crises fébriles sont la manifestation d'une affection épileptique chez 2 à 4 % des enfants. Ce risque peut aller jusqu'à 15 % si l'affection s'accompagne de deux ou de plusieurs facteurs pathologiques (p. ex. d'origine focale, prolongée [>15 min], crises multiples au cours de 24 heures, troubles neurologiques ou antécédents familiaux d'épilepsie). Il n'a pas été démontré que la prévention des crises fébriles change ce risque.

État de mal épileptique

On dit qu'un patient souffre d'état de mal épileptique convulsif généralisé lorsqu'il est victime de convulsions répétitives tonicocloniques au cours desquelles il demeure inconscient, et ce même entre les convulsions. C'est une urgence médicale qui exige un traitement immédiat pour prévenir la mortalité et la morbidité. On doit contrôler les convulsions en dedans de 30 à 60 minutes pour minimiser la possibilité de séquelles neurologiques permanentes.

Il y a autant de sortes d'états de mal épileptique qu'il y a de types de convulsions (p. ex. état de mal épileptique d'absence, état de mal épileptique complexe partiel, état de mal épileptique myoclonique). Les deux sections suivantes donnent un aperçu du traitement de l'état de mal épileptique convulsif généralisé chez les adultes et les enfants, respectivement.

Dans le traitement de l'état de mal épileptique convulsif, il est important d'arrêter aussi bien l'activité convulsive dans le cerveau que les manifestations extérieures puisqu'une activité convulsive continue (sauf pour l'état de mal d'absence) peut endommager le cerveau.

État de mal épileptique chez l'adulte: Traitement

1. Mesures générales: Évaluer la fonction cardio-respiratoire. Nettoyer les vomissures et retirer les prothèses dentaires afin de dégager les voies respiratoires. Placer le patient en décubitus semi-ventral et lui administrer de l'oxygène. Au besoin, insérer un tube endotrachéal afin de protéger les voies respiratoires supérieures. Administrer une perfusion de soluté physiologique au moyen d'un cathéter de gros calibre.

   S'enquérir des antécédents du malade auprès de témoins, d'amis ou de la famille et examiner le patient. Prélever un échantillon de sang pour déterminer la concentration sérique d'antiépileptiques, de glucose, d'urée, des électrolytes, de calcium et de magnésium. Au besoin, recueillir un échantillon d'urine ou de sang pour effectuer un dépistage des médicaments. Si le patient a reçu de la théophylline, demander un relevé de la concentration sérique de cet agent. La théophylline et les autres agents potentiellement convulsivants, dont les fluoroquinolones, ne doivent pas être utilisés en présence de convulsions continues. Si le patient ne semble pas récupérer adéquatement après le traitement initial, obtenir d'urgence un ÉEG, afin de vérifier s'il est en état de mal épileptique sans convulsion.

   Administrer 25 à 50 mL de dextrose i.v. à 50 % si le sujet est hypoglycémique ou s'il est impossible de mesurer la glycémie.

   Administrer 100 mg de thiamine par voie i.v.
2. Traitement médicamenteux et surveillance: Administrer 2 mg de lorazépam par perfusion i.v. pendant 2 minutes et, afin de faire cesser les convulsions, administrer au besoin 1 à 2 mg supplémentaires aux 2 minutes, jusqu'à concurrence de 8 mg. On peut également administrer 5 à 10 mg de diazépam par voie i.v. à 2 mg/min, mais la plus longue durée d'action du lorazépam rend ce dernier préférable. Si les convulsions reprennent ou qu'elles ne sont pas maîtrisées par ce traitement initial, répéter au besoin le protocole ci-dessus, en administrant le lorazépam ou le diazépam après 10 à 15 minutes. Surveiller l'apparition d'une dépression respiratoire. N'administrer ces médicaments que si les convulsions sont continues ou qu'elles reprennent fréquemment.

   En même temps que la première dose de lorazépam ou de diazépam, administrer, au moyen d'une tubulure individuelle, 15 à 20 mg/kg de phénytoïne en perfusion i.v. dans du soluté physiologique (la phénytoïne précipitant dans les solutions de glucose) à raison de ≤50 mg/min. Le phénytoïne ne doit jamais être administrée par voie i.m. Autre possibilité, administrer par voie i.m. ou i.v. une dose de fosphénytoïne équivalant à 15 à 20 mg de phénytoïne (15 à 20 mg ÉP)/kg, à raison de 100 à 150 ÉP/min. La fosphénytoïne peut être administrée par voie i.m., car elle est plus soluble et ne contient pas de propylèneglycol comme véhicule; toutefois, les concentrations thérapeutiques sont atteintes moins rapidement par cette voie que par la voie i.v., aussi ne doit-on y recourir que lorsqu'il est impossible d'utiliser la voie i.v. Surveiller l'ÉCG pour les anomalies de conduction et la pression sanguine pour l'hypotension. (La phénytoïne est contre-indiquée en présence d'anomalie de la conduction cardiaque et ne doit être utilisée que très prudemment en présence de choc ou d'hypotension.)

L'administration d'une dose d'entretien de phénytoïne par voie orale peut avoir lieu dès le lendemain.

Une autre option consiste à administrer du phénobarbital par voie i.v. à raison de ≤100 mg/min jusqu'à l'arrêt des convulsions ou jusqu'à ce que le patient ait reçu 20 mg/kg. Considérer l'intubation endotrachéale avant d'administrer les barbituriques lorsque les benzodiazépines ont été administrées plus tôt. Surveiller les signes de dépression cardio-respiratoire. La ventilation assistée peut être nécessaire lorsque de fortes doses de phénobarbital sont administrées après des benzodiazépines.

Si ces mesures sont inefficaces, considérer comme rebelle l'état de mal épileptique du patient. En pareil cas, l'anesthésiste doit intuber le patient avec une sonde endotrachéale et procurer une ventilation assistée; si possible, on effectuera une surveillance continue par ÉEG. Rendu à ce stade, on conseille d'induire l'anesthésie soit avec du midazolam, soit avec du propofol. Administrer le midazolam en commençant par une dose de charge de 200 μg/kg en bolus i.v. lent, suivie de 0,75 à 10 μg/kg/min en perfusion continue. Pour le propofol, administrer 1 à 2 mg/kg en bolus i.v., suivis d'une perfusion de 2 à 10 mg/kg/h. Augmenter ou diminuer la posologie par la suite, selon les effets observés à l'ÉEG. L'ÉEG doit être enregistré continûment ou plusieurs fois par heure jusqu'à ce que les convulsions soient maîtrisées. La suppression des salves sur le tracé ou la suppression des convulsions ou des pointes constituent le point d'aboutissement. L'administration de midazolam doit être réévaluée toutes les heures; une fois les convulsions maîtrisées, elle doit être interrompue.

Alternativement, ou si le midazolam ou le propofol s'avère inefficace, on recommande d'administrer du pentobarbital, en commençant par une dose de charge de 5 mg/kg par voie i.v. à raison de ≤25 mg/min, suivie d'une perfusion de 0,5 à 1 mg/kg/h que l'on pourra augmenter jusqu'à 3 mg/kg/h au besoin. On peut répéter des bolus de 5 à 20 mg/kg i.v. pour traiter les crises convulsives. L'ÉEG doit être surveillé continûment ou plusieurs fois par heure. La suppression des bouffées du tracé est habituellement suffisante, mais une suppression complète peut être requise si les convulsions persistent ou si l'état de mal épileptique récidive sans cesse. **À noter**: L'isoflurane, le paraldéhyde et la lidocaïne ont également été utilisés pour traiter les cas rebelles.

État de mal épileptique chez l'enfant: Traitement

1. Évaluer la fonction cardio-pulmonaire, dégager les voies respiratoires, administrer de l'oxygène et mettre en place un soluté i.v. Des échantillons sanguins devraient être obtenus pour une évaluation visuelle de la glycémie (p. ex. Dextrostix) et la mesure des concentrations sériques des antiépileptiques, du glucose sérique, des électrolytes, du calcium et du magnésium, des enzymes hépatiques, des gaz du sang, et la numération globulaire complète devraient être faites.
2. Le test visuel de la glycémie (p. ex. Dextrostix) devrait être fait immédiatement. Si la valeur est inférieure à 2,2 mmol/L, administrer un bolus de dextrose i.v. (2,5 mL/kg de dextrose à 10 % dans l'eau pour les nouveau-nés; 1 mL/kg de dextrose à 25 % dans l'eau pour les enfants plus vieux), suivi d'une perfusion d'une solution de dextrose à 10 %.
3. Faire une perfusion i.v. de diazépam ou de lorazépam. S'il est difficile de mettre en place un soluté i.v., le diazépam par voie rectale est le médicament de choix parce que le lorazépam administré par voie rectale est absorbé de manière erratique. La dose de diazépam i.v. est de 0,3 mg/kg (jusqu'à un maximum de 10 mg) administré sur une période de 2 min. La dose de diazépam par voie rectale est de 0,5 mg/kg (maximum de 10 mg/dose). La dose de lorazépam i.v. est de 0,05 à 0,1 mg/kg (maximum de 4 mg) administré sur une période de 2 min. Les doses de diazépam ou de lorazépam peuvent être répétées une fois après 10 min.
4. Une perfusion i.v. de phénytoïne, 18 mg/kg sur une période de 20 minutes (sans dépasser 3 mg/kg/min) devrait débuter en même temps que la première dose de benzodiazépine. La pression sanguine et la fréquence cardiaque devraient être surveillées et la vitesse de perfusion diminuée si le patient devient hypotensif. Une plus grande dilution de la phénytoïne avec des solutions i.v. n'est pas recommandée, en particulier celles contenant du dextrose.
5. L'anesthésie générale devrait être envisagée chez les patients qui ont eu des crises tonico-cloniques pendant plus de 30 min et chez qui le traitement ci-dessus est inefficace. L'intubation endotrachéale est recommandée et l'anesthésie générale devrait être faite avec du thiopental ou du pentobarbital i.v. La dose de thiopental est de 3 à 5 mg/kg, suivie de 2 à 4 mg/kg/h, administrés en perfusion i.v. continue. La dose d'attaque de pentobarbital est de 5 mg/kg, suivie de 1 à 3 mg/kg/h en perfusion i.v. continue. Le thiopental et le pentobarbital devraient être titrés pour maintenir une suppression des torsades de pointes à l'ÉCG. La pression sanguine doit être surveillée de près si le pentobarbital ou le thiopental est administré.
6. Les autres médicaments qui peuvent être utilisés chez les enfants atteints de l'état de mal épileptique réfractaire sont les suivants:
   —Le phénobarbital administré par voie i.v. à 10 à 20 mg/kg sur une période de 15 min; *ou*
   —Le paraldéhyde peut être administré par voie rectale en solution de 1 g/mL à la dose de 0,3 mL/kg jusqu'à un maximum de 5 mL. Le paraldéhyde devrait être administré avec un volume égal d'huile minérale/huile végétale; *ou*
   —La lidocaïne administrée en bolus i.v. à raison de 2 à 3 mg/kg, à une vitesse ne dépassant pas 25 mg/min, suivie d'une perfusion i.v. constante à 3 à 10 mg/kg/h. La dose d'entretien devrait être réduite graduellement quand les crises ont été maîtrisées pendant 12 heures.
7. Les concentrations sériques des antiépileptiques, mesurées 1 heure après l'administration, servent de guide pour savoir quand le traitement antiépileptique d'entretien devrait débuter et sont utiles si les crises réapparaissent. Les doses d'entretien sont les suivantes:
   —Phénytoïne, 5 à 10 mg/kg/jour, administrée par voie i.v./orale en 3 doses fractionnées également. Les enfants de moins de 1 an peuvent nécessiter une plus forte dose; *ou*
   —Phénobarbital, 3 à 5 mg/kg/jour, administré par voie i.v./i.m./orale en 2 doses fractionnées également.
8. Une cause sous-jacente à l'état de mal épileptique devrait être recherchée chez les patients qui étaient en bonne santé auparavant. La possibilité de méningite d'origine bactérienne ou d'encéphalite devrait en particulier être considérée chez les enfants fiévreux.

Épilepsie chez les personnes âgées

L'incidence de convulsions augmente après la soixantaine et la prévalence de l'épilepsie peut aller jusqu'à 140 cas par 100 000 habitants. Le début des crises est partiel ou focal chez 50 à 80 % des patients âgés et leur incidence varie selon les cas. Les crises relèvent d'une étiologie spécifique (maladie d'Alzheimer, tumeur cérébrale, intoxication médicamenteuse, encéphalopathie métabolique, AVC et traumatisme) chez environ deux tiers des patients chez qui elles débutent après la soixantaine.

Il peut être parfois difficile de diagnostiquer avec certitude les crises chez les personnes âgées; en outre, il faut les différencier des manifestations cardiaques ou vasculaires, comme les accidents ischémiques transitoires et la syncope cardiogène ou orthostatique, les chutes brusques par dérobement des jambes, les réactions dues à l'hypoglycémie et les troubles vestibulaires. Les conséquences des crises chez les personnes âgées sont souvent sérieuses (p. ex., chutes entraînant une fracture ou un traumatisme crânien).

La polypharmacie complique souvent le traitement antiépileptique chez les personnes âgées et augmente les risques d'interactions médicamenteuses (voir le paragraphe intitulé Principes généraux sous la section Thérapie antiépileptique et le tableau des Interactions médicamenteuses de la section Info-Clin). De plus, des modifications pharmacodynamiques (p. ex., augmentation de la sensibilité aux médicaments, en particulier aux benzodiazépines et aux barbituriques) et pharmacocinétiques (p. ex., métabolisme hépatique et excrétion rénale moins efficaces) peuvent prédisposer le patient à une intoxication médicamenteuse.

Règle générale, il faut administrer aux personnes âgées des doses initiales plus faibles que chez les adultes et il faut les augmenter plus graduellement qu'on ne le fait pour les personnes d'âge moyen. La dose quotidienne totale doit également être plus faible chez les personnes âgées (p. ex., phénytoïne 200 mg/jour). Chez les personnes âgées, il est souvent très utile de déterminer la fraction libre (non liée) des antiépileptiques qui sont habituellement très liés aux protéines (p. ex., phénytoïne ou valproate), en particulier si l'on soupçonne une intoxication médicamenteuse.

Bibliographie choisie:

Grossesse et allaitement

1. Cornelissen M, Steegers-Theunissen R, et collab. Supplementation of vitamin K in pregnant women receiving anticonvulsant therapy prevents neonatal vitamin K deficiency. Am J Obstet Gynecol 1993; 168:884–8.
2. Dansky LV, Andermann E, Rosenblatt D, et collab. Anticonvulsants, folate levels and pregnancy outcome: a prospective study. Ann Neurol 1987; 21:176–82.
3. Delgado-Escueta AV, Janz D, Beck-Mannagetta G. Pregnancy and teratogenesis in epilepsy. Neurology 1992; 42 (Suppl 5):1–160.
4. Jones KL, Lacro RV, Johnson KA, et collab. Pattern of malformations in the children of women taking carbamazepine during pregnancy. N Eng J Med 1989; 320:1661–66.
5. Lucas MJ, Levenko KJ, Cunningham FG. A comparison of magnesium sulfate with phenytoin for the prevention of eclampsia. N Eng J Med 1995; 333:201–5.
6. The Eclampsia Trial Collaborative Group. Which anticonvulsant for women with eclampsia? Evidence from the Collaborative Eclampsia Trial. Lancet 1995; 345:1455–63.

État de mal épileptique

1. Lowenstein DH, Alldredge BK. Status epilepticus. N Eng J Med 1998; 338:970–6.
2. Parent JM, Lowenstein DH. Treatment of refractory status epilepticus with continuous infusion of midazolam. Neurology 1994; 44:1837–40.
3. Shorvon S. Status epilepticus: its clinical features and treatment in children and adults. Cambridge: Cambridge University Press 1994.
4. Walsh GO, Delgado-Escueta AV. Status epilepticus. Neurologic Clinics 1993; 11(4):835–56.
5. Working Group on Status Epilepticus. Treatment of convulsive status epilepticus. Recommendation to the Epilepsy Foundation of America's Working Group on Status Epilepticus. JAMA 1993; 270(7):854–9.

Épilepsie chez les personnes âgées

1. Sundaram M, Dostrow V. Epilepsy in the elderly. The Neurologist 1995; 1:232–9.
2. Thomas RJ. Seizures and epilepsy in the elderly. Arch Intern Med 1997; 157:605–17.
3. Wilmore LJ. Management of epilepsy in the elderly. Epilepsia 1996; 37 (Suppl 6):S23–S33.

Début et fin du traitement épileptique

1. Berg AT, Shinnar S. Relapse following discontinuation of antiepileptic drugs: a meta-analysis. Neurology 1994; 44:601–8.
2. Gilad R, Lampl Y, et collab. Early treatment of a single generalized tonic-clonic seizure to prevent recurrence. Arch Neurol 1996; 53:1149–52.
3. Hauser WA, Rich SS, et collab. Risk of recurrent seizures after two unprovoked seizures. N Eng J Med 1998; 338:429–34.
4. Overweg J. Withdrawal of antiepileptic drugs in seizure-free patients, risk factors for relapse with special attention for the EEG. Seizure 1995; 4:19–36.
5. Schmidt D, Gram L. A practical guide to when (and how) to withdraw antiepileptic drugs in seizure-free patients. Drugs 1996; 52(6):870–4.

PHARMACOTHÉRAPIE ANTINÉOPLASIQUE

Cette section présente une vue d'ensemble des principes et de la pratique de la pharmacothérapie néoplasique et traite plus particulièrement des agents cytotoxiques. D'autres médicaments utilisés dans la thérapie générale, à savoir, les traitements hormonaux et biologiques (modificateurs de la réponse biologique) ne sont pas inclus. Les renseignements présentés ne doivent pas être considérés comme une revue complète; par conséquent, le lecteur est encouragé à approfondir et à corroborer l'information.

Révision 1999 par M.P. Thirlwell.

Introduction

Le cancer est une maladie courante, par conséquent, les professionnels de la santé, dans toutes les disciplines, sont appelés à traiter un patient qui a le cancer ou qui subit une chimiothérapie antinéoplasique. En règle générale, cette pharmacothérapie est administrée sous la surveillance d'un oncologue. Cependant, il est important de noter qu'une approche multidisciplinaire assure les meilleurs soins au patient atteint d'un cancer.

Dans le traitement du cancer, il est primordial de préciser l'objectif de la chimiothérapie. On doit évaluer les avantages thérapeutiques attendus en regard des risques de toxicité médicamenteuse. L'objectif visé peut être de guérir le cancer ou de fournir des soins palliatifs en soulageant les symptômes, avec ou sans augmentation de l'espérance de vie. Pour en arriver à une décision quant au traitement, il faut prendre en considération les points suivants:

- l'évolution naturelle du cancer
- le degré de propagation ou le stade de malignité
- l'indice fonctionnel du patient et son état pathologique général
- l'efficacité des médicaments disponibles et leur toxicité.

L'évolution naturelle du cancer

L'évolution naturelle du cancer est bien documentée dans de nombreux manuels d'oncologie et de médecine générale. Veuillez vous référer à la liste de lecture suggérée à la fin de cette section.

La classification par stade des tumeurs

La détermination du stade de la tumeur au moment du diagnostic est extrêmement importante pour évaluer le pronostic et la planification du traitement. C'est seulement lorsque l'étendue de la maladie est établie que l'on peut concevoir un régime de traitement adéquat. Il n'y a pas de système de classification absolu applicable à tous les cancers, mais la classification TNM a été conçue pour normaliser la stadification des tumeurs solides en utilisant des principes de base applicables à tous les sites. Les trois aspects du système sont les suivants: T (0-4) indique l'étendue de la tumeur primitive; N (0-3), décrit l'état de l'adénopathie régionale; et M (0-1) précise l'absence ou la présence de métastases distantes. La détermination des stades est alors basée sur les groupages de la classification TNM qui indiquent l'augmentation du degré de la tumeur.

Une des lacunes de la classification TNM, c'est qu'elle ne permet pas de tenir compte de la biologie ou du degré d'agressivité d'une tumeur en particulier, permettant aux différents facteurs pronostiques d'être identifiés. Les caractéristiques pronostiques sont maintenant souvent incluses pour compléter l'information sur les stades des tumeurs. Voici quelques exemples de caractéristiques pronostiques des tumeurs:

—les récepteurs des œstrogènes et de la progestérone pour le cancer du sein
—le niveau des marqueurs tumoraux dans le sérum, telle la bêta-HCG dans le choriocarcinome
—le grade histologique dans le sarcome
—la présence de marqueurs génétiques tel l'oncogène HER-2/*neu* dans le cancer du sein.

En plus de l'évaluation des composantes TNM, il est également important d'être conscient de la situation du patient dans la trajectoire de la maladie. Par exemple, si le cancer est nouvellement diagnostiqué ou s'il s'agit d'une rechute et quel était le type et l'étendue du traitement précédent, surtout s'il s'agit de radiothérapie ou de chimiothérapie.

L'indice fonctionnel

L'indice fonctionnel (IF) est une mesure du niveau d'activité dont le patient est capable. C'est une valeur qui reflète dans quelle mesure le cancer a affecté le patient et un indicateur pronostic de la réaction du patient au traitement. Par conséquent, il sert à déterminer si la chimiothérapie sera salutaire cliniquement. Deux indices IF sont couramment utilisés: l'indice Karnofsky et l'indice Eastern Cooperative Oncology Group (ECOG) (voir tableau I). L'indice Karnofsky comporte 11 niveaux d'activité (100 %-0) et permet un degré élevé de discrimination, mais l'indice ECOG, comportant 5 niveaux d'activité (0-4) est plus populaire et plus pratique au point de vue clinique, car l'approche est primaire. En général, à moins que le cancer ne réagisse fortement à la chimiothérapie (p. ex. certaines leucémies, lymphomes), un patient présentant un IF de 4 ne bénéficiera vraisemblablement pas d'une pharmacothérapie antinéoplasique.

L'indice fonctionnel est une composante de plusieurs indices conçus pour évaluer la qualité de la vie (QV) des patients. La chimiothérapie peut améliorer ou empirer l'IF et la QV des patients.

Tableau I—Indice fonctionnel ECOG

Grade	Niveau d'activité
0	Patient totalement actif; capable de vaquer à toutes ses activités régulières sans restriction.
1	Restriction au niveau de l'effort intense; patient ambulatoire et capable d'effectuer des travaux légers, secondaires.
2	Patient ambulatoire, autonome, incapable de travailler; debout et éveillé plus de 50 % du temps dans la journée.
3	Autonomie limitée; patient confiné au lit ou dans une chaise plus de 50 % du temps dans la journée.
4	Totalement invalide; aucune autonomie; patient totalement confiné au lit ou dans une chaise.

L'efficacité des médicaments

Dans le passé, les médicaments antinéoplasiques étaient administrés à des patients chez qui le cancer (p. ex. cancer du sein) était réapparu après l'échec d'un traitement principal (chirurgie et/ou radiothérapie), ou encore lorsque le cancer était trop avancé ou non accessible avec un traitement local ou régional (p. ex. leucémie). Cependant, la chimiothérapie antinéoplasique se pratique de plus en plus dans d'autres cas. Elle sert de traitement d'appoint en vue d'éliminer ou de supprimer la maladie résiduelle imperceptible ou les métastases microscopiques après un traitement principal. Il en résulte que le taux de rechute du cancer et la durée de survie du patient peuvent être améliorés. Cette approche a réussi dans le cas de tumeurs chez l'enfant et dans deux types de cancer chez les adultes, le cancer du sein et les tumeurs colorectales. De plus, les médicaments cytotoxiques peuvent servir de néoadjuvants ou de traitement principal pour réduire la grosseur et l'étendue de la tumeur initiale (p. ex. tête et cou) avant la chirurgie ou la radiothérapie. De cette façon, on peut réussir à mieux contrôler la tumeur principale et à préserver la fonction de l'organe.

L'efficacité de la chimiothérapie antinéoplasique varie; soit qu'elle ait un effet hautement curatif, p. ex. dans le cas de choriocarcinome chez la femme, ou un succès mitigé, voire nul, même comme réaction passagère, p. ex. dans le cas d'un cancer des cellules rénales. Il est utile d'avoir en perspective la valeur de la chimiothérapie pour diverses tumeurs. Le tableau II présente une classification de la réaction des cancers avancés à la pharmacothérapie antinéoplasique.

Tableau II—L'efficacité de la chimiothérapie antinéoplasique

Classification	Taux de réaction	Exemples
Curable	>70 %	leucémie lymphoblastique aiguë leucémie myélogène aiguë tumeurs malignes chez l'enfant choriocarcinome tumeurs des cellules germinales testiculaires maladie de Hodgkin lymphome non hodgkinien (grade élevé)
Réponse très favorable	>50-70 %	ostéosarcome cancer du sein leucémie myéloïde chronique myélome multiple lymphome non hodgkinien (grade faible) cancer ovarien cancer du poumon à petites cellules
Réponse moyennement favorable	20-50 %	adénome corticosurrénalien cancer de la vessie tumeur carcinoïde cancer du col utérin cancer colorectal cancer endométrial cancer œsophagien cancer cervico-facial insulinome mélanome cancer du poumon non à petites cellules cancer de la prostate sarcome des tissus mous cancer de l'estomac
Réponse minimale	<20 %	cancer du cerveau (exceptions) cancer hépato-biliaire cancer du pancréas cancer du rein cancer de la thyroïde

Les réponses à la pharmacothérapie antinéoplasique basées sur une modification de la grosseur de la tumeur sont généralement définies comme suit:

- **Rémission complète (RC):** disparition de toute manifestation clinique de la maladie à la suite du traitement.
- **Rémission partielle (RP):** réduction de 50 % de la taille de la masse tumorale (généralement, la somme des produits de deux diamètres, perpendiculaires, à partir de toutes les lésions mesurables) à la suite du traitement. Aucune autre lésion cancéreuse n'est présente et aucun site de tumeur ne montre de progression.
- **Progression:** signifie une augmentation de la masse tumorale de plus de 25 % ou l'apparition de toute nouvelle lésion.
- **Maladie stable:** changement de la masse tumorale qui ne correspond pas aux critères de RC, RP, ou de progression.

De façon générale, la RC peut être associée à une guérison ou à une augmentation de l'espérance de vie, alors que la RP peut être associée à un soulagement des symptômes avec ou sans survie prolongée. Bien que controversée, la maladie stable peut être associée à un soulagement des symptômes et à une durée de vie prolongée dans certains cas.

La classification des médicaments cytotoxiques

Une classification des médicaments cytotoxiques est incluse sous la rubrique «Antinéoplasiques» dans le Guide thérapeutique (section rose) et on trouve une description détaillée des médicaments dans les monographies (section blanche). Plusieurs sources présentent, sous forme de tableaux, des descriptions résumées des schémas posologiques et des toxicités des divers médicaments cytotoxiques, ainsi que les types de cancers qui réagissent à ces agents (voir la liste de lecture sélectionnée). Il est également important de noter les renseignements sur les modifications posologiques requises selon l'état pathologique du patient, en particulier les conditions hépatique et rénale. Dans le cas où l'on décide de recourir à une chimiothérapie cytotoxique lorsqu'on envisage la guérison comme objectif, p. ex., dans la maladie de Hodgkin, il est acceptable d'envisager des toxicités sévères. Dans le cas d'un cancer incurable par chimiothérapie antinéoplasique, p. ex., un mélanome malin avancé, lorsque l'objectif de traitement est palliatif, même une chimiothérapie antinéoplasique modérément toxique peut être difficile à justifier.

Le traitement en association

Les médicaments cytotoxiques sont généralement employés en association avec d'autres drogues. Le choix d'une chimiothérapie d'association est basé sur plusieurs principes, dont les suivants:

- seuls les médicaments reconnus actifs par eux-mêmes doivent être utilisés
- chaque médicament individuel doit posséder des mécanismes d'action différents
- la dose limitant les toxicités doit être différente
- les médicaments doivent avoir une activité synergique au niveau de l'effet anticancéreux.

Les associations médicamenteuses qui forment un régime de traitement antinéoplasique sont identifiées par des acronymes. Par exemple, CMF pour le cancer du sein se réfère à l'emploi de cyclophosphamide, de méthotrexate et de 5-fluorouracile et CHOP pour le lymphome non hodgkinien se réfère au cyclophosphamide, à l'hydroxydaunorubicine (doxorubicine), à l'oncovine (vincristine) et à la prednisone. Les associations médicamenteuses et leurs acronymes sont énumérés dans plusieurs manuels de référence en oncologie (voir la liste de lecture sélectionnée/bibliographie).

Alors que la plupart du temps, les médicaments anticancéreux sont administrés par voie générale, il y a des indications préconisant l'infusion locale ou régionale de médicaments cytotoxiques au site de la tumeur. La chimiothérapie dirigée est basée sur le principe selon lequel il faut atteindre une concentration supérieure d'agents cytotoxiques au niveau du tissu tumoral cible tout en épargnant les tissus normaux. Voici quelques exemples:

—**voie intrathécale:** directement, avec une aiguille de ponction lombaire ou dans un réservoir Ommaya implanté pour traiter la leucémie méningée et le lymphome
—**voie intrapleurale:** avec une aiguille ou un cathéter thoracique pour contrôler les effusions
—**voie intrapéritonéale:** à l'aide de techniques de dialyse, p. ex., dans le traitement du cancer ovarien
—**voie intravésicale:** instillation du médicament par cystoscopie
—**voie intra-artérielle:** p. ex., une perfusion hépatique ou d'un membre pour traiter les métastases de façon sélective.

L'intensification de la dose

L'emploi de doses très élevées, à des fins d'ablation médullaire, de médicaments cytotoxiques représente une nouveauté dans le domaine de la thérapie antinéoplasique qui ne cesse de progresser. L'objectif de cette approche est de parvenir à la guérison d'un certain nombre de tumeurs malignes tels les leucémies et les lymphomes non hodgkiniens à risque élevé lorsqu'une greffe allogène ou autologue de moelle osseuse est possible. De plus, des traitements intenses de chimiothérapie avec de la moelle osseuse autologue ou du sang périphérique d'un parent font l'objet d'une investigation dans le cas de traitement d'appoint à risque élevé ou dans le cas de rechute précoce chez les patients qui souffrent, entre autres, de cancer du sein ou des testicules.

La toxicité médicamenteuse et la prise en charge

Le type et l'étendue de la toxicité médicamenteuse cytotoxique varient selon l'agent. Les toxicités associées à l'activité antiproliférative de ces médicaments comprennent des effets qui se manifestent dans les tissus normaux avec un risque maximum de reconstitution ou de prolifération de la tumeur, entre autres:

—dans la moelle osseuse (résultant en une myélosuppression)
—dans la muqueuse des voies digestives (résultant en une ulcération de la bouche, et une diarrhée)
—dans le follicule pileux et la peau (résultant en une alopécie)
—dans les gonades (résultant en une fonction altérée)

Une **dépression médullaire osseuse** constitue généralement la toxicité limitant la posologie la plus importante de la chimiothérapie cytotoxique. La moelle osseuse autologue ou la transplantation cellulaire du sang périphérique d'un parent peuvent réduire la toxicité myélosuppressive de la chimiothérapie; cependant le coût et la toxicité limite leur emploi généralisé. Les facteurs de croissance de la cytokine qui stimulent la prolifération érythroblastique (p. ex. érythropoïétine humaine) ou la prolifération myéloïde (p. ex. facteur stimulant les colonies de granulocytes [G-CSF] ou facteur stimulant les colonies de macrophages [GM-CSF], sont maintenant employés pour améliorer la toxicité de la moelle osseuse. Le G-CSF et le GM-CSF peuvent écourter la durée de la neutropénie à la suite d'une chimiothérapie cytotoxique standard et à forte dose.

La thrombocytopénie demeure un problème en présence de fortes doses ou d'une exposition prolongée aux médicaments cytotoxiques et elle limite le traitement. Plusieurs agents, y compris le facteur de croissance des mégacaryocytes (p. ex. thrombopoïétine) sont sous investigation. Il est rare qu'une hémorragie spontanée se produise avec une numération plaquettaire supérieure à 20 000/µL; cependant, en deçà de ce niveau, le risque d'hémorragie augmente et des transfusions de plaquettes sont à considérer, surtout en présence de niveaux inférieurs à 10 000/µL.

Tout patient présentant une neutropénie secondaire à la chimiothérapie et qui fait de la fièvre doit être considéré, jusqu'à preuve du contraire, atteint d'une infection. Cette complication peut avoir des conséquences fatales si elle n'est pas bien traitée. Bien que les critères absolus varient, il est généralement admis qu'un patient présentant une numération absolue de granulocytes de 1 000/µL ou moins et une fièvre de 38,4 °C (non autrement attribuable à une cause non infectieuse) doit subir, entre autres, des hémocultures, et il doit recevoir des antibiotiques à large spectre de façon empirique.

Plusieurs médicaments ont des toxicités spécifiques d'organes, notamment:

- **une inflammation de la vessie** associée au cyclophosphamide ou à l'ifosfamide. Le mesna, un agent cytoprotecteur, est employé pour prévenir la toxicité au niveau de la vessie, causée par l'ifosfamide et une dose élevée de cyclophosphamide.
- **une cardiomyopathie**, plus couramment associée aux médicaments à base d'anthracycline (p. ex. doxorubicine). Le dexrazoxane (ICRF-187) est un agent employé pour prévenir la cardiopathie provoquée par l'anthracycline.
- **une altération des tissus locaux** peut se produire lorsque des médicaments sont extravasés pendant une injection i.v., selon qu'ils sont vésicants (p. ex. doxorubicine), irritants (p. ex. étoposide) ou non toxiques (p. ex. méthotrexate).
- **des nausées et des vomissements** agissant par les voies gastro-intestinales et le SNC. Le patient peut en subir un inconfort physiologique et psychologique extrême et cela est suffisamment important pour qu'il se retire du traitement. Les agents

cytotoxiques ont été classés selon leur capacité émétique, allant de très émétogènes (p. ex. cisplatine) à modérément (p. ex. doxorubicine), légèrement (p. ex. 5-fluorouracile) et très légèrement émétogènes (p. ex. vincristine). Le problème de nausées et de vomissements provoqué par la chimiothérapie antinéoplasique a été réduit en ayant recours au traitement antiémétique incluant la sérotonine de type 3 (5-HT3), les antagonistes tels l'ondansétron, le granisétron et le dolasétron.

- une **néphrotoxicité**, associée au cisplatine. L'amifostine sert à potéger contre la néphrotoxicité provoquée par le cisplatine.
- une **neuropathie périphérique**, telle celle associée aux alcaloïdes extraits de la pervenche et au cisplatine. L'amifostine peut protéger contre la neuropathie provoquée par le cisplatine.
- une **pneumopathie inflammatoire**, associée à la bléomycine.

L'emploi de modulation biochimique pour augmenter l'effet thérapeutique de la chimiothérapie antinéoplasique peut également provoquer une toxicité accrue aux tissus normaux. Par exemple, la diarrhée extrême provenant de l'association de la leucovorine (acide folinique) suivie de 5-fluorouracile.

Les essais cliniques

La pharmacothérapie antinéoplasique exige des recherches plus poussées. L'emploi de nouveaux médicaments ou de régimes de traitements dans les essais cliniques est très courant et très important. Ces essais peuvent se faire en une de trois phases. L'objectif de la *phase 1* consiste à déterminer la dose optimale, la fréquence d'administration et les effets secondaires du traitement. L'objectif de la *phase II* vise à déterminer les types de cancers, si tel est le cas, qui répondent au traitement. Enfin, les essais de la *phase III* comparent un traitement efficace connu dans les essais de la *phase II*, soit, sans autre traitement, soit, avec un autre régime de traitement. Les essais cliniques comportent des protocoles écrits donnant les bases de l'étude et l'information pertinente, y compris, les doses médicamenteuses et les toxicités possibles. Ils sont disponibles dans les centres de cancer et par l'intermédiaire des médecins engagés dans ces essais.

L'information concernant le traitement des cancers et les essais cliniques spécifiques peut être obtenue au U.S. National Cancer Institute, dans la base de données de l'information sur le cancer «Physician Data Query» (PDQ) sur Internet et par le biais d'autres sources d'information en ligne tel CANCERLIT sur Medline et OncoLink du Centre pour le cancer de l'Université de Pennsylvanie.

Liste de lecture sélectionnée

Oncologie générale

- Bennett JC, Plum F, éds. Cecil textbook of medicine. 20e éd. Toronto: WB Saunders, 1996.
- DeVita VT, Hellman S, Rosenberg SA, éds. Cancer: principles and practice of oncology, 5e éd. Philadelphia: JB Lippincott, 1997.
- Peckham M, Pinedo J, Veronesi U, éds. Oxford textbook of oncology. Oxford: Oxford Press, 1995.
- Rakel RE, éd. Textbook of family practice. 5e éd. Toronto: WB Saunders, 1995.

Médicaments cytotoxiques: information

- Casciato DA, Lowitz BB, éds. Manual of clinical oncology. 3e éd. Boston: Little, Brown and Co., 1995.
- Dorr RT, Van Hoff DD, éds. Cancer chemotherapy handbook. 2e éd. Stamford: Appleton and Lange, 1994.
- Kirkwood JM, Lotze MT, Yasko JM, éds. Current cancer therapeutics, 3e éd. Current Medicine, 1996.
- Perry M, éd. The chemotherapy source book. 2e éd. London: Williams and Wilkins, 1996.
- Skeel RT, Lachant NA, éds. Handbook of cancer chemotherapy. 4e éd. Boston: Little, Brown and Co., 1995.

Bibliographie sélectionnée:
1. Ellerby R, Ault S, et collab. Quick reference handbook of oncology drugs. Toronto: WB Saunders, 1996.
2. Fleming ID, Cooper JS, et collab., éds. AJCC cancer staging manual. 5e éd. Philadelphia: Lippincott-Raven, 1997.
3. Hancock B, éd. Cancer care in the hospital. New York: Radcliffe Medical Press, 1996.
4. Haskell C, éd. Cancer treatment. 4e éd. Toronto: WB Saunders, 1995.
5. Tierney LM, McPhee SJ, Papadakis MA, et collab., éds. Current medical diagnosis and treatment. 35e éd. Stamford: Appleton and Lange, 1996.
6. Williams CJ, éd. Cancer biology and management: an introduction. New York: John Wiley and Sons, 1990.
7. Young LY, Koda-Kimble MA, éds. Applied therapeutics: the clinical use of drugs. 6e éd. Vancouver, WA: Applied Therapeutics Inc., 1995.

SURVEILLANCE DES CONCENTRATIONS SÉRIQUES DES MÉDICAMENTS

L'exposé qui suit est un aperçu de la surveillance des taux sériques des médicaments. L'information présentée ne doit pas être considérée comme une revue complète. De ce fait, le lecteur est encouragé à approfondir et à corroborer l'information. Le traitement spécifique du patient nécessite un jugement clinique de l'interprétation des taux sériques des médicaments. Les zones thérapeutiques varient beaucoup selon les méthodes d'analyse des médicaments et les unités de référence de laboratoire spécifiques.

Révision 1999 par M. Bédard et B. Hardy.

La surveillance des concentrations sériques des médicaments (SCSM), aussi connue sous le nom de surveillance thérapeutique des médicaments, surveillance pharmacocinétique ou pharmacocinétique clinique, consiste à maximiser l'information qui nous vient des données de concentrations sériques d'un médicament et d'appliquer cette connaissance de façon rationnelle, à la lumière de l'état clinique du patient, de façon à optimiser la thérapie médicamenteuse.[1]

L'information obtenue peut être utilisée pour ce qui suit:[2]

- déterminer ou ajuster une posologie
- évaluer une réaction à un médicament
- aider à l'évaluation de la toxicité
- surveiller la fidélité au traitement
- minimiser les coûts d'hospitalisation
- diminuer le risque associé aux problèmes médico-légaux.

Pour utiliser les concentrations sériques d'un médicament de façon adéquate, on doit interpréter les résultats en tenant compte du contexte clinique complet. Le clinicien doit être au courant des différents facteurs spécifiques à un patient donné qui peuvent influencer l'effet du médicament. Ainsi, l'âge du patient, sa diète, son habitude de fumer ou non, la prise d'autres médicaments, l'habileté d'éliminer le médicament et un changement d'état d'une maladie sont entre autres quelques variables qu'on doit considérer en même temps que les concentrations sériques.[1]

À quels médicaments s'applique particulièrement la surveillance thérapeutique des concentrations sériques?

Il y a un certain nombre de caractéristiques communes aux médicaments qui sont surveillés régulièrement par un suivi des concentrations sériques:[1]

- indice thérapeutique étroit
- échec thérapeutique ou toxicité pouvant apporter des conséquences importantes
- grande variabilité pharmacocinétique entre patients
- relation imprévisible entre la dose et la réponse
- utilité de la SCSM en tant qu'indicateur intermédiaire pouvant guider les décisions thérapeutiques
- concentrations sériques des médicaments disponibles à l'intérieur d'un temps raisonnable pour le prescripteur.

À quel moment doit-on effectuer les prélèvements sériques?

La connaissance du temps de prélèvement par rapport à la dernière dose est importante pour une interprétation adéquate du taux sérique. Dans la plupart des cas, le prélèvement sanguin doit être effectué lorsque les phases d'absorption et de distribution sont complétées (p. ex. niveau creux) et que l'état d'équilibre est atteint (p. ex. après l'administration continue de la même dose pendant 4 à 5 demi-vies). Des taux sériques effectués avant l'atteinte de l'état d'équilibre peuvent être faussement bas ou élevés; le fait d'ajuster la posologie selon un tel résultat peut conduire respectivement à des concentrations toxiques ou sous-thérapeutiques.[1–2] Dans les cas où il y a soupçon de toxicité, le prélèvement sanguin doit se faire en tout temps.[2]

Le **tableau I** donne une formule généralement utilisée pour évaluer la clairance de la créatinine (une estimation de la fonction rénale du patient) en utilisant le taux de la créatinine sérique stable et les données démographiques du patient (p. ex. âge, sexe).

Le **tableau II** présente de l'information sur la SCSM de médicaments choisis. L'information est basée, dans la plupart des cas, sur des résultats provenant d'individus moyens. La demi-vie peut être prolongée chez des patients atteints de maladies rénale ou hépatique ou peut varier selon des différences démographiques (p. ex. âge, sexe). Les concentrations à l'état d'équilibre sont obtenues lorsque la posologie est demeurée la même pour 4 à 5 demi-vies et que les doses n'ont pas été changées ou manquées.

La collaboration du personnel de laboratoire de l'hôpital, des médecins, des infirmières et des pharmaciens est essentielle à la bonne marche d'un service de surveillance pharmacocinétique.

Tableau I—Évaluation de la clairance de la créatinine[a]

Hommes:

$$\text{Clairance de la créatinine (mL/s)}^{b} = \frac{(140 - \text{âge du patient, années})\ (\text{PCT, kg})}{(50)\ (\text{créatinine sérique, } \mu\text{mol/L})}$$

Femmes:
Multiplier l'équation ci-haut par 0,85.

Une modification des estimations de la clairance de la créatinine peut être nécessaire chez certains patients. La justesse de l'extrapolation de la clairance de la créatinine à partir des taux de créatinine sérique est influencée par les maladies (p. ex. la cirrhose), les conditions cliniques (p. ex. la malnutrition, l'obésité, les lésions de la moelle épinière) et l'apport alimentaire (p. ex. une consommation élevée de viande).

Légende: PCT= Poids corporel total.
[a] Cockcroft et Gault modifiés.[3]
[b] Pour convertir du SI (mL/s) à (mL/min), multiplier la valeur (mL/s) par 60.

Bibliographie:
1. Hardy B. Therapeutic drug monitoring. In: Cornish P, Knowles S, éds. Focus on the literature. Metro Toronto Hospital Drug Information Service 1989; 8(3):1–6.
2. Mioduch HJ. Therapeutic drug monitoring. Hosp Pharm 1989; 24:614–8, 624–30, 632.
3. Cockcroft DW, Gault MH. Prediction of creatinine clearance from serum creatinine. Nephron 1976; 16:31–41.
4. Done AK. Salicylate intoxication. Pediatrics 1960; 26:805.
5. Evans WE, Schentag JJ, Jusko WJ, éds. Applied pharmacokinetics. Spokane, WA: Applied Therapeutics, Inc. 1992.

Tableau II—Recommandations pour la surveillance des concentrations sériques des médicaments

Médicament	Voie d'administration	Temps de prélèvement	Concentration du médicament	Considérations sur la surveillance
Acétaminophène	Orale	Surdosage: Prélever au moins 4 h après l'ingestion.	Se référer au nomogramme de Matthew-Rumack pour l'empoisonnement à l'acétaminophène dans la monographie générale de l'acétaminophène dans la section blanche pour l'interprétation.	La demi-vie est environ de 2 à 4 h.
Acide valproïque	Orale	Creux: lors d'un dosage de routine, prélever immédiatement avant la prochaine dose. Pic: 2 à 3 h après la dose. Lorsqu'il y a soupçon de toxicité, prélever en tout temps.	350 à 700 μmol/L.	Posologie devrait être stable depuis au moins 2 jours. La fraction libre peut être augmentée chez les patients en insuffisance rénale ou hépatique, et/ou présence d'hypoalbuminémie. Des doses plus faibles seront habituellement nécessaires. Demi-vie 8 à 19 h.
Amikacine	I.V.: perfusion intermittente	Pic: 15 min après une perfusion de 1 h; 30 min après une perfusion de 30 min. Creux: moins de 5 min avant la prochaine dose.	Pic: 20 à 30 mg/L. Pour infections graves gram-négatives, on doit viser un pic de 25 à 30 mg/L. Creux: moins de 8 mg/L.	Posologie devrait être stable depuis au moins 3 doses. Habituellement, on demande le taux sérique du pic et du creux. La demi-vie est d'environ 2 à 3 h chez les patients dont la fonction rénale est normale. Les taux optimaux n'ont pas encore été déterminés lorsqu'un schéma posologique de 1 fois/jour est utilisé.
	I.M.	Pic: 1 h après l'administration. Creux: moins de 5 min avant la prochaine dose.		
Amitriptyline	Orale	Creux: 12 h après la dose. Prélever en tout temps lorsqu'il y a soupçon de toxicité.	430 à 900 nmol/L (molécule mère + son métabolite déméthylé, la nortriptyline).	Demi-vie 9 à 46 h. La surveillance systématique comme ligne de conduite thérapeutique n'est pas justifiée, mais peut servir à évaluer la non-fidélité au traitement, les non-répondeurs, une toxicité soupçonnée, les interactions médicamenteuses, les patients plus âgés et les enfants.
Carbamazépine	Orale	Creux: Prélever immédiatement avant la prochaine dose lors d'un dosage de routine. Prélever en tout temps lorsqu'il y a soupçon de toxicité.	17 à 50 μmol/L.	Produit son propre métabolisme pouvant aller jusqu'à 2 à 4 semaines. Lors d'administration prolongée, la demi-vie est de 15 à 25 h.
Cyclosporine	Orale et i.v.	Creux: Prélever immédiatement avant la prochaine dose lors d'un dosage de routine. Prélever en tout temps lorsqu'il y a soupçon de toxicité. La concentration maximale est atteinte 2 à 4 h après l'administration orale.	Valeurs de creux après 12 h: 150 à 400 μg/L dans le sang entier par dosage radio-immunologique («RIA») monoclonal spécifique ou 50 à 125 μg/L dans le plasma par dosage radio-immunologique («RIA») monoclonal spécifique.	Demi-vie 10 à 27 h. Certaines institutions recommandent un champ thérapeutique différent selon la transplantation. Les intervalles recommandés s'adressent au début de la période post-transplantation.
Désipramine	Orale	Creux: 12 h après la dose. Prélever en tout temps lorsqu'il y a soupçon de toxicité.	430 à 675 nmol/L.	Demi-vie 12 à 28 h. La surveillance systématique comme ligne de conduite thérapeutique n'est pas justifiée mais peut servir à évaluer la non-fidélité au traitement, les non-répondeurs, une toxicité soupçonnée, les interactions médicamenteuses, les patients plus âgés et les enfants.

Tableau II—Recommandations pour la surveillance des concentrations sériques des médicaments *(suite)*

Médicament	Voie d'administration	Temps de prélèvement	Concentration du médicament	Considérations sur la surveillance
Digoxine	Orale et i.v.	Après la dose de charge: au moins 6 h après la dernière dose de charge (i.v. ou po). Prélever immédiatement avant la prochaine dose lors d'un dosage de routine. Prélever en tout temps lorsqu'il y a soupçon de toxicité.	1 à 2,5 nmol/L.	La posologie devrait demeurer stable pendant 5 à 7 jours chez les patients ayant une fonction rénale normale. Demi-vie 35 à 40 h. Le temps pour atteindre l'équilibre est plus long chez les patients en insuffisance rénale.
Éthosuximide	Orale	Creux: Prélever immédiatement avant la prochaine dose lors d'un dosage de routine. Prélever en tout temps lorsqu'il y a soupçon de toxicité.	280 à 710 µmol/L.	La posologie devrait demeurer stable pendant 8 jours chez les adultes et 5 jours chez les enfants. Demi-vie 40 à 60 h chez les adultes et 26 à 36 h chez les enfants.
Gentamicine	I.V.: perfusion intermittente	Pic: 15 min après une perfusion de 1 h; 30 min après une perfusion de 30 min. Creux: moins de 5 min avant la prochaine dose.	Pic: 5 à 10 mg/L. Pour infections graves gram-négatives, 10 à 12 mg/L. Creux: moins de 2 mg/L.	La posologie devrait demeurer stable depuis au moins 3 doses. Habituellement, on demande le taux sérique du pic et du creux. La demi-vie est d'environ 2 h chez les adultes ayant une fonction rénale normale. Les taux optimaux n'ont pas encore été déterminés lorsqu'un schéma posologique de 1 fois/jour est utilisé.
	I.M.	Pic: 1 h après l'administration. Creux: moins de 5 min avant la prochaine dose.		
Imipramine	Orale	Creux: 12 h après une dose. Prélever en tout temps lorsqu'il y a soupçon de toxicité.	550 à 1 015 nmol/L (molécule mère + son métabolite déméthylé, la désipramine).	Demi-vie 6 à 28 h. La surveillance systématique comme ligne de conduite n'est pas justifiée mais peut servir à évaluer la non-fidélité au traitement, les non-répondeurs, une toxicité soupçonnée, les interactions médicamenteuses, les patients plus âgés et les enfants.
Lithium	Orale	12 h après la dernière dose. Prélever en tout temps lorsqu'il y a soupçon de toxicité.	0,8 à 1,2 mmol/L lors d'un traitement aigu. 0,6 à 0,8 mmol/L en entretien. 0,4 à 0,6 mmol/L en entretien pour les personnes âgées.	Posologie stable depuis au moins 3 jours. La demi-vie est de 18 à 27 h, varie avec la fonction rénale.
Nétilmicine	I.V.: perfusion intermittente	Pic: 15 min après une perfusion de 1 h; 30 min après une perfusion de 30 min. Creux: moins de 5 min avant la prochaine dose.	Pic: 5 à 10 mg/L. Lors d'infections graves gram-négatives, 10 à 12 mg/L. Creux: moins de 2 mg/L.	La posologie devrait demeurer stable depuis au moins 3 doses. Habituellement, on demande le taux sérique du pic et du creux. La demi-vie est d'environ 2 à 3 h chez les patients ayant une fonction rénale normale. Les taux optimaux n'ont pas encore été déterminés lorsqu'un schéma posologique de 1 fois/jour est utilisé.
	I.M.	Pic: 1 h après l'administration. Creux: moins de 5 min avant la prochaine dose.		

Tableau II—Recommandations pour la surveillance des concentrations sériques des médicaments *(suite)*

Médicament	Voie d'administration	Temps de prélèvement	Concentration du médicament	Considérations sur la surveillance
Nortriptyline	Orale	Creux: 12 h après une dose. Prélever en tout temps lorsqu'il y a soupçon de toxicité.	170 à 495 nmol/L.	Demi-vie 18 à 56 h. La surveillance systématique comme ligne de conduite n'est pas justifiée, mais peut servir à évaluer la non-fidélité au traitement, les non-répondeurs, une toxicité soupçonnée, les interactions médicamenteuses, les patients plus âgés et les enfants.
Phénobarbital	Orale et parentérale	Prélever immédiatement avant la prochaine dose lors d'un dosage de routine. Prélever en tout temps lorsqu'il y a soupçon de toxicité.	65 à 170 μmol/L.	L'état d'équilibre est atteint environ en 10 à 25 jours chez les adultes, 8 à 15 jours chez les enfants. Demi-vie 75 à 126 h chez les adultes, 37 à 73 h chez les enfants.
Phénytoïne	Dose d'entretien: orale et i.v.	Creux: Prélever immédiatement avant la prochaine dose lors d'un dosage de routine ou lorsqu'on soupçonne une dose inadéquate. Lorsqu'il y a soupçon de toxicité, prélever en tout temps.	40 à 80 μmol/L (adultes, enfants, nourrissons >3 mois). 25 à 55 μmol/L (prématurés et nouveau-nés à terme 2 semaines à 3 mois).	L'état d'équilibre est atteint en 1 à 5 semaines. À cause de sa cinétique non-linéaire et de son métabolisme saturable, des petits changements de doses peuvent causer de fortes variations de concentrations plasmatiques. La fraction libre peut être augmentée chez les patients en insuffisance rénale ou hépatique, et/ou en présence d'hypoalbuminémie. Des doses plus faibles seront habituellement nécessaires.
	Dose d'attaque i.v.	60 min après la fin de la perfusion.		
Primidone	Orale	Creux: Prélever immédiatement avant la prochaine dose lors d'un dosage de routine. Lorsqu'il y a soupçon de toxicité, prélever en tout temps.	23 à 55 μmol/L.	L'état d'équilibre est atteint environ en 2 jours. Demi-vie 6 à 18 h. La primidone est transformée partiellement en phénobarbital dans l'organisme.
Procaïnamide	Orale	Pic: 2,5 h après la dose. Lors d'un dosage de routine ou lorsqu'on soupçonne une dose inadéquate, prélever immédiatement avant la prochaine dose. Lorsqu'il y a soupçon de toxicité, prélever en tout temps.	17 à 43 μmol/L. Des données limitées laissent présumer que des concentrations plasmatiques aussi élevées que 43 à 85 μmol/L peuvent être requises.	La posologie devrait être stable depuis 1 à 2 jours. La demi-vie est de 2,4 à 3,6 h chez les patients ayant une fonction rénale normale et augmente à 6 à 13 h chez les patients dont la fonction rénale est réduite.
	Orale: formule à libération prolongée	Pic: 4 h après la dose. Lors d'un dosage de routine ou lorsqu'on soupçonne une dose inadéquate, prélever immédiatement avant la prochaine dose. Lorsqu'il y a soupçon de toxicité, prélever en tout temps.		
	I.V.: perfusion continue	2 h après le début de la perfusion d'entretien. Prélever en tout temps lorsqu'il y a soupçon de toxicité.		
NAPA (n-acétyl-procaïnamide), métabolite actif du procaïnamide		Prélever n'importe quand lorsqu'on soupçonne une toxicité.	<115 μmol/L (procaïnamide + NAPA).	La demi-vie est d'environ 6 à 10 h chez les patients ayant une fonction rénale normale et augmente à 10 à 40 h chez les patients dont la fonction rénale est réduite. La surveillance systématique pour l'efficacité thérapeutique n'est pas justifiée; mesurer chez les patients avec une insuffisance rénale modérée à grave afin d'identifier ceux à risque élevé pour la toxicité.

Tableau II—Recommandations pour la surveillance des concentrations sériques des médicaments *(suite)*

Médicament	Voie d'administration	Temps de prélèvement	Concentration du médicament	Considérations sur la surveillance
Quinidine	Orale et parentérale	Creux: Lors d'un dosage de routine, prélever immédiatement avant la prochaine dose. Prélever en tout temps lorsqu'il y a soupçon de toxicité.	6 à 15 µmol/L.	Posologie devrait être stable depuis 2 jours. Demi-vie 6 à 9 h. Les niveaux peuvent servir à évaluer la fidélité au traitement ou la toxicité.
Salicylate	Orale	Pic: 1 à 2 h après la dose. Creux: Prélever immédiatement avant la prochaine dose. Surdosage: au moins 6 h après l'ingestion.	1,1 à 2,2 mmol/L: concentration thérapeutique nécessaire pour obtenir un effet anti-inflammatoire. Le nomogramme de Done peut être utilisé pour évaluer la toxicité lors d'un surdosage.[5]	La demi-vie dépend de la dose: faibles doses (p. ex., 325 mg d'AAS), 2 à 3 h; doses plus élevées (10 à 20 g), 15 à 30 h. L'état d'équilibre est atteint en 5 à 7 jours.
Théophylline	Orale: comprimés réguliers et liquide.	Pic: 2 h après l'administration du comprimé et 1 à 2 h après l'administration du liquide. Creux: immédiatement avant la prochaine dose. Prélever en tout temps lorsqu'il y a soupçon de toxicité.	55 à 110 µmol/L. Pour l'apnée néonatale, 28 à 55 µmol/L. Des niveaux plus élevés peuvent être tolérés.	Posologie devrait être stable depuis 48 h avant le prélèvement. La demi-vie varie beaucoup. Surveiller le pic pour évaluer un soupçon de toxicité et le creux pour évaluer l'efficacité à la fin de l'intervalle posologique.
	Orale: formule à libération prolongée	Pic: les produits administrés 2 fois/jour— environ 4 h après la dose; les produits administrés 1 fois/jour— environ 10 h après la dose. Consulter les monographies individuelles. Creux: Prélever immédiatement avant la prochaine dose. Prélever en tout temps lorsqu'il y a soupçon de toxicité.		
	Dose d'attaque i.v.	Prélever 30 min après une dose d'attaque i.v.		
	Suivie d'une perfusion continue i.v.	Prélever 24 à 48 h après le début de la perfusion de maintien. Prélever en tout temps lorsqu'il y a soupçon de toxicité.		
Tobramycine	I.V.: perfusion intermittente	Pic: 15 min après une perfusion de 1 h; 30 min après une perfusion de 30 min. Creux: moins de 5 min avant la prochaine dose.	Pic: 5 à 10 mg/L. Lors d'infections graves gram-négatives, 10 à 12 mg/L. Creux: moins de 2 mg/L.	Posologie devrait être stable depuis au moins 3 doses. Habituellement, on demande le taux sérique du pic et du creux. La demi-vie est d'environ 2 à 2,5 h chez les patients ayant une fonction rénale normale. Les taux optimaux n'ont pas encore été déterminés lorsqu'un schéma posologique de 1 fois/jour est utilisé.
	I.M.	Pic: 1 heure après l'administration. Creux: moins de 5 minutes avant la prochaine dose.		
Vancomycine	I.V.: perfusion intermittente	Pic: 15 min à 1 h après une perfusion de 1 h. Creux: moins de 5 min avant la prochaine dose.	Pic: 20 à 40 mg/L. Creux: moins de 10 mg/L.	Posologie devrait être stable 20 à 30 h. La demi-vie est d'environ 6 h chez les patients ayant une fonction rénale normale. Habituellement, on demande le taux sérique du pic et du creux. La relation entre l'efficacité clinique et les concentrations plasmatiques demeure toujours controversée.

NOMOGRAMME DE LA SURFACE CORPORELLE DES ADULTES

Révision 1999

Reproduit avec l'autorisation de Lentner C éd. Geigy scientific tables. 8th ed. vol. 1. Bâsle: Ciba-Geigy, 1981: 226–7.

Figure I—Nomogramme pour adultes

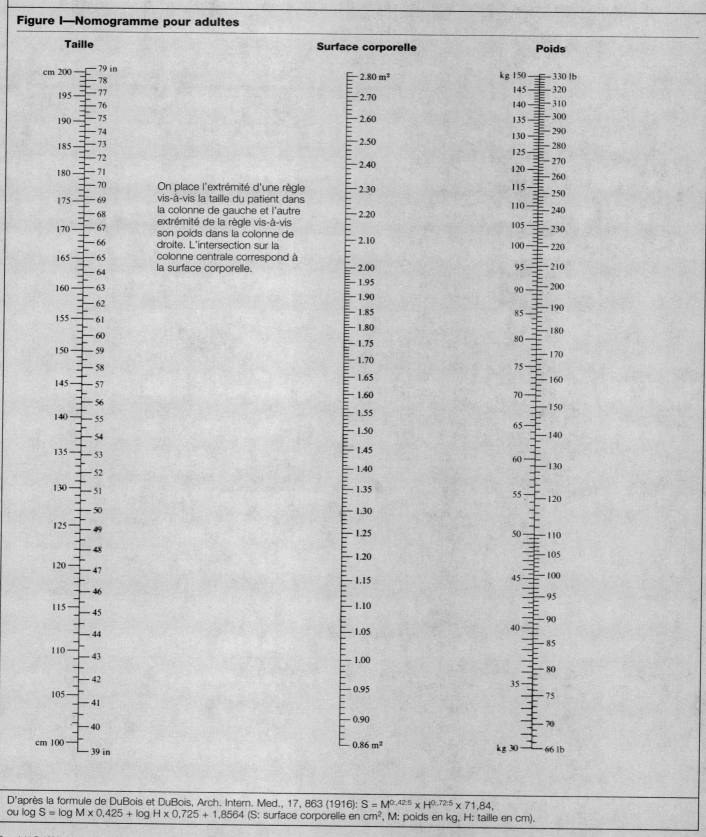

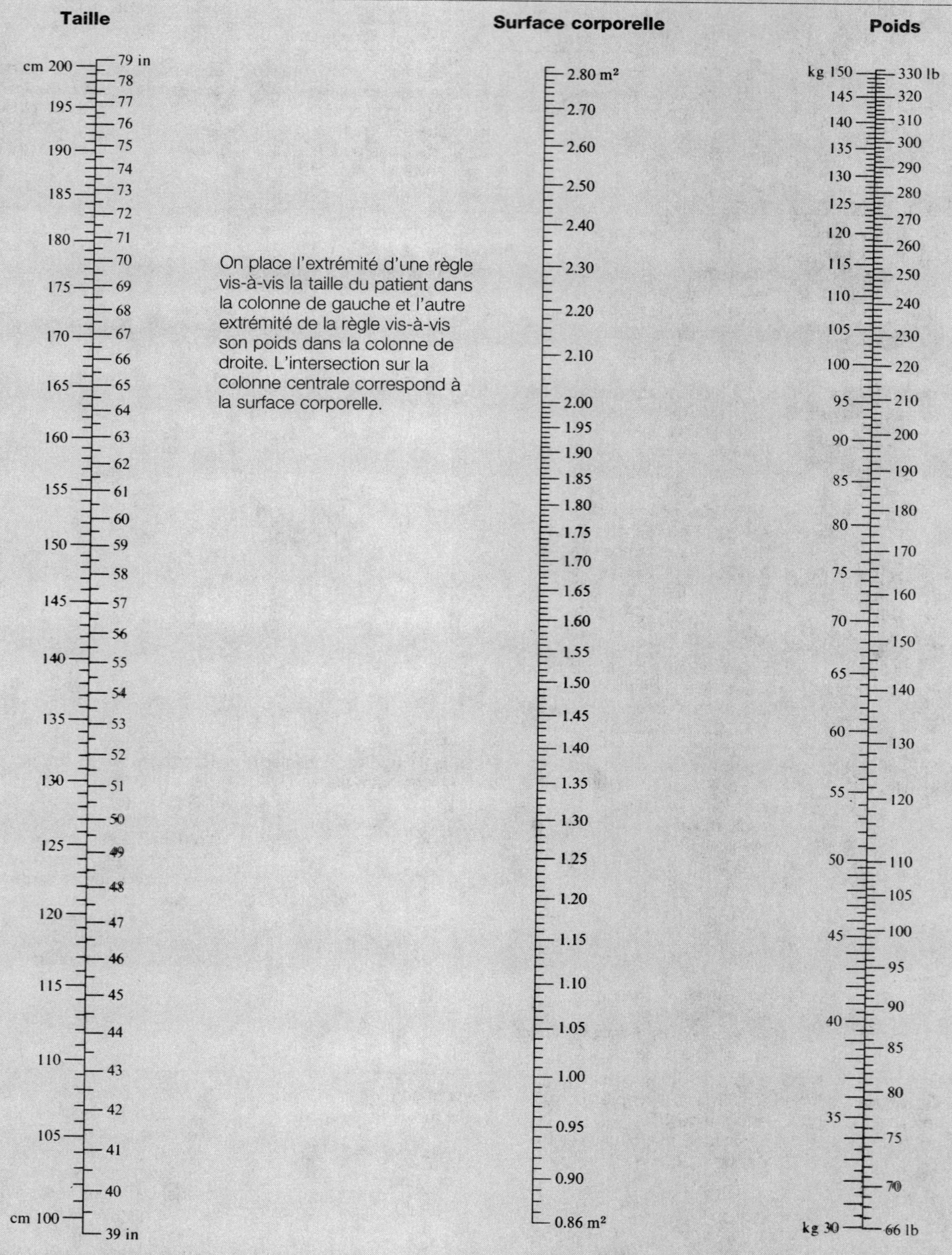

D'après la formule de DuBois et DuBois, Arch. Intern. Med., 17, 863 (1916): $S = M^{0,425} \times H^{0,725} \times 71,84$, ou $\log S = \log M \times 0,425 + \log H \times 0,725 + 1,8564$ (S: surface corporelle en cm^2, M: poids en kg, H: taille en cm).

NOMOGRAMME DE LA SURFACE CORPORELLE DES ENFANTS

Révision 1999

Reproduit avec l'autorisation de Lentner C éd. Geigy scientific tables. 8th ed. vol.1. Bâsle: Ciba-Geigy, 1981: 226–7.

Figure II—Nomogramme pour enfants

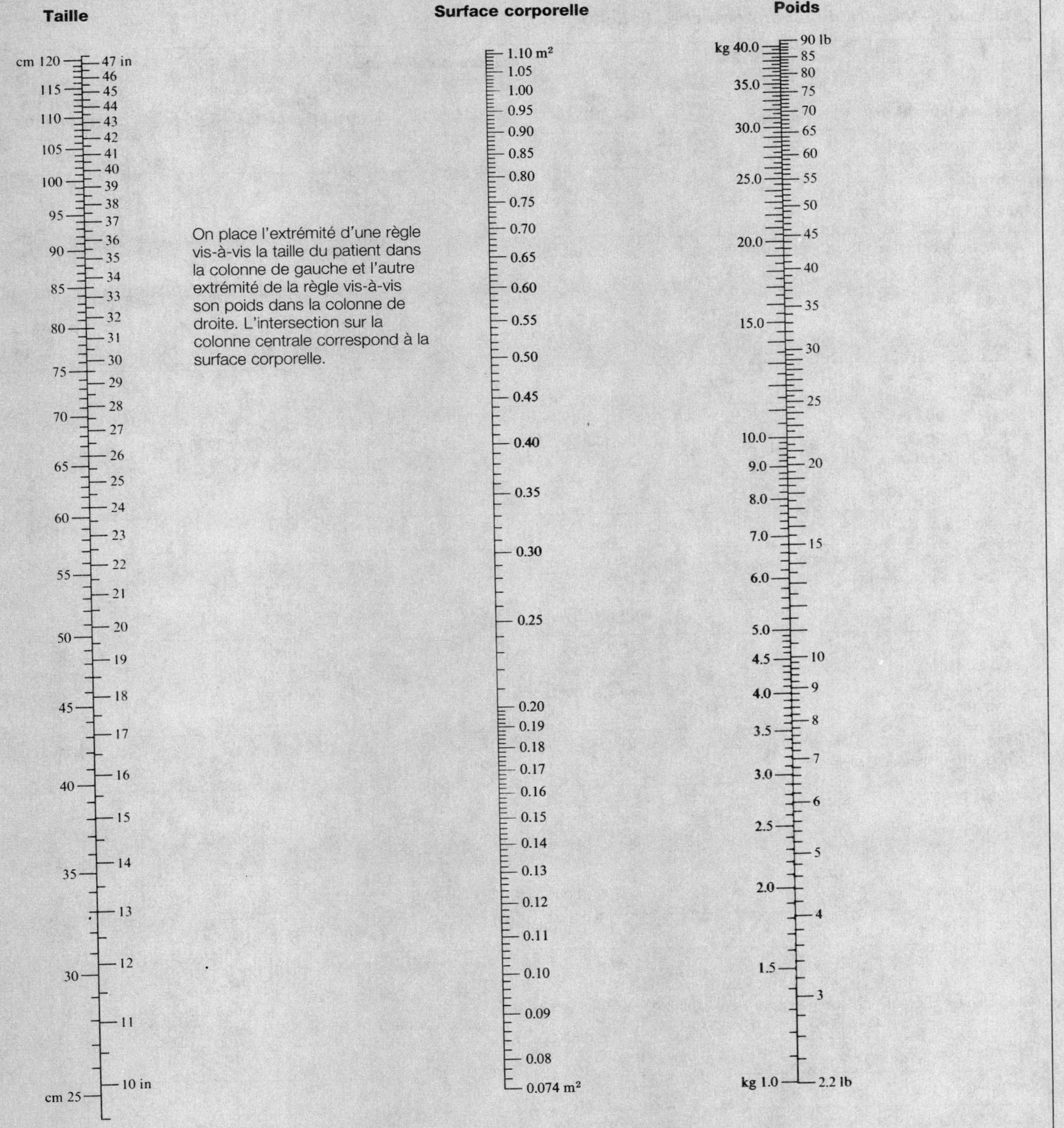
Taille
Surface corporelle
Poids
cm 120
47 in
cm 25
10 in
1.10 m²
0.074 m²
kg 40.0
90 lb
kg 1.0
2.2 lb
On place l'extrémité d'une règle vis-à-vis la taille du patient dans la colonne de gauche et l'autre extrémité de la règle vis-à-vis son poids dans la colonne de droite. L'intersection sur la colonne centrale correspond à la surface corporelle.

D'après la formule de DuBois et DuBois, Arch. Intern. Med., 17, 863 (1916): $S = M^{0,425} \times H^{0,725} \times 71,84$,
ou log S = log M x 0,425 + log H x 0,725 + 1,8564 (S: surface corporelle en cm^2, M: poids en kg, H: taille en cm).

VALEURS DE RÉFÉRENCE DE LABORATOIRE CLINIQUES

Le tableau I fournit une liste de certaines valeurs de référence de laboratoire pour les adultes. L'information présentée ne doit pas être considérée comme une revue complète. De ce fait, le lecteur est encouragé à approfondir et à corroborer l'information. Chaque laboratoire établit ses propres valeurs de référence.

Révision 1999 par M.J. McQueen.

Tableau I—Valeurs de laboratoire chez l'adulte

	Valeurs de référence		
Test de laboratoire	**Unités SI**	**Unité traditionnelles**	**Facteur de conversion**[a]
Acide valproïque[c]	μmol/L	mg/L	6,934
Albumine (sérum)	40 à 60 g/L	4 à 6 g/100 mL	10
Amitriptyline[c]	nmol/L	ng/mL	3,605
Ammoniaque, comme ion d'ammonium (NH_4^+) (plasma)	5 à 50 μmol/L	10 à 85 μg/100 mL	0,5543
Bilirubine (sérum)			
totale	2 à 18 μmol/L	0,1 à 1 mg/100 mL	17,1
conjuguée	0 à 4 μmol/L	0 à 0,2 mg/100 mL	17,1
Calcium (sérum)			
homme	2,2 à 2,58 mmol/L	8,8 à 10,3 mg/100 mL	0,2495
femme <50 ans	2,2 à 2,5 mmol/L	8,8 à 10 mg/100 mL	0,2495
femme >50 ans	2,2 à 2,56 mmol/L	8,8 à 10,2 mg/100 mL ou mÉq/L	0,2495
toutes populations	2,2 à 2,56 mmol/L	4,4 à 5,1 mÉq/L	0,5
Calcium, ion (plasma)	1 à 1,15 mmol/L	2 à 2,3 mÉq/L	0,5
Carbamazépine[c]	μmol/L	mg/L	4,233
Carbone (dioxyde) (bicarbonate + CO_2) (sang, plasma, sérum)	22 à 28 mmol/L	22 à 28 mÉq/L	1
Chlorure (sérum)	95 à 105 mmol/L	95 à 105 mÉq/L	1
Cholestérol, total (plasma)	<5,2 mmol/L	<200 mg/100 mL	0,02586
faible risque	5,2 à 6,2 mmol/L	200 à 240 mg/100 mL	0,02586
risque modéré	>6,2 mmol/L	>240 mg/100 mL	0,02586
risque plus élevé			
Concentration globulaire moyenne en hémoglobine (CGMH) (sang)	10	33 à 37 g/100 mL	330 à 370 g/L
Cortisol (sérum)			
8 h	110 à 520 nmol/L	4 à 19 μg/100 mL	27,59
16 h	50 à 410 nmol/L	2 à 15 μg/100 mL	27,59
24 h	<140 nmol/L	<5μg/100 mL	27,59
Cortisol (urine)	30 à 300 nmol/jour	10 à 110 μg/24 h	2,759
Créatinine (sérum)	50 à 110 μmol/L	0,6 à 1,2 mg/100 mL	88,4
Créatinine, clairance	1,24 à 2,08 mL/s	75 à 125 mL/min	0,01667

$$\text{Clairance de la créatinine corrigée pour l'aire de surface corporelle (BSA)} = \frac{\mu\text{mol/L (créatinine urinaire)}}{\mu\text{mol/L (créatinine sérique)}} \times \text{mL/s} \times \frac{1,73}{\text{m}^2\text{ (BSA)}}$$

Désipramine[c]	nmol/L	ng/mL	3,754
Digoxine[c]	nmol/L	ng/mL	1,281
Éthanol (plasma)	<17 mmol/L	<80 mg/100 mL	0,2171
limite légale (conduite)[b]			
toxique	>22 mmol/L	>100 mg/100 mL	0,2171
Éthosuximide[c]	μmol/L	mg/L	7,084

Tableau I—Valeurs de laboratoire chez l'adulte *(suite)*

Test de laboratoire	Valeurs de référence: Unités SI	Valeurs de référence: Unités traditionnelles	Facteur de conversion[a]
Fer (sérum)			
homme	14 à 32 μmol/L	80 à 180 μg/100 mL	0,1791
femme	11 à 29 μmol/L	60 à 160 μg/100 mL	0,1791
Fer, capacité de fixage (sérum)	45 à 82 μmol/L	250 à 460 μg/100 mL	0,1791
Ferritine (sérum)	18 à 300 μg/L	18 à 300 ng/mL	1
Fibrinogène (plasma)	1,5 à 3,5 μg/L	150 à 350 mg/100 mL	0,01
Folate, acide folique, en tant qu'acide ptéroylglutaminique (sérum)	4 à 22 nmol/L	2 à 10 ng/mL	2,266
Gaz artériels			
pO_2	10 à 13,3 kPa	75 à 100 mm Hg	0,1333
pCO_2	4,7 à 6 kPa	35 à 45 mm Hg	0,1333
Glucose, à jeun (plasma)	3,9 à 6,1 mmol/L	70 à 110 mg/100 mL	0,05551
Glucose (CFS)	2,8 à 4,4 mmol/L	50 à 80 mg/100 mL	0,05551
Hémoglobine (sang)—homme	140 à 180 g/L	14 à 18 g/100 mL	10
—femme	115 à 155 g/L	11,5 à 15,5 g/100 mL	10
Imipramine[c]	nmol/L	ng/mL	3,566
Insuline, à jeun (plasma, sérum)	35 à 145 pmol/L	5 à 20 μU/mL	7,175
Lithium[c]	mmol/L	mg/100 mL	1,441
Magnésium (sérum)	0,8 à 1,2 mmol/L	1,8 à 3 mg/100 mL	0,4114
	0,8 à 1,2 mmol/L	1,6 à 2,4 mÉq/L	0,5
Méthanol (plasma)	0 mmol/L	0 mg/100 mL	0,3121
Nortriptyline[c]	nmol/L	ng/mL	3,797
Numération leucocytaire (sang)	4,3 à 10 x 10^9/L	3 200 à 9 800/mm^3	0,001
Numération des plaquettes (sang)	140 à 400 x 10^9/L	130 000 à 400 000/mm^3	0,001
Numération des réticulocytes (sang)	50 à 150 x 10^9/L	10 000 à 75 000/mm^3	0,001
Osmolalité (plasma)	280 à 300 mmol/kg	280 à 300 mOsm/kg	1
Osmolalité (urine)	50 à 1 200 mmol/kg	50 à 1 200 mOsm/kg	1
Phénobarbital[c]	μmol/L	mg/100 mL	43,06
Phénytoïne[c]	μmol/L	mg/L	3,964
Phosphate, en tant que phosphore inorganique (sérum)	0,8 à 1,6 mmol/L	2,5 à 5 mg/100 mL	0,3229
Potassium (sérum)	3,5 à 5 mmol/L	3,5 à 5 mÉq/L	1
Primidone[c]	μmol/L	mg/L	4,582
Procaïnamide[c]	μmol/L	mg/L	4,249
NAPA (n-acétylprocaïnamide)[c]	μmol/L	mg/L	3,606
Quinidine[c]	μmol/L	mg/L	3,082
Salicylate[c]	mmol/L	mg/100 mL	0,0724
Sodium (sérum)	135 à 147 mmol/L	135 à 147 mÉq/L	1
Teneur globulaire moyenne en hémoglobine (TGMH) (sang)	27 à 33 pg	27 à 33 pg	1
Urée (sérum)	3 à 6,5 mmol/L	8 à 18 mg/100 mL (BUN)	0,357

[a] Pour convertir des unités traditionnelles aux unités SI, multiplier la valeur traditionnelle par le facteur de conversion. Pour convertir des unités SI aux unités traditionnelles, diviser la valeur SI par le facteur de conversion.
[b] Varie selon différentes juridictions.
[c] Les valeurs varient selon la condition clinique. Voir Surveillance des concentrations sériques des médicaments dans la section Info-Clin.

Tableau I—Valeurs de laboratoire chez l'adulte *(suite)*

Test de laboratoire	Valeurs de référence: Unités SI	Unités traditionnelles	Facteur de conversion[a]
Théophylline[c]	µmol/L	mg/L	5,55
Volume globulaire moyen (VGM) (sang)	76 à 100 fL	76 à 100 μm^3	1
Zinc (sérum)	11,5 à 18,5 µmol/L	75 à 120 µg/100 mL	0,153

[a] Pour convertir des unités traditionnelles aux unités SI, multiplier la valeur traditionnelle par le facteur de conversion. Pour convertir des unités SI aux unités traditionnelles, diviser la valeur SI par le facteur de conversion.
[b] Varie selon différentes juridictions.
[c] Les valeurs varient selon la condition clinique. Voir Surveillance des concentrations sériques des médicaments dans la section Info-Clin.

Bibliographie:

1. Santé et Bien-être social Canada. Manuel SI des soins de la santé. 3e éd. rév. Ottawa: 1986.
2. The SI conversion units for common laboratory tests. Ann Pharmacother 1993; 27:112–19.
3. Young LY, Smith GH. Interpretation of clinical laboratory tests. In: Koda-Kimble MA, Young LY, éds. Applied Therapeutics: the clinical use of drugs. 5e éd. Vancouver, WA: Applied therapeutics, Inc. 1992, 3–14.

INGRÉDIENTS NON MÉDICINAUX

Ce qui suit propose une vue d'ensemble des ingrédients non médicinaux. L'information présentée ne doit pas être considérée comme une revue complète. De ce fait, le lecteur est encouragé à approfondir et à corroborer l'information.

Révision 1999

En plus du médicament actif, certains produits peuvent également contenir des ingrédients non médicinaux utilisés comme diluants, liants, lubrifiants, tampons, antioxydants, agents de remplissage, agents de conservation, aromatisants, colorants, et édulcorants. Des exemples d'ingrédients non médicinaux sont l'alcool, le gluten, le lactose, le sodium, les sulfites et la tartrazine. Certaines matières premières qui entrent dans la composition des médicaments proviennent de fournisseurs extérieurs à l'industrie pharmaceutique; par conséquent, le manufacturier peut ignorer les ingrédients non médicinaux non catalogués. Par exemple, les agents utilisés pour blanchir les poudres peuvent contenir des traces de sulfites; par ailleurs, les colorants utilisés pour marquer les noms sur les capsules peuvent contenir des traces de tartrazine ou de sulfites.

La Gazette du Canada, partie I pour l'annexe n° 743, 14 février 1994, a rapporté que tous les ingrédients non médicinaux devraient être énumérés par ordre alphabétique sur l'étiquette interne et externe sur une période de 2 ans encore à déterminer. La Direction des produits thérapeutiques a accepté l'engagement de l'industrie pharmaceutique visant à mettre en place des mesures destinées à compléter un système de déclaration des ingrédients non médicinaux par le biais de Monographies pour les produits de prescription, étant entendu que ledit système serait opérationnel dans un délai raisonnable et que l'utilisation de cette information par des tiers en vue de faciliter l'accès aux patients ne serait nullement gênée.

On s'assurera que ces informations, intéressant les produits de prescriptions et fournies volontairement, soient disponibles à tous, et, s'il devait arriver que les patients aient des difficultés à y accéder, la réglementation serait alors réévaluée.

Les ingrédients non médicinaux peuvent entraîner des effets indésirables chez un petit nombre de personnes qui ont une propension aux réactions allergiques ou d'autres sensibilités particulières. Les effets indésirables peuvent aller du simple malaise jusqu'à constituer une menace pour la vie.

L'information sur les ingrédients non médicinaux a été volontairement soumise aux rédacteurs du CPS et apparaît, lorsque disponible, dans la monographie du produit du CPS sous la rubrique Présentation. De plus, l'équipe de rédaction du CPS a sélectionné un certain nombre d'ingrédients non médicinaux, qu'elle présente sous forme des tableaux suivants:

- Tableau I—Produits pharmaceutiques contenant de l'alcool
- Tableau II—Produits pharmaceutiques sans alcool ou à teneur réduite en alcool
- Tableau III—Produits pharmaceutiques contenant du gluten
- Tableau IV—Fabricants qui n'utilisent pas de gluten
- Tableau V—Produits pharmaceutiques contenant des sulfites
- Tableau VI—Produits pharmaceutiques contenant de la tartrazine
- Tableau VII—Fabricants qui n'utilisent pas de tartrazine

Un énoncé sur certaines considérations d'ordre clinique au sujet de ces ingrédients a été émis. Ces tableaux ne sont certes pas exhaustifs. L'équipe de rédaction encourage les usagers du CPS à se référer aux monographies des produits ou à communiquer directement avec le fabricant des produits qui n'y figurent pas.

La pertinence clinique du lactose comme étant un ingrédient non médicinal est sans valeur. Le lactose est utilisé comme agent de remplissage, diluant et excipient dans la fabrication de nombreux médicaments; les symptômes de sensibilité et d'intolérance au lactose peuvent donc se manifester chez des patients qui prennent plusieurs médicaments contenant du lactose. On peut déceler une intolérance au lactose chez les personnes qui ont un déficit en lactase intestinale, ce qui peut donner lieu à des crampes abdominales, de la diarrhée, de la distension et de la flatulence. La diarrhée médicamenteuse attribuable à l'intolérance au lactose a été rapportée et serait le résultat de la présence de lactose dans les compositions pharmaceutiques.

Il peut également y avoir intolérance temporaire ou permanente au lactose chez les personnes qui ont eu des troubles intestinaux tels qu'une infection intestinale, celles qui ont subi une intervention chirurgicale à l'estomac ou qui ont dû prendre des médicaments, en particulier des antibiotiques ou certains agents anti-inflammatoires.

L'enzyme lactase peut servir à augmenter la tolérance chez les personnes intolérantes au lactose. Il se présente sous forme de gouttes ou de comprimés. Pour plus de renseignements sur ce produit, consulter la monographie des produits du lactase dans le CPS.

Pour plus de renseignements sur la teneur en lactose de produits spécifiques, consulter la section Présentation des monographies des produits du *CPS* ou communiquer directement avec le fabricant.

Bibliographie:
1. Napke E. Excipients, adverse drug reactions and patients' rights. Can Med Assoc J 1994; 151 (5): 529–533.
2. Napke E. Additional hidden hazards in drug products. Can Pharm J 1995; 128 (2): 23–25.

PRODUITS PHARMACEUTIQUES CONTENANT DE L'ALCOOL

Le tableau I énumère une sélection de produits contenant > 1 % d'alcool (éthanol seulement) à partir des renseignements fournis par les fabricants dont **les préparations figurent dans le *CPS*.** Il ne faut pas croire que les produits n'apparaissant pas sur cette liste ne contiennent pas d'éthanol. Cette liste n'est pas complète et doit être utilisée comme guide de base. Pour plus de renseignements sur un médicament particulier, consulter la rubrique Présentation de la monographie du produit du *CPS* ou communiquer directement avec le fabricant.

Révision 1999

Les professionnels de la santé ont avantage à connaître le contenu en alcool (c.-à-d. éthanol) des produits pharmaceutiques afin de pouvoir offrir des conseils judicieux sur le choix de médicaments avec ou sans ordonnance. L'alcool est utilisé comme agent de conservation, aromatisant et solvant dans les médicaments.

Avec certains médicaments et dans certaines conditions, il est plus important de connaître la teneur en éthanol des produits pharmaceutiques. Par exemple, l'éthanol pris avec le disulfirame ou le carbimide calcique peut provoquer une réaction potentiellement sévère. De telles réactions peuvent survenir lorsque l'éthanol est pris avec le métronidazole, le chlorpropamide et certaines céphalosporines. L'éthanol est un dépresseur du SNC. La dépression du SNC est accrue si l'alcool est pris en même temps que des sédatifs, des hypnotiques, des antihistaminiques et des antidépresseurs. On doit aussi éviter l'éthanol chez les diabétiques et chez les enfants.

Tableau I—Produits pharmaceutiques contenant de l'alcool

Produit	Fabricant	% Éthanol
Acétaminophène, solution orale pour enfants	WestCan	4,8
Alertonic, liquide	Hoechst Marion Roussel	15,0
Alkeran, injection	Glaxo Wellcome	5,2
Allernix, élixir	Technilab	11,2
Alti-Benzydamine, liquide oral	Altimed	10,0
Anbesol, gel	Whitehall-Robins	58,0
Anbesol, liquide	Whitehall-Robins	60,0
Anbesol extra-fort, liquide	Whitehall-Robins	58,0
Apo-Gain, solution topique	Apotex	63,0
Baby's Own Eau Anticoliques	Block Drug	3,2
Bactrim Roche, injection	Roche	10,0
Beben, gel	Parke-Davis	16,7
Benadryl, élixir	Warner-Lambert, Santé grand public	15,0
Benylin Codéine 3,3 mg-D-E (EVL), sirop	Warner-Lambert, Santé grand public	5,0
Benylin DM-D-E, sirop	Warner-Lambert, Santé grand public	5,0
Benylin DM-D-E Extra-Puissant, sirop	Warner-Lambert, Santé grand public	5,0
Benylin DM-E, sirop	Warner-Lambert, Santé grand public	5,0
Benylin DM-E Extra puissant, sirop	Warner-Lambert, Santé grand public	5,0
Benylin E Extra-Puissant, sirop	Warner-Lambert, Santé grand public	5,0
Benylin Grippe, sirop	Warner-Lambert, Santé grand public	5,0
10 Benzagel, gel contre l'acné	Dermik	15,0
Benzamycin, gel	Dermik	9,0
Betadine, gargarisme	Purdue Frederick	8,0
BiCNU injectable (après le mélange)	Bristol	10,0
Biobase, lotion	Odan	70,0
Biobase-G à 6 % solution topique	Odan	20,0
Biobase-G à 8 % solution topique	Odan	20,0
Brevibloc, 250 mg/mL ampoules	Zeneca	25,0
Bronkaid Mistometer pour l'inhalation	Sanofi	33,0
Caladryl, lotion	Warner-Lambert Santé grand public	2,0
Caldomine-DH Forte, liquide	Technilab	3,0
Caldomine-DH Pédiatrique, liquide	Technilab	3,0
Calmydone, sirop	Technilab	3,9
Calmylin #3, sirop	Technilab	4,8
Calmylin #4, sirop	Technilab	2,8
Calmylin ACE, sirop	Technilab	3,3
Calmylin avec codéine, sirop	Technilab	4,8
Calmylin Original avec codéine, sirop	Technilab	2,8
Cheracol, sirop	Roberts	3,0
Chlor-Tripolon, sirop	Schering	7,0
Chlor-Tripolon, sirop décongestionnant	Schering	7,0
Choledyl, élixir	Parke-Davis	20,0
Choledyl Expectorant, élixir	Parke-Davis	20,0
Coristex-DH, liquide	Technilab	4,3
Coristine-DH, liquide	Technilab	4,3
Crixivan 200 mg, capsules	MSD	3,8
Crixivan 400 mg, capsules	MSD	3,9
Dalacin T, solution topique	Pharmacia & Upjohn	50,0
Dalmacol, liquide	Riva	5,0
Dequadin, teinture orale	Roberts	3,0
Dihydroergotamine (DHE), injectable	Novartis Pharma	4,7
Dilusol, excipient topique	Dermtek	38,7
Dimetane, élixir	Whitehall-Robins	3,0
Dimetane Expectorant, liquide	Whitehall-Robins	3,5
Dimetane Expectorant-C, liquide	Whitehall-Robins	3,5
Dimetane Expectorant-DC, liquide	Whitehall-Robins	3,5
Donnagel-PG, suspension	Wyeth-Ayerst	5,0
Donnatal, élixir	Wyeth-Ayerst	23,0
Duoforte 27, gel	Stiefel	45,0
Duonalc, solution	ICN	70,0
Duonalc-E Doux, lotion	ICN	20,0
Duonalc-E Solution	ICN	47,5
Duragesic, système transdermique	Janssen-Ortho	11-13
Erysol, gel	Stiefel	74,9
Étoposide injectable	BDH	2,4
Factrel, injectable	Wyeth-Ayerst	2,0
Fer-in-Sol, gouttes	Mead Johnson	1,6
Fermentol, liquide	Carter Horner	17,0

Tableau I—Produits pharmaceutiques contenant de l'alcool *(suite)*

Produit	Fabricant	% Éthanol
Gravol, ampoules intraveineuses	Carter Horner	17,0
Heracline, ampoules buvables	Technilab	17,9
Infantol, liquide	Carter Horner	1,9
Ionil, shampooing	Galderma	12,0
Ionil-T, shampooing	Galderma	12,0
Isotrex, gel	Stiefel	96,9
Isuprel Mistometer pour l'inhalation	Sanofi	35,7
Kaochlor-10, liquide	Pharmacia & Upjohn	5,0
Kaochlor-20, concentré liquide	Pharmacia & Upjohn	5,0
Kaon, liquide	Pharmacia & Upjohn	5,0
Kemadrin, élixir	Glaxo Wellcome	11,5
Lanoxin, injection	Glaxo Wellcome	11,0
Lanoxin, élixir pédiatrique	Glaxo Wellcome	11,5
Lanoxin, injection pédiatrique	Glaxo Wellcome	10,5
Largactil, gouttes	Rhône-Poulenc Rorer	17,5
Liquor Carbonis Detergens, solution	Odan	80,0
Maltlevol, liquide	Carter Horner	15,0
Maltlevol-12, liquide	Carter Horner	16,0
Mellaril, solution	Novartis Pharma	2,5
Mercodol avec Decapryn, sirop	Hoechst Marion Roussel	4,1
Minox, solution topique	Riva	51,3
M.O.S. 1 mg/mL, sirop aromatisé	ICN	5,0
M.O.S. 5 mg/mL, sirop aromatisé	ICN	5,0
M.O.S. 10 mg/mL, sirop aromatisé	ICN	5,0
Multi-Tar Plus, shampooing	ICN	1,5
Naftin, gel	Allergan	52,0
Nemasol Sodium-ICN, comprimés	ICN	5,0
Nembutal Sodique, injectable	Abbott	10,0
Neoral 10 mg, capsules	Novartis Pharma	9,5
Neoral 25 mg, capsules	Novartis Pharma	9,5
Neoral 50 mg, capsules	Novartis Pharma	9,5
Neoral 100 mg, capsules	Novartis Pharma	9,5
Neoral , solution orale	Novartis Pharma	9,5
Neuleptil, gouttes	Rhône-Poulenc Rorer	12,0
Nimotop I.V., injectable	Bayer	20,0
Nitrolingual, Pompe	Rhône-Poulenc Rorer	20,0
Norvir, capsules	Abbott	17,7
Norvir, liquide	Abbott	43,0
Novo-Benzydamine, liquide	Novopharm	8,0
Novo-Ketotifen, sirop	Novopharm	1,9
Nozinan, gouttes orales	Rhône-Poulenc Rorer	16,5
Nozinan, liquide	Rhône-Poulenc Rorer	2,0
One-Alpha, solution	Leo	10,0
Orascan, solution	Germiphene	3,4
Oro-Clense	Germiphene	10,0
Paclitaxel, injectable	Boehringer Ingelheim	49,7
Panoxyl, gel	Stiefel	20,0
Periactin, sirop	Johnson & Johnson • Merck	5,0
Peridex, rince-bouche	Zila Pharmaceuticals	11,6
Phenergan Expectorant avec codéine, sirop	Novartis Santé Familiale	7,5
Phénytoïne Sodique, injectable	Abbott	10,0
PMS-Benzydamine, liquide	Pharmascience	10,0
PMS-Diphenhydramine, élixir	Pharmascience	14,0
PMS-Docusate Sodium, 50 mg/mL, sirop	Pharmascience	5,0
Postacné, lotion	Dermik	20,0
Pramegel, gel	Medicis	10,0
Procyclid, élixir	ICN	10,0
Proglycem, suspension	Schering	5,0
Prograf, injectable	Fujisawa	83,0
Prostin VR, injectable	Pharmacia & Upjohn	99,0
Psorigel, gel	Galderma	33,0
R & C II, aérosol	R & C	4,5
Retin-A, gel	Janssen-Ortho	90,0
Revitonus C-1000, ampoules	Sabex	1,1
Robidone, liquide	Wyeth-Ayerst	3,2
Robitussin, sirop	Whitehall-Robins	3,5
Robitussin AC, sirop	Whitehall-Robins	3,5
Robitussin DM, sirop	Whitehall-Robins	1,4
Robitussin Toux et Rhume, sirop	Whitehall-Robins	4,8
Robitussin avec Codéine, sirop	Whitehall-Robins	3,5
Rogaine, solution topique	Pharmacia & Upjohn	63,0
Roychlor, liquide	Waymar	5,0
Sandimmune I.V., concentré	Novartis Pharma	27,8
Sans-Acné, solution topique	Galderma	44,0
Scabene, aérosol	Medican	95,0
Sebcur/T, shampooing	Dermtek	8,0
Senokot, sirop	Purdue Frederick	6,0
Septra Injection	Glaxo Wellcome	13,2
Spectro Derm, nettoyant	Spectropharm Dermatology	4,0
Spectro Jel "609", nettoyant	Spectropharm Dermatology	5,0
Spectro Tar, shampooing antiseptique	Spectropharm Dermatology	6,0
Spectro Tar, détersif pour la peau	Spectropharm Dermatology	6,0
Steri/Sol, liquide	Warner-Lambert, Santé grand public	9,0
Stieva-A, gel	Stiefel	96,9
Stieva-A, solution	Stiefel	95,0
Stievamycin, gel	Stiefel	92,0
Sun-Benz, rince-bouche	Sun	10,0
Supracaine, aérosol topique	Hoechst Marion Roussel	4,4
Tagamet, liquide	SmithKline Beecham	2,9
Taxol, injectable	Bristol-Myers Squibb	49,7
Taxotere, solution	Rhône-Poulenc Rorer	13,0
Teejel, gel	Purdue Frederick	39,0
Theo-Bronc, solution	Rougier	10,0
Theophylline, élixir	Technilab	15,3
3TC, solution orale	Glaxo Wellcome	6,0
Topicort, gel	Hoechst Marion Roussel	23,6
Toradol I.M., parentéral	Roche	10,0
Triaminic DM Bonjour, sirop	Novartis Santé Familiale	5,5
Triaminic-DM Expectorant, liquide	Novartis Santé Familiale	7,1
Triaminic Expectorant, liquide	Novartis Santé Familiale	7,8
Triaminic Expectorant DH, élixir	Novartis Santé Familiale	5,0
Tridil, injectable	DuPont Pharma	30,0
Tylenol avec Codéine, élixir	Janssen-Ortho	6,0
Valium Roche, injection	Roche	8,0
Vepesid, injection	Bristol	24,0
Vitamin A Acid, gel	Dermik	3,5
Vumon Parentéral	Bristol	36,0
Wartec, solution topique	Pharmascience	70,0
X-Prep, liquide	Purdue Frederick	7,0
Zaditen, sirop	Novartis Pharma	2,0
Zantac, solution orale	Glaxo Wellcome	7,5
Zarontin, sirop	Parke-Davis	3,0
Zilactin, gel	Zila Pharmaceuticals	73,0
Zilactin-B, gel	Zila Pharmaceuticals	70,0
Zilactin-L, liquide	Zila Pharmaceuticals	80,0

Bibliographie:

1. Reynolds JEF, éd. Martindale: the extra pharmacopoeia, 31e éd. London: Royal Pharmaceutical Society, 1996.

PRODUITS PHARMACEUTIQUES SANS ALCOOL OU À TENEUR RÉDUITE EN ALCOOL

Le tableau II énumère une sélection de produits ayant une faible teneur en éthanol (≤1 %) ou ne contenant pas d'éthanol à partir des renseignements fournis par les fabricants dont **les préparations orales liquides figurent dans le *CPS***. Il ne faut pas croire que les produits n'apparaissant pas sur cette liste contiennent nécessairement plus de 1 % d'éthanol. Cette liste n'est pas complète et doit être utilisée comme guide de base. Pour plus de renseignements sur un médicament particulier, consulter la rubrique Présentation de la monographie du produit du *CPS* ou communiquer directement avec le fabricant.

Révision 1999

Tableau II—Produits pharmaceutiques sans alcool ou à teneur réduite en alcool (≤1 %)

Produit	Fabricant
Acétaminophène, gouttes	Trianon
Acétaminophène, sirop pour enfants	Stanley
Acétaminophène, solution orale	Trianon
Acétaminophène, solution orale pour enfants	WestCan
Acilac, solution	Technilab
Acti-B_{12}, solution orale	Technilab
Actifed, sirop	Warner-Lambert, Santé grand public
ADEKs, gouttes pédiatriques	Axcan Pharma
Alimentum, liquide	Abbott
Alti-Orciprenaline, sirop	AltiMed
Alti-Valproic, sirop	AltiMed
Alupent, sirop	Boehringer Ingelheim
Amicar, sirop	Wyeth-Ayerst
Amoxil, suspension	Wyeth-Ayerst
Amphojel, suspension	Axcan Pharma
Apo-Amoxi, suspension	Apotex
Apo-Ampi, suspension	Apotex
Apo-Cloxi, suspension orale	Apotex
Apo-Fluoxetine, sirop	Apotex
Apo-Haloperidol, solution orale	Apotex
Apo-Ketotifen, sirop	Apotex
Apo-Oxybutynin, sirop	Apotex
Apo-Pen VK, suspension orale	Apotex
Apo-Sulfatrim, suspension	Apotex
Aquasol E, gouttes	Novartis Santé Familiale
Aquasol E TPGS, liquide	Novartis Santé Familiale
Aristospan, suspension	Stiefel
Atarax, sirop	Pfizer
Atasol, gouttes	Carter Horner
Atasol, solution orale	Carter Horner
Baby's Own Gouttes Pour Bébés	Block Drug
Bactrim Roche, suspension	Roche
Balminil Décongestionnant, sirop	Rougier
Balminil DM, sirop	Rougier
Balminil DM, solution (sans sucrose)	Rougier
Balminil DM + Décongestionnant, sirop	Rougier
Balminil DM + Décongestionnant + Expectorant, sirop	Rougier
Balminil DM Enfants, sirop	Rougier
Balminil DM + Expectorant sirop	Rougier
Balminil Expectorant, sirop	Rougier
Balminil Expectorant, sirop (sans sucrose)	Rougier
Benadryl, médicament liquide pour enfants	Warner-Lambert, Santé grand public
Bentylol, sirop	Hoechst Marion Roussel
Benylin DM, sirop	Warner-Lambert, Santé grand public
Benylin DM 12 Heures, sirop	Warner-Lambert, Santé grand public
Benylin DM pour enfants, sirop	Warner-Lambert, Santé grand public
Benylin DM 12 Heures pour enfants, sirop	Warner-Lambert, Santé grand public
Benylin DM-D (adultes), sirop	Warner-Lambert, Santé grand public
Benylin DM-D pour enfants, sirop	Warner-Lambert, Santé grand public
Biaxin, granulé pour suspension buvable pour enfants	Abbott
Broncho-Grippol-DM, liquide	Technilab
Calcium-Sandoz, sirop	Novartis Santé Familiale
Calcium Stanley, liquide	Stanley
Calmylin #1, sirop	Technilab
Calmylin #2, sirop	Technilab
Calmylin Expectorant, sirop	Technilab
Calmylin Pédiatrique, sirop	Technilab
Calmylin Rhume et grippe, sirop	Technilab
Carnitor, solution buvable	Sigma-Tau
Ceclor, suspension	Lilly
Cefzil, poudre pour suspension orale	Bristol-Myers Squibb
Charcodote, solution	Pharmascience
Charcodote Aqueux, solution	Pharmascience
Charcodote TFS, solution	Pharmascience
Chlorpromanyl, liquide	Technilab
Choledyl, sirop pédiatrique	Parke-Davis
Citro-Mag, solution	Rougier
Citrotein, liquide	Novartis Nutrition
Claritin, sirop	Schering
Clavulin, suspension	SmithKline Beecham
CoActifed, sirop	Glaxo Wellcome
CoActifed Expectorant, sirop	Glaxo Wellcome
Codeine Phosphate, sirop	Rougier
Colace, gouttes	Roberts
Colace, sirop	Roberts
Combantrin, suspension	Pfizer
Compleat Modifié, liquide	Novartis Nutrition
Cophylac, solution	Hoechst Marion Roussel
Cophylac Expectorant, solution	Hoechst Marion Roussel
Coptin, suspension orale	Axcan Pharma
Cotridin, liquide	Technilab
Cotridin Expectorant, liquide	Technilab
Delsym, suspension	Novartis Santé Familiale
Depakene, sirop	Abbott
Deproic, sirop	Technilab
Dilantin, suspension	Parke-Davis
Dilaudid, liquide	Knoll
Dimetapp, liquide	Whitehall-Robins
Dimetapp-C, sirop	Whitehall-Robins
Dimetapp Clair, liquide	Whitehall-Robins
Dimetapp-DM, liquide	Whitehall-Robins
Dimetapp Gouttes orales pour enfants	Whitehall-Robins
Diovol, suspension	Carter Horner
Diovol Ex, suspension	Carter Horner
Diovol Plus, suspension	Carter Horner

Tableau II—Produits pharmaceutiques sans alcool ou à teneur réduite en alcool (≤1 %) *(suite)*

Produit	Fabricant
Diovol Plus AF, suspension	Carter Horner
Docusate de Sodium, gouttes	Technilab
Docusate de Sodium, sirop	Technilab
Docusate Sodique, sirop	Taro
Drisdol, solution	Sanofi
EES, granulé pour suspension	Abbott
Elavil, suspension	MSD
Entacyl, suspension	Roberts
Erythrocin, suspension	Abbott
Fer-In-Sol, sirop	Mead Johnson
Ferodan, gouttes pédiatriques	Odan
Ferodan, sirop	Odan
Fluor-A-Day, gouttes	Pharmascience
Fucidin, suspension	Leo
Gaviscon HRF, suspension	SmithKline Beecham Consumer Healthcare
Gelusil, liquide	Warner-Lambert, Santé grand public
Gelusil Extra-Puissant, liquide	Warner-Lambert, Santé grand public
Glucodex, liquide	Rougier
Gravol, liquide	Carter Horner
Hormodausse, ampoules buvables	Technilab
Hycodan, sirop	DuPont Pharma
Hycomine, sirop	DuPont Pharma
Hycomine-S, sirop pédiatrique	DuPont Pharma
Ilosone, liquide	Lilly
Infantol, gouttes	Carter Horner
Isomil, liquide	Abbott
Isosource, liquide	Novartis Nutrition
Isosource HN, liquide	Novartis Nutrition
Isosource VHN, liquide	Novartis Nutrition
Kaopectate, suspension pour enfants	Johnson & Johnson • Merck
Kaopectate Extra Fort, suspension	Johnson & Johnson • Merck
Kaopectate Régulier, suspension	Johnson & Johnson • Merck
K-10, solution	SmithKline Beecham
Keflex, suspension	Lilly
Koffex DM, sirop	Rougier
Koffex DM, sirop (sans sucrose)	Rougier
Lactaid, gouttes	McNeil, Produits aux consommateurs
Largactil, liquide	Rhône-Poulenc Rorer
Lasix, solution	Hoechst Marion Roussel
Lidodan Visqueuse, liquide	Odan
Loxapac, concentré oral solution	Wyeth-Ayerst
Maalox, suspension	Novartis Santé Familiale
Maalox HRF, suspension	Novartis Santé Familiale
Maalox Plus, suspension	Novartis Santé Familiale
Maalox Plus Extra Forte, suspension	Novartis Santé Familiale
Maalox TC, suspension	Novartis Santé Familiale
Magnésium-Rougier, solution	Rougier
Maxeran, liquide	Hoechst Marion Roussel
Mellaril, suspension	Novartis Pharma
Meritene, poudre pour liquide oral	Novartis Nutrition
Morphitec, sirop	Technilab
M.O.S. 1 mg/mL, sirop sans saveur	ICN
M.O.S. 5 mg/mL, sirop sans saveur	ICN
M.O.S. concentré 20 mg/mL, sirop	ICN
M.O.S. concentré 50 mg/mL, sirop	ICN
Motrin Pour enfants, liquide	McNeil, Produits aux consommateurs
Mucaine, suspension	Axcan Pharma
Mycifradin, solution orale	Pharmacia & Upjohn
Mycostatin, suspension orale	Squibb
Mylanta concentration normale, liquide	Warner-Lambert, Santé grand public
Mylanta, double concentration simple, suspension	Warner-Lambert, Santé grand public
Mylanta Extra-Puissant, suspension	Warner-Lambert, Santé grand public
Nadopen-V, solution orale	Nadeau
Nadostine, suspension orale	Nadeau
Nadostine, suspension orale (sans sucrose)	Nadeau
Naprosyn, suspension	Roche
Nilstat, gouttes orales	Technilab
Novahistex C, liquide	Hoechst Marion Roussel
Novahistex DH, liquide	Hoechst Marion Roussel
Novahistex DH Expectorant, liquide	Hoechst Marion Roussel
Novahistine DH, liquide	Hoechst Marion Roussel
Novamoxin, suspension	Novopharm
NovaSource Renal, liquide	Novartis Nutrition
Novo-Ampicillin, suspension	Novopharm
Novo-Lexin, suspension	Novopharm
Novo-Pen-VK, suspension	Novopharm
Novo-Tétra, suspension	Novopharm
Novo-Trimel, suspension	Novopharm
Nu-Amoxi, suspension	Nu-Pharm
Nu-Ampi, suspension	Nu-Pharm
Nu-Cloxi, liquide	Nu-Pharm
Nu-Cotrimox, suspension	Nu-Pharm
Nutrisource, liquide	Novartis Nutrition
Nutrisource HN, liquide	Novartis Nutrition
Nyaderm, suspension	Taro
Oligosol, Cuivre, pulvérisateur	Labcatal
Oligosol, Cuivre-Or-Argent pulvérisateur	Labcatal
Oligosol, Magnésium, pulvérisateur	Labcatal
Oligosol, Manganèse, pulvérisateur	Labcatal
Oligosol, Manganèse-Cobalt, pulvérisateur	Labcatal
Oligosol, Manganèse-Cuivre, pulvérisateur	Labcatal
Oligosol, Zinc-Nickel-Cobalt, pulvérisateur	Labcatal
Omni-Tuss, liquide	Rhône-Poulenc Rorer
Orcipren, sirop	Technilab
Orciprénaline Tanta, sirop	Tanta
Ovol, gouttes	Carter Horner
Palafer, suspension	SmithKline Beecham
Panectyl, liquide	Rhône-Poulenc Rorer
Pedialyte, liquide	Abbott
Pedialyte Bâtons Glacés	Abbott
Pediasure, liquide	Abbott
Pediatrix, gouttes	Technilab
Pediatrix, solution orale	Technilab
Pediazole, granules pour suspension	Abbott
Pedi-Dent, gouttes	Stanley
Peglyte, solution	Pharmascience
Peridol, solution orale	Technilab
Phosphates Solution	Pharmascience
PMS-Chloral Hydrate, sirop	Pharmascience
PMS-Dicitrate, solution	Pharmascience
PMS-Docusate Sodium 10 mg/mL, gouttes	Pharmascience
PMS-Hydromorphone, sirop	Pharmascience
PMS-Hydroxyzine, sirop	Pharmascience
PMS-Isoniazid, sirop	Pharmascience
PMS-Lactulose, sirop	Pharmascience
PMS-Lithium Citrate, sirop	Pharmascience
PMS-Metoclopramide, solution	Pharmascience
PMS-Nystatin, suspension	Pharmascience
PMS-Sodium Polystyrene sulfonate, suspension orale	Pharmascience
Polycitra-K, cristaux	Alza
Polycitra-K, solution	Alza
Pondocillin, suspension	Leo
Prepulsid, suspension	Janssen-Ortho

Tableau II—Produits pharmaceutiques sans alcool ou à teneur réduite en alcool (≤1 %) *(suite)*

Produit	Fabricant
Prozac, liquide	Lilly
Rafton, liquide	Ferring
Reglan, sirop	Wyeth-Ayerst
Resource, liquide	Novartis Nutrition
Resource Breuvage Aux Fruits, liquide	Novartis Nutrition
Resource Diabétique, liquide	Novartis Nutrition
Resource Pour Enfant, liquide	Novartis Nutrition
Resource Plus, liquide	Novartis Nutrition
Retrovir (AZT), sirop	Glaxo Wellcome
Revitalose-C-1000, fioles buvable	Rivex Pharma
Riopan, suspension	Whitehall-Robins
Risperdal Solution Orale	Janssen-Ortho
Robitussin Extra-fort, sirop	Whitehall-Robins
Robitussin Extra-fort DM, sirop	Whitehall-Robins
Robitussin Extra-fort Toux et Rhume, sirop	Whitehall-Robins
Robitussin Pédiatrique, sirop	Whitehall-Robins
Robitussin Pédiatrique Toux et Rhume, sirop	Whitehall-Robins
Rocaltrol, solution orale	Roche
Royvac, solution	Waymar
Sandosource Peptide, liquide	Novartis Nutrition
Selax, sirop	Odan
Seldane, suspension	Hoechst Marion Roussel
Septra, suspension pédiatrique	Glaxo Wellcome
Similac LF, liquide	Abbott
Sporanox Solution Orale	Janssen-Ortho
Statex, gouttes	Pharmascience
Statex, sirop	Pharmascience
Stémétil, liquide	Rhône-Poulenc Rorer
Sulcrate Plus, suspension	Hoechst Marion Roussel
Suprax, suspension	Rhône-Poulenc Rorer
Symmetrel, sirop	DuPont Pharma
Tegretol, suspension	Novartis Pharma
Telebrix 38 Oral, solution	Mallinckrodt
Tempra, gouttes	Mead Johnson
Tempra, sirop	Mead Johnson
Tolerex, poudre pour liquide oral	Novartis Nutrition
Triaminic DM Action prolongée pour enfants	Novartis Santé Familiale
Triaminic DM Bonne Nuit, sirop	Novartis Santé Familiale
Triaminic Rhume et Allergie, sirop	Novartis Santé Familiale
Triaminic Rhume et Fièvre, sirop	Novartis Santé Familiale
Triaminic Gouttes Orales Pédiatriques	Novartis Santé Familiale
Triaminicol DM, sirop	Novartis Santé Familiale
Trisulfaminic, suspension	Shepherd
Tussaminic C Forte, liquide	Novartis Santé Familiale
Tussaminic C Ped, liquide	Novartis Santé Familiale
Tussaminic DH Forte, liquide	Novartis Santé Familiale
Tussaminic DH Ped, liquide	Novartis Santé Familiale
Tussionex, suspension	Rhône-Poulenc Rorer
Tylenol, élixir	McNeil, Produits aux consommateurs
Tylenol, gouttes	McNeil, Produits aux consommateurs
Tylenol, suspension	McNeil, Produits aux consommateurs
Tylenol, Médicament contre la toux, suspension	McNeil, Produits aux consommateurs
Tylenol, Médicament pour le rhume, suspension pour enfants	McNeil, Produits aux consommateurs
Univol, suspension	Carter Horner
Vaccin Antipoliomyétique Vivant Oral Trivalent	Connaught
Vanquin, suspension	Warner-Lambert, Santé grand public
Ventolin, liquide oral	Glaxo Wellcome
Vivonex Pediatric, poudre pour liquide oral	Novartis Nutrition
Vivonex Plus, poudre pour liquide oral	Novartis Nutrition
Vivonex T.E.N., poudre pour liquide oral	Novartis Nutrition
Zofran, solution orale	Glaxo Wellcome
Zovirax, suspension	Glaxo Wellcome

PRODUITS PHARMACEUTIQUES CONTENANT DU GLUTEN

Le gluten est une protéine complexe qui se retrouve dans le blé et en quantité moindre dans l'orge, l'avoine et le seigle. Les prolamines, composantes du gluten contenu dans ces céréales, provoquent des lésions au petit intestin chez des individus sensibles souffrant de maladie cœliaque. Les prolamines du maïs et du riz ne sont pas toxiques. Dans les monographies, la mention «contient du gluten» ou «avec gluten» fait référence au gluten provenant du blé, de l'orge, de l'avoine et du seigle pour les ingrédients non médicinaux seulement. Ceci ne fait pas référence au gluten propre à l'ingrédient actif (p. ex. le psyllium).

Le tableau III présente une sélection de produits contenant du gluten. Il est dressé à partir des renseignements fournis volontairement par les fabricants dont **les préparations sont dans le *CPS***. Dans certains cas, les matériaux bruts utilisés dans la fabrication proviennent de sources autres que l'industrie pharmaceutique et peuvent contenir des traces de gluten. Il ne faut pas croire que les produits n'apparaissant pas sur cette liste ne contiennent pas de gluten. Cette liste n'est pas exhaustive et doit être utilisée comme guide de base. Pour plus de renseignements sur un médicament particulier, consulter la rubrique Présentation de la monographie du produit du *CPS* ou communiquer directement avec le fabricant.

Révision 1999

Tableau III—Produits pharmaceutiques contenant du gluten

Produit	Fabricant
A.A.S., comprimés	WestCan
A.A.S. à délitage entérique, comprimés	WestCan
A.C.& C., comprimés	WestCan
Contac Toux, Rhume et Grippe, Jour et Nuit, caplets	SmithKline Beecham Consumer
Coptin, comprimés	Axcan Pharma
Dimetapp Extentabs	Whitehall-Robins
Diovol EX, comprimés	Carter Horner
Dyazide, comprimés	SmithKline Beecham
Dyrenium, comprimés	SmithKline Beecham
Gravol L/A, capsules	Carter Horner
Honvol, comprimés	Carter Horner
Lactaid, comprimés	McNeil Produits aux consommateurs
Leukeran, comprimés	Glaxo Wellcome
Modulon, comprimés	Axcan Pharma
Nadostine, comprimés	Nadeau
Nadostine, comprimés vaginaux	Nadeau
Parnate, comprimés	SmithKline Beecham
Trasicor 40 mg, comprimés	Novartis Pharma
Ursofalk, capsules	Axcan Pharma

Bibliographie:
1. Reynolds JEF, éd. Martindale: the extra pharmacopoeia, 31e éd. London: Royal Pharmaceutical Society, 1996.

FABRICANTS QUI N'UTILISENT PAS DE GLUTEN

Le tableau IV présente une sélection de fabricants qui n'utilisent pas de gluten à partir des renseignements fournis par les fabricants. Seuls les fabricants dont **les préparations sont dans le *CPS*** ont été inclus. Dans certains cas, les matières premières qui entrent dans la composition des médicaments proviennent des fournisseurs extérieurs à l'industrie pharmaceutique et peuvent contenir des traces de gluten. Il ne faut pas croire que les fabricants n'apparaissant pas sur cette liste utilisent nécessairement du gluten. Cette liste n'est pas exhaustive et doit être utilisée comme guide de base. Pour plus de renseignements sur un médicament particulier, consulter la rubrique Présentation de la monographie du produit du *CPS* ou communiquer directement avec le fabricant.

Révision 1999

Tableau IV—Fabricants qui n'utilisent pas de gluten

Fabricants
Laboratoires Abbott Limitée
Albert Pharma Inc.
Alcon Canada Inc.
Laboratoire Allerex Ltée
Allergan Inc.
Altimed Pharmaceutical Company
Alza Canada
Amgen Canada Inc.
Apotex Inc.
Ashbury Biologicals Inc.
Astra Pharma Inc.
Baxter Corporation
BDH Inc.
Berlex Canada Inc.
Berna Products, Corp.
BioChem Vaccins
Biomatrix Medical Canada Inc.
Block Drug Company (Canada) Ltd.
Boehringer Ingelheim (Canada) Ltée
Bristol
Bristol-Myers Squibb Canada Inc.
Cangene Corporation
Chattem (Canada) Inc.
CIBA Vision Canada Inc.
Clintec, Société de nutrition
Connaught Laboratories Limited

Tableau IV—Fabricants qui n'utilisent pas de gluten *(suite)*

Fabricants	Fabricants
Crystaal Corporation	Organon Canada Ltée
Dermik Laboratoires Canada Inc.	Organon Teknika Inc.
Dermtek Pharmaceutique Ltée	Pfizer Canada Inc.
Dioptic Laboratoires	Pfizer Canada Inc., Division des soins de la santé
Laboratoires Dormer Inc.	Pharmacia & Upjohn Inc.
Draxis Health Inc.	Pharmascience Inc.
Duchesnay Inc.	Procter & Gamble Inc.
DuPont Pharma	Procter & Gamble Pharmaceuticals Canada, Inc.
Endo Canada Inc.	Purdue Frederick Inc.
Fabrigen, Inc.	Reed & Carnrick
Faulding (Canada) Inc.	Rhodiapharm Inc.
Ferring Inc.	Rhône-Poulenc Rorer Canada Inc.
Fournier Pharma Inc.	RHO-Pharm Inc.
Frosst	Rhoxal Pharma Inc.
Fujisawa Canada Inc.	Rivex Pharma Inc.
Galderma Canada Inc.	Produits ophtalmiques Rivex
Genpharm Inc. Pharmaceuticals	Roberts Pharmaceutical Canada, Inc.
Laboratoires Glenwood Canada Ltée	Sanofi Canada Inc.
Hoechst Marion Roussel Canada Inc.	Schering Canada Inc.
Hoffmann-La Roche Limitée	Serono Canada Inc.
ICN Canada Ltée	Servier Canada Inc.
Janssen-Ortho Inc.	Pharmaceutiques Shepherd Inc.
Johnson & Johnson • Merck Consumer Pharmaceuticals	Sigma-Tau Pharmaceuticals, Inc.
Key	Smith & Nephew Inc.
Knoll Pharma Inc.	Solvay Kingswood Inc.
Labcatal Inc.	Spectopharm Dermatolo
Laboratoire Riva Inc.	Squibb Canada
Leo Laboratories Canada Ltd.	Stanley Pharmaceuticals Ltd.
Ligand Pharmaceuticals (Canada) Inc.	Stiefel Canada Inc.
Lundbeck Canada Inc.	Sun Pharmaceutical Industries Inc.
Mallinckrodt Medical Inc.	Swiss Herbal Remedies Ltd.
May & Baker Pharma	Tanta Pharmaceuticals Inc.
Medicis Canada Ltée	Taro Pharmaceuticals Inc.
Merck Sharp & Dohme Canada	Technilab Inc.
NeXstar Pharmaceuticals, Inc.	Trans CanaDerm Inc.
Novartis Nutrition Corporation	Laboratoires Trianon Inc.
Novartis Santé Familiale Canada Inc.	UCB Pharma Inc.
Novo Nordisk Canada Inc.	Waymar Pharmaceuticals Inc.
Novopharm Limited	Westwood-Squibb
Nu-Pharm Inc.	Wyeth-Ayerst Canada Inc.
Nycomed Amersham Canada Limited	Zeneca Pharma Inc.
Laboratoires Odan Ltée	Zila Pharmaceuticals, Inc.
Ophtapharma Canada Inc.	

PRODUITS PHARMACEUTIQUES CONTENANT DES SULFITES

Le tableau V énumère une sélection de produits contenant des sulfites à partir des renseignements fournis par les fabricants dont **les produits sont dans le *CPS***. Dans certains cas, les matériaux bruts utilisés dans la fabrication proviennent de sources autres que l'industrie pharmaceutique et peuvent contenir des traces de sulfites. Bien que des réactions à ces quantités minimes n'aient probablement pas d'importance clinique, il est recommandé de surveiller le patient lors de la première dose de tout médicament si ce patient est sensible aux sulfites. Il ne faut pas croire que les produits n'apparaissant pas sur cette liste ne contiennent pas de sulfites. Cette liste n'est pas exhaustive et doit être utilisée comme un guide de base. Pour plus de renseignements sur un médicament particulier, consulter la rubrique Présentation de la monographie du produit du CPS ou communiquer directement avec le fabricant.

Révision 1999

Le terme sulfites comprend le bisulfite de sodium ou de potassium, le métabisulfite de sodium ou de potassium, le sulfite de sodium et le bioxyde de soufre. Les sulfites sont utilisés comme agents antioxydants pour la conservation des aliments et des médicaments.

On a signalé que les réactions d'hypersensibilité, telles que l'urticaire, les nausées, la diarrhée, la respiration sifflante et la dyspnée avaient surtout lieu après l'ingestion de mets de restaurant traités aux sulfites, mais elles peuvent également être attribuables à des produits médicamenteux contenant des sulfites. Bien que les concentrations de sulfites dans les produits pharmaceutiques soient, en général, faibles, les réactions indésirables aux sulfites ne sont pas toujours fonction de la dose ingérée. Les réactions indésirables aux sulfites, en particulier chez les asthmatiques, peuvent mettre la vie en danger. De plus, les asthmatiques sont plus sensibles aux sulfites qu'ils inhalent qu'à ceux qu'ils ingèrent.

Plusieurs patients peuvent être sensibles aux sulfites plutôt qu'allergiques à des aliments ou à des médicaments. Les personnes qui se savent hypersensibles aux sulfites devraient lire attentivement l'étiquette des produits alimentaires qu'elles achètent pour s'assurer qu'ils ne contiennent pas de sulfites. Les professionnels de la santé doivent garder à l'esprit que les préparations pharmaceutiques peuvent contenir des sulfites.

Tableau V—Produits pharmaceutiques contenant des sulfites

Produit	Fabricant
Adrenalin, solution aqueuse	Parke-Davis
Aldomet, injectable	MSD
Alupent, solution pour inhalation	Boehringer Ingelheim
Amikin, injectable	Bristol
Ana-Kit	Bayer
Anthranol, crème	Medican Pharma
Anthrascalp, lotion	Medican Pharma
Astracaine, injectable	Astra
Astracaine Forte, injectable	Astra
Atropine, solution ophtalmique	Dioptic
Bactrim Roche, injectable	Roche
Betagan, solution ophtalmique	Allergan
Cafergot-PB, comprimés	Novartis Pharma
Chlorpromanyl-20, liquide	Technilab
Chlorpromanyl-40, liquide	Technilab
Citanest à 4% Forte, capsules dentaires	Astra
Codéine (phosphate), injectable	Abbott
Codéine Phosphate, comprimés	Rougier
Codéine Phosphate, sirop	Rougier
Cortisporin, solution otique	Glaxo Wellcome
Decadron, phosphate de, injectable	MSD
Dexaméthasone (Phosphate de sodium), solution	Produits ophtalmiques Rivex
Diophenyl-T, solution ophtalmique	Dioptic
Diopred, suspension ophtalmique	Dioptic
Dobutamine (Chlorhydrate), injectable	Abbott
Dobutrex, injectable	Lilly
Dopamine (chlorhydrate) et dextrose, injectable	Abbott
Dopamine (chlorhydrate) et dextrose 5 %, injectable	Baxter
Enlon, injectable	Zeneca
Épinéphrine, injectable	Abbott
Epipen, injectable	Allerex
Epipen Jr., injectable	Allerex
Fer-in-Sol, gouttes	Mead Johnson
Fer-in-Sol, sirop	Mead Johnson
Ferodan, solution	Odan
Flaxedil, injectable	Rhône-Poulenc Rorer
Fucidin, suspension	Leo
Garamycin, injectable	Schering
Gentamicin (sulfate), injectable	Novopharm
Héparine Sodique avec dextrose à 5 %, injectable	Abbott
Innohep, fioles	Leo
Innohep 20 000 UI anti-Xa/mL, seringues	Leo
Inocor, injectable	Sanofi
Intropin, injectable	DuPont Pharma
Isuprel, injectable	Sanofi
Isuprel, solution pour inhalation	Sanofi
Largactil, injectable	Rhône-Poulenc Rorer
Leritine, comprimés	Frosst
Leritine, injectable	Frosst
Lévobunolol (chlorhydrate), solution ophtalmique	Produits Ophtalmiques Rivex
Levophed, injectable	Sanofi
Lidocaïne et Épinéphrine, injectable	Abbott
Marcaine 0,25 % avec Épinéphrine, solution	Sanofi
Marcaine 0,5 % avec Épinéphrine, solution	Sanofi
Morphine (sulfate) injectable	Abbott
Morphine (sulfate) 1 et 2 mg/mL Rapiject injectable	Faulding
Mydfrin, solution ophtalmique	Alcon
Nadostine, suspension orale	Nadeau
Nadostine, suspension orale (sans sucrose)	Nadeau
Nebcin, injectable	Lilly
Nebcin, grand format pour pharmacies	Lilly
Neo-Synephrine, parentérale	Sanofi

Tableau V—Produits pharmaceutiques contenant des sulfites *(suite)*

Produit	Fabricant
Nesacaine, injectable	Astra
Netromycin, injectable	Schering
Nizoral, crème	Janssen-Ortho
Novocain, injectable	Sanofi
Nozinan, injectable	Rhône-Poulenc Rorer
Numorphan, injectable	DuPont Pharma
Nupercaïnal, crème et onguent	Novartis Santé Familiale
Ophtho-Bunolol, solution ophtalmique	AltiMed
Ophtho-Tate, suspension ophtalmique	AltiMed
Phénergan, injectable	Rhône-Poulenc Rorer
Polocaine à 2 % et Lévonordéfrine 1:20 000, capsules dentaires	Astra
Postacné, lotion	Dermik
Pred Forte 1 %, suspension ophtalmique	Allergan
Pred Mild 0,12 %, suspension ophtalmique	Allergan
Promazine (chlorhydrate), injectable	Abbott
Pronestyl, injectable	Squibb
Quintasa, lavement	Ferring
Reversa HQ, gel	Dermtek
Salofolk, suspension rectale	Axcan Pharma
Selexid, comprimés	Leo
Sensorcaine avec Épinéphrine (1:200 000), solution	Astra
Septra, injectable	Glaxo Wellcome
Stémétil, injectable	Rhône-Poulenc Rorer
Streptomycine (sulfate), injectable	Pfizer
Sulfacet-R, lotion	Dermik
Talwin, comprimés	Sanofi
Tensilon, injectable	ICN
Tersac, gel	TCD
Thiosulfate de sodium USP, injectable	Faulding
Travasol, préparations (à l'exception des produits Quick Mix)	Clintec
Trilafon, injectable	Schering
Ultracaine DS, cartouches dentaires	Hoechst Marion Roussel
Ultracaine DS Forte, cartouches dentaires	Hoechst Marion Roussel
Vaponefrin, solution pour inhalation	Rhône-Poulenc Rorer
Vasoxyl, injectable	Glaxo Wellcome
Xylocaine, solution dentaires	Astra
Xylocaine, solutions parentérales avec épinéphrine	Astra
Yutopar, injectable	Bristol

Bibliographie:

1. Yamamoto A, Wright D, Campbell J. We have a little list. Rev Pharm Can 1988; 121(10):642-7.
2. Parker WA, MacLachlan RA. Hypersensitivity to sodium bisulfite in Normosol-M with Dextrose. Can J Hosp Pharm 1987; 40(4):139-40, 152.
3. Miyata M, Schuster B, Schellenberg R. Sulfite-containing Canadian pharmaceutical products available in 1991. J Assoc Med Can 1992; 147(9):1333-1338.

PRODUITS PHARMACEUTIQUES CONTENANT DE LA TARTRAZINE

La tartrazine (FD&C jaune n° 5) est un colorant utilisé pour produire une couleur jaune (ou, combinée à d'autres colorants, rouge ou vert) dans les aliments, les breuvages et les médicaments. Elle est membre des composés de colorant azoïque, lesquels sont le plus souvent impliqués dans les cas de toxicité aux colorants. Les réactions les plus communes à la tartrazine sont l'asthme et l'urticaire. Bien qu'en général la sensibilité à la tartrazine soit faible, on l'a voit souvent chez les patients hypersensibles à l'AAS.

Le tableau VI énumère les produits contenant de la tartrazine à partir des renseignements fournis par les fabricants dont **les préparations sont inclues dans le *CPS***. Dans certains cas, les matières premières qui entrent dans la composition des médicaments proviennent des fournisseurs extérieurs à l'industrie pharmaceutique et peuvent contenir des traces de tartrazine. Il ne faut pas croire que les produits n'apparaissant pas sur cette liste ne contiennent pas de tartrazine. Cette liste n'est pas exhaustive et doit être utilisée comme guide de base. Pour plus de renseignements sur un médicament particulier, consulter la rubrique Présentation de la monographie du produit du *CPS* ou communiquer directement avec le fabricant.

Révision 1999

Tableau VI—Produits pharmaceutiques contenant de la tartrazine

Produit	Fabricants	Produit	Fabricants
Alti-Valproic 500 mg, capsules	AltiMed	Meritene, poudre	Novartis Nutrition
Apresoline 10 mg, comprimés	Novartis Pharma	Morphitec, sirop	Technilab
Bellergal Spacetabs	Novartis Pharma	Mycostatin, comprimés oraux	Squibb
Butisol sodique 30 mg, comprimés	Carter Horner	Nadostine, comprimés vaginaux	Nadeau
		Nembutal sodique, capsules	Abbott
Cafergot-PB, comprimés	Novartis Pharma	NeoCitran A (Allergie et rhume), sachets	Novartis Santé Familiale
Chlorpromanyl-20, liquide	Technilab	NeoCitran DM (Toux et rhume), sachets	Novartis Santé Familiale
Chlorpromanyl-40, liquide	Technilab	One A Day forme logique Fem, comprimés	Bayer, Produits grand public
Choloxin 2 mg, comprimés	Knoll		
Citrotein, poudre	Novartis Nutrition	Orap 4 mg, comprimés	Janssen-Ortho
Depakene, capsules	Abbott	Oro-Clense, liquide	Germiphene
Dexedrine Spansule, capsules	SmithKline Beecham	Oxycodan, comprimés	Technilab
Dexedrine, comprimés	SmithKline Beecham	Penta-Thion, granules	Sabex
Dulcolax, comprimés	Boehringer Ingelheim	Resource Breuvage aux Fruits, liquide	Novartis Nutrition
Estrace 2 mg, comprimés	Roberts	Revitonus C-1000, ampoules	Sabex
Glysennid 12 mg, dragées	Novartis Santé Familiale	Roychlor, liquide	Waymar
Halotestin, comprimés	Pharmacia & Upjohn	Sandomigran, comprimés	Novartis Pharma
Kaochlor-10, liquide	Pharmacia & Upjohn	Sanorex 2 mg, comprimés	Novartis Pharma
Lanohex, nettoyeur pour la peau	Rougier	Sansert, comprimés	Novartis Pharma
Levotec 100 mg, comprimés	Technilab	Tes-Tape	Lilly
		Vitathion-A.T.P., sachets	Servier

Bibliographie:
1. Golightly LK, Smolinske SS, Bennett ML, et collab. Pharmaceutical excipients: adverse effects associated with inactive ingredients in drug products (part 1). Med Tox 1988; 3:128-165.
2. Smith JM, Dodd TRP. Adverse reactions to pharmaceutical excipients. Adv Drug Reac Ac Pois Rev 1982; 1:98-142.

FABRICANTS QUI N'UTILISENT PAS DE TARTRAZINE

Le tableau VII énumère les fabricants qui n'utilisent pas de tartrazine à partir des renseignements fournis par les fabricants. Seuls les fabricants dont **les préparations sont dans le *CPS*** ont été inclus. Dans certains cas, les matières premières qui entrent dans la composition des médicaments proviennent des fournisseurs extérieurs à l'industrie pharmaceutique et peuvent contenir des traces de tartrazine. Il ne faut pas croire que les fabricants n'apparaissant pas sur cette liste utilisent de la tartrazine. Cette liste n'est pas exhaustive et doit être utilisée comme guide de base. Pour plus de renseignements sur un médicament particulier, consulter la rubrique Présentation de la monographie du produit du *CPS* ou communiquer directement avec le fabricant.

Révision 1999

Tableau VII—Fabricants qui n'utilisent pas de tartrazine

Fabricants	Fabricants
Albert Pharma Inc.	Alza Canada
Alcon Canada Inc.	Amgen Canada Inc.
Laboratoire Allerex Ltée	Apotex Inc.
Allergan Inc.	Ashbury Biologicals Inc.

Tableau VII—Fabricants qui n'utilisent pas de tartrazine *(suite)*

Fabricants	Fabricants
Astra Pharma Inc.	Mallinckrodt Medical Inc.
Axcan Pharma Inc.	May & Baker Pharma
Baxter Corporation	McNeil, Produits aux consommateurs
BDH Inc.	Medicis Canada Ltée
Bencard, Laboratoires d'allergie	Merck Sharp & Dohme Canada
Berlex Canada Inc.	NeXstar Pharmaceuticals, Inc.
Berna Products, Corp.	Novo Nordisk Canada Inc.
BioChem Vaccins	Novopharm Limited
Biomatrix Medical Canada Inc.	Nu-Pharm Inc.
Block Drug Company (Canada) Ltd.	Nycomed Amersham Canada Limited
Cangene Corporation	Laboratoires Odan Ltée
Chattem (Canada) Inc.	Optapharma Canada Inc.
CIBA Vision Canada Inc.	Organon Canada Ltée
Clintec, Société de nutrition	Organon Teknika Inc.
Connaught Laboratories Limited	Pfizer Canada Inc.
Crystaal Corporation	Pfizer Canada Inc., Division des soins de la santé
Dermik Laboratoires Canada Inc.	Procter & Gamble Inc.
Dermtek Pharmaceutique Ltée	Procter & Gamble Pharmaceuticals Canada, Inc.
Dioptic Laboratories	Purdue Frederick Inc.
Dispensapharm	Rhodiapharm Inc.
Laboratoires Dormer Inc.	Rhône-Poulenc Rorer Canada Inc.
Draxis Health Inc.	RHO-Pharm Inc.
Duchesnay Inc.	Rhoxal Pharma Inc.
DuPont Pharma	Rivex Pharma Inc.
Endo Canada Inc.	Produits ophtalmiques Rivex
Fabrigen, Inc.	Sanofi Canada Inc.
Faulding (Canada) Inc.	Schering Canada Inc.
Ferring Inc.	Serono Canada Inc.
Fournier Pharma Inc.	Pharmaceutiques Shepherd Inc.
Frosst	Sigma-Tau Pharmaceuticals, Inc.
Fujisawa Canada Inc.	Smith & Nephew Inc.
Galderma Canada Inc.	Solvay Kingswood Inc.
Genpharm Inc. Pharmaceuticals	Stiefel Canada Inc.
Glaxo Wellcome Inc.	Sun Pharmaceutical Industries Inc.
Laboratoires Glenwood Canada Ltée	Swiss Herbal Remedies Ltd.
Hoffmann-La Roche Limitée	Tanta Pharmaceuticals Inc.
ICN Canada Ltée	Taro Pharmaceuticals Inc.
Johnson & Johnson • Merck Consumer Pharmaceuticals	Trans CanaDerm Inc.
Key	Laboratoires Trianon Inc.
Labcatal Inc.	UCB Pharma Inc.
Laboratoire Riva Inc.	Westwood-Squibb
Leo Laboratories Canada Ltd.	Whitehall-Robins Inc.
Ligand Pharmaceuticals (Canada) Inc.	Wyeth-Ayerst Canada Inc.
Lundbeck Canada Inc.	Zeneca Pharma Inc
	Zila Pharmaceuticals, Inc.

INTERACTIONS MÉDICAMENTEUSES

Le tableau I propose une vue d'ensemble des interactions médicament-médicament les plus significatives en pratique clinique. L'information présentée ne doit pas être considérée comme une revue complète. De ce fait, le lecteur est encouragé à approfondir et à corroborer l'information.

Révision 1999

Le tableau sur les interactions médicament-médicament (tableau I) propose une vue d'ensemble des interactions médicamenteuses les plus significatives en pratique clinique. Il décrit également les mécanismes d'action de ces interactions et la conduite à tenir, le cas échéant. Le tableau I est révisé annuellement en utilisant les monographies des produits des fabricants et les références mentionnées ci-dessous.

Les interactions ont été choisies selon leur fréquence, la gravité éventuelle de leurs effets et la disponibilité des données. Celles qui concernent l'alcool, les aliments, la cigarette ou les médicaments utilisés surtout en chirurgie sont exclues.

Certains médicaments sont inscrits selon leur groupe ou classe pharmaceutique. Seuls les médicaments spécifiques impliqués dans l'interaction sont inscrits sous le groupe ou la classe pharmaceutique. On retrouve sous la colonne des commentaires une discussion de l'emploi d'autres membres de la classe pharmaceutique soit sous Mécanisme ou Conduite à tenir.

Les interactions médicamenteuses qui constituent des contre-indications absolues sont rares. Il n'y a donc pas lieu de considérer que les médicaments qui figurent sur cette liste ne doivent jamais être utilisés en association. S'il n'y a pas d'autre choix, il est possible d'administrer ensemble des médicaments susceptibles d'interaction, à condition de prendre les précautions nécessaires (voir Conduite à tenir). En effet, les problèmes surgissent le plus souvent lorsque le risque d'interaction n'est pas connu ou que les précautions ou contre-mesures appropriées ne sont pas mises en œuvre.

Si un médicament spécifique ne figure pas à l'index, il peut ne pas avoir été incorporé au tableau ou l'interaction n'est pas encore définie. Pour évaluer le potentiel d'autres interactions, vous pouvez consulter des ouvrages de référence sur les interactions médicamenteuses tels que mentionnés ci-dessous. La monographie du produit, en général sous la rubrique Précautions, Interactions médicamenteuses, peut aussi fournir les informations recherchées.

Bibliographie choisie

(1) Hansten PD, Horn JR, Koda-Kimble MA, Young LY, éds. Hansten and Horn's Drug Interactions Analysis and Management. Vancouver, WA: Applied Therapeutics, Inc.; 1998.

(2) Tatro, DS, éd. Drug Interaction Facts. St. Louis, MO: Facts and Comparisons; 1998.

(3) Zucchero FJ, Hogan MJ, Schultz CD, éds. Evaluations of Drug Interactions. St. Louis, MO: First Data Bank; 1997.

Tableau I—Interactions médicament-médicament

Médicament	Médicament en cause	Mécanisme	Conduite à tenir
Acébutolol, voir antidiabétiques, bloqueurs des canaux calciques			
Acide acétylsalicylique (AAS), voir anticoagulants oraux, méthotrexate			
Acide éthacrynique, voir aminosides			
Acide méfénamique, voir anticoagulants oraux, lithium			
Acide valproïque, voir phénobarbital			
Acitrétine, voir contraceptifs (oraux)			
Agonistes du récepteur 5-HT$_1$ naratriptan sumatriptan	**IMAO** moclobémide phénelzine tranylcypromine	• Le sumatriptan est métabolisé par la monoamine-oxydase A, laquelle est inhibée par le moclobémide et les IMAO non sélectifs. Le naratriptan n'affecte pas les diverses monoamine-oxydases.	• Éviter l'emploi concomitant du sumatriptan et des inhibiteurs de la MAO-A. Ne pas employer non plus le sumatriptan dans les 2 semaines suivant l'arrêt d'un traitement aux IMAO.
	Médicaments à base d'ergot de seigle dihydroergotamine ergotamine méthysergide	• Les médicaments à base d'ergot de seigle peuvent causer un angiospasme prolongé pouvant se surajouter aux effets des agonistes du récepteur 5-HT$_1$.	• Éviter l'emploi concomitant de naratriptan ou de sumatriptan avec les médicaments à base d'ergot de seigle. Également, n'utiliser ces deux types de médicaments qu'à intervalle d'au moins 24 heures entre l'un et l'autre.
Alcaloïdes de l'ergot de seigle dihydroergotamine ergotamine	**Inhibiteurs enzymatiques** clarithromycine érythromycine ritonavir	• L'inhibition du métabolisme de l'ergotamine peut entraîner de l'ergotisme comprenant de l'hypertension et de l'ischémie.	• Il est peu probable que l'azithromycine inhibe le métabolisme des alcaloïdes de l'ergot de seigle.
Alcaloïdes de l'ergot de seigle, voir aussi agonistes du récepteur 5-HT$_1$			
Allopurinol, voir anticoagulants oraux, antimétabolites, théophyllines			
Amikacine, voir aminosides			
Amiloride, voir diurétiques épargneurs de potassium			
Aminoglutéthimide, voir anticoagulants oraux, corticostéroïdes, théophyllines			
Aminophylline, voir théophyllines			
Aminosides amikacine gentamicine nétilmicine streptomycine tobramycine	**Diurétiques de l'anse** acide éthacrynique	• Les diurétiques puissants ont été associés à une dysfonction du 8e nerf crânien. • Les diurétiques de l'anse peuvent accroître la toxicité des aminosides soit en augmentant la concentration sérique et tissulaire de l'antibiotique, soit par une action directe sur l'appareil auditif. • L'atteinte à la fonction du 8e nerf est plus probable chez les patients dont la fonction rénale est déjà endommagée, surtout si le médicament est administré par voie i.v.	• On devrait éviter l'administration concomitante d'acide éthacrynique et d'aminosides. • Les patients qui reçoivent aussi du furosémide doivent être surveillés, bien que les signes de toxicité accrue soient faibles.
Amiodarone, voir anticoagulants oraux, cyclosporine, glucosides digitaliques, phénytoïne			
Amitriptyline, voir antidépresseurs cycliques, clonidine			
Amlodipine, voir bloqueurs des canaux calciques			
Amoxapine, voir antidépresseurs cycliques			

Amphétamines, voir sympathomimétiques

Androgènes, voir anticoagulants oraux, cyclosporine

Antagonistes des récepteurs de l'angiotensine II, voir diurétiques épargneurs de potassium, lithium

Antiacides, voir quinolones, tétracyclines

Anti-inflammatoires non stéroïdiens (AINS), voir anticoagulants oraux, lithium, méthotrexate

Anticoagulants oraux warfarine	**AINS** acide méfénamique diclofénac diflunisal étodolac fénoprofène flurbiprofène ibuprofène indométhacine kétoprofène naproxen oxaprozine phénylbutazone piroxicam sulindac tolmétine	• La phénylbutazone augmente considérablement la réponse hypoprothrombinémique à la warfarine en inhibant le métabolisme de celle-ci. Elle déplacerait la warfarine des sites de fixation aux protéines plasmatiques. Des hémorragies graves sont survenues. • Dans certains cas, le diflunisal, le flurbiprofène, l'indométhacine, le kétoprofène, l'acide méfénamique, le piroxicam et le sulindac peuvent accentuer la réponse hypoprothrombinémique. • Le diclofénac, l'ibuprofène, le nabumétone, le naproxen, le ténoxicam et possiblement la tolmétine semblent les moins susceptibles de modifier la réponse hypoprothrombinémique aux anticoagulants. • Les érosions gastriques et l'inhibition de la fonction plaquettaire attribuables aux AINS pourraient en théorie accroître le risque d'hémorragie chez les sujets sous anticoagulants. • Il y a lieu de supposer que tous les AINS peuvent interagir avec les anticoagulants.	• Éviter d'administrer la phénylbutazone et choisir un AINS qui soit le moins susceptible possible de modifier la réponse hypoprothrombinémique aux anticoagulants. • Mesurer l'INR* plus souvent pendant 1 à 2 semaines après le début ou la fin du traitement par les AINS. • Rechercher les signes et symptômes d'hémorragie.
	Androgènes danazol fluoxymestérone méthyltestostérone nandrolone oxymétholone testostérone	• Une augmentation considérable de l'effet de l'anticoagulant survient, avec risque accru d'hémorragie. Des hémorragies graves sont survenues. • La plupart des effets hypoprothrombinémiques se manifestent dans la semaine suivant le début de l'androgénothérapie. • Parmi les mécanismes possibles se trouvent un ralentissement de la formation ou une augmentation de la dégradation des facteurs de coagulation, un accroissement de l'affinité du site récepteur de l'anticoagulant, une inhibition du métabolisme de la warfarine et une hausse des anticoagulants endogènes. • L'activité fibrinolytique de l'androgène ajouterait au risque d'hémorragie.	• Éviter, si possible, l'association d'un anticoagulant et d'un androgène. • Surveiller l'INR*. • Rechercher les signes et symptômes d'hémorragie. • Si nécessaire, réduire la dose d'anticoagulant au début de l'androgénothérapie ou l'augmenter à l'interruption de cette dernière.
	Céphalosporines céfamandole céfopérazone céfotétane	• Les céphalosporines qui contiennent un cycle méthylthiotétrazole (MTT) semblent inhiber la production de facteurs de coagulation dépendants de la vitamine K. • Hypoprothrombinémie et(ou) augmentation de l'INR* ont également été signalées avec la céfazoline, le céfixime, le céfotaxime, la céfoxitine, le ceftizoxime, la ceftriaxone et le céfaclor.	• Éviter l'emploi concomitant de warfarine et de céphalosporines qui contiennent un cycle méthylthiotétrazole (céfamandole, cefopérazone, céfotétane). • Avec les autres céphalosporines, surveiller l'INR* et diminuer la dose de warfarine en conséquence.
	Cholestyramine	• L'effet de la warfarine serait atténué à cause d'une malabsorption secondaire à la fixation dans les voies gastro-intestinales.	• Dans la mesure du possible, éviter l'association d'un anticoagulant et de la cholestyramine. Préférer à celle-ci le colestipol, mais en usant de prudence cependant.

*Rapport normalisé international

Tableau I—Interactions médicament-médicament *(suite)*

Médicament	Médicament en cause	Mécanisme	Conduite à tenir
Anticoagulants oraux *(suite)*	**Cholestyramine** *(suite)*	• La warfarine semble subir une réabsorption entéro-hépatique; la cholestyramine entraverait son absorption en dépit d'un écart de plusieurs heures entre les doses. • Le colestipol aurait moins d'effets que la cholestyramine sur l'absorption des anticoagulants.	• Surveiller l'INR*. • Si nécessaire, augmenter la dose d'anticoagulant au début du traitement par la cholestyramine ou la réduire à l'interruption de ce dernier. • Donner l'anticoagulant au moins 6 heures après la cholestyramine et maintenir cet écart constant de manière à ce que l'effet sur l'absorption de l'anticoagulant demeure relativement uniforme.
	Hormones thyroïdiennes lévothyroxine liothyronine thyroïde	• La réponse hypoprothrombinémique aux anticoagulants s'accentue au début du traitement par les hormones thyroïdiennes, probablement à cause d'une chute des taux d'albumine sérique, la principale protéine plasmatique responsable de la fixation de la warfarine, aussi bien qu'à cause d'une réduction dans la capacité de la warfarine de se fixer aux protéines. Il s'ensuit un plus grand risque d'hémorragie. • Cette réaction serait graduelle, s'étendant sur une période de 2 à 3 semaines ou plus. • Les hypothyroïdiens peuvent opposer une certaine résistance à la warfarine, requérant ainsi des doses supérieures. Les euthyroïdiens, naturels ou après une hormonothérapie thyroïdienne substitutive, présentent une réponse hypoprothrombinémique normale à la warfarine. • Les hyperthyroïdiens réagissent plus aux anticoagulants que les euthyroïdiens. • Les hormones thyroïdiennes peuvent augmenter le catabolisme des facteurs de coagulation dépendants de la vitamine K.	• Surveiller étroitement (INR*, hémorragie) les sujets sous anticoagulothérapie et requérant une hormonothérapie thyroïdienne substitutive. • Il est habituellement nécessaire de réduire la dose d'anticoagulant entre 1 et 4 semaines après le début d'un traitement par les hormones thyroïdiennes. • L'adjonction d'un anticoagulant au traitement d'un euthyroïdien sous hormonothérapie thyroïdienne substitutive ne pose pas de problème en général. Cependant, des changements dans l'état thyrométabolique d'un tel patient peuvent modifier ses besoins en anticoagulant.
	Hypolipidémiants **Fibrates** bézafibrate clofibrate fénofibrate gemfibrozil **Inhibiteurs de la HMG-CoA réductase** lovastatine	• Une augmentation de l'effet de l'anticoagulant accroît le risque d'hémorragie. Une hémorragie massive fatale a été attribuée à l'interaction du clofibrate et d'un anticoagulant. • L'effet du clofibrate serait dû à une augmentation de l'activité de l'anticoagulant sur la synthèse des facteurs de coagulation ou à une action sur le renouvellement de la vitamine K ou aux deux à la fois. • L'effet sur l'hypoprothrombinémie commence dans les quelques jours suivant le début du traitement par le clofibrate et il peut continuer à augmenter pendant 2 semaines ou plus. • Un seul cas d'interaction (non fatale) a été signalé après l'administration du gemfibrozil, mais la prudence s'impose.	• Dans la mesure du possible, éviter l'association d'un anticoagulant et du clofibrate. • Surveiller l'INR*. • Si nécessaire, réduire la dose d'anticoagulant au début du traitement par un agent hypolipidémiant ou l'augmenter à l'interruption de ce dernier.

*Rapport normalisé international

		• Ces interactions sont considérées comme possible avec tous les fibrates. • Le mécanisme de l'interaction avec les inhibiteurs de la HMG-CoA réductase est inconnue. • Bien que l'atorvastatine, la cérivastatine, la fluvastatine et la pravastatine peuvent ne pas interagir, et que la simvastatine n'augmente que légèrement la réponse anticoagulante, il faut les administrer avec prudence.	
	Inducteurs enzymatiques aminoglutéthimide barbituriques carbamazépine phénytoïne primidone rifampine	• À cause d'une baisse de l'effet de l'anticoagulant, baisse due à l'induction des enzymes microsomiques hépatiques, le risque de thromboembolie augmente. • Si l'inducteur enzymatique est administré à un patient recevant déjà un anticoagulant, l'inhibition maximale de la réponse hypoprothrombinémique varie de 5 à 10 jours (avec la rifampine), à 2 semaines ou plus. Si c'est l'anticoagulant qui est donné à un patient prenant déjà un inducteur enzymatique, l'effet sur les besoins posologiques d'anticoagulant peut être immédiat. • Le retour complet de l'action hypoprothrombinémique de l'anticoagulant peut ne survenir que plusieurs semaines après le retrait de l'inducteur enzymatique. • La phénytoïne peut, de façon transitoire au cours de la première semaine, accentuer la réponse hypoprothrombinémique chez les sujets sous anticoagulant en déplaçant ce dernier des sites de fixation des protéines plasmatiques, puis atténuer par la suite cette réponse à cause de l'induction enzymatique.	• Surveiller l'INR*. • Si nécessaire, augmenter la dose d'anticoagulant au début du traitement par l'inducteur enzymatique ou la réduire à l'interruption de ce dernier. • Les hypnotiques peuvent être une alternative aux barbituriques.
	Inhibiteurs enzymatiques allopurinol amiodarone chloramphénicol cimétidine ciprofloxacine disulfirame érythromycine fluconazole itraconazole kétoconazole métronidazole norfloxacine propafénone sulfaméthoxazole-triméthoprime sulfinpyrazone zafirlukast	• Une augmentation de l'effet de l'anticoagulant survient à cause de l'inhibition des enzymes microsomiques hépatiques et le risque d'hémorragie s'accroît. • Si l'inhibiteur enzymatique est administré à un patient recevant déjà un anticoagulant, l'augmentation maximale de la réponse hypoprothrombinémique survient dans les 10 jours ou plus (éventuellement dans 1 mois avec l'amiodarone). Si c'est l'anticoagulant qui est donné à un patient prenant déjà un inhibiteur enzymatique, l'effet sur les besoins posologiques d'anticoagulant peut être immédiat. • Après le retrait de l'inhibiteur enzymatique, il peut s'écouler jusqu'à 10 jours avant d'obtenir de nouveau une hypoprothrombinémie stationnaire. Celle-ci peut ne survenir que plusieurs mois après le retrait de l'amiodarone.	• Surveiller l'INR*. • Si nécessaire, réduire la dose d'anticoagulant au début du traitement par l'inhibiteur enzymatique ou l'augmenter à l'interruption de ce dernier.

*Rapport normalisé international

Tableau I—Interactions médicament-médicament *(suite)*

Médicament	Médicament en cause	Mécanisme	Conduite à tenir
Anticoagulants oraux *(suite)*	**Inhibiteurs enzymatiques** *(suite)*	• La clarithromycine inhibe parfois le métabolisme hépatique. Il faut donc la prescrire avec prudence chez les sujets sous anticoagulothérapie. • Aucune interaction connue entre la grépafloxacine, la lévofloxacine, l'ofloxacine et les anticoagulants, mais quand même les administrer avec prudence aux sujets sous anticoagulothérapie. • La ranitidine, la famotidine et possiblement la nizatidine ne devraient pas modifier l'action hypoprothrombinémique des anticoagulants. Il est donc recommandé de les prescrire au lieu de la cimétidine en présence d'anticoagulothérapie.	
	ISRS paroxétine	• La paroxétine augmente le saignement par un mécanisme inconnu si elle est administrée plusieurs jours en concomitance. • La fluvoxamine peut augmenter de 65 % les concentrations de warfarine mais la conséquence clinique est inconnue. • La sertraline augmente légèrement l'hypoprothrombinémie induite par la warfarine. • La fluoxétine n'a pas d'effet sur l'hypoprothrombinémie induite par la warfarine mais peut à elle seule augmenter le saignement.	• Éviter l'emploi concomitant avec la paroxétine. • Surveiller l'INR* au début et à la fin du traitement par la fluvoxamine ou la sertraline, ainsi qu'au moment des ajustements posologiques.
	Salicylates AAS	• Même les petites doses d'AAS inhibent la fonction plaquettaire et par conséquent peuvent produire des érosions gastriques, élevant ainsi le risque d'hémorragie. • De fortes doses d'AAS (plus de 3 g/jour) peuvent renforcer la réponse hypoprothrombinémique aux anticoagulants. • Les salicylates non acétylés (comme le salicylate de choline) agissent peu sur la fonction plaquettaire et devraient en théorie causer moins d'hémorragies gastro-intestinales.	• Éviter l'usage concomitant des anticoagulants et de l'AAS et des produits renfermant de l'AAS. • Surveiller l'INR* et rechercher les signes et symptômes d'hémorragie. • Dans les cas où un analgésique doux suffit, préférer l'acétaminophène à l'AAS.
Antidépresseurs cycliques amitriptyline amoxapine clomipramine désipramine doxépine imipramine maprotiline nortriptyline protriptyline trimipramine	**IMAO** moclobémide phénelzine tranylcypromine	• L'emploi concomitant d'IMAO et d'antidépresseurs cycliques peut augmenter de manière excessive la sérotonine dans le SNC produisant le «syndrome de la sérotonine». • Des décès ont été associés avec l'emploi concomitant de clomipramine et d'un IMAO non sélectif ainsi qu'avec le moclobémide. • On a rapporté de graves réactions suite à l'association d'IMAO et d'imipramine. Dans la plupart des cas, l'agent cyclique était administré par voie parentérale, ou des doses excessives du médicament étaient utilisées ou d'autres psychotropes étaient aussi administrés.	• Éviter l'association d'IMAO avec la clomipramine ou l'imipramine. • Si d'autres antidépresseurs cycliques sont utilisés en association avec les IMAO, éviter de fortes doses; administrer les médicaments par voie orale; surveiller le patient de près pour l'excitation, la fièvre, la manie ou les convulsions.

*Rapport normalisé international

		• Les réactions graves comprenaient l'excitation, l'hyperpyrexie, la manie et les convulsions. La coagulation intravasculaire disséminée a aussi été rapportée. • Une interaction n'a pas été signalée avec tous les antidépresseurs cycliques mais il est plus probable qu'elle survienne avec les inhibiteurs du recaptage de la sérotonine, p. ex. la clomipramine, la désipramine, l'imipramine, le trazodone.	
	Inducteurs enzymatiques barbituriques carbamazépine	• Une réduction des taux sériques de l'antidépresseur survient à cause d'un déclenchement du métabolisme pouvant résulter en une perte d'effet thérapeutique. • Ces interactions n'ont pas été signalées avec tous les antidépresseurs, mais elles sont considérées comme possibles. • La primidone et la phénytoïne peuvent en principe précipiter une interaction. • Les répercussions sur l'efficacité de l'antidépresseur sont graduelles et peuvent mettre entre plusieurs jours et 1 semaine ou plus à se manifester.	• Si nécessaire, augmenter la dose d'antidépresseur au début du traitement par un inducteur enzymatique ou la réduire à l'interruption de ce dernier. • Les benzodiazépines peuvent remplacer avantageusement les barbituriques.
	Inhibiteurs enzymatiques cimétidine diltiazem fluoxétine neuroleptiques propoxyphène quinidine vérapamil	• Les taux sériques de l'antidépresseur augmentent, probablement à cause d'une inhibition du métabolisme. • Les interactions bien documentées sont celles qui s'associent à la cimétidine, à la fluoxétine et aux neuroleptiques. • Ces interactions n'ont pas été signalées avec tous les antidépresseurs cycliques, mais elles sont considérées comme possibles. • La toxicité des antidépresseurs peut ne se manifester qu'après plusieurs jours jusqu'à 1 semaine ou plus de traitement par un inhibiteur enzymatique et incluent sécheresse de la bouche, vue brouillée, rétention urinaire, hypotension orthostatique, délire). Des convulsions peuvent se produire si on combine la fluoxétine et un antidépresseur cyclique. • La fluoxétine peut en théorie continuer d'agir sur le métabolisme de l'antidépresseur pendant 2 à 4 semaines après son retrait. • Les antidépresseurs peuvent augmenter les taux sériques des neuroleptiques et donc, en théorie, les effets thérapeutiques et toxiques de ceux-ci.	• Si nécessaire, réduire la dose d'antidépresseur au début du traitement par un inhibiteur enzymatique ou l'augmenter à l'interruption de ce dernier. • Au début d'un traitement par la fluoxétine chez un sujet prenant un antidépresseur, il peut être nécessaire de réduire la dose de celui-ci jusqu'à 75 %. • Si un traitement par un antidépresseur commence dans les quelques semaines suivant le retrait de la fluoxétine, prévoir une augmentation des effets secondaires de l'antidépresseur et commencer le traitement par une dose inférieure aux doses habituelles. Envisager une période de sevrage thérapeutique de 5 semaines avant de remplacer la fluoxétine par un antidépresseur cyclique. • Prévoir une augmentation des effets secondaires neuroleptiques. • Il y a peu de risque que la ranitidine interagisse avec les antidépresseurs. Elle peut donc remplacer la cimétidine.
Antidépresseurs cycliques, voir aussi clonidine			
Antidiabétiques **Insuline** **Sulfonylurées** chlorpropamide gliclazide glyburide tolbutamide	**Bêta-bloquants adrénergiques** **Cardiosélectifs** acébutolol aténolol métoprolol	• Les bêta-bloquants non cardiosélectifs peuvent ralentir la récupération d'une crise d'hypoglycémie, causer de l'hypertension durant l'hypoglycémie et enrayer la tachycardie d'origine hypoglycémique. Ceci est causé par une inhibition des effets hyperglycémiants, vasodilatateurs et cardiotoniques de l'épinéphrine qui est libérée en réaction à l'hypoglycémie provoquée par l'insuline ou les sulfonylurées.	• Chez les patients recevant de l'insuline ou une sulfonylurée, préférer les bêta-bloquants cardiosélectifs aux bêta-bloquants non cardiosélectifs, mais user quand même de prudence. • Informer le patient que la réaction tachycardique à l'hypoglycémie pourrait ne pas survenir.

Tableau I—Interactions médicament-médicament *(suite)*

Médicament	Médicament en cause	Mécanisme	Conduite à tenir
Antidiabétiques *(suite)*	**Bêta-bloquants adrénergiques** *(suite)* **Non cardiosélectifs** nadolol oxprénolol pindolol propranolol sotalol timolol **Non cardiosélectifs et alpha-bloquants** carvédilol labétalol	• Les bêta-bloquants cardiosélectifs devraient avoir une action moins marquée que les bêta-bloquants non cardiosélectifs sur la réponse à l'hypoglycémie attribuable à l'insuline ou aux sulfonylurées, mais les deux inhibent la tachycardie due à l'hypoglycémie. • Des données cliniques montrent que l'association du chlorpropamide ou du tolbutamide avec le propranolol cause de l'hyperglycémie.	
Antihistaminiques astémizole terfénadine	**Inhibiteurs enzymatiques** clarithromycine érythromycine fluconazole fluoxétine fluvoxamine indinavir itraconazole kétoconazole ritonavir	• L'inhibition du métabolisme de l'antihistaminique produit une augmentation des concentrations plasmatiques. • Des taux élevés de l'antihistaminique sont associés à un allongement de l'intervalle QT et à un risque élevé de tachyarythmies ventriculaires telles que torsades de pointe, tachycardie ventriculaire et fibrillation ventriculaire. • Il est possible mais peu probable que le métronidazole interagisse aussi. • L'azithromycine ne semble pas interagir avec les antihistaminiques. • L'inhibiteur de la protéase, le saquinavir n'est qu'un inhibiteur faible.	• Éviter l'emploi concomitant d'astémizole ou de terfénadine avec ces médicaments. • On peut considérer l'emploi d'autres antihistaminiques (p. ex. la fexofénadine, la loratadine, la cétirizine) au lieu de l'astémizole ou de la terfénadine.
Antimétabolites azathioprine mercaptopurine	**Allopurinol**	• L'allopurinol entrave la conversion de la mercaptopurine (6-MP) en substances inactives en inhibant la xanthine-oxydase. Il en résulte des taux sanguins plus élevés de 6-MP et un risque accru d'intoxication grave (p. ex. suppression de la moelle osseuse, hépatotoxicité) et même de mort. • L'apparition et la disparition (après le retrait de l'allopurinol ou de l'antimétabolite) des effets secondaires liés à cette association peuvent s'étendre sur plusieurs semaines.	• Une réduction de la dose initiale de l'antimétabolite pouvant aller jusqu'à 25 % de la dose recommandée s'impose en cas d'administration concomitante d'allopurinol, réduction suivie d'un ajustement selon la réponse clinique ou la toxicité.
Astémizole, voir antihistaminiques			
Aténolol, voir antidiabétiques, bloqueurs des canaux calciques			
Azathioprine, voir antimétabolites			
Barbituriques, voir anticoagulants oraux, antidépresseurs cycliques, contraceptifs oraux, corticostéroïdes, méthadone, phénobarbital, quinidine, théophyllines			
Bénazépril, voir diurétiques épargneurs de potassium, lithium			

Benzodiazépines diazépam midazolam triazolam	**Inhibiteurs enzymatiques** clarithromycine fluconazole indinavir itraconazole ritonavir	• L'inhibition du métabolisme des benzodiazépines produit une augmentation de la sédation et de la demi-vie. • L'érythromycine inhibe aussi le métabolisme.	• L'azithromycine ne semble pas interagir. • On ne s'attend pas à ce que le témazépam, le lorazépam et l'oxazépam soient affectés. • La terbinafine ne semble pas affecter ces benzodiazépines.
Bêta-bloquants adrénergiques nadolol oxprénolol pindolol propranolol sotalol timolol	**Sympathomimétiques** épinéphrine	• De l'hypertension, de la bradycardie réflexe et une chute de l'index cardiaque peuvent résulter de l'administration d'épinéphrine à un patient déjà traité par un bêta-bloquant non cardiosélectif à cause d'une absence d'inhibition des effets alpha de l'épinéphrine (vasoconstriction) tandis que ses effets bêta habituels (vasodilatation, cardiotonicité) sont bloqués. • Les interactions avec le métoprolol sont rares. En principe, elles devraient l'être aussi avec les autres bêta-bloquants cardiosélectifs (p. ex. acébutolol, aténolol), mais les données sur la question n'existent pas. • Il est peu probable que les agents bloqueurs des récepteurs alpha et bêta (p. ex. le labétalol) provoquent des réactions aiguës d'hypertension lorsqu'ils sont administrés avec l'épinéphrine. • Les sujets sous propranolol qui présentent un choc anaphylactique répondraient mal à l'épinéphrine à cause d'une inhibition due au propranolol de l'action vasopressive et bronchodilatatrice de l'épinéphrine en présence d'anaphylaxie. • La capacité des bêta-bloquants cardiosélectifs ou du labétalol d'entraver les effets thérapeutiques de l'épinéphrine contre l'anaphylaxie demeure inconnue.	• Administrer l'épinéphrine avec prudence à un patient qui reçoit déjà un bêta-bloquant non cardiosélectif; surveiller les signes vitaux. • Des soins énergiques peuvent s'avérer nécessaires chez les sujets recevant des bêta-bloquants et qui présentent une réaction anaphylactique. • Si l'emploi de l'épinéphrine est prévu, retirer les bêta-bloquants 3 jours avant le début du traitement.
Bêta-bloquants adrénergiques, voir aussi antidiabétiques, bloqueurs des canaux calciques, théophyllines			
Bétaméthasone, voir corticostéroïdes			
Bézafibrate, voir anticoagulants oraux, inhibiteurs de la HMG-CoA réductase			
Bismuth, voir tétracyclines			
Bloqueurs des canaux calciques amlodipine diltiazem félodipine nicardipine nifédipine nimodipine vérapamil	**Bêta-bloquants adrénergiques** acébutolol aténolol carvédilol labétalol métoprolol nadolol oxprénolol pindolol propranolol sotalol timolol	• Les effets dépresseurs sur la contractilité myocardique, la fréquence cardiaque et la conduction AV peuvent être additifs. • Si utilisés ensemble, ils devraient être instaurés graduellement et sous une surveillance attentive.	• Surveiller les signes vitaux du patient et son état clinique, si on les utilise; réévaluer la nécessité du traitement.
	Inducteurs enzymatiques carbamazépine rifampine	• La carbamazépine accroît le métabolisme de la plupart des bloqueurs des canaux calciques par l'induction du CYP3A4. La félodipine est la plus touchée.	• Envisager la possibilité d'une perte de l'efficacité des bloqueurs des canaux calciques.

Tableau I—Interactions médicament-médicament *(suite)*

Médicament	Médicament en cause	Mécanisme	Conduite à tenir
Bloqueurs des canaux calciques *(suite)*	**Inducteurs enzymatiques** *(suite)*	• La rifampine réduit la biodisponibilité du vérapamil ainsi que sa fixation aux protéines. Elle déclenche le métabolisme du diltiazem, de la nifédipine et du vérapamil. L'effet apparaît dans les 3 à 5 jours.	• Éviter l'emploi concomitant de la carbamazépine et de la félodipine. Soyez averti que le dilitiazem et le vérapamil peuvent entraîner la toxicité à la carbamazépine. • Si nécessaire, augmenter la dose du bloqueur des canaux calciques au début du traitement par la rifampine ou la réduire à l'interruption de ce dernier.
Bupropion	**IMAO** phénelzine tranylcypromine	• Les IMAO augmentent la toxicité aiguë du bupropion (agitation, convulsions, céphalées).	• Éviter l'emploi concomitant de ces médicaments. • Il doit s'écouler au moins 14 jours entre la fin du traitement par l'un ou l'autre de ces médicaments et le début du traitement par le second.
Buspirone	**IMAO** phénelzine tranylcypromine	• Des cas d'hypotension ont été signalés.	• Éviter l'emploi concomitant de ces médicaments. • Ne pas administrer de buspirone dans les 10 jours qui suivent l'interruption du traitement aux IMAO.
Captopril, voir diurétiques épargneurs de potassium, lithium			
Carbamazépine	**Inhibiteurs enzymatiques** cimétidine danazol diltiazem érythromycine fluoxétine isoniazide propoxyphène vérapamil	• Une augmentation des taux sériques de carbamazépine survient, due à l'inhibition du métabolisme et s'accompagnant d'un risque accru de neurotoxicité (p. ex. léthargie, ataxie, céphalée, nystagmus). • Les effets toxiques peuvent se manifester aussi tôt que 2 ou 3 jours après le début du traitement par l'inhibiteur enzymatique. • La carbamazépine peut réduire l'effet du bloqueur des canaux calciques. • L'effet de la cimétidine sur la carbamazépine peut se dissiper après 1 semaine d'administration concomitante.	• Rechercher les signes et symptômes d'intoxication par la carbamazépine. • Surveiller les taux sériques de carbamazépine. • Si nécessaire, réduire la dose de carbamazépine au début du traitement par l'inhibiteur enzymatique ou l'augmenter à l'interruption de ce dernier. • L'amlodipine, la nicardipine et la nifédipine n'entravent pas la clairance de la carbamazépine. • La ranitidine ne semble pas interagir avec la carbamazépine et pourrait remplacer la cimétidine. La famotidine et la nizatidine ne devraient pas non plus interagir avec la carbamazépine. • Éviter l'emploi simultané avec le propoxyphène. • Éviter l'emploi simultané avec la fluoxétine. La fluvoxamine peut aussi augmenter les niveaux de carbamazépine. Aucune interaction observée avec la paroxétine ou la sertraline. • Éviter l'emploi simultané avec l'érythromycine. La clarithromycine peut aussi interagir. Aucune interaction observée avec l'azithromycine.
Carbamazépine, voir aussi anticoagulants oraux, antidépresseurs cycliques, bloqueurs des canaux calciques, contraceptifs oraux, cyclosporine, méthadone, théophyllines			
Carvédilol, voir antidiabétiques, bloqueurs des canaux calciques			
Céfamandole, voir anticoagulants (oraux)			
Céfopérazone, voir anticoagulants (oraux)			
Céfotétane, voir anticoagulants (oraux)			
Céphalosporines, voir anticoagulants (oraux)			

Chloramphénicol, voir anticoagulants oraux, phénytoïne			
Chlorpropamide, voir antidiabétiques			
Cholestyramine, voir anticoagulants oraux			
Cilazapril, voir diurétiques épargneurs de potassium, lithium			
Cimétidine, voir anticoagulants oraux, antidépresseurs cycliques, carbamazépine, phénytoïne, théophyllines			
Ciprofloxacine, voir anticoagulants oraux, quinolones, théophyllines			
Cisapride	**Inhibiteurs enzymatiques** clarithromycine érythromycine fluconazole indinavir itraconazole kétoconazole ritonavir	• L'inhibition du métabolisme du cisapride produit une augmentation des concentrations plasmatiques. • Des taux élevés de cisapride sont associés à un allongement de l'intervalle QT et à un risque élevé de tachyarythmies ventriculaires telles que torsades de pointe, tachycardie ventriculaire et fibrillation ventriculaire.	• Éviter l'emploi concomitant avec ces médicaments. • L'azithromycine ne semble pas interagir avec le cisapride.
Clarithromycine, voir alcaloïdes de l'ergot de seigle, antihistaminiques, benzodiazépines, cisapride, clozapine, cyclosporine			
Clofibrate, voir anticoagulants oraux, inhibiteurs de la HMG-CoA réductase			
Clomipramine, voir antidépresseurs cycliques			
Clonidine	**Antidépresseurs cycliques** amitriptyline désipramine imipramine	• La désipramine et l'imipramine auraient provoqué une inhibition de l'action antihypertensive de la clonidine et causé une augmentation considérable de la tension artérielle. • L'effet sur la pression artérielle se manifeste d'ordinaire 1 semaine ou plus après le début du traitement par l'antidépresseur, mais il peut aussi apparaître en un jour ou deux. • L'interaction n'a pas été signalée avec tous les antidépresseurs cycliques, mais elle est considérée comme possible. • En théorie, la maprotiline n'interagirait pas avec la clonidine, mais cette éventualité reste à prouver.	• Éviter cette association si possible. • Surveiller la pression artérielle chez le sujet recevant de la clonidine et chez qui un antidépresseur cyclique est prescrit, retiré ou dont la dose est changée. • Assurer le retrait graduel de la clonidine chez un patient recevant aussi un antidépresseur cyclique. Apporter une surveillance étroite.
Clozapine	**Inducteurs enzymatiques** clarithromycine érythromycine fluvoxamine ritonavir	• L'inhibition du métabolisme de la clozapine en augmente les concentrations. • On a signalé des cas de convulsions et une augmentation marquée des taux de clozapine. • Des modifications de l'ÉCG sont possibles.	• Éviter l'emploi concomitant de ces médicaments. • L'interaction avec l'azithromycine est peu probable. • Les autres ISRS ont peu d'effet sur l'isoenzyme 1A2 du cytochrome P450, mais on a quand même signalé une augmentation des taux de clozapine avec la fluoxétine.
Contraceptifs oraux	**Acitrétine**	• L'acitrétine interfère avec l'effet contraceptif des minicomprimés de progestatifs (p. ex., noréthindrone) par un mécanisme inconnu.	• L'acitrétine étant reconnue tératogène, on recommande l'utilisation d'une méthode contraceptive fiable, afin d'éviter la grossesse durant le traitement.
	Inducteurs enzymatiques barbituriques carbamazépine phénytoïne primidone rifampine topiramate	• Une baisse de l'efficacité des contraceptifs survient à cause de l'accroissement du métabolisme. Elle résulte en grossesses non désirées et en menstruations irrégulières.	• Remplacer les contraceptifs oraux ou les renforcer par d'autres moyens anticonceptionnels. • Continuer une protection supplémentaire pendant au moins un cycle après le retrait de la rifampine ou pendant plusieurs semaines après le retrait d'un barbiturique.

Tableau I—Interactions médicament-médicament *(suite)*

Médicament	Médicament en cause	Mécanisme	Conduite à tenir
Contraceptifs oraux, voir aussi cyclosporine			
Corticostéroïdes bétaméthasone cortisone dexaméthasone fludrocortisone hydrocortisone méthylprednisolone prednisolone prednisone triamcinolone	**Inducteurs enzymatiques** aminoglutéthimide barbituriques phénytoïne rifampine	• Une réduction de l'effet thérapeutique du corticostéroïde survient (p. ex. échec d'une allogreffe, aggravation des symptômes de l'asthme, perturbation de l'épreuve de freinage à la dexaméthasone), due au déclenchement du métabolisme. • La dexaméthasone produirait tant des augmentations que des réductions des taux sériques de phénytoïne. • L'effet est graduel et peut se développer en plusieurs jours, ou en 1 semaine ou plus. • Ces interactions n'ont pas été observées avec tous les corticostéroïdes, mais elles sont considérées comme possibles.	• Si nécessaire, augmenter la dose de corticostéroïde au début du traitement par l'inducteur enzymatique ou la réduire à l'interruption de ce dernier. • Il peut se révéler nécessaire de doubler au moins la dose de corticostéroïde après l'adjonction de phénytoïne ou de rifampine à la corticothérapie, ou après l'adjonction d'aminoglutéthimide à la dexaméthasone. • Surveiller les taux de phénytoïne et ajuster la dose selon les besoins.
	Relaxant utérin ritodrine	• Des corticostéroïdes utilisés en concomitance peuvent conduire à l'œdème pulmonaire maternel.	• L'état d'hydratation du patient doit être surveillé attentivement. • Éviter la surcharge en liquide.
Cortisone, voir corticostéroïdes			
Cyclosporine	**Inducteurs enzymatiques** carbamazépine phénytoïne rifampine	• Une réduction marquée des taux de cyclosporine survient, due au déclenchement du métabolisme ou à une augmentation de la clairance présystémique, pouvant résulter en une perte d'effet thérapeutique (p. ex., réaction hôte contre greffon ou rejet de greffe). • Une néphrotoxicité attribuable à la cyclosporine peut suivre le retrait de l'inducteur enzymatique, à cause des taux élevés de cyclosporine. • La diminution de l'effet de la cyclosporine peut survenir aussi tôt que 2 jours après le début du traitement par la rifampine ou la phénytoïne. • L'action de la rifampine ou de la carbamazépine sur la cyclosporine peut mettre jusqu'à 3 semaines après leur retrait pour se dissiper. • Les sulfamides en association avec la cyclosporine auraient des effets néphrotoxiques additifs et ils réduiraient les taux de cyclosporine. • Les interactions barbiturique-cyclosporine demeurent mal documentées, mais elles sont considérées comme possibles.	• Si nécessaire, augmenter substantiellement la dose de cyclosporine (jusqu'à la quintupler dans le cas de la rifampine) au début du traitement par l'inducteur enzymatique, ou la réduire à l'interruption de ce dernier. • Surveiller la réponse à la cyclosporine, les taux de cyclosporine et la créatininémie. • Il est possible d'administrer ensemble la cyclosporine et la rifampine, à condition de bien surveiller les taux de cyclosporine et d'ajuster la dose en conséquence, mais il s'agit d'une association difficile à réussir. • Penser à administrer un traitement immunosuppresseur sans cyclosporine aux transplantés requérant de la rifampine. • Chez un petit nombre de patients recevant de la cyclosporine, l'acide valproïque donné en remplacement de la carbamazépine a apporté une augmentation satisfaisante des taux de cyclosporine. Il pourrait offrir une solution de rechange acceptable dans certains cas.
	Inhibiteurs enzymatiques amiodarone androgènes clarithromycine contraceptifs oraux diltiazem érythromycine itraconazole	• Une augmentation des taux de cyclosporine survient, probablement due à l'inhibition du métabolisme. Elle s'accompagne d'un risque accru de néphrotoxicité attribuable à la cyclosporine au début du traitement par l'inhibiteur enzymatique ou, au moment de son interruption, d'une perte éventuelle d'effet thérapeutique (p. ex. rejet de greffe).	• Si nécessaire, réduire de 50 % ou plus la dose de cyclosporine au début du traitement par l'inhibiteur enzymatique, ou l'augmenter à l'interruption de ce dernier. • Surveiller les taux sériques de cyclosporine et de créatinine, et rechercher les signes d'intoxication attribuables à la cyclosporine.

	kétoconazole nicardipine vérapamil	• L'augmentation des taux de cyclosporine apparaît dans les 3 à 5 jours, plus vite avec le kétoconazole, et en plusieurs semaines avec les contraceptifs oraux et les androgènes. • Des interactions peuvent se manifester avec d'autres inhibiteurs enzymatiques et des doses élevées de fluconazole. • L'adjonction de diltiazem, de kétoconazole ou de vérapamil au régime immunosuppresseur des transplantés a permis une réduction de la dose et des coûts de la cyclosporine.	
Cyclosporine, voir aussi inhibiteurs de la HMG-CoA réductase			
Danazol (Androgènes), voir anticoagulants oraux, carbamazépine, cyclosporine			
Déméclocycline, voir tétracyclines			
Désipramine, voir antidépresseurs cycliques, clonidine			
Dexaméthasone, voir corticostéroïdes			
Dextrométhorphane	**IMAO** moclobémide phénelzine sélégiline tranylcypromine	• Le dextrométorphane bloque le captage de la sérotonine par les neurones. • L'accumulation de sérotonine entraîne le syndrome sérotoninergique. • L'interaction entre le moclobémide et la sélégiline est théorique.	• Éviter l'emploi concomitant de ces médicaments.
Diazépam, voir benzodiazépines			
Diclofénac, voir anticoagulants oraux, lithium, méthotrexate			
Didanosine, voir quinolones			
Diflunisal, voir anticoagulants oraux			
Digitoxine, voir glucosides digitaliques			
Digoxine, voir glucosides digitaliques			
Dihydroergotamine, voir alcaloïdes de l'ergot de seigle, agonistes du récepteur 5-HT			
Diltiazem, voir antidépresseurs cycliques, bloqueurs des canaux calciques, carbamazépine, cyclosporine, glucosides digitaliques			
Disulfirame, voir anticoagulants oraux, phénytoïne, théophyllines			
Diurétiques, voir aminosides, diurétiques épargneurs de potassium, lithium			
Diurétiques épargneurs de potassium amiloride spironolactone triamtérène	**Électrolytes** potassium	• Une augmentation considérable des taux sériques de potassium peut survenir à cause d'un ralentissement de l'excrétion rénale du potassium dû au diurétique. Une hyperkaliémie peut en résulter, surtout en cas de prédisposition. Les symptômes sont: faiblesse, anomalies de l'ÉCG, bradycardie, bloc cardiaque complet, arrêt cardiaque. Des décès et des cas d'invalidité grave sont survenus. • Les facteurs de prédisposition incluent la dysfonction rénale, les régimes riches en potassium (y compris les succédanés du sel), l'usage concomitant des inhibiteurs de l'ECA, le diabète grave et l'âge avancé. • L'augmentation des taux sériques de potassium s'installe en plusieurs jours.	• Éviter cette association, sauf chez les patients présentant une hypokaliémie symptomatique confirmée réfractaire à l'un ou à l'autre agent seul. • En cas d'association, surveiller la kaliémie de près. Restreindre l'apport alimentaire de potassium.

Tableau I—Interactions médicament-médicament *(suite)*

Médicament	Médicament en cause	Mécanisme	Conduite à tenir
Diurétiques épargneurs de potassium *(suite)*	**Bloqueurs des récepteurs de l'angiotensine II** irbesartan losartan valsartan **Inhibiteurs de l'ECA** bénazépril captopril cilazapril énalapril fosinopril lisinopril périndopril quinapril ramipril trandolapril	• Une augmentation des taux sériques du potassium survient. Elle peut provoquer une hyperkaliémie, en particulier chez les sujets prédisposés, peut-être à cause des effets cumulatifs de la rétention potassique. • Les facteurs de prédisposition incluent la dysfonction rénale, les régimes riches en potassium (y compris les succédanés du sel), l'usage concomitant de suppléments de potassium, le diabète grave, l'âge avancé et d'autres peut-être.	• Surveiller les taux sériques de potassium. • Garder à l'esprit que l'emploi d'un diurétique kaliurétique comme le furosémide ne protège pas nécessairement contre cette interaction.
Diurétiques thiazidiques, voir lithium			
Doxépine, voir antidépresseurs cycliques			
Doxycycline, voir tétracyclines			
Électrolytes, voir diurétiques épargneurs de potassium			
Énalapril, voir diurétiques épargneurs de potassium, lithium			
Éphédrine, voir sympathomimétiques			
Épinéphrine, voir bêta-bloquants adrénergiques			
Ergotamine, voir agonistes du récepteur 5-HT_1, alcaloïdes de l'ergot de seigle			
Érythromycine, voir alcaloïdes de l'ergot de seigle, anticoagulants oraux, antihistaminiques, carbamazépine, cisapride, clozapine, cyclosporine, inhibiteurs de la HMG-CoA réductase, théophyllines			
Étodolac, voir anticoagulants oraux, lithium			
Félodipine, voir bloqueurs des canaux calciques			
Fénofibrate, voir anticoagulants oraux, inhibiteurs de la HMG-CoA réductase			
Fénoprofène, voir anticoagulants oraux			
Fibrates, voir anticoagulants oraux, inhibiteurs de la HMG-CoA réductase			
Fluconazole, voir anticoagulants oraux, antihistaminiques, benzodiazépines, cisapride, phénytoïne			
Fludrocortisone, voir corticostéroïdes			
Fluoxétine, voir antidépresseurs cycliques, antihistaminiques, carbamazépine, inhibiteurs du recaptage de la sérotonine, phénytoïne			
Fluoxymestérone (Androgènes), voir anticoagulants oraux, cyclosporine			
Flurbiprofène, voir anticoagulants oraux, méthotrexate			
Fluvoxamine, voir antihistaminiques, clozapine, inhibiteurs du recaptage de la sérotonine, théophyllines			
Fosinopril, voir diurétiques épargneurs de potassium, lithium			
Gemfibrozil, voir anticoagulants oraux, inhibiteurs de la HMG-CoA réductase			
Gentamicine, voir aminosides			
Gliclazide, voir antidiabétiques			

Glucosides digitaliques digitoxine digoxine	**Bloqueurs des canaux calciques** diltiazem vérapamil **Autres médicaments pour le cœur** amiodarone quinidine	• Une augmentation des taux sériques de glucoside digitalique survient lors de l'usage concomitant de diltiazem et de vérapamil à cause d'une réduction de la clairance rénale. • Les effets du vérapamil et du diltiazem sur la conduction auriculoventriculaire (p. ex. ralentissement de la conduction) s'additionnent à ceux des glucosides digitaliques. • L'effet maximal du vérapamil sur la digoxine se présente dans les 5 à 7 jours, et sur la digitoxine, dans les 3 à 5 semaines. • L'amiodarone et la quinidine réduisent la clairance rénale et non rénale de la digoxine. Elles peuvent augmenter sa biodisponibilité et son absorption et la déloger des sites de fixation tissulaires. • L'effet de l'amiodarone peut ne se manifester qu'après plusieurs jours ou même plusieurs semaines après son association avec la digoxine. Ces deux médicaments inhibent la fonction du nœud sinusal, ce qui peut entraîner de la bradycardie. • La quinidine peut augmenter les taux sériques de digoxine à partir du premier jour de l'association médicamenteuse, l'état d'équilibre survenant dans les 3 à 6 jours. • Ces interactions peuvent provoquer une intoxication par la digoxine et de la bradycardie, et aggraver l'insuffisance cardiaque.	• Rechercher une augmentation des taux sériques de digitale lorsque ces médicaments sont commencés. • Si nécessaire, réduire de 50 % la dose de digoxine au début du traitement par la quinidine. • Le procaïnamide, le disopyramide et la mexilétine n'interagissent pas avec la digoxine et peuvent remplacer avantageusement la quinidine chez les sujets prenant de la digoxine.
Glyburide, voir antidiabétiques			
Grépafloxacine, voir anticoagulants (oraux), quinolones, théophyllines			
Hormones thyroïdiennes, voir anticoagulants oraux			
Hydrocortisone, voir corticostéroïdes			
Ibuprofène, voir anticoagulants oraux, lithium, méthotrexate			
Imipramine, voir antidépresseurs cycliques, clonidine			
Indinavir, voir antihistaminiques, benzodiazépines, cisapride, inhibiteurs de la protéase			
Indométhacine, voir anticoagulants oraux, lithium, méthotrexate			
Inhibiteurs de la HMG-CoA réductase lovastatine simvastatine	**Fibrates** bézafibrate clofibrate fénofibrate gemfibrozil **Inhibiteurs enzymatiques** cyclosporine érythromycine itraconazole kétoconazole néfazodone **Niacine**	• Des augmentations de la concentration de l'inhibiteur de la HMG-CoA réductase surviennent. Avec chacun des médicaments, la rhabdomyolyse a été rapportée ou est une possibilité. • Le mécanisme avec les fibrates et la niacine n'est pas établi mais les effets peuvent être additifs. • Il y a possibilité d'interaction avec l'atorvastatine, la cérivastatine, la fluvastatine et la pravastatine. • Le risque est moins élevé avec de faibles doses de lovastatine (20 mg/jour).	• L'itraconazole et le kétoconazole peuvent ne pas inhiber la provastatine au même degré. • La néfazodone est un des plus puissants inhibiteurs du CYP3A4 parmi les antidépresseurs; il convient de choisir un autre agent. • La terbinafine peut avoir un effet minimal sur le métabolisme des inhibiteurs de la HMG-CoA réductase. • Si un traitement combiné est nécessaire, les patients doivent surveiller tout signe de douleur musculaire, de faiblesse ou de sensibilité.

Tableau I—Interactions médicament-médicament *(suite)*

Médicament	Médicament en cause	Mécanisme	Conduite à tenir
Inhibiteurs de la HMG-CoA réductase, voir aussi anticoagulants oraux			
Inhibiteurs de la monoamine oxydase (IMAO), voir agonistes du récepteur 5-HT_1, antidépresseurs cycliques, bupropion, buspirone, dextrométhorphane, inhibiteurs du recaptage de la sérotonine, lévodopa, mépéridine, néfazodone, sympathomimétiques, venlafaxine			
Inhibiteurs de la protéase indinavir ritonavir saquinavir	**Inducteurs enzymatiques** rifabutine rifampine	• Diminution de la concentration sérique de l'inhibiteur de la protéase par suite de l'induction du CYP3A4, enzyme responsable du métabolisme des inhibiteurs de la protéase. Diminution de l'efficacité et prolifération de micro-organismes résistants sont possibles.	• Si possible, éviter l'emploi concomitant de ces médicaments. • Si cela n'est pas possible, la dose de l'inhibiteur de la protéase peut devoir être augmentée substantiellement.
Inhibiteurs de la protéase, voir aussi alcaloïdes de l'ergot de seigle, antihistaminiques, benzodiazépines, cisapride, clozapine, mépéridine			
Inhibiteurs de l'enzyme de conversion de l'angiotensine (ECA), voir diurétiques épargneurs de potassium, lithium			
Inhibiteurs du recaptage de la sérotonine (ISRS) fluoxétine fluvoxamine paroxétine sertraline	**IMAO** phénelzine sélégiline tranylcypromine	• L'emploi concomitant d'IMAO et d'ISRS peut augmenter de manière excessive la sérotonine dans le SNC produisant le «syndrome de la sérotonine». • On a rapporté un syndrome de la sérotonine grave ou fatal lorsqu'un IMAO a été administré chez des patients recevant de la fluoxétine ou de la sertraline. • Des réactions graves comprennent des tremblements, de l'agitation, de la nervosité, de l'hypomanie et de l'hypertension. • Ces réactions peuvent survenir après 1 ou 2 doses de fluoxétine. • Le «syndrome de la sérotonine» a été signalé avec l'utilisation concomitante de l'inhibiteur réversible de la monoamine-oxydase A, le moclobémide et les inhibiteurs du recaptage de la sérotonine, la fluoxétine, la fluvoxamine, la paroxétine ou la sertraline. Trois décès ont été signalés par suite d'un surdosage combiné de moclobémide et d'un ISRS, le citalopram (non offert au Canada). • On a rapporté de la manie, de l'hypertension et des pseudophéochromocytomes suite à l'emploi combiné de fluoxétine et de sélégiline.	• Éviter cette association. • Attendre 2 semaines après le retrait d'un IMAO et 5 semaines après celui de la fluoxétine (ou 2 semaines après celui des autres inhibiteurs du recaptage de la sérotonine à action courte) avant d'administrer l'autre agent. • En principe, on doit éviter d'administrer de fortes doses de moclobémide (IMAO) et d'un inhibiteur du recaptage de la sérotonine.
Inhibiteurs du recaptage de la sérotonine (ISRS), voir aussi anticoagulants oraux, antidépresseurs cycliques, carbamazépine, phénytoïne, théophyllines			
Insuline, voir antidiabétiques			
Irbesartan, voir diurétiques épargneurs de potassium, lithium			
Isoniazide, voir carbamazépine, phénytoïne			
Itraconazole	**Phénytoïne**	• La phénytoïne facilite probablement le métabolisme de l'itraconazole par le CYP3A4. • La concentration sérique de l'itraconazole diminue de plus de 90 % entraînant un échec thérapeutique probable. • Il est aussi probable que le kétoconazole soit affecté.	• Il est peu probable que le fluconazole soit affecté par la phénytoïne mais lui-même peut inhiber le métabolisme de la phéytoïne; surveiller une augmentation des effets de la phénytoïne.

Itraconazole, voir aussi anticoagulants oraux, antihistaminiques, benzodiazépines, cisapride, cyclosporine, inhibiteurs de la HMG-CoA réductase			
Kétoconazole, voir anticoagulants oraux, antihistaminiques, cisapride, cyclosporine, inhibiteurs de la HMG-CoA réductase			
Kétoprofène, voir anticoagulants oraux, méthotrexate			
Kétorolac, voir lithium			
Labétalol, voir antidiabétiques, bloqueurs des canaux calciques			
Lévodopa	**IMAO** phénelzine tranylcypromine	• Des taux accrus de dopamine au niveau des récepteurs dopaminergiques apparaissent à cause d'une inhibition de la dégradation périphérique de la dopamine dérivée de la lévodopa. Il survient aussi une augmentation du stockage et de la libération de la norépinéphrine dont la dopamine est un précurseur. Ces réactions peuvent provoquer une hypertension dans l'heure suivant l'administration de la lévodopa ou une aggravation de l'akinésie et des tremblements. • Il faut être prudent si on l'utilise avec le moclobémide bien que cette association ne soit pas contre-indiquée. • L'association de lévodopa et de sélégiline ne provoque pas cette interaction.	• Éviter cette association. • L'utilisation d'un inhibiteur de la décarboxylase (p. ex. carbidopa) peut annuler ou prévenir la réaction hypertensive.
Lévofloxacine, voir quinolones			
Lévothyroxine, voir anticoagulants oraux			
Liothyronine, voir anticoagulants oraux			
Lisinopril, voir diurétiques épargneurs de potassium, lithium			
Lithium	**AINS** acide méfénamique diclofénac étodolac ibuprofène indométhacine kétorolac nabumétone naproxen oxaprozine phénylbutazone piroxicam **Diurétiques thiazidiques**	• Une augmentation des taux sériques de lithium à cause de la réduction de son excrétion rénale est probablement due à une inhibition des prostaglandines par les AINS. Un accroissement de la réabsorption du sodium dans les tubes urinifères proximaux par le diurétique se présente aussi, ce qui augmente la réabsorption du lithium. Ces deux phénomènes risquent d'entraîner l'intoxication par le lithium. • Le sulindac peut n'exercer aucune action sur les taux sériques de lithium ou les réduire temporairement. L'AAS a peu d'effets sur les taux de lithium. • L'interaction n'a pas été signalée avec tous les AINS, mais elle est considérée comme possible. • Après le début d'un traitement par les AINS chez un patient prenant du lithium, l'augmentation maximale des taux de lithium survient dans les 5 à 10 jours. Après le retrait des AINS, l'état d'équilibre revient dans les 7 jours.	• Surveiller les taux sériques de lithium au début ou à la fin du traitement par les AINS et lors de l'administration concomitante d'un diurétique thiazidique. Rechercher les signes et symptômes d'intoxication par le lithium (p. ex. nausées, vomissements, diarrhée, tremblements, confusion; dans les cas graves, convulsions et collapsus cardiovasculaire). • Si nécessaire, réduire la dose de lithium au début du traitement par un AINS ou un diurétique thiazidique ou l'augmenter à l'interruption de ce dernier. • En association avec le lithium, penser à administrer le sulindac ou l'AAS en tant qu'AINS. Maintenir la surveillance. • Le furosémide semble moins susceptible d'interagir avec le lithium que les diurétiques thiazidiques.
	Bloqueurs des récepteurs de l'angiotensine II irbesartan losartan valsartan	• Diminution de la clairance rénale du lithium due probablement à une déplétion sodique provoquée par les inhibiteurs de l'ECA.	• Éviter l'emploi concomitant si possible. • Si utilisés ensemble, surveiller les niveaux du lithium et les signes de toxicité attentivement pour le premier mois.

Tableau I—Interactions médicament-médicament *(suite)*

Médicament	Médicament en cause	Mécanisme	Conduite à tenir
Lithium *(suite)*	**Inhibiteurs de l'ECA** bénazépril captopril cilazapril énalapril fosinopril lisinopril perindopril quinapril ramipril trandolapril	• Une toxicité du lithium (tremblements, ataxie, confusion, diarrhée, nausée, vomissements, anorexie, léthargie) peut s'ensuivre. • La réaction tend à se produire après 3 ou 4 semaines de traitement concomitant. • Les patients âgés peuvent être plus exposés.	
Losartan, voir diurétiques épargneurs de potassium, lithium			
Lovastatine, voir anticoagulants oraux, inhibiteurs de la HMG-CoA réductase			
Maprotiline, voir antidépresseurs cycliques			
Mépéridine	**IMAO** moclobémide phénelzine sélégiline tranylcypromine	• Un syndrome d'hypertension ou d'hypotension, d'excitation, de transpiration, de rigidité, d'hyperpyrexie, de convulsions et de coma peut survenir. Il serait dû à l'accumulation de sérotonine dans le SNC, la mépéridine bloquant la captation neuronique de sérotonine. Une réaction de dépression respiratoire, d'hypotension et de coma est aussi possible, peut-être à cause de la potentialisation des effets du narcotique. • La réaction est imprévisible et si elle apparaît, en général, elle suit immédiatement une dose de mépéridine. • Il peut aussi se présenter des semaines après le retrait de l'IMAO. • Cette interaction a causé des décès. • Bien qu'un cas d'hypotension et de coma vite rétablis par la naloxone ait été attribué à une interaction morphine-IMAO, la morphine est considérée comme le narcotique de choix à associer aux IMAO. • L'association tranylcypromine-fentanyl aurait provoqué ou compliqué un cas fatal d'hypertension et d'hyperthermie suivies d'une hypotension rebelle au traitement. • L'association sélégiline-mépéridine serait à l'origine d'un cas d'interaction grave. • Bien qu'aucun cas n'ait été signalé chez l'homme, l'utilisation concomitante de moclobémide et de mépéridine peut probablement produire une réaction grave.	• Éviter l'association de la mépéridine avec ces médicaments. • Utiliser la morphine ou tout autre narcotique avec prudence et à des doses réduites.
	Inhibiteurs enzymatiques ritonavir	• On s'attend à de fortes augmentations des niveaux sériques de la mépéridine, augmentant le risque de convulsions, d'effets indésirables sur le SNC et d'arythmies.	• Éviter l'emploi concomitant.

Mercaptopurine, voir antimétabolites

Méthadone	**Inducteurs enzymatiques** barbituriques carbamazépine phénytoïne rifampine	• Augmentation du métabolisme de la méthadone, entraînant une diminution des concentrations sériques. • Possibilité de syndrome de sevrage de la méthadone.	• Éviter l'emploi concomitant de ces médicaments. • S'il faut employer ces médicaments en concomitance, vérifier la nécessité d'ajuster la dose de méthadone.
Méthotrexate	**AINS** diclofénac flurbiprofène ibuprofène indométhacine kétoprofène naproxen phénylbutazone salicylates tolmétine	• Les taux de méthotrexate peuvent augmenter de 30 à 70 % sur plusieurs jours, probablement à cause d'un mécanisme rénal menant parfois à l'intoxication (p. ex. suppression de la moelle osseuse, néphrotoxicité) et même à la mort. • Les faibles doses de méthotrexate administrées par voie orale ou parentérale contre l'arthrite rhumatoïde risquent moins de susciter des réactions toxiques graves au méthotrexate. • Il faut supposer que tous les AINS peuvent interagir avec le méthotrexate.	• Éviter l'emploi concomitant des AINS et de doses antinéoplasiques de méthotrexate. Utiliser des analgésiques autres que les AINS si possible. • User de prudence lors de l'association des AINS avec des doses faibles de méthotrexate administrées contre l'arthrite rhumatoïde. • Si nécessaire, réduire la dose de méthotrexate au début d'un traitement par les AINS. • Rechercher les signes et symptômes d'intoxication par le méthotrexate (p. ex. ulcérations des muqueuses, dysfonction rénale). • Envisager de prolonger l'emploi de la leucovorine comme antidote.
	Uricosuriques probénécide	• Une augmentation marquée des taux sériques de méthotrexate survient, due à sa mauvaise excrétion rénale. Le risque d'intoxication par le méthotrexate s'accroît (p. ex. dépression de la moelle osseuse, hépatotoxicité, susceptibilité plus grande aux infections). • Les taux de méthotrexate peuvent augmenter de 2 à 4 fois après l'adjonction de probénécide. • Des interactions ont été signalées tant après l'administration orale de faibles doses de méthotrexate contre l'arthrite rhumatoïde qu'après l'administration de doses anticancéreuses.	• Éviter cette association si possible. • S'attendre à devoir réduire la dose de méthotrexate au début du traitement par le probénécide. Prolonger si nécessaire l'administration de la leucovorine comme antidote. • Surveiller les taux sériques de méthotrexate. • Rechercher les signes d'intoxication par le méthotrexate.

Méthylphénidate, voir sympathomimétiques

Méthylprednisolone, voir corticostéroïdes

Méthysergide, voir agonistes du récepteur 5-HT_1

Méthyltestostérone (Androgènes), voir anticoagulants oraux, cyclosporine

Métoprolol, voir antidiabétiques, bloqueurs des canaux calciques

Métronidazole, voir anticoagulants oraux

Mexilétine, voir théophyllines

Midazolam, voir benzodiazépines

Minocycline, voir tétracyclines

Moclobémide, voir agonistes du récepteur 5-HT_1, antidépresseurs cycliques, dextrométhorphane, mépéridine, sympathomimétiques

Nabumétone, voir lithium

Nadolol, voir antidiabétiques, bêta-bloquants adrénergiques, bloqueurs des canaux calciques

Nandrolone (Androgènes), voir anticoagulants oraux, cyclosporine

Tableau I—Interactions médicament-médicament *(suite)*

Médicament	Médicament en cause	Mécanisme	Conduite à tenir
Naproxen, voir anticoagulants oraux, lithium, méthotrexate			
Naratriptan, voir agonistes du récepteur 5-HT_1			
Néfazodone	**IMAO** phénelzine sélégiline tranylcypromine	• Syndrome sérotoninergique dû à une augmentation excessive de la sérotonine dans le SNC.	• Éviter l'emploi concomitant de ces médicaments. • Il doit s'écouler au moins 14 jours entre la fin du traitement par l'un ou l'autre de ces médicaments et le début du traitement par le second.
Néfazodone, voir aussi inhibiteurs de la HMG-CoA réductase			
Nétilmicine, voir aminosides			
Neuroleptiques, voir antidépresseurs cycliques			
Niacine, voir inhibiteurs de la HMG-CoA réductase			
Nicardipine, voir bloqueurs des canaux calciques, cyclosporine			
Nifédipine, voir bloqueurs des canaux calciques			
Nimodipine, voir bloqueurs des canaux calciques			
Noréthindrone, voir contraceptifs oraux			
Norfloxacine, voir anticoagulants oraux, quinolones			
Nortriptyline, voir antidépresseurs cycliques			
Ofloxacine, voir quinolones			
Oméprazole, voir phénytoïne			
Oxaprozine, voir anticoagulants oraux, lithium			
Oxprénolol, voir antidiabétiques, bêta-bloquants adrénergiques, bloqueurs des canaux calciques			
Oxtriphylline, voir théophyllines			
Oxymétholone (Androgènes), voir anticoagulants oraux, cyclosporine			
Paroxétine, voir anticoagulants oraux, inhibiteurs du recaptage de la sérotonine			
Périndopril, voir diurétiques épargneurs de potassium, lithium			
Phénelzine, voir agonistes du récepteur 5-HT_1, antidépresseurs cycliques, bupropion, buspirone, dextrométhorphane, inhibiteurs du recaptage de la sérotonine, lévodopa, mépéridine, néfazodone, sympathomimétiques, venlafaxine			
Phénobarbital	**Acide valproïque**	• Les taux sériques de phénobarbital augmentent à cause d'une inhibition du métabolisme hépatique. Les risques d'intoxication s'accroissent (p. ex. sédation).	• Si nécessaire, réduire jusqu'à 50 % ou plus la dose de phénobarbital au début du traitement par l'acide valproïque, ou l'augmenter à l'interruption de ce dernier. • Surveiller les taux sériques de phénobarbital. Rechercher les signes d'intoxication.
Phénobarbital (Barbituriques), voir aussi anticoagulants oraux, antidépresseurs cycliques, contraceptifs oraux, corticostéroïdes, méthadone, quinidine, théophyllines			
Phénylbutazone, voir anticoagulants oraux, lithium, méthotrexate			
Phényléphrine, voir sympathomimétiques			
Phénylpropanolamine, voir sympathomimétiques			

Phénytoïne	**Inhibiteurs enzymatiques** amiodarone chloramphénicol cimétidine disulfirame fluconazole fluoxétine isoniazide oméprazole	• Les taux sériques de phénytoïne augmentent à cause de l'inhibition de son métabolisme hépatique; l'intoxication peut en résulter. • Les signes d'intoxication peuvent mettre entre plusieurs jours et plusieurs semaines à apparaître après le début d'un traitement par un inhibiteur enzymatique chez un patient prenant de la phénytoïne. • L'administration de la première dose de disulfirame peut susciter en quelques heures une hausse des taux sériques de phénytoïne. • Les taux sériques d'amiodarone peuvent chuter à cause de l'effet de la phénytoïne sur le métabolisme de l'amiodarone. • La phénytoïne peut augmenter ou réduire les taux sériques de chloramphénicol. • Les acétylateurs lents de l'isoniazide présentent un risque accru d'interaction. • Il faut être prudent avec tous les inhibiteurs du recaptage de la sérotonine jusqu'à ce que plus de données soient disponibles.	• Si nécessaire, réduire la dose de phénytoïne au début du traitement par l'inhibiteur enzymatique, ou l'augmenter à l'interruption de ce dernier. • Rechercher les signes et symptômes d'intoxication par la phénytoïne (p. ex. nystagmus, ataxie, détérioration mentale) au moment de l'adjonction de l'inhibiteur enzymatique, ou de baisse de la réponse à son retrait. Surveiller les taux sériques de phénytoïne. • Éviter l'emploi concomitant du chloramphénicol et de la phénytoïne. • Surveiller les taux sériques et l'efficacité antiarythmique de l'amiodarone en cas d'association avec la phénytoïne. • Le lansoprazole, la ranitidine et la famotidine ne semblent pas interagir fortement avec la phénytoïne.
Phénytoïne, voir aussi anticoagulants oraux, contraceptifs oraux, corticostéroïdes, cyclosporine, itraconazole, méthadone, quinidine, théophyllines			
Pindolol, voir antidiabétiques, bêta-bloquants adrénergiques, bloqueurs des canaux calciques			
Piroxicam, voir anticoagulants oraux, lithium			
Potassium, voir diurétiques épargneurs de potassium			
Prednisolone, voir corticostéroïdes			
Prednisone, voir corticostéroïdes			
Primidone, voir anticoagulants oraux, contraceptifs oraux, quinidine, théophyllines			
Probénécide, voir méthotrexate			
Propafénone, voir anticoagulants oraux			
Propoxyphène, voir antidépresseurs cycliques, carbamazépine			
Propranolol, voir antidiabétiques, bêta-bloquants adrénergiques, bloqueurs des canaux calciques			
Protriptyline, voir antidépresseurs cycliques			
Pseudoéphédrine, voir sympathomimétiques			
Quinapril, voir diurétiques épargneurs de potassium, lithium			
Quinidine	**Inducteurs enzymatiques** barbituriques phénytoïne primidone rifampine **Inhibiteurs enzymatiques** ritonavir	• Une réduction des taux sériques et de la demi-vie de la quinidine survient à cause du déclenchement du métabolisme. Elle peut entraîner une perte de la maîtrise de l'arythmie. • La réduction des taux de quinidine apparaît graduellement en une semaine ou plus après le début du traitement par l'inducteur enzymatique. • L'induction peut persister durant quelques jours après le retrait de la rifampine. • L'interaction peut se présenter avec d'autres inducteurs enzymatiques. • Le retrait de l'inducteur enzymatique peut mener à une intoxication par la quinidine liée à la dose.	• Si nécessaire, augmenter la dose de quinidine au début du traitement par l'inducteur enzymatique ou la réduire à l'interruption de ce dernier. • Surveiller les taux sériques de quinidine et l'ÉCG.

Tableau I—Interactions médicament-médicament *(suite)*

Médicament	Médicament en cause	Mécanisme	Conduite à tenir
Quinidine, voir aussi antidépresseurs cycliques, glucosides digitaliques			
Quinolones ciprofloxacine, grépafloxacine, lévofloxacine, norfloxacine, ofloxacine	**Antiacides** **Didanosine** **Sels de fer oraux** **Sucralfate**	• Réduction de la concentration sérique de la quinolone due à une diminution de l'absorption causée par des antiacides contenant du magnésium et de l'aluminium ou par les tampons présents dans la didanosine, lesquels contiennent du magnésium et de l'aluminium (réaction possiblement supérieure à 90 %), par les antiacides contenant du calcium (jusqu'à 60 %), par le sucralfate (jusqu'à 90 %) ou le fer. Peut mener à un échec thérapeutique. • Une interaction des sels de fer oraux a été signalée avec la ciprofloxacine seulement, mais elle est considérée comme possible avec toutes les quinolones.	• Administrer la quinolone de 2 à 4 heures avant ou 6 heures après l'antiacide. • Administrer la quinolone plusieurs heures avant le sucralfate. • S'il n'est pas possible d'espacer suffisamment les doses, penser à utiliser un antagoniste des récepteurs H_2 (comme la cimétidine) au lieu d'un antiacide ou du sucralfate, à administrer un autre antibiotique ou à donner le quinolone i.v. si la gravité de l'infection le justifie. • Éviter l'administration concomitante des quinolones et des sels de fer.
Quinolones, voir aussi anticoagulants oraux, théophyllines			
Ramipril, voir diurétiques épargneurs de potassium, lithium			
Relaxants utérins, voir corticostéroïdes			
Rifabutine, voir inhibiteurs de la protéase			
Rifampine, voir anticoagulants oraux, bloqueurs des canaux calciques, contraceptifs oraux, corticostéroïdes, cyclosporine, inhibiteurs de la protéase, méthadone, quinidine, théophyllines			
Ritodrine, voir corticostéroïdes			
Ritonavir, voir alcaloïdes de l'ergot de seigle, antihistaminiques, benzodiazépines, cisapride, clozapine, inhibiteurs de la protéase, mépéridine			
Salicylates, voir anticoagulants oraux, méthotrexate			
Saquinavir, voir inhibiteurs de la protéase			
Sélégiline, voir dextrométhorphane, inhibiteurs du recaptage de la sérotonine, mépéridine, néfazodone, venlafaxine			
Sels de fer, voir quinolones, tétracyclines			
Sertraline, voir inhibiteurs du recaptage de la sérotonine			
Simvastatine, voir inhibiteurs de la HMG-CoA réductase			
Sotalol, voir antidiabétiques, bêta-bloquants adrénergiques, bloqueurs des canaux calciques			
Spironolactone, voir diurétiques épargneurs de potassium			
Streptomycine, voir aminosides			
Sucralfate, voir quinolones			
Sulfaméthoxazole-triméthoprime, voir anticoagulants oraux			
Sulfinpyrazone, voir anticoagulants oraux			
Sulfonylurées, voir antidiabétiques			
Sulindac, voir anticoagulants oraux			
Sumatriptan, voir agonistes du récepteur 5-HT_1			

Sympathomimétiques amphétamines éphédrine méthylphénidate phényléphrine phénylpropanolamine pseudoéphédrine	**IMAO** moclobémide phénelzine tranylcypromine	• Une augmentation des effets des sympathomimétiques (amphétamines, pseudoéphédrine) survient à cause d'une hausse due aux IMAO de la quantité de norépinéphrine pouvant être libérée des sites de stockage. Elle résulte en hypertension grave, hyperpyrexie, céphalée, hémorragie cérébrale. • Cette interaction aurait causé des décès. • Elle peut survenir après 1 ou 2 doses du sympathomimétique. • Elle peut survenir si une amphétamine est prise même après plusieurs semaines suivant le retrait de l'IMAO. • Puisque l'action de l'épinéphrine et de la norépinéphrine n'est pas interrompue par la monoamine oxydase surtout, une interaction importante avec celles-ci est improbable. • La phényléphrine pour administration parentérale risque moins d'interagir avec les IMAO que la phényléphrine administrée par voie orale. • Une interaction entre la sélégiline, un inhibiteur de la MAO-B, et les sympathomimétiques est théoriquement possible. • Le méthylphénidate cause des réactions moins graves que les amphétamines lorsqu'il est utilisé avec les IMAO.	• Éviter l'usage concomitant des sympathomimétiques et des IMAO. L'association de l'épinéphrine, du méthylphénidate, de la norépinéphrine ou de la phényléphrine pour administration parentérale avec les IMAO est possible à condition d'user de prudence.
Sympathomimétiques, voir aussi bêta-bloquants adrénergiques			
Terfénadine, voir antihistaminiques			
Testostérone (Androgènes), voir anticoagulants oraux, cyclosporine			
Tétracyclines déméclocycline doxycycline minocycline tétracycline	**Antiacides (divalents)** **Bismuth** **Sels de fer**	• Une malabsorption des tétracyclines survient, due à la formation de chélates insolubles avec les ions métalliques bi- et trivalents (aluminium, magnésium, calcium) que contient l'antiacide, ou avec le fer ou le bismuth. Les taux sériques et l'activité anti-infectieuse des tétracyclines s'en trouvent diminués. • Les taux sériques de fer baissent également. • Même administrée par voie parentérale, la doxycycline, qui subit une réabsorption entéro-hépatique, peut être fixée par les ions de fer ou d'aluminium. • Ces interactions n'ont pas été observées avec toutes les tétracyclines, mais elles demeurent théoriquement possibles.	• Administrer les tétracyclines au moins 2 heures avant ou 2 heures après l'antiacide. • Donner les sels ferreux 3 heures avant ou 2 heures après les tétracyclines. • Les antagonistes des récepteurs H_2 ou les inhibiteurs de la pompe à protons ne semblant pas interagir de manière significative avec les tétracyclines, penser à les utiliser à la place des antiacides chez les patients recevant des tétracyclines. • Éviter l'emploi concomitant avec le bismuth.
Théophyllines aminophylline oxtriphylline théophylline	**Inducteurs enzymatiques** aminoglutéthimide barbituriques carbamazépine phénytoïne primidone rifampine	• Une diminution des taux sériques de théophylline survient, due à une augmentation de son métabolisme hépatique par induction des enzymes microsomiques. Elle peut mener à une perte d'efficacité de la théophylline. • Dans la plupart des cas, les taux sériques de théophylline baissent probablement sur 1 ou 2 semaines après le début du traitement par l'inducteur enzymatique, mais sur plusieurs semaines après le début du traitement par l'aminoglutéthimide.	• Surveiller les taux sériques de théophylline. • Si nécessaire, augmenter la dose de théophylline au début du traitement par l'inducteur enzymatique ou la réduire à l'interruption de ce dernier. • Surveiller les taux sériques de phénytoïne.

Tableau I—Interactions médicament-médicament *(suite)*

Médicament	Médicament en cause	Mécanisme	Conduite à tenir
Théophyllines *(suite)*		• Les taux sériques de phénytoïne peuvent diminuer lors de l'administration concomitante de théophylline. • Toutes ces interactions n'ont pas été observées avec l'aminophylline ou l'oxtriphylline, mais elles demeurent théoriquement possibles.	
	Inhibiteurs enzymatique allopurinol bêta-bloquants adrénergiques cimétidine ciprofloxacine disulfirame érythromycine fluvoxamine grépafloxacine mexilétine ticlopidine vérapamil	• Une augmentation des taux sériques de théophylline survient, due à une diminution de son métabolisme hépatique par inhibition des enzymes microsomiques. Elle peut mener à une intoxication par la théophylline (p. ex. tachycardie, tremblements, troubles gastro-intestinaux, convulsions). • Les symptômes d'intoxication par la théophylline peuvent apparaître dans les 2 à 3 jours suivant le début du traitement par l'inhibiteur enzymatique. • Il est peu probable que des doses d'allopurinol <600 mg/jour produisent une toxicité. • Les bêta-bloquants que l'on sait donner lieu à une interaction sont le propranolol et le métoprolol. L'aténolol et le nadolol ne modifient pas la cinétique de la théophylline, mais ils peuvent en annuler l'effet pharmacologique. • L'emploi de ranitidine, de famotidine ou de nizatidine minimiseraient la possibilité de cette interaction. • L'association de lévofloxacine, de norfloxacine ou d'ofloxacine ne cause pas de toxicité de la théophylline. • La clarithromycine peut augmenter la concentration de la théophylline d'environ 20 % mais ne nécessite généralement pas de changement posologique. L'azithromycine ne semble pas interagir. • La coadministration de théophylline peut diminuer la concentration sérique de l'érythromycine. • Il y a moins de chances que les autres inhibiteurs du recaptage de la sérotonine tels que la fluoxétine, la paroxétine et la sertraline interagissent que la fluvoxamine.	• Surveiller les taux sériques de théophylline. • Si nécessaire, réduire la dose de théophylline au début du traitement par l'inhibiteur enzymatique ou l'augmenter à l'interruption de ce dernier.
Thyroïde, voir anticoagulants oraux			
Ticlopidine, voir théophyllines			
Timolol, voir antidiabétiques, bêta-bloquants adrénergiques, bloqueurs des canaux calciques			
Tobramycine, voir aminosides			
Tolbutamide, voir antidiabétiques			
Tolmétine, voir anticoagulants oraux, méthotrexate			
Topiramate, voir contraceptifs oraux			
Trandolapril, voir diurétiques épargneurs de potassium, lithium			
Tranylcypromine, voir agonistes du récepteur 5-HT_1, antidépresseurs cycliques, bupropion, buspirone, inhibiteurs du recaptage de la sérotonine, lévodopa, mépéridine, néfazodone, sympathomimétiques, venlafaxine			
Triamcinolone, voir corticostéroïdes			

Triamtérène, voir diurétiques épargneurs de potassium			
Triazolam, voir benzodiazépines			
Triméthoprime-sulfaméthoxazole, voir anticoagulants oraux			
Trimipramine, voir antidépresseurs cycliques			
Uricosuriques, voir méthotrexate			
Valsartan, voir diurétiques épargneurs de potassium, lithium			
Venlafaxine	**IMAO** phénelzine sélégiline tranylcypromine	• Le «syndrome de la sérotonine» a été signalé.	• Éviter l'utilisation concomitante. • Au moins 14 jours doivent s'écouler entre l'interruption de l'un ou l'autre médicament et le commencement d'un autre médicament.
Vérapamil, voir antidépresseurs cycliques, bloqueurs des canaux calciques, carbamazépine, cyclosporine, glucosides digitaliques, théophyllines			
Warfarine, voir anticoagulants oraux			
Zafirlukast, voir anticoagulants oraux			

CONSIDÉRATIONS DIÉTÉTIQUES

Cette section présente une vue d'ensemble des suppléments vitaminiques et minéraux, des sources alimentaires (tableaux I et II) et des apports nutritionnels recommandés (tableaux III et IV). Cette information ne doit pas être considérée comme une revue complète. De ce fait, le lecteur est encouragé à approfondir et à corroborer cette information.

Révision 1999 par la Division de la recherche sur la nutrition de Santé Canada (P.W.F. Fischer).

Suppléments diététiques

Les experts en nutrition recommandent généralement que les vitamines soient tirées de la nourriture ingérée, mais il y a certaines circonstances où la prise de suppléments est justifiée.

Enfants

- Tous les nouveau-nés devraient recevoir de routine une seule injection de vitamine K à la naissance.
- Les enfants allaités devraient recevoir un supplément de vitamine D.
- Les enfants allaités dont les mères sont végétariennes strictes devraient recevoir un supplément de vitamine B_{12}.

Femmes enceintes et mères qui allaitent

- Des suppléments sont souvent appropriés en raison de l'augmentation de l'apport recommandé en vitamines.
- Un supplément de fer est recommandé durant le second et le troisième trimestres en supposant que la réserve de fer est insuffisante. En présence de réserves normales de fer, un supplément n'est pas nécessaire puisque la forme de réserve du fer servira à combler les besoins en fer.
- Étant donné le rôle de l'acide folique dans la prévention des malformations du tube neural, un supplément d'acide folique devrait être recommandé à toutes les femmes le plus tôt possible lorsqu'elles planifient leur grossesse.

Végétariens stricts

- Les végétariens qui n'ingèrent pas de viande, de lait et d'œufs ont besoin de suppléments de vitamine B_{12} et de vitamine D.

Personnes âgées

- Ceux qui mangent moins de viande que la quantité recommandée et dont l'apport en vitamines est par conséquent plus faible, peuvent bénéficier d'un supplément de vitamines composées.

Fumeurs

- L'apport recommandé en vitamine C est jusqu'à 50 % plus élevé chez les gros fumeurs.

Personnes qui s'exposent peu ou pas au soleil

- Les gens qui s'exposent peu ou pas au soleil peuvent avoir besoin d'un supplément en vitamine D.

Tableau I—Sources alimentaires de minéraux

Minéral	Aliments
Calcium	Lait, fromage, sardines, légumes à feuillage vert foncé, fèves sèches et noix.
Chrome	Viande (p. ex. foie), produits laitiers, grains entiers et levure de bière.
Cuivre	Abats (p. ex. foie), crustacés et fruits de mer, noix, grains entiers, pois et fèves sèches.
Fer	Viande rouge, volaille, abats (p. ex. foie), légumes à feuillage vert foncé, fruits secs, grains entiers, noix, fèves et poisson. Le fer provenant de sources animales est mieux absorbé que celui provenant de sources végétales.
Iode	Produits laitiers, pain, fruits de mer, sel de table iodé.
Magnésium	Légumes à feuillage vert, noix, grains entiers, fèves et fruits de mer.
Potassium	Légumes à feuillage vert, fruits (p. ex. bananes, oranges), pommes de terre, viande maigre, grains entiers et lait.
Sélénium	Viande, fruits de mer, grains entiers, produits laitiers et œufs.
Zinc	Viande maigre, fruits de mer (p. ex. huîtres), grains entiers et légumineuses.

Bibliographie:
1. Berner MS, Rotenberg GN, éds. Association médicale canadienne (AMC). Le guide pratique des médicaments. Montréal, PQ: Association du Reader's Digest (Canada) Ltée, 1990.
2. Hands ES. Food finder: food sources of vitamins and minerals. Salem, OR: ESHA Research, 1990.

Tableau II—Sources alimentaires de vitamines

Vitamine	Aliments
Liposoluble	
Vitamine A	Légumes jaune-orange, légumes à feuillage vert foncé, foie, lait entier, lait écrémé enrichi, produits laitiers enrichis.
Bêta-carotène	Fruits et légumes jaune-orange et vert profond (p. ex. carottes, épinard, laitue, brocoli, courge, patates douces [sucrées], papaye, abricots).
Vitamine D	Produits laitiers enrichis, poisson et huile de foie de poisson, foie.
Vitamine E	Huile végétale (p. ex. maïs, soya, tournesol, coton), germe de blé, céréales et pains à grains entiers, légumes à feuillage vert.
Vitamine K	Légumes à feuillage vert, produits laitiers, œufs.
Hydrosoluble	
Acide folique	Légumes à feuillage vert foncé, céréales et pains à grains entiers, abats.
Acide pantothénique (vitamine B_5)	Abats (p. ex. foie), jaune d'œuf, céréales et pain à grains entiers.
Niacine (vitamine B_3)	Viande, lait et produits laitiers, céréales à grains entiers.
Riboflavine (vitamine B_2)	Lait et produits laitiers, légumes à feuillage vert, abats (p. ex. foie, rein), céréales et pains à grains entiers et enrichis.
Thiamine (vitamine B_1)	Céréales et pains à grains entiers et enrichis, viande (spécialement le porc), pois, fèves, noix.
Vitamine B_6 (pyridoxine)	Abats, bananes, légumineuses (p. ex. fèves de lima), jaune d'œuf, grains entiers.
Vitamine B_{12} (cyanocobalamine)	Poisson, jaune d'œuf, fromage fermenté, viande (p. ex. bœuf et abats).
Vitamine C (acide ascorbique)	Agrumes (p. ex. oranges, citrons, pamplemousse), légumes verts (p. ex. piments, brocoli, chou), pommes de terre.

Bibliographie:
1. US Pharmacopeial Convention, Inc. USP DI, Drug information for the health care professional. Rockville, MD: US Pharmacopeial, Inc., 1994.

Tableau III*—L'ANR[a] de vitamines exprimé comme taux quotidien

				Liposolubles			Hydrosolubles					
Âge	Sexe	Poids (kg)	Protéines (g)	Vit. A (ÉR[b])	Vit. D (µg[c])	Vit. E (mg)	Vit. C (mg)	Folate (µg)	Thiamine (mg)	Riboflavine (mg)	Niacine (ÉN[d])	Vit. B_{12} (µg)
Mois												
0-4	M/F	6	12[e]	400	10	3	20	25	0,3	0,3	4	0,3
5-12	M/F	9	12	400	10	3	20	40	0,4	0,5	7	0,4
Années												
1	M/F	11	13	400	10	3	20	40	0,5	0,6	8	0,5
2-3	M/F	14	16	400	5	4	20	50	0,6	0,7	9	0,6
4-6	M/F	18	19	500	5	5	25	70	0,7	0,9	13	0,8
7-9	M	25	26	700	2,5	7	25	90	0,9	1,1	16	1
	F	25	26	700	2,5	6	25	90	0,8	1	14	1
10-12	M	34	34	800	2,5	8	25	120	1	1,3	18	1
	F	36	36	800	2,5	7	25	130	0,9	1,1	16	1
13-15	M	50	49	900	2,5	9	30[f]	175	1,1	1,4	20	1
	F	48	46	800	2,5	7	30[f]	170	0,9	1,1	16	1
16-18	M	62	58	1 000	2,5	10	40[f]	220	1,3	1,6	23	1
	F	53	47	800	2,5	7	30[f]	190	0,8	1,1	15	1
19-24	M	71	61	1 000	2,5	10	40[f]	220	1,2	1,5	22	1
	F	58	50	800	2,5	7	30[f]	180	0,8	1,1	15	1
25-49	M	74	64	1 000	2,5	9	40[f]	230	1,1	1,4	19	1
	F	59	51	800	2,5	6	30[f]	185	0,8[g]	1[g]	14[g]	1
50-74	M	73	63	1 000	5	7	40[f]	230	0,9	1,2	16	1
	F	63	54	800	5	6	30[f]	195	0,8[g]	1	14[g]	1
75+	M	69	59	1 000	5	6	40[f]	215	0,8	1	14	1
	F	64	55	800	5	5	30[f]	200	0,8[g]	1	14[g]	1
Grossesse (supplément)												
1er trimestre			5	0	2,5	2	0	200	0,1	0,1	1	0,2
2[e] trimestre			15	0	2,5	2	10	200	0,1	0,3	2	0,2
3[e] trimestre			24	0	2,5	2	10	200	0,1	0,3	2	0,2
Allaitement (supplément)			22	400	2,5	3	25	100	0,2	0,4	3	0,2

[a] L'apport nutritionnel recommandé (ANR) est exprimé sur une base quotidienne mais il doit être considéré comme l'apport moyen recommandé pour une certaine période de temps, p. ex. 1 semaine.
[b] Équivalents de rétinol: 1 ÉR = 1 µg ou 3,33 UI de rétinol. 1 ÉR = 6 µg ou 10 UI de bêta-carotène.
[c] 1 µg de vitamine D_2 (ergocalciférol) ou vitamine D_3 (cholécalciférol) = 40 UI.
[d] Équivalents de niacine: 1 ÉN = 1 mg de niacine ou 60 mg de tryptophane. Environ 3 % du tryptophane ingéré est oxydé en niacine.
[e] On suppose que la source de protéines est celle du lait maternel; il faut un ajustement pour les préparations de lait pour nourrissons.
[f] Les fumeurs doivent augmenter leur apport en vitamine C de 50 %.
[g] Valeur sous laquelle l'apport ne doit pas descendre.

Adapté des *Recommandations sur la nutrition—Rapport du Comité de révision scientifique*, 1990, avec l'autorisation du ministre des Travaux publics et Services gouvernementaux Canada, 1998.

Bibliographie:

1. Santé et Bien-être social Canada. L'acide folique: la vitamine qui offre une protection contre les malformations du tube neural. Actualités 1993; 1–5.

*Les ANR sont présentement en train d'être révisés par le «Food and Nutrition Board» afin d'harmoniser les nouvelles références d'apports alimentaires pour le Canada et les É.-U.

Tableau IV*—L'ANR[a] de minéraux exprimé comme taux quotidien

Âge	Sexe	Poids (kg)	Protéines (g)	Calcium[b] (mg)	Phosphore (mg)	Magnésium (mg)	Fer (mg)	Iode (µg)	Zinc (mg)
Mois									
0-4	M/F	6	12[c]	250[d]	150	20	0,3[e]	30	2[e]
5-12	MF	9	12	400	200	32	7	40	3
Années									
1	M/F	11	13	500	300	40	6	55	4
2-3	M/F	14	16	550	350	50	6	65	4
4-6	M/F	18	19	600	400	65	8	85	5
7-9	M	25	26	700	500	100	8	110	7
	F	25	26	700	500	100	8	95	7
10-12	M	34	34	900	700	130	8	125	9
	F	36	36	1 100	800	135	8	110	9
13-15	M	50	49	1 100	900	185	10	160	12
	F	48	46	1 000	850	180	13	160	9
16-18	M	62	58	900	1 000	230	10	160	12
	F	53	47	700	850	200	12	160	9
19-24	M	71	61	800	1 000	240	9	160	12
	F	58	50	700	850	200	13	160	9
25-49	M	74	64	800	1 000	250	9	160	12
	F	59	51	700	850	200	13	160	9
50-74	M	73	63	800	1 000	250	9	160	12
	F	63	54	800	850	210	8	160	9
75+	M	69	59	800	1 000	230	9	160	12
	F	64	55	800	850	210	8	160	9
Grossesse (supplément)									
1er trimestre			5	500	200	15	0	25	6
2e trimestre			15	500	200	45	5	25	6
3[e] trimestre			24	500	200	45	10	25	6
Allaitement (supplément)			22	500	200	65	0	50	6

[a] L'apport nutritionnel recommandé (ANR) est exprimé sur une base quotidienne, mais il doit être considéré comme l'apport moyen recommandé pour une certaine période de temps, p. ex. 1 semaine.
[b] D'autres ANR existent, tels que le «National Institutes of Health Consensus Development Conference Statement. Optimal Calcium Intake.» Washington, DC juin 6-8, 1994.
[c] On suppose que la source de protéines est celle du lait maternel; il faut un ajustement pour les préparations de lait pour nourrissons.
[d] Une préparation typique de lait pour nourrissons à forte teneur en phosphore doit contenir 375 mg de calcium par 750 mL de préparation.
[e] On suppose que le source de lait maternel est la source des minéraux.

Adapté des *Recommandations sur la nutrition—Rapport du Comité de révision scientifique*, 1990, avec l'autorisation du ministre des Travaux publics et Services gouvernementaux Canada, 1998.

*Les ANR sont présentement en train d'être révisés par le «Food and Nutrition Board» afin d'harmoniser les nouvelles références d'apports alimentaires pour le Canada et les É.-U.

ADMINISTRATION MÉDICAMENTS–ALIMENTS

Le tableau I propose une vue d'ensemble des recommandations actuelles pour l'administration des médicaments et les aliments. L'information présentée ne doit pas être considérée comme une revue complète. De ce fait, le lecteur est encouragé à approfondir et à corroborer l'information.

Révision 1999

On améliore souvent la fidélité au traitement en recommandant l'administration du médicament en même temps que certaines activités routinières comme les repas. Les aliments ou les breuvages peuvent interagir avec les médicaments et ainsi affecter leur biodisponibilité, leur métabolisme ou leur excrétion. Ces interactions peuvent influencer l'efficacité d'un médicament en modifiant le résultat thérapeutique anticipé. L'importance clinique de la plupart des interactions aliments-médicaments n'est pas établie.

Les recommandations pour l'administration des médicaments et des aliments sont basées sur des sources reconnues y compris l'information fournie par le fabricant dans le *CPS* 1999. On a aussi indiqué lorsque les médicaments ne doivent pas être mâchés ou écrasés. Ces recommandations ne sont pas absolues et on doit les interpréter en se servant de son jugement clinique. La consistance dans la manière d'administrer les médicaments est ce qui importe le plus pour faciliter la compliance et prévenir les fluctuations dans les concentrations sériques des médicaments.

Voici la description des titres énoncés dans le tableau:

- **À jeun**—1 heure avant ou 2 heures après les repas avec un plein verre de liquide, habituellement de l'eau.
- **Avant les repas**—habituellement 15 à 30 minutes avant les repas.
- **De préférence à jeun**—pouvant être pris avec de la nourriture s'il y a intolérance gastrique.
- **Avec ou après les repas.**
- **Avec ou sans aliments**—pouvant être donné sans tenir compte des repas.

Tableau I—Administration médicaments–aliments

Nom du médicament	À jeun	Avant les repas	De préférence à jeun	Avec ou après les repas	Avec ou sans aliments	Commentaires
AAS—régulier				●		
—entérosoluble				●		ne pas écraser ou mâcher
acarbose				●		avec la première bouchée du repas
acébutolol					●	
acétaminophène					●	
acétazolamide					●	
acide alginique					●	mâcher les comprimés
acide 5-aminosalicylique		●				avec un verre d'eau; ne pas écraser ou mâcher
acide citrique/sodium, citrate de				●		
acide déhydrocholique				●		
acide éthacrynique				●		
acide folique					●	
acide fusidique				●		les aliments diminuent l'irritation gastrique
acide méfénamique				●		
acide nalidixique				●		
acide tiaprofénique—régulier				●		
—à libération prolongée				●		ne pas écraser ou mâcher
acide tranexamique					●	
acide valproïque				●		les aliments diminuent l'irritation gastrique
acitrétine				●		
acyclovir					●	
alendronate		●				au moins 30 min avant les repas avec un verre d'eau
alfacalcidol					●	
allopurinol				●		les aliments diminuent l'irritation gastrique
alpha-D-galactosidase				●		
alprazolam					●	
altrétamine				●		
aluminium et magnésium, hydroxydes					●	
amantadine					●	les aliments diminuent l'irritation gastrique

Tableau I—Administration médicaments–aliments *(suite)*

Nom du médicament	À jeun	Avant les repas	De préférence à jeun	Avec ou après les repas	Avec ou sans aliments	Commentaires
amiloride					•	les aliments diminuent l'irritation gastrique
aminoglutéthimide					•	
aminophylline			•			avec un verre d'eau
aminosalicylate sodique					•	
amiodarone					•	les aliments diminuent l'irritation gastrique
amitriptyline					•	
amlodipine					•	
amoxapine					•	
amoxicilline					•	
amoxicilline/acide clavulanique					•	les aliments augmentent l'absorption
ampicilline	•					
anagrélide					•	
anastrozole					•	
anétholtrithione		•				
aniléridine					•	
astémizole					•	
aténolol					•	les aliments diminuent l'irritation gastrique
atorvastatine calcique					•	
atovaquone				•		
azatadine					•	
azathioprine					•	les aliments diminuent l'irritation gastrique
azithromycine—capsules, suspension	•					
—comprimés					•	
bacampicilline					•	avec un verre d'eau
baclofen					•	les aliments diminuent l'irritation gastrique
barbituriques					•	absorption plus rapide à jeun
belladone					•	
bénazépril					•	
bétahistine					•	
béthanéchol	•					
bezafibrate—200 mg régulier				•		avec un verre d'eau
—400 mg à libération prolongée				•		ne pas écraser ou mâcher
bicalutamide					•	ne pas écraser ou mâcher
bipéridène				•		les aliments diminuent l'irritation gastrique
bisacodyl	•					avec un verre d'eau; ne pas prendre avec du lait; ne pas écraser ou mâcher
bismuth, subsalicylate de					•	
bromazépam					•	
bromocriptine				•		
budésonide		•				avaler les capsules entières avec de l'eau; ne pas croquer, séparer ni écaser
bumétanide					•	
bupropion					•	
buspirone					•	
calcitriol					•	
calcium, sels de				•		les aliments diminuent l'irritation gastrique; certains aliments diminuent l'absorption
captopril			•			soyez conséquent
carbamazépine—régulier				•		
—à libération contrôlée				•		ne pas écraser ou mâcher
carisoprodol					•	les aliments diminuent l'irritation gastrique
carvédilol				•		
céfaclor					•	

Tableau I—Administration médicaments–aliments *(suite)*

Nom du médicament	À jeun	Avant les repas	De préférence à jeun	Avec ou après les repas	Avec ou sans aliments	Commentaires
céfadroxil					●	les aliments diminuent l'irritation gastrique
céfixime					●	
cefprozil					●	
céfuroxime axétil					●	ne pas écraser ou mâcher; les aliments augmentent l'absorption
céphalexine					●	
cérivastatine sodique					●	avec le repas du soir ou au coucher
cétirizine					●	
chlophédianol					●	
chloral, hydrate de					●	avec un verre d'eau; ne pas écraser ou mâcher
chlorambucil					●	
chloramphénicol			●			les aliments diminuent l'irritation gastrique
chlordiazépoxide					●	
chloroquine				●		
chlorphéniramine					●	
chlorpromazine					●	
chlorpropamide					●	longue demi-vie; avec ou sans les repas
chlorthalidone				●		
chlorzoxazone				●		les aliments diminuent l'irritation gastrique
cholécalciférol					●	
cholestyramine				●		
choline, salicylate de				●		
cilazapril					●	soyez conséquent
cimétidine					●	
ciprofloxacine					●	avec un verre d'eau; les aliments diminuent l'irritation gastrique
cisapride		●				
clarithromycine					●	
clémastine		●				avec un verre d'eau
clindamycine					●	avec un verre d'eau
clobazam					●	
clodronate	●					avec un verre d'eau; ne pas prendre avec du lait; ne pas écraser ou mâcher
clofibrate				●		
clomiphène					●	
clomipramine					●	les aliments diminuent l'irritation gastrique
clonazépam					●	
clonidine					●	
clopidogrel					●	
clorazépate					●	
cloxacilline	●					
clozapine					●	
codéine					●	
colchicine					●	les aliments diminuent l'irritation gastrique
colestipol—comprimés				●		avec un verre d'eau; ne pas écraser ou mâcher
—granules					●	
cortisone, acétate de				●		les aliments diminuent l'irritation gastrique
cromoglycate sodique		●				

Tableau I—Administration médicaments–aliments *(suite)*

Nom du médicament	À jeun	Avant les repas	De préférence à jeun	Avec ou après les repas	Avec ou sans aliments	Commentaires
cyclobenzaprine					•	
cyclophosphamide			•			les aliments diminuent l'irritation gastrique
cyclosérine					•	
cyclosporine					•	soyez conséquent; ne pas écraser ou mâcher; ne pas prendre avec du jus de pamplemousse
cyproheptadine					•	
cyprotérone				•		
danazol					•	
dantrolène					•	
dapsone				•		
déméclocycline	•					ne pas prendre avec du lait
désipramine					•	
desmopressine, acétate de					•	
dexaméthasone				•		
dexamphétamine					•	
dextrométhorphane					•	
dextrothyroxine					•	
diazépam					•	
diazoxide					•	soyez conséquent
diclofénac—régulier				•		
—à libération prolongée				•		ne pas écraser ou mâcher
dicyclomine					•	
didanosine	•					
diéthylpropion	•					
diéthylstilbestrol					•	
diflunisal				•		ne pas écraser ou mâcher
digoxine					•	
dihydrotachystérol					•	
diltiazem—régulier		•				
—à libération prolongée ou contrôlée					•	ne pas écraser ou mâcher
dimenhydrinate					•	
diphenhydramine					•	
diphénoxylate					•	
dipyridamole			•			les aliments diminuent l'irritation gastrique
disopyramide					•	
disulfirame					•	
divalproex sodique				•		les aliments diminuent l'irritation gastrique
docusate calcique/sodique					•	avec un verre d'eau
dolasétron					•	
dompéridone		•				
donépézil					•	
doxazosine					•	
doxépine					•	
doxycycline					•	avec un verre d'eau; les aliments ou le lait diminuent l'absorption
doxylamine/pyridoxine					•	
dronabinol					•	
énalapril					•	
enzymes pancréatiques				•		avec un verre d'eau; ne pas écraser ou mâcher
ergocalciférol					•	
ergoloïdes, mésylates d'				•		

Tableau I—Administration médicaments–aliments *(suite)*

Nom du médicament	À jeun	Avant les repas	De préférence à jeun	Avec ou après les repas	Avec ou sans aliments	Commentaires
ergotamine				•		
érythromycine—base			•			si entérosoluble, ne pas écraser ou mâcher
—estolate d'				•		les aliments diminuent l'irritation gastrique
—éthylsuccinate d'			•			
—stéarate d'			•			les aliments diminuent l'absorption
érythromycine/sulfisoxazole					•	
estramustine	•					avec un verre d'eau; ne pas prendre avec du lait
estrogènes					•	
éthambutol					•	les aliments diminuent l'irritation gastrique
ethchlorvynol					•	
éthopropazine					•	
éthosuximide					•	les aliments diminuent l'irritation gastrique
étidronate	•					avec un verre d'eau; ne pas prendre avec du lait
étodolac				•		
famciclovir					•	ne pas écraser ou mâcher
famotidine					•	
félodipine					•	ne pas écraser ou mâcher
fénofibrate				•		
fénoprofène				•		
fexofénadine					•	
finastéride					•	
flavoxate				•		
flécaïnide					•	
floctafénine				•		avec un verre d'eau
floxacilline	•					
fluconazole					•	les aliments diminuent l'irritation gastrique
fludrocortisone				•		
flunarizine					•	
fluorure sodique				•		
fluoxétine					•	
fluoxymestérone					•	
flupenthixol					•	
fluphénazine					•	
flurazépam					•	
flurbiprofène—régulier				•		
—à libération prolongée				•		ne pas écraser ou mâcher
flutamide					•	
fluvastatine					•	au coucher
fluvoxamine					•	avec un verre d'eau
fosinopril					•	les aliments diminuent l'absorption
furosémide					•	
gabapentine					•	
ganciclovir				•		
gemfibrozil		•				
gliclazide					•	longue demi-vie; pas nécessaire avec les aliments
glyburide					•	longue demi-vie; pas nécessaire avec les aliments
glycopyrrolate					•	
gomme de sterculiacée					•	avec un verre d'eau; ne pas mâcher
granisétron					•	
grépafloxacine					•	
griséofulvine					•	les repas élevés en gras augmentent l'absorption

Tableau I—Administration médicaments–aliments *(suite)*

Nom du médicament	À jeun	Avant les repas	De préférence à jeun	Avec ou après les repas	Avec ou sans aliments	Commentaires
guaifénésine					●	
guanéthidine					●	
halofantrine	●					
halopéridol					●	
huile de menthe poivrée	●					
huile minérale	●					
hydralazine					●	
hydrochlorothiazide					●	
hydrocodone				●		
hydrocortisone				●		
hydromorphone—régulier					●	
—à libération prolongée					●	ne pas écraser ou mâcher
hydroxychloroquine				●		
hydroxyurée					●	
hydroxyzine					●	
hyoscyamine					●	
ibuprofène				●		les aliments diminuent l'irritation gastrique
imipramine					●	
indapamide					●	
indinavir			●			
indométhacine—régulier				●		les aliments diminuent l'irritation gastrique
—à libération prolongée				●		ne pas écraser ou mâcher
inosiplex					●	
iodoquinol				●		
irbesartan					●	
isoniazide			●			les aliments diminuent l'absorption
isosorbide, dinitrate d'—régulier	●					avec un verre d'eau
—à libération prolongée					●	ne pas écraser ou mâcher
isosorbide, mononitrate d'					●	avec un verre d'eau; ne pas écraser ou mâcher
isotrétinoïne				●		
itraconazole				●		
kétazolam					●	
kétoconazole				●		
kétoprofène—régulier				●		les aliments diminuent l'irritation gastrique
—entérosoluble ou à libération prolongée			●			ne pas écraser ou mâcher
kétorolac				●		les aliments diminuent l'irritation gastrique
kétotifène				●		
labétalol				●		
lactase				●		immédiatement avant les repas
lactobacillus acidophilus				●		ne pas écraser ou mâcher
lactulose					●	avec un verre d'eau
lamivudine					●	
lamotrigine					●	
lansoprazole		●				avec un verre d'eau
létrozole					●	
lévamisole					●	
lévocarnitine					●	
lévodopa/bensérazide			●			soyez conséquent
lévodopa/carbidopa—régulier			●			soyez conséquent
—à libération contrôlée			●			ne pas écraser ou mâcher
lévofloxacine					●	

Tableau I—Administration médicaments–aliments *(suite)*

Nom du médicament	À jeun	Avant les repas	De préférence à jeun	Avec ou après les repas	Avec ou sans aliments	Commentaires
lévothyroxine	●					
lincomycine	●					
lisinopril					●	
lithium, sels de—régulier					●	
—à libération prolongée					●	ne pas écraser ou mâcher
lomustine	●					jeûner diminue les nausées et les vomissements
lopéramide					●	
loratadine	●					
lorazépam					●	
losartan					●	soyez conséquent
lovastatine				●		avec le repas du soir
loxapine					●	
magnésium, sels de					●	avec un verre d'eau
maprotiline					●	
matricaire standardisée				●		avec un verre d'eau
mazindol			●			
mébendazole					●	
méclizine					●	
méclizine/acide nicotinique		●				en cas de fortes bouffées congestives, à prendre avec les repas
médroxyprogestérone					●	
méfloquine				●		
mégestrol					●	
melphalan					●	
méprobamate					●	
mercaptopurine					●	
mésoridazine					●	
metformine				●		les aliments diminuent l'irritation gastrique
méthazolamide					●	les aliments diminuent l'irritation gastrique
méthénamine				●		les aliments diminuent l'irritation gastrique
méthimazole					●	
méthocarbamol					●	
méthotrexate					●	les aliments diminuent l'irritation gastrique
méthotriméprazine					●	
méthoxsalen				●		
methsuximide					●	les aliments diminuent l'irritation gastrique
méthyldopa					●	
méthylphénidate—régulier			●			de préférence, 30 à 45 min avant les repas
—à libération prolongée			●			ne pas écraser ou mâcher
méthylprednisolone				●		
méthyltestostérone					●	
méthysergide				●		
métoclopramide		●				
métolazone					●	
métoprolol—régulier					●	les aliments augmentent l'absorption; soyez conséquent
—à libération prolongée					●	ne pas écraser ou mâcher
métronidazole					●	les aliments diminuent l'irritation gastrique
mexilétine				●		avec un verre d'eau
midodrine					●	
minocycline					●	les aliments ou le lait diminuent l'absorption
minoxidil					●	avec un verre d'eau

Tableau I—Administration médicaments–aliments *(suite)*

Nom du médicament	À jeun	Avant les repas	De préférence à jeun	Avec ou après les repas	Avec ou sans aliments	Commentaires
misoprostol				●		
moclobémide				●		
montélukast sodium					●	
morphine—régulier					●	
—à libération prolongée					●	ne pas écraser ou mâcher
multivitamines					●	
mycophénolate	●					soyez conséquent; ne pas écraser ou mâcher
nabilone					●	
nabumétone				●		avec un verre d'eau; ne pas écraser ou mâcher; les aliments diminuent l'irritation gastrique
nadolol					●	
naltrexone					●	
naproxen—régulier				●		les aliments diminuent l'irritation gastrique
—à libération prolongée				●		ne pas écraser ou mâcher
naratriptan					●	
néfazodone					●	
néomycine					●	
niacine—régulier				●		
—à libération prolongée				●		ne pas écraser ou mâcher
nicardipine					●	
nicoumalone					●	soyez conséquent
nifédipine—régulier					●	
—à libération progressive					●	ne pas écraser ou mâcher
nilutamide		●				avant le petit déjeuner
nimodipine					●	
nitrazépam					●	
nitrofurantoïne				●		
nitroglycérine—régulier	●					avec un verre d'eau
—à libération prolongée	●					ne pas écraser ou mâcher
nizatidine					●	
norfloxacine			●			
norméthadone				●		
nortriptyline					●	
nylidrine					●	
nystatine					●	
ofloxacine					●	
olanzapine					●	
olsalazine				●		
oméprazole					●	
ondansétron					●	
orciprénaline					●	
orphénadrine					●	
oxaprozine				●		
oxazépam					●	
oxprénolol					●	
oxtriphylline—régulier			●			avec un verre d'eau
—à libération prolongée			●			ne pas écraser ou mâcher
oxybutynine					●	
oxycodone					●	
pantoprazole					●	avec un verre d'eau; ne pas écraser ou mâcher
paraldéhyde					●	dans un verre de lait ou de jus de fruits

Tableau I—Administration médicaments–aliments *(suite)*

Nom du médicament	À jeun	Avant les repas	De préférence à jeun	Avec ou après les repas	Avec ou sans aliments	Commentaires
paromomycine				●		
paroxétine					●	
PAS sodique				●		les aliments diminuent l'irritation gastrique
pémoline					●	
pénicillamine	●					augmenter les liquides; ne pas prendre avec du lait
pénicilline G	●					
pénicilline V					●	
pentaérythritol, tétranitrate de		●				
pentazocine				●		
pentosan, polysulfate de	●					avec un verre d'eau
pentoxifylline				●		
pepsine				●		
pergolide					●	
péricyazine					●	
perindopril	●					
perphénazine					●	
péthidine					●	
phénazopyridine				●		
phénelzine					●	suivre le régime des IMAO
phénoxyméthyl pénicilline	●					
phentermine		●				
phénylbutazone				●		
phénylpropanolamine					●	
phénytoïne				●		les aliments diminuent l'irritation gastrique
phosphates					●	avec un verre d'eau
pilocarpine					●	ne pas écraser ou mâcher
pimozide					●	
pinavérium				●		avec un verre d'eau
pindolol				●		
piroxicam				●		
pivampicilline					●	
pivmécilliname					●	
pizotifène					●	
potassium, sels de—régulier				●		les aliments diminuent l'irritation gastrique
—à libération prolongée				●		ne pas écraser ou mâcher
pramipexole					●	
pravastatine					●	les aliments diminuent l'absorption
praziquantel				●		avec un verre d'eau
prazosine					●	
prednisone				●		
primaquine				●		les aliments diminuent l'irritation gastrique
primidone			●			
probénécide					●	les aliments diminuent l'irritation gastrique
procaïnamide—régulier					●	
—à libération prolongée					●	ne pas écraser ou mâcher
procarbazine					●	
prochlorpérazine					●	
procyclidine				●		
proguanil				●		
prométhazine		●				
propafénone				●		

Tableau I—Administration médicaments–aliments *(suite)*

Nom du médicament	À jeun	Avant les repas	De préférence à jeun	Avec ou après les repas	Avec ou sans aliments	Commentaires
propanthéline		●				
propoxyphène					●	
propranolol					●	les aliments augmentent l'absorption; soyez conséquent
propylthiouracile					●	
protriptyline					●	
pseudoéphédrine					●	
psyllium					●	avec un verre d'eau
pyrantel					●	
pyrazinamide					●	
pyridostigmine—régulier					●	
—à libération prolongée					●	ne pas écraser ou mâcher
pyridoxine					●	
pyriméthamine				●		
pyrvinium, pamoate de				●		
quétiapine					●	
quinapril					●	
quinidine					●	les aliments diminuent l'irritation gastrique
quinine				●		
raloxifène					●	
ramipril					●	soyez conséquent
ranitidine					●	
ranitidine citrate de bismuth					●	matin et soir
réserpine				●		
riboflavine					●	
rifabutine					●	les aliments diminuent l'irritation gastrique
rifampine			●			
rispéridone					●	
ritodrine					●	les aliments diminuent l'irritation gastrique
ritonavir				●		
ropinirole					●	
salbutamol					●	
salsalate				●		
saquinavir				●		ne pas écraser ou mâcher
sélégiline				●		suivre le régime des IMAO
sels ferreux			●			les aliments diminuent l'absorption
séné					●	avec un verre d'eau
sertraline				●		
siméthicone				●		
simvastatine					●	les aliments augmentent l'absorption
sodium, bicarbonate de					●	
sodium, chlorure de					●	
sotalol					●	
spiramycine					●	
spironolactone					●	les aliments augmentent l'absorption
stavudine					●	
sucralfate	●					avec un verre d'eau
sulfadiazine	●					avec un verre d'eau
sulfadiazine/triméthoprime				●		avec un verre d'eau; les aliments diminuent l'irritation gastrique
sulfadoxine/pyriméthamine				●		avec un verre d'eau; les aliments diminuent l'irritation gastrique
sulfaméthoxazole/triméthoprime				●		avec un verre d'eau; les aliments diminuent l'irritation gastrique

Tableau I—Administration médicaments–aliments *(suite)*

Nom du médicament	À jeun	Avant les repas	De préférence à jeun	Avec ou après les repas	Avec ou sans aliments	Commentaires
sulfapyridine	●					avec un verre d'eau
sulfasalazine—régulier				●		
—entérosoluble				●		ne pas écraser ou mâcher
sulfinpyrazone				●		
sulfisoxazole	●					avec un verre d'eau
sulindac				●		les aliments diminuent l'irritation gastrique
sumatriptan					●	avec un verre d'eau
tacrolimus					●	soyez conséquent; ne pas écraser ou mâcher
tamoxifène					●	
tamsulosine				●		ne pas écraser, mâcher ou ouvrir les capsules
témazépam					●	
ténoxicam				●		les aliments diminuent l'irritation gastrique
térazosine					●	
terbinafine					●	les aliments augmentent l'absorption
terbutaline					●	
terfénadine					●	
testostérone				●		
tétrabénazine					●	
tétracycline	●					avec un verre d'eau; ne pas prendre avec du lait
théophylline—liquide			●			
—comprimés réguliers			●			
—comprimés à libération prolongée					●	soyez conséquent; ne pas écraser ou mâcher
—sauf Uniphyl				●		avec le repas du soir; ne pas écraser ou mâcher
thiabendazole				●		
thiamine					●	
thiopropérazine					●	
thioridazine					●	
thiothixène					●	
thyroïde, desséchée					●	
ticlopidine				●		les aliments diminuent l'irritation gastrique
timolol					●	
tocaïnide					●	
tolbutamide		●				courte demi-vie; à prendre avant les repas
tolcapone					●	
tolmétine				●		les aliments diminuent l'irritation gastrique
topiramate					●	avec un verre d'eau; ne pas écraser ou mâcher
torsémide					●	
trandolapril					●	
tranylcypromine					●	suivre le régime des IMAO
trazodone				●		les aliments diminuent l'irritation gastrique
triamcinolone				●		
triamtérène				●		
triamtérène/hydrochlorothiazide				●		
triazolam					●	
trifluopérazine					●	
trihexyphénidyle					●	les aliments diminuent l'irritation gastrique
trimébutine		●				
triméprazine				●		

Tableau I—Administration médicaments–aliments *(suite)*

Nom du médicament	À jeun	Avant les repas	De préférence à jeun	Avec ou après les repas	Avec ou sans aliments	Commentaires
triméthoprime				●		
trimipramine					●	
trioxsalen				●		
tripélennamine					●	les aliments diminuent l'irritation gastrique
l-tryptophane				●		les aliments diminuent l'irritation gastrique
ursodiol				●		
vaccin anticholérique	●					1 heure avant un repas; avec de l'eau froide ou tiède seulement
vaccin contre la typhoïde	●					avec une boisson froide ou tiède; ne pas écraser ou mâcher
valacyclovir					●	
valsartan					●	
vancomycine					●	non absorbée
venlafaxine				●		
vérapamil—régulier				●		
—à libération prolongée				●		ne pas écraser ou mâcher
vigabatrine					●	
vitamine A					●	
vitamine B_{12}					●	
vitamine C				●		avec un verre d'eau
vitamine E					●	ne pas écraser ou mâcher
warfarine					●	éviter tout changement drastique de votre régime alimentaire afin de maintenir le même apport de vitamine K
yohimbine					●	
zafirlukast	●					
zalcitabine	●					
zidovudine	●					
zinc				●		
zopiclone					●	
zuclopenthixol					●	

Bibliographie:
1. McCormack J (éd), Drug Therapy Decision Making Guide, W.B. Saunders Company, Philadelphia, PA, 1996.
2. Olin BR (éd), Facts and Comparisons, Facts and Comparisons, Inc., St. Louis, MO, 1996.

RENSEIGNEMENTS AUX PATIENTS

Les sections intitulées «Renseignements destinés aux patients» font partie des monographies définies par Santé Canada, mais se veulent une information complémentaire pour le patient. Rédigées en langage simple, elles fournissent des renseignements utiles sur l'utilisation sécuritaire et efficace des médicaments. Les professionnels de la santé pourront compléter au besoin les conseils donnés dans ces sections.

Cette section s'adresse aux professionnels de la santé afin de les aider à informer leurs patients. Bien que l'Association des pharmaciens du Canada détienne un droit d'auteur pour cette compilation de données, elle accorde la permission de photocopier les présentes pages à dessein de fournir des renseignements aux patients. Il est cependant interdit de photocopier entièrement la présente section et de distribuer ces photocopies.

Bibliographie:

1. Santé et Bien-être social Canada. Monographies des produits. Ottawa, ON: Santé et Bien-être social Canada, 1989.

INDEX DES RENSEIGNEMENTS AUX PATIENTS

A

Abenol®
Accolate® Pr
Accutane™ Roche® Pr
Actifed®
ActifedMC Plus Extra-Puissant
Actinac® Pr
Acular® Pr
AiromirMC Pr
Albert® Docusate
Albert® Tiafen® Pr/Albert® Tiafen SR Pr
Aldactazide 25® Pr/Aldactazide 50® Pr
Aldactone® Pr
AlesseMC21 Pr/AlesseMC28 Pr*
Alkeran® Pr
AllegraMC
Alomide® Pr
AlphaganMC Pr
Altace® Pr
Alupent®, Préparations Pr
Amerge® Pr
Ana-Kit®
Anandron® Pr
Anaprox® Pr/Anaprox® DS Pr
Andriol Ⓒ
Ansaid® Pr
AnzemetMC Pr
Apo®-Cromolyn Pr
Apo®-Ticlopidine Pr
Aredia® Pr
AriceptMC Pr
Arimidex® Pr
Arthrotec® Pr
Atrovent®, Aérosol nasal Pr
Atrovent®, Aérosol pour inhalation Pr
Atrovent®, Solution pour inhalation Pr
Avirax™ Pr
Azmacort® Pr

B

Baycol® Pr
Beclodisk® Pr/Beclodisk® Diskhaler®
Becloforte® Pr
Beclovent®, Aérosol-doseur Pr/Beclovent®, Rotacaps® Pr/Beclovent®, Rotahaler®
Beconase Aq® Pr
Benzamycin® Pr
Berotec®, Aérosol pour inhalation Pr/Berotec® Forte, Aérosol pour inhalation Pr
Berotec®, Solution pour inhalation Pr
Betaseron® Pr
Bezalip® Pr
Biaxin® Pr
Biltricide® Pr
Brevicon® 0.5/35 Pr *
Brevicon® 1/35 Pr *
Bricanyl® Turbuhaler® Pr
Bronalide® Pr

C

Caltine® Pr
Canesten®, Topique
Canesten®, Vaginal
Cardura-1MC Pr/Cardura-2MC Pr/Cardura-4MC Pr
Casodex® Pr
CaverjectMC Pr
Ceftin® Pr
CellCept® Pr
Cerumenex®
Choloxin® Pr
Climara® Pr
Clopixol® Pr/Clopixol-Acuphase® Pr/Clopixol® Depot Pr
Clozaril® Pr
Codeine Contin® Ⓝ
Colestid® Pr
Combantrin®
Combivent®, Aérosol pour inhalation Pr
Combivent®, Solution pour inhalation Pr
Condyline™ Pr
Contraceptifs oraux*
Coreg™ Pr
Coumadin® Pr
Cozaar® Pr
Crixivan® Pr
Cyclen® Pr *
Cytotec® Pr
Cytovene®, Capsules Pr/Cytovene®, Injectable Pr

D

Dalacin®, Crème vaginale Pr
Dalacin® T, Solution topique Pr
Dalmane® Pr
DaunoXome® Pr
DayproMC Pr
DDAVP®, Vaporisateur et Rhinyle Solution nasale Pr
Demulen® 30 Pr/Demulen® 50 Pr *
Demadex® Pr
Depo-Provera® Pr
222®, Comprimés Ⓝ
Diane®-35 Pr
Diclectin® Pr
Diclotec Pr
DidrocalMC Pr
Differin® Pr
Diflucan-150MC Pr
Diovan® Pr
Dolobid® Pr
Dovonex® Pr
DPEMD Pr
Duovent® UDV Pr
Duphalac®
DuragesicMD Ⓝ

E

Effexor® Pr/Effexor® XR Pr
EMLA®, Crème/Timbre
Entocort®, Capsules Pr
Entocort®, Lavement Pr
Entrophen®
Epival® Pr
Eprex® Pr
Ergomar® Pr
Erysol® Pr
Estracomb® Pr
Estraderm® Pr
Estring® Pr

F

Famvir™ Pr
Fansidar® Pr
FeldeneMC Pr
Femara® Pr
Fexicam Pr
Flolan® Pr
Flomax® Pr
Flonase® Pr
Flovent® Pr
Foradil® Pr
Fosamax® Pr
Fragmin® Pr
FraxiparineMC Pr
Froben® Pr/Froben SR® Pr

G

Glucagon pour injection
Gonal-F® Pr
GynecureMC

H

Habitrol®
Halcion® Pr
Halfan™ Pr
Hivid® Pr
HumalogMD
Humulin®
Hydromorph Contin® Ⓝ
Hytrin® Pr
Hyzaar® Pr

I

Idarac® Pr
Imdur®
Imitrex®, Comprimés/Injectable Pr/Imitrex®, Vaporisation nasale Pr

RENSEIGNEMENTS AUX PATIENTS *(suite)*

Imovane® Pr
Indocid® Pr/Indocid® SR Pr
Indotec® Pr
Innohep® Pr
Intal®, Inhalateur Pr/Intal® Syncroner Pr
Intal® Spincaps® Pr/Intal®, Solution à nébuliser Pr
Intron A® Pr
Invirase™ Pr
Isotrex® Pr

K

Kadian® Ⓝ
Kwellada-P^{MC}
Kytril™ Pr

L

Lamictal® Pr
Lamisil®, Comprimés Pr
Lariam® Pr
Lescol® Pr
Levotec Pr
Lioresal® Intrathécal Pr
Lipidil Micro® Pr
Lipitor^{MC} Pr
Locacorten® Vioform® Pr
Locacorten® Vioform®, Gouttes otiques Pr
Loestrin^{MD} 1.5/30 Pr *
Loniten® Pr
Losec® Pr
Lotensin® Pr
Lovenox® Pr
Lupron® Pr/ Lupron Dépôt® 3,75 mg/7,5 mg Pr
Lupron® Pr/ Lupron Dépôt® 7,5 mg/22,5 mg Pr
Lupron® Dépôt® 3,75 mg Pr
Luvox® Pr

M

MacroBID® Pr
Manerix® Pr
Marvelon® Pr *
Mavik^{MC} Pr
M-Eslon® Ⓝ
Méthotrexate, Comprimés USP Pr
Mevacor® Pr
Micronor® Pr *
Migranal^{MD} Pr
Minestrin™ 1/20 Pr *
Minitran^{MC}
Min-Ovral® 21 Pr/Min-Ovral® 28 Pr*
Mirapex® Pr
Mireze® Pr
Mobiflex® Pr
Mogadon® Pr
Motrin® Pr
MS Contin® Ⓝ
MSD AAS à enrobage entérosoluble
Myleran® Pr

N

Naprosyn® Pr
Nasacort^{MD} Pr
Nasacort® AQ Pr
Neoral® Pr
Neosporin®, Préparations Pr
Neurontin^{MC} Pr
Nicoderm® Pr
Nicorette®
Nicorette® Plus
Nicotrol®
Nidagel^{MC} Pr
Nitoman® Pr
Nitro-Dur®
Nitrolingual®, Pompe
Nix®, Après-shampooing
Nix®, Crème pour la peau
Nolvadex® Pr/Nolvadex®-D Pr
Norinyl® 1/50 Pr *
Noroxin® Pr
Norplant® Pr
Norvir® Pr
Novo-Difenac® Pr/Novo-Difenac® SR Pr
Nutropin® Pr/Nutropin® AQ Pr
Nytol^{MC}/Nytol^{MC} Ultra-fort
Nytol^{MC} d'origine naturelle

O

Ocuflox^{MC} Pr
OncoTICE™
Opticrom®
Orafen® Pr
Oramorph SR^{MC} Ⓝ
Ortho® 1/35 Pr/Ortho® 0.5/35 Pr/ Ortho® 10/11 Pr/Ortho® 7/7/7 Pr *
Ortho-Cept™ Pr *
Ortho-Novum® 1/50 Pr *
Orudis® Pr/Orudis® E Pr/Orudis® SR Pr
Oruvail® Pr
Ostac® Pr
Oxeze® Turbuhaler® Pr
Oxizole™ Pr
OxyContin® Ⓝ

P

Pantoloc™ Pr
Paxil® Pr
Pediapred® Pr
Pentacarinat® Pr
Pepcid AC®
Pepcid®, Comprimés Pr
Peridex® Pr
Péthidine, Injection BP Ⓝ
Photofrin®
Phyllocontin® Pr/Phyllocontin®-350 Pr
Plavix^{MC} Pr
Plendil® Pr
Potaba® Pr
Prandase® Pr
Pravachol® Pr
Premarin®, Comprimés Pr
Prevacid® Pr
Prinivil® Pr
Prinzide® Pr
Probeta® Pr
Procan^{MD} SR Pr
Prograf® Pr
Prometrium^{MD} Pr
Propecia® Pr
Proscar® Pr
Protropin® Pr
Pulmicort® Nebuamp® Pr
Pulmicort® Turbuhaler® Pr
Puregon™ Pr
Pylorid® Pr

Q

Quintasa® Pr

R

Raxar^{MC} Pr
Reactine^{MC}
Rebif^{MD} Pr
Rejuva-A® Pr
Relafen™ Pr
Renedil® Pr
Renova^{MC} Pr
Requip™ Pr
Restoril® Pr
Retin-A® Pr
Retisol-A® Pr
Retrovir® (AZT™) Pr
ReVia® Pr
Rheumatrex^{MD} Pr
Rhinocort® Aqua Pr
Rhinocort® Turbuhaler® Pr
Ridaura® Pr
Risperdal®, Solution orale Pr
Ritalin® ◇/Ritalin® SR ◇
Roferon®-A Pr
Rogaine® Pr

S

Sabril® Pr
Salagen® Pr
Salazopyrin® Pr/Salazopyrin En-Tabs® Pr
Salbutamol Nebuamp® Pr
Salofalk® Pr
Sandostatin® Pr
Select™ 1/35 Pr *
Ser-Ap-Es® Pr
Serevent® Pr
Serophene® Pr
Seroquel® Pr
Serzone® Pr
SH-206
Singulair® Pr
692®, Comprimés Ⓝ
Slo-Bid® Pr
Solganal® Pr
Soriatane™ Pr
Stadol NS^{MD} ◇
Stievamycin®, Préparations Pr
Suprefact® Pr/Suprefact® Depot Pr
Surfak®
Surgam® Pr/Surgam® SR Pr
Synarel® Pr
Synphasic® Pr *
Synthroid® Pr

T

Tamofen® Pr
Taxotere® Pr
Tazorac^{MC} Pr
Tegretol® Pr
Terazol® Pr
Tes-Tape®
Theo-Dur® Pr
Theo-SR® Pr
Tiazac^{MC} Pr
Ticlid® Pr
Tilade® Pr
Timpilo® Pr
Tolectin® Pr
Topamax® Pr
Toradol® Pr/Toradol® IM Pr
Transderm-Nitro®
Transderm-V®
Tri-Cyclen™ Pr *
Trilisate® Pr
Trinipatch^{MC} 0,2 Trinipatch^{MC} 0,4 Trinipatch^{MC} 0,6
3TC® Pr
Triphasil® 21 Pr/Triphasil® 28 Pr *
Triquilar® 21 Pr/Triquilar® 28 Pr *
Trosyd^{MC} AF/Trosyd^{MC} J
Trusopt® Pr
T-Stat® Pr

RENSEIGNEMENTS AUX PATIENTS *(suite)*

* Les renseignements destinés aux patientes pour les contraceptifs oraux sont reproduits séparément à la fin de cette section (p. B311-B316).

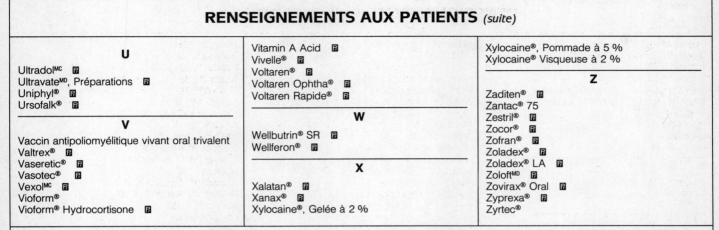

☐ ABENOL®

SmithKline Beecham

Acétaminophène

Analgésique—Antipyrétique

Renseignements destinés aux patients: Ces renseignements sont aussi destinés à servir sous forme d'encart pour le consommateur.

Suppositoires: Renseignements supplémentaires: **Pour usage rectal seulement.**

Indications: Les suppositoires Abenol sont indiqués pour le soulagement de la douleur légère ou modérée ainsi que pour la réduction de la fièvre.

Directives:

- Se laver les mains avec de l'eau et du savon.
- Retirer le suppositoire de son enveloppe.
- L'humecter avec de l'eau tiède.
- S'étendre sur le côté et, la jambe du bas allongée et l'autre jambe repliée, pousser du doigt le suppositoire le plus profondément possible dans le rectum.
- Se laver les mains avec de l'eau et du savon.

Posologie: Adultes: 1 suppositoire à 650 mg toutes les 4 à 6 heures, au besoin; ne pas utiliser immédiatement avant d'aller à la selle; posologie maximum recommandée de 6 suppositoires/jour.
Enfants: moins de 2 ans: posologie recommandée par le médecin; 2 à 4 ans: 1 suppositoire à 120 mg toutes les 4 heures, posologie maximum recommandée de 6 suppositoires/jour; 4 à 6 ans: 1 suppositoire à 325 mg toutes les 6 heures, posologie maximum recommandée de 4 suppositoires/jour; 6 à 12 ans: 1 suppositoire à 325 mg toutes les 4 heures, posologie maximum recommandée de 6 suppositoires/jour.

Interactions médicamenteuses: L'utilisation concomitante de l'acétaminophène et d'un anticoagulant peut ralentir la coagulation du sang. On doit consulter un médecin ou un pharmacien avant de prendre ce médicament:

- en cas d'allergie à l'acétaminophène, d'alcoolisme chronique, d'une maladie du rein ou du foie, et
- lorsque l'on prend un autre médicament qui contient de l'acétaminophène ou un salicylate.

Effets secondaires: L'hypersensibilité à l'acétaminophène est rare; elle se manifeste habituellement par une éruption ou de l'urticaire.

Traitement du surdosage: En cas d'ingestion accidentelle d'une grande quantité de suppositoires, il est recommandé de provoquer des vomissements et de consulter un médecin.

Mise en garde: Consulter un médecin si les symptômes persistent après plus de 5 jours de traitement. Sauf avis contraire d'un médecin, ne pas dépasser la posologie recommandée, car des doses excessives risquent d'affecter le foie.

Conditions d'entreposage: Conserver à la température ambiante.

☐ ACCOLATE® Ⓟ

Zeneca

Zafirlukast

Antagoniste du récepteur des leucotriènes

Renseignements destinés aux patients: Veuillez lire attentivement ce feuillet avant de commencer à prendre votre médicament. Pour plus de renseignements ou encore pour obtenir des conseils, adressez-vous à votre médecin ou à votre pharmacien.

Les comprimés Accolate ne doivent être pris que 2 fois/jour: Accolate fait partie d'un groupe de médicaments appelés antagonistes du récepteur des leucotriènes. Accolate est utilisé pour empêcher que votre asthme ne s'aggrave et pour en maîtriser les symptômes. L'effet d'Accolate dure jusqu'à 12 heures, d'où l'importance de prendre Accolate 2 fois/jour, matin et soir. La prise régulière d'Accolate contribuera à maîtriser vos symptômes tout au long de la journée ainsi que durant la nuit.

Accolate doit être pris en dehors des repas: Il est conseillé de prendre les comprimés d'Accolate à jeun (au moins 1 heure avant les repas ou 2 heures après). De cette façon, vous êtes assuré d'absorber chaque fois le plus possible de médicament.

Accolate ne doit pas être pris comme médicament de secours: Accolate n'agit pas assez rapidement pour être utilisé comme médicament de secours. En cas de crise soudaine de wheezing et d'essoufflement entre les doses d'Accolate, prenez plutôt 1 ou 2 bouffées d'un médicament à action rapide (p. ex., salbutamol) prescrit par votre médecin.

N'oubliez pas que si votre crise résiste au médicament de secours à action rapide, vous devez consulter immédiatement votre médecin. Il est possible que vous ayez besoin de soins d'urgence.

Vous devez par ailleurs informer votre médecin sans tarder si:

- le nombre de crises de wheezing, d'essoufflement ou de gêne respiratoire augmente,
- vous utilisez une quantité croissante de votre médicament de secours à action rapide,
- vous commencez à vous réveiller la nuit en raison d'une gêne respiratoire, de wheezing ou d'essoufflement.

Comment fonctionne votre médicament: Accolate est un antagoniste du récepteur des leucotriènes qui agit en bloquant des substances appelées leucotriènes. Les leucotriènes provoquent un rétrécissement et une inflammation des voies aériennes. Le blocage des leucotriènes améliore les symptômes de l'asthme et permet de prévenir les crises d'asthme.

Ce qu'il faut savoir avant de prendre votre médicament: Avez-vous déjà cessé de prendre un autre médicament pour votre asthme parce que vous y étiez allergique ou qu'il occasionnait d'autres problèmes? Vous a-t-on déjà dit que vous avez des problèmes de foie? Si la réponse à l'une ou l'autre question est **oui,** informez-en immédiatement votre médecin ou votre pharmacien.

Faites en sorte que votre médecin soit informé de **tous** les autres médicaments vous prenez **(y compris les médicaments en vente libre, c.-à-d. sans ordonnance),** en particulier les anticoagulants (p. ex. Coumadin), les médicaments contre les allergies (p. ex. Seldane, Hismanal), l'AAS, les antibiotiques et la théophylline.

Emploi de ce médicament pendant la grossesse ou l'allaitement: Ne prenez pas Accolate pendant la grossesse ou l'allaitement sans en discuter d'abord avec votre médecin. De même, prévenez votre médecin de votre intention d'avoir un enfant.

La prise de votre médicament: Suivez les recommandations de votre médecin sur la façon et le moment de prendre votre médicament. **Lisez l'étiquette** sur l'emballage. Au besoin, demandez des éclaircissements à votre médecin ou à votre pharmacien. Pour les patients âgés de 12 ans et plus: le traitement habituel par Accolate est une dose de 20 mg 2 fois/jour.

- Avalez chaque comprimé avec un grand verre d'eau.
- Vous devez prendre vos comprimés en dehors des repas (au moins 1 heure avant les repas ou 2 heures après).
- Essayez de prendre votre médicament à la même heure tous les jours

L'emploi régulier d'Accolate est extrêmement important car il permet de traiter efficacement les symptômes de l'asthme. Accolate doit être pris 2 fois/jour, matin et soir. Pour vous aider à ne pas oublier votre schéma posologique, vos comprimés sont présentés dans des plaquettes-calendriers où figurent les jours de la semaine (2 doses/jour, pour le matin et le soir). Avant de commencer le traitement par Accolate, il est important que vous notiez bien le jour de la semaine. Repérez le comprimé portant l'inscription «Début» et appuyez dessus pour le faire sortir. Vous devrez prendre le deuxième comprimé environ 12 heures plus tard. Le moment venu, procédez de la même façon, en appuyant sur le comprimé correspondant à la date et à l'heure de la prise. Ensuite, c'est simple, vous n'avez qu'à suivre le calendrier. Ainsi, vous saurez si vous avez bien pris vos 2 doses quotidiennes, une le matin, et une autre le soir. Une fois que vous aurez terminé une plaquette de comprimés, inscrivez le jour et l'heure de votre dernière dose. Puis passez à la carte suivante, environ 12 heures plus tard, en prenant le comprimé qui porte l'inscription «Début», et suivez le calendrier. Vers la fin de la deuxième plaquette de comprimés, appelez votre pharmacien pour obtenir un renouvellement du médicament. Il est préférable que vous n'attendiez pas les 4 derniers comprimés pour le faire.

Rappel: N'arrêtez pas de prendre vos comprimés, sauf si votre médecin vous le demande, et ce, même si vous vous sentez bien.

Effets indésirables que vous pourriez éprouver avec Accolate: Tous les médicaments sont susceptibles de produire des effets indésirables. Parmi les effets indésirables éventuels associés à Accolate, mentionnons les maux de tête et les troubles gastro-intestinaux (indigestion ou malaises gastriques). Ces effets sont habituellement légers et il est peu probable que vous soyez obligé d'arrêter le traitement. On a observé des réactions allergiques, dont l'éruption cutanée, chez un petit nombre de patients prenant Accolate. ▶

Accolate (suite)

Avisez votre médecin ou votre pharmacien si vous pensez éprouver l'un de ces symptômes ou tout autre symptôme.

Il peut arriver qu'Accolate affecte le fonctionnement de votre foie. Cela pourrait se traduire par:
—l'envie de vomir ou des vomissements,
—une sensation de fatigue ou un manque d'énergie,
—l'impression d'avoir une grippe,
—une irritation de la peau (démangeaisons).

D'autres symptômes comprennent:
—une douleur du côté droit de l'estomac, juste sous les côtes,
—une coloration jaunâtre de la peau et des yeux (jaunisse).

Si vous éprouvez un ou plusieurs de ces symptômes, **prévenez immédiatement votre médecin.**

Si vous prenez trop de comprimés: Si vous prenez accidentellement une **dose plus forte que la dose recommandée,** informez-en votre médecin le plus tôt possible.

En cas de surdose, avisez immédiatement votre médecin ou contactez l'urgence de l'hôpital.

Si vous oubliez de prendre votre médicament: Si vous oubliez de prendre une dose du médicament, ne vous en faites pas et prenez simplement un autre comprimé dès que vous vous apercevez de votre oubli. **Cependant,** si l'heure de la dose suivante approche, attendez plutôt de prendre cette dose. Ensuite, continuez à prendre vos médicaments comme vous le faisiez avant. **Ne prenez pas 2 doses à la fois.**

Conservation des médicaments: Conservez vos médicaments dans un lieu sûr, hors de portée des enfants. Votre médicament peut être nuisible à leur santé.

Conservez vos comprimés à une température variant de 15 à 30 °C (température ambiante). Laissez les comprimés dans leur emballage d'origine.

Si votre médecin décide d'interrompre votre traitement, retournez les comprimés restants à votre pharmacien.

Ne prenez pas le médicament si la date limite d'utilisation indiquée sur l'emballage est dépassée. Retournez les comprimés à votre pharmacien.

Contenu d'un comprimé Accolate: Chaque comprimé Accolate contient 20 mg de zafirlukast. Chaque comprimé enrobé contient aussi les ingrédients inactifs suivants: croscarmellose sodique, lactose, cellulose microcristalline, polyvidone, stéarate de magnésium, cellulose de méthylhydroxypropyle et dioxyde de titane.

Rappel: Ce médicament est pour **vous** seul. Seul un médecin sait qui peut le prendre en toute sécurité. Ne le donnez jamais à quelqu'un d'autre, même pour des symptômes en apparence similaire. Il pourrait avoir des effets néfastes.

Renseignements supplémentaires: Si vous êtes hospitalisé, informez le personnel hospitalier que vous prenez Accolate.

Si vous avez des questions ou encore si vous avez des doutes relativement à l'utilisation du médicament, adressez-vous à votre médecin ou à votre pharmacien. Vous pourriez avoir besoin de relire ce feuillet. **Veuillez le conserver** jusqu'à la fin de votre traitement.

□ ACCUTANE™ ROCHE® Ⓟ

Roche

Isotrétinoïne

Traitement de l'acné

Renseignements destinés aux patients: Accutane est un médicament utilisé pour traiter certains types d'acné grave, difficiles à traiter par les autres méthodes. Pour votre santé, votre sécurité et votre bien-être, il est **important** que vous lisiez les renseignements suivants.

Les femmes qui prennent Accutane pendant leur grossesse risquent d'avoir des enfants difformes. Votre médecin a le dessin d'un enfant né avec de telles malformations. Vous devriez lui demander de vous le montrer.

Renseignements importants pour les femmes:

- **Ne prenez pas Accutane si vous êtes enceinte ou pouvez le devenir pendant votre traitement par Accutane.**
- **Vous devez éviter de devenir enceinte pendant que vous prenez Accutane et pendant au moins un mois après avoir cessé de prendre Accutane.**
- **Vous devez discuter avec votre médecin de contraception efficace avant de commencer à prendre Accutane et vous devez prendre des mesures efficaces de contraception: pendant au moins un mois avant de commencer à prendre Accutane, aussi longtemps que vous prenez Accutane et pendant au moins un mois après avoir cessé de prendre Accutane; gardant à l'esprit qu'aucune méthode contraceptive n'est sûre à 100 %.**
- **Il est recommandé soit que vous vous absteniez de relations sexuelles ou que vous utilisiez à la fois 2 méthodes efficaces de contraception.**
- **Ne prenez pas Accutane si vous n'êtes pas sûre que vous n'êtes pas enceinte. Vous devez passer un test de grossesse (prise de sang ou d'urine) au cours des 2 semaines précédant le début de votre traitement par Accutane. Vous devez attendre le deuxième ou le troisième jour de votre prochain cycle menstruel normal avant de commencer à prendre Accutane.**
- **Communiquez immédiatement avec votre médecin si vous devenez enceinte pendant que vous prenez Accutane ou durant le premier mois qui suit la fin de votre traitement. Vous devriez discuter avec votre médecin du risque élevé que votre enfant présente de graves malformations congénitales du fait que vous prenez ou avez pris Accutane. Demandez-lui également s'il est souhaitable de poursuivre votre grossesse.**
- **N'allaitez pas votre enfant au sein pendant que vous prenez Accutane.**

Renseignements importants pour tous les patients: **Toutes les femmes qui prennent Accutane doivent éviter de devenir enceintes car elles risquent d'avoir des enfants difformes** (voir Renseignements importants pour les femmes).

- **Soyez fidèle à tout rendez-vous que vous donne votre médecin.** Il est important que votre médecin vous examine régulièrement, de préférence tous les mois, durant votre traitement par Accutane. Des analyses de sang et d'autres tests permettront à votre médecin de vérifier votre réponse à Accutane. Parlez à votre médecin de vos progrès et de toutes vos préoccupations.
- **Ne donnez Accutane à aucune autre personne qui présente des symptômes semblables aux vôtres.** Accutane doit être prescrit pour chaque cas individuel à cause des effets indésirables possibles (voir ci-dessous).

  Important: Toute femme risque d'avoir un enfant difforme si elle prend Accutane pendant qu'elle est enceinte.
- **Ne donnez pas de sang pendant que vous prenez Accutane** ou pendant au moins un mois après avoir cessé de prendre Accutane. Votre sang pourrait être transfusé à une femme enceinte.

Ce que vous devez dire à votre médecin avant de commencer à prendre Accutane:

- **Si vous êtes diabétique ou s'il y a des cas de diabète dans votre famille, dites-le à votre médecin** car Accutane peut modifier les taux sanguins de glucose. Votre médecin pourra décider qu'il est important de déterminer la concentration de sucre dans votre sang.
- **Si vous ou un membre de votre famille souffrez d'une maladie du foie, d'une maladie cardiaque ou de dépression, dites-le à votre médecin.**
- **Si vous êtes allergique aux parabens, avertissez-en votre médecin.** Cette substance est utilisée dans la fabrication des capsules de gélatine d'Accutane.

Progrès du traitement:

- Durant les premières semaines de traitement, il se peut que votre acné semble s'aggraver. Au début du traitement, on observe souvent de la rougeur et une démangeaison de la peau malade. Ces réactions devraient disparaître au fur et à mesure que se poursuit le traitement. Les premiers signes de guérison se manifestent le plus souvent après 2 ou 3 semaines de traitement. Les effets bénéfiques peuvent prendre 1 ou 2 mois à apparaître. La plupart des patients atteints d'acné grave notent une nette amélioration après 1 ou 2 séries de traitement par Accutane.

Réactions indésirables:

- **Si un effet indésirable quelconque n'est pas disparu quelques semaines après la fin de votre traitement, parlez-en à votre médecin.**
- Accutane peut avoir des effets indésirables, tout comme les autres médicaments. **Les plus courants sont entre autres** la sécheresse de la peau, des lèvres, de la bouche et de la muqueuse nasale. Parmi les autres réactions qui peuvent survenir, citons: rash au niveau du visage ou du corps, exfoliation de l'épiderme, démangeaisons, desquamation de la paume des mains et de la plante des pieds, sensibilité accrue au soleil (voir ci-dessous), inflammation des lèvres, légers saignements de nez, saignement et inflammation des gencives,

douleurs articulaires (voir ci-dessous), peau qui se contusionne facilement et plus grande fatigue. Il se peut que vous présentiez de la rougeur, de la sécheresse (voir ci-dessous), de l'irritation oculaire ou une vision nocturne réduite (voir ci-dessous). Ces effets secondaires sont généralement temporaires et disparaissent à l'arrêt du traitement par Accutane. **Demandez à votre médecin s'il est nécessaire de modifier la posologie, surtout si ces effets deviennent incommodants.**

- Si vous portez des verres de contact, vous aurez peut-être plus de difficulté à les tolérer pendant votre traitement car Accutane peut assécher les yeux. Il est possible que ce problème persiste après la fin du traitement.
- Certains patients ont perdu des cheveux mais cette chute de cheveux a rarement persisté après l'arrêt du traitement.

Précautions spéciales à prendre:

- **Ne prenez pas de préparations vitaminiques ni de suppléments nutritifs naturistes qui contiennent de la vitamine A.** Accutane est apparenté à la vitamine A. La vitamine A contenue dans ces produits peut accroître les effets indésirables d'Accutane. Vérifiez auprès de votre médecin ou de votre pharmacien en cas de doute sur la composition d'un produit que vous utilisez.
- **Évitez toute exposition prolongée au soleil.** Accutane peut augmenter la sensibilité de votre peau au soleil.
- La vision nocturne a été réduite chez un certain nombre de patients prenant Accutane. Ce problème peut survenir soudainement. Faites preuve de prudence lorsque vous conduisez ou opérez un véhicule la nuit.

Symptômes spéciaux dont vous devriez parler à votre médecin:

- Si vous avez des douleurs aux os ou aux articulations, ou si vous avez de la difficulté à vous mouvoir, dites-le à votre médecin. Des modifications osseuses ont été décelées par radiographie chez des patients prenant Accutane. On ne connaît pas pour le moment l'ampleur des dommages que ces modifications peuvent provoquer.

Si vous présentez l'un des symptômes énumérés ci-dessous, parlez-en à votre médecin dans les plus brefs délais car ces réactions indésirables pourraient entraîner des effets permanents. Ces symptômes peuvent être les premiers signes d'effets indésirables rares, mais plus graves, que votre médecin voudra enrayer le plus tôt possible:

- Maux de tête, nausées, vomissements, vision brouillée, autres troubles visuels, sautes d'humeur;
- Douleurs gastriques intenses, diarrhée, saignements rectaux;
- Sensation persistante de sécheresse oculaire, vision nocturne réduite;
- Jaunissement de la peau ou des yeux, urine foncée.
- **Parlez à votre médecin de tout symptôme inhabituel ou grave apparaissant au cours du traitement.**

Directives générales à suivre pendant que vous prenez Accutane:

- **Appelez votre médecin si vous avez des questions ou si vous présentez des symptômes graves ou troublants.**
- **Gardez Accutane hors de la portée des enfants.**
- **Lisez attentivement l'étiquette de votre prescription** et assurez-vous de prendre la quantité exacte de médicament prescrite par votre médecin. Votre médecin pourra modifier votre dose de temps en temps; il faut donc vérifier l'étiquette chaque fois que vous faites renouveler votre prescription d'Accutane. Si vous avez des questions, appelez votre médecin.
- **Prenez Accutane avec des aliments ou immédiatement après un repas.** Si vous oubliez une dose d'Accutane, vous pouvez la prendre plus tard dans la journée, mais ne dépassez pas la dose quotidienne d'Accutane prescrite par votre médecin.
- **Entreposez les capsules d'Accutane à l'abri de la lumière et de la chaleur.** Il n'est pas nécessaire de conserver Accutane au réfrigérateur.

Ce résumé ne contient pas tous les renseignements connus au sujet d'Accutane. Si vous avez des questions, appelez votre médecin.

□ ACTIFED®

Warner-Lambert, Santé grand public

Chlorhydrate de triprolidine—Chlorhydrate de pseudoéphédrine

Antihistaminique—Décongestionnant

Renseignements destinés aux patients: Mises en garde: Peut causer de l'excitation, surtout chez les enfants. Ne pas administrer aux enfants de moins de 6 ans, sauf sur avis et sous la surveillance d'un médecin. Peut causer de la somnolence. Ne pas dépasser la posologie recommandée: des doses plus élevées peuvent causer de la nervosité, des étourdissements ou de l'insomnie. Si les symptômes ne s'améliorent pas en 5 jours, ou s'ils sont accompagnés d'une fièvre élevée, consulter un médecin avant de poursuivre l'utilisation. Ne pas prendre ce médicament si on souffre d'hypertension, d'une affection cardiaque, de diabète, d'une affection thyroïdienne, d'asthme, de glaucome, ou si on éprouve de la difficulté à uriner à cause d'une hypertrophie de la prostate, sauf sur avis et sous la surveillance d'un médecin. Comme pour tout autre médicament, les femmes enceintes ou qui allaitent devraient consulter un professionnel de la santé avant de prendre ce produit.
Interactions médicamenteuses: Ne pas prendre ce médicament si on suit déjà un traitement sur ordonnance à un antihypertenseur ou à un antidépresseur renfermant un inhibiteur de la MAO, sauf sur avis et sous la surveillance d'un médecin.
À noter: Garder ce produit et tout autre médicament hors de la portée des enfants. En cas de surdosage accidentel, demander immédiatement l'aide d'un professionnel ou communiquer sans tarder avec un centre antipoison.
Amoindrissement des facultés: Peut causer de la somnolence. Ne pas prendre de boissons alcoolisées, ni conduire un véhicule automobile, ni faire fonctionner de la machinerie qui exige une certaine vigilance.

□ ACTIFED[MC] PLUS EXTRA-PUISSANT

Warner-Lambert, Santé grand public

Acétaminophène—Chlorhydrate de pseudoéphédrine—Chlorhydrate de triprolidine

Analgésique—Antipyrétique—Antihistaminique—Décongestionnant

Renseignements destinés aux patients: Précautions: Ne pas dépasser la posologie recommandée: des doses plus élevées peuvent causer de la nervosité, des étourdissements ou de l'insomnie. Si les symptômes ne s'améliorent pas en 5 jours, s'ils sont accompagnés d'une fièvre élevée ou si vous êtes sous antihypertenseur ou antidépresseur consulter un médecin. Les personnes hypertendues, celles souffrant de maladie hépatique ou cardiaque, d'affection thyroïdienne, de diabète, de maladie pulmonaire chronique, celles ayant un glaucome ou présentant une dysurie causée par une hypertrophie de la prostate, les personnes âgées, les femmes enceintes ou allaitant et les personnes qui prennent d'autres médicaments doivent consulter un médecin avant de prendre ce médicament.

Mise en garde: Ce médicament peut causer de l'excitabilité, surtout chez les enfants. Peut causer de la somnolence. Ne pas prendre de boissons alcoolisées, ni conduire de véhicule ni faire fonctionner des machines, activités qui requièrent de la vigilance. Garder hors de la portée des enfants. En cas de surdosage accidentel, contacter immédiatement un médecin ou un centre antipoison.

□ ACTINAC® ℞

Hoechst Marion Roussel

Chloramphénicol—Acétate d'hydrocortisone—Nicotinate de butoxyéthyle—Allantoïne—Soufre précipité

Traitement de l'acné

Renseignements destinés aux patients: Votre médecin vous a prescrit Actinac pour le traitement de vos problèmes de peau. Il est **important** que vous l'utilisiez **seulement** selon les directives de votre médecin, **seulement** pour le problème pour lequel il a été prescrit, et pour une période ne dépassant pas la durée prescrite. Cette notice a été préparée pour vous aider à utiliser Actinac de la bonne façon; il est donc important que vous en suiviez soigneusement les instructions.

Comment préparer la lotion? Videz le contenu d'un flacon d'excipient aqueux (bouchon blanc) dans un flacon de poudre (bouchon noir), refermez bien le flacon et agitez jusqu'à ce que les deux ingrédients soient parfaitement mélangés. La lotion est maintenant prête à utiliser et demeurera active durant 21 jours. La lotion doit être conservée à la température ambiante. Jetez toute portion non utilisée après 21 jours et préparez un nouveau flacon de lotion.

Comment utiliser Actinac? Avant d'appliquer Actinac, la surface à traiter doit être lavée à fond, mais délicatement, avec de l'eau tiède et ▶

Actinac (suite)

un savon doux. Il faut bien rincer et assécher en tapotant. Agitez le flacon avant chaque application.

La lotion peut ensuite être appliquée avec de la ouate ou de la gaze. Appliquez-la avant d'aller au lit et laissez agir toute la nuit; faites une nouvelle application le matin et enlevez la lotion avec du savon et de l'eau avant de reprendre vos activités quotidiennes. Continuez ce traitement durant 4 jours. Après cette période de 4 jours, ne faites plus qu'une application au coucher.

Afin de prévenir la récurrence, poursuivez le traitement durant 3 nuits après la disparition des taches. La durée totale du traitement devrait être de 4 à 6 semaines. Toutefois, si votre médecin vous a donné des instructions différentes, vous devez les suivre.

Quelles sont les précautions à prendre en utilisant Actinac? Actinac **ne doit pas** être utilisé plus souvent que ne l'a prescrit votre médecin. Actinac contient de l'hydrocortisone qui peut entraîner certains effets secondaires, surtout si vous ne l'utilisez pas comme votre médecin vous l'a prescrit. Afin de réduire ce risque au minimum, les surfaces traitées ne doivent pas être couvertes de pansements ni enveloppées de façon occlusive. Conservez votre médicament à la température ambiante dans un endroit sûr et hors de la portée des enfants.

Actinac est destiné à l'usage externe seulement. Évitez qu'Actinac ne vienne en contact avec les yeux ou la bouche. S'il arrive que le médicament vienne en contact avec les yeux, il faut les laver à fond sans tarder, mais délicatement, en utilisant de grandes quantités d'eau fraîche du robinet. Si les yeux continuent de brûler ou que la douleur persiste, consultez un médecin. N'utilisez aucun autre médicament contre l'acné à moins d'indications contraires du médecin.

Quels sont les effets secondaires d'Actinac? En même temps que ses effets bienfaisants, Actinac, comme tout autre médicament, peut parfois causer des réactions indésirables. Au début du traitement, la peau sur laquelle Actinac est appliqué peut devenir rouge, et vous pouvez éprouver une sensation de chaleur. C'est une réaction normale qui dénote une augmentation du débit sanguin cutané. Toutefois, en cas de réaction importante, ce qui est toutefois peu probable, comme une éruption cutanée, des démangeaisons, des rougeurs, d'autres signes d'irritation qui étaient absents avant l'utilisation d'Actinac, ou tout autre effet inhabituel ou inattendu, consultez votre médecin avant de poursuivre l'utilisation du médicament.

Le chloramphénicol, l'un des constituants d'Actinac, a été associé à l'apparition d'une réaction sanguine indésirable très grave et parfois fatale, l'anémie aplasique. Cette réaction, signalée pendant l'utilisation du chloramphénicol en préparation ophtalmique ou pendant son administration par voie générale (p. ex.: lorsque pris par la bouche ou en injection), est rare. Bien que cette réaction n'ait pas été signalée avec Actinac, il faut en tenir compte au moment de prescrire le médicament. L'utilisation prolongée ou irrégulière d'Actinac doit être évitée. Il est donc très important que vous suiviez à la lettre les directives de votre médecin. Si vous éprouvez des maux de gorge, de la fièvre, de la fatigue ou notez l'apparition de lésions dans la bouche pendant que vous utilisez le produit ou après le traitement, consultez votre médecin.

Votre médecin a prescrit Actinac exclusivement à votre intention: Vous ne devez laisser personne d'autre l'utiliser. Si vous désirez de plus amples renseignements sur Actinac, consultez votre médecin ou votre pharmacien.

□ ACULAR® Ⓟ

Allergan

Trométhamine de kétorolac

Agent anti-inflammatoire topique

Renseignements destinés aux patients: Comment accroître l'efficacité d'Acular: Votre médecin a décidé que la solution ophtalmique Acular (trométhamine de kétorolac) était le médicament qui vous convenait le mieux. Rappelez-vous que vos symptômes disparaîtront plus vite si vous collaborez avec votre médecin et que vous vous renseignez sur votre état.

Le présent feuillet n'est pas aussi détaillé que la monographie officielle d'Acular (dont votre médecin et votre pharmacien possèdent des exemplaires) et sert à compléter ce que votre médecin vous a dit. Ce dernier connaît et comprend votre état; assurez-vous de suivre attentivement ses directives et de lire des documents qu'il ou elle vous donnera. Si vous avez des questions après avoir lu le présent feuillet, posez-les à votre médecin.

Qu'est-ce qu'Acular? Acular est le nom commercial de la trométhamine de kétorolac, médicament utilisé pour prévenir et pour soulager l'inflammation oculaire postopératoire. Cette substance appartient à la famille des anti-inflammatoires non stéroïdiens (AINS) dits agents anti-prostaglandines.

À quoi ressemble Acular? La solution ophtalmique Acular est offerte dans un flacon de plastique blanc opaque muni d'un bout à débit contrôlé. Acular est aussi disponible dans des fioles unidoses, sous forme de solution stérile sans agent de conservation.

Comment agit Acular? Les symptômes que vous présentez sont habituellement associés à une inflammation. Des recherches ont révélé qu'Acular réduit la production de certaines substances (appelées prostaglandines) normalement fabriquées par l'organisme pour régulariser la maîtrise de fonctions comme la contraction musculaire, l'inflammation et bien d'autres.

Des études cliniques indiquent que l'abaissement du taux de prostaglandines est associé à une diminution de l'intensité de la douleur et de l'inflammation.

Avant d'utiliser Acular: Pour que votre médecin décide du meilleur traitement dans votre cas, il faut l'informer de certains points.

- Avez-vous déjà eu des réactions allergiques ou inhabituelles après avoir pris Acular?
- Êtes-vous allergique à l'un des ingrédients de la préparation? La plupart des médicaments ne renferment pas seulement l'ingrédient actif. Votre médecin, votre infirmière ou votre pharmacien peuvent vous aider à éviter les produits qui pourraient vous causer des problèmes.
- Êtes-vous enceinte ou pourriez-vous le devenir? Acular n'est pas recommandé durant la grossesse, le travail ou l'accouchement.
- Allaitez-vous présentement? Il n'est pas recommandé d'administrer Acular aux mères qui allaitent.
- Avez-vous des troubles de santé?
- Prenez-vous des médicaments d'ordonnance ou en vente libre?

Comment accroître l'efficacité d'Acular? Prenez ce médicament selon les directives de votre médecin. Ne prenez que la quantité du produit prescrite par votre médecin, à la fréquence recommandée, sinon votre organisme risque d'absorber trop de médicament, d'où un risque accru d'effets secondaires.

Mode d'emploi:

- Premièrement, lavez-vous les mains. Avec le majeur, exercez une pression sur le coin interne de l'œil (et maintenez la pression pendant 1 minute ou 2 après avoir instillé le médicament dans l'œil). Renversez la tête vers l'arrière et, avec l'index de la même main, éloignez la paupière inférieure de l'œil de façon à former un creux. Instillez le médicament dans le creux et fermez doucement les yeux. Ne clignez pas des yeux. Gardez les yeux fermés pendant 1 minute ou 2 pour que le médicament puisse être absorbé.
- Lavez-vous les mains immédiatement après avoir appliqué les gouttes oculaires pour enlever la préparation qui pourrait s'y trouver.
- Pour que le produit reste le plus stérile possible, ne laissez pas le bout de l'applicateur entrer en contact avec aucune surface (dont les yeux). De plus, fermez bien le contenant.
- Si vous avez reçu un échantillon de 3 mL, assurez-vous que le contenant est intact avant de l'utiliser. Pour ouvrir, **tournez le bouchon et enlevez complètement.** N'utilisez pas plus d'une fois, jetez après ouverture. Pour éviter toute contamination, ne mettez le bout du contenant en contact avec aucune surface.
- Acular est disponible dans des fioles unidoses, sous forme de solution stérile sans agent de conservation. La solution d'une fiole unidose doit être utilisée immédiatement après son ouverture. N'utilisez pas plus d'une fois, jetez après ouverture. Pour éviter toute contamination, ne mettez le bout du contenant en contact avec aucune surface (dont les yeux).

Si vous avez oublié une dose, instillez l'agent dès que possible. Cependant, s'il est déjà temps de prendre la dose suivante, suivez l'horaire posologique normal. Ne doublez pas la dose.

Entreposage du médicament:

- Gardez hors de la portée des enfants.
- Conservez à une température entre 15 et 30 °C. Protégez de la lumière.

Important! Votre médecin pourra vous donner des directives qui conviennent mieux à vos besoins particuliers. Si vous avez besoin de plus d'information sur la façon de prendre Acular correctement, renseignez-vous auprès de votre médecin ou de votre pharmacien.

La dose d'Acular que vous prenez changera-t-elle? C'est possible. Au fil du temps, votre médecin pourra juger qu'il est préférable de modifier votre dose d'Acular. Il ou elle pourra vous suggérer d'augmenter ou de diminuer la dose en fonction de la gravité de vos symptômes ou de votre mode de vie.

Suivez les directives qu'il ou elle vous donnera. Votre médecin sait comment établir les limites inférieure et supérieure de la dose pour vous faire bénéficier pleinement d'Acular.

La prise d'Acular occasionne-t-elle des effets secondaires? En plus de l'effet voulu, un médicament peut occasionner des effets indésirables.

La plupart des symptômes d'origine oculaire signalés dans le cadre d'études cliniques ne pouvaient être différenciés des symptômes causés par l'exclusion du cristallin et la mise en place d'un cristallin artificiel. Parmi les symptômes les plus fréquemment liés à la prise d'Acular, on compte les sensations transitoires de piqûre et de brûlure, la rougeur, les démangeaisons et/ou l'enflure ainsi que la vision brouillée après l'instillation des gouttes.

Si vous êtes allergique à l'AAS ou à tout autre anti-inflammatoire non stéroïdien (par exemple, acide méfénamique, acide tiaprofénique, diclofénac, diflunisal, fénoprofène, flurbiprofène, ibuprofène, indométhacine, kétoprofène, piroxicam, sulindac, tolmétine) utilisé dans le traitement de l'arthrite ou d'un autre trouble musculaire et articulaire, ne prenez pas Acular. Vous pourriez également y être allergique.

Choses à faire et à ne pas faire lorsque vous prenez Acular: N'oubliez pas de mentionner à votre médecin et à votre pharmacien tout autre médicament que vous prenez, qu'il soit d'ordonnance ou non. Il est important de le faire, car certains agents peuvent réagir entre eux et produire des effets indésirables.

Consultez votre médecin si:
—vous n'obtenez aucun soulagement
ou
—vous éprouvez des problèmes durant le traitement

Si vous êtes enceinte ou prévoyez le devenir, dites-le à votre médecin.

Ne prenez pas Acular si vous allaitez. Certains médicaments passent dans le lait des femmes qui allaitent.

Ne prenez pas Acular si vous y êtes allergique ou si vous avez connu une réaction de type allergique à l'AAS ou à tout autre agent utilisé pour soulager la douleur ou l'arthrite. Consultez votre médecin.

Collaborez avec votre médecin s'il ou elle veut que vous subissiez des épreuves de laboratoire pour vérifier l'efficacité du traitement ou la présence d'effets secondaires possibles.

☐ AIROMIR[MC] ℞

Produits pharmaceutiques de 3M

Sulfate de salbutamol

Bronchodilatateur—Stimulant des récepteurs β_2-adrénergiques

Renseignements destinés aux patients: Airomir (sulfate de salbutamol) en aérosol pour inhalation. Voici les renseignements que vous devez connaître sur Airomir en aérosol pour inhalation: Veuillez lire ce dépliant attentivement avant de prendre votre médicament. Pour obtenir de plus amples renseignements ou des conseils, consultez votre médecin ou votre pharmacien.

Comment agit votre médicament: Ce médicament s'appelle Airomir en aérosol pour inhalation. Il contient du sulfate de salbutamol, un bronchodilatateur qui soulage la respiration sifflante, l'essoufflement et l'oppression thoracique causés par les spasmes ou le rétrécissement des bronchioles pulmonaires. Chaque bouffée d'aérosol libérée du flacon contient 100 μg de salbutamol.

Renseignements posologiques: Votre médecin a décidé de la dose et de la posologie d'Airomir en aérosol pour inhalation qui vous convient. L'étiquette apposée sur l'inhalateur par le pharmacien indique le nombre d'inhalations que vous devez prendre et leur fréquence. Si vous ne comprenez pas les directives figurant sur l'étiquette, renseignez-vous auprès de votre pharmacien ou de votre médecin.

Il est très important que vous suiviez soigneusement les directives du médecin pour recevoir un bénéfice maximum de votre médicament.

Mise en garde: L'effet d'Airomir en aérosol pour inhalation devrait durer jusqu'à 4 à 6 heures. Évitez d'inhaler plus de doses ou d'utiliser votre inhalateur plus fréquemment que votre médecin vous l'a prescrit. À moins d'avis contraire de votre médecin, ne prenez pas plus de 8 inhalations/jour (24 heures). À moins d'avis contraire du médecin, les enfants ne devraient pas prendre plus de 4 inhalations/jour. Si vous estimez que la dose que vous prenez n'est pas efficace ou si vous éprouvez plus de difficultés à respirer, suivez les directives du médecin et appelez-le immédiatement. Votre médecin peut vous prescrire d'autres médicaments pour votre affection qui peuvent être utilisés avec Airomir. Ne prenez pas d'autres médicaments, y compris des médicaments en vente libre, sans consulter votre médecin ou votre pharmacien au préalable. Si vous êtes enceinte ou que vous allaitez, demandez à votre médecin si vous pouvez utiliser Airomir.

Remarque: Si vous éprouvez des symptômes inhabituels pendant que vous utilisez Airomir en aérosol pour inhalation, informez-en votre médecin. Les personnes qui utilisent ce type de médicament éprouvent parfois des palpitations, des douleurs thoraciques, une fréquence cardiaque rapide, des tremblements ou de la nervosité. Ces effets diminuent habituellement ou cessent tout à fait lorsque votre organisme s'est adapté au médicament. Si les effets secondaires que vous éprouvez vous gênent, ne cessez pas de prendre votre médicament. Appelez plutôt votre médecin ou votre pharmacien pour examiner ces effets secondaires avec eux. Ce médicament vous a été prescrit par votre médecin. N'en donnez jamais à d'autres personnes.

Comment utiliser Airomir en aérosol pour inhalation (voir le prospectus d'emballage pour les illustrations): Suivez les directives décrites ci-dessous pour utiliser le produit. Si vous avez de la difficulté à utiliser l'inhalateur ou si vous ne comprenez pas les directives ci-dessous, consultez votre médecin ou votre pharmacien.

Airomir ne doit être utilisé qu'avec l'embout buccal fourni avec le produit. Vous devez tester l'embout buccal et la cartouche avant de les utiliser pour la première fois, ou si vous n'avez pas utilisé votre inhalateur pendant plus de 2 semaines. Après avoir bien agité l'inhalateur, testez-le en vaporisant 4 fois le produit en l'air loin de votre visage. Évitez de le vaporiser dans vos yeux.

1. **Agitez bien l'inhalateur** juste avant de l'utiliser. Retirez le capuchon et assurez-vous que l'embout est propre et qu'il n'y a pas d'objets à l'intérieur. Assurez-vous que la cartouche est bien enfoncée dans son étui (petit cylindre vertical fixé à l'embout buccal). Elle doit être bien ajustée sans qu'il y ait de jeu.
2. **Expirez profondément par la bouche** en expulsant autant d'air que possible de vos poumons. Placez l'embout dans votre bouche entre les dents et serrez les lèvres. Gardez l'inhalateur bien droit.
3. **Commencez à inspirer lentement et profondément par la bouche, tout en appuyant fermement de haut en bas sur la cartouche.**
4. **Retenez votre souffle aussi longtemps que possible.** Avant d'expirer, retirez l'inhalateur de votre bouche et n'appuyez plus sur la cartouche.
5. Si votre médecin vous a ordonné de prendre 2 bouffées, attendez 1 minute et agitez à nouveau l'inhalateur. Répétez les étapes 2 à 4. Après utilisation, remettez toujours le capuchon en place.
6. **Il est important de bien nettoyer l'embout buccal pour ne pas qu'il soit sale ou bouché.** Au moins 1 fois/semaine, lavez l'embout buccal, secouez-le pour enlever le plus d'eau possible et laissez-le sécher complètement à l'air. L'inhalateur peut ne pas fonctionner correctement, s'il n'est pas bien nettoyé.

   Directives pour l'entretien périodique:

   Étape 1. Pour nettoyer, retirez la cartouche et enlevez le capuchon. Rincez l'embout en faisant couler de l'eau **chaude** de la partie supérieure vers le fond au moins 1 fois/semaine. **Ne mettez jamais la cartouche dans l'eau.**

   Étape 2. Secouez l'embout pour enlever l'excédent d'eau et laissez-le sécher complètement, comme jusqu'au lendemain. Lorsqu'il est sec, replacez la cartouche dans son étui et le capuchon sur l'embout buccal. **Si vous utilisez l'inhalateur avant qu'il soit sec, il peut se boucher.**

   Si l'inhalateur est bouché (très peu ou pas de médicament ne passe par l'embout buccal). Lavez l'embout buccal comme indiqué à l'étape 1 et laissez-le sécher complètement comme indiqué à l'étape 2.

   Si vous devez utiliser votre inhalateur tout de suite après l'avoir lavé. Secouez-le pour enlever l'excédent d'eau, replacez la cartouche dans son étui et envoyez 2 bouffées d'aérosol en l'air, loin de votre visage, afin d'enlever le plus possible l'eau demeurée dans l'embout buccal. Ensuite, prenez votre dose, comme prescrit. **Après une telle utilisation, lavez à nouveau et faites sécher complètement l'embout buccal conformément aux étapes 1 et 2.**
7. Airomir en aérosol pour inhalation libère au moins 200 bouffées d'aérosol. Après ces 200 bouffées cependant, la quantité de médicament libéré par bouffée pourrait varier. Vous devriez tenir compte

Airomir (suite)

du nombre de bouffées libérées par chaque cartouche Airomir et jeter la cartouche après 200 bouffées.

Contenu pressurisé: Le contenu de l'inhalateur est sous pression. N'utilisez pas l'inhalateur ou ne conservez pas la cartouche près d'une source de chaleur ou d'une flamme nue. La cartouche peut exploser si elle est chauffée à des températures supérieures à 40 °C. Ne jetez jamais la cartouche dans un feu ou un incinérateur. Même si le contenant est apparemment vide, ne le percez pas. L'inhalateur craint la lumière directe du soleil et le gel. Conservez-le entre 15 et 30 °C.

Si votre médecin modifie votre traitement et que vous n'avez plus besoin d'Airomir en aérosol pour inhalation, veuillez retourner votre inhalateur à votre pharmacien pour qu'il l'élimine. Conservez votre inhalateur hors de portée des enfants étant donné que les médicaments peuvent être nocifs pour eux.

Autres renseignements: Veuillez noter que le symbole sans CFC indique que l'Airomir en aérosol pour inhalation ne contient pas de chlorofluorocarbones (CFC) qui appauvrissent l'ozone de la haute stratosphère. Airomir en aérosol pour inhalation contient un hydrofluoroalkane (HFA-134a) qui n'endommage pas la couche d'ozone. Vous noterez peut-être un goût ou une force de vaporisation légèrement différents avec Airomir en aérosol pour inhalation comparativement aux aérosols-doseurs de salbutamol qui comprennent des fluorocarbones propulseurs.

☐ ALBERT® DOCUSATE

Albert Pharma

Docusate de calcium

Émollient fécal

Renseignements destinés aux patients: Boire beaucoup de liquide. Ne pas utiliser en présence de douleurs abdominales, de nausées ou de vomissements. Si un changement soudain survient dans les habitudes de défécation et persiste pendant plus de 2 semaines, consulter un médecin avant de prendre des laxatifs. Ne pas utiliser aucun laxatif pour plus de 1 semaine sans avis de votre médecin. Si un laxatif ne produit aucun effet après 1 semaine de traitement tel que recommandé ou si des saignements rectaux sont observés, cesser le traitement et consulter un médecin. Ne pas prendre le docusate de calcium en même temps que d'autres médicaments prescrits par votre médecin sans le consulter au préalable. Si vous êtes enceinte ou si vous allaitez ne prenez aucun médicament, le docusate de calcium y compris, sans consulter un professionnel de la santé. Ne pas utiliser simultanément avec l'huile minérale; ceci peut causer une augmentation de l'absorption de l'huile.

Garder les médicaments hors de la portée des enfants.

☐ ALBERT® TIAFEN Ⓟ
☐ ALBERT® TIAFEN SR Ⓟ

Albert Pharma

Acide tiaprofénique

Anti-inflammatoire—Analgésique

Renseignements destinés aux patients: Comment tirer le meilleur profit de Albert Tiafen ou de Albert Tiafen SR? Votre médecin a décidé que Albert Tiafen, ou Albert Tiafen SR (acide tiaprofénique), est le meilleur traitement pour vous. En prenant vos comprimés Albert Tiafen ou vos capsules Albert Tiafen SR, rappelez-vous que vous avez de meilleures chances de maîtriser vos symptômes si vous collaborez pleinement avec votre médecin et essayez d'en connaître davantage sur votre état.

Le présent feuillet a pour objet de compléter les renseignements que vous ont donnés votre médecin et votre pharmacien. Votre médecin connaît et comprend bien votre état de santé; assurez-vous donc de respecter soigneusement ses instructions et de lire toute la documentation qu'il vous remet. Si vous avez des questions après avoir lu ce feuillet, n'hésitez pas à les poser à votre médecin ou à votre pharmacien.

Qu'est-ce que Albert Tiafen, ou Albert Tiafen SR, et comment agit-il? Albert Tiafen, ou Albert Tiafen SR, est le nom de commerce de l'acide tiaprofénique, un médicament utilisé pour soulager la douleur et l'inflammation associées à certains types d'arthrite. Il appartient à une famille de médicaments qui sont connus sous le nom d'anti-inflammatoires non stéroïdiens (AINS). Il aide à soulager la douleur aux articulations, l'enflure, la raideur et la fièvre en réduisant la production de certaines substances, les prostaglandines, et en contribuant à maîtriser l'inflammation. Les AINS ne guérissent pas l'arthrite, mais ils favorisent la disparition de l'inflammation et les dommages causés aux tissus que provoque cette inflammation. Ce médicament vous aidera seulement si vous continuez à le prendre.

À quoi ressemble Albert Tiafen ou Albert Tiafen SR? Albert Tiafen se présente sous forme de comprimés blancs, ronds. Albert Tiafen SR se présente sous forme de capsules à libération prolongée, roses et bordeaux contenant des particules rondes blanc cassé. Ces comprimés et capsules sont clairement marqués du logo de Roussel et du nom du produit.

Comment devez-vous prendre Albert Tiafen, ou Albert Tiafen SR, pour qu'il soit le plus efficace pour vous? Votre médecin a choisi la teneur (la dose) qu'il croit être la plus efficace pour améliorer votre état, selon l'expérience acquise auprès d'autres cas semblables.

Si vous prenez Albert Tiafen: La dose habituelle des comprimés Albert Tiafen est de 600 mg/jour, à raison de 1 comprimé de 300 mg le matin et le soir, ou de 1 comprimé de 200 mg, 3 fois/jour.

Si vous prenez Albert Tiafen SR: Les capsules Albert Tiafen SR ont été préparées de façon à assurer une libération prolongée du médicament et à offrir ainsi la commodité d'une posologie uniquotidienne (1 fois/jour). La dose habituelle de Albert Tiafen SR est de 2 capsules, 1 fois/jour. Les particules blanc cassé contenues dans la capsule Albert Tiafen SR doivent être avalées entières (il ne faut pas les écraser ou les mâcher) afin d'obtenir les meilleurs résultats. Pour un meilleur soulagement, prenez vos capsules de Albert Tiafen SR à la même heure chaque jour.

Vous devez prendre Albert Tiafen, ou Albert Tiafen SR, selon les directives de votre médecin. Ne prenez pas plus ni moins de comprimés ou de capsules, ne les prenez pas non plus souvent ou plus longtemps que votre médecin vous l'a indiqué. Le fait de dépasser la dose pour l'un ou l'autre de ces médicaments peut augmenter le risque d'effets indésirables, surtout si vous êtes une personne âgée.

Prenez Albert Tiafen ou Albert Tiafen SR de la façon prescrite par votre médecin. Il est important de continuer à prendre Albert Tiafen ou Albert Tiafen SR même lorsque vous commencez à vous sentir mieux. Cela vous aidera à diminuer la douleur, la sensibilité et la raideur. Dans certains types d'arthrite, il peut se passer jusqu'à 2 semaines avant que vous ne ressentiez tous les effets bénéfiques du médicament. Toutefois, certaines personnes peuvent éprouver une diminution des symptômes dès le début du traitement. Si ce médicament ne vous soulage pas suffisamment, parlez-en à votre médecin avant d'arrêter de le prendre. Pendant le traitement, le médecin peut décider d'ajuster la posologie selon votre réponse au médicament.

Les dérangements d'estomac constituent un des problèmes fréquents causés par les AINS.

Pour diminuer les dérangements d'estomac, prenez Albert Tiafen immédiatement après un repas ou avec des aliments ou du lait. Restez debout ou asseyez-vous droit (ne vous étendez pas) pendant 15 à 30 minutes après l'avoir pris. Cela aidera à prévenir les irritations qui peuvent faire en sorte que vous aurez de la difficulté à avaler. Si vous ressentez des dérangements d'estomac (indigestion, nausées, vomissements, douleurs ou diarrhée) et que ces dérangements persistent, communiquez avec votre médecin.

Que faire si vous oubliez une dose? Si vous avez oublié de prendre un comprimé de Albert Tiafen, prenez-le le plus tôt possible. Toutefois, s'il est presque le temps de prendre le prochain comprimé, ne prenez pas le comprimé oublié et continuez de prendre votre médicament comme à l'habitude.

Si vous avez oublié de prendre une capsule de Albert Tiafen SR à prendre 1 fois/jour, et que vous y pensiez dans les 8 heures qui suivent, prenez-la immédiatement et continuez de prendre votre médicament comme à l'habitude.

Ne doublez jamais les doses.

L'Association de Albert Tiafen ou de Albert Tiafen SR à d'autres médicaments: Ne prenez pas d'AAS (acide acétylsalicylique, Aspirin), de médicaments contenant de l'AAS ni d'autres médicaments utilisés pour soulager les symptômes de l'arthrite en même temps que vous prenez Albert Tiafen ou Albert Tiafen SR, à moins que votre médecin ne vous l'ait recommandé.

Albert Tiafen ou Albert Tiafen SR ont-ils des effets indésirables? Outre leurs effets bénéfiques, Albert Tiafen ou Albert Tiafen SR, comme tous les autres AINS, peuvent parfois causer des effets indésirables, surtout si on les utilise de façon prolongée ou à des doses importantes. Les effets secondaires non désirés et relativement communs des AINS sont les brûlures d'estomac, les douleurs gastriques, l'indigestion, les nausées, les vomissements ou la diarrhée. Si ces effets surviennent et persistent, communiquez avec votre médecin.

Il semble que les personnes âgées, fragiles ou affaiblies éprouvent des effets indésirables plus fréquents ou plus graves.

Bien que tous les effets indésirables suivants ne soient pas nécessairement courants, ils peuvent, lorsqu'ils surviennent, nécessiter des soins médicaux.

Vérifiez immédiatement auprès de votre médecin si vous ressentez l'un des effets suivants:

- des selles contenant du sang ou des selles noires de consistance goudronneuse;
- de l'essoufflement, une respiration sifflante, toute difficulté à respirer ou serrement de la poitrine;
- des éruptions cutanées, de l'enflure, de l'urticaire ou des démangeaisons;
- indigestion, nausées, vomissements, diarrhée, douleurs à l'estomac ou au bas de l'abdomen qui persistent, surtout si vous avez des antécédents de dérangements ou d'ulcères d'estomac;
- une coloration jaunâtre de la peau ou des yeux, avec ou sans fatigue;
- tout changement dans la quantité, la fréquence ou la couleur de vos urines (couleur foncée, rouge ou brune);
- une enflure des pieds ou du bas des jambes;
- malaise, fatigue ou perte d'appétit;
- vision brouillée ou tout autre trouble de la vision;
- confusion mentale, dépression, étourdissements, sensation de tête légère;
- difficulté à entendre;
- toute douleur éprouvée en urinant ou difficulté à uriner.

D'autres effets indésirables non énumérés ci-dessus peuvent aussi survenir chez certains patients. Si vous ressentez tout autre effet indésirable, communiquez avec votre médecin.

Si ce médicament vous a été prescrit pour un usage prolongé, votre médecin vérifiera votre état de santé à l'occasion de visites régulières afin d'évaluer vos progrès et de s'assurer que ce médicament ne vous cause pas d'effets indésirables.

Ce dont vous devez toujours vous souvenir: Il faut évaluer les risques associés à l'usage de ce médicament en fonction des bienfaits qu'il peut apporter.

Avant de prendre ce médicament, prévenez votre médecin et votre pharmacien si:

- vous, ou un membre de votre famille, êtes allergique ou avez déjà eu une réaction à Albert Tiafen ou à Albert Tiafen SR ou à d'autres médicaments du groupe des AINS—acide acétylsalicylique (Aspirin), acide méfénamique, diclofénac, diflunisal, fénoprofène, flurbiprofène, ibuprofène, indométhacine, kétoprofène, nabumétone, naproxen, piroxicam, sulindac, ténoxicam ou tolmétine—se manifestant par une aggravation de la sinusite, de l'urticaire, le déclenchement de l'asthme ou son aggravation, l'anaphylaxie (réaction allergique grave);
- vous, ou un membre de votre famille, est atteint d'asthme, de polypes nasaux, de sinusite chronique ou d'urticaire chronique;
- vous avez des antécédents de maladies du foie ou des reins;
- vous avez des antécédents de dérangements ou d'ulcères d'estomac, parce que tous les anti-inflammatoires non stéroïdiens (AINS) peuvent aggraver votre problème et même parfois causer des saignements ou des ulcères dans votre estomac ou vos intestins;
- votre sang ou vos urines sont anormaux;
- votre tension artérielle est élevée;
- vous faites du diabète;
- vous suivez un régime particulier, p. ex. faible en sel ou en sucre;
- vous êtes enceinte ou avez l'intention de le devenir pendant que vous prendrez ce médicament;
- vous allaitez ou avez l'intention de le faire pendant que vous prendrez ce médicament;
- vous prenez tout autre médicament (prescrit ou en vente libre), comme un autre AINS, un médicament pour diminuer la pression artérielle, un médicament pour éclaircir le sang, un corticostéroïde (cortisone), du méthotrexate, de la cyclosporine, du lithium ou de la phénytoïne. C'est important de le mentionner parce que certains médicaments peuvent interagir entre eux et provoquer des effets indésirables;
- vous avez d'autres problèmes médicaux, comme une consommation excessive d'alcool, des saignements, etc.

Pendant que vous prenez ce médicament:

- prévenez tout autre médecin, dentiste ou pharmacien que vous consulterez, que vous prenez ce médicament;
- certains AINS peuvent provoquer de la somnolence ou de la fatigue chez certaines personnes. Si vous êtes somnolent, étourdi ou avez l'impression d'avoir la tête légère lorsque vous prenez ce médicament, soyez prudent lorsque vous conduisez ou que vous participez à des activités qui demandent de la vigilance;
- vérifiez auprès de votre médecin si vous n'obtenez aucun soulagement ou si tout autre problème se manifeste;
- signalez toute réaction indésirable à votre médecin. Cela est très important afin de déceler le plus tôt possible d'éventuelles complications et de les prévenir.
- des problèmes d'estomac sont plus susceptibles de se produire si vous buvez de l'alcool. Par conséquent, ne prenez pas de boissons alcoolisées lorsque vous prenez ce médicament.
- pendant que vous prenez ce médicament, si vous ressentez une faiblesse inhabituelle, si vous vomissez du sang ou si vos selles sont foncées ou contiennent du sang, communiquez immédiatement avec votre médecin;
- certaines personnes peuvent devenir plus sensibles à la lumière du soleil qu'elles ne le sont normalement; l'exposition au soleil ou aux lampes solaires, même pour de courtes périodes, peut provoquer des brûlures, des cloques, des éruptions cutanées, de la rougeur, des démangeaisons, un changement de coloration de la peau ou des troubles de la vision. Si vous avez une réaction causée par le soleil, communiquez avec votre médecin;
- communiquez immédiatement avec votre médecin si vous avez des frissons, de la fièvre, des douleurs musculaires ou d'autres symptômes semblables à ceux de la grippe, surtout s'ils surviennent peu de temps avant ou en même temps qu'une éruption cutanée; ces effets peuvent être les signes d'une grave réaction au médicament, mais cela se produit très rarement.
- **Des examens médicaux réguliers sont essentiels.**

Comment conserver Albert Tiafen ou Albert Tiafen SR? Conservez Albert Tiafen ou Albert Tiafen SR à une température se situant entre 15 et 30 °C. Protégez-les de la chaleur, de la lumière et de l'humidité excessives.

La sûreté d'emploi et l'efficacité de Albert Tiafen n'ont pas été établies pour les enfants et son usage dans ce groupe d'âge n'est donc pas recommandé.

Ne conservez pas de médicament dont la date de péremption est dépassée ou dont vous n'avez plus besoin.

Ce médicament vous a été prescrit pour traiter votre problème médical, ne le partagez avec personne d'autre.

Tenez ce médicament hors de la portée des enfants.

Si vous avez besoin de plus amples renseignements au sujet de ce médicament, consultez votre médecin ou votre pharmacien.

☐ ALDACTAZIDE 25® Ⓟ
☐ ALDACTAZIDE 50® Ⓟ

Searle

Spironolactone—Hydrochlorothiazide

Antagoniste de l'aldostérone—Diurétique

Renseignements destinés aux patients: Éviter de prendre des suppléments de potassium. Ne pas utiliser de substituts du sel puisque ces produits ont une teneur élevée en potassium. S'abstenir de consommer les aliments riches en potassium, surtout de les consommer en grandes quantités.

☐ ALDACTONE® Ⓟ

Searle

Spironolactone

Antagoniste de l'aldostérone

Renseignements destinés aux patients: Éviter de prendre des suppléments de potassium. Ne pas utiliser de substituts du sel puisque ces produits ont une teneur élevée en potassium. S'abstenir de consommer les aliments riches en potassium, surtout de les consommer en grandes quantités.

☐ ALKERAN® ℞

Glaxo Wellcome

Melphalan

Antinéoplasique

Renseignements destinés aux patients: Le patient doit savoir que les principaux effets toxiques à court terme du melphalan sont attribuables à l'aplasie médullaire osseuse, à l'hypersensibilité, ou à la toxicité gastro-intestinale ou pulmonaire. Ses principaux effets toxiques à long terme sont la stérilité et les affections malignes secondaires. Il ne faut jamais laisser un patient prendre ce médicament s'il ne fait pas l'objet d'une surveillance médicale étroite. On doit l'aviser de consulter son médecin en cas d'éruption cutanée, de signes ou symptômes de vascularite, d'hémorragie, de fièvre ou de toux persistante.

☐ ALLEGRA[MC]

Hoechst Marion Roussel

Chlorhydrate de fexofénadine

Antagoniste des récepteurs H_1 de l'histamine

Renseignements destinés aux patients: Comprimés Allegra (chlorhydrate de fexofénadine) dosés à 60 mg.

Pour le soulagement rapide des symptômes du rhume des foins et des allergies saisonnières, comme l'écoulement nasal, les éternuements, le larmoiement et la démangeaison des yeux, du palais ou de la gorge.

Mode d'emploi: Chez l'adulte et l'enfant de 12 ans et plus: 1 comprimé (60 mg) aux 12 heures. Ne pas administrer aux enfants de moins de 12 ans. Ne pas dépasser la posologie recommandée. Ne pas utiliser de façon prolongée sans avoir consulté un médecin.

Attention: Si vous souffrez d'une maladie du rein, consultez votre médecin avant d'utiliser ce produit, car il se peut que la posologie doive être modifiée dans votre cas. Ne pas utiliser ce produit si vous êtes enceinte ou si vous allaitez, à moins d'avoir consulté un médecin.

Ne pas prendre Allegra dans les 2 heures précédant ou suivant la prise d'un antiacide qui contient de l'hydroxyde d'aluminium ou de magnésium, car ces substances peuvent réduire l'efficacité d'Allegra.

Tenir ce produit ainsi que tout autre médicament hors de la portée des enfants.

Conserver le produit à une température se situant entre 15 et 30 °C. Protéger de l'humidité.

Monographie du produit offerte sur demande aux médecins et aux pharmaciens.

Ingrédients non médicinaux: amidon, cellulose microcristalline, croscarmellose de sodium, dioxyde de titane, gélatine, hydroxypropylméthylcellulose, lactose, oxyde de fer, polyéthylèneglycol, povidone, silice, stéarate de magnésium.

Présentation: Allegra se présente sous forme de comprimés dosés à 60 mg et emballés dans des plaquettes alvéolées contenant 12, 24 et 36 unités.

☐ ALOMIDE® ℞

Alcon

Trométhamine de lodoxamide

Agent contre les allergies

Renseignements destinés aux patients: Indications: Votre médecin vous a prescrit la solution Alomide pour traiter vos symptômes d'allergie oculaire (prurit, gêne oculaire, larmoiement). L'emploi régulier de ce produit est essentiel pour que vous obteniez le soulagement de vos symptômes d'allergie.

Précautions:

1. Enlevez vos lentilles cornéennes avant d'employer la solution Alomide.
2. Après avoir employé la solution Alomide, attendez au moins 15 minutes avant de remettre vos lentilles.
3. Ne touchez aucune surface avec la pointe du compte-gouttes afin d'éviter la contamination.

Directives: Mettez 1 goutte dans chaque œil, 4 fois par jour, à des intervalles réguliers (environ toutes les 4 heures), pendant les heures où vous êtes éveillé. Il est nécessaire d'employer la solution Alomide régulièrement pour obtenir le soulagement de votre allergie oculaire.

☐ ALPHAGAN[MC] ℞

Allergan

Tartrate de brimonidine

Thérapie pour réduire la pression intra-oculaire

Renseignements destinés aux patients: On peut contribuer à préserver la vision en employant ce médicament contre le glaucome exactement comme l'a prescrit le médecin. Néanmoins, il est quelquefois difficile de se rappeler à quel moment on a pris un médicament. C'est pourquoi ces gouttes sont présentées dans un flacon muni d'un bouchon spécial, appelé C Cap. Ce bouchon a été conçu pour rappeler combien de fois le médicament a été administré au cours de la journée.

Il existe différentes versions du C Cap pour les divers produits d'Allergan utilisés dans le traitement du glaucome. Le médecin prescrit celle qui correspond à la fréquence quotidienne d'utilisation du médicament.

Mode d'emploi du C Cap (voir la prospectus d'emballage pour les illustrations):

1. La première fois que l'on prend le médicament, et par la suite tous les matins, vérifier si le numéro «1» apparaît dans la fenêtre du bouchon désignée à cet effet. Si un autre numéro apparaît, tourner le bouchon dans le sens des aiguilles d'une montre jusqu'à la position appropriée. Un déclic se produit au changement de position.
2. Retirer le bouchon C Cap et appliquer les gouttes tel que l'a prescrit le médecin. Pour Alphagan à 0,2 %, cela veut dire que les gouttes sont instillées 2 fois/jour à 12 heures d'intervalle.
3. Refermer en tournant le bouchon dans le sens des aiguilles d'une montre. Continuer à visser lentement jusqu'à ce qu'un déclic se fasse entendre. Le numéro «2» apparaîtra dans la fenêtre.

   Pour Alphagan à 0,2 %, cela veut dire que la prochaine application sera la deuxième de la journée, 12 heures après la première.
4. Au moment de l'application suivante, dévisser le bouchon et appliquer les gouttes.
5. Replacer le bouchon et visser jusqu'au déclic. Pour Alphagan à 0,2 %, ce sera de nouveau le numéro «1», étant donné que la prochaine application aura lieu le lendemain.

Remarque: Advenant l'omission d'une dose au moment habituel, instiller les gouttes dès que l'on se rend compte de l'oubli et poursuivre le traitement tel que l'a prescrit le médecin. **Ne pas essayer de compenser l'omission de gouttes en appliquant plus qu'une dose à la fois.**

Rappel: Chaque fois que l'on replace le bouchon, il faut tourner jusqu'à ce qu'on entende le déclic.

Éviter que l'embout du flacon entre en contact avec l'œil ou les structures annexes de l'œil afin d'éliminer les risques de contamination par des bactéries couramment responsables des infections oculaires. L'utilisation d'une solution ophtalmique contaminée peut provoquer des lésions oculaires graves et une détérioration consécutive de la vision. En cas de troubles oculaires ou lors d'une opération chirurgicale, consulter immédiatement le médecin avant de continuer à utiliser le flacon.

Personnes portant des verres de contact souples: Les verres de contact doivent être enlevés avant l'instillation d'Alphagan à 0,2 % et il faut attendre au moins 15 minutes avant de les remettre.

☐ ALTACE® ℞

Hoechst Marion Roussel

Ramipril

Inhibiteur de l'enzyme de conversion de l'angiotensine

Renseignements destinés aux patients: Patients souffrant d'hypertension essentielle: Qu'est-ce que l'hypertension? Le terme médical «hypertension» est utilisé pour désigner la «haute pression» (les termes «hypertension artérielle», «pression» ou «tension artérielle élevée» sont aussi des synonymes). Lorsque le sang circule dans les vaisseaux sanguins, il exerce une pression sur la paroi de ces vaisseaux tout comme l'eau pousse sur les parois d'un tuyau d'arrosage. La tension artérielle correspond à cette pression. Lorsque la tension artérielle est élevée (comme c'est le cas pour la pression de l'eau dans le tuyau d'arrosage lorsque son bec est partiellement fermé), elle peut entraîner des lésions au cœur et aux vaisseaux sanguins.

Même si vous n'éprouvez aucun symptôme pendant des années, l'hypertension peut causer un accident cérébrovasculaire, une crise cardiaque, une affection rénale et d'autres affections graves.

Quelles sont les causes de l'hypertension? Dans la plupart des cas, on ne connaît pas la cause exacte de l'hypertension. Toutefois, nous savons que plusieurs facteurs favorisent l'apparition de la maladie.

Antécédents familiaux: Comme d'autres maladies, l'hypertension peut-être héréditaire. Si vos parents font de l'hypertension, le risque que vous souffriez aussi de la maladie est plus grand.

Âge: Le risque de souffrir d'hypertension augmente avec l'âge.

Race: En Amérique du Nord, l'hypertension est plus fréquente chez les personnes de race noire que chez celles de race blanche.

Diabète: Le risque de souffrir d'hypertension est plus élevé chez les diabétiques que chez les non diabétiques.

Poids: Les personnes obèses sont davantage prédisposées à l'hypertension.

Alcool: Une forte consommation d'alcool augmente le risque d'hypertension de même que le risque d'accident cérébrovasculaire et d'affection rénale.

Vie sédentaire: Le manque d'activité physique peut favoriser l'apparition de l'hypertension.

Tabac: Bien que le tabagisme ne soit pas une cause directe d'hypertension, votre tension artérielle augmente de façon temporaire chaque fois que vous fumez une cigarette. Le tabagisme accroît aussi le risque de maladie du cœur chez les personnes dont la tension artérielle est élevée.

Comment maîtriser votre tension artérielle: Votre médecin vous a prescrit Altace, un médicament qui aide à maîtriser votre tension artérielle. Altace dilate les vaisseaux sanguins pour réduire la tension artérielle, tout comme la pression diminue dans le tuyau d'arrosage lorsqu'on ouvre son bec. On ne peut cependant guérir cette maladie.

En effet, il faut plus qu'un simple médicament pour abaisser la tension artérielle. Discutez avec votre médecin des facteurs de risque inhérents à votre mode de vie. Vous aurez peut-être à modifier certaines de vos habitudes quotidiennes pour garder votre tension artérielle basse.

Faites régulièrement de l'exercice. Vous pourrez maîtriser votre poids plus facilement, vous aurez plus d'énergie, et c'est aussi une bonne façon de gérer le stress. Si vous ne faites pas régulièrement de l'exercice, assurez-vous de discuter d'un programme de conditionnement physique avec votre médecin.

La plupart des gens présentant une tension artérielle élevée n'ont besoin de prendre qu'une seule capsule Altace par jour. N'oubliez pas que l'hypertension est une maladie à long terme, sans symptôme. Ce n'est pas parce que vous vous sentez bien que vous pouvez arrêter de prendre votre médicament. Si vous arrêtez, vous pouvez connaître des complications graves de la maladie. Vous devez donc continuer à prendre votre médicament régulièrement, tel que prescrit par votre médecin.

Patients venant de subir une crise cardiaque: Votre médecin vous a prescrit Altace dans le but de réduire l'effort que doit fournir votre cœur pour pomper le sang, afin de compenser la perte de puissance que votre cœur peut avoir subi à cause de la crise cardiaque.

Il a été démontré qu'Altace améliore le taux de survie et réduit les hospitalisations chez les patients se rétablissant d'une crise cardiaque récente.

Si vous faites de l'insuffisance cardiaque après une crise cardiaque, vous devrez peut-être diminuer vos activités physiques. Avant de faire de l'exercice, parlez-en à votre médecin.

Les patients souffrant d'insuffisance cardiaque qui commencent un traitement après une crise cardiaque doivent généralement prendre Altace 2 fois/jour, le matin et le soir.

En général: Quand prendre votre médicament: Il est important de le prendre chaque jour à la même heure, tel que prescrit par votre médecin.

Vous avez oublié une dose? Si vous avez oublié de prendre votre capsule d'Altace, prenez-la aussitôt que vous le pouvez. Toutefois, s'il est presque l'heure de prendre votre prochaine dose, ne prenez pas la dose oubliée et attendez simplement l'heure prévue pour votre prochaine dose. Ne prenez pas 2 doses à la fois.

Comment modifier votre mode de vie: Votre «mode de vie» est un élément de votre traitement aussi important que votre médicament. En collaborant avec votre médecin, vous pouvez contribuer à réduire le risque de complications et ainsi conserver le mode de vie auquel vous êtes habitué.

Alcool: Éviter les boissons alcoolisées jusqu'à ce que vous en ayez discuté avec votre médecin. La consommation d'alcool peut en effet altérer votre tension artérielle et augmenter les risques d'étourdissement et d'évanouissement.

Alimentation: De façon générale, évitez les aliments gras et ceux à teneur élevée en sel ou en cholestérol.

Tabac: Arrêtez de fumer.

Effets indésirables (effets secondaires): En plus de leurs effets bienfaisants, tous les médicaments, y compris Altace, peuvent causer des effets indésirables. Ces derniers comprennent les maux de tête, les étourdissements, la fatigue, les nausées et la toux. Ces effets indésirables peuvent disparaître quand votre organisme se sera habitué au médicament. S'ils persistent, parlez-en à votre médecin. Il faudra peut-être diminuer la dose de votre médicament ou changer de médicament.

Lorsque vous aurez pris votre première dose de ce médicament, vous aurez peut-être des étourdissements ou une «sensation de tête légère». Assurez-vous de connaître vos réactions à ce médicament avant de conduire, de faire fonctionner des machines ou de faire quoi que ce soit qui demande de la vigilance.

En cas de transpiration, de diarrhée ou de vomissements excessifs, il est possible que vous perdiez beaucoup d'eau et que votre tension artérielle devienne trop basse. Consultez votre médecin si vous vous trouvez dans l'une de ces situations.

L'œdème de Quincke est un effet indésirable rare, mais potentiellement plus grave, qui se caractérise par l'enflure de la bouche, des lèvres, de la langue, des yeux et de la gorge ou par de la difficulté à avaler ou à respirer. Si vous notez de l'enflure ou une douleur dans ces régions, informez-en votre médecin sans tarder. Vous devez également communiquer avec lui si vous souffrez de fièvre, d'éruptions cutanées ou de démangeaisons inexpliquées.

Tenez votre médecin au courant: Avant de prendre Altace, il est important d'informer votre médecin sur les points suivants:

- **Prenez-vous présentement d'autres médicaments, que ce soit sur ordonnance ou en vente libre?** Ce renseignement est particulièrement important si vous prenez des diurétiques (médicaments pour vous aider à uriner) ou tout autre type de médicament pour faire baisser la tension artérielle dont l'effet peut s'additionner à celui d'Altace. Vous ne devez prendre aucun substitut de sel, supplément potassique ou médicament contenant du potassium sans demander l'avis de votre médecin.
- **Souffrez-vous d'autres maladies que l'hypertension?** En effet, la présence d'autres problèmes de santé peut modifier la façon d'utiliser Altace. Assurez-vous de parler à votre médecin de tout autre problème de santé, en particulier si vous souffrez de diabète, d'une maladie du foie, des reins, du cœur ou des vaisseaux sanguins.

Si vous êtes traité pour d'autres maladies par d'autres médecins, informez-les tous des médicaments que vous prenez. Certains médicaments peuvent avoir un effet négatif sur Altace, ou Altace peut avoir un effet négatif sur les autres médicaments. Si vous devez subir une chirurgie, même dentaire, informez le dentiste ou le médecin que vous prenez ce médicament.

- **Êtes-vous enceinte, avez-vous l'intention de le devenir, ou allaitez-vous?** La prise d'Altace pendant la grossesse peut causer des lésions au fœtus et même causer sa mort. On ne sait pas si Altace passe dans le lait maternel. Vous ne devez donc pas allaiter si vous prenez Altace.
- Est-il possible que vous soyez allergique à Altace (ramipril) ou à un de ses ingrédients non médicinaux (amidon prégélifié, gélatine, dioxyde de titane)?

Après avoir commencé à prendre Altace, il est important de prévenir votre médecin sans tarder si vous éprouvez un symptôme inexpliqué, comme la fièvre, les éruptions cutanées, les démangeaisons, tout signe d'infection, des symptômes qui ressemblent à ceux d'une grippe ou d'une infection virale, la toux, le mal de gorge, les douleurs abdominales, la perte d'appétit, la tristesse ou une jaunisse.

Conservez ce médicament dans son contenant d'origine à une température ambiante inférieure à 25 °C et seulement jusqu'à la date inscrite sur le contenant. Tenir ce médicament hors de la portée des enfants.

N'oubliez pas: Utilisez ce médicament selon les directives de votre médecin. Tous les médicaments peuvent avoir des effets bénéfiques

Altace (suite)

et nocifs, et tout dépend de la personne et de son état de santé. Cette notice vous indique certains cas où il faut appeler votre médecin. Toutefois, d'autres situations imprévisibles peuvent survenir. De toute façon, rien ne devrait vous arrêter si vous sentez le besoin d'appeler votre médecin ou votre pharmacien pour leur poser des questions ou leur faire part de vos inquiétudes au sujet d'Altace.

□ ALUPENT®, Préparations

Boehringer Ingelheim

Sulfate d'orciprénaline

Bronchodilatateur

Renseignements destinés aux patients: Aérosol pour inhalation: Important: Ne pas dépasser le nombre de bouffées prescrit par votre médecin. Ne pas augmenter la fréquence des inhalations de l'inhalateur-doseur Alupent recommandée par votre médecin. Si vous avez toujours de la difficulté à respirer ou qu'aucun soulagement n'est obtenu suite au traitement habituel, il faudrait consulter un médecin immédiatement; c'est habituellement un signe d'aggravation de l'asthme, nécessitant alors une réévaluation du traitement.

Si vous utilisez votre inhalateur Alupent quotidiennement, sans utiliser d'autre médicament antiasthmatique, veuillez consulter votre médecin pour une réévaluation de votre traitement.

Votre médecin décidera peut-être de prescrire ce médicament de façon régulière en association avec un autre antiasthmatique visant à maîtriser l'inflammation des voies aériennes.

Mode d'emploi:

1. Enlevez le couvercle recouvrant l'embout buccal.
2. **Important:** Bien agiter l'inhalateur avant chaque usage.
3. Tenez l'appareil de façon à ce que la cartouche soit à l'envers.
4. Expirez le plus profondément possible et retenez votre respiration.
5. Placez l'embout buccal dans la bouche et serrez les lèvres autour de l'embout.
6. Inspirez profondément par la bouche tout en appuyant simultanément sur la cartouche. Le médicament se libère à ce moment. (Ne répétez que selon les recommandations de votre médecin.)
7. Retenez votre souffle pendant quelques secondes, puis retirez l'embout buccal de votre bouche, et expirez lentement.

Si votre respiration est gênée par des expectorations, essayez de les éliminer le plus possible avant l'inhalation d'Alupent. Ainsi, une plus grande quantité d'Alupent atteindra les poumons, permettant ensuite d'expectorer encore plus de mucus par la toux.

Posologie: Une ou deux inhalations permettent habituellement de maîtriser une crise aiguë de bronchospasme et, par la suite, de protéger contre des attaques subséquentes pendant un maximum de 6 heures. Règle générale, il ne faudrait pas dépasser un total de 12 inhalations par 24 heures.

Entretien de l'embout buccal: L'embout buccal doit rester propre. Enlevez la cartouche de métal et rincez l'embout buccal sous l'eau **tiède** du robinet. Séchez et remettez en place.

Précautions: Les personnes souffrant d'hypertension, de cardiopathie, de diabète, de glaucome ou de troubles de la thyroïde ne devraient utiliser Alupent que selon la recommandation d'un médecin.

Présentation: Chaque cartouche métallique de l'inhalateur-doseur Alupent de 15 mL (avec embout buccal jetable) renferme 300 doses individuelles.

Attention: Le contenu de la cartouche est maintenu sous pression. **Ne pas jeter dans l'incinérateur.**

Sirop Alupent: Pris selon les directives de votre médecin (voir Mode d'emploi), le sirop Alupent facilite la respiration en moins de 20 à 30 minutes, et cet effet persiste pendant 3 à 6 heures. Une administration d'Alupent réduit souvent la fréquence et l'intensité des attaques aiguës de bronchospasme et soulage la respiration sifflante, la congestion bronchique et la dyspnée. Le sirop Alupent s'avère utile pour tout patient ayant une difficulté d'avaler des comprimés; ainsi, il convient notamment aux enfants et aux patients âgés. Le sirop Alupent a un goût agréable.

Conseils aux patients atteints de spasme bronchique chronique: Certains facteurs peuvent améliorer considérablement votre respiration; votre médecin vous a sans doute expliqué leur importance. Ces notions complémentaires sont souvent capables de vous soulager et contribuer à une meilleure respiration; il est essentiel pour vous de suivre de tels conseils à la lettre. Les points importants ci-après méritent d'être retenus.

1. Lorsque votre médecin vous suggère des exercices de respiration ou un drainage postural, adhérez attentivement à ses directives. Les exercices de respiration aident à augmenter la force, la coordination et l'efficacité des muscles de la respiration; de plus, le drainage postural facilite l'expulsion de mucosités hors des voies respiratoires.
2. Observez fidèlement tout régime amaigrissant recommandé par votre médecin; l'embonpoint nuit à la respiration.
3. Évitez diverses substances, tels certains aliments, médicaments et produits pour inhalation capables de provoquer des réactions allergiques dans votre organisme sensible.
4. Prenez suffisamment de repos; un excès de travail, une tension nerveuse et un manque de sommeil sont des causes indéniables de fatigue.
5. La toux, le rhume et la grippe provoquent souvent des attaques aiguës de spasme bronchique chez les asthmatiques et les bronchitiques. Évitez autant que possible tout contact avec des personnes souffrant des symptômes du rhume ou de la grippe; si vous contractez un rhume, consultez votre médecin sans tarder.
6. Les mois d'hiver apportent des problèmes additionnels aux patients souffrant de bronchospasme. Évitez, autant que possible, les changements subits de température. Lorsque vous sortez, protégez-vous le nez et la bouche au moyen d'un cache-nez ou d'un mouchoir. Il est également important de garder l'air ambiant de votre domicile à un degré d'humidité approprié, surtout durant l'hiver.
7. Il est certes difficile pour vous de ne jamais inhaler certaines substances irritantes en suspension dans l'air, surtout la fumée, la poussière, les pollens et autres; toutefois, vous devez tenter de prendre toutes les mesures disponibles afin de vous soustraire au contact de ces substances. Vous devez éviter l'inhalation de la fumée de tabac et éliminer autant que possible la poussière dans votre domicile, utilisant l'aspirateur et changeant fréquemment les filtres des appareils de chauffage.

Mode d'emploi: Pour plus de commodité, surtout la nuit, le flacon de sirop Alupent est muni d'un bouchon-mesureur d'une contenance de 5 mL ou une cuillerée à thé (renfermant 10 mg d'Alupent). Pour des raisons d'hygiène, on recommande de laver le bouchon-mesureur après usage et de le replacer sur le flacon.

Posologie: Enfants: De 4 à 12 ans: 10 mg (5 mL ou 1 cuillerée à thé) 3 fois par jour; 12 ans et plus: 20 mg (10 mL ou 2 cuillerées à thé) 3 ou 4 fois par jour.

Mise en garde: Les personnes atteintes d'hypertension, de maladie cardiaque, de diabète, de glaucome ou d'affection thyroïdienne doivent employer Alupent uniquement sur recommandation d'un médecin.

Présentation: Flacon ambré, muni d'un bouchon-mesureur pratique. Chaque flacon renferme 250 mL d'un sirop clair.

□ AMERGE®

Glaxo Wellcome

Chlorhydrate de naratriptan

Agoniste des récepteurs 5-HT_1—Antimigraineux

Renseignements destinés aux patients: Comprimés Amerge (chlorhydrate de naratriptan).

Veuillez lire attentivement ce feuillet avant de commencer à prendre vos comprimés Amerge. Vous y trouverez un résumé des caractéristiques qui concernent ce médicament. Ne jetez pas ce feuillet avant d'avoir fini de prendre votre médicament. Vous pourriez vouloir le consulter de nouveau. Ce feuillet ne contient pas tous les renseignements concernant les comprimés Amerge. Pour de plus amples renseignements ou pour des conseils, consultez votre médecin ou votre pharmacien.

Renseignements sur votre médicament: Le nom de votre médicament est Amerge, sous forme de comprimés. Il ne peut être obtenu que sur ordonnance de votre médecin. La décision d'utiliser les comprimés Amerge doit être prise conjointement avec votre médecin, en tenant compte de vos préférences individuelles ainsi que des circonstances médicales. La majorité des patients qui ont pris Amerge n'ont pas éprouvé d'effets indésirables importants. Cependant, les médicaments comme Amerge ont causé de graves effets indésirables chez certains patients, en particulier chez les personnes souffrant d'une maladie du cœur ou des vaisseaux sanguins. Si vous avez des facteurs de risque des maladies du cœur (comme l'hypertension, les taux élevés de cholestérol sanguin, l'obésité, le diabète, le tabagisme, si vous avez de forts antécédents familiaux de maladie du coeur, si vous êtes postménopausée ou si vous êtes un homme de plus de 40 ans) vous devez en informer votre médecin qui pourra évaluer votre état cardiovasculaire afin de déterminer si les comprimés Amerge sont appropriés dans votre cas.

À quoi sert votre médicament? Les comprimés Amerge servent à soulager votre mal de tête et autres symptômes liés aux crises de migraine. Les comprimés Amerge ne doivent pas être pris de façon continue afin de prévenir les crises ou d'en diminuer le nombre. Utilisez les comprimés Amerge seulement pour traiter une véritable crise migraineuse. Amerge ne doit pas être utilisé pour soulager la douleur autre que celle causée par la migraine.

Comment agit votre médicament? On croit que les maux de tête associés à la migraine seraient causés par une dilatation importante des vaisseaux sanguins de la tête. En rétrécissant ces vaisseaux, Amerge soulage la douleur et autres symptômes de la migraine.

Points importants à considérer avant de prendre les comprimés Amerge: Si vous répondez **oui** à l'une ou l'autre des questions suivantes, ou si vous n'en connaissez pas la réponse, veuillez en parler à votre médecin avant d'utiliser les comprimés Amerge.

- Êtes-vous enceinte? Pensez-vous que vous pourriez l'être? Essayez-vous de le devenir? Utilisez-vous des contraceptifs inadéquats? Allaitez-vous?
- Ressentez-vous parfois une douleur ou une sensation de serrement au thorax (qui peut s'étendre ou non dans le cou, la mâchoire ou le bras); avez-vous une maladie du cœur ou des vaisseaux sanguins, de l'angine de poitrine, des essoufflements ou des battements de cœur irréguliers?

  Avez-vous déjà eu une crise cardiaque ou un accident vasculaire cérébral?
- Êtes-vous prédisposé à une maladie du cœur (hypertension, taux élevé de cholestérol sanguin, obésité, diabète, tabagisme, forts antécédents familiaux de maladie du cœur; êtes-vous postménopausée ou êtes-vous un homme de plus de 40 ans?)
- Avez-vous déjà dû cesser de prendre ce médicament ou tout autre médicament par suite d'allergie ou d'autres difficultés?
- Avez-vous déjà souffert ou souffrez-vous d'épilepsie ou de convulsions?
- Prenez-vous un autre antimigraineux, y compris Imitrex (succinate de sumatriptan/sumatriptan), l'ergotamine, la dihydroergotamine ou le méthysergide?
- Prenez-vous des inhibiteurs sélectifs de la recapture de la sérotonine (ISRS) ou d'autres médicaments pour combattre la dépression?
- Avez-vous déjà eu de la difficulté à bouger un côté de votre corps lorsque vous avez un mal de tête?
- Avez-vous eu, ou avez-vous une maladie du foie ou des reins?
- Ce mal de tête est-il différent de vos crises migraineuses habituelles?

N'oubliez pas: si vous répondez **oui** à l'une ou l'autre de ces questions, parlez-en à votre médecin.

Utilisation des comprimés Amerge pendant la grossesse: N'utilisez pas les comprimés Amerge si vous êtes enceinte, si vous pensez que vous pourriez l'être, si vous essayez de le devenir ou si vous n'utilisez pas des contraceptifs adéquats, à moins que vous en ayez parlé à votre médecin.

Comment prendre les comprimés Amerge? Pour les adultes, la dose habituelle est d'un seul comprimé à 1 mg ou à 2,5 mg (selon les directives de votre médecin) entier, pris avec des liquides. On doit le prendre dès le début de la migraine, mais on peut également le prendre à n'importe quel moment après l'apparition du mal de tête. Un autre comprimé peut être utilisé si votre mal de tête revient ou si vous avez besoin d'un plus grand soulagement, mais ne le prenez qu'au moins 4 heures après le premier comprimé. Lors d'une crise, si vous ne ressentez aucun effet après le premier comprimé, n'en prenez pas un autre pour la même crise sans en parler d'abord à votre médecin. Ne prenez pas plus de 5 mg du médicament en 24 heures. Si vous avez une maladie des reins ou du foie, suivez les directives de votre médecin.

Si vous prenez d'autres médicaments contre la migraine, parlez-en à votre médecin avant de prendre Amerge.

Effets indésirables à surveiller: Bien que la plupart des patients qui prennent des comprimés Amerge ne ressentent pas d'effets indésirables importants, des personnes ont cependant éprouvé certaines difficultés.

- Certains patients ressentent une sensation de douleur, de pression ou de serrement dans la poitrine, le cou, la gorge, la mâchoire ou le bras lorsqu'ils utilisent les comprimés Amerge. Si cela se produit, parlez-en à votre médecin avant de prendre d'autres comprimés Amerge. Si la douleur à la poitrine est grave (douleur pouvant ressembler à de l'angine de poitrine) ou ne disparaît pas, appelez immédiatement votre médecin.
- Étant donné qu'une somnolence peut se produire, ne conduisez pas de véhicule ou ne manœuvrez pas de machines tant que vous n'êtes pas certain de ne ressentir aucune somnolence.
- Dans de rares cas, l'essoufflement, la respiration sifflante, l'enflure des paupières, du visage ou des lèvres, les éruptions ou les boursouflures de la peau ou l'urticaire peuvent se produire. Dans ce cas, parlez-en immédiatement à votre médecin. Ne prenez pas d'autres comprimés Amerge, à moins que votre médecin vous dise de le faire.
- Quelques personnes peuvent ressentir des picotements, de la chaleur, des bouffées congestives (rougeur du visage durant un court laps de temps), une lourdeur ou une pression, de la fatigue ou des étourdissements après le traitement aux comprimés Amerge. Si vous avez l'un ou l'autre de ces symptômes, parlez-en à votre médecin.
- Si vous ressentez des douleurs abdominales soudaines ou intenses après avoir pris les comprimés Amerge, téléphonez à votre médecin immédiatement.
- Si vous ne vous sentez pas bien de quelque autre façon que ce soit, ou si vous avez des symptômes que vous ne comprenez pas, il faut entrer immédiatement en contact avec votre médecin.

Que faire en cas de surdosage: Si vous avez pris plus de médicaments que votre médecin ne vous l'a conseillé, entrez immédiatement en contact avec votre médecin, l'urgence d'un hôpital ou le centre antipoison le plus proche.

Conservation de votre médicament: Conservez votre médicament dans un endroit sûr auquel les enfants n'ont pas accès. Il peut être dangereux pour eux.

Conservez votre médicament à l'abri de la chaleur et de la lumière, à moins de 30 °C.

Si votre médicament a dépassé la date d'utilisation (cette date est imprimée sur l'emballage), jetez-le.

Si votre médecin décide de cesser le traitement, ne gardez pas les comprimés qui restent à moins que le médecin vous dise de le faire.

Ce que contient votre médicament: Chaque comprimé Amerge renferme soit 1 mg ou 2,5 mg de naratriptan base sous forme de chlorhydrate. Il contient aussi du croscarmellose sodique, de l'hydroxypropylméthylcellulose, une laque d'aluminium carmin d'indigo (FD&C bleu n° 2) [comprimés à 2,5 mg seulement], de l'hydroxyde ferrique [comprimés à 2,5 mg seulement], du lactose, du stéarate de magnésium, de la cellulose microcristalline, de l'anhydride titanique et de la triacétine.

Classe du médicament: Ce médicament appartient au groupe des antimigraineux.

Qui fabrique votre médicament? Fabricant: Glaxo Wellcome Inc., 7333 Mississauga Road North, Mississauga (Ontario), L5N 6L4.

Rappel: Ne jamais oublier que ce médicament vous est destiné. Seul un médecin peut vous le prescrire. N'en donnez jamais à quelqu'un d'autre, même si ses symptômes ressemblent aux vôtres, car ce médicament peut lui être nuisible.

□ ANA-KIT®

Bayer

Épinéphrine—Maléate de chlorphéniramine

Traitement de l'allergie

Renseignements destinés aux patients: (Lire tout ce qui suit avant la survenue d'une urgence.) **En cas de situation mettant la vie en danger, administrer immédiatement l'épinéphrine de la façon suivante** (voir le prospectus d'emballage pour les illustrations):

1. Enlever le capuchon de plastique bleu qui protège l'aiguille. Tenir la seringue bien droite et pousser sur le piston pour chasser l'air et l'excès d'épinéphrine (le piston se bloque).
2. Faire tourner le piston rectangulaire d'un quart de tour vers la droite. Le piston se trouve alors dans la fente du cylindre. Nettoyer le point d'injection avec une compresse imbibée d'alcool.
3. Insérer l'aiguille à angle droit dans le bras ou la cuisse, selon l'illustration.

Ana-Kit (suite)

4. Pousser le piston à fond. La dose ainsi injectée est de 0,3 mL pour les adultes et les enfants de plus de 12 ans.

Enfants: Le cylindre de la seringue comporte des graduations de 0,1 mL pour mesurer des doses plus faibles. Nourrissons (jusqu'à 2 ans): 0,05 à 0,1 mL; enfants de 2 à 6 ans: 0,15 mL; enfants de 6 à 12 ans: 0,2 mL.

Après l'injection initiale d'épinéphrine, procéder de la façon suivante:

1. **Appeler un médecin, si possible.**
2. En cas de piqûre d'insecte, **extraire le dard** (utiliser les ongles, **ne pas** repousser, pincer ni presser le dard, ni le faire entrer davantage dans la peau, au risque d'accroître encore plus la libération de venin).
3. **Appliquer le garrot** au-dessus de la piqûre si celle-ci se trouve sur le bras ou la jambe. (Si la piqûre se trouve sur le cou, le visage ou ailleurs sur le corps, passer immédiatement à l'étape n° 5.) Ne pas obstruer le flux sanguin artériel avec le garrot.
4. **Serrer le garrot.** Pour serrer, tirer sur une extrémité du **cordon.** Ensuite, au moins toutes les 10 minutes, relâcher le garrot en tirant sur la petite bague de métal.
5. **Croquer et avaler les comprimés Chlo-Amine.** Adultes et enfants de plus de 12 ans: 4 comprimés; enfants de 6 à 12 ans: 2 comprimés; enfants de moins de 6 ans: 1 comprimé. Ces comprimés d'antihistaminiques sont généralement bien tolérés.
6. **Préparer la seringue en vue d'une seconde injection.** Faire tourner le piston rectangulaire d'un quart de tour vers la droite pour qu'il se trouve dans la fente rectangulaire du cylindre. (Au besoin, remuer légèrement le piston pour le faire tourner et le placer plus facilement.)
7. Seconde injection. Si les symptômes ne sont pas nettement soulagés après 10 minutes, il y a lieu de faire une seconde injection. Nettoyer le point d'injection avec une compresse imbibée d'alcool et faire la seconde injection d'épinéphrine comme la première (voir les étapes n°s 3 et 4). (Une petite quantité d'épinéphrine reste dans la seringue après l'injection de la seconde dose et ne peut être expulsée.)
   Remarque: Jeter la seringue et son contenu si une seconde injection n'est pas requise.
8. **Si possible, appliquer un sac de glace au point de la piqûre d'insecte (s'il y a lieu).**
9. **Garder le patient au chaud et lui éviter tout effort.**

Précautions: Épinéphrine: L'épinéphrine doit être injectée uniquement par voie s.c. ou i.m. et **non par voie i.v.**

La solution d'épinéphrine USP pour injection contient du bisulfite de sodium. Les patients chez qui l'on soupçonne une hypersensibilité au sulfite doivent consulter leur médecin bien avant de se trouver dans une situation nécessitant l'emploi du produit.

L'épinéphrine est sensible à la lumière et doit être conservée dans son emballage d'origine. **Conserver à la température ambiante,** à environ 25 °C. Éviter le gel. L'épinéphrine peut faire rouiller l'aiguille. **Ne pas chasser l'air de la seringue avant d'être prêt à administrer l'épinéphrine** afin de ne pas briser le sceau qui empêche la solution d'épinéphrine d'entrer en contact avec l'aiguille, ce qui en favoriserait la détérioration. **N'enlever le capuchon de l'aiguille qu'au moment d'administrer l'épinéphrine** pour éviter la contamination de l'aiguille et du contenu de la seringue.

Avant d'administrer une solution parentérale, il convient de l'examiner afin d'y déceler toute particule en suspension ou décoloration, dans la mesure où la solution et le contenant le permettent. Ne pas administrer l'épinéphrine USP pour injection si elle présente une coloration rosâtre ou jaune foncé, ou un précipité. Obtenir une autre seringue en s'adressant à un pharmacien. Vérifier périodiquement la date de péremption indiquée sur la seringue. Si la date de péremption approche, commander une nouvelle seringue et jeter la seringue périmée une fois la nouvelle reçue.

Chlo-Amine: Comme pour tout médicament, se renseigner auprès d'un médecin avant de prendre les comprimés pendant la grossesse ou l'allaitement.

Il est déconseillé de conduire un véhicule ou de faire fonctionner des machines après la prise de Chlo-Amine. Somnolence, étourdissements, vision brouillée, sécheresse de la bouche et troubles gastro-intestinaux peuvent se manifester. Garder hors de la portée des enfants.

Les asthmatiques doivent prendre les comprimés de maléate de chlorphéniramine avec prudence.

Garantie limitée: Un certain nombre de facteurs indépendants de notre volonté, notamment la conservation et la manipulation du produit après sa livraison par le fabricant ainsi que le diagnostic, la posologie, les méthodes d'administration et les particularités biologiques de chaque patient, peuvent réduire l'efficacité de l'épinéphrine et même entraîner un effet indésirable après son injection. Étant donné ces facteurs, il est important que l'épinéphrine soit conservée adéquatement et que le mode d'emploi recommandé soit respecté rigoureusement.

La garantie ci-dessus remplace toute autre garantie, formelle ou tacite, y compris toute garantie de qualité marchande ou d'adaptation à un usage particulier. Les représentants de la compagnie ne sont pas autorisés à apporter des changements aux conditions de la garantie ni aux renseignements imprimés sur les étiquettes du produit, sauf indication écrite contraire du bureau de la compagnie à Spokane, dans l'état de Washington. Le médecin qui prescrit ce produit et l'utilisateur du produit doivent accepter ces modalités.

□ ANANDRON® Ⓟ

Hoechst Marion Roussel

Nilutamide

Agent antiandrogène non stéroïdien

Renseignements destinés aux patients: Comment obtenir le meilleur rendement d'Anandron: Votre médecin a décidé qu'Anandron est un traitement approprié pour vous. Rappelez-vous que les chances de maîtriser votre maladie sont plus grandes si vous collaborez entièrement avec votre médecin et que vous êtes bien renseigné au sujet de votre état.

Ce dépliant a pour objet de vous donner de brefs conseils au sujet des comprimés Anandron. Il ne remplace ni les conseils de votre médecin, ni ceux de votre pharmacien. Votre médecin connaît et comprend votre situation personnelle; assurez-vous de suivre minutieusement les instructions de votre médecin et de lire toute la documentation qu'il vous donne. Si vous avez des questions après avoir lu ce dépliant, posez-les à votre médecin ou à votre pharmacien. Remarquez bien que votre médecin et votre pharmacien possèdent beaucoup plus de renseignements sur Anandron que ce que vous trouverez dans ce dépliant.

Gardez ce dépliant avec votre médicament, vous pouvez en avoir encore besoin.

Ce qu'est Anandron et comment il agit: Anandron appartient à un groupe de médicaments appelés «antiandrogènes». Il inhibe l'effet des hormones appelées androgènes, qui sont naturellement produites par votre organisme. En inhibant l'effet des androgènes, Anandron peut aider à ralentir la maladie affectant votre prostate. Il aidera également à diminuer les symptômes que vous éprouvez à cause de cette maladie.

Que contient Anandron? Les comprimés Anandron contiennent l'ingrédient actif nilutamide. Chaque comprimé contient 50 mg ou 100 mg de nilutamide. Parmi les ingrédients non actifs on retrouve le lactose (30 mg/comprimé Anandron de 50 mg et 60 mg/comprimé Anandron de 100 mg).

Les comprimés Anandron sont blancs à blanc cassé. Le mot «ANANDRON» est inscrit sur une face du comprimé. La concentration, «50» ou «100» est inscrite sur l'autre face du comprimé.

Comment devez-vous prendre Anandron pour qu'il agisse à votre plus grand avantage? Les comprimés Anandron sont pris par la bouche. La dose habituelle est de 300 mg/jour pour les 4 premières semaines du traitement, puis de 150 mg tous les jours par la suite. Anandron est habituellement pris 1 fois/jour avant le petit déjeuner. Toutefois, votre médecin peut recommander une dose différente ou un autre horaire.

Le nombre de comprimés de 50 mg ou de 100 mg que vous aurez à prendre chaque jour dépendra de la concentration prescrite par le médecin. Vérifiez auprès de votre médecin ou de votre pharmacien si vous n'êtes pas certain du nombre de comprimés que vous devez prendre.

Vous devez prendre Anandron seulement selon les directives de votre médecin. N'en prenez pas plus ni moins, ne le prenez pas plus souvent, et ne le prenez pas pour une période plus longue que le médecin ne l'aura prescrit.

Votre médecin décidera de la période durant laquelle vous devrez prendre Anandron. Cela dépendra de l'état de votre maladie et des effets secondaires que vous pourriez éprouver. Si vous avez des inquiétudes, discutez-en avec votre médecin.

Que faire si vous oubliez une dose? Si vous oubliez une dose, prenez-la aussitôt que vous y pensez, puis reprenez votre horaire normal. Toutefois, vous ne devez pas prendre plus de 300 mg d'Anandron dans une même journée au cours des 4 premières semaines du traitement, ou plus de 150 mg dans une même journée par la suite. Par conséquent, s'il est presque le temps de prendre votre prochaine dose lorsque vous constatez que vous avez oublié la dernière, sautez la dose que vous avez oubliée et prenez la prochaine dose à l'heure habituelle (c'est-à-dire ne prenez pas une double dose). Si vous êtes inquiet, ou si vous avez oublié plus d'une dose, parlez-en à votre médecin.

Que faire si vous avez pris trop de comprimés? Si, par erreur, vous avez pris trop de comprimés la même journée, vous pouvez ressentir des nausées et vous sentir étourdi, et vous pouvez vomir. Ces symptômes disparaîtront normalement après une interruption temporaire de votre traitement ou après avoir diminué la dose; toutefois, ces mesures ne doivent être prises que sur avis du médecin. Si vous avez pris plus de 300 mg dans une journée, vous devez communiquer avec votre médecin le plus tôt possible.

Anandron cause-t-il des effets secondaires? Les différents traitements utilisés pour un trouble de la prostate, tel que le vôtre, peuvent tous causer des bouffées de chaleur, une baisse de la libido, ou de l'impuissance.

Anandron est habituellement bien toléré, mais comme tout autre médicament, il peut causer des effets secondaires. La plupart de ces effets avec Anandron surviennent au début du traitement et diminuent habituellement après 4 semaines lorsque la dose est normalement diminuée à 150 mg/jour.

Les effets secondaires les plus courants touchent les yeux. Vous pouvez remarquer que vos yeux prennent plus de temps à s'adapter à la noirceur, particulièrement lorsqu'il y a un changement brusque dans l'éclairage (par exemple, lorsque vous traversez un tunnel). Lorsqu'il survient, ce problème est presque toujours temporaire et peut être amélioré avec le port de lunettes de soleil. Toutefois, jusqu'à ce que vos yeux s'accommodent mieux à la noirceur, vous devez être très prudent lorsque vous conduisez un véhicule automobile ou que vous utilisez de la machinerie.

Certains patients peuvent éprouver des problèmes respiratoires ou aggraver un problème respiratoire existant. Les symptômes peuvent être l'essoufflement, la toux, une douleur de poitrine et de la fièvre. Il est important que vous communiquiez avec votre médecin immédiatement si vous éprouvez des difficultés à respirer lorsque vous prenez Anandron.

Dans de rares cas, Anandron peut causer une élévation dans les tests hépatiques et, très rarement, une hépatite. Les symptômes pouvant suggérer un trouble du foie incluent: un manque persistant d'appétit, des nausées (malaise), des vomissements, douleur ou sensibilité abdominale, ictère (yeux ou peau jaunes, ou les deux), urine foncée, démangeaison ou symptômes inexpliqués de type grippal. Vous devez aviser votre médecin rapidement si l'un de ces symptômes se manifeste.

Anandron peut également causer des nausées et des vomissements qui ne sont pas reliés aux problèmes hépatiques. Il peut aussi causer des étourdissements. Dans la plupart des cas, ces symptômes diminueront après une baisse de la dose qui a lieu normalement après 4 semaines de traitement. Toutefois, vous devez informer votre médecin aussitôt que possible si vous éprouvez des vomissements parce qu'il peut être préférable de diminuer votre dose plus tôt.

Si vous croyez que vous réagissez mal à Anandron, dites-le à votre médecin. C'est particulièrement important si vous avez des problèmes qui ne sont pas mentionnés dans ce dépliant.

Puis-je prendre Anandron avec de l'alcool et d'autres médicaments? Certains patients traités avec Anandron peuvent ressentir des bouffées de chaleur ou se sentir mal après avoir consommé de l'alcool. C'est ce qu'on qualifie d'intolérance à l'alcool. Si cela vous arrive, vous devez éviter l'alcool complètement. Demandez conseil à votre médecin ou à votre pharmacien.

Anandron peut interférer ou causer des problèmes avec d'autres médicaments que vous prenez; il est donc important que vous mentionniez à votre médecin et à votre pharmacien les autres médicaments que vous prenez, y compris ceux que vous vous procurez sans ordonnance. C'est particulièrement important si vous prenez l'un ou l'autre des médicaments suivants: warfarine [Coumadin] ou nicoumalone [Sintrom] (pour éclaircir le sang), phénytoïne [Dilantin et autres] (pour l'épilepsie), propranolol [Inderal et autres] (pour l'hypertension, l'angine, la migraine et autres problèmes), chlordiazépoxide [Librium et autres] ou diazépam [Valium] (pour l'anxiété), théophylline [Theodur et autres] (pour l'asthme). Vérifiez les étiquettes sur les flacons de vos médicaments pour voir si vous y trouvez ces noms ou consultez votre pharmacien.

Votre médecin pourra vous conseiller sur ce que vous devez faire si vous prenez l'un de ces médicaments. Dans la plupart des cas, votre médecin diminuera la dose de ces médicaments pendant que vous prenez Anandron. Il se peut aussi que votre médecin demande des tests sanguins.

Que dois-je retenir? Avant de prendre ce médicament, dites à votre médecin et à votre pharmacien si:

- vous avez déjà été traité avec une hormone pour des problèmes de prostate, et le traitement n'a pas été efficace;
- vous avez des problèmes hépatiques ou respiratoires. Vous ne devez pas prendre Anandron si vous éprouvez un grave problème de foie ou un grave problème respiratoire. Discutez-en avec votre médecin si vous croyez que vous avez l'un ou l'autre de ces problèmes;
- vous avez une intolérance au lactose;
- vous prenez d'autres médicaments;
- vous avez tout autre problème d'ordre médical.

Pendant que vous prenez ce médicament:

- signalez sans tarder toute réaction inhabituelle à votre médecin. C'est important parce que cela aidera à déceler très tôt et à prévenir les complications possibles;
- Anandron est destiné au traitement des troubles prostatiques chez l'homme et, par conséquent, il ne doit en aucun cas être pris par les femmes ou les enfants;
- gardez Anandron à la température ambiante au-dessous de 25 °C. Protégez les comprimés contre la chaleur, la lumière et l'humidité excessives. Comme pour tout autre médicament, vous devez conserver les comprimés dans le contenant original du pharmacien et le tenir hors de la portée des enfants;
- si vous avez besoin d'autres renseignements au sujet de ce médicament, consultez votre médecin ou votre pharmacien.

Que dois-je savoir d'autre? Retournez tous les comprimés Anandron inutilisés ou qui ont dépassé la date de péremption à votre pharmacien qui les détruira.

□ ANAPROX® Ⓟ
□ ANAPROX® DS Ⓟ

Roche

Naproxen sodique

Analgésique—Anti-inflammatoire

Renseignements destinés aux patients: Comment tirer le meilleur profit d'Anaprox ou d'Anaprox DS? Votre médecin a décidé qu'Anaprox ou Anaprox DS (naproxen sodique) était le meilleur traitement pour vous. En prenant vos comprimés Anaprox ou Anaprox DS, rappelez-vous que vos chances de maîtriser vos symptômes sont plus grandes si vous coopérez avec votre médecin et essayez d'en connaître davantage sur votre état.

Cette brochure n'est pas aussi détaillée que la monographie officielle d'Anaprox et d'Anaprox DS (mise à la disposition des médecins et des pharmaciens), elle vise plutôt à compléter ce que votre médecin vous a dit. Celui-ci connaît et comprend votre état aussi, assurez-vous de suivre attentivement ses recommandations et de lire toute la documentation qu'il vous remettra. **Si vous avez des questions après la lecture de cette brochure informative, veuillez les addresser à votre médecin.**

Qu'est-ce qu'Anaprox/Anaprox DS? Anaprox et Anaprox DS sont des médicament utilisés pour soulager la douleur et l'inflammation, dans les cas tels un traumatisme musculosquelettique et une extraction dentaire. Ils sont également indiqués dans le soulagement de la douleur associée à des crampes du postpartum et à la dysménorrhée. Ils appartiennent à une famille de médicaments connus sous le nom d'AINS (anti-inflammatoires non stéroïdiens) ou d'antiprostaglandines.

À quoi ressemblent Anaprox et Anaprox DS? Anaprox (naproxen sodique) n'est disponible qu'en comprimés à 275 mg à enrobage micro-mince Bleus et Ovales^MC, avec «NPS-275» gravé d'un côté.

Anaprox DS (naproxen sodique) n'est aussi disponible qu'en comprimés à 550 mg à enrobage micro-mince Bleus et Ovales^MC, avec «NPS 550» gravé d'un côté. Le comprimé Anaprox DS est plus gros que le comprimé Anaprox.

MC—Le concept du comprimé, soit sa forme Ovale et sa couleur Bleue, est une marque déposée de Hoffmann-La Roche Limitée pour le naproxen sodique.

Anaprox (suite)

Comment agissent Anaprox et Anaprox DS? Les conditions telle la vôtre s'accompagnent habituellement de douleurs avec ou sans inflammation. Des recherches ont démontré qu'Anaprox et Anaprox DS agissent en réduisant la production de certaines substances (appelées prostaglandines) produites normalement par l'organisme pour aider à maîtriser les fonctions telles la contraction des muscles, l'inflammation ainsi que nombre d'autres processus biologiques.

Des études cliniques indiquent que lorsque les taux de prostaglandines sont réduits, l'intensité de la douleur et de l'inflammation est aussi diminuée.

Comment devriez-vous prendre Anaprox ou Anaprox DS afin qu'il soit le plus efficace pour vous? Habituellement la dose initiale recommandée d'Anaprox est de 2 comprimés de 275 mg suivis d'un comprimé de 275 mg toutes les 6 à 8 heures, au besoin. La dose quotidienne totale ne devrait pas dépasser 5 comprimés de 275 mg. Comme alternative, on peut vous prescrire 1 comprimé d'Anaprox DS 550 mg 2 fois/jour.

Il est important de continuer à prendre Anaprox ou Anaprox DS, même si vous commencez à vous sentir mieux. Cela vous aidera à maîtriser les douleurs et la sensibilité. Vous devriez prendre vos comprimés Anaprox ou Anaprox DS avec de la nourriture ou du lait.

Important: Votre médecin peut vous donner des instructions différentes, adaptées à vos besoins spécifiques. Si vous avez besoin de plus d'informations sur la posologie appropriée d'Anaprox ou d'Anaprox DS, vérifiez auprès de votre médecin ou de votre pharmacien.

Combien de temps faut-il avant qu'Anaprox ou Anaprox DS agisse? Anaprox et Anaprox DS sont entièrement absorbés dans votre organisme en une heure. Si Anaprox ou Anaprox DS ne semble pas vous aider, communiquez avec votre médecin. Vous avez peut-être besoin d'une posologie différente ou bien votre médecin désirera peut-être vous prescrire un autre schéma thérapeutique.

Est-ce que la quantité d'Anaprox ou d'Anaprox DS que vous prenez changera? La quantité peut changer. Avec le temps, votre médecin décidera s'il est recommandable d'apporter des ajustements à la dose d'Anaprox ou d'Anaprox DS que vous utilisez. Il peut aussi vous suggérer d'augmenter ou de réduire la dose selon la gravité de vos symptômes ou vos activités.

Suivez les instructions; votre médecin sait comment ajuster les limites maximales et minimales de la posologie afin que vous bénéficiiez le plus d'Anaprox ou d'Anaprox DS.

Est-ce qu'Anaprox ou Anaprox DS occasionne des effets secondaires? Tout médicament peut causer des effets secondaires; ceci est vrai pour l'AAS et tous les AINS qui sont utilisés pour traiter les affections comme la vôtre. Il a été bien toléré chez la plupart des patients alors vous aussi le tolérerez probablement très bien. Les effets secondaires sont significativement moindres que ceux survenant avec l'AAS aux doses antiarthritiques. Ne prenez pas d'AAS, de composés contenant de l'AAS ni aucun autre médicament utilisé pour soulager les symptômes d'arthrite tout en prenant Anaprox ou Anaprox DS, à moins d'avis contraire de votre médecin.

Les effets secondaires non désirés et relativement communs des AINS sont le pyrosis, les douleurs abdominales, les nausées, la constipation et d'autres malaises gastro-intestinaux. Rappelez-vous de prendre Anaprox ou Anaprox DS avec les repas ou avec un verre de lait pour réduire ce genre de malaise.

Si vous avez une histoire de dérangement d'estomac ou si vous avez un ulcère, informez-en votre médecin. Tous les AINS peuvent aggraver votre problème et même, quelquefois, causer des saignements ou des ulcères dans l'estomac ou dans les intestins. Les complications peuvent parfois être graves et certains décès ont été rapportés avec tous les médicaments de cette classe thérapeutique.

Communiquez immédiatement avec votre médecin si vous éprouvez l'un de ces symptômes:

—selles sanguinolentes ou dures et noires;
—essoufflement, wheezing, tout trouble de la respiration ou oppression de la poitrine;
—rash, enflure, urticaire ou démangeaisons;
—indigestion, nausées, vomissements, douleurs abdominales ou diarrhée;
—décoloration jaune de la peau ou des yeux, avec ou sans fatigue;
—tout changement dans la quantité ou la couleur de votre urine (telle que foncée; rouge ou brune);
—enflure des pieds ou du bas des jambes;
—vue brouillée ou tout trouble visuel.

D'autres effets secondaires qui ont été rapportés peu fréquemment incluent: les maux de tête, les étourdissements, la somnolence, la dépression, le rash et les bourdonnements d'oreilles. Ces réactions ne posent habituellement aucun problème sérieux et la plupart des gens peuvent continuer le traitement. Des troubles visuels et auditifs ainsi que des dérangements sanguins sont survenus plus rarement. **Communiquez avec votre médecin si vous avez des problèmes.** Presque tous les effets secondaires occasionnés par l'usage d'Anaprox ou d'Anaprox DS disparaissent à l'arrêt du traitement.

Si vous êtes allergique à l'AAS ou à d'autres AINS (p. ex. le diclofénac, le diflunisal, le fénoprofène, le flurbiprofène, l'ibuprofène, l'indométhacine, le kétoprofène, l'acide méfénamique, le piroxicam, le sulindac, l'acide tiaprofénique, la tolmétine) utilisés dans le traitement de l'arthrite ou d'autres affections des muscles et des articulations, **ne prenez pas Anaprox ou Anaprox DS.** Vous pouvez y être aussi allergique. **De plus, vous ne devriez pas prendre Anaprox ou Anaprox DS si vous prenez déjà Naprosyn (naproxen), un médicament apparenté.**

Y a-t-il des recommandations à suivre avant de prendre Anaprox ou Anaprox DS? Informez votre médecin ainsi que votre pharmacien des autres médicaments que vous prenez avec et sans ordonnance. Cela est important puisque certains médicaments peuvent interagir entre eux et produire des effets indésirables.

Informez votre médecin si vous avez un ulcère, une maladie du foie ou des reins ainsi qu'une histoire de problèmes d'estomac.

Soyez prudent si vous ressentez de la somnolence, des étourdissements ou des vertiges au cours du traitement avec Anaprox ou Anaprox DS (naproxen sodique), surtout si vous conduisez ou participez à des activités exigeant de la vigilance.

Consultez votre médecin si vous ne ressentez pas de soulagement ou si l'usage d'Anaprox ou d'Anaprox DS vous cause des problèmes.

Informez votre médecin si vous êtes enceinte ou prévoyez le devenir.

Ne prenez pas Anaprox ou Anaprox DS si vous allaitez. Le médicament passe dans le lait des femmes qui allaitent.

Ne prenez pas Anaprox ou Anaprox DS si vous y êtes allergique ou si vous avez eu une réaction de type allergique à l'AAS ou à d'autres médicaments utilisés pour le soulagement de la douleur ou de l'arthrite. Consultez votre médecin.

Coopérez avec votre médecin s'il veut que vous passiez certains tests de laboratoire pour vérifier l'efficacité du traitement ou des effets secondaires possibles.

□ ANDRIOL ◈

Organon

Undécanoate de testostérone

Androgène

Renseignements destinés aux patients: L'Andriol (undécanoate de testostérone) qui vous a été prescrit est une préparation à base de testostérone. La testostérone est un androgène, hormone mâle produite naturellement par l'organisme et nécessaire à l'apparition et au développement des caractères sexuels masculins. En médecine, on prescrit des androgènes lorsque l'organisme n'en produit pas suffisamment ou pour déclencher la puberté chez certains individus. On peut également y avoir recours pour le traitement de diverses affections ou de diverses maladies.

Il n'existe pas de preuve scientifique véritable à l'appui de la thèse voulant que l'administration d'androgènes augmente la puissance musculaire et le rendement des athlètes. Il importe plutôt de savoir qu'ainsi utilisés, les androgènes peuvent présenter des risques pour la santé en raison d'effets indésirables, par exemple une quantité excessive de liquide dans l'organisme, un gonflement des seins, voire des maladies hépatiques. Suivez scrupuleusement les instructions de votre médecin. Évitez de prendre de l'Andriol à plus forte dose, plus souvent ou pendant plus longtemps que ne l'indique l'ordonnance.

Avant de prendre ce médicament: Afin de déterminer le meilleur traitement dans votre cas, le médecin a besoin de savoir:

- si vous avez déjà eu des réactions anormales ou allergiques à la suite d'une utilisation d'androgènes ou de stéroïdes anabolisants;
- si vous suivez un régime pauvre en sel, en sucre ou tout autre régime spécial, de même que si vous êtes allergique à des substances particulières, aliments, sulfates, agents de conservation ou colorants. La plupart des médicaments ne contiennent pas que des éléments actifs. Le médecin, l'infirmière, le pharmacien, une fois prévenu, évitera de vous donner des médicaments pouvant déclencher des réactions indésirables dans votre système;

- si vous prévoyez avoir un jour des enfants. De fortes doses d'androgènes peuvent en effet entraîner l'infertilité masculine;
- si vous avez l'une ou l'autre des maladies suivantes: cancer du sein (chez les hommes); diabète mellitus (diabète sucré); œdème (enflure de la figure, des mains, des pieds ou des jambes); cancer de la prostate; hypertrophie de la prostate; maladie du foie; maladie cardiaque ou maladie cardiovasculaire; maladie rénale.
- si vous prenez **quelque** médicament que ce soit, prescrit ou non (en vente libre), surtout s'il s'agit d'un anticoagulant (substance qui éclaircit le sang);
- si vous êtes confiné au lit.

Mise en garde: Ne laissez pas ce médicament à la portée des enfants.

Entreposer entre 15 et 25 °C. Protéger de la lumière et l'humidité. Utiliser avant 90 jours.

Débarrassez-vous des médicaments dont la date est périmée ou dont vous n'avez plus besoin. Assurez-vous cependant qu'ils sont hors de portée des enfants.

Précautions à prendre lors du traitement: Votre médecin verra à surveiller étroitement les effets de la médication afin de vous éviter certaines réactions désagréables ou indésirables. Si un adolescent dont la puberté est retardée reçoit des androgènes, sa croissance osseuse devra faire l'objet d'un examen à tous les 6 mois.

Diabétiques: Ce médicament peut affecter la glycémie. Si vous remarquez des modifications relativement aux quantités de sucre dans vos tests d'urine ou si vous vous posez des questions à ce sujet, veuillez consulter votre médecin.

Effets secondaires d'Andriol: Si vous ressentez l'un ou l'autre des effets secondaires suivants, parlez-en à votre médecin: Lors de traitements prolongés avec administration d'androgènes à fortes doses, des cas de tumeur hépatique, de cancer du foie et de péliose hépatique, autre sorte de maladie hépatique, sont parfois observés. Bien que ces cas soient assez rares, ils peuvent être très graves et entraîner la mort.

Les hommes âgés traités aux androgènes sont davantage sujets à l'hypertrophie et au cancer de la prostate.

Les enfants à qui on administre des androgènes peuvent voir leur croissance s'arrêter prématurément ou leurs caractères sexuels apparaître trop rapidement. On effectuera donc des examens radiographiques des mains et des poignets à tous les 6 mois afin de déterminer la rapidité de la maturation osseuse et d'évaluer les effets du traitement sur les centres épiphysaires.

En plus des effets recherchés, tout médicament peut parfois entraîner certains effets indésirables. Il peut alors être nécessaire d'intervenir. Si l'un ou l'autre de ces effets secondaires se manifeste, **veuillez consulter votre médecin immédiatement:**

- jaunissement des yeux ou de la peau; rougeur ou tout changement de couleur de la peau; éruptions cutanées ou démangeaisons; urticaire;
- selles noirâtres, tachées ou de couleur pâle; urine foncée;
- taches rouges ou violacées sur le corps ou à l'intérieur de la bouche ou du nez;
- maux de gorge, fièvre;
- nausée ou vomissements; crachements de sang;
- douleurs persistantes au niveau de l'abdomen ou de l'estomac; douleur, sensibilité ou enflure à la partie supérieure de l'abdomen ou de l'estomac;
- perte d'appétit persistante; mauvaise haleine persistante;
- confusion; étourdissements; maux de tête fréquents ou persistants; dépression;
- impression constante de malaise;
- souffle court;
- enflure des pieds ou des jambes;
- saignements inhabituels; fatigue anormale;
- érections fréquentes ou persistantes; besoins fréquents d'uriner;
- gonflement ou sensibilité des seins.

Chez les hommes âgés seulement:

- miction fréquente ou difficile; augmentation subite de l'appétit sexuel.

Il peut y avoir d'autres effets secondaires qui ne nécessitent cependant pas toujours des soins médicaux. Ces effets secondaires disparaîtront à mesure que votre organisme s'habituera au traitement. S'ils persistent ou s'ils vous gênent, n'hésitez pas à consulter votre médecin: constipation; diarrhée; maux de ventre; problèmes d'insomnie; hausse ou baisse subite de l'appétit sexuel.

Chez certains patients, des effets secondaires autres que ceux qui viennent d'être énumérés peuvent se manifester. Si vous remarquez des choses inhabituelles, veuillez consulter votre médecin.

□ ANSAID® ℞

Pharmacia & Upjohn

Flurbiprofène

Anti-inflammatoire—Analgésique

Renseignements destinés aux patients: Ansaid—de quoi s'agit-il? Ansaid est le nom de marque de flurbiprofène, un médicament qui soulage la douleur et réduit l'inflammation. Ansaid, que votre médecin a prescrit pour vous, appartient à un large groupe d'agents anti-inflammatoires non stéroïdiens (AINS). Il ne fait pas partie de la famille des cortisones et ne contient pas d'acide acétylsalicylique (AAS).

Ansaid est utilisé pour traiter certains états arthritiques (polyarthrite rhumatoïde, arthrose, spondylarthrite ankylosante), la dysménorrhée (douleur menstruelle), et la douleur légère à modérée accompagnant l'inflammation (bursite, tendinite, trauma des tissus mous, douleur consécutive à une intervention dentaire).

Ansaid aide à soulager la douleur articulaire, la tuméfaction, la raideur et la fièvre en diminuant la production de certaines substances—les prostaglandines. Il aide aussi à maîtriser l'inflammation et d'autres réactions du corps.

Quand faut-il prendre Ansaid? Vous ne devriez prendre Ansaid qu'en respectant les conseils de votre médecin. Il ne faut donc pas en prendre plus, ni plus souvent, ni pendant une période plus longue que recommandé par le docteur. Prenez Ansaid régulièrement, comme on vous l'a conseillé. Dans certains états arthritiques, le plein effet du médicament peut prendre 2 semaines pour se manifester. Pendant le traitement, votre médecin peut décider d'ajuster la dose selon votre réponse au médicament.

En général, le patient est censé prendre Ansaid 2 à 4 fois/jour. Ansaid est efficace, que vous le preniez ou non avec un repas. Cependant, si vous devez en prendre 3 fois/jour, le moment du repas est une bonne idée. Premièrement, cela donne un bon intervalle entre une prise et la suivante; ensuite, cela vous aide à vous rappeler que vous devez prendre votre médicament. Enfin, parce que certaines gens ont des ennuis d'estomac avec les produits comme Ansaid, prendre le médicament avec la nourriture peut diminuer ou empêcher ce genre de malaise.

Si votre médecin vous a prescrit 4 doses, la quatrième est généralement prise au coucher. Si Ansaid vous cause des dérangements d'estomac, vous pouvez prendre la dose du coucher avec une petite collation.

La meilleure posologie de Ansaid pour vous: Comme vous le savez, l'arthrite est un état où il y a des hauts et des bas, et la douleur et l'inflammation peuvent varier d'un jour à l'autre et d'une semaine à l'autre. Après la période de traitement initial avec Ansaid, votre médecin voudra peut-être faire des ajustements pour trouver la posologie qui vous convient le mieux. En lui disant avec précision comment vous vous sentez, vous pouvez l'aider à décider si la dose initiale devrait être augmentée ou diminuée. Ansaid est présenté en 2 comprimés—de 50 mg et de 100 mg—et votre médecin peut facilement ajuster la dose.

Augmentation de la dose: Parfois, une dose plus élevée de Ansaid peut être nécessaire à cause **du succès** du traitement. L'explication est simple: comme votre fonctionnement s'améliore, vous augmentez vos activités, ce qui peut accroître votre douleur. Dans ce cas, une dose plus élevée de Ansaid est nécessaire pour maîtriser la douleur à ce niveau accru d'activités. Si vos symptômes empirent parce que vous avez une crise arthritique, votre médecin peut vous demander d'augmenter la dose de Ansaid jusqu'à ce que les symptômes soient de nouveau contrôlés.

Limites maximale et minimale de la dose de Ansaid: Lorsque Ansaid soulage les symptômes de votre arthrite et que vous vous êtes habitué au médicament, votre docteur peut fixer des limites posologiques maximale et minimale et vous demander de varier la dose au sein de ces limites, selon l'intensité de la douleur et de l'inflammation. Il importe que vous vous en teniez strictement à ces limites.

Instructions posologiques précises: Polyarthrite rhumatoïde: Au début, 2 comprimés de 100 mg (bleus)/jour, jusqu'à un maximum de 6 comprimés de 50 mg (blancs), ou 3 comprimés de 100 mg (bleus)/jour.

Arthrose: Au début, 2 comprimés de 100 mg (bleus)/jour, jusqu'à un maximum de 6 comprimés de 50 mg (blancs), ou 3 comprimés de 100 mg (bleus)/jour.

Ansaid (suite)

Spondylarthrite ankylosante: Au début, 2 comprimés de 100 mg (bleus)/jour, jusqu'à un maximum de 6 comprimés de 50 mg (blancs), ou 3 comprimés de 100 mg (bleus)/jour.

Dysménorrhée: 1 comprimé de 50 mg (blanc) 4 fois/jour.

Douleur légère à modérément grave: 1 comprimé de 50 mg (blanc) toutes les 4 à 6 heures contre la douleur.

Pendant que vous prenez Ansaid, à moins que votre médecin ou votre pharmacien ne vous le recommande, ne prenez pas d'AAS (acide acétylsalicylique), ni de composés contenant de l'AAS, ni d'autres médicaments utilisés pour soulager les symptômes de l'arthrite.

Si le médecin prescrit ce médicament pour un traitement de longue haleine, il contrôlera votre santé pendant des visites régulières pour évaluer vos progrès et s'assurer que le médicament n'entraîne pas d'effets indésirables.

Effets secondaires de Ansaid: Ansaid a fait ses preuves comme étant un médicament relativement inoffensif, sans effets secondaires graves chez la plupart des patients. **Tous les médicaments, même l'acide acétylsalicylique (AAS), peuvent entraîner des effets secondaires, et Ansaid ne fait pas exception.** Si vous connaissez ces effets secondaires possibles, vous pourrez peut-être les éviter, les minimiser ou les modifier s'ils surviennent. Votre médecin peut vous demander de vous soumettre à certains tests pour surveiller l'efficacité de votre programme de traitement et déceler tous effets secondaires possibles. Il y a de fortes chances que vous pourrez tolérer Ansaid et qu'il vous fournira le soulagement désiré.

L'effet secondaire le plus courant de la plupart des médicaments, même l'acide acétylsalicylique (AAS), utilisés pour traiter l'arthrite est le dérangement d'estomac. Pour Ansaid, cet effet secondaire a été moindre que celui rapporté pour l'acide acétylsalicylique (AAS); il peut se manifester par des nausées, des douleurs intestinales, des brûlures d'estomac ou une sensation de réplétion ou de ballonnement. Très souvent, comme déjà indiqué, ce malaise peut être contrôlé en prenant Ansaid avec le repas ou avec un verre de lait.

Les patients âgés, frêles ou affaiblis semblent souvent avoir des effets secondaires plus fréquents et plus graves. Bien que ces effets secondaires ne soient pas tous courants, lorsqu'ils se produisent, l'attention du médecin peut être nécessaire. Si l'un des effets énumérés ci-dessous survient, mettez-vous immédiatement en rapport avec votre médecin.

—selles sanguinolentes ou selles d'aspect goudronneux;
—essoufflement, respiration sifflante, toute difficulté respiratoire ou constriction thoracique;
—éruption cutanée, enflure, urticaire ou démangeaisons;
—indigestion, nausées, vomissements, douleurs dans le ventre ou diarrhée;
—jaunissement de la peau et des yeux, avec ou sans fatigue;
—tout changement de couleur de l'urine (jaune foncé, rouge ou brun);
—tuméfaction des pieds ou du bas des jambes;
—vision brouillée ou tout trouble de la vue;
—confusion mentale, dépression, étourdissement, sensation ébrieuse, problèmes de l'ouïe.

Ce qu'il faut se souvenir concernant Ansaid: Avant de prendre ce médicament, parlez à votre médecin ou à votre pharmacien:
—si vous êtes allergique à Ansaid ou à d'autres médicaments du même groupe comme: l'acide acétylsalicylique, le diclofénac, le diflunisal, le fénoprofène, le flubiprofène, l'ibuprofène, l'indométhacine, le kétoprofène, l'acide méfénamique, le piroxicam, le sulindac, l'acide tiaprofénique ou la tolmétine;
—si vous avez des antécédents de dérangement d'estomac, d'ulcères, ou de maladie des reins ou du foie;
—si vous êtes enceinte ou si vous avez l'intention de le devenir pendant le traitement avec ce médicament;
—si vous allaitez;
—si vous prenez un autre médicament, sur ordonnance ou pas;
—si vous avez d'autres problèmes médicaux.

Pendant que vous prenez ce médicament:
—dites à tout autre médecin, dentiste ou pharmacien que vous consultez ou voyez, que vous prenez ce médicament;
—soyez prudent si vous conduisez, ou si vous avez des activités exigeant de bonnes réactions, si vous vous sentez somnolent, étourdi ou si vous avez une sensation ébrieuse après avoir pris ce médicament;
—parlez à votre médecin si le médicament ne vous soulage pas ou si vous avez des problèmes;
—parlez à votre médecin de toute réaction inhabituelle; cela l'aidera à déceler dès le début toutes complications potentielles et peut-être à les éviter;
—vos visites régulières de contrôle sont essentielles;
—si vous désirez obtenir d'autres renseignements sur ce médicament, consultez votre médecin ou votre pharmacien.

□ ANZEMET[MC] ℞

Hoechst Marion Roussel

Mésylate de dolasétron

Antiémétique

Renseignements destinés aux patients: Veuillez lire ce feuillet attentivement avant de commencer à prendre votre médicament, même si vous l'avez déjà utilisé. Conservez le feuillet à portée de la main afin de pouvoir le consulter lorsque vous prendrez votre médicament. Les renseignements qu'il contient ne sont qu'un aperçu de l'information existante. Pour obtenir de plus amples renseignements ou des conseils, veuillez vous adresser à votre médecin ou à votre pharmacien.

Qu'est-ce qu'Anzemet? Anzemet (mésylate de dolasétron) est un médicament délivré sur ordonnance qui appartient à une famille de médicaments appelés antiémétiques.

Anzemet est offert sous forme de comprimé et de solution injectable par voie i.v. La solution injectable peut être administrée seulement par un médecin ou par un membre du personnel infirmier dans un milieu hospitalier ou une clinique.

Comment Anzemet agit-il? Anzemet sert à prévenir les nausées (mal de cœur) et les vomissements, qui peuvent survenir chez les patients qui reçoivent une chimiothérapie anticancéreuse. On croit que la chimiothérapie entraîne la libération d'une substance produite naturellement par l'organisme (la sérotonine) et qui provoque des nausées et des vomissements. Anzemet bloque l'effet de la sérotonine et peut ainsi prévenir les nausées et les vomissements.

Que dois-je faire avant de prendre Anzemet? Avertissez votre médecin: si vous êtes allergique à l'un des ingrédients des comprimés Anzemet (voir la liste des ingrédients à la fin de ce feuillet).

Comment faut-il prendre Anzemet? L'étiquette apposée sur le contenant de vos comprimés devrait préciser à quelle fréquence vous devez prendre votre médicament et combien de comprimés vous devez prendre chaque fois. Il est important que vous suiviez ces directives à la lettre. Si vous avez des questions au sujet du mode d'emploi, consultez votre médecin ou votre pharmacien.

Suivez les directives du médecin à la lettre: n'augmentez pas le nombre de comprimés ni la fréquence à laquelle vous les prenez.

Prenez vos comprimés entiers, avec un peu d'eau. Vous pouvez prendre les comprimés Anzemet avec ou sans aliments.

Si vous vomissez moins de 1 heure après avoir pris votre médicament, prenez de nouveau la même dose de médicament. Si les vomissements continuent, consultez votre médecin.

Si vous oubliez une dose et n'avez pas la nausée, prenez la dose suivante au moment prévu. Si vous oubliez une dose et avez la nausée ou vomissez, prenez 1 comprimé dès que possible.

La femme enceinte ou qui allaite peut-elle prendre Anzemet? En temps normal, vous ne devriez pas prendre ce médicament si vous êtes enceinte, si vous risquez de devenir enceinte ou si vous allaitez votre enfant.

Que dois-je faire si j'ai des problèmes après avoir pris Anzemet? Si vous avez une respiration sifflante, si vous ressentez une oppression thoracique, une douleur à la poitrine, des palpitations cardiaques, si vous avez les paupières, les lèvres ou le visage enflés, ou si vous présentez une éruption cutanée, des masses cutanées ou des plaques d'urticaire, communiquez avec votre médecin sans tarder. Cessez de prendre le médicament à moins que votre médecin ne vous dise de continuer à le prendre. La plupart des gens n'ont aucun problème après avoir pris des comprimés Anzemet. Toutefois, certaines personnes peuvent avoir des effets indésirables tels que des maux de tête, de la diarrhée ou des étourdissements. Si ces effets surviennent, il n'est pas nécessaire de cesser de prendre votre médicament, mais vous devriez en informer votre médecin à la visite suivante.

Si les comprimés Anzemet n'améliorent pas vos nausées et vos vomissements, prévenez votre médecin.

Que dois-je faire si je prends une dose trop forte d'Anzemet? Si, par mégarde, vous prenez plus de comprimés que la dose prescrite par votre médecin, consultez immédiatement votre médecin ou le service des urgences de l'hôpital.

Où dois-je conserver Anzemet? Laissez vos comprimés dans leur emballage original et conservez-les à la température ambiante, entre 15 et 30 °C.

Tenez Anzemet hors de la portée des enfants.

Si votre médecin décide de mettre fin à votre traitement, ne gardez pas les comprimés restants de votre ordonnance, à moins que votre médecin ne vous le demande.

À qui dois-je m'adresser si j'ai des questions au sujet d'Anzemet? Consultez votre médecin ou votre pharmacien.

Que contient Anzemet? Les comprimés Anzemet sont offerts en teneurs de 50 et de 100 milligrammes de mésylate de dolasétron par comprimé. Les comprimés contiennent aussi les ingrédients non médicinaux suivants: amidon prégélifié, cire blanche, cire de carnauba, croscarmellose de sodium, dioxyde de titane, hydroxypropylméthylcellulose, **lactose**, polyéthylèneglycol, polysorbate 80, oxyde de fer (III) et stéarate de magnésium.

Qui fournit Anzemet? Anzemet est fourni par: Hoechst Marion Roussel Canada Inc., 2150, boul. Saint-Elzéar Ouest, Laval (Québec), H7L 4A8.

Rappel: C'est uniquement à vous que le médecin a prescrit Anzemet. N'en donnez à personne d'autre.

□ APO®-CROMOLYN ℞

Apotex

Cromoglycate sodique

Prophylaxie de la rhinite saisonnière

Renseignements destinés aux patients: Mode d'emploi: La solution a été conçue aux fins de prévention de vos symptômes. Il est important de maintenir votre traitement même en l'absence de symptômes.

Votre vaporisateur nasal Apo-Cromolyn à dose mesurée est doté d'une bague de sécurité qui enserre le col de la pompe. Enlever la bague avant usage et **la replacer après usage, afin d'éviter toute activation accidentelle du dispositif.**

Instructions:

1. Enlever le capuchon. Ôter la bague de sécurité qui enserre le col de la pompe.
2. **Amorcer la pompe.** Presser la bouteille vers le haut, dans le sens indiqué par la flèche, puis relâcher. Répéter le procédé jusqu'à ce qu'une vaporisation complète soit libérée.
3. **Technique d'emploi.** Tenir le contenant en position verticale et introduire l'extrémité dans la narine. Avec le pouce, presser à fond vers le haut puis relâcher. La dose est libérée. Répéter le procédé pour l'autre narine.

Par mesure d'hygiène, essuyer l'embout nasal et replacer le capuchon après usage. **Rappliquer la bague de sécurité afin de prévenir toute activation accidentelle.**

Présentation: Apo-Cromolyn solution est composé de cromolyn sodique (cromoglicate sodique) dans une solution aqueuse à 2 % p/v, contenant du chlorure de benzalkonium comme agent de conservation antimicrobien, et est présenté en vaporisateur nasal à dose mesurée.

Indications: Apo-Cromolyn solution est indiqué dans la prévention et le soulagement des symptômes nasaux de la rhinite allergique saisonnière tels que congestion nasale (embarras de la respiration nasale), éternuements, démangeaisons du nez et écoulement nasal.

Mode d'emploi: La thérapie avec Apo-Cromolyn solution étant essentiellement préventive, il est important de maintenir une posologie régulière, bien distincte de l'emploi intermittent du médicament pour le soulagement des symptômes.

Posologie et administration: L'action du médicament est essentiellement de nature préventive et non thérapeutique.

Il est recommandé d'instituer le traitement 1 semaine avant la période où les symptômes saisonniers surviennent habituellement, puisque le produit est plus efficace si le traitement est amorcé avant l'exposition à l'allergène incriminé.

La posologie pour adultes et enfants de plus de 5 ans: 1 spray dans chaque narine 6 fois/jour (dose unique de 2,6 mg, dose totale de 15,6 mg de cromolyn sodique).

Ne dépassez pas la dose recommandée.

Traitement d'entretien: Après sédation des symptômes la posologie est diminuée à une dose de 2 à 3 fois/jour (toutes les 8 à 12 heures).

Une dose assure environ 0,13 mL de la solution à 2 % p/v.

Pour aider à maintenir le soulagement, il est important de poursuivre le traitement pour le reste de la saison, même lorsque vous croyez ne plus avoir de symptômes. Le traitement ne doit pas être interrompu brusquement, mais on doit faire une réduction progressive de la dose de cromolyn sodique au cours de 1 semaine.

Du fait de la lenteur d'action du produit, vous pouvez utiliser d'autres médicaments contre les allergies de la manière prescrite durant **la première semaine** de traitement.

Mises en garde: Si vous n'obtenez pas de soulagement de vos symptômes dans les 7 jours après avoir amorcé le traitement, veuillez consulter un médecin.

Les personnes qui ont des polypes nasaux ne doivent pas utiliser le produit, sauf sur l'avis d'un médecin.

Si vous êtes enceinte ou si vous allaitez votre bébé, veuillez consulter votre médecin avant usage.

Garder à une température ambiante (15 à 30 °C).

Garder hermétiquement fermé et protéger de la lumière.

□ APO®-TICLOPIDINE ℞

Apotex

Chlorhydrate de ticlopidine

Agent antiplaquettaire

Renseignements destinés aux patients: S'il vous plaît lisez attentivement: On prescrit habituellement Apo-Ticlopidine (chlorhydrate de ticlopidine) à des patients qui ont déjà eu un accident vasculaire cérébral ou qui ont connu des états avant-coureurs indicateurs d'un risque accru d'accident vasculaire cérébral, tels un accident ischémique transitoire cérébral, des changements neurologiques secondaires à une ischémie ou des accidents vasculaires cérébraux mineurs. Au cours des essais cliniques, la ticlopidine a démontré un pouvoir d'abaisser à la fois le taux de mortalité due à un accident vasculaire cérébral et la survenue d'un premier accident ou des accidents répétés chez de tels patients.

Apo-Ticlopidine renferme de la ticlopidine, médicament qui restreint la capacité des plaquettes sanguines de se coller les unes contre les autres ou contre les parois des vaisseaux sanguins. Cette restriction atténue à son tour la tendance du sang à se coaguler dans des endroits non désirés comme des vaisseaux sanguins dont le calibre a diminué.

On vous a prescrit Apo-Ticlopidine et vous devez l'employer **selon les directives strictes de votre médecin.** Comme certains effets secondaires risquent de se produire chez quelques patients (voir ci-après), **on vous demandera de subir un test sanguin** (afin de mesurer votre numération globulaire et certains indicateurs biochimiques) **avant le début du traitement et ensuite toutes les 2 semaines pendant les 3 premiers mois du traitement à l'Apo-Ticlopidine.** Si vous cessez de prendre Apo-Ticlopidine pour quelque raison que ce soit au cours des 3 premiers mois, vous devrez quand même subir un test sanguin additionnel dans les 2 semaines suivant l'arrêt de votre traitement à l'Apo-Ticlopidine.

Également, il est très important que vous signaliez immédiatement à votre médecin l'apparition de:

- **tout signe d'infection** tels la fièvre, des frissons, un mal de gorge, des ulcérations dans la bouche, etc.;
- **toute ecchymose ou tout saignement anormaux;**
- des signes de **jaunisse** (yeux ou peau jaunes, urine foncée ou selles de couleur claire);
- **une éruption cutanée;**
- **une diarrhée** persistante.

Si vous ne pouvez voir immédiatement le médecin, cessez de prendre le médicament jusqu'à votre prochain rendez-vous chez le médecin.

De plus, **consultez votre médecin avant de prendre tout autre médicament** dont l'emploi serait nécessaire (on sait que ticlopidine entrave l'action d'autres médicaments).

Si vous devez subir une intervention chirurgicale ou une extraction de dents, **avisez le chirurgien ou le dentiste que** vous prenez Apo-Ticlopidine, médicament qui peut provoquer un saignement prolongé.

Effets secondaires: Environ 20 % des patients souffriront d'effets secondaires occasionnés par l'emploi d'Apo-Ticlopidine. La plupart des effets secondaires surviennent pendant les 3 premiers mois de traitement et ils disparaissent 1 à 2 semaines après que le patient a cessé de prendre de la ticlopidine. Les effets secondaires qui pourraient être plus sérieux sont:

- Une baisse du nombre de globules blancs se produit chez environ 2 % des patients traités à la ticlopidine. Cet état entraînera une moins grande résistance à l'infection. Par des tests sanguins réguliers, on

Apo-Ticlopidine (suite)

peut déceler cet effet secondaire le plus tôt possible et cesser la médication. Chez moins de 1 % des patients, le nombre de globules blancs peut chuter radicalement à des concentrations très faibles, mais l'arrêt du traitement par de la ticlopidine aboutit presque toujours à un rétablissement complet.

- Une tendance accrue au saignement qui se manifeste par un saignement prolongé à la suite d'un traumatisme ou d'une plaie chirurgicale, de contusions, de saignement dans le tube digestif (présence de selles noires), etc. survient très rarement, dans moins de 1 % des cas, mais on doit en surveiller l'apparition surtout si vous avez des antécédents de troubles hémorragiques, d'ulcères gastroduodénaux, etc. (parlez à votre médecin de vous antécédents) ou si vous êtes sur le point de subir une intervention chirurgicale (n'oubliez pas d'informer le chirurgien ou le dentiste de votre traitement par l'Apo-Ticlopidine).
- Exceptionnellement, une jaunisse ou une insuffisance hépatique, habituellement réversible dès l'abandon du traitement par de la ticlopidine, ont été signalées.

Les effets secondaires les plus courants sont l'estomac dérangé—pour minimiser cette éventualité, **prenez toujours Apo-Ticlopidine aux repas**—la diarrhée et les éruptions cutanées.

Comme pour tout médicament, on ne peut vraiment écarter la possibilité d'un effet secondaire inattendu, auparavant inconnu, qui risque d'être sérieux.

Si vous ne comprenez pas l'information qui vient de vous être transmise, ou si des doutes persistent dans votre esprit, parlez-en à votre médecin.

□ AREDIA® ℞

Novartis Pharma

Pamidronate disodique

Régulateur du métabolisme osseux

Renseignements destinés aux patients: Veuillez lire attentivement les renseignements suivants avant d'entreprendre un traitement par Aredia (pamidronate disodique). Si vous avez d'autres questions, posez-les à votre médecin, à votre pharmacien ou au personnel infirmier.

Qu'est-ce qu'Aredia? Aredia contient un ingrédient actif appelé pamidronate disodique qui se présente sous forme de poudre. Un flacon contient 30, 60 ou 90 mg de pamidronate disodique. Aredia est d'abord dilué, puis administré en perfusion dans une veine.

Aredia appartient à un groupe de médicaments appelés bisphosphonates qui se lient étroitement à l'os et ralentissent la vitesse de son renouvellement. Étant donné que ces médicaments réduisent la quantité de calcium dans le sang, on les administre aux personnes qui ont trop de calcium dans leur circulation sanguine. Aredia peut aussi être utile contre d'autres affections accompagnées d'un accroissement de l'activité osseuse ou d'une douleur dans les os.

À quoi sert Aredia? Aredia sert à traiter:

- l'excès de calcium dans le sang (hypercalcémie) dans certaines maladies;
- les tumeurs osseuses résultant de la propagation d'un cancer situé, au départ, dans un autre organe, et le myélome multiple;
- la maladie osseuse de Paget, quand celle-ci est symptomatique.

Avant d'entreprendre un traitement par Aredia: Assurez-vous d'avoir discuté du traitement par Aredia avec votre médecin. Vous ne pourrez recevoir un traitement par Aredia qu'après avoir subi un examen médical complet.

Vous ne devez pas recevoir Aredia si vous avez déjà eu une réaction à ce produit ou à d'autres bisphosphonates.

Avant d'entreprendre un traitement par Aredia, avertissez votre médecin:

- si vous souffrez d'une maladie du cœur ou des reins;
- si vous présentez une carence en calcium ou en vitamine D (en raison d'un régime ou de troubles digestifs).

Autres précautions à prendre: Il est important que votre médecin surveille l'évolution du traitement à intervalles réguliers. Il voudra alors peut-être faire des prises de sang, surtout après le début du traitement par Aredia.

Autres médicaments ou substances qui pourraient influer sur l'effet d'Aredia: Avant de commencer un traitement par Aredia, signalez à votre médecin quels autres médicaments vous prenez ou avez l'intention de prendre. Il est très important que votre médecin sache si vous prenez d'autres bisphosphonates, de la calcitonine, des comprimés de calcium ou des suppléments vitaminés.

Que faire si vous êtes enceinte ou allaitez? Vous devez signaler à votre médecin si vous êtes enceinte ou si vous pensez le devenir, ou encore, si vous allaitez. Aredia ne doit pas être administré durant la grossesse, sauf dans des cas bien particuliers et seulement après en avoir discuté avec le médecin. Les mères qui reçoivent Aredia ne doivent pas allaiter leur bébé.

Usage chez les enfants et les personnes âgées: Jusqu'à présent, aucun enfant n'a été traité par Aredia. Tant que nous n'aurons pas acquis plus de connaissances à ce sujet, il est recommandé de réserver l'administration d'Aredia aux adultes.

Les personnes âgées peuvent recevoir Aredia en toute innocuité pour autant qu'elles n'aient pas de problème cardiaque ou rénal grave.

Conduite automobile ou manœuvre de machines: Aredia peut entraîner de la somnolence ou des étourdissements chez certains patients, surtout immédiatement après la perfusion. Si c'est votre cas, abstenez-vous de conduire un véhicule automobile, de manœuvrer des machines ou d'entreprendre des activités qui requièrent de la vigilance.

Comment faut-il prendre Aredia? Aredia ne peut être administré qu'en perfusion lente dans une veine. La dose appropriée sera déterminée par votre médecin. Elle varie habituellement entre 30 et 90 mg pour les patients qui ont trop de calcium dans le sang, et 90 mg toutes les 3 ou 4 semaines pour les patients dont le cancer s'est propagé aux os ou qui souffrent d'un myélome multiple. Pour les patients atteints de la maladie osseuse de Paget, on administre habituellement de 30 à 60 mg en une perfusion unique. Une perfusion peut durer 1 heure ou plus, selon la dose administrée. Votre médecin décidera du nombre de perfusions que vous devrez recevoir, et de leur fréquence.

Quels sont les effets secondaires possibles d'Aredia? Comme c'est le cas de tous les médicaments, Aredia, outre ses effets bénéfiques, peut entraîner quelques réactions indésirables. Les effets secondaires les plus courants sont les suivants: fièvre et symptômes qui font penser à la grippe, accompagnés de frissons et, parfois, de fatigue et de malaise général. Ces effets sont passagers.

Parmi les effets secondaires moins courants, on signale les manifestations suivantes: douleur passagère dans les muscles et les articulations; crampes musculaires; douleur, rougeur et enflure au point de perfusion; indigestion; nausées; vomissements; douleur abdominale; constipation; diarrhée; perte de l'appétit; maux de tête; étourdissements; somnolence; fatigue; confusion; agitation; éruptions cutanées; démangeaisons, irritation des yeux.

D'autres effets, non cités ci-dessus, peuvent également se manifester chez certains patients. Si vous remarquez un autre effet quelconque, signalez-le immédiatement à votre médecin.

Renseignements supplémentaires: Date de péremption: Aredia ne doit plus être utilisé après la date de péremption qui figure sur l'étiquette du produit. Rappelez-vous de retourner tout médicament non utilisé à votre pharmacien.

Conservation: Craint la chaleur (conservez les flacons à moins de 30 °C).

Gardez ce médicament hors de la portée des enfants.

Dernière mise en garde: Ce médicament vous a été prescrit dans le seul but de traiter votre problème de santé actuel. Ne le donnez à personne d'autre.

□ ARICEPT^MC ℞

Pfizer

Chlorhydrate de donépézil

Inhibiteur de la cholinestérase

Renseignements destinés aux patients ou à l'aidant: Veuillez lire attentivement ce feuillet avant de commencer à prendre Aricept ou de l'administrer au malade dont vous vous occupez. Il renferme une brève description de ce médicament et certains renseignements sur son administration. Pour obtenir de plus amples renseignements ou des conseils, veuillez contacter votre médecin ou votre pharmacien.

Nom du médicament: Ce médicament porte le nom d'Aricept (on l'appelle aussi chlorhydrate de donépézil ou E2020). On ne peut l'obtenir que sur prescription d'un médecin.

Raison d'être du médicament: Aricept est destiné au traitement symptomatique de la maladie d'Alzheimer d'intensité légère à modérée. Au cours d'essais comparatifs menés sur Aricept, on a noté que, par rapport à un placebo (comprimé de sucre), Aricept a, pendant une période allant jusqu'à 6 mois, amélioré la mémoire et les autres fonctions mentales chez la plupart des patients souffrant de la maladie d'Alzheimer ou empêché une détérioration de leur état. Toutefois, Aricept peut prendre jusqu'à 12 semaines avant d'agir; par ailleurs, la réponse des patients à ce médicament diffère d'une personne à l'autre. Nous vous recommandons de ne pas prendre ce médicament avant que votre médecin ait bien établi que vous souffrez de la maladie d'Alzheimer.

Classe du médicament: Aricept fait partie d'un groupe de médicaments appelés les «inhibiteurs de la cholinestérase» qu'on administre pour le traitement symptomatique de la maladie d'Alzheimer d'intensité légère à modérée.

Mode d'action d'Aricept: Dans le cerveau des personnes souffrant de la maladie d'Alzheimer, il y a une diminution de la concentration d'acétylcholine, un neurotransmetteur. Aricept agit en inhibant une enzyme, l'acétylcholinestérase, entraînant ainsi une augmentation de l'acétylcholine dans le cerveau. Pour obtenir les meilleurs résultats possible avec Aricept, on doit le prendre chaque jour, en se conformant strictement à la prescription du médecin.

Points importants à noter avant de prendre Aricept: Veuillez prévenir votre médecin si vous êtes allergique au chlorhydrate de donépézil ou aux dérivés de la pipéridine tels que: Mycobutin (rifabutine), Ritalin (méthylphénidate), Akineton (chlorhydrate de bipéridène), Artane (chlorhydrate de trihexyphénidyle), le chlorhydrate de bupivacaïne et Paxil (chlorhydrate de paroxétine). Mettez-le également au courant si vous souffrez d'une maladie cardiaque ou pulmonaire, si vous avez déjà fait des crises d'épilepsie, si vous vous êtes déjà évanoui(e), si vous avez des antécédents d'ulcère d'estomac ou si vous êtes exposé(e) à souffrir éventuellement de cette maladie (par exemple, si vous prenez des anti-inflammatoires non stéroïdiens [AINS] ou de fortes doses d'acide acétylsalicylique [AAS (Aspirin)].

Grossesse et allaitement: Vous devez vous abstenir de prendre Aricept si vous êtes enceinte ou si vous allaitez.

Comment prendre Aricept:
- Prenez Aricept en vous conformant strictement à la prescription de votre médecin. Ne modifiez jamais la dose vous-même.
- Prenez-le toujours le soir, avant de vous mettre au lit.
- Si vous oubliez de prendre une dose d'Aricept, ne vous inquiétez pas; prenez simplement la prochaine dose au moment où vous êtes censé(e) le faire. **Ne** prenez **pas** 2 doses à la fois.
- Si vous avez de la difficulté à vous rappeler de prendre votre médicament, il serait peut-être bon que quelqu'un d'autre se charge de vous y faire penser.
- Il n'est pas nécessaire de prendre Aricept avec des aliments.

Effets d'Aricept: Outre ses effets bénéfiques, Aricept peut entraîner certains effets indésirables; les plus courants sont les nausées, la diarrhée, l'insomnie, les vomissements, les crampes musculaires, la fatigue et l'anorexie. Au cours des essais cliniques, ces effets ont été souvent légers et ont généralement disparu avec la poursuite du traitement. En outre, 2 % des patients traités par Aricept ont souffert d'évanouissements au cours des essais cliniques. Si vous éprouvez quelque malaise que ce soit ou si vous avez des symptômes que vous ne comprenez pas ou qui vous inquiètent, contactez votre médecin sans tarder.

Que faire en cas de surdose? Si vous avez pris plus de comprimés que la quantité prescrite, contactez sans délai soit votre médecin, soit le service d'urgence d'un hôpital ou le centre antipoison le plus près de chez vous.

Conservation d'Aricept:
- Garder ce médicament dans un endroit sûr, **hors de la portée des enfants**.
- Conserver ce médicament dans un endroit frais (15 à 30 °C) et sec (à l'abri de l'humidité).
- Si votre médecin décide d'interrompre le traitement par Aricept, veuillez retourner les comprimés qui vous restent au pharmacien. Gardez-les uniquement si le médecin vous dit de le faire.

Que contient Aricept? Les comprimés Aricept renferment du chlorhydrate de donépézil. Les comprimés à 5 mg sont **blancs** et les comprimés à 10 mg sont **jaunes.**

Qui est le fabricant d'Aricept? Pfizer Canada Inc., 17300, autoroute Transcanadienne, Kirkland (Québec) H9J 2M5.

Rappel: Ce médicament a été prescrit uniquement à votre intention ou à l'intention de la personne dont vous prenez soin. N'en donnez pas à d'autres personnes.

Pour de plus amples renseignements: Ce feuillet ne vous donne qu'une brève description d'Aricept et quelques renseignements à son sujet. Si vous avez des questions concernant ce médicament, veuillez contacter votre médecin ou votre pharmacien.

□ ARIMIDEX® ℞

Zeneca

Anastrozole

Inhibiteur de l'aromatase non stéroïdien

Renseignements destinés aux patients: Les informations contenues dans cette petite brochure s'appliquent exclusivement à votre médicament, Arimidex. Vous devez les lire attentivement. Elles sont importantes, mais pas forcément complètes. Si vous avez des doutes ou des interrogations, n'hésitez pas à demander des éclaircissements à votre médecin ou pharmacien.

À propos de votre médicament:
- Un comprimé à prise quotidienne unique d'Arimidex contient 1 milligramme d'anastrozole.
- Un certain nombre de substances inertes entrent dans la fabrication des comprimés: ce sont notamment le lactose, le macrogol 300, le stéarate de magnésium, le glycolate d'amidon sodique, le méthylhydroxypropylecellulose, la polyvidone et le dioxyde de titane.
- Votre médicament est fabriqué par Zeneca Pharmaceuticals.

Arimidex est un inhibiteur de l'aromatase. Les médicaments qui appartiennent à cette famille s'opposent à l'action de l'aromatase, une enzyme qui influe sur certaines hormones sexuelles femelles comme les œstrogènes. Arimidex fait baisser la concentration de ces hormones dans l'organisme. Ses propriétés sont utiles parce qu'on soupçonne les œstrogènes de jouer un rôle dans la croissance des cellules cancéreuses.

À quel usage votre médicament est-il destiné?
- Arimidex est utilisé dans le traitement du cancer métastatique du sein chez les femmes postménopausées à la suite d'une évolution de la maladie sous tamoxifène.

Avant de prendre ce médicament: Prévenez votre médecin dans les cas suivants:
- Vous êtes allergique à un ou plusieurs médicaments, sur ordonnance ou sans ordonnance (en vente libre).
- Vous prenez d'autres médicaments (sur ordonnance ou sans ordonnance).
- Vous avez d'autres problèmes de santé (problèmes hépatiques ou rénaux, par ex.).

Dans quels cas ne faut-il pas utiliser Arimidex?
- Avant de prendre votre médicament, prévenez votre médecin si vous avez déjà pris Arimidex et vous avez fait une réaction allergique.
- Arimidex est formellement **contre-indiqué** chez la femme en période pré-ménopausique, pendant la grossesse et pendant l'allaitement.
- Arimidex est formellement **contre-indiqué** chez l'enfant.

Quelles sont les précautions à prendre avec Arimidex?
- Vos comprimés sont pour vous et **vous seul**, et ne doivent jamais être pris par d'autres.
- Si vous allez à l'hôpital, informez le personnel soignant que vous suivez un traitement par Arimidex.
- Vos comprimés contiennent du lactose et du dioxyde de titane, deux substances susceptibles de provoquer des problèmes chez un petit nombre de patients sensibles à ces substances.
- Ce médicament ne devrait pas altérer la conduite automobile ou l'utilisation de machines; toutefois, il peut parfois entraîner des faiblesses ou une somnolence. Dans ce cas, demandez l'avis de votre médecin.

Comment dois-je prendre Arimidex?
- Suivez les recommandations de votre médecin sur la façon et le meilleur moment de prendre le médicament. **Lisez l'étiquette** sur l'emballage, c'est très important. Si vous avez des doutes, n'hésitez pas à demander des éclaircissements à votre médecin ou pharmacien.
- La dose habituelle pour un adulte est d'un comprimé par jour, à jeun ou non.
- Avalez le comprimé intact avec un verre d'eau.
- Essayez de prendre votre comprimé tous les jours à la même heure.

▶

Arimidex (suite)

- Respectez la prescription. S'il vous arrivait de sauter une dose quotidienne, ne prenez surtout pas une dose supplémentaire; continuez normalement le traitement prescrit.
- Si vous dépassez la dose prescrite, appelez votre médecin ou l'hôpital le plus proche.
- N'arrêtez pas le traitement, même si vous vous sentez mieux - sauf si votre médecin vous l'a demandé.
- Si vous avez des questions concernant votre traitement, n'hésitez pas à vous adresser à votre médecin, infirmière ou pharmacien.

Quels sont les effets indésirables possibles d'Arimidex? Tous les médicaments sont susceptibles de provoquer des effets indésirables. Les effets secondaires le plus fréquemment associés à Arimidex sont les suivants:

- Bouffées de chaleur (la prise du médicament le soir, avant le coucher peut être efficace contre cet inconvénient; en cas de sueurs pendant la nuit, il est préférable de prendre le médicament le matin)
- Nausées ou vomissements ou perte d'appétit (la prise du médicament au repas ou juste après un repas peut être efficace pour éviter ces inconvénients)
- Diarrhée
- Sensation de faiblesse ou somnolence
- Perte de cheveux
- Sécheresse vaginale
- Maux de tête
- Éruption cutanée

La liste d'effets indésirables possibles présentée ci-dessus ne doit pas vous inquiéter. Il est possible que vous n'en ressentiez aucun. Si vous ressentez un ou plusieurs de ces symptômes, demandez conseil à votre médecin, infirmière ou pharmacien sur les mesures à prendre.

Comment dois-je conserver Arimidex?

- Conservez vos comprimés dans leur boîte d'origine et à la température ambiante.
- Si votre médecin décide d'arrêter le traitement, jetez les comprimés de manière adéquate (par exemple, en les ramenant à votre pharmacie).
- Ne prenez pas le médicament si la date limite d'utilisation sur l'emballage est dépassée. Débarrassez-vous en de façon appropriée.
- Conservez votre médicament en lieu sûr, hors de portée des enfants. Il peut avoir des conséquences graves chez l'enfant.

□ ARTHROTEC® ℞

Searle

Diclofénac sodique—Misoprostol

Analgésique—Anti-inflammatoire—Agent protecteur de la muqueuse

Renseignements destinés aux patients: Arthrotec est un médicament spécial que votre médecin vous a prescrit pour réduire douleurs articulaires, enflure et raideurs souvent provoquées par l'arthrite. Arthrotec est spécial puisqu'il contient 2 médicaments différents, soit un agent anti-inflammatoire non stéroïdien (AINS) appelé diclofénac et un médicament nommé misoprostol qui aide à protéger la muqueuse de votre estomac (parce que les AINS peuvent endommager votre estomac). Arthrotec n'est pas une cure contre l'arthrite, mais il vous procurera un soulagement aussi longtemps que vous continuerez à le prendre.

Assurez-vous de prendre Arthrotec régulièrement selon les directives de votre médecin. Dans certains types d'arthrite, il peut s'écouler jusqu'à 2 semaines avant que vous ressentiez le maximum de bienfaits avec ce médicament. Durant le traitement, il se peut que votre médecin ajuste la posologie en fonction de votre réponse au médicament.

Qu'est-ce qu'un AINS? Si vos articulations enflent et deviennent rouges, si elles sont douloureuses et raides, votre médecin pourrait vous prescrire l'un des nombreux médicaments appelés AINS. Cette catégorie de médicaments constitue souvent le meilleur choix que puisse faire votre médecin pour vous aider à maîtriser votre arthrite et à mener une vie plus normale. On croit que les AINS aident à contrôler l'arthrite en réduisant le taux d'une substance naturellement présente dans votre organisme, les «prostaglandines».

Comment les AINS endommagent-ils l'estomac? Les prostaglandines naturelles jouent un rôle important dans la protection de l'estomac en agissant de manière à conserver une épaisse couche de mucus sur la surface muqueuse interne de l'estomac. Si cette muqueuse n'est pas protégée par une épaisse couche de mucus, elle risque d'être brûlée par les acides naturels de l'estomac. Les AINS réduisent le taux de prostaglandines naturelles dans les articulations et dans l'estomac. Cette action est favorable pour les articulations car elle maîtrise la douleur, l'enflure et la raideur. Malheureusement, la diminution du taux de prostaglandines gastriques peut causer des douleurs cuisantes dans l'estomac et entraîner la formation de trous minuscules, appelés «ulcères», dans la muqueuse de votre estomac.

Fait assez étrange, certains patients qui prennent des AINS et finissent par être atteints d'ulcères n'éprouvent jamais de douleur à l'estomac. Par contre, certains patients qui ont mal à l'estomac n'ont, en fait, rien de travers. C'est pourquoi les personnes qui reçoivent un traitement par AINS doivent prendre leur médicament avec prudence.

Pour réduire le risque de dérangements d'estomac, prenez votre médicament Arthrotec immédiatement après un repas ou accompagnez-en la prise d'un aliment ou de lait. Évitez également de vous coucher dans les 15 à 30 minutes suivant la prise du médicament. Cela contribue à prévenir l'irritation et la difficulté à avaler le médicament. S'il se produit des malaises d'estomac (indigestion, nausées, vomissements, maux d'estomac ou diarrhée) et que ceux-ci persistent, consultez votre médecin.

Ne prenez pas d'AAS (acide acétylsalicylique), de produits renfermant de l'AAS, ni d'autres médicaments pour soulager vos symptômes arthritiques durant votre traitement avec Arthrotec, sauf sur l'avis de votre médecin.

Si ce médicament vous est prescrit pour un traitement de longue durée, votre médecin évaluera votre état de santé dans le cadre de visites périodiques pour mesurer vos progrès et veiller à que le médicament ne cause aucun effet indésirable.

Comment le misoprostol protège-t-il l'estomac? Le misoprostol est une forme synthétique d'une sorte de prostaglandine spéciale que l'on retrouve dans l'estomac. Le misoprostol remplace les prostaglandines perdues au cours du traitement par AINS. Il protège la couche épaisse de mucus et réduit l'acide dans votre estomac. Ceci peut aider à protéger votre estomac de l'AINS.

N'oubliez pas ceci: Il faut soupeser les risques possibles de la prise de ce médicament par rapport aux bienfaits éventuels du traitement.

Avant de prendre ce médicament, indiquez à votre médecin ou à votre pharmacien si vous:

- ou un membre de la famille êtes allergique ou avez fait une réaction à Arthrotec, au misoprostol ou à d'autres AINS [comme l'acide acétylsalicylique (AAS), le diclofénac, le diflunisal, le fénoprofène, le flurbiprofène, l'ibuprofène, l'indométhacine, le kétoprofène, l'acide méfénamique, le piroxicam, l'acide tiaprofénique, la tolmétine, la nabumétone ou le ténoxicam], une telle réaction s'étant manifestée sous forme de sinusite plus marquée, d'urticaire, d'apparition ou d'aggravation de l'asthme, d'une anaphylaxie (collapsus soudain);
- ou un membre de la famille avez des antécédents d'asthme, de polype nasal, de sinusite chronique ou d'urticaire chronique;
- avez des antécédents de dérangements d'estomac, d'ulcères ou de maladies du foie ou des reins;
- avez des anomalies sanguines ou urinaires;
- faites de l'hypertension;
- êtes diabétique;
- suivez une diète spéciale, tel un régime à faible teneur en sodium (sel) ou en sucre;
- vous êtes enceinte ou avez l'intention de devenir enceinte pendant que vous prendrez ce médicament;
- vous allaitez ou avez l'intention d'allaiter pendant que vous prendrez ce médicament;
- vous prenez d'autres médicaments (prescrits ou non prescrits) tels que: autres AINS, antihypertenseurs, anticoagulants, corticostéroïdes, méthotrexate, cyclosporine, lithium, phénytoïne;
- vous avez d'autres problèmes médicaux tels que abus d'alcool, problèmes de saignement, etc.

Pendant que vous prendrez ce médicament:

- avisez tout autre médecin, dentiste ou pharmacien que vous consulterez ou verrez que vous prenez ce médicament;
- faites preuve de prudence si vous devez conduire ou participer à des activités qui exigent de la vigilance en cas de somnolence, d'étourdissement ou de sensation de tête légère suivant la prise de ce médicament, car certains AINS peuvent causer de la somnolence ou de la fatigue chez certaines personnes;
- consultez votre médecin si vous n'obtenez pas de soulagement de votre arthrite ou s'il survient des problèmes;

- signalez toute réaction indésirable à votre médecin. Cela est très important pour faciliter la détection précoce et la prévention de complications possibles;
- vous serez davantage susceptibles de souffrir de troubles d'estomac si vous consommez des boissons alcoolisées durant votre traitement. Par conséquent, abstenez-vous de consommer des boissons alcoolisées lorsque vous prenez ce médicament;
- certaines personnes peuvent devenir plus sensibles à la lumière que normalement. L'exposition au soleil ou aux lampes solaires, même pendant de courtes périodes, peut entraîner coups de soleil, cloches sur la peau, éruptions cutanées, rougeur, démangeaisons ou décoloration de la peau, ou encore, changements de la vue. En cas de réaction au soleil, consultez votre médecin.
- consultez sans tarder votre médecin dans le cas de frissons, fièvre, douleurs musculaires ou d'autres symptômes de type grippal, surtout s'ils se manifestent avant ou en même temps qu'un problème d'éruptions cutanées. Ces effets, quoique très rarement, peuvent être les premiers signes d'une grave réaction à ce médicament;
- **Il est crucial que vous subissiez régulièrement un examen médical.**

Avis particulier aux femmes en âge de procréer: Arthrotec peut entraîner une fausse-couche et l'on ignore toujours les effets qu'il peut avoir sur le fœtus. Par conséquent, si vous êtes enceinte, vous ne devez pas prendre ce médicament.

Les fausses-couches provoquées par Arthrotec peuvent être incomplètes et celles-ci peuvent à leur tour entraîner de très graves complications médicales telles que hospitalisation, opération et même infécondité.

Ne prenez pas Arthrotec au moindre doute d'une grossesse. Si vous suivez un traitement avec Arthrotec, vous devez éviter de devenir enceinte, ce qui signifie que vous devez employer une méthode efficace de contraception. Si vous devenez enceinte durant le traitement avec Arthrotec, cessez de prendre Arthrotec et communiquez immédiatement avec votre médecin.

Quels sont les effets secondaires de Arthrotec? En plus de ses effets bienfaisants, Arthrotec comme tous les autres AINS, peut causer certaines réactions indésirables, surtout durant le traitement de longue durée ou à fortes doses.

Dans beaucoup de cas, les effets secondaires semblent plus fréquents ou plus graves chez les personnes âgées, frêles ou affaiblies.

Bien que les effets secondaires suivants ne soient pas tous fréquents, consultez un médecin s'ils se produisent.

Consultez immédiatement votre médecin si vous remarquez l'un des symptômes suivants:
- selles sanguinolentes ou noirâtres;
- essoufflement, respiration sifflante, tout trouble de respiration ou sensation d'oppression dans la poitrine;
- éruptions cutanées, urticaire ou enflure, démangeaisons;
- vomissements ou indigestion persistante, nausées, maux d'estomac ou diarrhée;
- coloration jaunâtre de la peau ou des yeux;
- toute modification de la quantité ou de la coloration de votre urine (rouge foncé ou brune);
- toute douleur ou difficulté éprouvée au moment d'uriner;
- enflure des pieds ou du bas des jambes;
- malaises, fatigue, perte de l'appétit;
- vue brouillée ou tout trouble visuel;
- confusion mentale, dépression, étourdissement, sensation de tête légère;
- troubles de l'ouïe;
- diarrhée—parce que le misoprostol fait augmenter la production de mucus, certains patients ont la diarrhée. Continuez de prendre votre Arthrotec, car il ne s'agit que d'un signe de l'efficacité du médicament. Habituellement, la diarrhée dure tout au plus de 2 à 3 jours. Si la diarrhée persiste au bout d'une semaine, consultez votre médecin.
- maux d'estomac—tandis que votre organisme s'habitue au misoprostol, vous éprouverez peut-être des crampes douloureuses à l'estomac. Comme la diarrhée, ce symptôme disparaît habituellement après quelques jours. Sinon, consultez votre médecin.

D'autres effets secondaires non mentionnés ci-dessus peuvent se produire chez certaines personnes. Si vous remarquez tout autre effet, consultez votre médecin.

Dose: Arthrotec est recommandé comme traitement de courte et de longue durée pour soulager les signes et symptômes de la polyarthrite rhumatoïde et de l'arthrose.

La dose orale recommandée de Arthrotec 50 est de 1 comprimé 2 ou 3 fois/jour.

La dose orale recommandée de Arthrotec 75 est de 1 comprimé 2 fois/jour.

On recommande de prendre Arthrotec **immédiatement après un repas ou accompagné d'un aliment ou de lait.**

Les comprimés Arthrotec doivent être avalés entiers.

Que faire si vous oubliez de prendre une dose: Si vous oubliez de prendre une dose de Arthrotec, prenez la dose suivante au moment où vous devriez la prendre normalement. Il est important de prendre Arthrotec comme votre médecin vous l'a prescrit. Essayez de vous rappeler de prendre Arthrotec au moment approprié. Associez la prise de votre médicament à une activité routinière régulière, cela vous aidera à ne pas oublier de dose.

Comment devrais-je prendre Arthrotec? Prenez votre médicament Arthrotec uniquement selon les directives de votre médecin.

Accompagnez chaque prise de Arthrotec d'un aliment. Cette précaution contribue à réduire les dérangements d'estomac et à éviter les selles trop liquides et la diarrhée qui risquent de se produire durant les premiers jours du traitement.

Assurez-vous de prendre Arthrotec régulièrement, comme prescrit par votre médecin. Ce détail est particulièrement important en ce qui concerne Arthrotec, car la diarrhée et les crampes d'estomac douloureuses qui se manifestent au début du traitement au misoprostol risquent de se reproduire si vous interrompez le traitement, puis le reprenez.

Lorsque vous prenez Arthrotec, **ne** prenez **pas** d'AAS (acide acétylsalicylique), de composés contenant de l'AAS, d'ibuprofène ou d'autres médicaments pour soulager les symptômes de l'arthrite, sauf sur l'avis de votre médecin.

Ne prenez **pas** d'antiacides renfermant du magnésium (car ils peuvent provoquer la diarrhée) lorsque vous prenez Arthrotec. Pour choisir une marque qui convient, demandez l'aide de votre pharmacien.

Ingrédients non médicinaux: Arthrotec 50: acétophtalate de cellulose, amidon de maïs, cellulose, crospolyvidone, huile de ricin, hydroxypropyl méthylcellulose, lactose, phtalate de diéthyle, polyvidone, silice colloïdale, stéarate de magnésium.
Arthrotec 75: amidon de maïs, cellulose, citrate triéthylique, copolymère d'acide méthacrylique, crospolyvidone, huile de ricin, hydroxyde de sodium, hydroxypropyl méthylcellulose, lactose, polyvidone, silice colloïdale, stéarate de magnésium.

Conservation: Conserver à une température de 15 à 25 °C et protéger de l'humidité.

Arthrotec n'est pas recommandé chez les patients de moins de 18 ans, sa sécurité d'emploi et son efficacité n'ayant pas été établies pour ce groupe d'âge.

Débarrassez-vous de tout médicament dont la date limite est passée ou dont vous n'avez plus besoin.

Gardez tous les médicaments hors de la portée des enfants.

Ce médicament a été prescrit uniquement pour votre problème médical. Ne le donnez pas à une autre personne.

Si voulez obtenir de plus amples renseignements sur ce médicament, consultez votre médecin ou votre pharmacien.

☐ ATROVENT®, Aérosol pour inhalation P

Boehringer Ingelheim

Bromure d'ipratropium

Bronchodilatateur

Renseignements destinés aux patients: Avant d'utiliser l'aérosol Atrovent pour inhalation, veuillez lire les renseignements suivants attentivement.

L'aérosol Atrovent pour inhalation est une cartouche d'aérosol munie d'un embout buccal servant au traitement d'entretien de la bronchite chronique et de l'asthme. Il ne doit pas être utilisé pour diminuer les symptômes d'une crise d'asthme aiguë.

Ces renseignements expliquent comment utiliser l'aérosol Atrovent pour inhalation sans éprouver de problèmes. Si vous avez des questions, n'hésitez pas à communiquer avec votre médecin ou votre pharmacien.

Avant d'utiliser l'aérosol Atrovent pour inhalation: Veuillez aviser votre médecin:
- si vous êtes enceinte ou désirez le devenir;
- si vous allaitez;
- si vous avez d'autres problèmes de santé;

Atrovent, Aérosol pour inhalation (suite)

- si vous avez des problèmes oculaires tels que glaucome ou douleur oculaire;
- si vous prenez d'autres médicaments, y compris des gouttes pour les yeux ou tout médicament vendu en pharmacie sans ordonnance;
- si vous avez des réactions ou allergies alimentaires, médicamenteuses ou entraînées par des préparations en aérosol et des allergies à la lécithine de soja ou autres produits alimentaires tels que la fève de soja et les arachides.

Mode d'emploi de l'aérosol Atrovent pour inhalation: Ne pas dépasser le nombre d'inhalations (bouffées) prescrit par votre médecin. Ne pas augmenter la fréquence des inhalations recommandées par votre médecin.

- La dose habituelle est de 2 inhalations 3 ou 4 fois par jour. Certaines personnes peuvent avoir besoin de 4 inhalations au début du traitement. Ne pas dépasser la dose maximale de 8 inhalations par jour à moins d'indication contraire de votre médecin.
- Si les symptômes semblent s'aggraver, consultez votre médecin immédiatement. L'emploi concomitant de l'aérosol Atrovent pour inhalation et d'autres médicaments pour inhalation ne doit se faire que sur l'avis de votre médecin.
- Si du mucus encombre les voies respiratoires, essayez de les dégager le plus complètement possible en toussant avant d'utiliser l'aérosol Atrovent pour inhalation. Cette précaution facilitera le passage de l'aérosol Atrovent pour inhalation plus profondément dans les poumons.
- Avant d'utiliser l'aérosol Atrovent pour inhalation, veuillez lire le mode d'emploi attentivement. Si l'inhalateur est utilisé incorrectement, vous ne retirez peut-être pas tous les bienfaits du médicament. Si vous avez des questions au sujet de l'inhalateur, consultez votre médecin.

Directives:

1. Enlevez le couvercle recouvrant l'embout buccal.
2. Bien agiter l'inhalateur.
3. Expirez lentement et profondément pour vider complètement les poumons. a. Placez l'embout buccal dans la bouche et serrez les lèvres autour de l'embout. Ne serrez pas les dents et gardez la langue à plat pour permettre au médicament de se rendre aux poumons. b. Inspirez profondément tout en appuyant simultanément sur la cartouche.
4. Retenez votre souffle pendant quelques secondes et expirez lentement.
5. Si votre médecin vous a recommandé de prendre une deuxième bouffée, attendez au moins une minute avant de répéter les étapes 2, 3 et 4.
6. Remettez le couvercle protecteur.

Entretien de l'embout buccal/cartouche: L'embout buccal devrait être nettoyé à l'eau chaude 1 fois par semaine. Vous devez enlever l'embout buccal de la cartouche avant de le laver. Si vous utilisez du savon ou un détergent, l'embout buccal devrait être bien rincé à l'eau claire et séché à l'air. L'embout buccal doit être complètement sec avant d'être remis sur la cartouche.

Il se peut que la tige de la cartouche s'encrasse ou se bouche. Enlever la cartouche de l'embout buccal et vérifier les petits trous de la tige. Si ces deux petits trous semblent bouchés, les rincer à l'eau tiède. Une fois que la cartouche est sèche, la replacer sur l'embout buccal.

Points à retenir:

1. L'aérosol Atrovent pour inhalation a été prescrit pour traiter **votre** affection. **Ne pas** le donner à une autre personne.
2. **Ne pas** prendre d'autres médicaments sans l'avis de votre médecin. Si vous consultez un **autre** médecin, dentiste ou pharmacien, n'oubliez pas de lui dire que vous utilisez l'aérosol Atrovent pour inhalation.
3. **Lorsque vous utilisez l'aérosol Atrovent pour inhalation avec un embout buccal standard ou avec un dispositif d'espacement, faites attention de ne pas vaporiser le produit dans les yeux.**
4. Comme tout autre médicament, l'aérosol Atrovent pour inhalation peut provoquer des effets indésirables de même que des effets désirables. Si vous ressentez quelque symptôme inhabituel ou indésirable lorsque vous utilisez Atrovent, vous devriez consulter votre médecin.
5. Consultez votre médecin immédiatement si vous ressentez quelque symptôme énuméré ci-dessous:
   - respiration sifflante accrue ou oppression thoracique;
   - langue ou lèvres enflées;
   - difficulté à avaler;
   - battement du cœur rapide ou irrégulier;
   - vue brouillée ou douleur oculaire;
   - difficulté à uriner ou miction douloureuse;
   - éruption cutanée.
6. Si vous avez la bouche sèche ou un mauvais goût dans la bouche, vous pouvez sucer un bonbon sur ou vous rincer la bouche. Si la sécheresse de la bouche ou le mauvais goût persistent, ou si vous souffrez de constipation pour une période prolongée, consultez votre médecin.
7. **Gardez ce médicament hors de la portée des enfants.**
8. Ne pas congeler.
9. La cartouche peut exploser si elle est chauffée. Le contenu de la cartouche est maintenu sous pression. Ne pas mettre dans l'eau chaude ni près des radiateurs, cuisinières ou autres sources de chaleur. Ne pas percer la cartouche ni la jeter dans un incinérateur ni la conserver à une température dépassant 30 °C.

□ ATROVENT®, Atomiseur nasal

Boehringer Ingelheim

Bromure d'ipratropium

Anticholinergique topique

Renseignements destinés aux patients: Atomiseur nasal Atrovent (bromure d'ipratropium) à 0,03 %: Veuillez lire attentivement les instructions suivantes et n'utilisez que selon les directives du médecin.

L'atomiseur nasal Atrovent à 0,03 % est utilisé pour le traitement de l'écoulement nasal associé à la rhinite allergique ou non allergique non saisonnière. Il empêche les glandes nasales de produire une quantité excessive de sécrétions. L'atomiseur nasal Atrovent doit être prescrit par un médecin.

Ces instructions expliquent comment utiliser l'atomiseur nasal Atrovent et comment éviter tout problème lors de son utilisation. Si vous avez des questions après avoir lu ces instructions, renseignez-vous auprès de votre médecin ou de votre pharmacien.

Avant d'utiliser l'atomiseur nasal: Avant de commencer à utiliser l'atomiseur nasal Atrovent, n'oubliez pas de mentionner à votre médecin si:

- vous êtes enceinte ou voulez le devenir;
- vous allaitez;
- vous avez d'autres problèmes de santé ou avez déjà eu des problèmes de santé;
- vous avez des problèmes oculaires, tels qu'une prédisposition au glaucome;
- vous avez de la difficulté à uriner ou des problèmes de prostate;
- vous prenez d'autres médicaments, y compris des gouttes pour les yeux ou tout médicament vendu en pharmacie sans ordonnance;
- vous avez des réactions ou allergies alimentaires ou médicamenteuses.

N'oubliez pas de mentionner à tout autre médecin, dentiste ou pharmacien que vous consultez, que vous utilisez l'atomiseur nasal Atrovent.

Comment utiliser l'atomiseur nasal Atrovent: Ne pas excéder le nombre de vaporisations, ni la durée d'emploi, prescrits par votre médecin.

L'atomiseur nasal Atrovent a été prescrit pour traiter votre affection. Ne pas le donner à une autre personne.

Ne pas prendre d'autres médicaments sans l'avis de votre médecin.

Garder hors de la portée des enfants.

1. Retirer le capuchon en plastique transparent et la bague de sécurité de la chambre de vaporisation. La bague de sécurité empêche la vaporisation accidentelle dans votre poche ou votre sac à main.
2. La chambre de l'atomiseur nasal doit être activée avant la première utilisation de l'atomiseur nasal Atrovent. Pour activer la chambre, tenir la base du flacon avec votre pouce et la région blanche entre votre index et votre majeur. S'assurer que le flacon pointe vers le haut, loin des yeux. Appuyer fermement et rapidement 7 fois sur le flacon avec le pouce. La chambre de vaporisation est maintenant activée et peut être utilisée. Il n'est pas nécessaire de réactiver la chambre de vaporisation, sauf si vous n'avez pas utilisé le médicament au cours des 24 dernières heures; la réactivation de la chambre de vaporisation nécessitera qu'une ou deux vaporisations.
3. Avant d'utiliser l'atomiseur nasal Atrovent, se moucher le nez afin de dégager les narines au besoin.

4. Boucher une narine en appuyant un doigt contre le côté du nez. Incliner la tête légèrement vers l'avant et, tout en tenant le flacon droit, insérer l'embout nasal dans l'autre narine. Diriger l'embout vers **l'arrière** et **l'extérieur** du nez.
5. Appuyer fermement et rapidement avec le pouce sur la base tout en tenant la région blanche de l'atomiseur entre l'index et le majeur. Après chaque vaporisation, inspirer profondément par le nez et expirer par la bouche.
6. Après la vaporisation dans la narine et le retrait du dispositif, incliner la tête vers l'arrière pendant quelques secondes pour permettre au médicament d'atteindre l'arrière du nez.
7. Répéter les étapes 4 à 6 pour l'autre narine.
8. Remettre le capuchon de plastique transparent et la bague de sécurité.
9. Lorsque l'atomiseur nasal Atrovent est presque vide, la quantité de médicament libérée à chaque vaporisation ne peut être assurée. Par conséquent, quelque temps avant d'avoir utilisé tout le médicament dans l'atomiseur, veuillez consulter votre médecin ou pharmacien afin de déterminer si un autre atomiseur s'avère nécessaire. Ne pas prendre de doses additionnelles de l'atomiseur nasal Atrovent sans l'avis de votre médecin.

Nettoyage: Si l'embout nasal est obstrué, retirer le capuchon en plastique transparent et la bague de sécurité. Passer l'embout à l'eau tiède pendant environ une minute. Assécher l'embout nasal, réactiver la chambre de vaporisation (voir étape 2 ci-dessus), et remettre le capuchon de plastique transparent et la bague de sécurité.

Éviter de vaporiser l'atomiseur nasal Atrovent dans les yeux ou autour des yeux. Le cas échéant, se rincer les yeux à l'eau froide pendant quelques minutes. En cas de vaporisation accidentelle dans les yeux, vous aurez peut-être une baisse temporaire de l'acuité visuelle et une sensibilité accrue à la lumière. Ces manifestations peuvent durer pendant quelques heures.

Mise en garde pour les patients utilisant l'atomiseur nasal Atrovent pour traiter une inflammation nasale chronique: L'emploi régulier de l'atomiseur nasal Atrovent permet de soulager la rhinorrhée (écoulement nasal). Par conséquent, il est important d'utiliser l'atomiseur nasal Atrovent selon les directives du médecin. Le soulagement de la rhinorrhée survient habituellement au cours de la première journée complète de traitement à l'atomiseur nasal Atrovent. Cependant, le bienfait maximum n'est obtenu que plusieurs semaines après le début du traitement.

Autres effets: Comme tout autre médicament, l'atomiseur nasal Atrovent peut provoquer des effets indésirables de même que des effets désirables. Si vous ressentez un des effets énumérés ci-dessous, vous devriez communiquer avec votre médecin. Il peut vous recommander de diminuer la dose de l'atomiseur nasal Atrovent.

- nez très sec
- bouche sèche
- irritation nasale
- saignement de nez

Si vous ressentez un des effets suivants, communiquez immédiatement avec votre médecin.

- vue brouillée ou douleur oculaire
- battement du cœur rapide ou irrégulier
- difficulté à uriner ou miction douloureuse
- éruption cutanée
- respiration sifflante accrue ou oppression thoracique
- langue ou lèvres enflées
- difficulté à avaler

Les ingrédients non médicinaux de l'atomiseur nasal Atrovent à 0,03 % comprennent: acide chlorhydrique, acide édétique disodique, chlorure de benzalkonium, chlorure de sodium, eau purifiée et hydrate de sodium.

Entreposage: Garder fermé hermétiquement à une température entre 15 et 30 °C. Craint la chaleur extrême et le gel. Garder hors de la portée des enfants.

Atomiseur nasal Atrovent (bromure d'ipratropium) à 0,06 %: Veuillez lire attentivement les instructions suivantes et n'utilisez que selon les directives du médecin.

L'atomiseur nasal Atrovent à 0,06 % est utilisé pour le traitement de l'écoulement nasal associé au rhume de cerveau. Il empêche les glandes nasales de produire une quantité excessive de sécrétions. L'atomiseur nasal Atrovent doit être prescrit par un médecin.

Ces instructions expliquent comment utiliser l'atomiseur nasal Atrovent et comment éviter tout problème lors de son utilisation. Si vous avez des questions après avoir lu ces instructions, renseignez-vous auprès de votre médecin ou de votre pharmacien.

Avant d'utiliser l'atomiseur nasal: Avant de commencer à utiliser l'atomiseur nasal Atrovent, n'oubliez pas de mentionner à votre médecin si:

- vous êtes enceinte ou voulez le devenir;
- vous allaitez;
- vous avez d'autres problèmes de santé ou avez déjà eu des problèmes de santé;
- vous avez des problèmes oculaires, tels qu'une prédisposition au glaucome;
- vous avez de la difficulté à uriner ou des problèmes de prostate;
- vous prenez d'autres médicaments, y compris des gouttes pour les yeux ou tout médicament vendu en pharmacie sans ordonnance;
- vous avez des réactions ou allergies alimentaires ou médicamenteuses.

N'oubliez pas de mentionner à tout autre médecin, dentiste ou pharmacien que vous consultez, que vous utilisez l'atomiseur nasal Atrovent.

Comment utiliser l'atomiseur nasal Atrovent: Ne pas excéder le nombre de vaporisations, ni la durée d'emploi, prescrits par votre médecin.

L'atomiseur nasal Atrovent a été prescrit pour traiter votre affection. Ne pas le donner à une autre personne.

Ne pas prendre d'autres médicaments sans l'avis de votre médecin.

Garder hors de la portée des enfants.

1. Retirer le capuchon en plastique transparent et la bague de sécurité de la chambre de vaporisation. La bague de sécurité empêche la vaporisation accidentelle dans votre poche ou votre sac à main.
2. La chambre de l'atomiseur nasal doit être activée avant la première utilisation de l'atomiseur nasal Atrovent. Pour activer la chambre, tenir la base du flacon avec votre pouce et la région blanche entre votre index et votre majeur. S'assurer que le flacon pointe vers le haut, loin des yeux. Appuyer fermement et rapidement 7 fois sur le flacon avec le pouce. La chambre de vaporisation est maintenant activée et peut être utilisée. Il n'est pas nécessaire de réactiver la chambre de vaporisation, sauf si vous n'avez pas utilisé le médicament au cours des 24 dernières heures; la réactivation de la chambre de vaporisation nécessitera qu'une ou deux vaporisations.
3. Avant d'utiliser l'atomiseur nasal Atrovent, se moucher le nez afin de dégager les narines au besoin.
4. Boucher une narine en appuyant un doigt contre le côté du nez. Incliner la tête légèrement vers l'avant et, tout en tenant le flacon droit, insérer l'embout nasal dans l'autre narine. Diriger l'embout vers **l'arrière** et **l'extérieur** du nez.
5. Appuyer fermement et rapidement avec le pouce sur la base tout en tenant la région blanche de l'atomiseur entre l'index et le majeur. Après chaque vaporisation, inspirer profondément par le nez et expirer par la bouche.
6. Après la vaporisation dans la narine et le retrait du dispositif, incliner la tête vers l'arrière pendant quelques secondes pour permettre au médicament d'atteindre l'arrière du nez.
7. Répéter les étapes 4 à 6 pour l'autre narine.
8. Remettre le capuchon de plastique transparent et la bague de sécurité.
9. Lorsque l'atomiseur nasal Atrovent est presque vide, la quantité de médicament libérée à chaque vaporisation ne peut être assurée. Par conséquent, quelque temps avant d'avoir utilisé tout le médicament dans l'atomiseur, veuillez consulter votre médecin ou pharmacien afin de déterminer si un autre atomiseur s'avère nécessaire. Ne pas prendre de doses additionnelles de l'atomiseur nasal Atrovent sans l'avis de votre médecin.

Nettoyage: Si l'embout nasal est obstrué, retirer le capuchon en plastique transparent et la bague de sécurité. Passer l'embout à l'eau tiède pendant environ une minute. Assécher l'embout nasal, réactiver la chambre de vaporisation (voir étape 2 ci-dessus), et remettre le capuchon de plastique transparent et la bague de sécurité.

Éviter de vaporiser l'atomiseur nasal Atrovent dans les yeux ou autour des yeux. Le cas échéant, se rincer les yeux à l'eau froide pendant quelques minutes. En cas de vaporisation accidentelle dans les yeux, vous aurez peut-être une baisse temporaire de l'acuité visuelle et une sensibilité accrue à la lumière. Ces manifestations peuvent durer pendant quelques heures.

Mise en garde pour les patients utilisant l'atomiseur nasal Atrovent pour traiter une inflammation nasale chronique: L'emploi régulier de l'atomiseur nasal Atrovent permet de soulager la rhinorrhée (écoulement nasal). Par conséquent, il est important d'utiliser l'atomiseur nasal Atrovent selon les directives du médecin. Le soulagement de la rhinorrhée survient habituellement au cours de la première journée

Atrovent, Atomiseur nasal (suite)

complète de traitement à l'atomiseur nasal Atrovent. Cependant, le bienfait maximum n'est obtenu que plusieurs semaines après le début du traitement.

Autres effets: Comme tout autre médicament, l'atomiseur nasal Atrovent peut provoquer des effets indésirables de même que des effets désirables. Si vous ressentez un des effets énumérés ci-dessous, vous devriez communiquer avec votre médecin. Il peut vous recommander de diminuer la dose de l'atomiseur nasal Atrovent.

- nez très sec
- bouche sèche
- irritation nasale
- saignement de nez

Si vous ressentez un des effets suivants, communiquez immédiatement avec votre médecin.

- vue brouillée ou douleur oculaire
- battement du cœur rapide ou irrégulier
- difficulté à uriner ou miction douloureuse
- éruption cutanée
- respiration sifflante accrue ou oppression thoracique
- langue ou lèvres enflées
- difficulté à avaler

Les ingrédients non médicinaux de l'atomiseur nasal Atrovent à 0,06 % comprennent: acide chlorhydrique, acide édétique disodique, chlorure de benzalkonium, chlorure de sodium, eau purifiée et hydrate de sodium.

Entreposage: Garder fermé hermétiquement à une température entre 15 et 30 °C. Craint la chaleur extrême et le gel. Garder hors de la portée des enfants.

□ ATROVENT®, Solution pour inhalation 🄿

Boehringer Ingelheim

Bromure d'ipratropium

Bronchodilatateur

Renseignements destinés aux patients: Solution Atrovent (bromure d'ipratropium) (Flacon de 20 mL): Veuillez lire ce feuillet attentivement avant d'utiliser Atrovent.

Qu'est-ce que la solution Atrovent (Flacon de 20 mL)? La solution Atrovent est un bronchodilatateur qui soulage la respiration sifflante et l'essoufflement causés par la bronchite chronique ou l'asthme. Pour le traitement de l'asthme, la solution Atrovent doit être administrée en association avec d'autres médicaments bronchodilatateurs. La solution Atrovent contient 250 μg/mL (0,025 %) de bromure d'ipratropium ainsi que 2 agents de conservation, le chlorure de benzalkonium et l'acide éthylènediaminetétracétique disodique (EDTA disodique). La solution Atrovent est vendue uniquement sur ordonnance.

Avant d'amorcer le traitement à la solution Atrovent, vous devez bien connaître le mode d'emploi et d'entretien de votre nébuliseur.

Qu'est-ce que la MPOC? La MPOC (maladie pulmonaire obstructive chronique) est une sorte de maladie pulmonaire qui rétrécit les voies respiratoires de façon permanente, rendant ainsi la respiration difficile. Chez de nombreux patients, ce rétrécissement des voies respiratoires est causé par de nombreuses années de tabagisme. La désaccoutumance au tabac réduit les symptômes et ralentit la progression de la bronchite chronique (type de MPOC). La MPOC peut également être soulagée par la prise de médicaments.

Qu'est-ce que l'asthme? L'asthme est une affection qui rétrécit temporairement les voies respiratoires, rendant ainsi la respiration difficile. Ce rétrécissement des voies respiratoires est causé par une inflammation qui cause l'enflure et l'irritation des voies respiratoires et la contraction des muscles entourant ces dernières. Les voies alors rétrécies peuvent être soulagées à l'aide de médicaments.

Il est important de reconnaître que le traitement de la MPOC et de l'asthme peut être différent d'un patient à l'autre. Votre médecin discutera probablement avec vous du meilleur traitement pour **votre** affection particulière. Ce traitement peut inclure d'autres médicaments venant s'ajouter à Atrovent. Il est essentiel de suivre les directives de votre médecin relatives au traitement de votre affection. Si vous avez des questions sur la manière de traiter votre maladie à domicile, vous devriez consulter votre médecin.

Ce que vous devriez dire à votre médecin avant d'utiliser la solution Atrovent: Il est très important d'avertir votre médecin:

- si vous soupçonnez être enceinte ou désirez le devenir;
- si vous allaitez;
- si vous prenez d'autres médicaments, y compris ceux vendus sans ordonnance, notamment des gouttes pour les yeux;
- si vous souffrez d'autres problèmes médicaux, tels que de la difficulté à uriner ou une hypertrophie de la prostate;
- si vous avez des problèmes oculaires, comme le glaucome ou des douleurs oculaires;
- si vous avez des allergies alimentaires ou médicamenteuses.

Flacon de 20 mL (voir le feuillet de renseignements pour les illustrations): **Mode d'emploi:** Votre médecin ou votre pharmacien vous dira comment préparer votre solution Atrovent pour inhalation. Si vous devez diluer la solution Atrovent, vous devez le faire immédiatement avant d'utiliser la solution.

Dans la plupart des cas, la dilution de la dose avec une solution physiologique salée stérile ne contenant aucun agent de conservation n'est pas nécessaire. Cependant, une quantité de solution Atrovent de moins de 2 mL n'est pas appropriée pour la nébulisation et devrait être diluée avec une solution physiologique salée ou une solution pour nébulisation jusqu'à l'obtention d'un volume total de 2 à 5 mL.

1) Immédiatement avant d'utiliser le nébuliseur, prélever la quantité prescrite de solution Atrovent du flacon à l'aide d'une seringue, habituellement 0,5 à 2 mL et ajouter à la chambre de nébulisation. Ne pas conserver la dose prescrite dans la seringue pour utilisation ultérieure.
2) Si votre médecin vous a recommandé d'utiliser une autre solution pour inhalation en association avec la solution Atrovent, vous devriez également ajouter la quantité adéquate de cette solution à la chambre de nébulisation.
3) Ajouter à la chambre la solution de chlorure de sodium prescrite par votre médecin ou pharmacien.
4) Agiter doucement la chambre de nébulisation et raccorder à l'embout buccal ou au masque facial. Raccorder le tube du nébuliseur à la pompe à air ou à oxygène et inhaler.
5) Inspirer tranquillement et profondément par le masque facial ou l'embout buccal jusqu'à ce qu'aucune vaporisation ne se forme dans la chambre du nébuliseur. Ce procédé prend habituellement 10 à 15 minutes. **Il est très important** de placer le masque facial de façon à ce qu'aucune vaporisation n'entre en contact avec les yeux.
6) Reboucher vos flacons de solution Atrovent et de solution de chlorure de sodium et les conserver au réfrigérateur jusqu'au prochain traitement.
7) Suivre les directives fournies par les fabricants de nébuliseurs et de pompes à air pour le mode d'emploi et l'entretien de ces mécanismes. Garder le nébuliseur, le tube du nébuliseur et le masque facial propres afin de minimiser les risques de contamination microbienne.

Points à retenir:

- **Ne pas dépasser la dose prescrite ou la fréquence des traitements.**
- **Ne pas combiner ce médicament avec d'autres médicaments dans le nébuliseur à moins que votre médecin ou pharmacien n'en décident autrement.**
- **Ce médicament vous a été prescrit et ne devrait pas être pris par d'autres personnes.**
- **Garder hors de la portée des enfants.**
- **La solution est prévue pour l'inhalation seulement, ne pas injecter ni avaler.**
- **S'assurer que la vaporisation n'entre pas en contact avec les yeux. Les patients souffrant de glaucome devraient porter des lunettes de natation ou utiliser un nébuliseur muni d'un embout buccal afin de prévenir tout contact de la solution nébulisée avec les yeux.**

En plus des effets désirés, la solution Atrovent comme tout autre médicament peut entraîner certains effets indésirables.

Si vous avez la bouche sèche ou un arrière-goût désagréable, vous pouvez sucer un bonbon aigre ou vous rincer la bouche.

Consultez votre médecin si vous avez continuellement la bouche sèche ou un arrière-goût désagréable ou si vous êtes constipé.

Consultez votre médecin immédiatement si vous ressentez les effets suivants:

- **respiration sifflante grave ou gêne respiratoire;**
- **enflure de la langue ou des lèvres;**
- **difficulté d'avaler;**
- **battement de cœur rapide ou irrégulier;**
- **vue brouillée ou douleur aux yeux;**
- **difficulté ou douleur à la miction;**
- **éruption cutanée.**

Si vous ne ressentez aucun soulagement suite au traitement, consultez votre médecin.

Si vous consultez un autre médecin, dentiste ou pharmacien, n'oubliez pas de lui dire que vous prenez ce médicament.

Si vous avez des questions au sujet de la solution Atrovent ou de votre nébuliseur, consultez votre médecin ou pharmacien.

Solution Atrovent (bromure d'ipratropium) (Flacon monodose): Veuillez lire ce feuillet attentivement avant d'utiliser Atrovent.

Qu'est-ce que la solution Atrovent (Flacon monodose)? La solution Atrovent est un bronchodilatateur qui soulage la respiration sifflante et l'essoufflement causés par la bronchite chronique ou l'asthme. Pour le traitement de l'asthme, la solution Atrovent doit être administrée en association avec d'autres médicaments bronchodilatateurs. La solution Atrovent en flacons monodose est vendue uniquement sur ordonnance.

Avant d'amorcer le traitement à la solution Atrovent, vous devez bien connaître le mode d'emploi et d'entretien de votre nébuliseur.

Qu'est-ce que la MPOC? La MPOC (maladie pulmonaire obstructive chronique) est une sorte de maladie pulmonaire qui rétrécit les voies respiratoires de façon permanente, rendant ainsi la respiration difficile. Chez de nombreux patients, ce rétrécissement des voies respiratoires est causé par de nombreuses années de tabagisme. La désaccoutumance au tabac réduit les symptômes et ralentit la progression de la bronchite chronique (type de MPOC). La MPOC peut également être soulagée par la prise de médicaments.

Qu'est-ce que l'asthme? L'asthme est une affection qui rétrécit temporairement les voies respiratoires, rendant ainsi la respiration difficile. Ce rétrécissement des voies respiratoires est causé par une inflammation qui cause l'enflure et l'irritation des voies respiratoires et la contraction des muscles entourant ces dernières. Les voies alors rétrécies peuvent être soulagées à l'aide de médicaments.

Il est important de reconnaître que le traitement de la MPOC et de l'asthme peut être différent d'un patient à l'autre. Votre médecin discutera probablement avec vous du meilleur traitement pour **votre** affection particulière. Ce traitement peut inclure d'autres médicaments venant s'ajouter à Atrovent. Il est essentiel de suivre les directives de votre médecin relatives au traitement de votre affection. Si vous avez des questions sur la manière de traiter votre maladie à domicile, vous devriez consulter votre médecin.

Ce que vous devriez dire à votre médecin avant d'utiliser la solution Atrovent: Il est très important d'avertir votre médecin:
- si vous soupçonnez être enceinte ou désirez le devenir;
- si vous allaitez;
- si vous prenez d'autres médicaments, y compris ceux vendus sans ordonnance, notamment des gouttes pour les yeux;
- si vous souffrez d'autres problèmes médicaux, tels que de la difficulté à uriner ou une hypertrophie de la prostate;
- si vous avez des problèmes oculaires, comme le glaucome ou des douleurs oculaires;
- si vous avez des allergies alimentaires ou médicamenteuses.

Flacon monodose de 2 mL: 250 μg/mL: Chaque flacon monodose en plastique contient 2 mL de solution Atrovent. Chaque millilitre (mL) de solution contient 250 μg (0,025 %) de bromure d'ipratropium en solution isotonique.

125 μg/mL: Chaque flacon monodose en plastique contient 2 mL de solution Atrovent. Chaque millilitre (mL) de solution contient 125 μg (0,0125 %) de bromure d'ipratropium en solution isotonique.

Flacon monodose de 1 mL: 250 μg/mL: Chaque flacon monodose en plastique contient 1 mL de solution Atrovent. Chaque millilitre (mL) de solution contient 250 μg (0,025 %) de bromure d'ipratropium en solution isotonique.

Avant d'amorcer le traitement à la solution Atrovent, vous devez bien connaître le mode d'emploi et d'entretien de votre nébuliseur.

Mode d'emploi (voir le feuillet de renseignements pour les illustrations): Votre médecin ou votre pharmacien vous dira comment préparer votre solution Atrovent pour inhalation. Si vous devez diluer la solution Atrovent, vous devez le faire immédiatement avant d'utiliser la solution.

Dans la plupart des cas, la dilution de la dose avec une solution physiologique salée stérile ne contenant aucun agent de conservation n'est pas nécessaire. Cependant, une quantité de solution Atrovent de moins de 2 mL n'est pas appropriée pour la nébulisation et devrait être diluée avec une solution physiologique salée ou autre solution pour nébulisation jusqu'à l'obtention d'un volume total de 2 à 5 mL.

1) Détacher un flacon en plastique de la bande en le tirant fermement.
2) Pour ouvrir le flacon, enlever le capuchon en tournant. Il est important d'utiliser le contenu du flacon **le plus tôt possible** après son ouverture.
3) Exprimer le contenu du flacon dans la chambre de votre nébuliseur. Si votre médecin vous a recommandé de ne pas utiliser tout le contenu du flacon, utiliser une seringue pour prélever la dose prescrite.
   Toute quantité de solution qui reste dans le flacon en plastique doit être jetée.
4) Si votre médecin vous a recommandé d'utiliser une autre solution pour inhalation en association avec la solution Atrovent, vous devriez également ajouter la quantité adéquate de cette solution dans la chambre de nébulisation.
5) Avec la seringue, ajouter à la chambre la quantité de solution de chlorure de sodium prescrite par votre médecin ou votre pharmacien.
6) Agiter doucement la chambre de nébulisation et raccorder à l'embout buccal ou au masque facial. Raccorder le tube du nébuliseur à la pompe à air ou à oxygène et inhaler.
7) Inspirer tranquillement et profondément par le masque facial ou l'embout buccal jusqu'à ce qu'aucune vaporisation ne se forme dans la chambre du nébuliseur. Ce procédé prend habituellement 10 à 15 minutes. **Il est très important** de placer le masque facial de façon à ce qu'aucune vaporisation n'entre en contact avec les yeux.
8) Suivre les directives fournies par les fabricants de nébuliseurs et de pompes à air pour le mode d'emploi et l'entretien de ces mécanismes. Garder le nébuliseur, le tube du nébuliseur et le masque facial propres afin de minimiser les risques de contamination microbienne.
9) Les flacons monodoses devraient être gardés à la température de la pièce. Les flacons doivent être conservés loin de la chaleur et de la lumière.

Points à retenir:
- **Ne pas dépasser la dose prescrite ou la fréquence des traitements.**
- **Ne pas combiner ce médicament avec d'autres médicaments dans le nébuliseur à moins que votre médecin ou pharmacien n'en décident autrement.**
- **Ce médicament vous a été prescrit et ne devrait pas être pris par d'autres personnes.**
- **Garder hors de la portée des enfants.**
- **La solution est prévue pour l'inhalation seulement, ne pas injecter ni avaler.**
- **S'assurer que la vaporisation n'entre pas en contact avec les yeux. Les patients souffrant de glaucome devraient porter des lunettes de natation ou utiliser un nébuliseur muni d'un embout buccal afin de prévenir tout contact de la solution nébulisée avec les yeux.**

En plus des effets désirés, la solution Atrovent comme tout autre médicament peut entraîner certains effets indésirables.

Si vous avez la bouche sèche ou un arrière-goût désagréable, vous pouvez sucer un bonbon aigre ou vous rincer la bouche.

Consultez votre médecin si vous avez continuellement la bouche sèche ou un arrière-goût désagréable ou si vous êtes constipé.

Consultez votre médecin immédiatement si vous ressentez les effets suivants:
- **respiration sifflante grave ou gêne respiratoire;**
- **enflure de la langue ou des lèvres;**
- **difficulté d'avaler;**
- **battement de cœur rapide ou irrégulier;**
- **vue brouillée ou douleur aux yeux;**
- **difficulté ou douleur à la miction;**
- **éruption cutanée.**

Si vous ne ressentez aucun soulagement suite au traitement, consultez votre médecin.

Si vous consultez un autre médecin, dentiste ou pharmacien, n'oubliez pas de lui dire que vous prenez ce médicament.

Si vous avez des questions au sujet de la solution Atrovent ou de votre nébuliseur, consultez votre médecin ou pharmacien.

☐ AVIRAX™ Ⓟ

Fabrigen

Acyclovir

Agent antiviral

Renseignements destinés aux patients: Zona et herpès génital: Traitement: Si votre médecin vous prescrit Avirax pour le traitement de l'herpès ou du zona, il est important que vous compreniez que ce médicament doit être pris le plus tôt possible après le début de la maladie parce que l'herpèsvirus se multiplie dans les cellules cutanées atteintes et, par la suite, les détruit. Avirax stoppe la multiplication du

Avirax (suite)

virus et empêche sa propagation dans les cellules saines avoisinantes. Il ne peut remplacer une cellule endommagée par la multiplication virale, mais il facilite le processus de guérison.

Suppression des récurrences: Si votre médecin vous a suggéré l'emploi continu de Avirax afin de prévenir les récurrences fréquentes d'herpès génital, vous devez suivre à la lettre les directives posologiques, afin de maintenir en tout temps une quantité suffisante de médicament dans l'organisme, et ce, pour empêcher la multiplication virale. Votre médecin tentera de vous prescrire la dose minimale qui pourra entraver cette multiplication chez vous. Il pourra par conséquent soit augmenter ou diminuer la dose qu'il vous administre durant les premières semaines du traitement. Pour un traitement optimal, vous devez suivre les directives de votre médecin à la lettre.

Innocuité: À court terme: On a bien étudié l'innocuité d'Avirax dans le cadre du traitement à court terme. Comme pour tous les agents largement prescrits, on signale parfois des effets secondaires associés à utilisation du médicament. Les plus courants, énumérés ci-après, se sont rarement manifestés à des degrés assez importants pour justifier l'arrêt du traitement: maux de tête, nausées, diarrhée, éruptions cutanées et troubles gastriques.

Vous devez signaler à votre médecin toute manifestation anormale observée durant votre traitement à Avirax.

La monographie du produit fournie à votre médecin donne la liste complète des effets secondaires rapportés jusqu'à maintenant.

À long terme: Votre médecin peut interrompre l'administration du médicament à intervalles périodiques afin de déterminer si le traitement continu est justifié. Comme pour tout nouveau médicament, on n'a pas totalement établi l'innocuité à long terme d'Avirax chez les humains. Il faut donc être prudent lorsqu'on prescrit le traitement continu à long terme avec Avirax. C'est pourquoi on recommande le traitement suppressif des récurrences d'herpès génital seulement chez les patients gravement atteints.

Grossesse: Si, durant votre traitement à Avirax, vous tombez enceinte ou prévoyez le devenir, ou encore si vous comptez allaiter, veuillez consulter votre médecin.

Toxicité-reproduction: On a observé une diminution de la numération des spermatozoïdes chez les animaux ayant reçu des doses élevées du médicament, ainsi que des fragmentations chromosomiques in vitro à des concentrations élevées. Cependant, ces réactions ne se sont pas manifestées chez les humains ayant reçu des doses de 800 à 1 000 mg/jour pendant au moins 6 mois.

Renseignements généraux: Les infections d'herpès entraînent la formation de boutons de fièvre douloureux sur la peau et les muqueuses. Le virus à l'origine de l'infection est présent dans le liquide se trouvant à l'intérieur de ces boutons. L'infection se transmet facilement à d'autres parties du corps non atteintes ou à d'autres personnes. Par conséquent, lorsque vous touchez à vos lésions cutanées, lavez-vous les mains immédiatement et ne touchez à aucune autre partie de votre corps avant d'avoir pris cette mesure de précaution. Évitez particulièrement tout contact intime avec d'autres personnes durant les périodes de manifestation de la maladie, c.-à-d. lorsqu'il y a présence de lésions. Ne partagez pas vos médicaments avec d'autres. Ne dépassez pas la posologie prescrite. Avirax n'élimine pas les virus latents. Après l'arrêt du traitement, certains patients ont connu une aggravation de leur première récurrence d'herpès génital.

Pour de plus amples renseignements sur Avirax et les infections d'herpès, veuillez consulter votre médecin ou votre pharmacien.

Varicelle—Renseignements destinés aux parents: Fréquente chez les enfants et contagieuse: La varicelle est l'une des infections les plus **fréquemment** rencontrées chez les enfants autrement en bonne santé. Elle survient habituellement avant l'âge de 10 ans, mais toute personne n'ayant jamais eu la varicelle peut être infectée—peu importe son âge.

La varicelle est causée par un virus appelé «Herpesvirus varicellae» et est **très contagieuse.** Les membres d'une même famille se transmettent souvent la maladie. Pour des raisons encore inconnues, il arrive souvent que le deuxième ou le troisième enfant atteint d'une famille soit plus durement éprouvé que le premier enfant de cette famille. En outre, la maladie tend à frapper plus durement les adolescents que les jeunes enfants.

La varicelle peut être une affection légère, les lésions étant peu nombreuses ou les symptômes peu marqués; elle peut aussi être marquée, le nombre de lésions atteignant plusieurs centaines. Ces lésions peuvent apparaître sur la peau ou sur les muqueuses. **On ne peut prédire la gravité de la varicelle d'aucune façon.**

Pour reconnaître la maladie: Les premiers symptômes de la varicelle peuvent être non spécifiques: fièvre, démangeaisons, maux de tête, douleurs articulaires et musculaires, maux de gorge, troubles généraux (perte de l'appétit, apathie et irritabilité). Ces symptômes sont suivis par l'apparition de petites taches rouges entraînant des démangeaisons; ces taches se transforment ensuite en vésicules dans les quelques heures. D'autres taches et vésicules continuent à apparaître durant environ 5 jours. Les vésicules finissent par s'assécher et, dans les 6 ou 7 jours, forment une croûte.

Incubation: Les personnes exposées au virus causant la varicelle ne contractent pas toutes cette maladie. La période d'incubation du virus varie entre 1 et 3 semaines après exposition. Ce dernier se transmet dans l'air dans les situations suivantes: (1) lorsqu'une personne qui souffre de varicelle gratte ses vésicules, ce qui permet au virus de se retrouver dans l'air; (2) lorsqu'une personne qui souffre de varicelle et qui se trouve près de d'autres personnes tousse ou éternue. La varicelle est la plus contagieuse peu avant l'éruption, puis durant les premiers stades de celle-ci, et enfin jusqu'à ce que toutes les vésicules se soient asséchées. Une personne **n'est plus** contagieuse à partir du moment ou toutes les vésicules ont formé une croûte.

Consultation du médecin dans les plus brefs délais: Si vous croyez que votre enfant a été exposé au virus de la varicelle, surveillez l'apparition des symptômes mentionnés précédemment. **Au premier signe d'éruption, appelez votre médecin.** Les traitements possibles sont plus nombreux lorsqu'on agit rapidement. Votre médecin peut prescrire un médicament qui pourra peut-être soulager l'enfant et lui permettre de se rétablir plus rapidement.

Conseils utiles: Il est important d'administrer tout médicament prescrit selon les directives du médecin—même lorsque le patient semble aller mieux. **Ne donnez jamais de médicaments contenant de l'acide acétylsalicylique (AAS) à un enfant souffrant de fièvre et de varicelle.** Pour réduire la fièvre, on peut donner de l'acétaminophène.

On peut soulager la démangeaison en recouvrant les lésions de calamine, ou de tout autre médicament contre les démangeaisons recommandé par le médecin. On peut calmer temporairement la démangeaison par un bain ou par l'application de compresses humides. Le bain quotidien à l'eau et au savon peut aussi aider à prévenir l'infection. **N'utilisez pas d'antiseptique** sur les plaies; **consultez plutôt votre médecin**, qui prescrira un antibiotique au besoin. Comme les lésions peuvent s'infecter ou laisser une cicatrice si elles sont grattées, il est important d'encourager la personne atteinte à ne pas se gratter et à ne pas favoriser la propagation des particules virales dans l'air. On doit garder les lésions propres et sèches. Dans la mesure du possible, on doit garder les ongles de l'enfant courts, et couvrir ses mains et ses pieds avec des gants, des mitaines ou des chaussettes de coton, pour l'empêcher de se gratter dans son sommeil.

Complications possibles: Les complications de la varicelle sont rares chez les enfants en bonne santé. Les personnes qui risquent le plus de connaître des complications sont les suivantes: femmes enceintes, nouveau-nés, personnes faisant l'objet d'un traitement contre le cancer, l'arthrite, l'asthme, ou ayant subi une greffe d'organe—car elles prennent des médicaments qui agissent contre leur système immunitaire. Si quelqu'un dans votre famille entre dans une de ces catégories, **informez-en votre médecin** afin que les mesures préventives adéquates puissent être prises.

☐ AZMACORT® ℙ

Rhône-Poulenc Rorer

Acétonide de triamcinolone

Corticostéroïde

Renseignements destinés aux patients: Votre médecin a prescrit Azmacort (acétonide de triamcinolone) pour aider à maîtriser votre asthme. Votre inhalateur Azmacort est l'un des dispositifs les plus efficaces et faciles à utiliser pour vous aider à prendre votre médicament. Utilisé de façon appropriée, il soulagera efficacement et de façon fiable vos symptômes d'asthme.

Pour en obtenir les bénéfices maximaux, il est très important de lire attentivement et de respecter toutes les directives présentées dans cette brochure sur l'emploi et l'entretien quotidien de votre inhalateur. Remarque importante: Si vous avez déjà utilisé un inhalateur, vous vous attendez sans doute à ce que l'inhalateur Azmacort envoie une grosse bouffée de médicament dans la bouche. Votre inhalateur Azmacort est conçu pour libérer simplement une vaporisation fine. Cette action douce permet au médicament de parvenir de façon plus efficace dans vos poumons sans rester dans votre bouche. En fait, il se peut que vous ne sentiez même pas le médicament pénétrer dans votre bouche. C'est normal, c'est bien ainsi que l'inhalateur Azmacort fonctionne!

Votre dispositif spécial d'administration Azmacort:

Étape 1: Pour préparer votre inhalateur Azmacort:

1. Faites correspondre les flèches tracées sur l'inhalateur.
2. Tirez doucement sur l'inhalateur pour l'ouvrir complètement. Vous noterez la valve (petit orifice) d'où sort le médicament.
3. Replier l'inhalateur pour lui donner la forme d'un «L». La charnière est conçue pour ne se plier que dans une direction.
4. La saillie de la partie supérieure de l'inhalateur devrait correspondre à la fente pratiquée sur la partie inférieure.
5. Enlevez le couvercle de l'embout buccal. Votre inhalateur Azmacort est prêt à être utilisé.

Étape 2: Pour utiliser votre inhalateur Azmacort:

1. La cartouche en métal d'Azmacort est déjà insérée dans l'inhalateur. Agitez bien l'inhalateur avant chaque emploi. Important: Vous devez agitez l'inhalateur avant chaque inhalation. Si votre médecin vous a prescrit plus d'une bouffée de médicament, vous devez agiter l'inhalateur **avant chaque** bouffée de médicament, **pas seulement avant la première dose.**
2. Expirez pour vider vos poumons complètement avant d'utiliser l'inhalateur. Ceci est important pour assurer que vous inspiriez bien le médicament en profondeur dans vos poumons.
3. Placez l'embout buccal dans votre bouche que vous refermez bien sur l'embout.
4. Appuyez d'un geste ferme et régulier sur la cartouche en métal tout en inhalant en profondeur et lentement **uniquement par la bouche.** (Si nécessaire, pincez-vous le nez). N'oubliez pas que l'inhalateur Azmacort libère une vaporisation fine de médicament et ne soyez pas surpris si vous la sentez à peine.
   Ne retirez pas l'inhalateur de votre bouche après l'inhalation du médicament. Arrêtez de respirer pendant 10 secondes avec l'inhalateur **toujours** dans votre bouche. Puis retirez l'inhalateur et expirer très lentement.
5. Si votre médecin vous a prescrit plusieurs bouffées de médicament, **attendez au moins 60 secondes** et recommencez l'opération à partir de l'étape 2.
6. Après le nombre prescrit d'inhalations, rincez-vous bien la bouche avec de l'eau. Remarque: Si vous développez une certaine gêne ou une éruption dans votre bouche, n'oubliez pas de la mentionner à votre médecin, mais n'arrêtez pas d'utiliser votre inhalateur tant que votre médecin ne vous l'a pas demandé. N'arrêtez pas d'utiliser votre inhalateur et ne modifiez pas la posologie sans consulter votre médecin.

Étape 3: Entretien quotidien de votre inhalateur Azmacort: Votre inhalateur Azmacort **doit** être nettoyé dans de l'eau tiède 1 fois/jour pour éviter l'accumulation de particules de médicament dans l'inhalateur, ce qui pourrait obstruer la vaporisation de médicament et prévenir le fonctionnement optimal du dispositif. L'emploi de savon, de détergents et de désinfectants n'est pas nécessaire.

1. Important: Retirez la cartouche en métal de l'inhalateur. Mettez-la de côté. On doit enlever la cartouche pour assurer le bon nettoyage de l'inhalateur.
2. Séparez les 2 pièces en plastique de l'inhalateur, enlevez le capuchon de l'embout buccal et lavez ces pièces dans de l'eau tiède. Séchez-les bien.
3. Rattachez les 2 pièces en plastique en les poussant jusqu'à ce qu'elles s'enclenchent. Remettez le capuchon de l'embout buccal en place. Insérez la cartouche en métal dans l'inhalateur en la tournant doucement dans le dispositif. La cartouche devrait être bien enclenchée et ne pas tomber de l'inhalateur.

Conseils importants pour l'utilisation de votre inhalateur:

- Utilisez toujours selon les directives de votre médecin. N'essayez pas de l'utiliser plus souvent que prescrit mais prenez toutes les doses prescrites.
- Respectez bien toutes les directives de cette brochure pour obtenir les résultats optimaux, spécialement celles sur l'emploi et le nettoyage.
- Entreposez l'inhalateur en plastique et la cartouche en métal à la température ambiante.
- **Mises en garde: Contenu de la cartouche sous pression.** Ne placez pas dans de l'eau chaude ou près des radiateurs, des poêles ou cuisinières ou autres sources de chaleur. Ne perforez pas, ne jetez pas au feu et n'entreposez pas à des températures supérieures à 50 °C, même si la cartouche est vide.

Posologie: Utilisez uniquement comme prescrit par votre médecin.

Mises en garde: Azmacort (acétonide de triamcinolone) renferme un médicament qui est destiné au traitement de votre asthme. Il ne renferme **pas** de médicament destiné à soulager rapidement vos troubles respiratoires pendant une crise d'asthme.

Il est très important que vous utilisiez Azmacort régulièrement aux intervalles recommandés par votre médecin et non pas comme une mesure d'urgence. Si vous avez une crise d'asthme, utilisez le médicament qui vous a été prescrit pour ces cas ou communiquez avec votre médecin.

Comment vérifier le contenu de votre cartouche: Secouer la cartouche ne vous donnera **pas** une bonne idée de la quantité d'Azmacort qui reste dans la cartouche. Une méthode simple de vérification est pésentée ci-dessous.

1. Faites flotter la cartouche dans suffisamment d'eau froide pour la recouvrir quand elle est à la verticale et observez sa position. Une cartouche vide flotte à l'horizontale à la surface de l'eau. (Reportez-vous au diagramme du dépliant de l'emballage.)
2. Quand la cartouche est presque vide, communiquez avec votre médecin ou le pharmacien pour en avoir une nouvelle.

□ BAYCOL® Ⓟ

Bayer

Cérivastatine sodique

Régulateur du métabolisme lipidique

Renseignements destinés aux patients: Veuillez lire attentivement les renseignements qui suivent.

Si vous avez des questions au sujet de Baycol, adressez-vous à votre médecin ou au pharmacien.

À propos des comprimés Baycol: Votre médecin vous a prescrit ces comprimés pour réduire votre taux de cholestérol. L'élévation du taux de cholestérol (hypercholestérolémie) peut causer des maladies du cœur en obstruant les vaisseaux qui approvisionnent le cœur en sang.

Comment réduit-on le taux de cholestérol? La prise d'un médicament n'est qu'un des aspects du traitement de l'hypercholestérolémie. Vous pouvez prendre d'autres mesures, selon la gravité de votre état, pour faciliter la baisse de votre taux de cholestérol.

- Modifiez votre alimentation pour perdre du poids et réduire votre taux de cholestérol. L'embonpoint est un facteur de risque des maladies du cœur.
- Faites régulièrement de l'exercice: vous perdrez plus facilement du poids et votre taux de cholestérol HDL (le «bon» cholestérol) augmentera.
- Cessez de fumer: le tabagisme est un important facteur de risque des maladies du cœur.
- Consommez moins d'alcool ou n'en consommez pas du tout.

Suivez toujours les directives de votre médecin et parlez-lui avant de modifier votre alimentation ou de commencer à faire de l'exercice.

Comment Baycol agit-il? Baycol réduit le taux de cholestérol LDL (le «mauvais» cholestérol) dans le sang. C'est un médicament du groupe des inhibiteurs de l'HMG-CoA-réductase. Il agit en empêchant le foie d'utiliser une substance nécessaire à la production de cholestérol. La quantité de cholestérol dans les cellules du foie s'en trouve réduite, ce qui force les cellules à tirer le cholestérol du sang.

Baycol est la marque de commerce de la cérivastatine sodique et est fabriqué par Bayer Inc. On ne peut se le procurer que sur ordonnance d'un médecin.

Avant de commencer à prendre Baycol: Bien que Baycol soit efficace, il ne convient pas à tout le monde. Parlez à votre médecin:

- si vous avez une maladie du foie
- si vous êtes enceinte ou croyez l'être ou si vous prévoyez devenir enceinte; si vous devenez enceinte pendant que vous prenez Baycol, cessez le traitement et informez votre médecin sans tarder
- si vous allaitez
- si vous avez déjà pris Baycol ou des médicaments semblables et avez présenté une réaction. Ces médicaments comprennent:
  - Lescol (fluvastatine)
  - Lipitor (atorvastatine)
  - Mevacor (lovastatine)
  - Pravachol (pravastatine)
  - Zocor (simvastatine)
- si vous prenez d'autres médicaments, comme
  —un corticostéroïde
  —Sandimmune (cyclosporine)
  —Lopid (gemfibrozil)

Baycol (suite)

—Lipidil (fénofibrate)
—l'acide nicotinique, à des doses qui réduisent les taux de lipides
—l'érythromycine ou un antifongique azolé
—Serzone (néfazodone)

Comment prendre Baycol: Suivez toujours à la lettre les directives de votre médecin et prenez le médicament même si vous vous sentez bien. Comme il est probable que vous vous sentiez bien et que vous n'ayez pas l'air malade, il vous arrivera d'oublier que votre taux de cholestérol est élevé. Votre médecin mesurera régulièrement votre taux de cholestérol. Les directives qui suivent vous aideront à bien prendre votre médicament.

- Prenez Baycol 1 fois/jour, en soirée. Vous pouvez le prendre avec ou sans nourriture.
- Si vous avez oublié de prendre un comprimé, prenez-le dès que vous vous en rendez compte. S'il est presque temps de prendre le comprimé suivant, ne prenez pas celui que vous avez oublié. **Vous ne devez pas prendre une double dose.**
- Consultez régulièrement votre médecin pour qu'il puisse mesurer votre taux de cholestérol et profitez de l'occasion pour lui poser toutes vos questions.
- Ne modifiez pas la dose du médicament et ne cessez pas de le prendre avant d'en avoir parlé à votre médecin.
- Informez votre médecin si vos muscles sont douloureux ou sensibles au toucher, ou si vous éprouvez des faiblesses musculaires.
- Consommez le moins d'alcool possible (10 à 14 verres par semaine au maximum). Votre médecin vous dira ce que cela veut dire pour vous.
- Informez votre médecin de toute maladie survenant pendant le traitement par Baycol.
- Avant de prendre un autre médicament (d'ordonnance ou non) pendant le traitement par Baycol, parlez-en à votre médecin ou au pharmacien.
- Si vous devez subir une opération, dites-le à votre médecin.
- Si pour une raison quelconque vous consultez un médecin différent, dites-lui que vous prenez Baycol.
- L'innocuité de Baycol chez les adolescents et les enfants n'a pas été établie.
- Si vous présentez un des effets secondaires ci-dessous, dites-le à votre médecin.

Effets secondaires: Chez la plupart des gens, Baycol ne cause pas d'effets secondaires, mais tous les médicaments peuvent avoir des effets indésirables.

Certains effets secondaires peuvent être passagers, mais s'ils deviennent constants et commencent à vous incommoder, vous devez le dire à votre médecin sans tarder. Ces effets comprennent les suivants:

- douleurs d'estomac ou estomac dérangé
- diarrhée
- maux de tête
- étourdissements
- éruptions cutanées

Communiquez **sans tarder** avec votre médecin ou un pharmacien si vous présentez un des troubles suivants:

- douleurs musculaires inexpliquées
- muscles sensibles au toucher ou endoloris
- faiblesse générale, surtout si vous ne vous sentez pas bien
- fièvre

Certaines personnes peuvent présenter d'autres types de réactions. Si vous remarquez quelque chose d'inhabituel, ne manquez pas d'en parler à votre médecin ou à un pharmacien.

Ingrédients de Baycol: Les comprimés Baycol contiennent de la cérivastatine sodique. Baycol est présenté en comprimés à 0,2 mg (jaune-brun pâle) et à 0,3 mg (jaune-brun). Le comprimé à 0,2 mg porte l'inscription "283" d'un côté et "200 MCG" de l'autre. Le comprimé à 0,3 mg porte l'inscription "284" d'un côté et "300 MCG" de l'autre.

Les autres ingrédients des comprimés Baycol sont les suivants: crospovidone, stéarate de magnésium, mannitol, povidone 25, hydroxyde de sodium, hydroxypropylméthylcellulose, polyéthylèneglycol 4000, dioxyde de titane et oxyde ferrique.

Rappels:

- C'est à vous que les comprimés ont été prescrits: n'en donnez à personne.
- Gardez tous les médicaments hors de la portée des enfants.
- Rangez Baycol à la température ambiante (entre 15 et 25 °C). N'exposez pas les comprimés à la chaleur ni à la lumière. Ne gardez pas le flacon dans une pièce chaude ou humide, comme la cuisine ou la salle de bains.

Si vous désirez de plus amples renseignements sur Baycol, adressez-vous à votre médecin ou à un pharmacien.

☐ BECLODISK® ℞
☐ BECLODISK® DISKHALER®

Glaxo Wellcome

Dipropionate de béclométhasone

Corticostéroïde pour traiter l'asthme bronchique

Renseignements destinés aux patients: Votre médecin vous a prescrit un système unique d'inhalation, appelé Beclodisk. Veuillez respecter les directives. Il est important de bien utiliser le système Beclodisk afin de bénéficier au maximum de votre médicament.

Posologie: Il est primordial que vous utilisiez Beclodisk selon les directives de votre médecin. Ne pas interrompre ni changer la posologie sans consulter votre médecin. Les enfants devraient employer Beclodisk sous la surveillance d'un adulte et seulement selon les recommandations du médecin.

La dose quotidienne totale ne devrait pas dépasser: 1 mg de dipropionate de béclométhasone, ou le contenu de 5 coques de Beclodisk à 200 μg ou celui de 10 coques de Beclodisk à 100 μg, chez l'adulte ou l'adolescent âgé de plus de 14 ans; 500 μg de dipropionate de béclométhasone, chez l'enfant de 6 ans ou plus.

Précautions: Beclodisk est destiné non pas à soulager immédiatement vos problèmes respiratoires, mais à corriger la cause des attaques.

De nombreux inhalateurs contiennent des bronchodilatateurs qui offrent un soulagement rapide. Lorsque votre médecin vous prescrit un inhalateur, vous devez respecter les directives de l'ordonnance en cas de crise d'asthme aiguë.

L'inhalateur à disque Diskhaler: Votre inhalateur est composé des éléments suivants: un boîtier extérieur brun muni d'un couvercle à charnières et d'une aiguille en plastique; une brosse qui se trouve sous le couvercle arrière; un disque rotatif blanc qui soutient le disque de traitement Beclodisk; une cartouche blanche amovible munie d'un embout, un couvercle de protection sur l'embout.

Étape 1: Comment charger l'inhalateur à disque Diskhaler (voir le prospectus d'emballage pour les illustrations): Retirez le couvercle brun foncé et assurez-vous que l'embout est propre. En tenant la cartouche blanche par les coins exposés, tirez doucement jusqu'à ce que vous voyiez les barres en relief sur les côtés de la cartouche. Retirez la cartouche de l'inhalateur à disque en pressant sur les côtés de la cartouche, où sont situées les barres en relief. Placez le disque de traitement Beclodisk sur le disque blanc, le côté numéroté tourné vers le haut, en vous assurant que les coques sont bien glissées dans les orifices du disque blanc. Glissez la cartouche dans le boîtier de l'inhalateur. Votre inhalateur à disque Diskhaler est maintenant chargé.

Étape 2: Comment vous préparer pour votre première dose de Beclodisk: En poussant et en tirant délicatement sur la cartouche chargée, vous noterez que le disque de traitement Beclodisk tourne automatiquement. Répétez le processus jusqu'à ce que le chiffre (8) apparaisse dans la fenêtre sur le côté du boîtier. Ce chiffre indique le nombre de doses qui restent sur le disque et passera donc de 8, à 7, à 6, etc.

Étape 3: Comment vous préparer pour l'inhalation: En tenant l'inhalateur à disque Diskhaler bien à plat, levez le couvercle pleine grandeur, jusqu'à ce qu'il soit en position verticale. L'aiguille en plastique qui fait partie intégrante du couvercle vient ainsi percer la coque contenant le médicament. Relevez le couvercle pleine grandeur, de façon à ce que les deux côtés de la coque soient percés. Une fois la coque percée, rabattez le couvercle. Votre inhalateur à disque est maintenant prêt à être utilisé.

Mise en garde: Ne relevez jamais le couvercle à moins qu'il n'y ait pas de cartouche dans l'inhalateur ou que la cartouche y soit bien placée. Vous éviterez ainsi de briser l'aiguille qui est essentielle pour percer la double coque renfermant le médicament.

Étape 4: Comment inhaler avec l'inhalateur à disque Diskhaler: Placez votre inhalateur bien à plat et expirez à fond. Portez l'inhalateur à disque Diskhaler à votre bouche. Placez délicatement l'embout entre vos dents et vos lèvres, sans toutefois recouvrir les orifices pratiqués sur les côtés de l'embout. Respirez par la bouche rapidement et le plus profondément que vous pouvez. Retenez votre respiration pendant que vous retirez de votre bouche l'embout de l'inhalateur Diskhaler.

Étape 5: Comment préparer l'inhalateur pour l'inhalation suivante: Tirez et poussez la cartouche une nouvelle fois (voyez étape 2). Le disque de traitement Beclodisk tourne, comme l'indique le chiffre dans la fenêtre pratiquée sur le côté du boîtier. **Ne percez la coque qui contient le médicament que lorsque vous êtes prêt à inhaler votre médicament.** Pour une nouvelle inhalation, répétez les étapes 3 et 4.

Étape 6: Comment remplacer votre disque de traitement Beclodisk: Chaque disque de traitement comprend 8 coques renfermant votre médicament. Quand le chiffre (1) apparaît dans la fenêtre indicatrice, il ne vous reste qu'une dose de médicament dans votre inhalateur. Pour remplacer le disque de traitement Beclodisk, reportez-vous à l'étape 1. **Faites bien attention de ne pas jeter le disque rotatif quand vous vous débarrassez du disque de traitement Beclodisk vide.**

Nettoyage: Pour vous débarrasser de toute poudre qui pourrait rester dans l'inhalateur à disque Diskhaler, utilisez la brosse qui se trouve sous le couvercle arrière. Enlevez la cartouche et le disque blanc avant d'utiliser la brosse. **Remplacer l'inhalateur à disque Diskhaler tous les 6 mois.**

□ BECLOFORTE® ℞

Glaxo Wellcome

Dipropionate de béclométhasone

Corticostéroïde pour traiter l'asthme bronchique

Renseignements destinés aux patients: Voici des renseignements que vous devez connaître sur l'aérosol-doseur Becloforte: Veuillez lire attentivement ce document avant de commencer à prendre votre médicament. Pour obtenir de plus amples renseignements ou des conseils, consultez votre médecin ou votre pharmacien.

Comment agit votre médicament: Le dipropionate de béclométhasone est vendu par Glaxo Wellcome sous l'appellation commerciale Becloforte. Le dipropionate de béclométhasone Becloforte fait partie d'un groupe de médicaments connus sous le nom de corticostéroïdes anti-inflammatoires, communément appelés corticoïdes. Vous ne pouvez vous le procurer que sur ordonnance médicale.

Votre médecin vous a prescrit Becloforte car c'est ce médicament qui est indiqué dans votre cas et qui vous convient. Lorsqu'il est utilisé chaque jour, à intervalles réguliers, tel que prescrit par votre médecin, il peut contribuer à soulager vos problèmes respiratoires en calmant l'irritation et l'inflammation des petits conduits respiratoires dans vos poumons.

Points importants à retenir avant de prendre votre médicament: Avez-vous déjà cessé de prendre d'autres médicaments pour cette maladie à cause d'une allergie ou tout autre problème? Recevez-vous ou avez-vous reçu dernièrement un traitement contre la tuberculose? Prenez-vous d'autres corticostéroïdes en inhalation ou par voie orale? Si vous avez répondu **oui** à une de ces questions, avertissez votre médecin ou votre pharmacien le plus tôt possible, à moins que vous ne l'ayez déjà fait.

Grossesse et allaitement: Ne prenez pas ce médicament si vous êtes enceinte ou si vous allaitez, sans en avoir parlé au préalable avec votre médecin.

Prise du médicament: Suivez les directives illustrées. Si vous avez des problèmes avec votre médicament, consultez votre médecin ou votre pharmacien.

Il est important d'inhaler chaque dose comme votre médecin, votre infirmière ou votre pharmacien vous l'ont montré. Votre médecin décidera de la dose à prendre et de la fréquence à laquelle vous devez prendre votre médicament.

Habituellement, l'étiquette fournie par le pharmacien indique la dose à prendre et la fréquence à laquelle le faire. Si tel n'est pas le cas ou si vous avez un doute, renseignez-vous auprès de votre médecin ou de votre pharmacien.

Pour les adultes et les adolescents de 16 ans et plus, la dose est de 1 inhalation (250 μg) 2 à 4 fois/jour. Dans certains cas, 2 inhalations (500 μg) 2 fois/jour peuvent convenir.

Ne prenez pas plus de doses ou n'utilisez pas votre aérosol-doseur plus souvent que votre médecin ne vous l'a prescrit.

Ne prenez pas ce médicament pour traiter une crise soudaine d'essoufflement. Vous aurez probablement besoin d'un autre type de médicament (présenté dans un emballage de couleur différente) que votre médecin vous a peut-être déjà prescrit. Si vous devez prendre plus d'un médicament, prenez soin de ne pas les confondre. **Ne cessez pas** le traitement, même si vous vous sentez mieux, sauf avis contraire de votre médecin.

Si vous êtes admis à l'hôpital pour une intervention chirurgicale, apportez votre aérosol-doseur et indiquez au médecin le(s) médicament(s) que vous prenez.

Comment utiliser votre aérosol-doseur Becloforte correctement (voir le prospectus d'emballage pour les illustrations): **Avant d'utiliser votre aérosol-doseur Becloforte pour la première fois, ou si vous ne l'avez pas utilisé depuis 1 semaine ou plus, vaporisez 2 fois le produit dans l'air pour vous assurer que l'aérosol-doseur fonctionne bien.**

1. Retirez le capuchon de l'embout buccal; la courroie du capuchon restera attachée au dispositif. Vérifiez si l'embout est propre à l'intérieur et à l'extérieur.
2. Agitez bien l'aérosol-doseur.
3. Tenez l'aérosol-doseur bien droit entre vos doigts, votre pouce à la base, sous l'embout buccal. Expirez profondément, sans que cela vous incommode.
4. Pour la prochaine étape, il existe 2 possibilités (4a ou 4b). Tout dépend de la technique que votre médecin préfère.
   4 a. Placez l'embout dans la bouche entre les dents et serrez les lèvres, sans le mordre. Commencez à inhaler par l'embout buccal, puis appuyez immédiatement sur la partie supérieure de l'aérosol-doseur afin de libérer le médicament, tout en continuant d'inspirer régulièrement et profondément.
   ou
   4 b. Placez l'aérosol-doseur à 2 doigts de votre bouche tel qu'illustré. Commencez à inspirer lentement et profondément, bouche grande ouverte, tout en appuyant fermement sur la cartouche. Évitez de vaporiser le produit dans les yeux.
5. Retenez votre souffle pendant que vous retirez l'aérosol-doseur de votre bouche et enlevez votre doigt de la partie supérieure de l'aérosol-doseur. Continuez à retenir votre respiration aussi longtemps que possible, sans que cela vous incommode.
6. Si vous devez prendre d'autres inhalations, gardez l'aérosol-doseur bien droit et attendez environ 30 secondes avant de répéter les étapes 2 à 5.
7. Après utilisation, remettez toujours le capuchon en place afin de protéger la cartouche de la poussière.
8. Rincez-vous la bouche avec de l'eau après chaque utilisation. N'avalez pas l'eau de rinçage.

Important: Effectuez les étapes 4 et 5 sans hâte. Il est important que vous commenciez à inspirer aussi lentement que possible juste avant de déclencher votre aérosol-doseur. Pratiquez cette technique devant un miroir les toutes premières fois. Si vous voyez apparaître de la «buée» à la partie supérieure de l'aérosol-doseur ou de chaque côté de la bouche, recommencez à partir de l'étape 2.

Si votre médecin vous a donné d'autres directives, veuillez les suivre attentivement et communiquez avec lui si vous éprouvez des difficultés.

Entretien: Vous devez nettoyer votre aérosol-doseur au moins 1 fois/semaine.

1. Retirez la cartouche de métal de son étui de plastique et enlevez le capuchon.
2. Rincez l'étui de plastique et le capuchon à l'eau tiède. Vous pouvez ajouter à l'eau un détergent doux. Rincez abondamment à l'eau claire avant de faire sécher. **Ne mettez pas la cartouche de métal dans l'eau.**
3. Laissez l'étui et le capuchon sécher dans un endroit chaud et sec. Évitez toute chaleur excessive.
4. Replacez la cartouche dans son étui et le capuchon sur l'embout buccal.
5. Après chaque nettoyage, vaporisez une fois le produit dans l'air afin de vous assurer que l'aérosol-doseur fonctionne bien.

Après avoir utilisé votre aérosol-doseur Becloforte: Si vous remarquez que l'essoufflement ou le sifflement respiratoire s'aggrave, dites-le à votre médecin le plus tôt possible.

Il arrive très rarement que certaines personnes éprouvent des maux de gorge, une sensibilité de la langue ou un léger enrouement après la prise du médicament. Une infection de la bouche et de la gorge appelée candidose (muguet) peut aussi apparaître. Il peut être utile de se rincer la bouche avec de l'eau après chaque utilisation. Consultez votre médecin, mais n'interrompez pas votre traitement à moins d'avis contraire.

Si vous vous sentez mal ou éprouvez des symptômes inexplicables, communiquez immédiatement avec votre médecin.

Que faire en cas de surdosage: En cas de surdosage (prise d'une dose plus élevée que la dose quotidienne recommandée), communiquez immédiatement avec votre médecin ou avec le service d'urgence de votre hôpital, ou encore avec le centre antipoison le plus proche. ▶

Becloforte (suite)

Que faire si vous oubliez une dose: Il est très important d'employer régulièrement Becloforte. Cependant, si vous oubliez une dose, ne vous inquiétez pas. Prenez votre prochaine dose à l'heure habituelle.

Que faire s'il vous faut cesser de prendre votre médicament: Si votre médecin décide d'interrompre votre traitement, ne gardez pas ce médicament, sauf avis contraire de sa part.

N'oubliez pas: Ce médicament est pour **vous.** Seul un médecin peut vous le prescrire. N'en donnez jamais à d'autres personnes, car il peut leur être nocif même si leurs symptômes s'apparentent aux vôtres.

Conservation de votre médicament: Placez votre médicament dans un endroit sûr, hors de la portée des enfants. Il peut leur être nocif.

Votre médicament craint le gel, la lumière directe du soleil et les températures élevées.

Si votre aérosol-doseur est très froid, retirez la cartouche de métal de son étui et réchauffez-la **dans vos mains** durant quelques minutes avant de l'utiliser. N'employez **jamais** d'autres sources de chaleur.

Mise en garde: La cartouche est sous pression. Elle peut exploser à la chaleur. Ne la mettez jamais dans l'eau chaude ni près d'un radiateur, d'un poêle ou d'une autre source de chaleur. Vous ne devez jamais la perforer ni la jeter au feu, même si elle semble vide.

Renseignements complémentaires: Si vous avez des questions ou des doutes, consultez votre médecin ou votre pharmacien.

Vous aurez peut-être à consulter de nouveau ce document. **Ne le jetez donc pas** avant d'avoir fini de prendre votre médicament.

L'apparence, à savoir la couleur, la taille et la forme de l'aérosol-doseur Becloforte est une marque de commerce du Glaxo Group Limited, utilisée sous licence par Glaxo Wellcome Inc.

☐ BECLOVENT®, Aérosol-doseur Ⓟ
☐ BECLOVENT® ROTACAPS® Ⓟ
☐ BECLOVENT® ROTAHALER®

Glaxo Wellcome

Dipropionate de béclométhasone

Corticostéroïde pour traiter l'asthme bronchique

Renseignements destinés aux patients: Aérosol-doseur: Voici des renseignements que vous devez connaître sur l'aérosol-doseur Beclovent: Veuillez lire attentivement ce dépliant avant de commencer à prendre votre médicament.

Pour obtenir de plus amples renseignements ou des conseils, consultez votre médecin ou votre pharmacien.

À propos de votre médicament: Le nom de ce médicament est Beclovent (dipropionate de béclométhasone) en aérosol pour inhalation. Beclovent fait partie d'un groupe de médicaments connus sous le nom de corticostéroïdes anti-inflammatoires, ou plus simplement stéroïdes. Vous ne pouvez vous le procurer que sur ordonnance d'un médecin.

Votre médecin vous a prescrit Beclovent, car c'est ce médicament qui est indiqué dans votre état et qui vous convient. Lorsqu'il est utilisé chaque jour régulièrement, tel que prescrit par votre médecin, il peut contribuer à atténuer votre gêne respiratoire en soulageant l'inflammation et l'irritation des petites voies respiratoires.

Ne prenez pas ce médicament pour traiter une crise soudaine d'essoufflement. Cependant, continuez de le prendre à l'heure habituelle, même si vous utilisez un autre médicament, tel qu'un bronchodilatateur, pour soulager rapidement une crise d'asthme aigu.

Il ne faut pas interrompre votre traitement ni modifier la dose de médicament sans en avoir parlé au préalable à votre médecin, même si votre asthme semble s'atténuer.

Points importants à retenir avant de prendre votre médicament: Avez-vous déjà cessé de prendre d'autres médicaments contre cette maladie à cause d'une allergie ou tout autre problème? Recevez-vous ou avez-vous reçu récemment un traitement contre la tuberculose? Prenez-vous d'autres corticostéroïdes en inhalation ou par voie orale? Si vous avez répondu **oui** à l'une ou l'autre de ces questions, informez-en votre médecin ou votre pharmacien le plus tôt possible, à moins que vous ne l'ayez déjà fait.

Grossesse et allaitement: Ne prenez pas ce médicament si vous êtes enceinte ou si vous allaitez sans en avoir parlé au préalable avec votre médecin.

Prise du médicament: Suivez les directives illustrées. Si vous avez de la difficulté à prendre votre médicament, consultez votre médecin ou votre pharmacien.

Il est important d'inhaler chaque dose comme votre médecin, l'infirmière ou le pharmacien vous l'a montré. Votre médecin décidera de la dose et de la posologie.

Habituellement, l'étiquette du pharmacien indique la dose et la fréquence auxquelles vous devez prendre votre médicament. Si tel n'est pas le cas ou si vous avez un doute, renseignez-vous auprès de votre médecin ou de votre pharmacien.

La posologie quotidienne totale ne doit pas dépasser 20 inhalations (1 000 μg de dipropionate de béclométhasone) chez l'adulte, 10 inhalations (500 μg de dipropionate de béclométhasone) chez l'enfant de 6 ans et plus, et 3 inhalations (150 μg de dipropionate de béclométhasone) chez l'enfant de 3 à 5 ans.

Ne prenez pas plus de doses ou n'utilisez pas votre aérosol-doseur plus souvent que votre médecin ne vous l'a prescrit.

Ne prenez pas ce médicament pour traiter une crise soudaine d'essoufflement. Vous aurez probablement besoin d'un autre type de médicament (présenté dans un emballage de couleur différente) que votre médecin vous a peut-être déjà prescrit. Si vous devez prendre plus d'un médicament, prenez soin de ne pas les confondre. **N'arrêtez pas** le traitement même si vous vous sentez mieux, à moins d'avis contraire de votre médecin.

Si vous deviez être hospitalisé pour une intervention chirurgicale, apportez votre aérosol-doseur avec vous et indiquez au médecin le(s) médicament(s) que vous prenez.

Comment utiliser votre aérosol-doseur Beclovent correctement (voir le prospectus d'emballage pour les illustrations): Avant d'utiliser votre aérosol-doseur Beclovent pour la première fois, ou si vous ne l'avez pas utilisé depuis 1 semaine ou plus, vaporisez 2 fois le produit dans l'air pour vous assurer que l'aérosol-doseur fonctionne bien.

1. Retirez le capuchon de l'embout buccal; la courroie du capuchon restera attachée au dispositif. Vérifiez si l'embout est propre à l'intérieur et à l'extérieur.
2. Agitez l'aérosol-doseur vigoureusement.
3. Tenez l'aérosol-doseur bien droit entre vos doigts, votre pouce à la base, sous l'embout buccal. Expirez profondément, sans que cela vous incommode.
4. Pour la prochaine étape, il existe 2 possibilités (4a ou 4b). Tout dépend de la technique que le médecin préfère.
   4. a. Placez l'embout dans la bouche entre les dents et serrez les lèvres, sans le mordre. Commencez à inhaler par l'embout buccal, puis appuyez immédiatement sur la partie supérieure de l'aérosol-doseur afin de libérer le médicament, tout en continuant de respirer régulièrement et profondément.
   ou
   4. b. Placez l'aérosol-doseur à 2 doigts de votre bouche. Commencez à inspirer lentement et profondément, bouche grande ouverte, tout en appuyant fermement sur la cartouche. Évitez de vaporiser le produit dans les yeux.
5. Retenez votre souffle pendant que vous retirez l'aérosol-doseur de votre bouche et enlevez votre doigt de la partie supérieure. Continuez à retenir votre respiration aussi longtemps que possible, sans que cela vous incommode.
6. Si vous devez prendre d'autres inhalations, gardez l'aérosol-doseur bien droit et attendez environ 30 secondes avant de répéter les étapes 2 à 5.
7. Après utilisation, remettez toujours le capuchon en place afin de protéger la cartouche de la poussière.
8. Rincez-vous la bouche avec de l'eau après chaque dose. N'avalez pas l'eau après vous être rincé la bouche.

Important: Effectuez les étapes 4 et 5 sans hâte. Il est important que vous commenciez à inspirer aussi lentement que possible juste avant de déclencher votre aérosol-doseur. Pratiquez cette technique devant un miroir les toutes premières fois. Si vous voyez apparaître de la «buée» à la partie supérieure de l'aérosol-doseur ou de chaque côté de la bouche, recommencez à partir de l'étape 2.

Si votre médecin vous a donné d'autres directives d'utilisation, veuillez les suivre attentivement et communiquez avec lui si vous éprouvez des difficultés.

Enfants: Les jeunes enfants peuvent avoir besoin de l'aide d'un adulte pour déclencher l'aérosol-doseur. Encouragez l'enfant à expirer et ne déclenchez l'aérosol-doseur qu'une fois qu'il a commencé à inspirer. Exercez-vous ensemble. Les enfants plus âgés ou les personnes n'ayant pas de force dans les mains doivent tenir l'aérosol-doseur à

2 mains. Pour ce faire, il faut placer les index sur le dessus de l'aérosol-doseur et les pouces à la base, sous l'embout buccal.

Entretien: Vous devez nettoyer votre aérosol-doseur au moins 1 fois/semaine.

1. Retirez la cartouche de métal de son étui de plastique et enlevez le capuchon.
2. Rincez l'étui de plastique et le capuchon à l'eau tiède. Vous pouvez ajouter à l'eau un détergent doux. Rincez abondamment à l'eau claire avant de faire sécher. **Ne mettez pas la cartouche de métal dans l'eau.**
3. Laissez l'étui et le capuchon sécher à la chaleur ambiante. Évitez toute chaleur intense.
4. Replacez la cartouche dans son étui, et le capuchon sur l'embout buccal.
5. Après le nettoyage, vaporisez le produit 1 fois dans l'air afin de vous assurer que l'aérosol-doseur fonctionne correctement.

Après avoir utilisé votre aérosol-doseur Beclovent: Si vous remarquez que l'essoufflement ou le sifflement respiratoire s'aggrave, dites-le à votre médecin le plus tôt possible. Très rarement, des personnes éprouvent des maux de gorge, une sensibilité de la langue ou un léger enrouement après la prise du médicament. Une infection de la bouche et de la gorge (candidose ou muguet) peut aussi survenir. Dans ces cas, il peut être utile de se rincer la bouche avec de l'eau après chaque utilisation. Consultez votre médecin, mais n'interrompez pas votre traitement à moins d'avis contraire.

Si vous vous sentez mal ou éprouvez des symptômes inexplicables, communiquez immédiatement avec votre médecin.

Que faire en cas de surdosage: En cas de surdosage (prise d'une dose plus élevée que la dose quotidienne maximale recommandée), communiquez immédiatement avec votre médecin ou avec le service d'urgence de votre hôpital, ou encore avec le centre antipoison le plus proche.

Que faire si vous oubliez une dose: Il est **très important d'employer Beclovent régulièrement.** Cependant, si vous oubliez seulement 1 dose, ne vous inquiétez pas; prenez votre prochaine dose à l'heure habituelle.

Que faire s'il vous faut cesser de prendre votre médicament: Si votre médecin décide d'interrompre votre traitement, ne gardez pas ce médicament, sauf avis contraire de sa part.

N'oubliez pas: Ce médicament est pour **vous.** Seul un médecin peut vous le prescrire. N'en donnez jamais à d'autres personnes; il peut leur être nocif même si leurs symptômes s'apparentent aux vôtres.

Conservation de votre médicament: Placez votre médicament dans un endroit sûr, hors de la portée des enfants. Il peut leur être nocif.

Ce médicament craint le gel, la lumière directe du soleil et les températures élevées (30 °C).

Si votre aérosol-doseur est très froid, retirez la cartouche de métal et réchauffez-la **dans vos mains** durant quelques minutes avant de l'utiliser. N'utilisez **jamais** d'autres sources de chaleur.

Mise en garde: La cartouche est sous pression. Elle peut exploser à la chaleur. Ne jamais la mettre dans l'eau chaude ni près d'un radiateur, d'un poêle ou d'une autre source de chaleur. Ne jamais la perforer ni la jeter au feu, même lorsqu'elle est vide.

Renseignements complémentaires: Si vous avez des questions ou des doutes, consultez votre médecin ou votre pharmacien.

Vous aurez peut-être à consulter de nouveau ce dépliant. **Ne le jetez donc pas** avant d'avoir fini de prendre votre médicament.

Rotacaps/Rotahaler: Mode d'emploi des capsules Rotacaps de Beclovent dans le dispositif d'inhalation Rotahaler de Beclovent: Avant de commencer à prendre votre médicament, veuillez lire attentivement ce feuillet et suivre les directives.

Posologie: Il est primordial que vous utilisiez les Rotacaps et le Rotahaler de Beclovent chaque jour, selon les directives de votre médecin. Ne pas interrompre ni changer la posologie sans consulter votre médecin.

Les enfants devraient employer les Rotacaps/Rotahaler de Beclovent sous la surveillance d'un adulte qui connaît bien le mode d'emploi.

La dose quotidienne totale ne devrait pas dépasser: 5 capsules à 200 μg (5×200 μg de dipropionate de béclométhasone) chez l'adulte; 5 capsules à 100 μg (5×100 μg de dipropionate de béclométhasone) chez un enfant âgé de 6 à 14 ans; une dose d'adulte (ne pas excéder 1 000 μg de dipropionate de béclométhasone) chez un enfant âgé de plus de 14 ans.

Précautions: Les Rotacaps de Beclovent sont destinés non pas à soulager immédiatement vos problèmes respiratoires, mais à corriger la cause des attaques. De nombreux inhalateurs contiennent des bronchodilatateurs qui offrent un soulagement rapide. Lorsque votre médecin vous prescrit un inhalateur, vous devez respecter les directives de l'ordonnance en cas de crise d'asthme aiguë.

Le traitement par les Rotacaps de Beclovent ne devrait pas être interrompu de façon brusque mais graduelle.

Entretien du Rotahaler: Au moins toutes les 2 semaines, lavez les 2 parties du dispositif d'inhalation Rotahaler à l'eau tiède, en veillant à retirer d'abord la capsule Rotacap vide qui est logée dans le puits carré de l'inhalateur.

Séchez complètement le dispositif d'inhalation Rotahaler avant de le remonter.

Évitez toute chaleur excessive.

Mode d'emploi: Préparation du Rotahaler (voir le prospectus d'emballage pour les illustrations):

1. Retirez de son boîtier le dispositif d'inhalation Rotahaler.
2. Tenez l'inhalateur Rotahaler par l'embout buccal et tournez la cartouche cylindrique dans un sens ou dans l'autre jusqu'à ce qu'elle bloque.
3. Retirez une capsule Rotacap de son flacon. En tenant l'inhalateur Rotahaler bien droit, introduisez d'abord la partie transparente de la capsule Rotacap dans le puits carré de l'inhalateur et enfoncez-la jusqu'à ce que l'extrémité de la capsule arrive au même niveau que le bord du puits. L'enveloppe vide de la capsule Rotacap utilisée la fois précédente, si elle est restée dans le puits, sera alors repoussée dans l'inhalateur Rotahaler.
4. Tenez l'inhalateur Rotahaler en position horizontale, le point blanc tourné vers vous. Tournez la cartouche cylindrique d'un seul coup, jusqu'à ce qu'elle bloque. Les deux moitiés de la capsule Rotacap se sépareront. L'inhalateur Rotahaler est maintenant prêt à servir.

Utilisation du Rotahaler:

5. Expirez lentement jusqu'à ce qu'il n'y ait plus d'air dans vos poumons, puis **immédiatement....**
6. En tenant toujours l'inhalateur Rotahaler en position horizontale, portez-le à votre bouche. Insérez l'embout buccal dans votre bouche et placez-le sur votre langue. Serrez les lèvres autour de l'embout buccal et inclinez la tête légèrement en arrière.
7. Inspirez par la bouche, le plus profondément et le plus complètement possible.
8. Retenez votre souffle et retirez l'inhalateur Rotahaler de votre bouche. Continuez de retenir votre souffle aussi longtemps que vous le pouvez, mais sans exagérer, puis expirez.

Après utilisation du Rotahaler:

9. Après l'utilisation, détachez les deux moitiés de l'inhalateur Rotahaler et jetez les capsules Rotacaps vides. Il n'est pas nécessaire de retirer la capsule vide qui est encore logée dans le puits carré, sauf avant de nettoyer l'unité.
10. Rassemblez le dispositif d'inhalation Rotahaler.

Si le médecin vous a recommandé de prendre une deuxième capsule Rotacap, répétez les étapes 2 à 10.

Les capsules Rotacaps de Beclovent ne sont destinées qu'à être inhalées à l'aide de l'inhalateur Rotahaler de Beclovent.

Conserver toujours le dispositif Rotahaler dans son boîtier pour le garder propre. N'oubliez pas de remplacer votre Rotahaler après 6 mois d'utilisation. Dans l'espace prévu à cet effet, notez la date à laquelle vous avez reçu votre Rotahaler actuel.

Précautions: Votre médecin vous indiquera à quelle fréquence utiliser votre Rotahaler. Ne dépassez pas la dose recommandée par votre médecin.

Ne pas avaler les Rotacaps.

Suivez méticuleusement les instructions.

Les Rotacaps ne doivent être insérées dans le Rotahaler qu'au moment de leur utilisation.

Il est important de se rincer la bouche avec de l'eau après l'utilisation des Rotacaps de Beclovent.

☐ BECONASE Aq® Ⓟ

Glaxo Wellcome

Dipropionate de béclométhasone

Corticostéroïde pour la voie nasale

Renseignements destinés aux patients: Avant d'utiliser votre vaporisateur nasal Beconase Aq, veuillez lire attentivement ce feuillet et suivre le mode d'emploi qui y est décrit.

Beconase Aq (suite)

Mode d'emploi à l'attention du patient (voir le prospectus d'emballage pour les illustrations):

1. Enlevez le capuchon protecteur et le collet de blocage. Agitez le flacon.
2. La toute première fois que vous utiliserez le vaporisateur, activez la pompe en appuyant sur la collerette blanche avec l'index et le majeur tout en soutenant la base du flacon avec le pouce. Appuyez jusqu'à ce que vous obteniez une fine vaporisation. Le vaporisateur est alors prêt à l'emploi. Il ne devrait être nécessaire d'activer la pompe que lors de la première utilisation.
3. Mouchez-vous délicatement. Bouchez-vous une narine et inclinez la tête légèrement vers l'avant, tout en tenant le flacon bien droit. Introduisez délicatement l'applicateur nasal dans l'autre narine.
4. Appuyez fermement, une fois seulement, sur la collerette blanche avec l'index et le majeur, tout en soutenant la base du flacon avec le pouce. Inspirez légèrement par la narine et expirez ensuite par la bouche. Répétez cette opération autant de fois que votre médecin vous a prescrit de vaporisation.

   À noter: Quand vous utilisez Beconase Aq 2 fois par narine, la première vaporisation doit être dirigée dans la partie supérieure et la seconde dans la partie inférieure des fosses nasales, de façon à ce que toute la muqueuse soit traitée.
5. Répétez les étapes 3 et 4 pour l'autre narine.
6. Remettez le collet de blocage et le capuchon anti-poussière.

Dose: Vous devez utiliser régulièrement le vaporisateur nasal Beconase Aq aux intervalles recommandés par votre médecin. N'interrompez pas le traitement et ne modifiez pas la dose sans consulter votre médecin. L'emploi par les enfants du vaporisateur nasal Beconase Aq doit être surveillé par un adulte qui en connaît le bon fonctionnement.

La dose quotidienne maximale ne doit pas dépasser 12 vaporisations chez l'adulte (600 µg de dipropionate de béclométhasone) et 8 chez l'enfant (400 µg de dipropionate de béclométhasone). Le profil d'effets indésirables et l'efficacité de Beconase Aq en vaporisateur nasal chez les enfants de moins de 6 ans n'ont pas été établies.

Après avoir pris votre médicament: Consultez votre médecin si vous remarquez l'un des points suivants:

- vous détectez des signes d'infections dans votre nez, votre gorge ou vos sinus
- vous n'obtenez aucune amélioration à l'intérieur de 3 semaines
- vous observez des saignements inhabituels et répétés
- votre état se détériore
- de nouveaux problèmes médicaux apparaissent
- vous prenez un nouveau médicament

Attention: Le vaporisateur nasal Beconase Aq n'est pas conçu pour soulager instantanément la congestion nasale, mais pour combattre la cause sous-jacente de vos symptômes.

Nettoyage: Pour nettoyer l'applicateur nasal, enlevez le capuchon protecteur et le collet de blocage, et soulevez délicatement la collerette blanche pour libérer l'applicateur nasal. Lavez l'applicateur ainsi que le capuchon à l'eau froide. Séchez-les et remettez le capuchon protecteur et le collet de blocage sur l'applicateur.

Si l'applicateur nasal se bouche, enlevez le capuchon, dévissez le mécanisme de la pompe et faites tremper quelques minutes dans de l'eau tiède. Rincez à l'eau froide, séchez et revissez la pompe sur le flacon.

Jetez le vaporisateur 3 mois après le début de l'utilisation.

☐ BENZAMYCIN® Ⓟ

Dermik Laboratories Canada

Érythromycine—Peroxyde de benzoyle

Traitement de l'acné

Renseignements destinés aux patients: Avant d'utiliser **Benzamycin** (gel d'érythromycine et de peroxyde de benzoyle, USP), veuillez lire attentivement le présent document. Votre lecture terminée, veuillez communiquer avec votre médecin ou votre pharmacien si vous avez des questions.

Benzamycin est vendu seulement sur ordonnance. Votre médecin vous l'ayant prescrit pour traiter l'affection dont vous souffrez, vous ne devez pas le partager avec quelqu'un d'autre.

Benzamycin est une combinaison de 2 médicaments contre l'acné: l'érythromycine et le peroxyde de benzoyle. Appliqué en une mince couche sur la peau, il combat l'acné.

Mode d'emploi:

1. Avant d'employer Benzamycin, lavez à fond les régions atteintes à l'aide d'un savon non médicamenteux, rincez à l'eau tiède et séchez délicatement.
2. Appliquez une mince couche de Benzamycin sur les régions atteintes 2 fois/jour, soit le matin et le soir, ou selon les indications de votre médecin. Si vous avez la peau claire, commencez par faire une seule application quotidienne. Lavez-vous les mains après avoir appliqué le produit. Ne dépassez pas la fréquence d'utilisation indiquée par votre médecin.
3. Bien qu'on ait vu l'acné perdre du terrain après à peine 2 semaines d'utilisation, un traitement de 6 à 10 semaines est parfois nécessaire pour l'obtention de résultats optimaux. Vous devez employer ce médicament suivant les consignes reçues pendant toute la période recommandée par le médecin.

Important:

- N'utilisez pas Benzamycin si vous êtes allergique au peroxyde de benzoyle ou à l'érythromycine.
- Conservez ce médicament au réfrigérateur. Ne le congelez pas.
- Benzamycin est un médicament pour usage externe seulement. Évitez tout contact avec les yeux, le nez, les lèvres, la bouche et d'autres muqueuses. Si le produit entre en contact avec ces parties, rincez-les bien à l'eau. Si elles rougissent ou deviennent douloureuses, communiquez avec votre médecin.
- N'utilisez pas d'autres médicaments topiques contre l'acné, sauf si votre médecin vous autorise à le faire.
- Au début du traitement, de légers picotements ou de petites rougeurs peuvent se manifester. Si la peau devient trop irritée ou trop sèche, cessez le traitement et demandez conseil à votre médecin.
- Benzamycin peut décolorer les cheveux ou les tissus de couleur.
- N'appliquez pas Benzamycin en trop grande quantité. Un usage abusif du produit n'accélère pas la guérison et peut être cause d'irritation.
- Gardez ce médicament hors de la portée des enfants.
- Si vous n'avez pas utilisé complètement Benzamycin dans les 3 mois suivant l'établissement de l'ordonnance, jetez le produit et procurez-vous un nouveau flacon.

☐ BEROTEC®, Aérosol pour inhalation Ⓟ
☐ BEROTEC® FORTE, Aérosol pour inhalation Ⓟ

Boehringer Ingelheim

Bromhydrate de fénotérol

Bronchodilatateur

Renseignements destinés aux patients: Avant d'utiliser les aérosols Berotec 100 µg ou Berotec forte pour inhalation, veuillez lire ces renseignements attentivement.

Les aérosols Berotec 100 µg et Berotec forte pour inhalation sont des cartouches d'aérosol munies d'un embout buccal servant au traitement de la respiration sifflante et de l'essoufflement entraînés par l'asthme, la bronchite chronique ou l'emphysème.

Ces renseignements expliquent comment utiliser les aérosols Berotec pour inhalation, sans éprouver de problèmes. Si vous avez des questions, n'hésitez pas à communiquer avec votre médecin ou votre pharmacien.

Avant d'utiliser les aérosols Berotec 100 µg et Berotec forte pour inhalation: Veuillez aviser votre médecin: si vous êtes enceinte ou désirez le devenir; si vous allaitez; si vous avez d'autres problèmes de santé; si vous prenez d'autres médicaments, y compris tout médicament vendu en pharmacie sans ordonnance; si vous avez des réactions ou des allergies alimentaires, médicamenteuses ou entraînées par des préparations en aérosol.

Mode d'emploi des aérosols Berotec 100 µg et Berotec forte pour inhalation: Ne pas dépasser le nombre de bouffées prescrit par votre médecin. Ne pas augmenter la fréquence des inhalations recommandées par votre médecin.

Si vous utilisez votre inhalateur Berotec 100 µg ou Berotec forte quotidiennement, sans utiliser d'autre médicament antiasthmatique, veuillez consulter votre médecin pour une réévaluation de votre traitement.

La dose habituelle pour soulager les symptômes en phase aiguë est d'une bouffée, pouvant être répétée 5 minutes plus tard au besoin. Si les symptômes persistent, des bouffées additionnelles peuvent s'avérer nécessaires, et vous devriez consulter votre médecin immédiatement ou vous rendre à l'hôpital le plus proche.

Il se peut que votre médecin vous prescrive ce médicament de façon régulière en association avec un autre antiasthmatique visant à maîtriser l'inflammation des voies aériennes; le cas échéant, la dose habituelle est de 1 à 2 bouffées 3 à 4 fois/jour au maximum pour Berotec 100 µg et de 1 à 2 bouffées 3 fois/jour au maximum pour Berotec forte (200 µg).

Si vous ne ressentez aucun soulagement suite à votre traitement habituel ou si les effets d'une dose durent moins de 3 heures, vous devriez consulter un médecin immédiatement; c'est habituellement le signe que votre asthme s'aggrave, nécessitant alors une réévaluation de votre traitement.

Avant d'utiliser votre aérosol pour inhalation, veuillez lire le mode d'emploi attentivement. Si l'inhalateur est utilisé incorrectement, vous ne retirez peut-être pas tous les bienfaits du médicament. Si vous avez des questions au sujet de l'inhalateur, consultez votre médecin.

Directives:

1. Enlevez le couvercle recouvrant l'embout buccal.
2. **Il est très important** de bien agiter l'inhalateur.
3. Votre médecin vous suggérera une méthode pour utiliser votre inhalateur. Suivez une des méthodes d'inhalation suivantes recommandées par votre médecin. a) Expirez lentement et profondément. Placez l'embout buccal dans la bouche et serrez les lèvres autour de l'embout. Ne serrez pas les dents et gardez la langue à plat pour permettre au médicament de se rendre aux poumons. Inspirez profondément tout en appuyant simultanément sur la cartouche **ou** b) Expirez lentement et profondément. Placez l'inhalateur à environ 3 cm (1 pouce) de la bouche. Commencez à inspirer lentement et profondément, la bouche ouverte. En même temps, appuyez sur la cartouche afin de libérer le médicament et de l'inspirer.
4. Retenez votre souffle pendant quelques secondes et expirez lentement.
5. Si une deuxième bouffée est indiquée, attendez au moins 1 minute avant de répéter les étapes 2, 3 et 4.
6. Remettez le couvercle protecteur.

Entretien de l'embout buccal/cartouche: L'embout buccal devrait être nettoyé à l'eau chaude 1 fois/semaine. Vous devez enlever l'embout buccal de la cartouche avant de le laver. Si vous utilisez du savon ou un détergent, l'embout buccal devrait être bien rincé à l'eau claire et séché à l'air. L'embout buccal doit être complètement sec avant d'être remis sur la cartouche.

Il se peut que la tige de la cartouche s'encrasse ou se bouche. Enlever la cartouche de l'embout buccal et vérifier les petits trous de la tige. Si ces 2 petits trous semblent bouchés, les rincer à l'eau tiède. Une fois que la cartouche est sèche, la replacer sur l'embout buccal.

À quel moment doit-on remplacer l'inhalateur? Si vous n'êtes pas certain de la quantité d'aérosol pour inhalation qu'il reste dans la cartouche, vous pouvez le vérifier en mettant la cartouche dans l'eau. Si elle flotte, vous devez la remplacer.

Points à retenir:

- Les aérosols Berotec 100 µg et Berotec forte pour inhalation ont été prescrits pour traiter **votre** affection. **Ne pas** les donner à une autre personne.
- **Ne pas** prendre d'autres médicaments sans l'avis de votre médecin. Si vous consultez un **autre** médecin, dentiste ou pharmacien, n'oubliez pas de lui dire que vous utilisez les aérosols Berotec 100 µg ou Berotec forte pour inhalation.
- **Gardez ce médicament hors de la portée des enfants.**
- Ne pas congeler.
- La cartouche peut exploser si elle est chauffée. Le contenu de la cartouche est maintenu sous pression. Ne pas mettre dans l'eau chaude ni près des radiateurs, cuisinières ou autres sources de chaleur. Ne pas percer la cartouche ni la jeter dans un incinérateur ni la conserver à une température dépassant 30 °C.
- Comme tout autre médicament, en plus des effets bénéfiques, Berotec 100 µg et Berotec forte peuvent entraîner certains effets indésirables. Si vous ressentez des effets inhabituels ou indésirables pendant l'utilisation de votre aérosol pour inhalation, communiquez avec votre médecin.

□ BEROTEC®, Solution pour inhalation Ⓟ

Boehringer Ingelheim

Bromhydrate de fénotérol

Bronchodilatateur

Renseignements destinés aux patients: Solution Berotec: Flacons de 20 mL: Avant de prendre la solution Berotec, veuillez lire ces renseignements attentivement.

La solution Berotec est un bronchodilatateur indiqué avec un nébuliseur dans le traitement de la respiration sifflante et de l'essoufflement causés par l'asthme, la bronchite chronique ou l'emphysème. La solution Berotec n'est remise que sur ordonnance du médecin.

Ce feuillet de renseignements explique comment prendre la solution Berotec sans éprouver de problèmes. Si vous avez des questions après avoir lu ce feuillet, n'hésitez pas à communiquer avec votre médecin ou votre pharmacien.

Avant de prendre la solution Berotec pour inhalation: Veuillez aviser votre médecin:

- si vous êtes enceinte ou désirez le devenir;
- si vous allaitez;
- si vous avez d'autres problèmes de santé;
- si vous prenez d'autres médicaments, y compris tout médicament vendu en pharmacie sans ordonnance;
- si vous avez des réactions allergiques ou des allergies alimentaires ou médicamenteuses.

Comment prendre la solution Berotec pour inhalation (voir le prospectus d'emballage pour les illustrations): **Ne pas dépasser la dose de solution Berotec prescrite par votre médecin. Ne pas augmenter la fréquence d'usage de votre nébuliseur à moins d'indication contraire de votre médecin.**

Si vous utilisez votre solution pour inhalation Berotec quotidiennement sans utiliser d'autre médicament antiasthmatique, veuillez consulter votre médecin pour une réévaluation de votre traitement.

Il se peut que votre médecin vous prescrive ce médicament de façon régulière en association avec un autre antiasthmatique visant à maîtriser l'inflammation des voies aériennes.

Si vous ne ressentez aucun soulagement suite à votre traitement habituel ou si les effets d'une dose durent moins de 3 heures, vous devriez consulter un médecin immédiatement; c'est habituellement le signe que votre asthme s'aggrave, nécessitant alors une réévaluation.

Avant d'amorcer le traitement à la solution Berotec, vous devez bien connaître le mode d'emploi et d'entretien de votre nébuliseur.

Dans la majorité des cas, la dilution de la dose avec une solution physiologique salée stérile sans agent de conservation n'est pas nécessaire. Toutefois, des volumes de la solution Berotec inférieurs à 2 mL ne sont pas suffisants pour la nébulisation et doivent donc être dilués avec une solution physiologique salée ou une autre solution pour nébulisation appropriée afin d'obtenir un volume total de 2 à 5 mL dans la chambre de nébulisation.

1. Immédiatement avant de commencer à utiliser le nébuliseur, avec une seringue, prélevez la dose de solution Berotec prescrite par votre médecin (habituellement 0,5 mL à 1,0 mL de solution). Ajoutez la solution à la chambre de nébulisation.

   Ne pas garder la dose prescrite dans la seringue à des fins d'utilisation future.
2. Rebouchez le flacon de solution Berotec et conservez dans un endroit sûr jusqu'au prochain traitement. Une fois le flacon de solution Berotec ouvert, la solution demeure stable pendant 30 jours. Veuillez noter la date à laquelle vous avez ouvert le flacon.
3. Si vous devez diluer la solution, avec la seringue, ajoutez la quantité de solution stérile de chlorure de sodium ne contenant aucun agent de conservation selon les directives de votre médecin ou pharmacien (habituellement 4 à 4,5 mL de solution de chlorure de sodium).
4. Agitez doucement la chambre de nébulisation et raccordez à l'embout buccal ou au masque facial. Raccordez le tube du nébuliseur à la pompe à air ou à oxygène et inhalez.
5. Placez le masque facial de façon qu'aucune vaporisation n'entre en contact avec les yeux. Inspirez tranquillement et profondément par le masque facial ou l'embout buccal jusqu'à ce qu'aucune vaporisation ne se forme dans la chambre du nébuliseur. Ce procédé prend habituellement 10 à 15 minutes.
6. Suivez les directives des fabricants du nébuliseur et de la pompe à air pour l'entretien et le nettoyage de l'équipement.

Berotec, Solution pour inhalation (suite)

Points à retenir:
- **La solution Berotec a été prescrite pour traiter votre affection. Ne pas la donner à une autre personne.**
- **Ne pas** prendre d'autres médicaments sans l'avis de votre médecin. Si vous consultez un **autre** médecin, dentiste ou pharmacien, n'oubliez pas de lui dire que vous prenez la solution Berotec.
- **La solution est pour inhalation seulement. Ne pas l'injecter ni l'ingérer.**
- **Gardez ce médicament hors de la portée des enfants.**
- Comme tout autre médicament, en plus des effets bénéfiques, Berotec peut entraîner certains effets indésirables. Si vous ressentez des effets inhabituels ou indésirables pendant l'utilisation de Berotec, communiquez avec votre médecin.

Berotec UDV: Flacon monodose de 2 mL: Solution Berotec pour inhalation en flacon monodose: Avant de prendre la solution Berotec, veuillez lire ces renseignements attentivement.

La solution Berotec est un bronchodilatateur qui est indiqué avec un nébuliseur dans le traitement de la respiration sifflante et de l'essoufflement causés par l'asthme, la bronchite chronique ou l'emphysème. La solution Berotec est vendue uniquement sur ordonnance.

0,625 mg/mL: Chaque flacon en plastique contient 2 mL de solution Berotec. Chaque mL de solution contient 0,625 mg (0,0625 %) de bromhydrate de fénotérol en solution isotonique.

0,25 mg/mL: Chaque flacon en plastique contient 2 mL de solution Berotec. Chaque mL de solution contient 0,25 mg (0,025 %) de bromhydrate de fénotérol en solution isotonique.

Ce feuillet de renseignements explique comment prendre la solution Berotec en flacon monodose sans éprouver de problèmes. Si vous avez des questions après avoir lu ce feuillet, n'hésitez pas à communiquer avec votre médecin ou votre pharmacien.

Avant de prendre la solution Berotec pour inhalation: Veuillez aviser votre médecin:
- si vous êtes enceinte ou désirez le devenir;
- si vous allaitez;
- si vous avez d'autres problèmes de santé;
- si vous prenez d'autres médicaments, y compris tout médicament vendu en pharmacie sans ordonnance;
- si vous avez des réactions allergiques ou des allergies alimentaires ou médicamenteuses.

Comment prendre la solution Berotec pour inhalation (voir le prospectus d'emballage pour les illustrations): **Ne pas dépasser la dose de solution Berotec prescrite par votre médecin. Ne pas augmenter la fréquence d'usage de votre nébuliseur à moins d'indication contraire de votre médecin.**

Si vous utilisez votre solution pour inhalation Berotec régulièrement sans utiliser d'autre médicament antiasthmatique, veuillez consulter votre médecin pour une réévaluation de votre traitement.

Il se peut que votre médecin vous prescrive ce médicament de façon régulière en association avec un autre antiasthmatique visant à maîtriser l'inflammation des voies aériennes.

Si vous ne ressentez aucun soulagement suite à votre traitement habituel ou si les effets d'une dose durent moins de 3 heures, vous devriez consulter un médecin immédiatement; c'est habituellement le signe que votre asthme s'aggrave, nécessitant une réévaluation.

Avant d'amorcer le traitement à la solution Berotec, vous devez bien connaître le mode d'emploi et d'entretien de votre nébuliseur.

Dans la majorité des cas, la dilution de la dose avec une solution physiologique salée stérile sans agent de conservation n'est pas nécessaire. Toutefois, des volumes de la solution Berotec inférieurs à 2 mL ne sont pas suffisants pour la nébulisation et doivent donc être dilués avec une solution physiologique salée ou une autre solution pour nébulisation appropriée afin d'obtenir un volume total de 2 à 5 mL dans la chambre de nébulisation.

Diluer la dose immédiatement avant d'utiliser la solution.

1. Détacher un flacon en plastique de la bande en le tirant fermement.
2. Pour ouvrir le flacon, enlever le capuchon en tournant. Il est important d'utiliser le contenu du flacon **le plus tôt possible** après son ouverture.
3. Exprimer le contenu du flacon dans la chambre de votre nébuliseur. Si votre médecin vous a recommandé de ne pas utiliser tout le contenu du flacon, utiliser une seringue pour prélever la dose prescrite.

   Toute quantité de solution qui reste dans le flacon en plastique doit être jetée.
4. Si votre médecin vous a recommandé d'utiliser une autre solution pour inhalation en association avec la solution Berotec, vous devriez également ajouter la quantité adéquate de cette solution dans la chambre de nébulisation.
5. Avec la seringue, ajouter à la chambre la quantité de solution de chlorure de sodium prescrite par votre médecin ou votre pharmacien.
6. Agiter doucement la chambre de nébulisation et raccorder à l'embout buccal ou au masque facial. Raccorder le tube du nébuliseur à la pompe à air ou à oxygène et inhaler.
7. Placer le masque facial de façon à ce qu'aucune vaporisation n'entre en contact avec les yeux. Inspirer tranquillement et profondément par le masque facial ou l'embout buccal jusqu'à ce qu'aucune vaporisation ne se forme dans la chambre du nébuliseur. Ce procédé prend habituellement 10 à 15 minutes.
8. Suivre les directives fournies par les fabricants de nébuliseurs et de pompes à air pour le mode d'emploi et l'entretien de ces mécanismes.
9. Les flacons monodose devraient être gardés à la température de la pièce. Les flacons doivent être conservés loin de la chaleur et de la lumière.

Points à retenir:
- La solution Berotec a été prescrite pour traiter **votre** affection. Ne pas la donner à une autre personne.
- **Ne pas** prendre d'autres médicaments sans l'avis de votre médecin. Si vous consultez un **autre** médecin, dentiste ou pharmacien, n'oubliez pas de lui dire que vous prenez la solution Berotec.
- **La solution est pour inhalation seulement. Ne pas l'injecter ni l'ingérer.**
- **Gardez ce médicament hors de la portée des enfants.**
- Comme tout autre médicament, en plus des effets bénéfiques, Berotec peut entraîner certains effets indésirables. Si vous ressentez des effets inhabituels ou indésirables pendant l'utilisation de Berotec, communiquez avec votre médecin.

□ BETASERON® Ⓟ

Berlex Canada

Interféron bêta-1b

Immunomodulateur

Renseignements destinés aux patients: Betaseron (interféron bêta-1b) doit être utilisé sous la surveillance d'un médecin. Votre médecin, ou un autre professionnel de la santé qu'il ou elle aura délégué, doit vous expliquer comment préparer Betaseron et vous montrer la technique d'auto-injection. Ne commencez pas le traitement sans avoir suivi une formation sur Betaseron.

Le traitement par Betaseron doit être suivi tel que prescrit par votre médecin. Toutefois, si vous oubliez une injection, administrez-vous le médicament aussitôt que vous y pensez. Rappelez-vous les renseignements suivants:
- Gardez toujours Betaseron au réfrigérateur. Ne le congelez pas. Assurez-vous de le conserver au réfrigérateur avant et après la préparation de la solution.

Avant la préparation de la solution: S'il ne vous est pas possible de réfrigérer Betaseron, vous devez garder les flacons de médicament et de diluant dans un endroit aussi frais que possible, au-dessous de 30 °C, à l'abri de la chaleur et de la lumière, et **les utiliser dans les 7 jours.**

Après la préparation de la solution: Vous devez garder le flacon ou la seringue contenant Betaseron au réfrigérateur et **l'utiliser dans les 3 heures.**
- Gardez les seringues et les aiguilles hors de la portée des enfants. Ne réutilisez pas les seringues ni les aiguilles. Jetez les seringues et les aiguilles utilisées dans un récipient destiné à cette fin.
- **Grossesse:** Les femmes enceintes ou celles qui tentent de le devenir ne doivent pas prendre Betaseron. Pendant le traitement, les femmes en âge de procréer doivent utiliser une méthode contraceptive. Une femme qui envisage une grossesse au cours du traitement doit en parler à son médecin. En cas de grossesse, il faut cesser de prendre le médicament et appeler son médecin sans tarder.
- Les réactions au point d'injection sont fréquentes, notamment: rougeur, douleur, enflure et changement de coloration de la peau. Plus rarement, il peut se produire une nécrose au point d'injection (lésion de la peau et des tissus en dessous). Pour diminuer le risque de réaction, il faut changer de partie du corps à chaque injection et attendre 1 semaine avant de refaire une injection au même endroit.

Ne vous donnez pas d'injections aux endroits où la peau est sensible, rouge ou dure. Ne choisissez pas les endroits où vous sentez une bosse, un creux, de la douleur, ou encore les endroits où la peau a changé de coloration. Si vous découvrez l'une de ces particularités, avisez-en votre médecin ou un autre professionnel de la santé. Si vous constatez une plaie ou un écoulement de liquide à l'endroit de l'injection, consultez votre médecin.

- On observe aussi fréquemment des symptômes apparentés à la grippe (symptômes pseudo-grippaux): fièvre, frissons, sueurs, fatigue et courbatures. Ces effets peuvent être moins incommodants si Betaseron est pris au coucher.
- Des symptômes de dépression, dont des tentatives de suicide, ont aussi été signalés par certains patients. Si vous ressentez l'un ou l'autre de ces symptômes, communiquez avec votre médecin sans tarder.
- Comme tout autre médicament, Betaseron peut entraîner des effets indésirables. Consultez votre médecin pour tout problème, même si vous ne pensez pas qu'il soit causé par Betaseron.

Directives pour l'auto-injection:

Étape 1: Rassembler le matériel: Rassemblez tout le matériel dont vous avez besoin. Vous aurez besoin de: 1 flacon de diluant pour Betaseron (chlorure de sodium à 0,54 %); 1 flacon de Betaseron; 1 seringue de 3 mL avec aiguille de 1 po. de calibre 21; 1 seringue de 1 mL avec aiguille de ½ po. de calibre 27; au moins 4 tampons d'alcool; 1 récipient pour seringues utilisées (contenant opaque à l'épreuve des perforations, avec couvercle hermétique).

Étape 2: Choisir un point d'injection: Betaseron doit être injecté dans le tissu sous-cutané (entre la couche de gras, qui se trouve sous la peau, et le muscle). Les meilleures parties du corps pour l'injection sont des parties molles, loin des articulations.

- **Choisissez un point d'injection parmi les parties suivantes:**
- Abdomen, au-dessus de la taille (à au moins 5 cm à gauche ou à droite du nombril).
- Cuisse droite (à au moins 5 cm au-dessus du genou et 5 cm au-dessous de l'aine).
- Cuisse gauche (à au moins 5 cm au-dessus du genou et 5 cm au-dessous de l'aine).
- Fesse gauche (partie supérieure, vers l'extérieur).
- Fesse droite (partie supérieure, vers l'extérieur).
- Changez de partie du corps chaque fois que vous vous injectez le médicament pour permettre au point d'injection de récupérer. Cela vous aidera à prévenir les réactions au point d'injection.
- Attendez au moins 1 semaine avant de faire une autre injection au même endroit.
- Ne choisissez pas les endroits où vous sentez une bosse, un nodule, un creux, de la douleur ou encore les endroits où la peau a changé de coloration. Si vous découvrez l'une de ces particularités, avisez-en votre médecin ou un autre professionnel de la santé.
- Notez le jour de l'injection et le point d'injection que vous avez utilisé. Utilisez l'agenda fourni avec la trousse Betaseron.

Étape 3: Préparer la solution: Seul le diluant (liquide) fourni avec Betaseron peut être utilisé pour dissoudre la poudre blanche contenue dans le flacon de Betaseron.

1. Lavez-vous bien les mains à l'eau et au savon.
2. Vérifiez la date d'expiration sur les deux flacons.
3. **Enlevez** la capsule protectrice de chacun des flacons.
4. **Désinfectez** avec un tampon d'alcool le dessus de chaque flacon en l'essuyant dans un seul sens et en vous servant d'un tampon par flacon.
5. Prenez le flacon de diluant.
6. Les avant-bras appuyés contre une surface stable, **enlevez** le capuchon protecteur de la seringue de 3 mL en tirant simplement sur le capuchon de façon à dénuder l'aiguille.
7. **Tirez** le piston (de la seringue de 3 mL) jusqu'à la ligne indiquant 1,2 mL.
8. Tenez le flacon de diluant sur une surface stable et **insérez**-y doucement l'aiguille de la seringue à travers le bouchon de caoutchouc. **Ne touchez pas** à l'aiguille ni au bouchon de caoutchouc.
9. **Poussez** doucement le piston jusqu'au bout pour faire pénétrer de l'air dans le flacon. **Laissez** l'aiguille **dans** le flacon de diluant.
10. **Tournez** le flacon de diluant à l'envers.
11. Les avant-bras appuyés contre une surface stable, **tirez** doucement le piston de la seringue jusqu'à la ligne indiquant 1,2 mL. Veillez à ce que la pointe de l'aiguille demeure dans le liquide.
12. Tout en laissant le flacon à l'envers, **tapotez** légèrement la seringue pour que les bulles d'air montent en haut de la seringue.
13. **Poussez** doucement le piston pour expulser l'air de la seringue. Vérifiez que la seringue contient 1,2 mL de diluant.
14. **Retirez** l'aiguille du flacon de diluant.
15. Jetez le flacon dans le récipient pour seringues utilisées.
16. Tout en tenant la seringue d'une main, prenez le flacon de Betaseron de l'autre main.
17. Tenez le flacon de Betaseron sur une surface stable et **insérez**-y doucement l'aiguille de la seringue (qui contient 1,2 mL de liquide) à travers le bouchon de caoutchouc.
18. **Poussez** doucement le piston en orientant l'aiguille vers la paroi du flacon.
19. **Retirez** l'aiguille du flacon de Betaseron. S'il y a de la mousse, attendez qu'elle disparaisse.
20. **Jetez** la seringue de 3 mL dans le récipient pour seringues utilisées.
21. **Faites rouler** le flacon délicatement entre vos mains pour bien dissoudre le médicament **(n'agitez pas le flacon)**.
22. **Examinez** attentivement la solution. Elle devrait être claire et exempte de particules.

Étape 4: Préparer l'injection:

1. **Retirez** le capuchon recouvrant l'aiguille de la seringue de 1 mL et tirez le piston jusqu'à la ligne indiquant 1 mL.
2. **Insérez** l'aiguille dans le flacon de solution de Betaseron à travers le bouchon de caoutchouc.
3. **Poussez** doucement le piston jusqu'au bout pour faire pénétrer de l'air dans le flacon. Laissez l'aiguille dans le flacon.
4. **Tournez** le flacon de solution de Betaseron **à l'envers**.
5. Veillez à ce que la pointe de l'aiguille **demeure** dans le liquide. **Tirez** le piston pour prélever 1 mL de liquide dans la seringue.
6. Tout en tenant le flacon à l'envers, **tapotez** légèrement la seringue pour que les bulles d'air montent en haut de la seringue.
7. **Poussez** doucement le piston pour expulser **seulement l'air** de la seringue. Vérifiez que la seringue contient 1 mL de Betaseron.
8. **Retirez** l'aiguille du flacon.
9. **Remettez** le capuchon protecteur sur l'aiguille de la seringue.
10. **Jetez** le flacon contenant le reste de la solution dans le récipient pour seringues utilisées.

Étape 5: S'injecter Betaseron:

1. **Désinfectez** le point d'injection avec un tampon d'alcool, avec un mouvement circulaire à partir du centre vers l'extérieur; laissez sécher.
2. **Jetez** le tampon.
3. **Retirez** le capuchon de l'aiguille.
4. **Pincez** légèrement la peau de chaque côté du point d'injection pour qu'elle soit légèrement surélevée.
5. **Piquez** l'aiguille dans la peau à un angle de 90°, d'un geste rapide et ferme.
6. **Injectez** le médicament en poussant lentement et régulièrement sur le piston jusqu'à ce que la seringue soit vide.
7. **Retirez** l'aiguille de la peau.
8. **Frottez** doucement le point d'injection avec un nouveau tampon d'alcool.
9. Jetez la seringue de 1 mL dans le récipient approprié.

□ BEZALIP® ℞

Roche

Bezafibrate

Régulateur du métabolisme des lipides

Renseignements destinés aux patients: Les renseignements complets concernant la prescription de ce médicament sont disponibles sur demande aux médecins et aux pharmaciens.

Le nom de marque déposée pour le bezafibrate de Hoffmann-La Roche est Bezalip.

Le Bezalip réduit le cholestérol présent dans le sang, en particulier le cholestérol associé aux lipoprotéines de faible densité et de très faible densité (cholestérol-LDL et VLDL). Le Bezalip réduit aussi les niveaux élevés de triglycérides.

Le Bezalip est uniquement disponible sur ordonnance. Ce médicament doit seulement être utilisé en tant que supplément à un régime alimentaire approprié, recommandé et surveillé par votre médecin dans le cadre d'un traitement à long terme des taux de lipides élevés. La prescription de ce médicament ne remplace d'aucune façon le traitement diététique. De plus, votre médecin peut recommander des exercices physiques additionnels, une perte de poids ou d'autres mesures.

Bezalip (suite)

On doit respecter tous les termes de la prescription. Il ne faut pas changer la dose sans l'avis de votre médecin. Avant d'arrêter le traitement, vous devez consulter votre médecin car une interruption peut entraîner une augmentation du taux des lipides dans votre sang.

Avant d'entreprendre un traitement avec ce médicament, votre médecin doit être au courant:

- si vous avez déjà pris du Bezalip ou tout autre médicament de la classe des fibrates et si cela a occasionné des réactions allergiques ou a été mal toléré,
- si vous souffrez de troubles hépatiques ou rénaux,
- si vous êtes enceinte ou envisagez de l'être, ou vous allaitez ou avez l'intention de le faire,
- si vous prenez d'autres médicaments, en particulier un anticoagulant oral telle la warfarine (Warfilone) ou la cyclosporine (Sandimmune).

Utilisation correcte du médicament: Bezalip, comprimé à libération rapide de 200 mg: La posologie standard est de 1 comprimé de 200 mg 3 fois/jour. Le comprimé de 200 mg doit être avalé, pendant ou après les repas, avec suffisamment de liquide sans être mâché.

Bezalip, comprimé à libération contrôlée de 400 mg: La posologie est de 1 comprimé de Bezalip à libération contrôlée de 400 mg 1 fois/jour. On doit prendre le comprimé à libération contrôlée de 400 mg, le matin ou le soir, avec ou après les repas. Le comprimé à libération contrôlée doit être avalé avec suffisamment de liquide sans être mâché.

- Votre médecin vous demandera de subir des examens médicaux et des analyses de laboratoire sur une base régulière. Il est important de respecter les dates proposées. Nous vous recommandons fortement de vous rendre à ces rendez-vous.
- Informez votre médecin de tout problème de santé qui survient pendant votre traitement au Bezalip aussi bien que de tout autre médicament, délivré ou non sur ordonnance, que vous prenez. Si vous devez suivre un autre traitement médical, mettez votre médecin au courant du fait que vous prenez du Bezalip.
- Si vous prenez le Bezalip simultanément avec une résine fixant les acides biliaires, on prendra soin de maintenir un intervalle de 2 heures entre les deux médicaments.
- Avisez votre médecin si vous vous sentez mal pendant que vous prenez le Bezalip (voir Effets non désirés).
- La sécurité du Bezalip chez les enfants et les jeunes adolescents n'a pas été établie.
- L'effet du Bezalip sur la prévention des crises cardiaques, de l'athérosclérose ou des maladies coronariennes est inconnu.
- Le Bezalip est contre-indiqué pendant la grossesse. Le traitement avec le Bezalip doit être interrompu et votre médecin informé si une grossesse survient pendant le traitement.
- Les patientes qui allaitent doivent éviter le Bezalip.

Effets non désirés: En plus de leur action désirée, tous les médicaments sont susceptibles de provoquer des effets non désirés. De tels effets peuvent survenir chez certains patients. Il est possible qu'ils apparaissent et disparaissent sans entraîner de risque particulier mais si les effets non désirés persistent ou deviennent importants, il faut immédiatement en aviser votre médecin. Ces effets non désirés peuvent consister en des douleurs abdominales, des constipations, des diarrhées, des nausées, des céphalées, des étourdissements, des réactions cutanées, des douleurs ou des crampes musculaires, des fatigues.

Ce médicament est prescrit pour un trouble de santé particulier et pour votre usage personnel. Ne pas le donner à d'autres.

Garder tous les médicaments hors de portée des enfants.

Pour de plus amples renseignements, contacter votre médecin ou votre pharmacien.

☐ BIAXIN® 🅿

Abbott

Clarithromycine

Antibiotique

Renseignements destinés aux patients: Biaxin (clarithromycine pour enfants en granulés pour suspension buvable) peut se prendre avec ou sans nourriture, peut se prendre avec du lait et ne doit pas être réfrigéré.

Infection à H. pylori: Éradication et observance: Afin d'assurer la réussite du traitement, il faut aviser les patients qui reçoivent une trithérapie ou une bithérapie visant l'éradication de H. pylori de prendre tous leurs médicaments pendant toute la durée du traitement.

Le patient qui ne peut pas, pour une raison ou pour une autre, poursuivre son traitement jusqu'à la fin doit consulter son médecin.

☐ BILTRICIDE® 🅿

Bayer

Praziquantel

Anthelminthique

Renseignements destinés aux patients: Lisez le présent dépliant attentivement avant de commencer à prendre le médicament. Si vous avez encore des questions après avoir lu le dépliant, adressez-vous à votre médecin ou à un pharmacien.

Biltricide (praziquantel) ne peut être obtenu que sur ordonnance du médecin. Le médecin vous a prescrit le médicament pour traiter une infection causée par des vers et/ou des douves du foie. Vous ne devez donner le médicament à personne.

Lisez les importantes remarques qui suivent avant de prendre le médicament:

1. Vous ne devez pas prendre Biltricide si vous avez déjà eu une réaction allergique à ce médicament.
2. Vous ne devez pas prendre le volant ni faire fonctionner une machine le jour du traitement et au cours des 24 heures suivantes, car vos réflexes peuvent être amoindris.
3. N'oubliez pas de dire à votre médecin:
   (i) si vous êtes enceinte;
   (ii) si vous allaitez;
   (iii) si vous présentez une altération de la fonction rénale ou une insuffisance hépatique décompensée.
4. L'innocuité et l'efficacité du médicament chez les enfants de moins de 4 ans n'ont pas été établies.
5. Gardez le médicament hors de la portée des enfants.

Comment prendre le médicament:

1. La dose dépend de votre poids. Vous devez prendre le médicament exactement selon les prescriptions du médecin. Si vous n'êtes pas certain du nombre de comprimés que vous devez prendre ou de la fréquence des prises, consultez votre médecin ou un pharmacien.
2. Vous ne devez pas modifier la dose prescrite par votre médecin.
3. Avalez les comprimés avec un peu de liquide sans les croquer, de préférence pendant ou après les repas. Si vous n'avalez pas immédiatement le comprimé (ou la partie de comprimé), son goût amer peut vous donner des haut-le-cœur ou vous faire vomir.
4. Pour les traitements à prise quotidienne unique, on recommande de prendre les comprimés le soir. Si votre médecin vous a prescrit des prises multiples, l'intervalle entre les prises doit être d'au moins 4 heures et d'au plus 6 heures.
5. Biltricide est présenté en comprimé à 600 mg oblong, blanc et portant trois rainures. Quand le comprimé est divisé en quatre, chacune des parties contient 150 mg du principe actif (le praziquantel). Votre médecin peut donc facilement adapter la dose à votre poids.
6. Pour diviser le comprimé, appuyez dans la rainure avec l'ongle du pouce. La meilleure façon d'obtenir un quart du comprimé est de briser l'un des deux bouts.

Effets secondaires: Vous pouvez ressentir certains effets secondaires après avoir pris le médicament. Ces effets varient en fonction de la dose et de la durée du traitement. Ils dépendent aussi du type d'infection que vous présentez, ainsi que de la durée et du site de l'infection. Quand des effets secondaires surviennent, ce sont principalement les suivants: douleurs abdominales, perte d'appétit, nausées, vomissements, maux de tête, faiblesse, étourdissements, somnolence, douleurs musculaires ou fièvre. Il est souvent difficile de déterminer si les effets secondaires sont dus au médicament ou à l'infection elle-même. Après avoir pris le médicament, si vous ne vous sentez pas bien ou si vous vous sentez beaucoup plus mal, communiquez dès que possible avec votre médecin ou un pharmacien.

Prise d'une dose excessive: Vous devez vous conformer à la posologie qui figure sur l'étiquette. Si vous prenez trop de comprimés, consultez sans tarder votre médecin ou rendez-vous au service des urgences de l'hôpital le plus près de chez vous.

Rangement du médicament: Rangez le médicament à moins de 30 °C. Gardez tous les médicaments en lieu sûr, hors de la portée des enfants.

Autres renseignements: Ce dépliant ne contient que quelques renseignements sur votre médicament. Si vous avez d'autres questions, adressez-vous à votre médecin ou à un pharmacien.

□ BRICANYL® TURBUHALER® Ⓟ

Astra

Sulfate de terbutaline

Bronchodilatateur

Renseignements destinés aux patients: Prière de lire attentivement ce feuillet d'instructions avant d'utiliser Bricanyl Turbuhaler. Il contient des renseignements généraux sur Bricanyl Turbuhaler qui devraient s'ajouter aux conseils plus spécifiques du médecin, du pharmacien ou de la pharmacienne.

Veuillez conserver ce feuillet jusqu'à ce que le dispositif de Bricanyl Turbuhaler soit vide.

À quoi sert Bricanyl Turbuhaler et comment agit-il? (Voir le prospectus d'emballage pour illustrations): Bricanyl est la marque de commerce d'un médicament appelé terbutaline. On l'utilise pour traiter l'asthme, la bronchite chronique et d'autres maladies qui causent des problèmes respiratoires. La terbutaline appartient à une catégorie de médicaments nommés bronchodilatateurs.

Turbuhaler est la marque de commerce d'un inhalateur multidose de poudre sèche. Quand vous inspirez par l'inhalateur, l'inspiration fournit la force requise pour amener le médicament dans vos poumons.

Bricanyl Turbuhaler est utilisé pour améliorer la respiration, pendant une crise d'asthme, par exemple. Il ouvre les voies respiratoires des gens qui souffrent d'asthme ou d'autres problèmes respiratoires. Il soulage des symptômes comme la respiration sifflante, la toux et le souffle court.

Que contient Bricanyl Turbuhaler? Bricanyl Turbuhaler contient comme ingrédient actif du sulfate de terbutaline à une concentration de 0,5 mg par inhalation. Si vous agitez le Turbuhaler, le bruit que vous entendez n'est pas causé par le médicament, mais par le dessiccatif qui se trouve à l'intérieur de la molette bleue. Cette substance n'est pas médicamenteuse et ne peut être inhalée. Bricanyl Turbuhaler ne contient aucun autre ingrédient.

Que devrais-je dire à mon médecin avant d'utiliser Bricanyl Turbuhaler? Vous devriez mentionner à votre médecin:

- **tous** les problèmes de santé que vous avez présentement ou avez eus par le passé, en particulier les problèmes cardiaques comme une fréquence cardiaque irrégulière et de l'hypertension;
- tous les médicaments que vous prenez, y compris les médicaments sans ordonnance;
- si vous avez déjà eu une mauvaise réaction, ou une réaction inhabituelle ou allergique à la terbutaline;
- si vous êtes enceinte ou avez l'intention de le devenir, ou si vous allaitez.

Quelle est la bonne façon de prendre Bricanyl Turbuhaler? Utilisez Bricanyl Turbuhaler pour le soulagement des crises d'asthme ou en cas de resserrement des voies respiratoires. Généralement, vous ressentirez l'effet du médicament en quelques minutes. Cet effet peut durer jusqu'à 7 heures. Le traitement avec Bricanyl Turbuhaler est efficace même en cas de crise aiguë d'asthme.

Remarque: Vous pouvez ne pas goûter le médicament ni en ressentir le contact lorsque vous inhalez à partir de Bricanyl Turbuhaler. C'est un phénomène normal.

Si vous suivez le mode d'emploi ci-dessous, vous recevrez une dose de médicament (voir le prospectus d'emballage pour illustrations):

1. Dévisser et enlever le couvercle.
2. Pour charger, tenir l'inhalateur à la verticale, tourner la molette bleue le plus loin possible dans une direction, puis la ramener à la position initiale. Le déclic que vous entendrez signifie que la dose est prête à être inhalée.
3. Expirer. Remarque: Ne jamais expirer dans l'embout buccal.
4. Placer l'embout buccal entre les dents et refermer les lèvres. Ne **pas** mordiller l'embout buccal ni le serrer avec les dents. Inspirer vivement et profondément par la bouche.
5. Éloigner l'inhalateur de la bouche et retenir son souffle pendant 10 secondes.
6. Bien revisser le couvercle après chaque utilisation.

Si vous laissez tomber ou agitez le Bricanyl Turbuhaler après son chargement, ou si vous soufflez accidentellement dans le dispositif, la dose est perdue. Il faut alors charger une autre dose et l'inhaler.

Nettoyage: Nettoyer la partie extérieure de l'embout buccal chaque semaine à l'aide d'un linge **sec**. Ne **jamais** utiliser d'eau ou d'autres liquides pour le nettoyer. Si du liquide entre dans l'inhalateur, cela peut nuire à son fonctionnement.

Comment savoir si Bricanyl Turbuhaler est vide? (Voir le prospectus d'emballage pour illustrations): Bricanyl Turbuhaler a une fenêtre repère, située en dessous de l'embout buccal. Quand une marque rouge apparaît dans la fenêtre repère, il reste environ **20** doses. Il est temps de renouveler votre prescription.

Quand la marque rouge atteint le bord inférieur de la fenêtre repère, Bricanyl Turbuhaler est **vide.** Si vous agitez l'inhalateur quand il est vide, vous entendrez quand même le bruit du dessiccatif. Bricanyl Turbuhaler ne peut être rempli de nouveau et on doit le jeter quand toutes les doses sont épuisées.

Quelle dose de Bricanyl Turbuhaler dois-je prendre? La dose requise de Bricanyl Turbuhaler varie d'une personne à l'autre.

Suivez à la lettre les directives de votre médecin. Elles peuvent être différentes des renseignements contenus dans ce feuillet.

La dose habituelle pour les adultes et les enfants de 6 ans et plus est de 1 inhalation au besoin. Si les symptômes persistent, il est possible que vous ayez besoin de répéter l'administration, et dans ce cas, consultez immédiatement votre médecin ou rendez-vous à l'hôpital le plus proche. Il ne faut pas prendre plus de 6 inhalations (3,0 mg) par période de 24 heures.

Vous devriez voir un médecin si:

- votre dose habituelle ne vous soulage pas;
- les effets d'une dose durent moins de 3 heures;
- vous utilisez Bricanyl Turbuhaler tous les jours pour soulager vos symptômes.

Ces signes peuvent indiquer que votre asthme s'aggrave. Votre médecin pourra prescrire un autre médicament antiasthmatique à prendre avec Bricanyl et qui maîtrisera l'inflammation des voies respiratoires.

Ne pas dépasser la dose prescrite par votre médecin.

Que dois-je faire en cas de surdosage? Téléphonez à votre médecin ou rendez-vous immédiatement à l'hôpital le plus proche si vous croyez que vous ou une autre personne avez pris une dose trop forte de Bricanyl Turbuhaler.

Y a-t-il des effets secondaires? Bricanyl Turbuhaler, comme tout autre médicament, peut causer des effets secondaires chez certaines personnes. Les effets secondaires les plus fréquents sont la nervosité et les tremblements. Dans la plupart des cas, ces effets disparaissent après quelques jours de traitement. Parmi les autres effets rapportés, mentionnons des maux de tête, une fréquence cardiaque accélérée, des bouffées de chaleur, des crampes musculaires occasionnelles, de l'insomnie, des maux d'estomac, de la faiblesse, des étourdissements et de la transpiration.

Les médicaments n'affectent pas tout le monde de la même façon. Si d'autres personnes ont ressenti des effets secondaires, cela ne veut pas dire que vous en aurez aussi. Si vous avez des effets secondaires qui vous incommodent, consultez votre médecin.

Où dois-je garder Bricanyl Turbuhaler? Il faut d'abord s'assurer de **garder Bricanyl Turbuhaler hors de la portée des enfants.**

Revissez le couvercle après chaque utilisation de Bricanyl Turbuhaler. Gardez l'inhalateur à température ambiante, dans un endroit sec, à l'abri de l'humidité.

Ne pas garder ni utiliser Bricanyl Turbuhaler après la date d'expiration indiquée sur l'étiquette.

Remarque importante: Ce feuillet mentionne certaines des situations où vous devez appeler le médecin, mais d'autres situations imprévisibles peuvent survenir. Rien dans ce feuillet ne vous empêche de communiquer avec votre médecin ou votre pharmacien pour lui poser des questions au sujet de Bricanyl Turbuhaler.

□ BRONALIDE® Ⓟ

Boehringer Ingelheim

Flunisolide

Corticostéroïde en aérosol

Renseignements destinés aux patients: Comment utiliser l'inhalateur Bronalide (flunisolide en aérosol).

Avant d'utiliser Bronalide, il est important de lire les instructions suivantes et de se familiariser avec l'usage de l'inhalateur et de sa cartouche métallique.

Bronalide (suite)

Comme votre médecin vous l'a sans doute dit, Bronalide doit être utilisé pendant quelques jours avant que son action se fasse sentir. Bronalide devrait ensuite être utilisé **régulièrement** pour aider à réduire la fréquence et la gravité de vos crises d'asthme. **Ce produit n'est pas un bronchodilatateur et ne vous apportera aucun soulagement pendant une crise d'asthme.** Toutefois, il peut réduire le nombre des crises graves s'il est utilisé régulièrement, tous les jours.
À noter: Ce produit est fourni préassemblé. Pour nettoyer l'inhalateur, voir l'étape 10.

1. Agiter l'inhalateur avant chaque utilisation.
2. Retirer le capuchon de l'embout buccal.
3. Expirer le plus à fond possible.
4. Tenir l'inhalateur bien droit et mettre l'embout buccal en plastique dans la bouche tel qu'il est indiqué en s'assurant de fermer les lèvres le plus étroitement possible autour de l'embout buccal.
5. Inspirer profondément et régulièrement par la bouche. En même temps, appuyer fermement sur la cartouche en métal avec l'index.
6. Retenir son souffle le plus longtemps possible.
7. Tout en retenant son souffle, cesser d'appuyer sur la cartouche et retirer l'embout buccal de la bouche.
8. Si le médecin a prescrit 2 inhalations ou plus à chaque utilisation, attendre 1 minute entre chaque inhalation pour permettre à la pression de se stabiliser dans la cartouche métallique et répéter ensuite les étapes deux à huit (2 à 8). Prendre soin de bien agiter l'inhalateur **avant chaque** inhalation.
9. Une fois le nombre d'inhalations prescrites effectuées, se rincer la bouche vigoureusement avec de l'eau.
10. Nettoyer l'inhalateur régulièrement. Pour y arriver, retirer la cartouche métallique puis rincer l'inhalateur en plastique et le capuchon sous l'eau chaude du robinet. Assécher correctement et replacer la cartouche et le capuchon.

À noter: En cas de douleurs buccales ou d'éruptions cutanées, signaler ces réactions au médecin, sans toutefois cesser d'utiliser l'inhalateur à moins d'avis contraire.

Mises en garde: Le contenu de la cartouche métallique est maintenu sous pression. Ne pas la perforer, ni l'utiliser ou la ranger près d'une source de chaleur ou d'une flamme nue. L'exposition à une température supérieure à 49 °C peut faire exploser la cartouche. Ne jamais jeter la cartouche au feu ni dans un incinérateur. L'usage par les enfants devrait toujours être supervisé par un adulte.

☐ CALTINE® Ⓟ

Ferring

Calcitonine saumon synthétique (salcatonine)

Traitement de la maladie de Paget—Traitement de l'hypercalcémie

Renseignements destinés aux patients: Votre médecin a choisi la calcitonine de saumon de marque Caltine pour votre traitement. Caltine est fournie dans des ampoules en verre unidose qui contiennent soit 50 UI en 0,5 mL ou 100 UI en 1,0 mL. Chaque ampoule contient assez de médicament pour une dose. Aucun agent de conservation n'a été ajouté à Caltine.

Il faudrait conserver Caltine au réfrigérateur entre 2 et 8 °C. Veuillez vérifier la date d'expiration qui apparaît en tant que mois et année après le mot «EXP»; par exemple «EXP 10/96».

Veuillez lire les instructions ci-dessous avant d'injecter ce médicament (voir le prospectus d'emballage pour les illustrations).

1. Préparation de la dose

- Se laver les mains.
- Réunir les articles suivants: ampoule Caltine, seringue jetable de 1,0 mL (avec aiguille de 0,5 pouce, diamètre 25), un tampon d'ouate imbibé d'alcool et un casse-ampoule fourni dans chaque boîte de Caltine.
- Retirez l'ampoule du plateau.
- Tenez fermement le bas de l'ampoule entre votre pouce et votre index gauche (Figure 1).
- Secouez ou tapotez l'ampoule pour vider le liquide se trouvant dans sa pointe et son col.
- Placez le casse-ampoule sur le haut de l'ampoule et tenez-le entre votre pouce et votre index droit.
- Chaque ampoule porte une entaille à l'endroit du rétrécissement du col, ce qui aidera à détacher le haut de l'ampoule d'un coup sec.
- Détachez le haut de l'ampoule en donnant un coup sec de votre main droite et en poussant vers le bas (Figure 2).
- Jetez la pointe de l'ampoule et déposez l'ampoule avec soin.
- Gardez le casse-ampoule pour une prochaine utilisation.
- Enlevez l'emballage extérieur d'une seringue (Figure 3).
- Enlevez le capuchon protecteur de l'aiguille (Figure 4).
- Insérez l'aiguille dans la solution de l'ampoule et retirez lentement le piston vers l'extérieur afin d'aspirer toute la solution dans la seringue. Il se peut qu'il soit nécessaire de renverser l'ampoule en verre pour permettre à la seringue d'aspirer une quantité suffisante de la solution (Figure 5).
- Tenez la seringue en position verticale. Tapotez le côté de la seringue pour déplacer les bulles d'air vers le haut de la solution. Poussez lentement le piston jusqu'à ce que tout l'air ait été expulsé de la seringue et qu'une goutte de solution claire apparaisse à la pointe de l'aiguille (Figure 6).
- Pousser le piston de la seringue lentement jusqu'à la marque 0,5 mL ou 1,0 mL, selon les directives de votre médecin.
- Posez la seringue en vous assurant que l'aiguille ne touche à rien.

2. Injection de la dose

- Choisissez un endroit d'injection (choisissez chaque jour un point différent).
- Nettoyez la peau à l'endroit où se fera l'injection, en vous servant d'un tampon d'ouate imbibé d'alcool.
- D'une main, maintenez la peau en exerçant une poussée vers l'extérieur ou en pinçant entre vos doigts une grande surface de peau (Figure 7).
- Prenez la seringue avec l'autre main et tenez-la comme un crayon. Insérez l'aiguille tout droit dans la peau. Soyez sûr d'insérer entièrement l'aiguille. Pour injecter le médicament, poussez le piston entièrement vers le bas (Figure 8).
- Tenez le tampon d'ouate imbibé d'alcool près de l'aiguille et retirez l'aiguille tout droit hors de la peau. Pressez le tampon sur le point d'injection pendant plusieurs secondes.
- Après usage, jetez la seringue et l'aiguille en lieu sûr.

3. Précautions pendant l'utilisation de ce médicament

- Votre médecin devrait vérifier vos progrès lors de visites régulières afin de s'assurer que ce médicament ne cause pas d'effets indésirables.
- Si vous utilisez ce médicament pour l'hypercalcémie, il se peut que votre médecin souhaite que vous suiviez un régime à basse teneur en calcium. Si vous avez des questions à ce sujet, veuillez consulter votre médecin.

4. Effets secondaires de ce médicament

- Simultanément un médicament peut produire de bons effets et des effets indésirables.
- Consultez un médecin aussitôt que possible, si l'un des effets secondaires suivants se produit:

Rares:

- Difficulté à respirer, enflement de la langue ou de la gorge
- Éruption transitoire de la peau ou urticaire
- Frissons
- Étourdissement
- Mal de tête
- Pression dans la poitrine
- Congestion nasale
- Sensibilité ou fourmillement dans les mains ou les pieds
- Faiblesse

D'autres effets secondaires, qui ne nécessitent pas habituellement la consultation d'un médecin peuvent se produire. Ces effets secondaires peuvent disparaître en cours de traitement à mesure que votre corps s'adapte au médicament. Cependant, consultez votre médecin si l'un des effets secondaires suivants continue de se produire ou vous ennuie:

Les plus fréquents:

- Diarrhée
- Bouffées de chaleur ou rougeurs du visage, des oreilles, des mains ou des pieds
- Perte d'appétit

- Nausée ou vomissement
- Douleur, rougeur, endolorissement ou gonflement à l'endroit de l'injection
- Douleurs d'estomac

Les moins fréquents:

- Besoin d'uriner plus souvent.

☐ CANESTEN®, Topique

Bayer, Produits grand public

Clotrimazole

Antifongique

Renseignements destinés aux patients: Pour le traitement du pied d'athlète, de l'eczéma marginé de Hebra, de la dermatomycose et des infections de la peau et des muqueuses.

1. **Qu'est-ce que le «pied d'athlète»?** Le «pied d'athlète» est une infection du pied causée par un champignon. Elle débute généralement entre les troisième, quatrième et cinquième orteils et peut se propager sous les orteils. Les régions atteintes peuvent démanger ou brûler et du liquide peut s'en écouler. Lorsqu'on écarte les orteils, on constate que la peau est blanche, enflée et déchirée. Quand l'infection se propage sous les orteils jusqu'à la plante, des ampoules et des fissures sont souvent observées.
2. **Qu'est-ce que l'«eczéma marginé de Hebra»?** L'«eczéma marginé de Hebra» est une infection de l'aine causée par un champignon touchant surtout les hommes. Les premiers symptômes sont la desquamation, l'irritation et une sensation de brûlure de l'aine. La desquamation ou l'irritation peut atteindre la partie supérieure des cuisses et parfois le scrotum. Le scrotum peut présenter des lésions rouges et surélevées pouvant s'étendre à l'anus.
3. **Qu'est-ce que la «dermatomycose»?** La «dermatomycose» est une infection cutanée fongique qui peut être asymptomatique. Les symptômes, lorsqu'il y en a, sont généralement la desquamation, les lésions croûteuses et la formation de lésions circulaires roses ou rouges avec un centre pâle. Ce genre d'infection peut toucher n'importe quelle partie du corps.
4. **Qu'est-ce que le «pityriasis versicolor»?** Le «pityriasis versicolor» est une infection fongique fréquente chez les jeunes adultes. Son symptôme le plus évident est la décoloration de plaques de peau. Ces plaques peuvent être blanches, brunes ou n'avoir aucun pigment. On les retrouve surtout sur la poitrine, le cou, l'abdomen, le dos et, parfois, sur le visage. Les régions atteintes peuvent se desquamer, mais on ne le remarque que si on se gratte. Le «pityriasis versicolor» est facile à observer en été, car les taches blanches, de tailles diverses, ne bronzent pas. Les démangeaisons sont rares et ne surviennent que si on a chaud ou qu'on transpire.
5. **Qu'est-ce que la «candidose»?** La «candidose» est une infection à levures de la peau et des muqueuses. Elle se manifeste souvent aux aisselles, dans les plis du cou, dans l'aine, entre les orteils ou les fesses et sous les gros seins. Ses symptômes habituels sont les sensations de brûlure, les démangeaisons, les fissures, la desquamation et la formation de petites lésions rouges.
6. **Comment venir à bout d'une infections fongique ou à levures?** Pour venir à bout d'une infection, il faut éliminer le surplus d'organismes causant l'infection. La crème topique ou la solution topique Canesten peuvent venir à bout de la plupart des infections fongiques ou à levures, y compris le pied d'athlète, l'eczéma marginé de Hebra, la dermatomycose, le pityriasis versicolor et la candidose. Même si les symptômes de l'infection peuvent disparaître en quelques jours, il y a lieu de terminer le traitement par Canesten. Si les symptômes ne s'atténuent pas ou sont toujours présents après 2 semaines (jusqu'à 4 semaines pour le pied d'athlète) ou s'ils s'aggravent, il faut cesser le traitement et communiquer avec un médecin.
7. **Comment utilise-t-on la crème topique ou la solution topique Canesten?** Appliquer sur la région atteinte et aux alentours, matin et soir, une mince couche de crème ou de solution topique Canesten et masser légèrement. Ne pas mettre de pansement sur la région traitée, sauf avis contraire du médecin. Pour que le traitement soit efficace, appliquer la solution topique Canesten et la crème topique Canesten régulièrement et en quantité suffisante. Si on oublie une application, ne pas doubler la quantié de crème ou de solution à l'application suivante. Le traitement du «pied d'athlète» dure 4 semaines, tandis que le traitement de l'«eczéma marginé de Hebra», de la «dermatomycose», du «pityriasis versicolor» et de la «candidose» dure généralement 2 semaines.
8. **Comment prévient-on le «pied d'athlète»?** Il faut se laver régulièrement les pieds à l'eau savonneuse, les essuyer soigneusement, surtout entre les orteils, puis les laisser sécher à l'air pendant 5 à 10 minutes. Porter des chaussettes pure laine ou pur coton et des chaussures confortables et bien aérées. Changer souvent de chaussettes et de chaussures. Éviter de marcher pieds nus sur des surfaces humides, comme dans les centres de culture physique et autour des piscines publiques.
9. **Mises en garde importantes:** Les femmes qui sont ou croient être enceintes ou qui allaitent doivent consulter un médecin avant d'utiliser Canesten.

   Si une éruption cutanée ou une nouvelle irritation surviennent pendant le traitement par Canesten, cesser le traitement et communiquer avec un médecin.

   La crème topique et la solution topique Canesten ne sont pas destinées au traitement des mycoses des ongles ou du cuir chevelu.

   Après avoir appliqué la crème topique ou la solution topique Canesten, il ne faut pas mettre un pansement occlusif, sauf avis contraire du médecin.

   La crème topique et la solution topique Canesten sont pour usage topique seulement. En cas d'ingestion accidentelle, communiquer immédiatement avec le service des urgences ou le centre antipoison le plus près de chez soi. Garder Canesten et tout autre médicament hors de la portée des enfants.

   Éviter le contact avec les yeux. En cas de contact avec les yeux, rincer à grande eau.

   Les enfants de moins de 2 ans ne doivent pas utiliser Canesten.

Pour toute question sur Canesten ou sur les infections fongiques, communiquer avec un médecin ou un pharmacien.

Principe actif: clotrimazole à 1 %.

Conserver à la température ambiante (entre 2 et 30 °C).

☐ CANESTEN®, Vaginal

Bayer, Produits grand public

Clotrimazole

Antifongique

Renseignements destinés aux patients: Pour le traitement des infections vaginales à levures. Avant de commencer le traitement, lire ce qui suit.

1. **Qu'est-ce qu'une «infection à levures»?** Une «infection à levures» peut survenir quand il y a prolifération de levures dans le vagin. Il est normal que des bactéries et des levures soient présentes dans le vagin. Dans certaines conditions, le nombre de levures augmente, ce qui irrite les tissus délicats du vagin et de l'orifice vaginal (la vulve). La maladie et la prise d'antibiotiques favorisent la survenue d'infections à levures (les antibiotiques sont sans effet sur les levures). Les fluctuations des taux d'hormones peuvent aussi prédisposer aux infections à levures. Les changements pouvant survenir pendant la grossesse, en raison de la prise de contraceptifs oraux ou juste avant les règles peuvent aussi prédisposer aux infections à levures. Certaines maladies, comme le diabète, peuvent également accroître le risque. Enfin, un temps humide et chaud et le port continu de protège-dessous ou de vêtements serrés en tissus synthétiques peuvent aussi contribuer à augmenter le risque de survenue d'une infection à levures. Ces infections ne sont généralement pas transmises sexuellement, bien qu'un faible pourcentage d'hommes peuvent présenter une infection en même temps.
2. **Comment reconnaît-on une «infection à levures»?** En présence d'une «infection à levures», les sécrétions vaginales sont plus abondantes. Ces sécrétions sont généralement épaisses et collantes, mais inodores. On dit qu'elles ressemblent à du lait caillé, parce qu'elles ont la consistance du fromage cottage. Ces sécrétions irritent les tissus du vagin et de la vulve et causent de fortes démangeaisons, des rougeurs et une enflure. Parfois, des taches rouges ou des plaies apparaissent, particulièrement à la suite de grattage. Les douleurs vaginales, la gêne au cours de l'émission d'urine et les douleurs pendant les relations sexuelles sont courantes.

   Les infections à levures ne causent ni fièvre, ni frissons, ni nausées, ni vomissements, ni diarrhée. En présence de ces symptômes ou de pertes vaginales malodorantes, un état plus grave peut être présent et il convient de consulter un médecin sur-le-champ.

   La première fois que les symptômes surviennent, même s'ils évoquent une infection à levures, il ne faut pas amorcer le traitement ▶

Canesten, Vaginal (suite)

avant d'avoir consulté un médecin. Si une seconde infection survient dans les 2 mois, ou si les infections sont fréquentes, consulter un médecin.

3. **Comment venir à bout d'une «infection à levures»?** Pour venir à bout d'une «infection à levures», il faut éliminer le surplus de levures causant l'infection. Canesten peut venir à bout de la plupart des infections vaginales à levures. Même si les symptômes de l'infection peuvent disparaître en quelques heures ou quelques jours, il y a lieu de poursuivre le traitement par Canesten pendant 6, 3 ou 1 jours selon la forme posologique et la concentration choisies, pour empêcher la reprise de l'infection. Si les symptômes ne s'atténuent pas après 3 jours, sont toujours présents après 7 jours ou s'aggravent, il faut cesser le traitement et communiquer avec un médecin.
4. **Comment utilise-t-on les crèmes vaginales Canesten à 1 %, 2 % et 10 %?** Les crèmes vaginales Canesten à 1 %, 2 % et 10 % servent à traiter les infections vaginales à levures. La crème vaginale Canesten à 1 % doit être déposée loin dans le vagin 1 fois par jour (de préférence au coucher) pendant 6 jours consécutifs. Le tube contient suffisamment de crème pour 6 applications vaginales et pour soulager les démangeaisons et la sensation de brûlure externes qui sont parfois associées aux infections à levures. La crème vaginale Canesten à 2 % doit être déposée loin dans le vagin 1 fois par jour (de préférence au coucher) pendant 3 jours consécutifs. Le tube contient suffisamment de crème pour 3 applications vaginales et pour soulager les démangeaisons et la sensation de brûlure externes qui sont parfois associées aux infections à levures. Le tube contient suffisamment de crème pour 1 application vaginale et pour soulager les démangeaisons et la sensation de brûlure externes qui sont parfois associées aux infections à levures. La crème vaginale Canesten à 10 % (applicateur prérempli) doit être déposée loin dans le vagin 1 fois (de préférence au coucher). La crème vaginale Canesten est destinée à l'application vaginale et ne doit jamais être prise par la bouche. La menstruation ne nuit pas à l'efficacité de Canesten. Bien que les relations sexuelles soient permises pendant le traitement par Canesten, la plupart des couples s'abstiennent jusqu'à la fin du traitement. Canesten peut nuire à l'efficacité de certains moyens contraceptifs, tels les condoms, les diaphragmes et les spermicides vaginaux. Cet effet est toutefois temporaire et limité à la durée du traitement.

   Chargement de l'applicateur (Crème vaginales Canesten 1 % et 2 %): Enlever le bouchon du tube de crème Canesten et s'en servir pour perforer la pellicule de sûreté du tube. Visser l'applicateur sur l'orifice du tube. Presser doucement le tube. Le piston monte à mesure que l'applicateur se remplit de crème. Le piston s'immobilise quand l'applicateur contient suffisamment de crème. Dévisser l'applicateur et boucher le tube. Rouler la partie inférieure du tube en vue de la prochaine utilisation. La crème vaginale Canesten à 10 % est dans un applicateur prérempli.

   Application de la crème: On insère la crème vaginale Canesten dans le vagin à la manière d'un tampon. Se tenir debout, s'accroupir ou s'allonger, selon la préférence, et insérer l'applicateur rempli de crème aussi loin que possible dans le vagin, mais sans forcer. En tenant l'applicateur par le corps, pousser lentement sur le piston jusqu'au bout. Ainsi, le médicament est libéré loin dans le vagin, là où son action est la plus efficace. Retirer l'applicateur du vagin.

   Application externe de la crème: Un peu de crème vaginale Canesten peut être appliquée sur l'orifice du vagin pour soulager les symptômes externes. Déposer un peu de crème sur un doigt et l'étaler doucement sur la région irritée du vagin. Appliquer la crème 1 ou 2 fois par jour seulement en présence de symptômes externes et pendant un maximum de 7 jours.

   Quoi faire de l'applicateur: L'applicateur de la crème vaginale Canesten est recyclable là où les installations nécessaires existent.

   Comment utilise-t-on le Combi-Pak Canesten, traitement de 3 jours et 1 jour, et Combi-Pak Crème, traitement de 1 jour? Les comprimés vaginaux Canesten 200 mg et 500 mg et la crème vaginale à 10 % servent à traiter l'infection vaginale à levures tandis que la crème topique Canesten à 1 %, destinée à l'application externe, sert à soulager les démangeaisons associées à l'infection à levures. Appliquer la crème topique seulement en présence de symptômes externes et pendant un maximum de 7 jours.

   Un comprimé vaginal Canesten à 200 mg doit être inséré loin dans le vagin 1 fois par jour (de préférence au coucher) pendant 3 jours consécutifs. Le comprimé vaginal Canesten à 500 mg doit être inséré loin dans le vagin 1 fois (de préférence au coucher). La crème vaginale Canesten à 10 % dans un applicateur prérempli doit être déposée loin dans le vagin 1 fois (de préférence au coucher). Les comprimés vaginaux Canesten 200 mg et 500 mg, la crème vaginale à 10 % et la crème topique Canesten sont destinés seulement à l'usage vaginal et au soulagement de l'irritation de la région vaginale et ne doivent jamais être pris par la bouche. La menstruation ne nuit pas à l'efficacité de Canesten. Bien que les relations sexuelles soient permises pendant le traitement par Canesten, la plupart des couples s'abstiennent jusqu'à la fin du traitement. Canesten peut nuire à l'efficacité de certains moyens contraceptifs, tels les condoms, les diaphragmes et les spermicides vaginaux. Cet effet est toutefois temporaire et limité à la durée du traitement.

   Chargement de l'applicateur: L'applicateur, inclus dans l'emballage de traitement de 3 jours et 1 jour, permet d'insérer le suppositoire vaginal loin dans le vagin, là où son action est la plus efficace. Retirer le comprimé vaginal Canesten de son emballage métallisé. Tirer sur le piston de l'applicateur jusqu'à ce qu'il s'immobilise. Placer le comprimé vaginal dans l'extrémité de l'applicateur. Pour utiliser l'applicateur inclus dans l'emballage de la crème traitement de 1 jour, sortez l'unité de l'emballage. Insérez le piston dans le cylindre de l'applicateur. Enlevez le bouchon rouge d'un mouvement de torsion.

   Insertion du comprimé vaginal: On insère le comprimé ou la crème vaginale Canesten dans le vagin à la manière d'un tampon. Se tenir debout, s'accroupir ou s'allonger, selon la préférence, et insérer l'applicateur contenant le comprimé vaginal aussi loin que possible dans le vagin, mais sans forcer. En tenant l'applicateur par le corps, pousser lentement sur le piston jusqu'au bout. Ainsi, le comprimé vaginal est inséré loin dans le vagin, là où son action est la plus efficace. Retirer l'applicateur du vagin.

   Application de la crème: Un peu de crème Canesten peut être appliquée sur l'orifice du vagin pour soulager les symptômes externes. Déposer un peu de crème sur un doigt et l'étaler doucement sur la région irritée du vagin. Appliquer la crème 1 ou 2 fois par jour seulement en présence de symptômes externes et pendant un maximum de 7 jours.

   L'applicateur des comprimé vaginaux Canesten est recyclable là où les installations nécessaires existent.

5. **Mises en garde importantes:** Les femmes particulièrement exposées aux maladies transmises sexuellement, qui ont de multiples partenaires sexuels ou qui changent souvent de partenaire doivent consulter un médecin avant de commencer chaque traitement.

   La première fois qu'une infection survient, consulter un médecin avant de commencer tout traitement.

   Ne pas utiliser Canesten en présence de douleurs abdominales, de fièvre ou de pertes vaginales malodorantes. En présence de ces symptômes, un état plus grave peut être présent et il convient de consulter un médecin sur-le-champ.

   Si les symptômes ne s'atténuent pas après 3 jours ou sont toujours présents après 7 jours, une infection à levures n'est peut-être pas en cause. Consulter un médecin.

   Si les infections vaginales sont fréquentes ou si l'infection à levures reprend après moins de 2 mois, consulter un médecin avant de commencer le traitement.

   Les femmes qui sont ou croient être enceintes ou qui allaitent doivent consulter un médecin avant d'utiliser Canesten.

   Si une éruption cutanée ou une nouvelle irritation surviennent pendant le traitement, cesser le traitement et communiquer avec un médecin.

   La crème vaginale Canesten est destinée à l'usage vaginal seulement. Si elle est accidentellement ingérée, communiquer immédiatement avec le service des urgences ou le centre antipoison le plus près de chez soi. Garder Canesten et tout autre médicament hors de la portée des enfants.

   La crème vaginale Canesten ne doit pas être utilisée par les fillettes de moins de 12 ans, sauf indication contraire du médecin.

Pour toute question sur Canesten ou sur les infections vaginales, communiquer avec un pharmacien ou un médecin.

Conserver à la température ambiante (entre 2 et 30 °C).

☐ **CARDURA-1**^MC^ ℞
☐ **CARDURA-2**^MC^ ℞
☐ **CARDURA-4**^MC^ ℞
Astra

Mésylate de doxazosine

Antihypertenseur—Traitement symptomatique de l'hyperplasie bénigne de la prostate (HBP)

Renseignements destinés aux patients: Ce que vous devriez savoir sur Cardura (mésylate de doxazosine): Hyperplasie bénigne de la prostate: Veuillez lire ce feuillet avant de commencer à prendre Cardura. Relisez-le chaque fois que vous renouvelez votre ordonnance, au cas où quelque chose aurait changé. Toutefois, n'oubliez pas que ce feuillet vous est fourni uniquement à titre d'information et ne doit pas remplacer un entretien avec votre médecin.

Pourquoi votre médecin a-t-il prescrit Cardura: Votre médecin a prescrit Cardura parce que vous souffrez d'une maladie appelée hyperplasie bénigne de la prostate (HBP), qui ne survient que chez les hommes. Cardura sert également à traiter la haute pression (hypertension), mais ce feuillet porte exclusivement sur Cardura en tant que traitement de l'HBP.

Qu'est-ce que l'hyperplasie bénigne de la prostate (HBP)? L'HBP est une augmentation du volume de la prostate qui survient chez la majorité des hommes de plus de 50 ans. La prostate est située sous la vessie et entoure l'urètre, le canal excréteur qui draine l'urine de la vessie. Les symptômes de l'HBP peuvent être causés par un resserrement des muscles de la prostate. Lorsque les muscles à l'intérieur de la prostate se resserrent, ils peuvent comprimer l'urètre et ralentir l'écoulement de l'urine. Les symptômes suivants peuvent alors apparaître:

- jet urinaire faible ou interrompu;
- sensation de ne pas pouvoir vider complètement la vessie;
- sensation de retard ou d'hésitation au moment de commencer à uriner;
- besoin fréquent d'uriner, surtout la nuit;
- sensation d'un besoin urgent d'uriner.

Traitements possibles de l'HBP: Il existe 3 traitements possibles de l'HBP:

1) **Attente sous surveillance:** Si votre médecin a constaté une augmentation du volume de la prostate, mais vous ne ressentez aucun symptôme ou les symptômes que vous ressentez ne vous dérangent pas tellement, vous pouvez décider avec votre médecin de vous soumettre à un programme de surveillance qui comprend des examens réguliers et qui exclut, pour le moment, le recours aux médicaments ou à l'opération.
2) **Traitement médicamenteux:** Il existe différents types de médicaments pour traiter l'HBP. Comme votre médecin vous a prescrit Cardura, lisez la section intitulée: «Comment Cardura agit-il?»
3) **Intervention chirurgicale:** Certains patients peuvent avoir besoin d'une opération. Votre médecin peut recommander divers types d'interventions chirurgicales pour l'HBP. Celle qui convient le mieux à votre cas dépend de vos symptômes et de votre état de santé général.

Comment Cardura agit-il? Cardura bloque les récepteurs alpha$_1$-adrénergiques des muscles lisses du col de la vessie et de la prostate. Le blocage de ces récepteurs permet aux muscles lisses du col de la vessie et de la prostate de se relâcher et réduit le tonus musculaire. Ainsi, on peut observer une amélioration rapide du débit urinaire et des symptômes en 1 à 2 semaines. Toutefois, les patients ne réagissent pas tous de la même façon au traitement. Comme chaque cas est différent, tenez compte des points suivants:

- Avant de commencer un traitement avec Cardura, vous devez subir un examen urologique complet pour établir la gravité de votre état et pour éliminer le besoin immédiat d'une opération ou la possibilité d'un cancer de la prostate.
- On sait que Cardura peut améliorer votre état, mais on ne sait pas s'il diminue le besoin d'une intervention chirurgicale.
- Cardura ne guérit pas l'hyperplasie bénigne de la prostate; c'est un médicament qui facilite l'écoulement de l'urine et améliore les symptômes de l'HBP. Il se peut que certains patients subissent des effets indésirables incommodants à la suite du traitement avec Cardura.

Ce que vous devez savoir quand vous prenez Cardura:

- Vos symptômes devraient s'améliorer 1 à 2 semaines après le début du traitement. Pendant le traitement avec Cardura, vous devrez subir des examens régulièrement pour faire évaluer votre état et surveiller votre tension artérielle. Suivez les conseils de votre médecin en ce qui concerne la fréquence de ces examens.
- Cardura peut causer une chute soudaine de la tension artérielle après la toute première dose. Vous pouvez vous sentir étourdi, sur le point de vous évanouir ou avoir une sensation de tête légère, surtout en vous levant d'une position couchée ou assise. Ces effets sont plus susceptibles de se produire les premiers jours, mais ils peuvent survenir n'importe quand pendant le traitement. Ils peuvent aussi se produire quand vous recommencez à prendre le médicament après une interruption de traitement. Si vous ressentez ces effets, vous devez en parler à votre médecin. Il vous dira à quels intervalles vous devez le voir et faire mesurer votre tension artérielle.
- Vous pouvez prendre Cardura le matin ou le soir (au coucher); le médicament est efficace dans un cas comme dans l'autre. Si vous prenez Cardura au coucher et sentez le besoin pendant la nuit d'aller à la salle de bain, levez-vous lentement et prudemment jusqu'à ce que vous connaissiez l'effet que le médicament a sur vous. Il est important de toujours vous lever lentement d'une chaise ou du lit jusqu'à ce que vous sachiez comment vous réagissez à Cardura. Vous ne devez ni conduire ni effectuer des tâches dangereuses jusqu'à ce que vous soyez habitué à l'effet du médicament. Si vous commencez à vous sentir étourdi, asseyez-vous ou étendez-vous jusqu'à ce que vous vous sentiez mieux.
- Les autres effets secondaires que vous pourriez ressentir avec Cardura sont la somnolence, la fatigue, l'enflure des pieds et l'essoufflement. La plupart des effets secondaires sont légers. Parlez à votre médecin de tout effet inhabituel que vous notez.
- Cela est extrêmement rare, mais Cardura et d'autres médicaments semblables ont entraîné une érection douloureuse du pénis qui a duré plusieurs heures et qui n'était soulagée ni par des rapports sexuels ni par la masturbation. Cet état est sérieux, et si on ne le traite pas, il peut mener à l'incapacité permanente d'avoir une érection. Si vous avez une érection anormalement prolongée, appelez votre médecin ou rendez-vous à l'urgence le plus tôt possible.
- Votre médecin a prescrit Cardura pour traiter les symptômes de l'HBP et non le cancer de la prostate. Il arrive que certains hommes souffrent de ces deux maladies en même temps. Les médecins recommandent habituellement un examen annuel pour dépister le cancer de la prostate chez les hommes de 50 ans et plus (40 ans, s'il y a eu des cas de cancer de la prostate dans la famille). Vous devez continuer à subir cet examen pendant votre traitement avec Cardura. Cardura ne sert pas à traiter le cancer de la prostate.
- Votre médecin a peut-être fait mesurer votre taux d'antigène prostatique spécifique ou APS dans le sang; si tel est le cas, demandez-lui de vous expliquer de quoi il s'agit. Votre médecin sait cependant que Cardura ne modifie pas le taux d'APS.

Comment prendre Cardura: Suivez les directives du médecin à la lettre sur la façon de prendre Cardura.

Vous commencerez par une dose de 1 mg de Cardura, 1 fois/jour. Puis, le médecin augmentera la dose à mesure que votre organisme s'habituera à l'effet du médicament. Suivez ses directives sur la façon de prendre Cardura. Vous devez prendre chaque jour la dose prescrite par le médecin. Avertissez-le si, pour une raison ou pour une autre, vous ne prenez pas le médicament pendant quelques jours. Vous devrez peut-être alors recommencer à la dose de 1 mg et l'augmenter graduellement, tout en faisant attention au risque d'étourdissements. Cardura a été prescrit uniquement pour vous, n'en donnez pas à quelqu'un d'autre.

Avertissez votre médecin si une autre maladie survient pendant votre traitement avec Cardura; informez-le de tous les nouveaux médicaments sur ordonnance ou en vente libre que vous prenez. Si vous voyez un autre médecin pour d'autres problèmes de santé, dites-lui que vous prenez Cardura.

Ce médicament a été prescrit pour traiter votre état en particulier. Suivez les directives de votre médecin et n'en donnez pas à quelqu'un d'autre.

Gardez tous les médicaments hors de la portée des enfants. Pour plus de renseignements sur Cardura et sur l'HBP, consultez votre médecin ou votre pharmacien.

Renseignements: 1-800-461-3787.

☐ CASODEX® 🄿

Zeneca

Bicalutamide

Antiandrogène non stéroïdien

Renseignements destinés aux patients: Les renseignements contenus sur cette fiche s'appliquent exclusivement à votre médicament, Casodex. Vous devez les lire attentivement. Ils sont importants, mais pas forcément complets. Si vous avez des doutes ou des questions, n'hésitez pas à demander des éclaircissements à votre médecin ou pharmacien.

À propos de votre médicament:
- Casodex se présente sous forme de comprimé. Chaque comprimé contient 50 mg de bicalutamide.
- Un certain nombre de substances inertes entrent dans la fabrication des comprimés: ce sont notamment le lactose, le glycolate d'amidon sodique, la polyvidone, le stéarate de magnésium, le méthylhydroxypropylcellulose, le polyéthylèneglycol 300 et le dioxyde de titane.
- Chaque boîte de Casodex contient 2 plaquettes thermoformées de 15 comprimés.
- Casodex est un antiandrogène. Les médicaments qui appartiennent à cette famille s'opposent à l'action des androgènes (hormones mâles) dans l'organisme.

Qui fabrique votre médicament? Votre médicament est fabriqué par Zeneca Pharmaceuticals.

À quel usage votre médicament est-il destiné?
- Casodex est utilisé dans le traitement du cancer de la prostate en association avec d'autres traitements, en particulier avec les médicaments qui font baisser les taux d'androgènes dans l'organisme.

Dans quels cas ne faut-il pas utiliser Casodex?
- Avant de prendre votre médicament, prévenez votre médecin si vous avez déjà pris Casodex et vous avez fait une réaction allergique.
- Casodex est **contre-indiqué** chez la femme, notamment les femmes enceintes et les femmes allaitant leur nourrisson.
- Casodex est **contre-indiqué** chez l'enfant.
- Les comprimés sont pour vous seul. Il ne faut les donner à qui que ce soit d'autre.

Quelles sont les précautions à prendre avec Casodex? Avant de prendre votre médicament, prévenez votre médecin si:
- vous souffrez d'une maladie ou d'une insuffisance hépatique (c'est-à-dire qui touche le foie).
- vous prenez d'autres médicaments, et plus particulièrement des anticoagulants oraux (pour empêcher la formation de caillots de sang).
- Si vous allez à l'hôpital, informez le personnel soignant que vous suivez un traitement avec Casodex.
- Vos comprimés contiennent du lactose et du dioxyde de titane, deux substances susceptibles de provoquer des problèmes chez un petit nombre de patients sensibles à ces substances.
- N'arrêtez la prise de vos comprimés que si votre médecin vous le demande.

Vos comprimés n'affecteront très probablement pas votre capacité à conduire un véhicule ou faire fonctionner des machines.

Comment dois-je prendre mes comprimés Casodex?
- Suivez les recommandations de votre médecin sur la façon et le meilleur moment de prendre le médicament. **Lisez l'étiquette** sur l'emballage, c'est très important. Si vous avez des doutes, n'hésitez pas à demander des éclaircissements à votre médecin ou pharmacien.
- La dose habituelle pour un adulte est d'un comprimé par jour.
- Avalez le comprimé intact avec un verre d'eau.
- Essayez de prendre votre comprimé tous les jours à la même heure.
- Respectez la prescription. S'il vous arrivait de sauter une dose quotidienne, ne prenez surtout pas une dose supplémentaire; continuez normalement le traitement prescrit.
- Si vous dépassez la dose prescrite, appelez votre médecin ou l'hôpital le plus proche.
- N'arrêtez pas le traitement, même si vous vous sentez mieux—sauf si votre médecin vous l'a demandé.

Quels sont les effets indésirables possibles de Casodex? Tous les médicaments sont susceptibles de provoquer des effets indésirables. **La liste d'effets indésirables possibles présentée ci-après ne doit pas vous inquiéter. Il est possible que vous n'en ressentiez aucun.**
- Sensibilité ou augmentation de volume des tissus mammaires (les seins)
- Bouffées de chaleur
- Nausées
- Vomissements
- Diarrhée
- Démangeaisons
- Peau sèche
- Sensation de faiblesse
- Peau et yeux jaunes (jaunisse)

Casodex peut parfois être associé à des modifications sanguines. Dans ce cas, votre médecin pourra juger nécessaire d'effectuer certains examens du sang.

Si vous ressentez un ou plusieurs de ces symptômes, demandez conseil à votre médecin, infirmière ou pharmacien sur les mesures à prendre.

Comment dois-je conserver Casodex?
- Conservez vos comprimés dans leur boîte d'origine.
- Si votre médecin décide d'arrêter le traitement, jetez les comprimés de manière adéquate.
- Ne prenez pas le médicament si la date d'expiration sur l'emballage est dépassée. Jetez les comprimés de manière adéquate.
- Conservez votre médicament en lieu sûr, hors de portée des enfants. Il peut avoir des conséquences graves chez l'enfant.

☐ CAVERJECT^MC 🄿

Pharmacia & Upjohn

Alprostadil

Prostaglandine

Renseignements destinés aux patients: Causes et traitements de l'impuissance sexuelle: Il existe plusieurs causes de l'impuissance sexuelle, affection qu'on appelle médicalement troubles de l'érection. Ces causes peuvent être des médicaments que vous prenez pour le traitement d'autres maladies, des troubles de la circulation sanguine du pénis, des lésions des nerfs, des problèmes émotionnels, un excès de consommation de tabac ou d'alcool, la toxicomanie et des déséquilibres hormonaux. L'impuissance est souvent due à plusieurs causes.

Parmi les traitements de l'impuissance sexuelle, citons: le changement de médicament (si l'impuissance est due à un médicament que vous prenez), l'administration d'hormones, les injections dans le pénis, l'utilisation d'appareils médicaux qui permettent d'obtenir une érection, des interventions chirurgicales pour corriger les anomalies de la circulation sanguine du pénis, les implants péniens et le counseling psychothérapeutique. Votre médecin a choisi les injections de Caverject (alprostadil) pour traiter vos problèmes d'impuissance sexuelle. Votre médecin peut également vous informer des autres possibilités thérapeutiques. Vous ne devriez arrêter aucun traitement sans l'avis de votre médecin.

À propos de Caverject: Caverject est utilisé pour le traitement des hommes qui ne peuvent obtenir et/ou maintenir une érection. Caverject, poudre stérile qui contient de l'alprostadil, ne peut être fourni sans ordonnance et doit être utilisé conformément aux instructions de votre médecin. Votre médecin peut également utiliser Caverject pour déterminer la cause de votre impuissance sexuelle (ou troubles de l'érection).

Les nerfs, les artères et les veines du pénis agissent ensemble pour provoquer une érection en réponse à une stimulation sexuelle visuelle ou physique. Les nerfs provoquent une relaxation du muscle lisse du pénis et un élargissement des vaisseaux sanguins. Le sang est alors piégé dans le pénis, ce qui fait qu'il se durcit et se met en érection.

Quand Caverject est injecté dans les espaces pleins de sang du pénis (corps caverneux), il provoque une relaxation du muscle lisse du pénis. Cela permet d'augmenter le flux sanguin du pénis pour aboutir à une érection.

Quand doit-on utiliser Caverject: Vous pouvez utiliser Caverject n'importe quand avant le rapport sexuel. Caverject doit être injecté dans une région précise du pénis et entraîner une érection au bout de 5 à 20 minutes. En injectant la dose prescrite par votre médecin, vous devriez obtenir une érection d'une durée allant jusqu'à 1 heure. Vous pouvez utiliser Caverject aussi longtemps que votre médecin le jugera nécessaire. N'utilisez pas Caverject plus de 1 fois/jour, ni plus de 3 fois/semaine, tout en respectant un délai d'au moins 24 heures entre 2 injections.

La meilleure dose pour vous: L'impuissance peut avoir diverses causes, qui ont été évaluées par votre médecin. La dose appropriée de Caverject dépend de la nature de votre impuissance. Par ailleurs, certains patients sont plus sensibles aux effets de Caverject que d'autres. C'est pourquoi votre médecin doit trouver la dose qui vous convient le mieux. Pour cela, il vous fera une première injection, puis augmentera lentement la dose des injections suivantes jusqu'à ce qu'il trouve la dose la plus faible qui entraîne une érection suffisante. La dose quotidienne maximale ne doit pas dépasser 60 µg.

Utilisation de Caverject à domicile: Une fois que votre médecin aura trouvé la bonne dose, il fera les toutes premières injections dans son cabinet pour vous apprendre (ou pour que votre partenaire apprenne) la manière de pratiquer les injections sans danger et de manière hygiénique. Quand le médecin se sera assuré que vous êtes (ou que votre partenaire est) à l'aise avec la méthode d'injection (et que vous savez respecter les règles d'asepsie), vous pourrez commencer le traitement à domicile.

Caverject est fourni avec tout ce dont vous avez besoin, y compris des instructions complètes et des illustrations pour vous aider.

Pendant le traitement, il pourra être nécessaire d'adapter la dose. Ne diminuez ou n'augmentez **jamais** la dose sans avoir consulté votre médecin. En fait, il est important que vous consultiez votre médecin au moins 1 fois tous les 3 mois pour qu'il s'assure que Caverject est efficace et sans danger pour vous.

Qui ne doit pas utiliser Caverject: Vous ne devez pas utiliser Caverject si vous êtes allergique à l'un de ses ingrédients (monohydrate de lactose, dihydrate de citrate sodique, alcool benzylique) ou si vous avez une maladie telle que l'anémie drépanocytaire ou certains cancers (p. ex. myélome multiple ou leucémie) qui peuvent vous prédisposer à des érections douloureuses et à des érections excessivement longues, appelées priapisme.

Caverject ne doit pas être utilisé par les hommes auxquels le médecin a déconseillé l'activité sexuelle.

N'utilisez pas Caverject si vous portez une prothèse pénienne ou si vous avez une déformation du pénis (p. ex. angulation, fibrose, maladie de La Peyronie). Discutez-en avec votre médecin si vous n'êtes pas sûr que vous souffrez d'une de ces maladies.

Caverject est destiné à l'utilisation chez l'**homme** seulement et ne doit pas être utilisé pour des femmes ou pour des enfants. Caverject est uniquement conçu pour le traitement de l'impuissance. N'utilisez pas Caverject pour traiter une autre maladie.

Protégez-vous, protégez les autres: Conservez toujours les médicaments hors de la portée des enfants. Ne gardez pas les médicaments après leur date d'expiration ni les médicaments dont vous n'avez plus besoin. N'utilisez pas ce médicament si la solution est trouble ou colorée ou si elle contient des particules.

Caverject ne protège pas contre les maladies transmissibles sexuellement (dont le SIDA, transmis par le virus de l'immunodéficience humaine, VIH). L'injection de Caverject peut provoquer un petit saignement au site d'injection. Si vous êtes infecté par une maladie véhiculée par le sang, même un petit saignement pourrait suffire à exagérer le risque de transmission de la maladie à votre ou vos partenaires. Prenez des mesures de protection en permanence.

Ce que vous devez savoir avant d'utiliser Caverject: Les substances comme Caverject agissent sur les vaisseaux sanguins et peuvent, lorsqu'elles sont injectées directement dans les corps caverneux du pénis, provoquer des érections de longue durée qui peuvent être douloureuses et sensibles (priapisme). Il n'est pas «normal» que le pénis reste rigide pendant plus de 3 heures. Si cela vous arrive, c'est probablement que la dose injectée est trop forte. Vous devez alors vous adresser à votre médecin immédiatement. Cela doit être traité comme une urgence médicale.

Si vous prenez des médicaments qui diminuent la coagulation du sang, comme la warfarine ou l'héparine, vous pouvez avoir une ecchymose au site d'injection. Pour éviter ce phénomène, appliquez une pression sur le site d'injection avec votre pouce pendant 5 minutes.

Signalez à votre médecin les autres médicaments (en vente libre ou sur ordonnance) que vous prenez pendant votre traitement par Caverject.

Il n'existe apparemment pas de traitement des troubles de l'érection par injections recourant à un mélange de plusieurs médicaments (cocktail). De plus, on ne dispose pas de données sur l'efficacité et l'innocuité de telles associations médicamenteuses.

Que devez-vous faire si vous avez une érection prolongée: Si vous avez une érection qui dure plus de 2 heures, vous pouvez essayer de la diminuer par des méthodes que vous suggérera votre médecin. N'attendez pas; il est plus facile de diminuer l'érection si vous la traitez rapidement. Des érections qui durent plus de 6 heures peuvent provoquer des lésions graves et définitives.

Si votre pénis reste rigide après 3 heures, adressez-vous immédiatement à votre médecin ou au service des urgences. Inscrivez sur une feuille de papier le nom du médicament, la dose et l'heure de l'injection et emportez cette feuille lorsque vous allez au service des urgences.

Effets indésirables de Caverject: L'effet indésirable le plus fréquent est une douleur légère ou modérée dans le pénis après l'injection ou pendant l'érection. Environ un tiers des patients souffrent de ce phénomène. D'autres patients peuvent présenter une «sensation de brûlure», un «malaise» ou une «sensation de tension» au niveau du pénis.

Parfois, vous pourrez avoir une accumulation de sang (hématome, ecchymose) au niveau du site d'injection. Ce phénomène est dû à une mauvaise technique d'injection plutôt qu'à un effet de Caverject. Si cela vous arrive, demandez à votre médecin de revoir les instructions d'injection avec vous. Si vous appliquez une pression sur le site d'injection, vous diminuerez le risque de pétéchies.

Les autres effets indésirables locaux sont: fibrose (formation de tissu cicatricielle à l'intérieur du pénis), irritation, sensibilité, éruption cutanée sur le pénis et œdème dans le pénis (excès d'eau dans les tissus).

Plus rarement: douleur dans les testicules ou à la base du pénis, érythème (rougeur de la peau), bosse pénienne, sensibilité, éjaculation anormale, incurvation du pénis en érection, balanite (inflammation de l'extrémité du pénis) et démangeaisons, enflement, inflammation ou saignement au site d'injection, blessures et saignement urétraux dus à une mauvaise technique d'injection.

Parmi les effets indésirables généraux rares: modifications de la tension artérielle, battements cardiaques irréguliers, accélération du pouls, étourdissements, maux de tête et évanouissements.

Si vous avez une de ces réactions anormales ou une réaction qui n'est pas mentionnée ci-dessus, n'hésitez pas à contacter votre médecin. Signalez-lui également si vous avez une maladie ou si vous prenez un médicament qui modifie la coagulation du sang.

Guide d'utilisation correcte de Caverject: Les renseignements ci-dessous s'appliquent exclusivement à l'auto-injection de Caverject. **Ne pas employer ces méthodes pour l'administration de tout autre médicament.**

Ce guide ne vise pas à remplacer les conseils de votre médecin. Veuillez vous adresser à votre médecin pour tous renseignements complémentaires.

Une boîte de Caverject contient suffisamment de médicament pour une injection. Le nombre de boîtes dont vous aurez besoin dépend de la durée de votre traitement.

Fournitures contenues dans la boîte de Caverject (voir le prospectus d'emballage pour les illustrations): Chaque boîte en plastique bleu contient les éléments suivants:

- **Un flacon de Caverject, poudre stérile, en concentration de 10 ou de 20 µg.** Assurez-vous que vous avez la bonne concentration de Caverject pour votre dose.
- **Une seringue prête à l'emploi contenant de l'eau bactériostatique.** Il s'agit d'eau stérile contenant un agent de conservation, que vous utiliserez pour dissoudre Caverject. Cette solution ne contient pas de médicament actif. Vous utiliserez cette seringue, après y avoir fixé l'aiguille, pour vous injecter le médicament dans le pénis.
- **Une aiguille de calibre 27 et de 0,5 po.** Laissez le capuchon en plastique sur l'aiguille jusqu'à ce que vous soyez prêt pour l'injection.
- **Deux compresses alcoolisées.** Il est important d'utiliser les compresses pour respecter les conditions d'hygiène et éviter toute infection.

Conservation et manipulation:

1. Vous pouvez conserver les flacons intacts de poudre stérile de Caverject entre 2 et 30 °C. Ne les mettez pas dans le congélateur.
2. N'utilisez pas les flacons après la date d'expiration inscrite sur l'étiquette.
3. Une fois dissoute, la solution Caverject doit être utilisée immédiatement. Ne congelez pas la solution.
4. N'utilisez chaque flacon que pour une seule injection. Mettez au rebut la solution restante. Reportez-vous à la section «Mise au rebut» à la fin du guide.

Important: Si vous ne vous conformez pas aux mesures antiseptiques suivantes, vous risquez une infection.

5. Afin d'assurer la stérilité de la manipulation, ne contaminez jamais l'aiguille. L'aiguille et la seringe jetables ne nécessitent aucune stérilisation si l'emballage est intact.
6. **Ne réutilisez pas** les aiguilles ni les seringues. **Ne donnez pas** les seringues ni les aiguilles déjà utilisées à d'autres personnes.

Méthode d'auto-injection: Préparation du médicament:

1. Lavez-vous soigneusement les mains avec de l'eau et du savon.

Caverject (suite)

2. Tirez sur la languette de l'emballage de l'aiguille pour mettre à nu l'extrémité ouverte de l'aiguille. Cette extrémité ne doit jamais être en contact avec aucune surface.
3. Maintenez l'extrémité de la seringue vers le haut et retirez le bouchon en caoutchouc. Tout en maintenant d'une main la seringue tournée vers le haut, de l'autre main prenez l'aiguille par l'extrémité recouverte du capuchon.
4. Sans retirer le capuchon de l'aiguille, fixez son extrémité ouverte sur l'extrémité de la seringue en la poussant vers le bas et en la vissant. Assurez-vous que l'aiguille s'ajuste parfaitement.
5. Retirez le capuchon en plastique du flacon.
6. Nettoyez le bouchon en caoutchouc du flacon avec une des deux compresses fournies. Jetez la compresse utilisée (vous aurez besoin de la seconde compresse plus tard).
7. Ne tenez la seringue que par le cylindre. Retirez avec précaution le capuchon de l'aiguille. L'aiguille ne doit être en contact avec aucune surface.
8. Tout en maintenant la seringue avec l'aiguille vers le haut, poussez sur le piston jusqu'à la marque 1 cc (mL) inscrite sur la seringue. (Cela retire une légère quantité du contenu excédentaire de la seringue.)
9. Enfoncez l'aiguille dans le centre du bouchon du flacon. Poussez sur le piston de façon à injecter tout le contenu de la seringue (eau bactériostatique) dans le flacon.
   Maintenez avec précaution l'ensemble seringue-flacon et mélangez doucement son contenu (sans secouer) jusqu'à ce que la poudre soit complètement dissoute. **Ne pas utiliser** le produit si la solution est trouble ou colorée ou si elle contient des particules.

Retrait du médicament:

1. Pour retirer le médicament, retournez le flacon (et la seringue). Maintenez l'extrémité de l'aiguille en dessous du niveau du liquide. Ensuite, tirez lentement sur le piston de la seringue jusqu'à ce qu'il atteigne la marque prescrite par votre médecin.
2. Si vous apercevez des bulles d'air dans la seringue, tapotez-la doucement pour les faire disparaître ou ré-injectez la solution dans le flacon, puis retirez-la de nouveau.
3. Retirez l'aiguille du flacon et replacez le capuchon sur l'aiguille avec précaution. **Ne percez jamais** le flacon plus d'une fois; vous pourriez contaminer la solution.

Auto-injection du médicament: Le médicament doit être injecté dans l'un des deux corps caverneux (tissu spongieux du pénis). Les corps caverneux se trouvent de part et d'autre du pénis.

Respectez les instructions ci-dessous pour injecter correctement le médicament:

1. Faites l'injection en vous tenant assis, le dos droit ou légèrement penché, sous un bon éclairage.
2. Ne piquez que dans les zones indiquées ci-dessus. **N'injectez pas** le médicament directement sur le dessus ni en dessous du pénis. Alternez la zone d'injection à chaque utilisation de Caverject (p. ex. à droite pour la présente injection, à gauche la prochaine fois et ainsi de suite). Il faut également changer de point d'injection à chaque injection, à l'intérieur d'une même zone.
3. Tenez le gland du pénis entre le pouce et l'index. Tendez bien le pénis vers l'avant et maintenez-le fermement contre la cuisse afin qu'il ne glisse pas. Si vous n'êtes pas circoncis, retirez le prépuce vers l'arrière pour bien vous assurer de la bonne position du site d'injection.
4. Nettoyez soigneusement la zone d'injection avec une nouvelle compresse alcoolisée. Mettez la compresse de côté, vous en aurez encore besoin.
5. Tenez la seringue entre le pouce et l'index. Ne mettez pas votre pouce sur le piston. En tenant la seringue à angle droit (90 °) par rapport à votre pénis, piquez l'aiguille dans la peau. C'est une zone sensible et la piqûre peut être désagréable. Évitez de piquer dans une zone contenant des veines visibles.
   Une fois que l'aiguille a percé la peau et que vous ressentez une résistance, poussez fermement sur l'aiguille jusqu'à ce que cette résistance cède, puis insérez toute l'aiguille doucement et régulièrement.
6. Amenez votre pouce ou votre index sur le piston et poussez celui-ci. Injectez tout le contenu de la seringue doucement et régulièrement.
7. Retirez l'aiguille du pénis et recouvrez-la de son capuchon. Serrez immédiatement les deux côtés du pénis et appliquez une pression sur le site d'injection avec la compresse alcoolisée pendant environ 3 minutes. Si vous saignez, maintenez la pression jusqu'à ce que le saignement cesse.

Si vous respectez la dose prescrite par votre médecin, vous devriez être en érection 5 à 20 minutes après l'injection.

L'objectif du traitement est de provoquer une érection durant environ 1 heure. Si l'érection est très douloureuse (ou si elle persiste plus de 3 heures) ou si vous ressentez d'autres effets indésirables, contactez immédiatement votre médecin.

Mise au rebut du matériel utilisé: Jetez toujours la seringue, l'aiguille, le flacon et les compresses utilisées, en respectant les règles de sécurité. Pour vous aider, nous avons conçu la boîte Caverject de manière à ce qu'elle puisse servir d'unité jetable sécuritaire après avoir été verrouillée. (Toutefois, votre pharmacien peut vous fournir une boîte spéciale pour la mise au rebut des seringues.)

1. Retirez le fermoir en plastique rouge de son support à l'intérieur de la boîte. Mettez-le de côté.
2. Mettez la seringue, l'aiguille, le flacon et les compresses utilisés dans la boîte en plastique. Fermez-la en la claquant.
3. Retirez la partie centrale de l'étiquette Caverject (zone perforée) pour faire apparaître le trou du dispositif de verrouillage.
4. Pour verrouiller la boîte, insérez le fermoir rouge dans le trou en poussant. La boîte est maintenant verrouillée.

Remarque: Une fois verrouillée, la boîte de Caverject ne pourra plus être réouverte.

Vous pouvez à présent jeter la boîte sans danger. Étant donné son contenu, cette boîte n'est pas recyclable. **Ne la mettez pas** dans une boîte de produits recyclables.

Pour tous renseignements complémentaires sur les avantages et les risques de l'utilisation de Caverject, n'hésitez pas à vous adresser à votre médecin.

□ CEFTIN® Ⓟ

Glaxo Wellcome

Céfuroxime axétil

Antibiotique

Renseignements destinés aux patients: Feuillet de directives aux patients: **Ce que vous devez savoir sur Ceftin en comprimés ou pour suspension orale :** Veuillez lire attentivement ce feuillet avant de commencer à prendre votre médicament.

Vous y trouverez un résumé des renseignements disponibles sur ce médicament. Pour de plus amples renseignements ou des conseils, adressez-vous à votre médecin ou à votre pharmacien.

Comment s'appelle ce médicament? Ceftin. Ce médicament contient du céfuroxime axétil. Il est semblable à d'autres antibiotiques de la famille des céphalosporines.

Comment obtenir ce médicament? Ce médicament ne peut être obtenu que sur ordonnance.

À quoi sert ce médicament? Votre médecin vous a prescrit Ceftin car vous souffrez d'une infection. Ceftin sert à combattre l'infection et à supprimer les bactéries ou autres micro-organismes qui en sont la cause. Pour que votre infection disparaisse, vous devez prendre votre médicament de la bonne façon.

Ce qu'il faut savoir avant de prendre ce médicament: Ne prenez pas Ceftin si vous êtes allergique aux céphalosporines. Si vous êtes allergique ou réagissez mal aux pénicillines ou à d'autres antibiotiques, informez-en votre médecin.

Si le test utilisé pour déceler la présence de glucose dans l'urine est basé sur la réduction du cuivre (liqueur de Fehling, réactif de Benedict, comprimés Clinitest), le résultat peut être faussement positif. Il est par conséquent préférable d'utiliser un test enzymatique, comme le Tes-Tape ou Clinistix.

Une femme qui est enceinte ou qui allaite son enfant peut-elle prendre ce médicament? Si vous êtes enceinte ou que vous allaitez votre enfant, dites-le à votre médecin; dans ces cas, votre médecin peut décider de ne pas vous prescrire ce médicament. Dans d'autres circonstances, il peut cependant en décider autrement.

Comment prendre ce médicament? Comprimés: Vous devez prendre ce médicament tel que prescrit par votre médecin. Si vous n'êtes pas certain du nombre de comprimés à prendre ou de la fréquence de leur prise, demandez-le à votre médecin ou à votre pharmacien.

Vous ne devez ni diminuer ni augmenter la dose prescrite par votre médecin, sauf si ce dernier en décide autrement.

La posologie habituelle chez l'adulte est d'un comprimé à 250 mg, 2 fois/jour.

Ceftin a un goût amer. **Il ne faut donc pas le croquer ni l'écraser;** il faut l'avaler entier, avec de l'eau.

Ceftin en comprimés est plus efficace s'il est pris après un repas.

Le traitement dure généralement de 7 à 10 jours. Il faut prendre tous les comprimés pendant le traitement pour assurer que tous les micro-organismes en cause ont été éliminés. **Continuez à prendre vos comprimés jusqu'à ce qu'il n'en reste plus, même si vous commencez à vous sentir mieux.**

Suspension: La dose varie selon le poids de l'enfant. Votre médecin ou votre pharmacien vous indiquera le nombre exact de cuillerées à thé ou de doses de 5 mL, ou encore le nombre de sachets de granules que vous devez administrer à votre enfant.

Flacons: Avant de dévisser le bouchon, vous devez **bien agiter le flacon** jusqu'à ce que vous entendiez le liquide se déplacer à l'intérieur afin de vous assurer d'administrer la dose exacte de médicament. Refermez bien le bouchon après chaque usage. Au cours du traitement, vous devriez utiliser une cuillère contenant 5 mL afin d'administrer la quantité exacte de médicament. Prenez soin de ne pas trop remplir la cuillère. La dose pourrait aussi être ajoutée, immédiatement avant l'administration, à l'une des boissons froides suivantes: lait (écrémé, 2 % ou homogénéisé), jus de fruits (pomme, orange ou raisin) ou limonade.

Sachets: Versez le contenu du sachet dans un verre et ajoutez au moins 10 mL d'une des boissons froides suivantes: eau, lait (écrémé, 2 % ou homogénéisé), jus de fruits (pomme, orange ou raisin) ou limonade. Agitez pour bien dissoudre et boire immédiatement tout le liquide.

Ceftin en suspension orale ne doit pas être mélangé avec une boisson chaude.

Vous ne devez ni diminuer ni augmenter la dose prescrite par votre médecin, sauf si ce dernier en décide autrement.

Ceftin en suspension orale peut être pris avec ou sans aliments; cependant il est plus efficace s'il est pris après un repas.

Le traitement dure généralement de 7 à 10 jours. Il faut prendre la quantité totale du médicament en suspension pendant le traitement pour assurer que tous les micro-organismes en cause ont été éliminés. **Continuez de prendre le médicament jusqu'à ce qu'il n'en reste plus, même si vous commencez à vous sentir mieux.**

Après avoir pris le médicament: Si vous éprouvez un sifflement respiratoire et une oppression thoracique ou si vous observez un gonflement des paupières, du visage ou des lèvres, des boursouflures, de l'urticaire ou une éruption cutanée (taches rouges), informez-en immédiatement votre médecin. Cessez de prendre le médicament, sauf si votre médecin vous dit de continuer. Il peut aussi décider d'arrêter le traitement.

Il est possible que vous souffriez d'une diarrhée, de vomissements ou de symptômes que vous ne comprenez pas. Si tel est le cas, il n'est pas nécessaire d'arrêter de prendre votre médicament, mais informez-en votre médecin aussitôt que possible.

Si votre état s'aggrave ou que vous ne sentez aucune amélioration après avoir pris tous les comprimés ou la suspension, **informez-en votre médecin aussitôt que possible.**

Que faire en cas de surdosage? Il est important de suivre les instructions indiquées sur l'étiquette de votre contenant. Il n'est pas dangereux de dépasser légèrement la dose indiquée, mais cela le devient si vous prenez un grand nombre de comprimés ou une grande quantité de la suspension orale en une seule fois. Dans ce cas, communiquez immédiatement avec votre médecin ou le service d'urgence de l'hôpital le plus près.

Comment conserver ce médicament? Gardez les comprimés ou la suspension dans un endroit sûr, hors de la portée des enfants.

Les comprimés et la suspension Ceftin doivent être conservés dans un endroit frais, car la chaleur altère leurs propriétés. Il est préférable de conserver la suspension au réfrigérateur.

Que faire quand on a oublié de prendre son médicament? Si vous avez oublié de prendre votre médicament, prenez-le immédiatement, au moment où vous avez noté l'oubli, puis continuez à suivre la posologie recommandée.

Que faire à l'arrêt du traitement? Si votre médecin décide d'interrompre le traitement, ne conservez pas le médicament restant, sauf s'il vous le demande. Jetez toute portion inutilisée des comprimés ou de la suspension.

Que contient ce médicament? Comprimés: Les comprimés Ceftin sont offerts en 2 concentrations: 250 mg et 500 mg de céfuroxime (sous forme de céfuroxime axétil). Votre médecin décidera quelle concentration convient le mieux à votre état.

Suspension: Une cuillerée à thé (5 mL) de suspension orale Ceftin contient 125 mg de céfuroxime (sous forme de céfuroxime axétil). Un sachet contient 250 mg de céfuroxime (sous forme de céfuroxime axétil).

N'oubliez pas: Ce médicament est pour vous. Seul un médecin peut le prescrire. N'en donnez jamais à d'autres même si leurs symptômes ressemblent aux vôtres, car il peut leur être nocif.

Pour plus de renseignements: Ce feuillet ne répond peut-être pas à toutes vos questions concernant ce médicament. Si vous avez d'autres questions, consultez votre médecin ou votre pharmacien.

Ne jetez pas ce feuillet avant d'avoir terminé de prendre votre médicament, car vous pourriez avoir besoin de le relire.

☐ CellCept® Ⓟ

Roche

Mofétilmycophénolate

Immunosuppresseur

Renseignements destinés aux patients: Votre médecin vous a prescrit un nouveau médicament, CellCept. Ce produit est utilisé après une transplantation rénale pour aider à prévenir le rejet.

Lisez attentivement les renseignements qui suivent. Ils vous informeront sur CellCept et vous aideront à obtenir des résultats optimaux.

Ce dépliant d'information n'est pas aussi détaillé que la monographie officielle de CellCept (que votre médecin et votre pharmacien ont en leur possession). Ce dépliant se veut un complément à ce que vous a dit votre médecin ou votre pharmacien. Suivez les instructions de votre médecin à la lettre. Si vous avez des questions après avoir lu ce dépliant d'information, posez-les immédiatement à votre médecin ou à votre pharmacien.

Important: Les femmes doivent éviter d'être enceintes pendant qu'elles prennent CellCept car ce produit peut causer des dommages au fœtus.

Qu'est-ce que CellCept? CellCept est la marque de commerce d'un médicament appelé mofétilmycophénolate. Il appartient à la famille des «immunosuppresseurs», médicaments qui «suppriment» ou diminuent la réponse immunitaire de l'organisme.

Comment CellCept agit-il? Votre système immunitaire vous protège contre les infections et les corps étrangers. Quand vous subissez une transplantation, votre système immunitaire identifie le nouvel organe comme étant un corps étranger et essaie de le rejeter. CellCept réduit cette réaction de rejet et augmente les chances que votre organisme accepte l'organe transplanté.

Pour donner des résultats optimaux, CellCept doit être prescrit avec d'autres médicaments comme la cyclosporine (Sandimmune) et des corticostéroïdes (p. ex. prednisone, prednisolone, méthylprednisolone, acétate de prednisolone, acétate de méthylprednisolone) qui suppriment aussi votre système immunitaire. Ensemble, ces médicaments aident à prévenir le rejet du greffon.

Que dois-je dire à mon médecin avant de commencer à prendre CellCept? Avant de prendre CellCept, ne manquez pas de mentionner à votre médecin:

- si vous avez eu une réaction défavorable, inhabituelle ou allergique à CellCept (aussi connu sous le nom de mofétilmycophénolate) ou à l'acide mycophénolique;
- si vous êtes enceinte, voulez devenir enceinte ou allaitez votre enfant;
- toutes les maladies dont vous souffrez actuellement et dont vous avez souffert dans le passé, surtout les problèmes concernant votre estomac et vos selles;
- tous les médicaments ou traitements que vous prenez, y compris les produits que vous achetez à la pharmacie, au supermarché ou à un magasin d'aliments naturels.

Comment dois-je prendre CellCept pour obtenir des résultats optimaux?

- Votre médecin a choisi la dose que vous devez prendre selon votre maladie et votre réponse au médicament. Prenez exactement la dose prescrite, ni plus ni moins.
- La dose initiale de CellCept doit être prise dans les 72 heures suivant la transplantation. Prenez toujours la quantité exacte de CellCept qui a été prescrite par votre médecin. Si vous ne savez pas au juste quelle dose prendre, ou quand la prendre, contactez votre médecin, votre pharmacien ou votre infirmière. On recommande de prendre une dose de 1 g, 2 fois/jour (dose quotidienne de 2 g).

CellCept (suite)

- Espacez vos 2 doses de CellCept le plus également possible au cours de la journée, laissant un intervalle d'environ 12 heures entre les prises.
- CellCept se prend à jeun.
- Essayez de prendre vos doses à la même heure tous les jours. Ainsi, vous aurez une quantité constante de médicament dans votre organisme, et vous serez protégé en tout temps contre le rejet du greffon. De plus, vous risquez moins d'oublier une dose si vous la prenez toujours à la même heure.
- Des vomissements ou une diarrhée peuvent empêcher CellCept d'être absorbé par votre organisme. **Ne manquez pas** d'appeler votre médecin si vous avez ces symptômes.
- **Ne changez pas la dose de votre propre initiative, peu importe comment vous vous sentez.**

Que dois-je faire si je saute une dose de CellCept?

- Il est important de prendre toutes les doses prescrites par votre médecin pour retirer le maximum de bienfaits de CellCept.
- Si vous avez du mal à vous rappeler quelles doses prendre, si vous ne savez pas exactement comment les prendre, ou si quelque chose vous préoccupe au sujet de la prise du médicament, parlez-en à votre médecin, à votre pharmacien ou à votre infirmière.
- Évitez d'être à court de médicament entre les renouvellements de prescriptions. **Renouvelez votre prescription environ 1 semaine d'avance.** De cette façon, vous aurez toujours une réserve au cas où la pharmacie soit fermée ou que vos provisions soient épuisées. Si vous partez en vacances, apportez toujours une provision suffisante de médicament.
- Si vous oubliez de prendre une dose de CellCept, ne doublez pas la dose suivante; consultez sans délai votre médecin ou votre pharmacien. C'est aussi une bonne idée de demander d'avance à votre médecin que faire si jamais vous sautez une dose.

CellCept est présenté sous quelle forme? CellCept est présenté sous forme de **gélules** (capsules dures de gélatine) bleu et brun sur lesquelles sont imprimés à l'encre noire «CellCept 250» sur l'embout bleu et «ROCHE» sur le corps brun. Chaque gélule CellCept contient 250 mg de mofétilmycophénolate. Il y a 10 gélules par bande alvéolée.

CellCept est aussi présenté sous forme de **comprimés** pelliculés de couleur lavande, en forme de caplet, sur lesquels sont imprimés à l'encre noire «CellCept 500» d'un côté et «ROCHE» de l'autre. Chaque comprimé CellCept contient 500 mg de mofétilmycophénolate. Il y a 10 comprimés par bande alvéolée.

Comment dois-je prendre CellCept? Il est important de laisser les gélules ou les comprimés dans leur emballage jusqu'au moment de l'emploi. Le moment venu, enlevez le nombre de gélules ou de comprimés correspondant à la dose prescrite par votre médecin. Avalez les gélules ou les comprimés en entier.

Quelles précautions faut-il prendre avec CellCept?

- CellCept doit être pris avec d'autres médicaments immunosuppresseurs. Vérifiez bien auprès de votre médecin, de votre infirmière ou de votre pharmacien si vous devez cesser ou continuer de prendre les autres agents immunosuppresseurs.
- Dites à tous les professionnels de la santé que vous consultez (médecin, dentiste, infirmières, pharmaciens) que vous prenez CellCept.
- Ne prenez aucun autre médicament sans d'abord en parler à votre médecin ou à votre pharmacien. Cela comprend tous les produits qui se vendent sans prescription. La prise d'un antiacide en même temps que CellCept peut modifier la façon dont CellCept agit. Évitez donc de prendre ces 2 produits simultanément.
- Assurez-vous de ne manquer **aucun** rendez-vous à la clinique de transplantation. Au cours de ces consultations, on procédera à une formule sanguine complète (comptage du nombre de cellules dans votre sang) toutes les semaines durant le premier mois, tous les 15 jours au cours des deuxième et troisième mois, puis tous les mois pendant le reste de la première année de traitement. Il se peut que votre médecin exige d'autres prises de sang.
- On ne connaît pas l'effet de CellCept sur l'efficacité des vaccins ni sur le risque de contracter une maladie transmise par des vaccins faits à partir de germes vivants. Discutez de ce sujet avec votre médecin avant de vous faire vacciner ou immuniser.
- Si vous devenez enceinte pendant que vous prenez ce médicament, dites-le immédiatement à votre médecin. Il est important de discuter des avantages et des risques que comporte la poursuite du traitement.
- **Ne cessez pas de prendre CellCept de votre propre initiative même si vous le prenez depuis plusieurs années.**
- **Note spéciale pour les femmes:** Comme CellCept peut causer des anomalies et des malformations fœtales, vous **ne** devez **pas** le prendre si vous êtes enceinte ou si vous devenez enceinte. Vous devez utiliser 2 méthodes contraceptives fiables avant de commencer à prendre CellCept, durant le traitement et pendant les 6 semaines qui suivent le traitement. **Si vous devenez enceinte pendant que vous prenez CellCept, dites-le tout de suite à votre médecin.**
  Il est déconseillé d'allaiter votre enfant si vous prenez CellCept car ce produit peut passer dans le lait et causer du tort à votre bébé.

CellCept a-t-il des effets secondaires?

- Comme pour tous les médicaments, en plus des effets bénéfiques du traitement, CellCept peut causer des effets secondaires chez des patients, CellCept a été bien toléré par la plupart des patients; il est donc probable que vous le tolérerez bien vous aussi.
- Parce que CellCept et les autres médicaments que vous prenez suppriment la fonction de votre système immunitaire, vous êtes plus vulnérable aux infections. Pour atténuer les complications résultant des infections, contactez votre médecin si vous avez des symptômes de rhume ou de grippe (par exemple de la fièvre ou un mal de gorge), des furoncles (clous) sur la peau ou des douleurs lorsque vous urinez.
- La baisse de la fonction de votre système immunitaire peut également augmenter vos risques de cancer. Bien que des cancers des ganglions lymphatiques et d'autres cancers soient survenus chez certaines personnes prenant CellCept conjointement à d'autres immunosuppresseurs, le risque de tels cancers n'est pas plus élevé avec CellCept qu'avec les autres immunosuppresseurs.
- Les symptômes qui suivent peuvent être des signes avant-coureurs de cancer. Pour aider votre médecin à dépister un cancer le plus tôt possible, contactez-le immédiatement si vous éprouvez l'un des symptômes suivants:
  —un changement dans vos mictions (émission d'urines) ou vos selles;
  —une plaie qui ne guérit pas;
  —des écoulements ou des saignements inhabituels;
  —la présence d'une bosse ou d'un épaississement à un sein ou ailleurs;
  —un dérangement d'estomac inexpliqué ou de la difficulté à avaler;
  —un changement visible dans l'aspect d'une verrue ou d'un grain de beauté;
  —une toux persistante ou un enrouement;
  —des sueurs pendant la nuit;
  —des maux de tête tenaces et sévères.
- Les autres symptômes courants qui ont été signalés lorsque CellCept a été administré avec la cyclosporine et des corticostéroïdes sont énumérés ci-dessous. N'oubliez pas de le signaler tout de suite à votre médecin si vous remarquez l'un de ces symptômes, surtout s'ils persistent, vous dérangent ou semblent s'aggraver: diarrhée, nausées, vomissements, constipation, brûlures d'estomac; douleur au niveau de l'abdomen, de la poitrine ou du dos; faiblesse; acné; tremblements involontaires; fièvre; maux de tête; augmentation de la toux, difficulté à respirer; insomnie; étourdissements; gonflement d'une partie du corps; problèmes rénaux, présence de sang dans l'urine. Parmi les autres symptômes qui ont été signalés en de rares occasions en association avec CellCept, figurent des douleurs à l'estomac et des selles sanguinolentes ou noires.
- N'oubliez pas que seul votre médecin peut dire si ces symptômes sont reliés à votre traitement. Si vous pensez que vous avez des effets secondaires, contactez votre médecin sans tarder. Ne cessez pas de prendre votre traitement de votre propre initiative.

Comment dois-je entreposer CellCept?

- **Gardez CellCept hors de la portée des enfants.** Si un enfant prenait ce médicament par mégarde, il pourrait subir des dommages importants. Si vous avez de jeunes enfants, conservez le médicament dans un tiroir ou une armoire sous clef.
- Les gélules et les comprimés CellCept se conservent à la température ambiante. Souvenez-vous de retirer les gélules ou les comprimés de leur emballage seulement au moment de les prendre.

Si vous avez d'autres questions ou des problèmes au sujet de votre traitement par CellCept, communiquez avec votre médecin ou votre pharmacien.

□ CERUMENEX®

Purdue Frederick

Polypeptide condensé d'oléate de triéthanolamine

Céruménolytique

Renseignements destinés aux patients: Pour l'enlèvement habituel du cérumen durci. **Ne pas** employer pour l'enlèvement habituel du cérumen ou le nettoyage des oreilles.

Mode d'emploi: Remplir le canal auriculaire de gouttes Cerumenex, insérer un tampon d'ouate et laisser en place pendant 15 à 20 minutes; puis rincer délicatement l'oreille avec de l'eau tiède (éviter la pression excessive). **Ne pas laisser les gouttes Cerumenex dans l'oreille pendant plus de 20 minutes.** Éviter tout contact avec la peau avoisinante, mais le cas échéant, laver avec de l'eau et du savon. Si le cérumen ne sort pas, ne pas employer de nouveau avant de consulter son médecin. En cas de réaction cutanée, consulter son médecin.

Ne pas employer en cas de perforation du tympan, d'infection de l'oreille moyenne, de dermatite atopique ou d'inflammation de l'oreille externe, ou d'une réaction allergique antérieure à Cerumenex. **Employer avec une prudence extrême** en cas d'antécédents de réaction cutanée ou autres réactions allergiques. En cas de doute, consultez votre médecin à propos d'un test épi-cutané. Si vous avez ou pensez avoir une maladie de l'oreille, consultez votre médecin.

□ CHOLOXIN® ℞

Knoll

Dextrothyroxine sodique

Agent thyréoactif hypolipidémique

Renseignements destinés aux patients: Pour que votre médecin vous prescrive en toute sécurité le meilleur traitement, il(elle) doit savoir si vous avez des allergies, surtout à la dextrothyroxine ou à d'autres analogues thyroïdiens; si vous suivez un régime spécial; si vous êtes enceinte, susceptible de le devenir ou si vous allaitez; ou si vous prenez des médicaments de prescription ou grand public. Il est important d'indiquer à votre médecin si vous êtes affecté(e) d'un des problèmes médicaux suivants: diabète sucré, maladie du cœur ou des vaisseaux sanguins, antécédents de crise cardiaque, défaillance cardiaque ou rhumatisme cardiaque, tension artérielle élevée, ou maladie des reins, du foie ou de la glande thyroïde.

Avant de vous prescrire Choloxin votre médecin va probablement essayer de contrôler votre cholestérol élevé par un régime faible en graisses, en sucres et/ou en cholestérol et par l'exercice. Si vous faites de l'embonpoint, la restriction calorique peut aussi être utile.

Il est important de prendre ce médicament exactement tel que prescrit et sans manquer une seule dose. Si cela arrive, prenez la dose manquée dès que possible. Si le temps de prendre votre dose suivante approche, ne prenez pas la dose manquée et retournez à votre horaire normal. Ne doublez pas la dose.

Pendant que vous prenez ce médicament, il est important de voir votre médecin à intervalles réguliers. Informez toujours votre médecin ou dentiste des médicaments que vous prenez avant de commencer tout traitement.

En plus de ses effets recherchés, un médicament peut causer des effets indésirables. Avertissez votre médecin dès que possible si un des effets secondaires suivants survenait: douleur à la poitrine; battement cardiaque rapide ou irrégulier; douleur à l'estomac (intense); changements dans les menstruations; diarrhée; fièvre; tremblement de la main; mal de tête; mictions plus fréquentes; irritabilité, nervosité ou troubles du sommeil; crampes dans les jambes; essoufflement; éruption de la peau ou démangeaison; transpiration, bouffées de chaleur ou sensibilité accrue à la chaleur; perte de poids ou appétit différent.

Ces effets secondaires arrivent plus souvent chez la personne âgée (60 ans et plus) qui est souvent plus sensible aux effets de la dextrothyroxine.

Gardez tout médicament hors de la portée des enfants. Mettre à l'abri de la chaleur, de l'humidité et de la lumière directe.

□ CLIMARA® ℞

Berlex Canada

Estradiol-17β

Œstrogène

Renseignements destinés aux patients: Emploi des œstrogènes: Lorsqu'une femme atteint la ménopause vers l'âge de 50 ans, c.-à-d. lorsque ses règles cessent définitivement, ses ovaires arrêtent de produire des œstrogènes, principales hormones femelles. Il arrive parfois qu'on enlève les ovaires par intervention chirurgicale, entraînant ainsi une ménopause «chirurgicale». La carence en œstrogènes étant associée à divers risques pour la santé, l'administration d'œstrogènes de remplacement est recommandée chez la majorité des femmes à la ménopause. Chez les femmes dont l'utérus est intact, on prescrit des œstrogènes en association avec une autre hormone femelle dite progestative. Le présent dépliant contient de l'information sur le traitement par les œstrogènes et les progestatifs.

Lorsque les taux d'œstrogènes commencent à diminuer, certaines femmes ressentent des symptômes très incommodants comme une sensation de chaleur au visage, au cou et à la poitrine, ou des poussées subites et intenses de chaleur et de transpiration appelées bouffées de chaleur. Dans certains cas, les bouffées de chaleur occasionnent de fréquents épisodes d'éveil nocturne, et ces troubles du sommeil se traduisent par des signes de fatigue, d'irritabilité et de dépression. L'administration d'œstrogènes de remplacement (œstrogénothérapie substitutive) peut permettre une diminution considérable, voire l'élimination des bouffées de chaleur.

La carence œstrogénique se traduit par des changements au niveau du vagin et de la vulve (qui causent des démangeaisons, une sensation de brûlure, une sécheresse et des douleurs durant les relations sexuelles) et de l'urètre (qui causent des douleurs ou une sensation de brûlure au moment d'uriner et un besoin fréquent d'uriner). L'œstrogénothérapie peut réduire ces symptômes.

Emploi des progestatifs: Les progestatifs employés pour l'hormonothérapie substitutive ont des effets comparables à ceux de l'hormone sexuelle femelle appelée progestérone. Lorsque la femme est en âge de procréer, la progestérone assure la régulation du cycle menstruel. Non seulement l'estradiol libéré par Climara procure-t-il un soulagement des symptômes de la ménopause, mais il stimule également la croissance de l'endomètre, muqueuse qui tapisse l'intérieur de l'utérus, tout comme le font les œstrogènes produits naturellement par l'organisme. Chez la femme ménopausée ou postménopausée dont l'utérus est intact, la stimulation de la croissance de l'endomètre peut entraîner des saignements irréguliers et, dans certains cas, provoquer une affection de l'utérus appelée hyperplasie de l'endomètre (croissance excessive de la muqueuse de l'utérus). Ces troubles utérins dus aux œstrogènes peuvent être atténués lorsqu'un progestatif est administré régulièrement pendant un certain nombre de jours, conjointement avec l'œstrogénothérapie substitutive. Chaque cycle d'administration du progestatif devrait provoquer un saignement, permettant l'élimination régulière de la muqueuse de l'utérus et assurant ainsi une protection contre l'hyperplasie de l'endomètre.

Si votre utérus a été enlevé par chirurgie, vous êtes à l'abri de l'hyperplasie de l'endomètre et n'avez donc pas besoin de prendre un progestatif.

Cas où il faut éviter les œstrogènes: Étant donné que les œstrogènes peuvent stimuler la multiplication de certaines cellules cancéreuses, vous ne devez pas prendre d'œstrogènes si vous avez déjà souffert d'un cancer du sein ou de l'endomètre. Toutefois, il se peut que dans certains cas, votre médecin et vous-même jugiez que les avantages liés à l'utilisation d'œstrogènes l'emportent sur les risques.

Dangers liés à l'utilisation d'œstrogènes: Cancer de l'utérus: Le risque de cancer de l'endomètre augmente avec le temps lorsque les œstrogènes ne sont pas administrés conjointement avec un progestatif, et s'accroît également avec la dose d'œstrogène administrée. Il est donc important que votre médecin vous prescrive la plus faible dose d'œstrogène qui permette de soulager vos symptômes. L'ajout d'un progestatif semble éliminer complètement le risque de cancer de l'utérus lié à l'utilisation d'œstrogènes. Chez la majorité des femmes, l'utilisation cyclique d'un progestatif peut provoquer des saignements menstruels, ce qui est tout à fait normal.

Climara (suite)

Vous êtes davantage exposée au risque de cancer de l'endomètre si vous êtes obèse, diabétique ou si vous souffrez d'hypertension artérielle. Si on vous a enlevé l'utérus par chirurgie (hystérectomie totale), le risque de cancer de l'utérus est inexistant. Il n'est donc pas nécessaire d'ajouter un progestatif à votre œstrogénothérapie substitutive.

Cancer du sein: Certaines études récentes sur l'hormonothérapie substitutive (œstrogène avec ou sans progestatif) semblent indiquer qu'un traitement à long terme augmente le risque de cancer du sein. Par contre, d'autres études effectuées récemment n'ont pas permis d'établir une telle corrélation. On ne dispose pas des données nécessaires pour évaluer les différences entre les divers types d'œstrogènes. À l'heure actuelle, les données provenant des études épidémiologiques ne justifient pas que l'on modifie l'utilisation de l'hormonothérapie substitutive. Il est toutefois important de poursuivre les recherches et d'assurer un suivi régulier.

Les femmes qui ont des antécédents familiaux de cancer du sein, qui présentent des nodules aux seins ou une maladie fibrokystique du sein (masses), ou encore celles dont la mammographie a révélé des anomalies doivent consulter leur médecin avant de commencer l'hormonothérapie substitutive. Les patientes doivent discuter avec leur médecin de l'ensemble des bienfaits et des risques potentiels liés à l'hormonothérapie substitutive. Il est recommandé à toutes les femmes de se faire examiner les seins régulièrement par un professionnel de la santé et de pratiquer un auto-examen mensuel.

Maladies de la vésicule biliaire: Les femmes ménopausées qui prennent des œstrogènes sont légèrement plus susceptibles de développer une maladie de la vésicule biliaire que les femmes qui n'en prennent pas.

Restrictions d'emploi: Les œstrogènes peuvent aggraver certaines affections. Par conséquent, vous devez éviter de les utiliser ou les prendre avec prudence si vous souffrez de ces affections.

Les œstrogènes ne doivent pas être utilisés durant la grossesse Comme la grossesse est toujours possible au début de la ménopause, lorsque les menstruations se produisent encore spontanément, vous devriez discuter des méthodes contraceptives non hormonales avec votre médecin. Si vous prenez des œstrogènes durant la grossesse, le fœtus est exposé à un faible risque de malformations congénitales.

Vous ne devez pas prendre d'œstrogènes si vous allaitez.

Vous ne devez pas utiliser Climara si vous avez déjà eu des réactions allergiques aux œstrogènes ou à toute autre composante du timbre cutané.

Climara ne doit pas être utilisé en présence des affections mentionnées ci-dessous. Ainsi, avant d'utiliser Climara, vous devez avertir votre médecin si vous souffrez de l'une de ces affections:

- cancer du sein ou de l'utérus
- saignements vaginaux inattendus ou inhabituels
- coagulation anormale du sang
- migraines
- accident cérébrovasculaire
- maladie grave du foie
- phlébite évolutive (inflammation des varices)

Pour aider votre médecin à décider si vous pouvez prendre Climara et à déterminer quelles précautions doivent être prises durant le traitement, informez-le:

- si vous prenez d'autres médicaments, qu'ils soient en vente libre ou vendus sur ordonnance (certains médicaments modifient l'action des œstrogènes);
- si vous êtes allergique ou sensible à certains médicaments ou à toute autre substance;
- si vous avez déjà souffert de l'une des affections suivantes:
  - —hypertension artérielle
  - —maladies du cœur, du rein ou du foie
  - —asthme
  - —épilepsie ou autres troubles neurologiques
  - —diabète sucré
  - —dépression
  - —anomalies des seins ou de l'utérus
  - —endométriose
  - —maladies du sein ou toute autre anomalie révélée par une biopsie des seins
  - —fibromes utérins
  - —phlébite (inflammation des varices)
  - —coagulation anormale du sang

Surveiller sa santé durant l'hormonothérapie substitutive: Consultez régulièrement votre médecin: Si vous prenez une association œstro-progestative, vous devez consulter votre médecin et subir un examen médical au moins 1 fois/année. Vous devez également vous faire examiner les seins régulièrement par un professionnel de la santé, et procéder à l'auto-examen des seins. Il est aussi conseillé de passer une mammographie (examen des seins aux rayons X) tous les ans à partir de l'âge de 50 ans. Si certains membres de votre famille ont déjà eu un cancer du sein, si vous avez déjà eu des nodules aux seins ou si vous avez subi une mammographie qui a révélé des anomalies, votre médecin vous demandera peut-être de passer plus souvent des examens des seins.

Si vous recevez un traitement œstrogénique, mais que vous ne prenez pas de progestatif, votre médecin effectuera peut-être un prélèvement de l'endomètre en vue de s'assurer qu'il est normal. Une femme qui reçoit une hormonothérapie substitutive et a des saignements irréguliers doit être examinée.

Effets indésirables: Les effets indésirables énumérés ci-dessous ont été signalés chez des femmes recevant des œstrogènes (y compris ceux qui sont utilisés en contraception). Consultez votre médecin si les symptômes suivants deviennent incommodants:

- nausées
- rétention d'eau
- migraines
- pigmentation locale foncée de la peau
- sensibilité des seins et sécrétions vaginales excessives (signes éventuels que la dose d'œstrogène est trop forte)
- douleurs persistantes dans la partie supérieure de l'abdomen, nausées, vomissements, sensibilité abdominale (signes éventuels d'une maladie de la vésicule biliaire)
- disposition aux ecchymoses («bleus»), saignements de nez abondants, flux menstruel excessivement abondant (signes éventuels d'une coagulation anormale du sang)
- douleur ou gonflement dans la partie inférieure de l'abdomen, menstruations douloureuses et/ou abondantes (signes éventuels de la présence d'un fibrome utérin)
- jaunissement des yeux ou de la peau (signes éventuels d'une jaunisse)
- douleur ou gonflement dans la partie supérieure de l'abdomen (signes éventuels de tumeurs au foie)

Consultez votre médecin dès que possible si vous notez l'une des manifestations suivantes:

- saignements menstruels irréguliers
- sensibilité mammaire intolérable
- augmentation du volume des seins
- douleur ou lourdeur dans les jambes ou la poitrine
- essoufflement
- maux de tête intenses
- étourdissements
- modifications de la vue
- irritation cutanée persistante ou grave
- rétention d'eau ou ballonnements persistant pendant plus de 6 semaines

Consultez votre médecin immédiatement si vous ressentez un des symptômes suivants:

- resserrement de la gorge
- essoufflement
- sensation d'oppression dans la poitrine ou
- tout autre symptôme inhabituel

De plus, certaines femmes peuvent présenter une rougeur ou une irritation sous le timbre Climara, ou encore autour du timbre.

Comment agit Climara: Le timbre Climara contient de l'estradiol. Lorsqu'on l'applique sur la peau en suivant les directives présentées ci-dessous, il libère de l'estradiol, qui pénètre dans la peau, puis dans la circulation sanguine.

Comment appliquer Climara? (Voir le prospectus d'emballage pour les illustrations.) Les timbres Climara sont scellés individuellement dans une pochette protectrice. Déchirez la pochette vis-à-vis de l'encoche (n'utilisez pas de ciseaux) et retirez le timbre.

Une pellicule protectrice recouvre le côté adhésif du timbre – le côté qui sera appliqué sur la peau. Avant d'appliquer le timbre, retirez la pellicule protectrice et jetez-la. Évitez de toucher à la surface adhésive.

Appliquez le côté adhésif du timbre sur une région propre et sèche de la peau, sur le torse ou les fesses. **N'appliquez pas Climara sur les seins.** Évitez également de l'appliquer au niveau de la taille, puisque des vêtements ajustés pourraient frotter contre le timbre et le faire décoller. Vous devez faire la rotation des sites d'application, et attendre au moins 1 semaine avant d'appliquer un nouveau timbre au même endroit. La région où vous appliquez le timbre ne doit pas être huileuse, irritée ni éraflée. Après avoir retiré le timbre de sa pochette et enlevé la pellicule protectrice, appliquez le timbre immédiatement et maintenez-le fermement en place avec vos doigts pendant une dizaine de secondes. Assurez-vous que le timbre adhère bien à la peau, surtout sur les bords.

Le timbre Climara doit être porté pendant 1 semaine, sans interruption. Lorsque vous changez de timbre, vous pouvez essayer de nouveaux sites d'application et ainsi déterminer les régions les plus confortables, où vos vêtements ne frottent pas contre le timbre.

Quand appliquer Climara: Le timbre Climara doit être remplacé 1 fois/semaine.

Pour ce faire, retirez le timbre Climara usagé et jetez-le dans un endroit inaccessible aux enfants et aux animaux domestiques. Vous pouvez enlever facilement toute trace de substance adhésive sur la peau par une légère friction. Appliquez ensuite un nouveau timbre à un autre endroit. (Vous devez attendre au moins 1 semaine avant d'appliquer un nouveau timbre au même endroit.)

Le contact avec l'eau pendant le bain, la douche ou la baignade ne nuit pas au timbre Climara. Dans le cas fort improbable où celui-ci se décollerait, appliquez un nouveau timbre pour le reste de la période de traitement de 7 jours.

Présentation de Climara: Les timbres Climara sont offerts en 2 doses. Votre médecin vous a prescrit celle qui vous convient le mieux. Chaque boîte contient 4 timbres.

Conservez les timbres dans leur pochette originale, à moins de 30 °C. Une fois que vous avez retiré le timbre de sa pochette protectrice, appliquez-le immédiatement. Gardez les timbres Climara hors de la portée des enfants et des animaux domestiques avant et après leur utilisation.

Conseils utiles: Que faire si le timbre se décolle? Si le timbre se décolle lorsque vous prenez une douche ou un bain très chauds, secouez-le pour faire égoutter l'eau. Assurez-vous ensuite de bien sécher votre peau et appliquez de nouveau le timbre (à un autre endroit). Si le timbre ne colle plus suffisamment, utilisez un **nouveau** timbre. Dans les deux cas, continuez de suivre le calendrier de traitement habituel.

Si vous aimez prendre des bains chauds, des bains tourbillons ou des bains saunas et que votre timbre se décolle en ces occasions, il serait peut-être préférable de le retirer **temporairement**. Placez alors le côté adhésif du timbre sur la pellicule protectrice que vous avez enlevée au moment de l'application. Vous pouvez aussi utiliser du papier ciré au lieu de cette pellicule. De cette manière, le contenu du timbre ne s'évaporera pas.

Outre l'eau très chaude, d'autres facteurs peuvent nuire à l'adhérence de votre timbre. Si vos timbres se décollent régulièrement, ce peut être parce que vous utilisez:

- de l'huile de bain
- des savons riches en crème
- une crème hydratante avant l'application du timbre

Pour que votre timbre colle mieux, évitez d'utiliser ces produits et nettoyez votre peau avec de l'alcool à friction avant d'y appliquer le timbre.

Que faire si vous constatez une rougeur ou une irritation sous le timbre Climara, ou encore autour du timbre? Comme tous les produits qui recouvrent la peau durant un certain temps (notamment les pansements adhésifs), le timbre Climara peut provoquer une irritation de la peau chez certaines femmes, qui varie selon le degré de sensibilité de chacune.

Cette rougeur n'est habituellement pas le signe d'un problème de santé, mais vous pouvez l'atténuer en appliquant les conseils suivants:

- appliquez le timbre sur les fesses
- choisissez un endroit différent lorsque vous appliquez un nouveau timbre Climara, habituellement 1 fois/semaine.

Si la rougeur et/ou l'irritation persistent, consultez votre médecin.

Important: Votre médecin vous a prescrit Climara après avoir fait une évaluation détaillée de vos besoins médicaux. Suivez bien toutes ses directives d'utilisation et ne donnez vos timbres à personne. Vous devez subir un examen médical au moins 1 fois/année.

Si vous avez des questions, n'hésitez pas à consulter votre médecin ou votre pharmacien.

☐ CLOPIXOL® Ⓟ
☐ CLOPIXOL-ACUPHASE® Ⓟ
☐ CLOPIXOL® DEPOT Ⓟ

Lundbeck

Dichlorhydrate de zuclopenthixol
Acétate de zuclopenthixol
Décanoate de zuclopenthixol

Antipsychotique

Renseignements destinés aux patients: Veuillez lire le présent feuillet attentivement avant de commencer à prendre votre médicament, même si ce n'est pas la première fois que vous avez à le prendre. Gardez le feuillet à portée de la main afin de pouvoir le consulter au besoin. Pour de plus amples renseignements ou encore pour obtenir des conseils, communiquez avec votre médecin ou avec votre pharmacien.

Qu'est-ce que Clopixol?

- Clopixol est un médicament d'ordonnance qui appartient à une classe de médicaments utilisés pour traiter la schizophrénie.
- Clopixol peut vous être prescrit sous forme de comprimés **ou** de solution injectable. Votre médecin décidera, selon les circonstances, quelle forme de Clopixol vous convient.
- Pour qu'ils soient efficaces, les comprimés de Clopixol doivent être pris **tous les jours.**
- S'il vous est prescrit sous forme de solution injectable, Clopixol vous sera administré par un médecin ou par une infirmière. Il existe 2 types de solution injectable Clopixol; la première doit être administrée tous les 2 ou 3 jours, et l'autre, aussi peu souvent que toutes les 2 à 4 semaines.

Que dois-je faire avant de commencer à prendre Clopixol?

Vous devez dire à votre médecin:

- de quels troubles ou maladies vous avez déjà souffert ou vous souffrez actuellement;
- si vous avez déjà pris Clopixol ou un autre médicament contre la schizophrénie et si vous avez eu des problèmes;
- si vous prenez d'autres médicaments d'ordonnance ou en vente libre;
- si vous êtes enceinte ou envisagez de le devenir, ou si vous allaitez;
- si vous buvez beaucoup d'alcool, et ce, de façon régulière;
- si vous avez des problèmes de foie, si vous souffrez de la maladie de Parkinson ou si vous avez déjà fait des convulsions;
- si vous avez déjà souffert de problèmes sanguins;
- si vous êtes allergique à l'un des ingrédients de Clopixol (voir la liste des ingrédients à la fin du feuillet).

Comment dois-je prendre Clopixol?

Comprimés:

- Il est très important que vous suiviez à la lettre les directives de votre médecin.
- Ne modifiez pas la dose de Clopixol qui vous a été prescrite, à moins que votre médecin ne vous dise de le faire.
- Si vous oubliez de prendre une dose au moment prévu, prenez cette dose dès que vous vous en apercevez, sauf s'il reste moins de 6 heures avant le moment où vous devez prendre la dose suivante. Dans un tel cas, prenez uniquement la dose suivante au moment prévu, et essayez de ne plus en oublier d'autres; ne tentez pas de compenser pour la dose manquante en prenant une dose double.
- Vous pouvez prendre Clopixol seul ou avec des aliments.

Solution injectable:

- S'il vous est prescrit sous forme de solution injectable, Clopixol vous sera administré par un médecin ou par une infirmière. Il est très important que vous vous présentiez à vos rendez-vous pour vos injections.
- Si vous oubliez un rendez-vous ou que vous ne pouvez vous y présenter, communiquez avec votre médecin dès que possible pour en prendre un autre.

Clopixol (suite)

- Consultez votre médecin avant de prendre un autre médicament, même un médicament en vente libre. Certains produits peuvent provoquer des effets secondaires additionnels lorsqu'ils sont pris en même temps que Clopixol.

Que dois-je faire si j'ai des problèmes en prenant Clopixol?

- Au début du traitement, il se peut que vous vous sentiez somnolent ou que vous ayez envie de dormir; vous ne devez donc pas conduire d'automobile ou faire fonctionner des appareils dangereux tant que vous n'êtes pas certain que Clopixol ne réduit pas votre capacité de concentration et d'attention.
- Parmi les effets secondaires signalés par les personnes prenant Clopixol, on retrouve les effets suivants: spasmes musculaires, raideurs, tremblements et mouvements incontrôlés. Différentes parties du corps peuvent être atteintes, par exemple la langue, la figure, la bouche, la mâchoire, les yeux, les mains, les bras et les jambes. Si vous observez un effet de ce genre, communiquez avec votre médecin.

Parmi les autres effets secondaires possibles, on compte les effets suivants: sécheresse de la bouche, étourdissements, troubles de la vision, constipation, production excessive de salive ou de sueur, difficulté à uriner, diminution de la tension artérielle, augmentation du rythme cardiaque, gain ou perte de poids, éruptions cutanées, diminution de la libido ou du fonctionnement de l'appareil reproducteur et, chez les femmes, perturbations du cycle menstruel.

Si vous croyez constater un des effets énumérés ou tout autre effet secondaire au cours de votre traitement par Clopixol, avisez-en votre médecin ou votre pharmacien.

- Si vous faites de la fièvre (augmentation de température) ou que vous souffrez de douleurs à la bouche, aux gencives ou à la gorge au cours de votre traitement par Clopixol, avisez-en votre médecin **sans délai**.

Que dois-je faire si je prends une trop grande quantité de Clopixol?

- Communiquez avec votre médecin ou avec l'urgence de l'hôpital le plus près dès que vous vous apercevez que vous avez pris une trop grande quantité de Clopixol, et ce, même si vous vous sentez parfaitement bien.

Comment dois-je conserver Clopixol?

- Les comprimés de Clopixol doivent être conservés dans un endroit sûr, à une température se situant entre 15 et 25 °C.
- Clopixol doit être conservé hors de la portée des enfants.
- Vous devez jeter, en lieu sûr, les comprimés de Clopixol après la date de péremption inscrite sur l'étiquette.

À qui dois-je m'adresser si j'ai des questions sur Clopixol?

- Si vous avez des questions sur Clopixol, consultez votre médecin ou votre pharmacien.

Que contient Clopixol?

- L'ingrédient actif des comprimés de Clopixol est le dichlorhydrate de zuclopenthixol. Il existe trois types de comprimés, contenant respectivement 10 mg (comprimés rouge-brun pâle), 25 mg (comprimés rouge-brun) et 40 mg (comprimés rouge-brun foncé) de dichlorhydrate de zuclopenthixol, de même que les ingrédients non médicinaux suivants: acétate de polyvidone, amidon de pomme de terre, cellulose microcristalline, dioxyde de titane, glycérol, huile de ricin, hypromellose, lactose, Macrogol 6 000, oxyde ferrique, stéarate de magnésium et talc.
- La solution injectable Clopixol-Acuphase contient de l'acétate de zuclopenthixol, l'ingrédient actif, dans de l'huile de noix de coco fractionnée.
- La solution injectable Clopixol Depot contient du décanoate de zuclopenthixol, l'ingrédient actif, dans de l'huile de noix de coco fractionnée.

Qui commercialise Clopixol?

- Clopixol est commercialisé par:
  Lundbeck Canada Inc.
  413 rue St-Jacques Ouest
  Bureau FB-230
  Montréal (Québec)
  H2Y 1N9
- **Rappel: On vous a prescrit Clopixol pour votre usage seulement. N'en donnez à personne.**

□ CLOZARIL® Ⓟ

Novartis Pharma

Clozapine

Antipsychotique

Renseignements destinés aux patients: Qu'est-ce que Clozaril et à quoi sert-il? Clozaril est un médicament qui traite les symptômes de la schizophrénie chez les patients qui ne répondent pas aux autres médicaments employés aux mêmes fins ou qui éprouvent des effets secondaires importants en les utilisant.

Clozaril ne peut être obtenu que sur ordonnance.

Que faut-il retenir de Clozaril? Pourquoi le médecin doit-il faire un prélèvement sanguin? Dans de rares cas (soit chez environ 0,7 % des patients), le traitement par Clozaril peut entraîner une diminution des globules blancs, dont l'organisme a besoin pour se défendre contre les infections. Comme cette affection peut menacer la vie du patient, il est important de procéder régulièrement à des analyses sanguines. Or, pour s'assurer que ces analyses sont bel et bien effectuées, l'on offre Clozaril uniquement dans le cadre d'un programme de surveillance spécial.

Au cours des 26 premières semaines du traitement par Clozaril, les prélèvements sanguins sont hebdomadaires, car c'est pendant cette période que le risque de baisse du nombre de globules blancs est le plus élevé. Au terme de cette période, le médecin étudie avec son patient la possibilité d'effectuer un prélèvement toutes les 2 semaines, pour autant que l'état de santé de celui-ci le permette. Toutefois, le patient devra se soumettre régulièrement à des prises de sang tant qu'il prendra Clozaril.

Par ailleurs, le patient doit consulter son médecin dès les premiers signes de rhume, de grippe, de fièvre, de mal de gorge ou de toute infection de même qu'en cas de faiblesse ou d'impression générale d'inconfort. Le médecin peut alors procéder à une numération des globules et prendre, au besoin, les mesures qui s'imposent.

Quand faut-il éviter de prendre Clozaril? Le patient ne doit pas prendre Clozaril si le nombre de ses globules blancs est déjà insuffisant ou s'il a déjà souffert d'une maladie touchant la formation des globules sanguins. Clozaril ne doit pas être pris avec d'autres médicaments réputés pour nuire à la formation des globules sanguins. Les mêmes restrictions s'appliquent aux patients souffrant d'une maladie grave du foie, des reins ou du coeur, ou d'épilepsie non maîtrisée, ainsi qu'à ceux qui ont déjà présenté une réaction grave ou inhabituelle, d'origine allergique ou non, à Clozaril ou à l'un de ses composants.

Quelles précautions faut-il observer lorsqu'on prend Clozaril? Le patient qui présente une hypertrophie de la prostate, des antécédents de convulsions, de glaucome ou d'allergies ou tout autre problème médical grave doit en informer son médecin.

En raison du risque de convulsions durant le traitement par Clozaril, le patient doit éviter les activités au cours desquelles une perte de conscience pourrait mettre sa vie ou celle des autres en danger (p. ex., conduire une automobile, faire fonctionner une machine, nager, grimper, etc.).

Clozaril peut intensifier les effets de l'alcool, des somnifères, des tranquillisants et des antiallergiques. Le patient doit informer son médecin avant de prendre tout autre médicament (y compris ceux pouvant être obtenus sans ordonnance).

Clozaril peut faire baisser la tension artérielle, surtout au début du traitement. Il peut s'ensuivre des étourdissements ou des évanouissements.

Clozaril peut-il être pris durant la grossesse ou la période d'allaitement? Clozaril ne doit être pris durant la grossesse que sur indication expresse du médecin. Par conséquent, il faut consulter son médecin en cas de grossesse en cours ou prévue.

Comme Clozaril peut passer dans le lait maternel, les mères qui prennent Clozaril ne doivent pas allaiter.

Comment faut-il prendre Clozaril? C'est le médecin qui décide de la dose de chaque patient selon la gravité de la maladie.

Pour que le traitement soit efficace, il faut suivre à la lettre la posologie prescrite par le médecin et ne jamais la réduire ni l'augmenter. Le patient qui croit que la dose est trop faible ou trop forte doit consulter son médecin.

Le patient qui oublie de prendre sa dose de Clozaril et qui le constate moins de 2 heures plus tard peut la prendre immédiatement. Passé ce délai, il doit sauter cette dose et reprendre son horaire posologique habituel. Il ne doit pas prendre de double dose. S'il a omis de prendre

Clozaril pendant plus de 2 jours, il doit communiquer avec son médecin qui lui donnera des directives sur la façon de reprendre le traitement.

Quels sont les effets secondaires possibles de Clozaril? Une chute du nombre de globules blancs, entraînant un risque accru d'infection, des convulsions, une baisse de tension artérielle et de la fièvre constituent les effets secondaires les plus graves de Clozaril.

Les effets secondaires les plus fréquents sont la somnolence, les étourdissements, une augmentation ou une diminution de la salivation et l'accélération du rythme cardiaque.

Autres effets secondaires: constipation, maux de tête, tremblements, évanouissements, transpiration, gain de poids, difficulté à uriner ou incontinence et mouvements anormaux. Dans de rares cas, Clozaril peut causer de la confusion, une agitation, de la difficulté à avaler ou des troubles de la fonction cardiaque. Ces effets sont généralement passagers.

Que faut-il retenir d'autre? Comme tout médicament, Clozaril doit être conservé hors de la portée des enfants.

Le médecin ou le pharmacien peut fournir plus de détails.

Que contient Clozaril? L'ingrédient actif de Clozaril est la clozapine.

□ CODEINE CONTIN® Ⓝ

Purdue Frederick

Monohydrate de codéine—Trihydrate de sulfate de codéine

Analgésique opioïde

Renseignements destinés aux patients: Qu'est-ce que la codéine? La codéine soulage la douleur et devrait vous permettre d'augmenter votre bien-être et de vivre de façon plus indépendante. Elle est efficace et sûre si vous l'utilisez selon les directives de votre médecin.

Votre douleur peut s'intensifier ou diminuer de temps en temps et votre médecin devra peut-être modifier la quantité de codéine que vous prenez chaque jour (dose quotidienne).

Codeine Contin est un comprimé conçu de façon telle qu'il libère la codéine lentement sur une période de 12 heures, vous permettant de ne prendre qu'une dose toutes les 12 heures pour contrôler votre douleur.

Les comprimés Codeine Contin sont disponibles en 4 concentrations: 50 mg (bleu), 100 mg (jaune), 150 mg (rouge) et 200 mg (orange). On doit parfois prendre plus d'une concentration (comprimés de couleurs différentes) à la fois pour recevoir la dose quotidienne totale prescrite par le médecin.

Comment prendre votre médicament: Les comprimés Codeine Contin doivent être pris de façon régulière toutes les 12 heures (avec 4 à 6 onces d'eau) pour prévenir la douleur toute la journée et toute la nuit. Si votre douleur s'intensifie et vous gêne, contactez immédiatement votre médecin qui décidera peut-être d'ajuster votre dose quotidienne de Codeine Contin.

Votre dose d'attaque de Codeine Contin est clairement indiquée sur l'étiquette du flacon. Ne manquez pas de suivre exactement les directives indiquées sur l'étiquette: ceci est très important. Si votre dose est modifiée, ne manquez pas de noter la nouvelle dose au moment où le médecin vous l'indique. Et suivez exactement les nouvelles directives.

On peut diviser en deux les comprimés Codeine Contin à 50, 100, 150 et 200 mg si le médecin l'a spécifié, mais on ne doit pas les mâcher ni les écraser.

Constipation: La codéine entraîne la constipation. Il faut s'y attendre et c'est pourquoi votre médecin vous prescrira peut-être un laxatif et un émollient des selles pour aider à soulager la constipation pendant le traitement avec Codeine Contin. Indiquez à votre médecin si ce problème se développe.

Médicaments concomitants: Vous devriez indiquer à votre médecin les autres médicaments que vous prenez, le cas échéant, y compris les produits en vente libre comme les antihistaminiques ou les somnifères, car ils peuvent influencer votre réponse à la codéine.

Conduite automobile: Vous devriez éviter la conduite automobile ou toute autre tâche nécessitant de la vigilance constante pendant les premiers jours du traitement avec Codeine Contin, étant donné qu'il peut entraîner la somnolence ou la sédation.

Renouvellement de l'ordonnance de Codeine Contin: Chaque fois que vous aurez besoin de plus de Codeine Contin, vous devrez obtenir une nouvelle ordonnance de votre médecin. Il est donc important que vous communiquiez avec votre médecin au moins 3 jours ouvrables avant l'épuisement de votre réserve du médicament. Il est très important que vous preniez toutes les doses prescrites.

Si votre douleur s'intensifie ou si vous développez d'autres symptômes suite à la prise de Codeine Contin, communiquez immédiatement avec votre médecin.

□ COLESTID® Ⓟ

Pharmacia & Upjohn

Chlorhydrate de colestipol

Antihypercholestérolémique oral

Renseignements destinés aux patients: Colestid granules et Colestid Orange granules: Les renseignements suivants sont destinés aux personnes prenant Colestid granules ou Colestid Orange granules. Ces deux produits sont désignés par le terme «Colestid».

À quoi sert Colestid? Colestid est le nom de marque d'un médicament à base de chlorhydrate de colestipol.

Colestid aide à faire baisser la quantité de cholestérol dans le sang. Le cholestérol est une matière grasse qui est fabriquée et utilisée par l'organisme. Parfois, le taux de cholestérol dans le sang augmente anormalement. À long terme, cette situation peut provoquer un épaississement des artères du cœur et d'autres organes. Le sang ne peut alors atteindre ces organes, et il s'ensuit des lésions des organes en question.

Comment agit Colestid? Colestid agit en empêchant le passage des acides biliaires dans le sang.

Les acides biliaires sont formés à la suite de la dégradation du cholestérol. Colestid agit en piégeant les acides biliaires dans l'intestin. Ces acides biliaires, piégés par Colestid sont éliminés du corps plutôt que de passer dans la circulation sanguine. Comme les acides biliaires sont alors moins nombreux dans l'organisme, celui-ci est obligé de dégrader plus de cholestérol, et donc de diminuer le taux de cholestérol dans le sang.

Quelles sont les mesures à prendre avant de prendre Colestid?

- Ne pas prendre Colestid granules si, auparavant, vous aviez pris Colestid Orange granules ou Colestid comprimés et que vous aviez présenté des allergies.
- Ne pas prendre Colestid Orange granules si, auparavant, vous aviez pris Colestid granules ou Colestid comprimés et que vous aviez présenté des allergies.
- Avertir votre médecin de tous les problèmes de santé que vous avez actuellement et que vous avez eus auparavant. Certaines maladies peuvent perturber le taux de cholestérol et doivent être traitées avant le traitement par Colestid.
- Avertir votre médecin si vous êtes enceinte, si vous tombez enceinte ou si vous allaitez votre bébé. Votre médecin vous dira s'il faut ou non arrêter le traitement par Colestid.
- Indiquer au médecin tous les médicaments que vous prenez, même les médicaments en vente libre.

Prendre les autres médicaments au moins 1 heure avant de prendre Colestid ou 4 heures après.

Quand prendre Colestid? Colestid peut être pris avant, pendant ou après les repas. Si vous prenez Colestid plus d'une fois/jour, prendre une dose au petit déjeuner ou au déjeuner, puis une seconde dose au dîner. Pour obtenir les meilleurs résultats, il faut prendre une dose un peu plus faible le matin que le soir. Votre médecin vous conseillera sur le nombre de sachets ou de cuillerées de Colestid que vous devez prendre.

Si vous prenez Colestid plus d'une fois/jour, **n'oubliez pas la dose du soir.** C'est la dose la plus importante.

Si vous oubliez une dose du médicament, prenez-la aussitôt que possible. Ensuite, continuez la prise des doses selon vos habitudes. Mais, si vous oubliez de prendre une dose et qu'il est presque l'heure de prendre la dose suivante, ne prenez pas les deux doses en même temps. Prenez seulement la dose programmée pour ce moment-là.

Ne pas prendre une double dose de Colestid pour remplacer une dose oubliée.

Votre médecin vous prescrira un régime spécial pour aider à faire baisser votre cholestérol. Suivez le régime tout en prenant Colestid. Le traitement par Colestid **ne remplace pas** la nécessité de suivre un régime spécial. Il est important que votre traitement global comprenne ces deux mesures.

Comment prendre Colestid? Ce médicament ne doit jamais être pris sous sa forme sèche, car il peut vous faire suffoquer. ►

Colestid (suite)

Mélanger toujours Colestid à des liquides ou à des aliments.
- Vous pouvez utiliser les liquides suivants: eau, lait, boissons aromatisées, jus, boissons gazeuses ou tout autre liquide de votre choix.
- Vous pouvez utiliser les aliments suivants: céréales (chaudes ou froides), soupes (éviter les soupes non moulues), yoghourt, crème-dessert, fromage cottage ou fruits à pulpe (ananas, poire ou pêche écrasées ou cocktail de fruits).

Étape 1. Ajouter la dose (sachets ou cuillerées) de Colestid à au moins 100 mL (3 à 4 onces) de liquide ou d'aliment. Remarque: un jus épais ou pulpeux pourrait réduire la sensation grumeleuse que donne le médicament.
Étape 2. Remuer le mélange jusqu'à ce qu'il soit homogène. Le médicament ne se dissout pas complètement dans les liquides; vous pouvez y voir encore des granules.
Étape 3. Boire ou manger tout le mélange. Quand vous avez fini, rincer le verre ou le bol avec un petite quantité de liquide que vous avalerez pour être sûr que vous avez pris toute la quantité du médicament.

Y a-t-il des réactions indésirables à Colestid? Étant donné que le Colestid n'est pas absorbé, il cause rarement des problèmes sérieux. Au début du traitement, certaines personnes présentent de la constipation. Dans certains cas, elle peut être grave. Une constipation sérieuse peut parfois s'accompagner de sang dans les selles. Certaines autres réactions indésirables peuvent apparaître telles que des douleurs au ventre, des nausées, des gaz, des brûlures d'estomac, des ulcères, un ballonnement ou de la diarrhée. Appelez votre médecin si ces réactions persistent ou s'aggravent. Consultez votre médecin si vous présentez toute autre réaction inhabituelle non mentionnée ci-dessus.

Quels sont les ingrédients de Colestid?
- Colestid granules contient du chlorhydrate de colestipol qui en est le principe actif et un ingrédient non médicinal, le dioxyde de silicium.
- Colestid Orange granules contient du chlorhydrate de colestipol qui en est le principe actif. Les ingrédients non médicinaux sont: mannitol, méthylcellulose, acide citrique, aspartame, maltol, bêta-carotène, glycérine, agents aromatiques artificiels et naturels. Elles contiennent aussi de la phénylalanine.

Comment conserver Colestid? Mettre ce médicament hors de la portée des enfants. Conserver Colestid à l'abri de la chaleur, des rayons du soleil directs ou de l'humidité (p. ex., salle de bain). La meilleure façon de conserver Colestid est de l'entreposer à température ambiante dans un endroit sec.

Adressez-vous à votre médecin ou à votre pharmacien si vous avez d'autres questions ou si vous voulez des renseignements complémentaires.

Colestid comprimés: À quoi sert Colestid comprimés? Colestid est le nom de marque d'un médicament à base de chlorhydrate de colestipol.

Colestid comprimés aide à faire baisser la quantité de cholestérol dans le sang. Le cholestérol est une matière grasse qui est fabriquée et utilisée par l'organisme. Parfois, le taux de cholestérol dans le sang augmente anormalement. À long terme, cette situation peut provoquer un épaississement des artères du cœur et d'autres organes. Le sang ne peut alors atteindre ces organes, et il s'ensuit des lésions des organes en question.

Comment agit Colestid comprimés? Colestid comprimés agit en empêchant le passage des acides biliaires dans le sang.

Les acides biliaires sont formés à la suite de la dégradation du cholestérol. Le médicament contenu dans Colestid comprimés agit en piégeant les acides biliaires dans l'intestin. Ces acides biliaires, piégés par Colestid comprimés, sont éliminés du corps plutôt que de passer dans la circulation sanguine. Comme les acides biliaires sont alors moins nombreux dans l'organisme, celui-ci est obligé de dégrader plus de cholestérol, et donc de diminuer le taux de cholestérol dans le sang.

Quelles sont les mesures à prendre avant de prendre Colestid comprimés?
- Ne pas prendre Colestid comprimés si, auparavant, vous aviez pris Colestid granules ou Colestid Orange granules et que vous aviez présenté des allergies.
- Avertir votre médecin de tous les problèmes de santé que vous avez actuellement et que vous avez eus auparavant. Certaines maladies peuvent perturber le taux de cholestérol et doivent être traitées avant le traitement par Colestid comprimés.
- Avertir votre médecin si vous êtes enceinte, si vous tombez enceinte ou si vous allaitez votre bébé. Votre médecin vous dira s'il faut ou non arrêter le traitement par Colestid comprimés.
- Indiquer au médecin tous les médicaments que vous prenez, même les médicaments en vente libre.

Prendre les autres médicaments au moins 1 heure avant de prendre Colestid ou 4 heures après.

Quand prendre Colestid comprimés? Il faut prendre Colestid comprimés avant, pendant, ou après les repas. Si vous prenez Colestid comprimés plus d'une fois/jour, prendre une dose au petit déjeuner ou au déjeuner, puis une seconde dose au dîner. Pour obtenir les meilleurs résultats, il faut prendre une dose un peu plus faible le matin que le soir. Votre médecin vous conseillera sur le nombre de comprimés de Colestid que vous devez prendre.

Si vous prenez Colestid comprimés plus d'une fois/jour, **n'oubliez pas la dose du soir.** C'est la dose la plus importante.

Si vous oubliez une dose du médicament, prenez-la aussitôt que possible. Ensuite, continuez la prise des doses selon vos habitudes. Mais, si vous oubliez de prendre une dose et qu'il est presque l'heure de prendre la dose suivante, ne prenez pas les 2 doses en même temps. Prenez seulement la dose programmée pour ce moment-là.

Ne pas prendre une double dose de Colestid comprimés pour remplacer une dose oubliée.

Votre médecin vous prescrira un régime spécial pour aider à faire baisser votre cholestérol. Suivez le régime tout en prenant Colestid comprimés. Le traitement par Colestid comprimés **ne remplace pas** la nécessité de suivre un régime spécial. Il est important que votre traitement global comprenne ces deux mesures.

Comment prendre Colestid comprimés? Ne pas couper, mâcher ou broyer les comprimés. Avaler les comprimés de Colestid en entier. Les avaler avec un verre de liquide plein. Ce liquide peut être de l'eau, du lait, une boisson aromatisée, un jus, une boisson gazeuse ou tout autre liquide de votre choix.

Y a-t-il des réactions indésirables à Colestid comprimés? Étant donné que le principe actif de Colestid comprimés n'est pas absorbé, il cause rarement des problèmes sérieux. Au début du traitement, certaines personnes présentent de la constipation. Dans certains cas, elle peut être grave. Une constipation sérieuse peut parfois s'accompagner de sang dans les selles. Certains autres réactions indésirables peuvent apparaître telles que des douleurs au ventre, des nausées, des gaz, des brûlures d'estomac, des ulcères, un ballonnement ou de la diarrhée. Appelez votre médecin si ces réactions persistent ou s'aggravent. Consultez votre médecin si vous présentez toute autre réaction inhabituelle non mentionnée ci-dessus.

Quels sont les ingrédients de Colestid comprimés? Le principe actif de Colestid comprimés est le chlorhydrate de colestipol. Les ingrédients non médicinaux sont: povidone, dioxyde de silicium colloïdal, stéarate de magnésium, cellulose, phtalate acétate, triacétine, méthylhydroxypropylcellulose et cire de carnauba.

Comment conserver Colestid comprimés? Mettre ce médicament hors de la portée des enfants. Conserver Colestid comprimés à l'abri de la chaleur, des rayons du soleil directs ou de l'humidité (p. ex., salle de bain). La meilleure façon de conserver Colestid comprimés est de l'entreposer à température ambiante dans un endroit sec.

Addressez-vous à votre médecin ou à votre pharmacien si vous avez d'autres questions ou si vous voulez des renseignements complémentaires.

□ COMBANTRIN®

Pfizer, Soins de la santé

Pamoate de pyrantel

Anthelminthique

Renseignements destinés aux patients: Combantrin (pamoate de pyrantel): Pour le traitement de l'oxyurose et de l'ascaridiase: Mise en garde: On ne doit pas administrer Combantrin (pamoate de pyrantel) à la femme enceinte ni aux enfants de moins de 1 an.

L'apparition de l'oxyurose: L'enfant s'infecte par l'ingestion d'œufs d'oxyures (petits vers blancs) pouvant provenir de diverses sources, comme les jouets partagés avec d'autres enfants, les sièges de toilettes à l'école et les animaux de compagnie. Les œufs ingérés se développent dans l'organisme, suivant un cycle qui amène le ver parvenu à maturité à migrer vers l'anus et à traverser le canal anal la nuit pour pondre ses œufs sur la peau autour de l'anus, ce qui provoque des démangeaisons incommodantes. L'enfant se gratte et se réinfecte immédiatement en portant la main à la bouche, et le cycle recommence...le cycle peut se renouveler toutes les 2 à 4 semaines.

Le traitement de l'oxyurose et l'ascaridiase: Pour éliminer les oxyures ou les vers ronds, on recommande d'administrer Combantrin à **tous les membres de la famille** comme l'indique le tableau suivant; une seule dose de Combantrin suffit pour éliminer les oxyures et les vers ronds.

Traitement de l'oxyurose et de l'ascaridiase

Poids du patient	Forme liquide	Comprimés
11 kg ou moins	**2,5 mL**	**1 comprimé**
(25 lb ou moins)	(1/2 cuillerée à thé)	1 comprimé
12 à 23 kg	**5 mL**	**2 comprimés**
(26 à 50 lb)	(1 cuillerée à thé)	2 comprimés
24 à 45 kg	**10 mL**	**4 comprimés**
(51 à 100 lb)	(2 cuillerées à thé)	4 comprimés
46 à 68 kg	**15 mL**	**6 comprimés**
(101 à 150 lb)	(3 cuillerées à thé)	6 comprimés
Plus de 69 kg	**20 mL**	**8 comprimés**
(plus de 151 lb)	(4 cuillerées à thé)	8 comprimés

Agiter vigoureusement la suspension avant l'emploi. Ne pas dépasser la posologie recommandée. En de rares occasions, on peut avoir besoin de prendre une deuxième dose.

Comment prévenir la propagation de l'infection et la réinfection: Même si une seule dose de Combantrin permet d'enrayer l'oxyurose et l'ascaridiase, une réinfection peut survenir et se répandre d'un membre de la famille à l'autre si les œufs ne sont pas complètement éliminés du milieu. Par conséquent, il faut accorder une attention particulière à l'hygiène personnelle et à la propreté du logement:

- Bien nettoyer les ongles des enfants et les couper court.
- Bien informer les enfants qu'ils doivent se laver les mains régulièrement, surtout après être passé aux toilettes.
- Laver tous les vêtements, les serviettes et la literie utilisés par les membres de la famille depuis l'apparition de l'infection.
- Nettoyer minutieusement les chambres, les salles de bains et la salle de lavage.

Les médecins et les pharmaciens peuvent obtenir les renseignements posologiques sur demande.

□ COMBIVENT®, Aérosol pour inhalation Ⓟ

Boehringer Ingelheim

Bromure d'ipratropium—Sulfate de salbutamol

Bronchodilatateur

Renseignements destinés aux patients: Avant d'utiliser l'aérosol pour inhalation Combivent, veuillez lire ce feuillet attentivement. Une fois que vous avez pris connaissance de ces renseignements, si vous avez des questions, veuillez communiquer avec votre médecin ou votre pharmacien.

Qu'est-ce que l'aérosol pour inhalation Combivent? L'aérosol pour inhalation Combivent est une cartouche d'aérosol munie d'un embout buccal. Chaque bouffée libère 20 µg de bromure d'ipratropium et 120 µg de sulfate de salbutamol (équivalant à une base de 100 µg de salbutamol).

Combivent est l'association de 2 bronchodilatateurs (servant à dégager les voies respiratoires) dans un aérosol inhalé au moyen d'un embout buccal standard ou d'un dispositif d'espacement. Vous connaissez peut-être déjà un de ces bronchodilatateurs, ou peut-être même les 2, étant donné qu'ils étaient déjà offerts séparément, sur ordonnance, sous le nom de Atrovent (bromure d'ipratropium) et Ventolin (salbutamol). Combivent n'est remis que sur présentation d'une ordonnance de votre médecin.

Pourquoi votre médecin vous a-t-il prescrit l'aérosol pour inhalation Combivent? Votre médecin vous a prescrit Combivent parce que ce médicament vous convient. Il sert à soulager la respiration sifflante ou l'essoufflement causés par la MPOC (maladie pulmonaire obstructive chronique qui comprend la bronchite chronique et l'emphysème). Combivent agit en décontractant les muscles entourant les bronchioles (ramifications des bronches menant aux poumons) et vous permettant ainsi de mieux respirer.

Qu'est-ce que la MPOC? La MPOC est une sorte de maladie pulmonaire qui rétrécit les voies respiratoires de façon permanente, rendant ainsi la respiration difficile. Chez de nombreux patients, ce rétrécissement des voies respiratoires est causé par de nombreuses années de tabagisme. Chez un bon nombre de patients qui arrêtent de fumer, les symptômes sont moins apparents et l'évolution de la maladie ralentit ou cesse complètement.

Ce que vous devriez dire à votre médecin avant de prendre l'aérosol pour inhalation Combivent: Vous devriez mentionner à votre médecin si un des critères suivants vous concerne avant d'utiliser Combivent:

Avant d'utiliser l'aérosol pour inhalation Combivent:

- vous êtes enceinte ou désirez le devenir;
- vous allaitez;
- vous avez d'autres problèmes de santé tels qu'une affection thyroïdienne, une miction difficile, une hypertrophie de la prostate, le diabète sucré, de l'hypertension ou une maladie cardiaque;
- vous avez des problèmes oculaires tels que le glaucome ou une douleur oculaire;
- vous prenez d'autres médicaments, y compris ceux vendus sans ordonnance, notamment des gouttes pour les yeux;
- vous avez des réactions allergiques ou des allergies alimentaires ou médicamenteuses, p. ex. les aérosols.

Quand utiliser l'aérosol pour inhalation Combivent? Votre médecin vous recommandera quand utiliser Combivent et à quelle fréquence (voir la section «Comment utiliser votre aérosol pour inhalation Combivent?»). Vous devez également suivre toutes les autres directives reçues par votre médecin visant à traiter ou à surveiller votre affection.

Points à retenir:

- L'aérosol pour inhalation Combivent a été prescrit pour traiter **votre** affection. **Ne pas** donner ce médicament à une autre personne.
- **Ne pas** prendre d'autres médicaments sans l'avis de votre médecin. Si vous consultez un autre médecin, dentiste ou pharmacien, n'oubliez pas de lui dire que vous prenez l'aérosol pour inhalation Combivent.
- **Lorsque vous utilisez l'aérosol pour inhalation Combivent avec l'embout buccal standard ou avec un dispositif d'espacement, évitez tout contact de l'aérosol avec les yeux.**
- Veuillez consulter votre médecin immédiatement si vous ressentez l'un ou l'autre des symptômes suivants:
  - Respiration sifflante accrue ou oppression thoracique
  - Langue ou lèvres enflées
  - Difficulté à avaler
  - Battements de cœur rapides ou irréguliers
  - Vision trouble ou douleur oculaire
  - Miction difficile ou douloureuse
  - Éruption cutanée
- Si vous avez la bouche sèche ou un mauvais goût dans la bouche, vous pouvez sucer un bonbon ou vous rincer la bouche. Consultez votre médecin si la sécheresse de la bouche ou le mauvais goût persistent, ou si vous êtes constipé pendant une période prolongée.
- **Garder ce médicament hors de la portée des enfants.**
- Le contenant peut exploser s'il est chauffé. Contenu sous pression. Ne pas mettre dans l'eau chaude, ni près de radiateurs, de cuisinières ni d'autres sources de chaleur. Ne pas percer ni jeter le contenant dans l'incinérateur, ni le conserver à des températures supérieures à 30 °C.
- Comme tout autre médicament, en plus des effets bénéfiques, Combivent peut entraîner certains effets indésirables. Si vous ressentez des effets inhabituels ou indésirables pendant l'utilisation de votre aérosol pour inhalation, communiquez avec votre médecin.
- L'aérosol pour inhalation Combivent contient un bêta-agoniste et la prise d'autres bêta-agonistes simples (fénotérol [Berotec], salbutamol [Ventolin], etc.) pourrait causer des effets cardiovasculaires indésirables. Par conséquent, ne pas prendre d'autres bronchodilatateurs pour inhalation avec l'aérosol pour inhalation Combivent, à moins d'avis contraire de votre médecin ou pharmacien.

Comment utiliser votre aérosol pour inhalation Combivent (voir le prospectus d'emballage pour les illustrations): **Ne pas dépasser le nombre de bouffées prescrit par votre médecin. Ne pas augmenter la fréquence des inhalations recommandées par votre médecin.**

- La dose habituelle est de 2 bouffées 4 fois par jour. Ne pas dépasser la dose de 12 bouffées par jour à moins d'indication contraire de votre médecin.
- Si vos symptômes semblent s'aggraver, consultez votre médecin immédiatement. L'emploi concomitant de l'aérosol pour inhalation Combivent et d'autres médicaments pour inhalation ne doit se faire que sur l'avis de votre médecin.
- Si du mucus encombre les voies respiratoires, essayez de les dégager le plus complètement possible en toussant avant d'utiliser l'aérosol pour inhalation Combivent. Cette précaution facilitera le passage de l'aérosol pour inhalation Combivent plus profondément dans les poumons.

Combivent, Aérosol pour inhalation (suite)

- Avant d'utiliser l'aérosol pour inhalation Combivent, veuillez lire le mode d'emploi suivant attentivement, pour être certain que vous l'utiliserez correctement. Si l'inhalateur est utilisé incorrectement, vous ne retirez peut-être pas tous les bienfaits du médicament. Si vous avez des questions au sujet de l'inhalateur, consultez votre médecin.

1. Enlevez le couvercle recouvrant l'embout buccal.
2. **Il est très important** de bien agiter l'inhalateur. Il est recommandé de «tester» l'inhalateur 3 fois avant de l'utiliser la première fois et lorsque l'inhalateur n'a pas été utilisé depuis plus de 24 heures. Faites attention de ne pas vaporiser le produit dans les yeux.
3. Expirez lentement et profondément pour vider complètement les poumons.
   a) Placez l'embout buccal dans la bouche et serrez les lèvres autour de l'embout. Ne serrez pas les dents et gardez la langue à plat pour permettre au médicament de se rendre aux poumons.
   b) Commencez à inspirer profondément, puis appuyez sur la cartouche tout en continuant à inspirer lentement et profondément.
4. Retenez votre souffle pendant 10 secondes, puis retirez l'embout buccal de votre bouche et expirez lentement.
5. Attendez environ 2 minutes, agitez de nouveau l'inhalateur et prenez une deuxième inhalation en suivant les directives susmentionnées.
6. Remettez le couvercle protecteur en plastique.
7. **Jetez la cartouche lorsque vous avez pris le nombre d'inhalations indiqué sur l'étiquette.** Il est impossible d'assurer la quantité exacte de médicament libérée avec chaque inhalation après ce nombre.

Entretien de l'embout buccal et de la cartouche: L'embout buccal devrait être nettoyé à l'eau chaude 1 fois par semaine. Vous devez enlever l'embout buccal de la cartouche avant de le laver. Si vous utilisez du savon ou un détergent, l'embout buccal devrait être bien rincé à l'eau claire et séché à l'air. L'embout buccal doit être complètement sec avant d'être remis sur la cartouche.

Il se peut que la tige de la cartouche s'encrasse ou se bouche. Enlever la cartouche de l'embout buccal et vérifier les petits trous de la tige. Si ces deux petits trous semblent bouchés, rincer à l'eau tiède. Une fois que la cartouche est sèche, la replacer sur l'embout buccal.

□ COMBIVENT®, Solution pour inhalation 🅿

Boehringer Ingelheim

Bromure d'ipratropium—Sulfate de salbutamol

Bronchodilatateur

Renseignements destinés aux patients: Avant d'utiliser la solution pour inhalation Combivent, veuillez lire ce feuillet attentivement. Une fois que vous avez pris connaissance de ces renseignements, si vous avez des questions, veuillez communiquer avec votre médecin ou votre pharmacien.

Qu'est-ce que la solution pour inhalation Combivent? La solution pour inhalation Combivent sous forme de flacon monodose est l'association de 2 bronchodilatateurs, le bromure d'ipratropium monohydraté (0,5 mg) et le sulfate de salbutamol (équivalant à une base de salbutamol de 2,5 mg), dans 2,5 mL de solution pour inhalation au moyen d'un respirateur ou d'un nébuliseur à compression. Au besoin, avant l'utilisation, les doses peuvent être diluées avec une solution stérile de chlorure de sodium à 0,9 % ne contenant aucun agent de conservation pour obtenir un volume total de 3 à 5 mL, et utilisées immédiatement. Jeter toute solution non utilisée. Nébuliser pendant 10 à 15 minutes à un débit gazeux de 6 à 10 L/min. Répéter le traitement aux 6 heures si nécessaire.

La solution Combivent en flacon monodose ne devrait être utilisée qu'avec un nébuliseur en bon état de fonctionnement et entretenu régulièrement. Avant d'amorcer le traitement, vous devez bien connaître le mode d'emploi et d'entretien de votre nébuliseur.

Vous connaissez peut-être déjà un de ces bronchodilatateurs, ou peut-être même les deux, étant donné qu'ils étaient déjà offerts séparément, sur ordonnance, sous le nom de Atrovent (bromure d'ipratropium) et Ventolin (salbutamol).

Combivent ne peut être obtenu que sur présentation d'une ordonnance de votre médecin.

Pourquoi votre médecin vous a-t-il prescrit la solution pour inhalation Combivent? Votre médecin vous a prescrit Combivent parce que ce médicament vous convient. Il sert à soulager la respiration sifflante ou l'essoufflement causés par la MPOC (maladie pulmonaire obstructive chronique qui comprend la bronchite chronique et l'emphysème). Combivent agit en décontractant les muscles entourant les bronchioles (ramifications des bronches menant aux poumons) et vous permettant ainsi de mieux respirer.

Qu'est-ce que la MPOC? La MPOC est une sorte de maladie pulmonaire qui rétrécit les voies respiratoires de façon permanente, rendant ainsi la respiration difficile. Chez de nombreux patients, ce rétrécissement des voies respiratoires est causé par de nombreuses années de tabagisme. Chez un bon nombre de patients qui arrêtent de fumer, les symptômes sont moins apparents et l'évolution de la maladie ralentit ou cesse complètement.

Ce que vous devriez dire à votre médecin avant de prendre la solution pour inhalation Combivent: Vous devriez mentionner à votre médecin si un des critères suivants vous concerne avant d'utiliser Combivent:

- vous êtes enceinte ou désirez le devenir;
- vous allaitez;
- vous avez d'autres problèmes de santé tels qu'une affection thyroïdienne, une miction difficile, une hypertrophie de la prostate, le diabète sucré, de l'hypertension ou une maladie cardiaque;
- vous avez des problèmes oculaires tels que le glaucome ou une douleur oculaire;
- vous prenez d'autres médicaments, y compris ceux vendus sans ordonnance, notamment des gouttes pour les yeux;
- vous avez des réactions allergiques ou des allergies alimentaires ou médicamenteuses.

Quand utiliser la solution pour inhalation Combivent? Votre médecin vous recommandera quand utiliser Combivent et à quelle fréquence (voir «Mode d'emploi»). Vous devez également suivre toutes les autres directives reçues par votre médecin visant à traiter ou à surveiller votre affection.

Points à retenir:

- La solution pour inhalation Combivent a été prescrite pour traiter **votre** affection. **Ne pas** donner ce médicament à une autre personne.
- **Ne pas** prendre d'autres médicaments sans l'avis de votre médecin. Si vous consultez un **autre** médecin, dentiste ou pharmacien, n'oubliez pas de lui dire que vous prenez la solution pour inhalation Combivent.
- **S'assurer que la vaporisation n'entre pas en contact avec les yeux. Les patients souffrant de glaucome devraient porter des lunettes de natation ou utiliser un nébuliseur muni d'un embout buccal afin de prévenir tout contact de la solution nébulisée avec les yeux.**
- La solution est prévue pour l'inhalation seulement. Ne pas injecter ni avaler.
- **Garder hors de la portée des enfants.**
- Veuillez consulter votre médecin immédiatement si vous ressentez l'un ou l'autre des symptômes suivants:
  —Respiration sifflante accrue ou oppression thoracique;
  —Langue ou lèvres enflées;
  —Difficulté à avaler;
  —Battements de cœur rapides ou irréguliers;
  —Vision trouble ou douleur oculaire;
  —Miction difficile ou douloureuse;
  —Éruption cutanée.
- Si vous avez la bouche sèche ou un mauvais goût dans la bouche, vous pouvez sucer un bonbon ou vous rincer la bouche. Consultez votre médecin si la sécheresse de la bouche ou le mauvais goût persistent, ou si vous êtes constipé pendant une période prolongée.
- Comme tout autre médicament, en plus des effets bénéfiques, Combivent peut entraîner certains effets indésirables. Si vous ressentez des effets inhabituels ou indésirables pendant l'utilisation de votre solution pour inhalation, communiquez avec votre médecin.
- La solution pour inhalation Combivent contient un bêta-agoniste et la prise d'un autre bêta-agoniste (fénotérol [Berotec], salbutamol [Ventolin], etc.) pourrait causer des effets cardiovasculaires indésirables. Par conséquent, ne pas prendre d'autres bronchodilatateurs pour inhalation avec la solution pour inhalation Combivent, à moins d'avis contraire de votre médecin ou pharmacien.

Si vous avez des questions concernant la solution pour inhalation Combivent ou votre nébuliseur, communiquez avec votre médecin ou votre pharmacien.

Mode d'emploi (voir le prospectus d'emballage pour les illustrations): Votre médecin ou votre pharmacien vous dira comment préparer votre solution Combivent pour inhalation. Si vous devez diluer la solution

Combivent, vous devez le faire immédiatement avant d'utiliser la solution. Au besoin, votre médecin ou pharmacien vous recommandera peut-être d'utiliser une solution stérile de chlorure de sodium (0,9 %) pour diluer la solution Combivent.

1) Détacher un flacon en plastique de la bande en le tirant fermement.
2) Pour ouvrir le flacon, enlever le capuchon en tournant. Il est important d'utiliser le contenu du flacon **le plus tôt possible** après son ouverture.
3) Exprimer le contenu du flacon dans la chambre de votre nébuliseur. Si votre médecin vous a recommandé de ne pas utiliser tout le contenu du flacon, utiliser une seringue pour prélever la dose prescrite. Toute quantité de solution qui reste dans le flacon en plastique doit être jetée.
4) Avec la seringue, ajouter à la chambre la quantité de solution de chlorure de sodium prescrite par votre médecin ou votre pharmacien.
5) Agiter doucement la chambre de nébulisation et raccorder à l'embout buccal ou au masque facial. Raccorder le tube du nébuliseur à la pompe à air ou à oxygène et inhaler.
6) Inspirer tranquillement et profondément par le masque facial ou l'embout buccal jusqu'à ce qu'aucune vaporisation ne se forme dans la chambre du nébuliseur. Ce procédé prend habituellement 10 à 15 minutes. **Il est très important** de placer le masque facial de façon à ce qu'aucune vaporisation n'entre en contact avec les yeux.
7) Suivre les directives fournies par les fabricants de nébuliseurs et de pompes à air pour le mode d'emploi et l'entretien de ces mécanismes. Garder le nébuliseur, le tube du nébuliseur et le masque facial propres afin de minimiser les risques de contamination microbienne.
8) Les flacons monodoses devraient être gardés à la température de la pièce (15 à 25 °C). Les flacons doivent être conservés loin de la chaleur et de la lumière.

□ CONDYLINE™ Ⓟ

Canderm

Podofilox

Agent antimitotique

Renseignements destinés aux patients: Avertissement: Traiter uniquement les verrues indiquées par le médecin.
Contenu: Condyline est une solution hydro-alcoolique qui renferme 5 mg/mL de podofilox tamponnée avec du lactate de sodium pour obtenir un pH stable de 2,5 à 4 dans une solution aqueuse 1:10.

Indications: Pour éliminer les verrues génitales externes situées sur le pénis et la vulve.

Précautions: Condyline ne pourrait prévenir ni la récurrence de verrues préalablement guéries ni le développement de nouvelles verrues à un site différent que celui traité.

Condyline est pour usage externe seulement.

En cas de contact accidentel de Condyline avec la peau saine, essuyer immédiatement la partie touchée, la laver vigoureusement à l'eau savonneuse tiède et rincer à fond. En cas de contact avec une muqueuse ou les yeux, rincer plusieurs fois à grande eau pendant 15 minutes. Consulter un médecin **immédiatement.**

Garder ce médicament hors de la portée des enfants.

Ne pas consommer de boissons alcooliques au cours des quelques heures suivant immédiatement le traitement.

Éviter tout contact de Condyline avec les yeux, la langue ou toute muqueuse des parties génitales, y compris le vagin, le col de l'utérus, l'anus ou le périanus.

Ne pas utiliser sur une excroissance ou des tissus environnants enflammés ou irrités.

Les diabétiques et les personnes souffrant d'une mauvaise circulation sanguine doivent consulter leur médecin avant d'utiliser ce médicament.

Ne pas appliquer sur les grains de beauté, les marques de naissance ou les verrues inhabituelles dans lesquelles poussent des poils.

Ne pas utiliser sur des tissus ayant été soumis récemment à une chirurgie au laser ou une cryochirurgie.

Ne pas traiter soi-même les verrues génitales couvrant une surface supérieure à 10 cm^2 (environ la dimension d'une pièce d'un dollar).

Ne pas appliquer la solution sur d'autres verrues. Appliquer la solution uniquement sur les verrues génitales indiquées. Toujours se laver les mains après avoir utilisé la solution.

Mises en garde: Utiliser uniquement selon les directives du médecin. Garder hors de la portée des enfants. Refermer le contenant fermement immédiatement après utilisation. Éviter tout contact avec les yeux.

Effets indésirables: Un inconfort local est inévitable lors du traitement topique des verrues génitales. Les réactions topiques sont fréquentes et surviennent généralement le deuxième et troisième jour de traitement; elles sont causées par le début de la nécrose des verrues. Les réactions sont habituellement discrètes et bien tolérées.

Toutefois, on peut dans certains cas utiliser un analgésique doux comme de l'AAS avec codéine ou de l'acétaminophène avec codéine pour soulager la douleur. L'apparition d'érythème (rougeur) accompagné de douleur et/ou d'ulcération superficielle de la peau dans la région traitée est normale.

Posologie et administration: La première application de Condyline sera effectuée par le médecin. Le patient appliquera ensuite lui-même la solution, à la maison, uniquement sur les verrues que le médecin lui aura indiquées. Avant l'application, laver délicatement la région à traiter avec de l'eau et du savon, puis éponger délicatement. On recommande l'application d'un protecteur pour la peau, comme la gelée de pétrole, sur la peau saine environnante. Avec un des cotons-tiges fournis avec le médicament, appliquer soigneusement la quantité minimale de Condyline requise pour couvrir les verrues, en prenant soin de minimiser le contact avec la peau saine environnante. **Si vous avez plusieurs verrues, il est possible d'avoir besoin de plus de solution pour les couvrir. Dans ce cas, prenez un nouvel applicateur. Ne jamais utiliser un applicateur plus qu'une fois, ou retremper un applicateur utilisé dans la bouteille.** L'utilisation d'un miroir portatif peut contribuer à faciliter l'application. Si l'on doit traiter une région du prépuce occlus (sous le prépuce), prendre soin de laisser sécher la solution avant de laisser le prépuce reprendre sa position normale. Éviter tout contact avec les vêtements tant que la solution n'est pas sèche.

Appliquer matin et soir pendant 3 jours consécutifs. **Après chaque traitement, jeter l'application dans les vidanges, hors de la portée des enfants, et se laver les mains soigneusement.** Ne pas utiliser plus de 2 fois/jour et plus de 3 jours de suite.

On peut répéter cette procédure de traitement à intervalles d'une semaine, laissant s'écouler 4 jours entre les cycles de traitement, jusqu'à la guérison. **Le traitement total ne doit pas dépasser 4 semaines.** En cas de brûlement ou d'irritation extrêmes, interrompre le traitement et consulter un médecin. Les verrues génitales peuvent être contagieuses. Le patient devrait donc s'abstenir de relations sexuelles. Si c'est impossible, le condom de latex devra être utilisé jusqu'à ce que le médecin ait confirmé la guérison du partenaire infecté. Éviter d'utiliser un lubrifiant, comme du pétrolatum, avec le condom, car ceci pourrait accroître son risque de rupture pendant les relations sexuelles.

□ COREG™ Ⓟ

SmithKline Beecham

Carvédilol

Agent pour l'insuffisance cardiaque congestive

Renseignements destinés aux patients: Veuillez lire l'information suivante avant de commencer votre traitement par le carvédilol. Conservez ce dépliant jusqu'à ce que vous ayez fini de prendre vos comprimés, au cas où vous auriez besoin de le consulter de nouveau. Si vous aidez quelqu'un à prendre le carvédilol, veuillez lire le présent dépliant avant d'administrer le premier comprimé. Il ne contient pas toute l'information disponible au sujet de ce médicament. **Pour en savoir davantage, veuillez consulter votre médecin ou votre pharmacien.**

Ce que vous devriez savoir au sujet de Coreg:
- Coreg (carvédilol) appartient à une famille de médicaments utilisés pour traiter l'insuffisance cardiaque.
- Votre médecin vous a prescrit Coreg pour vous aider à prendre en charge vos symptômes d'insuffisance cardiaque.

Ce que vous devriez signaler à votre médecin avant de commencer à prendre Coreg:
- Toutes vos maladies, y compris vos antécédents de troubles au niveau du cœur, des reins ou du foie, d'asthme ou de troubles respiratoires;
- Si vous souffrez de diabète, de troubles thyroïdiens, du phénomène de Raynaud (refroidissement ou spasme au niveau des mains ou

Coreg (suite)

des pieds) ou de crampes dans les jambes lorsque vous faites un effort physique;
- Si vous souffrez ou avez déjà souffert de psoriasis (plaques qui s'écaillent facilement de la peau et laissent une tache rouge);
- Les médicaments (d'ordonnance ou non) que vous prenez actuellement, en particulier les antihypertenseurs, la digoxine, l'insuline, les hypoglycémiants, les médicaments pour l'estomac, les antidépresseurs tricycliques, la clonidine ou la rifampine;
- Si vous modifiez la quantité de tout autre médicament que vous prenez;
- Si vous consultez un médecin autre que votre cardiologue pour une autre maladie, dites-lui que vous prenez Coreg;
- Si vous êtes enceinte, songez le devenir ou allaitez.

Comment prendre Coreg:
- **Il est très important que vous preniez Coreg exactement comme votre médecin vous l'a prescrit.** Ce dernier décidera combien de comprimés vous devrez prendre chaque jour, à quel moment et pendant combien de temps. Il devra peut-être augmenter ou diminuer la dose.
- Vous devez avaler les comprimés avec de l'eau, sans les croquer ni les casser.
- Prenez vos comprimés à la même heure chaque jour, avec des aliments.
- Si vous oubliez de prendre un comprimé, prenez-le dès que vous vous en souviendrez. Si possible, prenez la prochaine dose à l'heure prévue, mais laissez passer au moins 6 heures entre les doses.
- Si vous sautez plus de 2 doses de Coreg, consultez votre médecin pour savoir quoi faire. Ne recommencez pas à prendre Coreg avant d'en avoir parlé à votre médecin.
- **Ne** cessez **pas** de prendre Coreg sans d'abord en avoir parlé à votre médecin.

Rappelez-vous que ce médicament s'adresse à la personne à qui le médecin l'a prescrit. Ne le donnez à personne d'autre.

Quand ne pas utiliser Coreg:
- Vous ne devez pas prendre ce médicament si vous êtes enceinte ou si vous avez l'intention de le devenir, à moins d'indication contraire de votre médecin.
- Vous ne devez pas prendre Coreg si vous êtes allergique à ce médicament ou à l'une de ses composantes (voir la liste des ingrédients plus loin). Si vous ne vous sentez pas bien pendant votre traitement par Coreg, prévenez-en tout de suite votre médecin.

Précautions à prendre lorsque vous prenez Coreg:
- Certaines personnes peuvent avoir des effets indésirables lorsqu'elles prennent Coreg. Les étourdissements, les maux de tête et la fatigue sont les plus courants et surviennent souvent lorsqu'on commence le traitement ou qu'on modifie la dose. Ces symptômes disparaissent généralement. En cas contraire, ou s'ils semblent s'aggraver, prévenez-en votre médecin.
- Les effets suivants peuvent aussi se manifester: troubles digestifs comme la diarrhée, la constipation, les nausées et vomissements, réactions allergiques comme des éruptions, des démangeaisons ou une inflammation de la peau, points dans le côté, uriner plus ou moins souvent, problèmes respiratoires comme une respiration sifflante, de l'essoufflement et le nez bouché, humeur déprimée, troubles du sommeil, bouche sèche, ralentissement du pouls, étourdissements lorsqu'on se met en position verticale, évanouissements, refroidissement ou douleurs au niveau des pieds et des mains, enflure générale de parties du corps, prise de poids, impuissance, vue brouillée et crampes lorsqu'on fait un effort physique.
- Si vous souffrez du phénomène de Raynaud (refroidissement des mains ou des pieds et changement de couleur de la peau), vos symptômes de refroidissement ou de spasme au niveau des mains pourraient s'aggraver.
- Vous pourriez souffrir de psoriasis (plaques s'écaillant de la peau) ou, si vous en souffrez déjà, cette maladie pourrait s'aggraver.
- Si vous êtes diabétique, vous pourriez devenir moins sensible aux symptômes d'hypoglycémie. Vous devriez surveiller votre glycémie de plus près et prévenir votre médecin si vous notez des changements appréciables.
- Si vous portez des lentilles cornéennes, vous pourriez souffrir de sécheresse des yeux pendant votre traitement.
- Si vous ressentez un malaise inhabituel, faites-en part à votre médecin le plus tôt possible, surtout si vous éprouvez des étourdissements, de l'enflure au niveau des chevilles, de la fatigue ou de l'essoufflement, lorsque votre médecin vient d'augmenter votre dose.
- Si vous éprouvez des étourdissements ou de la fatigue durant votre traitement, ne conduisez pas votre véhicule et ne faites pas fonctionner de machines.
- Vous devriez faire particulièrement attention lorsque vous prenez Coreg pour la première fois ou que vous commencez à prendre une nouvelle dose.
- Vous ne devez pas prendre Coreg avec de l'alcool.

Que faire en cas de surdosage:
- Si vous avez pris plus de comprimés que la dose recommandée, prévenez-en immédiatement votre médecin ou un service d'urgence hospitalier. Montrez au médecin le flacon de vos comprimés et de tout autre médicament que vous avez pris.

Comment conserver Coreg:
- Rangez vos comprimés au sec, à la température de la pièce (15 à 30 °C). Protégez-les contre l'humidité excessive et la lumière.
- Gardez votre flacon bien fermé.
- La date d'expiration de Coreg est imprimée sur l'étiquette. Ne prenez pas ce médicament après cette date.
- Tenez-le hors de la portée des enfants.

Que contient Coreg:
- Coreg (carvédilol) est disponible sous forme de comprimés ovales blancs à 3,125 mg, 6,25 mg, 12,5 mg et 25 mg. Le carvédilol en constitue l'ingrédient actif. Coreg contient aussi les excipients suivants: sucrose, lactose, povidone, silice colloïdale, crospovidone, stéarate de magnésium, blanc Opadry et Opadry incolore. Coreg ne contient ni tartrazine ni colorant azoïque.

Qui fabrique Coreg:
- Les comprimés Coreg sont fabriqués par: SmithKline Beecham Pharma Inc. avec l'autorisation de: Hoffmann-La Roche Ltée.

□ COUMADIN® ℞

DuPont Pharma

Warfarine sodique

Anticoagulant

Renseignements destinés aux patients: Le but du traitement anticoagulant est de maîtriser le mécanisme de coagulation afin de prévenir la thrombose tout en empêchant les saignements spontanés. Les doses thérapeutiques efficaces de médicaments présentant un minimum de complications dépendent en partie de la coopération et de la capacité des patients bien informés de communiquer efficacement avec leurs médecins. Les renseignements suivants doivent être communiqués aux patients:

1. Suivre scrupuleusement le schéma posologique prescrit.
2. Ne pas prendre ou arrêter de prendre tout autre médicament, y compris les salicylates (p. ex. l'aspirine et les analgésiques topiques) et les médicaments en vente libre, sauf sur avis médical.
3. Éviter la consommation excessive d'alcool.
4. Ne pas prendre Coumadin durant la grossesse et ne pas devenir enceinte pendant le traitement au Coumadin.
5. Éviter toute activité ou sport pouvant entraîner des lésions traumatiques.
6. La détermination du temps de prothrombine et des consultations régulières chez le médecin ou dans un centre de soins sont nécessaires pour contrôler les effets du traitement. Le patient doit porter une carte indiquant qu'il suit un traitement par Coumadin.
7. Si l'on oublie de prendre la dose prescrite de Coumadin, il faut en aviser immédiatement le médecin. Prendre la dose oubliée le plus rapidement possible le jour même, mais ne pas prendre une double dose de Coumadin le jour suivant pour compenser la dose oubliée.
8. La quantité de vitamine K contenue dans les aliments est susceptible d'influencer le traitement par Coumadin. Suivre un régime alimentaire équilibré de façon à avoir toujours le même apport de vitamine K. Éviter les changements radicaux de régime alimentaire, tels que la consommation de grandes quantités de légumes verts en feuilles.
9. Le patient doit aviser son médecin:
   -si une maladie comme la diarrhée, une infection ou de la fièvre s'installe, ou
   -si des symptômes inhabituels tels que douleur, enflure ou malaise apparaissent, ou

-s'il se produit des saignements prolongés à la suite de coupures, un écoulement menstruel accru ou un saignement vaginal, un saignement de nez ou des gencives après le brossage de dents, un saignement inhabituel ou une contusion, si l'urine est rouge ou brun foncé, si les selles sont rouges ou noires comme du goudron ou s'il y a diarrhée.

10. Les patients doivent être informés du fait que si le traitement par Coumadin est interrompu, l'effet anticoagulant du médicament peut persister pendant 2 à 5 jours.

□ COZAAR® Ⓟ

MSD

Losartan potassique

Antagoniste des récepteurs de l'angiotensine II

Renseignements destinés aux patients: Comprimés Cozaar: Veuillez lire attentivement cette notice avant de commencer à prendre Cozaar (losartan potassique) et chaque fois que vous renouvelez votre ordonnance au cas où des changements seraient survenus.

N'oubliez pas que le médecin vous a prescrit ce médicament pour votre usage personnel. Vous ne devez pas le donner à d'autres personnes.

Qu'est-ce que Cozaar? Le comprimé Cozaar est enrobé par film, de couleur verte et en forme de larme; il contient 25, 50 ou 100 mg de losartan, l'ingrédient principal.

En outre, le comprimé Cozaar renferme les ingrédients non médicinaux suivants: hydroxypropylcellulose, hydroxypropylméthylcellulose, lactose, stéarate de magnésium, cellulose microcristalline, amidon de maïs et colorants (D&C jaune nº 10 aluminum lake, FD&C bleu nº 2 aluminum lake et dioxyde de titane).

Cozaar fait partie de la classe des médicaments appelés antagonistes des récepteurs de l'angiotensine II. Il a pour effet d'abaisser la tension artérielle.

Pourquoi votre médecin vous a-t-il prescrit Cozaar? Votre médecin vous a prescrit ce médicament parce que vous souffrez d'une maladie appelée hypertension, c'est-à-dire que votre tension artérielle est élevée.

- **Qu'est-ce que la tension artérielle?** La pression exercée sur la paroi des vaisseaux sanguins par le sang propulsé par le cœur vers les diverses régions de l'organisme s'appelle la tension artérielle ou pression sanguine. La tension artérielle varie au cours de la journée selon les activités, le niveau de stress et les émotions.

  La valeur de la tension artérielle s'exprime par 2 chiffres, par exemple 120/80. Le chiffre du haut représente la pression au moment où le cœur se contracte et celui du bas définit la pression au repos, c'est-à-dire entre les battements.
- **Qu'est-ce que l'hypertension (tension artérielle élevée)?** Vous souffrez d'hypertension si votre tension artérielle demeure élevée même lorsque vous êtes calme et détendu.
- **Comment pouvez-vous savoir si votre tension artérielle est élevée?** En règle générale, l'hypertension ne s'accompagne pas de symptômes. Le seul moyen de savoir si vous êtes atteint d'hypertension est de connaître vos chiffres tensionnels. C'est pourquoi il est important de faire vérifier votre tension artérielle de façon régulière.
- **Pourquoi faut-il traiter l'hypertension?** En l'absence de traitement, l'hypertension peut endommager des organes vitaux, tels le cœur et le rein. Même chez une personne qui se sent bien et qui n'a pas de symptômes, l'hypertension peut provoquer à la longue un accident cérébro-vasculaire, une crise cardiaque, une insuffisance cardiaque, une insuffisance rénale ou une cécité.
- **Comment doit-on traiter l'hypertension?** Une fois diagnostiquée, l'hypertension doit être traitée. Certains traitements autres que les médicaments peuvent être recommandés. Votre médecin vous conseillera peut-être d'apporter des modifications à votre mode de vie. Il pourra aussi juger utile de vous prescrire des médicaments pour maîtriser votre tension artérielle. Cozaar ne guérit pas l'hypertension, mais il aide à maîtriser cette affection.

  Votre médecin peut vous dire quelle doit être la tension artérielle idéale dans votre cas. Retenez bien ces chiffres et suivez les directives de votre médecin concernant ce que vous devez faire pour atteindre ces valeurs.
- **Comment Cozaar maîtrise-t-il l'hypertension?** Cozaar abaisse la tension artérielle en bloquant une substance produite naturellement par l'organisme, appelée angiotensine II. L'angiotensine II entraîne habituellement un rétrécissement du diamètre des vaisseaux sanguins. Le traitement avec Cozaar entraîne le relâchement des vaisseaux sanguins. Votre médecin pourra vous dire si le médicament est efficace en mesurant votre tension artérielle; de votre côté, il se peut cependant que vous ne ressentiez aucun changement même si le traitement est efficace.

Ce qu'il faut savoir avant de prendre Cozaar:

- **Patients qui ne doivent pas prendre Cozaar:** Ne prenez pas Cozaar si vous êtes allergique à l'un de ses composants.
- **Utilisation pendant la grossesse et l'allaitement:** Il n'est pas recommandé de prendre Cozaar pendant la grossesse ou pendant l'allaitement. Si vous êtes enceinte ou si vous le devenez alors que vous suivez un traitement avec Cozaar, avertissez votre médecin le plus tôt possible.
- **Ce que vous devez dire à votre médecin ou à votre pharmacien avant de commencer à prendre Cozaar:** Parlez à votre médecin ou à votre pharmacien de tout problème médical passé ou présent et des allergies dont vous souffrez. Avertissez votre médecin si vous avez eu récemment une diarrhée ou des vomissements abondants. Il est particulièrement important d'aviser le médecin si vous êtes atteint d'une maladie du foie ou des reins.
- **Utilisation chez les enfants:** Cozaar ne devrait pas être administré à des enfants.
- **Pouvez-vous prendre Cozaar en même temps que d'autres médicaments?** Comme c'est le cas avec la plupart des médicaments, il peut y avoir une interaction entre Cozaar et d'autres produits. Par conséquent, ne prenez pas d'autres médicaments, à moins que vous en ayez discuté avec votre médecin ou votre pharmacien. Certains médicaments tendent à augmenter votre tension artérielle, par exemple les produits vendus sans ordonnance pour diminuer l'appétit ou pour maîtriser l'asthme, la toux, le rhume, le rhume des foins et la sinusite.
- **Pouvez-vous conduire une automobile ou faire fonctionner une machine pendant un traitement avec Cozaar?** Presque tous les patients le peuvent; cependant, il vaudrait mieux que vous évitiez les tâches qui exigent de la vigilance (par exemple la conduite automobile ou le fonctionnement d'un appareil dangereux) tant que vous ne connaissez pas votre réaction au médicament.

Mode d'emploi de Cozaar: Prenez Cozaar tous les jours en suivant rigoureusement les directives de votre médecin. Il est important de continuer à prendre Cozaar aussi longtemps que votre médecin vous l'a prescrit en vue de maintenir une maîtrise régulière de votre tension artérielle.

Cozaar peut être pris avec ou sans aliments mais de préférence toujours dans les mêmes conditions par rapport à la prise d'aliments, tous les jours à la même heure.

Que devez-vous faire si vous oubliez une dose? Essayez de prendre Cozaar tous les jours tel que l'a prescrit votre médecin. Cependant, si vous oubliez une dose, ne prenez pas une dose supplémentaire le lendemain. Reprenez le calendrier habituel.

Que devez-vous faire en cas de surdosage? En cas de surdosage, communiquez immédiatement avec votre médecin pour obtenir rapidement des soins médicaux.

Quelles sont les réactions défavorables qui peuvent survenir au cours d'un traitement avec Cozaar? Tout médicament peut provoquer des réactions inattendues ou indésirables, appelées effets secondaires. La plupart des patients ne manifestent pas de réactions défavorables à la prise de Cozaar; cependant, certains sujets peuvent présenter des étourdissements, une sensation de tête légère ou une éruption cutanée, y compris de l'urticaire. Avertissez votre médecin ou votre pharmacien immédiatement si ces réactions ou d'autres symptômes inhabituels surviennent.

Si vous faites une réaction allergique comportant un gonflement du visage, des lèvres ou de la langue, cessez le traitement avec Cozaar et communiquez immédiatement avec votre médecin.

Que pouvez-vous faire pour obtenir plus d'information concernant Cozaar et l'hypertension? Vous pouvez demander plus d'information à votre médecin ou à votre pharmacien qui vous communiqueront des renseignements plus complets sur le produit et sur l'hypertension.

Entreposage de Cozaar: Conservez Cozaar à la température ambiante (15 à 30 °C). Gardez le contenant hermétiquement clos. Protégez le médicament de la lumière.

Gardez tous les médicaments hors de la portée des enfants.

□ CRIXIVAN® ℞

MSD

Sulfate d'indinavir

Inhibiteur de la protéase du VIH

Renseignements destinés aux patients: Veuillez lire ce feuillet attentivement avant de commencer à prendre ce médicament, même s'il s'agit d'un renouvellement de votre ordonnance. Certains des renseignements contenus dans le feuillet précédent pourraient avoir été modifiés. N'oubliez pas que votre médecin vous a prescrit ce médicament pour votre usage personnel seulement. Ne le donnez pas à d'autres personnes.

Qu'est-ce que Crixivan? Crixivan est la marque déposée de Merck Frosst Canada Inc. pour la substance appelée sulfate d'indinavir. Ce médicament est délivré **sur ordonnance médicale seulement.**

Crixivan fait partie de la classe de médicaments connus sous le nom d'inhibiteurs de la protéase. Il agit sur le virus de l'immunodéficience humaine (VIH), contribuant ainsi à réduire la quantité de virus dans l'organisme.

Crixivan est offert en gélules semi-translucides de couleur blanche renfermant 200 ou 400 mg d'indinavir comme principe actif. La gélule renferme aussi les ingrédients non médicinaux suivants: éthanol, lactose et stéarate de magnésium; dioxyde de silicone, dioxyde de titane, gélatine et sulfate de lauryle sodique (constituants de la gélule vide).

Pourquoi votre médecin vous a-t-il prescrit Crixivan? Votre médecin vous a prescrit Crixivan parce que vous êtes infecté par le VIH.

Le VIH est un virus transmis par du sang contaminé ou lors d'un contact sexuel avec une personne infectée.

Ce qu'il faut savoir avant de prendre Crixivan: Quelles sont les personnes qui ne doivent pas prendre Crixivan? Ne prenez pas Crixivan si vous présentez une réaction allergique grave à l'un des composants de ce médicament.

Ce que vous devez dire à votre médecin avant de commencer à prendre Crixivan: Avisez votre médecin de toute maladie actuelle ou antérieure, y compris des troubles hépatiques attribuables à une cirrhose ou à des allergies.

Vous devez toujours informer votre médecin de tous les médicaments que vous prenez ou que vous avez l'intention de prendre, y compris les médicaments obtenus en vente libre.

Avertissez votre médecin si vous êtes enceinte ou avez l'intention de le devenir.

Utilisation pendant la grossesse et l'allaitement: Vous ne devriez pas allaiter votre enfant si vous prenez Crixivan. Consultez votre médecin.

Utilisation chez les enfants: L'innocuité et l'efficacité de Crixivan n'ont pas encore été établies chez les enfants.

Pouvez-vous prendre Crixivan en même temps que d'autres médicaments? Crixivan peut être pris en même temps que certains médicaments qui sont couramment prescrits aux personnes infectées par le VIH. Ces médicaments sont, entre autres, la zidovudine (AZT, Retrovir), la didanosine (ddI, Videx), la lamivudine (3TC), la stavudine (d4T, Zerit), la clarithromycine (Biaxin) et l'association triméthoprime-sulfaméthoxazole (Bactrim, Roubac, Septra).

D'autres médicaments peuvent être pris en même temps que Crixivan, mais il faut modifier la posologie de ce médicament ou de Crixivan dans ces cas. Ces médicaments sont, entre autres, la rifabutine (Mycobutin) et le kétoconazole (Nizoral).

Les médicaments qui **ne** peuvent **pas** être administrés en même temps que Crixivan car ils peuvent provoquer des réactions graves ou pouvant menacer le pronostic vital (comme des arythmies cardiaques ou une sédation excessive) sont le triazolam (Halcion), l'astémizole (Hismanal), le cisapride (Prepulsid), la terfénadine (Seldane) et le midazolam (Versed). Vous ne devez pas non plus prendre Crixivan en même temps que la rifampine (Rifadin, Rifater, Rimactane). Consultez votre médecin avant de prendre Crixivan en même temps qu'un autre médicament.

Pouvez-vous conduire un véhicule ou faire fonctionner une machine pendant un traitement au moyen de Crixivan? On a rapporté certains cas d'étourdissements ou de vision brouillée au cours du traitement au moyen de Crixivan. Si vous présentez ces réactions défavorables, vous devez éviter de conduire un véhicule ou de faire fonctionner une machine.

Mode d'emploi de Crixivan: Crixivan est présenté sous forme de gélules pour une administration orale. Prenez 800 mg (en règle générale, sous forme de 2 gélules à 400 mg) à intervalles réguliers de 8 heures. Crixivan doit être pris toutes les 8 heures pour être pleinement efficace.

Il est très important de prendre Crixivan exactement comme il a été prescrit pour que le médicament puisse exercer son plein effet.

Crixivan doit être pris avec de l'eau, 1 heure avant ou 2 heures après un repas. Pour les patients qui préfèrent un autre liquide que l'eau, Crixivan peut être pris avec du lait écrémé (sans matières grasses), du jus, du café ou du thé; il peut être pris aussi avec un repas léger comme du pain grillé sans matières grasses tartiné avec de la confiture ou de la gelée de fruit, du jus et du café avec du lait écrémé (sans matières grasses) et du sucre, ou encore des flocons de maïs avec du lait écrémé (sans matières grasses) et du sucre. Entre-temps, vous pouvez suivre votre régime alimentaire normal.

La prise de Crixivan en même temps qu'un repas riche en calories, en matières grasses et en protéines réduit la capacité de l'organisme d'absorber le médicament, ce qui diminue l'efficacité de ce dernier.

Il est important de boire au moins 1,5 L (environ 48 onces) de liquide chaque jour pour assurer une hydratation adéquate. Cette mesure contribue à réduire l'incidence de la formation de calculs rénaux (pierres aux reins) (voir Quels sont les effets secondaires qui peuvent survenir au cours d'un traitement au moyen de Crixivan?).

Il est important que vous preniez Crixivan exactement comme l'a prescrit votre médecin et vous devez avertir ce dernier avant de cesser votre traitement.

Que devez-vous faire si vous oubliez une dose? Prenez Crixivan 3 fois/jour à intervalles réguliers de 8 heures. Cependant, si vous n'avez pas pris une dose plus de 2 heures après le moment indiqué, ne la prenez pas plus tard dans la journée. Revenez simplement à votre horaire posologique habituel.

Quelles sont les effets secondaires qui peuvent survenir au cours d'un traitement au moyen de Crixivan? Tout médicament peut provoquer des réactions inattendues ou indésirables, appelées effets secondaires. Il a été démontré que Crixivan a été généralement bien toléré. Dans les études cliniques, environ 4 % des patients traités au moyen de Crixivan, seul ou en association avec d'autres médicaments antirétroviraux, ont présenté des calculs rénaux, associés à une douleur intense dans le dos et accompagnés ou non de la présence de sang dans l'urine. Les autres réactions défavorables ont été, entre autres, une dégradation rapide des globules rouges (aussi appelée anémie hémolytique), de la faiblesse ou de la fatigue, une douleur ou un œdème abdominal, des troubles hépatiques, de la diarrhée, des troubles gastriques, des nausées, des étourdissements, des maux de tête, une sécheresse de la peau, une modification de la couleur de la peau, une perte des cheveux, une éruption cutanée, des réactions allergiques et une altération du goût.

On a observé une augmentation des épisodes de saignements chez certains patients hémophiles.

On a rapporté des cas de diabète et une augmentation du taux de sucre dans le sang (aussi appelée hyperglycémie) chez des patients traités au moyen d'inhibiteurs de la protéase. Chez certains de ces patients, ces réactions ont entraîné une acidocétose, une anomalie grave qui résulte d'un taux de sucre anormal dans le sang. Certains patients souffraient déjà de diabète avant de commencer leur traitement avec des inhibiteurs de la protéase, d'autres pas. Dans certains cas, il a été nécessaire de régler la posologie des médicaments contre le diabète, dans d'autres, il a fallu instaurer un traitement contre le diabète.

Votre médecin a une liste plus complète des effets secondaires.

Avertissez votre médecin immédiatement à l'apparition de ces symptômes ou de tout autre symptôme inhabituel. Si ceux-ci persistent ou s'aggravent, consultez un médecin.

En outre, avertissez votre médecin si vous présentez des symptômes typiques d'une réaction allergique après avoir pris Crixivan.

Autres renseignements: Vous devez être avisé que Crixivan ne guérit pas l'infection par le VIH et qu'il est possible que des infections ou d'autres maladies liées à l'infection par le VIH surviennent. Par conséquent, vous devez continuer à consulter régulièrement votre médecin pendant votre traitement au moyen de Crixivan.

Les effets à long terme de Crixivan ne sont pas encore connus. Il n'a pas été démontré que le traitement au moyen de Crixivan réduisait le risque de transmission du VIH à d'autres personnes que ce soit par contact sexuel ou par contamination sanguine. Des études sont en cours pour évaluer l'effet de Crixivan sur l'évolution de l'infection par le VIH-1 (p. ex. la fréquence des infections opportunistes et la survie).

Consultez votre médecin pour obtenir de plus amples renseignements.

Que pouvez-vous faire pour obtenir plus d'information concernant Crixivan? Ce feuillet ne contient pas tous les renseignements sur ce médicament. Si vous avez d'autres questions, posez-les à votre médecin ou à votre pharmacien qui détiennent de l'information plus détaillée sur Crixivan et sur l'infection par le VIH.

Entreposage de Crixivan: Comme les gélules de Crixivan sont sensibles à l'humidité, il faut les garder dans un contenant hermétique à la température ambiante (15 à 30 °C). Conservez ce médicament à l'abri de l'humidité.

Gardez tous les médicaments hors de la portée des enfants.

☐ CYTOTEC® ℞

Searle

Misoprostol

Agent protecteur de la muqueuse

Renseignements destinés aux patients: Pour ne pas oublier vos médicaments: Ce tableau vous aidera à ne pas oublier de prendre vos médicaments. Inscrivez le nom de chacun des médicaments que vous prenez et faites un «x» dans chaque case correspondant à l'heure à laquelle une dose doit être prise pour chacun. Des cases supplémentaires ont été prévues pour les médicaments qui se prennent à des moments de la journée autres que le déjeuner, dîner, souper et coucher.

Fiche des médicaments									
Nom des médicaments que vous prenez	**Indiquer le moment de la journée au cours duquel vous devez prendre vos médicaments**								
	Déjeuner			**Dîner**		**Souper**		**Coucher**	
Cytotec									

Qu'est-ce que Cytotec? Cytotec (également appelé misoprostol) est le seul médicament approuvé au Canada pour traiter et aider à prévenir les dommages gastro-duodénaux causés par les médicaments contre l'arthrite appelés AINS. Les dommages gastro-duodénaux s'entendent des dommages au niveau de l'estomac ou du duodénum. Le duodénum est la petite partie de l'intestin qui est adjacent à l'estomac.

Qu'est-ce qu'un AINS? AINS est l'abréviation de «anti-inflammatoire non stéroïdien». Les mots «non stéroïdien» signifient que ce type de médicament ne renferme aucun stéroïde, comme la cortisone ou la prednisone, tandis que le terme «anti-inflammatoire» veut dire que le médicament agit en réduisant l'inflammation.

Les AINS sont fréquemment prescrits pour traiter la douleur et l'inflammation de l'arthrite ainsi que de certaines affections musculaires. Bien que les AINS comportent de nombreux avantages, ils peuvent malheureusement causer des ulcères au niveau de l'estomac et des voies gastro-intestinales chez certaines personnes. Les ulcères se manifestent souvent sans douleur ni symptômes d'avertissement.

Pourquoi les AINS provoquent-ils quelquefois des ulcères? Chez les humains, il existe une couche de membrane muqueuse qui tapisse l'intérieur de l'estomac et des intestins. Cette muqueuse protège l'estomac et les intestins contre les acides gastriques et les sucs digestifs qui sont nécessaires pour la digestion des aliments. Le corps produit des substances naturelles, appelées «prostaglandines», qui gardent la muqueuse intacte.

On pense que les AINS apportent un soulagement de l'arthrite en abaissant les taux de «prostaglandines». Cela a un effet bénéfique sur les articulations en réduisant douleur, inflammation et enflure dues à l'arthrite. Malheureusement, les AINS peuvent également amincir la couche muqueuse protectrice qui tapisse l'intérieur de l'estomac. L'estomac est alors plus susceptible de développer des ulcères.

Quelles sont les personnes exposées à un risque? Vous pouvez être exposé(e) à un plus grand risque de développer un ulcère causé par les AINS, si vous devez continuer à prendre un médicament contre l'arthrite et que vous:

- avez plus de 60 ans;
- avez déjà souffert de maux d'estomac alors que vous preniez des AINS;
- avez déjà eu un ou des ulcères d'estomac;
- prenez des doses élevées d'AINS ou des doses de plusieurs AINS, y compris les AINS offerts en vente libre comme l'AAS ou l'ibuprofène;
- si vous prenez certains autres médicaments tels les corticostéroïdes ou les anticoagulants qui sont reconnus pour causer des lésions à l'estomac ou aggraver les conséquences d'un estomac endommagé;
- êtes atteint(e) d'une ou de plusieurs autres affections sérieuses du point de vue médical ou que votre état de santé est mauvais;
- sévèrement invalidé(e) par votre arthrite.

De plus, vous êtes exposé(e) à un risque plus grand durant les 3 premiers mois qui suivent le début de votre traitement par AINS.

Comment Cytotec agit-il? Cytotec est une prostaglandine de fabrication qui est semblable aux prostaglandines que l'on retrouve à l'état naturel dans le corps. Cytotec remplace les prostaglandines que perd votre corps durant le traitement par AINS que vous suivez. Ce faisant, Cytotec aide à protéger votre estomac.

Cytotec aide à protéger l'estomac et le duodénum contre les ulcères causés par les AINS des 2 façons suivantes:

- il protège la muqueuse qui tapisse l'intérieur de l'estomac
- il réduit les acides gastriques qui peuvent irriter la muqueuse de l'estomac et du duodénum.

Cytotec vous permet de continuer à prendre vos médicaments AINS contre l'arthrite en protégeant votre estomac et votre duodénum.

Cytotec convient également pour aider à cicatriser les ulcères duodénaux.

Voici quelques recommandations concernant la prise de Cytotec:

1. Prenez chaque dose de Cytotec après un repas ou une collation. Ceci aidera à prévenir les selles trop liquides, la diarrhée et les crampes abdominales qui peuvent se produire au cours des premiers jours du traitement.
2. Continuez à prendre Cytotec si ces symptômes apparaissent. Ne vous en inquiétez pas, ceci signifie que Cytotec fait son effet et votre organisme s'y adapte. Poursuivez la prise du médicament. En général, ces symptômes disparaissent au bout de quelques jours.
3. Appelez votre médecin si ces symptômes deviennent gênants ou s'ils persistent pendant plus d'une semaine.
4. Ne prenez pas d'antiacide contenant du magnésium lors du traitement avec Cytotec. Renseignez-vous auprès de votre médecin ou pharmacien qui vous aidera à choisir un antiacide approprié.
5. Ne faites pas prendre Cytotec à quelqu'un d'autre.
6. Gardez Cytotec comme tout autre médicament hors de la portée des enfants.

Remarques spéciales pour les femmes en âge de procréer: Cytotec pourrait entraîner une fausse couche et ses effets sur le fœtus (bébé à naître qui se développe) n'ont pas été observés. Par conséquent, si vous êtes enceinte, vous ne devez pas utiliser ce médicament.

Les fausses couches entraînées par Cytotec peuvent être incomplètes, celles-ci peuvent à leur tour entraîner de très graves complications médicales telles des hospitalisations, opérations et même infertilités.

Ne prenez pas Cytotec au moindre doute d'une grossesse. Les femmes suivant un traitement au Cytotec doivent éviter de devenir enceinte. Ceci signifie qu'une méthode de contraception efficace doit être employée. Arrêter le médicament et communiquez immédiatement avec votre médecin en cas de grossesse au cours d'un traitement au Cytotec.

☐ CYTOVENE®, Capsules ℞

☐ CYTOVENE®, Injectable ℞

Roche

Ganciclovir

Ganciclovir sodique

Agent antiviral

Renseignements destinés aux patients: Tous les patients doivent être avisés que les principaux effets toxiques du ganciclovir sont la granulocytopénie (neutropénie), l'anémie et la thrombopénie, et que des ajustements posologiques peuvent s'imposer, y compris l'arrêt du traitement.

Cytovene (suite)

Il faut insister sur l'importance d'une surveillance étroite de la numération globulaire pendant le traitement.

On doit recommander aux patients de prendre Cytovene (gélules de ganciclovir) avec des aliments afin de maximiser la biodisponibilité.

On doit prévenir les patients que le ganciclovir a causé une hypospermatogenèse chez l'animal et qu'il peut entraîner la stérilité chez l'humain. Les femmes fertiles doivent être averties que le ganciclovir entraîne des anomalies congénitales chez l'animal et ne doit pas être administré durant la grossesse. Il faut recommander aux femmes fertiles d'utiliser une méthode contraceptive efficace durant le traitement par Cytovene (gélules de ganciclovir et ganciclovir sodique pour injection). Il faut également recommander aux hommes d'utiliser des moyens contraceptifs obstructifs pendant le traitement et au moins 90 jours après la fin du traitement par Cytovene (les deux présentations).

On doit en outre aviser les patients que le ganciclovir cause des tumeurs chez l'animal. Bien que l'on ne puisse rien affirmer à ce sujet à partir des études menées chez l'humain, les deux présentations de Cytovene doivent être considérées comme un agent cancérogène possible.

Patients atteints de SIDA et de rétinite à CMV: Les deux présentations de Cytovene ne guérissent pas la rétinite à CMV, de sorte que chez les patients immunodéprimés atteints, la rétinite peut évoluer durant ou après le traitement. Il faut recommander aux patients de se soumettre à un suivi ophtalmologique au moins toutes les 4 à 6 semaines pendant un traitement par Cytovene (les deux présentations). Un suivi à intervalles plus courts s'imposera chez certains patients. Les patients atteints de SIDA prennent peut-être de la zidovudine (ZDV; AZT); il faut prévenir les patients que le traitement simultané par le ganciclovir et la zidovudine n'est pas toujours bien toléré et peut entraîner une granulocytopénie (neutropénie) grave. Il se peut également que les patients atteints de SIDA prennent de la didanosine (ddl); il faut donc aviser les patients que l'administration concomitante de ganciclovir et de didanosine peut entraîner une augmentation importante des concentrations de didanosine.

Receveurs de greffe: Il faut renseigner les receveurs de greffe sur la fréquence élevée d'insuffisance rénale observée chez les receveurs de greffe traités par Cytovene (ganciclovir sodique pour injection) au cours d'essais cliniques contrôlés, en particulier chez ceux qui recevaient concurremment des agents néphrotoxiques comme la cyclosporine et l'amphotéricine B. Bien que le mécanisme spécifique de cet effet toxique, réversible dans la plupart des cas, n'ait pas encore été élucidé, la fréquence plus élevée d'insuffisance rénale chez les patients qui ont reçu Cytovene (ganciclovir sodique pour injection) plutôt qu'un placebo au cours des mêmes essais cliniques peut indiquer que Cytovene (ganciclovir sodique pour injection) a joué un rôle important.

□ DALACIN®, Crème vaginale Ⓟ

Pharmacia & Upjohn

Phosphate de clindamycine

Agent antibactérien

Renseignements destinés aux patients: Veuillez lire attentivement les renseignements qui suivent. Ils ont été préparés par Pharmacia & Upjohn pour vous aider à bénéficier le plus possible de votre médicament. Ce sont des conseils d'ordre général qui viennent compléter les recommandations spécifiques de votre médecin ou pharmacien.

Cette information n'est pas destinée à remplacer les conseils de votre médecin ou pharmacien. Il se peut même que ceux-ci vous aient donné des directives différentes, selon votre état. Si c'est le cas, vous devez suivre leur conseil. De plus, si vous avez des questions après avoir lu cette information, veuillez consulter votre médecin ou pharmacien.

Qu'est-ce que la crème vaginale Dalacin? C'est un antibiotique. Les antibiotiques tuent les bactéries (microbes) qui causent les infections. Votre infection s'appelle la «vaginose bactérienne». Ce médicament tue les bactéries qui causent la vaginose bactérienne.

Qu'est-ce que la vaginose bactérienne? C'est une infection du vagin due à une croissance élevée de bactéries. C'est pourquoi vous avez peut-être des écoulements vaginaux laiteux qui dégagent une odeur de poisson. Près du tiers des infections vaginales sont des vaginoses bactériennes. La vaginose bactérienne est aussi courante que l'infection aux levures.

Que contient la crème vaginale Dalacin? Cette crème contient un médicament actif appelé phosphate de clindamycine. Elle contient également les ingrédients non médicinaux suivants: monostéarate de sorbitan, polysorbate 60, propylèneglycol, acide stéarique, alcool cétostéarylique, palmitate de cétyle, huile minérale, alcool benzylique et eau purifiée.

Si vous êtes allergique ou sensible à l'un de ces ingrédients, appelez votre médecin avant d'utiliser ce médicament.

Ce que vous devez savoir avant d'utiliser la crème vaginale Dalacin: Après avoir appliqué la crème vaginale Dalacin, il faut attendre 3 jours avant d'utiliser un condom ou un diaphragme vaginal. En effet, cette crème contient une huile minérale qui peut détendre les produits en latex ou en caoutchouc et en diminuer l'efficacité. Ces produits risquent alors de ne plus vous procurer la même protection.

N'utilisez pas ce médicament si vous avez vos règles (menstruations). Attendez la fin de vos règles pour commencer votre traitement.

N'utilisez pas ce médicament si vous êtes enceinte ou si vous allaitez, sauf sur avis contraire de votre médecin.

Appelez votre médecin si:

- Votre état s'aggrave ou si de nouveaux symptômes vaginaux apparaissent (écoulement vaginal, démangeaisons, odeur).
- Vous avez des nausées, des vomissements ou de la diarrhée. Il est très peu probable que cela vous arrive, mais si c'est le cas, appelez votre médecin.
- Vous ressentez tout effet inhabituel ou imprévu.

Quand et comment appliquer la crème vaginale Dalacin? Appliquez cette crème tous les jours de votre traitement, même si vous vous sentez bien, car le médicament est plus efficace s'il en reste toujours une certaine quantité dans votre organisme. Si vous arrêtez le traitement trop tôt, vos symptômes risquent de réapparaître. N'utilisez pas ce médicament moins souvent ou plus souvent que recommandé, sauf sur avis contraire de votre médecin.

Chaque soir, au coucher, remplissez un applicateur et appliquez la crème.

L'emballage contient 7 applicateurs de plastique. L'applicateur est composé d'un piston et d'un réservoir. Le tube de crème renferme suffisamment de crème pour un traitement de 7 jours.

Utilisez l'applicateur de plastique pour bien appliquer la crème dans le vagin.

À noter: Cette crème s'insère dans le vagin comme un tampon.

Pour remplir l'applicateur:

1. Enlevez le capuchon du tube de crème.
2. Vissez l'applicateur sur le tube.
3. Pressez légèrement l'extrémité inférieure du tube pour forcer la crème à pénétrer dans le réservoir de l'applicateur. Au fur et à mesure que la crème pénètre dans le réservoir, le piston est repoussé à l'extérieur. Le piston s'arrête lorsque le réservoir est plein.
4. Dévissez alors l'applicateur du tube.
5. Remettez le capuchon sur le tube et enroulez légèrement le repli du tube.

Pour insérer la crème dans le vagin:

1. Placez-vous d'abord dans une position confortable debout, accroupie ou étendue sur le dos.
2. Insérez délicatement l'applicateur dans le vagin aussi profondément que possible; vous sentirez vous-même jusqu'où pousser.
3. Tenez l'applicateur en place et appuyez lentement sur le piston jusqu'au bout. La crème sera ainsi déposée dans le vagin.
4. Retirez l'applicateur et jetez-le à la poubelle. N'oubliez pas d'utiliser chaque fois un nouvel applicateur.

Précautions: Garder hors de la portée des enfants. Conserver à la température ambiante, loin d'une source de chaleur et de la lumière directe. Ne pas réfrigérer ni congeler. Ne pas conserver dans la salle de bain, car l'humidité et la chaleur risquent d'endommager ce produit.

N'oubliez pas que ce médicament est uniquement pour votre usage personnel. Seul un médecin peut vous prescrire ce médicament, et il ne faut surtout pas le donner à quelqu'un d'autre, même si les symptômes sont les mêmes que les vôtres.

☐ DALACIN® T, Solution topique ℞

Pharmacia & Upjohn

Phosphate de clindamycine

Antibiotique

Renseignements destinés aux patients: Dalacin T, solution topique (phosphate de clindamycine) fait partie de la famille des antibiotiques. Sous forme de solution appliquée sur la peau, il aide à maîtriser l'acné (boutons fréquemment observés chez les adolescents et les jeunes adultes). Ce médicament n'est disponible que sur ordonnance du médecin. Consultez votre médecin ou votre pharmacien si vous avez des questions au sujet de ce médicament.

Utilisation appropriée du médicament: Avant d'appliquer le médicament il importe de bien laver la région affectée, mais légèrement, avec de l'eau tiède et un savon doux. Ensuite, rincez à fond et épongez en tamponnant. Deux ou 3 lavages/jour suffisent, à moins que la peau ne soit grasse. Attendez au moins 2 heures après l'application du médicament pour vous laver à nouveau.

Même si les symptômes disparaissent après quelques jours d'emploi, utilisez le médicament jusqu'à la fin de la période de traitement recommandée par le médecin car, si le traitement est interrompu trop tôt, les symptômes risquent de réapparaître.

Après le rasage il est préférable d'attendre environ 30 minutes pour appliquer le médicament, car l'alcool qu'il contient peut irriter la peau fraîchement rasée.

Le médicament est présenté dans un flacon en plastique; un applicateur et un capuchon sont fournis avec le produit. Pour utiliser l'applicateur: 1) Dévissez le capuchon plat et jetez-le; 2) Poussez fermement l'applicateur dans le goulot du flacon, tout en tournant; 3) Scellez en resserrant fermement le capuchon sur l'applicateur.

Il se peut que votre pharmacien ait déjà préparé votre flacon. Dans ce cas, le tampon applicateur est prêt à l'emploi et il ne vous reste qu'à appliquer la solution directement sur la peau. Inclinez le flacon et pressez le tampon applicateur fermement contre la peau. Étalez la solution en tamponnant plutôt que par des mouvements circulaires. Pour diminuer l'écoulement de la solution, appuyez moins fort sur le tampon.

Il faut appliquer une légère couche de médicament, non seulement sur les boutons mais aussi sur toute la région affectée par l'acné.

Pour éviter de toucher les yeux, le nez ou la bouche, étalez le médicament en vous éloignant de ces régions. Toutefois, si vous touchez accidentellement les yeux, rincez-vous immédiatement avec beaucoup d'eau froide (pas chaude). Si malgré tout les yeux vous brûlent ou vous font mal, consultez un médecin.

Ne pas utiliser ce médicament plus souvent que recommandé par le médecin pour ne pas dessécher ou irriter la peau.

Le format de 30 mL devrait durer environ 4 semaines et celui de 60 mL environ 8 semaines.

Conservation du médicament: Garder hors de la portée des enfants. Garder loin des sources de chaleur et de l'éclairage direct. Protéger contre le gel. Ranger en position verticale.

Précautions durant l'utilisation: Il est possible que votre peau devienne anormalement sèche, même si vous respectez les conseils d'usage. Consultez votre médecin si cela se produit.

Si vous développez une diarrhée fréquente, consultez votre médecin avant d'entreprendre n'importe quel traitement.

Effets secondaires du médicament: Consultez **immédiatement** votre médecin si vous développez un des très rares effets secondaires suivants: crampes abdominales ou crampes d'estomac, douleurs ou ballonnement sévères; diarrhée (liquide et sévère) qui peut aussi contenir du sang; nausées ou vomissement.

Vous devez également consulter votre médecin dès que possible si vous avez un des effets secondaires suivants: éruption cutanée, démangeaisons, rougeur ou autres signes d'irritation que vous n'aviez pas avant d'utiliser ce médicament.

Certains effets secondaires ne nécessitent pas d'attention médicale. Ce sont: peau sèche ou squameuse; peau qui pèle; sensation de brûlure ou de picotement.

Consultez votre médecin en cas d'apparition de tout autre effet inhabituel ou imprévu.

☐ DALMANE® ℞

Roche

Chlorhydrate de flurazépam

Hypnotique

Renseignements destinés aux patients: Introduction: Dalmane (chlorhydrate de flurazépam) est conçu pour vous aider à dormir. Il s'agit d'une des benzodiazépines somnifères parmi plusieurs autres, qui ont toutes généralement des propriétés similaires.

Si on vous a prescrit un tel médicament, vous devez en considérer les avantages comme les risques. Ce médicament comporte les limites et risques suivants:

- vous pourriez devenir dépendant du médicament,
- le médicament peut altérer votre vigilance ou votre mémoire, surtout si vous ne le prenez pas comme on vous l'a prescrit.

Pour votre sécurité, ce dépliant sert de guide vous renseignant sur la classe de médicaments en général, et sur Dalmane en particulier.

Ce dépliant ne doit pas l'emporter sur ce que vous aurait dit votre médecin sur les risques et avantages de Dalmane.

Emploi sécuritaire du somnifère Dalmane:

- Dalmane est un médicament d'ordonnance, conçu pour vous aider à dormir. Suivez les conseils de votre médecin sur la façon de prendre Dalmane, le moment de le prendre et la période durant laquelle vous devez le prendre. **Ne prenez pas** Dalmane s'il ne vous a pas été prescrit.
- **Ne prenez pas** Dalmane pendant plus de 7 à 10 jours sans avoir préalablement consulté votre médecin.
- **Ne prenez pas** Dalmane quand vous ne disposez pas d'une bonne nuit de sommeil avant de reprendre des activités et un plein fonctionnement; p. ex. lors d'un vol de nuit de moins de 8 heures. Une telle situation peut donner lieu à des trous de mémoire. Votre corps a besoin de temps pour éliminer le médicament.
- **Ne prenez pas** Dalmane durant la grossesse. Avisez votre médecin si vous envisagez de devenir enceinte, si vous êtes enceinte ou si vous devenez enceinte pendant que vous prenez ce médicament.
- Avisez votre médecin de toute consommation d'alcool (passée ou présente) et de tout médicament que vous prenez actuellement, y compris les médicaments que l'on achète sans prescription. **Ne consommez pas d'alcool pendant que vous prenez** Dalmane.
- **Ne dépassez pas la dose prescrite.**
- **Ne conduisez pas d'automobile** et ne faites pas marcher de machine potentiellement dangereuse avant que vous ayez observé la façon dont ce médicament vous affecte.
- Si vous développez des pensées troublantes ou des comportements perturbants pendant que vous prenez Dalmane, parlez-en immédiatement à votre médecin.
- Après avoir arrêté de prendre Dalmane, vous pourriez éprouver des troubles du sommeil (insomnie de rebond) et(ou) une augmentation de l'anxiété pendant la journée (anxiété de rebond) pendant un jour ou deux.

Efficacité des benzodiazépines somnifères: Les benzodiazépines somnifères sont des médicaments efficaces qui ne présentent relativement pas de problème sérieux quand on les prend pour le traitement à court terme de l'insomnie. Les symptômes de l'insomnie peuvent varier: difficulté à s'endormir, réveils fréquents au milieu de la nuit, réveil précoce le matin ou les trois.

L'insomnie peut ne durer que pendant une brève période et répondre à un traitement de courte durée. Les risques et les avantages d'un emploi prolongé doivent être discutés avec votre médecin.

Effets secondaires: Effets secondaires courants: Les benzodiazépines somnifères peuvent causer de la somnolence, des étourdissements, une sensation d'ébriété et des difficultés de coordination. Les personnes qui en prennent doivent user de prudence quand elles entreprennent des activités dangereuses nécessitant une pleine présence d'esprit, comme faire marcher une machine ou conduire un véhicule motorisé.

Évitez l'alcool pendant que vous prenez Dalmane. **Ne prenez pas** de benzodiazépines somnifères quand vous prenez d'autres médicaments sans en avoir discuté préalablement avec votre médecin.

La somnolence que vous éprouverez durant la journée après la prise de ce somnifère dépend de votre réponse individuelle et de la rapidité avec laquelle votre organisme élimine le médicament. Plus la dose est ▶

Dalmane (suite)

forte, plus vous risquez d'éprouver de la somnolence ou autre symptôme le lendemain. C'est pour cette raison qu'il est important que vous ne preniez que la plus faible dose efficace. Les benzodiazépines qui sont éliminées rapidement tendent à causer moins de somnolence le lendemain, mais peuvent entraîner des problèmes de sevrage le jour suivant.

Troubles particuliers: Troubles de la mémoire: Toutes les benzodiazépines somnifères peuvent causer une sorte particulière de perte de mémoire (amnésie): vous pourriez ne pas vous souvenir de ce qui s'est passé pendant habituellement les quelques heures suivant la prise du médicament. Ce trou de mémoire ne pose normalement pas de problème, puisque la personne qui prend un somnifère est censée dormir durant cette période critique. Par contre, des problèmes peuvent survenir si vous prenez le médicament pendant un voyage, comme un vol d'avion, car il est alors possible que vous vous réveilliez avant que l'effet du médicament ne soit passé. Ce phénomène est appelé «amnésie du voyageur».

Symptômes de tolérance et de sevrage: Après une prise quotidienne de plus de quelques semaines, les benzodiazépines peuvent perdre un peu de leur efficacité. Vous pourriez également développer une certaine dépendance.

L'effet de «sevrage» peut survenir chez des patients qui arrêtent de prendre des benzodiazépines somnifères. Cet effet peut survenir après l'arrêt d'un traitement d'une semaine ou deux seulement, mais peut être plus intense après de longues périodes d'usage continu. Un des symptômes de sevrage est connu sous le nom d'«insomnie de rebond», c.-à-d. qu'au cours des quelques premières nuits suivant l'arrêt de la médication, l'insomnie peut être plus grave qu'avant la prise du somnifère.

Les autres symptômes de sevrage après l'arrêt brusque de la prise de somnifère vont de simples malaises à un grave syndrome de sevrage pouvant impliquer des crampes abdominales et musculaires, des vomissements, des sueurs, des tremblements et, rarement, des convulsions. Les symptômes intenses sont rares.

Dépendance, abus: Toutes les benzodiazépines somnifères peuvent causer une dépendance (toxicomanie), surtout quand on en prend régulièrement pendant quelques semaines ou à de fortes doses. Certaines personnes peuvent développer le besoin de continuer de prendre ces médicaments, soit à la dose prescrite, soit à des doses plus fortes—et ce, non pour obtenir l'effet thérapeutique, mais pour éviter les symptômes de sevrage ou pour obtenir des effets non thérapeutiques.

Les personnes éprouvant ou ayant éprouvé une dépendance à l'alcool ou à d'autres médicaments ou drogues peuvent courir un risque particulier de devenir dépendantes aux médicaments de cette classe. Cependant, **tout le monde court un certain risque.** Considérez ceci avant de prendre ces médicaments pendant plus que quelques semaines.

Changements dans le comportement et les fonctions mentales: Diverses anomalies de la pensée et du comportement peuvent survenir à l'emploi de benzodiazépines somnifères. Certaines de ces anomalies peuvent comprendre de l'agressivité ou une extraversion qui ne semblent pas correspondre au caractère. D'autres changements, bien que rares, peuvent être plus étranges et exagérés: confusion, comportement bizarre, agitation, illusions, hallucinations, sensation de ne pas être soi-même, dépression aggravée, y compris des pensées suicidaires.

Il est rare que l'on puisse déterminer si de tels symptômes sont causés par le médicament ou une maladie sous-jacente ou s'il s'agit d'une simple manifestation spontanée. D'ailleurs, l'aggravation de l'insomnie peut dans certains cas être associée à des maladies qui étaient déjà présentes avant la prise de médicament.

Important: Quelle qu'en soit la cause, si vous prenez ces médicaments, signalez rapidement à votre médecin tout changement de la fonction mentale ou du comportement.

Effet sur la grossesse: Certaines benzodiazépines somnifères ont été liées à des anomalies congénitales si elles sont prises pendant les premiers mois de grossesse. En outre, on sait que les benzodiazépines somnifères provoquent une sédation chez le bébé si elles sont prises durant les dernières semaines de grossesse. Donc, **évitez de prendre ce médicament pendant la grossesse.**

□ DAUNOXOME® Ⓟ

NeXstar

Daunorubicine liposomique

Antinéoplasique

Renseignements destinés aux patients: DaunoXome (daunorubicine liposomique) est employé pour le traitement du sarcome évolué de Kaposi lié au VIH.

Les effets indésirables communs associés au DaunoXome comprennent les suivants: nausées, vomissements, manque d'appétit, plaies dans la bouche, maux de dos, bouffées de chaleur, oppression thoracique, perte de cheveux peu importante et diarrhée. La dépression de la moelle osseuse est un effet secondaire important du traitement. DaunoXome peut causer des dommages à la moelle osseuse où sont fabriqués les globules du sang. Il peut s'ensuivre une chute du nombre de globules blancs dans le sang, prédisposant davantage le patient aux infections. Un traitement antibiotique peut alors s'avérer nécessaire. L'apparition d'une fièvre peut être le premier signe d'une infection et, dans pareil cas, le patient devrait consulter son médecin. En cas d'anémie (baisse des globules rouges), le traitement parfois nécessaire consiste en des transfusions de globules rouges. Une diminution du nombre de plaquettes (autre type de cellules du sang) peut entraîner des saignements accrus et, le cas échéant, on pourra peut-être administrer des transfusions de plaquettes. Bien que tous ces effets secondaires ne soient pas fréquents, des soins médicaux peuvent se révéler nécessaires s'ils se manifestent. Les patients devraient signaler à leur médecin l'apparition de l'un ou l'autre de ces effets secondaires.

□ DAYPRO[MC] Ⓟ

Searle

Oxaprozine

Anti-inflammatoire—Analgésique

Renseignements destinés aux patients: Votre médecin est votre principale source de renseignements sur votre santé et les médicaments que vous prenez. N'hésitez pas à le consulter si vous avez des questions sur votre santé, sur n'importe quel médicament que vous prenez ou sur les renseignements qui suivent.

Votre médecin vous a prescrit Daypro (oxaprozine). Ce médicament fait partie d'un groupe important d'agents anti-inflammatoires non stéroïdiens (également appelés AINS) et est utilisé pour traiter les symptômes de certains types d'arthrite. Il aide à soulager les douleurs, l'enflure et la raideur articulaires, ainsi que la fièvre, en réduisant la production de certaines substances (prostaglandines) et en aidant à maîtriser l'inflammation et d'autres réactions de votre organisme. Ce médicament ne traite toutefois pas l'arthrite de façon définitive et ne vous soulagera que dans la mesure où vous continuez à le prendre.

Vous devriez prendre Daypro uniquement comme prescrit par votre médecin. N'en prenez pas plus, ne le prenez pas plus souvent et ne le prenez pas pendant plus longtemps que votre médecin l'a prescrit. La prise d'une trop grande quantité de ces médicaments peut augmenter le risque d'effets indésirables, spécialement chez les patients âgés.

Assurez-vous de prendre Daypro régulièrement comme prescrit. Dans certains types d'arthrite, on doit parfois attendre jusqu'à 2 semaines avant de noter les effets complets du médicament. Pendant le traitement, votre médecin peut décider d'ajuster la posologie en fonction de votre réponse au médicament.

Les troubles gastriques représentent l'un des problèmes habituels des AINS: Pour limiter les troubles gastriques, prenez ce médicament immédiatement après un repas, ou avec des aliments ou du lait. Évitez également de vous allonger pendant les 15 à 30 minutes qui suivent la prise du médicament. Cela aidera à prévenir l'irritation qui peut rendre la déglutition difficile. Si des troubles gastriques (indigestion, nausées, vomissements, douleur gastrique ou diarrhée) se développent et persistent, communiquez avec votre médecin.

On prend Daypro habituellement 1 fois/jour, après le petit déjeuner, ou avec des aliments ou du lait. Parfois, le médecin prescrit de le prendre 2 fois/jour. On prend alors la première dose le matin et la deuxième le soir, après un repas, ou avec des aliments ou du lait. Quand on prend Daypro 2 fois/jour, la dose du matin peut être plus importante que celle du soir.

Ne prenez pas d'AAS (acide acétylsalicylique), de composés contenant de l'AAS ou d'autres médicaments utilisés pour soulager les symptômes d'arthrite quand vous prenez Daypro, sauf sur avis médical.

Si votre médecin vous prescrit ce médicament à long terme, il voudra vérifier votre état de santé de façon régulière pour évaluer votre progrès et s'assurer que ce médicament n'entraîne pas d'effets indésirables.

N'oubliez jamais ce qui suit!: On doit comparer les risques associés à la prise de ce médicament aux avantages qu'il offrira.

Avant de prendre ce médicament, assurez-vous de mentionner à votre médecin et pharmacien si vous:
- ou un membre de votre famille êtes allergique ou avez fait une réaction à Daypro ou à d'autres médicaments anti-inflammatoires [comme l'acide acétylsalicylique (AAS), le diclofénac, le diflunisal, le fénoprofène, le flurbiprofène, l'ibuprofène, l'indométhacine, le kétoprofène, l'acide méfénamique, le naproxen, le piroxicam, le sulindac, l'acide tiaprofénique, la tolmétine, la nabumétone ou le ténoxicam], qui s'est manifestée par l'aggravation d'une sinusite existante, une urticaire, la survenue ou l'aggravation d'asthme ou une anaphylaxie (collapsus soudain);
- ou un membre de votre famille avez souffert d'asthme, présentez des polypes nasaux, souffrez de sinusite ou d'urticaire chronique;
- présentez des antécédents de troubles gastriques, d'ulcères, ou de maladies hépatiques ou rénales;
- présentez des anomalies du sang ou des urines;
- souffrez d'hypertension artérielle;
- souffrez du diabète;
- suivez un régime alimentaire spécial, comme un régime à faible teneur en sodium ou en sucre;
- êtes enceinte ou projetez de le devenir pendant que vous prenez ce médicament;
- allaitez ou projetez d'allaiter votre enfant pendant que vous prenez ce médicament;
- prenez d'autres médicaments (remis sur ordonnance ou en vente libre), comme d'autres AINS, des antihypertenseurs, des anticoagulants, des antipaludéens, des corticostéroïdes, du méthotrexate, de la cyclosporine, du lithium, de la phénytoïne ou des sels d'or;
- avez d'autres problèmes médicaux, comme l'alcoolisme, des troubles de la coagulation du sang, etc.

Pendant que vous prenez ce médicament:
- dites à tout autre médecin, dentiste ou pharmacien que vous consultez que vous prenez ce médicament;
- certains AINS peuvent entraîner de la somnolence ou une sensation de fatigue chez certains patients. Soyez prudent quand vous conduisez un véhicule ou participez à des activités nécessitant votre attention, si vous vous sentez somnolent ou développez des étourdissements ou une sensation de tête légère après avoir pris ce médicament;
- signalez à votre médecin si ce médicament ne soulage pas votre arthrite ou si vous développez un problème quelconque;
- signalez toute réaction indésirable à votre médecin; cela est très important pour faciliter le dépistage et la prévention rapides de complications possibles;.
- le risque de développer des troubles gastriques peut être plus élevé si vous buvez des boissons alcoolisées; évitez donc la prise d'alcool pendant que vous prenez ce médicament;
- certains patients peuvent devenir plus sensibles au soleil qu'avant le traitement; l'exposition au soleil ou l'utilisation de lampes solaires, même pendant des périodes brèves, peut entraîner des brûlures, la formation de phlyctènes sur la peau, une éruption cutanée, des rougeurs, des démangeaisons ou une décoloration de la peau, ou des troubles visuels. Si vous développez une réaction après l'exposition au soleil, consultez votre médecin;
- communiquez immédiatement avec votre médecin si des frissons, de la fièvre, des douleurs musculaires, ou tout autre symptôme du type grippal, apparaissent, surtout s'ils surviennent peu de temps avant une éruption cutanée ou en même temps. Dans des cas exceptionnels, ces effets peuvent être le premier signe d'une réaction grave au médicament;
- **Vos visites médicales régulières sont essentielles.**

Effets secondaires de ce médicament: En plus de ses effets bénéfiques, Daypro, comme les autres AINS, peut entraîner certaines réactions indésirables, spécialement quand il est utilisé à long terme ou à des doses élevées.

Les patients âgés, faibles ou fragilisés semblent présenter des effets secondaires plus fréquents ou plus sévères.

Bien que les effets secondaires énumérés ci-dessous ne soient pas tous habituels, quand ils surviennent, ils peuvent nécessiter l'intervention d'un médecin.

Signalez immédiatement à votre médecin si vous notez l'un ou l'autre des symptômes suivants:
- selles sanguinolentes ou couleur de goudron;
- essoufflement, respiration sifflante, toute difficulté à respirer ou oppression thoracique;
- éruption cutanée, urticaire ou enflure, démangeaisons;
- vomissements ou indigestion persistante, nausées, douleur gastrique ou diarrhée;
- décoloration jaune de la peau ou des yeux;
- toute accentuation de la quantité ou de la couleur des urines (foncées, rougeâtres ou brunes);
- toute douleur ou difficulté à la miction;
- enflure des pieds ou du bas des jambes;
- sensation de malaise, fatigue, perte d'appétit;
- vue brouillée ou tout trouble visuel;
- confusion mentale, dépression, étourdissements, sensation de tête légère;
- problèmes auditifs.

D'autres effets secondaires peuvent également se développer chez certains patients. Si vous notez d'autres symptômes que ceux mentionnés ci-dessus, parlez-en à votre médecin.

Posologie: Posologie habituelle pour adultes: Polyarthrite rhumatoïde: Commencer avec 1 200 mg 1 fois/jour. On peut réduire ou augmenter la posologie en fonction de la réponse du patient. Posologie quotidienne maximale: 1 800 mg (1 200 mg le matin et 600 mg le soir).

Arthrose: Commencer avec 1 200 mg 1 fois/jour. Réduire à 600 mg 1 fois/jour si la réponse du patient le permet.

Monographie disponible sur demande.

Que faire si vous oubliez de prendre une dose: Sautez la dose oubliée et prenez la prochaine dose au moment prévu.

Conservation: Entreposez à la température ambiante, à 25 °C ou moins. Craint la lumière.

Daypro n'est pas recommandé pour les patients de moins de 18 ans, étant donné que son innocuité et son efficacité n'ont pas été établies.

Ne conservez pas de médicament périmé ni de médicament qui n'est plus requis.

Gardez hors de l'atteinte des enfants.

Ce médicament a été prescrit pour soulager votre problème médical spécifique. Ne le donnez pas à d'autres personnes.

Pour de plus amples renseignements sur ce médicament, consultez votre médecin ou votre pharmacien.

Les ingrédients non médicinaux présents dans les caplets d'oxaprozine incluent: amidon de maïs, cellulose, dioxyde de titane, hydroxypropylméthylcellulose, méthylcellulose, polacriline potassique, polyéthylèneglycol et stéarate de magnésium.

□ DDAVP®, Vaporisateur et Rhinyle Solution nasale Ⓟ

Ferring

Acétate de desmopressine

Antidiurétique

Renseignements destinés aux patients: DDAVP Rhinyle: Mode d'emploi (voir le prospectus d'emballage pour les illustrations):
1. Tirer la languette de plastique du goulot du flacon et détacher le sceau de sécurité.
2. Enlever le bouchon de plastique **et conserver pour refermer le flacon.**
3. Enlever le sceau interne du bout de la tétine de plastique **et conserver pour refermer le flacon.**
4. Tenir l'extrémité du tube marqué d'une flèche dans une main et placer le doigt et le pouce de l'autre main autour de la tétine de plastique. Diriger le bout de la tétine de plastique vers le bas et insérer dans l'extrémité du tube marqué d'une flèche. Presser la mèche doucement jusqu'à ce que la solution atteigne le point de graduation désirée.
   N.B.: Afin d'éviter la formation de bulles d'air dans le tube, maintenir une pression ferme sur la tétine de plastique. S'il est difficile de remplir le tube, une seringue pour tuberculine ou insuline peut être utilisée pour retirer la dose et remplir le tube.
5. Saisir le tube entre le bout du doigt et du pouce à 1½ à 2 cm de l'extrémité marquée d'une flèche et l'insérer dans une narine jusqu'à ce que le bout des doigts touche la narine.
6. Placer l'autre extrémité du tube dans la bouche. Retenir sa respiration, renverser la tête en arrière, puis souffler fortement et brièvement dans le tube de telle sorte que la solution atteigne l'endroit

DDAVP, Vaporisateur et Rhinyle Solution nasale (suite)

approprié dans la cavité nasale. Grâce à cette méthode, le médicament n'atteint que la cavité nasale et la solution ne descend pas dans le pharynx.

7. Après usage, fermer le flacon en utilisant le sceau interne (i) et le bouchon externe (ii). **L'utilisation des deux sceaux évite le gaspillage dû à l'évaporation lors de l'entreposage réfrigéré.** Rincer le tube sous l'eau courante et le secouer avec soin jusqu'à ce qu'il ne reste plus d'eau. Le tube est, dès lors, prêt à être utilisé de nouveau.

Attention: Des maux de tête, la nausée ou de légères crampes abdominales peuvent constituer des symptômes de dose excessive. Consultez votre docteur pour un conseil, et un ajustement de la dose si nécessaire. Une restriction soigneuse de l'ingestion de fluides est recommandée en cas d'utilisation chez les personnes âgées et les enfants de moins de 12 ans, en raison d'un risque de rétention d'eau.

Remarque: 0,05 mL de solution contient 5 μg; 0,1 mL de solution contient 10 μg; 0,2 mL de solution contient 20 μg.

DDAVP Vaporisateur: Mode d'emploi (voir le prospectus d'emballage pour les illustrations):

1. Mouchez-vous doucement.
2. Enlevez le bouchon de protection du flacon.
3. **La toute première fois** que vous utilisez le vaporisateur, amorcez la pompe en appuyant vers le bas sur la bague blanche, à l'aide de l'index et du majeur tout en maintenant le fond du flacon avec le pouce. Appuyez 4 fois ou jusqu'à ce qu'un jet régulier jaillisse. Le vaporisateur est alors prêt à l'utilisation.
4. En position assise ou debout, **tenir le flacon de façon à ce que le tube verseur soit submergé dans le liquide.** Penchez légèrement la tête en arrière et insérez soigneusement l'applicateur nasal dans une narine.
5. Pour chaque vaporisation que votre médecin vous a prescrite, appuyez fermement vers le bas sur la bague blanche, une fois, à l'aide de l'index et du majeur tout en maintenant le fond du flacon avec le pouce. Retenez votre respiration pendant que vous vous administrez la dose.
6. Si votre médecin vous a prescrit plus d'une vaporisation, répétez les étapes 4 et 5 ci-dessus pour l'autre narine. **Changez de narine à chaque vaporisation supplémentaire.**
7. Replacez le bouchon de protection du flacon.
8. Conservez le médicament à la température ambiante 15 à 30 °C. **Ne pas congeler.**

Important: L'extrémité du tube à l'intérieur du flacon doit toujours être submergée dans le liquide lorsque vous administrez le médicament. S'assurer que le flacon soit toujours placé et gardé droit.

Si le vaporisateur n'est pas utilisé pendant 7 jours, il faut réamorcer la pompe. Appuyez 2 ou 3 fois vers le bas sur la bague blanche jusqu'à ce qu'un jet régulier jaillisse, avant de placer l'applicateur nasal dans la narine.

Attention: Les maux de tête, la nausée, de légères crampes abdominales peuvent être des symptômes d'une dose excessive. Consultez votre médecin et demandez-lui conseil si vous pensez qu'il est nécessaire de modifier la posologie. Il est recommandé aux personnes âgées et aux enfants de moins de 12 ans de réduire légèrement l'absorption de liquides après le dîner en raison des risques accrus de rétention aqueuse.

Le vaporisateur DDAVP est offert en deux formats: 2,5 mL (25 vaporisations) et 5,0 mL (50 vaporisations).

□ DEMADEX® ℞

Roche

Torsemide

Diurétique—Antihypertenseur

Renseignements destinés aux patients: Veuillez lire attentivement le présent feuillet avant d'entreprendre votre traitement. Vous y trouverez des renseignements sommaires sur votre médicament. Pour en savoir plus, consultez votre médecin ou votre pharmacien.

Le nom de votre médicament: Le nom de votre médicament est Demadex (torsemide). Vous ne pouvez l'obtenir que sur prescription de votre médecin.

Le rôle de votre médicament: Demadex est un diurétique et un antihypertenseur. Il abaisse la pression artérielle, en présence d'hypertension, et réduit l'œdème, un excès de liquide qui s'accumule dans votre corps.

La façon dont il agit: Demadex augmente la production d'urine aux reins pour faciliter l'élimination du volume de liquide accumulé dans votre corps (œdème). Ceci contribue directement à abaisser votre pression artérielle.

Ce qu'il contient: Les comprimés de Demadex contiennent soit 5, 10, 20 ou 100 mg de l'ingrédient actif, le torsemide. Ils sont également composés de lactose ainsi que d'autres ingrédients non médicinaux.

Remarques importantes avant de prendre votre médicament: Avant de prendre Demadex, vous devez tenir compte des remarques suivantes.

Si vous êtes enceinte ou avez l'intention de le devenir ou encore si vous allaitez, ne prenez pas ce médicament sans l'avis de votre médecin.

L'innocuité de ce médicament chez les enfants n'a pas été étudiée et demeure encore inconnue.

Si votre réponse à l'une ou l'autre des questions suivantes est «oui», ne prenez pas Demadex sans l'avis de votre médecin:

- Avez-vous dû interrompre votre traitement avec Demadex ou un autre médicament à cause d'allergie ou d'autres problèmes?
- Prenez-vous d'autres médicaments, y compris des doses élevées de salicylates (Aspirin) ou de l'indométhacine?
- Prenez-vous un médicament appelé cholestyramine?
- Prenez-vous un médicament du nom de probénécide?
- Prenez-vous des médicaments contre la dépression, p. ex. le lithium?
- Prenez-vous des antibiotiques ou des diurétiques autres que Demadex?

Si l'une des situations précédentes vous concerne, il se peut que votre médecin ne vous prescrive pas Demadex.

La façon de prendre votre médicament: L'étiquette de votre flacon de médicament devrait indiquer la dose de Demadex que vous a prescrite votre médecin, soit 5, 10, 20 ou 100 mg, à prendre **1 fois/jour.** Ce médicament peut être pris avec les repas ou entre ceux-ci.

Si vous êtes incertain des directives qui vous ont été données, consultez votre médecin ou votre pharmacien. **Ne prenez pas** votre médicament en plus grande quantité ou plus souvent que prescrit.

La réussite de votre traitement avec Demadex dépendra énormément de l'attention et de la persévérance avec lesquelles vous suivrez les conseils de votre médecin, entre autres, sur la façon de prendre votre médicament.

Durant tout votre traitement avec ce médicament: Vos examens médicaux périodiques sont essentiels.

Il est très important que vous ne négligiez aucun test prescrit par votre médecin, y compris les analyses de sang et d'urine.

À la lumière des résultats de ces tests, il se peut que votre médecin modifie la dose de Demadex que vous prenez actuellement. **Ne le faites jamais vous-même.**

Assurez-vous de toujours avoir assez de médicament en votre possession, y compris lorsque vous partez en vacances. **N'interrompez pas** votre traitement sans l'avis de votre médecin.

Si vous avez oublié de prendre votre médicament à l'heure habituelle, la plupart des médecins vous conseilleront de le prendre dès que vous vous apercevez de votre oubli et de poursuivre votre traitement comme prévu. (Demandez à votre médecin ce qu'il pense de cette manière de faire.)

Faites savoir à tout médecin, dentiste et pharmacien que vous consultez que vous prenez ce médicament.

Effets indésirables: En plus de ses effets recherchés, tout médicament peut causer des effets indésirables. Rapportez à votre médecin tout problème de santé inhabituel qui se produit durant votre traitement. Ces effets peuvent se manifester sous les formes suivantes: étourdissement, céphalée, nausées ou vomissements, faiblesse, soif excessive, somnolence, crampes stomacales, crampes musculaires, fatigue musculaire, douleur thoracique, diarrhée, saignements au rectum, surabondance d'urine, bourdonnements dans les oreilles, surdité et perte de conscience. Votre médecin décidera de l'arrêt ou de la poursuite de votre traitement.

La façon de conserver votre médicament: Gardez les comprimés dans un endroit sécuritaire, hors de la portée des enfants. Votre médicament peut leur nuire.

Conservez vos comprimés à la température ambiante.

Si votre médecin interrompt votre traitement, ne gardez pas les comprimés restants, sauf avis contraire. Rapportez ces comprimés à votre pharmacien qui se chargera de les détruire.

Rappelez-vous que ce médicament vous est destiné. Seul un médecin peut vous le prescrire. N'en donnez jamais à quelqu'un d'autre, même si cette personne semble présenter les mêmes symptômes que vous, car ce médicament peut lui nuire.

Pour plus de renseignements: Le présent feuillet ne contient qu'une information partielle sur votre médicament. Si vous avez des questions ou des inquiétudes concernant votre traitement, consultez votre médecin ou votre pharmacien.

□ DEPO-PROVERA® Ⓟ

Pharmacia & Upjohn

Acétate de médroxyprogestérone

Progestatif

Renseignements destinés aux patients: A. Renseignements pour les femmes envisageant l'utilisation de Depo-Provera comme contraceptif: Lisez cette brochure très attentivement. Elle a été conçue pour vous aider à prendre une décision bien informée sur l'utilisation de Depo-Provera comme méthode contraceptive (méthode de contrôle des naissances) et à en obtenir les meilleurs résultats possible. Même si vous avez déjà pris la décision d'utiliser Depo-Provera, veuillez lire la brochure très attentivement. Elle contient des renseignements généraux et des directives concernant ce médicament qui compléteront les conseils de votre professionnel de la santé.

Cette brochure n'est cependant pas destinée à remplacer les conseils de votre professionnel de la santé. Il peut vous avoir donné des directives différentes. Si c'est le cas, suivez-les. De même, si vous avez des questions ou des inquiétudes après la lecture de cette brochure, discutez-en avec votre professionnel de la santé.

Veuillez contacter votre professionnel de la santé dans les cas suivants:

- Si vous ne comprenez pas une partie quelconque de la brochure.
- Si vous désirez des renseignements complémentaires sur les autres méthodes de contrôle des naissances.
- Si vous pensez que vous ne devriez pas utiliser Depo-Provera.

Important: Depo-Provera est un des moyens les plus efficaces pour prévenir la grossesse, en dehors de la stérilisation.

Depo-Provera ne vous protège pas contre l'infection au VIH (sida) et les autres maladies transmissibles sexuellement. À cet effet, on recommande les condoms en latex ou en polyuréthane.

Avec cette méthode de contraception, vous devez vous faire faire 4 injections par an.

Il existe toujours certains risques associés à l'utilisation d'un médicament quelconque. Depo-Provera ne fait pas exception. Si vous envisagez d'utiliser Depo-Provera comme contraceptif, il est important de bien en comprendre les risques. Certains de ces risques peuvent continuer d'exister même lorsqu'on a arrêté d'utiliser Depo-Provera. Discutez de ces risques avec votre médecin avant de prendre Depo-Provera. Vous êtes la seule personne qui puisse décider si Depo-Provera est la meilleure solution contraceptive pour vous.

Votre médecin est la personne la mieux placée pour vous expliquer les risques et les avantages de Depo-Provera. Cependant, cette brochure vous aidera à comprendre les renseignements les plus importants. **Vous y verrez également comment vous pouvez aider votre médecin à vous prescrire Depo-Provera de façon aussi sûre que possible en lui fournissant des renseignements complets sur vos antécédents médicaux et en lui faisant connaître immédiatement les premiers signes de problèmes éventuels.**

Votre décision quant à l'utilisation de Depo-Provera comme contraceptif doit être prise en toute connaissance de cause. Réfléchissez à l'action à long terme de Depo-Provera. En effet, une fois que vous recevez une injection de Depo-Provera, vous devez attendre 3 mois ou plus pour que les effets disparaissent. Envisagez une autre méthode de contraception si vous désirez concevoir dans un avenir proche ou si l'idée de saignements menstruels irréguliers ou d'une absence complète de périodes menstruelles vous dérange.

Qu'est-ce que Depo-Provera? Depo-Provera est une méthode de contrôle des naissances (contraceptif) sous forme d'injection administrant 150 mg de l'hormone «acétate de médroxyprogestérone», produit chimique similaire (mais pas tout à fait identique) à la progestérone naturelle produite par les ovaires pendant la seconde moitié du cycle menstruel. Depo-Provera ne contient pas d'hormones œstrogènes. Une injection de Depo-Provera offre une protection contre la grossesse pendant 3 mois et plus. Par conséquent, il faut faire faire une nouvelle injection tous les 3 mois (13 semaines au maximum).

Quel est le mode d'action de Depo-Provera? Pendant les 3 mois consécutifs à une injection, Depo-Provera empêche la maturation des ovules produits dans les ovaires, c.-à-d. qu'il empêche l'ovulation (la libération mensuelle d'un ovule par les ovaires). Lorsqu'il n'y a plus d'ovule mature pouvant être fécondé par le sperme, la grossesse ne peut survenir.

Depo-Provera rend le revêtement de l'utérus (l'endomètre) non réceptif à l'implantation d'un ovule fécondé. Il provoque également l'épaississement des sécrétions (mucus) du col de l'utérus, ce qui rend le passage du sperme dans l'utérus plus difficile.

Quelle est l'efficacité de Depo-Provera? En tant que méthode contraceptive, Depo-Provera est efficace à 99,7 %. Cela signifie que pour 100 femmes utilisant Depo-Provera pendant 1 an (exactement selon les directives), on enregistre moins d'une grossesse accidentelle. Depo-Provera a été utilisé comme méthode contraceptive par plus de 30 millions de femmes de plus de 100 pays.

Théoriquement, Depo-Provera et les contraceptifs oraux («la pilule») ont des taux d'efficacité équivalents. En fait, Depo-Provera est légèrement plus efficace que «la pilule», car les femmes oublient parfois de la prendre.

Depo-Provera est plus efficace que les dispositifs intra-utérins, les diaphragmes, les condoms (appelés aussi parfois prophylactiques) ou d'autres méthodes contraceptives figurant au tableau I.

Les autres moyens d'empêcher la grossesse: Il existe également d'autres méthodes contraceptives disponibles. En dehors de Depo-Provera, de la stérilisation, de Norplant et des systèmes intra-utérins, l'efficacité de chaque méthode dépend en partie de la fiabilité d'utilisation. Les utilisatrices qui suivent fidèlement les directives peuvent obtenir des taux de grossesse accidentelle correspondant aux limites inférieures des intervalles donnés dans le tableau I. D'autres femmes peuvent s'attendre à des taux de grossesse accidentelle situés vers le milieu de ces intervalles.

Le tableau I donne les taux de grossesse accidentelle rapportés pour les diverses formes de contraception, y compris l'absence de méthode contraceptive. Les taux indiqués représentent le nombre de femmes qui tombent enceintes accidentellement au cours de la première année d'utilisation d'une méthode, pour 100 femmes.

Tableau I

Grossesses accidentelles rapportées pour 100 femmes, par an

Méthodes	Taux minimal attendu	Taux typique
Depo-Provera	**0,3**	**0,3**
Norplant (6 capsules—implantées sous la peau)	0,2	0,2
Stérilisation féminine	0,2	0,4
Stérilisation masculine	0,1	0,15
Contraceptifs oraux («la pilule»)	0,1-0,5	3
Dispositif intra-utérin		
Cuivre T 380A	0,8	3
Progestasert	2	3
Condom	2	12
Diaphragme	6	18
Éponge		
Femmes nullipares	6	18
Mères	9	28
Capsule cervicale	6	18
Retrait du pénis	4	18
Abstinence périodique	1-9	20
Spermicides	3	21
Hasard (pas de contraception)	85	85

Quelles femmes ne doivent pas utiliser Depo-Provera? Certaines femmes ne devraient pas utiliser Depo-Provera. Prévenez votre médecin si vous êtes dans l'un des cas suivants, car lui seul pourra déterminer si vous ne devriez pas utiliser Depo-Provera.

1. Si vous êtes enceinte, ou si vous pensez l'être.
2. Si vous souhaitez tomber enceinte dans un avenir rapproché. **(Voir dans les pages suivantes les renseignements sur le Retour de la fécondité.)**

Depo-Provera (suite)

3. Si vous présentez des saignements vaginaux inhabituels ou inexpliqués dont vous n'aviez pas informé votre médecin.
4. Si vous présentez des grosseurs ou masses des seins; si vous avez les seins gonflés ou si vous souffrez d'hypersensibilité des seins, sans que votre médecin en ait été informé.
5. Si vous avez une maladie du foie (p. ex., une hépatite).
6. Si vous utilisez actuellement un anticoagulant (médicament rendant le sang plus fluide, comme la warfarine).
7. Si vous êtes allergique à l'acétate de médroxyprogestérone ou à l'un quelconque des autres ingrédients de Depo-Provera (polyéthylèneglycol, polysorbate 80, chlorure de sodium, méthylparabène, propylparabène, eau pour injection).

De quoi devriez-vous informer votre médecin? Informez votre médecin si vous ou un membre de votre famille directe a déjà eu un des problèmes médicaux suivants. Les femmes présentant ces conditions pathologiques peuvent nécessiter des examens médicaux plus fréquents si elles décident de choisir Depo-Provera.

- Cancer du sein, examen ou radiographie mammaire anormale (mammogramme)
- Diabète
- Attaques, convulsions, épilepsie
- Migraines (maux de tête)
- Asthme
- Problèmes cardiaques, crises cardiaques
- Ictus, caillots sanguins (troubles de la coagulation)
- Problèmes rénaux
- Hypertension artérielle
- Dépression mentale
- Périodes menstruelles irrégulières ou saignotements

Informez votre médecin si vous prenez ou si vous commencez à prendre d'autres médicaments, même s'il s'agit d'un médicament en vente libre. Certains médicaments peuvent interagir dans votre organisme.

Les risques d'utilisation de Depo-Provera:

1. **Formation de tumeurs:** Un examen à long terme des données relatives aux femmes utilisant Depo-Provera n'a montré aucune augmentation du risque d'ensemble de cancer des ovaires, du foie ou du col de l'utérus. Le même examen a démontré un effet protecteur prolongé contre le cancer de l'endomètre dans la population d'utilisatrices.

   Les femmes ayant déjà utilisé Depo-Provera ne présentaient aucune augmentation du risque de cancer du sein. Dans l'ensemble, il n'y a pas d'augmentation du risque de cancer du sein avec l'utilisation prolongée de Depo-Provera. Cependant, pour une certaine population de femmes, celles qui avaient utilisé le médicament pour la première fois dans les 4 années précédentes et qui étaient âgées de moins de 35 ans, on a démontré une légère augmentation du risque de cancer du sein associée à l'utilisation de Depo-Provera.
2. **Utilisation pendant la grossesse: N'utilisez pas Depo-Provera si vous êtes enceinte ou si vous pensez l'être.** Le produit n'empêchera pas la grossesse de se poursuivre mais peut interférer avec le développement normal du fœtus.

   Pour réduire le risque d'utiliser Depo-Provera pendant une grossesse, recevez votre première injection **uniquement** dans les 5 premiers jours consécutifs au déclenchement d'une période menstruelle normale, ou **uniquement** dans les 5 premiers jours consécutifs à la naissance de votre bébé si vous **ne l'allaitez pas.**
3. **Utilisation pendant l'allaitement:** Avant d'utiliser Depo-Provera pendant l'allaitement de votre bébé, parlez-en avec votre médecin. Depo-Provera n'affecte pas la quantité ou la qualité du lait. L'examen d'enfants âgés de 14 à 16 ans dont les mères avaient utilisé Depo-Provera pendant une période d'allaitement de 6 mois n'a démontré aucun effet nocif. On ne dispose pas de renseignements sur ces sujets au-delà de 16 ans.

   Une très petite quantité du médicament contenu dans Depo-Provera passe dans le lait des mères allaitant. Discutez-en avec votre médecin, qui vous aidera à décider de la meilleure solution dans votre situation.
4. **Développement d'une ostéoporose:** Le risque de développement d'une ostéoporose avec l'utilisation de Depo-Provera est similaire au risque associé à la race, au faible rapport poids/taille, au mode de vie sédentaire et au tabagisme. Si vous envisagez d'utiliser Depo-Provera pendant une longue période, discutez des risques d'ostéoporose avec votre médecin si vous présentez 2 quelconques des facteurs de risque suivants: constitution mince, pas d'exercice physique, os fragiles ou tabagisme.

Les risques de Depo-Provera comparés aux risques des autres méthodes contraceptives: On a analysé les risques des différentes méthodes de contraception pour évaluer le risque de décès associé à chaque méthode. Cette analyse comporte 2 parties: a) le risque de la méthode elle-même et b) le risque de décès dû à une grossesse accidentelle au cas où la méthode échouerait.

Un certain risque de décès dû à la méthode de contraception est associé aux dispositifs intra-utérins et aux contraceptifs oraux. Cependant, ce risque est faible et inférieur au risque de décès lors de la naissance naturelle d'un enfant. La seule exception est représentée par les femmes âgées de plus de 35 ans qui utilisent «la pilule» et qui fument, pour lesquelles le risque de décès est supérieur à celui associé à la naissance naturelle. Le taux de mortalité estimé pour Depo-Provera est inférieur à celui des dispositifs intra-utérins, des contraceptifs oraux ou de la naissance naturelle.

À quoi pouvez-vous vous attendre avec Depo-Provera? Avec ce médicament, certaines femmes ressentent des effets secondaires. N'oubliez pas que les médicaments affectent les personnes de différentes façons. Ce n'est pas parce que certaines femmes ont subi certains effets secondaires que vous les subirez également. Les effets secondaires les plus couramment enregistrés sont les modifications des habitudes menstruelles (pendant le traitement).

1. **Modifications des habitudes menstruelles:** Depo-Provera libère lentement et progressivement une hormone dans votre organisme pendant environ 3 mois. Il est donc peu probable que vous ayez des menstruations régulières. Pendant les 3 à 6 premiers mois, la plupart des femmes ont des saignements irréguliers, imprévisibles et parfois même continus. Les saignements peuvent être aussi abondants qu'une période menstruelle typique, mais ils peuvent aussi être plus légers. Ces saignements imprévisibles peuvent être quelque peu désagréables, mais ils sont normaux à cause des modifications que Depo-Provera impose au revêtement de l'utérus. En effet, le revêtement de l'utérus ne s'épaissit plus chaque mois et, par conséquent, il n'a pas besoin d'être évacué de façon aussi abondante sous forme de flux menstruel.

   Au fur et à mesure que l'on utilise Depo-Provera, les saignements diminuent généralement et la plupart des femmes n'ont plus de périodes menstruelles mensuelles vers la fin de la première année d'utilisation. L'absence de saignements menstruels **n'est pas** un signe de grossesse.

   Lorsque l'on arrête d'utiliser Depo-Provera, le revêtement de l'utérus recommence à s'épaissir cycliquement. Les périodes menstruelles réapparaissent dès que les effets de Depo-Provera disparaissent complètement. Le délai de réapparition des périodes menstruelles varie d'une femme à l'autre.

   Des saignements très abondants qui persistent pendant plusieurs jours ne sont pas un effet normal de Depo-Provera. Si cela se produit, contactez votre médecin immédiatement.
2. **Retour de la fécondité:** Depo-Provera ne vous rendra pas stérile, mais du fait que c'est une méthode de contraception à longue durée d'action, il faut attendre un certain temps après la dernière injection pour que les effets disparaissent. Ce délai varie d'une femme à l'autre. Quoi qu'il en soit, la plupart des femmes doivent attendre entre 6 et 8 mois après la dernière injection pour recommencer à ovuler, avoir des périodes menstruelles normales et pouvoir concevoir.

   Si vous cessez d'utiliser Depo-Provera mais que vous ne voulez **pas** tomber enceinte, commencez à utiliser une autre méthode de contraception 3 mois après votre dernière injection de Depo-Provera.

   Si, par contre, vous souhaitez tomber enceinte, informez-en votre médecin. Environ 54 % des femmes qui désirent concevoir sont en mesure de le faire dans les 6 mois consécutifs à leur dernière injection de Depo-Provera. Près de 76 % des femmes peuvent concevoir dans la première année et 92 % peuvent concevoir dans les 2 ans. Le délai moyen est de 9 mois après la dernière injection.

   Le tableau II (voir page suivante) montre le pourcentage de femmes pouvant concevoir après l'interruption de l'utilisation de

Depo-Provera, des contraceptifs oraux et des dispositifs intra-utérins.

Tableau II

Pourcentage de femmes pouvant concevoir après l'interruption de l'utilisation de Depo-Provera, de contraceptifs oraux («la pilule») et de dispositifs intra-utérins

Mois consécutifs à l'interruption de la contraception	Utilisatrices de Depo-Provera	Utilisatrices de «la pilule»	Utilisatrices d'un dispositif intra-utérin
6	54 %	75 %	60 %
12	76 %	85 %	76 %
24	92 %	95 %	93 %

Dans de rares cas, il faut 2 ans ou plus pour que l'ovulation et que les périodes menstruelles normales réapparaissent et donc pour pouvoir concevoir. Ce délai de retour de la fécondité (après l'interruption des injections de Depo-Provera) n'est pas lié à la durée d'utilisation. Dans de très rares cas, il est arrivé que des femmes ne puissent pas concevoir après avoir arrêté les injections de Depo-Provera. On n'en connaît pas la raison. En effet, il existe de nombreuses raisons possibles, dont le vieillissement et l'apparition de la ménopause. Dans la population en général, 7 femmes sur 100 ne parviennent pas à tomber enceintes.

3. **Gain de poids:** Certaines femmes prennent du poids parce qu'elles ont plus d'appétit pendant le traitement avec Depo-Provera. Si vous observez une augmentation de poids importante (plus de 7 kg) au cours d'une courte période et que vous n'en voyez pas la raison, parlez-en à votre médecin.
4. **Dépression mentale:** Les femmes ayant des antécédents de dépression peuvent subir une aggravation de cet état avec Depo-Provera. Si c'est votre cas, ou si vous devenez déprimée, parlez-en à votre médecin.
5. **Autres effets secondaires:** Après une injection de Depo-Provera, vous pouvez observer certaines des mêmes modifications corporelles que celles que vous observiez avant vos périodes menstruelles. Bien que les effets secondaires suivants soient rapportés moins souvent que les modifications des saignements menstruels, ils l'ont tout de même été dans quelques cas rares. Informez votre médecin immédiatement si vous subissez de façon prolongée un des effets secondaires suivants, si ces effets vous préoccupent ou si vous avez du mal à vous les expliquer: maux de tête, gain de poids, nausées, vomissements, nervosité, crampes d'estomac, maux de dos, ballonnement de l'estomac, décharge des seins et sensibilité des seins, taches plus foncées de la peau, éruptions cutanées, sentiments de dépression, fatigue, étourdissements, perte des cheveux, augmentation des poils, sécheresse vaginale pendant les rapports sexuels, augmentation ou diminution de la libido, augmentation ou diminution de la pression artérielle.

   L'injection elle-même peut entraîner une légère douleur et une petite bosse peut apparaître sous la peau. Cette bosse disparaît généralement en quelques jours.

   D'autres effets secondaires imprévisibles peuvent survenir dans de rares cas. Si vous ressentez des effets gênants ou insolites, parlez-en immédiatement à votre médecin.

Quand et comment utiliser Depo-Provera? Après avoir discuté avec votre médecin de l'utilisation de Depo-Provera et avoir décidé de l'utiliser:

1. **Les injections trimestrielles:** Depo-Provera est injecté dans le muscle, p. ex. dans la partie charnue de la hanche ou dans le haut du bras. Pour conserver le haut niveau d'efficacité, les injections doivent être effectuées tous les 3 mois (13 semaines au maximum). Ce traitement impose donc 4 injections par an.
2. **La première injection:** Si vos menstruations sont anormales, effectuez un test de grossesse pour être sûre de ne pas être enceinte avant de recevoir la première injection.

   N'utilisez pas Depo-Provera si vous êtes enceinte ou si vous pensez l'être. Le produit n'empêchera pas la grossesse de se poursuivre mais peut interférer avec le développement normal du fœtus. C'est pourquoi votre première injection doit être effectuée **uniquement** dans les 5 jours consécutifs à l'apparition de vos périodes menstruelles ou **uniquement** dans les 5 premiers jours après une naissance si vous n'allaitez **pas** votre bébé. Avant d'utiliser Depo-Provera pendant l'allaitement, parlez-en à votre médecin. Avec cette méthode, Depo-Provera est efficace dès le jour de l'injection.

   Si Depo-Provera est administré plus tard que dans les 5 jours consécutifs à l'apparition de vos périodes menstruelles, il peut ne pas être efficace pendant les 3 à 4 premières semaines après l'injection. Il faut alors utiliser une autre méthode de contraception non hormonale (p. ex., condom, diaphragme, éponge, capsule cervicale, abstinence) pour se protéger pendant ces 3 à 4 semaines.
3. **Les injections de suivi:** Consultez votre médecin une semaine ou deux avant la date prévue d'une injection de suivi si vous pensez qu'il vous sera difficile de faire faire votre injection 3 mois après la dernière. Cette méthode de contraception vous oblige à planifier à l'avance vos injections. S'il vous est difficile de prévoir une injection 1 fois tous les 3 mois, Depo-Provera n'est probablement pas la meilleure méthode pour vous.
4. **Si vous manquez une injection de Depo-Provera:** Après votre dernière injection, vous pouvez recevoir une nouvelle injection jusqu'à la 13e semaine ou dès la 10e semaine qui suit. Au-delà de la 13e semaine, vous devez effectuer un test de grossesse avant de recevoir une autre injection.
5. **Durée d'utilisation:** À l'heure actuelle, il n'y a aucune raison connue pour limiter la durée pendant laquelle vous pouvez utiliser Depo-Provera pour la contraception. Aucune raison médicale connue n'existe pour interrompre périodiquement son utilisation. Si vous continuez d'utiliser Depo-Provera jusqu'à l'approche de l'âge normal de la ménopause, demandez à votre médecin quel est le meilleur moment pour arrêter.
6. **Étapes à suivre après une naissance, un avortement spontané (fausse couche) ou un avortement thérapeutique:** Si vous prévoyez utiliser Depo-Provera après une naissance, recevez votre première injection au cours des 5 premiers jours consécutifs à la naissance si vous n'allaitez **pas** votre bébé. Si vous allaitez, discutez avec votre médecin des risques de grossesse, des autres méthodes contraceptives et du moment à partir duquel vous pouvez utiliser Depo-Provera. **(Voir plus haut les renseignements sur l'Utilisation pendant la grossesse.)**

   Après un avortement spontané (fausse couche) ou un avortement thérapeutique, il vaut mieux discuter avec votre médecin du moment opportun pour commencer à utiliser Depo-Provera.
7. **Si vous consultez un médecin différent:** Informez-le du fait que vous utilisez Depo-Provera.
8. **Si vous prenez d'autres médicaments:** Il est important d'informer votre médecin si vous prenez ou si vous allez commencer à prendre d'autres médicaments, sur ordonnance ou en vente libre. En effet, certains médicaments peuvent interagir dans votre organisme. Dans tous les cas, informez le médecin que vous utilisez Depo-Provera.

B. Renseignements pour les femmes utilisant Depo-Provera comme contraceptif: Lisez cette brochure très attentivement. Elle a été conçue pour vous aider à obtenir les meilleurs résultats possibles avec Depo-Provera. Elle contient des renseignements généraux et des directives concernant ce médicament qui compléteront les conseils de votre professionnel de la santé.

Cette brochure n'est cependant pas destinée à remplacer les conseils de votre professionnel de la santé. Il peut vous avoir donné des directives différentes, en fonction de votre état de santé. Si c'est le cas, suivez-les. De même, si vous avez des questions ou des inquiétudes après la lecture de cette brochure, discutez-en avec votre professionnel de la santé.

Si vous envisagez d'utiliser Depo-Provera comme contraceptif, obtenez un exemplaire de la brochure intitulée «Renseignements pour les femmes envisageant l'utilisation de Depo-Provera comme contraceptif». Veuillez lire attentivement cette brochure avant de recevoir votre première injection. Elle décrit les avantages et les risques de l'utilisation de Depo-Provera.

Important: Depo-Provera est un des moyens les plus efficaces pour prévenir la grossesse, en dehors de la stérilisation.

Depo-Provera ne vous protège pas contre l'infection au VIH (sida) et les autres maladies transmissibles sexuellement. À cet effet, on recommande les condoms en latex ou en polyuréthane.

Avec cette méthode de contraception, vous devez vous faire faire 4 injections par an.

Qu'est-ce que Depo-Provera et quel est son mode d'action? Depo-Provera est une méthode de contrôle des naissances (contraceptif) sous forme d'injection administrant 150 mg de l'hormone «acétate de médroxyprogestérone», produit chimique semblable (mais pas tout à fait identique) à la progestérone naturelle produite par les ovaires pendant la seconde moitié du cycle menstruel. Depo-Provera ne contient pas d'hormones œstrogènes. Une injection de Depo-Provera fournit

Depo-Provera (suite)

une protection de 3 mois contre la grossesse. Vous devez donc vous faire faire une injection tous les 3 mois (13 semaines au maximum).

Pendant les 3 mois consécutifs à une injection, Depo-Provera empêche la maturation des ovules produits dans les ovaires, c.-à-d. qu'il empêche l'ovulation (la libération mensuelle d'un ovule par les ovaires). Lorsqu'il n'y a plus d'ovule mature pouvant être fécondé par le sperme, la grossesse ne peut survenir.

Depo-Provera rend le revêtement de l'utérus (l'endomètre) non réceptif à l'implantation d'un ovule fécondé. Il provoque également l'épaississement des sécrétions (mucus) du col de l'utérus, ce qui rend le passage du sperme dans l'utérus plus difficile.

Quelles femmes ne doivent pas utiliser Depo-Provera? Certaines femmes ne devraient pas utiliser Depo-Provera. Prévenez votre médecin si vous êtes dans l'un des cas suivants, car lui seul pourra déterminer si vous ne devriez pas utiliser Depo-Provera.

1. Si vous êtes enceinte, ou si vous pensez l'être.
2. Si vous souhaitez tomber enceinte dans un avenir rapproché. **(Voir dans les pages suivantes les renseignements sur le Retour de la fécondité.)**
3. Si vous présentez des saignements vaginaux inhabituels ou inexpliqués dont vous n'avez pas informé votre médecin.
4. Si vous présentez des grosseurs ou masses des seins; si vous avez les seins gonflés ou si vous souffrez d'hypersensibilité des seins, sans que votre médecin en ait été informé.
5. Si vous avez une maladie du foie (p. ex., une hépatite).
6. Si vous utilisez actuellement un anticoagulant (médicament rendant le sang plus fluide, comme la warfarine).
7. Si vous êtes allergique à l'acétate de médroxyprogestérone ou à l'un quelconque des autres ingrédients de Depo-Provera (polyéthylène-glycol, polysorbate 80, chlorure de sodium, méthylparabène, propylparabène, eau pour injection).

De quoi devriez-vous informer votre médecin? Informez votre médecin si vous ou un membre de votre famille directe a déjà eu un des problèmes médicaux suivants. Les femmes présentant ces conditions pathologiques peuvent nécessiter des examens médicaux plus fréquents si elles décident d'utiliser Depo-Provera.

- Cancer du sein, examen ou radiographie mammaire anormale (mammogramme)
- Diabète
- Attaques, convulsions, épilepsie
- Migraines (maux de tête)
- Asthme
- Problèmes cardiaques, crises cardiaques
- Ictus, caillots sanguins (troubles de la coagulation)
- Problèmes rénaux
- Hypertension artérielle
- Dépression mentale
- Périodes menstruelles irrégulières ou saignotements

Informez votre médecin si vous prenez ou si vous commencez à prendre d'autres médicaments, même s'il s'agit d'un médicament en vente libre. Certains médicaments peuvent interagir dans votre organisme.

À quoi pouvez-vous vous attendre avec Depo-Provera? Avec ce médicament, certaines femmes ressentent des effets secondaires. N'oubliez pas que les médicaments affectent les personnes de différentes façons. Ce n'est pas parce que certaines femmes ont subi certains effets secondaires que vous les subirez également. Les effets secondaires les plus couramment enregistrés sont les modifications des habitudes menstruelles (pendant le traitement).

1. **Modifications des habitudes menstruelles:** Depo-Provera libère lentement et progressivement une hormone dans votre organisme pendant environ 3 mois. Il est donc peu probable que vous ayez des menstruations régulières. Pendant les 3 à 6 premiers mois, la plupart des femmes ont des saignements irréguliers, imprévisibles et parfois même continus. Les saignements peuvent être aussi abondants qu'une période menstruelle typique, mais ils peuvent aussi être plus légers. Ces saignements imprévisibles peuvent être quelque peu désagréables, mais ils sont normaux à cause des modifications que Depo-Provera impose au revêtement de l'utérus. En effet, le revêtement de l'utérus ne s'épaissit plus chaque mois et, par conséquent, il n'a pas besoin d'être évacué de façon aussi abondante sous forme de flux menstruel.

   Au fur et à mesure que l'on utilise Depo-Provera, les saignements diminuent généralement et la plupart des femmes n'ont plus de périodes menstruelles mensuelles vers la fin de la première année d'utilisation. L'absence de saignements menstruels **n'est pas** un signe de grossesse.

   Lorsque l'on arrête d'utiliser Depo-Provera, le revêtement de l'utérus recommence à s'épaissir cycliquement. Les périodes menstruelles réapparaissent dès que les effets de Depo-Provera disparaissent complètement. Le délai de réapparition des périodes menstruelles varie d'une femme à l'autre.

   Des saignements très abondants qui persistent pendant plusieurs jours ne sont pas un effet normal de Depo-Provera. Si cela se produit, contactez votre médecin immédiatement.

2. **Retour de la fécondité:** Depo-Provera ne vous rendra pas stérile, mais du fait que c'est une méthode de contraception à longue durée d'action, il faut attendre un certain temps après la dernière injection pour que les effets disparaissent. Ce délai varie d'une femme à l'autre. Quoi qu'il en soit, la plupart des femmes doivent attendre entre 6 et 8 mois après la dernière injection pour recommencer à ovuler, avoir des périodes menstruelles normales et pouvoir concevoir.

   Si vous cessez d'utiliser Depo-Provera mais que vous ne voulez **pas** tomber enceinte, commencez à utiliser une autre méthode de contraception 3 mois après votre dernière injection de Depo-Provera.

   Si, par contre, vous souhaitez tomber enceinte, informez-en votre médecin. Environ 54 % des femmes qui désirent concevoir sont en mesure de le faire dans les 6 mois consécutifs à leur dernière injection de Depo-Provera. Près de 76 % des femmes peuvent concevoir dans la première année et 92 % peuvent concevoir dans les 2 ans. Le délai moyen est de 9 mois après la dernière injection.

   Le tableau I montre le pourcentage de femmes pouvant concevoir après l'interruption de l'utilisation de Depo-Provera, des contraceptifs oraux et des dispositifs intra-utérins.

Tableau I

Pourcentage de femmes pouvant concevoir après l'interruption de l'utilisation de Depo-Provera, de contraceptifs oraux («la pilule») et de dispositifs intra-utérins

Mois consécutifs à l'interruption de la contraception	Utilisatrices de Depo-Provera	Utilisatrices de «la pilule»	Utilisatrices d'un dispositif intra-utérin
6	54 %	75 %	60 %
12	76 %	85 %	76 %
24	92 %	95 %	93 %

   Dans de rares cas, il faut 2 ans ou plus pour que l'ovulation et que les périodes menstruelles normales réapparaissent et donc pour pouvoir concevoir. Ce délai de retour de la fécondité (après l'interruption des injections de Depo-Provera) n'est pas lié à la durée d'utilisation. Dans de très rares cas, il est arrivé que des femmes ne puissent pas concevoir après avoir arrêté les injections de Depo-Provera. On n'en connaît pas la raison. En effet, il existe de nombreuses raisons possibles, dont le vieillissement et l'apparition de la ménopause. Dans la population en général, 7 femmes sur 100 ne parviennent pas à tomber enceintes.

3. **Gain de poids:** Certaines femmes prennent du poids parce qu'elles ont plus d'appétit pendant le traitement avec Depo-Provera. Si vous observez une augmentation de poids importante (plus de 7 kg) au cours d'une courte période et que vous n'en voyez pas la raison, parlez-en à votre médecin.
4. **Dépression mentale:** Les femmes ayant des antécédents de dépression peuvent subir une aggravation de cet état avec Depo-Provera. Si c'est votre cas, ou si vous devenez déprimée, parlez-en à votre médecin.
5. **Autres effets secondaires:** Après une injection de Depo-Provera, vous pouvez observer certaines des mêmes modifications corporelles que celles que vous observiez avant vos périodes menstruelles. Bien que les effets secondaires suivants soient rapportés moins souvent que les modifications des saignements menstruels, ils l'ont tout de même été dans quelques cas rares. Informez votre médecin immédiatement si vous subissez de façon prolongée un des effets secondaires suivants, si ces effets vous préoccupent ou si vous avez du mal à vous les expliquer: maux de tête, gain de poids, nausées, vomissements, nervosité, crampes d'estomac, maux de dos, ballonnement de l'estomac, décharge des seins et sensibilité des seins, taches plus foncées de la peau, éruptions cutanées, sentiments de

dépression, fatigue, étourdissements, perte des cheveux, augmentation des poils, sécheresse vaginale pendant les rapports sexuels, augmentation ou diminution de la libido, augmentation ou diminution de la pression artérielle.

L'injection elle-même peut entraîner une légère douleur et une petite bosse peut apparaître sous la peau. Cette bosse disparaît généralement en quelques jours.

D'autres effets secondaires imprévisibles peuvent survenir dans de rares cas. Si vous ressentez des effets gênants ou insolites, parlez-en immédiatement à votre médecin.

Quand et comment utiliser Depo-Provera? Après avoir discuté avec votre médecin de l'utilisation de Depo-Provera et avoir décidé de l'utiliser:

1. **Les injections trimestrielles:** Depo-Provera est injecté dans le muscle, p. ex. dans la partie charnue de la hanche ou dans le haut du bras. Pour conserver le haut niveau d'efficacité, les injections doivent être effectuées tous les 3 mois (13 semaines au maximum). Ce traitement impose donc 4 injections par an.
2. **La première injection:** Si vos menstruations sont anormales, effectuez un test de grossesse pour être sûre de ne pas être enceinte avant de recevoir la première injection.

   N'utilisez pas Depo-Provera si vous êtes enceinte ou si vous pensez l'être. Le produit n'empêchera pas la grossesse de se poursuivre mais peut interférer avec le développement normal du fœtus. C'est pourquoi votre première injection doit être effectuée **uniquement** dans les 5 jours consécutifs à l'apparition de vos périodes menstruelles ou **uniquement** dans les 5 premiers jours après une naissance si vous n'allaitez **pas** votre bébé. Avant d'utiliser Depo-Provera pendant l'allaitement, parlez-en à votre médecin. Avec cette méthode, Depo-Provera est efficace dès le jour de l'injection.

   Si Depo-Provera est administré plus tard que dans les 5 jours consécutifs à l'apparition de vos périodes menstruelles, il peut ne pas être efficace pendant les 3 à 4 premières semaines après l'injection. Il faut alors utiliser une autre méthode de contraception non hormonale (p. ex., condom, diaphragme, éponge, capsule cervicale, abstinence) pour se protéger pendant ces 3 à 4 semaines.
3. **Les injections de suivi:** Consultez votre médecin une semaine ou deux avant la date prévue d'une injection de suivi si vous pensez qu'il vous sera difficile de faire faire votre injection 3 mois après la dernière. Cette méthode de contraception vous oblige à planifier à l'avance vos injections. S'il vous est difficile de prévoir une injection 1 fois tous les 3 mois, Depo-Provera n'est probablement pas la meilleure méthode pour vous.
4. **Si vous manquez une injection de Depo-Provera:** Après votre dernière injection, vous pouvez recevoir une nouvelle injection jusqu'à la 13e semaine ou dès la 10e semaine qui suit. Au-delà de la 13e semaine, vous devez effectuer un test de grossesse avant de recevoir une autre injection.
5. **Durée d'utilisation:** À l'heure actuelle, il n'y a aucune raison connue pour limiter la durée pendant laquelle vous pouvez utiliser Depo-Provera pour la contraception. Aucune raison médicale connue n'existe pour interrompre périodiquement son utilisation. Si vous continuez d'utiliser Depo-Provera jusqu'à l'approche de l'âge normal de la ménopause, demandez à votre médecin quel est le meilleur moment pour arrêter.
6. **Étapes à suivre après une naissance, un avortement spontané (fausse couche) ou un avortement thérapeutique:** Si vous prévoyez utiliser Depo-Provera après une naissance, recevez votre première injection au cours des 5 premiers jours consécutifs à la naissance si vous n'allaitez **pas** votre bébé. Si vous allaitez, discutez avec votre médecin des risques de grossesse, des autres méthodes contraceptives et du moment à partir duquel vous pouvez utiliser Depo-Provera. **(Voir plus haut les renseignements sur l'Utilisation pendant la grossesse.)**

   Après un avortement spontané (fausse couche) ou un avortement thérapeutique, il vaut mieux discuter avec votre médecin du moment opportun pour commencer à utiliser Depo-Provera.
7. **Si vous consultez un médecin différent:** Informez-le du fait que vous utilisez Depo-Provera.
8. **Si vous prenez d'autres médicaments:** Il est important d'informer votre médecin si vous prenez ou si vous allez commencer à prendre d'autres médicaments, sur ordonnance ou en vente libre. En effet, certains médicaments peuvent interagir dans votre organisme. Dans tous les cas, informez le médecin que vous utilisez Depo-Provera.

□ 222®, Comprimés Ⓝ

Johnson & Johnson • Merck

AAS—Caféine—Phosphate de codéine

Analgésique—Antipyrétique

Renseignements destinés aux patients: Description: Les comprimés 222 renferment 375 mg d'acide acétylsalicylique (également connu sous le nom d'AAS), 15 mg de caféine (équivalant à 30 mg de citrate de caféine), 8 mg de phosphate de codéine, ainsi que les ingrédients non médicinaux suivants: amidon de maïs, carboxyméthylcellulose sodique, cellulose microcristalline, édétate disodique, éthylcellulose, huile végétale hydrogénée et laurylsulfate de sodium.

Indications: Les comprimés 222 sont indiqués pour le soulagement symptomatique de la douleur légère ou modérée, de la fièvre et de l'inflammation telles que les maux de tête, la douleur associée aux symptômes du rhume, le mal de dents, les douleurs menstruelles, la douleur arthritique et la douleur causée par les entorses.

Posologie recommandée et administration: Adultes: 1 ou 2 comprimés, 1 à 3 fois par jour (toutes les 4 à 8 heures), au besoin. **Ne pas dépasser** 4 g d'AAS (10 comprimés) par jour. **N'est pas recommandé chez les enfants.**

Enfants: Mise en garde: Ne pas administrer aux enfants ni aux adolescents atteints de varicelle ou de symptômes de la grippe avant d'avoir consulté un médecin ou un pharmacien au sujet du syndrome de Reye, une maladie rare mais grave. Ne pas administrer les comprimés 222 aux enfants, sauf sur recommandation d'un médecin ou d'un dentiste.

Posologie pour enfants (sur recommandation d'un médecin ou d'un dentiste): 10 à 14 ans: 1 comprimé, 1 à 3 fois par jour (toutes les 4 à 8 heures); 5 à 10 ans: 1/2 comprimé, 1 à 3 fois par jour (toutes les 4 à 8 heures).

Précautions: Pour éviter le surdosage, lisez bien les étiquettes des autres médicaments que vous prenez afin de vous assurer qu'ils ne renferment pas également de l'acide acétylsalicylique. Dans le doute, consultez votre pharmacien ou votre médecin.

Si vous devez subir une intervention chirurgicale ou dentaire, consultez votre pharmacien ou votre médecin.

Conservez ce produit hors de la portée des enfants, car le flacon contient une quantité de médicament suffisante pour nuire à la santé des enfants.

Incompatibilités majeures et interactions médicamenteuses: Il est dangereux de dépasser la dose maximale recommandée, sauf sur les conseils du médecin.

Consultez un médecin ou un pharmacien avant de prendre ce médicament dans les cas suivants:

- allergie aux salicylates, à la codéine ou à la caféine
- asthme
- ulcères gastriques ou duodénaux
- anémie grave ou troubles de la coagulation sanguine
- maladies des reins, troubles d'estomac, ulcère gastro-duodénal, maladie grave du foie ou goutte
- prise d'anticoagulants (médicaments destinés à éclaircir le sang), d'anti-inflammatoires, d'anticonvulsivants ou de médicaments contre le diabète et la goutte.

Consultez un médecin si le trouble sous-jacent nécessite un traitement pendant plus de 5 jours.

Consultez votre médecin avant de prendre ce médicament au cours des 3 derniers mois de la grossesse ou pendant l'allaitement.

Effets indésirables: En plus des effets escomptés, un médicament peut causer certaines réactions indésirables. Consultez votre médecin ou votre pharmacien si l'une des réactions suivantes se manifeste: nausées, vomissements, douleur abdominale et constipation, saignement ou irritation de l'estomac, toute baisse de l'audition incluant tintement ou bourdonnement d'oreilles, éruptions cutanées, urticaire ou démangeaisons, essoufflement, gêne respiratoire, respiration sifflante et étourdissements.

Comme ce produit renferme de la codéine, il accentue les effets de l'alcool et d'autres médicaments qui ralentissent l'activité du système nerveux, par exemple: les médicaments contre le rhume des foins (antihistaminiques), les tranquillisants, les sédatifs, les stupéfiants, les antidépresseurs, les barbituriques, les relaxants musculaires ou les anesthésiques.

Ce médicament peut provoquer de la somnolence chez certains patients. Aussi, devez-vous être prudent au moment de conduire un véhicule, de faire fonctionner une machine ou d'effectuer un travail nécessitant de la vigilance. Évitez les boissons alcoolisées.

Surdosage: Mise en garde: Conservez ce produit en lieu sûr, hors de la portée des enfants. Il est dangereux de dépasser la dose maximale recommandée, sauf avis contraire du médecin.

Traitement: Dans les cas accidentels ou soupçonnés de surdosage, même en l'absence de symptômes, communiquez immédiatement avec un médecin, un centre antipoison ou le service d'urgence d'un hôpital.

Une consultation médicale immédiate est essentielle, même en l'absence de symptômes.

□ DIANE®-35 🄿

Berlex Canada

Acétate de cyprotérone—Éthinylœstradiol

Traitement de l'acné

Renseignements destinés aux patients: Composition: Diane-35 est un médicament contenant 2 hormones sexuelles, l'acétate de cyprotérone et l'éthinylœstradiol, dans un ratio précis. Chaque comprimé contient 2 mg d'acétate de cyprotérone et 0,035 mg d'éthinylœstradiol.

> Comme Diane-35 possède de nombreuses propriétés semblables à celles des associations œstroprogestatives (œstrogène et progestérone combinés) utilisées dans les contraceptifs oraux (la pilule), il faut tenir compte des Contre-indications, Mises en garde et Précautions qui s'appliquent à cette classe de médicament. Vous devriez consulter votre médecin à ce sujet.
>
> Il ne faut pas prendre de contraceptifs oraux durant le traitement par Diane-35.

Propriétés et indications: L'acétate de cyprotérone que contient Diane-35 inhibe l'action des androgènes (hormones mâles), qui sont aussi produits de façon naturelle chez la femme. Il peut être utilisé dans le traitement d'affections causées par une augmentation de la production d'androgènes ou de la sensibilité à ceux-ci. Parmi les affections androgéno-dépendantes observées chez la femme, on compte les formes d'acné prononcée, plus particulièrement celles qui s'accompagnent de séborrhée, d'inflammation ou de nodules, ainsi que les formes légères d'hirsutisme (excès de poils sur le visage, la poitrine, l'abdomen ou les jambes).

L'acétate de cyprotérone contenu dans Diane-35 provoque une diminution de l'activité des glandes sébacées, qui jouent un rôle important dans l'apparition de l'acné et de la séborrhée. L'acné guérit ou diminue habituellement après 3 à 6 mois de traitement, et l'excès de gras dans les cheveux et sur la peau est habituellement éliminé encore plus rapidement. La perte de cheveux, qui accompagne souvent la séborrhée, diminue elle aussi.

L'acétate de cyprotérone exerce non seulement une activité anti-androgénique, mais également une activité progestative marquée. Administré seul, l'acétate de cyprotérone provoquerait des troubles des cycles menstruels. Diane-35 contient aussi de l'éthinylœstradiol (hormone femelle), ce qui permet d'éviter cet effet indésirable. Les cycles menstruels demeurent donc réguliers, tant que la patiente respecte le calendrier de traitement cyclique et les directives d'emploi.

Le traitement par Diane-35 empêche l'ovulation lorsqu'il est pris conformément aux recommandations (voir la section «Comment prendre DIANE-35»). Il est donc déconseillé de prendre un contraceptif oral durant le traitement.

Comme d'autres médicaments, Diane-35 ne convient pas à certaines femmes, et l'on observe des effets indésirables graves chez un petit nombre d'entre elles. Votre médecin est la personne la mieux placée pour déterminer s'il y a un facteur qui pourrait entraîner un risque pour vous.

Qui doit s'abstenir de prendre une association œstroprogestative? Plusieurs types de femmes ne devraient pas prendre de pilules associant un œstrogène à un progestatif. Ainsi, vous ne devriez pas prendre ce type de médicament si vous avez actuellement, ou avez déjà eu dans le passé, une des affections suivantes:

- des pertes sanguines anormales de cause inconnue;
- des caillots sanguins dans les jambes, les poumons, les yeux ou ailleurs;
- une embolie cérébrale, une crise cardiaque ou des douleurs précordiales (angine de poitrine);
- un cancer diagnostiqué ou soupçonné des seins ou des organes génitaux;
- une tumeur au foie liée à l'utilisation de la pilule anticonceptionnelle ou à d'autres produits contenant de l'œstrogène;
- une jaunisse ou une maladie du foie encore active.

Il est recommandé de ne pas prendre de médicaments appartenant à cette classe thérapeutique si vous êtes enceinte ou croyez l'être.

> La cigarette augmente le risque d'effets secondaires graves au niveau du cœur et des vaisseaux sanguins chez les utilisatrices d'associations œstroprogestatives. Le risque augmente avec l'âge et le nombre de cigarettes fumées (15 cigarettes ou plus par jour), et devient plus important chez les femmes de plus de 35 ans. Les femmes qui prennent une association œstroprogestative ne devraient pas fumer.

Lorsque vous suivez un traitement œstroprogestatif: Consultez votre médecin régulièrement si vous prenez Diane-35.

1. Ne prenez Diane-35 que sur l'avis de votre médecin et suivez attentivement toutes les directives d'emploi. Durant le traitement, il est important de vous conformer aux prescriptions du médecin, sans quoi vous pourriez devenir enceinte.
2. On recommande généralement aux femmes de plus de 35 ans de ne pas prendre d'associations œstroprogestatives. Vous devriez consulter votre médecin à ce sujet.
3. Après votre première visite, communiquez régulièrement avec votre médecin.
4. **Soyez à l'affût des signes et symptômes des effets secondaires graves suivants et consultez immédiatement votre médecin s'ils se manifestent:**
   —Douleur thoracique aiguë, expectorations sanglantes, manque soudain de souffle (ces symptômes pourraient indiquer la présence d'un caillot de sang dans les poumons).
   —Douleur dans un mollet (ce symptôme pourrait indiquer la présence d'un caillot de sang dans la jambe).
   —Douleur thoracique en étau ou serrement (ce symptôme pourrait indiquer une crise cardiaque).
   —Mal de tête intense ou soudain, vomissements, étourdissements ou évanouissements, troubles de la vue ou de la parole, ou encore faiblesse ou insensibilité du bras ou de la jambe (ces symptômes pourraient indiquer une embolie cérébrale).
   —Perte soudaine de la vue, partielle ou complète (ce symptôme pourrait indiquer la présence d'un caillot de sang dans l'œil).
   —Douleur intense ou masse dans l'abdomen (ces symptômes pourraient indiquer une tumeur du foie).
   —Dépression grave.
   —Jaunissement de la peau (ictère ou jaunisse).
   —Enflure inhabituelle des membres.
   —Masses dans les seins (demandez conseil à votre médecin sur la façon de pratiquer l'auto-examen des seins et faites cet examen régulièrement).
5. Ne prenez jamais d'associations œstroprogestatives si vous croyez être enceinte. Elles n'empêcheront pas la grossesse de se poursuivre et peuvent nuire au développement normal du fœtus.
6. Si vous désirez devenir enceinte, votre médecin vous recommandera probablement de cesser de prendre Diane-35 et d'attendre d'avoir eu au moins une menstruation spontanée avant de concevoir un enfant. Demandez à votre médecin de vous conseiller à ce sujet. Il pourra vous recommander des méthodes contraceptives de remplacement à utiliser durant cette période.
7. Consultez votre médecin avant de recommencer à prendre une association œstroprogestative après un accouchement, un avortement spontané ou thérapeutique. L'œstrogène et la progestérone contenus dans ces associations se retrouvent dans le lait maternel et peuvent en réduire le débit.
8. Si vous devez subir une intervention chirurgicale, informez votre chirurgien que vous prenez une association œstroprogestative afin qu'il puisse vous conseiller sur l'arrêt du traitement 1 mois avant l'intervention et vous proposer une autre méthode de contraception.
9. Si vous consultez un autre médecin, dites-lui que vous prenez une association œstroprogestative.
10. Si vous prenez déjà des médicaments ou si vous commencez à prendre un autre médicament, il faut en aviser votre médecin. Cette directive s'applique aussi bien aux médicaments d'ordonnance

qu'aux médicaments en vente libre, car ils peuvent modifier l'efficacité du médicament ou la régulation qu'il exerce sur le cycle menstruel.

Comment prendre Diane-35:
1. Si votre médecin vous le recommande, vous devrez utiliser une méthode de contraception non hormonale pendant que vous prenez Diane-35.
2. Lorsque vous recevrez votre premier emballage de Diane-35, commencez à prendre la pilule le premier jour de vos menstruations.
3. Pour commencer votre traitement, prenez la pilule qui se trouve vis-à-vis de la journée en cours (p. ex.: «LUN» pour le lundi). Appuyez sur l'emballage de manière à briser la pellicule d'aluminium et à libérer la pilule. Avalez la pilule entière, avec du liquide. Prenez votre pilule tous les jours à la même heure.
4. Prenez 1 pilule/jour, selon le sens indiqué par les flèches.
5. Après avoir pris les 21 pilules contenues dans l'emballage de Diane-35, attendez 7 jours avant de commencer un autre emballage. Vous devriez avoir vos menstruations durant cette semaine-là, habituellement de deux à quatre jours après avoir pris la dernière pilule.
6. Vous prendrez toujours la première pilule de chaque nouvel emballage le même jour que vous avez commencé à prendre Diane-35, que vos menstruations soient terminées (ce qui est habituellement le cas) ou non.

Important: L'efficacité de Diane-35 peut être réduite si vous ne prenez pas régulièrement vos pilules, si vous avez des vomissements ou des troubles digestifs accompagnés de diarrhée, si vous souffrez de déséquilibres rares du métabolisme ou si vous prenez en même temps d'autres médicaments durant une période prolongée.

Que faire si vous omettez de prendre vos pilules, vomissez ou avez la diarrhée? Si vous oubliez de prendre une pilule à l'heure habituelle, prenez-la dans les 12 heures qui suivent. Si plus de 12 heures se sont écoulées depuis l'heure à laquelle vous prenez habituellement votre pilule, jetez cette pilule et continuez de prendre les autres à l'heure habituelle. Vous éviterez ainsi d'avoir vos menstruations trop tôt.

Si vous vomissez ou avez la diarrhée, vous devez continuer de prendre vos pilules. Il sera toutefois nécessaire de recourir à une méthode de contraception non hormonale auxiliaire jusqu'à la fin du cycle afin d'empêcher la grossesse.

Que faire si vous n'êtes pas menstruée? Si vous n'êtes pas menstruée au cours des 7 jours durant lesquels vous ne prenez pas de pilules, ne commencez pas l'emballage suivant et consultez votre médecin afin de confirmer que vous n'êtes pas enceinte.

Que faire si vous avez des menstruations imprévues: Si vous avez des menstruations «inattendues» durant les 3 semaines où vous prenez Diane-35, continuez de prendre vos pilules. Les saignements légers cessent normalement d'eux-mêmes. Cependant, si vos saignements sont abondants et ressemblent à des menstruations, consultez votre médecin.

Présentation: Emballage de 21 pilules.

□ DICLECTIN® 🄿

Duchesnay

Succinate de doxylamine—Chlorhydrate de pyridoxine

Antinauséeux contre les nausées et vomissements de la grossesse

Renseignements destinés aux patients: Résumé: Diclectin est utilisé pour traiter les nausées et les vomissements qui peuvent se produire au cours des premières semaines de la grossesse. Prenez-le seulement sur prescription et en accord avec les instructions de votre médecin.

Diclectin peut causer de la somnolence. Tant que vous ne savez pas comment il agit sur vous, soyez prudente si vous conduisez une automobile ou utilisez de la machinerie.

Vous trouverez dans ce dépliant de plus amples renseignements sur Diclectin. Prenez-en connaissance et gardez-le à titre de référence.

Emploi du Diclectin: Les nausées et les vomissements au début de la grossesse sont très fréquents. Ils ne sont généralement pas un signe de maladie et habituellement, ils s'atténuent ou disparaissent au bout de quelques semaines, sans traitement. C'est à votre médecin de décider si vous avez besoin de traitement pour vos nausées et vomissements, incluant le cas échéant, l'administration du Diclectin.

Diclectin contient 2 substances pharmaceutiques: un antihistaminique (la doxylamine) et de la vitamine B_6.

Comment prendre Diclectin: Prenez Diclectin strictement en accord avec les instructions de votre médecin. Un délai de quelques heures est nécessaire avant que l'efficacité de Diclectin se fasse sentir d'une façon maximale. Les nausées et les vomissements de la grossesse se produisent en général le matin. C'est pour cette raison que votre médecin vous conseillera habituellement de prendre 2 comprimés au coucher de façon à ce que le médicament commence à agir dès le matin. Si vos symptômes persistent durant la journée, votre médecin peut vous conseiller de prendre un autre comprimé le matin ou un comprimé au milieu de l'après-midi.

Votre médecin peut modifier la posologie selon la gravité de vos symptômes, ou selon les moments auxquels les nausées surviennent. Si vous avez oublié de prendre une dose de Diclectin, prenez-la dès que vous vous en apercevez. Prenez les autres doses de la journée au moment établi. Ne prenez pas deux doses à la fois à moins que votre médecin ne vous l'ait formellement prescrit.

Grossesse et anomalies congénitales: Sur 100 nouveau-nés, environ 2 ou 3 présentent une anomalie congénitale grave. Ce risque peut être accru si la mère prend au cours de la grossesse certains médicaments ou d'autres substances telles que l'alcool.

De nombreuses études ont été faites chez des femmes qui ont pris Diclectin ou ses 2 composés au cours de la grossesse. La conclusion générale de ces études indique qu'il n'y avait aucune preuve que Diclectin ou ses 2 composés augmente le risque d'anomalie congénitale.

Les femmes qui sont enceintes alors qu'elles allaitent un enfant, doivent savoir qu'une petite quantité du médicament peut passer chez l'enfant par le lait. On ne sait pas si ceci peut avoir des effets indésirables chez l'enfant.

Précautions générales: Diclectin peut donner de la somnolence. Tant que vous ne savez pas comment vous réagissez, soyez prudente lorsque vous conduisez une voiture ou utilisez de la machinerie. Si vous prenez du Diclectin avec de l'alcool ou d'autres médicaments tels que des médicaments contre la toux ou le rhume, des antidépresseurs, des analgésiques ou des tranquillisants, vous pouvez ressentir encore plus de somnolence.

Si par le passé vous avez fait une réaction grave à un antihistaminique ou au Diclectin, parlez-en à votre médecin. Ces réactions sont: une très grande somnolence, une insomnie, une activité accrue ou de l'excitation.

Effets secondaires: En plus de la somnolence, Diclectin peut causer parfois des vertiges (étourdissements), des céphalées, de la confusion, de l'irritabilité, de l'insomnie et des maux d'estomac. Si vous éprouvez l'un de ces effets secondaires ou tout autre effet, consultez votre médecin.

Autres renseignements: Pour que Diclectin vous soulage, prenez-le selon les instructions du médecin et les indications inscrites sur l'étiquette. Ce médicament a été prescrit de façon spécifique pour vous et votre état actuel. Ne le donnez pas à d'autres même si elles ont les mêmes symptômes. En outre, ne l'utilisez pas vous-même pour un état autre que celui pour lequel il vous a été prescrit.

Si vous pensez que vous avez pris une dose excessive ou si vous pensez que quelqu'un d'autre a pris une trop grande dose, appelez immédiatement un centre de lutte antipoison, votre médecin, votre pharmacien ou le service d'urgence de l'hôpital le plus proche. **Conservez ce médicament et tout autre médicament hors de la portée des enfants.**

Si vous souhaitez avoir plus de renseignements sur Diclectin, consultez votre médecin ou votre pharmacien. Ils disposent d'un dépliant plus technique (appelé monographie de produit).

□ DICLOTEC 🄿

Technilab

Diclofénac sodique

Anti-inflammatoire—Analgésique

Renseignements destinés aux patients: Diclotec (diclofénac sodique) que votre médecin vous a prescrit, fait partie d'un groupe d'anti-inflammatoires non stéroïdiens (qu'on appelle également AINS) et sert à traiter les symptômes de certains types d'arthrite. Ce produit aide à soulager la douleur articulaire, l'enflure, la raideur et la fièvre, en réduisant la production de certaines substances (prostaglandines) et en aidant à réduire l'inflammation. Les AINS ne guérissent pas de l'arthrite,

Diclotec (suite)

mais ils favorisent la suppression de l'inflammation et des effets dommageables sur les tissus, résultant de l'inflammation. Ce médicament vous apportera un soulagement tant que vous n'interromprez pas le traitement.

Vous devez prendre Diclotec en vous conformant aux indications de votre médecin. Vous ne devez pas dépasser la dose, la fréquence et la durée prescrites. Si vous prenez une dose excessive de ce médicament, vous vous exposez à des effets indésirables, en particulier si vous êtes âgé.

Assurez-vous de prendre Diclotec régulièrement, en suivant les indications. Pour certains types d'arthrite, il peut falloir attendre jusqu'à 2 semaines avant de ressentir les effets complets du médicament. Durant le traitement, votre médecin peut décider d'ajuster la posologie en fonction de votre réaction au médicament.

Le dérangement gastrique est l'un des problèmes les plus courants causés par les AINS.

Pour atténuer le dérangement gastrique, prenez les comprimés de diclofénac immédiatement après le repas, ou avec un aliment ou du lait. Par ailleurs, il est recommandé de rester debout ou assis (c.-à-d. de ne pas s'allonger) pendant 15 à 30 minutes après la prise du médicament, afin de prévenir une irritation qui pourrait entraîner une difficulté à avaler. Si un dérangement gastrique (indigestion, nausée, vomissements, douleur gastrique ou diarrhée) apparaît ou persiste, consulter votre médecin.

Ne pas prendre de l'acide acétylsalicylique (AAS), des composés contenant de l'AAS, ni d'autres médicaments indiqués pour soulager les symptômes de l'arthrite en même temps que vous prenez Diclotec, sauf avis contraire du médecin.

Si on vous a prescrit ce médicament pendant une période prolongée, votre médecin vous examinera régulièrement afin d'évaluer votre état de santé et de s'assurer que le médicament ne provoque pas d'effets indésirables.

Utiliser le suppositoire au complet. Ne pas fendre ou utiliser quelque partie du suppositoire. Le posologie maximale de diclofénac sodique est de 150 mg/jour.

Ce dont vous devez toujours vous rappeler: Il faut mettre en balance les risques et les avantages associés à la prise du médicament.

Avant de prendre ce médicament, vous devez indiquer à votre médecin et pharmacien si vous:

- ou un membre de votre famille êtes allergiques ou avez eu une réaction au diclofénac sodique ou à d'autres anti-inflammatoires (tels que acide acétylsalicylique (AAS), diflunisal, fénoprofène, flurbiprofène, ibuprofène, indométhacine, kétoprofène, acide méfénamique, piroxicam, acide tiaprofénique, tolmétine, nabumétone ou ténoxicam), qui se manifeste par l'aggravation d'une sinusite, de l'urticaire, l'apparition ou l'aggravation de l'asthme ou une anaphylaxie (grave malaise soudain);
- ou un membre de votre famille avez eu de l'asthme, des polypes nasaux, de la sinusite chronique ou de l'urticaire chronique;
- avez des antécédents de dérangements gastrique, d'ulcères, d'affections hépatiques ou rénales;
- présentez des anomalies au niveau du sang ou des urines;
- faites de l'hypertension;
- faites du diabète;
- suivez un régime spécial, tel qu'un régime hyposodique ou à faible teneur en sucre;
- êtes enceinte ou avez l'intention de devenir enceinte pendant que vous prenez ce médicament;
- vous allaitez ou avez l'intention d'allaiter pendant que vous prenez ce médicament;
- prenez d'autres médicaments (prescrits ou produits grand public) tel que d'autres AINS, des hypotenseurs, des anticoagulants, des corticostéroïdes, du méthotrexate, de la cyclosporine, du lithium, de la phénytoïne, etc;
- avez d'autres problèmes médicaux, tels que l'abus d'alcool, des saignements, etc;
- avez eu par le passé, des effets indésirables lors de la prise d'autres médicaments contre l'arthrite, les rhumatismes ou contre des douleurs articulaires.

Pendant que vous prenez ce médicament:

- Vous devez indiquer que vous prenez ce médicament à tout autre médecin, au dentiste ou au pharmacien que vous consultez.
- Certains AINS peuvent causer de la somnolence ou de la fatigue. Si, après avoir pris ce médicament, vous vous sentez somnolent, étourdi ou avez des vertiges, vous devez éviter de conduire ou de participer à des activités qui nécessitent de la vigilance.
- Consulter votre médecin si vous ne sentez aucun soulagement de votre arthrite ou si des problèmes apparaissent.
- Signalez à votre médecin tout effet secondaire indésirable. Il est très important que vous le fassiez, car cela permettra de détecter rapidement et de prévenir des complications potentielles.
- La consommation d'alcool favorise l'apparition de problèmes gastriques. Par conséquent, ne consommer pas de boissons alcoolisées lorsque vous prenez ce médicament.
- Consulter immédiatement votre médecin si vous ressentez de la faiblesse pendant que vous prenez ce médicament, si vous vomissez du sang ou si vos selles sont foncées ou sanguinolentes.
- Certaines personnes peuvent devenir plus sensibles à la lumière du soleil lorsqu'elles prennent ce médicament. Une exposition à la lumière du soleil ou de lampes solaires, même pendant de brèves périodes, peut provoquer un coup de soleil, des ampoules, une éruption cutanée, des rougeurs, des démangeaisons ou une décoloration; elle peut même entraîner des changements dans la vision. Si vous avez une réaction au soleil, consulter votre médecin.
- Si vous avez des frissons, de la fièvre, des douleurs musculaires ou d'autres douleurs, ou si d'autres symptômes s'apparentant à la grippe apparaissent, en particulier s'ils se produisent peu de temps avant, ou pendant, une éruption cutanée, consultez immédiatement votre médecin. Cela arrive très rarement, mais ces effets peuvent être les premiers signes d'une réaction grave au médicament.
- **Il est essentiel de subir régulièrement un examen médical.**

Effets secondaires de ce médicament: Outre ses effets bénéfiques, diclofénac sodique tout comme d'autres AINS, peut causer des réactions indésirables, surtout lorsqu'on le prend pendant une longue période ou à de fortes doses.

Les effets secondaires semblent être plus fréquents ou plus graves chez les patients âgés, fragiles ou affaiblis.

Bien que ces effets secondaires n'aient pas été observés chez tous les patients, s'ils se manifestent, il faut en parler au médecin.

Consulter immédiatement votre médecin, si vous constatez l'un des effets suivants:

—selles contenant du sang ou selles noires;
—essoufflement, respiration sifflante, difficulté respiratoire ou sensation de serrement à la poitrine;
—éruption cutanée, enflure, urticaire ou démangeaisons;
—vomissements ou indigestion persistante, nausée, douleur gastrique ou diarrhée;
—coloration jaune de la peau ou des yeux;
—tout changement dans la quantité ou la couleur de l'urine (rouge foncé ou brune);
—douleur au moment d'uriner ou difficulté à uriner;
—enflure des pieds ou de la partie inférieure des jambes;
—céphalées, malaise, fatigue, perte d'appétit;
—vue brouillée ou tout autre trouble de la vision;
—confusion mentale, dépression, étourdissements, sensation de tête légère;
—problèmes d'ouïe;
—sensibilité sous les côtes, du côté droit;
—symptômes faisant penser à la grippe;
—démangeaison rectale ou saignements.

D'autres effets secondaires non énumérés ci-dessus peuvent également se manifester chez certains patients. Si vous constatez d'autres effets, consultez votre médecin.

Posologie: Diclotec suppositoires à 50 mg et 100 mg: On peut administrer les suppositoires à 50 ou 100 mg en remplacement de la dernière des 3 doses orales de la journée. La dose quotidienne totale ne doit pas dépasser 150 mg.

Utiliser le suppositoire au complet. Ne pas fendre ou utiliser quelque partie du suppositoire. S'assurer de retirer l'emballage avant d'insérer le suppositoire dans le rectum. Ne pas prendre les suppositoires par la bouche.

Non recommandé chez les patients de moins de 16 ans.

Conservation: Diclotec suppositoires de 50 et 100 mg sont lisses en forme de torpille de couleur blanc jaunâtre. Boîtes de 30 suppositoires. Protéger les suppositoires de la lumière et de l'humidité élevée. Garder à l'abri de la chaleur excessive. Conserver entre 15 et 30 °C.

Diclotec en suppositoires n'est pas recommandé chez les enfants de moins de 16 ans, puisque son innocuité et son efficacité n'ont pas été établies pour ce groupe d'âge.

Éliminer les médicaments périmés ou ceux dont vous n'avez plus besoin.

Gardez ce produit et tous les médicaments hors de la portée des enfants.

Ce médicament a été prescrit pour votre problème médical. Ne le donnez à personne d'autre.

Si vous voulez obtenir plus d'information sur ce médicament, consultez votre médecin ou votre pharmacien.

☐ DIDROCAL^MC^ 🄿

Procter & Gamble, Compagnie pharmaceutique

Étidronate disodique
Carbonate de calcium

Régulateur du métabolisme osseux

Renseignements destinés aux patients: Comment prendre Didrocal: Renseignements très importants sur le régulateur du métabolisme osseux. À lire avant de prendre le médicament. Garder ce livret pour référence future.

L'emballage contient: première plaquette—comprimés blancs; 3 plaquettes—comprimés bleus; carte de rappel de renouvellement; dernière plaquette—comprimés bleus.

Traitement au Didrocal: Votre médecin vous a prescrit Didrocal pour le traitement de votre ostéoporose postménopausique. Bien que ce livret contienne d'importants renseignements sur le traitement au Didrocal, il ne renferme pas toute l'information sur ce produit.

Pour toute question sur l'utilisation du traitement au Didrocal, adressez-vous à votre médecin ou à votre pharmacien.

Comment suivre le traitement au Didrocal? [Le Didrocal contenu dans cet emballage procure 90 jours de traitement]:

1. **Commencez le traitement avec la première plaquette (comprimés blancs).**
   1) Commencez à la rangée supérieure, le lundi.
   2) Prenez un comprimé au coucher chaque jour, pendant 14 jours, avec beaucoup d'eau. Prenez-le au moins 2 heures avant ou après avoir mangé.
   3) Terminez tous les comprimés blancs avant d'entamer les comprimés bleus.

   Ne prenez pas les comprimés blancs dans les 2 heures qui suivent la prise d'aliments ou de médicaments indiqués ci-dessous. Cela entraverait l'efficacité de ces comprimés.
   - Aliments, spécialement ceux riches en calcium, tels que lait ou produits laitiers
   - Antiacides
   - Vitamines contenant des suppléments minéraux comme le fer
   - Suppléments de calcium
   - Laxatifs contenant du magnésium
2. **Ensuite, entamez la plaquette suivante (comprimés bleus).**
   1) Commencez à la rangée supérieure, le lundi. Si le comprimé est difficile à avaler, écrasez-le ou mâchez-le.
   2) Prenez un comprimé au coucher, chaque jour, avec beaucoup d'eau, avec ou sans aliments. (Quelques personnes ont une faible acidité gastrique. Si c'est votre cas, vous devriez prendre les comprimés bleus avec des aliments. Demandez de plus amples renseignements à votre médecin ou pharmacien.)
   3) Terminez tous les comprimés bleus de chaque plaquette avant de passer à la suivante.
3. **Lisez la carte de rappel de renouvellement.** Adressez-vous à votre médecin ou pharmacien pour commander votre renouvellement.
4. **Terminez par la dernière plaquette (comprimés bleus).** Si vous suivez les instructions ci-dessus, vous terminerez ce paquet un samedi. Commencez le nouveau le lundi.
5. **Obtenez votre renouvellement auprès de votre pharmacien.**

Qu'est-ce que l'ostéoporose? L'ostéoporose est une maladie de raréfaction osseuse qui fragilise les os et les rend plus susceptibles de se briser. Chez les personnes atteintes d'ostéoporose, la fragilité des os peut causer:
- Fractures
- Douleur
- Diminution de la taille
- Dos voûté

Au début, l'ostéoporose progresse «discrètement», sans que l'on puisse éprouver de symptômes. À la longue, toutefois, elle entraîne une raréfaction osseuse nocive—jusqu'à 30 à 40 %. Quand cela se produit, les os deviennent fragiles. Ils peuvent se rompre (fracture) durant les activités normales ou à la suite de chutes mineures.

Les fractures des os du dos (fractures vertébrales) causées par l'ostéoporose sont très communes. Elles causent souvent la douleur dorsale, une diminution de la hauteur de la taille, et le dos voûté. L'organisme n'est pas en mesure de ramener les vertèbres fracturées à la normale.

L'ostéoporose peut aussi entraîner des fractures de la hanche ou du poignet. Une fracture de la hanche peut demander l'hospitalisation. Par la suite, une aide vous sera peut-être nécessaire pour vaquer à vos occupations quotidiennes.

La bonne nouvelle toutefois, c'est que vous et votre médecin pouvez aider à freiner la perte osseuse dans votre colonne vertébrale, causée par l'ostéoporose, avec le traitement au Didrocal.

Comment vos os se fragilisent: Pour comprendre comment agit le traitement au Didrocal, il est important de comprendre comment s'est produite la diminution de la masse osseuse dans votre organisme.

L'os est un tissu vivant que l'organisme renouvelle constamment. Dans ce processus normal, l'organisme élimine l'ancien tissu osseux et le remplace par du nouveau. Après la ménopause, l'organisme subit de nombreux changements. L'un d'eux est qu'il est susceptible d'éliminer plus de tissu osseux qu'il n'en forme. La raréfaction osseuse qui en résulte peut rendre les os fragiles et susceptibles de se briser. Cela est l'**ostéoporose.**

Comment le traitement au Didrocal peut vous aider: Pour traiter votre ostéoporose, votre médecin vous a prescrit le traitement au Didrocal. C'est le premier traitement non hormonal de l'ostéoporose qui accroît la masse osseuse vertébrale.

Réussite prouvée: Les médecins ont testé le traitement au Didrocal dans des études à long terme chez des femmes atteintes d'ostéoporose. Le traitement **augmenta** avec succès la masse osseuse dans la colone vertébrale. Sans traitement, chez les femmes postménopausées, une **perte** de la masse osseuse peut se produire d'année en année. Cette perte fragilise les os et les rend plus susceptibles de se briser.

Votre rôle: Pour accroître votre masse osseuse vertébrale, votre médecin vous a prescrit le traitement au Didrocal. Suivez les instructions de ce livret. Pour que le médicament agisse efficacement, vous devez le prendre aussi longtemps que vous l'a prescrit votre médecin. N'oubliez pas qu'il a fallu de nombreuses années pour que vos os deviennent minces et fragiles. N'oubliez pas de faire renouveler votre ordonnance comme prescrit.

Le traitement Didrocal comporte deux différentes sortes de comprimés. Vous devez les prendre dans l'ordre convenable afin d'assurer l'efficacité du traitement.

Les comprimés blancs aident à arrêter le processus dégénératif qui fragilise les os après la ménopause.

Les comprimés bleus contiennent le calcium dont votre organisme a besoin pour solidifier le nouveau tissu osseux.

Questions concernant l'ostéoporose et le traitement au Didrocal:

Q Le traitement au Didrocal a-t-il des effets secondaires?

R Avec tout médicament, il y a des possibilités d'effets secondaires. Dans des études de recherche, les efffets secondaires les plus communément rapportés sont les troubles d'estomac, tels que nausée et diarrhée. Certaines patientes traitées au Didrocal ont rapporté d'autres effets secondaires moins communs. **Si vous avez des symptômes que vous estimez anormaux, informez-en immédiatement votre médecin.**

Q Qu'arrivera-t-il si j'absorbe par mégarde du lait ou tout autre produit laitier avec un comprimé blanc?

R Vous ne devriez pas vous attendre à un problème provenant de cela. Mais le calcium contenu dans le lait empêche votre organisme d'absorber le médicament qui, par conséquent, ne peut agir adéquatement. La fois suivante, prenez-le avec de l'eau.

Q Le comprimé blanc ou le comprimé bleu contiennent-ils du lactose?

R Non. Ni l'un ni l'autre ne contiennent de lactose.

Q Pourquoi dois-je prendre les comprimés blancs et les comprimés bleus séparément?

R Le traitement au Didrocal arrête la perte **osseuse** avec les comprimés blancs et solidifie le nouveau tissu osseux avec les comprimés bleus. Les comprimés bleus empêcheront les comprimés blancs d'agir si vous les prenez ensemble. Veuillez donc suivre les instructions soigneusement.

Q Puis-je prendre seulement des comprimés de calcium pour traiter mon ostéoporose?

R Les comprimés de calcium seuls ne se sont pas avérés aussi efficaces que le Didrocal dans le traitement de l'ostéoporose. Il a été ▶

Didrocal (suite)

prouvé que le traitement au Didrocal arrête la perte osseuse **et** accroît la masse osseuse vertébrale.

Q Pourquoi dois-je commencer le traitement un lundi?

R L'ordre de traitement sur les plaquettes de comprimés commence au lundi. Cela vous aidera à vous souvenir de prendre votre comprimé chaque jour. Si vous commencez un autre jour qu'un lundi, prenez le comprimé indiqué pour ce jour-là. Prenez un comprimé chaque jour. Finissez tous les comprimés d'une plaquette avant d'entamer la suivante.

Q Que faire si je manque un jour (ou plus) de traitement?

R Ne prenez pas 2 comprimés le même jour. Prenez-en un le jour où vous vous rendez compte de votre oubli et continuez le traitement. Assurez-vous de finir tous les comprimés d'une plaquette avant d'entamer la suivante.

Q Le traitement au Didrocal soulagera-t-il ma douleur?

R Le Didrocal n'est pas un analgésique. Il peut arrêter la perte osseuse et accroître la masse osseuse vertébrale. Vous devriez informer votre médecin si vous avez des douleurs dorsales. Il ou elle peut vous indiquer quel remède prendre pour vous soulager.

Q Si mon dos est déjà voûté, se redressera-t-il après le traitement au Didrocal?

R Le traitement au Didrocal ne peut vous aider à vous tenir droite. Aucun médicament ne peut réparer les fractures vertébrales. Toutefois, si vous continuez votre traitement, comme votre médecin vous l'a prescrit, vous pouvez arrêter la progression de l'ostéoporose et la perte osseuse qu'elle entraîne.

Q Combien de temps devrais-je suivre le traitement au Didrocal?

R Votre médecin déterminera la durée de votre traitement. Assurez-vous de renouveler votre ordonnance juste avant de finir chaque paquet. Continuez le traitement aussi longtemps que votre médecin le prescrit.

Bien que ce livret contienne d'importants renseignements sur le traitement au Didrocal, il ne renferme pas toute l'information sur ce produit.

Pour toute question sur l'utilisation du traitement au Didrocal, adressez-vous à votre médecin ou à votre pharmacien.

☐ DIFFERIN® ℞

Galderma

Adapalène

Traitement antiacnéique

Renseignements destinés aux patients: Qu'est-ce que Differin? Differin (adapalène) est une crème ou un gel qui comporte un médicament utilisé pour le traitement de l'acné.

Qu'est-ce que l'acné? L'acné est un trouble des glandes sébacées que l'on retrouve sur le visage, le dos et la poitrine. L'acné peut donc survenir dans l'une ou l'autre ou l'ensemble de ces régions. L'acné apparaît lorsqu'un bouchon constitué de peau et de matières grasses se forme dans le pore d'une de ces glandes sébacées. Le bouchon apparaît comme une tête blanche ou noire sur la peau. Ces bouchons ne sont pas provoqués par la saleté ou un lavage inapproprié. Le lavage et le nettoyage excessifs à l'aide de produits puissants n'empêcheront pas la formation de ces bouchons et peuvent même aggraver l'acné. Toutes les régions atteintes par l'acné doivent être lavées à l'aide d'un agent de nettoyage doux. Après la formation des bouchons, les matières grasses produites par la glande ne peuvent s'écouler du pore, et des bactéries peuvent se développer dans la glande obstruée. Il peut en résulter une rougeur et un gonflement de la peau à proximité de la glande et la formation d'un bouton. Si vous le désirez, votre médecin pourra vous fournir des explications complémentaires à propos de votre acné.

Comment Differin agit-il? La crème ou le gel Differin agit en dégageant les glandes sébacées et en prévenant la formation de ces bouchons. Votre acné devrait s'améliorer en 4 à 8 semaines, et l'amélioration devrait se poursuivre avec l'utilisation continue de Differin.

Comment devrais-je utiliser Differin? Utilisez Differin 1 fois/jour, le soir avant d'aller au lit. Vous devriez tout d'abord laver votre visage à l'aide d'un agent nettoyant doux et l'assécher en l'épongeant avec une serviette douce. Évitez de frotter votre visage. Appliquez ensuite un mince film de Differin dans les régions qui présentent de l'acné. Évitez d'appliquer Differin autour de vos yeux, sur vos lèvres et dans les coins de votre nez. N'utilisez que la quantité de Differin recommandée par votre médecin. L'application d'une quantité accrue de Differin n'entraînera pas des résultats meilleurs ou plus rapides.

Y a-t-il des instructions spéciales à propos de l'utilisation de Differin? Oui, il y a certaines choses que vous devriez savoir.

- **Si vous êtes une femme en âge de concevoir un enfant, vous ne devriez utiliser Differin qu'après avoir consulté votre médecin à propos des méthodes de contraception. Si vous êtes enceinte, vous devriez interrompre l'utilisation de Differin.**
- Évitez d'utiliser Differin si vous souffrez d'eczéma ou si votre peau est gravement irritée (p. ex. dermatite séborrhéique).
- Ne vous inquiétez pas si l'utilisation de Differin provoque des rougeurs, une sensation de brûlure ou une desquamation au début du traitement (2 à 4 semaines). Ces réactions indiquent que votre peau s'adapte à l'action de Differin qui dégage les pores de la peau. Si ces troubles persistent, ou s'ils s'aggravent, consultez votre médecin.
- Avant de vous exposer au soleil, utilisez un bon écran solaire (FPS de 15 ou plus) conçu pour ne pas obstruer les pores de la peau (non comédogène).
- Évitez d'utiliser des crèmes ou des produits de maquillage gras, des produits qui assèchent votre peau ou provoquent une desquamation, et tous les produits comportant de l'alcool. Ces produits peuvent aggraver votre acné.
- N'utilisez pas d'autres médicaments contre l'acné en même temps que Differin, sauf si votre médecin vous les recommande.
- **Votre médecin vous a prescrit Differin à votre intention seulement. Ne laissez personne d'autre l'utiliser.**

☐ DIFLUCAN-150ᴹᶜ ℞

Pfizer

Fluconazole

Antifongique

Renseignements destinés aux patients: Indications: Votre médecin vous a prescrit Diflucan-150 (fluconazole) pour traiter une infection vaginale à champignons (Candida).

Diflucan-150 est indiqué pour le traitement des candidoses vaginales. Il se prend par la bouche. Il offre un traitement très commode, car il suffit de prendre une seule capsule par voie orale.

Comment prendre Diflucan-150: Vous pouvez prendre Diflucan-150 par la voie orale, le jour ou le soir, avec ou sans aliments. Nous vous recommandons cependant de prendre votre capsule Diflucan-150 **par voie orale dès maintenant,** afin d'obtenir le plus rapidement possible le soulagement des symptômes de l'infection.

Quand peut-on s'attendre à obtenir un soulagement? La suppression d'une infection fongique (mycose) prend du temps. Même s'il suffit de prendre une seule dose de Diflucan-150, il faut savoir que le médicament continue d'agir durant plusieurs jours.

La plupart des patientes peuvent s'attendre à bénéficier d'un soulagement des symptômes, lequel commence à se manifester dans les 24 heures qui suivent la prise du médicament. Pendant que Diflucan-150 exerce son effet sur l'infection, les symptômes s'atténuent graduellement pour finir par disparaître. Si vos symptômes ne se sont pas atténués après 3 à 5 jours, veuillez en aviser votre médecin.

Les effets indésirables possibles du traitement: Au cours des essais cliniques ayant porté sur Diflucan-150, les maux de tête, les nausées, les douleurs abdominales et la diarrhée sont les effets indésirables qui ont été le plus souvent rapportés. La plupart des effets indésirables observés ont été d'intensité légère ou modérée.

Il arrive très rarement que certaines patientes présentent une éruption cutanée ou une réaction allergique comme l'urticaire, après avoir pris ce médicament. On a rapporté de rares cas de réaction allergique grave.

Précautions: Ne prenez pas Diflucan-150 si vous avez déjà fait une réaction allergique à ce médicament ou à tout autre antifongique de la même famille. Si vous n'êtes pas certaine, consultez votre médecin ou votre pharmacien.

Les femmes enceintes, ou qui pourraient l'être, ainsi que les femmes qui allaitent ne doivent pas prendre ce médicament, sauf sur avis du médecin.

S'il est possible que vous tombiez enceinte pendant votre traitement par Diflucan-150, vous devriez appliquer une méthode contraceptive sûre, car on ne connaît pas l'effet de ce médicament sur le fœtus. Cette recommandation s'applique d'ailleurs à de nombreux médicaments.

Si vous prenez un antihistaminique comme la terfénadine (Seldane) ou l'astémizole (Hismanal), consultez votre médecin avant de prendre Diflucan-150.

En outre, veuillez aviser votre médecin si vous prenez par la voie orale un médicament pour le diabète ou l'épilepsie ou encore, si vous prenez un anticoagulant (pour éclaircir le sang).

Diflucan-150 renferme les excipients suivants: amidon de maïs, lactose, laurylsulfate de sodium, silice colloïdale et stéarate de magnésium; l'enveloppe formant la capsule se compose de gélatine et de bioxyde de titane.

Conservation: Conserver à une température se situant entre 15 et 30 °C.

Si vous désirez obtenir d'autres renseignements au sujet de Diflucan-150 et du traitement de la candidose vaginale, veuillez consulter votre médecin ou votre pharmacien.

☐ DIOVAN® ℞

Novartis Pharma

Valsartan

Antagoniste des récepteurs AT_1 de l'angiotensine II

Renseignements destinés aux patients: Avant de prendre Diovan (valsartan), veuillez lire attentivement le présent feuillet, car il contient des renseignements importants au sujet de ce médicament. Si vous désirez obtenir de plus amples renseignements ou des précisions, veuillez consulter votre médecin ou votre pharmacien.

Qu'est-ce que Diovan? La substance active contenue dans les gélules Diovan est le valsartan. Diovan renferme également les ingrédients non médicinaux suivants: cellulose microcristalline, polyvidone, laurylsulfate de sodium, crospovidone et stéarate de magnésium. L'enveloppe de la gélule contient de la gélatine, de l'oxyde ferrosoferrique, de l'oxyde ferrique et du dioxyde de titane. Si vous suivez une diète particulière ou si vous êtes allergique à quelque substance que ce soit, assurez-vous auprès de votre médecin ou de votre pharmacien qu'aucun des ingrédients mentionnés ci-dessus ne vous est déconseillé.

Diovan appartient à une nouvelle classe de médicaments appelés antagonistes des récepteurs AT_1 de l'angiotensine II, dont le rôle est de favoriser la maîtrise de l'hypertension. L'angiotensine II est une hormone naturelle produite par l'organisme. Elle fait partie du système qui régularise la tension artérielle pour la maintenir à un niveau normal. L'une des fonctions de l'angiotensine II est d'augmenter la tension artérielle lorsqu'elle devient trop basse. Diovan agit en bloquant l'effet de l'angiotensine II, ce qui lui permet de diminuer la tension artérielle.

Est-ce vraiment nécessaire de traiter mon hypertension? Je ne me sens pas malade! L'hypertension augmente le travail du cœur et des artères. Si elle n'est pas corrigée, elle peut à la longue entraîner des lésions aux vaisseaux sanguins du cerveau, du cœur ou des reins, ce qui pourrait en bout de ligne provoquer un accident vasculaire cérébral ou encore de l'insuffisance cardiaque ou rénale. L'hypertension accroît également le risque de crise cardiaque. En réduisant votre tension artérielle, vous réduisez du même coup le risque de souffrir de ces maladies.

Souvent, l'hypertension ne montre aucun signe ni symptôme. De fait, nombre de patients peuvent ne rien ressentir d'inhabituel pendant une longue période. Ainsi, même si vous vous sentez bien, votre santé peut se détériorer. Par conséquent, il importe que vous soyez fidèle à votre traitement et que vous continuiez de consulter régulièrement votre médecin.

Souvenez-vous que le médicament qui vous est prescrit ne guérit pas l'hypertension, mais qu'il peut aider à la maîtriser. Pour abaisser votre tension artérielle et la maintenir à un niveau acceptable, il est donc important que vous continuiez de prendre Diovan comme il vous a été prescrit.

Pour utiliser Diovan en toute sécurité: Vous ne devez pas prendre Diovan si:

- vous avez déjà présenté une réaction inhabituelle ou allergique au valsartan ou à tout autre ingrédient entrant dans la composition de ce médicament;
- vous êtes enceinte (voir plus loin).

L'emploi de Diovan n'est pas recommandé chez les enfants.

Que doit savoir mon médecin? Avant de vous prescrire Diovan, votre médecin doit savoir si vous souffrez de certaines affections. Avant de prendre Diovan, vous devez donc informer votre médecin si vous présentez les troubles ou les symptômes suivants:

- maladie grave des reins ou du foie,
- vomissements ou diarrhée.

De même, avant de commencer votre traitement par Diovan, assurez-vous que votre médecin est au courant de tous les médicaments que vous prenez. Il se peut qu'on doive modifier la dose de l'un ou l'autre de ces médicaments, que d'autres précautions s'imposent ou que l'on vous recommande de cesser de prendre tel ou tel médicament. Cette mesure de précaution s'applique tant aux médicaments vendus sur ordonnance qu'à ceux qui sont offerts en vente libre (sans ordonnance), plus particulièrement:

- les médicaments destinés à réduire la tension artérielle, y compris les diurétiques;
- les médicaments épargneurs de potassium, les suppléments de potassium ou les succédanés du sel contenant du potassium;
- le lithium.

Et si je suis enceinte ou que j'allaite? Ne prenez pas Diovan si vous êtes enceinte. Des médicaments similaires ont été associés à la présence de lésions graves chez le fœtus, lorsqu'ils ont été pris après le premier trimestre de grossesse. (On ignore s'ils sont également nocifs durant le premier trimestre.) Il est donc important d'aviser immédiatement votre médecin si vous pensez être enceinte ou si vous projetez une grossesse.

On ne sait pas si, chez l'être humain, Diovan passe dans le lait maternel, comme c'est le cas chez l'animal. Par conséquent, vous ne devez pas allaiter durant votre traitement. Si vous allaitez, avisez votre médecin afin qu'il vous propose d'autres choix de traitement.

Puis-je conduire un véhicule ou faire fonctionner une machine? Comme beaucoup d'autres médicaments utilisés dans l'hypertension, Diovan peut causer, bien que rarement, des étourdissements et affecter votre concentration. Avant de conduire un véhicule, d'utiliser une machine ou de pratiquer des activités exigeant de la vigilance, attendez de savoir comment vous réagissez à Diovan.

Posologie de Diovan: Posologie habituelle: La posologie habituelle est de 1 gélule à 80 mg/jour. Dans certains cas, le médecin peut prescrire une dose plus élevée (p. ex., les gélules dosées à 160 mg) ou lui associer un autre médicament (un diurétique, p. ex.).

Vous pouvez prendre Diovan avec ou sans aliments, mais vous devez toujours le prendre de la même façon chaque jour.

Qu'arrive-t-il si j'oublie une dose? Efforcez-vous de prendre votre médicament à la même heure chaque jour, le matin de préférence. Toutefois, si vous oubliez de le prendre durant toute une journée, prenez la dose suivante à l'heure habituelle. Ne doublez pas la dose.

Que faire en cas de surdose? Si vous avez des étourdissements importants ou si vous perdez connaissance, communiquez immédiatement avec votre médecin afin qu'on vous prodigue promptement les soins médicaux appropriés.

Effets secondaires: Comme tous les médicaments, Diovan peut provoquer des réactions indésirables, communément appelées effets secondaires. La plupart des patients qui prennent Diovan n'éprouvent pas d'effets secondaires, toutefois, certains patients peuvent avoir des étourdissements, une sensation de tête légère ou des éruptions cutanées (y compris l'urticaire). Consultez votre médecin ou votre pharmacien dès que vous remarquez l'un de ces symptômes ou tout autre symptôme inhabituel.

Si vous présentez une réaction allergique se manifestant par un gonflement du visage, des lèvres ou de la langue, cessez de prendre Diovan et communiquez immédiatement avec votre médecin.

Date de péremption: Ne prenez pas Diovan passé la date de péremption qui figure sur l'emballage.

Conservation de Diovan: Gardez les gélules Diovan dans un endroit sec à la température ambiante; la température ne doit pas dépasser 30 °C.

Rappel important: Ce médicament vous a été prescrit afin de traiter l'affection dont vous souffrez actuellement. Ne laissez personne d'autre s'en servir.

Il est très important que vous preniez ce médicament conformément aux directives du médecin afin d'obtenir les meilleurs résultats possibles et de réduire le risque d'effets secondaires.

Gardez ce médicament hors de la portée des enfants.

□ DOLOBID® ℞

Frosst

Diflunisal

Analgésique—Anti-inflammatoire

Renseignements destinés aux patients: Dolobid est la marque déposée de Frosst pour le diflunisal.

Action du médicament: Dolobid, que vous a prescrit votre médecin, appartient au groupe important d'anti-inflammatoires non stéroïdiens (AINS). Ce médicament est indiqué pour le soulagement des symptômes de certaines formes d'arthrite ou le soulagement des douleurs légères ou modérées qui accompagnent l'inflammation. Il aide à atténuer la douleur et la raideur articulaires, le gonflement et la fièvre en réduisant la production de certaines substances (prostaglandines) et en aidant à maîtriser l'inflammation et certaines autres réactions de l'organisme.

Avis important: Informez votre médecin:

Si vous avez déjà fait une réaction allergique (notamment difficulté respiratoire, écoulement nasal, éruptions cutanées ou urticaire) à Dolobid, à l'AAS (l'AAS est le principe actif de nombreuses préparations contre la douleur et la fièvre qui peuvent être vendues sans ordonnance), à tout autre anti-inflammatoire administré pour le traitement de l'arthrite, comme le diclofénac, le fénoprofène, le flurbiprofène, l'ibuprofène, l'indométhacine, le kétoprofène, l'acide méfénamique, le piroxicam, le sulindac, l'acide tiaprofénique ou la tolmétine.

Toute réaction allergique antérieure à l'un des médicaments mentionnés ci-dessus pourrait accroître le risque de réaction allergique à Dolobid.

Si vous avez déjà souffert d'un ulcère, avec ou sans saignements, de l'estomac, du duodénum ou de toute autre partie du tube digestif, d'une maladie du foie ou des reins ou de toute autre affection.

Si vous prenez d'autres médicaments (avec ou sans ordonnance), **votre médecin vous informera des mesures à prendre.**

Veuillez prendre note que Dolobid n'est pas recommandé chez les femmes enceintes et qu'il est conseillé de ne pas allaiter durant le traitement avec Dolobid.

Dolobid est présenté sous forme de comprimés, pour administration orale, renfermant 500 mg (orange) du principe actif, le diflunisal et les ingrédients non médicinaux suivants: cellulose, colorant FD & C jaune n°6 (aluminum lake), hydroxypropylcellulose, hydroxypropylméthylcellulose, stéarate de magnésium, amidon, talc et dioxyde de titane.

Mode d'emploi du médicament: Les comprimés doivent être avalés en entier; on ne doit ni les broyer ni les mâcher. Afin d'atténuer les dérangements d'estomac, prenez ce médicament immédiatement après les repas ou avec des aliments ou du lait. Si des troubles d'estomac (indigestion, nausées, vomissements, douleurs gastriques ou diarrhée) se manifestent et persistent, communiquez avec votre médecin.

Veuillez suivre rigoureusement les directives du médecin concernant l'administration et la posologie. Ne dépassez pas la dose recommandée, ne dépassez pas le nombre de doses prescrites et ne prenez pas le médicament pendant une période plus longue que celle recommandée par votre médecin. Si vous prenez Dolobid pour soulager les symptômes de l'arthrite, vous devez le prendre régulièrement selon les recommandations du médecin. Dans certaines formes d'arthrite, il peut s'écouler jusqu'à 2 semaines avant que vous commenciez à vous sentir mieux et 1 mois avant que vous ressentiez pleinement les bienfaits du médicament. Au cours du traitement, votre médecin peut décider de modifier la posologie en fonction de votre réponse au médicament.

Si vous oubliez une dose: Si vous oubliez une dose de Dolobid, prenez-la immédiatement à la condition que le laps de temps écoulé ne dépasse pas 1 heure. Revenez ensuite à votre horaire habituel.

Si le laps de temps écoulé dépasse 1 heure, ne prenez pas la dose oubliée et ne doublez pas la suivante. Revenez plutôt à votre horaire habituel.

Ne prenez pas d'AAS, de composés renfermant de l'AAS ni d'autres médicaments indiqués pour soulager les symptômes de l'arthrite pendant un traitement avec Dolobid, sauf avis contraire du médecin.

Si vous devez prendre ce médicament pendant une période prolongée, votre médecin vous examinera régulièrement afin d'évaluer votre état de santé et de s'assurer que le médicament ne provoque pas d'effets indésirables.

En plus des bienfaits escomptés, Dolobid peut, comme tout autre AINS, produire certaines réactions défavorables. Les patients âgés, frêles et affaiblis semblent présenter des effets secondaires plus fréquents ou plus graves. Bien que ces effets ne soient pas tous courants, ils peuvent nécessiter une attention médicale. **Communiquez immédiatement avec votre médecin dès l'apparition de l'un des effets secondaires suivants:** selles contenant du sang ou selles noires; essoufflement, respiration sifflante, difficulté respiratoire ou sensation de serrement dans la poitrine; éruptions cutanées, gonflement, urticaire ou démangeaison; indigestion, nausées, vomissements, douleurs gastriques ou diarrhée; jaunissement de l'œil ou de la peau, accompagné ou non de fatigue; tout changement dans la quantité ou la couleur des urines (foncées, rouges ou brunes); gonflement des pieds ou de la partie inférieure des jambes; vue brouillée ou tout autre trouble visuel; confusion mentale; dépression, étourdissements, sensation de tête légère; troubles auditifs.

Au cours du traitement:

- informez tout médecin, dentiste ou pharmacien que vous consulterez que vous prenez ce médicament;
- soyez prudent lorsque vous devez conduire un véhicule ou participer à des activités nécessitant de la vigilance si après avoir pris ce médicament, vous êtes somnolent, étourdi, ou si vous avez une sensation de tête légère;
- consultez votre médecin si vous n'obtenez pas de soulagement ou si vous remarquez une réaction inusitée;
- rapportez toute réaction défavorable à votre médecin. Cette mesure est très importante puisqu'elle permettra le dépistage précoce et la prévention de complications éventuelles;
- continuez de passer périodiquement des examens médicaux car ils sont essentiels;
- consultez votre médecin ou votre pharmacien si vous désirez de plus amples renseignements sur ce médicament.

Gardez tous les médicaments hors de la portée des enfants.

□ DOVONEX® ℞

Leo

Calcipotriol

Agent antipsoriasique topique non stéroïdien

Renseignements destinés aux patients: Ce feuillet a été conçu dans le but de vous offrir des informations importantes sur l'utilisation de Dovonex dans le traitement de votre psoriasis. Si vous avez quelque question, veuillez consulter votre médecin ou votre pharmacien.

Qu'est-ce que Dovonex? Dovonex contient du calcipotriol (50 μg/g ou 50 μg/mL). Le calcipotriol a pour fonction de contrôler la production excessive des cellules cutanées dans les endroits affectés par le psoriasis et offre des bénéfices éprouvés dans le traitement de cette maladie.

Crème et onguent Dovonex ont été mis au point sous forme de préparation homogène qui les rendent facile à utiliser. La solution Dovonex pour le cuir chevelu est une solution incolore et légèrement visqueuse.

Avant d'utiliser votre crème, votre onguent ou votre solution pour le cuir chevelu: Informez votre médecin:

- Si vous êtes enceinte ou si vous allaitez ou si vous devenez enceinte durant votre traitement.

Utilisation de votre crème, de votre onguent ou de votre solution pour le cuir chevelu: Comment devrais-je utiliser Dovonex?

- **Crème ou onguent:** Dévissez le bouchon et assurez-vous que le sceau d'aluminium est intact avant de l'utiliser la première fois. Pour briser le sceau, renversez le bouchon et percez-le. Dovonex devrait être appliqué sur les surfaces de votre peau qui sont affectées par le psoriasis en frictionnant doucement pour en faciliter la pénétration.
  Solution pour le cuir chevelu: Enlevez le capuchon et placez la canule à travers les cheveux sur le cuir chevelu. Pressez la bouteille et appliquez légèrement quelques gouttes sur la région affectée. Massez délicatement du bout des doigts. Une ou deux gouttes devraient couvrir une surface de la grandeur d'un timbre-poste.
- Lavez-vous les mains après avoir utilisé Dovonex afin d'éviter un transfert accidentel de Dovonex d'un endroit de votre corps jusqu'à votre visage. Vous pourrez porter vos vêtements habituels car Dovonex ne nécessite pas de pansement occlusif. Ne vous inquiétez pas si Dovonex entre accidentellement en contact avec la peau environnante normale mais lavez simplement la peau si la substance est trop étendue.

- On ne devrait pas utiliser Dovonex sur le visage. S'il s'en dépose accidentellement, lavez votre visage. Si la solution pénètre dans vos yeux, rincez vos yeux avec de l'eau.
- Après avoir lavé vos cheveux, séchez-les complètement avant d'utiliser la solution pour le cuir chevelu. Ne lavez pas votre tête après avoir utilisé la solution pour le cuir chevelu Dovonex, car elle serait rincée par l'eau.
- Nourrissons: L'expérience de l'utilisation de la crème et/ou l'onguent Dovonex chez les enfants de moins de 2 ans est insuffisante et ne nous permet pas de recommander son utilisation dans ce groupe d'âge. L'utilisation du produit sous la couche du bébé n'a pas été expérimentée et on devrait l'éviter car la couche peut agir comme un pansement occlusif.
- Vous ne devez pas utiliser plus que la quantité hebdomadaire recommandée de Dovonex:

Âge (année)	Dose (g/semaine)
2-5	25
6-10	50
11-14	75
Adultes (plus de 14)	100

La dose hebdomadaire maximale de la crème et/ou l'onguent Dovonex chez les enfants est établie sur la dose pour adulte de 100 g/semaine et ajustée selon la surface corporelle (maximum 50 g/semaine/m^2). La posologie s'établit sur la surface corporelle escomptée suivante: âge 2 à 5 ans: 0,5 m^2 (25 % de celle de l'adulte); âge 6 à 10 ans: 1,0 m^2 (50 % de celle de l'adulte) et âge 11 à 14 ans: 1,5 m^2 (75 % de celle de l'adulte).

Lorsque la crème, l'onguent ou la solution pour le cuir chevelu sont utilisés conjointement, la dose totale de calcipotriol ne devrait pas dépasser la quantité hebdomadaire recommandée pour chaque groupe d'âge (c.-à-d. 2 à 5 ans: 1,25 mg; 6 à 10 ans 2,5 mg; 11 à 14 ans: 3,75 mg; adultes: 5 mg dans n'importe quelle semaine). Par exemple, les adultes ne devraient pas utiliser plus d'un flacon de 30 mL de solution pour le cuir chevelu et plus d'un tube de 60 g d'onguent ou de crème.

- L'administration aux enfants devrait se faire sous la surveillance d'un individu responsable afin d'assurer une administration et une posologie appropriées.
- On utilise habituellement Dovonex 2 fois par jour (matin et soir). La plupart des patients commenceront à observer une amélioration en deçà de 2 semaines. Suivez fidèlement les directives de votre médecin.

Que devrais-je faire si j'oublie d'utiliser mon onguent?

- Si vous oubliez d'utiliser votre Dovonex selon votre horaire habituel, utilisez-le aussitôt que vous vous en rendrez compte et continuez par la suite selon l'horaire établi.

Après avoir utilisé votre Dovonex:

- Il se peut que Dovonex cause une légère irritation de votre peau pour une brève période de temps après l'avoir appliqué. Essayez de ne pas gratter cette surface de votre peau.
- Consultez votre médecin si l'irritation persiste, s'il se produit une éruption cutanée sur votre visage ou si Dovonex vous cause tout autre genre d'ennui.

Entreposage de votre Dovonex:

- Conservez Dovonex dans un endroit sûr, hors d'atteinte des enfants.
- Conservez à la température de la pièce (crème: 15 à 30 °C; onguent: 15 à 25 °C; solution pour le cuir chevelu: inférieure à 25 °C).
- Dovonex possède une date de péremption (d'expiration) indiquée au bas de chaque tube ou la bouteille. Veuillez ne pas utiliser le contenu après la date indiquée.

□ DPE^MD ℞

Alcon

Chlorhydrate de dipivéfrine

Traitement du glaucome

Renseignements destinés aux patients: Pour prévenir la contamination, éviter que la pointe du compte-goutte ne touche la paupière ou toute autre surface.

□ DUOVENT® UDV ℞

Boehringer Ingelheim

Bromure d'ipratropium—Bromhydrate de fénotérol

Bronchodilatateur

Renseignements destinés aux patients: Veuillez lire ce feuillet attentivement et en entier avant d'utiliser Duovent UDV. Il contient un résumé des renseignements que vous devez connaître sur Duovent UDV, et comment ce produit doit être utilisé. Une fois que vous avez pris connaissance de ces renseignements, si vous avez des questions, veuillez communiquer avec votre médecin ou votre pharmacien.

Qu'est-ce que Duovent UDV?: Solution pour inhalation Duovent UDV: Chaque flacon monodose en plastique renferme un total de 0,5 mg de bromure d'ipratropium et 1,25 mg de bromhydrate de fénotérol dans quatre millilitres (4 mL) de solution de chlorure de sodium.

Duovent UDV est l'association de 2 bronchodilatateurs (servant à dégager les voies respiratoires) dans une solution inhalée au moyen d'un nébuliseur. Vous connaissez peut-être déjà un de ces bronchodilatateurs, ou peut-être même les deux, étant donné qu'ils étaient déjà offerts séparément, sur ordonnance, sous le nom de Atrovent (bromure d'ipratropium) et Berotec (bromhydrate de fénotérol). Duovent UDV n'est remis que sur présentation d'une ordonnance de votre médecin.

Pourquoi votre médecin vous a-t-il prescrit Duovent UDV? Votre médecin vous a prescrit Duovent UDV parce que ce médicament vous convient. Il peut soulager la respiration sifflante, la toux, l'oppression thoracique ou l'essoufflement lorsque vous souffrez d'une crise aiguë d'asthme ou de MPOC (maladie pulmonaire obstructive chronique qui comprend la bronchite chronique et l'emphysème). Duovent agit en décontractant les muscles entourant les bronchioles (voies respiratoires des poumons) et vous permettant ainsi de mieux respirer.

Qu'est-ce que l'asthme? L'asthme est une affection qui rétrécit temporairement les voies respiratoires, rendant ainsi la respiration difficile. Ce rétrécissement des voies respiratoires est causé par une inflammation qui cause l'enflure et l'irritation des voies respiratoires et la contraction des muscles entourant ces dernières. Les voies alors rétrécies peuvent être soulagées à l'aide de médicaments.

Qu'est-ce que la MPOC? La MPOC est une sorte de maladie pulmonaire qui rétrécit les voies respiratoires de façon permanente, rendant ainsi la respiration difficile. Chez de nombreux patients, ce rétrécissement des voies respiratoires est causé par de nombreuses années de tabagisme. Chez un bon nombre de patients qui arrêtent de fumer, les symptômes sont moins apparents et l'évolution de la maladie ralentit ou cesse complètement.

Il est important de reconnaître que le traitement de l'asthme et de la MPOC peut être différent d'un patient à un autre. Votre médecin discutera probablement du meilleur traitement pour votre affection particulière. Ce traitement peut inclure d'autres médicaments venant s'ajouter à Duovent UDV. Il est essentiel de suivre les directives de votre médecin relatives au traitement de votre affection. Si vous avez des questions sur la manière de traiter votre maladie à domicile, vous devriez consulter votre médecin.

Ce que vous devriez dire à votre médecin avant de prendre Duovent UDV. Vous devriez mentionner à votre médecin si un des critères suivants, ou plusieurs d'entre eux, vous concernent, **avant** d'utiliser Duovent UDV:

- vous êtes enceinte ou désirez le devenir
- vous allaitez
- vous avez des problèmes oculaires tels que le glaucome ou une douleur oculaire
- vous prenez d'autres médicaments, y compris ceux vendus sans ordonnance, notamment des gouttes pour les yeux
- vous avez des réactions allergiques ou des allergies alimentaires ou médicamenteuses
- vous avez d'autres problèmes de santé tels qu'une miction difficile, une hypertrophie de la prostate, une maladie cardiaque ou vasculaire, de l'hypertension, un diabète sucré.

Quand utiliser Duovent UDV? Votre médecin vous recommandera quand utiliser Duovent UDV et à quelle fréquence (voir les sections «Pourquoi votre médecin vous a-t-il prescrit Duovent UDV?» et «Comment utiliser Duovent UDV»). Vous devez également suivre toutes les autres directives reçues par votre médecin visant à traiter ou à surveiller votre affection. Vous devrez **peut-être** prendre d'autres médicaments en plus de Duovent UDV.

Duovent UDV (suite)

Si vous souffrez d'asthme et vous constatez que vous devez prendre Duovent UDV de façon régulière et quotidienne, mais que vous ne prenez pas d'autres médicaments pour maîtriser l'inflammation des voies respiratoires (anti-inflammatoires), vous devriez consulter votre médecin pour une réévaluation de votre traitement.

Si vous ne ressentez aucun soulagement 10 minutes après la nébulisation de Duovent UDV, si les effets d'une dose des médicaments recommandés par votre médecin durent moins de 3 heures ou si vous constatez des changements dans vos symptômes, par exemple, une toux accrue, une oppression thoracique, si vous vous réveillez la nuit ou vous devez utiliser un autre médicament qui soulage plus souvent (par exemple Ventolin), vous devriez consulter votre médecin ou vous rendre à l'hôpital le plus proche. C'est habituellement le signe que votre affection s'aggrave, nécessitant alors une réévaluation.

Si vous souffrez de MPOC et que vous ne ressentez aucun soulagement de vos symptômes 10 minutes après la nébulisation de Duovent UDV, ou si les effets d'une dose des médicaments recommandés par votre médecin durent moins de 3 heures, vous devriez consulter votre médecin ou vous rendre à l'hôpital le plus proche. C'est habituellement le signe que votre affection s'aggrave, nécessitant alors une réévaluation.

Points à retenir:

- **Ne pas utiliser une dose de Duovent UDV plus élevée que celle recommandée par votre médecin**
- **Ne pas utiliser votre nébuliseur plus souvent que ne vous l'a recommandé votre médecin**
- **Veuillez consulter votre médecin si vous pensez avoir besoin d'une quantité plus élevée de médicament qu'il ne vous l'a recommandée**
- **Duovent UDV renferme un bêta-agoniste, et la prise de doses supplémentaires sous forme d'autres bêta-agonistes simples (fénotérol [Berotec], salbutamol [Ventolin], etc.) peut causer des effets cardiovasculaires nocifs. Si une association est nécessaire, celle-ci ne devrait avoir lieu que sous surveillance médicale étroite.**

Comment utiliser Duovent UDV (voir le prospectus d'emballage pour les illustrations):

1) Détacher un flacon en plastique de la bande en le tirant fermement.
2) Pour ouvrir le flacon, enlever le capuchon en tournant. Il est important d'utiliser le contenu du flacon **le plus tôt possible** après son ouverture.
3) Exprimer le contenu du flacon en plastique dans la chambre de votre nébuliseur. Si votre médecin vous a recommandé de ne pas utiliser tout le contenu du flacon, utilisez une seringue pour transférer la quantité nécessaire dans la chambre du nébuliseur.
   Toute quantité de solution qui reste dans le flacon doit être jetée.
4) Avec la seringue, ajouter à la chambre la quantité de solution de chlorure de sodium à 0,9 %, ne contenant aucun agent de conservation, prescrite par votre médecin ou votre pharmacien (la solution de chlorure de sodium doit être ajoutée dans la chambre du nébuliseur jusqu'à l'obtention d'un volume maximum de 5 mL).
5) Agiter doucement la chambre de nébulisation pour bien mélanger le liquide et raccorder à l'embout buccal ou au masque facial. Raccorder ensuite le tube du nébuliseur à la pompe à air ou à oxygène et inhaler.
6) Inspirer tranquillement et profondément par le masque facial ou l'embout buccal jusqu'à ce qu'aucune vaporisation ne se forme dans la chambre du nébuliseur. Ce procédé prend habituellement 10 à 15 minutes. **Il est très important** de bien ajuster le masque facial, au besoin, de façon à ce qu'aucune vaporisation n'entre en contact avec les yeux.
7) Suivre les directives fournies par les fabricants de nébuliseurs et de pompes à air pour le mode d'emploi, l'entretien et le nettoyage de ces mécanismes. S'assurer que le nébuliseur, le tube du nébuliseur et le masque facial sont propres afin d'empêcher toute contamination de microbes.
8) Les flacons monodose devraient être gardés à la température de la pièce (15 à 25 °C) et conservés loin de la chaleur et de la lumière.

Points à retenir:

- Duovent UDV a été prescrit pour traiter **votre** affection. Ne pas donner ce médicament à une autre personne.
- **Ne pas** prendre d'autres médicaments sans l'avis de votre médecin. Si vous consultez un **autre** médecin, dentiste ou pharmacien, n'oubliez pas de lui dire que vous prenez Duovent UDV.
- **La solution ne doit être administrée qu'au moyen d'un nébuliseur. Ne pas l'injecter ni l'ingérer.**
- **Éviter tout contact de la vaporisation avec les yeux. Les patients souffrant de glaucome devraient porter des lunettes de natation pour empêcher que la solution nébulisée n'entre en contact avec les yeux.**
- **Garder ce médicament hors de la portée des enfants.**
- Veuillez consulter votre médecin immédiatement si vous ressentez l'un ou l'autre des symptômes suivants:
  - Respiration sifflante accrue ou oppression thoracique
  - Langue ou lèvres enflées
  - Difficulté à avaler
  - Battements de cœur rapides ou irréguliers
  - Vision trouble ou douleur oculaire
  - Miction difficile ou douloureuse
  - Éruption cutanée
- Si vous avez la bouche sèche ou un mauvais goût dans la bouche, vous pouvez sucer un bonbon ou vous rincer la bouche. Consultez votre médecin si la sécheresse de la bouche ou le mauvais goût persistent, ou si vous êtes constipé.
- Comme tout autre médicament, en plus des effets bénéfiques, Duovent UDV peut entraîner certains effets indésirables. Les effets secondaires les plus fréquents associés à Duovent UDV sont des tremblements, une sécheresse de la bouche ou de la gorge, et une sensation que votre cœur bat plus vite. Si vous ressentez des effets inhabituels ou indésirables pendant l'utilisation de Duovent UDV, communiquez avec votre médecin.
- Duovent UDV est une combinaison de 2 bronchodilatateurs. L'emploi excessif de bronchodilatateurs peut entraîner des effets indésirables (fréquence cardiaque accrue, hypotension ou battements de cœur irréguliers). Par conséquent, ne pas prendre d'autres bronchodilatateurs pour inhalation avec Duovent UDV, à moins d'avis contraire de votre médecin ou pharmacien.

☐ DUPHALAC®

Solvay Pharma

Cristaux de lactulose

Laxatif

Renseignements destinés aux patients: Veuillez lire attentivement les renseignements suivants. Ce feuillet a été conçu par le fabricant de Duphalac pour vous aider à tirer le maximum de bienfaits du médicament. Il contient également des renseignements généraux sur le bon usage des laxatifs et sur la façon de corriger la constipation par l'alimentation et la modification de certaines habitudes de vie.

Même si Duphalac est disponible sans ordonnance médicale, il peut arriver qu'un médecin vous le «prescrive» en vous donnant des instructions différentes de celles que vous lirez ici. Dans pareil cas, assurez-vous de bien suivre les recommandations du médecin parce qu'il ou elle les a formulées en fonction de **vos** besoins particuliers. Si vous avez **des** questions après avoir lu ce feuillet, veuillez consulter votre pharmacien ou votre médecin.

Qu'est-ce que Duphalac? Duphalac est la marque de commerce d'un médicament appelé «lactulose». Il appartient à un groupe de médicaments dits «laxatifs» et son utilisation contribue à soulager la constipation. Duphalac renferme du lactulose sous forme de poudre de cristaux. Il est présenté en petits sachets de papier que l'on peut facilement glisser dans une poche ou un sac à main. Chaque sachet contient une quantité «pré-mesurée» de Duphalac qui vous épargne le souci de le mesurer vous-même.

Que renferme un sachet de Duphalac? Chaque sachet de Duphalac renferme environ une cuillerée à soupe rase (15 mL) de poudre de cristaux. La majeure partie se compose de lactulose (10 g). Le reste consiste en de petites quantités de galactose (moins de 2,2 g), de lactose (moins de 1,2 g) et d'autres sucres (moins de 1 g en tout). Énergie: environ 2 kcal/sachet.

Comment Duphalac agit-il? Duphalac agit graduellement, de plusieurs façons, pour aider à soulager la constipation.

Au moins 98 % du laxatif Duphalac que vous prenez atteint le côlon (gros intestin) essentiellement sous forme inchangée. À ce niveau, la flore naturelle de côlon le «fractionne» en fragments «actifs». Ces fragments favorisent la fonction intestinale et conservent la teneur en eau de la masse fécale, ce qui facilite le passage des selles en plus de les ramollir et de les rendre plus faciles à éliminer.

L'action du médicament est graduelle—chez la plupart des gens, Duphalac commence à procurer un soulagement de la constipation au bout d'environ 24 à 48 heures.

Avant de prendre Duphalac: Duphalac est tout à fait sans danger, la plupart du temps, pour la grande majorité des gens. Mais, il existe quelques situations où l'on **ne devrait pas utiliser** Duphalac sans demander conseil à un médecin. Consultez votre médecin avant de prendre Duphalac si vous:

- devez suivre un régime «à faible teneur en galactose»—même si moins de 2 % de Duphalac est assimilé dans l'organisme, il contient du galactose.
- êtes atteint de diabète (diabète sucré)—Duphalac renferme une petite quantité de sucres assimilables [galactose (moins de 2,2 g), lactose (moins de 1,2 g) et d'autres sucres (moins de 1 g en tout)]; votre médecin pourra vous indiquer si ces quantités peuvent nuire à la maîtrise de votre diabète.
- êtes enceinte ou projetez de le devenir—aucun problème n'a été signalé en rapport avec ce produit, mais, comme pour tous les médicaments, assurez-vous de consulter votre médecin avant de prendre un laxatif.

Remarque: Assurez-vous aussi de lire la section intitulée «Usage judicieux des laxatifs» qui vous renseignera sur les autres situations où il convient de consulter un médecin avant d'utiliser un **quelconque** laxatif.

Comment prendre Duphalac? Il y a 2 façons différentes de prendre Duphalac. Vous pouvez :

- prendre les cristaux tels quels, puis boire un verre de liquide, soit de l'eau ou un jus. Beaucoup de personnes versent le contenu du sachet directement dans la bouche, mais, si vous préférez utiliser une cuillère, servez-vous d'une grande cuillère pour éviter tout débordement des cristaux;

  ou
- saupoudrer les cristaux sur des aliments (tels que céréales ou yogourt) ou les mélanger à un verre de liquide (eau ou jus). Ensuite, prenez soin de manger tout l'aliment ou de boire tout le liquide

Diverses personnes requièrent différentes quantités de Duphalac. Pour déterminer la quantité qui vous convient, commencez avec 1 ou 2 sachets par jour pendant au moins 2 jours. (N'oubliez pas que l'effet de Duphalac ne commence à se manifester qu'au bout de 24 à 48 heures.) Si vous n'obtenez pas le soulagement requis après cette période, vous pouvez augmenter la dose jusqu'à 3 ou 4 sachets par jour, pendant une autre période de 2 ou 3 jours.

Le maximum de Duphalac que vous devriez prendre sans en parler à votre médecin est de **4** sachets par période de 24 heures.

Quel que soit le nombre de sachets que vous utilisez, vous devriez prendre Duphalac 1 fois par jour. Si vous utilisez, p. ex., 2 sachets par jour, prenez les 2 au même moment. Vous ne bénéficierez pas d'un soulagement plus rapide ou plus grand si vous répartissez sur une journée la prise de votre dose. Pour les meilleurs résultats, vous devriez prendre votre dose quotidienne toujours à la même heure, p. ex. au petit déjeuner.

Devrais-je m'attendre à certains effets secondaires ou prendre certaines précautions?

- La plupart des gens n'éprouvent que peu ou pas d'effets secondaires avec Duphalac. Crampes intestinales et gaz peuvent se produire suivant la prise de la première ou des 2 premières doses, ou lorsque vous augmentez le nombre de sachets utilisés. Il s'agit d'un effet secondaire de courte durée qui disparaît habituellement de lui-même.
- Une diarrhée ou des selles très molles peuvent être un signe que vous prenez trop de Duphalac pour votre système. Dans pareil cas, réduisez le nombre de sachets que vous prenez (p. ex., ramenez la prise de 4 sachets à 2 sachets) ou cessez complètement le traitement. Si vous avez des questions à ce sujet, adressez-vous à votre médecin ou à votre pharmacien qui pourra vous aider à déterminer la quantité appropriée à vos besoins.
- Quelques personnes ont fait état de nausées durant le traitement avec Duphalac. Étant donné que nausées et constipation peuvent se produire ensemble, parlez-en à votre médecin ou à votre pharmacien si ces symptômes persistent ou vous incommodent.
- À moins d'avis contraire de votre médecin, il est préférable de ne pas prendre d'autres laxatifs durant le traitement avec Duphalac, sinon vous ne saurez pas quel laxatif vous procure un soulagement ou lequel vous cause peut-être des effets secondaires.

Où conserver Duphalac?

- Conservez Duphalac à la température de la pièce (entre 10 et 25 °C) jusqu'au moment de le prendre. Ne le gardez pas au réfrigérateur, ni sur une tablette au-dessus d'un radiateur chaud.
- Tenez Duphalac hors de la vue et de l'atteinte des enfants. Comme tout médicament, gardez-le dans un lieu sûr sous clef, puisque les enfants peuvent ne pas concevoir qu'une «poudre à saupoudrer» peut aussi être un médicament.

Usage judicieux des laxatifs: Pour la plupart des gens, la constipation est un problème à court terme que l'on peut facilement corriger par l'apport de modifications à ses habitudes de vie et, peut-être, par la prise occasionnelle d'un laxatif. Mais les laxatifs ne conviennent pas à tout le monde et, dans certains cas, la constipation est un indice d'autres problèmes de santé. Voici quelques «règles pratiques» pour vous guider pendant combien de temps prendre un laxatif et quand consulter un médecin à propos de vos symptômes.

- L'usage excessif ou trop fréquent de tous les laxatifs, quels qu'ils soient, peut entraîner l'accoutumance aux laxatifs. Ne prenez aucun laxatif pendant plus de 1 semaine, sauf sur l'avis de votre médecin. Même quand la prise d'un laxatif vous procure un soulagement, arrêtez de le prendre pour voir si vos habitudes intestinales sont revenues à la normale. Après 1 semaine, même lorsque vous n'avez pas bénéficié des résultats voulus, consultez votre médecin afin qu'il ou elle puisse déterminer les causes possibles de votre constipation.
- Pour certains types de constipation, on devrait toujours consulter un médecin. Par exemple, adressez-vous à votre médecin si vous remarquez un changement brusque dans vos habitudes intestinales qui dure pendant plus de 2 semaines ou qui se produit périodiquement. Ce n'est peut-être pas sérieux, mais il est préférable qu'un médecin vous examine pour écarter toutes les autres causes possibles avant que cela ne devienne un problème.
- D'autres symptômes ou problèmes de santé peuvent influer sur le choix du laxatif qui conviendrait le mieux. N'employez aucun type de laxatifs, quel qu'il soit, de votre propre chef:
  - si vous présentez des signes de la présence possible d'une appendicite ou d'une inflammation intestinale (p. ex., de la douleur au niveau de l'estomac, sur un côté ou dans la région abdominale, des nausées, des vomissements, de violentes crampes). Consultez plutôt votre médecin dès que possible.
  - en cas de saignements du rectum ou en présence de sang dans les selles. Parlez de ces symptômes sans tarder à un médecin.
  - si vous avez subi une récente chirurgie des voies intestinales, ou si vous avez d'autres problèmes intestinaux tels qu'une rectocolite hémorragique ou la maladie de Crohn. Dans pareils cas, un médecin serait la personne la mieux habilitée à traiter les symptômes de votre constipation.

Remarque: Cette liste n'est pas exhaustive. Assurez-vous de parler à votre médecin de tous vos symptômes et de tous vos autres problèmes médicaux. Il existe des laxatifs qui peuvent causer d'autres problèmes en présence de certains troubles médicaux.

- Si vous utilisez un laxatif quelconque, assurez-vous de le mentionner à votre médecin, au pharmacien ou à l'infirmière. Certains laxatifs peuvent interférer avec la façon dont d'autres médicaments agissent. Votre médecin pourra mieux traiter vos symptômes sachant quels laxatifs vous utilisez.
- N'oubliez pas que de **saines** habitudes de vie sont une façon importante de prévenir et soulager la constipation. Même si vous utilisez un laxatif, il importe aussi d'avoir des habitudes alimentaires et de défécation qui encouragent l'évacuation intestinale.

Conseils pour vaincre la constipation: La constipation peut être le résultat d'un certain nombre de facteurs. Parmi les causes les plus courantes, mentionnons les suivantes:

1. Une alimentation à faible teneur en fibre
2. La répression de l'envie d'aller à la selle
3. Un faible niveau d'activité physique
4. Le stress
5. La grossesse
6. Certains types de médicaments
7. L'utilisation prolongée de laxatifs

La fibre confère du volume à la masse fécale ce qui en facilite le passage dans le gros intestin d'où elle est expulsée de l'organisme. La fibre absorbe également de l'eau qui ramollit les selles et facilite leur passage. Une alimentation faible en fibre entraîne souvent des évacuations moins fréquentes et des selles plus dures.

La sensation ou le besoin de contraction des muscles rectaux annonce le besoin d'aller à la selle. La répression ou l'évitement de ce phénomène normal parce que le moment ou l'endroit n'est pas approprié peut résulter en des anomalies fonctionnelles du réflexe de la défécation. Résultat: les selles séjournent trop longtemps dans l'intestin, elles durcissent et leur passage s'effectue difficilement.

Duphalac (suite)

Les puissants muscles de l'estomac et des voies intestinales participent à l'élimination des selles. Chez les personnes inactives ou qui ne font pas suffisamment d'exercice, ces muscles perdent leur tonus et l'évacuation des selles devient plus difficile.

Le stress peut également entraver le processus normal de l'évacuation des selles. Sous l'effet de la tension, les muscles tendent à se crisper, ce qui rend plus difficiles les contractions naturelles de la défécation.

La grossesse a des conséquences semblables à un style de vie inactif parce qu'elle entraîne souvent une diminution du tonus des muscles abdominaux. Bien qu'un état de détente favorise l'évacuation intestinale, un trop grand relâchement ou un manque de tonus musculaire atténue l'aptitude normale des muscles à propulser les matières fécales tout au long des intestins.

La flore normale qu'abritent les intestins contribue à la formation des selles et suscite les réflexes qui propulsent les matières fécales. Certains médicaments opèrent des changements dans le milieu intestinal qui donnent lieu à une moindre activité musculaire ou au durcissement des selles. Votre médecin ou votre pharmacien peuvent vous conseiller sur les effets secondaires possibles des divers médicaments.

Que faire pour éviter la constipation? Adoptez des habitudes régulières de défécation. La «régularité» s'acquiert en prenant l'habitude de réserver la même période de détente chaque jour pour aller à la selle. Votre organisme s'habituera à cette période de détente. Si vous ne parvenez pas à obtenir une défécation, ne vous en inquiétez pas et ne vous forcez pas d'aller à la selle.

Sachez répondre à vos besoins. N'attendez pas—en restant à l'écoute des besoins de votre corps—le réflexe d'aller à la selle se manifestera de plus en plus normalement et se régularisera.

□ DURAGESIC[MD] Ⓝ

Janssen-Ortho

Fentanyl

Analgésique opioïde

Renseignements destinés aux patients: Duragesic (système transdermique de fentanyl): Votre médecin a prescrit le Duragesic pour aider à maîtriser votre douleur chronique (de longue durée). Cette brochure vous présente les renseignements concernant Duragesic et son utilisation. Veuillez la lire attentivement. Si vous avez des questions à poser ou désirez de plus amples détails, n'hésitez pas à vous adresser à votre médecin.

Qu'est-ce que Duragesic? Duragesic est un patch adhésif mince, rectangulaire, qui se place sur la peau. Duragesic libère un médicament appelé fentanyl de façon continue à travers la peau et dans le courant sanguin pour maîtriser vos douleurs 24 heures par jour.

Circonstances dans lesquelles on ne doit pas utiliser Duragesic: N'utilisez pas Duragesic si vous savez que vous êtes hypersensible au produit.

Avant d'utiliser Duragesic: Ne manquez pas de mentionner à votre médecin si vous avez d'autres problèmes médicaux (comme des maladies du cœur, des poumons, du cerveau, du foie et des reins), si vous êtes enceinte ou avez l'intention de devenir enceinte, si vous allaitez et si vous prenez d'autres médicaments. Cela l'aidera à décider si vous devriez utiliser Duragesic et quelles mesures supplémentaires devront être adoptées pendant son utilisation.

Duragesic ne convient pas pour le soulagement de la douleur postopératoire. Duragesic n'est pas recommandé pour les enfants, à moins que votre médecin n'ait décidé du contraire.

Effets indésirables possibles: Comme tous les médicaments, Duragesic peut entraîner des effets indésirables. La plupart de ces effets apparaissent au cours du premier mois de traitement. Ces effets peuvent être plus prononcés si vous avez de la fièvre.

Les effets indésirables le plus fréquemment signalés sont les nausées, les vomissements, la fatigue, la constipation, les sueurs, la sécheresse de la bouche, la confusion et l'irritation à l'endroit de l'application.

Un ralentissement de la respiration a été mentionné par un nombre limité de patients utilisant Duragesic. Si cet effet se développait, communiquez immédiatement avec votre médecin.

Ne conduisez pas d'automobiles et ne faites pas fonctionner de machines tant que vous n'avez pas établi que l'utilisation du patch ne vous rend pas somnolent.

Évitez la consommation d'alcool quand vous utilisez Duragesic, étant donné que l'association de leurs effets peut entraîner la somnolence. La somnolence peut également se développer en cas d'utilisation concomitante de Duragesic et de certains autres médicaments (comme les tranquillisants, les somnifères). Ne manquez pas d'informer votre médecin si vous prenez d'autres médicaments.

Surdosage: Le signe le plus important du surdosage est la dépression respiratoire. Si une personne respire très lentement ou très faiblement, retirez le patch et appelez le médecin immédiatement. En attendant, gardez la personne éveillée en lui parlant ou en la secouant de temps en temps.

Où appliquer Duragesic: Choisissez un endroit **sec** et non poilu de votre poitrine, votre dos, votre flanc ou du haut de votre bras. Si l'endroit que vous choisissez est recouvert de poils, coupez-les (ne les rasez pas) avec des ciseaux.

Ne placez **pas** le patch sur une peau excessivement grasse, brûlée, éraflée, coupée, irritée ou lésée d'une manière ou d'une autre. Si vous devez nettoyer la peau où le patch sera appliqué, n'utilisez que de l'eau claire. Les savons, huiles, lotions, alcool ou autres produits peuvent irriter la peau sous le patch.

Comment appliquer Duragesic (voir le prospectus d'emballage pour illustrations):

Étape 1. Chaque patch est scellé dans sa pochette protectrice. N'enlevez pas le patch de sa pochette avant d'être prêt(e) à l'utiliser. Quand vous êtes prêt(e), déchirez la pochette le long d'un des bords ou à l'une des extrémités.

Étape 2. Une pellicule protectrice rigide protège le côté adhésif du patch, qui sera appliqué sur votre peau. Tenez le bord de cette pellicule et détachez-la du patch. Essayez de ne pas toucher à la partie collante du patch. Débarrassez-vous de la pellicule.

Étape 3. Immédiatement après avoir enlevé la pellicule protectrice, appliquez le côté adhésif du patch sur un endroit sec de votre poitrine, votre dos, votre flanc ou le haut de votre bras. Appuyez fermement le patch sur votre peau avec la paume de votre main pendant 30 secondes. Assurez-vous que le patch adhère bien à la peau, spécialement au niveau des bords.

Tous les produits adhésifs n'adhèrent pas à tous les patients. Si le patch n'adhère pas bien ou se détache après l'application, fixez-en les bords avec du ruban adhésif pour premiers soins. Si le patch se détache complètement, jetez-le et appliquez un nouveau patch à un endroit différent (voir «Comment se débarasser de Duragesic»).

Étape 4. Lavez-vous les mains quand vous avez fini d'appliquer le patch.

Étape 5. Des étiquettes spéciales sont fournies pour vous aider à vous rappeler quand vous avez mis votre patch en place. Après avoir mis le patch en place, inscrivez la date et l'heure sur une étiquette, puis placez cette étiquette sur le patch.

Étape 6. Enlevez le patch après l'avoir porté pendant 3 jours ou la période indiquée par votre médecin (voir Comment se débarrasser de Duragesic). Puis choisissez un endroit **différent** de votre peau pour appliquer un nouveau patch et répétez les étapes 1 à 5 dans l'ordre présenté.

Que pouvez-vous anticiper avec Duragesic? Comme le médicament contenu dans Duragesic est libéré de façon progressive du patch et lentement absorbé dans la peau, ne vous attendez **pas** à un soulagement immédiat de la douleur après avoir appliqué votre **premier** patch. Pendant cette période initiale, votre médecin peut vous demander de prendre d'autres médicaments analgésiques jusqu'à ce que les effets bénéfiques de Duragesic se fassent bien sentir.

Bien que le plupart des patients obtiennent un soulagement adéquat de la douleur avec Duragesic, votre douleur peut varier et vous pouvez parfois présenter des percées de douleur. Ceci n'est pas inhabituel. Dans ce cas, votre médecin peut prescrire des analgésiques supplémentaires.

Il est important d'indiquer à votre médecin si votre douleur est maîtrisée ou non. Si vous avez fréquemment besoin d'analgésiques supplémentaires à action brève ou si votre douleur vous réveille la nuit, il est possible que votre dose de Duragesic doive être ajustée. **Si vous continuez à présenter des douleurs, téléphonez à votre médecin.**

Respectez toujours attentivement les directives de votre médecin et demandez-lui conseil avant de **changer** ou d'**arrêter** votre traitement avec Duragesic.

Tolérance: Duragesic peut entraîner une tolérance après un usage prolongé. Il est donc possible que votre médecin vous prescrive une dose de Duragesic plus élevée après quelque temps dans le but d'obtenir les mêmes résultats qu'au début du traitement.

L'eau et Duragesic: Vous pouvez vous baigner, nager ou prendre une douche quand vous portez Duragesic. Si le patch se détache, appliquez-en un nouveau après vous être assuré(e) que le **nouvel** endroit que vous avez choisi est sec.

La chaleur et Duragesic: Quand vous utilisez Duragesic, vous ne devriez **pas** exposer l'endroit d'application du patch aux sources de chaleur comme les coussins chauffants, les couvertures chauffantes, les matelas d'eau chauffants, les lampes chauffantes, les saunas, les bains tourbillonnants chauds, l'exposition intensive au soleil, etc., car cela peut augmenter la capacité du médicament à traverser la peau. Cela peut également se produire quand vous avez de la fièvre.

Comment se débarrasser de Duragesic: Avant d'appliquer un nouveau patch Duragesic, retirez celui que vous portez. Pliez-le en deux de sorte que son côté adhésif adhère à lui-même et jetez-le dans les toilettes immédiatement.

Débarrassez-vous de tous les patchs non utilisés qui restent après un traitement dès qu'ils ne sont plus requis. Retirez les patchs de leur pochette et enlevez la pellicule protectrice. Pliez les patchs en deux et jetez-les dans les toilettes. Ne jetez **pas** la pochette ni la pellicule protectrice dans les toilettes.

Sécurité et manutention: Duragesic est scellé pour empêcher que le gel qu'il contient n'entre en contact avec vos mains ou votre corps. Si le gel contenu dans le réservoir entre accidentellement en contact avec votre peau, lavez la région atteinte à grande eau. N'utilisez pas de savon, d'alcool ou autres solvants pour enlever le gel parce que ces agents peuvent augmenter la capacité du médicament à traverser la peau.

Ne coupez pas et n'altérez pas les patchs Duragesic. Les patchs Duragesic n'agiront pas de façon satisfaisante ou pourraient ne pas être sûrs s'ils sont endommagés de quelque manière que ce soit.

Ne laissez personne d'autre utiliser votre patch Duragesic. Si votre patch se déplace et adhère accidentellement à la peau d'une autre personne, retirez le patch immédiatement et appelez un médecin.

Ne dépassez pas la dose recommandée par votre médecin.

Entreposage: Gardez Duragesic hors de la portée des enfants.

Gardez Duragesic dans sa pochette protectrice jusqu'à ce que vous soyez prêt(e) à l'utiliser. Entreposez Duragesic à une température entre 15 et 25 °C. N'oubliez pas que, par temps ensoleillé, la température à l'intérieur de votre voiture peut être très supérieure à 25 °C.

□ EFFEXOR® Ⓟ
□ EFFEXOR® XR Ⓟ

Wyeth-Ayerst

Chlorhydrate de venlafaxine

Antidépresseur

Renseignements destinés aux patients: Veuillez lire attentivement ces renseignements avant de commencer votre traitement, même si vous avez déjà pris ce médicament par le passé. Ne jetez pas ce livret avant d'avoir fini votre traitement, car vous pourrez avoir besoin de vous y reporter. Si vous souhaitez recevoir de plus amples renseignements ou conseils, veuillez vous adresser à votre médecin ou à votre pharmacien.

Que devez-vous savoir sur Effexor/Effexor XR?

- Effexor/Effexor XR (chlorhydrate de venlafaxine) appartient à la famille des médicaments dénommés «antidépresseurs».
- Votre médecin vous a prescrit Effexor/Effexor XR pour soulager vos symptômes dépressifs.

Avant de prendre Effexor/Effexor XR: Vous devez dire à votre médecin:

- quels sont tous vos problèmes de santé, et notamment vos antécédents de crises convulsives, de maladies du foie et du cœur, et de tension artérielle;
- le nom de tout médicament (prescrit ou en vente libre) que vous prenez, en particulier s'il s'agit d'autres antidépresseurs, de somnifères ou de médicaments, contre l'anxiété;
- si vous êtes enceinte, si vous pensez l'être bientôt ou si vous allaitez votre enfant;
- en quoi consiste votre consommation habituelle d'alcool.

Comment prendre Effexor/Effexor XR?

- Il est très important que vous preniez Effexor/Effexor XR en suivant à la lettre les instructions de votre médecin.
- N'augmentez jamais la dose d'Effexor/Effexor XR que vous prenez, à moins que votre médecin ne vous ait dit de le faire.
- Comme avec tous les autres antidépresseurs, l'amélioration de vos symptômes grâce à Effexor/Effexor XR sera progressive. Il se peut que vous ne constatiez aucun effet visible pendant les premiers jours du traitement. Certains symptômes peuvent commencer à s'améliorer dans les 2 semaines suivant le début du traitement, mais il est possible qu'une amélioration importante ne survienne qu'au bout de plusieurs semaines.
- Prenez Effexor/Effexor XR avec de la nourriture.

Quand ne faut-il pas utiliser Effexor/Effexor XR?

- N'utilisez pas Effexor/Effexor XR si vous êtes allergique à ce médicament ou à l'un de ses composants (reportez-vous à la liste des composants figurant à la fin de cette section). Si vous ressentez une réaction allergique ou une réaction indésirable grave ou inhabituelle, cessez de prendre le médicament et communiquez immédiatement avec votre médecin.

Précautions à respecter quand vous prenez Effexor/Effexor XR:

- Vous pourriez ressentir des réactions indésirables comme des céphalées, des nausées, une sécheresse de la bouche, de la constipation, une somnolence, des étourdissements, une insomnie, des problèmes sexuels, une faiblesse, de la transpiration ou de la nervosité. Consultez votre médecin si vous ressentez ces réactions indésirables ou d'autres effets secondaires, car il se pourrait qu'il soit nécessaire d'ajuster la dose.
- Si vous oubliez de prendre 1 comprimé ou 1 capsule, n'essayez pas de compenser en en prenant 2 plus tard. Prenez tout simplement la dose suivante prévue et essayez de ne plus oublier de prendre votre médicament.
- Évitez toute tâche pouvant présenter un danger, comme conduire un véhicule ou utiliser des machines dangereuses, jusqu'à ce que vous ayez la certitude que ce médicament n'affecte pas votre état d'éveil ou la coordination de vos mouvements.

Que faire en cas de surdosage?

- Mettez-vous en rapport avec votre médecin ou avec le service des urgences de l'hôpital le plus proche, même si vous ne vous sentez pas malade.

Comment conserver Effexor/Effexor XR?

- Conservez les **comprimés** à la température ambiante (15 à 30 °C), dans un endroit sec. Conservez les **capsules** à la température ambiante (15 à 30 °C), dans un endroit sec.
- Fermez soigneusement le contenant.
- Gardez le médicament hors de la portée des enfants.

Que contient Effexor/Effexor XR?

Comprimés Effexor

- Effexor se présente sous forme de comprimés contenant 37,5 ou 75 mg de venlafaxine, qui en est le composant actif. Les ingrédients non médicinaux sont: de la cellulose microcristalline NF, du lactose hydraté NF, de l'oxyde de fer brun cosmétique, de l'oxyde ferrique jaune NF, du glycolate d'amidon sodique NF et du stéarate de magnésium NF.

Capsules Effexor XR

- Effexor XR est disponible sous forme de capsules contenant 37,5, 75 ou 150 mg de venlafaxine comme composant actif. Les ingrédients non médicinaux incluent: la cellulose microcristalline NF, l'hydroxypropylméthylcellulose USP, l'éthylcellulose NF, la gélatine NF, l'oxyde de fer rouge*, l'oxyde de fer jaune*, le dioxyde de titane*, l'oxyde de fer noir Sicomet-85**, du White Ink TekPrint SB-0007P***, de l'encre rouge Opacode S-1-15034**** et du talc.

* Présent (dans la capsule) à toutes les concentrations
** Présent (dans la capsule) à la concentration de 37,5 mg seulement
*** Concentrations de 150 mg
****Concentrations de 37,5 et 75 mg

Qui fabrique Effexor/Effexor XR? Les comprimés d'Effexor et les capsules d'Effexor XR sont fabriqués par: Wyeth-Ayerst Canada Inc., 1025, boulevard Marcel-Laurin, Saint-Laurent (Québec), H4R 1J6. (514) 744-6771, (416) 225-7500.

Rappel: Ce médicament n'a été prescrit que pour votre usage exclusif. Ne le donnez à personne d'autre. Pour tout renseignement complémentaire, veuillez vous adresser à votre médecin ou à votre pharmacien.

□ EMLA®, Crème/Timbre

Astra

Lidocaïne—Prilocaïne

Anesthésique topique pour analgésie dermique

Renseignements destinés aux patients: Renseignements importants sur la crème EMLA: Prière de lire ce dépliant avec attention avant d'utiliser la crème EMLA. Il contient des renseignements généraux sur la crème EMLA qui devraient s'ajouter aux conseils plus spécifiques du médecin, du pharmacien ou de la pharmacienne.

Conservez ce dépliant jusqu'à ce que vous ayez utilisé toute votre crème EMLA.

À quoi sert la crème EMLA et comment agit-elle? EMLA est la marque de commerce d'un anesthésique topique qui contient des médicaments appelés lidocaïne et prilocaïne. On utilise les anesthésiques topiques pour produire une perte temporaire de sensation ou un engourdissement dans la région où on les applique.

EMLA est appliqué sur une peau saine et intacte avant une opération mineure sur la peau ou avant une piqûre ou une prise de sang. On peut aussi l'utiliser sur la muqueuse génitale et les ulcères de jambe. L'effet anesthésique d'EMLA est optimal environ 1 à 2 heures après l'application sur la peau et 5 à 10 minutes après l'application sur la muqueuse génitale et environ 30 minutes après l'application sur un ulcère de jambe.

Il se peut que vous soyez encore capable de sentir la pression ou le toucher sur la région où EMLA est appliqué.

Que contient la crème EMLA? Les ingrédients actifs de la crème EMLA sont la lidocaïne et la prilocaïne. La crème contient aussi du carboxypolyméthylène, de l'huile de ricin hydrogénée de polyoxyéthylène et de l'hydroxyde de sodium.

Si vous croyez être sensible à l'un ou l'autre de ces ingrédients, consultez votre médecin.

Que dire à mon médecin ou à mon pharmacien avant d'utiliser la crème EMLA? Assurez-vous d'avoir mentionné à votre médecin ou à votre pharmacien:

- tous les problèmes de santé que vous avez présentement ou avez eus dans le passé;
- tous les autres médicaments que vous prenez, y compris les médicaments sans ordonnance;
- si vous avez déjà eu une réaction incommodante, inhabituelle ou allergique à la lidocaïne ou à la prilocaïne, aussi vendues sous les noms de Xylocaine (lidocaïne) et Citanest (prilocaïne);
- si vous croyez être sensible ou allergique à d'autres ingrédients de la crème (voir ci-dessus);
- si vous croyez être sensible ou allergique à l'un des ingrédients des pansements adhésifs;
- si vous souffrez de méthémoglobinémie;
- s'il y a une infection, une éruption, une coupure ou une blessure à la région ou près de la région où vous voulez appliquer EMLA;
- si vous souffrez de dermatite ou de tout autre problème ou maladie de peau;
- si vous souffrez d'une maladie grave touchant les reins ou le foie;
- si vous êtes enceinte ou prévoyez le devenir, ou si vous allaitez.

Comment faut-il appliquer la crème EMLA? Si ce médicament vous a été recommandé par votre médecin, assurez-vous de suivre les directives qu'il vous a données. Si vous avez décidé vous-même d'utiliser EMLA, suivez les directives ci-dessous.

EMLA doit être utilisé sur la peau saine et intacte, à l'exception des ulcères de jambe. On peut aussi l'appliquer sur la muqueuse génitale. **Ne pas appliquer sur une plaie ouverte.**

Ne pas appliquer la crème EMLA près des yeux, car cela pourrait causer de l'irritation. Si de la crème EMLA se retrouve accidentellement dans les yeux, rincer abondamment avec de l'eau tiède.

Il ne faut pas appliquer la crème EMLA à l'intérieur de l'oreille.

Instructions pour l'application de la crème EMLA sur la peau intacte (voir le prospectus d'emballage pour les illustrations): La crème EMLA est offerte en tubes de 5 et de 30 grammes (g); une quantité de 2,5 g correspond à la moitié d'un tube de 5 g, et 10 g correspond à 2 tubes de 5 g ou un tiers d'un tube de 30 g.

1. Appliquer une couche épaisse de crème à l'endroit désiré, de la façon suivante:

   Adultes et enfants de plus de 1 an: Pour les interventions mineures sur la peau comme le traitement chirurgical de lésions, ou avant une piqûre ou une prise de sang, appliquer environ la moitié d'un tube de 5 g (2,5 g). Laisser EMLA en place pendant au moins 1 heure. Il ne faut pas laisser EMLA sur la peau pendant plus de 5 heures.

   Pour les interventions sur de plus grandes surfaces de peau comme pour une greffe de peau mince, appliquer environ 1,5 à 2 g/10 cm² (une surface de 10 cm² équivaut à 2 cm x 5 cm ou un cercle de 3,5 cm de diamètre). Lorsqu'on l'applique sur une plus grande surface, EMLA doit rester en place pendant au moins 2 heures.

   Enfants: de 6 à 12 mois: Ne pas appliquer plus de 2 g de crème sur une surface de peau ne dépassant pas 16 cm² (4 cm×4 cm ou un cercle de 4,5 cm de diamètre). Laisser la crème en place pendant au moins 1 heure. Il ne faut pas laisser EMLA sur la peau pendant plus de 4 heures pour les enfants de ce groupe d'âge.

   La crème EMLA ne doit pas être utilisée chez les enfants de moins de 6 mois.
2. Couvrir la région traitée avec un pansement hermétique comme les pansements Tegaderm ou de la pellicule plastique. Des pansements Tegaderm sont fournis avec le tube de 5 g seulement. Si on utilise la pellicule plastique, utiliser du ruban adhésif ordinaire ou de type médical pour tenir le pansement en place et le rendre hermétique.

   Si on utilise les pansements Tegaderm, enlever la partie détachable au centre. Enlever ensuite la doublure de papier du pansement.
3. Couvrir la crème EMLA soigneusement de façon à garder une couche épaisse sous le pansement. Ne pas étendre la crème. Bien faire adhérer les bords du pansement pour éviter les fuites, surtout chez les enfants.
4. Si on utilise les pansements Tegaderm, enlever le cadre de papier. On peut facilement noter l'heure d'application directement sur le pansement avec un stylo à bille. Si on utilise de la pellicule plastique, on peut noter l'heure d'application sur le ruban adhésif de type médical qui tient le pansement en place.
5. Enlever le pansement à la fin de la période d'application, soit après 1 heure pour la majorité des interventions. Essuyer la crème EMLA, et nettoyer toute la surface avec de l'alcool. Si vous devez vous rendre au cabinet du médecin, laissez le pansement en place et faites-le enlever par le médecin juste avant l'intervention.

Application de la crème EMLA sur la muqueuse génitale: Adultes: Pour une insertion d'aiguille, appliquer la moitié d'un tube de 5 g (2,5 g) à l'endroit désiré pendant 5 à 10 minutes.

Pour le traitement chirurgical de petites lésions, comme l'ablation de condylomes ou une biopsie, appliquer environ 2,5 g par lésion pendant 5 à 10 minutes.

Il n'est pas nécessaire de couvrir d'un pansement hermétique lorsque la crème EMLA est utilisée sur la muqueuse génitale. Le médecin commencera l'intervention chirurgicale immédiatement après l'enlèvement de la crème.

Il ne faut pas appliquer la crème EMLA sur la muqueuse génitale chez les enfants.

Application de la crème EMLA sur les ulcères de jambe: Pour une anesthésie topique avant le nettoyage/débridement des ulcères de jambe, on doit appliquer une couche épaisse d'environ 1 à 2 g/10 cm² de crème EMLA sur l'ulcère de jambe et la recouvrir avec un pansement occlusif, c.-à-d. une pellicule de plastique. On peut appliquer jusqu'à 10 g.

EMLA devrait être appliqué sur l'ulcère pendant au moins 30 minutes; une application de 60 minutes peut améliorer l'efficacité de l'anesthésie. Le nettoyage/débridement devrait commencer dans les 10 minutes après l'enlèvement de la crème.

EMLA cause-t-il des effets secondaires? Comme tout autre médicament, la crème EMLA peut causer des effets secondaires chez certaines personnes.

Les effets secondaires légers qu'on note après l'utilisation d'EMLA sont la pâleur ou la rougeur de la peau, une légère enflure et une sensation initiale de brûlure ou de démangeaison dans la région où EMLA est appliqué. Ces réactions sont normales et causées par les ingrédients actifs. Elles disparaîtront sans qu'aucun traitement ne soit requis.

Des réactions allergiques aux ingrédients actifs ont été rapportés dans de rares cas.

EMLA peut causer des effets secondaires sérieux si une trop grande quantité est appliquée. Parmi ces effets secondaires, notons la somnolence, l'engourdissement de la langue, une sensation de tête légère, des problèmes de vue ou d'audition, des vomissements, des étourdissements, une fréquence cardiaque très lente, une perte de conscience, de la nervosité, une transpiration inhabituelle, des tremblements ou des convulsions.

Dans des cas extrêmement rares, EMLA peut affecter le taux d'oxygène transporté dans le sang, ce qui causera une hausse du taux de méthémoglobine dans le sang. C'est ce qu'on appelle la méthémoglobinémie, et cette maladie entraînera une coloration brunâtre ou grisâtre de la peau.

Les médicaments n'affectent pas tout le monde de la même façon. Même si certains patients ont ressenti des effets secondaires, cela ne veut pas dire que vous en aurez aussi. Si un effet secondaire vous incommode, ou si vous ressentez des effets inhabituels avec EMLA, cessez de l'utiliser et consultez sans tarder votre médecin ou votre pharmacien ou pharmacienne.

Que faire en cas de surdosage? En cas de surdosage avec EMLA, ou si vous ou une personne de votre entourage croyez ressentir l'un des effets ci-dessus ou souffrir de méthémoglobinémie, téléphonez à votre médecin ou rendez-vous immédiatement à l'hôpital le plus proche.

Où faut-il garder la crème EMLA? Il faut garder la crème EMLA hors de la portée des enfants entre chaque utilisation.

Garder la crème EMLA à température ambiante, à l'abri du gel.

Remarque importante: Ce dépliant vous indique certaines situations où vous devez appeler le médecin, mais d'autres situations imprévisibles peuvent survenir. Rien dans ce dépliant ne vous empêche de communiquer avec votre médecin ou votre pharmacien pour leur poser des questions ou leur soumettre vos problèmes ou vos inquiétudes au sujet de la crème EMLA.

Renseignements importants sur le timbre EMLA: Prière de lire ce dépliant avec attention avant d'utiliser le timbre EMLA. Il contient des renseignements généraux sur le timbre EMLA qui devraient s'ajouter aux conseils plus spécifiques du médecin, du pharmacien ou de la pharmacienne.

Conservez ce dépliant jusqu'à ce que vous ayez utilisé tous vos timbres EMLA.

À quoi sert le timbre EMLA et comment agit-il? EMLA est la marque de commerce d'un anesthésique topique qui contient des médicaments appelés lidocaïne et prilocaïne. On utilise les anesthésiques topiques pour produire une perte temporaire de sensation ou un engourdissement dans la région où on les applique.

Le timbre EMLA est appliqué sur une peau saine et intacte avant une piqûre ou une prise de sang. L'effet anesthésique d'EMLA est optimal environ 1 à 2 heures après l'application. Il se peut que vous soyez encore capable de sentir la pression ou le toucher sur la région où le timbre EMLA est appliqué.

Que contient le timbre EMLA? Le timbre EMLA est constitué d'une pellicule adhésive couleur chair avec au milieu un coussinet blanc qui contient EMLA. La pellicule adhésive est protégée par un papier détachable que l'on enlève au moment d'appliquer le timbre.

Les ingrédients actifs du timbre EMLA sont la lidocaïne et la prilocaïne. Il contient aussi du carboxypolyméthylène, de l'huile de ricin hydrogénée de polyoxyéthylène et de l'hydroxyde de sodium. La pellicule adhésive du timbre est faite d'acrylate. Le timbre ne contient pas de latex.

Si vous croyez être sensible à l'un ou l'autre de ces ingrédients, consultez votre médecin.

Que dire à mon médecin ou à mon pharmacien avant d'utiliser le timbre EMLA? Assurez-vous d'avoir mentionné à votre médecin ou à votre pharmacien:

- tous les problèmes de santé que vous avez présentement ou avez eus dans le passé;
- tous les autres médicaments que vous prenez, y compris les médicaments sans ordonnance;
- si vous avez déjà eu une réaction incommodante, inhabituelle ou allergique à la lidocaïne ou à la prilocaïne, aussi vendues sous les noms de Xylocaine (lidocaïne) et Citanest (prilocaïne);
- si vous croyez être sensible ou allergique à d'autres ingrédients du timbre (voir ci-dessus);
- si vous souffrez de méthémoglobinémie;
- s'il y a une infection, une éruption, une coupure ou une blessure à la région ou près de la région où vous voulez appliquer EMLA;
- si vous souffrez de dermatite ou de tout autre problème ou maladie de peau;
- si vous souffrez d'une maladie grave touchant les reins ou le foie;
- si vous êtes enceinte ou prévoyez le devenir, ou si vous allaitez.

Comment faut-il appliquer le timbre EMLA? Si ce médicament vous a été recommandé par votre médecin, assurez-vous de suivre les directives qu'il vous a données. Si vous avez décidé vous-même d'utiliser EMLA, suivez les directives ci-dessous.

EMLA doit être utilisé sur la peau saine et intacte. **Ne pas appliquer sur une plaie ouverte.**

Ne pas appliquer le timbre EMLA près des yeux, car cela pourrait causer de l'irritation. Si un peu d'EMLA se retrouve accidentellement dans les yeux, rincer abondamment avec de l'eau tiède.

Adultes et enfants de plus de 1 an: Le timbre EMLA doit être appliqué au moins 1 heure avant l'intervention. Il ne faut pas laisser le timbre sur la peau pendant plus de 5 heures.

Enfants de 6 à 12 mois: Il ne faut pas appliquer plus de 2 timbres EMLA à la fois. Laisser le timbre en place au moins 1 heure, mais pas plus de 4 heures.

Le timbre EMLA n'est pas recommandé chez les enfants de moins de 6 mois.

Ne pas réutiliser le timbre EMLA.

Instructions pour l'application du timbre EMLA (voir le prospectus d'emballage pour les illustrations):

1. S'assurer que la région à traiter est propre et sèche. Replier le coin du papier d'aluminium.
2. En tenant les coins, séparer la pellicule adhésive couleur chair du papier d'aluminium. Ne pas toucher le coussinet blanc et rond qui contient EMLA.
3. Appliquer le timbre EMLA pour que le coussinet blanc et rond contenant EMLA couvre la région à traiter (au besoin, raser la région avant l'application). Presser **fermement**, seulement sur les **bords** du timbre pour faire adhérer à la peau. Appuyer **légèrement** au **centre** du timbre pour s'assurer que EMLA est en contact avec la peau.
4. On peut noter l'heure d'application sur le bord du timbre avec un stylo à bille. Le timbre EMLA doit être appliqué au moins 1 heure avant le début de l'intervention. Il faut s'assurer que le timbre ne se décolle pas (surtout chez les jeunes enfants) pendant les 60 minutes d'attente.
5. Enlever le timbre EMLA. Nettoyer toute la région avec de l'alcool. Si vous devez vous rendre au cabinet du médecin, gardez le timbre en place et faites-le enlever par votre médecin juste avant l'intervention.

EMLA cause-t-il des effets secondaires? Comme tout autre médicament, le timbre EMLA peut causer des effets secondaires chez certaines personnes.

Les effets secondaires légers qu'on note après l'utilisation d'EMLA sont la pâleur ou la rougeur de la peau, une légère enflure et une sensation initiale de brûlure ou de démangeaison dans la région où EMLA est appliqué. Ces réactions sont normales et causées par les ingrédients actifs. Elles disparaîtront sans qu'aucun traitement ne soit requis.

Des réactions allergiques aux ingrédients actifs ont été rapportées dans de rares cas.

EMLA peut causer des effets secondaires sérieux si une trop grande quantité est appliquée. Parmi ces effets secondaires, notons la somnolence, l'engourdissement de la langue, une sensation de tête légère, des problèmes de vue ou d'audition, des vomissements, des étourdissements, une fréquence cardiaque anormalement lente, une perte de conscience, de la nervosité, une transpiration inhabituelle, des tremblements ou des convulsions.

Dans des cas extrêmement rares, EMLA peut affecter le taux d'oxygène transporté dans le sang, ce qui causera une hausse du taux de méthémoglobine dans le sang. C'est ce qu'on appelle la méthémoglobinémie, et cette maladie entraînera une coloration brunâtre ou grisâtre de la peau.

Les médicaments n'affectent pas tout le monde de la même façon. Même si certains patients ont ressenti des effets secondaires, cela ne veut pas dire que vous en aurez aussi. Si un effet secondaire vous incommode, ou si vous ressentez des effets inhabituels avec EMLA, cessez de l'utiliser et consultez sans tarder votre médecin ou votre pharmacien ou pharmacienne.

Que faire en cas de surdosage? En cas de surdosage avec EMLA, ou si vous ou une personne de votre entourage croyez ressentir l'un des effets ci-dessus ou souffrir de méthémoglobinémie, téléphonez à votre médecin ou rendez-vous immédiatement à l'hôpital le plus proche.

Où faut-il garder les timbres EMLA? Il faut toujours garder les timbres EMLA hors de la portée des enfants. Les timbres ne doivent être utilisés qu'une seule fois et doivent être jetés après usage.

Garder les timbres EMLA à la température ambiante, à l'abri du gel.

Remarque importante: Ce dépliant vous indique certaines situations où devez appeler le médecin, mais d'autres situations imprévisibles ▶

Emla, Crème/Timbre (suite)

peuvent survenir. Rien dans ce dépliant ne vous empêche de communiquer avec votre médecin ou votre pharmacien pour leur poser des questions ou leur soumettre vos problèmes ou vos inquiétudes au sujet du timbre EMLA.

□ ENTOCORT®, Capsules

Astra

Budésonide

Glucocorticostéroïde pour le traitement de la maladie de Crohn affectant l'iléon et/ou le côlon ascendant

Renseignements destinés aux patients: Renseignements importants sur Entocort en capsules (budésonide): Prière de lire ce dépliant avec attention. Il a été préparé par le fabricant des capsules d'Entocort pour vous aider à profiter au maximum des avantages de ce médicament. Il contient des renseignements généraux sur ce produit qui devraient s'ajouter aux conseils plus spécifiques du médecin, du pharmacien ou de la pharmacienne.

Ce dépliant ne doit pas remplacer les conseils du médecin ou du pharmacien. En raison de votre état de santé, ils peuvent vous avoir donné des instructions différentes. Assurez-vous de bien suivre leurs conseils. De plus, si vous avez des questions ou des inquiétudes après avoir lu ce dépliant, consultez votre médecin ou votre pharmacien.

Qu'est-ce qu'Entocort? Entocort est la marque de commerce d'un médicament appelé budésonide. Il s'agit d'un anti-inflammatoire appartenant à la famille des stéroïdes.

Que renferment les capsules d'Entocort? Les capsules d'Entocort sont remplies de nombreux petits granules et contiennent 3 mg de budésonide. Quand vous avalez la capsule, le médicament passe intact dans l'estomac, puis il est libéré graduellement dans l'intestin grêle.

La plupart des médicaments contiennent des substances autres que leur ingrédient actif. Ces substances sont nécessaires pour présenter les médicaments sous une forme facile à prendre. Vérifiez auprès de votre médecin si vous pensez être allergique à un des composés suivants: éthylcellulose, citrate d'acétyltributyle, copolymère d'acide méthacrylique, citrate d'éthyle, diméthicone, polysorbate 80, talc, sucrose, gélatine, laurisulfate de sodium, dioxyde de titanium et oxyde de fer.

Comment les capsules d'Entocort agissent-elles? Les capsules d'Entocort sont utilisées pour le traitement de la maladie de Crohn, une maladie inflammatoire de l'intestin qui cause des symptômes comme des douleurs à l'estomac, de la diarrhée et de la fièvre. Les capsules d'Entocort permettent de réduire l'inflammation dans l'intestin grêle et aussi dans la partie supérieure du gros intestin.

Quoi faire avant de prendre les capsules d'Entocort? Assurez-vous d'avoir mentionné à votre médecin:

- **tous** les problèmes de santé que vous avez présentement ou avez eus dans le passé, surtout la tuberculose et toute autre infection récente, les maladies hépatiques, l'ostéoporose (os fragiles), les ulcères d'estomac, la haute pression, les maladies aux yeux, le diabète ou des antécédents familiaux de diabète ou de glaucome;
- **tous** les autres médicaments que vous prenez, y compris les médicaments sans ordonnance;
- si vous prenez ou avez pris des stéroïdes au cours des derniers mois;
- si vous êtes enceinte ou avez l'intention de le devenir, ou si vous allaitez;
- si vous avez déjà eu une mauvaise réaction ou une réaction inhabituelle ou allergique aux capsules d'Entocort ou au budésonide;
- si vous êtes allergique à des substances «non médicinales», comme des produits alimentaires, des agents de conservation ou des colorants, qui pourraient être présentes dans les capsules d'Entocort (voir la section «Que renferment les capsules d'Entocort?»);

Comment prendre les capsules d'Entocort? Prenez toutes les doses, selon les directives du médecin, et ce même si vous vous sentez mieux. Habituellement, les capsules d'Entocort procurent un plein effet après 2 à 4 semaines de traitement. Ne sautez pas de doses et ne prenez pas de capsules supplémentaires, à moins d'avis contraire de votre médecin. Si vous oubliez une dose, prenez seulement la prochaine dose à l'heure prévue. Ne prenez jamais une double dose d'Entocort afin de compenser pour une dose oubliée.

Vous devez avaler les capsules d'Entocort entières avec de l'eau et les prendre avant les repas. Ne pas séparer ni croquer les capsules.

Traitement à court terme: La dose habituelle pour le traitement des symptômes aigus est de 9 mg/jour, pendant un maximum de 8 semaines. La dose peut être administrée 1 fois/jour le matin, à raison de 3 capsules de 3 mg.

Traitement à long terme: La dose de départ habituelle pour le traitement à long terme est de 6 mg/jour. Prendre 2 capsules de 3 mg le matin, avant le petit déjeuner. Votre médecin changera peut-être la dose, selon l'évolution de votre maladie.

Continuez de prendre les capsules d'Entocort jusqu'à ce que le médecin vous dise d'arrêter. Il voudra peut-être réduire la dose lentement.

Surdosage: Si vous ou une autre personne pensez avoir pris trop de capsules d'Entocort, communiquez immédiatement avec le médecin ou rendez-vous à l'hôpital le plus proche, même si vous n'observez pas de réaction incommodante ni de signe d'empoisonnement.

Y a-t-il des effets secondaires? Les capsules d'Entocort, comme tout médicament, peuvent causer des effets secondaires chez certaines personnes. Ces symptômes peuvent ne pas être causés par les capsules d'Entocort dans votre cas, mais seul un médecin peut le déterminer.

Lorsque des effets secondaires se manifestent, ils sont habituellement légers. Cependant, assurez-vous de mentionner à votre médecin si l'un des effets suivants vous incommode: enflure du visage, indigestion, problèmes menstruels, nervosité, crampes musculaires, tremblements, battements rapides du cœur, vision trouble et éruptions cutanées.

D'autres effets indésirables imprévisibles peuvent survenir dans de rares cas. Si vous ressentez des effets inhabituels ou incommodants pendant le traitement avec les capsules d'Entocort, consultez votre médecin ou votre pharmacien immédiatement.

Les médicaments n'affectent pas tout le monde de la même façon. Si d'autres personnes ont ressenti des effets secondaires, cela ne veut pas dire que vous en aurez aussi.

N'arrêtez pas de vous-même un traitement avec les capsules d'Entocort. Votre médecin voudra peut-être réduire la dose lentement, surtout si vous prenez les capsules d'Entocort depuis longtemps. Bien qu'ils soient rares, des symptômes liés au retrait des stéroïdes, c.-à-d. fatigue et douleurs musculaires ou articulaires, peuvent survenir si vous cessez trop rapidement de prendre les capsules d'Entocort.

Où dois-je garder les capsules d'Entocort? N'oubliez pas de **toujours garder les capsules d'Entocort hors de la portée des enfants.**

Le flacon des capsules d'Entocort contient un dessiccatif dans le capuchon. Toujours garder le médicament Entocort dans le contenant d'origine, sinon l'humidité de l'air pourrait endommager les capsules.

Conserver les capsules d'Entocort à la température ambiante et dans un endroit sec. Ne pas les garder dans la salle de bains ou dans tout autre endroit chaud ou humide.

Ne pas utiliser les capsules d'Entocort après la date d'expiration indiquée sur le flacon.

Remarque importante: Ce dépliant vous indique dans quels cas vous devez appeler le médecin, mais d'autres situations imprévisibles peuvent survenir. Rien dans ce dépliant ne vous empêche de communiquer avec votre médecin ou votre pharmacien pour leur poser des questions ou leur soumettre vos inquiétudes au sujet des capsules d'Entocort.

□ ENTOCORT®, Lavement

Astra

Budésonide

Glucocorticostéroïde

Renseignements destinés aux patients: À propos du lavement de rétention Entocort: Veuillez lire le présent feuillet d'instructions avant d'utiliser le lavement de rétention Entocort. Avant d'utiliser Entocort ou tout autre lavement administré par introduction d'un tube rigide, les patients ayant subi une colostomie ou une iléostomie doivent consulter leur médecin. Le lavement au budésonide doit être administré le soir, avant le coucher. Le lavement au budésonide (0,02 mg/mL) consiste en un comprimé dispersable (I) et une solution (II).

I. Chaque comprimé dispersable contient: 2,3 mg de budésonide, lactose, colorant (riboflavine-5-phosphate de sodium) et autres composants.

II. 1 mL de solution contient: chlorure de sodium, agents de conservation (paraoxybenzoate de méthyle et hydroxybenzoate de propyle) et jusqu'à 1 mL d'eau purifiée.

Préparation du lavement (voir le feuillet d'instructions pour les illustrations):

1. Sans enlever le bouchon protecteur, dévissez l'adaptateur rectal du flacon.
2. Retirez 1 comprimé de l'emballage en papier d'aluminium et déposez-le dans le flacon. **Ne pas avaler le comprimé.**
3. Revissez l'adaptateur rectal sur le flacon et assurez-vous que le bouchon protecteur est bien en place. Agitez vigoureusement le flacon pendant au moins 10 secondes ou jusqu'à ce que le comprimé soit complètement dissous et que la solution devienne jaunâtre. Vous trouverez un sac de plastique dans la boîte. Utilisez-le pour vous protéger la main pendant l'administration du lavement.
4. Étendez-vous sur le côté gauche. Agitez le flacon encore une fois avant de retirer le bouchon protecteur. Videz le contenu du flacon dans le rectum.
5. Tournez-vous sur le ventre. Restez dans cette position pendant 5 minutes.
6. Choisissez une position confortable pour dormir. Essayez de retenir le lavement le plus longtemps possible, de préférence toute la nuit.

Remarque: Le lavement au budésonide doit être administré immédiatement après sa préparation.

1. Placez la main dans le sac de plastique et saisissez le flacon.
2. Videz-en le contenu dans le rectum.
3. Après l'administration, retirez la main du sac de plastique en ramenant celui-ci par-dessus le flacon.

□ ENTROPHEN®

Johnson & Johnson • Merck

AAS

Anti-inflammatoire non stéroïdien—Analgésique—Antiagrégant plaquettaire

Renseignements destinés aux patients: Composition d'Entrophen: Les comprimés et les caplets enrobés Entrophen contiennent de l'acide acétylsalicylique, également connu sous le nom AAS.

Son mode d'action: Les comprimés et les caplets enrobés Entrophen possèdent les propriétés suivantes:

Action: Les comprimés et les caplets enrobés Entrophen contiennent de l'AAS. Les résultats cliniques ont démontré l'action bénéfique de l'AAS sur les courbatures, sur les douleurs musculaires et articulaires bénignes, et sur le mal de dos.

Enrobage entérosoluble spécial pour aider à prévenir l'irritation gastrique: L'enrobage entérosoluble spécial d'Entrophen permet aux comprimés et aux caplets de traverser l'estomac, un milieu acide, sans se dissoudre, et d'atteindre la partie supérieure de l'intestin grêle, moins acide, où ils se dissolvent, diminuant ainsi le risque d'irritation gastrique parfois associé à la prise d'AAS ordinaire ou tamponnée.

Début d'action: L'enrobage gastro-résistant des comprimés et des caplets Entrophen minimise le risque d'irritation gastrique, le médicament n'étant pas absorbé par l'estomac, en conséquence, son début d'action s'en trouve sensiblement retardé.

Quand doit-on recourir à Entrophen: Entrophen est indiqué pour soulager les douleurs de nature bénigne, y compris la douleur causée par l'inflammation qui accompagne l'arthrite et le rhumatisme. Entrophen peut être utilisé pour contrer le mal de dos, la bursite, les douleurs au genou, les douleurs musculaires et articulaires, la douleur lombaire et l'épicondylite (tennis elbow). Il sert également à calmer les douleurs et les courbatures imputables au rhume.

Comment prendre Entrophen: Adultes: Les comprimés et les caplets doivent être avalés en entier avec un grand verre d'eau (250 mL); on ne doit ni les croquer ni les fractionner. Il est dangereux de dépasser la dose maximale recommandée (650 mg par dose ou 4 g par jour), sauf avis contraire du médecin. Consultez un médecin si les malaises nécessitent l'administration du médicament pendant plus de 5 jours.

Précautions: Si vous prenez tout autre médicament, vérifiez bien l'étiquette pour vous assurer qu'il ne contient pas d'acide acétylsalicylique (AAS); vous préviendrez ainsi un surdosage accidentel. Dans le doute, consultez votre médecin ou votre pharmacien.

Si vous devez subir une intervention chirurgicale ou dentaire dans les 5 à 7 jours, consultez votre médecin ou votre pharmacien avant de prendre de l'aspirine ou des comprimés ou caplets enrobés Entrophen.

Consultez votre médecin avant de prendre ce médicament pendant le dernier trimestre de la grossesse, ou si vous allaitez.

Ne pas administrer Entrophen aux enfants et aux adolescents atteints de varicelle ou de symptômes grippaux avant d'avoir consulté un médecin ou un pharmacien au sujet du syndrome de Reye, une maladie rare mais grave.

Ce conditionnement, par sa teneur en médicament, pourrait nuire gravement à la santé d'un enfant. Tenir ce médicament hors de la portée des enfants.

Quand faut-il consulter un médecin ou un pharmacien au sujet d'Entrophen: Consultez un médecin ou un pharmacien avant de prendre ce médicament dans les cas suivants:

- allergie aux salicylates ou asthme
- grossesse ou allaitement
- troubles d'estomac, ulcère gastro-duodénal, maladie grave du foie ou goutte
- antécédents de troubles de la coagulation ou prise d'anticoagulants (médicaments destinés à éclaircir le sang)
- intervention chirurgicale dans les 5 à 7 prochains jours ou en cas d'anémie grave
- prise d'autres médicaments renfermant des salicylates ou de l'acétaminophène, d'anti-inflammatoires, d'anticonvulsivants ou de médicaments contre le diabète ou la goutte

Effets secondaires possibles: Les comprimés et les caplets enrobés Entrophen peuvent parfois causer certaines réactions indésirables. Faites appel au médecin si l'une des réactions suivantes se manifeste en cours de traitement:

- saignement ou irritation de l'estomac (nausées, vomissements, douleur)
- tout trouble auditif, y compris tintement ou bourdonnement d'oreille
- éruptions cutanées, urticaire ou démangeaisons
- gêne respiratoire

Surdosage: En cas de surdosage accidentel ou soupçon de surdosage, communiquez immédiatement avec un médecin, un centre antipoison ou le service d'urgence d'un hôpital, même en l'absence de symptômes.

Les signes et symptômes d'un surdosage surviennent généralement dans les heures qui suivent l'ingestion du médicament. Ils peuvent prendre la forme d'une irritation gastrique, de convulsions (crises), d'une perte de l'acuité auditive, de confusion mentale, d'un tintement ou d'un bourdonnement d'oreille, de somnolence ou de grande lassitude, de surexcitation, d'agitation, d'une respiration anormalement rapide ou profonde, d'hallucinations ou de modifications du comportement (en particulier chez l'enfant).

Caractéristiques: Comprimés ou caplets entérosolubles portant, imprimés en noir, sa dénomination commerciale et la teneur en mg par comprimé ou par caplet.

Entrophen régulier	**Entrophen extra-fort**	**Entrophen 10 super extra-fort**
Comprimés ou caplets 325 mg	Comprimés 500 mg	Comprimés ou caplets 650 mg
Posologie habituelle 1-2 comprimés ou caplets toutes les les 4 heures	Posologie habituelle 1-2 comprimés toutes les 4 heures	Posologie habituelle 1 comprimé ou caplet toutes les 4 heures
Posologie quotidienne maximale (4 000 mg/jour) 12 comprimés/caplets	Posologie quotidienne maximale (4 000 mg/jour) 8 comprimés	Posologie quotidienne maximale (4 000 mg/jour) 6 comprimés/caplets
• Pour un traitement par AAS à faible dose. Pour le soulagement des douleurs légères dues aux troubles articulaires ou musculaires.	• Pour le soulagement des douleurs modérées dues aux lombalgies et aux troubles articulaires ou musculaires.	• Pour le soulagement de la douleur articulaire modérée causée par l'arthrite et les blessures résultant de la pratique d'un sport.

Les pharmaciens et les médecins peuvent obtenir la monographie du produit sur simple demande.

□ EPIVAL® ℞

Abbott

Divalproex de sodium

Anticonvulsivant

Renseignements destinés aux patients: Veuillez lire les renseignements suivants attentivement avant de commencer à prendre Epival, même si vous l'avez déjà pris auparavant:

Qu'est-ce qu'Epival? Epival (marque de commerce du divalproex de sodium) vous a été prescrit pour maîtriser votre épilepsie. Suivez les recommandations de votre médecin à la lettre.

Avant de prendre Epival: Avisez votre médecin si:

- vous avez déjà présenté ou présentez actuellement une atteinte hépatique (foie) comme la jaunisse (jaunissement de la peau et des yeux);
- vous avez déjà présenté une réaction allergique ou inhabituelle à Epival;
- vous êtes allergique à l'une ou à plusieurs des composantes des comprimés Epival;
- vous êtes enceinte ou prévoyez le devenir;
- vous allaitez; Epival est excrété dans le lait maternel;
- vous prenez tout autre médicament, qu'il soit vendu avec ou sans ordonnance;
- vous souffrez d'une atteinte hépatique (foie) ou rénale, ou d'autres troubles médicaux;
- vous consommez régulièrement de l'alcool.

Comment prendre Epival:

- Il est très important que vous preniez Epival exactement comme l'a prescrit votre médecin.
- Il se peut que votre médecin augmente ou réduise la dose de votre médicament en fonction de vos besoins personnels; suivez bien les directives qui vous sont données. Ne modifiez pas la dose de votre médicament vous-même.
- Ne cessez pas de prendre votre médicament subitement; vos crises pourraient s'aggraver.
- Si vous oubliez une dose, ne doublez pas votre prochaine dose. Prenez votre prochaine dose comme prescrit, et évitez que cela ne se reproduise. Epival peut être pris avec ou sans aliments.
- Consultez votre médecin avant de prendre tout autre médicament, même ceux qui sont vendus sans ordonnance. Certains médicaments peuvent provoquer des effets secondaires lorsqu'ils sont pris en même temps qu'Epival.
- Il est important que vous respectiez le calendrier de vos visites de suivi chez le médecin.

Précautions à prendre pendant le traitement par Epival:

- Si vous présentez des malaises, de la faiblesse, de la léthargie, de l'œdème facial (enflure du visage), de l'anorexie et/ou des vomissements, surtout au cours des premières semaines du traitement, communiquez immédiatement avec votre médecin. Si votre enfant prend Epival, consultez le médecin sans délai s'il présente l'un ou l'autre de ces symptômes.
- Votre médecin vérifiera régulièrement l'effet d'Epival sur votre état. Toutefois, si vos crises s'aggravent, avisez immédiatement votre médecin. (De plus, avisez votre médecin sans délai si vous devenez enceinte.)
- On a signalé divers effets secondaires chez des patients recevant Epival. Les effets secondaires le plus souvent signalés sont les nausées, les vomissements et l'indigestion. Toutefois, il se peut que vous ne ressentiez pas ces effets; chaque patient peut réagir au médicament de façon différente.
- Étant donné qu'Epival peut entraîner un manque de coordination et/ou de la somnolence, il y a lieu d'éviter les occupations telles que la conduite d'une automobile et la manœuvre de machines dangereuses avant d'être bien sûr que le médicament n'entraîne pas de somnolence. Consultez votre médecin.
- Si vous ressentez des effets secondaires incommodants ou inhabituels pendant votre traitement par Epival, consultez votre médecin ou votre pharmacien sur-le-champ.
- Ne cessez pas de prendre votre médicament sans l'autorisation de votre médecin. Assurez-vous de toujours avoir une provision suffisante d'Epival. N'oubliez pas que ce médicament a été prescrit pour vous; ne le donnez jamais à qui que ce soit.

Que faire en cas de surdosage: Si vous prenez accidentellement une dose trop forte d'Epival, communiquez avec votre médecin ou avec le centre d'urgence de l'hôpital le plus près de chez vous, même si vous vous sentez bien.

Comment entreposer Epival: Conservez vos comprimés Epival à la température ambiante (15 à 30 °C). Refermez solidement le flacon immédiatement après l'utilisation. **Conservez vos médicaments hors de la portée des enfants.**

Ce que renferment les comprimés Epival: Les comprimés Epival renferment du divalproex de sodium et les ingrédients non médicinaux suivants: polymères cellulosiques, gel de silice, monoglycérides diacétylés, polyvidone, amidon prégélatinisé (renferme de l'amidon de maïs), talc, bioxyde de titane et vanilline.

En outre, les différents comprimés renferment les substances suivantes: comprimés à 125 mg: bleu nº 1 FD&C et rouge nº 40 FD&C; comprimés à 250 mg: jaune nº 6 FD&C et oxyde de fer; comprimés à 500 mg: rouge nº 30 D&C, bleu nº 2 FD&C et oxyde de fer.

□ EPREX® ℞

Janssen-Ortho

Époétine alfa

Hormone régulatrice d'érythropoïèse

Renseignements destinés aux patients: Renseignements sur l'auto-administration: Introduction: Lisez attentivement ce qui suit avant de commencer à prendre votre médicament. Les renseignements qui suivent ne sont qu'un résumé de ceux dont dispose votre médecin. Si vous avez des questions sur ce médicament, posez-les à votre médecin ou pharmacien.

Que contient l'injection Eprex époétine alfa? L'époétine alfa Eprex est une solution transparente et incolore qui contient, comme ingrédient actif, de l'époétine alfa et, comme ingrédients inactifs, de la glycine et du polysorbate 80 comme stabilisants, ainsi que de l'albumine humaine, du chlorure de sodium, de l'eau injectable et soit du citrate de sodium et de l'acide citrique, soit du phosphate de sodium. Les fioles à usage unique et les seringues préremplies à usage unique ne contiennent aucun agent de conservation. La fiole à usages multiples de 20 000 UI/mL contient de l'alcool benzylique comme agent de conservation.

Qu'est-ce que l'époétine alfa Eprex? L'époétine alfa Eprex est une protéine qui est fabriquée en laboratoire et qui a le même mode d'action que l'érythropoïétine, substance qui est fabriquée naturellement par le corps humain et qui régit la production des globules rouges.

À quoi sert l'époétine alfa Eprex? L'époétine alfa Eprex sert à augmenter la production des globules rouges. Elle peut s'employer chez les adultes souffrant d'insuffisance rénale, chez les adultes infectés par le VIH et traités par un médicament appelé zidovudine, chez les adultes atteints d'un cancer et chez les adultes devant subir une grosse opération non urgente.

Avant de prendre l'époétine alfa Eprex...

- Parlez à votre médecin des troubles médicaux et des allergies que vous avez ou avez déjà eus.
- Vous ne devez pas prendre l'époétine alfa Eprex si vous êtes allergique à n'importe lequel de ses ingrédients.
- Dites à votre médecin si vous souffrez ou avez déjà souffert d'hypertension artérielle, de convulsions, de caillots de sang, d'insuffisance hépatique, de porphyrie ou de goutte.
- Pendant votre traitement à l'époétine alfa Eprex, il faudra que votre médecin vérifie votre tension artérielle. Celle-ci sera surveillée de près, et n'importe quel changement en dehors des limites fixées par votre médecin devra être signalé. Si votre tension artérielle augmente, il vous faudra peut-être un médicament pour la diminuer. Si vous prenez déjà un tel médicament, votre médecin en augmentera peut-être la dose.
- Votre médecin mesurera votre taux sérique de fer, vos globules rouges et d'autres facteurs de votre sang, et ce, avant et pendant votre traitement à l'époétine alfa Eprex, comme il convient.
- Si vous êtes en dialyse, il faudra peut-être changer votre prescription dialytique pendant votre traitement à l'époétine alfa Eprex. Votre médecin examinera votre sang pour déterminer s'il faut la changer. De plus, si vous prenez un médicament contre la formation de caillots de sang, il faudra peut-être que votre médecin en modifie la dose.
- Dites à votre médecin si vous êtes enceinte, si vous pensez l'être ou si vous essayez de le devenir.
- Dites à votre médecin si vous allaitez.
- Chez beaucoup de femmes atteintes d'insuffisance rénale grave, les règles peuvent arrêter. Quand ces femmes prennent l'époétine alfa

Eprex, leurs règles peuvent reprendre. Si vous êtes une femme souffrant d'insuffisance rénale, vous devriez parler de contraception avec votre médecin.

- Puisqu'il est possible que la tension artérielle augmente, il y a de petites chances que les personnes atteintes d'insuffisance rénale aient des convulsions au début du traitement. À la période initiale du traitement, votre médecin vous avertira peut-être d'éviter de conduire un véhicule, de faire fonctionner des machines ou de faire n'importe quoi d'autre qui pourrait être dangereux en l'absence de réactions mentales vives.
- Parlez à votre médecin de tous les médicaments que vous prenez, y compris ceux qui s'obtiennent sans ordonnance ainsi que les autres remèdes et les compléments vitaminiques. En particulier, il est important que votre médecin sache si vous prenez des médicaments contre l'hypertension artérielle.
- Si vous êtes en dialyse à domicile, vous devez continuer à vérifier votre accès artérioveineux, comme votre médecin ou infirmière vous l'a montré, pour vous assurer qu'il fonctionne. S'il y a un problème, faites-le savoir tout de suite à votre professionnel de la santé.

Comment dois-je employer l'époétine alfa Eprex? Suivez les instructions de votre médecin: il vous dira quand et comment prendre ce médicament.

L'époétine alfa Eprex s'injecte sous la peau (par voie sous-cutanée), et ce, dans les bras, les jambes ou l'abdomen.

Pendant votre traitement à l'époétine alfa Eprex, votre médecin mesurera vos globules rouges. Il se servira de ces renseignements pour modifier la dose afin que vous preniez la quantité qui vous convient.

N'agitez pas l'époétine alfa Eprex. La solution dans la fiole ou la seringue préremplie doit toujours être transparente et incolore. Ne l'utilisez pas si elle est colorée ou trouble ou si elle contient des agglomérations, des flocons ou des particules. Si on l'a agitée vigoureusement, elle sera peut-être mousseuse et ne doit pas être utilisée.

Les fioles à usage unique et les seringues préremplies à usage unique ne contiennent aucun agent de conservation, donc on ne doit les utiliser qu'une seule fois. On doit ensuite en jeter la partie inutilisée. La fiole à usages multiples contient de l'alcool benzylique comme agent de conservation, donc on peut l'utiliser plus d'une fois. On doit cependant la jeter 30 jours après son premier usage.

Si, par accident, vous prenez trop d'époétine alfa Eprex, consultez immédiatement votre professionnel de la santé.

Si vous sautez une dose, obtenez des instructions de votre médecin.

Préparation de la dose (voir le prospectus d'emballage pour les illustrations): **Important: Pour éviter la contamination et le risque d'infection, suivez les instructions suivantes à la lettre.**

Fioles à usage unique et fiole à usages multiples: Utilisez la bonne seringue: Votre médecin vous a indiqué comment vous administrer la bonne dose d'époétine alfa Eprex. Cette dose se mesure généralement en unités par millilitre ou centimètre cube. Il est important d'utiliser une seringue qui est graduée en dixièmes de millilitre ou centimètre cube (p. ex. 0,1, 0,2, etc., mL ou cm^3 [ou «cc»]). Si vous n'utilisez pas la bonne seringue, vous pourriez vous tromper de dose et prendre trop d'époétine alfa Eprex ou pas assez. N'utilisez que des seringues et des aiguilles jetables, car celles-ci n'ont pas besoin d'être stérilisées; utilisez-les une seule fois, puis jetez-les comme vous l'a indiqué votre médecin.

1. Vérifiez la date qui se trouve sur la fiole d'époétine alfa Eprex pour vous assurer que le médicament n'est pas périmé. S'il s'agit d'une fiole à usages multiples, inscrivez-en la date du premier usage sur le rabat intérieur de la boîte.
2. Sortez la fiole d'époétine alfa Eprex du réfrigérateur et laissez-la atteindre la température ambiante. Ne la réchauffez pas autrement qu'en la tenant dans la main. Les fioles à usage unique ont été conçues pour n'être utilisées qu'une seule fois; n'y repénétrez pas. La fiole à usages multiples est réutilisable, donc vous devez la réfrigérer après chaque injection. **N'agitez pas** l'époétine alfa Eprex. Ce produit peut se dénaturer si on l'agite. Rassemblez le reste du matériel dont vous aurez besoin pour l'injection.
3. Lavez-vous bien les mains au savon et à l'eau avant de préparer le médicament.
4. Nettoyez-vous la peau avec un tampon antiseptique là où l'injection doit se faire.
5. Enlevez la capsule protectrice mais pas le bouchon en caoutchouc. Essuyez le dessus du bouchon en caoutchouc avec un tampon antiseptique.
6. Enlevez prudemment le capuchon de l'aiguille. Faites passer l'aiguille à travers le bouchon en caoutchouc de la fiole d'époétine alfa Eprex.
7. Retournez la fiole et la seringue d'une main. Assurez-vous que le bout de l'aiguille baigne dans l'époétine alfa Eprex. Servez-vous de l'autre main pour déplacer le piston. Tirez lentement celui-ci pour aspirer la bonne dose d'époétine alfa Eprex dans la seringue.
8. Vérifiez s'il y a des bulles d'air. Celles-ci sont inoffensives, mais, si elles sont trop grosses, elles diminueront la dose d'époétine alfa Eprex. Pour éliminer les bulles d'air, tapez doucement la seringue pour y faire monter les bulles d'air jusqu'au haut. Déplacez le bout de l'aiguille au-dessus du niveau de la solution dans la fiole, et servez-vous du piston pour repousser l'air dans la fiole. Ensuite, remesurer la bonne dose d'époétine alfa Eprex.
9. Vérifiez la dose de nouveau. Retirez l'aiguille de la fiole. Ne déposez pas la seringue et ne laissez pas l'aiguille toucher quoi que ce soit.

Seringues préremplies à usage unique (voir le prospectus d'emballage pour les illustrations):

1. Vérifier la dose qui est indiquée sur la seringue préremplie d'époétine alfa Eprex, et assurez-vous que c'est bien celle que votre médecin vous a prescrite.
2. Vérifiez la date qui se trouve sur la seringue préremplie d'époétine alfa Eprex pour vous assurer que le médicament n'est pas périmé.
3. Sortez la seringue préremplie d'époétine alfa Eprex du réfrigérateur et laissez-la atteindre la température ambiante. Ne la réchauffez pas autrement qu'en la tenant dans la main. Les seringues préremplies ont été conçues pour n'être utilisées qu'une seule fois. **N'agitez pas** l'époétine alfa Eprex. Ce produit peut se dénaturer si on l'agite. Rassemblez le reste du matériel dont vous aurez besoin pour l'injection.
4. Lavez-vous les mains au savon et à l'eau avant l'injection.
5. Nettoyez-vous la peau avec un tampon antiseptique là où l'injection doit se faire.
6. Repérez, sur la seringue, la dose d'époétine alfa Eprex à injecter. Les unités d'époétine alfa Eprex sont inscrites sur la seringue, et il y a une ligne de couleur qui correspond à chaque dose.
7. Enlevez le capuchon en caoutchouc de l'aiguille. **Ne déformez pas l'aiguille en enlevant le capuchon en caoutchouc.**
8. Tenez la seringue à la verticale, l'aiguille vers le haut. Les bulles d'air devraient monter jusqu'au haut de la seringue. Si elles n'y montent pas, tapez doucement la seringue pour les y faire monter.
9. Vérifiez la dose d'époétine alfa Eprex de nouveau, et poussez doucement le piston de façon à ce que le **bord** du bouchon en caoutchouc s'aligne avec la dose à injecter, **ce qui éliminera les bulles d'air de la seringue.**
10. Ne déposez pas la seringue et ne laissez pas l'aiguille toucher quoi que ce soit.

Injection de la dose (voir le prospectus d'emballage pour les illustrations):

1. D'une main, stabilisez la peau déjà nettoyée en l'étendant ou en en pinçant une grande surface.
2. De l'autre main, tenez la seringue comme si c'était un crayon. Vérifiez de nouveau si la seringue contient la bonne dose d'époétine alfa Eprex. Introduisez l'aiguille dans la couche sous-cutanée. Tirez légèrement le piston. S'il y a du sang qui entre dans la seringue, c'est parce que l'aiguille a pénétré dans un vaisseau sanguin: n'injectez pas l'époétine alfa Eprex. Retirez l'aiguille, mettez la seringue dans le récipient où vous gardez vos déchets et recommencez avec une autre seringue. Injectez l'époétine alfa Eprex en poussant le piston jusqu'au bas.
3. Après l'injection, tenez un tampon antiseptique près de l'aiguille et retirez tout droit l'aiguille de la peau. Pressez le tampon antiseptique contre le point d'injection pendant plusieurs secondes.
4. **N'utilisez la seringue jetable qu'une seule fois.** Jetez les seringues et les aiguilles comme vous l'a indiqué votre médecin. (Voyez Élimination des seringues.)
5. Changez toujours de point d'injection comme on vous l'a indiqué. Parfois, un problème peut survenir à un point d'injection. S'il y a une bosse, une enflure ou un bleu qui ne disparaît pas, appelez votre médecin. Vous voudrez peut-être noter ce point d'injection afin d'assurer un suivi efficace.

Élimination des seringues:

1. Mettez les aiguilles et les seringues usagées dans un récipient en plastique rigide muni d'un couvercle à vis ou un récipient en métal muni d'un couvercle en plastique, comme un pot de café, et étiqueté quant à son contenu. Si vous utilisez un récipient en métal, faites un petit trou dans le couvercle en plastique et attachez le couvercle au récipient avec du ruban adhésif. Si vous utilisez un récipient en plastique rigide, vissez-y toujours le couvercle à fond après l'emploi. Une fois que le récipient sera plein, mettez du ruban adhésif autour

Eprex (suite)

du couvercle et jetez le récipient comme vous l'a indiqué votre médecin.
2. Ne vous servez pas d'un récipient en verre ou en plastique transparent (ou de tout autre récipient) qui soit destiné au recyclage ou à être retourné au magasin.
3. Tenez toujours le récipient hors de la portée des enfants.
4. Demandez à votre médecin, infirmière ou pharmacien s'ils ont d'autres suggestions.

Quels effets indésirables l'époétine alfa Eprex peut-elle avoir? Tout médicament peut avoir des effets non recherchés. Les effets secondaires que peut avoir l'époétine alfa Eprex varient selon la raison pour laquelle on prend celle-ci. Parlez à votre médecin ou pharmacien de tout signe ou symptôme inhabituel, qu'il soit inscrit ci-après ou non.

Les effets secondaires qu'on a signalés le plus souvent parmi l'ensemble des malades traités à l'époétine alfa Eprex sont les suivants:

- symptômes semblables à ceux de la grippe (p. ex., étourdissement, somnolence, fièvre, mal de tête, douleur aux muscles et aux articulations et faiblesse)
- rougeur, sensation de brûlure et douleur au point d'injection de l'époétine alfa Eprex
- troubles digestifs (nausées, vomissements, diarrhée)

Parmi les effets secondaires qu'on a signalés plus souvent chez les insuffisants rénaux chroniques que chez les autres malades, il y a les suivants:

- augmentation de la tension artérielle
- formation de caillots de sang dans l'appareillage d'hémodialyse
- modification des résultats des examens du sang
- caillots de sang
- convulsions

Si vous avez des maux de tête inhabituels ou plus fréquents, dites-le à votre médecin, parce que ça peut indiquer que votre tension artérielle a augmenté.

Si la production des globules rouges est trop rapide, il y a une possibilité d'exacerbation d'une tension artérielle déjà élevée. Le cas échéant, votre médecin diminuera peut-être votre dose d'époétine alfa Eprex et vous prescrira peut-être un médicament pour diminuer votre tension artérielle (si vous prenez déjà un tel médicament, votre médecin en augmentera peut-être la dose). Dites à votre médecin si vous présentez n'importe lequel des symptômes suivants: douleur à la poitrine, essoufflement, maux de tête inhabituels ou plus fréquents, sensation de tête légère.

Si vous présentez des symptômes d'allergie (p. ex., difficulté à respirer, urticaire, démangeaisons, rougeurs ou enflure de la gorge, du visage, des paupières, de la bouche ou de la langue), arrêter d'utiliser l'époétine alfa Eprex et appelez votre médecin ou obtenez des soins médicaux sans tarder.

Comment dois-je conserver l'époétine alfa Eprex?

- Ce produit craint le gel et la lumière. Conservez-le au réfrigérateur.
- N'utilisez pas ce produit après la date de péremption indiquée sur son emballage.
- Comme tous vos autres médicaments, tenez ce produit en lieu sûr et loin des enfants.
- La fiole à usages multiples est réutilisable, donc vous devez la réfrigérer après chaque injection.
- Jetez la fiole à usages multiples 30 jours après la date de son premier usage, que vous avez inscrite sur le rabat intérieur de la boîte.

L'époétine alfa Eprex ne peut s'obtenir que sur ordonnance.

Pour plus de renseignements, consultez votre médecin ou pharmacien.

□ ERGOMAR® 🄿

Rhône-Poulenc Rorer

Tartrate d'ergotamine

Traitement de la migraine

Renseignements destinés aux patients: Indications: Migraine aiguë et formes associées de céphalées vasculaires.

Pharmacologie: Il semble que l'ergotamine s'oppose au développement des crises de migraine et des céphalées vasculaires associées en raison de son effet vasoconstricteur direct sur les vaisseaux crâniens, entraînant une réduction de l'amplitude de leurs pulsations.

Contre-indications: Ergomar est contre-indiqué en cas de maladies vasculaires périphériques (thrombo-angéite oblitérante, artérite syphilitique, artériosclérose grave, thrombophlébite, maladie de Raynaud), de coronaropathie, d'hypertension, d'angine de poitrine, d'arythmie cardiaque, de bloc cardiaque, d'insuffisance hépatique ou rénale, de prurit grave, de septicémie, d'ulcère gastroduodénal, d'états infectieux, de malnutrition. Ergomar est également contre-indiqué chez les patients qui sont hypersensibles à l'un de ses composants. Ergomar est contre-indiqué chez les femmes enceintes ou qui peuvent le devenir, ou qui sont en période d'allaitement au sein.

Mises en garde: Le meilleur moyen d'éviter les réactions indésirables à Ergomar est d'éviter les doses excessives et de suivre de près le patient de façon à ce qu'il ne prenne pas le médicament à des doses plus fortes, plus fréquentes, ou pendant plus longtemps que ne l'a prescrit le médecin.

En raison des effets cumulatifs possibles du tartrate d'ergotamine, la posologie de Ergomar ne doit pas dépasser 3 comprimés par période de 24 heures, ni 5 comprimés par semaine. Les patients doivent être avertis qu'il est prudent d'utiliser la dose efficace minimale permettant de réduire leurs symptômes.

La sensibilité individuelle aux effets vasculaires de l'ergotamine varie de façon considérable, et des symptômes d'insuffisance artérielle ont été signalés dans certains cas d'ingestion orale d'une dose de 2 mg seulement. Ce genre d'accident se produit rarement, mais si de tels symptômes se manifestent, l'administration d'ergotamine doit être suspendue. Dans de rares occasions, faute d'avoir reconnu les premiers symptômes d'une insuffisance artérielle, on a noté des modifications vasculaires irréversibles après administration de doses thérapeutiques d'ergotamine.

Précautions: Ergomar n'est pas recommandé pour la prévention de la migraine. Son administration prolongée doit être évitée en raison du risque de réactions indésirables graves.

Les patients qui présentent des phénomènes neurologiques spécifiques prolongés (visuels, sensoriels, moteurs) doivent être traités avec une grande prudence et soigneusement suivis.

Comme tous les médicaments, l'ergotamine doit être tenue hors de la portée des enfants.

Pédiatrie: L'innocuité et l'efficacité d'Ergomar chez les enfants n'ont pas été établies. Il n'est donc pas recommandé de l'administer aux enfants.

Grossesse: En raison de sa puissante action stimulante sur l'utérus, l'ergotamine peut être nuisible pour le fœtus lorsqu'elle est administrée à une femme enceinte. Elle est donc contre-indiquée chez les femmes qui sont déjà enceintes ou risquent de le devenir.

Allaitement: L'ergotamine passe dans le lait humain. Elle peut donc atteindre le nourrisson nourri au sein et exercer des effets pharmacologiques; par conséquent, l'ergotamine est contre-indiquée chez les femmes en période d'allaitement.

Dépendance médicamenteuse: Les patients qui reçoivent de l'ergotamine pendant des périodes prolongées peuvent développer une dépendance au médicament et avoir besoin d'augmenter progressivement les doses afin de soulager leurs migraines vasculaires ou pour prévenir l'apparition d'effets dépressifs augmentant progressivement à la suite de l'arrêt de la médication.

Interactions médicamenteuses: L'administration simultanée des alcaloïdes de l'ergotamine et des bêta-bloquants augmente les risques de vasoconstriction périphérique. Chez les patients traités simultanément avec de l'ergotamine et du propranolol, on a signalé quelques cas de réactions angiospasmiques.

Il semblerait que l'administration simultanée de triacétyloléandomycine (TAO/Troléandomicyne), d'érythromycine ou de josamycine avec de l'ergotamine puisse entraîner une élévation des concentrations d'ergotamine dans le plasma, augmentant ainsi le risque de réactions indésirables.

Effets indésirables: Le meilleur moyen d'éviter des réactions indésirables au tartrate d'ergotamine est d'éviter les doses excessives. Cependant, après administration de doses thérapeutiques, on a pu observer les réactions indésirables suivantes: nausées, vomissements, diarrhée, polydipsie, fourmillements au niveau des mains et des pieds, douleurs et crampes musculaires, thrombophlébite, spasmes vasculaires, tachycardie ou bradycardie transitoires. On a observé de rares cas de gangrène, de somnolence, d'épuisement, d'anomalie de l'ÉCG, de douleurs précordiales, d'angine et d'infarctus du myocarde.

Posologie: Adultes: Le traitement doit être commencé aussitôt que possible après l'apparition des premiers symptômes de la crise migraineuse; les chances de succès sont en effet proportionnelles à la rapidité avec laquelle on commence le traitement, et des doses plus faibles seront efficaces. Au premier signe d'une crise migraineuse, ou pour soulager les symptômes d'une crise déclarés, placer 1 comprimé sous la langue. Par la suite, 1 comprimé supplémentaire peut être pris à intervalles d'une demi-heure, si nécessaire, mais la dose totale ne doit pas dépasser 6 mg (3 comprimés) par période de 24 heures. La dose prise en l'espace d'une semaine doit être limitée à 10 mg (5 comprimés).

□ ERYSOL® ℞

Stiefel

Érythromycine—Alcool éthylique

Traitement topique de l'acné

Renseignements destinés aux patients: Votre médecin vous a prescrit le gel topique Erysol (érythromycine 2 % et alcool éthylique) avec écrans solaires pour traiter votre acné. Il est important de lire et de suivre le **mode d'emploi** de votre médicament.

1. Il faut commencer par laver les régions affectées avec un savon doux (non médicamenteux), bien rincer et assécher en tapotant.
2. Appliquer ensuite le gel Erysol avec le bout des doigts sur les régions affectées par l'acné, en prenant bien soin d'éviter les yeux, la bouche, les narines et les autres membranes muqueuses.
3. Bien se laver les mains après avoir appliqué le médicament.
4. Ne pas appliquer le médicament plus souvent que prescrit par le médecin.

Précautions:

1. Garder votre médicament dans un endroit sûr, hors de l'atteinte des enfants.
2. Le gel Erysol est pour usage externe seulement.
3. Éviter d'appliquer le gel Erysol sur les yeux, les narines, la bouche et les autres membranes muqueuses.
4. Éviter le contact avec les yeux. Si un contact se produit, rincer abondamment les yeux avec beaucoup d'eau pendant au moins 5 minutes. Si l'inconfort persiste, consulter votre médecin.
5. Vous ne devez pas utiliser d'autres médicaments contre l'acné sauf selon les directives de votre médecin.
6. Tenir le gel Erysol loin de la flamme nue pendant les applications.

Si vous avez un problème:

1. Si vous éprouvez une desquamation excessive, une rougeur, une sensibilité, de la sécheresse, de la démangeaison ou une irritation, consultez votre médecin pour obtenir son avis.
2. Ne vous attendez pas à voir une amélioration immédiate de votre acné, soyez plutôt patient et appliquez votre médicament tel que prescrit par votre médecin.

Rappelez-vous: Que le gel Erysol a été prescrit par votre médecin pour votre usage personnel, ne permettez pas à d'autres de l'utiliser.

Erysol renferme des écrans solaires (FPS 15).

□ ESTRACOMB® ℞

Novartis Pharma

Estradiol-17β—Acétate de noréthindrone—Estradiol-17β

Association œstro-progestative

Renseignements destinés aux patients: Estracomb et son emploi (voir le prospectus d'emballage pour les illustrations).

Introduction: Estracomb est une combinaison de 2 types de systèmes thérapeutiques transdermiques (timbres cutanés) utilisés dans un ordre déterminé. Le timbre rond porte le nom d'Estraderm 50 (Estraderm) et le timbre jumelé, le nom d'Estragest 250/50 (Estragest) (voir Comment administrer Estracomb). Estraderm contient de l'estradiol, un œstrogène naturel (hormone) tandis qu'Estragest contient de l'estradiol et de l'acétate de noréthindrone, un progestatif. Estracomb peut soulager les symptômes de la ménopause ou prévenir l'ostéoporose, ou les deux.

Cette information décrit l'emploi des œstrogènes et des progestatifs, les précautions à prendre lorsqu'on utilise ces hormones et la manière d'utiliser Estracomb. Veuillez la lire attentivement. **Si vous avez besoin de renseignements complémentaires, veuillez consulter votre médecin ou votre pharmacien.**

Les décisions concernant l'hormonothérapie substitutive et la durée du traitement par les œstrogènes doivent être individualisées et faire l'objet d'une discussion entre le médecin et sa patiente.

Emploi des œstrogènes:

1. Pour réduire les symptômes modérés ou sévères de la ménopause: Votre corps produit normalement des œstrogènes et des progestatifs (hormones femelles), principalement dans les ovaires. Entre l'âge de 45 et de 55 ans, les ovaires cessent peu à peu de produire des œstrogènes, ce qui entraîne une diminution des taux œstrogéniques dans l'organisme et la ménopause naturelle (fin des règles mensuelles). Lorsqu'on enlève les ovaires par intervention chirurgicale avant la ménopause naturelle, la baisse subite du taux d'œstrogènes entraîne une «ménopause chirurgicale».

   La ménopause n'est pas une maladie. C'est un phénomène naturel et chaque femme vit la ménopause et ses symptômes de façon différente. Toutes les femmes ne présentent pas des symptômes évidents de manque d'œstrogènes. Lorsque les taux d'œstrogènes commencent à diminuer, certaines femmes présentent des symptômes très incommodants comme une sensation de chaleur au visage, au cou et à la poitrine ou des épisodes subits et intenses de chaleur et de transpiration (bouffées de chaleur). La prise d'œstrogènes peut aider le corps à s'adapter à la baisse du taux d'œstrogènes et à réduire ces symptômes.
2. Traitement de l'atrophie vulvaire et vaginale: Certaines femmes peuvent également présenter une atrophie vulvaire ou vaginale (démangeaison, brûlure ou sécheresse à l'intérieur ou autour du vagin, difficultés ou brûlures quand elles urinent) en association avec la ménopause. L'œstrogénothérapie peut améliorer ces symptômes.
3. Prévention de l'ostéoporose: L'ostéoporose est un amincissement des os, ce qui rend l'ossature plus fragile et entraîne plus facilement des fractures. Dans l'ostéoporose, ce sont les os de la colonne vertébrale, des poignets et des hanches qui se brisent le plus souvent. Les os des hommes et des femmes commencent à s'amincir après l'âge de 40 ans environ, mais les femmes subissent une perte osseuse plus rapide après la ménopause. La prise d'œstrogènes après la ménopause ralentit l'amincissement des os et peut prévenir les fractures. Un apport de calcium approprié pendant toute la vie—soit par un régime alimentaire (comme les produits laitiers) ou par la prise de suppléments de calcium (jusqu'à un apport quotidien total de 1 000 à 1 500 mg par jour)—et certains genres d'exercices peuvent contribuer à prévenir l'ostéoporose. Toutefois, avant de modifier votre apport de calcium ou votre programme d'exercices, il est important que vous en discutiez avec votre médecin pour déterminer si ces modifications vous seront bénéfiques.

   Certaines femmes sont plus prédisposées que d'autres à l'ostéoporose après la ménopause. Les femmes dont le poids est insuffisant, qui font une grande consommation de tabac ou d'alcool (ou des deux), qui sont de race blanche ou orientale, qui sont sédentaires, qui ont des antécédents familiaux d'ostéoporose (la mère, la sœur ou la tante, p. ex.) ou qui ont eu une ménopause chirurgicale ou une ménopause spontanée à un âge précoce, sont plus susceptibles que d'autres d'être atteintes d'ostéoporose.

Emploi des progestatifs: Les effets des progestatifs utilisés en hormonothérapie substitutive sont semblables à ceux de la progestérone, hormone sexuelle féminine. La progestérone est responsable de la régulation du cycle menstruel pendant toutes les années durant lesquelles la femme est en âge de procréer. L'estradiol libéré par Estracomb soulage non seulement les symptômes de la ménopause, mais il peut aussi stimuler la croissance de la muqueuse interne de l'utérus, c'est-à-dire l'endomètre, comme le faisaient les œstrogènes produits par votre corps avant la ménopause. Chez les femmes ménopausées et postménopausées dont l'utérus est intact, la stimulation de la croissance de l'endomètre peut entraîner des saignements irréguliers et provoquer, dans certains cas, une affection de l'utérus connue sous le nom d'hyperplasie de l'endomètre (croissance exagérée de la muqueuse de l'utérus). Ces troubles de l'utérus dus aux œstrogènes peuvent être réduits lorsqu'un progestatif comme l'acétate de noréthindrone est administré régulièrement pendant un certain nombre de jours, conjointement avec l'œstrogénothérapie substitutive. Chaque cycle d'administration du progestatif doit déclencher des saignements périodiques. Lors de ces saignements, la muqueuse interne de l'utérus est régulièrement éliminée, assurant ainsi une protection contre l'hyperplasie de l'endomètre.

Si votre utérus a été enlevé de manière chirurgicale, il n'y a pas de risques d'hyperplasie de l'endomètre et il n'est donc pas nécessaire de prendre un progestatif durant chaque cycle.

Précautions: Si les œstrogènes et les progestatifs offrent des avantages pour la santé, ils nécessitent néanmoins certaines précautions et, dans certains cas, leur emploi peut ne pas être indiqué.

Estracomb (suite)

On a signalé qu'après la ménopause, l'emploi d'œstrogènes augmente le risque de cancer de la muqueuse de l'utérus (cancer de l'endomètre). **Ce risque est réduit de façon significative lorsque les œstrogènes sont utilisés conjointement avec un progestatif.** Toutefois, si vous avez subi une hystérectomie, le risque de cancer utérin n'existe pas pour vous et l'administration cyclique d'un progestatif n'est pas nécessaire. Par conséquent, Estracomb ne doit pas être utilisé dans ce cas.

Certaines études scientifiques ont confirmé qu'il existait un lien entre une augmentation modeste du risque de développer un cancer du sein et l'hormonothérapie substitutive quand celle-ci était suivie pendant plus de 5 ans durant la ménopause. Par conséquent, les femmes qui ont des antécédents familiaux de cancer du sein, celles qui présentent des nodules aux seins ou une maladie fibrokystique du sein (bosses dans les seins) ou encore, celles dont les mammographies sont anormales, doivent consulter leur médecin avant de commencer une hormonothérapie substitutive. Les avantages globaux et les risques possibles de l'hormonothérapie substitutive doivent faire l'objet d'une discussion avec votre médecin. On recommande à toutes les femmes de se faire examiner régulièrement les seins par un professionnel de la santé et de pratiquer un auto-examen tous les mois.

On a signalé que la prise d'œstrogènes par voie orale après la ménopause fait augmenter le risque de maladie de la vésicule biliaire nécessitant une intervention chirurgicale.

Restrictions d'emploi: Les œstrogènes et les progestatifs peuvent causer une aggravation de certaines affections et il faut, dans ces cas-là, éviter leur emploi ou les prendre avec prudence.

Les œstrogènes et les progestatifs ne devraient pas être utilisés durant la grossesse. Comme la grossesse est toujours possible au début de la ménopause, puisque les menstruations se produisent encore spontanément, vous devrez demander à votre médecin de vous renseigner sur les contraceptifs non hormonaux à utiliser durant cette période. Si vous prenez des œstrogènes pendant la grossesse, le fœtus court un faible risque de présenter des malformations congénitales.

Les œstrogènes et les progestatifs ne devraient pas être utilisés durant l'allaitement.

Vous ne devriez pas prendre Estracomb si vous avez déjà eu une réaction allergique inhabituelle aux œstrogènes ou à l'un des composants du timbre cutané (voir Que contient Estracomb?).

Avant de prendre Estracomb, vous devriez avertir votre médecin si vous avez déjà souffert de l'une ou l'autre des affections ci-dessous. Estracomb ne doit pas être utilisé en présence de:
- cancer du sein ou de l'utérus
- saignements vaginaux inattendus ou inhabituels
- coagulation anormale du sang
- migraines
- accident vasculaire cérébral
- maladie hépatique grave
- phlébite évolutive (varices enflammées)
- porphyrie

Pour aider votre médecin à décider si vous pouvez prendre Estracomb et quelles précautions prendre, faites-lui savoir:
- si vous prenez, le cas échéant, d'autres médicaments (sur ordonnance ou non) parce qu'il y a des médicaments qui influencent les effets des œstrogènes;
- si vous êtes allergique ou sensible à un ou plusieurs médicaments, ou à toute autre substance;
- si vous devez subir une intervention chirurgicale ou être alitée durant une longue période;
- si vous avez déjà souffert de l'une ou l'autre des affections suivantes:
  —hypertension (tension artérielle élevée)
  —maladies du cœur, des reins ou du foie
  —asthme
  - épilepsie ou autres troubles neurologiques
  -diabète sucré
  —dépression
  —anomalies des seins ou de l'utérus
  —endométriose
  —maladie des seins, biopsies des seins
  —fibromes utérins
  —phlébite (varices enflammées)
  —coagulation anormale du sang
  —hyperlipidémie
  —ictère ou prurit liés à l'emploi d'œstrogènes ou à une grossesse

Effets indésirables: Les effets ci-dessous ont été signalés chez des femmes prenant des œstrogènes (y compris ceux contenus dans les contraceptifs). Consulter le médecin dès que possible si les symptômes suivants deviennent incommodants:
- nausées
- rétention d'eau
- migraines
- taches pigmentaires
- sensibilité des seins et sécrétions vaginales excessives (signes éventuels que la dose d'œstrogènes est trop forte)
- douleur abdominale persistante, nausées, vomissements, sensibilité abdominale (signes éventuels d'une maladie de la vésicule biliaire)
- disposition aux ecchymoses, saignements de nez excessifs, flux menstruel excessif (signes éventuels d'une coagulation anormale du sang)
- douleur ou gonflement du bas du ventre, règles abondantes ou douloureuses—ou les deux—(signes éventuels d'une croissance de fibrome utérin)
- jaunissement des yeux ou de la peau (signe éventuel d'une jaunisse)
- douleur ou gonflement du haut du ventre (signes éventuels de tumeurs du foie)

Les progestatifs peuvent entraîner des réactions indésirables telles une sensibilité mammaire, des sautes d'humeur et des variations du poids corporel.

Consulter le médecin dès que possible si vous notez l'une ou l'autre des manifestations suivantes:
- saignement vaginal anormal
- sensibilité mammaire intolérable
- augmentation du volume des seins ou présence de bosses
- maux de tête graves
- modifications de la vue
- irritation cutanée persistante ou grave
- rétention d'eau ou ballonnements persistant pendant plus de 6 semaines

Consulter immédiatement le médecin si vous éprouvez l'une ou l'autre des manifestations suivantes:
- difficulté à respirer ou sensation de serrement à la poitrine
- inflammation veineuse sensible ou douloureuse
- douleurs ou lourdeurs dans les jambes ou au niveau de la poitrine
- essoufflement soudain
- expectoration de sang
- pouls rapide ou étourdissements
- tout autre symptôme inhabituel

En outre, chez certaines femmes, Estracomb peut causer une certaine rougeur ou une irritation sous le timbre ou autour du timbre (voir Conseils utiles).

Comment administrer Estracomb: Chaque boîte d'Estracomb contient 4 timbres Estraderm et 4 timbres Estragest. Le timbre Estraderm (rond) libère de l'estradiol, un œstrogène, et le timbre Estragest (jumelé) libère de l'estradiol et de l'acétate de noréthindrone, un progestatif. **Les 8 timbres doivent être utilisés au cours du cycle de traitement de 28 jours.**

Le traitement commence avec les timbres Estraderm que l'on utilise pendant les 2 premières semaines, suivis des timbres Estragest pendant les 2 semaines suivantes. On applique un timbre Estraderm ou Estragest 2 fois par semaine, les mêmes jours de chaque semaine. Chaque timbre doit être porté de façon continue pendant 3 à 4 jours.

Les saignements cycliques réguliers commencent généralement vers la fin de la phase d'utilisation d'Estragest (c'est-à-dire lorsque vous portez le quatrième timbre Estragest du cycle). La durée des saignements est de 6 jours environ. Pendant 60 à 70 % de la durée des saignements, ceux-ci sont légers ou consistent en de petites pertes seulement («spotting»).

Étant donné que le traitement par Estracomb est continu, le cycle de traitement suivant recommence avec Estraderm que l'on applique immédiatement après le retrait du dernier timbre Estragest, qu'il y ait présence ou non de saignements. Autrement dit, vous aurez toujours un timbre sur la peau.

Il est important de prendre le médicament tel que prescrit par le médecin. Ne pas mettre fin à votre traitement ou le changer avant d'avoir consulté votre médecin.

Comment agit Estracomb: Le traitement par Estracomb offre un soulagement des symptômes de la ménopause aux femmes qui ont toujours leur utérus. Avec Estracomb, vous recevez de l'estradiol pendant un cycle complet de 28 jours et un progestatif, l'acétate de noréthindrone, pendant les 2 dernières semaines du cycle de 28 jours. Le progestatif offre une protection importante à votre utérus (voir Emploi des progestatifs).

Le principal œstrogène produit par les ovaires avant la ménopause est l'estradiol, et c'est cette même hormone que contiennent Estraderm et Estragest. Quand il est appliqué sur la peau, le timbre Estraderm libère de façon continue et contrôlée de petites quantités d'estradiol qui passent à travers la peau et vont dans la circulation sanguine. La quantité d'œstrogène prescrite dépendra des besoins de votre corps.

En libérant de l'estradiol, Estracomb procure un soulagement des symptômes de la ménopause, ralentit la perte osseuse et peut prévenir les fractures osseuses.

Mode d'application d'Estracomb et choix du site d'application: Il est recommandé de changer de site d'application chaque fois, mais de toujours appliquer le timbre sur la même région du corps (par exemple, si vous appliquez le timbre sur les fesses, alternez entre la fesse droite et la fesse gauche 2 fois par semaine ou plus souvent si vous constatez une rougeur sous le timbre).

1. **Préparation de la peau:** Afin que le timbre colle bien, la peau doit être propre, sèche et ne pas être enduite de crème, de lotion ou d'huile. Si vous le désirez, vous pourrez utiliser une lotion pour le corps, mais seulement **après** avoir appliqué le timbre. La peau ne doit pas non plus être irritée ou égratignée, car cela pourrait modifier la dose d'hormone libérée dans le corps. Le contact avec l'eau (bain, piscine ou douche) n'aura pas d'effet sur le timbre, mais il faut éviter l'eau très chaude ou la vapeur parce qu'elle pourrait faire décoller le timbre (voir Conseils utiles).
2. **Choix du site d'application des timbres Estraderm ou Estragest:** Les fesses sont l'endroit préféré pour appliquer les timbres mais on peut également choisir d'autres endroits: côté, bas du dos ou bas de l'abdomen. Changez de site d'application chaque fois que vous changez de timbre. Le même site d'application peut être utilisé plusieurs fois, **mais pas 2 fois de suite**.

   Éviter d'appliquer le timbre là où le frottement des vêtements pourrait le faire décoller ou aux endroits où la peau est velue ou plissée. Éviter également de l'appliquer sur une surface exposée au soleil parce que cela pourrait nuire à son mode d'action.

   Les timbres ne doivent pas être appliqués sur les seins parce que cela pourrait entraîner des réactions indésirables et des malaises.
3. **Sortir le timbre de son enveloppe:** Chaque timbre Estraderm ou Estragest est scellé individuellement dans une enveloppe protectrice. **Déchirer** l'enveloppe à l'endroit marqué par l'encoche et sortir le timbre de son enveloppe. Ne pas utiliser de ciseaux, car vous pourriez couper et détruire le timbre par accident. Il se peut que le timbre contienne ou non des bulles, mais cela est normal. Ne pas couper le timbre jumelé Estragest en deux.
4. **Enlever la pellicule protectrice:** L'un des côtés du timbre est enduit d'adhésif pour le faire coller à la peau. La colle est recouverte d'une pellicule protectrice qui doit être retirée avant l'application du timbre.

   Pour séparer le timbre de la pellicule protectrice, tenir le timbre entre le pouce (que vous placez sur le film lisse) et les autres doigts. Appuyer le pouce contre les autres doigts comme pour les faire claquer lentement.

   Cette manière de procéder vous permettra de séparer facilement la pellicule protectrice du timbre. En tenant le timbre sur le **bord**, vous pouvez maintenant détacher la pellicule protectrice. Évitez de toucher la surface collante.

   Ne vous inquiétez pas si le timbre se replie quelque peu, car vous pourrez l'aplatir une fois la pellicule protectrice retirée. Le timbre doit être appliqué sans tarder après l'avoir sorti de son enveloppe et avoir retiré la pellicule protectrice.
5. **Comment appliquer les timbres Estraderm et Estragest:** Appliquer le côté collant du timbre à l'endroit que vous avez choisi. Appuyer fermement avec la paume de la main pendant environ 10 secondes. Vérifier si le timbre colle bien à la peau en passant un doigt sur les bords.
6. **Quand et comment changer le timbre:** Les timbres Estraderm et Estragest doivent être remplacés 2 fois par semaine, toujours les mêmes jours. Si vous oubliez de changer le vôtre le jour prévu, il n'y a pas de quoi s'alarmer. Changez-le dès que possible et **continuez** à suivre votre calendrier habituel.

   Après avoir retiré le timbre usagé, pliez-le en deux de manière à ce que le côté collant soit à l'intérieur. **Ensuite, jetez-le dans un endroit hors de la portée des enfants ou des animaux domestiques.**

   Toute trace de substance adhésive sur la peau devrait s'enlever facilement en frottant. Appliquer ensuite un nouveau timbre Estraderm ou Estragest sur la peau, à un endroit propre et sec.

Entreposage: Les timbres Estraderm et Estragest doivent être conservés à la température ambiante (inférieure à 25 °C). Ne pas congeler. **Ne pas entreposer les timbres hors de leur enveloppe.** Les timbres Estraderm et Estragest doivent être gardés hors de la portée des enfants et des animaux domestiques avant et après leur utilisation.

Que contient Estracomb? Comme c'est le cas pour la plupart des médicaments, les timbres Estracomb contiennent, outre un œstrogène et un progestatif, des ingrédients non médicinaux: composés de cellulose, éthanol, copolymère éthylique d'acétate de vinyle, huile minérale légère, polyester et polyisobutylène.

Conseils utiles: Que faire si le timbre se décolle: Si le timbre se décolle de lui-même lorsque vous prenez un bain très chaud ou une douche, appliquez-le à nouveau (à un autre endroit) quand vous serez bien séchée, en ayant soin de secouer le timbre pour bien faire égoutter l'eau. Si le timbre ne colle plus suffisamment, utilisez un **nouveau** timbre. Dans les deux cas, continuez à suivre le calendrier de traitement habituel.

Si vous aimez les bains chauds, le sauna ou les bains tourbillon et que vous remarquez que votre timbre ne résiste pas à l'eau chaude, vous pourrez envisager de le retirer **temporairement**. Si vous retirez votre timbre au moment du bain, replacez la partie collante sur la pellicule protectrice que vous avez ôtée au moment de l'application. Vous pouvez aussi utiliser du papier ciré au lieu de cette pellicule. De cette manière, vous éviterez que le médicament ne s'évapore parce que le timbre n'est plus en contact avec la peau.

Outre l'exposition à l'eau très chaude, le timbre peut se décoller pour d'autres raisons. Si vous constatez par exemple que vos timbres se détachent régulièrement, cela pourrait être dû à l'une des causes suivantes:

- utilisation d'une huile de bain
- utilisation de savons riches en crème
- utilisation de lotions hydratantes avant l'application du timbre.

Vous pourrez améliorer l'adhérence de votre timbre en évitant d'utiliser ces produits et en nettoyant le site d'application avec de l'alcool à friction avant d'appliquer le timbre.

Que faire si vous constatez une rougeur ou une irritation de la peau en-dessous ou autour du timbre: Comme tous les produits qui recouvrent la peau pendant un certain temps (comme les pansements, p. ex.), les timbres Estraderm et Estragest peuvent provoquer une irritation de la peau chez certaines femmes, cette irritation variant selon la sensibilité de chacune.

Cette rougeur de la peau ne pose habituellement aucun problème de santé mais vous pouvez la réduire en suivant ces quelques conseils:

- Choisissez les fesses comme site d'application.
- Changez de site d'application chaque fois que vous appliquez un nouveau timbre Estraderm ou Estragest, habituellement 2 fois par semaine.

L'expérience acquise avec Estraderm a démontré que si vous exposez le timbre à l'air libre pendant environ 10 secondes après avoir retiré la pellicule protectrice, cela peut permettre d'éviter les rougeurs de la peau.

Si la rougeur ou les démangeaisons (ou les deux) persistent, consultez le médecin.

Important: Votre médecin vous a prescrit Estracomb après avoir fait une évaluation détaillée de vos besoins médicaux. Utilisez ce médicament strictement selon les directives du médecin et ne le donnez à personne d'autre. Votre médecin devrait vous faire passer un examen médical complet au moins 1 fois par an.

Si vous avez la moindre question à ce sujet, veuillez consulter votre médecin ou votre pharmacien.

☐ ESTRADERM® Ⓟ

Novartis Pharma

Estradiol-17β

Œstrogène

Renseignements destinés aux patients: Estraderm et son emploi:
Introduction: Estraderm est un système thérapeutique transdermique (timbre cutané) qui contient de l'estradiol, un œstrogène naturel. Estraderm peut soulager les symptômes de la ménopause ou prévenir l'ostéoporose, ou les deux. Chez les femmes atteintes d'ostéoporose, le traitement par Estraderm peur ralentir la progression de la perte osseuse.

Estraderm (suite)

Ce feuillet décrit l'emploi des œstrogènes et des progestatifs, les précautions à prendre lorsqu'on utilise ces hormones et la manière d'utiliser Estraderm. Veuillez le lire attentivement. **Si vous avez besoin de renseignements complémentaires, veuillez consulter votre médecin ou votre pharmacien.**

Les décisions concernant l'hormonothérapie substitutive et la durée du traitement par les œstrogènes doivent être individualisées et faire l'objet d'une discussion entre le médecin et sa patiente.

Emploi des œstrogènes:

1. Pour réduire les symptômes modérés ou sévères de la ménopause: Votre corps produit normalement des œstrogènes et des progestatifs (hormones femelles), principalement dans les ovaires. Entre l'âge de 45 et de 55 ans, les ovaires cessent peu à peu de produire des œstrogènes, ce qui entraîne une diminution des taux œstrogéniques dans l'organisme et la ménopause naturelle (fin des règles mensuelles). Lorsqu'on enlève les ovaires par intervention chirurgicale avant la ménopause naturelle, la baisse subite du taux d'œstrogènes entraîne une «ménopause chirurgicale».

   La ménopause n'est pas une maladie. C'est un phénomène naturel et chaque femme vit la ménopause et ses symptômes de façon différente. Toutes les femmes ne présentent pas des symptômes évidents de manque d'œstrogènes. Lorsque les taux d'œstrogènes commencent à diminuer, certaines femmes présentent des symptômes très incommodants comme une sensation de chaleur au visage, au cou et à la poitrine ou des épisodes subits et intenses de chaleur et de transpiration (bouffées de chaleur). La prise d'œstrogènes peut aider le corps à s'adapter à la baisse du taux d'œstrogènes et à réduire ces symptômes.
2. Traitement de l'atrophie vulvaire et vaginale: Certaines femmes peuvent également présenter une atrophie vulvaire ou vaginale (démangeaison, brûlure ou sécheresse à l'intérieur ou autour du vagin, difficultés ou brûlures quand elles urinent) en association avec la ménopause. L'œstrogénothérapie peut améliorer ces symptômes.
3. Prévention de l'ostéoporose: L'ostéoporose est un amincissement des os, ce qui rend l'ossature plus fragile et entraîne plus facilement des fractures. Dans l'ostéoporose, ce sont les os de la colonne vertébrale, des poignets et des hanches qui se brisent le plus souvent. Les os des hommes et des femmes commencent à s'amincir après l'âge de 40 ans environ, mais les femmes subissent une perte osseuse plus rapide après la ménopause. La prise d'œstrogènes après la ménopause ralentit l'amincissement des os et peut prévenir les fractures. Un apport de calcium approprié pendant toute la vie—soit par un régime alimentaire (comme les produits laitiers) ou par la prise de suppléments de calcium (jusqu'à un apport quotidien total de 1 000 à 1 500 mg par jour)—et certains genres d'exercices peuvent contribuer à prévenir l'ostéoporose. Toutefois, avant de modifier votre apport de calcium ou votre programme d'exercices, il est important que vous en discutiez avec votre médecin pour déterminer si ces modifications vous seront bénéfiques.

   Certaines femmes sont plus prédisposées que d'autres à l'ostéoporose après la ménopause. Les femmes dont le poids est insuffisant, qui font une grande consommation de tabac ou d'alcool (ou des deux), qui sont de race blanche ou orientale, qui sont sédentaires, qui ont des antécédents familiaux d'ostéoporose (la mère, la sœur ou la tante, p. ex.) ou qui ont eu une ménopause chirurgicale ou une ménopause spontanée à un âge précoce, sont plus susceptibles que d'autres d'être atteintes d'ostéoporose.

Emploi des progestatifs: Les effets des progestatifs utilisés en hormonothérapie substitutive sont semblables à ceux de la progestérone, hormone sexuelle féminine. La progestérone est responsable de la régulation du cycle menstruel pendant toutes les années durant lesquelles la femme est en âge de procréer. L'estradiol libéré par Estraderm soulage non seulement les symptômes de la ménopause, mais il peut aussi stimuler la croissance de la muqueuse interne de l'utérus, c.-à-d. l'endomètre, comme le faisaient les œstrogènes produits par votre corps avant la ménopause. Chez les femmes ménopausées et postménopausées dont l'utérus est intact, la stimulation de la croissance de l'endomètre peut entraîner des saignements irréguliers et provoquer, dans certains cas, une affection de l'utérus connue sous le nom d'hyperplasie de l'endomètre (croissance exagérée de la muqueuse de l'utérus). Ces troubles de l'utérus dus aux œstrogènes peuvent être réduits lorsqu'un progestatif est administré régulièrement pendant un certain nombre de jours, conjointement avec l'œstrogénothérapie substitutive. Chaque cycle d'administration du progestatif doit déclencher des saignements périodiques. Lors de ces saignements, la muqueuse interne de l'utérus est régulièrement éliminée, assurant ainsi une protection contre l'hyperplasie de l'endomètre.

Si votre utérus a été enlevé de manière chirurgicale, il n'y a pas de risques d'hyperplasie de l'endomètre et il n'est donc pas nécessaire de prendre un progestatif durant chaque cycle.

Précautions: Si les œstrogènes et les progestatifs offrent des avantages pour la santé, ils nécessitent néanmoins certaines précautions et, dans certains cas, leur emploi peut ne pas être indiqué.

On a signalé qu'après la ménopause, l'emploi d'œstrogènes augmente le risque de cancer de la muqueuse de l'utérus (cancer de l'endomètre). **Ce risque est réduit de façon significative lorsque les œstrogènes sont utilisés conjointement avec un progestatif.** Toutefois, si vous avez subi une hystérectomie, le risque de cancer utérin n'existe pas pour vous et l'administration cyclique d'un progestatif n'est pas nécessaire.

Certaines études scientifiques ont confirmé qu'il existait un lien entre une augmentation modeste du risque de développer un cancer du sein et l'hormonothérapie substitutive quand celle-ci était suivie pendant plus de 5 ans durant la ménopause. Par conséquent, les femmes qui ont des antécédents familiaux de cancer du sein, celles qui présentent des nodules aux seins ou une maladie fibrokystique du sein (bosses dans les seins) ou encore, celles dont les mammographies sont anormales, doivent consulter leur médecin avant de commencer une hormonothérapie substitutive. Les avantages globaux et les risques possibles de l'hormonothérapie substitutive doivent faire l'objet d'une discussion avec votre médecin. On recommande à toutes les femmes de se faire examiner régulièrement les seins par un professionnel de la santé et de pratiquer un auto-examen tous les mois.

On a signalé que la prise d'œstrogènes par voie orale après la ménopause fait augmenter le risque de maladie de la vésicule biliaire nécessitant une intervention chirurgicale.

Restrictions d'emploi: Les œstrogènes et les progestatifs peuvent causer une aggravation de certaines affections et il faut, dans ces cas-là, éviter leur emploi ou les prendre avec prudence.

Les œstrogènes ne devraient pas être utilisés durant la grossesse. Comme la grossesse est toujours possible au début de la ménopause, puisque les menstruations se produisent encore spontanément, vous devrez demander à votre médecin de vous renseigner sur les contraceptifs non hormonaux à utiliser durant cette période. Si vous prenez des œstrogènes pendant la grossesse, le fœtus court un faible risque de présenter des malformations congénitales.

Les œstrogènes ne devraient pas être utilisés durant l'allaitement.

Vous ne devriez pas prendre Estraderm si vous avez déjà eu une réaction allergique inhabituelle aux œstrogènes ou à l'un des composants du timbre cutané (voir Que contient Estraderm?).

Avant de prendre Estraderm, vous devriez avertir votre médecin si vous avez déjà souffert de l'une ou l'autre des affections ci-dessous. Estraderm ne doit pas être utilisé en présence de:

- cancer du sein ou de l'utérus
- saignements vaginaux inattendus ou inhabituels
- coagulation anormale du sang
- migraines
- accident cérébrovasculaire
- maladie hépatique grave
- phlébite évolutive (varices enflammées)
- porphyrie

Pour aider votre médecin à décider si vous pouvez prendre Estraderm et quelles précautions prendre, faites-lui savoir:

- si vous prenez, le cas échéant, d'autres médicaments (sur ordonnance ou non) parce qu'il y a des médicaments qui influencent les effets des œstrogènes;
- si vous êtes allergique ou sensible à un ou plusieurs médicaments, ou à toute autre substance;
- si vous devez subir une intervention chirurgicale ou être alitée durant une longue période;
- si vous avez déjà souffert de l'une ou l'autre des affections suivantes:
  —hypertension (tension artérielle élevée)
  —maladies du cœur, des reins ou du foie
  —asthme
  —épilepsie ou autres troubles neurologiques
  —diabète sucré
  —dépression
  —anomalies des seins ou de l'utérus
  —endométriose
  —maladie des seins, biopsies des seins

—fibromes utérins
—phlébite (varices enflammées)
—coagulation anormale du sang
—hyperlipidémie
—ictère ou prurit liés à l'emploi d'œstrogènes ou à une grossesse

Effets indésirables: Les effets ci-dessous ont été signalés chez des femmes prenant des œstrogènes (y compris ceux contenus dans les contraceptifs). Consulter votre médecin dès que possible si les symptômes suivants deviennent incommodants:

- nausées
- rétention d'eau
- migraines
- pigmentation locale foncée de la peau
- sensibilité des seins et sécrétions vaginales excessives (signes éventuels que la dose d'œstrogènes est trop forte)
- douleur abdominale persistante, nausées, vomissements, sensibilité abdominale (signes éventuels d'une maladie de la vésicule biliaire)
- disposition aux ecchymoses, saignements de nez excessifs, flux menstruel excessif (signes éventuels d'une coagulation anormale du sang)
- douleur ou gonflement du bas du ventre, règles abondantes ou douloureuses—ou les deux—(signes éventuels d'une croissance de fibrome utérin)
- jaunissement des yeux ou de la peau (signe éventuel d'une jaunisse)
- douleur ou gonflement du haut du ventre (signes éventuels de tumeurs du foie)

Consulter le médecin dès que possible si vous notez l'une ou l'autre des manifestations suivantes:

- saignement vaginal anormal
- sensibilité mammaire intolérable
- augmentation du volume des seins ou présence de bosses dans les seins
- maux de tête graves
- modifications de la vue
- irritation cutanée persistante ou grave
- rétention d'eau ou ballonnements persistant pendant plus de 6 semaines

Consulter immédiatement le médecin si vous éprouvez l'une ou l'autre des manifestations suivantes:

- difficulté à respirer ou sensation de serrement à la poitrine
- inflammation veineuse sensible ou douloureuse
- douleurs ou lourdeurs dans les jambes ou au niveau de la poitrine
- essoufflement soudain
- expectoration de sang
- pouls rapide ou étourdissements
- tout autre symptôme inhabituel

En outre, chez certaines femmes, Estraderm peut causer une certaine rougeur ou une irritation sous le timbre ou autour du timbre (voir Conseils utiles).

Comment administrer Estraderm: Votre médecin vous dira quand il faut commencer à utiliser Estraderm. Les timbres Estraderm doivent être appliqués 2 fois par semaine, les mêmes jours de la semaine. Il faut porter chaque timbre continuellement pendant 3 ou 4 jours.

Les œstrogènes sont habituellement administrés de façon cyclique (quoique votre médecin puisse les prescrire autrement en fonction de votre situation personnelle). Cela veut dire que vous devrez prendre des œstrogènes durant les 21 ou 25 premiers jours de votre cycle, puis que vous resterez 5 ou 7 jours sans en prendre. Le cycle suivant commencera à la prochaine application du timbre.

Chaque boîte contient 8 timbres Estraderm. Si vous suivez un traitement œstrogénique de moins de 28 jours (traitement cyclique), il vous restera 1 ou 2 timbres que vous pourrez utiliser le mois suivant.

Il est important de prendre le médicament tel que prescrit par le médecin. Ne décidez pas de mettre fin à votre traitement ou de le changer avant d'avoir consulté votre médecin.

Comment agit Estraderm: Le principal œstrogène produit par les ovaires avant la ménopause est l'estradiol, et c'est cette même hormone que contient Estraderm. Quand il est appliqué sur la peau, le timbre Estraderm libère de façon continue et contrôlée de petites quantités d'estradiol qui passent à travers la peau et vont dans la circulation sanguine. La quantité d'œstrogène prescrite dépendra des besoins de votre corps. Le médecin pourra ajuster cette quantité en prescrivant un autre timbre Estraderm (au dosage différent).

En libérant de l'estradiol, Estraderm procure un soulagement des symptômes de la ménopause, ralentit la perte osseuse et peut prévenir les fractures osseuses.

Mode d'application d'Estraderm et choix du site d'application (voir le prospectus d'emballage pour les illustrations): Il est recommandé de changer de site d'application chaque fois, mais de toujours appliquer le timbre sur la même région du corps (par exemple, si vous appliquez le timbre sur les fesses, alternez entre la fesse droite et la fesse gauche 2 fois par semaine ou plus souvent si vous constatez une rougeur sous le timbre).

1. **Préparation de la peau:** Afin que le timbre colle bien, la peau doit être propre, sèche et ne pas être enduite de crème, de lotion ou d'huile. Si vous le désirez, vous pourrez utiliser une lotion pour le corps après avoir bien appliqué le timbre sur la peau. Celle-ci ne doit pas non plus être irritée ou égratignée, car cela pourrait modifier la dose d'hormone libérée dans le corps. Le contact avec l'eau (bain, piscine ou douche) n'aura pas d'effet sur le timbre, mais il faut éviter l'eau très chaude ou la vapeur parce qu'elle pourrait faire décoller le timbre (voir Conseils utiles).
2. **Choix du site d'application des timbres Estraderm:** Les fesses sont l'endroit préféré pour appliquer les timbres mais on peut également choisir d'autres endroits: hanches, côté, bas du dos ou bas de l'abdomen. Changez de site d'application chaque fois que vous changez de timbre. Le même site d'application peut être utilisé plusieurs fois, **mais pas 2 fois de suite.**

   Éviter d'appliquer le timbre là où le frottement des vêtements pourrait le faire décoller ou aux endroits où la peau est velue ou plissée. Éviter également de l'appliquer sur une surface exposée au soleil parce que cela pourrait nuire à son mode d'action.

   Les timbres ne doivent pas être appliqués sur les seins parce que cela pourrait entraîner des réactions indésirables et des malaises.
3. **Sortir le timbre de son enveloppe:** Chaque timbre Estraderm est scellé individuellement dans une enveloppe protectrice. **Déchirer** l'enveloppe à l'endroit marqué par l'encoche et sortir le timbre de son enveloppe. Ne pas utiliser de ciseaux, car vous pourriez couper et détruire le timbre par accident. Il se peut que le timbre contienne ou non des bulles, mais cela est normal.
4. **Enlever la pellicule protectrice:** L'un des côtés du timbre est enduit d'adhésif pour le faire coller à la peau. La colle est recouverte d'une pellicule protectrice qui doit être retirée avant l'application du timbre.

   Pour séparer le timbre de la pellicule protectrice, tenir le timbre entre le pouce (que vous placez sur le film lisse) et les autres doigts. Appuyer le pouce contre les autres doigts comme pour les faire claquer lentement.

   Cette manière de procéder vous permettra de séparer facilement la pellicule protectrice du timbre. En tenant le timbre sur le **bord,** vous pouvez maintenant détacher la pellicule protectrice. Évitez de toucher la surface collante.

   Ne vous inquiétez pas si le timbre se replie quelque peu, car vous pourrez l'aplatir une fois la pellicule protectrice retirée. Le timbre doit être appliqué sans tarder après l'avoir sorti de son enveloppe et avoir retiré la pellicule protectrice.
5. **Comment appliquer le timbre Estraderm:** Appliquer le côté collant du timbre à l'endroit que vous avez choisi. Appuyer fermement avec la paume de la main pendant environ 10 secondes. Vérifier si le timbre colle bien à la peau en passant un doigt sur les bords.
6. **Quand et comment changer le timbre:** Le timbre Estraderm doit être remplacé 2 fois par semaine, toujours les mêmes jours. Si vous oubliez de changer le vôtre le jour prévu, il n'y a pas de quoi s'alarmer. Changez-le dès que possible et **continuez** à suivre votre calendrier habituel.

   Après avoir retiré le timbre usagé, pliez-le en deux de manière à ce que le côté collant soit à l'intérieur. **Ensuite, jetez-le dans un endroit hors de la portée des enfants ou des animaux domestiques.**

   Toute trace de substance adhésive sur la peau devrait s'enlever facilement en frottant. Appliquer ensuite un nouveau timbre Estraderm sur la peau, à un endroit propre et sec.

Entreposage: Estraderm doit être conservé à la température ambiante (inférieure à 25 °C). Ne pas congeler. **Ne pas entreposer les timbres hors de leur enveloppe.**

Les timbres Estraderm doivent être gardés hors de la portée des enfants et des animaux domestiques avant et après leur utilisation.

Que contient Estraderm? Comme c'est le cas pour la plupart des médicaments, les timbres Estraderm contiennent, outre un œstrogène, des ingrédients non médicinaux: composés de cellulose, éthanol, copolymère éthylique d'acétate de vinyle, huile minérale légère, polyester et polyisobutylène.

Estraderm (suite)

Conseils utiles: Que faire si le timbre se décolle: Si le timbre se décolle de lui-même lorsque vous prenez un bain très chaud ou une douche, appliquez-le à nouveau (à un autre endroit) quand vous serez bien séchée, en ayant soin de secouer le timbre pour bien faire égoutter l'eau. Si le timbre ne colle plus suffisamment, utilisez un **nouveau** timbre. Dans les deux cas, continuez à suivre le calendrier de traitement habituel.

Si vous aimez les bains chauds, le sauna ou les bains tourbillon et que vous remarquez que votre timbre ne résiste pas à l'eau chaude, vous pourrez envisager de le retirer **temporairement**. Si vous retirez votre timbre au moment du bain, replacez la partie collante sur la pellicule protectrice que vous avez ôtée au moment de l'application. Vous pouvez aussi utiliser du papier ciré au lieu de cette pellicule. De cette manière, vous éviterez que le médicament ne s'évapore parce que le timbre n'est plus en contact avec la peau.

Outre l'exposition à l'eau très chaude, le timbre peut se décoller pour d'autres raisons. Si vous constatez par exemple que vos timbres se détachent régulièrement, cela pourrait être dû à l'une des causes suivantes:

- utilisation d'une huile de bain
- utilisation de savons riches en crème
- utilisation de lotions hydratantes avant l'application du timbre

Vous pourrez améliorer l'adhérence de votre timbre en évitant d'utiliser ces produits et en nettoyant le site d'application avec de l'alcool à friction avant d'appliquer le timbre.

Que faire si vous constatez une rougeur ou une irritation de la peau en dessous ou autour du timbre: Comme tous les produits qui recouvrent la peau pendant un certain temps (comme les pansements, p. ex.), le timbre Estraderm peut provoquer une irritation de la peau chez certaines femmes, cette irritation variant selon la sensibilité de chacune.

Cette rougeur de la peau ne pose habituellement aucun problème de santé mais vous pouvez la réduire en suivant ces quelques conseils:

- Choisissez les fesses comme site d'application.
- Changez de site d'application chaque fois que vous appliquez un nouveau timbre Estraderm, habituellement 2 fois par semaine.

L'expérience acquise avec Estraderm a démontré que si vous exposez le timbre à l'air libre pendant environ 10 secondes après avoir retiré la pellicule protectrice, cela peut permettre d'éviter les rougeurs de la peau.

Si la rougeur ou les démangeaisons (ou les deux) persistent, consultez le médecin.

Important: Votre médecin vous a prescrit Estraderm après avoir fait une évaluation détaillée de vos besoins médicaux. Utilisez ce médicament strictement selon les directives du médecin et ne le donnez à personne d'autre. Votre médecin devrait vous faire passer un examen médical complet au moins 1 fois par an.

Si vous avez la moindre question à ce sujet, veuillez consulter votre médecin ou votre pharmacien.

☐ ESTRING® Ⓟ

Pharmacia & Upjohn

Œstradiol

Œstrogène

Renseignements destinés aux patients: Cette brochure décrit quand et comment utiliser Estring (anneau vaginal à l'œstradiol) et les risques et avantages du traitement par les œstrogènes. Veuillez lire ces renseignements attentivement avant de commencer le traitement.

Les œstrogènes présentent d'importants avantages mais également certains risques. Vous devez décider, en accord avec votre médecin, si les risques en valent la peine étant donné les avantages de ces médicaments. Si vous utilisez des œstrogènes, il faut vous assurer auprès de votre médecin que vous prenez la dose qui vous convient et que vous ne les utiliserez pas au-delà de la période nécessaire. Il vous appartient de décider avec votre médecin de la durée pendant laquelle vous suivrez ce traitement.

1. **Les œstrogènes augmentent le risque de cancer de l'utérus chez les femmes ménopausées.** Si vous utilisez un médicament contenant des œstrogènes, il est important de consulter votre médecin régulièrement et de lui signaler immédiatement tout saignement vaginal inhabituel. Votre médecin doit trouver la cause de tout saignement vaginal inhabituel.
2. **Les œstrogènes ne doivent pas être utilisés pendant la grossesse.** Les œstrogènes ne permettent pas d'éviter les fausses couches et ne sont pas nécessaires au cours de la période suivant un accouchement. Si vous prenez des œstrogènes pendant la grossesse, votre fœtus court un plus grand risque d'anomalie congénitale. Ce risque est faible, mais il est néanmoins plus élevé que celui encouru par les fœtus dont la mère n'a pas pris d'œstrogènes pendant la grossesse. Les anomalies congénitales peuvent affecter le système urinaire et les organes génitaux de l'enfant. Les jeunes filles dont la mère a pris du DSE (un médicament œstrogénique) présentaient un risque plus élevé de cancer du vagin ou du col de l'utérus à l'adolescence ou à l'âge adulte. Les garçons peuvent présenter un plus grand risque de cancer du testicule à l'adolescence ou à l'âge adulte.

Emplois des œstrogènes: Les œstrogènes sont des hormones produites par les ovaires pendant les années de reproduction. Entre 45 et 55 ans, cette production s'arrête normalement. Cela entraîne une chute de la quantité d'œstrogènes dans le corps, ce qui provoque la ménopause (arrêt des menstruations). Si les deux ovaires sont retirés pendant une opération effectuée avant la ménopause naturelle, il s'ensuit une chute brutale de la quantité d'œstrogènes dans le corps et donc une «ménopause chirurgicalement induite».

Lorsque la quantité d'œstrogènes commence à chuter, certaines femmes présentent des symptômes désagréables, tels qu'une sensation de chaleur au niveau du visage, du cou et du thorax et des épisodes brusques et intenses de sensation de chaleur et de transpiration «bouffées de chaleur». L'utilisation de médicaments à base d'œstrogènes peut aider l'organisme à s'adapter à une quantité d'œstrogènes plus faible et atténuer ces symptômes. Estring **ne libère pas suffisamment d'œstrogènes pour atténuer ces symptômes.**

La chute de la quantité d'œstrogènes associée à l'âge, après la ménopause, peut provoquer un amincissement et une sécheresse des tissus des voies urinaires et du vagin (atrophie uro-génitale). Dans ce cas, les symptômes vaginaux consistent en une sécheresse du vagin (vaginite atrophique), des démangeaisons et une sensation de brûlure vaginales et des douleurs pendant les rapports sexuels. Les symptômes urinaires peuvent comprendre des besoins urinaires pressants et des douleurs pendant la miction. De faibles quantités d'œstrogènes administrées localement peuvent aider à atténuer ces symptômes.

Emploi d'Estring: Estring représente un traitement local à base d'œstrogènes conçu pour soulager les symptômes vaginaux et urinaires, dus à la carence postménopausique en œstrogènes, pendant 90 jours. Estring exerce ses effets locaux au niveau de la partie inférieure du système uro-génital et on a démontré qu'il n'a pas d'effet important sur les autres organes et tissus sensibles aux œstrogènes. Par conséquent, **Estring ne soulage que les symptômes locaux de la ménopause.**

Description: Estring contient un réservoir de 2 mg d'œstrogène, l'œstradiol, dans son noyau. Estring libère l'œstradiol au niveau du vagin de manière régulière et constante pendant 90 jours. L'anneau souple et flexible doit être placé dans le tiers supérieur du vagin (par le médecin ou par la patiente) et laissé en place de manière continue pendant 90 jours, puis retiré et remplacé par un autre si la poursuite du traitement est jugée appropriée.

Quand ne pas utiliser Estring: Estring ne doit pas être utilisé:

1. **Pendant la grossesse.** Les femmes dont la ménopause est certaine ne peuvent pas tomber enceintes. Les femmes qui pensent être définitivement ménopausées parce que leurs cycles menstruels se sont récemment arrêtés doivent s'assurer qu'elles ne sont pas enceintes avant d'utiliser n'importe quel médicament contenant des œstrogènes. L'utilisation d'œstrogènes pendant la grossesse peut provoquer des anomalies congénitales chez le fœtus. Les œstrogènes ne permettent pas d'éviter une fausse couche.
2. **En cas de saignement vaginal inhabituel qui n'a pas été évalué par le médecin.** La présence d'un saignement vaginal inhabituel après la ménopause peut être un signe d'alarme d'un cancer de l'utérus. Les œstrogènes peuvent augmenter le risque de cancer de l'utérus chez les femmes ménopausées. Si vous utilisez un médicament contenant un œstrogène, il est important de consulter régulièrement votre médecin et de lui signaler immédiatement tout cas de saignement vaginal inhabituel. Votre médecin doit découvrir la cause de tout saignement vaginal inhabituel.
3. **En cas d'antécédents de certains types de cancer.** Les œstrogènes peuvent augmenter le risque de certains types de cancer. En général,

Estring ne doit pas être utilisé par les femmes qui ont eu un cancer du sein ou de l'utérus.

4. **Pendant le traitement d'une infection vaginale par un antimicrobien.** Il est recommandé de retirer Estring pendant le traitement d'une infection vaginale par d'autres médicaments vaginaux. Estring peut être remis en place après l'arrêt des autres traitements vaginaux et après avoir consulté un médecin.
5. **Après un accouchement ou pendant l'allaitement.** Estring ne doit pas être utilisé pour empêcher la montée de lait après un accouchement. Les femmes qui allaitent doivent éviter tout médicament, car nombre de ces produits passent dans le lait maternel et sont donc absorbés par le nourrisson. Pendant l'allaitement, il ne faut prendre un médicament qu'après avoir demandé l'avis d'un professionnel de la santé.

Risques éventuels du traitement par des œstrogènes: Les facteurs de risque suivants concernent tous les œstrogènes:

1. **Cancer de l'utérus.** Les œstrogènes augmentent le risque d'une affection (hyperplasie de l'endomètre) qui peut entraîner un cancer de la muqueuse qui tapisse l'utérus (cancer de l'endomètre). Le risque de cancer de l'endomètre est plus important chez les femmes prenant des œstrogènes. Des études ont montré que ce risque dépend de la dose d'œstrogènes, de la durée du traitement et du mode de traitement. Après une ablation de l'utérus (hystérectomie), il n'y a bien entendu plus de risque de cancer de l'utérus.
2. **Cancer du sein.** La plupart des études cliniques n'ont pas démontré qu'il existe un risque plus élevé de cancer du sein chez les femmes qui ont été traitées par des œstrogènes. Toutefois, dans certaines études, on a signalé une plus grande fréquence du cancer du sein (jusqu'à 2 fois le taux normal) chez les femmes qui ont pris des œstrogènes pendant de longues périodes (en particulier plus de 10 ans) ou qui ont été traitées par des doses élevées pendant des périodes plus courtes. Il est recommandé à toutes les femmes de se faire examiner les seins régulièrement par un professionnel de la santé et de procéder elles-mêmes à une auto-palpation tous les mois.
3. **Maladies de la vésicule biliaire et anomalies de la coagulation du sang.** Les maladies de la vésicule biliaire et les anomalies de la coagulation du sang sont des facteurs de risque associés à la prise de doses moyennes ou élevées d'œstrogènes. La plupart des études sur l'usage de faibles doses d'œstrogènes n'ont pas démontré qu'il existait de risque plus élevé de ce type de complications et, jusqu'à présent, ce risque n'a pas été démontré avec Estring.

Effets secondaires: Comme tout médicament, Estring peut entraîner des effets secondaires. L'effet secondaire le plus fréquemment signalé consiste en une augmentation des sécrétions vaginales. La plupart de ces sécrétions vaginales sont du même type que celles survenant avant la ménopause, ce qui indique qu'Estring agit normalement. Des sécrétions vaginales malodorantes ou s'accompagnant de démangeaisons vaginales ou d'autres signes d'infection vaginale **ne** sont **pas** normales et doivent alerter la patiente et le médecin. Parmi d'autres effets secondaires, on peut citer la gêne vaginale, des douleurs au ventre ou des démangeaisons génitales.

Effets secondaires généraux des œstrogènes: En plus des risques cités ci-dessus, on a rapporté les effets suivants lors du traitement par les œstrogènes: Nausées et vomissements. Tension ou gonflement des seins. Élargissement des tumeurs bénignes de l'utérus (fibromes). Rétention d'eau. Cet effet peut aggraver certaines affections comme l'asthme, l'épilepsie, la migraine, les maladies du cœur ou des reins. Taches sombres sur la peau, en particulier sur le visage.

Diminuer le risque lié aux œstrogènes: Si vous utilisez des œstrogènes, vous pouvez diminuer vos risques en respectant les règles suivantes: Consultez votre médecin régulièrement: Lorsque vous utilisez des œstrogènes, il est important de consulter votre médecin au moins 1 fois par an pour faire un bilan médical général. Si vous avez un saignement vaginal pendant le traitement aux œstrogènes, appelez votre médecin; il se peut que vous ayez besoin d'examens complémentaires. Si des membres de votre famille ont eu un cancer du sein ou si vous-même avez déjà eu une boule dans les seins ou des signes anormaux à la mammographie (radiographie des seins), vous devrez peut-être subir un examen plus fréquent des seins.

Réévaluez la nécessité du traitement par les œstrogènes. Vous devez, en accord avec votre médecin, réévaluer au moins tous les 6 mois si le traitement par les œstrogènes est toujours nécessaire.

Soyez attentive aux signes d'alerte. Si l'un des signaux d'alerte suivants (ou tout autre symptôme inhabituel) survient pendant que vous utilisez des œstrogènes, appelez immédiatement votre médecin: saignement vaginal anormal (possibilité de cancer de l'utérus); douleur dans les mollets ou au thorax, essoufflement d'apparition brutale ou expectoration de sang (possibilité de caillot de sang dans les mollets, le cœur ou les poumons); maux de tête sévères ou vomissements importants, étourdissements, évanouissements, troubles de la vue ou de la parole, faiblesse ou engourdissement d'un bras ou d'une jambe (possibilité de caillot de sang dans le cerveau ou dans un œil); boule dans le sein (possibilité de cancer du sein; demandez au médecin ou au professionnel de la santé que vous consultez de vous montrer comment examiner vos seins tous les mois); jaunissement de la peau ou des yeux (possibilité de troubles hépatiques); douleur, gonflement ou tension dans l'abdomen (possibilité de troubles de la vésicule biliaire).

Autres renseignements:

1. Les œstrogènes augmentent le risque d'une affection (hyperplasie de l'endomètre) qui peut entraîner un cancer de la muqueuse qui tapisse l'utérus. Un progestatif, autre médicament hormonal, est généralement prescrit en cas de traitement par des préparations d'œstrogènes à forte dose pour diminuer le risque d'hyperplasie de l'endomètre. Les progestatifs ne sont généralement pas nécessaires chez les femmes qui utilisent Estring comme seul œstrogène.
2. Chez certaines femmes, Estring se déplace ou glisse à l'intérieur du vagin. Dans un tel cas, il faut le repousser doucement du doigt vers le fond du vagin en ayant pris soin de se laver les mains au préalable. Il est rare qu'Estring soit expulsé du vagin et cela peut survenir pendant la défécation, une pression de l'abdomen ou une constipation au cours des premières semaines de traitement. Dans ce cas, on peut laver Estring à l'eau tiède (**pas** chaude) et le remettre en place. Si cela survient à plusieurs reprises, consultez votre médecin ou un autre professionnel de la santé pour savoir si vous devriez poursuivre ou non ce traitement.
3. Estring peut ne pas convenir aux femmes dont le vagin est étroit, court ou sténosé (resserré). L'étroitesse du vagin, la sténose (resserrement) du vagin, un prolapsus important et les infections vaginales sont des états qui rendent le vagin plus susceptible à l'irritation et à l'ulcération induite par Estring. Les femmes qui présentent des signes ou des symptômes d'irritation vaginale doivent en avertir leur médecin ou un autre professionnel de la santé.
4. Les infections vaginales sont généralement plus fréquentes chez les femmes ménopausées. Elles doivent être traitées avec un antimicrobien approprié avant de commencer le traitement par Estring. Si une infection apparaît pendant l'utilisation d'Estring, il faut le retirer et ne le remettre en place que lorsque l'infection a été correctement traitée. Consultez votre médecin ou autre professionnel de la santé si vous ressentez une gêne vaginale ou si vous pensez avoir une infection vaginale.
5. Votre médecin vous a prescrit ce médicament pour votre usage personnel. Ne le donnez à personne d'autre.
6. Gardez ce médicament, ainsi que tous les autres médicaments, hors de la portée des enfants.
7. Le présent dépliant vous fournit un résumé de renseignements importants sur Estring. Si vous désirez obtenir de plus amples informations, demandez à votre pharmacien ou à votre médecin de vous montrer la notice pour les professionnels.

Présentation: Chaque unité d'Estring est emballée individuellement dans une pochette rectangulaire thermoscellée. La pochette est dotée d'une bandelette d'ouverture latérale.

Estring 2 mg disponible sous forme unitaire.

Entreposage: Conserver à température ambiante de 15 à 30 °C.

Avertissement: La loi fédérale interdit la délivrance sans ordonnance.

Guide destiné à la patiente pour l'insertion et le retrait d'Estring (voir le propectus d'emballage pour les illustrations): **Insertion d'Estring:** Vous pouvez insérer Estring vous-même ou demander à votre médecin de le faire. Pour l'insérer vous-même, mettez-vous dans une position confortable: debout avec une jambe surélevée, accroupie ou allongée.

1. Après vous être lavé et séché les mains, retirez Estring de sa pochette en utilisant la bandelette d'ouverture latérale. (Comme l'anneau est glissant lorsqu'il est mouillé, séchez-vous bien les mains avant de le manipuler.)
2. Maintenez Estring entre le pouce et l'index et rapprochez les côtés opposés de l'anneau comme illustré.
3. Insérez doucement l'anneau comprimé le plus loin possible dans le vagin.

Localisation d'Estring: La positon exacte d'Estring n'est pas de grande importance dès lors qu'il est placé dans le tiers supérieur du vagin.

Estring (suite)

Lorsque Estring est en place, vous ne devez pas le sentir. Si vous sentez une gêne, c'est probablement qu'Estring n'a pas été placé assez profondément dans le vagin; repoussez-le alors en douceur plus loin dans le vagin. Il n'y a pas de risque qu'Estring soit poussé trop loin ou perdu. On ne peut pas insérer Estring au-delà du fond du vagin, où le col de l'utérus (extrémité étroite inférieure de l'utérus) l'empêche d'aller plus loin (voir l'illustration de l'Anatomie de la femme).

Usage d'Estring: Une fois inséré, il faut laisser Estring dans le vagin pendant 90 jours. La plupart des femmes et leur partenaire ne sentent aucune gêne pendant les rapports sexuels du fait de la présence d'Estring, si bien qu'il **n'est pas** nécessaire de le retirer à ce moment-là. Si Estring se révèle gênant pour vous ou votre partenaire, vous pouvez le retirer avant les rapports sexuels (voir Retrait d'Estring, ci-dessous). Il faut le remettre en place aussitôt que possible après le rapport sexuel. Estring peut glisser vers le bas du vagin en cas de pression ou d'effort abdominal accompagnant parfois une constipation. Dans ce cas, il faut le repousser doucement d'un doigt vers le fond du vagin. Dans de rares cas, on a signalé l'expulsion d'Estring lors d'une pression abdominale ou d'une toux intense. Si cela vous arrive, lavez simplement Estring à l'eau tiède (**pas** chaude) et remettez-le en place.

Libération du médicamennt par Estring: Une fois en place dans le vagin, Estring commence à libérer l'œstradiol immédiatement. Cette libération se poursuivra à des doses faibles et continues pendant la totalité des 90 jours où vous le portez.

Il faudra de 2 à 3 semaines pour restaurer un meilleur état de santé des tissus du vagin et des voies urinaires et ressentir l'effet complet d'Estring pour ce qui est du soulagement des symptômes vaginaux et urinaires. Si vos symptômes persistent au-delà de quelques semaines après le début du traitement par Estring, consultez votre médecin. Un des effets le plus fréquemment associés à l'usage d'Estring est l'augmentation des sécrétions vaginales. Ces sécrétions sont similaires à celles existant avant la ménopause et indiquent qu'Estring agit correctement. Toutefois, si ces sécrétions sont malodorantes ou si elles s'accompagnent de démangeaisons ou de gêne vaginale, n'hésitez pas à consulter votre médecin.

Retrait d'Estring: Au bout de 90 jours, il ne reste plus assez d'œstradiol dans l'anneau pour assurer un soulagement complet de vos symptômes vaginaux ou urinaires. Il faut alors retirer Estring et le remplacer par un nouvel anneau si votre médecin juge que vous devez poursuivre le traitement.

Pour retirer Estring:

1. Lavez-vous et séchez-vous bien les mains
2. Prenez une position confortable, debout avec une jambe surélevée, accroupie ou allongée
3. Passez un doigt autour de l'anneau et retirez-le.
4. Mettez l'anneau au rebut dans un contenant approprié. (Ne jetez pas l'anneau dans les toilettes.)

Si vous avez d'autres questions concernant le retrait d'Estring, consultez votre médecin ou un autre professionnel de la santé.

□ FAMVIR™ Ⓟ

SmithKline Beecham

Famciclovir

Agent antiviral

Renseignements destinés aux patients: Zona: Que contiennent vos comprimés Famvir?

- Les comprimés Famvir sont blancs et ovales. Ils portent l'inscription FAMVIR d'un côté et 500 de l'autre côté. Consultez votre médecin ou votre pharmacien si vos comprimés ont un aspect différent.
- Un comprimé Famvir renferme 500 mg de famciclovir.
- Il contient également les ingrédients inactifs suivants: dioxyde de titanium, glycolate d'amidon sodique, hydroxypropylcellulose, hydroxypropylméthylcellulose, lactose, polyéthylèneglycols et stéarate de magnésium.
- Si vous savez que vous êtes allergique à l'un de ces ingrédients, prévenez-en votre médecin avant de commencer votre traitement.
- Les comprimés Famvir ne contiennent pas de gluten.
- Ils ne contiennent ni sucrose, ni tartrazine, ni aucun autre colorant azoïque.
- Famvir est un médicament antiviral.

Qui fabrique Famvir? Famvir est fabriqué par SmithKline Beecham Pharma Inc., située à Oakville (Ontario) L6H 5V2.

À quoi sert Famvir? Famvir traite les infections causées par le virus responsable du zona, appelé virus varicelle-zona. Votre médecin a décidé que Famvir est le médicament approprié pour traiter votre maladie.

Famvir met fin à la propagation du virus, ce qui diminue le nombre de vésicules et atténue les douleurs des éruptions.

Avant de prendre Famvir:

- Êtes-vous enceinte?
- Se pourrait-il que vous deveniez enceinte bientôt?
- Êtes-vous allergique à Famvir?
- Si vous avez déjà pris Famvir, avez-vous eu des effets indésirables (effets secondaires)?
- Allaiterez-vous pendant votre traitement par Famvir?
- Souffrez-vous de troubles rénaux?

Si vous avez répondu **oui** à l'une de ces questions, **ne prenez pas** ce médicament. Consultez de nouveau votre médecin.

Pouvez-vous prendre Famvir en même temps que d'autres médicaments? Prévenez toujours votre médecin des autres troubles médicaux dont vous souffrez et des autres médicaments que vous prenez, qu'ils vous aient été prescrits ou que vous les ayez achetés de votre propre chef. Votre médecin ou votre pharmacien saura s'il est sûr de prendre Famvir en même temps.

Comment prendre vos comprimés: Habituellement, il faut prendre 1 comprimé Famvir 3 fois par jour. Votre médecin vous expliquera comment et quand prendre vos comprimés. Suivez ses directives. Commencez à prendre Famvir le plus tôt possible pour obtenir un soulagement optimal. La plupart des gens prennent un comprimé au lever, un autre au milieu de l'après-midi et un dernier au coucher. Les personnes qui souffrent de troubles rénaux n'auront peut-être pas à prendre leurs comprimés aussi souvent.

- Famvir agira, que vous le preniez avec ou sans nourriture.
- Avalez vos comprimés avec de l'eau, sans les croquer ni les mastiquer.
- Prenez tous les comprimés que le médecin vous a prescrits, même si vous commencez à vous sentir mieux. Le traitement dure 7 jours.

Qu'arrive-t-il si vous sautez une dose? Si vous oubliez de prendre un comprimé Famvir, ne vous inquiétez pas. Prenez-le dès que vous vous en souvenez. Prenez votre prochain comprimé à l'heure habituelle et ainsi de suite, jusqu'à ce que vous ayez pris tous les comprimés. Il importe que vous preniez tous les comprimés qu'on vous a prescrits.

Qu'arrive-t-il si vous prenez trop de comprimés? Tout médicament est dangereux en trop grande quantité. Si vous prenez trop de comprimés Famvir à la fois, consultez votre médecin ou le service d'urgence d'un hôpital le plus tôt possible. Apportez vos autres comprimés avec vous.

Famvir cause-t-il des effets secondaires? Tout médicament peut causer des effets secondaires. Avec Famvir, les effets secondaires sont ordinairement légers et, en général, vous n'avez pas à interrompre le traitement. Certaines personnes ont mal au cœur, d'autres ont un léger mal de tête. Parmi les autres effets secondaires possibles, citons les suivants: diarrhée, fatigue, étourdissements, douleurs abdominales, démangeaisons, insomnie, constipation ou fièvre. Si vous éprouvez l'un de ces effets secondaires ou d'autres symptômes alors que vous prenez Famvir, parlez-en à votre médecin ou pharmacien.

Prenez soin de vos comprimés:

- Gardez Famvir dans son flacon ou dans l'emballage du pharmacien.
- Conservez Famvir à la température ambiante.
- Conservez Famvir hors de la portée des enfants.
- Ne prenez pas de comprimés après leur date d'expiration.
- Ne partagez pas vos comprimés avec une autre personne, même si elle est également atteinte de zona.
- Prenez tous vos comprimés tel qu'on vous l'a prescrit.

Autres renseignements sur le zona. Quels sont les symptômes du zona?

- Au début, on ressent parfois une sensation de brûlure et de picotement là où les vésicules apparaîtront. Il arrive qu'on ressente de la douleur pendant quelques jours avant l'éruption.
- Dans la plupart des cas, des vésicules apparaissent d'un seul côté du corps ou du visage. Cette éruption peut être douloureuse.
- De nouvelles vésicules apparaissent pendant environ 5 jours. Puis, elles sèchent et des croûtes se forment.
- On se sent parfois faible et fatigué.

- Les éruptions durent ordinairement 2 ou 3 semaines. Par la suite, il arrive qu'on ressente de la douleur pendant des mois entiers, là où se trouvait l'éruption.

Qui est victime du zona?
- On peut développer le zona à tout âge, mais la plupart des personnes qui en souffrent sont âgées ou d'âge moyen.
- On ne peut être atteint du zona que si on a déjà eu la varicelle.
- La moitié des personnes âgées de 85 ans ont développé le zona au cours de leur vie.

Qu'est-ce qui cause le zona?
- Le zona est causé par le même virus que celui de la varicelle.
- Après avoir causé la varicelle, le virus reste inactif dans le corps humain.
- De nombreuses années plus tard, par exemple lorsqu'on se sent épuisé ou fatigué, le virus peut redevenir actif.

Comment traite-t-on le zona? Des comprimés pour le zona, comme Famvir, empêchent le virus de se propager. Ils réduisent le nombre de vésicules et atténuent la douleur qui les accompagne. Ils vous aident à vous rétablir plus vite si vous les prenez dès le début de votre maladie.

Que pouvez-vous faire d'autre?
- Pour apaiser les démangeaisons, prenez des bains d'eau fraîche, sans savon parfumé ni huile. Vous pouvez aussi envelopper des cubes de glace dans un linge et l'appliquer sur les éruptions, ou couvrir ces dernières d'une lotion calmante comme la calamine pendant les 3 premiers jours.
- Maintenez les éruptions propres et sèches.
- Portez des vêtements amples.
- Ne vous grattez pas, car vous pourriez infecter les éruptions et elles pourraient mettre plus de temps à guérir.
- Reposez-vous lorsque vous ressentez de la fatigue.
- Tâchez de bien manger et de boire beaucoup de liquide.
- Si vous avez des ennuis avec vos yeux, prévenez-en tout de suite votre médecin. Le zona cause parfois des troubles oculaires qui peuvent être traités.

Le zona est-il contagieux? Le zona est causé par le même virus que celui de la varicelle. On croit généralement que le zona ne s'attrape pas de quelqu'un d'autre. Si vous souffrez du zona, vous pouvez transmettre la varicelle à quelqu'un qui ne l'a pas encore eue, mais les risques sont peu élevés.

Herpès génital récurrent: Qu'est-ce que l'herpès génital? L'herpès génital est une infection virale de la région génitale (organes sexuels) qui est causée par le virus herpès simplex. L'apparition de plaies ou d'ampoules ou une sensation de brûlure dans la région génitale évoquent le début de cette infection.

Le virus herpès simplex de type II est le plus souvent responsable des lésions et des ampoules qui se forment dans la région génitale, mais l'herpès génital est parfois causé par le virus herpès simplex de type I, qui est associé à la formation de feux sauvages autour de la bouche.

Un épisode d'herpès génital peut être le premier épisode ou un épisode récurrent. La guérison du premier épside ne procure pas de protection à vie contre une réinfection, contrairement à plusieurs autres virus. Le virus peut rester caché dans les nerfs après l'infection initiale jusqu'à ce qu'il soit réactivé.

Puisque le virus très infectieux reste dans votre organisme, vous pouvez facilement infecter d'autres personnes, même si vous vous sentez bien et n'avez aucun symptôme d'herpès génital. C'est pourquoi l'herpès génital est l'une des maladies transmises sexuellement (MTS) les plus répandues.

Plus une personne est sexuellement active et a de partenaires sexuels, plus elle risque de contracter l'herpès génital. Il est donc recommandé d'éviter toute activité sexuelle si vous ou votre partenaire avez des symptômes d'herpès, même si vous avez commencé votre traitement.

Ce que vous devriez savoir au sujet de Famvir: Famvir (famciclovir) est un médicament antiviral. Votre médecin vous l'a prescrit dans le but de traiter l'infection virale qui cause l'herpès génital. Famvir ne vous empêche **pas** de transmettre l'herpès à une autre personne. Il est très important que vous commenciez à prendre le médicament le plus tôt possible après le début d'un épisode.

Identifiez votre médicament:
- Comprimé à 125 mg, rond, blanc, avec une partie hexagonale surélevée portant l'inscription FAMVIR d'un côté et 125 de l'autre.
- Comprimé à 250 mg, rond, blanc, avec une partie hexagonale surélevée portant l'inscription FAMVIR d'un côté et 250 de l'autre.

Si l'aspect de vos comprimés ne correspond pas à l'une de ces descriptions, parlez-en à votre médecin ou à votre pharmacien.

Les comprimés Famvir contiennent également des ingrédients inactifs qui leur confèrent leur masse, notamment le dioxyde de titanium (colorant), le polyéthylèneglycol et le lactose. Ils ne renferment ni sucrose, ni tartrazine ni autres colorants azoïques.

Avant de prendre Famvir: Voici certaines choses que vous devez mentionner à votre médecin pour qu'il puisse déterminer si Famvir vous convient:
- Allergies (y compris démangeaisons) durant un traitement antérieur par Famvir.
- Maladie rénale présente ou antérieure.
- Grossesse en cours ou intention de devenir enceinte durant le traitement par Famvir.
- Allaitement.
- Réactions indésirables (effets secondaires) durant un traitement antérieur par Famvir.
- Autres maladies.
- Prise de médicaments pour d'autres maladies. Si vous prenez d'autres médicaments, il est important d'en informer votre médecin, votre dentiste ou votre pharmacien, car la combinaison de certains médicaments peut modifier les effets recherchés ou avoir des effets nocifs.

Comment prendre votre médicament: Suivez les directives de votre médecin. Prenez Famvir exactement à la dose, à la fréquence et pendant la durée prescrites.

Assurez-vous de prendre Famvir régulièrement, tel que prescrit. Essayez de prendre vos comprimés à la même heure tous les jours. Continuez à prendre votre médicament même si vous ne vous sentez pas mieux, car il peut mettre quelques jours à agir.

Si vos reins ne fonctionnent pas bien, votre médecin prescrira probablement des prises moins fréquentes. Si vous avez des troubles rénaux, parlez-en à votre médecin.

Famvir agit, que vous le preniez avec ou sans aliments. Avalez les comprimés en entier avec de l'eau, sans les croquer ni les mâcher.

Traitement d'une récidive d'herpès génital: Si vous avez déjà souffert d'une infection herpétique génitale (herpès génital récidivant), votre médecin décidera peut-être de traiter la récidive. Il vous dira probablement de prendre un comprimé à 125 mg 2 fois/jour pendant 5 jours. La plupart des personnes atteintes d'herpès génital récidivant prennent un comprimé au lever et un autre au coucher. Le famciclovir doit être pris le plus tôt possible après l'apparition des premiers symptômes (douleur, ampoules, sensation de brûlure).

Prévention des récidives d'herpès génital: Si vous avez déjà souffert d'une infection herpétique génitale (herpès génital récidivant), votre médecin décidera peut-être de prévenir les récidives. Il vous conseillera probablement de prendre un comprimé à 250 mg 2 fois/jour de façon continuelle. La plupart des personnes atteintes d'herpès génital récidivant prennent un comprimé au lever et un autre au coucher.

Si vous sautez une dose: Si vous oubliez de prendre un comprimé, prenez-le dès que vous vous rendez compte de votre oubli. Prenez le prochain comprimé à l'heure habituelle, et ainsi de suite jusqu'à la fin. Il est important de prendre tous les comprimés qui vous ont été prescrits, à moins d'avis contraire par votre médecin.

Si vous prenez trop de comprimés: Si vous prenez trop de comprimés Famvir à la fois, appelez immédiatement votre médecin ou un centre antipoison. Ayez le reste des comprimés sous la main. Tout médicament pris en trop grande quantité est dangereux.

Important: Il se peut que votre médecin vous donne des directives différentes, qui correspondent davantage à vos besoins. Si vous désirez de plus amples renseignements sur la façon de prendre Famvir, consultez de nouveau votre médecin ou votre pharmacien.

Effets secondaires: Tout médicament peut avoir des effets secondaires. Famvir est bien toléré par la majorité des gens. Les réactions indésirables le plus souvent associées à Famvir sont énumérées ci-après; elles ont rarement été assez sévères pour justifier l'arrêt du traitement.

Mal de tête, dérangements d'estomac, étourdissements, fièvre, démangeaisons, fatigue, somnolence, douleur à l'estomac, constipation, diarrhée.

Si vous éprouvez un malaise inhabituel pendant que vous prenez Famvir, parlez-en à votre médecin. La monographie du produit, dont votre médecin a reçu un exemplaire, contient une liste plus détaillée des effets secondaires signalés jusqu'à maintenant.

Notez que Famvir ne devrait pas réduire votre capacité de conduire ou d'opérer des machines.

Famvir (suite)

Pendant que vous prenez ce médicament:
- Souvenez-vous que votre infection est contagieuse.
- Mentionnez que vous prenez Famvir à tout autre médecin, pharmacien ou dentiste que vous consultez.
- Téléphonez à votre médecin si vous ressentez un malaise inhabituel.
- Si vous êtes enceinte ou allaitez, vous ne devriez pas prendre Famvir, à moins que ce soit sur les directives de votre médecin.
- Ne partagez pas Famvir avec d'autres personnes car il pourrait ne pas leur convenir.
- Conservez vos comprimés au sec, à la température de la pièce, dans l'emballage qui vous a été remis à la pharmacie.
- Gardez le médicament hors de la portée des enfants.
- Lisez attentivement l'étiquette; consultez votre médecin ou votre pharmacien si vous avez des questions ou avez besoin de détails.

□ FANSIDAR® ℞

Roche

Sulfadoxine—Pyriméthamine

Antipaludique

Renseignements destinés aux patients: Qu'est-ce que le paludisme? Le paludisme, également appelé malaria, est une maladie infectieuse causée par des parasites microscopiques appelés plasmodies. Ces plasmodies sont transmises au sang humain par des piqûres de moustiques infectés. Il existe 4 espèces de ces parasites qui infectent couramment les humains. Plasmodium falciparum est l'espèce la plus virulente. Non traité, le paludisme à P. falciparum peut être fatal.

Le paludisme est répandu dans les régions tropicales et subtropicales d'Afrique, d'Amérique latine, d'Asie et du Pacifique. Plusieurs types de paludisme peuvent coexister à l'intérieur d'un même région, chaque type nécessitant une protection médicamenteuse différente.

Les symptômes les plus courants d'un accès de paludisme sont des frissons suivis de fièvre et de transpiration. Ces symptômes peuvent réapparaître à intervalles de 48 heures ou moins et peuvent être accompagnés de maux de tête, de diarrhée ainsi que de douleurs abdominales et musculaires. Ces derniers symptômes, qui peuvent être confondus initialement avec ceux de la grippe, se manifestent lorsque les parasites microscopiques pénètrent les globules rouges et les détruisent, après une période d'incubation d'une ou plusieurs semaines au cours de laquelle les parasites se reproduisent à l'intérieur du foie. Étant donné la complexité du cycle évolutif des parasites du paludisme chez l'homme, les symptômes du paludisme peuvent survenir chez des personnes qui ne prennent pas de médication antipaludique après leur départ d'une zone impaludée. Non traité, le paludisme à P. falciparum peut rapidement entraîner de l'anémie, des dommages aux viscères tels que le foie et la rate ainsi que le coma et la mort.

Qu'est-ce que Fansidar? Fansidar est le nom commercial d'un antipaludique contenant de la sulfadoxine et de la pyriméthamine.

Il peut être utilisé pour traiter ou, dans certains cas, prévenir les symptômes d'un accès palustre causé par Plasmodium falciparum dans les régions où ce micro-organisme a acquis une résistance à la chloroquine, médicament le plus souvent utilisé contre le paludisme.

Fansidar n'empêche pas les moustiques d'infecter les gens et n'inhibe pas la première phase du paludisme qui implique la reproduction du parasite à l'intérieur du foie. Fansidar supprime les symptômes associés à la deuxième phase du paludisme, qui se déroule à l'intérieur du sang.

Emploi approprié de Fansidar: Prévention des accès de paludisme: La dose recommandée pour la «prophylaxie» chez l'adulte est d'un comprimé/semaine. Votre médecin réduira cette dose pour vos enfants selon leur poids.

Fansidar ne doit pas être administré aux enfants de moins de 2 mois.

Prenez Fansidar:
- pendant les 2 semaines précédant votre arrivée dans une zone impaludée,
- durant votre séjour et
- pendant les 6 semaines suivant votre départ de la zone impaludée.

Vous devez prendre le médicament avant d'arriver à la zone endémique pour permettre au médecin, dans la mesure du possible, de vérifier votre tolérance au médicament et pour vous habituer à prendre les comprimés. La raison pour laquelle le médicament doit être pris pendant les 6 semaines suivant le départ de la région infestée par les moustiques transmettant le paludisme est reliée à la phase initiale du cycle évolutif du parasite au niveau du foie. Il est possible qu'il n'y ait aucun symptôme durant cette période. Il est donc important que vous continuiez de prendre Fansidar le même jour de la semaine pendant toute la période recommandée par votre médecin. Si vous omettez une dose, prenez-la dès que vous vous apercevez de votre oubli puis prenez les doses subséquentes 1 fois/semaine, le même jour où vous avez pris la dose oubliée. **Ne prenez pas plus d'un comprimé/semaine.**

Prenez Fansidar avec beaucoup d'eau et pendant les repas, si possible, afin de réduire au minimum le risque de réactions indésirables, tels les dérangements d'estomac. Ne croquez pas les comprimés. Lorsque vous revenez de votre voyage, assurez-vous de retourner chez votre médecin au rendez-vous fixé. Si vous devez prendre Fansidar pendant plusieurs mois, il est important qu'un médecin qualifié effectue régulièrement des analyses de sang et d'urines afin d'évaluer votre tolérance au médicament.

Traitement des accès de paludisme: Si vous soupçonnez avoir contracté le paludisme, consultez immédiatement un médecin. L'autotraitement doit être tenté uniquement dans le cas où il est impossible de voir un médecin dans un délai de 12 à 24 heures après l'apparition des symptômes décrits ci-dessus. Assurez-vous de consulter un médecin qualifié dès que possible après l'autotraitement par Fansidar.

La quantité appropriée de Fansidar pour le traitement du paludisme chez l'adulte est une dose unique de 3 comprimés. La dose est plus faible chez les enfants, variant en fonction du poids (2 comprimés pour un poids de 30 à 45 kg; 1 comprimé pour un poids de 11 à 29 kg; ½ comprimé pour un poids de 5 à 10 kg).

Fansidar ne doit pas être administré aux enfants de moins de 2 mois. Si vous décidez d'emmener des enfants de moins de 2 mois dans des régions où sévit le paludisme, discutez avec votre médecin des mesures à prendre s'ils contractent le paludisme.

Précautions générales relatives à l'emploi de Fansidar: Fansidar a été prescrit pour la prévention ou le traitement d'une infection très spécifique. **Utilisez Fansidar uniquement pour le voyage pour lequel il a été prescrit.** Votre médecin a jugé que Fansidar est une protection convenable contre la forme de paludisme sévissant dans la région où vous vous destinez. Toutefois, il peut ne procurer aucune protection contre les autres formes de paludisme sévissant dans la même région ou ailleurs.

Ne donnez Fansidar à personne d'autre. Votre médecin a jugé que Fansidar est la protection qui vous convient. Si Fansidar est administré à une personne chez qui l'emploi de ce produit n'est pas indiqué, cette personne peut ne pas recevoir la protection anti-paludique appropriée dans la région où elle se destine et, de plus, elle peut risquer d'avoir des réactions graves. Gardez Fansidar hors de la portée des enfants. Il vaut mieux éviter les boissons alcoolisées durant le traitement par Fansidar. **Durant le traitement par Fansidar, on doit absolument éviter l'exposition prolongée au soleil ou les rayons ultraviolets artificiels.**

Il est recommandé de ne pas prendre d'autres médicaments contenant des sulfamides, de la pyriméthamine ou du triméthoprime. Les associations de triméthoprime et de sulfaméthoxazole, par exemple, sont des anti-infectieux courants parfois utilisés dans le traitement de la diarrhée des voyageurs. La prise de ces médicaments et de certains autres médicaments conjointement avec Fansidar peut augmenter les effets indésirables de Fansidar. Si vous avez des doutes quant à l'interaction de Fansidar avec les autres médicaments que vous prenez, consultez votre médecin.

Précautions spéciales relatives à l'emploi de Fansidar: Fansidar ne doit pas être pris par: Les femmes qui allaitent. Les personnes ayant une sensibilité connue aux sulfamides ou à la pyriméthamine. Les persones atteintes d'une grave affection hépatique, rénale ou sanguine, de porphyrie ou de certains types d'anémie. Les enfants de moins de 2 mois. Les femmes qui sont enceintes ou qui risquent de le devenir.

Réactions indésirables: Fansidar est généralement bien toléré par la plupart des patients. Les intolérances mineures comprennent souvent des malaises gastro-intestinaux, des nausées, des maux de tête et une sensibilité accrue de la peau au soleil.

Le médicament a toutefois été associé à des réactions indésirables très graves chez un faible pourcentage de patients. Les plus graves sont des réactions allergiques caractérisées par les symptômes suivants: sensibilité, picotement et tuméfaction de la langue, éruptions cutanées graves, démangeaisons, fièvre, mal de gorge, pâleur de la peau, douleurs au niveau des articulations.

Il se peut que les personnes souffrant d'asthme ou d'allergies graves risquent davantage de présenter des réactions indésirables graves. Les symptômes suivants, pouvant ne pas être reliés à un phénomène allergique, ont également été observés: ecchymoses sans raison apparente, urines foncées, jaunissement de la peau et du blanc des yeux, infections bactériennes ou mycoses graves.

Si vous présentez l'une de ces réactions, cessez de prendre Fansidar et consultez immédiatement un médecin.

Après avoir pris Fansidar pour traiter un accès palustre, il se peut que vous vous sentiez défaillir. Le repos au lit devrait aider à soulager cet effet.

Grossesse: Si vous êtes enceinte, il serait sage de ne pas vous rendre dans une zone impaludée. Évitez de devenir enceinte pendant votre séjour dans l'une de ces régions. Une infection paludéenne est dangereuse pour la future mère et le fœtus. Si le voyage dans une région impaludée ne peut être évité, assurez-vous de discuter avec votre médecin de vos projets de voyage. Il vous conseillera sur la meilleure forme de protection à utiliser.

Évitez de devenir enceinte pendant que vous prenez Fansidar. Fansidar a causé des anomalies congénitales chez des animaux de laboratoire. Le premier trimestre de la grossesse est particulièrement crucial pour le développement du fœtus. S'il est pris vers la fin de la grossesse, Fansidar peut causer des dommages hépatiques chez votre enfant, accompagnés de symptômes nerveux graves.

Si vous projetez de devenir enceinte ou si vous devenez enceinte pendant votre traitement par Fansidar, consultez un médecin. Celui-ci sera en mesure de vous expliquer les risques encourus si vous poursuivez votre traitement, si vous l'arrêtez ou si vous décidez de prendre un autre antipaludique.

Comment obtenir une protection maximale contre le paludisme: La meilleure façon de réduire au minimum le risque de contracter le paludisme est de diminuer vos contacts avec les moustiques, qui sont plus abondants du crépuscule à l'aube. Portez des vêtements de couleur pâle couvrant la plus grande partie du corps, appliquez un insectifuge sur les parties de la peau non protégées, entourez le lit d'un moustiquaire et vaporisez un insecticide dans la chambre. Pour une protection maximale, consultez votre médecin ou une clinique de voyage.

☐ FELDENE^MC ℞

Pfizer

Piroxicam

Anti-inflammatoire—Analgésique

Renseignements destinés aux patients: Feldene (piroxicam) fait partie de la grande classe des anti-inflammatoires non stéroïdiens (AINS). On l'emploie pour traiter les symptômes de certaines formes d'arthrite. Il permet de soulager la douleur articulaire, le gonflement, la raideur, la fièvre et l'inflammation en réduisant la synthèse de certaines substances (les prostaglandines) et en contribuant à calmer l'inflammation et diverses autres réactions de l'organisme.

Prenez Feldene exactement comme le médecin vous l'a prescrit. Il ne faut augmenter ni la dose ni la fréquence des prises, pas plus que la durée du traitement.

Il faut prendre ce médicament régulièrement, selon la posologie prescrite par votre médecin. Dans certaines formes d'arthrite, il faut parfois attendre jusqu'à 2 semaines avant de ressentir pleinement les effets du médicament. De plus, il se peut qu'au cours du traitement, votre médecin décide de modifier la dose en fonction de votre réponse au traitement.

Prenez ce médicament tout de suite après le repas, ou encore avec des aliments ou du lait pour atténuer les malaises gastriques. Si vous éprouvez des malaises gastriques (indigestion, nausées, vomissements, gastralgie ou diarrhée) et que ces malaises persistent, consultez votre médecin.

Si vous prenez Feldene 1 fois/jour, que vous oubliez une dose et que vous constatez votre oubli dans les 8 heures suivantes, prenez votre médicament immédiatement. Si vous prenez Feldene 2 fois/jour, que vous oubliez une dose et que vous constatez votre oubli dans les 2 heures suivantes, prenez-le immédiatement. Ensuite, continuez de le prendre selon votre horaire habituel. Si vous avez des questions à ce sujet, consultez votre médecin ou votre pharmacien.

Évitez de prendre de l'AAS (acide acétylsalicylique), des produits qui renferment de l'AAS ou d'autres médicaments antiarthritiques pendant que vous prenez Feldene, à moins que votre médecin ne vous l'ait recommandé expressément.

S'il s'agit d'un traitement de longue durée, le médecin vérifiera votre état à intervalles réguliers, afin de s'assurer que le médicament ne provoque pas d'effets indésirables.

Comme tout autre AINS, Feldene peut entraîner certains effets indésirables en plus de ses effets favorables. Les patients âgés, frêles ou affaiblis semblent subir des effets secondaires plus graves ou plus fréquents. Même si certains de ces effets secondaires sont assez rares, quand ils se produisent, ils peuvent nécessiter les soins du médecin. Aussi, consultez votre médecin dès que vous observez les effets suivants:

—selles noires ou sanguinolentes;
—souffle court, sifflement ou gêne respiratoire, ou encore sensation de serrement dans la poitrine;
—éruptions cutanées, urticaire ou enflure et démangeaison;
—indigestion, nausées, vomissements, douleurs gastriques ou diarrhée;
—coloration jaunâtre de la peau ou des yeux avec ou sans sensation de fatigue;
—toute modification dans la quantité ou la coloration de l'urine (p. ex. urine foncée, rougeâtre ou brunâtre):
—enflure des pieds ou du bas des jambes;
—troubles de la vision ou toute modification de la vision;
—confusion mentale, dépression, étourdissements, sensation d'ébriété, troubles de l'audition.

Ne jamais oublier: Avant de prendre ce médicament, vous devez informer votre médecin et votre pharmacien:

—si vous êtes allergique à Feldene ou à d'autres médicaments apparentés de la classe des AINS, comme l'AAS, le diclofénac, le diflunisal, le fénoprofène, le flurbiprofène, l'ibuprofène, l'indométhacine, le kétoprofène, l'acide méfénamique, le sulindac, l'acide tiaprofénique et la tolmétine;
—si vous avez des maux d'estomac, des ulcères ou une maladie hépatique ou rénale;
—si vous êtes enceinte ou si vous avez l'intention de le devenir pendant le traitement;
—si vous allaitez;
—si vous prenez un autre médicament quel qu'il soit (prescrit ou non);
—si vous avez un problème médical quel qu'il soit.

Pendant que vous prenez ce médicament:

—vous devez informer tout autre médecin, dentiste ou pharmacien que vous consultez, au sujet de votre traitement avec Feldene;
—si vous éprouvez de la somnolence, des étourdissements ou une sensation d'ébriété causés par ce médicament, vous devez faire preuve de prudence quand vous conduisez ou vous participez à certaines activités qui nécessitent de la vigilance;
—vous devez consulter votre médecin si vous n'obtenez aucun soulagement ou si certains problèmes surgissent;
—en cas de réaction défavorable, il est important d'en aviser le médecin car cela peut permettre de déceler précocement toute anomalie et d'éliminer ainsi tout risque de complication;
—il est essentiel de vous soumettre régulièrement à des examens médicaux;
—si vous désirez obtenir de plus amples renseignements sur ce médicament, veuillez consulter votre médecin ou votre pharmacien.

☐ FEMARA® ℞

Novartis Pharma

Létrozole

Inhibiteur de l'aromatase non stéroïdien—Inhibiteur de la biosynthèse des œstrogènes—Antinéoplasique

Renseignements destinés aux patients: Le présent document renferme des renseignements importants sur Femara (létrozole): veuillez le lire attentivement avant de prendre le médicament. Si des questions subsistent après votre lecture, consultez votre médecin ou votre pharmacien.

En quoi consiste Femara? Le principe actif des comprimés Femara est le létrozole. Les ingrédients non médicinaux ci-après entrent également dans la formulation de Femara: composés cellulosiques, amidon de maïs, oxyde de fer, lactose, stéarate de magnésium, polyéthylèneglycol, glycolate d'amidon sodique, silice, talc et anhydride titanique. Si vous êtes soumise à un régime particulier ou allergique à une substance quelconque, veuillez vous assurer, auprès de votre médecin ou de votre pharmacien, que vous pouvez prendre Femara.

Femara (suite)

Comment Femara agit-il? Femara est un inhibiteur de l'aromatase utilisé dans le traitement du cancer du sein chez les femmes ménopausées ayant déjà reçu des agents antiœstrogènes (p. ex., du tamoxifène, substance qui bloque les effets des œstrogènes). Par «femmes ménopausées», on entend les patientes chez lesquelles la ménopause est survenue naturellement ou a été provoquée par des moyens artificiels. Femara agit en atténuant les effets d'une hormone sexuelle appelée «œstrogène». Les œstrogènes favoriseraient la progression de certains types de cancers du sein.

Précautions à prendre avant d'amorcer le traitement: Si vous présentez d'autres problèmes médicaux ou prenez d'autres médicaments, il importe que vous en informiez votre médecin.

Vous devez indiquer à votre médecin:
- si vous avez déjà eu une réaction inhabituelle ou allergique au létrozole ou à tout autre ingrédient de Femara;
- si vous avez encore vos règles;
- si vous êtes enceinte ou allaitez votre enfant.

Si l'un des cas ci-dessus s'applique à vous, vous ne devez pas prendre Femara.

Femara ne doit pas être utilisé chez l'enfant.

Avant de prendre Femara, veuillez indiquer à votre médecin:
- si vous souffrez d'une grave maladie du rein;
- si vous êtes soumise à un traitement hormonal substitutif;
- si vous recevez un autre traitement contre le cancer.

Conduite d'un véhicule et utilisation de machines: Femara peut provoquer des étourdissements ou de la somnolence. Si vous ressentez de tels effets, abstenez-vous de toute activité pouvant se révéler dangereuse en pareil cas, telle que la conduite d'un véhicule et l'utilisation de machines.

Mode d'emploi de Femara: La posologie habituelle est de 1 comprimé à 2,5 mg, 1 fois/jour. Vous devez prendre le comprimé avec un peu d'eau et l'avaler. Femara peut être pris avec ou sans aliments. Il est préférable de toujours prendre Femara vers la même heure. Il appartient à votre médecin de déterminer la durée de votre traitement par Femara.

Oubli d'une dose: Si vous oubliez de prendre une dose de Femara, ne vous inquiétez pas: prenez votre comprimé dès que vous constatez votre oubli. Cependant, s'il est bientôt l'heure de la prochaine dose, sautez la dose oubliée et revenez à votre horaire de traitement habituel. Ne doublez jamais la dose.

Médicaments et substances pouvant nuire à l'action de Femara: À ce jour, aucun effet indésirable n'a été signalé lors de l'emploi simultané de Femara et de certains autres médicaments. Néanmoins, pendant votre traitement par Femara, vous devriez consulter votre médecin ou votre pharmacien avant de prendre un autre médicament d'ordonnance ou un médicament en vente libre.

Grossesse et allaitement: Si vous êtes enceinte ou allaitez votre enfant, vous ne devez pas prendre Femara.

Surdosage: Femara est bien toléré, et ce, même à des doses plus élevées que celle qui vous a été prescrite. Toutefois, si vous avez pris une dose excessive ou craignez que ce ne soit le cas, communiquez immédiatement avec votre médecin ou avec le Centre antipoison le plus près.

Effets secondaires de Femara: Comme tous les médicaments, Femara peut entraîner des effets indésirables (effets secondaires). Les effets indésirables observés ont généralement été légers ou modérés, et rarement assez graves pour commander l'arrêt du traitement. De nombreux effets indésirables peuvent être provoqués par votre maladie ou par l'arrêt de la production hormonale dans votre organisme (p. ex., bouffées de chaleur, raréfaction des cheveux).

Les effets indésirables ne surviendront pas forcément tous, mais s'ils se manifestent, ils peuvent nécessiter des soins médicaux. Si ces effets sont incommodants ou ne disparaissent pas au cours du traitement, veuillez le signaler à votre médecin.

Les effets secondaires ci-après peuvent se produire: maux de tête; enflure ou boursouflure imputables à la rétention d'eau, gain de poids; fatigue; nausées, vomissements, indigestion, augmentation ou perte de l'appétit, constipation; bouffées de chaleur; raréfaction des cheveux; éruption cutanée; douleurs musculaires ou osseuses (p. ex., dans les bras, les jambes, le dos); saignements vaginaux, pertes vaginales; étourdissements; augmentation de la transpiration.

Si une réaction non mentionnée ci-dessus survient, veuillez en parler à votre médecin, à votre pharmacien ou à un membre du personnel infirmier.

Date de péremption: Ne prenez pas Femara passé la date de péremption paraissant sur la boîte. N'oubliez pas de remettre à votre pharmacien les médicaments inutilisés.

Conservation de Femara: Rangez vos comprimés dans un endroit sec, à la température ambiante. Ne les conservez pas dans des endroits où la température risque de s'élever au-delà de 30 °C.

Conservez le médicament hors de la portée des enfants.

Important: Le présent médicament vous a été prescrit pour soigner l'affection dont vous souffrez. Ne laissez personne d'autre s'en servir et ne l'utilisez pas à d'autres fins.

□ FEXICAM ℞

Technilab

Piroxicam

Anti-inflammatoire non stéroïdien—Analgésique—Antipyrétique

Renseignements destinés aux patients: Fexicam (piroxicam), que votre médecin vous a prescrit, fait partie du grand groupe d'anti-inflammatoires non stéroïdiens (qu'on appelle également AINS) et sert à traiter les symptômes de certains types d'arthrite. Fexicam aide à soulager la douleur articulaire, l'enflure, la raideur et la fièvre, en réduisant la production de certaines substances (prostaglandines) et en aidant à réduire l'inflammation. Les AINS ne guérissent pas de l'arthrite, mais ils favorisent la suppression de l'inflammation et des effets dommageables sur les tissus, résultant de l'inflammation. Ce médicament vous apportera un soulagement tant que vous n'interromprez pas le traitement.

Vous devez prendre Fexicam en vous conformant aux indications de votre médecin. Vous ne devez pas dépasser la dose, la fréquence et la durée prescrites. Si vous prenez une dose excessive de ce médicament, vous vous exposez à des effets indésirables, en particulier si vous êtes âgé.

Assurez-vous de prendre Fexicam régulièrement, en suivant les indications. Pour certains types d'arthrite, il peut falloir attendre jusqu'à 2 semaines avant de ressentir les effets complets du médicament. Durant le traitement, votre médecin peut décider d'ajuster la posologie en fonction de votre réaction au médicament.

Ne pas prendre de l'AAS (acide acétylsalicylique), des composés contenant de l'AAS, ni d'autres médicaments indiqués pour soulager les symptômes de l'arthrite pendant un traitement de Fexicam, sauf sur avis contraire du médecin.

Si on vous a prescrit ce médicament pendant une période prolongée, votre médecin vous examinera régulièrement afin d'évaluer votre état de santé et de s'assurer que le médicament ne provoque pas d'effets indésirables.

Ce dont vous devez toujours vous rappeler: Il faut mettre en balance les risques et les avantages associés à la prise du médicament.

Avant de prendre ce médicament, vous devez indiquer à votre médecin et pharmacien si vous:
- ou un membre de votre famille êtes allergiques ou avez eu une réaction au piroxicam ou à d'autres anti-inflammatoires (tels que AAS, diclofénac, diflunisal, fénoprofène, flurbiprofène, ibuprofène, indométhacine, acide méfénamique, kétoprofène, acide tiaprofénique, tolmétine, nabumétone ou ténoxicam), qui se manifeste par l'aggravation d'une sinusite, de l'urticaire, l'apparition ou l'aggravation de l'asthme ou une anaphylaxie (grave malaise soudain);
- ou un membre de votre famille avez eu de l'asthme, des polypes nasaux, de la sinusite chronique ou de l'urticaire chronique;
- avez des antécédents de dérangements gastriques, d'ulcères, d'affections hépatiques ou rénales;
- présentez des anomalies au niveau du sang ou de l'urine;
- faites de l'hypertension;
- faites du diabète;
- suivez un régime spécial, tel qu'un régime hyposodique ou à faible teneur en sucre;
- êtes enceinte ou avez l'intention de devenir enceinte pendant que vous prenez ce médicament;
- allaitez ou avez l'intention d'allaiter pendant que vous prenez ce médicament;
- prenez d'autres médicaments (prescrits ou produits grand public) tels que d'autres AINS, des hypotenseurs, des anticoagulants, des corticostéroïdes, du méthotrexate, de la cyclosporine, du lithium, de la phénytoïne, etc;

- avez d'autres problèmes médicaux, tels que l'abus d'alcool, des saignements, etc.

Pendant que vous prenez ce médicament:
- Vous devez indiquer que vous prenez ce médicament à tout autre médecin, au dentiste ou au pharmacien que vous consultez.
- Certains AINS peuvent causer de la somnolence ou de la fatigue. Si, après avoir pris ce médicament, vous vous sentez somnolent, étourdi ou avez des vertiges, vous devez éviter de conduire ou de participer à des activités qui nécessitent de la vigilance.
- Consulter votre médecin si vous ne sentez aucun soulagement de votre arthrite ou si des problèmes apparaissent.
- Signalez à votre médecin tout effet secondaire indésirable. Il est très important que vous le fassiez, car cela permettra de détecter rapidement et de prévenir des complications potentielles.
- La consommation d'alcool favorise l'apparition de problèmes gastriques. Par conséquent, ne consommer pas de boissons alcoolisées lorsque vous prenez ce médicament.
- Consulter immédiatement votre médecin si vous ressentez de la faiblesse pendant que vous prenez ce médicament, si vous vomissez du sang ou si vos selles sont foncées ou sanguinolentes.
- Certaines personnes peuvent devenir plus sensibles à la lumière du soleil lorsqu'elles prennent ce médicament. Une exposition à la lumière du soleil ou de lampes solaires, même pendant de brèves périodes, peut provoquer un coup de soleil, des ampoules, une éruption cutanée, des rougeurs, des démangeaisons ou une décoloration; elle peut même entraîner des changements dans la vision. Si vous avez une réaction au soleil, consulter votre médecin.
- Si vous avez des frissons, de la fièvre, des douleurs musculaires ou d'autres douleurs, ou si d'autres symptômes s'apparentant à la grippe apparaissent, en particulier s'ils se produisent peu de temps avant, ou pendant, une éruption cutanée, consultez immédiatement votre médecin. Cela arrive très rarement, mais ces effets peuvent être les premiers signes d'une réaction grave au médicament.
- **Il est essentiel de subir régulièrement un examen médical.**

Effets secondaires de ce médicament: Outre ses effets bénéfiques, le piroxicam, tout comme d'autres AINS, peut causer des réactions indésirables, surtout lorsqu'on le prend pendant une longue période ou à de fortes doses.

Les effets secondaires semblent être plus fréquents ou plus graves chez les patients âgés, fragiles ou affaiblis.

Bien que ces effets secondaires n'aient pas été observés chez tous les patients, s'ils se manifestent, il faut en parler au médecin.

Consulter immédiatement votre médecin, si vous constatez l'un des effets suivants:
- selles sanguinolentes ou foncées;
- essoufflement, respiration sifflante, difficulté respiratoire ou sensation de serrement à la poitrine;
- éruption cutanée, urticaire, enflure ou démangeaisons;
- vomissements ou indigestion persistante, nausée, douleur gastrique ou diarrhée;
- coloration jaune de la peau ou des yeux;
- tout changement dans la quantité ou la couleur de l'urine (rouge foncé ou brune);
- douleur au moment d'uriner ou difficulté à uriner;
- enflure des pieds ou de la partie inférieure des jambes;
- malaise, fatigue, perte d'appétit;
- vision brouillée ou tout autre trouble de la vue;
- confusion mentale, dépression, étourdissements, vertiges;
- problèmes d'ouïe.

D'autres effets secondaires non énumérés ci-dessus peuvent également se manifester chez certains patients. Si vous constatez d'autres effets, consultez votre médecin.

Posologie: Adultes: Orale: Dans la polyarthrite rhumatoïde et la spondylarthrite ankylosante, il est recommandé de commencer le traitement avec les capsules de piroxicam à raison de 20 mg en une seule prise quotidienne. Cette dose peut aussi être administrée en 2 prises quotidiennes de 10 mg. La dose d'entretien chez la plupart des patients est de 20 mg/jour, mais un nombre relativement faible de patients peuvent être maintenus à la posologie de 10 mg/jour.

Dans l'arthrose, la dose d'attaque recommandée est de 20 mg de piroxicam en une seule prise quotidienne. Cette dose peut aussi être administrée en 2 prises quotidiennes de 10 mg. La dose d'entretien habituelle est de 10 à 20 mg/jour.

La dose quotidienne de piroxicam ne doit pas dépasser 20 mg, vu le risque accru d'effets secondaires gastro-intestinaux.

Personnes âgées et affaiblies: Étant donné que les personnes âgées semblent plus susceptibles de subir les différents effets indésirables des AINS et que les patients âgés, frêles ou affaiblis tolèrent moins les effets secondaires gastro-intestinaux, il y a lieu dans ces cas d'envisager la possibilité d'administrer une dose d'attaque plus faible et de n'augmenter cette dose que si les symptômes persistent. De tels patients doivent faire l'objet d'un suivi médical très rigoureux.

En cas de dysménorrhée fonctionnelle, on doit amorcer le traitement dès l'apparition des symptômes. La dose d'attaque recommandée lors de la première journée du traitement est de 40 mg en une seule prise. Par la suite, (le traitement dure habituellement de 2 à 4 jours), on doit réduire la dose à 20 mg/jour.

Rectale: Dans chaque indication, la posologie de Fexicam suppositoires, lorsque utilisé seul, est identique à celle des capsules de piroxicam.

Les suppositoires de Fexicam offrent une autre voie d'administration aux médecins qui peuvent les prescrire à certains patients de leur choix ou à ceux qui préfèrent cette voie d'administration.

Administration concomitante: Que le piroxicam soit administré sous forme de capsules ou de suppositoires ou les deux à la fois, la dose quotidienne globale ne doit pas dépasser 20 mg.

Fexicam se présente seulement sous forme de suppositoires de 20 mg.

Que faire si vous oubliez de prendre une dose? Si vous prenez Fexicam 1 fois/jour, que vous oubliez une dose et que vous constatez votre oubli dans les 8 heures suivantes, prenez votre médicament immédiatement. Ensuite, continuez de le prendre selon votre horaire habituel. **Utiliser le suppositoire au complet. Ne pas fendre ou utiliser quelques parties du suppositoire.** Si vous avez des questions à ce sujet, consultez votre médecin ou votre pharmacien.

Conservation: Conserver entre 15 et 30 °C.

Fexicam suppositoires n'est pas recommandé chez les enfants de moins de 16 ans, puisque son innocuité et son efficacité n'ont pas été établies pour ce groupe d'âge.

Éliminer les médicaments périmés ou ceux dont vous n'avez plus besoin.

Gardez hors de la portée des enfants.

Ce médicament a été prescrit pour votre problème médical. Ne le donnez à personne d'autre.

Si vous voulez obtenir plus d'information sur ce médicament, consultez votre médecin ou votre pharmacien.

□ FLOLAN® ℞

Glaxo Wellcome

Époprosténol sodique

Vasodilatateur

Renseignements destinés au patients: L'hypertension artérielle pulmonaire primitive (HTAPP) est définie comme une hypertension artérielle pulmonaire (élévation de la tension artérielle dans l'artère pulmonaire) d'origine inconnue. L'artère pulmonaire transporte le sang du ventricule droit jusqu'aux poumons pour qu'il y soit oxygéné. Le sang oxygéné irrigue ensuite le côté gauche du cœur. Le ventricule gauche pompe le sang dans le reste du corps. La pression artérielle pulmonaire normale est d'environ 14 mm Hg. Chez le patient souffrant d'HTAPP, la pression artérielle pulmonaire moyenne sera supérieure à 30 mm Hg. Des modifications survenant dans les petits vaisseaux sanguins des poumons provoquent une augmentation de la résistance à l'écoulement sanguin dans ces vaisseaux. Le ventricule droit doit donc travailler beaucoup plus fort pour pomper des quantités suffisantes de sang dans les poumons.

Fréquence: L'HTAPP est une affection rare, environ 60 nouveaux cas étant diagnostiqués chaque année au Canada. La maladie touche principalement les femmes âgées de 20 à 40 ans, bien qu'on ait signalé des cas chez des jeunes enfants et des personnes de plus de 60 ans. Il peut y avoir une prédisposition génétique à la maladie.

Cause: Il n'existe pas de cause connue à la maladie. Le diagnostic de l'HTAPP se fait par élimination. Lorsque toutes les causes reconnues d'hypertension artérielle pulmonaire, y compris une cardiopathie congénitale, une affection valvulaire cardiaque, une myocardiopathie primitive, une pneumopathie obstructive, une hypoxémie, une maladie du collagène vasculaire, une maladie du foie et des embolies pulmonaires ont été éliminées, le diagnostic d'HTAPP peut alors être posé. L'HTAPP est une maladie rare qui peut être mortelle.

Signes et symptômes: Les patients se plaignent habituellement d'essoufflement à l'effort (dyspnée), de douleurs thoraciques et de

Flolan (suite)

fatigue et croient qu'ils «ne sont pas en forme». Certains ont des difficultés respiratoires même au repos, des étourdissements et des évanouissements. Des patients remarquent également un gonflement des pieds et des chevilles ainsi que des palpitations. Malheureusement, chez certains patients, le diagnostic ne sera posé qu'à un stade avancé de la maladie.

À propos de votre médicament: Les patients n'ont pas tous la même réponse aux médicaments. Votre médecin décidera du meilleur traitement pour vous. Flolan est un très puissant vasodilatateur qui, administré par perfusion i.v. continue, s'est révélé efficace dans le traitement de l'HTAPP.

Flolan doit être reconstitué uniquement au moyen du diluant stérile spécial pour Flolan. Flolan est un médicament très difficile à administrer. Le médicament doit être préparé chaque jour dans des conditions rigoureuses. Vous devrez vous renseigner sur le médicament, le dispositif d'administration, soit le cathéter veineux central et la pompe. Vous devrez avoir un conjoint ou un proche qui est prêt à apprendre en même temps que vous et à être disponible en cas de besoin. Le médecin ou l'infirmière vous enseignera, à vous et à cette personne, à préparer le médicament et à l'administrer au moyen de la pompe.

Flolan doit être administré par perfusion i.v. continue. Il se peut que la posologie doive être augmentée graduellement. **La perfusion ne doit jamais être interrompue soudainement.**

Étant donné que le médicament doit être administré par perfusion contrôlée continue, un cathéter veineux central doit être inséré dans une veine de la poitrine. Flolan sera administré au moyen d'une pompe portative commandée par ordinateur (p. ex. la pompe CADD-1). Par l'entremise du cathéter, cette pompe acheminera directement au cœur la quantité prescrite de médicament.

Flolan devrait vous aider à vous sentir mieux. Vous (le patient) et la personne qui vous aide vous renseignerez sur Flolan et pourrez reconnaître les effets indésirables associés à ce médicament. Parmi les réactions prévues, mentionnons les bouffées de chaleur, les maux de tête, une sensation de tête légère, l'agitation, la nausée, des douleurs abdominales, la diarrhée, les étourdissements et une douleur à la mâchoire. Certains de ces effets sont plus évidents au début du traitement.

I. Méthode de reconstitution de Flolan (époprosténol sodique) injectable: Cette section a pour but de vous aider à mieux comprendre la marche à suivre pour reconstituer Flolan injectable. **Elle devrait compléter les instructions que vous a données le médecin ou l'infirmière.**

Flolan doit être reconstitué uniquement au moyen du diluant stérile spécial pour Flolan. La solution reconstituée de Flolan ne doit pas être mélangée à d'autres solutions ou médicaments.

Votre médecin vous dira quelle quantité de Flolan et de diluant stérile vous devrez utiliser pour préparer votre réserve quotidienne. La méthode générale de reconstitution de la solution Flolan est décrite ci-dessous.

1. Premièrement, nettoyez votre surface de travail et rassemblez votre matériel. Lavez-vous les mains soigneusement et ouvrez ensuite tous les emballages. Enlevez les bouchons des flacons contenant le diluant stérile spécial pour Flolan et nettoyez le dessus des flacons avec des tampons d'alcool.
2. Après avoir nettoyé les dessus des flacons et ouvert les emballages, vissez une aiguille à la seringue. Maintenant, brisez le sceau de la seringue en tirant doucement le piston un peu vers l'extérieur avant de l'enfoncer. Aspirez de l'air dans la seringue; la quantité d'air que vous aspirez devrait être égale à la quantité de diluant stérile qui doit être prélevée du flacon selon les instructions reçues. Insérez l'aiguille de la seringue à travers le bouchon en caoutchouc du flacon et enfoncez le piston afin d'injecter l'air qui est dans la seringue, dans le flacon. Une fois que tout l'air a été injecté, tirez doucement le piston vers l'extérieur pour prélever la quantité prescrite de diluant. Sans retirer l'aiguille du flacon, renversez ce dernier et la seringue puis donnez de petits coups sur la seringue de manière à ce que toutes les bulles d'air qui pourraient s'y trouver remontent vers le haut. Si nécessaire, enfoncez doucement le piston pour faire sortir les bulles d'air et ensuite prélevez encore un peu de diluant jusqu'à ce que la seringue contienne à nouveau le volume requis. Une fois que le volume requis a été prélevé dans la seringue, retirez celle-ci du flacon.
3. Maintenant, insérez l'aiguille de la seringue à travers le bouchon en caoutchouc du flacon de Flolan et injectez doucement le diluant stérile vers la paroi du flacon. Dirigez toujours le jet de diluant stérile vers la paroi du flacon et injectez le liquide doucement de façon que Flolan ne mousse pas. Laissez la pression s'équilibrer avant de retirer la seringue du flacon. Maintenant, mélangez Flolan en faisant tourner doucement le flacon. Renversez le flacon pour récupérer la poudre non dissoute qui pourrait s'être accumulée dans le haut. **N'agitez jamais le flacon.** Si vous préparez plus d'un flacon de Flolan, répétez simplement ce processus.
4. Le médecin ou l'infirmière vous informera de la quantité de Flolan reconstitué à prélever. D'abord, en tirant doucement le piston vers l'extérieur, remplissez la seringue d'une quantité d'air égale à la quantité de Flolan à prélever. N'oubliez pas d'essuyer le dessus des flacons avec un tampon d'alcool. Maintenant, insérez l'aiguille de la seringue à travers le bouchon du flacon de Flolan et y injecter l'air. Ensuite, tirez doucement le piston vers l'extérieur pour prélever la solution reconstituée de Flolan dans la seringue. Faites sortir l'air qui pourrait être retenu dans la seringue de la manière décrite à l'étape 2 plus haut. Retirez la seringue du flacon et replacez le capuchon sur l'aiguille de la seringue.
5. Vous êtes maintenant prêt à injecter Flolan dans votre cassette. Enlevez le capuchon de la tubulure de la cassette; ensuite, dévissez avec précaution l'aiguille de la seringue, jetez-la de la manière appropriée et vissez la seringue à la tubulure de la cassette. Maintenant, tout en tenant la cassette d'une main et en vous servant du dessus de la table comme appui, poussez sur le piston de la seringue de manière à injecter la solution dans la cassette. Lorsque la seringue est vide, serrez la pince sur la tubulure près de la seringue, détachez la seringue et fermez la tubulure à l'aide du capuchon rouge.
6. Maintenant, vous allez prélever le contenu des flacons de diluant stérile et l'injecter dans la cassette. Prenez une seringue de 60 cc, vissez-y une nouvelle aiguille et brisez le sceau de la seringue en tirant le piston vers l'extérieur avant de l'enfoncer de nouveau. Ensuite, remplissez la seringue d'une quantité d'air égale à la quantité de diluant stérile que vous prélèverez du premier flacon. N'oubliez pas d'essuyer le dessus du flacon de diluant stérile avec un tampon d'alcool avant d'y enfoncer l'aiguille. Lorsque le dessus du flacon est sec, insérez l'aiguille de la seringue à travers le bouchon en caoutchouc, injectez de l'air dans le flacon et laissez le liquide monter dans la seringue. Avec cette plus grosse seringue, ce sera peut-être plus facile si vous la tenez en position verticale. Injectez plus d'air au besoin jusqu'à ce que vous ayez prélevé tout le contenu du flacon. Enlevez l'air qui pourrait être dans la seringue de la manière décrite à l'étape 2 plus haut. Une fois que le flacon est vide, laissez la pression s'équilibrer avant de retirer la seringue du flacon. Sinon, il se peut que vous perdiez du liquide de la seringue ou du flacon et vous devriez alors tout recommencer depuis le début. Retirez la seringue et replacez le capuchon sur l'aiguille de la seringue.
7. Maintenant, vous êtes prêt à injecter dans la cassette la première seringue remplie de diluant stérile. Pour ce faire, enlevez le capuchon de la tubulure de la cassette. Ensuite, dévissez avec précaution l'aiguille de la seringue, jetez-la de la manière appropriée et vissez la seringue à la tubulure de la cassette. Relâchez la pince qui serre la tubulure de la cassette et injectez soigneusement la solution dans la cassette. Lorsque la seringue est vide, serrez la pince sur la tubulure près de la seringue, détachez la seringue et placez le capuchon sur la tubulure de la cassette. Vous allez répéter ce processus pour transférer du flacon à la cassette la quantité de diluant stérile précisée par votre médecin.
8. Après avoir transféré la quantité requise de diluant stérile, laissez la seringue fixée à la tubulure de la cassette pendant que vous mélangez la solution. Renversez doucement la cassette au moins 10 fois pour mélanger complètement Flolan. Maintenant, il vous faut enlever tout l'air qui pourrait être présent dans la cassette.
9. Pour retirer l'air de la cassette, vous devez d'abord rassembler les bulles d'air. Faites simplement tourner la cassette jusqu'à ce que toutes les petites bulles se joignent pour former une grosse poche d'air. Ensuite, penchez doucement la cassette pour que la poche d'air se retrouve dans le coin où la tubulure est branchée au sac. Pour retirer l'air de la cassette, desserrez la pince et tirez le piston de la seringue vers l'extérieur jusqu'à ce que vous voyiez le liquide remplir la tubulure. Serrez alors la pince sur la tubulure près du raccord, débranchez la tubulure et replacez le capuchon rouge. Pour

éviter toute erreur, inscrivez sur la cassette la date et l'heure où vous avez préparé Flolan. Voilà, c'est terminé.

Maintenant, placez la cassette au réfrigérateur jusqu'au moment de l'utiliser. Posez-la sur la tablette du haut pour éviter d'y renverser tout aliment ou boisson. Chaque jour, vous préparerez une nouvelle cassette et utiliserez celle que vous avez réfrigérée la veille. De cette façon, vous aurez toujours une réserve de médicament.

II. Administration de Flolan injectable au moyen d'une pompe à perfusion continue: Vous utiliserez une pompe pour recevoir le médicament de manière continue. Le mode d'emploi peut varier selon la marque et le modèle de la pompe que vous utilisez. **Le médecin ou l'infirmière vous donnera des instructions détaillées sur l'emploi et l'entretien de la pompe et des accessoires particuliers que vous utiliserez pour administrer votre médicament (remplacement des piles de la pompe, cassette et tubulure, p. ex.).**

N'oubliez pas: Changez les cryosacs toutes les 12 heures, ou toutes les 8 heures si la température ambiante approche 30 °C.

III. Le cathéter veineux central et son entretien: Description: Le cathéter est un mince tube mou et flexible qui a été placé dans l'une des grosses veines de la partie supérieure de votre poitrine. Celles-ci sont parfois appelées veines centrales et le cathéter peut être désigné sous le nom de voie de perfusion veineuse centrale. L'extrémité du cathéter est située dans une veine qui mène à l'entrée de votre cœur.

Le cathéter est inséré sous anesthésie locale dans une salle d'opération. Pendant cette intervention, on maintient des conditions stériles pour éviter le risque d'infection. Vous ne sentirez pas le cathéter à l'intérieur de votre corps. Le cathéter a été doucement poussé en place à l'intérieur de votre poitrine. Il possède un manchon en dacron qui est placé sous la peau. Ceci maintiendra le cathéter en place et évitera l'infection. Le cathéter peut également être fixé par des points de suture.

Votre médecin décidera quel type de cathéter vous convient le mieux.

L'infirmière vous expliquera la méthode d'entretien du cathéter et comment garder la peau autour du point de sortie du cathéter propre et exempte d'infection. De plus, vous apprendrez à changer le pansement et à protéger votre peau. Le médecin et l'infirmière s'assureront que vous n'avez pas de difficulté à prendre soin du point de sortie du cathéter.

En cas de fièvre soudaine inexpliquée, communiquez avec votre médecin aussitôt que possible.

Point de sortie du cathéter: Changez le pansement 1 à 2 fois/semaine, ou plus souvent, au besoin.

Matériel: Trousse de pansements, 2 contenants stériles, tampons de Proviodine, alcool à 70 %, onguent Betadine, coton-tiges stériles, ruban adhésif (non allergène), pansement transparent (p. ex. Op Site ou Tegaderm) de 10 cm×12 cm ou de 6 cm×7 cm.

Étapes: Utilisez des techniques aseptiques en tout temps. Si vous pensez avoir contaminé quelque chose, jetez le matériel et recommencez.

1. Rassemblez le matériel.
2. Stabilisez le cathéter pendant que vous enlevez le vieux pansement transparent.
3. Ouvrez la trousse de pansements stériles.
4. Versez de l'alcool dans un contenant stérile.
5. Versez de la Proviodine dans un contenant stérile.
6. Mettez de l'onguent Betadine sur le champ stérile.
7. Ouvrez les pansements transparents sur le champ stérile.
8. Enlevez l'ancien pansement transparent.
9. Nettoyez le point de sortie du cathéter à l'aide de tampons de 5×5 cm imprégnés de Proviodine. En partant du point de sortie du cathéter, essuyez en traçant un mouvement circulaire vers l'extérieur, jusqu'à une surface totale d'un rayon de 8 cm.
10. Répétez l'étape précédente 3 fois.
11. **Ne retournez jamais vers le point de sortie du cathéter avec le même tampon.**
12. Répétez les étapes 9 et 10 avec un tampon de 5×5 cm imprégné d'alcool.
13. Appliquez de l'onguent Betadine sur le point de sortie du cathéter à l'aide d'un coton-tige stérile.
14. Appliquez un nouveau pansement transparent stérile.
15. Fixez le cathéter à la peau avec du ruban adhésif en utilisant une «boucle à l'épreuve des tensions».

□ FLOMAX® ℞

Boehringer Ingelheim

Chlorhydrate de tamsulosine

Antagoniste sélectif des récepteurs alpha$_{1A}$-adrénergiques de la prostate

Renseignements destinés aux patients: Flomax est destiné aux hommes seulement.

Veuillez lire ce feuillet de renseignements avant de prendre Flomax. Lisez également le feuillet de renseignements inclus avec le médicament chaque fois que vous renouvelez votre prescription au cas où de nouvelles informations auraient été ajoutées. Toutefois, ce feuillet ne remplace pas le dialogue avec votre médecin. Vous et votre médecin devriez discuter de Flomax avant d'amorcer le traitement et lors de vos visites régulières.

Pourquoi votre médecin vous a-t-il prescrit Flomax? Votre médecin vous a prescrit Flomax parce que vous souffrez d'une affection médicale appelée hyperplasie bénigne de la prostate ou HBP. Cette maladie n'affecte que les hommes.

Qu'est-ce que l'HBP? L'HBP est une augmentation du volume de la prostate. La plupart des hommes âgés de plus de 50 ans souffrent d'hypertrophie de la prostate. La prostate est située sous la vessie. Au fur et à mesure que la prostate augmente de volume, l'émission d'urine peut être limitée et il peut y avoir manifestation des symptômes suivants:

- un jet d'urine interrompu ou faible;
- la sensation que votre vessie n'est pas complètement vide;
- une certaine hésitation lorsque vous commencez à uriner;
- la sensation que vous devez uriner sur-le-champ;
- une douleur à la miction;
- des perturbations fréquentes du sommeil en raison du besoin d'uriner.

Comment agit Flomax? Flomax agit en relâchant les muscles de la prostate et du col de la vessie au niveau de l'obstruction, ce qui facilite l'émission d'urine et réduit les symptômes associés à l'HBP.

Ce que vous devez savoir au sujet de Flomax:

- **Vous devez consulter régulièrement votre médecin.** Lorsque vous prenez Flomax, vous devez visiter régulièrement votre médecin. Suivez les directives de votre médecin en ce qui a trait à la planification de ces visites.
- **À propos des effets secondaires.** Comme tout autre médicament vendu sur ordonnance, Flomax peut causer des effets secondaires. Flomax peut entraîner les effets secondaires suivants: étourdissements, insomnie, écoulement nasal ou problème d'éjaculation. Dans certains cas, les effets secondaires peuvent s'atténuer ou disparaître à la poursuite du traitement.

  Certains hommes peuvent souffrir d'étourdissements ou de perte de conscience en raison d'une baisse de la pression sanguine suivant l'administration de Flomax. Bien que ces symptômes soient peu probables, vous ne devriez pas conduire ni accomplir de tâches dangereuses dans les 12 heures après la prise de la dose initiale du médicament ou après une augmentation de la dose prescrite par votre médecin. Si vous interrompez votre traitement pendant quelques jours ou plus longtemps, reprenez le traitement à la dose de 1 capsule/jour après avoir consulté votre médecin.

Vous devriez discuter des effets secondaires avec votre médecin avant de prendre Flomax et chaque fois que vous pensez avoir un effet secondaire.

Comment prendre Flomax? Suivez les directives de votre médecin. Vous devriez prendre le médicament environ 30 minutes après le même repas chaque jour.

Ne pas donner Flomax une autre personne; ce médicament a été prescrit pour vous seulement.

Ne pas écraser, mâcher ni ouvrir les capsules à libération prolongée Flomax. Ces capsules ont été spécialement mises au point pour contrôler la libération de tamsulosine dans la circulation sanguine.

Une capsule de Flomax à libération prolongée pour administration par voie orale renferme 0,4 mg de chlorhydrate de tamsulosine ainsi que les ingrédients non médicinaux suivants: AD&C bleu n° 2, cellulose microcristalline, dioxyde de titane, Eudragit L30D-55*, gélatine, oxyde ferrique (rouge et jaune), stéarate de calcium, talc et triacétine. (*Contient un copolymère d'acide méthacrylique, du polysorbate 80 et du sulfate disodique de lauryle.)

Flomax (suite)

L'encre d'impression contient: alcool dénaturé industriel, diméthylpolysiloxane, eau purifiée, gomme laque, hydroxy-2 diéthylique, lécithine de soja et oxyde ferrosoferrique.

Garder Flomax et tout autre médicament hors de la portée des enfants.

Pour de plus amples renseignements au sujet de Flomax et de l'HBP, consultez votre médecin. Discutez-en également avec votre pharmacien ou avec tout autre professionnel de la santé.

□ FLONASE® ℞

Glaxo Wellcome

Propionate de fluticasone

Corticostéroïde pour la voie nasale

Renseignements destinés aux patients: Veuillez lire ce guide attentivement avant de prendre ce médicament. Pour plus d'informations ou des conseils, consultez votre médecin ou votre pharmacien.

Nom du médicament: Ce médicament s'appelle Flonase (solution aqueuse de propionate de fluticasone en vaporisateur nasal). Il fait partie d'une famille de médicaments appelés corticostéroïdes.

Flonase ne peut être obtenu que sur ordonnance d'un médecin.

Comment utiliser votre vaporisateur-doseur nasal Flonase (voir le prospectus d'emballage pour les illustrations):

Préparation:

A. Agitez légèrement le flacon, puis soulevez le capuchon antipoussière en pressant légèrement la partie nervurée avec le pouce et l'index.

B. Tenez le vaporisateur-doseur en plaçant votre index et votre majeur de chaque côté de l'embout nasal et votre pouce sous le flacon tel qu'illustré.

C. Assurez-vous d'effectuer la vérification suivante si vous utilisez le vaporisateur-doseur Flonase pour la première fois ou ne l'avez pas utilisé depuis plus d'une semaine: tenez le vaporisateur-doseur loin de vous, puis appuyez plusieurs fois sur la collerette jusqu'à ce que vous obteniez une fine vaporisation.

Utilisation:

D. Mouchez votre nez légèrement.

E. Bouchez une narine comme indiqué sur le schéma, puis insérez l'embout nasal dans l'autre narine. Penchez votre tête légèrement vers l'avant tout en tenant le vaporisateur-doseur bien droit.

F. Inspirez par le nez et **du même coup** appuyez **une fois** sur la collerette avec vos doigts afin de libérer une vaporisation.

G. Expirez par la bouche. Si une deuxième vaporisation dans la même narine est nécessaire, répétez les étapes F et G.

H. Répétez les étapes E, F et G pour l'autre narine.

Après l'utilisation:

1. Essuyez l'embout nasal à l'aide d'un papier mouchoir ou d'un linge propre et remettez le capuchon.

Nettoyage:

J. Soulevez délicatement la collerette blanche pour libérer l'embout nasal et lavez-le à l'eau tiède.

K. Enlevez l'excès d'eau et laissez-le sécher à la chaleur ambiante, sans le chauffer.

L. Remettez délicatement l'embout sur le flacon et replacez le capuchon antipoussière.

M. Si l'embout nasal est obstrué, enlevez-le et laissez-le tremper dans de l'eau tiède. Rincez-le ensuite à l'eau froide, laissez-le sécher puis replacez-le. N'essayez pas de libérer l'embout nasal en y introduisant un objet pointu quelconque.

Points importants à retenir: Suivez le mode d'emploi ci-dessus. Si vous éprouvez des difficultés, consultez votre médecin ou votre pharmacien.

- Avez-vous déjà dû cesser de prendre d'autres médicaments pour traiter cette affection parce qu'ils causaient de l'allergie ou d'autres problèmes? Si vous répondez **oui**, informez-en votre médecin ou votre pharmacien le plus tôt possible, si ce n'est déjà fait.
- Avertissez votre médecin de tout écoulement nasal jaune ou vert, si ce n'est déjà fait.
- Assurez-vous d'inhaler chaque dose par le nez comme votre médecin ou l'infirmier ou l'infirmière vous l'a recommandé. L'étiquette apposée sur le produit vous renseignera habituellement sur le nombre et la fréquence des doses à prendre. Sinon, consultez votre médecin ou votre pharmacien.

Adultes: La posologie usuelle est de 2 vaporisations (2×50 microgrammes) dans chaque narine, 1 fois/jour, le matin. Votre médecin peut vous conseiller d'augmenter votre posologie à 2 vaporisations (2×50 microgrammes) dans chaque narine, 2 fois/jour.

Enfants de 4 à 11 ans: La posologie usuelle est d'une vaporisation (50 microgrammes) dans chaque narine, 1 fois/jour, le matin. Votre médecin peut vous conseiller d'augmenter votre posologie à 2 vaporisations (2 × 50 microgrammes) dans chaque narine, 1 fois/jour.

- **Ne pas** inhaler plus de doses ni utiliser votre vaporisateur-doseur nasal plus souvent que votre médecin l'a prescrit.
- Il faut quelques jours avant que votre médicament ne commence à agir. **Assurez-vous de l'utiliser régulièrement. N'interrompez pas** votre traitement même si vous vous sentez mieux, à moins d'avis contraire de votre médecin.
- Si vos symptômes ne se sont pas améliorés après 3 semaines de traitement avec Flonase, consultez votre médecin.
- Si vous éprouvez des larmoiements ou de l'irritation aux yeux, consultez votre médecin. Il vous prescrira peut-être un autre médicament pour traiter ces symptômes. Assurez-vous de ne pas confondre les deux médicaments, particulièrement s'il s'agit de gouttes pour les yeux.

Rappel sur votre médicament: Flonase sert à traiter la rhinite allergique saisonnière (y compris le rhume des foins) et la rhinite perannuelle. Les symptômes de ces affections comprennent: picotements, sensation d'obstruction nasale et éternuements excessifs. Flonase diminue l'irritation et l'inflammation de la muqueuse du nez et des voies nasales et permet donc de soulager la sensation d'obstruction nasale, l'écoulement nasal, les picotements et les éternuements.

Usage durant la grossesse et l'allaitement: Avisez votre médecin si vous êtes enceinte ou si vous croyez le devenir, ou encore si vous allaitez. Il se peut qu'il décide alors de ne pas vous prescrire ce médicament.

Réactions indésirables:

- Il pourrait arriver à l'occasion que vous éternuiez un peu après avoir utilisé le vaporisateur-doseur, sans que cela ne persiste. Vous pourriez également éprouver une sensation de goût ou d'odeur désagréable.
- Si vous commencez à ressentir une douleur dans le nez ou la gorge ou que vous saignez abondamment après avoir utilisé le vaporisateur-doseur nasal, consultez votre médecin le plus tôt possible.
- Si vous vous sentez mal ou éprouvez d'autres problèmes, consultez votre médecin et suivez ses directives.

Que faire en cas de surdosage: Avisez votre médecin que vous avez pris plus de doses que prescrit.

Que faire si vous oubliez une dose: Si vous oubliez une dose ne vous inquiétez pas; prenez la dose manquée lorsque vous vous rendez compte de votre oubli et prenez la dose suivante au moment habituel.

Que faire si vous cessez de prendre ce médicament: Si votre médecin décide d'interrompre votre traitement, ne conservez pas ce médicament à moins d'avis contraire de votre médecin.

Conservation:

- Gardez votre vaporisateur-doseur nasal dans un endroit sûr, hors de la portée des enfants. Ce médicament peut leur être nuisible.
- Conservez votre vaporisateur-doseur nasal au-dessous de 30 °C.

Un rappel: Rappelez-vous que ce médicament est pour **vous**. Seul un médecin peut vous le prescrire. N'en donnez jamais à d'autres personnes; il peut leur nuire même si leurs symptômes sont semblables aux vôtres.

Renseignements additionnels: Si vous avez des questions ou vous n'êtes pas certain d'un point, consultez votre médecin ou votre pharmacien.

Vous voudrez peut-être consulter ce guide à nouveau; **ne le jetez donc pas** avant d'avoir fini de prendre votre médicament.

□ FLOVENT® ℞

Glaxo Wellcome

Propionate de fluticasone

Corticostéroïde

Renseignements destinés aux patients: Voici des renseignements que vous devez connaître sur l'aérosol-doseur et l'inhalateur Diskus

Flovent: Veuillez lire attentivement ce document avant de commencer à prendre votre médicament. Pour obtenir de plus amples renseignements ou des conseils, consultez votre médecin ou votre pharmacien.

Comment agit votre médicament: Ce médicament s'appelle Flovent (propionate de fluticasone). Flovent fait partie d'un groupe de médicaments connus sous le nom de corticostéroïdes, communément appelés corticoïdes. Vous ne pouvez vous le procurer que sur ordonnance médicale.

Votre médecin vous a prescrit Flovent, car c'est ce médicament qui est indiqué dans votre cas et qui vous convient. Lorsqu'il est utilisé chaque jour, à intervalles réguliers, tel que prescrit par votre médecin, il peut contribuer à soulager vos problèmes respiratoires en calmant l'irritation et l'inflammation des petits conduits respiratoires dans vos poumons.

L'aérosol-doseur Flovent est offert en 4 concentrations: 25 μg de propionate de fluticasone par inhalation; 50 μg de propionate de fluticasone par inhalation; 125 μg de propionate de fluticasone par inhalation; 250 μg de propionate de fluticasone par inhalation.

Flovent Diskus est offert en 4 concentrations: 50 μg de propionate de fluticasone par coque; 100 μg de propionate de fluticasone par coque; 250 μg de propionate de fluticasone par coque; 500 μg de propionate de fluticasone par coque.

C'est votre médecin qui décide de la concentration qui vous convient.

Points importants à retenir avant de prendre votre médicament: Avez-vous déjà cessé de prendre d'autres médicaments pour cette maladie à cause d'une allergie ou tout autre problème? Recevez-vous ou avez-vous reçu dernièrement un traitement contre la tuberculose? Prenez-vous d'autres corticostéroïdes en inhalation ou par la bouche?

Si vous avez répondu **oui** à une de ces questions, avertissez votre médecin ou votre pharmacien le plus tôt possible, à moins que vous ne l'ayez déjà fait.

Grossesse et allaitement: Ne prenez pas ce médicament si vous êtes enceinte ou si vous allaitez, sans en avoir parlé au préalable avec votre médecin.

Prise du médicament: Suivez les directives illustrées. Si vous avez de la difficulté à prendre votre médicament, consultez votre médecin ou votre pharmacien.

Il est important d'inhaler chaque dose comme votre médecin, l'infirmière ou le pharmacien vous l'ont montré. Votre médecin décidera de la dose et de la fréquence à laquelle vous devrez prendre votre médicament. Il décidera également de la concentration qui vous convient.

Habituellement, l'étiquette indique la dose à prendre et la fréquence à laquelle le faire. Si tel n'est pas le cas ou si vous avez un doute, renseignez-vous auprès de votre médecin ou de votre pharmacien.

Pour les adultes et les adolescents de 16 ans et plus, la dose habituelle est de 100 à 500 μg 2 fois/jour. Dans les cas d'asthme très grave, où de fortes doses de corticostéroïdes sont nécessaires, comme pour les patients qui doivent prendre actuellement des corticostéroïdes oraux, on peut prescrire des doses allant jusqu'à 1 000 μg 2 fois/jour.

La dose habituelle pour les enfants est de 50 à 100 μg 2 fois/jour.

Aérosol-doseur: Chaque dose prescrite doit être prise, au minimum, en 2 inhalations.

Diskus: Flovent Diskus est habituellement prescrit à raison de 1 coque (1 inhalation) 2 fois/jour.

Évitez d'inhaler plus de doses ou d'utiliser votre aérosol-doseur ou Diskus plus souvent que votre médecin ne vous l'a prescrit.

Rappelez-vous, ce médicament ne doit jamais être avalé. Il doit être inhalé uniquement. Si vous avez des problèmes ou si vous ne comprenez pas les directives contenues dans ce feuillet, demandez conseil à votre médecin ou à votre pharmacien.

Il peut s'écouler jusqu'à une semaine avant que ce médicament fasse effet. **Il est donc très important que vous le preniez régulièrement.** Si votre essoufflement ou vos sifflements respiratoires ne s'améliorent pas après 7 jours, parlez-en à votre médecin. **Ne cessez pas** le traitement, même si vous vous sentez mieux, sauf avis contraire du médecin.

Ne prenez pas ce médicament pour traiter une crise soudaine d'essoufflement. Vous aurez probablement besoin d'un autre type de médicament (présenté dans un emballage de couleur différente) que votre médecin vous a peut-être déjà prescrit. Si vous devez prendre plus d'un médicament, prenez soin de ne pas les confondre.

Si vous êtes admis à l'hôpital pour une intervention chirurgicale, apportez votre aérosol-doseur ou Diskus et indiquez au médecin le(s) médicament(s) que vous prenez.

Comment utiliser votre aérosol-doseur Flovent correctement (voir le prospectus d'emballage pour les illustrations): Avant d'utiliser votre aérosol-doseur Flovent pour la première fois, ou si vous ne l'avez pas utilisé depuis 1 semaine ou plus, vaporisez 4 fois le produit dans l'air pour vous assurer que l'aérosol-doseur fonctionne bien.

1. Retirez le capuchon de l'embout buccal en appuyant légèrement de chaque côté. Vérifiez si l'embout est propre à l'intérieur et à l'extérieur.
2. Agitez bien l'aérosol-doseur.
3. Tenez l'aérosol-doseur bien droit entre vos doigts, votre pouce à la base, sous l'embout buccal. Expirez profondément sans que cela vous incommode.
4. Pour la prochaine étape, il existe 2 possibilités (4a ou 4b). Tout dépend de la technique que le médecin préfère.
   4a. Placez l'embout dans la bouche entre les dents et serrez les lèvres, sans mordre l'embout. Commencez à inhaler par l'embout buccal, puis appuyez immédiatement sur la partie supérieure de l'aérosol-doseur afin de libérer le médicament, tout en continuant d'inspirer régulièrement et profondément, **ou**
   4b. Placez l'aérosol-doseur à 2 doigts de votre bouche. Commencez à inspirer lentement et profondément, bouche grande ouverte, tout en appuyant fermement sur la cartouche.
5. Retenez votre souffle pendant que vous retirez l'aérosol-doseur de votre bouche et enlevez votre doigt de la partie supérieure. Continuez à retenir votre respiration aussi longtemps que possible sans que cela vous incommode.
6. Si vous devez prendre d'autres inhalations, gardez l'aérosol-doseur bien droit et attendez environ 30 secondes avant de répéter les étapes 2 à 5.
7. Après utilisation, remettez toujours le capuchon en place afin de protéger la cartouche de la poussière.
8. Rincez-vous la bouche après chaque dose, sans avaler l'eau de rinçage.

Important: Effectuez les étapes 4 et 5 sans hâte. Il est important que vous commenciez à inspirer aussi lentement que possible juste avant de déclencher votre aérosol-doseur. Pratiquez cette technique devant un miroir les toutes premières fois. Si vous voyez apparaître de la «buée» à la partie supérieure de l'aérosol-doseur ou de chaque côté de la bouche, recommencez à partir de l'étape 2.

Si votre médecin vous a donné d'autres directives, veuillez les suivre attentivement et communiquer avec lui si vous éprouvez des difficultés.

Enfants: Les jeunes enfants peuvent avoir besoin d'aide. Il est possible qu'un adulte doive actionner l'aérosol-doseur pour eux. Encouragez l'enfant à expirer et actionnez l'aérosol-doseur seulement une fois que l'enfant a commencé à inspirer. Exercez-vous ensemble. Les enfants plus âgés ou les personnes n'ayant pas de force dans les mains doivent tenir l'aérosol-doseur à deux mains. Pour ce faire, placez les deux index sur le dessus de l'aérosol-doseur et les deux pouces à la base, sous l'embout buccal.

Entretien: Vous devez nettoyer votre aérosol-doseur au moins 1 fois/semaine.

1. Retirez la cartouche de métal de son étui de plastique et enlevez le capuchon.
2. Rincez l'étui de plastique et le capuchon à l'eau tiède. Vous pouvez ajouter à l'eau un détergent doux. Rincez abondamment à l'eau claire avant de faire sécher. **Ne mettez pas la cartouche de métal dans l'eau.**
3. Laissez l'étui et le capuchon sécher dans un endroit chaud et sec. Évitez toute chaleur excessive.
4. Replacez la cartouche dans son étui et le capuchon sur l'embout buccal.
5. Après chaque nettoyage, vaporisez 1 fois le produit dans l'air afin de vous assurer que l'aérosol-doseur fonctionne bien.

Comment utiliser correctement votre inhalateur Flovent Diskus: Description: Flovent Diskus est un dispositif d'inhalation en plastique qui renferme une bande d'aluminium de 28 ou de 60 coques. Chaque coque contient 50, 100, 250 ou 500 μg de propionate de fluticasone comme principe actif et du lactose comme véhicule. Les coques protègent la poudre pour inhalation des effets atmosphériques. Le dispositif est muni d'un compteur de doses qui vous indique le nombre de doses restantes. Il compte à rebours de 28 ou 60 à 1 et affiche des chiffres en rouge pour les 5 dernières doses.

Lorsque vous sortez le dispositif d'inhalation Flovent Diskus de sa boîte, il est en **position fermée.**

Lorsqu'il est neuf, l'inhalateur Flovent Diskus contient 28 ou 60 doses de médicament, présentées sous forme de poudre et emballées individuellement. Le compteur vous indique le nombre de doses qui restent.

Flovent (suite)

Chaque dose est mesurée avec précision et protégée par un emballage hygiénique. Le dispositif n'exige ni entretien ni recharge. Les nombres 5 à 0 apparaissent en **rouge** pour vous avertir qu'il ne reste plus que quelques doses.

Mode d'emploi: Le Diskus est facile à utiliser. Quand vous devez prendre une dose de médicament, il vous suffit de suivre les 4 étapes illustrées ci-dessous: (voir le prospectus d'emballage pour les illustrations): 1. Ouvrir. 2. Pousser. 3. Inhaler. 4. Fermer.

Quand vous appuyez sur le levier du Diskus, une petite ouverture se découvre dans l'embout buccal et une dose est libérée de sa coque, prête pour l'inhalation. Lorsque vous fermez le Diskus, le levier revient automatiquement à sa position initiale, et le dispositif est prêt pour votre prochaine dose quand vous en aurez besoin. Le boîtier extérieur protège le Diskus lorsqu'il n'est pas utilisé.

1. **Ouvrir:** Pour ouvrir votre Diskus, tenez le boîtier extérieur dans une main et placez le pouce de l'autre main dans le cran prévu à cet effet. Dans cette position, déplacez votre pouce le plus loin possible vers l'arrière.
2. **Pousser:** Tenez le Diskus avec l'embout buccal tourné vers vous. Poussez le levier vers l'arrière jusqu'à ce que vous entendiez un clic. Votre Diskus est maintenant prêt à être utilisé. Chaque fois que vous poussez le levier vers l'arrière, une dose est libérée de sa coque en vue de l'inhalation, et le compteur de doses affiche un nouveau chiffre. Ne jouez pas avec le levier, car cela libère des doses qui seront gaspillées.
3. **Inhaler:** Prenez le temps de lire cette section avant d'inhaler votre dose de médicament.
   - Tenez le Diskus loin de votre bouche. Expirez profondément sans que cela vous incommode. Souvenez-vous de ne jamais expirer dans votre Diskus.
   - Placez l'embout buccal entre vos lèvres. Commencez à inhaler régulièrement et profondément à travers l'inhalateur Diskus et non par le nez.
   - Enlevez le Diskus de votre bouche.
   - Retenez votre respiration pendant environ 10 secondes ou aussi longtemps que possible sans que cela vous incommode.
   - Expirez lentement.
4. **Fermer:** Pour fermer votre Diskus, placez votre pouce sur le cran prévu à cet effet et ramenez votre pouce vers vous autant que possible.

Lorsque vous fermez votre Diskus, un bruit sec vous indique que le levier a repris automatiquement sa position initiale et que le Diskus s'est réenclenché et est prêt pour une prochaine utilisation.

Si vous devez prendre 2 inhalations, refermez votre inhalateur Diskus et répétez les étapes 1 à 4.

Rappelez-vous: Conservez votre Diskus bien au sec. Gardez-le fermé lorsque vous ne l'utilisez pas. N'expirez jamais dans votre Diskus. Ne faites glisser le levier que lorsque vous êtes prêt à prendre une dose.

Après avoir utilisé votre aérosol-doseur ou inhalateur Diskus Flovent: Si vous remarquez que l'essoufflement ou le sifflement respiratoire s'aggrave, dites-le à votre médecin le plus tôt possible.

Très rarement, il peut arriver que certaines personnes éprouvent des maux de gorge, une sensibilité de la langue ou un léger enrouement après la prise du médicament. Une infection de la bouche et de la gorge (candidose) peut aussi apparaître. Il peut être utile de se rincer la bouche avec de l'eau après chaque utilisation, sans toutefois avaler l'eau de rinçage. Consultez votre médecin, mais n'interrompez pas votre traitement à moins d'avis contraire.

Si vous vous sentez mal ou éprouvez des symptômes inexplicables, communiquez immédiatement avec votre médecin.

Que faire en cas de surdosage: En cas de surdosage (prise d'une dose plus élevée que la dose quotidienne recommandée), communiquez immédiatement avec votre médecin ou avec le service d'urgence de votre hôpital, ou encore avec le centre antipoison le plus proche.

Que faire si vous oubliez une dose: Il est très important d'employer régulièrement Flovent. Cependant, si vous oubliez une dose, ne vous inquiétez pas. Prenez votre prochaine dose à l'heure habituelle.

Que faire s'il vous faut cesser de prendre votre médicament: Si votre médecin décide d'interrompre votre traitement, ne gardez pas ce médicament, sauf avis contraire de sa part.

N'oubliez pas: Ce médicament est pour **vous.** Seul un médecin peut vous le prescrire. N'en donnez jamais à d'autres personnes, car il peut leur être nocif même si leurs symptômes s'apparentent aux vôtres.

Conservation de votre médicament: Placez votre médicament dans un endroit sûr, hors de la portée des enfants. Il peut leur être nocif.

Aérosol-doseur: Conservez votre médicament entre 2 et 30 °C. Il craint le gel, la lumière directe du soleil et les températures élevées (plus de 30 °C).

Si votre aérosol-doseur est très froid, retirez la cartouche de métal de son étui et réchauffez-la **dans vos mains** durant quelques minutes avant de l'utiliser. N'employez **jamais** d'autres sources de chaleur.

Mise en garde: La cartouche est sous pression. Vous ne devez jamais la perforer ni la jeter au feu, même si elle semble vide.

Diskus: Conservez votre médicament entre 2 et 30 °C.

Conservez votre inhalateur Flovent Diskus à l'abri du gel, de la chaleur ou de la lumière directe du soleil et des températures élevées (plus de 30 °C). Ne le gardez pas dans un endroit humide, comme la salle de bain.

Renseignements complémentaires: Si vous avez des questions ou des doutes, consultez votre médecin ou votre pharmacien. Vous aurez peut-être à consulter de nouveau ce document. **Ne le jetez donc pas** avant d'avoir fini de prendre votre médicament.

Flovent est une marque déposée du Glaxo Group Limited, utilisée sous licence par Glaxo Wellcome Inc.

□ FORADIL® Ⓟ

Novartis Pharma

Fumarate de formotérol

Bronchodilatateur

Renseignements destinés aux patients: Avant de prendre Foradil, veuillez lire les directives suivantes attentivement. Vous y trouverez de l'information sur Foradil qui complétera peut-être les conseils que vous avez déjà reçus de votre médecin et de votre pharmacien. Si vous avez encore des questions après avoir lu le présent dépliant, veuillez consulter votre médecin ou votre pharmacien.

Qu'est-ce que Foradil et comment agit-il? Foradil est la marque de commerce d'un médicament appelé fumarate de formotérol. Foradil est un nouveau type de médicament connu sous le nom de **bronchodilatateur à action prolongée.** Foradil sert au traitement des problèmes respiratoires associés à l'asthme. Il facilite la respiration en ouvrant les petits conduits aériens dans les poumons, et aide à les maintenir ouverts et décontractés pendant environ 12 heures.

Votre médecin vous a déjà expliqué que vous devez prendre ce médicament 2 fois/jour **en plus** du médicament qui atténue l'**inflammation** pulmonaire causée par l'asthme (le médicament préventif). Vous devez également prendre un bronchodilatateur **à courte durée d'action** (le médicament qui soulage rapidement les symptômes) lorsque vous vous sentez essoufflé ou oppressé, que vous toussez ou que vous avez une respiration sifflante à cause de votre asthme.

Suivez les directives de votre médecin à la lettre. Il se peut qu'elles diffèrent des explications contenues dans le présent dépliant.

Que contient Foradil? Foradil est présenté sous forme de gélule (capsule de gélatine) contenant une poudre sèche. L'inhalateur fourni vous permet d'**inhaler** la poudre dans vos poumons. Une gélule renferme 12 μg de fumarate de formotérol ainsi que du lactose. Foradil se vend en plaquettes alvéolées de 60 gélules.

Que dois-je dire à mon médecin avant de commencer à prendre Foradil? Votre médecin doit être au courant:

- de tous les problèmes de santé que vous avez à l'heure actuelle ou que vous avez eus dans le passé, surtout les problèmes cardiaques, le diabète et l'hyperthyroïdie (glande thyroïde trop active).
- de tous les autres médicaments que vous prenez, y compris ceux que vous achetez sans ordonnance, en particulier: médicaments contre la dépression et la tristesse (inhibiteurs de la monoamine oxydase et antidépresseurs tricycliques), sympathomimétiques, antihistaminiques, diurétiques, bêta-bloquants pour le traitement de l'hypertension, certaines gouttes ophtalmiques pour le traitement du glaucome, médicaments contenant de la quinidine, du disopyramide, du procaïnamide, des phénothiazines ou des dérivés xanthiques (théophylline ou aminophylline).
- si vous présentez une allergie grave au lait ou si vous avez déjà manifesté une réaction inhabituelle ou allergique à Foradil.
- si vous êtes enceinte ou projetez une grossesse, ou si vous allaitez.

Que dois-je faire si je suis enceinte, si je projette une grossesse ou si j'allaite? Vous devez prévenir votre médecin que vous êtes enceinte, que vous projetez une grossesse ou que vous allaitez. Vous ne devez pas prendre Foradil pendant la grossesse. Les femmes qui allaitent ne doivent pas prendre Foradil.

Mon adolescent peut-il prendre Foradil? La poudre pour inhalation Foradil convient aux enfants de 12 ans et plus. Comme la gravité de l'asthme varie selon l'âge, un médecin doit réexaminer votre enfant périodiquement. Il est essentiel que votre enfant comprenne bien le traitement antiasthmatique qui lui est prescrit et qu'il le suive à la lettre. En plus de Foradil, son traitement comportera un médicament qui atténue l'inflammation pulmonaire causée par l'asthme (le médicament préventif) et un bronchodilatateur à courte durée d'action (le médicament qui soulage rapidement les symptômes).

Comment faut-il prendre Foradil? Vous ne devez pas prendre Foradil plus de 2 fois/jour. Si vous avez besoin de soulagement en cas de gêne respiratoire, d'oppression, de respiration sifflante ou de toux, utilisez plutôt le bronchodilatateur à courte durée d'action que votre médecin vous a prescrit à cet effet.

Vous devez continuer de prendre régulièrement les anti-inflammatoires (p. ex. stéroïdes pour inhalation) que votre médecin vous a prescrits. Les anti-inflammatoires et Foradil sont conçus pour agir ensemble afin de vous procurer le meilleur traitement possible. Même si vous vous sentez mieux, **vous ne devez pas interrompre** la prise de Foradil ou de votre anti-inflammatoire, ni en réduire la dose.

Il est important que vous preniez Foradil correctement. Le mode d'emploi des gélules Foradil et de l'inhalateur est expliqué en détail dans le présent dépliant.

Si vous avez des questions ou des difficultés, veuillez consulter votre médecin ou votre pharmacien.

Une gélule contient l'équivalent d'une inhalation. La dose habituelle pour les adultes, y compris les personnes âgées, est de 1 ou 2 gélules 2 fois/jour, matin et soir. Chez les enfants de 12 ans et plus, la dose recommandée est de 1 gélule 2 fois/jour (matin et soir).

Vous ne devez pas avaler la gélule; comme la plupart des médicaments contre l'asthme, Foradil doit être inhalé. Vous trouverez dans le présent dépliant le mode d'emploi détaillé de l'inhalateur. Une fois que votre médecin ou votre pharmacien vous aura montré comment vous servir de Foradil, les diagrammes et le mode d'emploi qui figurent sur le dépliant vous serviront de rappel. Vous pourriez, p. ex., afficher ce dépliant dans la pièce où vous prenez généralement Foradil.

Où dois-je ranger Foradil? Conservez ce médicament **à la température ambiante, dans un endroit sec. Ne le gardez pas** dans la voiture ni la salle de bains.

Retirez les gélules de la plaquette alvéolée juste avant l'emploi.

Gardez ce médicament hors de la portée des enfants, car il peut être nocif.

Ne prenez pas Foradil après la date de péremption indiquée sur la boîte.

Foradil cause-t-il des effets secondaires? Comme tout autre médicament, Foradil peut entraîner des effets indésirables chez certaines personnes. Les effets secondaires habituels sont généralement bénins et disparaissent peu de temps après le début du traitement.

Foradil cause parfois de légers effets indésirables tels que des tremblements, des battements cardiaques rapides et irréguliers, des maux de tête, des étourdissements ou une irritation de la bouche ou de la gorge. Les effets suivants, plus graves, surviennent rarement: crampes et douleurs musculaires, agitation, nervosité ou fatigue, troubles du sommeil. Un bronchospasme (crise d'asthme) peut survenir, quoique très rarement. On a signalé des cas isolés de réactions allergiques accompagnées d'une chute importante de la tension artérielle de même qu'une enflure de la face, des paupières et des lèvres. Vous devez consulter votre médecin si:

- les effets secondaires bénins persistent;
- les effets plus graves surviennent;
- vous remarquez tout autre effet secondaire (non mentionné ci-dessus).

Remarques importantes: Il est très important que vous suiviez à la lettre le mode d'emploi de Foradil que votre médecin vous a expliqué. Si votre soulagement n'est pas aussi efficace ou durable que d'habitude, p. ex. si vous remarquez une aggravation de la respiration sifflante, de la toux, de la gêne respiratoire ou de l'essoufflement, **avisez votre médecin immédiatement.**

Si vous devez utiliser votre bronchodilatateur à courte durée d'action plus souvent ou si vous avez l'impression qu'il est moins efficace, **avisez votre médecin immédiatement.** Il décidera peut-être de modifier votre traitement.

Si vos symptômes vous réveillent la nuit, **avisez votre médecin immédiatement.** Il décidera peut-être de modifier votre traitement.

Si vous avez pris tous vos médicaments et que vos symptômes persistent malgré une heure de repos, **vous avez peut-être besoin d'un traitement d'urgence.**

Aucun renseignement contenu dans le présent dépliant ne doit vous empêcher de téléphoner à votre médecin ou à votre pharmacien afin de leur poser des questions ou de leur faire part de vos craintes au sujet de Foradil.

Renseignements destinés au consommateur sur l'administration des gélules de poudre Foradil pour inhalation: Avant de prendre Foradil, veuillez lire les directives suivantes attentivement (voir le prospectus d'emballage pour les illustrations). Vous y trouverez de l'information sur Foradil qui complétera peut-être les conseils que vous avez déjà reçus de votre médecin et de votre pharmacien. Si vous avez encore des questions après avoir lu le présent dépliant, veuillez consulter votre médecin ou votre pharmacien.

Votre médecin vous a déjà expliqué que vous devez prendre ce médicament régulièrement en plus du médicament qu'il vous a prescrit pour réduire l'inflammation pulmonaire causée par l'asthme. De plus, vous avez probablement un bronchodilatateur à courte durée d'action que vous devez utiliser en cas de sensation d'oppression, de toux ou de respiration sifflante attribuables à l'asthme.

Comment faut-il utiliser l'inhalateur et les gélules Foradil?

1. Retirez le capuchon.
2. Pour ouvrir l'inhalateur, tenez le socle fermement et faites pivoter l'embout buccal dans le sens de la flèche.
3. Sortez la gélule de la plaquette alvéolée. Il est important que vous ne sortiez la gélule qu'au moment où vous êtes prêt à l'utiliser. Placez la gélule dans le compartiment à gélule situé dans le socle de l'inhalateur.
4. Refermez l'embout buccal.
5. En maintenant l'inhalateur en position verticale, appuyez fermement sur les 2 boutons-poussoirs bleus **une seule fois** pour percer la gélule. Relâchez les boutons-poussoirs. Bien que la gélule soit maintenant percée, la poudre ne sera pas libérée tant que vous ne l'aurez pas inhalée.
   Veuillez prendre note qu'il est possible à cette étape que la gélule se fragmente et que de petits fragments de gélatine entrent en contact avec votre bouche et votre gorge. Cette gélatine est comestible et n'est donc pas nocive. En prenant les mesures suivantes, vous réduirez au minimum le risque de fragmentation de la gélule:
   —percez la gélule une seule fois;
   —conservez les gélules à la température ambiante, dans un endroit sec;
   —conservez les gélules dans la plaquette alvéolée jusqu'à ce que vous soyez prêt à les utiliser.
6. Expirez à fond.
7. Placez l'embout buccal dans la bouche et inclinez légèrement la tête vers l'arrière. Serrez les lèvres autour de l'embout buccal et inspirez de façon régulière aussi profondément que possible. Au moment de l'inspiration, le médicament sera inhalé dans vos poumons.
   Vous devriez entendre un ronronnement au moment où vous inspirez parce que l'inhalation fait tourner la gélule dans l'inhalateur. **Veuillez prendre note** que si vous n'entendez pas ce ronronnement, il se peut que la gélule soit coincée dans le compartiment à gélule. Si tel est le cas, ouvrez l'inhalateur délicatement et dégagez la gélule avec vos doigts. Vous ne pouvez pas dégager la gélule en appuyant à répétition sur les boutons-poussoirs.
8. Si vous avez entendu le ronronnement, retirez l'inhalateur de la bouche **en retenant votre respiration** aussi longtemps que possible sans être incommodé, puis expirez.
9. Après utilisation, ouvrez l'inhalateur et assurez-vous que la gélule est vide. S'il reste de la poudre, refermez l'inhalateur et répétez les étapes 6, 7 et 8. Retirez la gélule vide. Fermez l'embout buccal. Remettez le capuchon.

Que dois-je faire si j'oublie de prendre une dose? Vous ne devez pas prendre Foradil plus de 2 fois/jour. Si vous avez oublié de prendre votre médicament, prenez-le dès que possible. S'il est presque l'heure de la dose suivante, ne prenez pas la dose que vous avez oubliée et continuez de prendre votre médicament selon votre horaire habituel. Ne doublez jamais la dose.

Comment puis-je nettoyer l'inhalateur? Afin d'enlever tout résidu de poudre, nettoyez l'embout buccal et le compartiment à gélule avec un linge **sec** ou à l'aide d'une petite brosse propre à poils doux.

☐ FOSAMAX® ℞

MSD

Alendronate monosodique

Régulateur du métabolisme osseux

Renseignements destinés aux patients: Ostéoporose: Veuillez lire attentivement ce feuillet avant de commencer à prendre Fosamax et chaque fois que vous renouvelez votre ordonnance.

Mode d'emploi de Fosamax: Pour que le traitement avec Fosamax soit efficace, il faut observer rigoureusement les 7 règles suivantes:

1. **Après le lever, prenez 1 comprimé Fosamax uniquement avec un grand verre (200 à 250 mL) d'eau ordinaire**: pas d'eau minérale, pas de café ni de thé, pas de jus.

   Bien que les effets de «l'eau dure» sur l'absorption de Fosamax n'aient pas été évalués, l'eau dure peut diminuer l'absorption de ce médicament en raison de sa teneur élevée en minéraux. Si l'eau que vous consommez habituellement est classée comme une «eau dure», vous devriez envisager de prendre le médicament avec de l'eau distillée (et non avec de l'eau minérale).
2. **Après avoir pris le comprimé Fosamax, ne vous allongez pas—demeurez debout ou assise, le dos droit, durant au moins 30 minutes et jusqu'à ce que vous ayez pris le premier repas de la journée. Vous ne devez pas sucer ni croquer les comprimés Fosamax.**
3. **Ne prenez pas Fosamax au coucher ni avant le lever.**

   Ces mesures permettent au médicament d'atteindre l'estomac plus rapidement et diminuent le risque d'irritation de l'œsophage (le tube qui relie la bouche à l'estomac).
4. **Après avoir pris le comprimé Fosamax, attendez au moins 30 minutes avant de prendre tout aliment solide ou liquide, ou tout autre médicament,** y compris des antiacides, des suppléments de calcium et des vitamines. Fosamax est efficace seulement si vous le prenez l'estomac vide.
5. **Si vous commencez à avoir de la difficulté à avaler, des douleurs lorsque vous avalez ou des douleurs à la poitrine, ou si des brûlures d'estomac apparaissent ou s'aggravent, cessez immédiatement de prendre Fosamax et communiquez avec votre médecin.**
6. Prenez Fosamax 1 fois/jour, tous les jours.
7. Il est important de continuer à prendre Fosamax durant la période prescrite par votre médecin. Fosamax n'est efficace dans le traitement de l'ostéoporose ou la prévention de cette maladie que si vous le prenez durant une longue période.

Vous devez informer votre médecin de tous les médicaments que vous prenez ou que vous projetez de prendre, y compris ceux que vous vous procurez sans ordonnance.

Fosamax est la marque déposée utilisée par Merck Frosst Canada Inc. pour la substance appelée alendronate monosodique. Ce médicament ne peut s'obtenir que **sur ordonnance** du médecin. L'alendronate monosodique appartient à une classe de médicaments non hormonaux appelés aminobisphosphonates.

Fosamax est offert en comprimés à 5 mg pour la prévention de l'ostéoporose et en comprimés à 10 mg pour le traitement de l'ostéoporose.

Votre médecin vous a prescrit Fosamax parce que vous souffrez d'une maladie appelée ostéoporose ou pour éviter que vous soyez un jour atteinte de cette maladie. Le traitement aidera à prévenir la survenue de fractures.

Comment l'os normal conserve-t-il son intégrité? Le tissu osseux subit un processus normal de reconstruction qui a lieu en permanence dans l'ensemble du squelette. Tout d'abord, l'os ancien est éliminé (résorbé), puis de l'os nouveau est déposé (formé) sur la surface osseuse. C'est l'équilibre entre les processus de résorption et de formation qui conserve vos os sains et solides.

Qu'est-ce que l'ostéoporose et pourquoi faut-il traiter ou prévenir cette maladie? L'ostéoporose, qui consiste en un amincissement et un affaiblissement des os, est une maladie fréquente chez les femmes ménopausées. La ménopause survient lorsque les ovaires arrêtent de fabriquer les œstrogènes, qui sont des hormones femelles, ou lorsqu'ils sont enlevés, par exemple lors d'une hystérectomie (ablation de l'utérus). Après la ménopause, l'os est résorbé à un rythme plus rapide qu'il n'est formé, de sorte qu'il se produit une perte osseuse qui affaiblit les os. Plus la ménopause survient tôt, plus le risque d'ostéoporose est grand.

Pour préserver la santé du squelette, il importe de maintenir la masse osseuse et d'empêcher que la perte osseuse se poursuive.

Au début, l'ostéoporose ne cause habituellement pas de symptômes. Toutefois, si cette maladie n'est pas traitée, elle peut finir par provoquer des fractures (cassures des os). Bien que les fractures soient habituellement douloureuses, les fractures de la colonne vertébrale peuvent passer inaperçues jusqu'à ce qu'elles entraînent une diminution de la taille (grandeur). Les fractures peuvent avoir lieu au cours des activités quotidiennes normales, par exemple quand vous soulevez des objets, ou à la suite de blessures mineures qui, en général, ne provoquent pas de fractures de l'os normal. Les fractures surviennent habituellement à la hanche, à la colonne vertébrale ou au poignet et peuvent entraîner non seulement des douleurs, mais aussi des déformations et une invalidité considérables (tels un dos voûté résultant d'une incurvation de la colonne vertébrale et une perte de mobilité).

Comment peut-on traiter ou prévenir l'ostéoporose? Votre médecin vous a prescrit Fosamax pour traiter votre ostéoporose ou pour éviter que vous soyez un jour atteinte de cette maladie. Fosamax permet non seulement de prévenir la perte osseuse, mais il contribue aussi à remplacer le tissu osseux détruit et à diminuer le risque de fracture. Ainsi, Fosamax prévient ou renverse la progression de l'ostéoporose.

Votre médecin vous conseillera peut-être aussi d'apporter certaines modifications à votre mode de vie:

Arrêter de fumer. Le tabagisme semble accélérer le rythme de la perte osseuse et, par conséquent, pourrait augmenter le risque de fracture.

Faire de l'exercice. Les os, tout comme les muscles, ont besoin d'exercice pour demeurer sains et solides. Consultez votre médecin avant de commencer tout programme d'exercice physique.

Avoir une alimentation équilibrée. Votre médecin vous recommandera peut-être de modifier votre alimentation ou de prendre des suppléments diététiques.

Pourquoi est-il important de prendre Fosamax de façon continue? Il est important de suivre le traitement pendant une longue période pour prévenir la perte osseuse et pour aider à remplacer le tissu osseux détruit. Par conséquent, il est important de suivre rigoureusement les directives de votre médecin qui vous recommandera de prendre Fosamax tel que prescrit, sans omettre de doses et sans modifier la posologie. Il est aussi important d'effectuer les changements recommandés par votre médecin concernant votre mode de vie et de maintenir ces nouvelles habitudes.

Ce qu'il faut savoir avant de prendre Fosamax: Quelles sont les personnes qui ne devraient pas prendre Fosamax? Ne prenez pas Fosamax si l'un des énoncés suivants vous concerne:

- vous souffrez de troubles de l'œsophage (le tube qui relie la bouche à l'estomac)
- vous êtes dans l'incapacité de rester debout, ou assise le dos droit, durant au moins 30 minutes
- vous êtes allergique à l'un des composants du médicament
- votre médecin vous a signalé que votre taux de calcium est faible.

Ne prenez pas Fosamax si vous souffrez d'une maladie rénale grave. Si vous avez des doutes à ce sujet concernant votre état, parlez-en à votre médecin.

Ce qu'il faut signaler à votre médecin ou à votre pharmacien avant de prendre Fosamax: Informez votre médecin ou votre pharmacien de tout problème médical passé ou présent, en particulier s'il s'agit d'une maladie rénale, et des allergies dont vous souffrez. Si vous avez de la difficulté à avaler ou si vous êtes atteinte de troubles digestifs, discutez-en avec votre médecin avant de commencer à prendre Fosamax.

Utilisation pendant la grossesse et l'allaitement: Ne prenez pas Fosamax si vous êtes enceinte ou si vous allaitez.

Utilisation chez les enfants: Fosamax n'est pas indiqué chez les personnes qui ont moins de 18 ans et ne devrait pas leur être administré.

Utilisation chez les personnes âgées: Fosamax est aussi efficace et aussi bien toléré par les personnes de plus de 65 ans que par celles qui ont moins de 65 ans.

Pouvez-vous prendre Fosamax en même temps que d'autres médicaments? Voir «Mode d'emploi de Fosamax».

Pouvez-vous conduire une automobile ou faire fonctionner une machine pendant un traitement avec Fosamax? Fosamax ne devrait pas affecter votre capacité de conduire une automobile ou de faire fonctionner une machine.

Gardez Fosamax et tout autre médicament hors de la portée des enfants.

Que devez-vous faire en cas de surdosage? Si vous prenez trop de comprimés, prenez un grand verre de lait et communiquez immédiatement avec votre médecin. Ne provoquez pas de vomissements et ne vous allongez pas.

Que devez-vous faire si vous oubliez une dose? Prenez Fosamax 1 fois/jour, tel que l'a prescrit votre médecin. Cependant, si vous oubliez une dose, ne prenez pas une dose supplémentaire le lendemain. Reprenez votre calendrier habituel, soit 1 comprimé, 1 fois/jour.

Quels sont les effets secondaires qui peuvent survenir au cours d'un traitement avec Fosamax? La plupart des patients ne présentent pas d'effets secondaires avec la prise de Fosamax; cependant, comme tout autre médicament, Fosamax peut provoquer des réactions inattendues ou indésirables. Les effets secondaires dus à Fosamax ont été habituellement légers. Certaines personnes peuvent toutefois présenter des troubles digestifs, tels des nausées et des vomissements. Certains de ces troubles peuvent être graves, p. ex. une irritation ou une ulcération de l'œsophage (le tube qui relie la bouche à l'estomac), lesquelles peuvent causer des douleurs à la poitrine, des brûlures d'estomac, ou encore une difficulté à avaler ou des douleurs lorsque vous avalez. Ces réactions risquent davantage de survenir si les patients ne prennent pas un grand verre d'eau avec Fosamax, ou encore s'ils s'allongent dans les 30 minutes qui suivent la prise du médicament **et** avant d'avoir pris le premier repas de la journée. Les réactions de l'œsophage peuvent s'aggraver si les patients continuent de prendre Fosamax malgré l'apparition de symptômes évoquant une irritation de l'œsophage.

Certains patients peuvent éprouver des douleurs aux os, aux muscles et aux articulations ou, dans de rares cas, présenter une éruption cutanée. Des réactions allergiques, telles de l'urticaire ou, plus rarement, une enflure du visage, des lèvres, de la langue ou de la gorge, lesquelles peuvent causer une difficulté à respirer ou à avaler, peuvent également être observées. Des ulcères gastriques ou autres ulcères gastro-duodénaux, parfois graves, sont survenus quoique rarement, sans toutefois que l'on sache si ces réactions sont dues au traitement avec Fosamax. Des ulcères buccaux ont été notés chez des patients qui avaient croqué les comprimés ou les avaient laissés se dissoudre dans la bouche.

Votre médecin ou votre pharmacien peuvent vous donner plus d'information à ce sujet. Avertissez sans délai votre médecin ou votre pharmacien si ces réactions ou d'autres symptômes inhabituels surviennent.

Que pouvez-vous faire pour obtenir plus d'information concernant Fosamax et l'ostéoporose? Vous pouvez demander plus d'information à votre médecin ou à votre pharmacien qui vous communiqueront des renseignements plus complets sur Fosamax et l'ostéoporose.

Pendant combien de temps pouvez-vous conserver le médicament? Ne prenez pas le médicament après le mois et l'année indiqués par les 4 chiffres qui suivent l'inscription EX (ou EXP) sur l'emballage. Les deux premiers chiffres indiquent le mois, les deux derniers, l'année.

Entreposage de Fosamax: Conservez Fosamax à la température ambiante (15 à 30 °C).

Ingrédients: Ingrédient actif: Le comprimé Fosamax à 5 mg ou à 10 mg est blanc, rond et renferme de l'alendronate. Ingrédients non médicinaux: cellulose microcristalline, croscarmellose sodique, lactose anhydre, stéarate de magnésium.

Maladie osseuse de Paget: Veuillez lire attentivement ce feuillet avant de commencer à prendre Fosamax et chaque fois que vous renouvelez votre ordonnance.

Mode d'emploi de Fosamax: Pour que le traitement avec Fosamax soit efficace, il faut observer rigoureusement les 7 règles suivantes:

1. **Après le lever, prenez 1 comprimé Fosamax uniquement avec un grand verre (200 à 250 mL) <u>d'eau ordinaire</u>:** pas d'eau minérale, pas de café ni de thé, pas de jus.
   Bien que les effets de «l'eau dure» sur l'absorption de Fosamax n'aient pas été évalués, l'eau dure peut diminuer l'absorption de ce médicament en raison de sa teneur élevée en minéraux. Si l'eau que vous consommez habituellement est classée comme une «eau dure», vous devriez envisager de prendre le médicament avec de l'eau distillée (et non avec de l'eau minérale).
2. **Après avoir pris le comprimé Fosamax, ne vous allongez pas—demeurez debout ou assis, le dos droit, durant au moins 30 minutes <u>et</u> jusqu'à ce que vous ayez pris le premier repas de la journée. Vous ne devez pas sucer ni croquer les comprimés Fosamax.**
3. **Ne prenez pas Fosamax au coucher ni avant le lever.**
   Ces mesures permettent au médicament d'atteindre l'estomac plus rapidement et diminuent le risque d'irritation de l'œsophage (le tube qui relie la bouche à l'estomac).
4. **Après avoir pris le comprimé Fosamax, attendez au moins 30 minutes avant de prendre tout aliment solide ou liquide, ou tout autre médicament,** y compris des antiacides, des suppléments de calcium et des vitamines. Fosamax est efficace seulement si vous le prenez l'estomac vide.
5. **Si vous commencez à éprouver de la difficulté à avaler, des douleurs lorsque vous avalez ou des douleurs à la poitrine, ou si des brûlures d'estomac apparaissent ou s'aggravent, cessez immédiatement de prendre Fosamax et communiquez avec votre médecin.**
6. Prenez Fosamax 1 fois/jour, tous les jours.
7. Il est important de continuer à prendre Fosamax durant la période prescrite par votre médecin.

Vous devez informer votre médecin de tous les médicaments que vous prenez ou que vous projetez de prendre, y compris ceux que vous vous procurez sans ordonnance.

Fosamax est la marque déposée utilisée par Merck Frosst Canada Inc. pour la substance appelée alendronate monosodique. Ce médicament ne peut s'obtenir que **sur ordonnance** du médecin. L'alendronate monosodique appartient à une classe de médicaments non hormonaux appelés aminobisphosphonates.

Votre médecin vous a prescrit Fosamax parce que vous souffrez d'une affection appelée maladie osseuse de Paget.

Comment l'os normal conserve-t-il son intégrité? Le tissu osseux subit un processus normal de reconstruction qui a lieu en permanence dans l'ensemble du squelette. Tout d'abord, l'os ancien est éliminé (résorbé), puis de l'os nouveau est déposé (formé) sur la surface osseuse. C'est l'équilibre entre les processus de résorption et de formation qui conserve vos os sains et solides.

Qu'est-ce que la maladie osseuse de Paget? Dans la maladie de Paget, la résorption et la formation osseuses s'accroissent anormalement, ce qui cause un affaiblissement des os, lequel peut entraîner des douleurs, des déformations ou des fractures.

Comment peut-on traiter la maladie osseuse de Paget? Votre médecin vous a prescrit Fosamax pour traiter cette maladie. Fosamax ralentit la résorption osseuse, ce qui permet aux cellules responsables de la formation osseuse d'élaborer du tissu osseux normal.

Ce qu'il faut savoir avant de prendre Fosamax: Quelles sont les personnes qui ne devraient pas prendre Fosamax? Ne prenez pas Fosamax si l'un des énoncés suivants vous concerne:
- vous souffrez de troubles de l'œsophage (le tube qui relie la bouche à l'estomac)
- vous êtes dans l'incapacité de rester debout, ou assis le dos droit, durant au moins 30 minutes
- vous êtes allergique à l'un des composants du médicament
- votre médecin vous a signalé que votre taux de calcium dans le sang est faible.

Ne prenez pas Fosamax si vous souffrez d'une maladie rénale grave. Si vous avez des doutes à ce sujet concernant votre état, parlez-en à votre médecin.

Ce qu'il faut signaler à votre médecin ou à votre pharmacien avant de prendre Fosamax: Informez votre médecin ou votre pharmacien de tout problème médical passé ou présent, en particulier s'il s'agit d'une maladie rénale, et des allergies dont vous souffrez. Si vous avez de la difficulté à avaler ou si vous êtes atteint de troubles digestifs, discutez-en avec votre médecin avant de commencer à prendre Fosamax.

Utilisation pendant la grossesse et l'allaitement: Ne prenez pas Fosamax si vous êtes enceinte ou si vous allaitez.

Utilisation chez les enfants: Fosamax n'est pas indiqué chez les personnes qui ont moins de 18 ans et ne devrait pas leur être administré.

Utilisation chez les personnes âgées: Fosamax est aussi efficace et aussi bien toléré par les personnes de plus de 65 ans que par celles qui ont moins de 65 ans.

Pouvez-vous prendre Fosamax en même temps que d'autres médicaments? L'utilisation simultanée d'acide acétylsalicylique (AAS) et de Fosamax à 40 mg peut augmenter le risque de malaises d'estomac. Si vous prenez de l'AAS, vous devez en parler à votre médecin.

Voir aussi «Mode d'emploi de Fosamax».

Pouvez-vous conduire une automobile ou faire fonctionner une machine pendant un traitement avec Fosamax? Fosamax ne devrait

Fosamax (suite)

pas affecter votre capacité de conduire une automobile ou de faire fonctionner une machine.

Gardez Fosamax et tout autre médicament hors de la portée des enfants.

Que devez-vous faire en cas de surdosage? Si vous prenez trop de comprimés, prenez un grand verre de lait et communiquez immédiatement avec votre médecin. Ne provoquez pas de vomissements et ne vous allongez pas.

Que devez-vous faire si vous oubliez une dose? Prenez Fosamax 1 fois/jour, tel que l'a prescrit votre médecin. Cependant, si vous oubliez une dose, ne prenez pas une dose supplémentaire le lendemain. Reprenez votre calendrier habituel, soit 1 comprimé, 1 fois/jour.

Quels sont les effets secondaires qui peuvent survenir au cours d'un traitement avec Fosamax? La plupart des patients ne présentent pas d'effets secondaires avec la prise de Fosamax; cependant, comme tout autre médicament, Fosamax peut provoquer des réactions inattendues ou indésirables. Les effets secondaires dus à Fosamax ont été habituellement légers. Certaines personnes peuvent toutefois présenter des troubles digestifs, tels des nausées et des vomissements. Certains de ces troubles peuvent être graves, p. ex. une irritation ou une ulcération de l'œsophage (le tube qui relie la bouche à l'estomac), lesquelles peuvent causer des douleurs à la poitrine, des brûlures d'estomac, ou encore une difficulté à avaler ou des douleurs lorsque vous avalez. Ces réactions risquent davantage de survenir si les patients ne prennent pas un grand verre d'eau avec Fosamax, ou encore s'ils s'allongent dans les 30 minutes qui suivent la prise du médicament **et** avant d'avoir pris le premier repas de la journée. Les réactions au niveau de l'œsophage peuvent s'aggraver si les patients continuent de prendre Fosamax malgré l'apparition de symptômes évoquant une irritation de l'œsophage.

Certains patients peuvent éprouver des douleurs aux os, aux muscles et aux articulations ou, dans de rares cas, présenter une éruption cutanée. Des réactions allergiques, telles de l'urticaire ou, plus rarement, une enflure du visage, des lèvres, de la langue ou de la gorge, lesquelles peuvent causer une difficulté à respirer ou à avaler, peuvent également être observées. Des ulcères gastriques ou autres ulcères gastro-duodénaux, parfois graves, sont survenus quoique rarement, sans toutefois que l'on sache si ces réactions sont dues au traitement avec Fosamax. Des ulcères buccaux ont été notés chez des patients qui avaient croqué les comprimés ou les avaient laissés se dissoudre dans la bouche.

Votre médecin ou votre pharmacien peuvent vous donner plus d'information à ce sujet. Avertissez sans délai votre médecin ou votre pharmacien si ces réactions ou d'autres symptômes inhabituels surviennent.

Que pouvez-vous faire pour obtenir plus d'information concernant Fosamax et la maladie osseuse de Paget? Vous pouvez demander plus d'information à votre médecin ou à votre pharmacien qui vous communiqueront des renseignements plus complets sur Fosamax et la maladie osseuse de Paget.

Pendant combien de temps pouvez-vous conserver le médicament? Ne prenez pas le médicament après le mois et l'année indiqués par les 4 chiffres qui suivent l'inscription EX (ou EXP) sur l'emballage. Les deux premiers chiffres indiquent le mois, les deux derniers, l'année.

Entreposage de Fosamax: Conservez Fosamax à la température ambiante (15 à 30 °C).

Ingrédients: Ingrédient actif: Le comprimé Fosamax à 40 mg est blanc, triangulaire et renferme de l'alendronate. Ingrédients non médicinaux: cellulose microcristalline, croscarmellose sodique, lactose anhydre, stéarate de magnésium.

☐ FRAGMIN® Ⓟ

Pharmacia & Upjohn

Daltéparine sodique

Anticoagulant—Antithrombotique

Renseignements destinés aux patients: Seringues préremplies pour injection: Indications et actions: Fragmin sert à prévenir la coagulation du sang lors de la chirurgie, à traiter la formation aiguë de caillots sanguins dans les veines profondes et à prévenir la coagulation du sang dans le matériel de dialyse et de filtration du sang utilisé en cas d'insuffisance rénale aiguë ou de maladie rénale.

Précautions à prendre avant le traitement: Il faut avertir le médecin de tout problème médical grave antérieur ou actuel, car ces problèmes pourraient avoir un effet sur l'action de Fragmin.

Si vous avez déjà souffert ou souffrez présentement d'un des troubles énumérés ci-dessous, il faut en informer le médecin avant de commencer le traitement:

- Allergie à Fragmin
- Saignement provenant d'un ulcère gastroduodénal aigu
- Insuffisance hépatique ou rénale grave
- Antécédents d'hémorragie cérébrale (saignement au cerveau)
- Trouble grave de coagulation sanguine (diathèse hémorragique)
- Infection bactérienne du cœur (endocardite infectieuse)
- Lésions ou opérations du système nerveux central, des yeux, des oreilles
- Antécédents de thrombocytopénie (diminution du nombre des plaquettes)
- Hypertension artérielle
- Troubles de la rétine provoqués par le diabète ou un saignement
- Toute autre maladie pouvant entraîner un risque accru de saignement

Certains médicaments peuvent intensifier l'effet anticoagulant de Fragmin. Il importe donc d'informer le médecin de tous les médicaments que vous prenez présentement.

Si vous êtes enceinte ou que vous allaitez, vous devriez en avertir le médecin pour qu'il puisse évaluer les risques possibles pour vous et votre enfant.

Mode d'emploi: On ne peut obtenir Fragmin que sur ordonnance. Vous devez utiliser Fragmin selon les directives du médecin. Fragmin s'administre en l'injectant sous la surface de la peau (par voie sous-cutanée).

À l'hôpital: Chirurgie générale: Le médecin ou l'infirmière vous donnera une première injection de Fragmin par voie sous-cutanée 1 ou 2 heures avant l'opération pour prévenir les problèmes de coagulation sanguine. Après l'opération, vous recevrez une injection sous-cutanée tous les matins jusqu'à ce que vous puissiez marcher, généralement pendant 5 à 7 jours ou plus.

Chirurgie générale associée à d'autres facteurs de risque et chirurgie élective: Le médecin ou l'infirmière vous donnera une première injection de Fragmin par voie sous-cutanée le soir précédant l'opération pour prévenir les problèmes de coagulation sanguine. Après l'opération, vous recevrez une injection sous-cutanée le soir même et une injection tous les soirs par la suite jusqu'à ce que vous puissiez marcher. Le médecin ou l'infirmière pourra aussi diviser la dose initiale et vous donner une première injection de Fragmin par voie sous-cutanée 1 ou 2 heures avant l'opération suivie d'une autre injection de 8 à 12 heures plus tard. Chaque jour par la suite, vous aurez une injection jusqu'à ce que vous puissiez marcher.

À domicile: Vous devrez peut-être poursuivre votre traitement par Fragmin pendant quelques jours à domicile.

Avant votre congé de l'hôpital, le médecin ou l'infirmière vous montrera comment vous donner des injections de Fragmin. Il est très important de suivre les directives à la lettre. S'il y a quelque chose que vous ne comprenez pas ou que vous aimeriez qu'on clarifie, assurez-vous de demander de plus amples renseignements au médecin ou à l'infirmière de sorte qu'une fois à la maison, vous vous sentiez à l'aise pour vous auto-administrer Fragmin.

Fragmin se présente sous forme de seringues préremplies prêtes à l'emploi. Chaque seringue contient la quantité requise de Fragmin pour une injection. Éviter de presser sur le piston de la seringue afin de ne rien perdre du contenu de la seringue.

Directives pour injection à domicile: Avec le pouce et l'index, faire un bourrelet de peau dans la région inférieure droite ou gauche de l'abdomen. Ce bourrelet doit être maintenu tout au long de l'injection.

Tout en maintenant ce bourrelet de peau entre le pouce et l'index, y insérer l'aiguille verticalement aussi loin que possible. Puis presser le piston, et retirer l'aiguille après avoir injecté tout le contenu de la seringue.

Jeter la seringue et l'aiguille usagées de façon sécuritaire et **hors de la portée des enfants.**

Remarque: On peut aussi injecter Fragmin dans le côté de la cuisse. Comme pour l'injection dans l'abdomen, il importe que l'aiguille soit insérée dans un bourrelet de peau formé entre le pouce et l'index et maintenu tout au long de l'injection.

Important: Fragmin est un médicament puissant, et vous devez suivre attentivement les directives de votre médecin ou de votre infirmière. Ne vous donnez que les injections prescrites et pendant toute la durée de traitement prescit par le médecin.

Ne prenez aucun autre médicament que ceux prescrits par votre médecin pendant que vous prenez Fragmin.

Si vous devez consulter un autre médecin ou voir le dentiste, n'oubliez surtout pas de leur dire que vous suivez un traitement par Fragmin.

Effets indésirables: Fragmin provoque très peu d'effets secondaires.

Si vous remarquez un des effets suivants alors que vous êtes à l'hôpital ou à la maison, appelez immédiatement votre médecin:

- Saignement au point d'injection ou aux plaies opératoires
- Autres saignements: saignement du nez, sang dans l'urine, saignement de la bouche, du vagin, de l'anus
- Ecchymose au moindre choc ou sans cause apparente
- Réactions allergiques

Traitement du surdosage: Un surdosage de Fragmin peut entraîner des saignements très abondants. Si vous croyez avoir pris accidentellement trop de Fragmin, vous devez appeler immédiatement votre médecin, que vous remarquiez ou non un des événements énumérés ci-dessus. Le médecin s'occupera de votre admission à l'hôpital pour observation et traitement au besoin.

☐ FRAXIPARINE[MC] ℞

Sanofi

Nadroparine calcique

Anticoagulant—Antithrombotique

Renseignements destinés aux patients: À quoi sert Fraxiparine? On utilise Fraxiparine pour empêcher le sang de coaguler après une opération chirurgicale ou durant une hémodialyse ou pour dissoudre des caillots de sang bloquant des vaisseaux sanguins.

Comment Fraxiparine agit-il? Fraxiparine retarde l'action de facteurs de la coagulation du sang. Le sang reste fluide, ce qui empêche la formation de caillots qui risqueraient de bloquer des vaisseaux sanguins.

Quand éviter d'utiliser Fraxiparine: Avant de vous prescrire Fraxiparine, votre médecin s'assurera:

1. que vous n'êtes pas enceinte ou que vous n'allaitez pas.
   Informez immédiatement votre médecin si vous êtes enceinte ou si vous allaitez, pour qu'il ou elle puisse évaluer les risques pour vous ou pour l'enfant.
2. que vous n'avez pas d'antécédent d'allergie au médicament.
3. que vous ne souffrez pas d'affection hépatique ou rénale.
4. que vous n'avez pas d'antécédent de thrombocytopénie, c.-à-d. de numération plaquettaire basse.
5. que vous n'avez pas d'antécédent d'ulcération gastroduodénale.

Votre médecin a aussi besoin de savoir si vous prenez régulièrement des médicaments, p. ex. des médicaments contre l'arthrite, des anticoagulants, de l'AAS, etc. Vous devez lui indiquer tous les médicaments que vous prenez, y compris les médicaments sans ordonnance, parce que tous ces produits peuvent affecter la manière dont Fraxiparine agit. Pendant votre traitement avec Fraxiparine, vous ne devez prendre aucun médicament autre que ceux que vous prescrit votre médecin. Si vous voyez un autre médecin ou un dentiste, vous devez l'avertir du fait que vous prenez Fraxiparine.

Mode d'administration de Fraxiparine (voir le prospectus d'emballage pour les illustrations): Fraxiparine est un médicament d'ordonnance et doit être utilisé de la manière prescrite. On l'injecte par la voie sous-cutanée (s.c.), c.-à-d. sous la surface de la peau. À l'hôpital, le médecin ou l'infirmière vous fera une première injection dans les 24 heures suivant l'opération.

Il est possible qu'après avoir quitté l'hôpital, vous deviez continuer les injections de Fraxiparine pendant quelques jours.

Instructions pour l'injection de Fraxiparine. Il se peut que votre médecin vous demande de vous injecter vous-même Fraxiparine après votre retour chez vous. Un professionnel de la santé vous montrera alors, avant que vous quittiez l'hôpital, comment vous administrer vous-même le médicament. Il est très important que vous vous conformiez strictement à ses instructions. Si vous avez besoin d'explications, demandez-les à votre médecin ou à l'infirmière.

Comment sortir la seringue de l'emballage: Pour ne pas risquer d'endommager les seringues, procédez de la manière suivante:

- Pour séparer les seringues, pliez avec précaution l'emballage double entre les seringues d'un côté puis de l'autre, à plusieurs reprises, puis détachez les 2 parties de l'emballage en tirant de façon uniforme à partir de l'extrémité où se trouvent les pistons.
- Pour enlever la seringue de son emballage de plastique, détachez avec précaution le papier protecteur du plateau de plastique (en commençant du côté du piston), puis faites rouler la seringue dans la paume de l'autre main.

Comment préparer la seringue pour l'injection s.c.: Enlevez le capuchon protecteur de l'aiguille:

- Tenez la seringue verticalement (capuchon gris vers le haut).
- En tenant le capuchon gris par le collet, saisissez le corps de la seringue de l'autre main et faites-le tourner lentement en tirant doucement vers le bas, de façon à sortir l'aiguille du capuchon.
- Ne tirez pas sur le capuchon, vers le haut, car vous pourriez tordre l'aiguille.

Les seringues préremplies de 0,2 mL, 0,3 mL et 0,4 mL sont utilisées uniquement pour administrer une dose unitaire. Il peut y avoir une petite bulle d'air dans la seringue, mais il n'est pas nécessaire de la chasser.

Les seringues préremplies graduées de 0,6 mL, 0,8 mL et 1,0 mL peuvent être utilisées pour administrer une dose mesurée.

En tenant la seringue à la verticale, l'aiguille vers le haut, assurez-vous que la bulle d'air se trouve en haut.

Poussez sur le piston jusqu'à la dose indiquée pour chasser l'air et le produit en excédent.

Conformez-vous strictement aux instructions concernant le produit que vous utilisez. Vous devez toujours demander conseil à votre médecin au besoin.

Technique d'injection:

- Allongez-vous sur le dos et saisissez un pli de peau de votre abdomen entre le pouce et l'index, du côté droit ou du côté gauche, près de la taille.
- Enfoncez l'aiguille verticalement (pas d'angle avec la verticale) à fond dans le pli de peau. Appuyez sur le piston pour injecter Fraxiparine (en 10 à 15 secondes).
- Maintenez le pli entre le pouce et l'index jusqu'à la fin de l'injection, puis sortez l'aiguille verticalement.
- Enfin, mettez au rebut la seringue et l'aiguille de manière sécuritaire, hors de la portée des enfants.
- Ne frottez pas le point d'injection pour ne pas augmenter le risque d'ecchymose.
- Changez chaque jour le côté de l'injection.

N'oubliez pas que Fraxiparine est un médicament très actif et qu'il est essentiel que vous suiviez à la lettre les instructions de votre médecin. La dose dont vous avez besoin dépend des raisons du traitement par Fraxiparine et de votre poids corporel. Ne vous administrez que la dose et le nombre d'injections prescrits par jour et continuez les injections pendant le nombre de jours spécifié.

Effets indésirables: Fraxiparine est bénéfique dans le traitement ou la prévention des caillots sanguins, mais peut avoir des effets indésirables chez certains patients. Vous devez alerter immédiatement votre médecin si vous remarquez l'un ou l'autre des symptômes suivants:

- Saignement de la plaie chirurgicale.
- Autres épisodes de saignement, p. ex., saignements de nez, sang dans l'urine ou vomissement de sang.
- Signes de réaction allergique.
- Décoloration rouge ou violette de la peau autour du point d'injection.
- Douleur et ecchymose au point d'injection.
- Formation inattendue d'ecchymose, saignement des gencives en se brossant les dents.

Surdosage et traitement: Un surdosage accidentel peut se traduire par une hémorragie (interne ou externe), qu'on ne peut traiter qu'à l'hôpital. Si vous pensez que vous vous êtes injecté trop de Fraxiparine, appelez immédiatement votre médecin, même si vous n'observez pas encore de symptôme inhabituel. Votre médecin peut prendre des mesures d'admission à l'hôpital pour vous faire mettre en observation ou vous traiter.

Fraxiparine (suite)

Conditions d'entreposage: Entreposez Fraxiparine entre 15 et 30 °C. Ne le réfrigérez pas, car les injections de produit froid peuvent être douloureuses. Ne pas congeler.

□ FROBEN® ℞
□ FROBEN SR® ℞

Knoll

Flurbiprofène

Analgésique—Anti-inflammatoire

Renseignements destinés aux patients: Le flurbiprofène prescrit par votre médecin fait partie d'un large éventail de médicaments appelés agents anti-inflammatoires (AINS); on l'emploie pour soulager les symptômes de certains types d'arthrite et de la spondylite ankylosante comme l'inflammation, la douleur au niveau des articulations, l'enflure, la raideur matinale et la fièvre. On peut aussi l'utiliser pour soulager les crampes et les douleurs qui apparaissent en période de menstruation.

Comment prendre votre médicament: Vous devriez prendre Froben seulement tel qu'indiqué par votre médecin. Ne dépassez jamais la dose prescrite et respectez la durée de traitement recommandée par votre médecin.

Assurez-vous de prendre Froben de façon régulière, tel qu'indiqué. Pour certaines formes d'arthrite, plus de 2 semaines sont parfois nécessaires pour ressentir tous les effets de ce médicament. En cours de traitement, votre médecin peut décider de modifier la posologie selon votre réaction au médicament.

Pour diminuer les problèmes de digestion, prenez ce médicament tout de suite après un repas ou avec du lait ou de la nourriture. Si vous présentez des problèmes de digestion (indigestion, nausée, vomissements, maux d'estomac ou diarrhée) et s'ils persistent, consultez votre médecin.

Ce médicament peut causer des étourdissements ou de la somnolence. Soyez prudent, surtout au début du traitement, si vous devez conduire ou manipuler des objets qui demandent de bons réflexes. Évitez ou limitez l'usage de l'alcool.

Posologie et administration: Comprimés de Froben: Adultes: Arthrite rhumatoïde: La dose d'attaque recommandée est de l'ordre de 150 à 200 mg/jour en 3 ou 4 prises. Au début du traitement, certains patients peuvent nécessiter de 250 à 300 mg/jour. La dose peut être modifiée par votre médecin jusqu'à ce que la dose minimale efficace d'entretien ait été atteinte. En cours de traitement, votre médecin peut augmenter la dose quotidienne jusqu'à un maximum de 300 mg comme mesure provisoire pour soigner les symptômes graves.

Ostéoarthrite: La dose d'attaque recommandée est de 100 à 150 mg/jour, en 2 ou 3 prises. La dose peut être modifiée par votre médecin jusqu'à ce que la dose minimale efficace d'entretien ait été atteinte. En cours de traitement, votre médecin peut augmenter la dose quotidienne jusqu'à un maximum de 300 mg comme mesure provisoire pour soigner les symptômes graves.

Spondylite ankylosante: La dose d'attaque recommandée est de 200 mg/jour, en 4 prises. Au début du traitement, certains patients peuvent nécessiter de 250 à 300 mg/jour. La dose peut être modifiée par votre médecin jusqu'à ce que la dose minimale efficace d'entretien ait été atteinte. En cours de traitement, votre médecin peut augmenter la dose quotidienne jusqu'à un maximum de 300 mg comme mesure provisoire pour soigner les symptômes graves.

Dysménorrhée: La dose quotidienne recommandée est de 50 mg, 4 fois/jour.

Froben SR: La dose quotidienne recommandée de Froben SR est d'une capsule de 200 mg, que l'on prend en soirée après avoir mangé. Toute la capsule doit être avalée.

Si vous avez omis de prendre votre dose de Froben SR à l'heure indiquée, vous pouvez la prendre tout de suite, mais vous devrez attendre un minimum de 12 heures avant de prendre la dose suivante. Par la suite, vous pourrez continuer à prendre votre dose tel qu'indiqué. **Il ne faut jamais prendre le double de la dose.**

Important: À moins d'avis contraire de votre médecin, ne prenez pas d'AAS (acide acétylsalicylique), de produits contenant de l'AAS ou d'autres médicaments employés pour le soulagement des symptômes de l'arthrite lorsque vous êtes traité avec Froben. Consultez votre médecin ou pharmacien si vous prenez ou désirez prendre des médicaments qui ne nécessitent pas de prescription médicale.

Si vous devez prendre ce médicament pendant une longue période, votre médecin vous examinera pendant vos visites de routine pour mesurer vos progrès et pour s'assurer que ce médicament n'entraîne pas des effets non désirés. Froben, comme les autres agents anti-inflammatoires, peut entraîner des réactions indésirables en même temps qu'il produit des effets bénéfiques. Les personnes âgées à la santé délicate ou les patients affaiblis semblent éprouver plus souvent des effets secondaires et de façon plus grave. Bien que tous ces effets secondaires ne soient pas communs, ils nécessitent un avis médical lorsqu'ils surviennent. Consultez votre médecin dès qu'un de ces symptômes apparaît: selles sanglantes ou tachées de noir; souffle court, respiration sifflante, problème quelconque de la respiration ou oppression à la poitrine; éruptions cutanées, enflures, urticaire ou démangeaison; indigestion, nausée, vomissements, maux d'estomac, diarrhée; décoloration jaune de la peau ou des yeux, accompagnée ou non de fatigue; tout changement relatif à la quantité ou à la couleur de votre urine (comme plus foncée, rouge ou brune); gonflement des pieds ou des membres inférieurs; vue brouillée ou tout autre problème de la vision; confusion, dépression, étourdissements, vertige; problèmes de l'ouïe.

Rappelez-vous toujours: Avant de prendre ce médicament, il faut le dire à votre médecin et à votre pharmacien si vous: êtes allergique à Froben ou aux autres médicaments du groupe des agents anti-inflamatoires comme l'AAS, le diclofénac, le diflunisal, le fénoprofène, le flurbiprofène, l'ibuprofène, l'indométhacine, le kétoprofène, l'acide méfénamique, le piroxicam, le sulindac, l'acide tiaprofénique ou le tolmétine; avez des antécédents de maux d'estomac, d'ulcères, de maladies rénales ou hépatiques; êtes enceinte ou prévoyez le devenir pendant que vous emploierez ce médicament; allaitez; prenez d'autres médicaments (prescrits ou non); présentez tout autre problème médical.

Quand vous prendrez ce médicament: Communiquez à tout médecin, dentiste et pharmacien que vous consulterez, que vous prenez ce médicament; soyez prudent au volant ou en participant à toute activité exigeant de la vigilance si vous êtes étourdi, si vous avez le vertigue ou si vous vous endormez après avoir pris ce médicament; consultez votre médecin si vous n'obtenez aucun soulagement ou si tout autre problème apparaît; communiquez à votre médecin toute réaction inhabituelle. Ceci est très important car cette réaction peut contribuer à détecter très tôt et à prévenir les complications potentielles; vos examens médicaux de routine sont essentiels; si vous désirez de plus amples informations concernant ce médicament, consultez votre médecin ou votre pharmacien.

Enfants: La sécurité et l'efficacité de Froben n'ont pas été déterminées chez les enfants et conséquemment, son emploi pour ce groupe d'âge n'est pas recommandé.

□ GLUCAGON POUR INJECTION

Lilly

Chlorhydrate de glucagon

Agent hyperglycémiant

Renseignements destinés aux patients: Avis: Ne pas utiliser le glucagon pour injection après la date indiquée sur l'étiquette de la fiole (n° 2) à rayures vertes. Administrer immédiatement le glucagon après l'avoir mélangé au solvant.

Mode d'emploi:

1. Le glucagon est un médicament d'urgence qu'il faut administrer sous surveillance médicale seulement. **Il est important de lire les instructions suivantes avant des situations d'urgence.**
2. En cas de coma insulinique ou de réactions graves, administrer le glucagon et avertir immédiatement un médecin.
3. Il faut agir sans délai. La perte de conscience prolongée peut entraîner des lésions graves.
4. Injecter le glucagon de la même façon que l'insuline (voir les instructions suivantes). Coucher le patient sur le côté.
5. Le patient se réveille généralement dans les 15 minutes. Le faire manger dès qu'il se réveille et qu'il peut avaler.
6. Il n'y a aucun risque de surdosage.
7. Si le médecin le recommande, administrer ½ de la dose mélangée de glucagon aux petits enfants.

Indications: Le glucagon est indiqué dans le traitement de l'hypoglycémie (faible taux de glucose dans le sang). Les symptômes de l'hypoglycémie sont les suivants:

- sueurs

- somnolence
- étourdissements
- troubles du sommeil
- palpitations
- anxiété
- tremblements
- vue brouillée
- faim
- troubles d'élocution
- agitation
- humeur dépressive
- picotements dans les mains, les pieds, les lèvres ou la langue
- irritabilité
- vertige
- comportement anormal
- incapacité de se concentrer
- mouvements instables
- maux de tête
- changements de personnalité

Si le patient n'est pas traité, son état peut évoluer jusqu'à l'hypoglycémie grave qui peut comprendre:

- désorientation
- crises convulsives
- inconscience
- mort

La présence de ces symptômes exige l'administration immédiate, et au besoin, répétée d'hydrates de carbone sous une forme quelconque (bonbons, jus d'orange, sirop de maïs, miel ou morceaux de sucre).

Si l'état du patient ne s'améliore pas ou si l'on ne peut lui administrer des hydrates de carbone, on devra lui donner du glucagon. Le glucagon, substance naturelle produite par le pancréas, est indiqué parce qu'il permet au patient d'élaborer lui-même le glucose sanguin nécessaire pour corriger son état hypoglycémique. Le patient peut alors prendre des hydrates de carbone par voie orale. On peut ainsi prévenir des réactions hypoglycémiques graves et équilibrer plus facilement le diabète. Les patients qui ne peuvent prendre de sucre par voie orale, ou qui sont inconscients, doivent recevoir une injection de glucagon ou doivent recevoir une injection de glucose par voie i.v. à un centre médical. **Le médecin doit être averti immédiatement de toute réaction hypoglycémique grave.**

Remarque: L'acidose diabétique (hyperglycémie), tout comme l'hypoglycémie, peut entraîner le coma chez le diabétique. Dans ce cas, le patient ne répondra pas à l'administration du glucagon. Ces patients exigent les soins immédiats d'un médecin pour le traitement de l'acidose. Avertir immédiatement un médecin.

Reconstitution: Remarque: Ne reconstituer le glucagon qu'au moment où l'urgence se présente.

1. Enlever les capuchons en plastique des fioles n°s 1 et 2.
2. Essuyer les bouchons en caoutchouc des fioles avec un tampon d'alcool.
3. Utiliser une seringue et une aiguille stériles pour insuline U-100. Enlever la gaine de l'aiguille.
4. Tirer le piston de la seringue jusqu'au trait marquant 50 unités sur la seringue de 100 unités. La seringue contient alors ½ mL d'air.
5. Prendre la plus petite fiole à étiquette blanche (n° 1) contenant le solvant. Perforer le centre du bouchon à l'aide de l'aiguille fixée à la seringue contenant ½ mL d'air.
6. Renverser la fiole et y injecter lentement l'air contenu dans la seringue. Il est maintenant plus facile de retirer le solvant.
7. Maintenir la pointe de l'aiguille dans le solvant et aspirer entièrement la solution dans la seringue.
8. Retirer la seringue de la fiole n° 1 et enfoncer l'aiguille dans la fiole à rayures vertes (n° 2) contenant le glucagon. Injecter tout le solvant de la seringue dans la fiole n° 2.
9. Retirer la seringue. Agiter doucement la fiole jusqu'à ce que le glucagon se dissolve et que la solution devienne limpide. **Utiliser le glucagon uniquement si la solution est limpide et de consistance aqueuse.**

Administration du Glucagon: Utiliser la même technique que celle de l'injection d'insuline.

1. À l'aide de la même seringue, retirer toute la solution de la fiole n° 2.
2. Nettoyer le point d'injection de la fesse, du bras ou de la cuisse avec un tampon d'alcool.
3. Introduire l'aiguille dans les tissus au point d'injection nettoyé et injecter toute la solution de glucagon. Appuyer légèrement au point d'injection et retirer l'aiguille.
4. Si le médecin le recommande, administrer ½ de la dose mélangée de glucagon aux petits enfants.

Faire manger le patient aussitôt qu'il se réveille et qu'il peut avaler.

Si le patient ne se réveille pas dans les 15 minutes, administrer une autre dose de glucagon et **avertir immédiatement un médecin.**

Mises en garde: Une glycémie basse peut provoquer des convulsions. Lorsqu'un patient inconscient se réveille, il risque de vomir. Tourner le patient sur le côté pour l'empêcher de s'étouffer lorsqu'il vomit.

□ GONAL-F® 🄿

Serono

Follitropine alpha (origine ADN recombinant)

Gonadotrophine

Renseignements destinés aux patients: Quelques mots sur Gonal-F. Gonal-F (follitropine alpha d'origine ADNr pour injection) est le traitement le plus évolué destiné à aider les couples à procréer. Il s'agit d'une hormone d'une extrême pureté utilisée dans le traitement de l'infertilité. Elle ne doit être administrée que sous étroite surveillance médicale.

Avant d'entreprendre votre traitement, il est important que vous connaissiez la nature de Gonal-F, que vous sachiez comment il peut vous aider à concevoir et à quoi vous devez vous attendre. Lisez cette information attentivement, et si vous avez des questions, parlez-en avec votre médecin.

Qu'est-ce que Gonal-F? Gonal-F est une gonadotrophine produite par technologie recombinante d'ADN. Il contient de la FSH (hormone folliculo-stimulante) d'une extrême pureté, mais il est tout à fait dépourvu de LH (hormone lutéinisante).

Gonal-F vous fournit la FSH essentielle à la croissance et à la maturation des follicules ovariens qui contiennent les ovules. Ce processus a lieu au début du cycle menstruel. Au milieu du cycle, afin d'induire une ovulation, on prescrit une autre hormone, Profasi HP (gonadotrophine chorionique humaine).

Pourquoi m'a-t-on prescrit Gonal-F? Si votre médecin vous a prescrit Gonal-F, c'est probablement parce que votre hypophyse ne produit pas de FSH, ou qu'elle ne libère pas de FSH et LH dans les bonnes proportions. À cause de ce déséquilibre, les follicules ne peuvent venir à maturité et l'ovulation ne peut pas avoir lieu. Gonal-F contribue à rétablir l'équilibre de FSH que requièrent les ovaires, permettant ainsi aux follicules ovariens de se développer.

Mon médecin m'a dit que Gonal-F est un nouveau médicament, en quoi est-il différent des autres traitements? Les gonadotrophines utilisées dans le traitement de l'infertilité se sont beaucoup améliorées au fil des ans. Les premières préparations de gonadotrophines contenaient de la FSH ainsi que des quantités variables de LH et de protéines urinaires.

Gonal-F, un produit obtenu à partir de technologie recombinante d'ADN, se compose de FSH d'une extrême pureté, sans protéines urinaires ni LH.

Comment doit-on administrer Gonal-F? Gonal-F ne peut pas être pris par la bouche, car il serait digéré dans l'estomac et n'agirait pas. Il doit donc être administré par injection. Par ailleurs, en raison de leur très grande pureté, Gonal-F et la gonadotrophine chorionique humaine (Profasi HP) sont approuvés pour administration par injections s.c. (sous la surface de la peau). Ce type d'injection est plus facile à faire et est moins douloureux que les injections i.m. (dans un muscle). Si bien qu'avec des conseils professionnels, vous pourrez vous injecter vous-même ce médicament à la maison.

Combien de temps durera mon traitement? Tout dépendra de votre réaction. Chaque traitement est véritablement individualisé et c'est à votre médecin d'évaluer soigneusement votre réaction. Si vous ne devenez pas enceinte au moyen du traitement avec Gonal-F, votre médecin peut décider d'y mettre fin et d'envisager un autre traitement ou une autre solution.

L'usage de Gonal-F entraîne-t-il des effets secondaires? Tous les médicaments peuvent provoquer des effets secondaires et Gonal-F n'est pas différent des autres. Votre médecin surveillera tout particulièrement les risques d'hyperstimulation ovarienne (SHO). Pour éviter l'hyperstimulation ovarienne, votre médecin observera régulièrement et attentivement vos réactions au traitement avec Gonal-F. Chez 20 % des femmes, la gonadotrophine peut produire une hypertrophie ovarienne,

Gonal-F (suite)

parfois accompagnée de ballonnements et de douleurs. En général, ces effets disparaissent avec la cessation du traitement. Quant aux problèmes pouvant menacer la vie de la patiente, ils sont rares dans ce type de traitement.

D'autres effets indésirables, telles des réactions allergènes, des irritations et de l'enflure à l'endroit où l'injection a été faite, peuvent se manifester. Si vous ressentez des symptômes inhabituels ou des effets secondaires, parlez-en immédiatement à votre médecin. De plus, il serait sage de discuter des effets secondaires possibles du médicament avant le début du traitement.

Quels sont les risques de naissances multiples avec Gonal-F? L'incidence de naissances multiples avec Gonal-F est la même que chez les femmes traitées avec d'autres gonadotrophines, et dépend du protocole utilisé par la clinique. Dans la majorité des cas (environ 80 %) la femme donne naissance à un seul enfant. Chez celles qui accouchent de plus d'un enfant, il s'agit dans la plupart des cas de jumeaux. Très rares donc sont les femmes qui conçoivent et donnent naissance à 3 bébés ou plus. Votre médecin vous surveillera de près, afin de minimiser les risques de gestations multiples. En aucun cas, cependant, on ne peut garantir qu'il s'agira d'une naissance unique ou multiple.

Méthode d'injection de Gonal-F: Guide détaillé: Avant de commencer: Lisez bien attentivement toute cette information. Elle vous aidera à vous familiariser avec la méthode d'injection de Gonal-F et de clarifier les points obscurs le cas échéant. Toute l'information porte exclusivement sur l'emploi de Gonal-F. Si l'on vous a prescrit un traitement pour l'infertilité autre que Gonal-F, consultez votre médecin.

Vous ressentez probablement, et c'est bien naturel, quelques appréhensions à vous injecter vous-même ce médicament. C'est la raison pour laquelle ce guide a été préparé. Consultez-le au besoin et suivez-en scrupuleusement les directives. Pour votre commodité, Serono a produit un vidéo sur la méthode d'auto-injection avec Gonal-F, et Profasi, vidéo qui est disponible à votre clinique. Si vous vous posez des questions ou avez des préoccupations qui ne sont pas traitées dans ce guide, consultez le médecin ou l'infirmière qui s'occupe de vous à la clinique où vous recevez votre traitement.

Chaque traitement est individualisé. Le vôtre a été soigneusement conçu pour vous par votre médecin selon vos besoins spécifiques. Il est très important que vous ne manquiez aucun rendez-vous et que vous suiviez les instructions de votre médecin, particulièrement pour la quantité de médicament à prendre et la fréquence des injections. Si vous oubliez ou manquez une injection, ne paniquez pas. Appelez votre médecin ou infirmière pour un conseil.

La trousse Gonal-F contient:

- seringues de 3 cc avec aiguilles de calibre 21 ou 22 de 1½ po (pour faire le mélange);
- aiguilles de calibre 25 ou 27½ (pour injection);
- tampons imbibés d'alcool;
- récipient pour recueillir les ampoules et aiguilles usagées.

Suivez toujours à la lettre les principes de base de l'auto-injection:

- respectez les normes de stérilité;
- vérifiez bien le médicament, assurez-vous qu'il soit clair, incolore et sans matière particulaire;
- respectez la posologie et suivez les instructions pour le mélange;
- faites les injections, chaque jour, à des endroits différents.

Points très importants à se rappeler:

- Gardez les ampoules de Gonal-F au réfrigérateur ou à la température ambiante (entre 3 et 25 °C) dans un endroit sombre, protégées de toutes sources directes de chaleur et de froid extrême.
- Vérifiez toujours la date d'expiration avant l'emploi; n'utilisez jamais de Gonal-F dont la date d'expiration est déjà passée.
- La solution Gonal-F doit être préparée juste avant son utilisation. **N'utilisez pas le médicament si la solution est trouble, grumeleuse ou décolorée. Assurez-vous d'utiliser la bonne quantité d'ampoules de Gonal-F, la bonne teneur et un volume de diluant adéquat.**
- Vérifiez le site de l'injection précédente et prenez-en note.
- Il est recommandé de faire les injections de Gonal-F à la même heure tous les jours.
- Jetez toute solution inutilisée.

Si vous n'êtes pas certaine de la procédure à suivre pour mélanger la solution, ou si vous avez de la difficulté avec les injections, communiquez avec votre clinique immédiatement.

Les 11 étapes de l'auto-injection (voir le prospectus d'emballage pour les illustrations):

1. **Hygiène:** Avant de commencer, lavez-vous les mains à fond avec de l'eau et du savon. Il est essentiel que vos mains ainsi que tous les articles que vous utiliserez soient aussi stériles que possible. Les aiguilles ne doivent entrer en contact avec aucun objet, sauf l'intérieur des ampoules et la peau qui est préalablement nettoyée à l'alcool. Laissez aux aiguilles leur capuchon jusqu'au moment de vous en servir. Afin de prévenir la contamination, utilisez une aiguille neuve à chaque injection. Après usage, jeter les aiguilles dans le récipient prévu à cette fin.
2. **Rassemblez tout ce dont vous avez besoin:** Sur un plan de travail bien propre, rassemblez tout ce qu'il vous faut:
   - un tampon imbibé d'alcool;
   - une seringue munie d'une longue aiguille pour faire le mélange;
   - une aiguille de calibre 25 ou 27½ pour l'injection;
   - les ampoules de Gonal-F et de diluant.

   Si vous êtes dans la cuisine, veillez à garder la nourriture loin du médicament et des aiguilles. Quant à l'injection elle-même, vous pourrez la faire dans n'importe quelle pièce où vous serez à l'aise.
3. **Comment préparer la seringue pour faire le mélange:** Sortez la seringue de 3 cc de son emballage tout en prenant soin de garder en place le capuchon qui protège l'aiguille. En tenant l'embase de l'aiguille, desserrez le capuchon, mais ne le retirez pas encore. Déposez le tout avec précaution sur le plan de travail.
4. **Comment ouvrir les ampoules:** Vous devriez avoir une ampoule contenant le diluant (le liquide transparent) ainsi que le nombre prescrit d'ampoules de Gonal-F 75 UI ou 150 UI (la poudre blanche). Sur la partie supérieure de l'ampoule de diluant, vous remarquerez un petit point de couleur. Juste au-dessous de ce point, le goulot de l'ampoule a été traité pour qu'il se brise facilement.

   D'un léger coup d'ongle sur la partie supérieure de l'ampoule, faites tomber le liquide ou la poudre qui s'y trouve dans la partie renflée du bas.

   Enveloppez la partie supérieure de l'ampoule dans le tampon d'alcool (toujours enveloppé). Brisez l'ampoule dans le sens opposé au point de couleur. Déposez doucement l'ampoule ouverte sur le plan de travail et jetez la partie supérieure de l'ampoule dans le récipient prévu pour recueillir les objets tranchants et pointus. Continuez à ouvrir toutes les ampoules de cette façon.
5. **Comment aspirer le diluant?** Prenez la seringue pour faire le mélange et retirez soigneusement le capuchon qui protège l'aiguille en veillant à ce que l'aiguille ne touche à aucune surface. En tenant la seringue d'une main et le diluant avec l'autre main, insérez-y l'aiguille et aspirez le diluant. Jetez l'ampoule vide dans le récipient. Volume pour la reconstitution: Le volume de diluant pour la reconstitution est compris entre 0,5 et 1 mL; jusqu'à 3 ampoules de Gonal-F 75 UI (total de 225 UI) peuvent être reconstituées dans 1 mL de diluant (eau stérile pour injection, USP). Les ampoules reconstituées doivent être utilisées immédiatement, et toute solution inutilisée doit être jetée.
6. **Comment préparer la solution à injecter:** Lentement, injectez le diluant dans l'ampoule. Si votre médecin vous a prescrit plus d'une ampoule de Gonal-F, aspirez la solution dans la seringue et injectez-la dans une autre ampoule. Répétez cette étape jusqu'à ce que toutes les ampoules aient été reconstituées. La poudre se dissoudra instantanément sans que vous ayez à agiter l'ampoule. **N'utilisez pas le médicament si la solution est trouble, grumeleuse ou décolorée.**
7. **Comment aspirer la solution:** En vous servant de la seringue à injection, aspirez le contenu de l'ampoule (ou de la dernière ampoule) en veillant à ce que le piston ne sorte pas de la seringue. Pour plus de facilité, il est parfois nécessaire de pencher l'ampoule lentement. Les ampoules vides doivent être jetées dans le récipient fourni à cette fin.
8. **Comment éliminer les bulles d'air et changer l'aiguille:** Placez la seringue à la verticale (l'aiguille vers le haut). Avec l'ongle, donnez de légers coups sur la seringue jusqu'à ce que toutes les bulles aient monté à la surface. Si il n'y a pas de bulles d'air, ou si il n'y a pas d'espace pour de l'air, tirez sur le piston afin de créer un espace dans la seringue pour environ 0,1 mL d'air.

   Replacez le capuchon sur l'aiguille, et enlevez l'aiguille en la dévissant. Remplacez l'aiguille par une aiguille pour injection de calibre 25 ou 27½, protégée par son capuchon. Placez la seringue sur une surface propre. Ne vous inquiétez pas si vous êtes incapable d'enlever les petites bulles, car elles ne représentent aucun danger. Quand vous retournerez la seringue pour vous donner l'injection, l'air se retrouvera près du piston, et ceci assurera que tout le médicament a été injecté (l'air demeurera dans l'aiguille).

9. **Préparation du site d'injection:** Choisissez le site d'injection (p. ex. le haut de la cuisse, le ventre). À l'aide d'un tampon imbibé d'alcool, nettoyez l'endroit choisi (environ 2 po×2 po). Déposez le tampon sur une surface propre ou sur l'emballage, en prenant soin de poser le côté déjà utilisé sur la surface.
10. **Comment injecter le médicament:** Prenez votre seringue et retirez le capuchon qui recouvre l'aiguille. Retournez la seringue et tenez-la comme si vous vous apprêtiez à lancer une fléchette. Avec l'autre main, saisissez un pli de votre peau entre le pouce et l'index, puis enfoncez l'aiguille verticalement (90 degrés) à fond dans le pli de peau, comme si vous lanciez une fléchette. (Cette manœuvre ne nécessite que très peu de force, mais il faut l'exécuter d'un coup sec.)

    Une fois que l'aiguille est bien enfoncée dans la peau, injectez lentement le médicament, en appuyant doucement sur le piston avec le pouce de la main tenant la seringue, et ce jusqu'à ce que toute la solution ait été injectée.

    Prenez le temps nécessaire pour vous assurer de bien injecter tout le médicament. Retirez l'aiguille immédiatement et, à l'aide du côté propre du tampon imbibé d'alcool, nettoyez la peau avec des mouvements circulaires. S'il y a suintement au niveau du point d'injection, maintenez le tampon d'alcool en place en exerçant une légère pression sur la peau pendant environ 1 minute.
11. **Comment vous défaire des articles utilisés:** Après l'injection, jetez toutes les aiguilles usagées et les ampoules vides dans le récipient fourni à cette fin.

Effets indésirables possibles:

- Réactions dermatologiques locales (douleur, enflure, irritation, rougeur) sont peu probables si vous variez le site d'injection. Si elles apparaissent, elles disparaîtront en quelques jours. Les ecchymoses se produisent occasionnellement au site d'injection même si l'injection est faite correctement. Elles disparaîtront.
- Symptômes dermatologiques (sécheresse de la peau, rash corporel, chute des cheveux, uticaire).
- Hypertrophie ovarienne légère ou modérée se produit dans 20 % des cas. Cette situation disparaît normalement en 2 ou 3 semaines après l'arrêt de Gonal-F.
- Symptômes gastro-intestinaux (nausées, vomissements, diarrhée, crampes abdominales, ballonnement).
- Céphalée.
- Douleur abdominale.
- Grossesse multiple.
- Sensibilité des seins.
- Kystes de l'ovaire.
- Hémopéritoine.
- Torsion des annexes cutanées.
- Complications pulmonovasculaires.
- Réactions allergiques possibles (fièvre, frissons, douleurs articulaires, céphalée et fatigue).
- Cancer des ovaires (aucun lien de **causalité** entre le traitement par ce médicament et le cancer des ovaires n'a été établi. On a signalé des cas de cancer des ovaires chez un petit nombre des femmes inféconds qui avaient reçu des médicaments de fertilité).
- Syndrome d'hyperstimulation ovarienne (SHO) peut se produire **après** que le traitement soit terminé, atteignant son intensité maximale dans les 7 à 10 jours qui suivent l'arrêt du traitement à hCG (incidence faible). Les symptômes peuvent progresser rapidement: les signes avant-coureurs sont des fortes douleurs pelviennes, des nausées, des vomissements et un gain pondéral pouvant progresser vers distension abdominale, nausée, vomissement, diarrhée, hypertrophie ovarienne très importante, souffle court et oligurie. Les patientes présentant n'importe lequel de ces symptômes devraient contacter leur clinique immédiatement.

☐ GYNECURE[MC]

Pfizer, Soins de la santé

Tioconazole

Antifongique

Renseignements destinés aux patients: Emballage duo: Onguent et crème: Indications: Pour le soulagement des symptômes de la candidose vaginale, comme les démangeaisons, la sensation de brûlure et les pertes blanches. Guérit **la plupart** des candidoses vaginales.

Votre médecin a diagnostiqué une candidose vaginale et vous a recommandé Gynecure pour la traiter. Vous êtes loin d'être la seule à souffrir de cette infection. En effet, on estime que chaque année plus d'un million et demi de Canadiennes sont aux prises avec des infections vaginales à Candida. Environ 75 % des femmes auront ce problème au moins une fois dans leur vie et près du tiers d'entre elles subiront une réinfection.

Voici les réponses à certaines questions que les femmes se posent souvent au sujet de Gynecure et de la candidose vaginale.

Comment Gynecure agit-il? L'onguent vaginal Gynecure est une préparation unique en son genre qui permet un traitement efficace de la candidose vaginale en une seule dose. Il est présenté dans un applicateur déjà rempli, d'emploi facile, à jeter après usage; il suffit d'appliquer Gynecure une fois, au coucher.

Gynecure est un traitement intensif d'une journée, **ce qui ne signifie pas** que la guérison s'obtient en une seule journée! Gynecure offre un mode d'administration différent qui procure les bienfaits d'un traitement complet en une seule dose. Même si certaines femmes se sentent mieux dès les premières 24 heures, la plupart n'obtiennent un soulagement que **24 à 72 heures** après l'application. Gynecure continue d'agir même quand les symptômes ont disparu, pour assurer la guérison complète de l'infection.

La crème fournie dans cet emballage duo soulage les démangeaisons, la sensation de brûlure et l'irritation des parties externes de l'appareil génital (vulve). Elle aide à soulager les symptômes de l'infection, en attendant l'heure du coucher, moment prévu pour appliquer l'onguent Gynecure, lequel permettra d'enrayer l'infection.

Comment être certaine qu'il s'agit bien d'une vaginite à Candida? Les infections vaginales sont en général causées par 3 types de germes: les levures, les bactéries et Trichomonas, un parasite. Voici les symptômes habituels de ces infections: Levures (Candida): sensation de brûlure, démangeaisons, rougeur ou irritation de la vulve, douleurs vulvaires ou vaginales. Pertes vaginales: blanchâtres ou blanches, inodores, en grumeaux. Bactéries: parfois asymptomatiques. Pertes vaginales: à odeur de poisson. Trichomonas: irritation du vagin et de la vulve. Démangeaisons vaginales. Douleurs abdominales. Pertes vaginales: abondantes et malodorantes.

Les symptômes de la vaginite à Candida se manifestent au niveau du vagin et de la vulve (partie externe de l'appareil génital). Ces infections sont causées par un champignon de type levure, appelé Candida, qui a tendance à se multiplier lorsque le milieu normal du vagin est perturbé.

Si vous n'avez jamais eu de vaginite à Candida et que vous pensez en avoir une, ou encore si vous n'êtes pas tout à fait sûre que vos symptômes soient ceux d'une vaginite à Candida, consultez un médecin. Les infections vaginales ne sont pas toutes des vaginites à Candida. Gynecure est exclusivement indiqué pour le traitement des vaginites à Candida; il ne doit donc pas servir à traiter d'autres infections vaginales.

Comment peut-on contracter cette infection? En temps normal, les sécrétions vaginales acides (pH bas) assurent un milieu vaginal sain et protecteur. L'augmentation du pH entraîne par contre une diminution de la résistance naturelle du milieu vaginal à l'infection.

Plusieurs facteurs peuvent perturber le milieu naturel du vagin et favoriser la prolifération de Candida, comme:

- des facteurs hormonaux: grossesse, cycle menstruel, prise de contraceptifs oraux (proportion élevée d'œstrogènes), œstrogénothérapie (pour les symptômes de la ménopause);
- les traitements antibiotiques;
- un diabète sucré mal équilibré;
- une déficience du système immunitaire, infection par le VIH (sida), corticothérapie, chimiothérapie (traitement du cancer).

Le médecin doit écarter la présence de toute maladie sous-jacente pouvant contribuer à une récidive de la vaginite à Candida (reprise de l'infection).

Pourquoi ces infections ont-elles tendance à se répéter? Chez certaines femmes, la candidose vaginale est une infection qui réapparaît régulièrement. En ce qui a trait aux facteurs d'origine médicale mentionnés ci-dessus, comme le fait de prendre des antibiotiques, il n'y a pas grand-chose à faire. Cependant, la réinfection est souvent attribuable au fait que l'infection initiale n'a pas été réellement éliminée.

La guérison d'une infection est un processus qui se déroule en deux temps. Le premier temps correspond à la disparition des symptômes (les médecins parlent parfois de «guérison clinique» pour désigner cette étape); le second temps correspond à la disparition de l'infection elle-même (c'est-à-dire à l'élimination de tous les champignons). De nombreuses femmes cessent leur traitement dès que les démangeaisons et la sensation de brûlure ont disparu, parce qu'elles se sentent mieux. Pourtant, bien souvent, l'infection est encore présente et le fait de

Gynecure (suite)

cesser le traitement prématurément permet à l'infection de reprendre le dessus et aux symptômes, de réapparaître. Par conséquent, si vous ne continuez pas votre traitement jusqu'à la fin, quelle qu'en soit la durée, l'infection reviendra régulièrement.

C'est aussi ce qui se passe avec les remèdes maison comme les douches vaginales à base de yogourt, de bicarbonate de soude ou autres. Ces méthodes procurent un soulagement temporaire des symptômes, mais elles ne s'attaquent pas véritablement à l'infection. Les femmes qui ont recours à ces remèdes pour soigner les vaginites à Candida ont un taux très élevé de réinfection.

Gynecure a été spécialement conçu pour agir en une seule application et aider les femmes à traiter leur vaginite de manière rapide, facile et efficace. Vous n'avez pas à penser à prendre vos médicaments, puisqu'il suffit d'une seule dose de Gynecure pour soulager vos symptômes et éliminer l'infection.

Comment prévenir la réinfection? Vous pouvez prendre plusieurs mesures pour réduire les réinfections autant que possible.

- Évitez les produits chimiques irritants, comme les vaporisateurs pour l'hygiène féminine et les douches vaginales, de même que le papier hygiénique et les tampons parfumés. Le chlore des piscines peut aussi modifier le pH naturel du vagin.
- Adoptez des habitudes d'hygiène générale qui contribueront à la réussite du traitement et aideront à prévenir les réinfections; par exemple, portez des sous-vêtements amples, en coton et changez-les tous les jours; asséchez bien la vulve à la sortie du bain; évitez de porter des vêtements humides pendant des heures (costumes de bain) et essuyez-vous de l'avant vers l'arrière après la selle.
- Diminuez votre consommation de sucre, car une alimentation riche en sucre peut favoriser les vaginites à Candida.

Peut-on avoir des rapports sexuels pendant un traitement par Gynecure? Les rapports sexuels peuvent diminuer l'efficacité de Gynecure et augmenter les risques de réinfection; il est donc préférable de s'en abstenir pendant environ 7 jours. Par ailleurs, certains composants de Gynecure peuvent détériorer le caoutchouc des condoms et des diaphragmes. Enfin, Gynecure n'est pas un contraceptif et ne prévient donc pas la grossesse.

À qui s'adresser pour avoir plus d'informations? Si vous avez encore des questions sur les vaginites à Candida ou sur Gynecure, n'hésitez pas à présenter ce feuillet à un pharmacien ou à un médecin pour obtenir un complément d'informations ou encore, appelez Pfizer au 1 800 260-8988; une infirmière répondra à vos questions.

Mode d'emploi (voir le prospectus d'emballage pour les illustrations): **Onguent vaginal:** Appliquer Gynecure au coucher; non sans avoir pris soin de lire le mode d'emploi et les précautions ci-dessous. L'applicateur fourni dans cet emballage est déjà rempli d'une quantité exacte d'onguent et il a été conçu pour en faciliter l'administration. **Il comprend un capuchon, un piston et un cylindre.**

1. Glissez le piston dans le cylindre; avant d'insérer l'applicateur, **enlevez d'abord le capuchon blanc qui en obture le bout.**
2. Allongez-vous sur le dos et en tenant l'applicateur par le cylindre, insérez-le profondément, sans forcer, dans le vagin.
3. Une fois l'applicateur en place, poussez lentement sur le piston **jusqu'au bout pour que toute la dose** d'onguent se dépose dans le vagin.
4. Retirez l'applicateur et jetez-le.

Crème pour usage externe:

- Avec les doigts, appliquez une petite quantité de crème et frottez délicatement la région irritée, en allant de l'avant vers l'arrière, c'est-à-dire de la vulve vers la région anale. Appliquez 1 ou 2 fois par jour, plusieurs jours de suite au besoin, mais pas plus de 7 jours.
- Ne pas utiliser la crème pour des démangeaisons vulvaires qui ne sont pas causées par une infection à Candida.
- La crème est réservée exclusivement à l'usage externe.

Mise en garde:

1. Utilisez Gynecure seulement si un médecin a déjà diagnostiqué chez vous une vaginite à Candida et que vous avez de nouveau les mêmes symptômes, soit des démangeaisons, une sensation de brûlure et, dans certains cas, des pertes blanchâtres. Sinon, consultez un médecin.
2. Consultez un médecin si après 3 jours vous n'avez éprouvé aucun soulagement; dans ce cas, vous souffrez peut-être d'un autre type d'infection.
3. Consultez un médecin si, avant ou pendant l'utilisation du médicament, vous souffrez de douleurs abdominales ou de fièvre ou si vous avez des pertes vaginales dégageant une odeur désagréable.
4. Consultez un médecin si vos symptômes réapparaissent en l'espace de 2 mois.
5. En cas de grossesse confirmée ou présumée, ou encore si vous allaitez, n'utilisez le produit que sur les conseils du médecin.
6. N'administrez pas ce produit aux enfants de moins de 12 ans, sauf sur recommandation d'un médecin.
7. En cas d'éruption cutanée ou de nouvelles irritations, cessez d'utiliser le produit et consultez un médecin.
8. Si vous êtes particulièrement exposée aux maladies transmissibles sexuellement (MTS), par exemple, si vous avez de nombreux partenaires ou si vous changez souvent de partenaire, consultez un médecin avant de commencer un nouveau traitement.
9. Si vous devez passer un examen gynécologique, n'utilisez pas le produit dans les 72 heures qui précèdent cet examen.
10. Les personnes allergiques au tioconazole, à l'un des excipients ou à d'autres antifongiques de la classe des imidazoles ne doivent pas utiliser la crème vulvaire.
11. Ne pas utiliser la crème vulvaire pour traiter les infections des yeux.

Avertissement:

- Certains composants de l'onguent et de la crème peuvent détériorer le caoutchouc des condoms et des diaphragmes. Par conséquent, n'utilisez pas Gynecure avec ces préservatifs.
- Pour prévenir tout risque de contamination du produit, n'ouvrir le sachet qu'au moment de s'en servir.
- Gardez ce produit, comme tout autre médicament, hors de la portée des enfants.
- En cas d'ingestion accidentelle, consultez un professionnel de la santé ou communiquez sans délai avec un centre antipoison.
- Évitez tout contact avec les yeux; en cas de contact, bien rincer les yeux.

Excipients: Onguent vaginal: silicate d'aluminium et de magnésium, butylhydroxyanisol, vaseline.

Crème vulvaire pour usage externe: alcool benzylique, (cétostéaryl) alcool éthoxylaté, huile minérale, vaseline, propylèneglycol, acide stéarique, alcool stéarylique, eau.

Conserver à la température ambiante (entre 15 et 30 °C); ce produit craint le gel.

La monographie est fournie aux médecins et aux pharmaciens sur demande.

Emballage duo: Ovule et crème: Indications: Pour le soulagement des symptômes de la candidose vaginale, comme les démangeaisons, la sensation de brûlure et les pertes blanches. Guérit **la plupart** des candidoses vaginales.

Votre médecin a diagnostiqué une candidose vaginale et vous a recommandé Gynecure pour la traiter. Vous êtes loin d'être la seule à souffrir de cette infection. En effet, on estime que chaque année plus d'un million et demi de Canadiennes sont aux prises avec des infections vaginales à Candida. Environ 75 % des femmes auront ce problème au moins une fois dans leur vie et près du tiers d'entre elles subiront une réinfection.

Chez Pfizer, nous comprenons votre problème et désirons vous aider. Voici les réponses à certaines questions que les femmes se posent souvent au sujet de Gynecure et de la candidose vaginale.

Comment Gynecure agit-il? L'ovule Gynecure est une préparation unique en son genre qui permet un traitement efficace de la candidose vaginale en une seule dose. Il est commode et d'un emploi facile et l'applicateur se jette après usage; il suffit d'insérer un ovule Gynecure une fois, au coucher—un traitement simple, propre et commode en une seule dose.

Gynecure est un traitement intensif d'une journée, **ce qui ne signifie pas** que la guérison s'obtient en une seule journée! Gynecure offre un mode d'administration différent qui procure les bienfaits d'un traitement complet en une seule dose. Même si certaines femmes se sentent mieux dès les premières 24 heures, la plupart n'obtiennent un soulagement que **24 à 72 heures** après l'application. Gynecure continue d'agir même quand les symptômes ont disparu, pour assurer la guérison complète de l'infection. Après tout, vous avez certainement mieux à faire!

La crème fournie dans cet emballage duo soulage les démangeaisons, la sensation de brûlure et l'irritation des parties externes de l'appareil génital (vulve). Elle aide à soulager les symptômes de l'infection, en attendant l'heure du coucher, moment prévu pour appliquer l'onguent Gynecure, lequel permettra d'enrayer l'infection.

Comment être certaine qu'il s'agit bien d'une vaginite à Candida? Les infections vaginales sont en général causées par 3 types de germes: les levures, les bactéries et Trichomonas, un parasite. Voici les symptômes habituels de ces infections: Levures (Candida): sensation de brûlure, démangeaisons, rougeur ou irritation de la vulve, douleurs vulvaires ou vaginales. Pertes vaginales: blanchâtres ou blanches, inodores, en grumeaux. Bactéries: parfois asymptomatiques. Pertes vaginales: à odeur de poisson. Trichomonas: irritation du vagin et de la vulve. Démangeaisons vaginales. Douleurs abdominales. Pertes vaginales: abondantes et malodorantes.

Les symptômes de la vaginite à Candida se manifestent au niveau du vagin et de la vulve (partie externe de l'appareil génital). Ces infections sont causées par un champignon de type levure, appelé Candida, qui a tendance à se multiplier lorsque le milieu normal du vagin est perturbé.

Si vous n'avez jamais eu de vaginite à Candida et que vous pensez en avoir une, ou encore si vous n'êtes pas tout à fait sûre que vos symptômes soient ceux d'une vaginite à Candida, consultez un médecin. Les infections vaginales ne sont pas toutes des vaginites à Candida. Gynecure est exclusivement indiqué pour le traitement des vaginites à Candida; il ne doit donc pas servir à traiter d'autres infections vaginales.

Comment peut-on contracter cette infection? En temps normal, les sécrétions vaginales acides (pH bas) assurent un milieu vaginal sain et protecteur. L'augmentation du pH entraîne par contre une diminution de la résistance naturelle du milieu vaginal à l'infection.

Plusieurs facteurs peuvent perturber le milieu naturel du vagin et favoriser la prolifération de Candida, comme:

- des facteurs hormonaux: grossesse, cycle menstruel, prise de contraceptifs oraux (proportion élevée d'œstrogènes), œstrogénothérapie (pour les symptômes de la ménopause);
- les traitements antibiotiques;
- un diabète sucré mal équilibré;
- une déficience du système immunitaire, infection par le VIH (sida), corticothérapie, chimiothérapie (traitement du cancer).

Le médecin doit écarter la présence de toute maladie sous-jacente pouvant contribuer à une récidive de la vaginite à Candida (reprise de l'infection).

Pourquoi ces infections ont-elles tendance à se répéter? Chez certaines femmes, la candidose vaginale est une infection qui réapparaît régulièrement. En ce qui a trait aux facteurs d'origine médicale mentionnés ci-dessus, comme le fait de prendre des antibiotiques, il n'y a pas grand-chose à faire. Cependant, la réinfection est souvent attribuable au fait que l'infection initiale n'a pas été réellement éliminée.

La guérison d'une infection est un processus qui se déroule en deux temps. Le premier temps correspond à la disparition des symptômes (les médecins parlent parfois de «guérison clinique» pour désigner cette étape); le second temps correspond à la disparition de l'infection elle-même (c'est-à-dire à l'élimination de tous les champignons). De nombreuses femmes cessent leur traitement dès que les démangeaisons et la sensation de brûlure ont disparu, parce qu'elles se sentent mieux. Pourtant, bien souvent, l'infection est encore présente et le fait de cesser le traitement prématurément permet à l'infection de reprendre le dessus et aux symptômes, de réapparaître. Par conséquent, si vous ne continuez pas votre traitement jusqu'à la fin, quelle qu'en soit la durée, l'infection reviendra régulièrement.

C'est aussi ce qui se passe avec les remèdes maison comme les douches vaginales à base de yogourt, de bicarbonate de soude ou autres. Ces méthodes procurent un soulagement temporaire des symptômes, mais elles ne s'attaquent pas véritablement à l'infection. Les femmes qui ont recours à ces remèdes pour soigner les vaginites à Candida ont un taux très élevé de réinfection.

Gynecure a été spécialement conçu pour agir en une seule application et aider les femmes à traiter leur vaginite de manière rapide, facile et efficace. Vous n'avez pas à penser à prendre vos médicaments, puisqu'il suffit d'une seule dose de Gynecure pour soulager vos symptômes et éliminer l'infection.

Comment prévenir la réinfection? Vous pouvez prendre plusieurs mesures pour réduire les réinfections autant que possible.

- Évitez les produits chimiques irritants, comme les vaporisateurs pour l'hygiène féminine et les douches vaginales, de même que le papier hygiénique et les tampons parfumés. Le chlore des piscines peut aussi modifier le pH naturel du vagin.
- Adoptez des habitudes d'hygiène générale qui contribueront à la réussite du traitement et aideront à prévenir les réinfections; par exemple, portez des sous-vêtements amples, en coton et changez-les tous les jours; asséchez bien la vulve à la sortie du bain; évitez de porter des vêtements humides pendant des heures (costumes de bain) et essuyez-vous de l'avant vers l'arrière après la selle.
- Diminuez votre consommation de sucre, car une alimentation riche en sucre peut favoriser les vaginites à Candida.

Peut-on avoir des rapports sexuels pendant un traitement par Gynecure? Les rapports sexuels peuvent diminuer l'efficacité de Gynecure et augmenter les risques de réinfection; il est donc préférable de s'en abstenir pendant environ 7 jours. Par ailleurs, certains composants de Gynecure peuvent détériorer le caoutchouc des condoms et des diaphragmes. Enfin, Gynecure n'est pas un contraceptif et ne prévient donc pas la grossesse.

À qui s'adresser pour avoir plus d'informations? Si vous avez encore des questions sur les vaginites à Candida ou sur Gynecure, n'hésitez pas à présenter ce feuillet à un pharmacien ou à un médecin pour obtenir un complément d'informations ou encore, appelez au 1 800 260-8988; une infirmière répondra à vos questions.

Mode d'emploi (voir le prospectus d'emballage pour les illustrations):
Ovule: Insérer l'ovule Gynecure au coucher; non sans avoir pris soin de lire le mode d'emploi et les précautions ci-dessous. La boîte contient un applicateur spécialement conçu pour permettre l'insertion adéquate de l'ovule renfermant l'unique dose de Gynecure dont vous aurez besoin. **Cet applicateur comprend un piston et un cylindre.**

1. Retirez l'ovule de son alvéole et placez-le dans le cylindre de l'applicateur.
2. Allongez-vous sur le dos et tenez l'applicateur déjà rempli par le cylindre et insérez délicatement **le bout** de l'applicateur dans le vagin **aussi profondément que possible, mais sans provoquer de douleur.**
3. Tenez l'applicateur bien en place et poussez le piston de manière à **déposer l'ovule** dans le vagin.
4. Retirez l'applicateur et jetez-le.

Crème pour usage externe:

- Avec les doigts, appliquez une petite quantité de crème et frottez délicatement la région irritée, en allant de l'avant vers l'arrière, c'est-à-dire de la vulve vers la région anale. Appliquez 1 ou 2 fois par jour, plusieurs jours de suite au besoin, mais pas plus de 7 jours.
- Ne pas utiliser la crème pour des démangeaisons vulvaires qui ne sont pas causées par une infection à Candida.
- La crème est réservée exclusivement à l'usage externe.

Mise en garde:

1. Utilisez Gynecure seulement si un médecin a déjà diagnostiqué chez vous une vaginite à Candida et que vous avez de nouveau les mêmes symptômes, soit des démangeaisons, une sensation de brûlure et, dans certains cas, des pertes blanchâtres. Sinon, consultez un médecin.
2. Consultez un médecin si après 3 jours vous n'avez éprouvé aucun soulagement; dans ce cas, vous souffrez peut-être d'un autre type d'infection.
3. Consultez un médecin si, avant ou pendant l'utilisation du médicament, vous souffrez de douleurs abdominales ou de fièvre ou si vous avez des pertes vaginales dégageant une odeur désagréable.
4. Consultez un médecin si vos symptômes réapparaissent en l'espace de 2 mois.
5. En cas de grossesse confirmée ou présumée, ou encore si vous allaitez, n'utilisez le produit que sur les conseils du médecin.
6. N'administrez pas ce produit aux enfants de moins de 12 ans, sauf sur recommandation d'un médecin.
7. En cas d'éruption cutanée ou de nouvelles irritations, cessez d'utiliser le produit et consultez un médecin.
8. Si vous êtes particulièrement exposée aux maladies transmissibles sexuellement (MTS), par exemple, si vous avez de nombreux partenaires ou si vous changez souvent de partenaire, consultez un médecin avant de commencer un nouveau traitement.
9. Si vous devez passer un examen gynécologique, n'utilisez pas le produit dans les 72 heures qui précèdent cet examen.
10. Les personnes allergiques au tioconazole, à l'un des excipients ou à d'autres antifongiques de la classe des imidazoles ne doivent pas utiliser la crème vulvaire.
11. Ne pas utiliser la crème vulvaire pour traiter les infections des yeux.

Avertissement:

- Certains composants de l'onguent et de la crème peuvent détériorer le caoutchouc des condoms et des diaphragmes. Par conséquent, n'utilisez pas Gynecure avec ces préservatifs.
- Pour prévenir tout risque de contamination du produit, n'ouvrir le sachet qu'au moment de s'en servir.

Gynecure (suite)

- Gardez ce produit, comme tout autre médicament, hors de la portée des enfants.
- En cas d'ingestion accidentelle, consultez un professionnel de la santé ou communiquez sans délai avec un centre antipoison.
- Évitez tout contact avec les yeux; en cas de contact, bien rincer les yeux.

Excipients: Ovule: cire d'abeille, gélatine, glycérine, glycine, graisse végétale hydrogénée, lécithine, huile de paraffine, polysorbate, sorbate de potassium, dioxyde de titane et eau.

Crème vulvaire pour usage externe: alcool benzylique, (cétostéaryl) alcool éthoxylaté, huile minérale, vaseline, propylèneglycol, acide stéarique, alcool stéarylique, eau.

Conserver à la température ambiante (entre 15 et 30 °C); ce produit craint le gel.

La monographie est fournie aux médecins et aux pharmaciens sur demande.

□ HABITROL®

Novartis Santé Familiale

S(-)-nicotine

Auxiliaire antitabagisme

Renseignements destinés aux patients: Renseignements importants sur la sécurité: Conservez les timbres neufs ou utilisés hors de la portée des enfants et des animaux de compagnie. L'ingrédient actif d'Habitrol est la nicotine. La nicotine peut être très toxique, une petite quantité pouvant suffire à rendre un enfant gravement malade. Même les timbres déjà utilisés contiennent assez de nicotine pour empoisonner un enfant ou un animal de compagnie. Lorsque vous jetez les timbres utilisés, suivez les directives fournies dans la section «Comment appliquer le timbre Habitrol» et assurez-vous de jeter ces timbres hors de la portée des enfants et des animaux. S'il arrivait malgré tout qu'un enfant touche à un timbre sorti de son emballage, enlevez-le lui et **communiquez immédiatement avec un centre antipoison ou un médecin.** Si l'enfant a touché la face adhésive (active) du timbre, rincez la région affectée **à l'eau seulement** et asséchez-la. **N'utilisez pas de savon,** car cela augmenterait l'absorption de nicotine.

Introduction: Vous avez choisi Habitrol pour soulager les symptômes liés au sevrage de la nicotine. Toutefois, bien qu'ils apportent une aide efficace, les timbres transdermiques ne constituent qu'un des volets de votre programme de désaccoutumance tabagique. Avant d'essayer de cesser de fumer, il est primordial que vous soyez fermement décidé à le faire. Il est également important de préparer un plan de comportement qui vous aidera à relever ce défi. Le Guide de soutien Habitrol (le livret offert avec cet emballage d'Habitrol) fournit des conseils sur tout ce que vous devriez faire, en plus d'utiliser Habitrol, pour augmenter vos chances de réussite. En outre, la ligne sans frais de soutien et d'information Habitrol est là spécialement pour répondre à vos questions sur Habitrol et sur le processus de désaccoutumance tabagique.

Il est important que votre médecin sache que vous utilisez Habitrol si vous prenez d'autres médicaments ou si vous souffrez d'un problème médical, quel qu'il soit. Vous devez arrêter de fumer complètement pendant que vous utilisez Habitrol. N'utilisez pas Habitrol si vous êtes un fumeur occasionnel.

Ce feuillet vous explique comment fonctionnent les timbres cutanés, et comment les utiliser en toute sécurité. **Veuillez le lire attentivement** avant de commencer à utiliser les timbres, en prêtant particulièrement attention à la section intitulée «Précautions». Si vous avez toujours des questions au sujet d'Habitrol après la lecture de ce feuillet, utilisez notre ligne sans frais de soutien et d'information.

Dépendance à la nicotine et tabagisme: La fumée de cigarette contient de nombreuses substances chimiques, dont la nicotine. Celle-ci, bien que toxique, ne joue pas de rôle important dans la plupart des maladies associées au tabagisme, comme les maladies pulmonaires et divers cancers. Par contre, c'est la nicotine qui crée la dépendance du fumeur. Comme vous l'avez probablement senti lorsque vous avez commencé à fumer, la nicotine produit divers effets: elle possède la faculté de stimuler (particulièrement dans un contexte ennuyant), de calmer (en situation de stress), de détendre et même de favoriser la mémoire et la concentration. Avec le temps, elle crée une dépendance telle que lorsque notre cerveau n'en a plus à sa disposition, des symptômes de sevrage comme l'irritabilité, la frustration, la colère, l'angoisse, la difficulté à se concentrer et la nervosité font leur apparition.

La dépendance à la nicotine peut être liée au désir de ressentir ses effets agréables, ou d'éviter les symptômes du sevrage, ou les deux. Habitrol est conçu pour soulager ces symptômes. Malheureusement, la dépendance à la nicotine est l'une des toxicomanies les plus difficiles à briser.

Les timbres cutanés Habitrol: Fonctionnement d'Habitrol: Habitrol est conçu pour remplacer temporairement une partie de la nicotine que les cigarettes vous fournissent habituellement. Lorsque vous portez un timbre Habitrol, celui-ci libère un débit constant de nicotine qui traverse la peau et pénètre dans la circulation sanguine. Comme il reste de la nicotine dans votre peau lorsque vous enlevez le timbre, la nicotine continue de pénétrer dans votre sang pendant plusieurs heures après le retrait du timbre.

Lequel des 3 formats dois-je utiliser? Habitrol est offert en 3 formats de timbres cutanés contenant respectivement des doses de 21 mg/jour (étape 1), 14 mg/jour (étape 2) et 7 mg/jour (étape 3). Normalement, un fumeur qui fume un paquet de cigarettes par jour devrait utiliser chacun de ces dosages pendant 3 à 4 semaines. La quantité de nicotine est ainsi réduite graduellement de l'étape 1 à l'étape 2, et finalement à l'étape 3.

Dosage de départ: Si vous fumez 20 cigarettes et plus par jour:

- Commencez à l'étape 1 (21 mg); utilisez un timbre à 21 mg tous les jours pendant 3 à 4 semaines avant de passer à l'étape 2.
- Étape 2: utilisez un timbre à 14 mg pendant les 3 à 4 semaines suivantes avant de passer à l'étape 3.
- Terminez avec l'étape 3 (7 mg) pendant 3 à 4 semaines.

Si vous fumez moins de 20 cigarettes par jour:

- Commencez à l'étape 2 (14 mg); utilisez un timbre à 14 mg tous les jours pendant 6 à 8 semaines avant de passer à l'étape 3.
- Terminez avec l'étape 3 (7 mg) pendant 3 à 4 semaines.

Il est possible que vous ayez à changer de format de timbres pendant la première ou la deuxième semaine du programme, afin d'adopter un dosage qui vous conviendrait mieux. Si vous ressentez encore le besoin de fumer avec le timbre à 14 mg, essayez le timbre à 21 mg. Si vous avez des effets secondaires, essayez plutôt de passer au dosage inférieur.

Le sevrage: En passant ainsi d'une étape à l'autre, vous en arriverez à utiliser le plus petit dosage (étape 3, 7 mg), après quoi vous cesserez complètement d'utiliser les timbres. Le processus dans son ensemble ne devrait pas dépasser 12 semaines. Cependant, votre programme de désaccoutumance tabagique ne se termine pas lorsque vous cessez d'utiliser les timbres cutanés. Si vous voulez réussir à cesser définitivement de fumer, vous devez poursuivre assidûment tous les autres aspects du programme. Ne l'oubliez pas, le Guide de soutien Habitrol et la ligne sans frais de soutien et d'information Habitrol vous fourniront des conseils sur tout ce que vous devriez faire, en plus d'utiliser les timbres Habitrol, pour augmenter vos chances de réussite.

Ne portez jamais plus d'un timbre cutané à la fois en raison du risque de surdosage.

Précautions: Le fait de cesser de fumer entraîne des effets bénéfiques immédiats sur votre santé. Toutefois, si vous utilisez Habitrol pour vous y aider, vous devez prendre certaines précautions pour vous assurer d'utiliser les timbres cutanés en toute sécurité.

Souffrez-vous d'un problème de santé, quel qu'il soit? L'emploi d'Habitrol est contre-indiqué en présence de certains problèmes de santé. **N'utilisez pas Habitrol** si vous avez eu:

- une crise cardiaque récente (infarctus du myocarde)
- une maladie du cœur
  - une angine instable ou qui s'aggrave (douleurs thoraciques)
  - une irrégularité grave du rythme cardiaque (arythmie)
- un accident cérébro-vasculaire récent
- une maladie de peau
- une allergie connue aux timbres cutanés ou à la nicotine
- ou encore, si vous êtes enceinte ou si vous allaitez.

Si vous avez un problème médical autre que ceux qui sont énumérés ci-dessus, vous devez obtenir l'avis d'un médecin pour savoir si vous pouvez utiliser Habitrol en toute sécurité.

N'utilisez pas Habitrol si vous avez moins de 18 ans.

L'expérience avec Habitrol chez les personnes âgées demeure limitée.

Consultez d'abord votre médecin si vous avez déjà eu l'un de ces problèmes de santé:

- irrégularité du rythme cardiaque (arythmie)
- angine (douleur au cœur)

- hypertension artérielle
- insuffisance cardiaque
- hyperthyroïdie
- ulcères d'estomac
- maladie des reins ou du foie
- diabète nécessitant la prise d'insuline
- traitement pour des troubles de circulation
- accident cérébro-vasculaire ou traitement pour troubles circulatoires du cerveau (ischémie cérébrale)
- allergies médicamenteuses
- éruption cutanée causée par un ruban ou un pansement adhésif

Prenez-vous d'autres médicaments? Il est important que votre médecin sache que vous utilisez Habitrol si vous prenez aussi d'autres médicaments. Le tabagisme peut altérer les effets de certains médicaments. Lorsque vous aurez cessé de fumer, il se pourrait que votre médecin doive ajuster la posologie de vos médicaments. Ceci est particulièrement important si vous souffrez de diabète ou si vous prenez des médicaments pour l'hypertension artérielle ou une maladie du cœur, ou des antidépresseurs, des tranquillisants ou des somnifères.

Puis-je utiliser Habitrol si je suis enceinte ou si j'allaite? Non.

La nicotine, qu'elle provienne de cigarettes ou de timbres Habitrol, peut être dangereuse pour l'enfant à naître si elle est prise pendant la grossesse. Elle peut également se retrouver dans le lait maternel et ainsi nuire à la santé du nourrisson. Si vous êtes enceinte ou si vous allaitez, n'utilisez pas Habitrol et ne fumez pas. Si vous utilisez déjà Habitrol et que vous croyez (ou savez) que vous êtes devenue enceinte, avisez votre médecin. Cessez d'utiliser Habitrol et ne fumez pas.

Qu'en est-il des effets secondaires? Les effets secondaires suivants sont possibles: maux de tête, insomnie, étourdissements, angoisse, irritabilité, fatigue, troubles gastriques, diarrhée et constipation. Certains de ces effets peuvent être des symptômes du sevrage de la nicotine, ou encore être causés par la nicotine. C'est pourquoi la posologie doit parfois être ajustée. Si vous ressentez un ou plusieurs des symptômes ci-dessus, parlez-en à votre médecin.

Enlevez le timbre à la nicotine et consultez votre médecin si vous constatez une irrégularité de votre rythme cardiaque, des douleurs à la poitrine, des palpitations ou des douleurs aux jambes, ou en cas de troubles gastriques graves et persistants (indigestion, brûlures d'estomac).

Si vous continuez de fumer tout en utilisant Habitrol, vous pourriez absorber une quantité de nicotine plus grande que celle à laquelle votre corps est habitué et vous sentir malade. Conséquemment, **cessez de fumer, de mâcher de la gomme à la nicotine ou d'utiliser toute autre forme de produits du tabac lorsque vous utilisez des timbres cutanés à la nicotine.** Les signes et symptômes du surdosage par la nicotine sont les suivants: maux de tête graves, étourdissements, troubles gastriques, écoulement de salive, vomissements, diarrhée, sueurs froides, vue brouillée, troubles de l'audition, confusion mentale, faiblesse et perte de conscience. Si vous croyez présenter n'importe lequel de ces symptômes, consultez immédiatement votre médecin.

Que dois-je faire si ma peau réagit au contact du timbre? Il est normal de ressentir une démangeaison, une brûlure ou un picotement légers lorsque vous appliquez le timbre, mais ces effets devraient disparaître en moins d'une heure. Lorsque vous retirez un timbre, il est probable que votre peau présente une certaine rougeur à l'endroit où il se trouvait, mais elle devrait retrouver son aspect normal dans les 2 jours qui suivent. Si la peau qui se trouve sous le timbre devient très rouge ou enflée, ou si une éruption apparaît, enlevez le timbre et appelez votre médecin. N'appliquez pas un autre timbre. Il est possible que vous soyez allergique à l'une des composantes du timbre.

Si vous devenez allergique à la nicotine contenue dans le timbre cutané, vous pourriez ressentir des effets secondaires très désagréables si vous recommencez à fumer ou si vous utilisez d'autres produits contenant de la nicotine.

Autres renseignements importants: Le timbre Habitrol devrait être enlevé 2 heures avant le début de tout exercice physique exigeant et prolongé.

Comment appliquer le timbre Habitrol:

1. Choisissez un endroit sur le haut du corps ou sur la face externe du bras. **Pour que le timbre adhère bien à votre peau, celle-ci doit être exempte de poils, propre (non huileuse), sèche et sans aucune crème, lotion, huile ni poudre. Les poils peuvent nuire à l'application des timbres et devraient être coupés, mais non rasés, le rasage pouvant entraîner une irritation.** N'appliquez pas de timbre Habitrol aux endroits où votre peau est enflammée, irritée, brûlée, éraflée ou abîmée de quelque façon que ce soit, ces conditions pouvant altérer la quantité de nicotine absorbée. Les femmes ne devraient pas appliquer de timbres cutanés sur leurs seins. Il faut appliquer Habitrol à un endroit différent chaque jour et attendre au moins 1 semaine avant de réutiliser un même endroit.
2. Ne sortez pas le timbre Habitrol de son sachet avant d'être prêt à l'appliquer. Ouvrez le sachet avec précaution le long de la bordure, à l'aide de ciseaux. Conservez le sachet pour y replacer le timbre utilisé avant de le jeter.
3. Décollez de votre peau le timbre à remplacer et pliez-le en deux, côté adhésif (collant) vers l'intérieur. Placez-le dans le sachet métallique ouvert et **jetez le sachet (avec le timbre usagé plié à l'intérieur) aux ordures, hors de la portée des enfants et des animaux de compagnie.** S'il reste de la colle sur votre peau, enlevez-la à l'aide d'un peu d'alcool à friction.
4. La face adhésive du timbre (celle que vous appliquerez sur votre peau) est recouverte d'une feuille de protection lustrée, de forme carrée. Vous noterez que cette feuille de protection comporte une encoche prédécoupée, conçue pour vous aider à la séparer du timbre.

   Pour séparer le timbre de sa feuille de protection, commencez par retirer la bande étroite formée par l'encoche prédécoupée. Pour ce faire, placez le timbre avec la feuille de protection face à vous, l'encoche sur le dessus, en le tenant par un des coins inférieurs. Puis, en commençant par une des extrémités, retirer la bande supérieure de la feuille de protection et jetez-la. Pour enlever l'autre partie, tenez le timbre là où la bande a été retirée (en touchant le moins possible la surface adhésive) et tirez sur le reste de la feuille, puis jetez-la.
5. Appliquez immédiatement le côté adhésif du timbre sur votre peau et appuyez fermement avec la paume de la main. Continuez d'appuyer pendant 10 à 20 secondes. Assurez-vous que le timbre a bien adhéré, surtout sur le pourtour, mais ne tirez pas dessus pour vérifier une fois qu'il est collé.
6. Lorsque vous avez terminé, lavez-vous les mains avec de l'eau seulement. S'il reste de la nicotine sur vos mains et qu'elle entre en contact avec vos yeux ou votre nez, elle pourrait causer des démangeaisons, des rougeurs ou d'autres problèmes plus graves.

Quand faut-il appliquer les timbres Habitrol? Chaque timbre doit être porté pendant environ 24 heures, puis retiré et jeté aux ordures, conformément aux directives de la section «Comment appliquer le timbre Habitrol». Ne le laissez pas en place plus de 24 heures parce qu'il pourrait irriter votre peau et parce que son effet diminue avec le temps. Vous devriez toujours remplacer votre timbre à la même heure chaque jour. C'est la meilleure façon de ne pas l'oublier.

Autres conseils utiles sur l'utilisation d'Habitrol: Que dois-je faire si le timbre est mouillé? L'eau ne devrait pas affecter le timbre s'il a été appliqué correctement. Vous pouvez prendre un bain ou une douche, aller à la piscine ou faire de l'exercice lorsque vous portez un timbre cutané. Toutefois, les timbres Habitrol devraient être enlevés 2 heures avant le début de tout exercice physique exigeant et prolongé.

Que dois-je faire si le timbre se décolle? S'il arrivait qu'un timbre se décolle, jetez-le conformément aux directives de la section «Comment appliquer le timbre Habitrol« et appliquez un nouveau timbre le plus tôt possible. **Assurez-vous de l'appliquer à un endroit exempt de poils, propre (non huileux), sec et sans aucune crème, lotion, huile ni poudre.** Vous devriez ensuite retirer ce timbre de remplacement à l'heure où vous le faites normalement (c.-à-d. l'heure où vous auriez remplacé le timbre qui est tombé).

Conservation des timbres Habitrol: Conservez vos timbres cutanés à la température ambiante (moins de 25 °C), à l'abri de la chaleur et de la lumière directes. N'oubliez pas que l'intérieur de votre voiture peut atteindre des températures beaucoup plus élevées que cela en été. Ne conservez jamais de timbres sortis de leur sachet. Rangez-les toujours hors de la portée des enfants et des animaux de compagnie.

Ne l'oubliez jamais... Utilisez Habitrol selon le mode d'emploi seulement. Jetez les timbres utilisés de la façon décrite dans ce feuillet seulement, hors de la portée des enfants et des animaux de compagnie. Si vous avez des questions, n'hésitez jamais à utiliser la ligne sans frais de soutien et d'information Habitrol, ou adressez-vous à votre médecin ou à votre pharmacien. Si vous croyez avoir des effets secondaires, enlevez le timbre et appelez immédiatement votre médecin.

Habitrol (suite)

À noter: Vous ne pouvez modifier la dose en coupant un timbre, même si le plus petit timbre Habitrol contient la moitié de la nicotine contenue dans le format moyen. Lorsqu'un timbre est coupé, la nicotine s'évapore rapidement et toutes ses parties deviennent inutilisables.

Des questions? Consultez les spécialistes Habitrol, sans frais 1 888 788-8181. Adresse Internet: www.habitrol.com.

□ HALCION® Ⓟ

Pharmacia & Upjohn

Triazolam

Hypnotique

Renseignements destinés aux patients: Halcion est un médicament contre l'insomnie. Il appartient à un groupe de somnifères benzodiazépiniques possédant généralement des propriétés similaires.

Si votre médecin vous prescrit un de ces médicaments, vous devez en connaître les avantages et les inconvénients. Voici leurs principaux inconvénients:

- leur efficacité baisse quand on les utilise longtemps
- ils peuvent entraîner une dépendance
- ils peuvent affecter la vigilance ou la mémoire, surtout s'ils ne sont pas pris conformément à l'ordonnance.

Lisez cette notice pour pouvoir utiliser Halcion en toute sécurité. Elle vous renseignera sur cette classe de médicaments en général et sur Halcion en particulier.

Toutefois, la lecture de cette notice ne doit pas remplacer une discussion avec votre médecin au sujet des avantages et des inconvénients d'Halcion.

Recommandations concernant Halcion:

- Halcion est un médicament d'ordonnance destiné à vous aider à dormir. Suivez les conseils de votre médecin pour savoir comment, quand et pendant combien de temps vous pouvez prendre Halcion. **Ne prenez jamais Halcion** sans que votre médecin vous le prescrive.
- **Ne prenez jamais Halcion** pendant plus de 7 à 10 jours sans en parler d'abord avec votre médecin.
- **Ne prenez jamais Halcion** si vous ne pouvez pas avoir une nuit complète de sommeil avant de reprendre vos activités, par exemple lors d'un voyage de nuit de moins de 8 heures. En effet, vous risqueriez de subir des troubles de la mémoire, car l'organisme a besoin de temps pour éliminer complètement le médicament.
- **Ne prenez jamais Halcion** si vous êtes enceinte. Prévenez votre médecin si vous envisagez de devenir enceinte, si vous êtes enceinte ou si vous le devenez pendant que vous prenez le médicament.
- Informez votre médecin de vos habitudes de consommation d'alcool (présentes ou passées) ou des médicaments que vous prenez, y compris ceux qui sont vendus sans ordonnance. **Ne consommez pas d'alcool pendant un traitement avec Halcion.**
- **Ne dépassez pas la dose prescrite.**
- **Ne conduisez pas de véhicule** ni de machine potentiellement dangereuse avant de savoir comment le médicament vous affecte.
- Si des pensées troublantes ou un comportement inhabituel surviennent pendant que vous prenez Halcion, consultez immédiatement votre médecin.
- L'arrêt du traitement avec Halcion peut entraîner une difficulté accrue à dormir (insomnie rebond) ou de l'anxiété de jour (anxiété rebond) pendant 1 ou 2 jours.

L'efficacité des somnifères benzodiazépiniques: Les somnifères benzodiazépiniques sont efficaces et relativement exempts d'effets secondaires dans un traitement de courte durée de l'insomnie. Les symptômes de l'insomnie peuvent varier: difficulté à vous endormir, réveils fréquents pendant la nuit ou réveils très tôt le matin. Vous pouvez aussi avoir les trois symptômes.

L'insomnie peut être passagère et cesser après un bref traitement. Discutez avec votre médecin des inconvénients et des avantages de l'utilisation prolongée de ces médicaments.

Effets secondaires: Effets secondaires courants: Les somnifères benzodiazépiniques peuvent causer de la somnolence, des vertiges, des étourdissements et des troubles de la coordination. Leurs utilisateurs doivent donc faire preuve de prudence avant de participer à des activités exigeant attention et vigilance comme la conduite de machines ou d'un véhicule.

Évitez de consommer de l'alcool durant un traitement avec Halcion. **N'utilisez pas** de somnifères benzodiazépiniques avec d'autres médicaments sans en parler d'abord avec votre médecin.

Le lendemain de la prise de ce type de médicament, certaines personnes se sentent somnolentes et d'autres, non. Cela dépend de la rapidité avec laquelle l'organisme élimine le médicament. Plus la dose que vous prenez est forte, plus vous vous sentirez somnolent, etc., le lendemain. Vous devez donc utiliser la plus petite dose qui soit efficace. Les benzodiazépines s'éliminent rapidement (comme Halcion) et causent moins de somnolence le lendemain. Toutefois, elles peuvent entraîner des problèmes de sevrage le lendemain de l'utilisation (voir La tolérance et les symptômes de sevrage).

Quelques réactions particulières: Les problèmes de mémoire: Tous les somnifères benzodiazépiniques peuvent causer un type particulier d'amnésie: vous pouvez oublier certains événements survenus durant un certain temps, généralement plusieurs heures, après la prise du médicament. Ce trou de mémoire est habituellement sans conséquence, puisqu'en prenant le somnifère vous avez l'intention de dormir durant ce laps de temps critique. Toutefois, cela peut poser un problème si vous prenez le médicament pour dormir durant un voyage de nuit, car vous risquez de vous réveiller avant que les effets du médicament se soient dissipés. Il peut alors se produire ce qu'on appelle «l'amnésie du voyageur», qui semble plus fréquente avec Halcion qu'avec d'autres benzodiazépines.

La tolérance et les symptômes de sevrage: Après plusieurs semaines de prise tous les soirs, ces médicaments peuvent perdre une partie de leur efficacité. Ils peuvent aussi entraîner une certaine dépendance.

Dans le cas des benzodiazépines éliminées rapidement par l'organisme, il peut se produire un manque de médicament dans l'organisme à un moment donné avant la dose suivante. Cela peut entraîner 1) de l'insomnie pendant le dernier tiers de la nuit et 2) une augmentation de l'anxiété ou de la nervosité durant le jour. On a signalé ces effets secondaires plus particulièrement avec Halcion.

Des symptômes de «sevrage» plus sévères peuvent se produire chez les personnes cessant de prendre un somnifère benzodiazépinique. Ils peuvent survenir après seulement 1 ou 2 semaines de traitement, mais peuvent être plus courants et sévères après de longues périodes d'utilisation continue. L'insomnie «rebond» est l'un de ces symptômes de retrait et désigne une insomnie sévère durant les quelques premières nuits suivant l'arrêt du traitement.

L'arrêt soudain du traitement peut entraîner d'autres symptômes de sevrage, qui vont de sensations désagréables au syndrome important avec crampes abdominales et musculaires, vomissements, sueurs, tremblements et, dans de rares cas, des convulsions. Les symptômes sévères sont rares.

La dépendance et l'abus: Tous les somnifères benzodiazépiniques peuvent entraîner une dépendance (toxicomanie) surtout si la dose est forte et si l'utilisation se prolonge au-delà de quelques semaines. Certaines personnes ressentent le besoin de continuer à prendre ces médicaments, soit à la dose prescrite, soit à une dose plus forte, non pas pour leur effet thérapeutique, mais pour éviter les symptômes de sevrage ou pour obtenir d'autres effets non thérapeutiques.

Les personnes dépendant de l'alcool ou d'autres drogues courent un risque accru de dépendance avec ce genre de médicament, **mais le risque existe pour tous.** Vous devez donc prendre ces renseignements en considération avant de prolonger le traitement au-delà de quelques semaines.

Altérations mentales et comportementales: L'utilisation de somnifères benzodiazépiniques peut produire des altérations du comportement et des anomalies de la pensée. Citons en particulier les démonstrations d'agressivité ou d'extraversion inhabituelles. D'autres altérations possibles sont plus extrêmes: confusion, comportement étrange, excitation, hallucinations, impression de ne plus être soi-même et dépression accrue, y compris des pensées suicidaires.

Il est difficile de savoir si de tels symptômes sont causés par le médicament, par une maladie sous-jacente ou s'il s'agit d'une coïncidence. En fait, l'aggravation de l'insomnie est parfois associée à une maladie présente avant le début du traitement.

Note importante: Si vous prenez un de ces médicaments, consultez au plus tôt votre médecin en cas d'altération mentale ou du comportement, quelle qu'en soit la cause.

Les somnifères et la grossesse: Certains somnifères benzodiazépiniques pris durant les premiers mois de la grossesse ont été associés à des malformations congénitales. De plus, ces somnifères pris pendant les dernières semaines de la grossesse ont un effet sédatif sur l'enfant. **Il faut donc éviter d'utiliser ce médicament pendant la grossesse.**

☐ HALFAN™ 🄿

SmithKline Beecham

Chlorhydrate d'halofantrine

Antipaludéen

Renseignements destinés aux patients: Qu'est-ce que la malaria? La malaria (ou le paludisme) est une maladie infectieuse causée par des parasites microscopiques appelés plasmodies. Ces parasites s'introduisent dans le sang humain lors de piqûres de maringouins infectés. Il existe 4 espèces de plasmodies qui infectent couramment le sang humain. Plasmodium falciparum est le plus dangereux des 4. En l'absence de traitement, la malaria qu'il cause peut entraîner la mort.

Un accès de malaria typique comporte des frissons suivis d'une fièvre et de sueurs. Ces symptômes peuvent se présenter de nouveau à des intervalles de 48 heures ou moins, et ils peuvent être accompagnés de maux de tête, de diarrhée ainsi que de douleurs abdominales ou musculaires. Ces derniers symptômes, qui font initialement penser à la grippe, surviennent lorsque les parasites microscopiques pénètrent dans les globules rouges et les détruisent. Cela fait suite à une période d'incubation d'une ou de plusieurs semaines au cours de laquelle les parasites se reproduisent dans le foie. Vu le cycle de vie complexe des plasmodies chez les humains, la malaria peut se manifester pendant ou après un voyage dans une région infestée. Elle peut même survenir chez une personne qui prend un médicament préventif, si le parasite y résiste ou si la personne ne suit pas la posologie à la lettre. En l'absence de traitement, la malaria causée par Plasmodium falciparum peut causer rapidement une anémie, endommager des organes internes, comme le foie et la rate, et provoquer un coma ou la mort.

En quoi consiste Halfan? Halfan est un médicament qui sert à traiter la malaria. Il s'agit de comprimés de 250 mg de chlorhydrate d'halofantrine.

Comment prendre Halfan: Précautions spéciales: Halfan ne convient pas aux personnes qui ont déjà eu certains types de trouble cardiaque. Consultez votre médecin en cas de doute ou si vous avez déjà eu un évanouissement ou des palpitations cardiaques. Les femmes enceintes ou qui allaitent ne devraient pas prendre Halfan à moins d'un avis contraire de leur médecin (voir le paragraphe sur la grossesse et l'allaitement).

Halfan **ne** doit **pas** être pris avec de la nourriture. Il faut le prendre à jeun, au moins 1 heure avant un repas ou 3 heures après avoir mangé. Les comprimés doivent être avalés entiers, **sans** avoir été mastiqués. Ne prenez pas plus de 2 comprimés à la fois. Consultez un médecin immédiatement si vous avez pris plus de comprimés que le nombre prescrit. Si vous oubliez de prendre vos comprimés, prenez-les dès que vous vous en souvenez et attendez au moins 8 heures avant de prendre la dose suivante.

Halfan ne doit pas être utilisé pour prévenir un accès de malaria: De nombreux antipaludéens servent à prévenir la malaria. Il faut les prendre avant de visiter une région endémique. Halfan ne doit pas être utilisé de cette façon; il ne sert qu'à traiter la malaria.

Grossesse et allaitement: Halfan n'est pas recommandé pendant la grossesse ou la période d'allaitement. Assurez-vous d'aviser votre médecin si vous êtes enceinte ou si vous êtes susceptible de le devenir pendant un séjour dans une région endémique ou pendant un traitement par Halfan, ou si vous avez l'intention d'allaiter pendant un tel traitement. Votre médecin pourra ainsi vous conseiller sur les risques et les avantages des antipaludéens.

Prise d'autres médicaments: Certains médicaments peuvent causer des effets indésirables s'ils sont pris avant Halfan ou en même temps. Prévenez votre médecin si vous avez pris un autre médicament récemment ou si vous en prenez un actuellement, surtout si ce médicament peut affecter le fonctionnement de votre cœur. Avisez votre médecin si vous prenez un autre médicament pour vous protéger contre la malaria ou pour la traiter, ou si vous songez à le faire.

Ne donnez Halfan à personne d'autre: Votre médecin a décidé que Halfan est indiqué dans votre cas. Si vous le donnez à une personne à qui il ne convient pas, cette personne risque d'éprouver des réactions indésirables graves.

Manifestations indésirables: Les effets secondaires causés par Halfan sont généralement légers, mais ils peuvent parfois être graves (voir ci-dessous). Certaines personnes peuvent éprouver des effets indésirables dont la nausée, des maux d'estomac, la diarrhée (plusieurs selles molles par jour), des démangeaisons et des éruptions de la peau. Si ces symptômes se poursuivent ou deviennent sévères, consultez votre médecin.

Halfan ne convient pas aux personnes qui souffrent de troubles cardiaques précis. Très rarement, Halfan peut causer des symptômes cardiaques graves comprenant des palpitations et des évanouissements. Ces symptômes sont plus susceptibles de se manifester si vous souffrez d'un trouble cardiaque ou si vous prenez des médicaments qui affectent votre cœur. Lorsque vous consultez un médecin au sujet de médicaments antipaludéens, il est très important que vous précisiez si vous souffrez d'un trouble cardiaque ou si vous prenez des médicaments pour le cœur (voir aussi le paragraphe sur les précautions spéciales).

Si vous éprouvez des malaises inhabituels alors que vous prenez Halfan, consultez votre médecin le plus tôt possible.

Comment conserver Halfan: La date d'expiration de ce médicament figure sur l'étiquette. Ne prenez pas ce médicament après la date d'expiration. Conservez vos comprimés dans leur emballage original, au sec et à la température de la pièce (à moins de 30 °C). Gardez tout médicament hors de la portée des enfants.

Comment pouvez-vous vous protéger davantage contre la malaria? Le meilleur moyen de minimiser les risques de contracter la malaria consiste à réduire vos contacts avec les maringouins qui sortent surtout entre la tombée de la nuit et l'aurore. Pour ce faire, portez des vêtements pâles qui couvrent la majeure partie de votre corps, appliquez de l'insectifuge sur les zones exposées de votre peau, dormez sous une moustiquaire et vaporisez de l'insectifuge dans votre chambre. Pour une protection maximale, consultez votre médecin ou une clinique de santé-voyage à ce sujet.

☐ HIVID® 🄿

Roche

Zalcitabine

Agent antirétroviral

Renseignements destinés aux patients: Autres noms: zalcitabine, ddC.

Hivid interfère avec la capacité du virus de l'immunodéficience humaine (HIV) de se reproduire. Cette interférence a été démontrée en laboratoire; Hivid ralentit la progression de la maladie en ralentissant la réplication virale (multiplication du virus). Il ne guérit pas. Hivid ne prévient pas les infections secondaires associées au HIV; vous devez continuer à prendre les médicaments prescrits pour traiter ou prévenir les infections secondaires, sauf indication contraire de votre médecin. Il est très important de vous présenter aux visites fixées par votre médecin et de lui signaler toute modification dans votre état de santé.

Le HIV se transmet habituellement par contact sexuel ou par des aiguilles contaminées. Le risque de transmission existe toujours durant le traitement par Hivid; vous devez donc continuer à avoir des pratiques sexuelles sans risque et vous ne devez pas partager d'aiguilles.

Ce que vous devez dire à votre médecin avant de commencer le traitement: Avant de commencer à prendre Hivid, dites à votre médecin si vous avez déjà eu ou si vous avez présentement une des maladies suivantes ou un des symptômes suivants car cela pourrait avoir un effet sur votre traitement par Hivid.

1. Allergie au lactose.
2. Engourdissements, picotements, sensation de brûlure ou douleur au niveau des mains, des jambes ou des pieds.
3. Taux élevé de cholestérol ou de triglycérides.
4. Pancréatite.
5. Consommation excessive d'alcool.
6. Maladie du foie.
7. Diabète.
8. Grossesse.

Mentionnez à votre médecin tous les médicaments et toutes les vitamines que vous prenez ou tout autre traitement.

Effets indésirables: L'effet secondaire le plus courant de Hivid est la neuropathie périphérique, c'est-à-dire une affection des nerfs au niveau des pieds, des jambes et des mains, qui cause des engourdissements, des picotements, une sensation de brûlure au contact, des élancements et une sensation de brûlure intense, douloureuse et continue. Un effet secondaire grave de Hivid est la pancréatite, qui se manifeste habituellement par des douleurs abdominales intenses. Si vous ressentez l'un de ces symptômes, dites-le immédiatement à votre médecin.

Hivid (suite)

Les autres effets secondaires de Hivid sont les suivants: ulcères dans la bouche, mal de tête, éruptions cutanées, fatigue, nausées, douleurs musculaires, démangeaisons, étourdissements, douleurs abdominales, pancréatite, mal de gorge et vomissements. Ces symptômes disparaissent généralement après 1 ou 2 semaines malgré la poursuite du traitement. Plusieurs de ces effets secondaires peuvent être traités.

Symptômes spéciaux dont vous devriez parler à votre médecin:

- Si vous présentez l'un des symptômes énumérés ci-dessous, parlez-en à votre médecin dans les plus brefs délais car ces réactions indésirables pourraient entraîner des effets permanents. Ces symptômes peuvent être les premiers signes d'effets indésirables rares, mais plus graves, que votre médecin voudra enrayer le plutôt possible.
- Nausées sévères, vomissements, douleurs abdominales (gastriques) intenses, ballonnement ou indigestion;
- Engourdissements, fourmillements ou sensation de brûlure au niveau des mains, des jambes ou des pieds;
- Jaunissement de la peau ou des yeux, urine orange foncé;
- Parlez à votre médecin de tout symptôme inhabituel ou grave apparaissant au cours du traitement.

Information générale au sujet de votre médicament:

- Appelez votre médecin si vous avez des questions ou si vous présentez des symptômes troublants.
- Gardez Hivid hors de la portée des enfants.
- Conservez Hivid à la température ambiante dans un endroit sec. Il n'est pas nécessaire de garder Hivid au réfrigérateur.
- Lisez attentivement l'étiquette de votre prescription de Hivid pour vous assurer de prendre la quantité exacte prescrite par votre médecin selon l'horaire indiqué par votre médecin.
- Hivid a été prescrit pour vous par votre médecin; ne le donnez à personne d'autre.
- Les femmes fertiles doivent utiliser une méthode contraceptive efficace.
- Si vous oubliez une dose, ne doublez pas la dose; prenez la dose suivante à l'heure habituelle.

Ce résumé ne contient pas tous les renseignements connus sur Hivid. Si vous avez des questions, posez-les à votre médecin.

□ HUMALOG[MD]

Lilly

Insuline lispro

Agent antidiabétique

Renseignements destinés aux patients: Mises en garde: Cet analogue de l'insuline humaine produit par Lilly diffère des autres insulines par sa structure unique, son début d'action très rapide et sa brève durée d'action. Humalog (insuline lispro injectable) doit être administré à 15 minutes du repas au maximum.

Tout changement d'insuline doit être effectué avec précaution et seulement sous surveillance médicale. Des changements dans la pureté, la teneur, la marque (fabricant), le type (régulière, NPH, Lente, etc.), la source (bovine, porcine, bovine-porcine, humaine) et/ou le procédé de fabrication (ADN recombiné par rapport à l'insuline de source animale) peuvent donner lieu à une modification de la posologie.

Il n'est pas recommandé de mélanger Humalog avec des insulines d'origine animale ni avec des préparations d'insuline d'autres fabricants.

Les patients recevant Humalog pourront nécessiter une posologie différente de celle des autres types d'insulines. En ce cas, l'ajustement pourra se faire dès la première dose ou au cours des semaines suivantes.

L'insuline et le diabète: L'insuline est une hormone sécrétée par le pancréas, glande volumineuse située près de l'estomac. Cette hormone est nécessaire à l'assimilation des aliments par l'organisme, en particulier des sucres. Dans le diabète, le pancréas ne sécrète pas une quantité suffisante d'insuline pour répondre aux besoins de l'organisme.

Pour maîtriser votre diabète, votre médecin a prescrit des injections d'insuline, d'insuline lispro injectable, ou des deux, qui maintiendront la teneur en sucre dans votre sang à un niveau presque normal. Il importe de bien maîtriser le diabète. Un diabète non maîtrisé (hyperglycémie) peut, à la longue, entraîner un certain nombre de troubles graves comme la cécité, l'insuffisance rénale, une mauvaise circulation, des crises cardiaques, des accidents vasculaires cérébraux ou des lésions nerveuses. Un traitement efficace du diabète peut prévenir ces troubles ou les atténuer. Cela exigera de votre part une collaboration étroite et constante avec les membres de l'équipe médicale qui veille au traitement de votre diabète, y compris votre médecin et vos éducateurs (infirmières, diététistes, travailleurs sociaux, pharmaciens et autres professionnels de la santé). Vous pourrez mener une vie active, saine et productive si vous adoptez un régime alimentaire quotidien équilibré, si vous faites de l'exercice régulièrement et si vous administrez vos injections d'insuline comme vous l'a prescrit votre médecin.

On vous a demandé de vérifier régulièrement la concentration de sucre dans votre sang et/ou votre urine. Si vos analyses sanguines révèlent constamment des taux de sucre supérieurs ou inférieurs à la normale, ou si vos analyses d'urine démontrent régulièrement la présence de sucre, votre diabète n'est pas bien maîtrisé et vous devez en parler à votre médecin.

Ayez toujours une réserve d'Humalog ainsi qu'une seringue et une aiguille de rechange à portée de la main. Le port du bracelet et de la carte pour diabétique vous assureront un traitement adéquat en cas de complications à l'extérieur du domicile.

Humalog: L'insuline lispro injectable offerte en fioles et en cartouches est fabriquée par Eli Lilly and Company et commercialisée sous le nom de marque Humalog.

Les cartouches d'Humalog de 1,5 mL ou 3 mL sont offertes en boîtes de 5 et sont conçues pour les stylos B-D ou tout nouveau dispositif d'administration de Lilly. On ne doit pas mélanger d'autres insulines dans la cartouche d'Humalog ni la réutiliser.

Humalog est un analogue de l'insuline humaine synthétisé par recombinaison de l'ADN. Humalog est constitué de cristaux d'insuline-zinc lispro dissous dans un liquide limpide. Comparativement à l'insuline régulière, son effet est plus rapide et sa durée d'action, plus brève. Ce début d'action rapide exige que l'administration d'Humalog soit plus rapprochée des repas. Pour tout type d'insuline, le profil d'action dans le temps peut varier jusqu'à un certain point d'une personne à l'autre ou à divers moments chez une même personne. Comme pour toutes les autres préparations d'insuline, la durée d'action d'Humalog dépend de la dose, du point d'injection, de l'irrigation sanguine, de la température corporelle et de l'activité physique.

Votre médecin vous a prescrit le type d'insuline qu'il croit le mieux adapté à vos besoins métaboliques et à votre style de vie.

N'utilisez aucun autre type d'insuline, à moins que votre médecin ne vous le recommande.

Posologie: Votre médecin vous a indiqué le type et la quantité d'insuline à utiliser ainsi que le moment et la fréquence des injections. Chaque cas de diabète étant différent, votre médecin a établi ce schéma posologique spécialement pour vous.

La dose d'Humalog que vous utilisez habituellement peut varier selon les changements apportés à votre alimentation, vos activités ou votre horaire de travail. Suivez rigoureusement les instructions de votre médecin afin de compenser pour ces changements. Les autres facteurs qui peuvent modifier la dose d'Humalog que vous prenez sont les suivants:

Maladie: La maladie, surtout si elle est accompagnée de nausées et de vomissements, peut modifier vos besoins en insuline. Même si vous ne mangez pas, votre organisme a besoin d'insuline. Vous et votre médecin devez établir une ligne de conduite à suivre en cas de maladie. Si vous êtes malade, vérifiez souvent votre taux de sucre dans le sang et votre urine et appelez votre médecin comme on vous l'a conseillé.

Grossesse: Il est particulièrement important pour vous et l'enfant de bien maîtriser votre diabète. La grossesse peut compliquer le traitement du diabète. Si vous prévoyez avoir un enfant ou si vous êtes enceinte ou encore si vous allaitez, consultez votre médecin.

Médicaments: Les besoins en insuline peuvent augmenter si vous prenez d'autres médicaments qui élèvent le taux de sucre dans le sang, tels les contraceptifs oraux, les corticostéroïdes, une hormonothérapie thyroïdienne substitutive. Par contre, vos besoins en insuline peuvent diminuer si vous prenez des médicaments qui abaissent le taux de sucre dans le sang, tels les hypoglycémiants oraux, les salicylates, les antibiotiques de type sulfamide et certains antidépresseurs. Vous devez toujours parler avec votre médecin de tous les médicaments que vous prenez.

Activité physique: Vous pouvez avoir besoin de prendre moins d'Humalog pendant l'activité physique et quelque temps après. De plus, il est possible que l'exercice accélère l'effet d'une dose d'Humalog, particulièrement si l'exercice touche l'endroit où l'insuline est injectée.

Demandez conseil à votre médecin sur la façon d'ajuster votre schéma posologique selon vos activités physiques.

Voyage: Les personnes qui traversent plus de 2 fuseaux horaires doivent consulter leur médecin concernant les ajustements à apporter à leur schéma posologique d'insuline.

Réaction à l'insuline et état de choc: Cause: L'hypoglycémie (pas assez de sucre dans le sang) est l'une des réactions indésirables que les utilisateurs d'insuline éprouvent le plus souvent. Elle peut être causée par:

1. Un repas omis ou retardé
2. Une dose excessive d'insuline
3. Un surplus de travail ou d'exercice
4. Une infection ou une maladie (surtout si elle est accompagnée de diarrhée ou de vomissements)
5. Une modification des besoins de l'organisme en insuline
6. Une maladie des glandes surrénales, hypophyse ou thyroïde ou une maladie du foie ou des reins en évolution
7. Des interactions avec d'autres médicaments qui abaissent le taux de sucre dans le sang, comme les hypoglycémiants oraux, les salicylates, les antibiotiques de type sulfamide et certains antidépresseurs
8. La consommation d'alcool

Implications alimentaires: Si l'on ne peut prendre un repas à l'heure habituelle, on évitera l'hypoglycémie en ingérant la quantité d'hydrates de carbone prescrite pour le repas, sous forme de jus d'orange, de sirop, de bonbons, de pain ou de lait, sans modifier la dose d'insuline. Si des nausées ou des vomissements vous obligent à omettre un repas, vous devez vérifier votre glycémie et en avertir votre médecin.

Symptômes et traitement: Les symptômes de l'hypoglycémie légère ou modérée peuvent survenir subitement et inclure:

- transpiration excessive
- étourdissements
- palpitations
- tremblements
- faim
- agitation
- picotements dans les mains, les pieds, les lèvres ou la langue
- sensation de tête légère
- incapacité à se concentrer
- mal de tête
- somnolence
- troubles du sommeil
- anxiété
- vision brouillée
- trouble de l'élocution
- humeur dépressive
- irritabilité
- comportement anormal
- trouble de coordination
- changements de personnalité

Les signes d'hypoglycémie grave peuvent comprendre:

- désorientation
- perte de connaissance
- convulsions
- mort

Il importe donc d'obtenir de l'aide immédiatement.

Les premiers symptômes de l'hypoglycémie, appelés aussi symptômes prémonitoires, peuvent être différents ou moins prononcés chez certaines personnes, p. ex., celles qui souffrent de diabète depuis longtemps, qui sont atteintes de neuropathie diabétique, qui prennent des bêta-bloquants, changent de préparations d'insuline ou qui en prennent plus (3 injections d'insuline/jour ou plus) pour mieux maîtriser leur diabète. Quelques patients qui ont eu des réactions hypoglycémiques après être passés d'une insuline d'origine animale à une insuline humaine ont déclaré que les symptômes prémonitoires de l'hypoglycémie étaient moins prononcés que ceux éprouvés avec l'insuline d'origine animale ou qu'ils étaient différents.

Si vous ne reconnaissez pas les premiers symptômes de l'hypoglycémie, vous risquez d'être incapable de prendre les mesures nécessaires afin d'éviter que votre taux de sucre baisse davantage. Soyez attentif à tous les différents types de symptômes qui pourraient indiquer une hypoglycémie. Les patients qui ont une hypoglycémie sans symptômes prémonitoires doivent vérifier leur taux de sucre fréquemment, particulièrement avant d'entreprendre certaines activités comme la conduite d'un véhicule. Si votre taux de sucre est inférieur à votre taux de sucre normal à jeun, vous devriez manger ou boire des aliments contenant du sucre afin de corriger votre hypoglycémie.

L'hypoglycémie légère ou modérée pourrait être traitée par la prise d'aliments ou de boissons contenant du sucre. Les patients doivent toujours avoir à portée de la main des aliments pouvant leur procurer rapidement une source de sucre, p. ex., des menthes ou des comprimés de glucose. Les cas plus graves d'hypoglycémie peuvent nécessiter l'aide d'une autre personne. Les patients qui sont incapables de prendre du sucre par voie orale ou qui sont sans connaissance doivent recevoir une solution de glucose par voie i.v. sous surveillance médicale ou une injection de glucagon (intramusculaire ou sous-cutanée). Dès que le patient a repris connaissance, il doit prendre des hydrates de carbone par voie orale.

Vous devez apprendre à déceler vos propres symptômes d'hypoglycémie. Si vous n'êtes pas certain de les reconnaître, vous devez vérifier souvent votre taux de sucre afin d'apprendre à reconnaître les symptômes que vous éprouvez au moment d'une hypoglycémie.

Si vous avez souvent des épisodes d'hypoglycémie ou si vous avez de la difficulté à reconnaître les symptômes, vous devriez consulter votre médecin pour discuter des modifications que vous pourriez apporter à votre traitement, à votre plan d'alimentation ou à votre programme d'exercices pour éviter l'hypoglycémie.

Acidose et coma diabétique: L'hyperglycémie (trop de sucre dans le sang) peut survenir si vous n'avez pas assez d'insuline.

L'hyperglycémie peut se produire dans les situations suivantes:

1. Si vous omettez de prendre votre insuline ou si vous en prenez moins que la dose prescrite par votre médecin.
2. Si vous mangez beaucoup plus que les quantités recommandées dans votre plan d'alimentation.
3. Si vous faites de la fièvre ou si vous souffrez d'une infection ou encore si vous êtes dans une situation très stressante.

Chez les patients atteints de diabète insulino-dépendant, une hyperglycémie prolongée peut entraîner l'acidose diabétique. Les premiers symptômes d'acidose diabétique apparaissent habituellement de façon graduelle, au cours des heures ou des jours suivants et se manifestent par la somnolence, la rougeur du visage, la soif, la perte d'appétit et une haleine fruitée. En présence d'acidose, l'analyse de l'urine révèle un taux élevé de glucose et d'acétone. Une respiration difficile et un pouls rapide constituent des symptômes plus graves. Si elle n'est pas traitée, l'hyperglycémie prolongée (acidose diabétique) peut provoquer des nausées, des vomissements, de la déshydratation, la perte de connaissance et la mort, d'où l'importance d'obtenir immédiatement une aide médicale.

Lipodystrophie: En de rares occasions, l'administration sous-cutanée d'insuline peut entraîner une lipoatrophie (dépressions dans la peau) ou une lipohypertrophie (grossissement ou épaississement tissulaires). Si vous remarquez l'une ou l'autre de ces manifestations, consultez votre médecin. Modifier votre technique d'injection pourrait atténuer ce problème.

Allergie à l'insuline: Allergie locale: Le point d'injection peut parfois devenir rouge, enflé et causer des démangeaisons. Ces réactions locales disparaissent habituellement après quelques jours ou quelques semaines. Dans certains cas, ces réactions peuvent être reliées à d'autres facteurs que l'insuline, p. ex., à des substances irritantes contenues dans les produits nettoyants de la peau ou à une mauvaise technique d'injection. En cas de réactions locales, contactez votre médecin.

Allergie généralisée: Moins fréquente, mais pouvant entraîner des conséquences plus graves, l'allergie généralisée à l'insuline peut se traduire par des éruptions cutanées sur tout le corps, un souffle court, une respiration sifflante, une chute de la tension artérielle, un pouls rapide ou une transpiration excessive. Les cas graves d'allergie généralisée peuvent menacer la vie. Si vous croyez présenter une telle réaction à l'insuline, avertissez sans tarder un médecin.

Mode d'emploi: Humalog est une solution stérile. Les préparations d'Humalog doivent être administrées par injection sous-cutanée. La concentration d'Humalog dans les fioles de 10 mL et les cartouches de 1,5 mL ou de 3 mL est de 100 unités/mL (U-100).

Humalog est un liquide limpide et incolore ayant l'apparence et la consistance de l'eau. N'utilisez pas la cartouche si le contenu semble trouble, visqueux ou légèrement coloré, ou s'il renferme des particules solides. Vérifiez toujours l'apparence de votre fiole ou de votre cartouche d'Humalog avant de l'utiliser, et si vous observez quelque chose d'inhabituel dans son apparence ou constatez un changement marqué de vos besoins en insuline, consultez votre médecin.

Humalog (suite)

Conservation: Fioles: Humalog doit être conservé au réfrigérateur, mais non au congélateur. Si la réfrigération n'est pas possible, la fiole d'Humalog que vous utilisez présentement peut être conservée à la température ambiante jusqu'à 28 jours, pourvu qu'elle soit gardée à la température la plus fraîche possible (inférieure à 30 °C) et à l'abri des sources directes de chaleur et de lumière. N'utilisez pas les fioles d'Humalog qui auraient gelé. N'utilisez aucune fiole d'Humalog après la date de péremption étampée sur l'étiquette.

Cartouches: Les cartouches d'Humalog doivent être conservées au réfrigérateur, mais non au congélateur. Le stylo et la cartouche d'Humalog que vous utilisez présentement ne doivent pas être réfrigérés, mais gardés à la température la plus fraîche possible (inférieure à 30 °C) et à l'abri des sources directes de chaleur et de lumière. N'utilisez pas les cartouches d'Humalog qui auraient gelé. Les cartouches non réfrigérées doivent être jetées au bout de 28 jours, même si elles renferment encore de l'insuline. N'utilisez aucune cartouche d'Humalog après la date de péremption étampée sur l'étiquette.

Techniques d'injection: Fioles: Utilisez la seringue appropriée: Les doses d'insuline sont calculées en unités. Humalog est offert en préparations contenant 100 unités/mL (U-100). Il importe de bien comprendre la signification des traits marqués sur votre seringue, parce que le volume d'Humalog que vous injectez dépend de la concentration de la solution, c.-à-d. du nombre d'unités/mL. C'est pourquoi vous devez toujours utiliser une seringue fabriquée pour l'administration d'insuline U-100. L'utilisation d'une seringue de calibre différent peut fausser la dose et vous causer des troubles graves, comme un taux de sucre sanguin trop faible ou trop élevé.

Utilisation de la seringue: Suivez exactement les instructions ci-dessous pour tenter d'éviter la contamination de la préparation et le risque d'infection. Les seringues en plastique et les aiguilles jetables ne doivent être utilisées qu'une seule fois et jetées après usage. **Il ne faut pas utiliser la seringue ni l'aiguille d'une autre personne.**

Les seringues en verre et les aiguilles réutilisables doivent être stérilisées avant chaque injection. **Suivez les instructions fournies avec la seringue.**

Préparation de la dose:

1. Lavez-vous les mains.
2. Examinez la préparation d'Humalog dans la fiole. Elle doit être limpide et incolore. N'utilisez pas Humalog s'il est trouble, visqueux ou légèrement coloré ou s'il renferme des particules.
3. Si vous utilisez une nouvelle fiole, retirez le capuchon de protection en plastique, mais n'enlevez pas le bouchon.
4. Nettoyez le dessus de la fiole au moyen d'un tampon imbibé d'alcool.
5. Si vous devez faire un mélange d'insulines, suivez les instructions ci-dessous à ce sujet.
6. Retirez le capuchon de l'aiguille. Aspirez de l'air dans la seringue en volume égal à celui de votre dose d'Humalog. Percez le bouchon de caoutchouc de la fiole d'Humalog avec l'aiguille et injectez l'air de la seringue dans la fiole.
7. Inversez la fiole et la seringue. Tenez la fiole et la seringue fermement dans une seule main.
8. Assurez-vous que la pointe de l'aiguille est immergée dans la préparation d'Humalog et aspirez dans la seringue la dose d'insuline requise.
9. Avant de retirer l'aiguille de la fiole, vérifiez qu'il n'y a pas de bulles d'air dans la seringue, lesquelles réduisent la dose d'Humalog. S'il y en a, tenez la seringue en position verticale et tapotez-la jusqu'à ce que les bulles remontent à la surface. Appuyez sur le piston pour les expulser et aspirez la dose d'insuline nécessaire.
10. Retirez l'aiguille de la fiole et déposez la seringue à plat de sorte que l'aiguille ne touche à rien.

Mélange d'Humalog avec des préparations d'insuline à action plus longue: Il n'est pas recommandé de mélanger Humalog avec des insulines d'origine animale ni avec des préparations d'insuline d'autres fabricants.

1. Humalog ne doit être mélangé avec des préparations d'insuline Humulin à action plus longue que sur l'avis de votre médecin.
2. Aspirez de l'air dans la seringue en volume égal à celui de votre dose d'Humulin à action plus longue. Insérez l'aiguille dans la fiole d'insuline à action plus longue et injectez l'air de la seringue dans la fiole en veillant à ne pas toucher l'insuline. Retirez l'aiguille.
3. Injectez maintenant de l'air dans votre fiole d'Humalog de la même manière, mais ne retirez pas l'aiguille.
4. Inversez la fiole et la seringue.
5. Assurez-vous que la pointe de l'aiguille soit immergée dans la préparation d'Humalog et aspirez dans la seringue la dose d'Humalog requise.
6. Avant de retirer l'aiguille de la fiole d'Humalog, vérifiez qu'il n'y a pas de bulles d'air dans la seringue, lesquelles réduisent la dose d'Humalog. S'il y en a, tenez la seringue en position verticale et tapotez-la jusqu'à ce que les bulles remontent à la surface. Appuyez sur le piston pour les expulser et aspirez la dose d'insuline nécessaire. Mélangez la préparation d'insuline Humulin à action plus longue en roulant la fiole entre vos mains ou en l'agitant doucement.
7. Retirez l'aiguille de la fiole d'Humalog et introduisez-la dans la fiole d'insuline Humulin à action plus longue. Inversez la fiole et la seringue. Assurez-vous que la pointe de l'aiguille est immergée dans l'insuline et retirez votre dose d'insuline Humulin à action plus longue.
8. Retirez l'aiguille et déposez la seringue à plat de sorte que l'aiguille ne touche à rien.

Suivez les instructions de votre médecin au sujet du mélange d'insulines qui doit se faire juste avant votre injection. Humalog doit être injecté aussitôt mélangé. Il importe de toujours procéder de la même façon.

Les seringues des différents fabricants ne comportent pas toutes le même espace entre le trait du bas et l'aiguille. Pour cette raison, ne modifiez ni la séquence des étapes dans la préparation des mélanges, ni le modèle ou la marque de seringue et d'aiguille prescrits par votre médecin.

Injection: Nettoyez le point d'injection avec un tampon imbibé d'alcool. D'une main, tendez la peau ou prenez une bonne pincée de chair entre le pouce et l'index. Insérez l'aiguille en suivant les instructions de votre médecin. Enfoncez le piston jusqu'au fond. Retirez alors l'aiguille et maintenez une légère pression au point d'injection pendant plusieurs secondes. Ne frottez pas le point d'injection. Laissez au moins 1 cm (0,5 pouce) entre chaque point d'injection pour éviter d'endommager les tissus.

Cartouches: Préparation de la cartouche d'Humalog pour son insertion dans le stylo:

1. Lavez-vous les mains.
2. Avant d'insérer la cartouche d'Humalog dans le stylo, examinez le contenu de la cartouche pour vous assurer qu'il est limpide et incolore. N'utilisez pas la cartouche d'Humalog si la solution est trouble, visqueuse ou légèrement colorée ou encore si elle contient des particules solides.
3. Suivez attentivement les instructions du fabricant pour mettre la cartouche dans le stylo.

Injection de la dose:

1. Lavez-vous les mains.
2. Désinfectez la membrane en caoutchouc de la capsule métallique avec un tampon imbibé d'alcool.
3. Vérifiez la préparation d'Humalog dans la cartouche; elle doit être limpide et incolore. Ne l'utilisez pas si elle est trouble, visqueuse ou légèrement colorée ou encore si elle contient des particules solides.
4. Suivez les instructions du fabricant pour la mise en place de l'aiguille.
5. Tenez le stylo en position verticale, l'aiguille dirigée vers le haut. Si vous remarquez la présence de grosses bulles d'air, tapotez le coté du stylo légèrement jusqu'à ce que les bulles remontent à la surface. Gardez le stylo dans cette position et expulsez l'air de la cartouche en tournant le sélecteur de dose 2 fois (2 unités) et en appuyant sur le bouton-poussoir. Répétez cette étape au besoin jusqu'à ce qu'une goutte d'Humalog apparaisse au bout de l'aiguille.
6. Pour éviter d'endommager les tissus, n'utilisez le même point d'injection que 1 fois/mois environ.
7. Nettoyez le point d'injection avec un tampon imbibé d'alcool.
8. D'une main, tendez la peau ou prenez une bonne pincée de chair entre le pouce et l'index.
9. Introduisez l'aiguille selon les instructions de votre médecin.
10. Suivez les instructions du fabricant du stylo pour l'injection d'Humalog.
11. Retirez l'aiguille et maintenez une légère pression au point d'injection pendant plusieurs secondes. Ne frottez pas le point d'injection.
12. Immédiatement après l'injection, enlevez l'aiguille du stylo afin de maintenir la stérilité et d'éviter la fuite d'insuline, la rentrée d'air

ou l'obstruction de l'aiguille. Jetez l'aiguille en lieu sûr. Ne la réutilisez pas. **Il ne faut pas utiliser l'aiguille, la cartouche ni le stylo d'une autre personne.**

13. Au moment de l'injection, si vous constatez que l'extrémité antérieure du bouton-poussoir est vis-à-vis ou dépasse la bande colorée située sur la cartouche de 1,5 mL, cessez l'injection. Servez-vous de l'indicateur qui se trouve sur le côté de la cartouche pour évaluer la quantité d'Humalog qui reste dans la cartouche. La distance entre chaque trait correspond à 10 unités environ.

    Il n'y a pas de bande colorée sur la cartouche de 3 mL. Servez-vous de l'indicateur sur le côté de la cartouche pour évaluer la quantité d'Humalog qui reste. La distance entre chaque trait correspond à environ 20 unités. Par conséquent, lorsque l'extrémité antérieure du bouton-poussoir est vis-à-vis du dernier trait, il reste environ 20 unités d'Humalog dans la cartouche.

□ HUMULIN®

Lilly

Insuline humaine biosynthétique

Antidiabétique

Renseignements destinés aux patients: Par exemple, Humulin 40/60 (insuline humaine biosynthétique) fioles et cartouches: **Mises en garde: L'insuline humaine de Lilly diffère des insulines de source animale, en ce qu'elle est identique par sa structure à l'insuline produite par le pancréas et en ce qu'elle est synthétisée par un procédé de fabrication unique.**

Tout changement d'insuline doit être effectué avec précaution et seulement sous surveillance médicale. Des changements dans le raffinage, la pureté, la teneur, la marque (fabricant), le type (Régulière, NPH, Lente, etc.), la source (porcine, bovine-porcine, humaine) et/ou le procédé de fabrication (ADN recombiné par rapport à l'insuline de source animale) peuvent donner lieu à une modification de la posologie.

Certains patients recevant Humulin nécessiteront une posologie différente de celle de l'insuline de source animale. En ce cas, l'ajustement pourra se faire dès la première dose ou au cours des semaines suivantes.

L'insuline et le diabète: Votre médecin vous a appris que vous souffriez de diabète et que des injections d'insuline étaient nécessaires au traitement de cette maladie.

L'insuline est une hormone sécrétée par le pancréas, glande volumineuse située près de l'estomac. Cette hormone est nécessaire à l'assimilation des aliments par l'organisme, en particulier des sucres. Dans le diabète, le pancréas ne sécrète pas une quantité suffisante d'insuline pour répondre aux besoins de l'organisme.

Pour maîtriser votre diabète, votre médecin a prescrit des injections d'insuline qui maintiendront la teneur en sucre dans le sang à un niveau presque normal et, autant que possible, l'urine exempte de sucre. Chaque cas de diabète est différent. Votre médecin vous a indiqué le type et la quantité d'insuline à utiliser, ainsi que le moment et la fréquence des injections. Ce schéma posologique est particulier à votre cas. Une collaboration étroite et constante avec votre médecin est nécessaire pour assurer la maîtrise de votre diabète.

Malgré cette maladie, vous pouvez jouir d'une vie bien remplie, saine et utile grâce à un régime alimentaire quotidien équilibré, une activité physique régulière et l'injection d'insuline comme prescrite par votre médecin.

Le diabète exige de votre part une vérification régulière des taux de sucre dans votre sang et/ou votre urine. Si l'examen sanguin révèle régulièrement des taux de sucre au-dessus ou au-dessous de la normale ou l'examen d'urine la présence de sucre, votre diabète n'est pas maîtrisé et vous devez en parler à votre médecin.

Toute maladie dont vous pouvez souffrir, surtout si elle est accompagnée de nausées et de vomissements, peut donner lieu à une modification de vos besoins en insuline. Vous devez vérifier le taux de glucose dans le sang et/ou l'urine et avertir immédiatement votre médecin.

Ayez toujours une réserve d'insuline. Le port du bracelet et la carte pour diabétique vous assureront un traitement adéquat en cas de complications à l'extérieur du domicile.

Employez le type approprié d'insuline: Cette insuline fabriquée par Eli Lilly and Company de marque déposée Humulin, insuline humaine biosynthétique (source ADNr) -Lilly, est offerte en différentes préparations.

Ces produits peuvent être identifiés par une lettre ou un chiffre de grande dimension qui apparaît sur la boîte et l'étiquette de la cartouche à la suite du nom Humulin: Humulin R (Régulière), Humulin N (NPH), Humulin 10/90 (10 % d'insuline Régulière et 90 % d'insuline NPH), Humulin 20/80 (20 % d'insuline Régulière et 80 % d'insuline NPH), Humulin 30/70 (30 % d'insuline Régulière et 70 % d'insuline NPH), Humulin 40/60 (40 % d'insuline Régulière et 60 % d'insuline NPH) ou Humulin 50/50 (50 % d'insuline Régulière et 50 % d'insuline NPH).

Ces types d'insuline diffèrent principalement par le début et la durée de leur action. Le médecin vous a prescrit le type d'insuline qu'il ou elle croit être le mieux adapté à vos besoins. **N'utilisez pas un autre type d'insuline, à moins que votre médecin ne le recommande.**

Lorsque vous recevez votre insuline de la pharmacie, vérifiez les points suivants:

1. Le nom Humulin apparaît sur la boîte et l'étiquette de la cartouche et est suivi des lettres et noms appropriés à la préparation d'insuline: R-Régulière; N-NPH; 10/90-10 % Régulière/90 % NPH; 20/80-20 % Régulière/80 % NPH; 30/70-30 % Régulière/70 % NPH; 40/60-40 % Régulière/60 % NPH; 50/50-50 % Régulière/50 % NPH.
2. La boîte et l'étiquette de la cartouche indiquent bien le type d'insuline propre à vos besoins.
3. L'insuline humaine est de source ADNr.
4. La teneur en insuline est de 100 unités (U-100).
5. La date de péremption sur l'emballage représente une échéance raisonnable.

Insuline humaine biosynthétique 40/60: Humulin est synthétisé par recombinaison de l'ADN. Humulin 40/60 est un mélange de 40 % d'Humulin R (insuline humaine biosynthétique injectable) et 60 % d'Humulin N (insuline humaine biosynthétique isophane). C'est une insuline à action intermédiaire qui possède un début d'action plus rapide que l'insuline NPH seule. La durée d'action de cette insuline peut aller jusqu'à 24 heures après l'injection.

Humulin 40/60 doit être utilisé pour les injections par voie s.c. seulement.

Mises en garde (voir les Mises en garde ci-dessus): N'utilisez Humulin 40/60 que si votre médecin vous a prescrit un mélange de 40 % d'insuline Régulière et 60 % d'insuline NPH. Vous ne devez pas tenter de changer les proportions d'insuline de ce mélange en y ajoutant de l'insuline NPH ou Régulière. Si le médecin vous prescrit un mélange d'Humulin N et d'Humulin R dans des proportions différentes, vous devez mélanger les insulines dans les proportions recommandées en suivant ses instructions ou acheter le mélange prescrit s'il est offert sur le marché.

Grossesse: Il est essentiel de surveiller le taux de sucre sanguin (glycémie) pour s'assurer de la santé du bébé à la naissance. Il faut chercher à atteindre une glycémie normale avant la conception et pendant la grossesse. Étant donné l'importance de la maîtrise du diabète et le fait que la grossesse peut aggraver cette maladie, les patientes qui envisagent de devenir enceintes ou qui le sont doivent consulter des spécialistes.

Il est possible que les patientes diabétiques qui allaitent doivent modifier leur dose d'insuline ou leur régime alimentaire ou les deux.

Réaction à l'insuline et état de choc: Cause: Une réaction à l'insuline (déficience de sucre dans le sang, nommée hypoglycémie) peut être provoquée par:

1. Une dose excessive d'insuline
2. Les repas omis ou non pris à l'heure habituelle
3. Un surplus de travail ou d'exercices avant le repas
4. Une infection ou une maladie, accompagnées de diarrhée ou de vomissements
5. Un changement dans les besoins en insuline.

Implications alimentaires: Si l'on ne peut prendre un repas à l'heure habituelle, on évitera l'hypoglycémie en ingérant la quantité d'hydrates de carbone prescrite pour le repas, sous forme de jus d'orange, de sirop, de bonbons, de pain ou de lait, sans modifier la dose d'insuline. Si des nausées ou des vomissements vous obligent à omettre un repas, vous devez vérifier votre glycémie et en avertir votre médecin.

Symptômes et traitement: Habituellement, les premiers symptômes d'une réaction à l'insuline se manifestent de façon soudaine et peuvent comprendre de vagues symptômes de fatigue, de nervosité, de tremblements, de palpitations, de nausées et de sueurs froides. Il est d'importance capitale que vous compreniez que ces symptômes requièrent des soins immédiats.

Humulin (suite)

Quelques patients qui ont manifesté des réactions hypoglycémiques après être passés à Humulin ont déclaré que les symptômes prémonitoires étaient moins marqués avec Humulin qu'avec l'insuline de source animale.

L'ingestion de sucre ou de produits additionnés de sucre apporte souvent un soulagement et prévient l'apparition de symptômes plus graves. Les édulcorants artificiels ne conviennent pas au traitement de l'hypoglycémie.

En cas de délire ou de confusion mentale, de perte de mémoire ou d'hallucinations, du sirop de maïs dilué ou du jus d'orange sucré devrait être administré au patient diabétique par voie orale. En cas de réactions graves, le médecin pourra injecter par voie i.v. 15 à 20 g de dextrose (d-glucose), en solution stérile. Dans tous les cas d'hypoglycémie, qu'ils soient légers ou graves, vous devez avertir votre médecin sans tarder, afin qu'il puisse prescrire tout changement souhaitable dans le régime alimentaire ou dans la posologie.

Acidose et coma diabétique: Une concentration trop faible d'insuline dans l'organisme peut provoquer l'acidose diabétique (cet état est contraire à l'hypoglycémie, qui est un excès d'insuline dans le sang). L'omission d'une dose d'insuline, l'administration d'une dose plus faible que celle prescrite par le médecin, des excès alimentaires importants, l'infection ou la fièvre peuvent causer l'acidose diabétique. Dans ce cas, l'analyse de l'urine révèle un taux élevé de sucre et d'acétone.

Les premiers symptômes de l'acidose diabétique se manifestent habituellement de façon graduelle, au cours des heures ou des jours suivants, par la somnolence, la rougeur du visage, la soif, la perte de l'appétit; une respiration difficile et un pouls rapide constituent des symptômes graves.

La perte de connaissance, le coma ou la mort peuvent s'ensuivre si un traitement n'est pas instauré, d'où l'importance d'obtenir immédiatement une aide médicale.

Allergie à l'insuline: Le point d'injection peut parfois devenir rouge, enflé et causer des démangeaisons. Ces réactions allergiques locales disparaissent habituellement après quelques jours ou quelques semaines. Si vous avez de telles réactions, avertissez votre médecin. Il se peut qu'il recommande de changer le type ou la source d'insuline utilisée.

L'allergie généralisée, moins fréquente mais pouvant entraîner des conséquences plus graves, peut se traduire par des éruptions cutanées sur tout le corps, un souffle court, une respiration sifflante, une chute de la tension artérielle, un pouls rapide ou une transpiration excessive. Les cas graves d'allergie généralisée peuvent menacer la vie. Si vous croyez présenter une telle réaction à l'insuline, avertissez sans tarder un médecin. Votre médecin pourra recommander de faire des tests cutanés, qui visent à déterminer quelle insuline vous convient par l'injection de petites doses d'autres insulines dans la peau. Les patients qui ont présenté des réactions graves d'allergie généralisée à l'insuline doivent subir un test cutané pour chaque nouvelle préparation d'insuline avant qu'elle ne soit utilisée dans le traitement.

Remarques importantes:

1. Ne modifiez jamais le type d'insuline prescrit pour vous, sans directives précises de votre médecin. La modification du type, de la teneur, de la source ou de la marque de commerce de l'insuline peut empêcher la maîtrise de votre maladie.
2. Votre médecin vous indiquera quelle mesure prendre si vous omettez une dose d'insuline ou un repas à cause de malaises. Il est recommandé de toujours avoir sous la main une réserve d'insuline et une aiguille. Si vous omettez un repas, utilisez comme substitut du sucre, un bonbon sucré, un jus de fruits ou un breuvage sucré, selon les directives de votre médecin. Si un manque d'insuline semble inévitable, on peut réduire temporairement la dose d'insuline, diminuer aux deux tiers la quantité habituelle d'aliments et augmenter généreusement les liquides à valeur nutritive minime, tels l'eau, le café, le thé, les bouillons ou les soupes claires.
3. Toute maladie dont vous pouvez souffrir, surtout si elle est accompagnée de nausées et de vomissements, peut donner lieu à une modification de vos besoins en insuline. Vous devez faire un examen du sang et/ou de l'urine et avertir immédiatement votre médecin.
4. Si vous vous apercevez d'un changement quelconque ou si votre état ou votre posologie vous inquiètent, consultez votre médecin.
5. Consultez votre médecin pour ajuster l'horaire de vos injections si vous voyagez au-delà de 2 fuseaux horaires.
6. Le port du bracelet et la carte pour diabétique vous assureront un traitement adéquat en cas de complications à l'extérieur de votre domicile.
7. Pour mener une vie bien remplie et saine, apprenez à maîtriser votre diabète.

Mode d'emploi des fioles: (voir le prospectus d'emballage pour les illustrations): Vous ne devez utiliser Humulin 40/60 que si cette insuline a été prescrite par votre médecin. Humulin 40/60 doit être administré par voie s.c. seulement. Ne pas injecter l'insuline dans une veine.

Examen de la fiole (bouteille): **Ne pas utiliser après la date de péremption. N'utilisez pas la fiole d'Humulin 40/60 si, après avoir remis l'insuline en suspension, elle contient des grumeaux ou si des particules blanches collent au fond ou sur les parois de la fiole, lui donnant un aspect givré. (Remettre l'insuline en suspension en suivant les indications à l'étape 2 sous le paragraphe Préparation de la dose.) Retournez à la pharmacie toute fiole renfermant des grumeaux ou ayant un aspect givré et demandez qu'on la remplace.**

Consultez votre médecin si vous remarquez quelque chose d'inhabituel dans l'apparence ou l'effet de votre insuline.

Conservation: Les fioles d'insuline Humulin non utilisées doivent être conservées au réfrigérateur (2 à 10 °C). **Ne pas congeler**. La fiole d'insuline que vous utilisez ne requiert pas de réfrigération mais elle doit être gardée à une température au-dessous de 25 °C. Ne pas exposer à la chaleur ou aux rayons du soleil ni congeler. Les fioles non gardées au réfrigérateur ou celles qui sont utilisées doivent être jetées après 28 jours même si elles renferment encore de l'insuline.

Injection: Utilisez la seringue appropriée: Les doses d'insuline sont calculées en **unités**. L'insuline U-100 contient 100 unités/mL. Il est important d'utiliser une seringue fabriquée pour l'administration d'insuline U-100. L'utilisation d'une seringue de calibre différent peut modifier la dose et faire en sorte que vous receviez trop ou trop peu d'insuline. Cette modification peut vous causer de sérieux problèmes, comme un taux de sucre sanguin trop faible ou trop élevé.

Utilisation de la seringue: Suivez exactement les instructions suivantes pour tenter d'éviter la contamination de la préparation et la possibilité d'infection.

Les seringues et aiguilles jetables ne doivent être utilisées qu'une fois et jetées après usage. **Il ne faut pas utiliser la seringue et l'aiguille d'une autre personne**. Si l'on n'utilise pas de seringues et d'aiguilles jetables après usage, mais des seringues en verre, elles doivent être stérilisées avant chaque injection. **Suivez les instructions données avec la seringue.**

Préparation de la dose:

1. Lavez-vous les mains.
2. Mélangez la préparation d'insuline en agitant la fiole ou en la roulant entre vos mains plusieurs fois.
3. Examinez la fiole. Humulin 40/60 devrait avoir un aspect opaque ou laiteux. N'utilisez pas l'insuline si vous remarquez quelque chose d'inhabituel dans l'apparence de l'insuline.
4. Si vous utilisez une nouvelle fiole, retirez le capuchon de protection en plastique, mais **n'enlevez pas** le bouchon. Nettoyez la surface de la bouteille au moyen d'un tampon imbibé d'alcool.
5. En tirant le piston, aspirez dans la seringue un volume d'air égal au volume de la dose d'insuline à injecter. Percez le bouchon de caoutchouc de la bouteille avec l'aiguille, injectez l'air de la seringue dans la bouteille.
6. Inversez la bouteille et la seringue. Tenez la bouteille et la seringue fermement dans une seule main.
7. Assurez-vous que la pointe de l'aiguille est immergée dans la préparation d'insuline. Aspirez lentement dans la seringue la dose d'insuline nécessaire.
8. Avant de retirer l'aiguille de la fiole, vérifiez la présence de bulles d'air qui réduisent la dose d'insuline. S'il y a des bulles d'air, tenez la seringue en position verticale et tapotez-la jusqu'à ce que les bulles remontent à la surface. Éjectez-les en appuyant sur le piston et aspirez la dose d'insuline nécessaire.
9. Retirez l'aiguille de la bouteille et déposez la seringue à plat de manière à ce que l'aiguille **ne touche à rien**.

Injection de la dose d'insuline: Nettoyez le point d'injection avec un tampon imbibé d'alcool. D'une main, tendez la peau ou pincez la chair entre le pouce et l'index. Insérez l'aiguille en suivant les instructions de votre médecin. Enfoncez le piston jusqu'au fond. Retirez alors l'aiguille et pressez au point d'injection pendant quelques secondes. **Ne frottez pas le point d'injection.** Laissez au moins 1,5 cm entre chaque point d'injection pour éviter toute lésion des tissus.

Mode d'emploi des cartouches: Les cartouches d'Humulin sont conçues pour être utilisées avec le stylo B-D, le stylo Pen Ultra B-D, ou tout nouveau dispositif d'administration de Lilly.

Vous ne devez pas mélanger d'autres insulines dans la cartouche d'Humulin. Les cartouches d'Humulin **ne doivent pas** être rechargées ni utilisées pour les injections avec une seringue. Cependant, il est recommandé de garder une seringue dans la trousse du stylo pour pouvoir prélever l'insuline de la cartouche en cas d'urgence, c.-à-d. si le stylo ne fonctionne pas. Cette cartouche ne doit pas être remplie de nouveau.

Vous ne devez utiliser Humulin 40/60 que si cette insuline a été prescrite par votre médecin. Les cartouches d'Humulin 40/60 doivent être utilisées pour les injections par voie s.c. seulement. Ne pas injecter l'insuline dans une veine.

Examen de la cartouche: **Ne pas utiliser après la date de péremption. N'utilisez pas la cartouche d'Humulin 40/60 si, après avoir remis l'insuline en suspension, elle contient des grumeaux ou si des particules blanches collent au fond ou sur les parois de la cartouche, lui donnant un aspect givré. (Remettre l'insuline en suspension en suivant les indications à l'étape 2 sous le paragraphe Préparation de la dose.) Retournez à la pharmacie toute cartouche renfermant des grumeaux ou ayant un aspect givré et demandez qu'on la remplace.**

Consultez votre médecin si vous remarquez quelque chose d'inhabituel dans l'apparence ou l'effet de votre insuline.

Conservation: Les cartouches d'insuline Humulin non utilisées doivent être conservées au réfrigérateur (2 à 10 °C). **Ne pas congeler**. La cartouche d'insuline que vous utilisez doit être laissée dans le stylo et peut être transportée. Le stylo et la cartouche ne requièrent pas de réfrigération mais ils doivent être gardés à une température au-dessous de 25 °C. Ne pas exposer à la chaleur ou aux rayons du soleil ni congeler. Les cartouches non gardées au réfrigérateur ou celles qui sont utilisées doivent être jetées après 28 jours même si elles renferment encore de l'insuline.

Préparation de la dose:

1. Lavez-vous les mains.
2. Examinez toujours la cartouche d'Humulin 40/60 avant de vous en servir. Roulez la cartouche entre les mains 10 fois et renversez-la 10 fois pour remettre l'insuline en suspension. Assurez-vous que l'insuline a été remise en suspension de façon uniforme et répétez l'étape précédente au besoin. Après avoir été remis en suspension, Humulin devrait avoir un aspect opaque ou laiteux. **N'utilisez pas** l'insuline si des particules blanches collent au fond ou sur les parois de la cartouche ou si elle contient des grumeaux.
3. Suivez attentivement les directives du fabricant pour la mise en place de la cartouche dans le stylo.
4. Désinfectez la membrane en caoutchouc de la capsule métallique avec un tampon imbibé d'alcool et vissez l'aiguille.
5. Remettre Humulin 40/60 en suspension en roulant la cartouche et le stylo entre les mains 10 fois et en les renversant 10 fois. Répétez cette étape avant chaque injection même après avoir mis la cartouche dans le stylo.
6. Amorcez le stylo selon les directives du fabricant. Si des bulles d'air se forment, tenez le stylo en position verticale, l'aiguille dirigée vers le haut, et tapotez le côté du stylo légèrement jusqu'à ce que les bulles remontent à la surface. Gardez le stylo dans cette position et expulsez l'air de la cartouche en tournant le sélecteur de dose 2 fois (2 unités) et en appuyant sur le bouton-poussoir. Répétez jusqu'à l'obtention d'une goutte d'insuline au bout de l'aiguille. Il est possible que de petites bulles d'air restent dans le stylo. Bien que sans danger, une bulle d'air de grand volume nuira à la précision de la dose d'insuline.
7. Sélectionnez la dose selon les instructions de votre médecin. La graduation sur le côté permet de voir la quantité d'insuline qui reste dans la cartouche. Chaque marque correspond à environ 10 unités pour les cartouches de 1,5 mL et à 20 unités pour les cartouches de 3 mL.

Injection de la dose:

1. Nettoyez le point d'injection avec un tampon imbibé d'alcool. Faites la rotation des points et laissez au moins 1,5 cm entre chaque point d'injection pour éviter toute lésion des tissus.
2. D'une main, pincez la chair entre le pouce et l'index.
3. Introduisez l'aiguille selon les directives de votre médecin ou de votre infirmière.
4. Suivez les directives du fabricant du stylo pour l'injection de l'insuline.
5. Retirez l'aiguille et appuyez doucement sur le point d'injection **sans frotter**.
6. Immédiatement après l'injection, dévissez l'aiguille usagée afin de maintenir la stérilité et d'éviter la fuite d'insuline, la rentrée d'air ou l'obstruction de l'aiguille.

☐ HYDROMORPH CONTIN® Ⓝ

Purdue Frederick

Chlorhydrate d'hydromorphone

Analgésique opioïde

Renseignements destinés aux patients: Qu'est-ce que l'hydromorphone? L'hydromorphone soulage la douleur et devrait vous permettre d'augmenter votre bien-être et de vivre de façon plus indépendante. Elle est efficace et sûre si vous l'utilisez selon les directives de votre médecin.

Votre douleur peut s'intensifier ou diminuer de temps en temps et votre médecin devra peut-être modifier la quantité d'hydromorphone que vous prenez (dose quotidienne).

Qu'est qu'Hydromorph Contin? Hydromorph Contin est une capsule conçue de façon telle qu'elle libère l'hydromorphone lentement sur une période de 12 heures, vous permettant de ne prendre qu'une dose toutes les 12 heures pour contrôler votre douleur.

Les capsules Hydromorph Contin sont disponibles en 5 concentrations: 3 mg (vert), 6 mg (rose), 12 mg (orange), 24 mg (gris) et 30 mg (rouge). On doit parfois prendre plus d'une concentration (capsules de couleurs différentes) à la fois pour recevoir la dose quotidienne totale prescrite par le médecin.

Les capsules Hydromorph Contin doivent être avalées intactes. Si le médecin le spécifie, on peut saupoudrer leur contenu sur des aliments mous, mais on ne doit pas écraser ni mâcher la capsule ni les granulés.

Comment prendre votre médicament: Les capsules Hydromorph Contin doivent être prises de façon régulière toutes les 12 heures (avec 120 à 180 mL d'eau) pour prévenir la douleur toute la journée et toute la nuit. Si votre douleur s'intensifie et vous gêne, contactez immédiatement votre médecin qui décidera peut-être d'ajuster votre dose quotidienne d'Hydromorph Contin.

Votre dose d'attaque d'Hydromorph Contin est clairement indiquée sur l'étiquette du flacon. Ne manquez pas de suivre exactement les directives indiquées sur l'étiquette; ceci est très important. Si votre dose est modifiée, ne manquez pas de noter la nouvelle dose au moment où le médecin vous l'indique. Et suivez exactement les nouvelles directives.

Constipation: L'hydromorphone entraîne la constipation. Il faut s'y attendre et c'est pourquoi votre médecin vous prescrira peut-être un laxatif et un émollient des selles pour aider à soulager la constipation pendant le traitement avec Hydromorph Contin. Indiquez à votre médecin si ce problème se développe.

Médicaments concomitants: Vous devriez indiquer à votre médecin les autres médicaments que vous prenez, le cas échéant, y compris les produits en vente libre comme les antihistaminiques ou les somnifères, car ils peuvent influencer votre réponse à l'hydromorphone.

Conduite automobile: Vous devrez éviter la conduite automobile ou toute autre tâche nécessitant de la vigilance constante pendant les premiers jours du traitement avec Hydromorph Contin, étant donné qu'il peut entraîner la somnolence ou la sédation.

Renouvellement de l'ordonnance d'Hydromorph Contin: Chaque fois que vous aurez besoin de plus d'Hydromorph Contin, vous devrez obtenir une nouvelle ordonnance de votre médecin. Il est donc important que vous communiquiez avec votre médecin au moins 3 jours ouvrables avant l'épuisement de votre réserve du médicament. Il est très important que vous preniez toutes les doses prescrites. Si votre douleur s'intensifie ou si vous développez d'autres symptômes suite à la prise d'Hydromorph Contin, communiquez immédiatement avec votre médecin.

☐ HYTRIN® Ⓟ

Abbott

Chlorhydrate de térazosine

Antihypertenseur—Traitement symptomatique de l'hypertrophie bénigne de la prostate (HBP)

Renseignements destinés aux patients: Hypertrophie bénigne de la prostate: Veuillez lire ce document avant de commencer à prendre

Hytrin (suite)

Hytrin. Vous devriez également le relire chaque fois que vous renouvelez votre ordonnance au cas où votre état de santé aurait changé. Cependant, ce document ne remplace aucunement les discussions avec votre médecin.

Pourquoi votre médecin vous a-t-il prescrit Hytrin? Votre médecin vous a prescrit Hytrin parce que vous souffrez d'une maladie qui s'appelle l'hypertrophie bénigne de la prostate (HBP) et qui ne survient que chez les hommes. Hytrin sert également à soigner la haute pression (hypertension), mais ce document porte exclusivement sur Hytrin en tant que traitement de l'HBP.

Qu'est-ce que l'HBP? L'HBP est une augmentation de la taille de la prostate qui survient chez la plupart des hommes de plus de 50 ans. La prostate est située sous la vessie et entoure l'urètre, canal excréteur de l'urine qui part de la vessie et aboutit à l'extérieur. Les symptômes de l'HBP, cependant, peuvent être provoqués par une contraction des muscles de la prostate. Lorsque les muscles à l'intérieur de la prostate se resserrent, ils écrasent l'urètre, ce qui ralentit l'écoulement de l'urine et peut entraîner les symptômes suivants:

- jet urinaire faible ou interrompu;
- impression d'incapacité de vider sa vessie;
- impression de retard ou d'hésitation avant de commencer à uriner;
- besoin fréquent d'uriner, surtout la nuit;
- impression d'être incapable de se retenir d'uriner.

Traitements possibles de l'HBP: Il existe 3 traitements possibles de l'HBP:

1. «Attente sous surveillance»: Si votre prostate est hypertrophiée et que vous ne ressentiez aucun symptôme ou que vos symptômes soient peu incommodants, vous pouvez décider, avec votre médecin, d'entreprendre un programme de surveillance qui comprend des examens réguliers et qui exclut, pour le moment, les médicaments ou l'intervention chirurgicale.
2. Traitement médicamenteux: Il existe différents types de médicaments qui servent au traitement de l'HBP. Comme votre médecin vous a prescrit Hytrin, consultez la section intitulée «Comment Hytrin agit-il?».
3. Intervention chirurgicale: Certains patients peuvent avoir besoin d'une intervention chirurgicale. Votre médecin peut recommander différents types d'interventions dans le traitement de votre HBP.

Le type d'intervention qui convient le mieux à votre cas dépend de vos symptômes cliniques et de votre état de santé général.

Comment Hytrin agit-il? Hytrin bloque les récepteurs de la musculature lisse du col de la vessie et de la prostate. Ces récepteurs sont appelés alpha$_1$-adrénergiques. Le blocage de ces derniers permet aux muscles lisses du col de la vessie et de la prostate de se détendre et de réduire le tonus musculaire. Ainsi, on peut observer une amélioration rapide du débit urinaire et des symptômes en 2 semaines. Cependant, ce ne sont pas tous les patients qui répondent de la même façon au traitement. Comme chaque patient est différent, vous devez garder à l'esprit les faits suivants:

- avant d'entreprendre le traitement par Hytrin, vous devez subir un examen urologique complet pour permettre de déterminer la gravité de votre état et pour vérifier qu'il n'est pas nécessaire de vous opérer immédiatement ni que vous souffrez d'un cancer de la prostate;
- même si Hytrin peut améliorer votre état, on ne sait pas s'il réduit les risques d'intervention chirurgicale;
- la térazosine ne guérit pas l'hypertrophie bénigne de la prostate (HBP). Elle facilite simplement l'écoulement de l'urine et améliore les symptômes de l'HBP. Chez certains patients, il est possible que la térazosine entraîne la survenue d'effets secondaires incommodants.

Ce que vous devez savoir pendant votre traitement par Hytrin:

- Vous devriez observer une amélioration de vos symptômes en 2 à 4 semaines. Pendant votre traitement par Hytrin, vous devrez subir des examens réguliers au cours desquels l'évolution de votre état sera évaluée et votre tension artérielle, surveillée. Suivez les directives de votre médecin en ce qui concerne la fréquence de ces rendez-vous.
- Hytrin peut être responsable d'une chute soudaine de la tension artérielle après la prise de la toute première dose. Vous pouvez ressentir des étourdissements ou de la faiblesse ou avoir l'impression «d'avoir la tête légère», surtout en vous levant d'une position couchée ou assise. Ces phénomènes sont plus susceptibles de se produire après avoir pris les quelques premières doses, mais peuvent survenir à tout moment pendant le traitement. Ils peuvent aussi se produire à nouveau si vous recommencez à prendre le médicament après une interruption de traitement.

  En raison de cet effet, votre médecin vous a peut-être dit de prendre Hytrin au coucher. Si vous prenez Hytrin au coucher et que vous deviez aller à la salle de bains pendant la nuit, levez-vous lentement et avec prudence jusqu'à ce que vous connaissiez bien les effets du médicament sur vous. Vous devez également vous lever lentement lorsque vous êtes en position assise ou couchée jusqu'à ce que vous sachiez bien comment vous réagissez à Hytrin. Vous ne devez ni conduire, ni manœuvrer de la machinerie lourde, ni effectuer de tâches dangereuses avant d'être habitué aux effets du médicament. Vous devez également éviter les situations où vous pourriez vous blesser si des syncopes se présentaient à l'instauration du traitement avec la térazosine. Si vous vous sentez étourdi, asseyez-vous ou étendez-vous jusqu'à ce que vous vous sentiez mieux.
- Les autres effets secondaires d'Hytrin sont la somnolence, la vision trouble ou brouillée, les nausées et le «gonflement» des mains ou des pieds. Parlez à votre médecin de tout effet inhabituel que vous observez.
- Votre médecin vous a prescrit Hytrin pour le traitement des symptômes de l'HBP et non pas pour le cancer de la prostate. Il arrive que certains hommes souffrent à la fois d'HBP et de cancer de la prostate. Les médecins recommandent habituellement un dépistage annuel du cancer de la prostate chez les hommes de plus de 50 ans (40 ans, dans les familles où il y a déjà eu un cas de cancer de la prostate). Vous devez continuer à vous soumettre à ce dépistage pendant votre traitement par Hytrin. Hytrin ne traite pas le cancer de la prostate.
- L'antigène spécifique de la prostate (ASP ou PSA, en anglais): Votre médecin a peut-être fait mesurer vos taux d'ASP dans le sang. Il sait cependant qu'Hytrin ne modifie en rien les taux d'ASP. Vous pouvez poser plus de questions à votre médecin s'il décide de mesurer vos taux d'ASP.

Comment prendre Hytrin: Suivez les recommandations de votre médecin à la lettre sur la façon de prendre Hytrin. La dose initiale est de 1 mg au coucher. Vous devez continuer à prendre cette dose chaque jour pendant la première semaine de traitement, comme vous l'a prescrit votre médecin. Ce dernier augmentera graduellement la posologie du médicament pour la porter à 2, à 5 et à 10 mg selon votre réponse au produit. Avertissez votre médecin si vous cesser de prendre Hytrin pendant quelques jours. Il décidera peut-être de vous faire recommencer le traitement à la dose de 1 mg. Faites attention au risque d'étourdissements.

Si votre médecin vous a prescrit la trousse de départ, il est important que vous finissiez de prendre tous les comprimés de la trousse de départ selon les indications, avant de commencer à prendre les autres comprimés d'Hytrin que vous a remis le pharmacien, conformément à l'ordonnance du médecin.

Ne donnez pas vos comprimés Hytrin à quelqu'un d'autre. Ils ont été prescrits pour vous.

Avertissez votre médecin de toute maladie survenant pendant votre traitement par Hytrin; signalez-lui également les autres médicaments, d'ordonnance ou non, que vous prenez. Si vous consultez un autre médecin que celui qui vous a prescrit Hytrin, dites-lui que vous prenez ce médicament.

Ce médicament vous a été prescrit pour traiter votre problème médical particulier. Respectez les directives de votre médecin et ne donnez pas ce produit à quelqu'un d'autre.

Conservez tous les médicaments hors de portée des enfants. Si vous désirez obtenir plus de renseignements sur Hytrin et sur l'HBP, consultez votre médecin ou votre pharmacien.

☐ HYZAAR® ℞

MSD

Losartan potassique—Hydrochlorothiazide

Antagoniste des récepteurs de l'angiotensine II—Diurétique

Renseignements destinés aux patients: Veuillez lire attentivement cette notice avant de commencer à prendre le médicament et chaque fois que vous renouvelez votre ordonnance au cas où des changements seraient survenus.

N'oubliez pas que le médecin vous a prescrit ce médicament pour votre usage personnel. Vous ne devez pas le donner à d'autres personnes.

Qu'est-ce que Hyzaar? Le comprimé Hyzaar est enrobé par film, de couleur jaune et en forme de larme; il contient 50 mg de losartan potassique et 12,5 mg d'hydrochlorothiazide, les ingrédients actifs.

En outre, le comprimé Hyzaar renferme les ingrédients non médicinaux suivants: amidon prégélifié, cellulose microcristalline, hydroxypropylcellulose, hydroxypropylméthylcellulose, lactose hydrique, stéarate de magnésium et colorants (D&C jaune n° 10 aluminum lake et dioxyde de titane). Le comprimé Hyzaar contient également 4,24 mg (0,108 mEq) de potassium.

Bien que Hyzaar contienne une très faible quantité de potassium, ce médicament ne peut remplacer les suppléments potassiques. Si votre médecin vous a prescrit des suppléments potassiques, vous devez continuer à les prendre selon ses directives.

Hyzaar est une association médicamenteuse composée d'un antagoniste des récepteurs de l'angiotensine II (losartan) et d'un diurétique (hydrochlorothiazide). L'action conjuguée du losartan et de l'hydrochlorothiazide abaisse la tension artérielle.

Pourquoi votre médecin vous a-t-il prescrit Hyzaar? Votre médecin vous a prescrit ce médicament parce que vous souffrez d'une maladie appelée hypertension, c.-à-d. que votre tension artérielle est élevée.

- **Qu'est-ce que la tension artérielle?** La pression exercée sur la paroi des vaisseaux sanguins par le sang propulsé par le cœur vers les diverses régions de l'organisme s'appelle la tension artérielle ou pression sanguine. La tension artérielle varie au cours de la journée selon les activités, le niveau de stress et les émotions.

  La valeur de la tension artérielle s'exprime par 2 chiffres, p. ex. 120/80. Le chiffre du haut représente la pression au moment où le cœur se contracte et celui du bas définit la pression au repos, c.-à-d. entre les battements.
- **Qu'est-ce que l'hypertension (tension artérielle élevée)?** Vous souffrez d'hypertension si votre tension artérielle demeure élevée même lorsque vous êtes calme et détendu.
- **Comment pouvez-vous savoir si votre tension artérielle est élevée?** En règle générale, l'hypertension ne s'accompagne pas de symptômes. Le seul moyen de savoir si vous êtes atteint d'hypertension est de connaître vos chiffres tensionnels. C'est pourquoi il est important de faire vérifier votre tension artérielle de façon régulière.
- **Pourquoi faut-il traiter l'hypertension?** En l'absence de traitement, l'hypertension peut endommager des organes vitaux, tels le cœur et le rein. Même chez une personne qui se sent bien et qui n'a pas de symptômes, l'hypertension peut provoquer à la longue un accident cérébrovasculaire, une crise cardiaque, une insuffisance cardiaque, une insuffisance rénale ou une cécité.
- **Comment doit-on traiter l'hypertension?** Une fois diagnostiquée, l'hypertension doit être traitée. Certains traitements autres que les médicaments peuvent être recommandés. Votre médecin vous conseillera peut-être d'apporter des modifications à votre mode de vie. Il pourra aussi juger utile de vous prescrire des médicaments pour maîtriser votre tension artérielle. Hyzaar ne guérit pas l'hypertension, mais il aide à maîtriser cette affection.

  Votre médecin peut vous dire quelle doit être la tension artérielle idéale dans votre cas. Retenez bien ces chiffres et suivez les directives de votre médecin concernant ce que vous devez faire pour atteindre ces valeurs.
- **Comment Hyzaar maîtrise-t-il l'hypertension?** Le composant losartan de Hyzaar abaisse la tension artérielle en bloquant une substance produite naturellement par l'organisme, appelée angiotensine II. L'angiotensine II entraîne habituellement un rétrécissement du diamètre des vaisseaux sanguins. Le composant losartan de Hyzaar provoque un relâchement des vaisseaux sanguins. Le composant hydrochlorothiazide de Hyzaar augmente l'élimination de l'eau et du sel par les reins. L'action conjuguée du losartan et de l'hydrochlorothiazide entraîne une réduction de la tension artérielle. Votre médecin pourra vous dire si le médicament est efficace en mesurant votre tension artérielle; de votre côté, il se peut cependant que vous ne ressentiez aucun changement même si le traitement est efficace.

Ce qu'il faut savoir avant de prendre Hyzaar:

- **Patients qui ne doivent pas prendre Hyzaar.** Ne prenez pas Hyzaar:
  —si vous êtes allergique à l'un de ses composants (voir **Qu'est-ce que Hyzaar?**);
  —si vous êtes allergique aux dérivés des sulfamides (si vous ne savez pas quels sont ces médicaments, renseignez-vous auprès de votre médecin ou de votre pharmacien);
  —si vous n'éliminez pas l'urine.

  Si vous n'êtes pas certain de pouvoir commencer un traitement avec Hyzaar, parlez-en avec votre médecin ou votre pharmacien.
- **Utilisation pendant la grossesse et l'allaitement:** Il n'est pas recommandé de prendre Hyzaar pendant la grossesse ou pendant l'allaitement. Si vous êtes enceinte ou si vous le devenez alors que vous suivez un traitement avec Hyzaar, avertissez votre médecin le plus tôt possible.
- **Ce que vous devez dire à votre médecin ou à votre pharmacien avant de commencer à prendre Hyzaar:** Parlez à votre médecin ou à votre pharmacien de tout problème médical passé ou présent et des allergies dont vous souffrez. Avertissez votre médecin si vous avez eu récemment une diarrhée ou des vomissements abondants.

  Il est particulièrement important d'aviser le médecin si vous êtes atteint d'une maladie du foie ou des reins, de goutte, de diabète, de lupus érythémateux, ou si vous prenez d'autres diurétiques (médicaments qui éliminent l'eau). Dans ces cas, le médecin devra peut-être vérifier la dose de vos médicaments.

  Si vous devez subir une intervention chirurgicale ou une anesthésie générale (y compris chez le dentiste), informez le médecin ou le dentiste que vous prenez Hyzaar car l'anesthésie générale peut entraîner une baisse soudaine de la tension artérielle.
- **Utilisation chez les enfants:** Hyzaar ne devrait pas être administré à des enfants.
- **Pouvez-vous prendre Hyzaar en même temps que d'autres médicaments?** Comme c'est le cas avec la plupart des médicaments, il peut y avoir une interaction entre Hyzaar et d'autres produits. Par conséquent, ne prenez pas d'autres médicaments, à moins que vous en ayez discuté avec votre médecin ou votre pharmacien. Certains médicaments tendent à augmenter votre tension artérielle, p. ex. les produits vendus sans ordonnance pour diminuer l'appétit ou pour maîtriser l'asthme, la toux, le rhume, le rhume des foins et la sinusite.

  Il est particulièrement important que votre médecin et votre pharmacien sachent si vous prenez d'autres médicaments qui réduisent la tension artérielle, d'autres diurétiques (médicaments qui éliminent l'eau), des résines qui réduisent le taux de cholestérol, des médicaments pour traiter le diabète, dont l'insuline, des relaxants musculaires, des amines pressives (p. ex. l'épinéphrine), des stéroïdes, certains médicaments contre la douleur et contre l'arthrite, ou du lithium (un médicament qui traite un certain type de dépression). Les sédatifs, les tranquillisants, les narcotiques, l'alcool et les analgésiques peuvent augmenter l'effet de Hyzaar sur la tension artérielle; si vous prenez l'une de ces substances, vous devez donc en informer votre médecin ou votre pharmacien.
- **Pouvez-vous conduire un véhicule ou faire fonctionner une machine pendant un traitement avec Hyzaar?** Presque tous les patients le peuvent; cependant, il vaudrait mieux que vous évitiez les tâches qui exigent de la vigilance (p. ex. la conduite automobile ou le fonctionnement d'un appareil dangereux) tant que vous ne connaissez pas votre réaction au médicament.

Mode d'emploi de Hyzaar: Prenez Hyzaar tous les jours en suivant rigoureusement les directives de votre médecin. Il est important de continuer à prendre Hyzaar aussi longtemps que votre médecin vous l'a prescrit en vue de maintenir une maîtrise régulière de votre tension artérielle.

Hyzaar peut être pris avec ou sans aliments mais de préférence toujours dans les mêmes conditions par rapport à la prise d'aliments, tous les jours à la même heure.

Que devez-vous faire si vous oubliez une dose? Essayez de prendre Hyzaar tous les jours tel que l'a prescrit votre médecin. Cependant, si vous oubliez une dose, ne prenez pas une dose supplémentaire. Le lendemain, reprenez le calendrier habituel.

Que devez-vous faire en cas de surdosage? En cas de surdosage, communiquez immédiatement avec votre médecin pour obtenir rapidement des soins médicaux.

Quelles sont les réactions défavorables qui peuvent survenir au cours d'un traitement avec Hyzaar? Tout médicament peut provoquer des réactions inattendues ou indésirables, appelées effets secondaires. Hyzaar est bien toléré par la plupart des patients. Certains sujets peuvent présenter des étourdissements. Votre médecin ou votre pharmacien vous fourniront une liste complète des réactions défavorables. Avertissez votre médecin ou votre pharmacien immédiatement si ces réactions ou d'autres symptômes inhabituels surviennent.

Que pouvez-vous faire pour obtenir plus d'information concernant Hyzaar et l'hypertension? Vous pouvez demander plus d'information à votre médecin ou à votre pharmacien qui vous communiqueront des renseignements plus complets sur le produit et sur l'hypertension.

Entreposage de Hyzaar: Conservez Hyzaar à la température ambiante (15 à 30 °C). Gardez le contenant hermétiquement clos.

Gardez tous les médicaments hors de la portée des enfants.

□ IDARAC® ℞

Sanofi

Floctafénine

Anti-inflammatoire—Analgésique

Renseignements destinés aux patients: Qu'est-ce qu'Idarac? Les comprimés Idarac renferment de la floctafénine, un médicament appartenant à la classe des agents anti-inflammatoires non stéroïdiens (AINS). Les comprimés Idarac sont utilisés pour soulager la douleur aiguë légère ou modérée dans les cas tels que les foulures ou les blessures articulaires, ou après une extraction dentaire.

Les comprimés Idarac aident à soulager la douleur et l'œdème en diminuant la production de certaines substances (prostaglandines) et en contribuant à maîtriser l'inflammation.

Comment faut-il prendre Idarac? Vous devez prendre les comprimés Idarac conformément aux directives de votre médecin seulement. N'en prenez pas plus, ni plus souvent, ni pendant plus longtemps que ce que votre médecin ou votre dentiste vous a recommandé.

La dose d'Idarac pour adultes est de 1 comprimé de 200 ou 400 mg toutes les 6 à 8 heures, au besoin. Vous ne devez pas en prendre plus de 1 200 mg par jour, sauf sur indication de votre médecin ou de votre dentiste. Les comprimés doivent être pris avec un verre d'eau.

Qui doit prendre Idarac? Vous ne devez pas utiliser ce produit si vous souffrez d'un ulcère gastro-duodénal ou d'une affection inflammatoire évolutive des voies gastro-intestinales, ou si vous êtes sensible (allergique) à la floctafénine.

Les femmes en âge de procréer ou qui allaitent ne doivent pas prendre Idarac à moins qu'elles n'aient discuté des risques possibles avec leur médecin.

Idarac ne doit pas être administré aux enfants, sauf s'il est recommandé par un médecin.

L'administration prolongée d'Idarac n'est pas recommandée.

Quelles précautions faut-il suivre pendant un traitement par Idarac? Si vous souffrez d'une affection rénale, d'une maladie de cœur, d'un ulcère gastro-duodénal ou d'une autre maladie grave, si vous êtes enceinte ou si vous allaitez votre enfant, si vous prenez un anticoagulant (agent qui rend le sang plus liquide), des bêta-bloquants ou d'autres médicaments d'ordonnance ou en vente libre, consultez votre médecin avant de prendre ce médicament.

Prenez Idarac conformément aux directives de votre médecin ou de votre dentiste seulement. N'en prenez pas plus, ni plus souvent ni pendant plus longtemps que ce que votre médecin ou votre dentiste vous a recommandé. En plus des effets voulus, Idarac peut aussi entraîner des effets indésirables. Même si ces effets ne surviennent pas très souvent, lorsqu'ils apparaissent il peut être nécessaire de consulter un médecin. Contactez votre médecin sans délai si l'un des symptômes suivants survient: essoufflement, troubles respiratoires, respiration sifflante, serrement dans la poitrine; selles sanguinolentes ou noires goudron; rash cutané, éruption cutanée ou démangeaisons; vision brouillée; tintement d'oreilles; somnolence, étourdissements, maux de tête, insomnie, nervosité, irritabilité; nausées, diarrhée, douleur ou inconfort abdominal, aigreurs d'estomac, constipation, tests anormaux de la fonction hépatique; tout changement dans la quantité ou la couleur de l'urine ou odeur très forte de celle-ci; anomalies du goût, sécheresse de la bouche, crampes d'estomac, gaz, bouffées de chaleur et transpiration, fréquence cardiaque rapide, faiblesse et fatigue.

Points à ne jamais oublier:
Avant de prendre ce médicament, dites à votre médecin, à votre dentiste ou à votre pharmacien si:

- vous êtes allergique aux comprimés d'Idarac ou à d'autres anti-inflammatoires non stéroïdiens tels que: acide acétylsalicylique, diclofénac, diflunisal, fénoprofène, flurbiprofène, ibuprofène, indométhacine, kétoprofène, kétorolac, acide méfénamique, naproxen, naproxen sodique, oxyphenbutazone, phénylbutazone, piroxicam, sulindac, ténoxicam, acide tiaprofénique ou tolmétine;
- vous avez des antécédents de dérangements d'estomac, d'ulcères, ou d'affection hépatique, cardiaque ou rénale;
- vous êtes enceinte ou que vous avez l'intention de le devenir pendant ce traitement;
- vous allaitez votre enfant;
- si vous prenez un autre médicament (d'ordonnance ou en vente libre);
- vous présentez d'autres problèmes médicaux.

Pendant que vous prenez ce médicament:

- Dites aux médecins, dentistes ou pharmaciens que vous consultez que vous prenez ce médicament.
- Faites preuve de prudence lorsque vous conduisez, utilisez de l'équipement ou participez à des activités nécessitant de la vigilance si vous présentez de la somnolence, des étourdissements ou des vertiges avec ce médicament.
- Vérifiez avec votre médecin si vous n'obtenez aucun soulagement ou que des problèmes surviennent.
- Signalez toute réaction adverse à votre médecin. C'est très important. Cela vous aidera à détecter tôt et à prévenir les complications possibles.
- Passez un examen médical périodique. C'est essentiel.
- Pour plus de renseignements sur ce médicament, consultez votre médecin ou votre pharmacien.

□ IMDUR®

Astra

5-mononitrate d'isosorbide

Antiangineux

Renseignements destinés aux patients: Ce que vous devriez savoir sur Imdur:
Prière de lire ce dépliant avec attention: Il a été préparé par le fabricant d'Imdur pour vous aider à profiter au maximum des avantages de ce médicament. Il contient des renseignements généraux sur Imdur qui devraient s'ajouter aux conseils plus spécifiques du médecin, du pharmacien ou de la pharmacienne.

Ce dépliant ne doit pas remplacer les conseils du médecin ou du pharmacien. En raison de votre état de santé, ils peuvent vous avoir donné des instructions supplémentaires. Assurez-vous de bien suivre leurs conseils. De plus, si vous avez des questions après avoir lu ce dépliant, consultez votre médecin ou votre pharmacien. **Ne décidez pas vous-même de cesser de prendre Imdur.**

Qu'est-ce que Imdur? Imdur est la marque de commerce du médicament 5-mononitrate d'isosorbide. Il s'agit d'un comprimé à prendre 1 fois par jour.

Que dire à mon médecin avant de commencer à prendre Imdur?
Assurez-vous d'avoir mentionné à votre médecin:

- tous les problèmes de santé que vous avez présentement ou avez eus dans le passé;
- tous les médicaments que vous prenez, y compris ceux contre l'hypertension et ceux sans ordonnance;
- si vous êtes enceinte ou avez l'intention de le devenir, ou si vous allaitez;
- si vous avez déjà eu une mauvaise réaction ou une réaction allergique ou inhabituelle aux dérivés nitrés ou à tout autre médicament pour les problèmes cardiaques;
- si vous êtes allergique à des substances «non médicinales» tels des aliments, des agents de conservation ou des colorants qui pourraient être contenus dans Imdur (voir Que renferment les comprimés d'Imdur).

Que renferment les comprimés d'Imdur? La plupart des médicaments contiennent des substances autres que leur ingrédient actif. Ces substances sont nécessaires pour présenter les médicaments sous une forme facile à utiliser. Voici la liste des ingrédients d'Imdur pour ceux qui sont allergiques à certaines substances. Vérifiez auprès de votre médecin si vous pensez être allergique à l'une de ces substances.

L'ingrédient actif d'Imdur est le 5-mononitrate d'isosorbide. Les ingrédients non médicinaux sont: silicate d'aluminium, silice colloïdale, hydroxypropylcellulose, hydroxypropylméthylcellulose, oxyde de fer jaune, stéarate de magnésium, paraffine, polyéthylèneglycol, dioxyde de titane.

Comment utiliser la plaquette aide-mémoire d'Imdur? Cet emballage de 30 comprimés a été conçu pour vous aider à savoir si vous avez pris ou non votre médicament.

La plaquette contient 28 comprimés identifiés par un jour de la semaine. Pour commencer, prenez le comprimé de la première rangée qui correspond au jour de la semaine où vous entamez la plaquette. Continuez ainsi pendant 28 jours, mais ne prenez pas les 2 derniers comprimés non identifiés de la dernière rangée avant d'avoir fini les 28 autres.

N'oubliez pas d'obtenir une nouvelle ordonnance de votre médecin ou de faire renouveler votre ordonnance par le pharmacien quelques jours avant d'avoir terminé les 30 comprimés.

Comment faut-il prendre Imdur? Prenez Imdur exactement selon les instructions du médecin. Vous devez habituellement prendre 1 comprimé le matin. Si votre médecin vous dit de prendre 2 comprimés chaque jour, vous devez les prendre ensemble le matin. Si les instructions ne vous semblent pas claires, consultez votre médecin ou votre pharmacien.

Avalez les comprimés d'Imdur tels quels avec un demi-verre d'eau ou autre liquide, comme du jus de fruits ou du lait. **Il ne faut pas croquer ni écraser les comprimés.** Au besoin, divisez les comprimés le long de la rainure.

Ne prenez pas de doses supplémentaires d'Imdur à moins que votre médecin ne vous le dise. Une surconsommation peut augmenter les risques d'effets indésirables.

Que faire si j'oublie de prendre une dose? Il est important de prendre Imdur à peu près à la même heure chaque jour.

Si vous sautez une dose et que vous vous en souvenez moins de 6 heures après, prenez la dose habituelle le plus tôt possible. Revenez ensuite à l'horaire régulier. Mais si vous vous en souvenez plus de 6 heures après, ne prenez pas la dose oubliée. Attendez jusqu'à l'heure prévue pour la prochaine dose d'Imdur.

Ne prenez jamais une double dose d'Imdur pour compenser les doses oubliées. En cas de doute, consultez votre médecin ou votre pharmacien.

Quels sont les effets secondaires d'Imdur? Comme tout médicament, Imdur peut causer des effets secondaires.

L'effet secondaire le plus courant est le mal de tête. Il se produit souvent au début du traitement mais disparaît habituellement après quelques jours. Si vous avez des maux de tête pénibles et que cela devient un problème, mentionnez-le à votre médecin.

Si vous prenez trop d'Imdur, vous aurez peut-être un mal de tête pulsatile. Vous pourrez vous sentir étourdi, nerveux, avoir des rougeurs, des sueurs froides, des nausées (mal de cœur) ou des vomissements. Si un de ces symptômes se produit, étendez-vous avec les pieds surélevés et demandez à quelqu'un d'appeler immédiatement votre médecin.

Certaines personnes disent qu'Imdur cause des étourdissements, de la faiblesse ou de la fatigue. Il est plus probable que cela se produise au début du traitement. Si vous avez une de ces réactions, mentionnez-le à votre médecin.

N'arrêtez pas de prendre Imdur avant que votre médecin ne vous le dise. Il ou elle voudra peut-être diminuer graduellement la dose.

N'oubliez pas que les médicaments n'affectent pas tout le monde de la même façon. Si d'autres personnes ont ressenti des effets secondaires, cela ne veut pas dire que vous en aurez aussi. Décrivez à votre médecin ou à votre pharmacien comment vous vous sentez quand vous prenez Imdur.

D'autres effets secondaires imprévisibles peuvent se produire dans de rares cas. Si des effets incommodants ou inhabituels surviennent avec Imdur, parlez-en immédiatement à votre médecin ou à votre pharmacien.

Faut-il prendre des précautions spéciales? Tous les médicaments inutilisés dont vous n'aurez plus besoin doivent être jetés en prenant les précautions d'usage. Vous pouvez jeter les petites quantités restantes dans les toilettes, ou demander conseil à votre pharmacien.

La plaquette aide-mémoire est conçue pour protéger chaque comprimé. Si, en ouvrant l'emballage, vous remarquez que la pellicule de plastique ou la feuille d'aluminium est endommagée au point d'exposer un comprimé, demandez au pharmacien d'inspecter le produit.

Comment faut-il garder Imdur? Bien que les comprimés d'Imdur soient protégés dans la plaquette aide-mémoire, il est préférable de conserver l'emballage à température ambiante, dans un endroit sec. Ne gardez pas Imdur dans la salle de bains. On ne doit pas conserver ni utiliser Imdur après la date limite d'utilisation indiquée sur la plaquette aide-mémoire.

Ne changez pas Imdur de contenant. Pour protéger vos comprimés d'Imdur, conservez-les dans la plaquette aide-mémoire.

Gardez Imdur hors de la portée des enfants. Ne prenez jamais de médicaments en présence de jeunes enfants, car ils voudront vous imiter.

Renseignements généraux: Imdur a été prescrit uniquement pour votre état actuel. Ne l'utilisez pas pour d'autres problèmes à moins que votre médecin ne vous y autorise. N'en donnez jamais à d'autres personnes.

Assurez-vous de dire à votre médecin, votre dentiste et votre pharmacien que vous prenez Imdur.

Tous les médicaments peuvent exercer à la fois des effets bénéfiques et des effets indésirables qui varient selon la personne et son état de santé. Ce dépliant vous indique dans quels cas vous devez appeler le médecin, mais d'autres situations imprévisibles peuvent survenir. Rien dans ce dépliant ne vous empêche de communiquer avec votre médecin ou votre pharmacien pour lui poser des questions ou lui soumettre vos problèmes ou vos inquiétudes au sujet d'Imdur.

☐ IMITREX®, Comprimés/Injectable Ⓟ
☐ IMITREX®, Vaporisation nasale Ⓟ

Glaxo Wellcome

Succinate de sumatriptan
Sumatriptan

Traitement des migraines

Renseignements destinés aux patients: Veuillez lire attentivement ce feuillet avant de commencer à prendre Imitrex en comprimés, en solution injectable ou en vaporisation nasale. Vous y trouverez un résumé des caractéristiques qui concernent votre médicament. Ne jetez pas ce feuillet avant d'avoir fini de prendre votre médicament. Vous pourriez vouloir le consulter de nouveau. Ce feuillet ne contient pas tous les renseignements sur Imitrex. Pour de plus amples renseignements ou pour des conseils, consultez votre médecin ou votre pharmacien.

Renseignements sur votre médicament: Le nom de votre médicament est Imitrex (succinate de sumatriptan) en comprimés ou en solution injectable ou Imitrex (sumatriptan) en vaporisation nasale (pour vaporisation nasale uniquement). Il ne peut être obtenu que sur ordonnance. La décision d'utiliser Imitrex doit être prise et par vous et par votre médecin, compte tenu de vos préférences et de vos troubles médicaux. Si vous présentez des facteurs de risque de maladie du cœur (p. ex., hypertension, taux élevé de cholestérol, obésité, diabète, tabagisme, sérieux antécédents familiaux de maladie du cœur, femme ménopausée ou homme de plus de 40 ans), vous devez le dire à votre médecin qui évaluera votre état cardiovasculaire pour déterminer si Imitrex vous convient.

1. **À quoi sert votre médicament:** Imitrex sert à soulager les céphalées et autres symptômes d'une crise migraineuse. Imitrex ne doit pas être utilisé de façon continue pour prévenir les crises ou en diminuer le nombre. N'utilisez Imitrex que pour traiter une crise migraineuse en cours.
2. **Comment agit votre médicament:** Les migraines seraient causées en partie par une dilatation des vaisseaux sanguins dans la tête. Imitrex, en rétrécissant ces vaisseaux, soulage les symptômes de la migraine.
3. **Points importants à considérer avant de prendre Imitrex:** Si vous répondez **oui** à l'une ou l'autre des questions suivantes, ou si vous ne connaissez pas la réponse, communiquez avec votre médecin avant d'utiliser Imitrex.
   - Êtes-vous enceinte ou pensez-vous l'être? Essayez-vous de devenir enceinte? Votre méthode de contraception est-elle inadéquate? Est-ce que vous allaitez?
   - Avez-vous des douleurs à la poitrine ou une maladie du cœur, êtes-vous essoufflé ou avez-vous des battements de cœur irréguliers? Avez-vous déjà eu une crise cardiaque? Souffrez-vous d'angine de poitrine?
   - Présentez-vous des facteurs de risque de maladie du cœur (p. ex., hypertension, taux élevé de cholestérol, obésité, diabète, tabagisme, sérieux antécédents familiaux de maladie du cœur, femme ménopausée ou homme de plus de 40 ans)?
   - Souffrez-vous d'hypertension?
   - Avez-vous déjà été obligé de cesser de prendre ce médicament ou tout autre médicament en raison d'une allergie ou d'autres problèmes? Êtes-vous allergique aux médicaments contenant un sulfamide?
   - Prenez-vous un médicament, contre la migraine ou non, contenant de l'ergotamine ou de la dihydroergotamine?
   - Avez-vous déjà eu de la difficulté à bouger un côté de votre corps lorsque vous avez un mal de tête?
   - Avez-vous déjà eu un accident vasculaire cérébral?
   - Avez-vous plus de 65 ans?
   - Prenez-vous un médicament contre la dépression (p. ex., lithium, inhibiteur de la monoamine oxydase ou inhibiteur spécifique de la recapture de la sérotonine)?
   - Avez-vous déjà eu ou avez-vous présentement une maladie du foie ou des reins?
   - Avez-vous déjà eu ou avez-vous présentement des crises d'épilepsie ou des convulsions?

Imitrex (suite)

- Ce mal de tête est-il différent de vos crises migraineuses habituelles?

Rappelez-vous que si vous avez répondu **oui** à l'une ou l'autre de ces questions vous devez en parler à votre médecin.

4. **L'utilisation d'Imitrex pendant la grossesse:** Ne prenez pas Imitrex si vous êtes enceinte, si vous croyez l'être ou si vous n'utilisez pas une méthode contraceptive appropriée, à moins d'en avoir discuté avec votre médecin.
5. **Comment utiliser Imitrex?** L'étiquette du flacon ou le feuillet inclus devrait indiquer combien de fois vous devez prendre votre médicament, ainsi que la dose. Si tel n'est pas le cas ou si vous n'êtes pas sûr, demander à votre médecin ou à votre pharmacien. **Ne** dépassez **jamais** la dose prescrite, ou ne prenez pas votre médicament plus souvent que prescrit.

   Ne prenez pas de médicament contenant de l'ergotamine ou un dérivé de l'ergotamine (dihydroergotamine, p. ex.) dans les 6 heures qui suivent l'utilisation d'Imitrex. Inversement, ne prenez pas Imitrex dans les 24 heures qui suivent la prise d'ergotamine.

   Imitrex peut être pris à n'importe quel moment au cours de la migraine.

   Comprimés: Adultes: La dose habituelle est de 100 mg (un comprimé). Votre médecin aura peut-être à réduire cette dose si vous souffrez d'une affection du foie ou ne tolérez pas bien la dose de 100 mg. Si le premier comprimé ne soulage pas votre céphalée, ne prenez pas un autre comprimé de sumatriptan pour traiter la même crise. Vous pouvez cependant prendre des analgésiques autres que des préparations d'ergotamine pour soulager votre douleur. Le sumatriptan peut être utilisé pour traiter des crises subséquentes.

   Vous pouvez prendre un autre comprimé si vos symptômes réapparaissent. Ne prenez pas plus de 300 mg par période de 24 heures.

   Imitrex peut être pris avec ou sans nourriture. Le comprimé doit être avalé entier avec de l'eau. Il ne doit pas être broyé, mâché ni divisé.

   Auto-injecteur: Avant d'utiliser l'auto-injecteur, consultez le feuillet qui vous indique comment le charger et comment se débarrasser des seringues vides.

   Adultes: La dose habituelle est de 6 mg (une seule injection) dans les tissus situés sous la peau (face externe de la cuisse).

   Si votre céphalée ne disparaît pas après la première injection, n'utilisez pas d'autres doses de sumatriptan pour traiter la même crise. Vous pouvez cependant prendre des analgésiques, autres que des préparations d'ergotamine, pour soulager la douleur. Le sumatriptan peut être utilisé pour traiter des crises subséquentes.

   Une seconde injection (6 mg) ne doit pas être administrée à moins que les symptômes de la migraine n'aient été soulagés par la première. Ne vous administrez pas plus de 2 injections (2 x 6 mg) par période de 24 heures, et attendez au moins 1 heure entre chaque injection.

   Vaporisation nasale: N'amorcez pas ce vaporisateur avant usage. À la différence de certains autres vaporisateurs que vous avez peut-être utilisés, Imitrex en vaporisateur nasal est prêt à utiliser.

   Adultes: Utiliser une vaporisation dans **une narine seulement,** tel que prescrit par votre médecin. Si la première dose par voie nasale ne soulage pas votre céphalée, ne prenez pas une autre dose de sumatriptan pour la même crise. Vous pouvez, cependant, prendre des analgésiques autres que les préparations à base d'ergotamine pour soulager la douleur. Le sumatriptan peut être utilisé pour des crises subséquentes.

   Une deuxième vaporisation nasale peut être administrée si les symptômes réapparaissent, à condition qu'une période de 2 heures se soit écoulée depuis la dernière dose. Ne pas prendre plus de 40 mg sur une période de 24 heures.
6. **Effets indésirables à surveiller:** La grande majorité des personnes qui ont pris Imitrex n'ont pas présenté d'effets indésirables importants, mais des effets plus sérieux sont survenus chez certaines.
   - Certains patients ressentent une douleur ou un serrement dans la poitrine ou dans la gorge par suite de l'utilisation d'Imitrex. Si tel est le cas, parlez-en à votre médecin avant d'utiliser de nouveau ce médicament. Si la douleur dans la poitrine est intense ou si elle persiste, communiquez immédiatement avec votre médecin.
   - Les effets suivants se sont manifestés dans de rares cas: essoufflements, respiration sifflante, palpitations; enflure des paupières, du visage ou des lèvres; éruption cutanée, boursouflures ou urticaire. Si vous avez ces réactions, communiquez avec votre médecin immédiatement et n'utilisez plus Imitrex avant que votre médecin vous le permette.
   - Certaines personnes peuvent avoir des sensations de picotement, de chaleur, de lourdeur ou de pression, ou des bouffées vasomotrices (rougeur du visage de courte durée) à la suite du traitement par Imitrex. Certaines personnes peuvent présenter une somnolence, des étourdissements, une fatigue ou des nausées. Vous pourriez avoir une irritation ou une sensation de brûlure dans la gorge ou saigner du nez (avec le vaporisateur nasal uniquement). Si ces effets se manifestent, parlez-en à votre médecin la prochaine fois que vous le consulterez.
   - Il se peut que vous sentiez une douleur ou présentiez une rougeur au point d'injection qui disparaîtront cependant en moins d'une heure.
   - Imitrex pourrait provoquer une somnolence. Il ne faut pas conduire un véhicule ni utiliser une machine avant d'être certain de ne pas être somnolent.
   - Il se peut que vous remarquiez un léger arrière-goût après utilisation du vaporisateur nasal. Cet effet est normal et disparaîtra rapidement (avec le vaporisateur nasal uniquement).
   - Si vous ne vous sentez pas bien ou que vous ressentiez des symptômes que vous ne comprenez pas ou qui vous inquiètent, vous devez contacter votre médecin immédiatement.
7. **Que faire en cas de surdosage:** Si vous avez pris plus de médicament que vous deviez, informez-en votre médecin immédiatement ou communiquez avec le service d'urgence de l'hôpital ou le centre antipoison le plus près de chez vous.
8. **Conservation de votre médicament:** Conservez votre médicament hors de portée des enfants, car ce médicament peut leur être nuisible.

   Gardez vos comprimés dans un endroit sec et frais (2 à 30 °C). Conservez vos seringues et votre vaporisateur nasal à l'abri de la chaleur et de la lumière qui peuvent détruire votre médicament. Conservez toujours votre médicament injectable et votre vaporisateur nasal dans la boîte fournie à une température de 2 à 30 °C.

   Si la date d'utilisation de votre médicament est passée (elle est indiquée sur l'emballage), jetez-le selon les directives fournies. Ne jetez pas votre auto-injecteur.

   Si votre médecin décide d'interrompre votre traitement, ne conservez aucun médicament, sauf s'il vous dit le contraire. Mettez votre médicament au rebut selon les directives fournies.
9. **Ce que contient votre médicament:** Les comprimés Imitrex contiennent l'équivalent de 50 ou 100 mg de sumatriptan base, sous forme de succinate. Ils contiennent également du lactose, de la cellulose microcristalline, de la croscarmellose sodique et du stéarate de magnésium. Les comprimés sont enrobés avec du rose Opadry (100 mg)/du blanc Opadry (50 mg) renfermant de l'hydroxypropylméthylcellulose, du dioxyde de titane, de la triacétine et de l'oxyde de fer rouge (100 mg seulement).

   Les seringues Imitrex à utiliser dans l'auto-injecteur contiennent l'équivalent de 6 mg de sumatriptan base, sous forme de succinate, dans 0,5 mL de solution. Elles contiennent également du chlorure de sodium et de l'eau pour injection.

   Le vaporisateur nasal Imitrex contient 5 ou 20 mg de sumatriptan base, sous forme d'hémisulfate, en solution. Il renferme également du phosphate monobasique de potassium, du phosphate dibasique anhydre de sodium, de l'acide sulfurique, de l'eau purifiée et de l'hydroxyde sodium.
10. **Classe thérapeutique:** Ce médicament fait partie des antimigraineux.
11. **Qui fabrique votre médicament:** Glaxo Wellcome Inc., 7333 Mississauga Road North, Mississauga (Ontario), L5N 6L4.
12. **Un rappel: Ne jamais oublier:** Ce médicament vous est destiné. Seul un médecin peut vous le prescrire. N'en donnez jamais à quelqu'un d'autre même si ses symptômes ressemblent aux vôtres, car ce médicament peut lui être nuisible.

Comment utiliser votre vaporisateur nasal Imitrex (voir le prospectus d'emballage pour les illustrations).

Coffret vaporisateur nasal Imitrex:

- Votre vaporisateur nasal Imitrex est conditionné dans une boîte renfermant les dispositifs individuellement scellés sous emballage-coque. Chaque dispositif renferme une dose d'Imitrex.
- **N'ouvrez pas une coque avant que vous ne soyez prêt à l'utiliser.** Chaque vaporisateur nasal est scellé dans une coque destinée à le protéger du bris et de la poussière. Si vous le transportez après l'avoir retiré de son emballage ou si la coque est percée, le dispositif pourrait être défectueux lorsque vous aurez à l'utiliser.

- **Gardez votre vaporisateur nasal Imitrex dans la boîte.** Elle contribue à le protéger de la lumière et des altérations. Si vous ne voulez transporter qu'un seul vaporisateur avec vous, vous pouvez diviser l'emballage-coque en deux.
- **Placez ce feuillet de renseignements dans un endroit sûr.** Il montre comment utiliser votre vaporisateur et vous donne d'autres renseignements utiles sur votre médicament.

Le vaporisateur nasal Imitrex comporte 3 parties:

Le gicleur: C'est-à-dire la partie que vous mettez dans la narine. Le médicament pulvérisé sort par un petit trou dans la partie supérieure.

L'alvéole: C'est-à-dire la partie que vous tenez lorsque vous utilisez le vaporisateur.

Le piston bleu: Lorsque vous pressez sur le piston, toute la dose est pulvérisée dans votre narine. Le piston ne fonctionne qu'une fois. **Il ne faut donc pas appuyer dessus avant d'avoir placé le gicleur dans la narine, sinon vous gaspillez la dose.**

Comment utiliser le vaporisateur nasal Imitrex: Ne retirez pas le vaporisateur nasal de l'emballage-coque avant d'être prêt à l'utiliser.

- Mouchez-vous si vous sentez que votre nez est bouché.
- Ouvrez un emballage-coque et retirez-en le vaporisateur nasal.
- Tenez le vaporisateur délicatement avec les doigts et le pouce comme l'indique l'illustration.
- **N'appuyez pas encore sur le piston bleu.**
- Bloquez une narine en appuyant fermement le doigt sur le côté du nez, et respirez doucement par la bouche.
- Placez le gicleur du vaporisateur nasal dans l'autre narine aussi profondément que possible sans que vous vous sentiez mal à l'aise.
- Penchez **légèrement** la tête en arrière, comme on le voit sur l'illustration, et fermez la bouche.
- Commencez à respirer doucement par le nez et, en même temps, pressez le piston bleu fermement avec le pouce. Toute la dose pénétrera dans le nez. **À noter:** Le piston peut sembler un peu rigide, et il se peut que vous entendiez un déclic.
- **Maintenez la tête penchée en arrière et respirez doucement par la bouche pendant 10 à 20 secondes.** Cela permet au médicament de rester dans le nez. Vous pouvez alors retirer le dispositif et votre doigt de l'autre côté du nez.
- Il est possible que l'intérieur du nez semble humide et que vous remarquiez un léger arrière-goût après utilisation du vaporisateur. Tout cela est normal et disparaîtra rapidement.
- Votre vaporisateur nasal est maintenant vide. Il faut en disposer de façon sécuritaire et hygiénique.

□ IMOVANE® ℞

Rhône-Poulenc Rorer

Zopiclone

Hypnotique

Renseignements destinés aux patients: Les faits sur Imovane (zopiclone).

Introduction: Imovane est un médicament conçu pour vous aider à dormir. Ce médicament fait partie d'une famille de somnifères d'ordonnance médicale généralement dotés de propriétés semblables.

Si on vous prescrit un somnifère, vous devriez peser les avantages et les inconvénients d'un tel médicament, qui s'assortit de risques et de restrictions importantes, dont les suivantes:

- le médicament peut entraîner une dépendance.
- le médicament peut affecter votre vigilance mentale ou votre mémoire, surtout si la posologie n'est pas respectée.

Ce dépliant a pour but de vous aider à utiliser votre médicament correctement; il vous renseignera sur les hypnotiques en général et plus particulièrement sur Imovane.

Ce dépliant ne devrait toutefois pas remplacer l'entretien que vous devriez avoir avec votre médecin au sujet des risques et des avantages liés à l'emploi d'Imovane.

Emploi sécuritaire d'Imovane:

- Imovane est un médicament d'ordonnance médicale conçu pour vous aider à dormir. Veuillez suivre les instructions de votre médecin quant à l'emploi de ce médicament, de l'horaire d'administration et de la durée du traitement. **Ne prenez pas** Imovane si ce médicament ne vous a pas été prescrit.
- **Ne prenez pas** Imovane plus de 7 à 10 jours sans consulter d'abord votre médecin.
- **Ne prenez pas** Imovane si vous prévoyez ne pas dormir pendant toute la durée habituelle d'une nuit de sommeil avant de reprendre vos activités normales, par exemple, pendant un vol de nuit de moins de 8 heures. Vous vous exposez à des pertes de mémoire si vous prenez Imovane dans ces circonstances, car votre organisme n'aura pas eu le temps d'éliminer le médicament.
- **Ne prenez pas** Imovane si vous êtes enceinte. Vous devez avertir votre médecin si vous êtes enceinte, prévoyez le devenir ou le devenez pendant le traitement par Imovane.
- Informez votre médecin à propos de vos habitudes présentes et passées quant à la consommation d'alcool et de tout médicament que vous prenez à l'heure actuelle, notamment les médicaments vendus sans ordonnance médicale. **Ne buvez pas d'alcool si vous prenez Imovane.**
- **Ne dépassez jamais la dose prescrite.**
- **Vous ne devez pas conduire une voiture** ou faire fonctionner une machine pouvant vous exposer à un danger quelconque tant que vous ne savez pas dans quelle mesure la prise d'Imovane vous affecte le jour suivant.
- Si vous constatez l'apparition de pensées ou d'un comportement inhabituels et déroutants pendant le traitement par Imovane, consultez immédiatement votre médecin à ce sujet.
- Après l'arrêt du traitement par Imovane, il se peut que vous éprouviez plus de difficultés à vous endormir (insomnie rebond) et/ou que vous ressentiez une plus grande anxiété pendant le jour (anxiété rebond) pendant 1 ou 2 jours.

Efficacité d'Imovane: Imovane est un médicament efficace dont l'emploi dans le traitement à court terme de l'insomnie entraîne relativement peu de problèmes graves. Les symptômes de l'insomnie peuvent varier; il se peut que vous éprouviez de la difficulté à vous endormir, que vous vous réveilliez souvent au cours de la nuit, que vous vous réveilliez tôt le matin, ou encore que votre insomnie comprenne ces 3 symptômes.

L'insomnie peut être de courte durée et se prêter à un bref traitement. Vous devriez discuter des risques et des avantages d'un traitement de plus longue durée avec votre médecin.

Effets secondaires: Réactions courantes: L'emploi d'Imovane peut entraîner de la somnolence, des étourdissements, une sensation d'ébriété et des troubles de la coordination. Le patient qui prend Imovane doit se montrer prudent s'il s'engage dans une activité dangereuse qui exige une grande vigilance, par exemple, faire fonctionner une machine ou conduire un véhicule automobile.

Pendant un traitement par Imovane vous devez **vous abstenir de boire de l'alcool. Ne prenez pas** Imovane en même temps que d'autres médicaments sans en avoir d'abord parlé avec votre médecin.

Quand vous prenez des somnifères, la présence ou l'absence de somnolence pendant la journée dépend de votre réaction au médicament et de la vitesse à laquelle votre organisme se débarrasse du médicament. Plus la dose est forte, plus le risque de somnolence est élevé le jour suivant. Il importe donc que vous preniez la dose prescrite par votre médecin sans la dépasser. L'emploi de somnifères d'ordonnance médicale rapidement éliminés tend à occasionner moins de somnolence le jour suivant, mais peut entraîner des manifestations de sevrage (voir ci-dessous).

Considérations particulières: Troubles de la mémoire: L'emploi d'Imovane peut occasionner un certain type de perte de mémoire (amnésie); il se peut ainsi que vous oubliez les événements survenus pendant une période donnée, généralement quelques heures après avoir pris le médicament. Cet oubli ne constitue habituellement pas un problème parce que normalement, la personne qui prend un somnifère entend dormir pendant cette période critique. Cependant, si vous prenez le médicament pendant un déplacement, par exemple, au cours d'un vol de nuit, il se peut que vous vous réveilliez avant que l'effet du somnifère se soit estompé et que vous ayez des pertes de mémoire. Ce phénomène est appelé «amnésie du voyageur».

Tolérance et symptômes de sevrage: Il se peut que les somnifères perdent de leur efficacité et qu'une dépendance s'installe après une période d'usage régulier au coucher.

Pendant le traitement par Imovane, il se peut que vous vous réveilliez pendant le dernier tiers de votre nuit de sommeil ou que vous vous sentiez angoissé ou nerveux pendant la journée. S'il en est ainsi, parlez-en à votre médecin.

Il est également possible que vous éprouviez des «symptômes de sevrage» quand vous cessez de prendre le médicament après seulement 1 ou 2 semaines de traitement. Habituellement, ces symptômes sont plus fréquents et plus graves quand le patient prend le somnifère pendant une longue période sans interruption. Par exemple, pendant les quelques nuits qui suivent l'arrêt du médicament, il se peut que

Imovane (suite)

l'insomnie revienne et soit plus grave qu'avant le traitement. Ce type de symptôme de sevrage est appelé «insomnie rebond».

Les autres symptômes de sevrage consécutifs à l'arrêt subit du médicament peuvent aller des sensations de malaise au syndrome de sevrage grave, qui comprend les crampes abdominales et musculaires, les vomissements, la transpiration, les tremblements et, rarement, les convulsions. Les symptômes graves sont rares. Si vous prenez des somnifères depuis longtemps, demandez à votre médecin à quel moment et de quelle façon vous devriez arrêter.

Pharmacodépendance et toxicomanie: Tous les somnifères d'ordonnance médicale peuvent entraîner une dépendance (toxicomanie), surtout quand ils sont employés régulièrement pendant plus de quelques semaines ou à fortes doses. Certaines personnes éprouvent le besoin de continuer à prendre ces médicaments, non seulement en vue d'obtenir un effet thérapeutique, mais également pour éviter l'apparition de symptômes de sevrage ou pour obtenir des effets non thérapeutiques.

Il se peut que la personne qui a ou a eu une dépendance à l'alcool ou à d'autres substances soit davantage exposée au risque de pharmacodépendance (dépendance aux médicaments) quand elle prend des somnifères. Cependant, **nul n'est à l'abri d'un tel risque.** Vous devez tenir compte de ce risque avant de prendre un somnifère pendant plus de quelques semaines.

Modifications mentales ou du comportement: La prise de somnifères d'ordonnance médicale peut entraîner des troubles de la pensée et diverses modifications du comportement. Dans certains cas, il peut s'agir de comportement exagérément agressif ou extraverti. Dans de rares cas, les modifications peuvent être plus étranges et plus excessives. Il peut s'agir notamment de confusion mentale, de comportement bizarre, d'agitation, de délire, d'hallucinations, d'une impression de ne plus être soi-même et d'une accentuation de la dépression pouvant donner lieu à des idées suicidaires.

Il est rarement possible d'établir avec certitude la nature (spontanée ou attribuable au médicament ou à une maladie sous-jacente) de ces symptômes. En fait, l'aggravation de l'insomnie peut être liée dans certains cas à des maladies qui existaient déjà avant la prise du médicament.

Remarque importante: Vous devez sans tarder informer votre médecin de la survenue de changements mentaux ou du comportement pendant le traitement contre l'insomnie, quelle qu'en soit la cause.

Effets pendant la grossesse: L'emploi de certains somnifères benzodiazépines pendant les premiers mois de la grossesse a été lié à des malformations congénitales. On ne sait pas si l'emploi d'Imovane peut avoir un effet semblable. En outre, il est admis que l'administration de somnifères pendant les dernières semaines de la grossesse entraîne une sédation chez le nouveau-né. En conséquence, **vous devez éviter de prendre ce médicament pendant la grossesse.**

☐ INDOCID® ℞
☐ INDOCID® SR ℞

MSD

Indométhacine

Anti-inflammatoire non stéroïdien

Renseignements destinés aux patients: Nom: Indocid est la marque déposée de Merck Sharp & Dohme pour l'indométhacine.

Action du médicament: Indocid (indométhacine), que vous a prescrit votre médecin, appartient à un groupe important d'anti-inflammatoires non stéroïdiens (AINS). Ce médicament est indiqué pour le soulagement des symptômes de certaines formes d'arthrite, y compris la goutte. Il aide à atténuer la douleur et la raideur articulaires, le gonflement et la fièvre en réduisant la production de certaines substances (prostaglandines) et en aidant à maîtriser l'inflammation et certaines réactions de l'organisme.

Important: Ce médicament est prescrit pour un problème de santé particulier et pour votre usage personnel seulement. **Ne pas le donner à d'autres personnes ni l'utiliser pour traiter d'autres affections.**

Ne pas utiliser le médicament après la date d'expiration indiquée sur l'emballage.

Lire attentivement les informations qui suivent. **Si vous désirez obtenir des explications ou de plus amples renseignements, vous pouvez vous adresser à votre médecin ou à votre pharmacien.**

Avant de prendre ce médicament: Informez votre médecin si vous souffrez ou si vous avez déjà souffert d'allergies, d'ulcères ou d'autres troubles gastriques ou intestinaux, de troubles mentaux, de convulsions, d'une maladie du cœur, des reins ou du foie, d'une infection, de diabète, de tension artérielle élevée ou de la maladie de Parkinson, ou si vous avez une prédisposition aux saignements.

Ne prenez pas Indocid dans les cas suivants:

- Si vous êtes allergique à l'indométhacine ou à l'un de ses composants.
- Si vous avez déjà souffert d'asthme, d'urticaire, de démangeaisons ou d'écoulement nasal après avoir pris de l'acide acétylsalicylique ou tout autre anti-inflammatoire non stéroïdien tel que le diclofénac, le diflunisal, le fénoprofène, le flurbiprofène, l'ibuprofène, le kétoprofène, l'acide méfénamique, le piroxicam, le sulindac, l'acide tiaprofénique ou la tolmétine.
- Si vous souffrez d'un ulcère gastro-duodénal en évolution ou avez déjà souffert d'ulcères gastro-duodénaux à plusieurs reprises.
- **Si vous prenez d'autres médicaments (délivrés sur ordonnance ou obtenus en ventre libre),** notamment des anticoagulants (médicaments destinés à éclaircir le sang) ou des hypoglycémiants (médicaments destinés à abaisser le taux de sucre dans le sang).
- Si vous avez présenté une inflammation au rectum ou des saignements rectaux récents (suppositoires Indocid).

Personnes qui ne doivent pas prendre Indocid: Les femmes enceintes ou les femmes qui allaitent peuvent-elles prendre Indocid? Indocid n'est pas recommandé durant la grossesse. Si vous êtes enceinte ou avez l'intention de le devenir, parlez-en avec votre médecin qui vous aidera à soupeser les bienfaits du médicament en regard des risques éventuels pour le fœtus.

L'administration d'Indocid aux femmes qui allaitent n'est pas recommandée. Étant donné qu'Indocid passe dans le lait maternel, il y a un risque d'effets défavorables pour le nourrisson. Si vous allaitez ou avez l'intention de le faire, informez-en votre médecin.

Les enfants peuvent-ils prendre Indocid? L'administration d'Indocid n'est pas recommandée chez les enfants.

Mode d'emploi du médicament: Afin d'atténuer les dérangements d'estomac, prenez ce médicament avec des aliments ou un antiacide. Si des troubles d'estomac (indigestion, nausées, vomissements, douleur gastrique ou diarrhée) se manifestent et persistent, communiquez avec votre médecin.

Veuillez suivre rigoureusement les directives du médecin concernant l'administration et la posologie.

- Ne dépassez pas la dose recommandée, ne dépassez pas le nombre de doses prescrites et ne prenez pas le médicament pendant une période plus longue que celle recommandée par votre médecin.
- Si vous prenez Indocid pour soulager l'arthrite, vous devez le prendre régulièrement selon les recommandations médicales. Dans certaines formes d'arthrite, il peut s'écouler jusqu'à 2 semaines avant que vous commenciez à vous sentir mieux et 1 mois avant que vous ressentiez pleinement les bienfaits du médicament.

Si vous oubliez une dose: Si vous oubliez une dose d'Indocid, prenez-la immédiatement à la condition que le laps de temps écoulé ne dépasse pas 1 heure. Revenez ensuite à votre horaire habituel.

Si le laps de temps écoulé dépasse 1 heure, ne prenez pas la dose oubliée et ne doublez pas la suivante. Revenez plutôt à votre horaire habituel.

Puis-je prendre Indocid avec d'autres médicaments? Votre médecin dispose d'une liste détaillée des médicaments qu'il faut éviter avec l'administration d'Indocid. Informez-le de tous les médicaments que vous prenez ou comptez prendre, y compris les médicaments obtenus en vente libre.

Si vous devez prendre Indocid pendant une période prolongée, votre médecin vous examinera régulièrement afin d'évaluer votre état de santé et de s'assurer que ce médicament ne provoque pas d'effets indésirables.

Réactions défavorables au médicament—ce qu'il faut faire: En plus des bienfaits escomptés, Indocid peut, comme tout autre AINS, occasionner certaines réactions indésirables. Les patients âgés, frêles et affaiblis semblent présenter des effets secondaires plus fréquents ou plus graves. Bien que ces effets ne soient pas tous courants, ils peuvent nécessiter une attention médicale. **Prévenez immédiatement votre médecin dès l'apparition de l'une des réactions suivantes:**

– selles contenant du sang ou selles noires;
– essoufflement, respiration sifflante, difficulté respiratoire ou sensation de serrement dans la poitrine;
– éruptions cutanées, gonflement, urticaire ou démangeaisons;

- indigestion, nausées, vomissements, perte d'appétit, douleur gastrique, constipation ou diarrhée;
- jaunissement de l'œil ou de la peau, accompagné ou non de fatigue;
- tout changement dans la quantité ou la couleur des urines (foncées, rouges ou brunes);
- gonflement des pieds ou de la partie inférieure des jambes;
- vue brouillée ou tout autre trouble visuel;
- maux de tête, confusion mentale, dépression, étourdissements, vertiges, sensation de tête légère, fatigue, troubles de l'audition;
- des ulcères ou des saignements de l'œsophage, de l'estomac, du duodénum ou des intestins peuvent également survenir;
- des saignements ou des malaises rectaux et un effort de défécation sont parfois liés à l'utilisation des suppositoires Indocid.

Au cours du traitement:

- Informez tout médecin, dentiste ou pharmacien que vous prenez ce médicament;
- soyez prudent lorsque vous devez conduire un véhicule ou participer à des activités nécessitant de la vigilance si, après avoir pris ce médicament, vous êtes somnolent, étourdi, ou si vous avez une sensation de tête légère;
- consultez votre médecin si vous n'obtenez pas de soulagement ou si vous remarquez une réaction inusitée;
- rapportez toute réaction défavorable à votre médecin. Cette mesure est très importante puisqu'elle permettra le dépistage précoce et la prévention de complications éventuelles;
- continuez de passer périodiquement des examens médicaux car ils sont essentiels;
- consultez votre médecin ou votre pharmacien si vous désirez de plus amples renseignements sur ce médicament.

Entreposage: Gélules: Conserver à la température ambiante (15 °C à 30 °C).

Suppositoires: Conserver à une température inférieure à 25 °C.

Présentation: Gélules: La gélule Indocid SR à libération prolongée, pour administration orale, renferme 75 mg d'indométhacine et les ingrédients non médicinaux suivants: amidon de maïs, cellulose microcristalline, copolymère acétate de polyvinyle-acide crotonique, dioxyde de titane, gélatine, hydroxypropylméthylcellulose, indigotine, jaune de quinoléine, jaune soleil, oxyde de fer noir, rouge allura, stéarate de magnésium et sucre glace. Le produit est conforme aux conditions du test nº 1 relatif à la libération des médicaments de la USP.

Suppositoires: Le suppositoire Indocid, pour administration rectale, renferme 50 mg ou 100 mg d'indométhacine et les ingrédients non médicinaux suivants: acide édétique, butylhydroxyanisol, butylhydroxytoluène, glycérine, polyéthylèneglycol 3350, polyéthylèneglycol 8000. Le suppositoire à 50 mg renferme en outre du chlorure de sodium.

□ INDOTEC® ℞

Technilab

Indométhacine

Analgésique—Anti-inflammatoire non stéroïdien

Renseignements destinés aux patients: Indotec (indométhacine), que votre médecin vous a prescrit, fait partie d'un groupe d'anti-inflammatoires non stéroïdiens (qu'on appelle également AINS) et sert à traiter les symptômes de certains types d'arthrite (telles que la polyarthrite rhumatoïde, la spondylarthrite ankylosante, la goutte et pour des cas spécifiques d'arthrose incluant la coxarthrose (arthropathie dégénérative de la hanche). Ce produit aide à soulager la douleur articulaire, l'enflure, la raideur et la fièvre, en réduisant la production de certaines substances (prostaglandines) et en aidant à réduire l'inflammation. Les AINS ne guérissent pas de l'arthrite, mais ils favorisent la suppression de l'inflammation et des effets dommageables sur les tissus, résultant de l'inflammation. Ce médicament vous apportera un soulagement tant que vous n'interromprez pas le traitement.

Vous devez prendre Indotec en vous conformant aux indications de votre médecin. Vous ne devez pas dépasser la dose, la fréquence et la durée prescrites. Si vous prenez une dose excessive de ce médicament, vous vous exposez à des effets indésirables, en particulier si vous êtes un patient âgé.

Assurez-vous de prendre Indotec régulièrement, en suivant les indications. Pour certains types d'arthrite, il peut falloir attendre jusqu'à 2 semaines avant de ressentir les effets complets du médicament. Durant le traitement, votre médecin peut décider d'ajuster la posologie en fonction de votre réaction au médicament.

Le dérangement gastrique est l'un des problèmes les plus courants causés par les AINS: Pour atténuer le dérangement gastrique, prenez ce médicament immédiatement après le repas, ou avec un aliment ou du lait. Par ailleurs, il est recommandé de rester debout ou assis (c.-à-d. de ne pas s'allonger) pendant 15 à 30 minutes après la prise du médicament, afin de prévenir une irritation qui pourrait entraîner une difficulté à avaler.

Ne pas prendre de l'acide acétylsalicylique (AAS), des composés contenant de l'AAS, ni d'autres médicaments indiqués pour soulager les symptômes de l'arthrite pendant un traitement avec Indotec, sauf sur avis contraire d'un médecin.

Si on vous a prescrit ce médicament pendant une période prolongée, votre médecin vous examinera régulièrement afin d'évaluer votre état de santé et de s'assurer que le médicament ne provoque pas d'effets indésirables.

Ce dont vous devez toujours vous rappeler: Il faut mettre en balance les risques et les avantages associés à la prise du médicament.

Avant de prendre ce médicament, vous devez indiquer à votre médecin et pharmacien si vous:

- ou un membre de votre famille êtes allergiques ou avez eu une réaction à l'indométhacine ou à d'autres anti-inflammatoires (tels que acide acétylsalicylique (AAS), diclofénac, diflunisal, fénoprofène, flurbiprofène, ibuprofène, kétoprofène, acide méfénamique, piroxicam, acide tiaprofénique, tolmétine, nabumétone ou ténoxicam), qui se manifeste par l'aggravation d'une sinusite, de l'urticaire, l'apparition ou l'aggravation de l'asthme ou une anaphylaxie (grave malaise soudain);
- ou un membre de votre famille avez eu de l'asthme, des polypes nasaux, de la sinusite chronique ou de l'urticaire chronique;
- avez des antécédents de dérangement gastrique, d'ulcères, d'affections hépatiques ou rénales;
- présentez des anomalies au niveau du sang ou des urines;
- faites de l'hypertension;
- faites du diabète;
- suivez un régime spécial, tel qu'un régime hyposodique ou à faible teneur en sucre;
- êtes enceinte ou avez l'intention de tomber enceinte pendant que vous prenez ce médicament;
- prenez d'autres médicaments (prescrits ou produits grand public) tel que d'autres AINS, des hypotenseurs, des anticoagulants, des corticostéroïdes, du méthotrexate, de la cyclosporine, du lithium, de la phénytoïne;
- avec d'autres problèmes médicaux, tels que l'abus d'alcool, des saignements, etc.
- si vous avez présenté une inflammation au rectum ou des saignements rectaux récents (suppositoires Indotec).

Pendant que vous prenez ce médicament:

- vous devez indiquer à tout autre médecin, au dentiste ou au pharmacien que vous consultez que vous prenez ce médicament;
- certains AINS peuvent causer de la somnolence ou de la fatigue. Si, après avoir pris ce médicament, vous vous sentez somnolent, étourdi ou avez des vertiges, vous devez éviter de conduire ou de participer à des activités qui nécessitent de la vigilance;
- consulter votre médecin si vous ne sentez aucun soulagement de votre arthrite ou si des problèmes apparaissent;
- signalez à votre médecin tout effet secondaire indésirable. Il est très important que vous le fassiez, car cela permettra de détecter rapidement et de prévenir des complications potentielles;
- la consommation d'alcool favorise l'apparition de problèmes gastriques. Par conséquent, ne consommer pas de boissons alcoolisées lorsque vous prenez ce médicament;
- consulter immédiatement votre médecin si vous ressentez de la faiblesse pendant que vous prenez ce médicament, si vous vomissez du sang ou si vos selles sont foncées ou sanguinolentes;
- certaines personnes peuvent devenir plus sensibles à la lumière du soleil lorsqu'elles prennent ce médicament. Une exposition à la lumière du soleil ou de lampes solaires, même pendant de brèves périodes, peut provoquer un coup de soleil, des ampoules, une éruption cutanée, des rougeurs, des démangeaisons ou une décoloration; elle peut même entraîner des changements dans la vision. Si vous avez une réaction au soleil, consulter votre médecin;
- si vous avez des frissons, de la fièvre, des douleurs musculaires ou d'autres douleurs, ou si d'autres symptômes s'apparentant à la grippe apparaissent, en particulier s'ils se produisent peu de temps

Indotec (suite)

avant, ou pendant, une éruption cutanée, consultez immédiatement votre médecin. Cela arrive très rarement, mais ces effets peuvent être les premiers signes d'une réaction grave au médicament;
- **Il est essentiel de subir régulièrement un examen médical.**

Effets secondaires de ce médicament: Outre ses effets bénéfiques, l'indométhacine, tout comme d'autres AINS, peut causer des réactions indésirables, surtout lorsqu'on la prend pendant une longue période ou à de fortes doses.

Les effets secondaires semblent être plus fréquents ou plus graves chez les patients âgés, fragiles ou affaiblis.

Bien que ces effets secondaires n'aient pas été observés chez tous les patients, s'ils se manifestent, il faut en parler au médecin.

Consulter immédiatement votre médecin, si vous constatez l'un des effets suivants:
- selles contenant du sang ou selles noires;
- essoufflement, respiration sifflante, difficulté respiratoire ou sensation de serrement à la poitrine;
- éruption cutanée, enflure, urticaire ou démangeaisons;
- vomissements ou indigestion persistante, nausée, douleur gastrique ou diarrhée;
- coloration jaune de la peau ou des yeux;
- tout changement dans la quantité ou la couleur de l'urine (rouge foncé ou brune);
- douleur au moment d'uriner ou difficulté à uriner;
- enflure des pieds ou de la partie inférieure des jambes;
- malaise, fatigue, perte d'appétit;
- vue brouillée ou tout autre trouble de la vision;
- confusion mentale, dépression, étourdissements, sensation de tête légère;
- problèmes d'ouïe;
- constipation, céphalée, vertige;
- des ulcères ou des saignements de l'œsophage, de l'estomac, du duodénum ou des intestins peuvent également survenir;
- des saignements et des malaises rectaux et un effort de défécation sont parfois liés à l'utilisation des suppositoires Indotec.

D'autres effets secondaires non énumérés ci-dessus peuvent également se manifester chez certains patients. Si vous constatez d'autres effets, consultez votre médecin.

Posologie: En présence de troubles chroniques, il y a lieu d'amorcer le traitement par une posologie de 25 mg 2 ou 3 fois/jour. En débutant le traitement par de faibles doses, que l'on augmente graduellement au besoin, on obtient un effet bénéfique maximal et moins d'effets indésirables.

Pour réduire l'irritation gastrique, toujours administrer l'indométhacine avec des aliments, immédiatement après les repas ou avec des antiacides.

Comme avec tous les médicaments, il y a lieu d'administrer la dose efficace la plus faible possible pour chaque patient.

Ce médicament ne doit pas être administré aux enfants car les conditions permettant de l'utiliser en toute sécurité dans ce groupe d'âge n'ont pas encore été établies.

Étant donné que la possibilité des réactions défavorables semble augmenter avec l'âge, l'emploi d'indométhacine en gériatrie exige encore plus de prudence.

Recommandations posologiques chez l'adulte: Polyarthrite rhumatoïde et spondylarthrite ankylosante: Posologie initiale: 25 mg 2 ou 3 fois/jour. Si la réponse du patient n'est pas adéquate, il convient d'augmenter la posologie de 25 mg/jour à intervalles d'environ 1 semaine jusqu'à l'obtention d'une réponse satisfaisante ou jusqu'à un maximum de 150 à 200 mg/jour. Si l'administration quotidienne de 200 mg n'entraîne pas de réponse satisfaisante, des posologies plus élevées ne seront probablement pas efficaces.

Si l'augmentation de la posologie entraîne des réactions indésirables, il convient de diminuer celle-ci jusqu'au niveau toléré et de l'y maintenir pendant 3 à 4 semaines. Quand la réponse obtenue n'est pas satisfaisante, il y a lieu d'augmenter graduellement la posologie de 25 mg/jour à intervalles d'environ 1 semaine jusqu'à un maximum de 150 à 200 mg/jour.

Dans les cas de polyarthrite rhumatoïde aiguë ou de poussées aiguës de polyarthrite rhumatoïde chronique, augmenter la dose de 25 mg/jour jusqu'à ce que le résultat soit satisfaisant ou jusqu'à une posologie quotidienne totale de 150 à 200 mg. S'il se produit des réactions défavorables lorsqu'on augmente la posologie, on devra réduire cette dernière jusqu'au niveau toléré, pendant 2 ou 3 jours, et l'augmenter ensuite progressivement de 25 mg à intervalles de quelques jours dans la mesure où cette augmentation est bien tolérée. Lorsque la phase aiguë est maîtrisée, il est souvent possible de réduire graduellement la dose quotidienne jusqu'à 75 à 100 mg.

Diminution de la posologie des corticostéroïdes: L'administration d'indométhacine permettra souvent une réduction graduelle de la posologie des corticostéroïdes de l'ordre de 25 à 50 %. Chez certains patients, on pourra diminuer lentement la posologie des corticostéroides sur une période de plusieurs semaines ou mois jusqu'au retrait total. Il y a lieu d'observer les précautions habituelles lors du retrait des corticostéroïdes.

Arthrose et coxarthrose graves: Posologie initiale: 25 mg 2 ou 3 fois/jour. Si la réponse du patient n'est pas adéquate, il convient d'augmenter la posologie de 25 mg/jour à intervalles d'environ 1 semaine jusqu'à l'obtention d'une réponse satisfaisante ou jusqu'à un maximum de 150 à 200 mg/jour. Si l'administration quotidienne de 200 mg n'entraîne pas de réponse satisfaisante, des posologies plus élevées ne seront probablement pas efficaces.

Si l'augmentation de la posologie entraîne des réactions indésirables, il convient de diminuer celle-ci jusqu'au niveau toléré et de l'y maintenir pendant 3 à 4 semaines. Quand la réponse obtenue n'est pas satisfaisante, il y a lieu d'augmenter graduellement la posologie de 25 mg/jour à intervalles d'environ 1 semaine jusqu'à un maximum de 150 à 200 mg/jour.

Goutte: Pour maîtriser les crises aiguës: 50 mg 3 fois/jour jusqu'à la disparition de tous les signes et de tous les symptômes. On a rapporté un soulagement marqué de la douleur dans les 2 à 4 heures. La sensibilité au toucher et la chaleur locale disparaissent habituellement dans les 24 à 36 heures et le gonflement disparaît graduellement en 3 à 5 jours.

Possibilité de changer de forme posologique: Indotec suppositoires: La posologie recommandée d'Indotec en suppositoires est de 100 à 200 mg/jour et doit être fonction de la réponse et de la tolérance des patients au médicament. On peut administrer la dose quotidienne de 100 mg sous forme d'un suppositoire à 50 mg 2 fois/jour ou d'un suppositoire à 100 mg au coucher. Les doses supérieures à 100 mg doivent être administrées 2 fois/jour.

Posologie mixte: Un suppositoire à 50 mg ou à 100 mg au coucher, suivi le lendemain de capsules à 25 mg, selon les besoins, jusqu'à une posologie globale de 150 à 200 mg d'indométhacine. La dose quotidienne totale d'Indotec (capsules et suppositoires) ne doit pas dépasser 200 mg.

Enfants: Il ne faut pas prescrire Indotec chez l'enfant car les conditions d'innocuité n'ont pas encore été établies (voir Mises en garde).

Que faire si vous oubliez de prendre une dose: Si vous oubliez une dose d'Indotec, prenez la immédiatement à la condition que le laps de temps écoulé ne dépasse pas 1 heure. Revenez ensuite à votre horaire habituel.

Si le laps de temps écoulé dépasse 1 heure, ne prenez pas la dose oubliée et ne doublez pas la suivante. Revenez plutôt à votre horaire habituel.

Conservation: Les suppositoires Indotec à 50 et à 100 mg doivent être entreposés à moins de 30 °C. Garder à l'abri de la lumière et de l'humidité élevée. Tenir loin de la chaleur excessive. Conserver dans des contenants bien fermés, à une température ambiante contrôlée.

Les capsules Indotec à 25 et à 50 mg doivent être entreposées entre 15 et 30 °C. Garder à l'abri de la lumière et de l'humidité. Conserver dans un contenant hermétique.

L'usage d'Indotec n'est pas recommandé chez les enfants, puisque son innocuité et son efficacité n'ont pas encore été établies pour ce groupe d'âge.

Éliminer les médicaments périmés ou ceux dont vous n'avez plus besoin.

Gardez ce produit et tous les médicaments hors de la portée des enfants.

Ce médicament a été prescrit pour votre problème médical. Ne le donnez à personne d'autre.

Si vous voulez obtenir plus d'information sur ce médicament, consultez votre médecin ou votre pharmacien.

□ INNOHEP® ℞

Leo

Tinzaparine sodique

Agent anticoagulant—Antithrombotique

Renseignements destinés aux patients: Innohep (tinzaparine sodique): seringues préremplies à dose unitaire (non préservée, sans métabisulfite de sodium) contiennent: 3 500 UI anti-Xa/seringue ou 4 500 UI anti-Xa/seringue; seringues calibrées à dose unitaire (non préservée, contient du métabisulfite de sodium) contiennent: 10 000 UI anti-Xa/seringue ou 14 000 UI anti-Xa/seringue ou 18 000 UI anti-Xa/seringue; flacons multidoses (préservée, contient du métabisulfite de sodium) contiennent: 10 000 UI anti-Xa/mL ou 20 000 UI anti-Xa/mL.

Les renseignements suivants fournissent une importante information concernant l'utilisation de Innohep dans la prévention ou dans le traitement de la thrombose veineuse profonde. Si vous avez des questions, veuillez en discuter avec votre médecin ou votre pharmacien.

Qu'est-ce que Innohep? Innohep est une héparine de faible poids moléculaire utilisée pour la prévention et/ou pour le traitement de la thrombose veineuse profonde (complications dues à des caillots sanguins).

Avant d'utiliser Innohep: Il est important que vous informiez votre médecin de tous les médicaments que vous prenez présentement. Il faut être prudent lorsqu'on utilise Innohep de façon concomitante avec d'autres médicaments qui affectent la coagulation sanguine (i.e., AAS ou les salicylates, les antagonistes de la vitamine K ou le dextran).

Vous devez également informer votre médecin si vous êtes affligé de saignement actif causé par une lésion locale telle qu'un ulcère gastro-intestinal aigu ou si vous développez une allergie ou une hypersensibilité à Innohep.

Avertissez votre médecin si vous êtes enceinte ou si vous allaitez afin que votre médecin soit informé de votre état durant votre traitement.

Posologie et administration: Innohep doit être utilisé tel que recommandé par votre médecin. On administre Innohep sous forme d'injection s.c. (sous la surface de la peau).

À l'hôpital: Prévention de la thromboembolie veineuse postopératoire: **Chirurgie générale:** 3 500 UI anti-Xa de Innohep (disponible sous forme de seringue préremplie) en injection s.c. 2 heures avant la chirurgie, suivie d'une injection de 3 500 UI anti-Xa 1 fois/jour durant 7 à 10 jours. **Chirurgie orthopédique: Chirurgie de la hanche:** 50 UI anti-Xa de Innohep/kg de poids corporel en injection s.c. 2 heures avant la chirurgie, suivie de 50 UI anti-Xa/kg de poids corporel 1 fois/jour durant 7 à 10 jours; **ou** Innohep 75 UI anti-Xa/kg de poids corporel en postopératoire administré par injection s.c. 1 fois/jour durant 7 à 10 jours.

Chirurgie du genou: Innohep 75 UI anti-Xa/kg de poids corporel en postopératoire administré par injection s.c. 1 fois/jour durant 7 à 10 jours.

Pour fin de commodité Innohep est disponible sous forme de seringues préremplies pour établir la posologie en fonction du poids corporel:

	Préopératoire 50 UI anti-Xa/kg	Postopératoire 75 UI anti-Xa/kg
Doses par seringue	**Poids corporel**	**Poids corporel**
3 500 UI anti-Xa	60-80 kg	35-55 kg
4 500 UI anti-Xa	80-100 kg	50-70 kg

La posologie pour les patients non inclus dans ces limites de poids corporel devrait être établie de façon individuelle.

Traitement de la thrombose veineuse profonde: 175 UI anti-Xa de Innohep/kg de poids corporel 1 fois/jour. Innohep est disponible sous forme de seringues calibrées à dose unitaire (contenant 10 000 UI anti-Xa/0,5 mL; 14 000 UI anti-Xa/0,7 mL et 18 000 UI anti-Xa/0,9 mL) et en flacons multidoses contenant 20 000 UI anti-Xa/mL.

À domicile: Il est possible qu'il soit nécessaire pour vous de poursuivre votre traitement avec Innohep à la maison. Avant de recevoir votre congé de l'hôpital, votre médecin vous informera sur la quantité de Innohep à administrer et vous enseignera la manière de vous administrer les injections s.c. Il est très important que vous suiviez ses instructions à la lettre. S'il y a quelque chose que vous ne comprenez pas ou que vous désirez voir clarifier, assurez-vous de demander à votre médecin des informations additionnelles.

Renseignements sur l'injection à domicile: Innohep est disponible sous forme de seringues préremplies et prêtes à être utilisées. **Important:** Lorsque vous utilisez les seringues calibrées de Innohep à dose unitaire, vous devrez ajuster le volume de l'injection à la quantité prescrite pour vous, le volume en entier devrait être administré selon la technique d'injection décrite dans la prochaine section.

Lorsque vous utilisez Innohep en flacons multidoses de 10 000 ou 20 000 UI anti-Xa/mL, administrez Innohep en utilisant une seringue de 1 mL et une aiguille de petit calibre (aiguille de ½ pouce ou de calibre 25). Soutirez le volume adéquat de Innohep dans la seringue pourvue d'une aiguille que vous tiendrez à la verticale, l'aiguille pointant vers le haut. Frappez légèrement la seringue avec le doigt afin de déloger les bulles d'air et pressez le piston de la seringue afin de chasser l'air qui s'y trouve.

Technique d'injection (voir le prospectus d'emballage pour les illustrations). Il est essentiel que l'injection sous-cutanée de Innohep se déroule adéquatement afin de prévenir l'apparition de douleur et d'ecchymose au site de l'injection.

1. Le site d'injection recommandé est dans le tissu graisseux au bas de l'abdomen. D'autre part, on peut injecter Innohep sur le côté de la cuisse, à la condition de prendre soin de ne pas injecter Innohep dans le tissu musculaire.
2. Nettoyez (ne frottez pas) la peau à l'aide d'un tampon imbibé d'alcool. Choisissez un endroit de l'abdomen différent pour chaque injection. Formez un repli de peau sur le bas de votre ventre entre le pouce et l'index. Retenez ce repli cutané durant tout le temps que dure l'injection.
3. En tenant l'aiguille ainsi qu'un dard, insérez l'aiguille perpendiculairement dans le repli de la peau tenu entre le pouce et l'index, aussi profondément qu'elle peut aller. Lorsque l'aiguille est insérée, le bout de l'aiguille devrait être immobilisé et le piston ne devrait pas être retiré. Pressez le piston afin d'injecter Innohep.
4. Retirez l'aiguille perpendiculairement et comprimez brièvement à l'aide d'un tampon alcoolisé. Ceci aidera à réduire au minimum un suintement de Innohep ou un saignement. Ne frottez pas le site de l'injection. Débarrassez-vous de la seringue utilisée et de l'aiguille de façon sécuritaire.

Important: Il est essentiel que vous suiviez soigneusement les recommandations de votre médecin. Continuez l'administration de Innohep pour l'entière période prescrite par votre médecin.

Ne prenez aucun autre médicament excepté ceux prescrits par votre médecin durant tout le temps que vous prenez Innohep.

Si vous visitez un autre médecin ou votre dentiste, assurez-vous de les informer que vous êtes sous traitement avec Innohep.

Si vous observez n'importe lequel des effets suivants alors que vous êtes traité avec Innohep, communiquez avec votre médecin:

- saignement au site de l'injection et/ou au site de l'intervention chirurgicale et/ou autre saignement
- tendance à l'apparition d'ecchymoses ou ecchymoses sans cause apparente
- réactions allergiques

Traitement du surdosage: Un surdosage de Innohep peut causer un saignement excessif. Si vous croyez avoir accidentellement absorbé une dose excessive de Innohep, communiquez immédiatement avec votre médecin. Votre médecin déterminera les mesures de correction appropriées qui devront être prises.

Entreposage de Innohep: Entreposez à une température entre 15 et 25 °C. Gardez à l'abri de la lumière.

Gardez Innohep, les seringues et les aiguilles dans un endroit sûr hors de la portée des enfants.

□ INTAL®, Inhalateur ℞
□ INTAL® Syncroner® ℞

Rhône-Poulenc Rorer

Cromoglycate sodique

Prophylaxie de l'asthme bronchique

Renseignements destinés aux patients: Inhalateur Intal: Prévention des crises d'asthme: Le cromoglycate sodique est utilisé en prévention des crises d'asthme. **Ce médicament ne prodigue pleinement ses bienfaits que si vous le prenez régulièrement, conformément aux instructions de votre médecin.** Il serait judicieux de tenir un registre de l'incidence et de la gravité des crises ou des symptômes d'asthme - insomnie, respiration sifflante, toux, etc. - qui se manifesteront pendant votre traitement. D'ailleurs, votre médecin vous a peut-être remis un journal à cet effet. À la fin du mois, ou à la fréquence qu'il jugera opportune, il pourra s'y reporter pour évaluer l'efficacité du traitement et, ainsi, en apprendre davantage sur l'effet du cromoglycate sodique

Intal, Inhalateur (suite)

sur les symptômes de ses patients. Pour votre part, **vous saurez si le médicament procure des bienfaits à votre enfant ou à vous-même. Un tel traitement peut améliorer grandement la qualité de vie d'une personne asthmatique. Vous devez utiliser le médicament pendant au moins 1 mois pour obtenir les meilleurs résultats. Vous devrez poursuivre votre traitement tant que votre médecin le jugera nécessaire.**

Le cromoglycate sodique est un médicament préventif. Comme il n'agit pas de façon immédiate, vous devrez continuer de prendre vos autres médicaments jusqu'à ce que votre médecin vous autorise à cesser de les utiliser. Ne mettez pas fin à ces traitements et ne sautez pas de dose sans l'approbation de votre médecin.

Mode d'emploi de l'inhalateur Intal: Pour faire pénétrer le médicament profondément dans vos poumons et tirer ainsi pleinement parti de votre traitement, vous devez utiliser l'inhalateur Intal correctement. Veuillez donc lire attentivement les instructions ci-après et les suivre à la lettre.

Posologie habituelle: Adultes et enfants de plus de 6 ans: 2 bouffées, 4 fois par jour (p. ex., 2 bouffées au lever, 2 à midi, 2 autres à 18 h et les 2 dernières, au coucher). Votre médecin vous indiquera le nombre de pulvérisations à effectuer et la fréquence d'administration du médicament. Pour prévenir le bronchospasme consécutif à l'effort, prenez Intal de 15 à 30 minutes avant l'activité projetée.

Important: Ne mettez pas fin à votre traitement et n'en modifiez pas la posologie sans consulter votre médecin. Lavez l'inhalateur régulièrement afin d'éviter que des résidus de poudre ne s'accumulent dans l'orifice de l'embout buccal.

Avertissement: Le contenu de la bouteille est sous pression. Ne tentez pas de perforer la bouteille ni de la brûler, même si elle est vide.

Conservation: Gardez le médicament à la température ambiante, dans un endroit sec. Après utilisation, remettez le capuchon en place.

Important: Utilisation optimale de l'inhalateur: Suivez les instructions à la lettre. Lavez le dispositif 2 fois par semaine afin qu'il demeure propre.

1. Agitez bien le dispositif. Retirez le **capuchon bleu** de l'embout buccal. Assurez-vous que la bouteille est insérée solidement dans l'inhalateur.
2. Tenez l'inhalateur loin de votre bouche et expirez légèrement (sans expulser tout l'air de vos poumons). Afin d'éviter la formation de condensation et l'obstruction du dispositif, **n'expirez pas** dans l'inhalateur.
3. Placez l'inhalateur dans votre bouche, sur votre langue, et serrez les lèvres autour de l'embout buccal. Penchez la tête loin vers l'arrière. Commencez à inspirer lentement et profondément par la bouche et, au même moment, exercez une forte pression sur le dessus de la bouteille métallique afin de libérer Intal. Vous devez absolument appuyer sur la bouteille **tout en inspirant** afin d'obtenir la dose exacte du médicament.
4. Retirez l'inhalateur de votre bouche. **Retenez votre souffle aussi longtemps que vous le pouvez (pendant plusieurs secondes) pour permettre à la substance de se répandre dans vos poumons.**
5. **Faites une pause de 1 minute, puis reprenez les étapes 2, 3 et 4.** Après utilisation, remettez le capuchon sur l'embout buccal.

Entretien: Il est important de nettoyer le corps de plastique afin que la poudre ne s'y accumule pas. Au moins 2 fois par semaine, retirez la bouteille métallique et lavez l'inhalateur à l'eau tiède; laissez sécher l'appareil à l'air libre toute la nuit. Vous pouvez nettoyer l'embout buccal chaque jour sans le moindre problème.

Remarque: De temps à autre, inhalez votre médicament devant un miroir. Si une brume blanche s'échappe pendant l'inhalation, vous devez parfaire votre technique: vos lèvres ne scellent peut-être pas convenablement l'embout buccal; il se peut aussi que vous n'inspiriez pas au moment où vous exercez une pression sur la bouteille.

Conseils pratiques: Avant un premier usage - ou lorsque l'inhalateur n'a pas été utilisé depuis un bon moment - exercez une pression sur l'appareil pour le mettre à l'essai. Remarque à l'intention des parents: Peut-être devrez-vous aider votre enfant à se servir de l'inhalateur. Pour ce faire, vous pouvez appuyer sur la bouteille lorsque votre enfant commence à inspirer.

Chaque pulvérisation libère une dose prémesurée de 1 mg de cromoglycate sodique micronisé.

Une vie bien remplie... en dépit de l'asthme: Vous trouverez ci-après des renseignements sur l'asthme et des conseils pour mieux composer avec cette affection.

Qu'est-ce que l'asthme? L'asthme est une maladie que vous connaissez bien pour en avoir subi les conséquences. Lorsqu'une crise se manifeste, la respiration devient fort laborieuse. Entre les crises, cependant, l'asthmatique respire tout à fait normalement. Ainsi, comme vous le savez, c'est la crise d'asthme en tant que telle qui perturbe véritablement la vie de l'asthmatique. Pour mener une vie plus agréable, celui-ci doit donc s'attacher à réduire le nombre de ses crises et à couper court à celles qui surviennent ou à en diminuer l'intensité.

Que se passe-t-il pendant une crise d'asthme? Il se passe essentiellement deux choses. D'abord, les muscles qui commandent les voies respiratoires se contractent. Ils sont, en effet, pris de spasmes, et, comme ils enveloppent les conduits aériens, ces derniers se resserrent et se rétrécissent. Résultat: l'inspiration est difficile et l'expiration, encore plus laborieuse.

L'intérieur des voies aériennes n'est pas épargné pendant la crise. En effet, les parois internes enflent et sécrètent une quantité anormale de mucus, lequel entrave la respiration.

Quelle est la cause de ces crises? Plusieurs facteurs peuvent déclencher une crise d'asthme.

1. Substances allergènes (herbe à poux, pollen, poussière, certains aliments et médicaments, etc.).
2. Infections respiratoires (rhume, grippe, etc.).
3. Effort physique exigeant.
4. Variations soudaines de la température ou du taux d'humidité (p. ex., exposition à l'air froid).
5. Irritants (chlore, parfum, etc.).
6. Stress émotionnel (problèmes à la maison, à l'école, au travail).

Soulagement de l'asthme: Aucun médicament ne peut guérir l'asthme, c.-à-d. délivrer définitivement une personne de cette maladie. Pour soulager le patient, on doit donc s'attacher à prévenir les crises et à diminuer l'intensité de celles qui se manifestent en dépit du traitement.

La prévention: voilà la planche de salut de l'asthmatique. Vous pouvez exercer une prévention partielle en évitant l'exposition aux facteurs déclenchant la crise. Tentez de repérer les substances à l'origine des crises: aliments, poussière, phanères d'animaux, etc. Vous serez peut-être contraint de prendre des décisions qui briseront le cœur de votre enfant, p. ex. trouver un nouveau foyer à son chaton ou le priver de son jouet en peluche préféré. Si pénibles soient-elles, ces mesures seront parfois inévitables. Examinez bien la chambre de la personne asthmatique: oreillers de plume, couettes et édredons doivent en être bannis. Un aliment semble poser problème? Éliminez-le. Pour réduire le nombre d'allergènes aériens dans la maison, vous pouvez recourir à la climatisation, aux filtres électrostatiques ou, si vous y avez accès, à des filtres relativement nouveaux dit «microporeux» (filtres à haute efficacité [H.E.P.A.]). Méfiez-vous enfin de certains médicaments; l'aspirine, à titre d'exemple, peut constituer un facteur déclenchant chez certains asthmatiques.

Règles de vie de l'asthmatique: Une personne asthmatique doit mener une vie saine, c.-à-d. se nourrir convenablement, se reposer et faire de l'exercice. Elle observera en outre les quelques règles ci-après.

1. Ne fumez pas et ne restez pas dans une pièce où se trouvent des fumeurs.
2. Tenez-vous loin de la peinture fraîche.
3. Ne vous exposez pas à des variations soudaines de température. Ainsi, pendant les chaleurs d'été, évitez de faire la navette entre l'intérieur d'immeubles fortement climatisés et l'extérieur.
4. Dans la mesure du possible, ne sortez pas par grand froid.
5. Ne vous approchez pas de personnes enrhumées ou grippées.
6. Essayez d'éviter le stress émotionnel.
7. Buvez beaucoup d'eau (de 6 à 8 verres par jour).
8. Faites de l'exercice régulièrement - sans exagération, toutefois - en optant pour des activités qui vous aideront à accroître votre capacité pulmonaire.
9. Ne prenez aucun médicament sans en parler d'abord à votre médecin.
10. Prenez les médicaments que vous prescrit votre médecin en suivant ses instructions à la lettre.
11. Évitez les somnifères et les sédatifs, même si vous souffrez d'insomnie à cause de l'asthme. Si tel est votre cas, adossez-vous contre plusieurs oreillers superposés jusqu'à ce que vos médicaments contre l'asthme fassent effet.
12. N'inhalez pas d'insecticides, de désodorisants, de nettoyants liquides, de vapeurs de chlore, etc.

Syncroner Intal: Chaque pulvérisation libère une dose prémesurée de 1 mg de cromoglycate sodique micronisé.

Intal est un traitement **préventif** que vous devez prendre chaque jour, conformément aux instructions de votre médecin. Il ne procure pas de soulagement **immédiat** des symptômes, mais, si vous en faites bon usage, il devrait réduire notablement la fréquence des crises et leur intensité. **Pour faire pénétrer le médicament profondément dans vos poumons et tirer ainsi pleinement parti de votre traitement, vous devez utiliser le Syncroner Intal correctement.**

Veuillez lire attentivement les instructions ci-après et les suivre à la lettre.

Posologie habituelle: Adultes et enfants de plus de 6 ans: 2 bouffées, 4 fois par jour (p. ex., 2 bouffées au lever, 2 à midi, 2 autres à 18 h et les 2 dernières, au coucher). Votre médecin vous indiquera le nombre de pulvérisations à effectuer et la fréquence d'administration du médicament. Pour prévenir le bronchospasme consécutif à l'effort, prenez Intal de 15 à 30 minutes avant l'activité projetée.

Important: Ne mettez pas fin à votre traitement et n'en modifiez pas la posologie sans consulter votre médecin.

Entretien: Après utilisation, fermez le dispositif et remettez le capuchon en place. Pour nettoyer l'inhalateur, retirez la bouteille et rincez l'embout buccal de plastique à l'eau tiède. Ne replacez la bouteille que lorsque l'inhalateur est parfaitement sec.

Avertissement: Le contenu de la bouteille est sous pression. Ne tentez pas de perforer la bouteille ni de la brûler, même si elle est vide.

Conservation: Gardez le médicament à la température ambiante.

Mode d'emploi du Syncroner Intal: Le Syncroner est un dispositif d'apprentissage qui vous permettra de déterminer si votre technique d'inhalation est au point. La substance que libère l'inhalateur forme une légère brume blanche. Si vous n'utilisez **pas** l'appareil comme il se doit, vous verrez un nuage de poudre se former devant votre visage. Le cas échéant, assurez-vous que vous inspirez au bon moment (étape 6). Suivez les instructions ci-dessous en vous regardant dans un miroir.

1. Agitez bien le Syncroner. Retirez le **capuchon bleu** de l'embout buccal. Assurez-vous que la bouteille est insérée solidement dans l'inhalateur.
2. Allongez le Syncroner complètement, soit jusqu'à ce qu'il bloque.
3. Tenez le dispositif fermement entre le pouce et l'index, puis saisissez la base de l'inhalateur à l'aide du pouce.
4. Expirez lentement pour expulser tout l'air de vos poumons.
5. Placez l'inhalateur dans votre bouche, serrez les lèvres autour de l'embout buccal et penchez la tête loin vers l'arrière.
6. Inspirez lentement et profondément par la bouche et, **au même moment**, exercez une forte pression sur la bouteille métallique afin de libérer Intal.
7. **Très important**: Retenez votre souffle aussi longtemps que vous le pouvez (pendant plusieurs secondes) pour permettre à la substance de se répandre dans vos poumons. Retirez l'inhalateur de votre bouche et expirez.
8. Reprenez les étapes 4 à 7, fermez le dispositif et remettez le capuchon sur l'embout buccal.

Remarque: Vous devez absolument appuyer sur la bouteille dès que vous commencez à inspirer afin d'obtenir la dose exacte du médicament.

☐ INTAL® Spincaps® 🄿
☐ INTAL®, Solution à nébuliser 🄿

Rhône-Poulenc Rorer

Cromoglycate sodique

Prophylaxie de l'asthme bronchique

Renseignements destinés aux patients: Mode d'emploi d'Intal et du Spinhaler: En quoi consiste Intal exactement? Intal est une poudre de couleur blanche qui doit pénétrer dans les poumons par inhalation. On l'emploie en prévention des crises d'asthme bronchique. Toutefois, ce médicament n'est efficace que s'il est utilisé régulièrement et inhalé comme il se doit, à l'aide de l'inhalateur Spinhaler. Vous trouverez un peu plus loin le mode d'emploi de cet appareil.

À quelle fréquence dois-je prendre Intal? À moins d'indications contraires de votre médecin, vous devez prendre 4 cartouches Spincaps par jour, soit une au lever, une à l'heure du dîner, l'avant-dernière, au souper et la dernière, au coucher. Vous ne devez mettre fin à votre traitement ou réduire le nombre de doses que si votre médecin vous le recommande.

L'inhalation d'Intal peut laisser des résidus de poudre dans votre bouche. Pour inhaler le plus de médicament possible, vous devez utiliser le Spinhaler suivant la bonne technique.

Comment dois-je prendre Intal? Vous devez faire pénétrer le médicament dans vos poumons en l'inhalant au moyen du Spinhaler. Intal n'est pas efficace contre l'asthme s'il est avalé.

Chargement du Spinhaler: Assurez-vous d'abord et avant tout d'avoir les mains propres et sèches. Déchirez le sachet afin d'en extraire une cartouche Spincap.

1. Tenez le Spinhaler à la verticale, l'embout buccal vers le bas, puis dévissez l'embout buccal du tube.
2. Vérifiez si l'hélice se trouve bel et bien sur son axe, puis introduisez la cartouche Spincap (extrémité colorée vers le bas) dans l'alvéole prévue à cette fin. Assurez-vous que la cartouche est solide et que l'hélice pivote librement. Remettez l'embout buccal en place en le vissant bien.
3. En tenant le Spinhaler à la verticale, faites glisser le manchon gris le plus loin possible vers le bas, puis ramenez-le à sa position initiale. Une fois cette manœuvre exécutée, la cartouche est perforée, et vous pouvez inhaler le médicament.

Inhalation d'Intal:

1. Vérifiez de nouveau si l'embout buccal et le tube du Spinhaler sont vissés solidement.
2. Expirez tout l'air de vos poumons et placez l'embout buccal dans votre bouche. Serrez les lèvres autour de l'embout afin qu'elles viennent s'appuyer sur le bec du Spinhaler.
3. Penchez la tête vers l'arrière et inspirez le plus profondément possible.
4. Retenez votre souffle le plus longtemps possible, retirez le Spinhaler et expirez.
5. Recommencez l'inhalation autant de fois qu'il le faudra pour vider la cartouche Spincap de son contenu. Deux ou trois inhalations devraient suffire; il n'y a pas lieu de vous en faire s'il reste un peu de poudre dans la cartouche.
6. Si vous avez la gorge légèrement irritée après l'inhalation, vous pouvez boire de l'eau.

En vous montrant patient et en prenant le temps d'utiliser Intal correctement, vous vous épargnerez peut-être de nombreuses crises d'asthme ainsi que les multiples désagréments qui en découlent.

Remarque à l'intention des parents: Votre médecin ou votre pharmacien peut vous fournir un sifflet s'adaptant au Spinhaler. Si votre enfant s'amuse en prenant Intal, vous aurez sans doute plus de facilité à lui enseigner le mode d'emploi de l'inhalateur.

Entretien du Spinhaler et conservation des cartouches Spincaps: Rangez toujours le Spinhaler dans le contenant prévu à cette fin pour qu'il demeure propre.

Pour que le Spinhaler fonctionne parfaitement, il ne doit pas contenir de résidus de poudre. Vous devez, au moins une fois par semaine, brosser les pales de l'hélice afin d'éliminer les dépôts de poudre et nettoyer toutes les pièces du Spinhaler à l'eau tiède. Laissez **sécher** les composantes avant de réassembler l'inhalateur.

Qu'est-ce que l'asthme? L'asthme est une maladie se manifestant par des accès d'essoufflement, de respiration sifflante (c'est-à-dire audible) et, parfois, de toux. L'asthme peut perturber votre vie professionnelle, votre sommeil et votre alimentation de même que vos loisirs. Les répercussions de la maladie varient d'une personne à l'autre.

Que se passe-t-il pendant une crise d'asthme? Au cours d'une crise d'asthme, les muscles de l'extérieur des voies respiratoires sont pris de spasmes par suite de la libération de certaines substances, si bien que les conduits se rétrécissent. Résultat: la respiration est laborieuse.

Quelle est la cause de ces crises? Plusieurs facteurs peuvent déclencher une crise d'asthme.

1. Substances allergènes (herbe à poux, pollen, poussière, certains aliments et médicaments).
2. Infections respiratoires (rhume, grippe).
3. Stress émotionnel (problèmes à la maison, à l'école, au travail).
4. Effort physique exigeant.
5. Irritants chimiques (chlore, parfum, etc.).
6. Variations soudaines de la température ou du taux d'humidité.

Soulagement de l'asthme: Aucun médicament ne peut guérir l'asthme, c'est-à-dire délivrer définitivement une personne de cette maladie. Pour soulager le patient, on doit donc s'attacher à prévenir les crises et à diminuer l'intensité de celles qui se manifestent en dépit du traitement. Si l'on arrive à découvrir l'élément précis déterminant la crise—p. ex., une allergie à certains animaux, à la poussière, à un aliment ou à un médicament—l'on pourra exercer une prévention partielle en évitant l'exposition au facteur déclenchant.

Pourquoi avoir choisi Intal? Intal fait partie intégrante de votre programme de prévention. Il soulage l'asthme grâce à un mode d'action

Intal Spincaps (suite)

tout à fait particulier. En effet, Intal s'oppose à la libération des substances déclenchant la crise d'asthme.

Comme Intal est un agent préventif, vous n'en ressentirez les bienfaits que si vous l'utilisez régulièrement. Si vous prenez Intal de façon continue, même lorsque vous vous sentez bien, vous pouvez maîtriser votre asthme et prévenir la plupart des crises. Vous serez ainsi en meilleure santé et mènerez une vie plus normale.

Inhalateur Halermatic: L'inhalateur Halermatic vous permet de faire pénétrer le contenu des cartouches Spincap dans vos poumons. Veuillez lire attentivement toutes les instructions ci-après avant de prendre le médicament: vous devez les observer à la lettre pour recevoir la dose exacte.

Chargement de l'Halermatic: Les cartouches ne doivent être insérées dans le mécanisme qu'au moment de l'utilisation.

1. Retirez le capuchon de l'embout buccal puis retirez l'embout.
2. Introduisez une cartouche Spincap et poussez-la fermement en place, jusqu'au fond de la fente.
3. Remettez l'embout buccal en place en l'enfonçant délicatement aussi loin que possible. Cette manœuvre perfore la cartouche et l'amène dans la chambre de rotation. Le produit peut alors être inhalé.

Remarque: Ne répétez pas la troisième étape, car la cartouche ne doit être perforée qu'une seule fois.

Inhalation du médicament:

1. Tenez l'inhalateur loin de la bouche et expirez tout l'air de vos poumons.
2. Penchez la tête vers l'arrière, refermez les lèvres autour de l'embout buccal puis inspirez **rapidement** et **régulièrement**. Assurez-vous que les dents ou la langue ne font pas obstacle au passage de la substance.
3. Retenez votre souffle afin que la substance séjourne le plus longtemps possible dans vos poumons, retirez le dispositif de la bouche et expirez.
4. Répétez les étapes 1 à 3 jusqu'à ce que toute la poudre Intal ait été inhalée.
5. En cas de sécheresse ou d'irritation de la gorge, buvez un peu d'eau avant et après l'inhalation.
6. Si des difficultés surgissent, assurez-vous que: le dispositif est propre; les orifices ne sont pas obstrués au moment de l'inhalation (par vos doigts, p. ex.); la cartouche pivote aisément. Ne replacez pas une cartouche perforée dans la fente; la cartouche est bel et bien perforée. Dans le cas contraire, enfoncez-la de nouveau dans la fente.

Entretien de l'Halermatic:

1. Enlevez les résidus de poudre tous les jours à l'aide de la brosse prévue à cette fin.
2. Si ces résidus se sont accumulés, délogez-les à l'aide d'un linge légèrement humide.
3. Au besoin, nettoyez l'embout buccal séparément.

Ne mouillez pas le corps de l'Halermatic, muni d'une base bleue, et assurez-vous que la grille de l'embout buccal est sèche avant de réassembler l'appareil.

Remplacez l'inhalateur Halermatic tous les 6 mois.

Avant de manipuler les cartouches Spincap, assurez-vous d'avoir les mains propres et sèches. Gardez l'Halermatic à la température ambiante, dans un endroit sec.

Intal, solution à nébuliser: Mode d'emploi: Pour inhalation seulement.

Mode d'administration: La solution à nébuliser Intal doit être administrée au moyen d'un nébuliseur actionné mécaniquement, offrant un débit d'air adéquat et muni d'un masque approprié.

Vous devez utiliser le nébuliseur que vous recommande votre médecin. Celui-ci vous en expliquera le mode d'emploi.

Posologie: Prenez 4 ampoules par jour, ou le nombre d'ampoules indiqué par votre médecin. Une nébulisation de 5 à 10 minutes s'est révélée efficace en clinique. La solution restante doit être jetée.

Inhalation: Vous devez assembler et utiliser l'appareil conformément aux instructions du fabricant ou de votre médecin.

Précautions d'emploi: La solution à nébuliser Intal ne doit pas être mélangée à d'autres médicaments administrés par nébulisation. Vous devez utiliser une nouvelle ampoule lors de l'administration de chaque dose.

Contre-indications: Il n'existe pas de contre-indication précise, à l'exception d'une hypersensibilité au cromoglycate sodique. On estime généralement que tout médicament doit être utilisé avec prudence au cours des 3 premiers mois de grossesse.

Entretien du nébuliseur: Votre nébuliseur doit toujours être parfaitement propre. Veuillez suivre les instructions du fabricant.

Conservation: La solution à nébuliser Intal doit être gardée à la température ambiante. Une fois ouverte, la boîte doit être protégée des rayons directs du soleil.

Pour obtenir de plus amples renseignements sur la solution pour nébulisation Intal ou sur la nébulisation proprement dite, veuillez consulter votre médecin.

Présentation: Boîte de 48 ampoules de 2 mL.

Instruction pour vider les ampoules (voir le prospectus d'emballage pour les illustrations): **Important:** Pour empêcher que des particules pénètrent dans la solution: ne pas briser l'ampoule au-dessus du récipient à solution. Briser le bout inférieur chaque fois. S'assurer d'avoir les mains propres.

Remarque: Avant l'emploi, lire attentivement les instructions. L'ampoule est facile à rompre, le verre étant plus mince à chacune des extrémités pour faciliter la cassure à l'aide de la casse-ampoule ci-jointe.

1. Tenir la casse-ampoule bien fermée, comme indiqué par l'illustration; introduire le **bout inférieur** de l'ampoule jusqu'au repère jaune, et le briser. La solution ne s'échappera pas.
2. Ouvrir la casse-ampoule pour éjecter le bout sectionné de l'ampoule. Retourner l'ampoule de façon que le bout ouvert soit tourné vers le haut.
3. Poser le bout de l'index sur l'ouverture de l'ampoule. En maintenant l'index en place et la casse-ampoule étant refermée, briser la partie inférieure de l'ampoule de la façon déjà indiquée à 1 ci-dessus.
4. Ensuite, tenir l'ampoule au-dessus du récipient à solution et soulever l'index pour que la solution s'écoule librement.

□ INTRON A® Ⓟ

Schering

Interféron alfa-2b

Modulateur des réactions biologiques

Renseignements destinés aux patients: Avant d'utiliser Intron A (interféron alfa-2b), lisez bien les renseignements apparaissant ci-dessous et respectez les instructions qui vous sont données.

Si vous utilisez la solution Intron A prête à l'emploi, reportez-vous à la section intitulée Injections sous-cutanées.

Pour préparer la solution Intron A:

1. À l'aide d'un crayon ou d'un stylo, inscrivez, à l'endroit prévu à cette fin sur la fiole d'Intron A, la date à laquelle vous y avez ajouté le diluant.
2. Lavez-vous les mains soigneusement à l'eau et au savon, rincez-les, puis séchez-les à l'aide d'une serviette propre.
3. Enlevez le capuchon de plastique du flacon de diluant et de la fiole de poudre lyophilisée Intron A. Laissez les bouchons de caoutchouc et les bagues d'aluminium en place.
4. Nettoyez les bouchons de caoutchouc du flacon et de la fiole à l'aide d'un tampon d'ouate imbibé d'alcool. Votre médecin vous indiquera le format de la seringue et le calibre de l'aiguille que vous devrez employer, ainsi que la quantité de diluant que vous devrez ajouter à la poudre lyophilisée Intron A pour préparer la solution injectable.
5. Enlevez la gaine qui protège l'aiguille et tirez sur le piston afin d'introduire dans la seringue une quantité d'air équivalente à la quantité de diluant qui doit être ajoutée à la poudre.
6. Tenez le flacon de diluant bien droit sans toucher avec vos mains la partie supérieure du flacon que vous venez de nettoyer.
7. Faites pénétrer l'aiguille dans le flacon de diluant et injectez-y l'air de la seringue.
8. Retournez ensuite le flacon goulot en bas et assurez-vous que la pointe de l'aiguille est plongée dans le liquide.
9. Tirez sur le piston de la seringue jusqu'à ce qu'elle contienne exactement la quantité de diluant qu'il vous faut ajouter à la poudre Intron A et qui vous a été indiquée par votre médecin. Les graduations apparaissant sur le corps de la seringue indiquent quel volume de diluant vous avez prélevé. Retirez l'aiguille du flacon de diluant.

Pour préparer la solution Intron A, faites pénétrer l'aiguille dans la fiole d'Intron A en perforant le bouchon de caoutchouc, puis appuyez délicatement la pointe de l'aiguille contre la paroi de la fiole.

Injectez doucement le diluant en dirigeant le jet de liquide vers la paroi de la fiole afin d'éviter la formation de bulles d'air.

Ne dirigez pas le jet vers la poudre blanche au fond de la fiole.

Retirez l'aiguille de la fiole, remettez la gaine destinée à protéger l'aiguille et déposez la seringue sur une surface plane.

Faites tourner la fiole d'Intron A doucement en lui imprimant un mouvement circulaire jusqu'à ce que la poudre blanche soit complètement dissoute. **N'agitez pas la fiole.**

S'il y a formation de bulles d'air, laissez reposer la solution jusqu'à ce que toutes les bulles soient remontées à la surface de la solution et aient disparu avant d'y prélever la dose à injecter.

Stabilité et conservation: La poudre lyophilisée Intron A non diluée doit être réfrigérée à une température se situant entre 2 et 8 °C. Lorsque vous préparez le médicament avec de l'eau stérile pour soluté injectable, la solution ainsi obtenue reste stable pendant 24 heures si elle est conservée entre 2 et 30 °C. On recommande toutefois de la conserver entre 2 et 8 °C.

La solution préparée avec de l'eau bactériostatique pour soluté injectable contenant de l'acool benzylique à 0,9 % est limpide et incolore ou jaune pâle. La solution ainsi obtenue se conserve 30 jours au minimum à une température de 2 à 8 °C, pendant 2 semaines à la température ambiante (entre 15 et 30 °C) et durant une journée, à 35 °C. Après reconstitution*, la solution se conserve au congélateur pendant 30 jours, mais elle ne peut être décongelée, puis recongelée qu'à 2 reprises au cours de cette période.

Lorsque la solution d'Intron A est préparée avec de l'eau bactériostatique pour soluté injectable, elle peut être conservée dans des seringues de polypropylène pendant 30 jours à une température se situant entre 2 et 8 °C.

Il est déconseillé de congeler les seringues renfermant le médicament.

Injections sous-cutanées (voir le prospectus d'emballage pour les illustrations):

- Installez-vous confortablement dans un endroit bien éclairé et rassemblez le matériel dont vous aurez besoin (fiole, seringue, tampons d'ouate et contenant jetable). Laissez reposer la fiole à la température ambiante pendant 10 minutes. Ne l'agitez pas.

1re étape: Le choix d'un lieu d'injection:

- Ne choisissez pas un endroit où la peau est rouge ou irritée.
- Ne vous piquez pas au même endroit plus d'une fois toutes les 6 ou 7 semaines.

Endroits où injecter le médicament: les cuisses, la région supérieure externe du bras, la région abdominale, à l'exception du nombril, et le bas du corps (sous la taille).

2e étape: La préparation de la seringue d'Intron A:

- Assurez-vous que la solution n'a pas changé de couleur, qu'elle est limpide et que la date d'expiration n'est pas échue.
- Lavez-vous les mains au savon et séchez-les avec une serviette propre.
- Enlever le capuchon de la fiole et jetez-le.
- Nettoyez le bouchon de caoutchouc avec un tampon d'ouate imbibé d'alcool.
- Si la seringue est fendillée ou si l'aiguille est courbée, déposez-les dans un contenant jetable.
- Enlevez la gaine qui protège l'aiguille en la tirant en ligne droite. La fiole d'Intron A reposant sur une surface plane, faites pénétrer l'aiguille dans la fiole en perforant le bouchon de caoutchouc.
- Tournez la fiole goulot en bas en vous assurant que la pointe de l'aiguille est plongée dans la solution.
- Tirez sur le piston pour aspirer lentement la quantité prescrite de solution Intron A dans la seringue. Vérifiez que vous avez bien prélevé la quantité de solution qui vous a été prescrite.
- Retirez l'aiguille de la fiole. Laissez l'aiguille pointée vers le haut; n'y touchez pas. Tapotez légèrement la seringue pour éliminer toute bulle d'air. Poussez doucement sur le piston pour éjecter l'air qui se trouve à l'extrémité de la seringue.
- Replacez la gaine protectrice sur l'aiguille, puis déposez la seringue sur une surface plane et propre.

3e étape: La préparation du lieu d'injection:

- D'un mouvement circulaire, nettoyez le lieu d'injection à l'aide d'un tampon d'ouate imbibé d'alcool (pendant environ 10 secondes) et laissez sécher.
- Enlevez la gaine protectrice de l'aiguille.
- Tenez le corps de la seringue comme un crayon, entre le pouce et l'index.
- De l'autre main, pincez la peau à l'endroit où sera faite l'injection.
- Tenez la seringue à un angle de 45 à 90° au-dessus du lieu d'injection, la pointe de l'aiguille à une distance de 5 cm environ de la peau. Insérez l'aiguille d'un coup sec, comme si vous lanciez une fléchette. L'aiguille doit s'enfoncer entièrement dans la peau ou au moins aux trois quarts.
- Tirez le piston de la seringue d'environ 0,8 cm. N'injectez pas la solution si du sang pénètre dans la seringue. Retirez l'aiguille et jetez la seringue et l'aiguille. Préparez une nouvelle seringue et faites l'injection à un autre endroit. S'il n'y a pas de sang dans la seringue, enfoncez lentement le piston pour injecter la solution Intron A.
- Après l'injection du médicament, retirez l'aiguille. Appliquez un tampon d'ouate imbibé d'alcool à l'endroit de l'injection pendant quelques secondes sans toutefois exercer de pression.
- Appliquez un pansement adhésif si nécessaire.

4e étape: Le nettoyage:

- Ne replacez pas la gaine de protection sur l'aiguille.
- Déposez la seringue vide et son aiguille dans un contenant conçu à cette fin. Demandez à votre pharmacien ou à votre infirmière de vous indiquer la façon appropriée de jeter les seringues et les aiguilles.

Injections intramusculaires:

- Si vous le préférez, vous pouvez vous injecter le médicament par voie i.m., à condition que votre médecin vous ait montré comment procéder.

*On entend par «reconstitution», l'action d'ajouter un liquide (diluant) à une poudre sèche.

☐ INVIRASE™ ℞

Roche

Mésylate de saquinavir

Inhibiteur de la protéase du VIH—Agent antirétroviral

Renseignements destinés aux patients: Votre médecin vous a prescrit Invirase (mésylate de saquinavir). Invirase est le premier agent d'une nouvelle classe de médicaments employés contre le virus de l'immunodéficience humaine (VIH). Invirase contient l'ingrédient actif saquinavir, qui combat la propagation du VIH dans votre organisme. Veuillez lire attentivement ces renseignements, car ils vous informeront sur Invirase et la façon d'optimiser l'effet du médicament. Si vous avez des questions ou des préoccupations après la lecture des renseignements ci-dessous, consultez votre médecin ou votre pharmacien.

Qu'est-ce qu'une infection à VIH? Le VIH est le virus qui cause le sida. Comme vous le savez, le système immunitaire est la principale défense de l'organisme contre les infections. Le système immunitaire comprend des cellules spéciales qui reconnaissent et détruisent les bactéries et les virus nuisibles. Au fur et à mesure que le VIH se répand, il détruit ces cellules—il reste alors moins de cellules immunitaires, d'où un plus grand risque d'infection.

Avec le temps, l'infection à VIH «évolue»—elle s'aggrave. Avec moins de cellules immunitaires, il est plus facile de tomber malade. Votre médecin vous examinera soigneusement afin d'évaluer votre état. Le médecin pourra également vous soumettre à des tests sanguins afin de mesurer le nombre de cellules immunitaires de votre organisme (nombre de cellules CD4) et de mesurer la quantité de virus qui se trouve dans votre sang. Tous ces renseignements peuvent être employés pour vous aider, votre médecin et vous, à décider de la meilleure façon de prendre en charge votre infection à VIH.

Qu'est-ce qu'Invirase? Invirase est la marque de commerce des capsules de saquinavir. Le saquinavir appartient à une nouvelle classe de médicaments appelés «inhibiteurs de la protéase». Comparé aux autres médicaments contre le VIH déjà sur le marché, le saquinavir intervient à une étape différente de la reproduction du virus.

Chaque capsule dure de gélatine (gélule) Invirase contient 200 mg de l'ingrédient actif (saquinavir). Les gélules comportent également les ingrédients (non médicinaux) suivants: lactose, cellulose microcristalline, polyvidone, glycolate sodique d'amidon, talc et stéarate de magnésium. Les enveloppes des gélules sont faites de gélatine, d'oxyde de titane, d'oxyde de fer et d'indigotine. **Si vous êtes allergique ou si vous avez déjà eu une réaction grave à l'un ou l'autre de ces ingrédients, vous ne devez pas prendre Invirase.**

Comment Invirase pourra-t-il m'aider? Invirase interromp une étape importante de la reproduction du virus dans les cellules. Avant Invirase, tous les médicaments d'ordonnance pour le traitement de l'infection à VIH fonctionnaient de la même façon. Ces médicaments, appelés

Invirase (suite)

«analogues nucléosidiques», comprennent Retrovir (AZT, zidovudine), Hivid (ddC, zalcitabine), Videx (ddI, didanosine) et 3TC (lamivudine). L'arrivée d'Invirase permet de combattre la croissance du VIH à **différents** stades de son cycle de vie.

Invirase ne peut pas guérir le sida ni l'infection à VIH, mais il peut contribuer à ralentir la progression de l'infection à VIH dans votre organisme. Pendant que vous prenez Invirase, cependant, vous pouvez continuer d'être atteint des maladies associées à une infection à VIH avancée (c.-à-d. les infections opportunistes).

Il ne faut pas oublier que **rien** n'indique qu'Invirase peut prévenir la transmission du VIH. Invirase **ne peut** donc pas remplacer les autres mesures qui se sont révélées efficaces à cet égard. Afin d'éviter la transmission du VIH, vous ne devriez pas donner de sang, partager des aiguilles intraveineuses ou avoir des rapports sexuels non protégés (c.-à-d. sans condom).

Comment devrait-on prendre Invirase? Après avoir étudié attentivement votre cas, votre médecin vous a prescrit Invirase parce qu'il estime que vous pouvez profiter de ce médicament. Ce n'est peut-être pas le cas d'autres patients atteints d'une infection à VIH, même si leurs symptômes sont semblables aux vôtres. **Comme tout autre médicament prescrit, Invirase ne devrait être pris que sur recommandation d'un médecin. Ne donnez pas votre Invirase à d'autres personnes.**

La dose recommandée d'Invirase est de 3 capsules toutes les 8 heures (9 capsules/jour, au total), prises à n'importe quel moment dans les 2 heures après avoir mangé un repas ou une collation substantielle. Par exemple, si vous avez pris un repas à 13 h, vous pouvez prendre votre dose de midi soit avec ce repas, soit à n'importe quel moment entre 13 h et 15 h. **L'efficacité d'Invirase peut être reliée au fait de prendre ce médicament avec des aliments.** Les capsules doivent être avalées sans être mastiquées, avec de l'eau ou une boisson non alcoolique. Vous devriez éviter la consommation excessive d'alcool pendant votre traitement par Invirase. Votre médecin pourra vous prescrire Invirase en association avec d'autres médicaments qui sont administrés pour traiter les infections à VIH. Votre médecin pourra adapter la dose recommandée en fonction de vos besoins particuliers. **Vous devez suivre les recommandations de votre médecin.**

Que faire si vous manquez une dose d'Invirase? La dose manquée doit être prise dès que vous vous en rappelez. Vous pouvez ensuite continuer de prendre les autres doses selon l'horaire habituel. Par contre, ne prenez pas 2 doses (6 capsules) en même temps. Si vous ne savez pas exactement quoi faire, consultez votre médecin ou votre pharmacien.

Que devriez-vous dire à votre médecin avant de prendre Invirase? Avant de commencer votre traitement par Invirase, assurez-vous de bien informer votre médecin des points suivants:

- si vous avez déjà eu une mauvaise réaction au saquinavir (Invirase) ou à tout autre ingrédient des capsules;
- si vous souffrez de troubles du foie ou des reins;
- si vous avez d'autres maladies en plus de l'infection à VIH;
- si vous prenez **tout autre** médicament (y compris ceux qui ne sont pas prescrits par votre médecin);
- si vous êtes enceinte ou pensez le devenir, ou si vous allaitez.

Ces renseignements permettront à votre médecin et à vous-même de décider si les avantages possibles de votre traitement par Invirase en justifient les risques éventuels.

Quels sont les effets indésirables possibles d'Invirase? Comme pour tout autre médicament, les effets bénéfiques d'Invirase peuvent s'accompagner d'effets non souhaités (également appelés effets secondaires ou manifestations indésirables). Il est souvent difficile de déterminer si ces manifestations indésirables s'expliquent par la prise d'Invirase, sont une conséquence de l'infection à VIH ou représentent les effets secondaires d'un autre médicament pris pour le traitement de l'infection à VIH. **Il est cependant très important d'informer votre médecin de toute modification de votre état de santé.**

La plupart des effets secondaires signalés après la prise d'Invirase sont bénins. Les symptômes les plus souvent mentionnés lors de 2 études cliniques lorsque Invirase était administré en association avec d'autres médicaments employés contre le VIH étaient: la fatigue (5 % des patients); la diarrhée (3 % des patients); l'inconfort abdominal (2 % des patients); les maux de tête, les douleurs musculaires, les nausées et les douleurs abdominales (chacune chez 1 % des patients); les aigreurs d'estomac et les étourdissements (chacune chez moins de 1 % des patients).

D'autres effets rares pouvant affecter votre bien-être physique ou psychologique ont également été signalés chez des patients prenant Invirase. Votre médecin ou votre pharmacien dispose de plus amples renseignements sur ces réactions.

Les tests sanguins effectués régulièrement pour détecter les anomalies dans le foie, le pancréas ou le sang sont recommandés dans le cadre du traitement par Invirase. Comme ces anomalies ne causent pas nécessairement des effets secondaires que vous pouvez détecter vous-même, il est très important que vous respectiez le calendrier de tests sanguins que vous a prescrit votre médecin.

On a signalé des épisodes de saignement accru chez des hémophiles prenant Invirase ou d'autres médicaments de sa classe (inhibiteurs de la protéase). Si vous êtes hémophile, ne manquez pas de signaler tout épisode de saignement à votre médecin.

Certains effets secondaires associés à d'autres médicaments contre le VIH sont susceptibles de survenir lorsque Invirase est pris avec ces médicaments. Toutefois, il ne semble pas qu'Invirase augmente la fréquence ni la gravité de ces effets indésirables. Ces effets secondaires (associés à des médicaments comme la ddC et l'AZT) comprennent les suivants: éruptions cutanées, inflammation ou ulcérations dans la bouche et perturbation des nerfs (plus particulièrement dans les mains et les pieds). Ces perturbations peuvent prendre la forme d'un engourdissement, de picotements, de douleurs fulgurantes ou d'une sensation de brûlure dans les mains et les pieds. Si vous êtes préoccupé par ces effets secondaires ou d'autres réactions imprévues pendant la prise d'Invirase, parlez-en à votre pharmacien.

Comment devrait-on conserver Invirase? Vous devez toujours conserver Invirase dans son contenant d'origine, à température ambiante. **Gardez ce produit et tous vos autres médicaments hors de la vue et hors de la portée des enfants.** Ne prenez pas ce médicament après la date limite d'utilisation («EXP») indiquée sur l'emballage.

Points importants à retenir à propos du traitement par Invirase:

- La posologie d'Invirase est de 3 capsules, 3 fois/jour;
- Invirase doit être pris avec des aliments (à n'importe quel moment dans les 2 heures qui suivent un repas complet);
- Il est très important de suivre toutes les instructions du médecin en prenant Invirase;
- Avertir le médecin de toute difficulté à s'adapter à la prise du médicament, ou de tout symptôme inattendu ou incommodant.

Le présent document ne contient pas toute l'information connue sur Invirase. Si vous avez d'autres questions ou des préoccupations à propos de votre traitement par Invirase, veuillez communiquer avec votre médecin ou votre pharmacien.

□ ISOTREX® 🅿

Stiefel

Isotrétinoïne

Traitement de l'acné

Renseignements destinés aux patients: Indication: Le gel Isotrex (isotrétinoïne 0,05 %) a été prescrit pour le traitement de l'acné.

Mode d'emploi du gel Isotrex: Votre médecin vous a conseillé de laisser diminuer les effets des médicaments kératolytiques utilisés précédemment avant de commencer le traitement avec le gel Isotrex.

Appliquez le gel Isotrex selon les directives de votre médecin. La peau à traiter doit être bien nettoyée à l'aide d'un savon doux, tel que le savon Acne-Aid ou un autre agent nettoyeur et ensuite asséchée. Appliquez une mince couche de gel Isotrex et masser doucement avec un mouvement circulaire.

Vous remarquerez peut-être une sensation de chaleur ou d'irritation qui s'atténuera rapidement.

Une irritation locale et une desquamation cutanée peuvent se produire en dedans de 2 à 3 semaines au site d'application. C'est une des façons par lesquelles le gel Isotrex améliore l'acné. Cependant, si vous en ressentez un certain inconfort, consultez votre médecin; on vous conseillera probablement d'utiliser moins de médicament, ou de l'appliquer moins souvent ou encore de cesser temporairement son utilisation.

Seul des produits de beauté non huileux peuvent être utilisés; le site de la peau qui doit être traité doit être bien nettoyé et asséché avant l'application du gel Isotrex.

Quand pouvez-vous attendre des résultats suivant l'application du gel Isotrex? Les meilleurs résultats ne doivent pas être espérés avant 8 à 10 semaines de traitement. Même si une amélioration peut être remarquée après 2 ou 3 semaines, les lésions acnéiques peuvent sembler pires à ce moment-là. Une fois que l'acné a réagi d'une manière satisfaisante, il est possible de maintenir l'amélioration avec des applications moins fréquentes.

Prenez les précautions suivantes pendant l'usage du gel Isotrex:

1. Ne pas appliquer le gel Isotrex sur les régions de la peau où vous avez d'autres problèmes, tel que l'eczéma.
2. Ne pas appliquer sur les paupières ou sur la peau près des yeux et de la bouche; on doit aussi éviter les angles du nez et l'intérieur de la bouche.
3. Il n'y a pas d'avantages à utiliser plus que les quantités recommandées, car une rougeur prononcée, une desquamation et un inconfort peuvent se produire.
4. Ne pas utiliser d'autres préparations contre l'acné en même temps que ce produit sans l'avis du médecin.
5. L'exposition au soleil ou aux lampes solaires doit être réduite au minimum pendant l'usage du produit parce qu'elle peut provoquer l'intensification de l'activité du médicament. Si un coup de soleil survient, il est conseillé de cesser l'utilisation du gel Isotrex et de demander l'avis du médecin.
6. Il est prudent d'utiliser des écrans solaires sur les régions traitées lorsque l'exposition au soleil est inévitable.
7. Le gel Isotrex a été prescrit pour votre usage uniquement, ne permettez pas à d'autres de s'en servir.
8. Si vous êtes une femme en âge d'enfanter, vous devez utiliser le gel Isotrex après avoir consulté votre médecin et obtenu les informations relatives à la contraception. Si vous êtes enceinte, vous devez interrompre l'utilisation du gel Isotrex et consulter votre médecin.

☐ KADIAN® Ⓝ

Knoll

Sulfate de morphine

Analgésique opioïde

Renseignements destinés aux patients: au sujet des capsules de Kadian: Les renseignements suivants constituent un résumé de l'information relative à votre médicament. Si vous avez des questions à poser ou si vous avez des doutes, veuillez consulter votre médecin ou pharmacien.

Quel est le nom de mon médicament? Le nom de votre médicament est Kadian.

Qu'est-ce que Kadian? Les capsules de Kadian contiennent 20 mg, 50 mg ou 100 mg de sulfate de morphine.

En plus de l'ingrédient actif, le sulfate de morphine, Kadian contient également un certain nombre d'ingrédients inactifs qui sont: le sucrose, l'hypromellose, l'éthylcellulose, l'amidon de maïs, le copolymère d'acide méthacrylique, le polyéthylèneglycol, le phtalate de diéthyle, le talc, la gélatine et une encre noire composée des ingrédients suivants: shellac, propylèneglycol, hydroxyde d'ammonium, hydroxyde de potassium et l'agent colorant E172. Les capsules de Kadian ne contiennent pas de gluten.

Les capsules de Kadian à 20 mg portent l'inscription ''K20'' et 2 bandes noires; les capsules à 50 mg portent l'inscription ''K50'' et 3 bandes noires; les capsules à 100 mg portent l'inscription ''K100'' et 4 bandes noires.

Le sulfate de morphine appartient à un groupe de médicaments appelés les analgésiques opioïdes.

Dans quels cas prescrit-on Kadian? Votre médecin vous a prescrit des capsules de Kadian pour un soulagement à long terme de la douleur.

Avant de prendre votre médicament, voici ce que vous devez savoir: Vous ne devriez normalement **pas** prendre ce médicament:

- si vous êtes enceinte ou si vous allaitez.
- si vous avez pris des préparations à base de morphine auparavant et développé des effets secondaires graves, en particulier des réactions allergiques (p. ex., éruptions cutanées, démangeaisons, enflure du visage ou d'autres parties du corps, évanouissements ou problèmes de respiration), ou si vous êtes allergique/sensible à un ou plusieurs des autres ingrédients de Kadian (voir Qu'est-ce que Kadian?). Nous vous rappelons que Kadian contient du sucrose et du propylèneglycol.
- si vous souffrez d'asthme bronchique aigu ou sévère, ou de toute autre difficulté respiratoire sévère, de colique biliaire (causant des spasmes abdominaux douloureux) ou d'obstruction gastro-intestinale.
- si vous êtes traité avec un médicament appartenant à la classe des inhibiteurs de la monoamine-oxydase (IMAO) ou si vous avez pris un de ces médicaments dans les 14 derniers jours.
- si une de ces conditions décrit votre cas, il est important de le signaler à votre médecin avant d'entreprendre un traitement avec Kadian. Le médecin décidera alors s'il est préférable de vous prescrire un autre médicament.
- Les médecins feront preuve de prudence quand il s'agit de prescrire Kadian à des patients présentant l'un des symptômes suivants: traumatisme crânien ou lésion cérébrale, hypotension artérielle (pression artérielle basse), problèmes aux reins ou au foie, maladie d'Addison, hypothyroïdie (activité thyroïdienne inférieure à la normale), problèmes urinaires ou de la prostate, dépression ou troubles nerveux, alcoolisme ou troubles convulsifs (épilepsie). Si vous présentez n'importe lequel de ces problèmes et que votre médecin l'ignore, il est important que vous l'en informiez. Il pourra alors décider de changer la dose ou de prescrire un autre médicament.
- Signalez à votre médecin ou pharmacien tous les médicaments que vous prenez actuellement, qu'il s'agisse de médicaments prescrits par un médecin ou vendus en vente libre en pharmacie ou ailleurs. En particulier, dites à votre médecin ou pharmacien si vous prenez n'importe lequel des médicaments suivants (dans le doute, demandez à votre médecin ou pharmacien): inhibiteurs de la monoamine-oxydase (p. ex., phénelzine, tranylcypromine, isocarboxazide ou moclobémide), antihistaminiques, sédatifs, somnifères, tranquillisants, antidépresseurs, relaxants musculaires (p. ex., diazépam, dantrolène ou baclofène), diurétiques (pour réduire l'eau dans votre organisme), médicaments puissants contre la douleur (ceux que vous obtenez sur ordonnance) ou cimétidine (remède contre les maux d'estomac causés par un excès d'acidité).

Tant que vous prenez Kadian, vous ne devez prendre aucun autre médicament, à moins qu'il ne soit recommandé par un médecin ou un pharmacien. Ne manquez pas de signaler au médecin ou au pharmacien que vous prenez Kadian.

- Si vous souffrez de diarrhée lors du traitement avec Kadian, dites-le à votre médecin ou pharmacien, car la diarrhée risque de réduire l'efficacité du traitement.
- La morphine peut causer une somnolence pendant la journée. Par conséquent, vous ne devriez pas conduire de véhicule ni faire fonctionner de machine ni exécuter toute autre tâche nécessitant de la vigilance, pendant les premiers jours de votre traitement avec Kadian ou par la suite si vous développez des étourdissements ou une certaine sédation. Associé à l'alcool ou à certains médicaments comme des somnifères ou des tranquillisants, Kadian peut entraîner une somnolence gênante. On doit éviter la prise d'alcool lorsqu'on prend Kadian.

Comment dois-je prendre mes capsules de Kadian? Suivez les recommandations de votre médecin. L'étiquette du flacon devrait vous indiquer combien de capsules vous devez utiliser et à quelle fréquence. Vous devez prendre votre médicament régulièrement pour prévenir la douleur. Si vous n'êtes pas sûr, demandez à votre médecin ou votre pharmacien.

Ne prenez **pas** plus de capsules que votre médecin vous a dit de prendre.

La quantité de Kadian nécessaire pour apporter un bon soulagement de la douleur varie d'un patient à l'autre. Le médecin calculera la dose qui vous convient en tenant compte de votre âge, de votre poids, de l'intensité de votre douleur et de vos antécédents médicaux.

Il est important de noter que Kadian est un médicament conçu pour être pris régulièrement et **non** au besoin pour soulager la douleur. Le fait de prendre Kadian à heures régulières signifie que la prochaine dose aura déjà été prise avant que la douleur ne revienne.

Si la douleur survient entre 2 doses (c'est ce qu'on appelle une percée de douleur), **ne prenez pas** de doses supplémentaires de Kadian, mais prévenez votre médecin le plus tôt possible. Il peut être dangereux de dépasser la dose prescrite par votre médecin.

Si la douleur diminue, dites-le à votre médecin. **Ne cessez pas** votre traitement à moins que votre médecin ne vous dise de le faire.

Vous devez prendre Kadian avec ou sans nourriture, mais il devrait être pris à peu près à la même heure chaque jour, soit avant, soit après un repas. De cette façon, vous vous souviendrez de bien prendre chaque dose.

Les capsules de Kadian doivent normalement être avalées entières avec beaucoup de liquide. Toutefois, les patients qui ont de la difficulté à avaler peuvent ouvrir les capsules et saupoudrer les granules sur une petite quantité d'aliments mous (p. ex., yogourt ou confiture). Cette préparation doit être prise dans les 30 minutes qui suivent. Le patient ▶

Kadian (suite)

doit se rincer la bouche pour s'assurer que tous les granules ont bien été avalés.

Il ne faut **pas** mâcher ni écraser les granules contenus dans les capsules de Kadian.

Que dois-je faire si mes capsules de Kadian n'ont pas l'effet habituel? Si, malgré avoir suivi les directives de votre médecin, vous sentez que la douleur empire, dites-le lui.

Que dois-je faire si je prends trop de capsules de Kadian? Les symptômes provoqués par une dose excessive de Kadian sont les mêmes qu'en cas de dose excessive de morphine, à savoir: difficulté à respirer, somnolence extrême (pouvant aller jusqu'à la perte de connaissance), peau moite et froide. En cas de surdosage, contactez de toute urgence votre médecin ou le service d'urgence de l'hôpital le plus proche.

Que dois-je faire si je saute une dose de Kadian? Si vous oubliez de prendre une dose de Kadian, demandez conseil à votre médecin ou pharmacien.

Est-ce que Kadian crée la toxicomanie? Chez les gens qui ont pris Kadian pendant plusieurs semaines, une dépendance physique peut se développer, mais cela n'est pas la même chose que la toxicomanie. Votre médecin peut vous dire comment gérer cette situation. Voir la section Quels sont les effets secondaires de Kadian?.

N'arrêtez pas de prendre Kadian tant que votre médecin ne vous l'a pas spécifié.

Quels sont les effets secondaires de Kadian? En plus des effets recherchés, les médicaments peuvent causer certains effets non désirés (appelés effets secondaires). Kadian ne fait pas exception. Certains effets secondaires ne sont pas graves, mais d'autres peuvent nécessiter l'intervention d'un médecin.

- **Effets secondaires habituels:** Constipation, nausée, vomissements, transpiration, sensation de tête légère, étourdissement, somnolence et convulsions.

  Si cette liste vous inquiète, sachez qu'il est rare que l'on cesse un traitement à cause de ces effets secondaires. Normalement, ces derniers s'allègent avec le temps ou votre médecin peut vous prescrire un traitement adéquat. Si vous développez l'un de ces effets secondaires, quel qu'il soit, particulièrement s'il se manifeste ou s'aggrave juste après que votre médecin ait changé la façon dont vous prenez Kadian (la quantité que vous prenez ou la fréquence des doses), signalez-le à votre médecin ou pharmacien.
- **Effets secondaires moins courants:** Faiblesse, insomnie, bouche sèche, difficulté à uriner, diminution de la libido, vue brouillée, éruption cutanée et œdème.

Veuillez consulter votre médecin ou pharmacien si n'importe lequel de ces effets secondaires se manifeste.

- **Important:** Veuillez vérifier immédiatement auprès de votre médecin ou pharmacien si l'un des effets secondaires suivants se manifeste: difficulté à respirer, comme oppression thoracique ou respiration sifflante, évanouissement, battements cardiaques rapides (palpitations).
- **Effets de sevrage:** L'utilisation à long terme de Kadian peut entraîner une dépendance physique et certains symptômes, tels que nervosité, tremblements, transpiration, colique, diarrhée et nausée, peuvent apparaître si l'on interrompt soudainement le traitement. Ces effets seront minimisés si le retrait se fait graduellement, sur une durée de plusieurs semaines et sous surveillance médicale.

Contactez votre médecin ou pharmacien si vous ne comprenez pas n'importe lequel des effets secondaires décrits ci-dessus.

Chez certains patients, des effets secondaires autres que ceux qui viennent d'être décrits peuvent aussi apparaître. De plus, comme c'est le cas avec n'importe quel médicament, il peut exister des effets secondaires encore inconnus. Si vous avez d'autres effets, faites-en part à votre médecin ou pharmacien.

Votre médecin ou pharmacien peuvent vous renseigner davantage sur l'innocuité de Kadian.

Où dois-je ranger mes capsules de Kadian? Conservez vos capsules de Kadian dans un endroit sûr hors de la portée des enfants. Vos médicaments pourraient faire du mal à un enfant.

Conservez vos capsules de Kadian à l'abri de la lumière et de la chaleur. Conservez vos capsules de Kadian dans un endroit frais et sec (à une température inférieure à 25 °C).

Renseignements complémentaires: Si votre médecin décide d'arrêter le traitement, rapportez les médicaments restants au pharmacien, à moins que votre médecin ne vous dise de les garder.

N'oubliez pas que ce médicament vous est destiné. Seul un médecin peut vous le prescrire. Ne donnez jamais ce médicament à d'autres personnes, car cela pourrait leur faire du mal.

Ces renseignements ne s'appliquent qu'aux capsules de Kadian à 20 mg, 50 mg et 100 mg.

Pour renouveler votre ordonnance de Kadian: Chaque fois que vous aurez besoin de plus de Kadian, vous devrez obtenir une nouvelle ordonnance écrite de votre médecin. C'est pourquoi il est important de prévenir ce dernier au moins 3 jours ouvrables avant l'épuisement de votre approvisionnement actuel. Il est très important de ne pas sauter de dose.

Si votre douleur augmentait ou si vous développiez n'importe quel symptôme en raison de la prise de ce médicament, contactez immédiatement votre médecin.

□ KWELLADA-P[MC]

R & C

Perméthrine

Scabicide topique

Renseignements destinés aux patients: Ce feuillet est un guide présentant quelques faits importants concernant le produit. Si vous avez des questions quelconques, veuillez consulter votre médecin ou votre pharmacien.

Que contient la lotion Kwellada-P? 5 % de perméthrine comme ingrédient actif.

Quand devriez-vous utiliser la lotion Kwellada-P? La lotion Kwellada-P est indiquée pour le traitement de la gale (S. scabiei). Elle détruit les parasites de la gale et leurs œufs.

Quand ne devriez-vous pas utiliser la lotion Kwellada-P? Il ne faut pas l'utiliser chez les personnes dont on sait qu'elles sont sensibles ou qu'elles font des réactions à la perméthrine, à tout pyréthroïde ou à la pyréthrine synthétique ou aux chrysanthèmes.

Grossesse: Si vous êtes enceinte, consultez votre médecin avant d'utiliser la lotion Kwellada-P.

Allaitement: Si vous allaitez votre bébé, consultez votre médecin avant d'utiliser la lotion Kwellada-P.

Pédiatrie: Pour les enfants de 2 ans et plus, utilisez le produit selon les instructions. Consultez un médecin avant de l'utiliser chez des enfants de moins de 2 ans. Aux jeunes enfants, on devrait mettre une chemise à manches longues, un pantalon, des mitaines et des chaussettes pour prévenir tout contact de la peau traitée avec la bouche.

Quelles précautions devriez-vous prendre? Ce produit peut irriter les yeux. En cas de contact, rincez-les à grande eau. En cas d'ingestion, appelez votre médecin ou un centre antipoison. En cas de réaction, cessez-en l'emploi et consultez votre médecin.

Comment devriez-vous utiliser la lotion Kwellada-P? Mode d'emploi: Bien agiter.

1. Avant d'appliquer la lotion Kwellada-P, s'assurer que la peau est propre, sèche et fraîche. Ne pas prendre de bain chaud avant le traitement.
2. Appliquer, en massant bien pour la faire pénétrer dans la peau, une quantité suffisante de lotion pour couvrir toute la surface, depuis le cou jusqu'à la plante des pieds, en veillant particulièrement aux régions entre les doigts et les orteils, sous les ongles des doigts et des orteils, aux poignets, aux aisselles, à la région génitale et aux fesses.
3. Mettre du linge propre.
4. Laisser le produit en place pendant 12 à 14 heures. Pendant la durée du traitement, il faut réappliquer de la lotion après s'être lavé les mains.
5. Se laver entièrement le corps (en prenant une douche ou un bain).
6. Changer encore une fois de linge.
7. On peut faire une seconde application de 7 à 10 jours après le premier traitement si des parasites de la gale vivants sont présents ou si de nouvelles lésions cutanées apparaissent.
8. Il faut laver tout le linge et les vêtements, les serviettes, la literie, etc. à l'eau très chaude ou les mettre dans la sécheuse au cycle chaud pendant au moins 20 minutes. Le nettoyage à sec devrait suffire pour les couvertures, vestes et autres articles non lavables. Quant aux matelas qui ont été utilisés par une personne infestée, il ne faut pas les utiliser pendant 48 heures. Désinfecter les sièges des toilettes, les peignes, etc, en veillant à les rincer à fond.

Remarque: La démangeaison peut durer plusieurs semaines après le traitement avec le médicament. Un nouveau traitement n'est nécessaire que si des parasites vivants apparaissent ou si de nouvelles lésions se développent.

La lotion Kwellada-P est d'une nature telle qu'elle disparaît lorsqu'on frotte légèrement pour la faire pénétrer dans la peau. Il n'est donc pas nécessaire d'appliquer de la lotion jusqu'à ce qu'elle reste décelable à la surface.

La démangeaison peut persister en partie pendant une période de 2 semaines après le traitement. Cela est dû aux œufs et aux matières fécales que les parasites de la gale ont laissés sur la peau. La démangeaison diminuera progressivement par suite de la perte naturelle de la couche supérieure de la peau.

Une seule application suffit habituellement, mais si de nouvelles lésions apparaissent, on peut répéter l'application au bout de 7 à 10 jours.

Examinez tous les membres du foyer et traitez-les en cas de besoin pour prévenir les réinfestations.

Comment devriez-vous conserver la lotion Kwellada-P? Conservez le produit à une température de 15 à 30 °C.

Qu'est-ce que la gale? La gale est une infestation contagieuse. La démangeaison est la réaction allergique du corps au parasite de la gale. À peine visible à l'œil nu, le parasite femelle creuse des sillons à travers l'épiderme (la couche supérieure de la peau), en laissant les œufs et les matières fécales derrière elle dans ce sillon. Ce sont les protéines contenues dans les matières fécales qui s'infiltrent dans les tissus entourant le sillon et qui causent la réaction du corps. On peut parfois détecter les sillons, mais souvent ils sont rares et difficiles à trouver. Comme c'est le cas pour toute allergie, la sensibilisation à l'allergène prend un certain temps, et la plupart des gens n'ont absolument aucun symptôme pendant 4 à 6 semaines après l'infestation initiale. Autrement dit, on a largement le temps de communiquer la maladie à d'autres sans le savoir.

Qui souffre de la gale? La gale est une infestation moins sérieuse que vous ne le pensez, en effet, n'importe qui peut l'attraper. Ce n'est pas un signe de malpropreté ni de mauvaises habitudes d'hygiène. Le parasite ne fait aucune distinction d'âge, de sexe, de richesse, de profession ni de race. C'est donc une bonne idée d'apprendre à reconnaître l'infestation par la gale et de savoir comment la traiter avec succès. Toute personne dont la peau entre en contact avec celle d'une autre peut la transmettre à celle-ci.

Comment attrape-t-on la gale? Le parasite de la gale se transmet par le contact direct de la peau d'une personne avec celle d'une autre. La cause la plus fréquente de transmission a lieu pendant la plus courante des formes de contact—lorsque 2 personnes se tiennent par la main.

Quels sont les signes que je devrais chercher? Chez les personnes dont le système immunitaire est normal (c.-à-d. la majorité de la population), la gale produit certains symptômes classiques. Le plus courant de ceux-ci est une éruption assez répandue qui démange, surtout le soir et lorsque le corps est chaud, p. ex. après l'exercice ou après un bain chaud. L'éruption classique causée par la gale est assez étendue et peut affecter pour ainsi dire n'importe quelle partie du corps. Chez les adultes, elle est absente du milieu de la poitrine et du dos, ainsi que de la tête. Chez les bébés, par contre on peut constater l'éruption dans ces régions du corps. De plus, on peut également trouver des lésions de la peau, des lésions en forme de fils ondulés, très petites et légèrement en relief, entre les doigts, sur les coudes, les mains et les poignets. Parmi les autres sites d'infestation courants, citons le ventre, les cuisses, la région génitale et les fesses.

Devrait-on traiter les autres membres du foyer? Oui. Ces infestations se propagent par le contact; il faut examiner attentivement tous les membres du foyer, de même que les partenaires sexuels, et instituer le traitement en cas de besoin pour prévenir la propagation de l'infestation.

☐ KYTRIL™ 🄿

SmithKline Beecham

Chlorhydrate de granisétron

Antiémétique

Renseignements destinés aux patients: Ce que vous devriez savoir au sujet des comprimés Kytril: Veuillez lire ce dépliant attentivement avant de commencer à prendre ce médicament. Il résume l'information disponible au sujet de votre médicament. Pour obtenir des conseils ou en savoir davantage, consultez votre médecin ou pharmacien.

Le nom de votre médicament: Votre médicament s'appelle Kytril (chlorhydrate de granisétron). Il se range parmi une classe de médicaments appelés «antiémétiques» et ne s'obtient que sur ordonnance médicale.

Son contenu: Les comprimés Kytril ne sont disponibles qu'à la dose de 1 mg. Un comprimé contient 1 mg de granisétron, l'ingrédient actif, ainsi que les ingrédients inactifs suivants: hydroxypropylméthylcellulose, lactose, stéarate de magnésium, cellulose microcristalline, polyéthylèneglycol, polysorbate 80, glycolate d'amidon sodique et dioxyde de titane.

Le pourquoi de votre médicament: Les comprimés Kytril ont pour but de prévenir les nausées (les maux de cœur) et les vomissements qui peuvent survenir après un traitement chimiothérapique anticancéreux.

On croit que la chimiothérapie anticancéreuse entraîne la sécrétion de sérotonine, hormone naturelle du corps humain. Cette hormone peut provoquer la nausée et les vomissements. Le granisétron, c'est-à-dire l'ingrédient actif des comprimés Kytril, bloque l'action de la sérotonine et contribue à prévenir la nausée et les vomissements.

Comment prendre votre médicament; Suivez les directives de votre médecin au sujet du nombre de comprimés à prendre et de la fréquence à laquelle vous devez les prendre. Cette information figure aussi sur l'emballage des comprimés. Si elle n'y figure pas ou si vous avez des questions, consultez votre médecin ou votre pharmacien.

Ne prenez pas vos comprimés en plus grand nombre ou plus souvent que votre médecin ne vous l'a prescrit.

Ne prenez pas ce médicament si vous êtes allergique au granisétron.

Après avoir pris votre médicament: Si vous éprouvez une réaction allergique (p. ex. essoufflement, chute de tension artérielle, bosses sur la peau ou de l'urticaire), **consultez votre médecin immédiatement. Ne prenez plus votre médicament à moins que votre médecin n'en décide autrement.**

Vous éprouverez peut-être les symptômes suivants pendant votre traitement par Kytril: maux de tête, constipation, faiblesse, diarrhée ou douleurs abdominales. En pareil cas, vous n'avez pas à interrompre le traitement, mais vous devriez en parler à votre médecin lors de votre prochaine visite.

Si vous éprouvez des symptômes inattendus, consultez votre médecin immédiatement.

Que faire si vous sautez une dose: Si vous oubliez de prendre un comprimé à l'heure prévue, prenez-le dès que vous vous en souviendrez.

Que faire en cas de surdosage: Les problèmes de surdosage sont peu probables avec ce médicament. Si vous prenez accidentellement une dose plus élevée que la dose prescrite, consultez immédiatement votre médecin, le service d'urgence d'un hôpital ou un centre antipoison, même si vous ne vous sentez pas malade.

Grossesse et allaitement: Par précaution, vous ne devriez pas prendre ce médicament si vous êtes enceinte, si vous êtes susceptible de le devenir ou si vous allaitez, sauf si votre médecin est d'avis contraire.

Conservation de votre médicament: Conservez vos comprimés Kytril à la température de la pièce, dans leur emballage original.

La date d'expiration figure sur l'emballage. Ne prenez pas ce médicament après cette date.

Gardez vos comprimés dans un endroit sûr, hors de la portée des enfants.

Rappel: Ce médicament ne s'adresse qu'à la personne pour laquelle il a été prescrit: **vous.** Ne le partagez avec personne.

Ce dépliant ne renferme pas tous les renseignements se rapportant à votre médicament. Pour toute question, consultez votre médecin.

Conservez ce dépliant jusqu'à la fin du traitement, au cas où vous aimeriez le consulter de nouveau.

☐ LAMICTAL® 🄿

Glaxo Wellcome

Lamotrigine

Antiépileptique

Renseignements destinés aux patients: Avant de commencer à prendre Lamictal, veuillez lire attentivement ce qui suit, même si vous avec déjà pris ce médicament auparavant. Conservez le présent document; il pourrait encore vous être utile.

Lamictal (suite)

Qu'est-ce que Lamictal? Lamictal est la marque déposée de la lamotrigine. Le médecin vous a prescrit ce médicament pour maîtriser votre épilepsie. Veuillez suivre ses recommandations à la lettre.

Que faire avant de prendre Lamictal: Si vous êtes dans l'une des situations suivantes, vous devez en aviser votre médecin:
- Vous avez déjà manifesté une réaction inhabituelle ou allergique à Lamictal.
- Vous êtes allergique à l'un des ingrédients contenus dans les comprimés Lamictal.
- Vous êtes présentement enceinte ou vous prévoyez le devenir.
- Vous allaitez.
- Vous prenez d'autres médicaments, prescrits ou vendus sans ordonnance.
- Vous souffrez d'une maladie du foie ou des reins, ou d'une autre maladie.
- Vous consommez de l'alcool régulièrement.

Comment prendre Lamictal:
- Il est très important que vous suiviez les directives de votre médecin à la lettre.
- Le médecin peut ajuster la dose du médicament à vos besoins particuliers. Suivez donc ses directives scrupuleusement. Ne modifiez jamais la dose vous-même.
- N'interrompez pas la prise du médicament d'un seul coup; cela pourrait entraîner une augmentation de vos crises d'épilepsie.
- Si vous oubliez de prendre une dose de votre médicament, ne tentez pas de vous rattraper en doublant la dose suivante. Prenez tout simplement la dose habituelle au moment prévu, et essayez de ne plus faire d'oubli.
- Vous pouvez prendre Lamictal avec ou sans aliments.
- Consultez votre médecin avant de prendre d'autres médicaments, même ceux vendus sans ordonnance. Certains médicaments peuvent entraîner divers effets indésirables lorsqu'ils sont administrés en même temps que Lamictal.
- Il est important que vous soyez toujours fidèle à vos rendez-vous chez le médecin.

Précautions nécessaires:
- Si vous présentez **de la fièvre, des éruptions cutanées, de l'urticaire, ou encore une enflure des ganglions, des lèvres ou de la langue, ou que vous avez mal aux yeux ou à la bouche,** plus particulièrement au cours des 6 premières semaines de traitement, parlez-en à votre médecin immédiatement.
- Votre médecin surveillera votre réponse au traitement de façon régulière. Cependant, si l'intensité ou la fréquence de vos crises augmentent, avisez-le immédiatement.
- Divers effets indésirables ont été signalés par les personnes traitées à Lamictal. Ces effets étaient généralement sans gravité et prenaient habituellement la forme **d'étourdissements, de maux de tête, de vision double (diplopie), de troubles de la coordination musculaire (ataxie), de nausées, de vision trouble, de somnolence, de congestion nasale (rhinite) et d'éruptions cutanées.** Cependant, il n'est pas certain que ces effets se manifesteront chez vous, les gens ne réagissant pas tous de la même façon à un même médicament.
- **Il est très important de ne pas conduire de véhicules et de ne pas faire fonctionner de machines ou d'appareils potentiellement dangereux** en présence **d'étourdissements, de vision trouble, de troubles de la coordination musculaire, de maux de tête et de somnolence, ou d'autres effets similaires.** Dans ces cas, consultez votre médecin.
- Si vous ressentez tout autre symptôme gênant ou inhabituel au cours de votre traitement à Lamictal, parlez-en à votre médecin ou à votre pharmacien(ne) immédiatement.
- Ne cessez de prendre votre médicament que sur les conseils de votre médecin. Assurez-vous de toujours avoir en votre possession une quantité suffisante de Lamictal. N'oubliez pas que ce médicament est destiné à votre usage personnel; ne le faites pas prendre à qui que ce soit.

Que faire en cas de surdosage: Si, par accident, vous prenez une dose excessive de Lamictal, communiquez avec votre médecin ou avec le service d'urgence de l'hôpital le plus près et ce, même si vous vous sentez parfaitement bien.

Comment entreposer Lamictal: Conservez vos comprimés Lamictal à la température ambiante (15 à 30 °C), dans en endroit sec, à l'abri de la lumière. Refermez bien le flacon après avoir pris les comprimés dont vous avez besoin. **Gardez hors de portée des enfants.**

Que renferment les comprimés Lamictal? Les comprimés Lamictal renferment de la lamotrigine, ainsi que les excipients suivants: cellulose, glycolate d'amidon sodique, lactose, povidone et stéarate de magnésium. Ils renferment aussi les colorants suivants: le comprimé à 25 mg (blanc)–aucun; le comprimé à 100 mg (pêche)–laque de jaune soleil FCF; le comprimé à 150 mg (crème)–oxyde ferrique jaune.

Lamictal est un produit breveté de Glaxo Wellcome Inc., Mississauga, Ontario, Canada L5N 6L4.

Si vous avec d'autres questions, veuillez consulter votre pharmacien(ne) ou votre médecin.

☐ LAMISIL®, Comprimés Ⓟ

Novartis Pharma

Chlorhydrate de terbinafine

Antifongique

Renseignements destinés aux patients: Lamisil (comprimés): Feuillet de renseignements à l'intention du patient: Prendre Lamisil 1 fois/jour, de préférence toujours à la même heure.

Au sujet de votre médicament: Lamisil sert à traiter les infections fongiques de la peau et des ongles des orteils et de la main. Il est important de **suivre à la lettre les directives de votre médecin.** Des signes et des symptômes d'infection peuvent subsister à la fin du traitement. Ceux-ci diminueront progressivement.

Si vous vous interrogez au sujet de l'information contenue dans le présent feuillet ou si vous désirez obtenir des renseignements supplémentaires sur votre médicament et sur son mode d'emploi, consultez votre médecin ou votre pharmacien. Comme tous les autres médicaments, gardez Lamisil hors de la portée des enfants et ne laissez personne d'autre s'en servir.

Avant d'utiliser votre médicament: Discutez avec votre médecin des effets secondaires possibles de Lamisil.

Mentionnez à votre médecin si:
- vous êtes allergique à des médicaments vendus ou non sur ordonnance, ou à certains aliments;
- vous êtes enceinte ou avez l'intention de le devenir durant votre traitement;
- vous allaitez, Lamisil passe dans le lait maternel;
- vous prenez d'autres médicaments vendus ou non sur ordonnance, notamment la cimétidine ou la rifampicine;
- vous avez déjà souffert d'autres troubles médicaux, notamment de troubles hépatiques tels que la jaunisse (coloration jaune de la peau ou des yeux), de troubles rénaux, d'abus d'alcol, de réactions cutanées graves ou de troubles sanguins tels que l'anémie.

Utilisation judicieuse du médicament: Pour enrayer complètement l'infection dont vous êtes atteint, il est très important que vous preniez ce médicament pendant la durée de traitement prescrite, même si vos symptômes commencent à disparaître ou que vous vous sentez mieux après quelques jours. Comme les infections fongiques peuvent mettre beaucoup de temps à disparaître, l'arrêt prématuré de la prise du médicament risque d'entraîner la réapparition des symptômes et de l'infection. Essayez de ne pas oublier de dose. S'il vous arrivait d'en oublier une, prenez-la dès que vous y pensez, à moins que l'heure de la dose suivante soit très proche. Dans ce cas, ne tenez pas compte de cet oubli et revenez à votre horaire habituel. Ne prenez jamais une double dose et ne modifiez jamais vous-même la posologie. Prenez votre médicament tel qu'il vous a été prescrit.
- Respectez tous vos rendez-vous chez le médecin.
- Si vous croyez avoir pris une dose excessive de médicament, consultez votre médecin.
- Conservez ce médicament à une température variant de 15 à 30 °C. Gardez les comprimés à l'abri de la lumière.

Précautions d'emploi: Certaines personnes très sensibles à Lamisil ou ayant déjà souffert de troubles du foie risquent de présenter une fonction hépatique anormale si elles prennent ce médicament. Si vous constatez l'apparition d'une jaunisse (coloration jaune de la peau ou des yeux), cessez de prendre Lamisil et consultez immédiatement votre médecin.

Il arrive qu'en de rares occasions certains patients présentent des anomalies sanguines durant leur traitement par Lamisil. En général, ces réactions disparaissent spontanément après l'arrêt du traitement.

Si vous avez des questions à ce sujet, consultez votre médecin.

Observez toujours les directives de votre médecin et assurez-vous de passer tous les tests qu'il vous prescrit. Aussi, présentez-vous à toutes les visites de suivi.

Effets secondaires possibles de Lamisil: Informez votre médecin si vous observez l'un ou l'autre des effets secondaires suivants:

Effets secondaires		
	Signes et symptômes	**Mesures à prendre**
Courants	Symptômes gastro-intestinaux (diarrhée, crampes, nausées, vomissements, sensation de plénitude gastrique ou ballonnements).	Ces effets secondaires peuvent disparaître en cours de traitement. Toutefois, s'ils persistent ou s'ils vous incommodent, consultez votre médecin.
Moins courants	Sécheresse de la bouche, perturbations gustatives, fatigue, manque de concentration, éruptions cutanées sans gravité (rougeurs, prurit), céphalées, douleurs (dos, genoux, jambes, pieds, reins).	Vous devez signaler ces effets secondaires à votre médecin **le plus tôt possible.**
Rares et graves	Éruptions cutanées graves, urticaire. *Maux de gorge et fièvre, jaunisse (peau ou yeux jaunes), fatigue inhabituelle, manque d'appétit, urines foncées ou selles pâles.	Cessez de prendre Lamisil et avisez votre médecin **immédiatement.** Ce dernier décidera si vous devez ou non poursuivre le traitement.

*Ces signes peuvent indiquer la présence de troubles sanguins ou hépatiques.

D'autres effets secondaires non mentionnés ci-dessus peuvent se manifester chez certains patients. Si vous observez de tels effets, veuillez en faire part à votre médecin.

Consultez votre médecin si vous ne comprenez pas les directives ci-dessus ou si vous désirez obtenir de plus amples renseignements.

☐ LARIAM® ℞

Roche

Chlorhydrate de méfloquine

Antipaludique

Renseignements destinés aux patients: Qu'est-ce que le paludisme? Le paludisme, également appelé malaria, est une maladie infectieuse causée par des parasites microscopiques, les plasmodies. Ces dernières sont inoculées à l'humain par la piqûre de moustiques infectés. Chez l'humain, 4 espèces de parasites causent couramment le paludisme; c'est Plasmodium falciparum qui est l'espèce la plus virulente.

Non traité, le paludisme à Plasmodium falciparum peut être fatal.

Le paludisme est très répandu dans les régions tropicales et subtropicales d'Afrique, d'Amérique latine, d'Asie et du Pacifique. Plusieurs types de paludisme peuvent coexister, chacun nécessitant une protection médicamenteuse différente.

Les symptômes les plus courants d'un accès palustre (communément appelé crise de malaria) sont des frissons suivis de fièvre et de sudation. Ces symptômes peuvent réapparaître à intervalles de 48 heures ou moins et être accompagnés de maux de tête, de diarrhée ainsi que de douleurs abdominales et musculaires. Ces derniers symptômes, qui au départ peuvent être confondus avec ceux de la grippe, se manifestent lorsque les parasites microscopiques envahissent les globules rouges et les détruisent. L'apparition de ces symptômes est précédée d'une période d'incubation d'une ou plusieurs semaines au cours de laquelle les parasites se reproduisent dans le foie. Étant donné le cycle évolutif des parasites chez l'humain, les symptômes peuvent apparaître chez des personnes qui ne prennent pas d'antipaludique une fois qu'ils ont quitté une zone impaludée. Non traité, le paludisme à P. falciparum peut rapidement occasionner une anémie (nombre insuffisant de globules rouges), des dommages à des viscères (foie et rate) ainsi que le coma, puis la mort.

Qu'est-ce que Lariam? Lariam est le nom commercial d'un antipaludique (médicament qui prévient ou combat le paludisme) dont le principe actif est la méfloquine.

Chaque comprimé Lariam à 250 mg renferme 250 mg de méfloquine (base) sous forme de chlorhydrate de méfloquine. Les agents non médicinaux sont: cellulose microcristalline, lactose, crospovidone, amidon de maïs, alginate de calcium et d'ammonium, talc, stéarate de magnésium et poloxamère.

Les comprimés doivent être conservés à une température de 15 à 30 °C. Comme ils craignent l'humidité, ils doivent demeurer dans leur alvéole jusqu'à consommation.

Lariam peut être utilisé pour prévenir ou traiter les symptômes d'un accès palustre causé par Plasmodium falciparum dans les régions où ce parasite a acquis une résistance à la chloroquine, médicament le plus couramment utilisé contre le paludisme. Lariam peut aussi être utilisé pour prévenir ou traiter les symptômes du paludisme causé par Plasmodium vivax.

Lariam n'empêche pas les moustiques de piquer les gens ni de les infecter, pas plus qu'il ne bloque la première phase du cycle évolutif du parasite, c'est-à-dire sa reproduction dans le foie. Lariam détruit le parasite une fois que ce dernier a quitté le foie et qu'il se retrouve dans le sang.

Emploi approprié de Lariam: Prévention des accès palustres: La dose recommandée pour un adulte comme mesure prophylactique (préventive) est de 1 comprimé, 1 fois/semaine. Votre médecin verra à réduire la dose pour chacun de vos enfants en fonction de leur poids respectif.

Lariam ne devrait jamais être administré à des enfants âgés de moins de 3 mois ou pesant moins de 5 kg.

Lariam devrait être pris:

- 1 semaine avant l'arrivée dans une zone impaludée (si ce n'est pas possible, votre médecin peut vous prescrire une dose dite «d'attaque»),
- durant le séjour et
- 4 semaines après avoir quitté la zone impaludée.

La raison pour laquelle le médicament doit être pris avant d'atteindre la zone impaludée est qu'il faut obtenir un taux sanguin de méfloquine qui soit efficace. Cela permet également à votre médecin, dans la mesure du possible, de vérifier votre tolérance au médicament et, à vous, de vous habituer à prendre vos comprimés. La raison pour laquelle il faut prendre des comprimés durant 4 semaines après avoir quitté la zone impaludée est reliée à la phase initiale du cycle évolutif du parasite dans le foie. Cette période peut n'être associée à aucun symptôme. Il est donc important que vous continuiez de prendre Lariam pendant toute la période recommandée par votre médecin, à la dose recommandée. Si vous oubliez de prendre 1 comprimé, prenez-le dès que vous vous en rendez compte et continuez alors à prendre chaque comprimé conformément à la posologie prévue, à compter du jour au cours duquel vous avez pris la dose oubliée. **Ne prenez pas plus de 1 comprimé par semaine; la seule exception étant la semaine durant laquelle une dose d'attaque initiale est administrée (dans les cas où celle-ci est administrée).**

Lariam devrait être pris avec de la nourriture et beaucoup d'eau, si possible, afin de réduire au minimum le risque d'effets indésirables, comme les dérangements d'estomac. Ne croquez pas les comprimés. Si vous êtes incapable d'avaler le comprimé en entier ou si vous l'administrez à un enfant, vous pouvez écraser le comprimé et le mettre en suspension dans une petite quantité d'eau, de lait ou d'un autre liquide buvable. Une fois revenu de voyage, n'oubliez pas votre rendez-vous que le médecin vous a fixé. Si vous devez prendre Lariam pendant une période prolongée, il serait préférable de consulter votre médecin avant de partir afin de connaître le suivi médical dont vous devrez être l'objet pendant que vous prenez Lariam pour la prévention du paludisme.

Traitement d'un accès palustre: Si vous croyez avoir contracté le paludisme, consultez immédiatement un médecin. Dans les cas où il vous serait impossible de voir un médecin dans un délai de 12 à 24 heures après l'apparition des symptômes, votre médecin peut vous recommander un auto-traitement. Assurez-vous toutefois de consulter un médecin aussitôt que possible après vous être administré l'auto-traitement.

Lariam ne doit pas être administré à des enfants âgés de moins de 3 mois ou pesant moins de 5 kg. Si vous décidez d'amener des enfants âgés de moins de 3 mois ou pesant moins de 5 kg dans une région impaludée, vous devriez discuter avec votre médecin des mesures à prendre si jamais ils contractent le paludisme.

Précautions générales concernant l'utilisation de Lariam: Lariam a été prescrit pour prévenir ou traiter une infection très spécifique. **Utilisez Lariam uniquement au cours du voyage pour lequel il vous a été prescrit.** Votre médecin a jugé que Lariam vous assure la protection convenable contre la forme de paludisme qui sévit dans la région où vous vous rendez. Cependant, ce médicament peut ne pas assurer la protection voulue contre d'autres formes de paludisme rencontrées dans la même région ou ailleurs.

Lariam (suite)

Ne donnez Lariam à personne d'autre. Votre médecin a jugé que Lariam vous assure une bonne protection. Si Lariam est pris par une personne à qui il n'est pas indiqué, cette personne peut ne pas être protégée contre la forme de paludisme qui sévit dans la région où elle désire aller et, de plus, courir le risque d'avoir des effets indésirables. Garder Lariam hors de portée des enfants.

Vous devez informer votre médecin de tous les médicaments que vous prenez présentement, en particulier des médicaments qui contiennent de la quinine, de la quinidine ou de la chloroquine; des autres antipaludiques (halofantrine); des anticonvulsivants (acide valproïque, carbamazépine, phénobarbital, phénytoïne); des médicaments qui peuvent modifier le fonctionnement du cœur, comme certains médicaments contre les maladies cardiaques et l'hypertension (bêta-bloquants, bloqueurs des canaux calciques); des antihistaminiques et certains antidépresseurs (antidépresseurs tricycliques). La prise concomitante de ces médicaments ou de certains autres et de Lariam peut augmenter les effets indésirables de Lariam. À moins d'être certain que les autres médicaments que vous prenez n'interagissent pas avec Lariam, consultez votre médecin.

Précautions spéciales concernant l'utilisation de Lariam: Lariam ne doit pas être pris par:

1. Les personnes ayant une sensibilité connue à la méfloquine ou à des composés apparentés. (Consultez votre médecin.)
2. Les personnes qui ont des antécédents de troubles psychiatriques.
3. Les personnes qui ont des antécédents de convulsions.
4. Les personnes qui souffrent d'une maladie cardiaque ou hépatique sévère.
5. Les femmes qui sont enceintes ou qui risquent de le devenir.
6. Les mères qui allaitent.
7. Les enfants âgés de moins de 3 mois ou pesant moins de 5 kg étant donné que le comprimé ne peut être subdivisé de façon exacte en plus de 4 parties.

Quels sont les effets indésirables possibles de Lariam? Les effets indésirables suivants ont été signalés avec Lariam: nausées, vomissements, étourdissements, sensation de tête légère ou perte de l'équilibre, maux de tête, somnolence, incapacité de dormir, rêves anormaux, selles molles ou diarrhée et douleurs abdominales. Dans de rares cas, les effets suivants peuvent survenir: perte d'appétit, anomalies de la fréquence cardiaque, démangeaisons de la peau ou éruptions cutanées, perte de cheveux, troubles visuels, douleurs musculaires, convulsions et troubles de l'humeur (humeur dépressive, confusion mentale, état anxieux). Comme plusieurs de ces symptômes accompagnent le paludisme, il est souvent difficile de dire si ce sont des symptômes dus au paludisme ou des effets indésirables de Lariam. Quand Lariam est utilisé pour la **prévention du paludisme,** ces effets disparaissent généralement peu de temps après la prise du médicament. Si ces effets indésirables ne sont pas sévères et peuvent être tolérés, il est dans votre intérêt de continuer à prendre Lariam comme mesure prophylactique étant donné que les conséquences du paludisme sont beaucoup plus graves.

Il est préférable d'éviter la consommation de boissons alcooliques durant le traitement par Lariam.

Vous ne devez pas conduire de véhicules ni faire fonctionner des machines dangereuses ni effectuer toute autre activité exigeant votre pleine attention tant que vous ne savez pas comment vous réagissez à ce médicament.

Si vous éprouvez de l'anxiété, de la dépression, de l'instabilité psychomotrice, de l'irritabilité ou de la confusion inexpliquée, cessez de prendre Lariam et consultez sans tarder un médecin.

Grossesse et allaitement: Si vous êtes enceinte, il serait sage de ne pas vous rendre dans des régions impaludées. Évitez de devenir enceinte pendant votre séjour dans ces régions. Le paludisme est dangereux pour la future mère et pour le fœtus. Si votre voyage dans une région impaludée ne peut être reporté, parlez-en à votre médecin. Il vous indiquera la meilleure forme de protection à utiliser.

Évitez de devenir enceinte pendant que vous prenez Lariam ou durant les 3 mois qui suivent la dernière prise. En laboratoire, Lariam a causé des malformations congénitales chez les petits de femelles gestantes. Le premier trimestre de la grossesse est crucial pour le développement du fœtus.

Si vous désirez devenir enceinte ou que vous devenez enceinte durant le traitement par Lariam, consultez un médecin. Ce dernier sera en mesure de vous expliquer quels sont les risques associés à la poursuite du traitement, à son arrêt ou à son changement.

Lariam passe dans le lait humain en petites quantités qui ne sont pas suffisantes pour protéger votre enfant contre le paludisme.

Comment obtenir une protection maximale contre le paludisme? Le meilleur moyen de réduire le plus possible le risque de contracter le paludisme est d'éviter les piqûres de moustiques, dont la présence est plus marquée du crépuscule à l'aube. Évitez de sortir le soir, portez des vêtements de couleur pâle couvrant la majeure partie du corps, appliquez un insectifuge sur les parties de la peau non protégée, dormez sous un moustiquaire et vaporisez un insecticide dans la chambre. Pour obtenir une protection maximale, consultez votre médecin ou une clinique de voyage.

☐ LESCOL® Ⓟ

Novartis Pharma

Fluvastatine sodique

Régulateur du métabolisme lipidique

Renseignements destinés aux patients: Les renseignements posologiques complets sont offerts au médecin et au pharmacien sur demande.

Lescol est la marque déposée de la fluvastatine sodique vendue par Novartis Pharma Canada Inc.

Lescol abaisse le taux de cholestérol dans le sang, particulièrement le cholestérol lié aux lipoprotéines de basse densité (cholestérol LDL). Il réduit la production de cholestérol par le foie et provoque certains changements dans le transport et la distribution du cholestérol dans le sang et les tissus.

Lescol est vendu uniquement sur ordonnance. Il doit servir de traitement d'appoint à la diète que vous a prescrite votre médecin pour le traitement prolongé de l'hypercholestérolémie. Il ne doit pas la remplacer. Votre médecin peut également vous recommander, suivant votre état, des exercices physiques, la régularisation de votre poids et d'autres mesures pertinentes. Si vous souffrez d'une maladie coronarienne, votre médecin pourrait aussi vous prescrire Lescol pour ralentir la progression de l'athérosclérose coronarienne.

Utilisez ce produit tel qu'il vous a été prescrit. Ne modifiez pas la posologie à moins d'indication contraire du médecin. Consultez votre médecin avant de cesser de prendre ce médicament car l'arrêt du traitement peut provoquer une hausse des lipides sanguins.

Avant d'utiliser ce médicament, vous devez indiquer au médecin si:

- vous avez déjà pris Lescol ou un autre hypolipémiant de la même classe thérapeutique, tel que la lovastatine (Mevacor), la simvastatine (Zocor), l'atorvastatine (Lipitor) ou la pravastatine (Pravachol) et si, ce faisant, vous avez souffert d'allergie ou d'intolérance;
- vous souffrez d'une maladie du foie;
- vous êtes enceinte ou avez l'intention de le devenir, ou si vous allaitez votre bébé ou avez l'intention de l'allaiter;
- vous prenez d'autres médicaments, surtout des corticostéroïdes, de la cyclosporine (Neoral), du gemfibrozil (Lopid), un anticoagulant (comme la warfarine [Warfilone]), de la phénytoïne, des hypoglycémiants oraux, des AINS, de l'érythromycine ou de la niacine (acide nicotinique) à des doses hypolipémiantes ou de la néfazodone (Serzone).

Emploi judicieux du médicament:

- Lescol administré en une seule dose doit être pris pendant ou après le repas du soir ou au coucher. Lescol administré en 2 doses fractionnées doit être pris le matin et le soir, pendant ou après les repas. Veuillez vous en tenir à la dose prescrite par votre médecin.
- Le médecin surveillera votre état de santé et vérifiera les résultats des épreuves sanguines à intervalle régulier. Il importe que les examens soient faits aux dates prévues; veuillez donc respecter les rendez-vous qu'on vous a fixés.
- Évitez l'abus d'alcool.
- Si une maladie se manifeste pendant la prise de Lescol ou si vous avez commencé à prendre un nouveau médicament vendu ou non sur ordonnance, informez-en votre médecin. Si vous avez besoin de soins médicaux pour toute autre raison que l'hypercholestérolémie, signalez au médecin traitant que vous prenez Lescol.
- Si vous devez subir une intervention chirurgicale importante ou si vous avez été victime d'un traumatisme grave, informez-en votre médecin.
- Si vous ressentez une douleur, une sensibilité ou une faiblesse musculaire pendant le traitement par Lescol (voir la section Effets secondaires), mentionnez-le à votre médecin.

- La sûreté d'emploi de Lescol chez les adolescents et les enfants n'a pas été établie.
- On ne connaît pas encore les effets de Lescol dans la prévention de la crise cardiaque, de l'artériosclérose ni de la cardiopathie.
- Lescol est contre-indiqué pendant la grossesse parce qu'il peut porter atteinte au fœtus. Seules les femmes qui sont très peu susceptibles de concevoir peuvent prendre Lescol. Si une grossesse survient pendant le traitement, on doit cesser la prise du médicament et en informer le médecin.

Effets secondaires: Tout médicament allie à son activité première des effets indésirables.

Consultez votre médecin **dès que possible** si l'un ou l'autre des effets secondaires suivants venait à se produire: douleurs ou crampes musculaires, fatigue ou faiblesse, fièvre.

D'autres effets secondaires tels que: douleur abdominale ou indigestion, constipation, diarrhée, nausées, maux de tête, insomnie, étourdissements et éruptions cutanées peuvent se manifester à l'occasion, mais il n'est habituellement pas nécessaire d'interrompre le traitement. Ils surviennent de façon sporadique en cours de traitement sans présenter de danger particulier. Vous devez toutefois les signaler à votre médecin sans tarder s'ils deviennent persistants ou gênants.

Ce médicament vous a été prescrit pour soigner l'affection particulière dont vous souffrez et est réservé à votre usage. Ne laissez personne d'autre s'en servir.

Conservez tout médicament hors de la portée des enfants.

Si vous désirez de plus amples renseignements, consultez votre médecin ou votre pharmacien.

□ LEVOTEC

Technilab

Lévothyroxine sodique

Traitement de l'hypothyroïdie

Renseignements destinés aux patients: Levotec (lévothyroxine sodique comprimés USP): 25, 50, 75, 100, 112, 125, 150, 175, 200 et 300 µg comprimés.

Les patients traités à l'aide de préparations thyroïdiennes, et les parents d'enfants soumis à une thyroïdothérapie, doivent savoir que le traitement substitutif est fondamentalement un traitement à vie, à l'exception des cas d'hypothyroïdie transitoire, généralement associés à la thyroïdite, et des patients qui reçoivent le médicament à titre d'essai thérapeutique.

Les patients doivent immédiatement signaler au médecin, durant le traitement, tout signe ou symptôme de toxicité de l'hormone thyroïdienne, p. ex. douleurs thoraciques, accroissement de la fréquence cardiaque, palpitations, sueurs excessives, intolérance à la chaleur, nervosité ou toute autre manifestation inhabituelle.

Les patients qui souffrent également de diabète sucré, ou qui sont soumis à un traitement anticoagulant concomitant par voie orale, doivent être prévenus de la nécessité d'une étroite surveillance et d'ajustements possibles de la posologie.

Les parent doivent être prévenus que la perte partielle des cheveux peut se manifester chez l'enfant dans les quelques premiers mois de la thyroïdothérapie, mais cela est habituellement un phénomène transitoire, et, en général, tout rentre dans l'ordre ultérieurement.

□ LIORESAL® intrathécal

Novartis Pharma

Baclofen

Relaxant musculaire—Antispasmodique

Renseignements destinés aux patients: Introduction: Lioresal intrathécal appartient à une catégorie de médicaments appelés relaxants musculaires. Il sert à réduire la douleur et la contraction excessive de vos muscles (spasmes) qui accompagnent certaines maladies comme la sclérose en plaques, les maladies ou les accidents qui touchent la moelle épinière, et certaines lésions du cerveau.

La présente brochure fournit à ceux qui prennent soin de vous et à vous-même des renseignements importants sur Lioresal intrathécal et sur les risques que comporte un tel mode de traitement. Veuillez la lire attentivement. Si vous voulez en savoir davantage, veuillez consulter votre médecin.

Qu'est-ce que Lioresal intrathécal? Lioresal intrathécal contient une substance active appelée baclofen. Il est présenté sous forme liquide, dans une ampoule de verre.

La solution est administrée par injection ou perfusion dans le liquide qui entoure la moelle épinière, à l'aide d'une pompe spéciale implantée sous la peau. Le médicament est acheminé de façon constante, à l'aide d'un petit tube raccordé à la pompe, dans le liquide qui entoure la moelle épinière.

En raison de l'effet bénéfique de Lioresal intrathécal sur les contractions musculaires et, par conséquent, sur la douleur qui les accompagne, ce médicament améliore votre mobilité, facilite l'accomplissement de vos tâches quotidiennes et rend la physiothérapie plus facile.

Avant le traitement par Lioresal intrathécal: Lioresal intrathécal convient à plusieurs patients atteints de spasmes musculaires, mais pas à tous. Il est donc important que vous signaliez à votre médecin si vous...

- avez déjà pris du baclofen (sous forme de comprimés, par ex.) et avez manifesté une sensibilité inhabituelle au médicament (éruption cutanée ou autres signes allergiques);
- souffrez d'une infection quelconque;
- souffrez de confusion due à une maladie mentale;
- souffrez de crises d'épilepsie (convulsions);
- êtes (ou avez été) atteint(e) de troubles du cœur ou des reins, de difficultés respiratoires ou de douleurs aiguës à l'estomac.

Il est possible que Lioresal intrathécal ne soit pas compatible avec d'autres médicaments. Signalez donc à votre médecin si vous prenez d'autres médicaments sur ordonnance ou des médicaments en vente libre, et lesquels. Il pourra alors décider de changer la posologie ou, dans certains cas, vous demander d'arrêter de prendre l'un des médicaments en question.

Ne consommez pas d'alcool durant votre traitement avec Lioresal intrathécal.

Lioresal intrathécal peut augmenter l'envie de dormir ou provoquer des étourdissements. Soyez donc prudent(e) lorsque vous conduisez un véhicule, manœuvrez une machine, ou participez à des activités qui requièrent de la vigilance.

Si vous êtes une femme, signalez à votre médecin si vous êtes enceinte, si vous pensez le devenir, ou si vous allaitez. Il décidera alors si vous pouvez prendre Lioresal intrathécal ou non. Seule une toute petite quantité de Lioresal intrathécal passe dans le lait maternel. Vous pourrez allaiter si votre médecin vous le permet et si l'on surveille de près votre bébé pour l'apparition d'effets secondaires.

Surdosage: Les signes du surdosage peuvent être soudains ou plus insidieux (comme un mauvais fonctionnement de la pompe). Il est essentiel que ceux qui prennent soin de vous et vous-même puissiez reconnaître les signes du surdosage. Si vous ressentez l'un ou plusieurs des symptômes ci-dessous, avertissez votre médecin sans tarder parce qu'il est possible que vous receviez une trop grande quantité de médicament.

- faiblesse musculaire excessive
- envie de dormir
- étourdissements/sensation de tête légère
- salivation excessive
- nausée ou vomissements, ou les deux
- difficulté à respirer, crises d'épilepsie, perte de conscience

Quels sont les effets secondaires possibles de Lioresal intrathécal? Comme tous les autres médicaments, Lioresal intrathécal présente également, en dépit de ses bienfaits, des effets qui ne sont pas souhaitables. Ceux-ci se manifestent surtout en début de traitement, alors que vous serez encore à l'hôpital, mais il est également possible qu'ils fassent leur apparition par la suite et il faut en aviser le médecin.

Effets les plus courants: somnolence, faiblesse dans les jambes, étourdissements, céphalées, envie de dormir, nausée ou vomissements (ou les deux), picotements dans les mains et les pieds, troubles de l'élocution, vue trouble.

Effets moins courants: ralentissement inhabituel du pouls, constipation.

Effets rares: gonflement des chevilles, des pieds, ou des jambes; perte de la coordination musculaire; insomnie; perte de mémoire; état confusionnel; sentiment d'anxiété; sentiment dépressif; changements d'humeur ou d'état mental; hallucinations; difficulté à avaler; diminution de l'appétit; sécheresse de la bouche; démangeaisons; mouvements incontrôlables et continuels des yeux; diarrhée; incontinence d'urine.

Signalez à votre médecin tout autre effet qui ne se trouve pas dans la liste ci-dessus.

Lioresal intrathécal (suite)

Comment utiliser Lioresal intrathécal: Lioresal intrathécal ne peut être administré que par des médecins expérimentés. L'administration du médicament se fait par injection ou perfusion directe dans le liquide qui entoure la moelle épinière, et nécessite donc un équipement médical spécial. L'hospitalisation est nécessaire, du moins en début de traitement.

Dans un premier temps, le médecin voudra savoir si Lioresal intrathécal réduit vos spasmes musculaires. Si c'est le cas, on vous implantera une pompe spéciale sous la peau, permettant ainsi la distribution continuelle de petites quantités du médicament.

Il faudra peut-être plusieurs jours pour déterminer la dose de médicament qui vous conviendra le mieux. Une surveillance médicale étroite est indispensable. Une fois le traitement optimal établi, il est très important que votre médecin fasse un suivi de votre état et du fonctionnement de la pompe lors de visites régulières.

Il ne faut absolument pas manquer les rendez-vous fixés par votre médecin pour remplir le réservoir de la pompe. Autrement, les spasmes pourront se manifester à nouveau.

Si les spasmes réapparaissent de manière progressive ou soudaine, appelez votre médecin immédiatement.

Pour en savoir davantage sur l'entretien à domicile de la pompe et du site d'insertion, veuillez consulter la documentation fournie par le fabricant de la pompe.

□ LIPIDIL MICRO® ℞

Fournier

Fénofibrate micronisé

Régulateur du métabolisme lipidique

Renseignements destinés aux patients: Les médecins et les pharmaciens peuvent obtenir le guide de prescription sur demande.

Lipidil Micro est la marque de commerce déposée des Laboratoires Fournier S.C.A. pour le fénofibrate micronisé.

Lipidil Micro abaisse le taux de cholestérol sanguin, en particulier le cholestérol lié aux lipoprotéines de faible et de très faible densité (LDL et VLDL). Lipidil Micro réduit aussi les taux élevés de triglycérides associés à une hypercholestérolémie. Le traitement avec Lipidil Micro réduit aussi les taux d'acide urique. Le mécanisme d'action de Lipidil Micro n'est pas complètement élucidé.

Lipidil Micro ne peut s'obtenir que sur ordonnance du médecin. Le médicament doit être utilisé uniquement comme traitement d'appoint à un régime alimentaire et surveillé par le médecin, pour le traitement à long terme des taux anormaux de lipides dans le sang. La prescription du médicament ne dispense aucunement de l'observance du régime alimentaire. De plus, selon le cas, le médecin peut recommander des exercices physiques, une réduction de poids ou d'autres mesures.

Il importe de se conformer rigoureusement à la prescription et de ne pas en changer la posologie à moins d'avis contraire du médecin. Consulter le médecin avant d'interrompre le traitement, car cela peut entraîner une élévation des taux des lipides sanguins.

Avant d'entreprendre un traitement avec ce médicament, votre médecin doit savoir:

—si vous avez déjà pris Lipidil Micro et si vous avez fait une allergie au produit ou si vous le tolérez mal;
—si vous souffrez d'une maladie du foie ou des reins;
—si vous souffrez d'une maladie de la vésicule biliaire ou si vous présentez des lithiases biliaires;
—si vous êtes enceinte ou si vous envisagez une grossesse, si vous allaitez ou si vous envisagez de le faire;
—si vous prenez d'autres médicaments, notamment des anticoagulants oraux telle la warfarine (Warfilone).

Mode d'emploi approprié du médicament: Lipidil Micro doit être pris 1 fois/jour avec l'un des repas principaux. Il est très important de suivre ces directives car Lipidil Micro est moins bien absorbé et donc moins efficace lorsqu'il est pris sans aliments.

—Le médecin vous soumettra régulièrement à un examen médical et à des analyses de laboratoire. Il est très important de respecter les dates prévues pour ces examens; nous vous recommandons fortement de ne pas manquer ces rendez-vous.
—Informez votre médecin de tout problème de santé qui survient durant le traitement avec Lipidil Micro, ainsi que de la prise de tout nouveau médicament obtenu avec ou sans ordonnance. Si vous recevez des soins médicaux pour une autre maladie, informez le médecin traitant que vous prenez Lipidil Micro.
—Informez votre médecin de tout malaise, quel qu'il soit, ressenti au cours du traitement avec Lipidil Micro (voir Effets indésirables).
—On n'a pas encore établi l'innocuité de Lipidil Micro chez les enfants et les jeunes adolescents.
—On ne connaît pas encore les effets préventifs de Lipidil Micro contre les crises cardiaques, l'athérosclérose ou les maladies coronariennes.
—Lipidil Micro est contre-indiqué durant la grossesse. Si une grossesse survient au cours du traitement avec Lipidil Micro, la prise du médicament doit être interrompue et votre médecin informé.
—Il n'est pas recommandé de prendre Lipidil Micro pendant l'allaitement.

Effets indésirables: En plus de l'effet escompté, tout médicament peut produire des effets indésirables.

Des effets indésirables peuvent se manifester chez certains patients. Ils peuvent survenir puis disparaître sans représenter de risque particulier, mais s'ils persistent ou deviennent incommodants, vous devez en informer votre médecin sans délai. Ces effets indésirables peuvent comprendre des douleurs abdominales, de la constipation, de la diarrhée, des nausées, des maux de tête, des étourdissements, des réactions cutanées, des douleurs ou des crampes musculaires et de la fatigue.

Ce médicament est prescrit pour le traitement d'un problème de santé qui vous est particulier. Ne pas le donner à d'autres personnes.

Garder tous les médicaments hors de portée des enfants.

Pour plus d'informations, adressez-vous à votre médecin ou à votre pharmacien.

□ LIPITOR^MC ℞

Parke-Davis

Atorvastatine calcique

Régulateur du métabolisme des lipides

Renseignements destinés aux patients: Comprimés de Lipitor: Veuillez lire attentivement les renseignements suivants. Si vous avez des questions, adressez-vous à votre médecin ou à votre pharmacien.

À propos des comprimés de Lipitor: Votre médecin vous a prescrit ce médicament pour aider à abaisser votre taux de cholestérol dans le sang. Les taux élevés de cholestérol peuvent provoquer une maladie coronarienne, en obstruant les vaisseaux sanguins qui irriguent le cœur.

Lipitor fait partie du traitement que votre médecin et vous planifierez afin de vous aider à rester en bonne santé. Selon votre état de santé et votre mode de vie, votre médecin peut vous recommander:

- de changer votre régime alimentaire afin de contrôler votre poids et de réduire votre taux de cholestérol;
- un programme d'exercice physique qui vous convient;
- d'arrêter de fumer et d'éviter les endroits enfumés;
- d'éviter les boissons alcoolisées ou d'en boire moins.

Suivez les instructions de votre médecin à la lettre.

Lipitor fait partie d'une classe de médicaments que l'on appelle les inhibiteurs de l'HMG-CoA réductase qui réduit efficacement les taux de cholestérol des lipoprotéines de basse densité dans le sang. Ce médicament est disponible uniquement au moyen d'une ordonnance médicale. Lipitor, à base d'atorvastatine, est un médicament commercialisé par Parke-Davis, une division de Warner-Lambert Canada Inc.

Avant de prendre le médicament: Certaines personnes ne devraient pas prendre Lipitor. Veuillez informer votre médecin si:

- Vous souffrez d'une maladie du foie.
- Vous êtes enceinte, pensez l'être, ou prévoyez devenir enceinte. Ce médicament ne doit pas être pris pendant la grossesse. Si vous devenez enceinte au cours du traitement, vous devez arrêter de prendre le médicament et en aviser immédiatement votre médecin.
- Vous allaitez. Ce médicament peut passer dans le lait maternel.
- Vous avez déjà pris un des médicaments suivants et y avez eu une réaction:
  - Lipitor (atorvastatine)
  - Zocor (simvastatine)
  - Mevacor (lovastatine)
  - Pravachol (pravastatine)
  - Lescol (fluvastatine)
  - Baycol (cérivastatine)

- Vous prenez d'autres médicaments, sous ordonnance ou non, en particulier:
  - corticostéroïdes (médicaments semblables à la cortisone)
  - cyclosporine (Sandimmune)
  - gemfibrozil (Lopid)
  - fénofibrate (Lipidil Micro) ou bezafibrate (Bezalip)
  - niacine (acide nicotinique) à des doses provoquant une réduction lipidique
  - érythromycine ou antifongiques (kétoconazole ou itraconazole)
  - néfazodone (Serzone)
  - terfénadine
- Veuillez noter qu'il existe peu de données sur l'utilisation de ce médicament par des adolescents et des enfants.

Comment utiliser ce médicament: Il est important de comprendre que les effets d'un taux élevé de cholestérol ne deviennent évidents qu'avec le temps. Par conséquent, il est important de prendre ce médicament suivant les directives de votre médecin. Vous et votre médecin surveillerez vos taux de cholestérol afin de les faire baisser dans l'intervalle visé. Voici quelques conseils utiles:

- Gardez vos comprimés à la température ambiante (15 à 25 °C); protégez-les de la chaleur et de l'humidité en évitant de les garder dans la salle de bains ou dans la cuisine, par exemple.
- Suivez scrupuleusement toutes les recommandations de votre médecin au sujet de votre régime, de l'exercice et de la perte de poids.
- Prenez Lipitor en doses uniques. Peu importe que vous preniez le médicament avec ou sans repas. Votre médecin vous conseillera généralement de le prendre le soir.
- Si vous omettez de prendre un comprimé, prenez-le le plus rapidement possible. Mais s'il est presque temps de prendre le comprimé suivant, ne prenez plus le comprimé omis. **Ne prenez pas 2 comprimés à la fois.**
- Ne changez pas la posologie, sauf sur avis de votre médecin.
- Évitez de consommer beaucoup d'alcool lorsque vous prenez Lipitor. Demandez à votre médecin quelle est la quantité limite pour vous.
- Si vous tombez malade, si vous devez subir une intervention chirurgicale ou si vous avez besoin d'un traitement médical au cours du traitement par Lipitor, signalez à votre médecin ou pharmacien que vous prenez Lipitor.
- Si vous devez prendre de nouveaux médicaments (sous ordonnance ou non) au cours du traitement par Lipitor, dites-le à votre médecin ou à votre pharmacien.
- Si vous devez consulter un autre médecin pour toute raison, informez-le que vous prenez Lipitor.
- Signalez à votre médecin toute douleur, sensibilité ou faiblesse musculaire qui surviendrait au cours du traitement par Lipitor (voir Effets indésirables).
- Avisez immédiatement votre médecin si vous ressentez des effets indésirables (voir ci-dessous).

Effets indésirables et mesures à prendre: La plupart des gens n'ont aucun problème lorsqu'ils prennent ce médicament. Cependant, tout médicament peut causer des effets non souhaités. Si les symptômes suivants persistent ou deviennent incommodants, consultez votre médecin ou votre pharmacien:

- douleurs au ventre
- flatulence
- constipation
- diarrhée
- vomissements
- mal de tête
- rougeur de la peau

Consultez votre médecin **immédiatement** si vous éprouvez:

- douleur musculaire que vous ne pouvez pas expliquer
- sensibilité ou faiblesse musculaires
- malaises ou inconfort
- fièvre

Certaines personnes peuvent éprouver d'autres réactions. Si vous remarquez un effet inhabituel, quel qu'il soit, consultez votre médecin ou votre pharmacien.

Ingrédients: Chaque comprimé de Lipitor contient de l'atorvastatine à titre d'ingrédient actif. Il existe 3 sortes de comprimés: comprimés de 10 mg, de 20 mg et de 40 mg. Chaque comprimé de Lipitor contient aussi les ingrédients suivants:

- carbonate de calcium
- croscarmellose sodique
- monohydrate de lactose
- cellulose microcristalline
- polyéthylèneglycol
- dioxyde de titane
- émulsion de siméthicone
- cire de candelilla
- hydroxypropylcellulose
- stéarate de magnésium
- hydroxypropylméthylcellulose
- talc
- polysorbate 80

Important: Votre médecin vous a prescrit ce médicament à vous personnellement.

N'en donnez à personne d'autre.

Gardez toujours les médicaments hors de portée des enfants.

Gardez le médicament à la température ambiante (15 à 25 °C), protégez-le de la chaleur et de l'humidité en évitant de le garder dans la salle de bain ou dans la cuisine, p. ex.

Si vous désirez obtenir d'autres informations, consultez votre médecin ou votre pharmacien.

☐ LOCACORTEN® VIOFORM® Ⓟ

Novartis Pharma

Pivalate de fluméthasone—Clioquinol

Corticostéroïde topique—Antibactérien—Antifongique

Renseignements destinés aux patients: Veuillez lire ce document attentivement avant de commencer le traitement par Locacorten Vioform.

Qu'est-ce que Locacorten Vioform? Les ingrédients actifs de Locacorten Vioform sont le pivalate de fluméthasone et le clioquinol. Le pivalate de fluméthasone appartient à une classe de médicaments appelés corticostéroïdes. Le clioquinol est un anti-infectieux.

À quoi sert Locacorten Vioform? Dans les affections inflammatoires et infectieuses de la peau, Locacorten Vioform soulage les symptômes, comme les démangeaisons et la rougeur. Il empêche également la croissance des bactéries et des champignons qui sont responsables de certains types d'infections de la peau.

Avant de commencer le traitement par Locacorten Vioform: Avertissez votre médecin:

- si vous avez une maladie du rein ou du foie;
- si vous avez déjà eu des réactions inhabituelles ou allergiques secondaires à la prise de corticostéroïdes, d'iode ou de préparations à base d'iode, de clioquinol ou d'hydroxyquinoléines, ou de toute autre substance, y compris les aliments et les colorants;
- si vous êtes enceinte ou avez l'intention de le devenir pendant le traitement par Locacorten Vioform, ou si vous allaitez.

Dans ces cas, votre médecin décidera si vous pouvez utiliser Locacorten Vioform.

Comment utiliser Locacorten Vioform: Locacorten Vioform doit être utilisé selon les directives de votre médecin. N'en mettez pas une plus grande quantité, ni plus souvent ni pendant plus longtemps, que la prescription de votre médecin.

Appliquez une mince couche de Locacorten Vioform sur les régions atteintes seulement, selon les directives de votre médecin. Ne mettez aucun pansement sur les surfaces traitées sauf si votre médecin vous a recommandé de le faire.

Locacorten Vioform est réservé à un **usage externe.** Il ne doit pas être pris par la bouche.

Quels sont les effets secondaires possibles de Locacorten Vioform? Comme tous les médicaments, Locacorten Vioform peut entraîner des réactions indésirables en plus des effets souhaités. Consultez votre médecin ou votre pharmacien si le produit occasionne de la rougeur, des brûlures, des démangeaisons ou d'autres effets qui n'étaient pas là avant le traitement.

Si vous ne constatez aucune amélioration de votre affection de la peau ou si cette dernière s'aggrave après l'application de Locacorten Vioform pendant 1 semaine, veuillez consulter votre médecin.

N'oubliez pas que Locacorten Vioform a été prescrit pour traiter votre problème médical actuel seulement. N'utilisez pas la crème pour traiter d'autres affections de la peau sans consulter d'abord votre médecin.

Autres précautions: Ne vous mettez pas de Locacorten Vioform dans les yeux, et soyez très prudent lorsque vous appliquez ce produit près des yeux. En cas d'application accidentelle de ce produit dans les yeux, rincez-les immédiatement à grande eau.

Locacorten Vioform (suite)

Locacorten Vioform peut jaunir s'il est exposé à l'air.

Locacorten Vioform peut tacher les cheveux, les vêtements, la peau et les ongles.

Locacorten Vioform n'est pas recommandé chez l'enfant de moins de 2 ans.

Conservation: Craint la chaleur et le gel (doit être conservé entre 15 et 30 °C). Gardez ce produit hors de la portée des enfants.

□ LOCACORTEN® VIOFORM®, Gouttes otiques ℞

Novartis Pharma

Pivalate de fluméthasone—Clioquinol

Corticostéroïde auriculaire topique—Antibactérien—Antifongique

Renseignements destinés aux patients: Veuillez lire ce document attentivement avant d'instiller les gouttes otiques Locacorten Vioform.

Que sont les gouttes otiques Locacorten Vioform? Les gouttes otiques Locacorten Vioform renferment du pivalate de fluméthasone et du clioquinol. Le pivalate de fluméthasone appartient à une classe de médicaments appelés corticostéroïdes, et le clioquinol est un anti-infectieux.

À quoi servent les gouttes otiques Locacorten Vioform? Les gouttes otiques Locacorten Vioform soulagent les symptômes des infections des oreilles, comme les démangeaisons et la rougeur. Elles empêchent également la croissance des bactéries et des champignons qui sont responsables d'infections des oreilles.

Avant d'instiller les gouttes otiques Vioform: Avertissez votre médecin:

- si vous avez déjà eu des réactions inhabituelles ou allergiques secondaires à la prise de corticostéroïdes, d'iode ou de préparations à base d'iode, de clioquinol ou d'hydroxyquinoléines, ou de toute autre substance, y compris les aliments et les colorants;
- si vous avez déjà eu des problèmes d'oreilles, comme une perforation du tympan.
- si vous êtes enceinte ou avez l'intention de le devenir pendant le traitement par les gouttes otiques Locacorten Vioform, ou si vous allaitez.

Dans ces cas, votre médecin décidera si vous pouvez utiliser les gouttes otiques Locacorten Vioform.

Comment utiliser les gouttes otiques Locacorten Vioform: Les gouttes otiques Locacorten Vioform doivent être utilisées selon les directives de votre médecin. N'en mettez pas une plus grande quantité, ni plus souvent ni pendant plus longtemps que la prescription de votre médecin.

Certaines infections de l'oreille entraînent un écoulement. Étant donné que votre oreille doit être propre pour que les gouttes otiques Locacorten Vioform puissent combattre efficacement votre infection, votre médecin ou votre pharmacien vous expliquera peut-être comment nettoyer votre oreille avant l'instillation. Vous pouvez réchauffer les gouttes otiques pour qu'elles atteignent la température de votre corps (mais pas plus) en tenant le flacon dans vos mains.

Comment instiller les gouttes otiques:

1) Étendez-vous sur le côté opposé à l'oreille à traiter et tirez délicatement sur le lobe de l'oreille.
2) Instillez le nombre prescrit de gouttes dans le conduit auditif.
3) Appuyez délicatement sur l'oreille et attendez que les gouttes se soient répandues uniformément dans l'oreille avant de vous asseoir.

Pour éviter de contaminer les gouttes, ne laissez pas le compte-gouttes entrer en contact avec quoique ce soit (y compris l'oreille).

Renfermez le flacon hermétiquement après usage.

Les gouttes otiques Locacorten Vioform sont réservées à un **usage externe**. Elles ne doivent pas être prises par la bouche.

Quels sont les effets secondaires possibles des gouttes otiques Locacorten Vioform? Comme tous les médicaments, les gouttes otiques Locacorten Vioform peuvent entraîner des réactions indésirables en plus des effets souhaités. Consultez votre médecin ou votre pharmacien si le produit occasionne de la rougeur, des brûlures, des démangeaisons ou d'autres effets qui n'étaient pas là avant le traitement et cessez d'utiliser le produit.

Si vous ne constatez aucune amélioration de votre infection de l'oreille ou si cette dernière s'aggrave après l'application des gouttes otiques Locacorten Vioform pendant 1 semaine, veuillez consulter votre médecin.

Autres précautions: N'oubliez pas que les gouttes otiques Locacorten Vioform ont été prescrites pour traiter votre problème médical actuel seulement. N'utilisez pas les gouttes pour traiter d'autres affections de l'oreille sans consulter d'abord votre médecin.

Ne vous mettez pas de gouttes otiques Locacorten Vioform dans les yeux. En cas d'application accidentelle de ce produit dans les yeux, rincez-les immédiatement à grande eau.

Les gouttes otiques Locacorten Vioform peuvent tacher de jaune les cheveux, la peau, les ongles et les vêtements.

Les gouttes otiques Locacorten Vioform ne conviennent pas à l'enfant de moins de 2 ans.

Conservation: Craint la chaleur (conserver entre 15 et 30 °C) et la lumière. Les gouttes otiques Locacorten Vioform peuvent jaunir si elles sont exposées à l'air et tacher la peau, les ongles, les cheveux et les vêtements.

Gardez ce produit hors de la portée des enfants.

□ LONITEN® ℞

Pharmacia & Upjohn

Minoxidil

Antihypertenseur

Renseignements destinés aux patients: Les comprimés de Loniten renferment du minoxidil, un puissant médicament contre la tension artérielle élevée. Il se prend avec d'autres médicaments pour traiter l'hypertension sévère et difficile à contrôler.

Il importe de prendre, conformément aux directives de votre médecin, tous les médicaments qu'il vous prescrit pour l'hypertension. Consultez votre médecin régulièrement au cours du traitement au Loniten. Ne manquez pas vos rendez-vous avec lui. Si vous devez absolument en manquer un, fixez-en un autre pour remplacer celui que vous avez manqué. N'arrêtez pas de prendre Loniten, à moins que le médecin ne l'ait expressément ordonné. Ne donnez jamais vos médicaments à une autre personne.

Qu'est-ce que Loniten? Les comprimés de Loniten renferment du minoxidil. C'est un puissant ingrédient qui fait baisser la pression artérielle. Il relaxe et dilate certains petits vaisseaux sanguins, pour que le sang puisse circuler plus facilement.

Qui doit prendre Loniten? Toute personne ayant une pression artérielle élevée ne doit pas nécessairement prendre Loniten. Il ne faut le prendre que si le médecin trouve que:

1. l'hypertension est sévère;
2. l'hypertension cause, ou risque de causer, des dommages aux principaux organes; et que
3. les autres médicaments ne donnent pas de résultats satisfaisants ou causent des réactions défavorables trop sévères.

Loniten se prend uniquement sur prescription du médecin. Ne donnez surtout pas ces comprimés, ou tout autre médicament qui vous est prescrit, à quelqu'un d'autre.

Grossesse: Le médecin peut parfois prescrire Loniten aux femmes enceintes ou à celles qui comptent le devenir. Toutefois, sa sécurité au cours de la grossesse n'a pas encore été déterminée. Si vous êtes enceinte ou que vous comptez le devenir, ne manquez pas d'en avertir votre médecin.

Comment faut-il prendre les comprimés de Loniten? Le médecin prescrit d'ordinaire deux autres médicaments en plus du Loniten. Ces médicaments ont pour but de faire baisser la pression artérielle et d'empêcher certains effets secondaires du Loniten.

Lorsqu'un médicament comme Loniten baisse la pression artérielle, l'organisme s'efforce de la faire revenir au niveau d'origine, donc au niveau d'hypertension. Il le fait en retenant l'eau et le sel (pour qu'il y ait plus de liquide en circulation) et en accélérant le rythme du cœur.

C'est pourquoi le médecin doit généralement prescrire, en plus du Loniten, un médicament qui élimine l'excès d'eau et de sel et un autre qui ralentit le rythme du cœur.

Suivez les instructions du médecin à la lettre et prenez, chaque jour, les quantités prescrites de chaque médicament. Ces médicaments ont pour but de faire baisser votre pression artérielle et de réduire les réactions défavorables que vous pourriez autrement développer.

Prenez les comprimés de Loniten avec de l'eau ou une autre boisson, soit à l'heure des repas, soit entre les repas. La concentration (2½ mg ou 10 mg) est indiquée sur chaque comprimé de Loniten. Faites bien attention de prendre la bonne concentration, car le médecin peut vous prescrire de prendre un demi-comprimé au lieu d'un comprimé entier; vous pouvez alors couper le comprimé en deux, sur le côté de l'entaille (le comprimé est déjà coupé d'un côté).

Il se peut que vous ayez à voir votre médecin assez souvent, au début de votre traitement au Loniten, pour lui permettre d'ajuster votre posologie. Prenez tous les médicaments qu'il vous prescrit et ne manquez surtout pas des doses. Si vous oubliez de prendre une dose de Loniten, attendez jusqu'à l'heure de la dose suivante et prenez alors votre dose normale pour cette heure. N'arrêtez surtout pas de prendre les comprimés de Loniten, ou n'importe quel autre médicament prescrit par votre médecin, sans d'abord le consulter. Il est très important d'avertir tout autre médecin que vous devez consulter, pour n'importe quelle raison, que vous prenez des médicaments contre l'hypertension.

Effets à surveiller: Vous pouvez, même si vous prenez tous les médicaments comme il faut, développer des effets secondaires. Appelez immédiatement votre médecin si vous constatez un des effets suivants, car il peut devoir ajuster le traitement.

1. Augmentation du rythme cardiaque: Pour connaître votre rythme cardiaque, mesurez le pouls au repos. S'il a augmenté de plus de 20 battements par minute, appelez le médecin. Demandez au médecin combien de fois vous devez mesurer votre pouls.
2. Prise de poids: Pesez-vous tous les jours. Si vous avez pris, rapidement, plus de 5 livres (environ 2 kg ou plus), ou si vous avez le visage boursouflé, les mains, les chevilles ou la région abdominale enflées, cela peut vouloir dire que vous retenez de l'eau, et vous devez en informer le médecin. Un gain de poids de 2 à 3 livres (1 kg à 1,5 kg) se produit souvent au début du traitement, mais disparaît généralement ensuite.
3. Appelez aussi le médecin si vous constatez les effets suivants:
   a) Difficulté à respirer, surtout en position couchée.
   b) Douleur (ou douleur plus sévère) dans la poitrine, dans le bras ou dans l'épaule, ou symptômes d'indigestion sévère.
   c) Vertige, étourdissement, impression de s'évanouir.

Pousse de poils: Trois à six semaines après le début du traitement au Loniten, 8 patients sur 10 ont constaté que sur certaines parties du corps les poils sont devenus plus foncés ou plus longs. Ceci peut d'abord se manifester sur le front et les tempes, entre les sourcils, ou sur le haut des joues. Plus tard, des poils peuvent pousser sur le dos, les bras ou le crâne. Bien que cet effet soit à peine visible chez certains, pour les femmes et les enfants il est souvent gênant; utilisez alors un instrument dépilatoire ou un rasoir. Cet effet n'est pas permanent et disparaît 30 jours à 6 mois après la cessation du traitement au Loniten. N'arrêtez toutefois pas le traitement sans d'abord consulter votre médecin.

Quelques patients se sont plaints d'une éruption cutanée ou d'une hypersensibilité des seins avec Loniten, mais ceci est assez rare.

□ LOSEC® Ⓟ

Astra

Oméprazole magnésien

Inhibiteur de l'H^+, K^+-ATPase

Renseignements destinés aux patients: Prière de lire ce dépliant avec attention. Il contient des renseignements généraux sur Losec qui viennent s'ajouter aux conseils plus spécifiques du médecin ou du pharmacien.

À quoi sert Losec et comment agit-il? Losec est la marque de commerce d'un médicament appelé oméprazole.

Losec est employé le plus souvent pour traiter:

- les ulcères d'estomac ou les ulcères duodénaux, dont les ulcères causés par une infection due à la bactérie Helicobacter pylori;
- les ulcères causés par des médicaments contre la douleur et les problèmes articulaires (ulcères duodénaux et ulcères gastriques associés aux AINS);
- l'œsophagite par reflux (lésions tissulaires causées par la remontée du contenu acide de d'estomac dans le tube digestif);
- et les symptômes du reflux gastro-œsophagien, comme les brûlures d'estomac et la régurgitation.

On peut également utiliser Losec pour des maladies rares comme le syndrome de Zollinger-Ellison, où l'estomac produit de grandes quantités d'acide. Losec agit en réduisant la quantité d'acide sécrété par l'estomac. Cela aide à traiter les problèmes liés à l'acidité gastrique et aux bactéries présentes dans l'estomac.

Votre médecin vous aura expliqué pourquoi vous devez recevoir Losec et vous aura indiqué la dose à prendre. Suivez ses instructions attentivement. Elles pourraient être différentes de celles contenues dans ce dépliant.

Que contiennent les comprimés de Losec? Chaque comprimé de Losec contient de l'oméprazole magnésien comme ingrédient actif, en plus des ingrédients non médicinaux suivants (par ordre alphabétique): cellulose microcristalline, copolymère d'acide méthacrylique, dioxyde de titane, fumarate de stéaryle sodique, glycolate d'amidon sodique, hydroxypropylméthylcellulose, mannitol, oxyde de fer, paraffine, polyéthylèneglycol, talc.

Vérifiez auprès de votre médecin si vous croyez être allergique à l'une de ces substances.

Que dire à mon médecin avant de commencer à prendre Losec? Assurez-vous d'avoir mentionné à votre médecin:

- **tous** les problèmes de santé présents ou passés;
- tous les autres médicaments que vous prenez, y compris les médicaments sans ordonnance;
- si vous êtes allergique aux ingrédients «non médicinaux» contenus dans Losec (voir Que contiennent les comprimés de Losec?);
- si vous êtes enceinte ou avez l'intention de le devenir, ou si vous allaitez.

Comment faut-il prendre Losec? Prenez toutes les doses de Losec selon les directives de votre médecin, même si vous vous sentez bien. Il faut prendre le médicament chaque jour pour aider à guérir les régions endommagées. Dans les cas de maladie aiguë, on recommande une dose de 10 à 40 mg 1 fois/jour, pendant 2 à 8 semaines. Il se peut que votre médecin vous conseille de continuer à prendre de 10 à 40 mg de Losec pour maîtriser les symptômes du reflux ou prévenir les rechutes dans les cas graves d'œsophagite par reflux, ou 20 mg de Losec pour prévenir le retour des ulcères si vous devez poursuivre votre traitement avec des médicaments contre la douleur et les problèmes articulaires.

On peut utiliser Losec en association avec des antibiotiques comme la clarithromycine, l'amoxicilline et/ou le métronidazole pendant 1 semaine pour traiter les ulcères causés par Helicobacter pylori. Si votre ulcère vous incommode, votre médecin pourra recommander de poursuivre le traitement avec Losec pour s'assurer que l'ulcère est bien guéri.

Si vous devez suivre un traitement avec Losec en association avec des antibiotiques, il est important de prendre vos médicaments aux heures prescrites chaque jour et pour toute la durée du traitement afin de permettre aux médicaments d'agir comme il faut. Des études ont montré que le taux de guérison des ulcères et le succès du traitement contre l'infection par H. pylori sont meilleurs chez les patients qui prennent leurs médicaments tels que prescrits.

Continuez de prendre Losec jusqu'à ce que votre médecin vous dise d'arrêter. Même si vous commencez à vous sentir mieux après quelques jours, vos symptômes peuvent revenir si le traitement est arrêté trop tôt. Il faut prendre Losec pour toute la durée du traitement afin d'aider à corriger les problèmes liés à l'acidité.

Si vous oubliez de prendre une dose de Losec et vous vous en rappelez moins de 12 heures après, prenez cette dose le plus tôt possible. Revenez ensuite à l'horaire régulier. Mais s'il s'est écoulé plus de 12 heures, laissez faire la dose manquante et prenez la prochaine dose de Losec à l'heure habituelle.

On peut prendre Losec avec des aliments ou à jeun.

Comment utiliser les plaquettes aide-mémoire de Losec? Losec est présenté dans une boîte qui contient 1 ou 2 plaquettes aide-mémoire de 14 comprimés chacune. Les jours de la semaine sont imprimés sur les plaquettes alvéolées.

En commençant le traitement, prenez dans la première rangée le comprimé qui correspond au jour de la semaine où vous entamez la plaquette. Ensuite, prenez 1 comprimé chacun des jours suivants, jusqu'à ce que la plaquette soit vide.

Pour le traitement d'un ulcère causé par Helicobacter pylori, prenez dans chaque rangée 1 comprimé de 20 mg qui correspond au jour de la semaine où vous entamez la plaquette (p. ex. mardi + mardi, pour un total de 2 comprimés/jour).

Est-ce que Losec a des effets secondaires? Comme tout médicament, Losec peut causer des effets secondaires chez certaines personnes. Ces effets secondaires sont habituellement légers et disparaissent en peu de temps. Toutefois, assurez-vous de mentionner à votre médecin si un des effets secondaires suivants est grave ou s'il vous incommode ▶

Losec (suite)

pendant plus de 1 ou 2 jours: nausées, maux d'estomac, diarrhée, constipation, maux de tête ou éruptions cutanées. Dans votre cas, ils peuvent ne pas être causés par Losec, mais seul un médecin peut évaluer la situation.

D'autres effets indésirables imprévisibles peuvent se produire dans de rares cas. Si vous ressentez des effets incommodants ou inhabituels pendant le traitement avec Losec, parlez-en à votre médecin ou à votre pharmacien.

Que faire en cas de surdosage? En cas de surdosage, on doit communiquer immédiatement avec un médecin ou un pharmacien. Cependant, aucun symptôme grave n'a été observé chez les patients qui ont pris des doses de Losec allant jusqu'à 400 mg.

Comment faut-il garder Losec? Les comprimés doivent demeurer scellés à l'intérieur des plaquettes alvéolées jusqu'à la prise de la dose. Sinon, l'humidité de l'air peut endommager les comprimés.

Assurez-vous de garder Losec hors de la portée des enfants. Conservez les plaquettes à température ambiante (15 à 30 °C). Ne gardez pas Losec dans la salle de bains ou dans tout autre endroit chaud ou humide.

Ne prenez pas de comprimés de Losec après la date d'expiration indiquée sur la boîte.

Remarque importante: Ce dépliant vous indique certaines des situations où vous devez appeler le médecin, mais d'autres situations imprévisibles peuvent survenir. Rien dans ce dépliant ne vous empêche de communiquer avec votre médecin ou votre pharmacien pour leur poser des questions ou leur soumettre vos problèmes ou vos inquiétudes au sujet de Losec.

Pour plus de renseignements sur les maladies reliées à l'acidité, composez le 1 800 461-3787.

☐ LOTENSIN® ℞

Novartis Pharma

Chlorhydrate de bénazépril

Inhibiteur de l'enzyme de conversion de l'angiotensine

Renseignements destinés aux patients: Votre médecin vous a prescrit Lotensin (chlorhydrate de bénazépril) pour traiter votre hypertension artérielle. Voici quelques renseignements utiles sur Lotensin afin de l'utiliser en toute sécurité et d'en retirer le maximum de bienfaits.

Souvent les patients qui souffrent d'hypertension artérielle ne s'en rendent pas compte. De fait, plusieurs se sentent bien. Pourtant, lorsque l'hypertension artérielle n'est pas traitée, il peut survenir de graves problèmes de santé tels une maladie cardiaque, une maladie des vaisseaux sanguins, un accident vasculaire cérébral ou une affection rénale. Certains patients doivent prendre des médicaments pour maîtriser leur hypertension pendant le reste de leur vie. Il est essentiel que vous preniez votre médicament tel que votre médecin vous l'a prescrit et que vous soyez fidèle aux rendez-vous qu'il vous a fixés, même si vous vous sentez bien.

Lotensin appartient à la classe des médicaments connus sous le nom d'inhibiteur de l'enzyme de conversion de l'angiotensine (IECA). Lotensin aide à maîtriser l'hypertension artérielle en empêchant l'organisme de produire une substance (angiotensine) qui cause une hausse de la tension artérielle.

Comment utiliser Lotensin en toute sécurité: Ce que votre médecin doit savoir: Avant de décider de vous prescrire Lotensin, votre médecin doit savoir si vous souffrez de certaines affections. Avant de prendre Lotensin, assurez-vous de dire à votre médecin:
—si vous êtes allergique à certains médicaments
—si vous souffrez d'une maladie rénale
—si vous avez pris d'autres médicaments dans le passé, par exemple des diurétiques (élimination d'eau)
—si vous avez d'autres problèmes de santé.

Si vous êtes enceinte ou si vous allaitez: Vous ne devez pas prendre Lotensin si vous êtes enceinte parce qu'il pourrait causer des lésions au fœtus ou même la mort du fœtus. Si vous devenez enceinte, vous devez avertir votre médecin immédiatement. Vu que Lotensin peut s'infiltrer dans le lait maternel, il n'est pas recommandé de prendre Lotensin si vous allaitez.

Si vous prenez d'autres médicaments en même temps: Informez votre médecin de la nature précise des autres médicaments que vous prenez, surtout ceux qui abaissent la tension artérielle, les médicaments qui servent à éliminer les liquides (diurétiques) ou les suppléments potassiques (p. ex. Slow K).

Succédanés de sel: Vous ne devez pas prendre de succédanés de sel qui contiennent du potassium en même temps que Lotensin. Lisez bien l'étiquette de ces produits pour vérifier s'ils contiennent du potassium.

Effets secondaires possibles: Comme tout autre médicament, Lotensin peut causer certains effets secondaires parallèlement à l'effet recherché bénéfique. La plupart des gens n'éprouvent pas de problème, mais il pourrait survenir certaines réactions qui demandent des soins médicaux.

Au cours des premiers jours de traitement avec Lotensin, il peut arriver que certains patients éprouvent une sensation de tête légère ou des étourdissements. Si cela se produit, vous devez le signaler à votre médecin. Si ces symptômes sont prononcés et causent un évanouissement, cessez de prendre Lotensin et contactez votre médecin. Il se peut que vous ayez des étourdissements ou une sensation de tête légère au cours du traitement avec Lotensin si, par exemple, vous avez perdu beaucoup d'eau à cause d'une transpiration excessive, d'un apport inadéquat de liquide, de vomissements ou d'une diarrhée.

Dans de rares cas, certains patients qui prenaient un inhibiteur de l'enzyme de conversion de l'angiotensine ont éprouvé de l'enflure à la face, aux lèvres, à la langue, aux chevilles, aux poignets, ou de la difficulté à avaler ou à respirer. Si ces symptômes se manifestent, vous devez arrêter de prendre Lotensin et contacter immédiatement votre médecin.

Les réactions suivantes pourraient survenir au début du traitement avec Lotensin: fatigue, somnolence, nervosité, troubles du sommeil, sentiment d'anxiété, maux de tête, dérangement d'estomac, palpitations, bouffées de chaleur et bourdonnements d'oreilles. Ces réactions disparaissent souvent après 1 à 2 semaines de traitement. Toutefois, si ces troubles ou d'autres symptômes apparaissent durant le traitement et persistent, vous devez les signaler à votre médecin.

Veuillez aviser votre médecin de la survenue des troubles suivants:
—signes d'infection (p. ex. mal de gorge, fièvre)
—symptômes de type viral (p. ex. fièvre, malaise, douleurs musculaires, éruption cutanée, enflure de ganglions), douleurs abdominales, nausées, vomissements, perte de l'appétit, jaunisse (jaunissement de la peau et/ou des yeux), démangeaison ou autres symptômes inexpliqués qui se présentent pendant les premières semaines ou mois de traitement
—toux, mal de gorge, sinusite
—humeur dépressive
—douleur à la poitrine.

Il arrive parfois que les médicaments qui traitent l'hypertension artérielle affectent la capacité de concentration. Assurez-vous de connaître votre manière de réagir au Lotensin avant de conduire une automobile, d'utiliser des machines ou d'exécuter des tâches qui demandent de la vigilance.

Comment prendre Lotensin: Toujours suivre les directives de votre médecin et ne jamais changer la dose de Lotensin à moins qu'il ou qu'elle ne vous avise de le faire. Vous pouvez prendre la dose de Lotensin avant, pendant ou après un repas puisque les aliments ne diminuent pas son efficacité.

Lotensin ne guérit pas l'hypertension artérielle, mais il aide à la maîtriser. Vous devez continuer de prendre Lotensin tel que prescrit si vous espérez obtenir et maintenir une baisse de votre tension artérielle. Il importe que votre médecin vérifie périodiquement votre tension artérielle pour constater si le médicament produit les effets désirés.

Pour ne pas oublier de prendre votre médicament, essayez de le prendre à la même heure chaque jour. Si vous oubliez de prendre une dose, tentez de la prendre aussitôt que possible. Cependant, s'il reste moins de 10 heures avant la prochaine prise, sautez la dose oubliée et reprenez l'horaire régulier. Ne pas prendre 2 doses à la fois.

Conservation: Protéger les comprimés de la chaleur (à conserver entre 15 et 30 °C) et de l'humidité.

Souvenez-vous que: Votre médecin vous a prescrit Lotensin après avoir fait une évaluation minutieuse de votre état de santé. Utilisez votre médicament tel que prescrit et ne le donnez jamais à quelqu'un d'autre. Si vous désirez des renseignements supplémentaires, consultez votre médecin ou votre pharmacien. Gardez tout médicament hors de la portée des enfants. Si vous croyez éprouver des effets secondaires, arrêtez de prendre vos comprimés et avisez votre médecin.

☐ LOVENOX® ℞

Rhône-Poulenc Rorer

Énoxaparine sodique

Anticoagulant—Antithrombotique

Renseignements destinés aux patients: Indications et actions: L'emploi de Lovenox est indiqué dans les cas suivants: prévention de la thrombose veineuse profonde (caillot sanguin), qui peut se produire à la suite d'une chirurgie orthopédique, telle qu'une chirurgie de la hanche ou du genou, ou d'une chirurgie intra-abdominale; traitement de la thrombose veineuse profonde compliquée ou non d'embolie pulmonaire; traitement de l'angine instable et de l'infarctus du myocarde sans onde Q, associé à la prise d'acide acétylsalicylique (AAS).

Précautions à prendre avant le début du traitement: Il est important que vous fournissiez à votre médecin des renseignements exacts sur toutes les maladies graves que vous pourriez avoir eues par le passé ou dont vous êtes actuellement atteint, car celles-ci peuvent avoir une influence sur l'action de Lovenox.

Il vous faut donc avertir votre médecin si vous avez eu ou si vous présentez actuellement les affections suivantes:

- accident vasculaire cérébral;
- allergie connue à Lovenox ou à l'un des ingrédients qui entre dans sa composition;
- trouble grave de la coagulation sanguine;
- thrombocytopénie (diminution importante du nombre de plaquettes dans le sang);
- ulcère gastrique ou duodénal;
- hypertension artérielle (haute pression);
- maladie du foie;
- troubles de la rétine provoqués par le diabète ou une hémorragie;
- endocardite bactérienne.

Vous devez également informer immédiatement votre médecin si vous êtes enceinte ou si vous allaitez, de façon qu'il puisse évaluer les risques possibles pour vous et votre nourrisson.

Votre médecin doit également savoir quels médicaments vous prenez régulièrement à l'heure actuelle, p. ex. des médicaments contre l'arthrite, une maladie du cœur, le diabète, etc.

Instructions et techniques d'administration: Lovenox est un médicament d'ordonnance et doit être utilisé de la façon prescrite. Il est administré sous forme d'injection s.c., ce qui signifie que l'injection est faite juste en dessous de la surface de la peau.

Chirurgie de remplacement de la hanche ou du genou: Pendant votre séjour à l'hôpital, votre médecin ou une infirmière vous fera une première injection dans les 24 heures suivant votre opération, de façon à prévenir la formation de caillots sanguins. Ensuite, votre médecin ou une infirmière vous fera 2 injections quotidiennes (toutes les 12 heures) pendant votre hospitalisation.

Chirurgie abdominale et colorectale: Pendant votre séjour à l'hôpital, votre médecin ou une infirmière vous fera une première injection 2 heures avant l'opération. Ensuite, votre médecin ou une infirmière vous fera une injection quotidienne pendant votre hospitalisation.

Traitement de la thrombose veineuse profonde en présence ou en absence d'embolie pulmonaire: Pendant votre séjour à l'hôpital, votre médecin ou une infirmière vous fera une injection 1 ou 2 fois/jour pendant environ 10 jours.

Traitement de l'angine instable et de l'infarctus du myocarde sans onde Q: Pendant votre séjour à l'hôpital, votre médecin ou une infirmière vous fera 2 injections par jour (toutes les 12 heures) et vous fera prendre de l'AAS (de 100 à 325 mg, 1 fois/jour) pendant au moins 2 jours.

Il est possible que, après votre sortie de l'hôpital, vous ayez besoin de continuer les injections de Lovenox pendant quelques jours.

Instructions relatives à l'auto-injection de Lovenox: Votre médecin peut décider que vous devez continuer de recevoir des injections de Lovenox pendant quelques jours après votre sortie de l'hôpital. **Dans ce cas, votre médecin ou une infirmière vous montrera comment vous administrer les injections de Lovenox avant votre départ de l'hôpital. Vous devez suivre leurs instructions à la lettre. Si vous avez des questions, assurez-vous que votre médecin ou l'infirmière vous fournissent les explications dont vous avez besoin.**

De retour chez vous, vous n'avez rien à préparer. La seringue est préremplie avec la quantité exacte de médicament nécessaire. N'appuyez pas sur le piston avant l'injection.

Allongez-vous sur le dos et pincez un pli de la peau de votre flanc droit ou gauche entre le pouce et l'index. Puis introduisez l'aiguille verticalement sur toute sa longueur dans le pli de peau. Appuyez sur le piston, puis retirez l'aiguille. Vous devez alterner vos injections quotidiennes entre les côtés droit et gauche.

Vous devez ensuite vous débarrasser de la seringue et de l'aiguille de façon sécuritaire, afin qu'elles restent hors de la portée des enfants.

N'oubliez pas que Lovenox est un médicament puissant. Il est donc important que vous suiviez soigneusement les instructions de votre médecin. Faites-vous seulement le nombre d'injections prescrites par jour et continuez pendant exactement le nombre de jours précisés. Important: Pendant le traitement à Lovenox, vous ne devez pas prendre d'autres médicaments que ceux que votre médecin vous a prescrits.

Si vous devez consulter un autre médecin ou un dentiste pendant que vous utilisez Lovenox, vous devez les informer que vous prenez ce médicament.

Réactions indésirables: L'administration de Lovenox s'accompagne très rarement de réactions indésirables.

Si vous ressentez l'un des symptômes suivants pendant votre séjour à l'hôpital ou lorsque vous utilisez Lovenox chez vous, il est important que vous en avertissiez immédiatement votre médecin:

- saignement ou suintement de la plaie opératoire;
- toute autre hémorragie, p. ex. saignement au point d'injection, saignements de nez, sang dans les urines, crachement ou vomissement de sang;
- formation spontanée d'ecchymoses (un bleu au moindre choc ou sans cause apparente);
- douleur ou œdème sur une partie quelconque de la jambe, du pied ou de la hanche;
- étourdissements;
- fréquence cardiaque rapide ou inhabituelle;
- douleur thoracique ou essouflement;
- vomissements;
- confusion.

Surdosage et traitement: Un surdosage accidentel peut entraîner des hémorragies qui ne peuvent être traitées à domicile. Donc, si vous pensez que vous avez utilisé trop de Lovenox, appelez immédiatement votre médecin, même si vous n'observez pas encore de symptômes inhabituels. Il pourra alors prendre les dispositions nécessaires pour vous hospitaliser pour observation ou traitement.

☐ LUPRON® ℞
☐ LUPRON DÉPÔT® 3,75 mg/7,5 mg ℞

Abbott

Acétate de leuprolide
Acétate de leuprolide pour suspension à effet prolongé

Analogue de l'hormone de libération de la gonadotrophine dans le traitement de la puberté précoce d'origine centrale de l'enfant

Renseignements destinés aux patients: Qu'est-ce que la puberté précoce? On parle de puberté précoce lorsque des signes de maturité sexuelle apparaissent avant l'âge de 8 ans chez les filles et de 9 ans chez les garçons. Ce phénomène survient chez environ 1 enfant sur 5 000 ou 10 000.

Signes et symptômes:

- Développement mammaire et apparition possible des règles chez les filles.
- Développement du pénis et des testicules chez les garçons.
- Modifications possibles du comportement: agressivité ou sautes d'humeur.
- Développement du poil pubien chez les deux sexes.
- Possibilité de peau huileuse et/ou d'acné.
- Pic de croissance comme celui que l'on observe habituellement chez les adolescents (votre enfant peut être le plus grand de sa classe).

Quelles en sont les causes? Dans la plupart des cas, il n'est pas possible de déterminer une cause particulière au développement précoce de votre enfant. Ce phénomène n'est pas attribuable à ce que nous faisons et n'est pas nécessairement héréditaire. Cependant, il est possible que votre enfant souffre d'un trouble physique, comme une tumeur, qui pourrait être responsable de sa puberté précoce. Cette tumeur nécessiterait un traitement différent. Le médecin lui fera passer des examens en vue d'éliminer certaines causes physiques possibles.

Comment Lupron Dépôt pourra-t-il aider mon enfant? Lupron Dépôt est un produit qui ressemble à une hormone que l'on administre par

Lupron/Lupron Dépôt 3,75 mg/7,5 mg (suite)

injection **une fois par mois** et permet de rétablir l'horloge interne de votre enfant. (Il existe également une autre présentation de ce produit qu'il est possible d'administrer en injections quotidiennes.)

- Votre enfant cessera de produire des taux hormonaux caractéristiques des taux adultes.
- Les modifications pubertaires (poils pubiens, menstruation, développement mammaire) devraient cesser de se développer et peuvent même régresser.
- Le taux de croissance redeviendra plus normal.
- Lorsque votre enfant aura atteint un âge normal pour la puberté, le médecin cessera d'administrer le produit, et sa puberté pourra à nouveau se poursuivre.

Comment administrer Lupron en injection quotidienne (administration s.c.):

1. Votre enfant a besoin d'**une injection par jour**, comme l'a prescrit votre médecin.
2. Il importe que le médecin suive le progrès de votre enfant à l'occasion de visites régulières.
3. Seule une petite quantité de Lupron est nécessaire chaque jour. Utilisez la seringue recommandée, soit une seringue jetable stérilisée de ½ cc (voir le dépliant «Instructions d'utilisation»). Les seringues sont fournies avec le nécessaire d'administration pour le patient.
4. À l'occasion, une réaction cutanée locale peut se produire: démangeaisons, rougeur, sensation de brûlure et/ou enflure au point d'injection. Ces réactions sont habituellement bénignes et disparaissent en quelques jours. Si elles persistent ou s'aggravent, informez-en votre médecin.
5. Changez de point d'injection comme vous l'a recommandé votre médecin.

   Les points d'injection habituels sont indiqués dans le prospectus d'emballage.
6. Conservez les flacons et les nécessaires de Lupron au réfrigérateur (de 2 à 8 °C) et à l'abri de la lumière (laissez le produit dans son emballage jusqu'à l'emploi).

   Comme pour tout autre médicament, **gardez Lupron hors de la portée des enfants.**

Utilisation de Lupron Dépôt (administration intramusculaire):

1. Votre enfant n'a besoin que d'**une injection par mois**, comme l'a prescrit votre médecin.
2. Il importe que le médecin suive le progrès de votre enfant à l'occasion de visites régulières.
3. À l'occasion, une réaction cutanée locale peut se produire: démangeaisons, rougeur, sensation de brûlure et/ou enflure au point d'injection. Ces réactions sont habituellement bénignes et disparaissent en quelques jours. Si elles persistent ou s'aggravent, informez-en votre médecin.

La régularité des injections est importante: Il est très important que le produit soit administré aux 4 semaines pour que le traitement réussisse. Pour obtenir les meilleurs résultats, votre enfant doit constamment avoir la bonne quantité de Lupron Dépôt dans son sang. Si vous oubliez une injection ou si vous êtes en retard d'une semaine, le développement pubertaire pourrait recommencer.

Observance de la posologie: Allez à tous les rendez-vous chez votre médecin: c'est un aspect essentiel de la réussite du traitement. Une posologie irrégulière pourrait permettre au processus de maturation de recommencer.

Quand devez-vous communiquer avec votre médecin? Les points suivants ne constituent pas nécessairement des problèmes, mais votre médecin devra en être averti, s'ils surviennent. Communiquez avec votre médecin:

- s'il se produit une rougeur ou une enflure au point d'injection;
- si les modifications de type pubertaire se poursuivent;
- si votre fille a ses règles, surtout après les premiers mois de traitement par Lupron;
- si vous avez des problèmes à respecter le schéma posologique mensuel;
- si votre enfant doit prendre d'autres médicaments, y compris des médicaments en vente libre (pour le rhume, la nausée, etc.);
- s'il se produit quoi que ce soit qui vous inquiète.

À signaler à votre prochain rendez-vous: Signalez à votre médecin les sautes d'humeur prononcées de votre enfant (notez la date de survenue) et tout changement de comportement (agressivité chez les garçons; labilité émotionnelle chez les filles).

□ LUPRON® Ⓟ
□ LUPRON DÉPÔT® 7,5 mg/22,5 mg Ⓟ

Abbott

Acétate de leuprolide

Acétate de leuprolide pour suspension à effet prolongé

Analogue de l'hormone de libération de la gonadotrophine

Renseignements destinés aux patients: Ne s'applique qu'à l'administration sous-cutanée quotidienne de Lupron: Lupron est un médicament qui renferme 5 mg d'acétate de leuprolide par millilitre.

Votre médecin est la personne la plus apte à décider si un symptôme ou une modification de votre état pose un risque ou non. Suivez fidèlement les directives de votre médecin et communiquez toujours avec lui si vous éprouvez des difficultés.

Mode d'utilisation de Lupron:

1. Vous devez vous donner une injection par jour, comme vous l'a prescrit votre médecin.
2. Il importe que le médecin suive le progrès de votre état à l'occasion de visites régulières.
3. Seule une petite quantité de Lupron est nécessaire chaque jour. Utilisez la seringue recommandée, soit une seringue jetable stérilisée de ½ cc (voir le dépliant «Instructions d'utilisation»). Les seringues sont fournies avec le nécessaire d'administration pour le patient.
4. À l'occasion, une réaction cutanée locale peut se produire: démangeaisons, rougeur, sensation de brûlure et/ou enflure au point d'injection. Ces réactions sont habituellement bénignes et disparaissent en quelques jours. Si elles persistent ou s'aggravent, informez-en votre médecin.
5. Vous pouvez avoir des bouffées de chaleur au cours d'un traitement par Lupron. Si elles persistent et vous incommodent, consultez votre médecin.
6. Appelez votre médecin sur-le-champ si vous présentez les symptômes suivants: douleur osseuse intense, bouffées de chaleur importantes, transpiration abondante, vive douleur à la poitrine ou à l'abdomen, enflure ou engourdissement anormaux des membres, nausées ou vomissements persistants, accélération des battements cardiaques, nervosité ou difficulté persistante à uriner.
7. Changez de point d'injection comme vous l'a recommandé votre médecin. Voici, à titre indicatif, les points d'injection habituels: Voir le prospectus d'emballage.
8. Conservez les flacons ou les nécessaires Lupron au réfrigérateur (de 2 à 8 °C) et à l'abri de la lumière (laissez le produit dans son emballage jusqu'à l'emploi).

   Comme pour tout autre médicament, **gardez Lupron hors de la portée des enfants.**

Rappelez-vous:

1. Consultez votre médecin ou votre pharmacien avant de prendre tout autre médicament, même un médicament délivré sans ordonnance (contre le rhume ou les nausées, etc.).
2. Si vous oubliez de faire votre injection de Lupron à l'heure habituelle, faites-la dès que vous y pensez.
3. N'arrêtez pas vos injections quotidiennes parce que vous vous sentez mieux. L'action bienfaisante de Lupron ne sera assurée qu'à raison d'une injection par jour.
4. Si vous souhaitez obtenir plus de renseignements, consultez votre médecin.

Ne s'applique qu'à l'administration i.m. mensuelle de Lupron Dépôt: Lupron Dépôt à 7,5 mg (libération prolongée sur 1 mois) renferme 7,5 mg d'acétate de leuprolide sous forme de microsphères à libération progressive. Il doit être reconstitué à l'aide d'un solvant spécial avant d'être **administré par voie i.m. une fois par mois.**

Lupron Dépôt à 22,5 mg (libération prolongée sur 3 mois) renferme 22,5 mg d'acétate de leuprolide sous forme de microsphères à libération progressive. Il doit être reconstitué à l'aide du solvant approprié avant d'être **administré par voie i.m. une fois tous les 3 mois.**

Votre médecin est la personne la plus apte à décider si un symptôme ou une modification de votre état pose un risque ou non. Suivez fidèlement les directives de votre médecin et communiquez toujours avec lui si vous éprouvez des difficultés.

Mode d'utilisation de Lupron Dépôt:

1. Lupon Dépôt à 7,5 mg (libération prolongée sur 1 mois) est administré **une fois par mois**, tandis que Lupron Dépôt à 22,5 mg (libération prolongée sur 3 mois) est administré **une fois tous les 3 mois.** Suivez les recommandations de votre médecin.
2. Il importe que le médecin suive le progrès de votre état à l'occasion de visites régulières.
3. À l'occasion, une réaction cutanée locale peut se produire: démangeaisons, rougeur, sensation de brûlure et/ou enflure au point d'injection. Ces réactions sont habituellement bénignes et disparaissent en quelques jours. Si elles persistent ou s'aggravent, informez-en votre médecin.
4. Vous pouvez avoir des bouffées de chaleur au cours d'un traitement par Lupron Dépôt. Si elles persistent et vous incommodent, consultez votre médecin.
5. Appelez votre médecin sur-le-champ si vous présentez les symptômes suivants: douleur osseuse intense, bouffées de chaleur importantes, transpiration abondante, vive douleur à la poitrine ou à l'abdomen, enflure ou engourdissement anormaux des membres, nausées ou vomissements persistants, accélération des battements cardiaques, nervosité ou difficulté persistante à uriner.

Rappelez-vous:

1. Consultez votre médecin ou votre pharmacien avant de prendre tout autre médicament, même un médicament délivré sans ordonnance (contre le rhume ou les nausées, etc.).
2. Si vous recevez Lupron Dépôt à 7,5 mg (libération prolongée sur 1 mois), voyez votre médecin **une fois par mois** pour recevoir votre injection. Si vous recevez Lupron Dépôt à 22,5 mg (libération prolongée sur 3 mois), voyez votre médecin **une fois tous les 3 mois** pour recevoir votre injection.
3. N'arrêtez pas vos injections parce que vous vous sentez mieux. L'action bienfaisante du médicament ne sera assurée qu'à raison **d'une injection par mois** si vous recevez Lupon Dépôt à 7,5 mg (libération prolongée sur 1 mois) ou d'**une injection tous les 3 mois** si vous recevez Lupron Dépôt à 22,5 mg (libération prolongée sur 3 mois).
4. Si vous souhaitez obtenir plus de renseignements, consultez votre médecin.

☐ LUPRON® DÉPÔT® 3,75 mg

Abbott

Acétate de leuprolide pour suspension à effet prolongé

Analogue de l'hormone de libération de la gonadotrophine

Renseignements destinés aux patients: Lupron Dépôt (acétate de leuprolide pour suspension à effet prolongé) renferme 3,75 mg d'acétate de leuprolide sous forme de microsphères à libération progressive; le produit doit être reconstitué à l'aide d'un solvant spécial avant d'être administré par **injection i.m. une fois par mois.**

Mode d'utilisation de Lupron Dépôt:

1. Pendant une période de 6 mois, vous devez recevoir **une seule injection par mois** de Lupron Dépôt à 3,75 mg (SR sur 1 mois), comme l'a prescrit votre médecin.
2. Il est très important que le médecin suive le progrès de votre état à l'occasion de visites régulières.
3. À l'occasion, une réaction cutanée locale peut se produire: démangeaisons, rougeur, sensation de brûlure et enflure au point d'injection. Ces réactions sont habituellement bénignes et disparaissent en quelques jours. Si elles persistent ou s'aggravent, informez-en votre médecin.
4. Vous pouvez avoir des bouffées de chaleur au cours d'un traitement par Lupron Dépôt. Si elles persistent et vous incommodent, consultez votre médecin.
5. Appelez votre médecin sur-le-champ si vous présentez les symptômes suivants: douleur osseuse intense, bouffées de chaleur importantes, transpiration abondante, vive douleur à la poitrine ou à l'abdomen, enflure ou engourdissement anormaux des membres, nausées ou vomissements persistants, accélération des battements cardiaques ou nervosité.
6. Appelez votre médecin sur-le-champ si vous croyez être enceinte.

Rappelez-vous:

1. Consultez votre médecin ou votre pharmacien avant de prendre tout autre médicament, même un médicament délivré sans ordonnance (contre le rhume ou les nausées, etc.).
2. Voyez votre médecin **une fois par mois** pour recevoir votre injection de Lupron Dépôt à 3,75 mg (SR sur 1 mois).
3. N'arrêtez pas vos injections parce que vous vous sentez mieux. L'action bienfaisante de Lupron Dépôt à 3,75 mg (SR sur 1 mois) ne sera assurée qu'à raison **d'une injection par mois.**
4. Si vous souhaitez obtenir plus de renseignements, consultez votre médecin.

☐ LUVOX®

Solvay Pharma

Maléate de fluvoxamine

Antidépresseur—Agent antiobsessionnel

Renseignements destinés aux patients: Votre médecin a choisi de vous prescrire Luvox (maléate de fluvoxamine) après avoir déterminé que c'est le médicament qui convient le mieux pour votre traitement. Ce résumé vous fournira les renseignements essentiels concernant l'usage de Luvox, mais il n'est destiné qu'à compléter les conseils de votre médecin. Assurez-vous de bien suivre les conseils de votre médecin, car il ou elle est la personne qui comprend le mieux votre état médical.

Qu'est-ce que Luvox? Luvox est un médicament d'ordonnance qui renferme du maléate de fluvoxamine comme ingrédient actif. Luvox est destiné à soulager les symptômes de la dépression ou à diminuer les symptômes associés au trouble obsessionnel compulsif (TOC).

Comment agit-il? Luvox semble agir en augmentant la quantité disponible de sérotonine, l'un des médiateurs chimiques du cerveau. La dépression et le TOC ont été associés à une diminution du flux de sérotonine entre certaines cellules du cerveau.

Données importantes que vous devez communiquer à votre médecin avant de prendre Luvox:

- tous vos antécédents médicaux, y compris vos antécédents de maladies convulsives, hépatiques et cardiaques;
- vos habitudes concernant la consommation d'alcool;
- le fait d'être enceinte ou de planifier une grossesse ainsi que celui de nourrir votre enfant au sein;
- tous les médicaments que vous prenez (sur ordonnance ou en vente libre), particulièrement les inhibiteurs de la monoamine oxydase (IMAO), les autres types d'antidépresseurs, les neuroleptiques, la warfarine, le propranolol, la phénytoïne, la théophylline, le lithium et le tryptophane.

Quand ne pas prendre Luvox:

- Arrêtez de prendre le médicament ou appelez sans tarder votre médecin si vous manifestez une réaction allergique ou un effet secondaire inhabituel ou grave.

Comment prendre Luvox:

- Il est très important que vous preniez Luvox en suivant scrupuleusement les instructions de votre médecin. Luvox doit être pris au coucher. Avaler le ou les comprimés entiers avec de l'eau et sans le ou les croquer.
- L'établissement de la posologie efficace varie d'une personne à l'autre. C'est pour cette raison que votre médecin peut choisir d'augmenter graduellement la dose durant votre traitement.
- Vous ne devez jamais augmenter la dose de Luvox sans recommandation expresse de votre médecin.
- Vous ne devez jamais doubler une dose subséquente pour compenser une dose omise.

À quoi devez-vous vous attendre avec Luvox:

- Comme avec tous les autres antidépresseurs, l'amélioration que vous obtiendrez avec Luvox est graduelle.
- Vous pourrez ressentir certains effets secondaires comme des nausées (parfois accompagnées de vomissements), de la constipation, de la diarrhée, une perte de l'appétit, des dérangements d'estomac, de la somnolence, de l'insomnie, la sécheresse de la bouche, des tremblements, des étourdissements ou des maux de tête. Certains de ces effets secondaires peuvent être passagers. Consultez votre médecin si ces effets secondaires ou d'autres se manifestent, car une adaptation de la posologie pourrait s'avérer nécessaire.
- Évitez de vous engager dans des activités qui pourraient être risquées, p. ex., conduire une automobile ou faire fonctionner des machines

Luvox (suite)

dangereuses, jusqu'au moment où vous avez déterminé avec certitude que ce médicament n'affecte pas votre vigilance ou votre coordination physique.

Que faire en cas de surdosage: Contactez votre médecin ou rendez-vous au service d'urgence du centre hospitalier le plus proche, même si vous ne vous sentez pas malade.

Que renferment les comprimés de Luvox? Le comprimé à 50 mg renferme 50 mg de maléate de fluvoxamine ainsi que les ingrédients non médicinaux suivants: silice anhydre colloïdale, amidon de maïs, mannitol, méthylhydroxypropylcellulose, polyéthylèneglycol 6000, amidon prégélatinisé, stéarylfumarate de sodium, talc et dioxyde de titane.

Le comprimé à 100 mg renferme 100 mg de maléate de fluvoxamine ainsi que les ingrédients non médicinaux suivants: silice anhydre colloïdale, amidon de maïs, mannitol, méthylhydroxypropylcellulose, polyéthylèneglycol 6000, amidon prégélatinisé, stéarylfumarate de sodium, talc et dioxyde de titane.

Quel est l'aspect des comprimés de Luvox? Le comprimé à 50 mg est rond, blanc, biconvexe, rainuré au centre, marqué «291» deux fois sur un côté et portant un «S» stylisé sur l'autre. Le comprimé à 100 mg est ovale, blanc, biconvexe, rainuré au centre, marqué «313» deux fois sur un côté et portant un «S» stylisé sur l'autre.

Comment conserver Luvox? Conservez Luvox dans un contenant hermétique, dans un endroit sec à des températures se situant entre 0 °C (point de congélation) et 30 °C. **Gardez Luvox hors de la portée des enfants.**

Attention: Ce médicament vous a été prescrit pour votre usage personnel. N'en donnez pas à quelqu'un d'autre. Pour tout renseignement supplémentaire, veuillez vous adresser à votre médecin ou à votre pharmacien.

Conserver ce dépliant dans un endroit pratique pour référence ultérieure.

☐ MACROBID® ℞

Procter & Gamble, Compagnie pharmaceutique

Macrocristaux de nitrofurantoïne—Monohydrate de nitrofurantoïne

Antibactérien des voies urinaires

Renseignements destinés aux patients:

1. Prendre MacroBID avec des aliments (de préférence au petit déjeuner et au dîner) pour améliorer la tolérance et stimuler l'absorption du médicament.
2. Suivre intégralement le traitement, et consulter le médecin traitant si des symptômes insolites se manifestent durant ledit traitement.
3. Ne pas utiliser de préparations antiacides contenant du trisilicate de magnesium durant l'administation de MacroBID.
4. Avec certains comprimés pour test d'hyperglycémie, des résultats faussement positifs peuvent être constatés durant l'administration de MacroBID.

☐ MANERIX® ℞

Roche

Moclobémide

Antidépresseur

Renseignements destinés aux patients: Manerix (moclobémide) est un médicament utilisé pour le traitement des symptômes de la dépression. La dépression ne consiste pas à simplement se sentir triste pendant un jour ou deux. En cas de dépression majeure, on se sent déprimé presque tous les jours, on ne s'intéresse plus aux activités ou on ne prend plus plaisir à y participer. Les symptômes comprennent les troubles du sommeil, les troubles alimentaires, un faible pulsion sexuelle, des difficultés de concentration, une faible estime de soi et un sentiment de perte d'espoir. La bonne nouvelle est qu'il s'agit d'une maladie qu'on peut traiter. Grâce au traitement, la plupart des gens se rétablissent complètement et reprennent leurs activités et leur mode de vie normal.

L'emploi de médicaments appelés antidépresseurs est une des méthodes de traitement de la dépression. Un groupe de ces antidépresseurs s'appelle RIMA (réversibilité de l'inhibition de la monoamine-oxydase A). Manerix appartient au groupe RIMA des antidépresseurs qui agissent en modifiant les concentrations des produits chimiques dans le cerveau. Ils ne sont ni des stimulants ni des tranquillisants. **Ces médicaments ne deviennent vraiment efficaces qu'après quelques jours à plusieurs semaines. Il faut donc patienter pour leur laisser le temps d'agir.** Bien qu'il leur faut quelque temps pour prendre effet, la probabilité de succès est forte. **Il est très important de ne pas abandonner, interrompre ou modifier le traitement de quelque façon que ce soit sans consulter** le médecin. Il appartient au médecin de changer de médicament ou de modifier la dose.

N'oubliez pas les instructions suivantes relatives à la dépression:

- Suivez les instructions du traitement, particulièrement les doses et la durée de la prise du médicament.
- Informez le médecin si vous sentez que votre état s'est aggravé après avoir commencé le traitement.
- Tenez compte des premiers symptômes, surtout si vous avez déjà eu un épisode dépressif. Plus la dépression est traitée à ses débuts, meilleurs seront les résultats du traitement.
- Ne vous rabattez pas sur l'alcool ou les médicaments en vente libre pour essayer de faire face aux symptômes de la dépression. L'alcool peut aggraver la dépression.
- N'arrêtez pas de prendre Manerix aussitôt que vous vous sentez mieux. Informez-vous sur la durée du traitement médicamenteux, surtout si vous avez eu plus qu'un épisode dépressif.

Avant de commencer à prendre le médicament: Informez votre médecin tout de suite si vous êtes enceinte, si votre tension artérielle est élevée, si vous avez des problèmes au foie ou si vous prenez d'autres médicaments (en particulier la cimétidine, la mépéridine, la clomipramine ou les anesthésiques). Vous devez toujours consulter votre médecin ou votre pharmacien avant de prendre d'autres médicaments quand vous êtes sous Manerix.

Pendant que vous prenez ce médicament vous devez informer votre médecin ou votre pharmacien:

- si vous découvrez que vous êtes enceinte
- si vous décidez d'allaiter
- si les symptômes dépressifs recommencent ou si votre humeur ou votre comportement change

Communiquez immédiatement avec votre médecin ou votre pharmacien si au moins un des symptômes suivants survient:

- mal de tête pulsatile intense qui commence à l'arrière de la tête et se propage vers l'avant
- raideur de la nuque
- palpitations cardiaques, battement rapide ou lent du cœur.

Effets secondaires: Manerix est bien toléré en général. Toutefois, comme c'est le cas avec tous les médicaments, certaines personnes peuvent manifester des effets secondaires indésirables. Dans de nombreux cas, ces derniers s'atténuent au fur et à mesure que le traitement progresse. Quelquefois, votre médecin pourrait réduire la posologie. Les effets secondaires peuvent parfois survenir avant que vous ne constatiez des améliorations. Bien que les effets secondaires soient incommodants, il est important que vous n'arrêtiez pas de prendre le médicament avant de consulter votre médecin.

Quelques-uns des effets secondaires les plus gênants qui peuvent survenir sont: l'insomnie, les étourdissements, les nausées et le mal de tête. Vous devez parler à votre médecin ou à votre pharmacien si ces effets secondaires ou d'autres effets secondaires inhabituels deviennent désagréables ou s'ils ne disparaissent pas. Prenez votre médicament immédiatement après les repas pour minimiser le risque d'effets secondaires.

À ne pas oublier:

1. Aucune restriction alimentaire spéciale n'est requise. Exemples de quantités d'aliments qui peuvent être pris en sécurité: jusqu'à 7,5 fois la portion normale de fromage vieilli ou trop fait; jusqu'à 1 (2,2 lb) à 2 kg (4,4 lb) de fromage doux; jusqu'à 200 g (7 on) de fromage fort; jusqu'à 70 g (2,5 on) d'extrait de levure de type «Marmite».
2. Prenez le médicament immédiatement après les repas.
3. Consultez votre médecin ou votre pharmacien avant de prendre tout autre médicament, y compris les médicaments en vente libre.
4. Gardez le médicament dans un endroit propre et sec, à la température ambiante. Gardez tous les médicaments hors de la portée des enfants.
5. Informez tous les professionnels de la santé qui vous fournissent des soins que vous prenez ce type de médicament.

6. Évitez de consommer trop d'alcool.

N'hésitez pas à communiquer avec votre médecin ou votre pharmacien si vous avez des questions. Cette brochure ne contient pas tous les renseignements sur Manerix.

□ MAVIK[MC] Ⓟ

Knoll

Trandolapril

Inhibiteur de l'enzyme de conversion de l'angiotensine

Renseignements destinés aux patients: À l'intention des patients prenant Mavik pour le traitement de l'hypertension: Qu'est-ce que l'hypertension? L'hypertension est le terme médical utilisé pour désigner une tension artérielle élevée. Quand le sang circule dans les vaisseaux sanguins, il exerce une pression sur les parois des vaisseaux, comme l'eau exerce une pression sur les parois d'un tuyau d'arrosage. La tension artérielle correspond à cette pression. Lorsque la tension artérielle est élevée (comme la pression de l'eau dans un tuyau d'arrosage dont l'embout est partiellement fermé), des lésions peuvent se développer au niveau du cœur et des vaisseaux sanguins.

Et même si vous ne ressentez aucun symptôme pendant des années, l'hypertension peut entraîner un accident cérébrovasculaire, une crise cardiaque, une maladie rénale et d'autres problèmes graves.

Quelles sont les causes de l'hypertension? Dans la plupart des cas, on ignore la cause exacte de l'hypertension. On sait toutefois que plusieurs facteurs augmentent le risque de développer une hypertension.

Antécédents familiaux: Comme d'autres maladies, l'hypertension peut être héréditaire. Si vos parents ont une tension artérielle élevée, vous présentez plus de risques de développer également le problème.

Âge: Le risque de développer une hypertension augmente avec l'âge.

Race: En Amérique du Nord, l'incidence d'hypertension est plus élevée chez les personnes de race noire que chez celles de race blanche.

Diabète: Le risque de développer une hypertension est plus élevé chez les diabétiques que chez les non-diabétiques.

Poids: Les personnes obèses présentent un risque plus élevé de développer une tension artérielle élevée.

Alcool: Une forte consommation d'alcool augmente le risque d'hypertension, ainsi que d'accident cérébrovasculaire et de maladie rénale.

Sédentarité: L'absence d'activité physique peut contribuer à l'hypertension.

Tabagisme: Bien que le tabac ne soit pas une cause directe d'hypertension, le fait de fumer une cigarette augmente de façon temporaire la tension artérielle. Le tabagisme augmente aussi le risque de maladie cardiaque chez les personnes présentant une tension artérielle élevée.

Pour contrôler votre tension artérielle: Votre médecin vous a prescrit Mavik (trandolapril), un médicament qui aide à maîtriser la tension artérielle. Mavik dilate les vaisseaux sanguins pour réduire la tension artérielle, tout comme l'ouverture de l'embout du tuyau d'arrosage diminuerait la pression de l'eau dans le tuyau. Il ne permet toutefois pas un traitement définitif de la maladie.

Mais il faut plus qu'un médicament pour réduire la tension artérielle. Discutez avec votre médecin des facteurs de risque de l'hypertension dans le contexte de votre mode de vie. Vous devrez peut-être modifier certaines de vos habitudes pour garder votre tension artérielle basse.

Quand prendre votre médicament: Vous pouvez prendre votre médicament avec un repas ou, si vous préférez, à jeun. Il est important de le prendre chaque jour à la même heure, tel que prescrit par votre médecin. La plupart des gens présentant une tension artérielle élevée ne doivent prendre qu'une seule capsule de Mavik par jour.

N'oubliez pas que l'hypertension est une maladie à long terme sans symptôme à court terme. Ce n'est pas parce que vous vous sentez bien que vous pouvez arrêter de prendre votre médicament. Si vous arrêtez de le prendre, vous risquez de développer des complications graves de la maladie. Vous devez donc continuer à prendre votre médicament de façon régulière, comme prescrit par votre médecin.

Vous avez oublié une dose? Si vous oubliez de prendre votre capsule Mavik, attendez simplement le moment prévu pour la dose suivante. Ne prenez pas 2 doses à la fois.

Votre mode de vie: L'aspect hygiéno-diététique de votre traitement est aussi important que votre médicament. En coopérant avec votre médecin, vous pouvez aider à réduire votre risque de développer des complications de l'hypertension tout en maintenant le mode de vie auquel vous êtes habitué(e).

Vous et votre médecin déterminerez ensemble dans quelle mesure chacun des facteurs suivants vous concerne:

Alcool: Évitez les boissons alcoolisées jusqu'à ce que vous en ayez discuté avec votre médecin. La consommation d'alcool peut influencer la tension artérielle et/ou augmenter le risque d'étourdissements ou de perte de connaissance.

Régime alimentaire: De façon générale, évitez les aliments gras et ceux à teneur élevée en sel ou en cholestérol.

Exercice physique: Faites de l'exercice de façon régulière. Cela vous aidera à contrôler votre poids et à vous sentir plus énergique. C'est également une bonne façon de gérer le stress. Si vous ne faites pas de l'exercice de façon régulière, assurez-vous de discuter d'un programme d'exercices avec votre médecin.

Tabagisme: Évitez complètement le tabac.

Effets secondaires: En plus de ses effets bénéfiques, tout médicament, y compris Mavik, peut entraîner des effets secondaires. Ceux-ci incluent les maux de tête, les étourdissements, la sensation de fatigue, les nausées et la toux. Quand vous prenez votre première dose de Mavik, votre tension artérielle peut devenir trop basse et vous pouvez éprouver une sensation de tête légère. Il est fort probable que certains de ces effets secondaires disparaîtront une fois que votre système s'est habitué au médicament. S'ils persistent, parlez-en à votre médecin qui pourra réduire la posologie du médicament ou en prescrire un autre.

Si vous développez une transpiration profuse, des vomissements ou de la diarrhée, votre tension artérielle peut être trop basse. Consultez votre médecin.

L'œdème de Quincke est un effet secondaire rare, mais pouvant être grave. Il est caractérisé par le gonflement de la bouche, des lèvres, de la langue, des yeux, de la gorge ou par des difficultés à avaler ou à respirer. **Si vous notez de l'enflure ou ressentez des douleurs dans ces endroits, arrêtez de prendre Mavik et informez-en votre médecin immédiatement. Vous devriez également informer votre médecin si vous développez une fièvre, une éruption cutanée ou des démangeaisons inexpliquées.**

Tenez votre médecin bien au courant! Avant de prendre Mavik, il est important que vous informiez votre médecin sur les points suivants:

- Prenez-vous présentement d'autres médicaments? Cela est particulièrement important si vous prenez des diurétiques (pilules pour éliminer l'eau de votre organisme) qui peuvent renforcer l'effet antihypertensif de Mavik. Vous ne devriez pas prendre de succédanés de sel sans avoir d'abord consulté votre médecin.
- Souffrez-vous d'autres maladies que l'hypertension? La présence d'autres problèmes médicaux peut influencer l'utilisation de Mavik. Ne manquez pas de mentionner à votre médecin si vous avez d'autres problèmes médicaux, spécialement si vous souffrez de diabète, de maladie du foie, de maladie du rein, de maladie du cœur ou de maladie vasculaire.
- **Êtes-vous enceinte, allaitez-vous votre enfant ou envisagez-vous de devenir enceinte? Si vous devenez enceinte pendant que vous prenez Mavik, arrêtez de prendre le médicament et consultez votre médecin.** L'utilisation de Mavik pendant la grossesse peut avoir des effets nocifs sur le fœtus ou même entraîner sa mort. On ignore si Mavik passe dans le lait maternel. Vous ne devriez pas allaiter votre enfant si vous prenez Mavik.
- Est-il possible que vous soyez allergique à Mavik, y compris à l'un ou l'autre de ses ingrédients non médicinaux (amidon de maïs, lactose, povidone, gélatine, fumarate de stéaryle sodique ou dioxyde de titane)?

Une fois que vous avez commencé à prendre Mavik, il est important d'aviser immédiatement votre médecin de l'apparition de tout symptôme inexpliqué, comme fièvre, éruption cutanée, démangeaisons, tout signe d'infection, symptômes de type viral ou de type grippal, toux, mal de gorge, douleur abdominale, perte d'appétit, humeur triste ou jaunisse.

Si vous êtes traité(e) pour d'autres maladies par d'autres médecins, avisez-les tous des médicaments que vous prenez. Certains médicaments peuvent réduire l'efficacité de Mavik. Pareillement, Mavik peut réduire l'efficacité d'autres médicaments. Si vous devez subir une intervention dentaire ou chirurgicale, informez votre dentiste ou le médecin responsable de votre intervention que vous prenez ce médicament.

N'oubliez pas! Respectez les directives de votre médecin et faites-lui part de toutes vos inquiétudes. Utilisez le médicament comme prescrit ▶

Mavik (suite)

par votre médecin. Si vous développez des effets secondaires, avisez-le.

Conservez ce médicament hors de la portée des enfants.

Conditions d'entreposage: Conservez Mavik dans son contenant d'origine à la température ambiante, à moins de 25 °C et n'utilisez pas le médicament au-delà de la date de péremption indiquée sur le contenant.

□ M-ESLON® Ⓝ

Rhône-Poulenc Rorer

Sulfate de morphine

Analgésique opioïde

Renseignements destinés aux patients: Qu'est-ce que la morphine? La morphine soulage la douleur et devrait vous aider à mener une vie plus confortable et plus indépendante. Elle est efficace et sûre lorsqu'elle est utilisée conformément aux instructions de votre médecin.

Votre douleur peut augmenter ou diminuer de temps à autre, et votre médecin peut avoir besoin de changer la quantité de morphine que vous prenez (posologie quotidienne).

Qu'est-ce que M-Eslon? M-Eslon est une capsule fabriquée de façon à libérer lentement la morphine qu'elle contient pendant une période de 12 heures; vous n'avez généralement besoin que d'une dose toutes les 12 heures pour maîtriser votre douleur. Cependant, dans les cas où cela est plus pratique, votre médecin peut vous demander de prendre votre médicament toutes les 8 heures.

M-Eslon est vendu en capsules de 6 concentrations différentes: 10 mg (capsule n° 4, portant le logo , «M-ESLON» et «10» imprimés en noir, corps et coiffe blancs opaques); 15 mg (capsule n° 4, portant le logo , «M-ESLON» et «15» imprimés en noir, coiffe jaune opaque, corps transparent naturel); 30 mg (capsule n° 4, portant le logo , «M-ESLON» et «30» imprimés en noir, coiffe rose opaque, corps transparent naturel); 60 mg (capsule n° 3, portant le logo , «M-ESLON» et «60» imprimés en noir, coiffe orange opaque et corps transparent naturel); 100 mg (capsule n° 2, portant le logo , «M-ESLON» et «100» imprimés en noir, coiffe blanche opaque et corps transparent naturel) ou 200 mg (capsule n° 0, portant le logo , «M-ESLON» et «200» imprimés en noir, corps et coiffe transparents naturels). Il peut être nécessaire que vous preniez des capsules de concentrations différentes en même temps afin de recevoir la dose quotidienne totale prescrite par votre médecin.

M-Eslon est vendu en cartons contenant des plaquettes alvéolées de 20 capsules ou en flacons de polypropylène blanc opaque contenant 50 capsules, munis de bouchons de polyéthylène avec bandes d'inviolabilité.

Les capsules de 10, de 15, de 30, de 60, de 100 et de 200 mg de M-Eslon peuvent être avalées entières ou être ouvertes, et leur contenu peut être saupoudré sur vos aliments.

Comment prendre votre médicament: M-Eslon doit être pris régulièrement toutes les 12 heures (avec 120 à 180 mL d'eau) pour prévenir la douleur jour et nuit. Si votre douleur empire, vous rendant la vie désagréable, communiquez immédiatement avec votre médecin qui pourra décider qu'il est peut-être nécessaire d'ajuster votre posologie quotidienne de M-Eslon.

Votre posologie initiale de M-Eslon figurera clairement sur l'étiquette de votre flacon de médicament. Suivez les instructions de l'étiquette à la lettre; c'est très important. Si votre posologie est modifiée, assurez-vous de l'écrire au moment où votre médecin vous appelle ou vous voit, et suivez ces nouvelles instructions à la lettre.

Constipation: La morphine provoque la constipation. Comme c'est un effet prévisible, votre médecin peut vous prescrire un laxatif émollient qui contribuera au soulagement de votre constipation pendant que vous prenez M-Eslon. Parlez à votre médecin de ce problème s'il se présente.

Médicaments concomitants: Si vous prenez tout autre médicament, y compris des antihistaminiques ou des produits favorisant le sommeil en vente libre, vous devez en avertir votre médecin étant donné que ces produits pourraient modifier la façon dont vous répondez à la morphine.

Conduite: Il ne faut pas essayer de conduire ou d'effectuer d'autres tâches demandant toute votre attention au cours des premiers jours pendant lesquels vous prendrez M-Eslon puisque vous pouvez présenter une somnolence ou une sédation.

Nouvelle commande de M-Eslon: Il vous faut une nouvelle ordonnance écrite de votre médecin chaque fois que vous aurez besoin d'une quantité supplémentaire de M-Eslon. Il est donc fortement recommandé de communiquer avec lui au moins 3 jours ouvrables avant que vos réserves actuelles ne soient épuisées. Il est très important que vous ne sautiez aucune dose. Si votre douleur augmente, ou si vous ressentez tout autre trouble secondaire à la prise de M-Eslon, communiquez immédiatement avec votre médecin.

□ MÉTHOTREXATE, Comprimés USP Ⓟ

Faulding

Antimétabolite

Renseignements destinés aux patients: Les comprimés de 2,5 mg de méthotrexate produits par Faulding sont de petits comprimés jaunes, ronds et non dragéifiés sur lesquels est gravée l'indication M 2.5/F. Ces comprimés contiennent 2,5 mg de méthotrexate, médicament puissant qui a été prescrit par votre médecin et qui est distribué par votre pharmacien.

Il est possible que vous ayez déjà pris une marque différente de comprimés de 2,5 mg de méthotrexate, qui était présentée et emballée différemment. Quelle qu'en soit la provenance, les comprimés de 2,5 mg de méthotrexate traitent très efficacement la polyarthrite rhumatoïde. Si vous avez des questions à ce sujet, veuillez vous adresser à votre médecin ou à votre pharmacien pour de plus amples informations.

Avant d'utiliser ce médicament: Troubles médicaux préexistants: Si vous souffrez d'un des troubles suivants, veuillez en aviser votre médecin: maladie du foie; ulcère gastro-duodénal; rectocolite hémorragique; nausées et vomissements (pouvant entraîner une déshydratation); maladie pulmonaire; troubles sanguins tels que l'anémie; maladie rénale; toute infection présente; immunisation récente; alcoolisme.

Synergies: Il est essentiel que votre médecin et votre pharmacien sachent quels médicaments vous prenez avant de commencer un traitement au méthotrexate (voir également Précautions au moment d'utiliser ce médicament).

Si vous avez déjà pris du méthotrexate, dites-le à votre médecin; il est particulièrement important de l'en informer si vous avez souffert d'effets secondaires graves, d'allergies ou d'une intolérance au méthotrexate.

Grossesse, conception et allaitement: Si vous êtes enceinte ou que vous allaitez, informez-en votre médecin, de même que si vous prévoyez concevoir (homme et femme) ou allaiter (voir Précautions au moment d'utiliser ce médicament).

Utilisation adéquate du médicament: Dose: Votre médecin ou votre pharmacien sauront quelle dose vous convient en examinant les résultats de vos analyses de sang et des autres tests qui ont pu être effectués.

La posologie courante est la suivante: 7,5 mg (ou 3 comprimés) par semaine, pris en une seule fois ou en doses réparties, ainsi que vous l'expliquera votre médecin.

Toutefois, votre médecin pourra choisir de vous donner une dose initiale différente. Il pourra modifier la posologie si vous souffrez d'effets secondaires attribuables au méthotrexate. On pourra découvrir la présence d'effets secondaires en répétant les analyses sanguines. Il se peut également qu'il vous soit demandé de subir une biopsie du foie pour rechercher d'éventuelles réactions secondaires affectant votre foie (voir Effets secondaires).

L'utilisation de ce médicament se fera de façon sûre et efficace si vous respectez les directives de votre médecin et que vous vous soumettez aux tests nécessaires de temps à autre durant le traitement.

Il est important de se rappeler que les comprimés de 2,5 mg de méthotrexate sont administrés hebdomadairement, et **non** quotidiennement. On a constaté que ce schéma posologique intermittent ou ''cyclique'' produisait moins d'effets secondaires.

Comme la dose recommandée doit être prise hebdomadairement, l'administration accidentelle du médicament en une journée peut produire des effets secondaires très graves, qui peuvent être fatals (voir Que faire en cas de surdosage).

Doses omises: Si vous oubliez de prendre une dose de méthotrexate, informez-en votre médecin ou votre pharmacien. **Ne** doublez **pas** les doses sans avoir consulté votre médecin ou votre pharmacien au préalable.

Que faire en cas de surdosage: En cas de surdosage accidentel ou si un enfant a accidentellement ingéré le médicament, un antidote doit être administré dès que possible. **Un traitement d'urgence s'impose immédiatement.** Amenez avec vous à la clinique d'urgence les comprimés de méthotrexate qui vous restent et montrez-les au médecin de garde.

Précautions au moment d'utiliser ce médicament: Effets sur la reproduction: Le méthotrexate est à l'origine du décès de fœtus et d'anomalies congénitales; il **ne** devrait **pas** par conséquent être utilisé par des femmes enceintes ou par celles qui souhaitent le devenir. Chez les hommes et les femmes en âge de procréer, prendre les mesures appropriées pour éviter toute conception durant le traitement au méthotrexate. Le risque d'anomalies congénitales peut persister après l'arrêt du traitement. On recommande donc aux hommes et aux femmes de recourir à des méthodes contraceptives pendant au moins 8 semaines après l'arrêt du traitement.

Si vous devenez enceinte pendant un traitement au méthotrexate, informez-en immédiatement votre médecin.

Synergies: Plusieurs médicaments tels que les antibiotiques peuvent accroître le risque d'effets secondaires s'ils sont pris en même temps que les comprimés de méthotrexate. L'AAS et les médicaments appelés ''AINS'' peuvent être administrés avec du méthotrexate dans les cas de polyarthrite rhumatoïde; toutefois, il ne faut pas commencer à prendre ces médicaments sans que votre médecin en soit informé.

Ne prenez aucun autre médicament (**pas** même des vitamines) durant un traitement au méthotrexate sans que votre médecin le sache.

Évitez toute consommation d'alcool, car cette substance peut accroître le risque de troubles du foie.

Signes et symptômes nécessitant une attention médicale immédiate: ulcères buccaux; selles noires; présence de sang dans la diarrhée et les vomissements; douleur d'estomac; saignements ou contusions inhabituels; fièvre, frissons ou maux de gorge; toux (sèche et non productive), essoufflement ou symptômes ressemblant à ceux de la pneumonie; enflure des pieds ou des jambes; urines foncées, yeux et peau jaunâtres; infections.

Signes et symptômes nécessitant une attention médicale uniquement s'ils sont ennuyeux ou persistants: perte d'appétit; nausées ou vomissements; éruptions cutanées, prurit.

Effets secondaires: Les effets secondaires de médicaments puissants tel que le méthotrexate sont quelquefois inévitables et peuvent indiquer que le médicament agit. Des effets secondaires peuvent apparaître à tout moment durant le traitement au méthotrexate.

Parmi les effets secondaires courants, on compte les nausées, qui peuvent s'accompagner de vomissements, d'anorexie (perte d'appétit), de diarrhées, d'une stomatite (douleurs buccales localisées).

Parmi les effets secondaires moins courants, on compte un dysfonctionnement du foie, un dysfonctionnement des reins, des troubles sanguins, une résistance moindre aux infections.

Parmi les effets secondaires rares, on retrouve la toxicité pulmonaire (complications pulmonaires) et la fibrose hépatique (hyperplasie du foie).

Des «poussées» d'arthrite ou une aggravation des symptômes de l'arthrite peuvent apparaître en l'espace de 3 à 6 semaines après l'interruption du traitement au méthotrexate.

Entreposage adéquat du médicament: Les comprimés de 2,5 mg de méthotrexate que fabriquent Faulding peuvent être entreposés à température ambiante. S'assurer que ni ces comprimés ni d'autres médicaments ne sont soumis à une chaleur extrême et à la lumière directe et qu'ils ne sont pas entreposés dans des endroits très humides comme certaines salles de bain.

Jeter les médicaments périmés et tout autre médicament dont on n'a plus besoin.

Garder ce produit et tous les médicaments hors de la portée des enfants.

Ne pas partager ces médicaments ou tout autre médicament avec quelqu'un d'autre.

□ MEVACOR® Ⓟ

MSD

Lovastatine

Régulateur du métabolisme lipidique

Renseignements destinés aux patients: Le médecin et le pharmacien peuvent obtenir les renseignements d'ordonnance complets.

Mevacor est la marque déposée utilisée par Merck Frosst Canada Inc. pour la substance appelée lovastatine. **Mevacor ne peut s'obtenir que sur ordonnance du médecin.** La lovastatine fait partie de la classe de médicaments connus sous le nom d'**inhibiteurs** de l'HMG-CoA réductase. Ces composés **inhibent** ou, en d'autres mots, bloquent une enzyme dont l'organisme a besoin pour produire le cholestérol. De cette façon, le foie fabrique moins de cholestérol.

Lorsqu'il est nécessaire d'abaisser le taux de cholestérol, le médecin tente habituellement de maîtriser l'affection appelée hypercholestérolémie en prescrivant d'abord un régime alimentaire et en suivant le patient de près. Votre médecin vous recommandera peut-être aussi d'autres mesures tels des exercices physiques et une perte de poids. Des médicaments comme Mevacor sont prescrits **en plus** et **non en remplacement** du régime alimentaire et d'autres mesures. La lovastatine abaisse les taux sanguins de cholestérol (en particulier le cholestérol lié aux lipoprotéines de basse densité [LDL]) et d'autres lipides, et pourrait ainsi prévenir les maladies cardiaques attribuables à l'obstruction des vaisseaux sanguins par le cholestérol, ou ralentir la progression de l'athérosclérose (durcissement) dans les artères qui irriguent le cœur, affection connue sous le nom de maladie coronarienne.

Important: Ce médicament est prescrit pour un problème de santé particulier et pour votre usage personnel seulement. **Ne pas le donner à d'autres personnes ni l'utiliser pour traiter d'autres affections.**

Ne pas utiliser le médicament après la date d'expiration indiquée sur l'emballage.

Conserver les comprimés Mevacor dans un contenant hermétiquement clos (entre 15 et 30 °C), à l'abri de la chaleur et de la lumière directe. Garder tous les médicaments hors de la portée des enfants.

Lire attentivement les informations qui suivent. **Si vous désirez obtenir des explications ou de plus amples renseignements, vous pouvez vous adresser à votre médecin ou à votre pharmacien.**

Avant de prendre ce médicament: Il est possible que ce médicament ne convienne pas à certaines personnes. Informez donc votre médecin si **l'un ou l'autre** des énoncés suivants vous concernent:

- Si vous avez déjà pris auparavant de la lovastatine ou un autre médicament de la même classe, par exemple la simvastatine (Zocor), la pravastatine (Pravachol) ou la fluvastatine (Lescol), et si vous avez fait une allergie à l'un de ces produits ou encore si vous les tolérez mal.
- **Si vous êtes enceinte ou si vous envisagez de le devenir.** Ce médicament **ne** doit **pas** être pris durant la grossesse.
- Si vous allaitez ou si vous avez l'intention de le faire.
- Si vous souffrez d'une maladie du foie.

Votre médecin doit aussi savoir si vous prenez d'autres médicaments, qu'il s'agisse de médicaments délivrés sur ordonnance ou obtenus en vente libre. Vous devez l'informer si vous prenez l'un des médicaments suivants:

- de la cyclosporine (Sandimmune), du gemfibrozil (Lopid), des doses hypolipidémiantes de niacine (acide nicotinique), des corticostéroïdes, des anticoagulants (p. ex. de la warfarine [Warfilone]), de la digoxine ou de l'érythromycine.

On n'a pas encore établi l'innocuité de Mevacor chez les adolescents et les enfants.

Mode d'emploi du médicament:

- Mevacor doit être pris **exactement** selon les directives du médecin. On recommande habituellement de le prendre en une seule dose avec le repas du soir ou en deux doses fractionnées avec le repas du matin et celui du soir.
- Si vous oubliez de prendre un comprimé, prenez-le dès que vous vous apercevez de votre oubli, à moins que cette dose ne se trouve trop rapprochée de la suivante; ne prenez alors que la dose prescrite au moment indiqué. **Ne prenez pas une double dose de Mevacor.**
- Se conformer rigoureusement aux recommandations du médecin en matière de régime alimentaire, d'exercice physique et de maîtrise du poids.
- Il importe de toujours prendre les comprimés selon les directives du médecin. Ne modifiez pas la posologie et n'interrompez pas le traitement sans consulter le médecin.
- Respectez le calendrier des visites établi par le médecin afin que les analyses de laboratoire nécessaires soient effectuées et que le médecin puisse juger de l'amélioration de votre état aux intervalles appropriés. Le médecin vous adressera peut-être aussi à un ophtalmologiste pour des examens périodiques de la vue.
- Évitez la consommation excessive d'alcool.
- **Ne commencez pas à prendre d'autres médicaments,** sans en avoir d'abord discuté avec votre médecin.
- Prévenez votre médecin si vous souffrez d'une blessure ou d'une infection graves.

Mevacor (suite)

- Prévenez votre médecin dans le cas où vous devez subir une intervention chirurgicale dentaire ou autre. Faites aussi savoir au dentiste ou au médecin traitant que vous prenez Mevacor ou tout autre médicament.

Effets secondaires—ce qu'il faut faire: En plus de l'effet escompté, tout médicament est susceptible de produire des effets secondaires. Pour la plupart des gens, ce traitement médicamenteux n'entraîne pas de problème, mais si l'une des réactions suivantes survenait, **consultez votre médecin le plus tôt possible:** douleur ou crampe musculaires, fatigue ou faiblesse; fièvre; vision brouillée.

D'autres effets secondaires peuvent se manifester dans certains cas, mais ils n'exigent généralement pas que vous consultiez votre médecin. Ces réactions peuvent apparaître et disparaître au cours du traitement. Cependant si elles persistent ou deviennent incommodantes, **vous devez les signaler à votre médecin ou à votre pharmacien.** Ces réactions comprennent: constipation, diarrhée, flatulence (gonflement), troubles de la digestion, nausées; douleur abdominale; maux de tête, étourdissements; éruptions cutanées.

Certaines personnes peuvent éprouver d'autres effets secondaires. Consultez votre médecin ou votre pharmacien dès l'apparition de **toute réaction inhabituelle.**

Ingrédients: Ingrédient actif: Les comprimés Mevacor renferment de la lovastatine et sont offerts en deux teneurs, soit 20 mg (bleu pâle) et 40 mg (vert).

Ingrédients non médicinaux: amidon prégélifié, butylhydroxyanisol, cellulose microcristalline, lactose et stéarate de magnésium. Le comprimé Mevacor à 20 mg renferme également de l'indigotine combinée à de l'alumine. Le comprimé Mevacor à 40 mg renferme de l'indigotine et du jaune de quinoléine combinés à de l'alumine.

□ MIGRANAL[MD] Ⓟ

Novartis Pharma

Mésylate de dihydroergotamine

Antimigraineux

Renseignements destinés aux patients: Veuillez garder les renseignements qui suivent à portée de la main. Veuillez lire les renseignements ci-dessous dès maintenant, mais n'assemblez le vaporisateur nasal que lorsque surviendra une migraine. Le flacon contient la quantité de médicament nécessaire pour traiter 1 migraine (tel qu'il est indiqué, 4 vaporisations sont nécessaires pour obtenir une efficacité optimale et un soulagement durable). Avant de prendre Migranal (mésylate de dihydroergotamine en vaporisateur nasal) pour la première fois, vous devez lire attentivement les renseignements ci-dessous.

Rôle du médicament: Migranal est indiqué dans le traitement des crises migraineuses aiguës. **Comme tout autre antimigraineux symptomatique, Migranal ne doit pas être utilisé tous les jours en vue de prévenir les crises ou d'en réduire le nombre.**

Vous ne devez pas prendre Migranal si:
- vous êtes enceinte ou vous allaitez;
- vous souffrez de troubles cardiaques, artériels ou circulatoires.

Questions auxquelles vous devez répondre avant d'utiliser Migranal: Avant de prendre Migranal, vous devez répondre aux questions qui suivent. **Si vous répondez oui à l'une de ces questions, ou si vous n'êtes pas certain de la réponse, vous devriez consulter votre médecin avant d'employer Migranal.**
- Votre tension artérielle est-elle élevée?
- Avez-vous des douleurs à la poitrine ou des essoufflements, souffrez-vous d'une maladie cardiaque ou avez-vous déjà subi une chirurgie des artères coronaires?
- Éprouvez-vous des troubles de la circulation sanguine dans les bras ou les jambes, ou encore dans les doigts ou les orteils?
- Êtes-vous une femme sexuellement active n'utilisant pas de moyens de contraception?
- Avez-vous déjà dû cesser de prendre Migranal ou tout autre médicament à cause d'une allergie ou d'une réaction indésirable?
- Prenez-vous d'autres antimigraineux contenant du sumatriptan ou de l'ergotamine; de l'érythromycine ou d'autres antibiotiques macrolides; des médicaments destinés à régulariser votre tension artérielle que vous prescrit votre médecin ou encore d'autres médicaments vendus en pharmacie sans ordonnance?
- Souffrez-vous, ou avez-vous déjà souffert, d'une maladie du foie?
- Quand vous souffrez d'une migraine, vous arrive-t-il d'avoir de la difficulté à bouger un côté de votre corps?

Si vous avez répondu oui à l'une de ces questions, veuillez en informer votre médecin.

Comment préparer Migranal (voir le prospectus d'emballage pour les illustrations): Bien qu'il soit préférable de prendre Migranal au tout début d'une crise migraineuse, vous pouvez le prendre à n'importe quel stade de la crise.

Votre trousse Migranal est composée des éléments suivants: (A) un flacon contenant la quantité de médicament nécessaire pour traiter 1 migraine; (B) un vaporisateur nasal; (C) un capuchon protecteur en plastique bleu; (D) un capuchon protecteur transparent.

N'assemblez le vaporisateur nasal que lorsque vous ressentez une migraine. Soulevez lentement la languette du sceau de protection bleu et repliez-la afin de découvrir le bouchon de caoutchouc. Dans la mesure du possible, ne brisez pas le sceau de protection.

Retirez complètement le sceau de protection et l'anneau métallique, sans les briser. Si les deux pièces se séparent, enlevez délicatement le reste de l'anneau métallique. **Étant donné que le bord de l'anneau métallique est tranchant, manipulez-le avec précaution.**

Retirez lentement le bouchon de caoutchouc en prenant soin de ne pas répandre de liquide.

Retirez délicatement le capuchon en plastique transparent logé sous le vaporisateur nasal. Insérez le vaporisateur nasal dans le flacon et vissez-le dans le sens des aiguilles d'une montre.

En tenant le flacon à la verticale, enlevez le capuchon en plastique bleu qui recouvre le vaporisateur nasal.

En tenant le flacon à la verticale, exercez 4 pressions sur le vaporisateur nasal (sans l'insérer dans votre nez). Il est normal qu'une petite quantité du médicament s'échappe du flacon; c'est ainsi qu'on prépare le vaporisateur nasal à libérer la dose exacte de médicament.

Gardez la tête bien droite.
- Insérez le vaporisateur dans une narine et exercez 1 pression pour libérer le médicament.
- Insérez le vaporisateur dans l'autre narine et exercez 1 pression (total de 2 vaporisations).
- Ne vous mouchez pas.
- Attendez environ 15 minutes. Si vous ne ressentez pas le soulagement escompté, ou si vous désirez obtenir un soulagement optimal et durable, effectuez encore 1 vaporisation dans chaque narine.

Tel qu'il est indiqué, l'administration de 4 vaporisations permet d'obtenir une efficacité optimale et un soulagement durable.

Une dose complète de Migranal consiste en 1 flacon, soit 4 vaporisations après l'amorçage.
- N'utilisez pas plus de 2 flacons Migranal (8 vaporisations) par période de 24 heures.
- N'utilisez pas plus de 6 flacons (24 vaporisations) par semaine.

Remarques importantes:
- On n'observe qu'une faible possibilité de réapparition de la douleur dans les 24 heures (récidive migraineuse) suivant l'administration de 1 flacon Migranal.
- Après utilisation, jetez le vaporisateur nasal ainsi que le flacon.

Effets secondaires possibles: Au cours des essais cliniques, la plupart des patients migraineux ont utilisé Migranal sans ressentir d'effets secondaires graves. Les effets secondaires suivants peuvent cependant se manifester: irritation ou congestion nasales, éternuements en rafale, écoulement nasal, perturbation du goût, réaction au lieu d'administration, nausées et vomissements. Ces effets secondaires sont passagers et n'exigent habituellement pas l'arrêt du traitement par Migranal. Bien qu'elles se manifestent rarement, les réactions ci-après peuvent être graves et doivent être signalées immédiatement à votre médecin:
- Engourdissement ou fourmillements dans les doigts et les orteils
- Douleur, oppression ou malaise à la poitrine
- Faiblesse des jambes
- Accélération ou ralentissement momentané du rythme cardiaque
- Enflure ou démangeaisons

En cas de surdose: Si vous avez dépassé la dose prescrite, communiquez immédiatement avec votre médecin, le service des urgences de votre hôpital ou le centre antipoison le plus près.

Conservation de Migranal: Gardez Migranal dans un endroit sûr, hors de la portée des enfants. Migranal doit demeurer à l'abri de la chaleur.
- Conservez Migranal à la température ambiante (entre 15 et 25 °C).
- Ne congelez pas Migranal.

Ne gardez pas un flacon Migranal ouvert pendant plus de 8 heures. Vérifiez la date de péremption inscrite sur le flacon. Si elle est passée, n'utilisez pas le flacon.

Réponses aux questions des patients concernant Migranal: Quelle est la rapidité d'action de Migranal? La douleur devrait commencer à diminuer dans les 30 minutes suivant la prise du médicament, et votre état devrait continuer de s'améliorer par la suite.

Puis-je préparer le vaporisateur à l'avance pour qu'il soit prêt quand j'aurai à m'en servir? Non. Le flacon qui contient le médicament ne doit pas être ouvert tant que vous n'êtes pas prêt à vous en servir.

Pourquoi dois-je amorcer le vaporisateur avant de l'utiliser? Est-ce que je ne gaspille pas ainsi une partie du médicament? Vous devez amorcer le vaporisateur (en exerçant 4 pressions) pour vous assurer de prendre ensuite la quantité exacte de médicament. Même si une partie du médicament s'échappe du vaporisateur, chaque flacon en contient suffisamment pour que vous puissiez recevoir une dose complète de Migranal (4 vaporisations).

Puis-je réutiliser le vaporisateur nasal Migranal? Non. Après l'administration de la dose complète (4 vaporisations), vous devez jeter le vaporisateur nasal ainsi que le flacon.

Puis-je utiliser Migranal si j'ai le nez bouché ou encore si j'ai le rhume ou si je souffre d'allergies? Oui. Cependant, si vous prenez des médicaments contre le rhume ou les allergies, même si ce sont des produits vendus sans ordonnance, demandez conseil à votre médecin ou à votre pharmacien avant d'utiliser Migranal.

Dois-je inhaler le médicament lorsque je me le vaporise dans le nez? Non, vous ne devez pas l'inhaler, parce que Migranal est absorbé par la muqueuse nasale.

Quelle est la composition de Migranal? Un flacon Migranal renferme une solution contenant du mésylate de dihydroergotamine; il contient également de la caféine, du dextrose, du dioxyde de carbone et de l'eau.

Que dois-je faire si j'ai besoin d'aide pour prendre Migranal? Si vous avez des questions, ou si vous avez besoin d'aide pour préparer ou utiliser Migranal, veuillez consulter votre médecin ou votre pharmacien.

Ce médicament est destiné à votre usage personnel. Ne laissez personne d'autre s'en servir.

Gardez tous vos médicaments hors de la portée des enfants.

Le présent feuillet ne contient pas tous les renseignements sur Migranal. Pour obtenir de plus amples renseignements, veuillez consulter votre médecin ou votre pharmacien.

□ MINITRAN^MC

Produits pharmaceutiques 3M

Nitroglycérine

Antiangineux

Renseignements destinés aux patients: Minitran, la forme de nitroglycérine à action prolongée prescrite par votre médecin, est un dispositif transdermique qui s'applique sur la peau. Contrairement aux médicaments oraux qui doivent être pris souvent ou aux pommades salissantes, Minitran administre la nitroglycérine sous forme posologique quotidienne pratique. Parce que la nitroglycérine est mélangée avec l'adhésif du timbre Minitran, vous ne pouvez pas la déceler à l'œil. Une fois le timbre Minitran appliqué sur la peau, la nitroglycérine est lentement absorbée dans la circulation sanguine à travers la peau. La nitroglycérine du timbre Minitran pénètre dans votre organisme de façon controlée, peu à peu. Minitran aide à prévenir les crises angineuses (douleurs cardiaques) et réduit la prise de comprimés de nitroglycérine à placer sous la langue.

Effets secondaires possibles: Comme c'est le cas avec tous les produits de nitroglycérine, il est possible que vous souffriez de maux de tête en début de traitement. Ces maux de tête sont généralement légers et disparaissent souvent à mesure que le traitement se poursuit ou que la dose est modifiée. Vous pourrez les soulager au moyen d'analgésiques légers, comme l'aspirine. Bien que peu courants, des étourdissements, vertiges et bouffées de chaleur peuvent survenir, surtout si vous vous levez brusquement de votre siège ou de votre lit. Le cas échéant, informez votre médecin de ces symptômes.

Une irritation de la peau peut aussi se produire. Vous pouvez généralement l'éviter en changeant de lieu d'application chaque jour et en veillant à ce que la surface soit bien sèche avant de mettre le timbre en place. Si l'irritation persiste, parlez-en à votre médecin.

Attention: Le timbre Minitran est destiné à prévenir les crises angineuses. Il ne sert pas, comme la nitroglycérine en comprimés à placer sous la langue, à soulager une crise déjà en cours.

Si vos crises angineuses s'aggravent, se prolongent ou deviennent plus fréquentes, informez-en immédiatement votre médecin.

Autres renseignements: Minitran adhère bien à la peau et tient en place pendant le bain, la douche ou la nage. Dans l'éventualité peu probable où le timbre deviendrait lâche, jetez-le et appliquez-en un nouveau à un autre endroit du corps.

N'appliquez pas Minitran immédiatement après la douche ou le bain; attendez plutôt que la peau soit complètement sèche.

Le timbre Minitran ne doit pas être réutilisé après son retrait.

Laissez Minitran en place de 12 à 14 heures, à moins de directives contraires du médecin.

Appliquez Minitran à la même heure chaque jour.

Lieu d'application: Vous pouvez appliquer le timbre Minitran sur la poitrine, les épaules, les bras ou le dos, mais jamais sur l'avant-bras ou la jambe sous le genou. Choisissez un endroit où la pilosité est rare pour ne pas empêcher le contact direct du timbre avec la peau. Si les poils risquent d'entraver l'adhérence du timbre, rasez sommairement la région. La peau doit être propre, sèche, sans coupures ni irritation. Changez de lieu d'application à chaque nouveau timbre Minitran.

Directives relatives à l'application (voir le prospectus d'emballage pour les illustrations):

1. Déchirer l'enveloppe le long du trait pointillé en partant du coin présentant une encoche. Retirer ensuite le patch.
2. Plier le patch pour soulever l'encoche pointillée; retirer la patte et jeter la pellicule protectrice détachable.
3. Appliquer la partie adhésive du patch sur le haut du bras ou le thorax. Détacher et jeter l'autre moitié de la pellicule protectrice.
4. Presser fermement le patch.
5. Retirez soigneusement l'autre partie du revêtement de plastique et jetez-la.
6. Appuyez fermement sur le timbre.

Conservez à température ambiante contrôlée, entre 15 et 30 °C.

Mise en garde: Rangez et jetez les timbres hors de portée des enfants ou autres de manière à prévenir toute application ou ingestion accidentelles.

□ MIRAPEX® ℞

Boehringer Ingelheim

Dichlorhydrate de pramipexole

Antiparkinsonien—Agoniste dopaminergique

Renseignements destinés aux patients: Avant d'utiliser Mirapex, veuillez lire les renseignements ci-dessous attentivement.

Mirapex est utilisé dans le traitement de la maladie de Parkinson au stade précoce et avancé. Au stade avancé de la maladie de Parkinson, Mirapex peut être utilisé en association avec la lévodopa. Il est important que votre médecin augmente **graduellement** votre dose de Mirapex afin d'éviter les effets secondaires et obtenir le meilleur effet thérapeutique qui soit. Votre dose sera probablement modifiée chaque semaine jusqu'à ce que vous et votre médecin décidiez de la dose qui vous convient. Votre médecin pourrait réduire votre dose de lévodopa afin de prévenir l'apparition d'effets secondaires excessifs et s'assurer que vous retirez les résultats optimaux des 2 médicaments. Veuillez porter une attention particulière aux instructions de votre médecin, et ne jamais modifier vous-même la dose d'un des médicaments sans l'avis de votre médecin.

Ce feuillet de renseignements explique comment prendre Mirapex sans éprouver de problèmes. Ce feuillet ne contient pas tous les renseignements disponibles au sujet de ce médicament. **Pour de plus amples informations ou conseils, veuillez consulter votre médecin ou votre pharmacien.**

Avant de prendre Mirapex: Veuillez aviser votre médecin:

- si vous avez des problèmes de santé, particulièrement au niveau des reins;
- si vous avez des problèmes inhabituels avec vos yeux ou votre vision;
- si vous avez déjà pris Mirapex et que votre état s'est détérioré, ou si vous êtes allergique à Mirapex, ou à tout ingrédient non médicinal contenu dans le produit (voir la liste complète à la rubrique «Que contient Mirapex»), avisez votre médecin avant de commencer à prendre Mirapex;
- si vous avez des allergies ou des réactions alimentaires ou médicamenteuses;
- si vous êtes enceinte ou désirez le devenir;
- si vous allaitez;

Mirapex (suite)

- si vous prenez d'autres médicaments, y compris tout médicament vendu sans ordonnance.

Comment prendre Mirapex:
- Au cours des premières semaines de traitement avec Mirapex, votre médecin modifiera votre dose chaque semaine. Assurez-vous de n'utiliser que la teneur des comprimés prescrite par votre médecin.
- Vous pouvez prendre Mirapex avec de la nourriture si vous avez mal à l'estomac lorsque vous prenez les comprimés.
- Si vous oubliez de prendre une dose, prenez-la aussitôt que vous vous en rendez compte, puis reprenez l'horaire habituel. Ne prenez pas plus d'une dose à la fois.
- Si vous prenez accidentellement plus de comprimés que prescrits, vous devriez obtenir immédiatement des soins médicaux soit en téléphonant à votre médecin ou en vous rendant à l'hôpital le plus près de chez vous (ne conduisez pas votre voiture). Veuillez toujours apporter le contenant étiqueté des comprimés Mirapex avec vous peu importe si celui-ci est vide.
- Vous ne devriez pas changer la dose de Mirapex ni arrêter de prendre Mirapex sans l'avis de votre médecin.

Effets secondaires associés à Mirapex:
- Mirapex peut causer des hallucinations ou des mouvements involontaires (dyskinésie). Veuillez aviser immédiatement votre médecin si vous présentez l'un ou l'autre de ces symptômes.
- Mirapex peut abaisser la tension artérielle chez certains patients lorsqu'ils sont assis ou debout. Par conséquent, si vous vous assoyez ou vous tenez debout après avoir été allongé, vous pouvez avoir des étourdissements, des malaises, une perte de conscience ou vous pouvez transpirer. Ces effets se produisent le plus souvent au début du traitement. Veuillez aviser votre médecin si vous ressentez l'un de ces effets.
- Mirapex peut provoquer d'autres effets indésirables comme la nausée. Si vous ressentez des effets inhabituels ou indésirables lorsque vous prenez Mirapex, veuillez en aviser votre médecin. Il est important que votre médecin connaisse les effets indésirables que vous ressentez afin qu'il puisse déterminer la dose optimale de Mirapex qui vous convient.
- D'ici à ce que les effets de Mirapex sur votre maladie soient connus, vous ne devriez pas conduire une voiture ni opérer de la machinerie possiblement dangereuse puisqu'il est possible que vous ressentiez des étourdissements ou de la somnolence avec Mirapex, et ce, particulièrement au cours des premières semaines de traitement.

Comment entreposer Mirapex:
- Protégez ce médicament de la lumière. Mirapex peut changer de couleur si le médicament est exposé à la lumière.
- Mirapex devrait être entreposé à la température de la pièce (15 à 30 °C).
- La date de péremption de ce médicament est imprimée sur l'étiquette. Ne pas utiliser ce médicament après cette date.
- Gardez ce médicament hors de la portée des enfants.

Que contient Mirapex: Les comprimés Mirapex (dichlorhydrate de pramipexole) sont offerts en flacons de 90 comprimés.

0,25 mg: Un comprimé ovale blanc rainuré portant la mention «U» deux fois d'un côté et «4» de l'autre côté renfermant 0,25 mg de dichlorhydrate de pramipexole sous forme de monohydrate de dichlorhydrate de pramipexole.

1,0 mg: Un comprimé rond blanc rainuré portant la mention «U» deux fois d'un côté et «6» de l'autre côté renfermant 1,0 mg de dichlorhydrate de pramipexole sous forme de monohydrate de dichlorhydrate de pramipexole.

1,5 mg: Un comprimé rond blanc rainuré portant la mention «U» deux fois d'un côté et «37» de l'autre côté renfermant 1,5 mg de dichlorhydrate de pramipexole sous forme de monohydrate de dichlorhydrate de pramipexole.

Ingrédients non médicinaux: amidon de maïs, dioxyde de silice colloïdal, mannitol, polyvidone et stéarate de magnésium.

Points à retenir:
- Mirapex a été prescrit pour traiter votre maladie. Ne donnez pas ces comprimés à d'autres personnes, et ce même si celles-ci souffrent de la même maladie que vous.
- Ne prenez pas d'autres médicaments, sauf sur l'avis de votre médecin. Veuillez aviser tout autre médecin, dentiste ou pharmacien que vous consultez que vous prenez Mirapex.

□ MIREZE® ℞

Allergan

Nédocromil sodique

Antiallergique—Anti-inflammatoire

Renseignements destinés aux patients: Veuillez lire attentivement ce dépliant avant de commencer le traitement au Mireze (nédocromil de sodium) et chaque fois que votre ordonnance est renouvelée.

La solution ophtalmique Mireze (nédocromil de sodium à 2 %) soulage et traite les symptômes ophtalmiques de l'allergie tels que rougeurs, démangeaisons et larmoiements.

À propos de Mireze et des allergies: Mireze est une solution de nédocromil de sodium à 2 % diluée dans de l'eau et contenant du chlorure de benzalkonium et de l'édétate disodique comme agents de conservation. Elle est utile pour le soulagement et le traitement des symptômes ophtalmiques de l'allergie connus sous le nom de conjonctivite allergique.

La conjonctivite allergique se caractérise par une inflammation de la conjonctive, fine membrane muqueuse transparente qui tapisse l'intérieur des paupières et recouvre la partie externe de l'œil. Cet état est généralement causé par l'exposition à certaines substances de l'environnement qui favorisent l'allergie (p. ex., le pollen des arbres, des plantes et des mauvaises herbes, les spores de moisissures, les phanères animaux (squames) et les poussières domestiques). La conjonctivite allergique est fréquente pendant la saison du rhume des foins.

Les symptômes de la conjonctivite allergique sont les suivants: irritation, démangeaisons, sensation de poussière dans l'œil, douleur et larmoiement excessif. Ces symptômes sont généralement accompagnés de congestion et d'écoulement nasal (rhinite allergique aiguë connue sous le nom de rhume des foins).

Important: Mireze doit être utilisé régulièrement si l'on veut assurer une maîtrise optimale des symptômes. Il faut utiliser Mireze dès que se manifeste le début des symptômes.
- **Ne pas porter de lentilles cornéennes souples** au cours du traitement au Mireze. Le chlorure de benzalkonium présent dans la formule peut s'accumuler dans les lentilles cornéennes souples. Cet agent de conservation, lorsqu'il est libéré lentement, pourrait irriter la cornée.
- Les patients qui continuent à porter des lentilles cornéennes rigides ou perméables au gaz pendant le traitement au Mireze devraient les enlever avant d'instiller les gouttes dans les yeux. Ils devraient attendre 5 minutes avant de les remettre en place afin de permettre à la solution de recouvrir uniformément la conjonctive.
- Éviter tout contact avec le bout du compte-gouttes afin d'éliminer les risques de contamination du contenu.
- Jeter le produit non utilisé 28 jours après avoir ouvert le contenant.
- Conserver à une température de 4 à 25 °C et à l'abri de la lumière directe du soleil.

Ne jamais oublier: Avant d'utiliser ce médicament, vous devez avertir votre médecin ou votre pharmacien:
- si vous êtes allergique ou si vous avez déjà fait une réaction au nédocromil de sodium ou à un de ses composants;
- si vous êtes ou si vous avez l'intention de devenir enceinte;
- si vous allaitez ou si vous avez l'intention de le faire;
- si vous prenez d'autres médicaments, que ce soit des médicaments vendus sur ordonnance ou en vente libre;
- si vous avez d'autres problèmes médicaux.

Pendant l'utilisation du médicament:
- Indiquez que vous utilisez ce médicament à tout autre médecin, dentiste ou pharmacien que vous consultez.
- Consultez votre médecin s'il n'y a aucun soulagement des symptômes.
- Il est très important de signaler toute réaction indésirable à votre médecin pour favoriser la détection précoce et la prévention de complications éventuelles.
- **Il est essentiel de passer un examen médical régulièrement.**

Précautions: Une très petite quantité de nédocromil de sodium est absorbée par l'organisme lorsqu'on instille Mireze dans l'œil selon les directives.

Comme tout autre médicament, Mireze procure des bienfaits mais peut également provoquer des réactions indésirables. Ces effets secondaires peuvent ne pas tous se manifester, mais s'ils se produisent, il peut être nécessaire de consulter un médecin. Les réactions locales dans l'œil sont en général bénignes et ont tendance à disparaître rapidement lorsqu'on arrête le traitement.

Consultez votre médecin si l'un des effets secondaires suivants se produit:
- irritation de l'œil (sensation de brûlure ou de picotement),
- mal de tête,
- vue brouillée,
- goût désagréable.

D'autres effets secondaires peuvent également survenir chez certains patients. Dans ce cas, il faut consulter un médecin.

Posologie: La dose de Mireze requise peut varier selon les personnes. **Adultes et enfants âgés de plus de 6 ans:** La dose habituelle est de 1 goutte dans chaque œil, 2 fois/jour. Le médecin peut, au besoin, régler la dose à 1 goutte 4 fois/jour.

Mode d'emploi:
1. S'asseoir devant un miroir pour voir ce que l'on fait.
2. Tirer doucement la paupière inférieure vers le bas et instiller délicatement 1 goutte dans l'espace situé entre l'œil et la paupière inférieure en prenant soin d'éviter tout contact de l'œil avec le bout du compte-gouttes.
3. Relâcher la paupière inférieure et cligner l'œil quelques fois pour assurer que le liquide recouvre toute la surface de l'œil.
4. Répéter dans l'autre œil.

Dose omise: En utilisant les gouttes à des heures régulières, on risque moins de les oublier. Advenant l'omission d'une dose, instiller les gouttes dès que l'on se rend compte de l'oubli et poursuivre le traitement.

L'expérience clinique auprès des femmes enceintes et des enfants âgés de moins de 6 ans est limitée.

Ne pas conserver un médicament périmé ou qui n'est plus requis. Garder hors de la portée des enfants.

Ce médicament a été prescrit pour vous et ne doit pas être utilisé par une autre personne.

Pour plus de renseignements sur ce médicament, consultez votre médecin ou votre pharmacien.

□ MOBIFLEX® Ⓟ

Roche

Ténoxicam

Anti-inflammatoire—Analgésique

Renseignements destinés aux patients: Renseignements importants que vous devriez connaître au sujet de Mobiflex (ténoxicam): Mobiflex (ténoxicam) est un anti-inflammatoire non stéroïdien (AINS). Il vous a été prescrit par votre médecin pour soulager des symptômes comme l'inflammation, la tuméfaction, la fièvre, la raideur et les douleurs articulaires, qui sont souvent causés par certains types d'arthrite.

C'est à vous que Mobiflex a été prescrit. Ne le donnez à aucune autre personne et ne l'utilisez pas pour soulager d'autres symptômes, à moins que votre médecin vous l'ait indiqué.

Vous devez prendre Mobiflex conformément aux instructions de votre médecin. Ne dépassez pas la quantité prescrite et ne prenez pas ce médicament plus souvent ou plus longtemps que ne l'a indiqué votre médecin.

Mobiflex commence à agir dès le début du traitement; toutefois, dans certains types d'arthrite, il peut s'écouler 2 semaines avant que l'effet se fasse pleinement sentir.

Avant de commencer à prendre Mobiflex: Avisez votre médecin:
- Si vous avez des antécédents de dérangements d'estomac, d'ulcère ou de maladie du foie ou des reins.
- Si vous êtes enceinte ou avez l'intention de le devenir.
- Si vous allaitez votre enfant au sein.
- Si vous prenez des médicaments pour d'autres affections que votre arthrite, comme par exemple des anticoagulants ou des médicaments pour le diabète.
- Si vous avez déjà eu des réactions inhabituelles ou allergiques après avoir pris d'autres anti-inflammatoires non stéroïdiens ou des produits contenant de l'acide acétylsalicylique (AAS ou aspirine).
- Si vous prenez présentement des médicaments pour soulager les symptômes de votre arthrite.

Effets secondaires: Tout comme les autres médicaments, Mobiflex peut avoir des effets secondaires. Les effets secondaires les plus courants sont des réactions gastro-intestinales, comme la gêne ou les douleurs abdominales, les nausées et les aigreurs d'estomac.

D'autres effets secondaires surviennent moins souvent, mais nécessitent une consultation médicale. Consultez votre médecin si vous avez un des troubles suivants:
—oppression thoracique, essoufflement ou difficulté respiratoire
—selles sanguinolentes ou noirâtres
—vision brouillée
—problèmes d'audition
—éruption cutanée, démangeaisons ou urticaire
—enflure du visage, des pieds ou du bas des jambes
—confusion mentale ou dépression
—indigestion, nausées, vomissements, douleurs gastriques ou diarrhée

Note: Les personnes âgées doivent immédiatement signaler à leur médecin toute réaction indésirable.

Comment utiliser Mobiflex:
- Prenez Mobiflex **conformément aux instructions** de votre médecin.
- Prenez Mobiflex immédiatement après un repas ou avec de la nourriture afin de réduire les risques de problèmes digestifs.

Note: Si vous avez des problèmes digestifs (nausées, vomissements, douleurs gastriques, diarrhée ou indigestion) qui persistent, consultez votre médecin.

La couleur des comprimés peut changer légèrement d'une prescription à l'autre. Ce changement normal est dû aux colorants naturels utilisés.

Souvenez-vous:
—Si vous consultez un médecin, un dentiste ou un pharmacien, dites-lui que vous prenez ce médicament.
—Si vous vous sentez somnolent(e) ou étourdi(e) après avoir pris ce médicament, faites preuve de prudence en ce qui concerne la conduite d'un véhicule ou la participation à des activités qui exigent de la vigilance.
—Consultez votre médecin si vous avez des questions ou des symptômes incommodants.
—Gardez ce médicament hors de la portée des enfants.
—Lisez bien l'étiquette de votre prescription; si vous avez des questions, posez-les à votre pharmacien.
—Prenez votre médicament comme vous l'a indiqué votre médecin.
—Si vous n'obtenez pas de soulagement ou si un problème survient, parlez-en à votre médecin.

□ MOGADON® Ⓟ

Roche

Nitrazépam

Hypnotique—Anticonvulsivant

Renseignements destinés aux patients: Données sur Mogadon (nitrazépam):

Introduction: Mogadon est conçu pour vous aider à dormir. Il s'agit d'une benzodiazépine somnifère parmi plusieurs autres, qui ont toutes généralement des propriétés similaires.

Si on vous a prescrit un tel médicament, vous devez en considérer les avantages comme les risques. Ce médicament comporte les limites et risques suivants:
- plus vous prenez le médicament longtemps, moins il risque d'être efficace;
- vous pourriez devenir dépendant du médicament;
- le médicament peut altérer votre vigilance ou votre mémoire, surtout si vous ne le prenez pas comme on vous l'a prescrit.

Pour votre sécurité, ce dépliant sert de guide vous renseignant sur la classe de médicaments en général, et sur Mogadon en particulier.

Ce dépliant ne doit pas l'emporter sur ce que vous aurait dit votre médecin sur les risques et avantages de Mogadon.

Emploi sécuritaire du somnifère Mogadon:
- Mogadon est un médicament d'ordonnance, conçu pour vous aider à dormir. Suivez les conseils de votre médecin sur la façon de prendre Mogadon, le moment de le prendre et la période durant laquelle vous devez le prendre. **Ne prenez pas** Mogadon s'il ne vous a pas été prescrit.
- **Ne prenez pas** Mogadon pendant plus de 7 à 10 jours sans avoir préalablement consulté votre médecin.
- **Ne prenez pas** Modagon quand vous ne disposez pas d'une bonne nuit de sommeil avant de reprendre des activités et un plein fonctionnement; p. ex. lors d'un vol de nuit de moins de 8 heures. Une telle situation peut donner lieu à des trous de mémoire. Votre corps a besoin de temps pour éliminer le médicament.

Mogadon (suite)

- **Ne prenez pas** Modadon durant la grossesse. Avisez votre médecin si vous envisagez de devenir enceinte, si vous êtes enceinte ou si vous devenez enceinte pendant que vous prenez ce médicament.
- Avisez votre médecin de toute consommation d'alcool (passée ou présente) et de tout médicament que vous prenez actuellement, y compris les médicaments que l'on achète sans prescription. **Ne consommez pas d'alcool pendant que vous prenez** Mogadon.
- **Ne dépassez pas la dose prescrite.**
- **Ne conduisez pas d'automobile** et ne faites pas marcher de machine potentiellement dangereuse avant que vous ayez observé la façon dont ce médicament vous affecte.
- Si vous avez des pensées troublantes ou des comportements perturbants pendant que vous prenez Mogadon, parlez-en immédiatement à votre médecin.
- Après avoir arrêté de prendre Mogadon, vous pourriez éprouver des troubles du sommeil (insomnie de rebond) et (ou) une augmentation de l'anxiété pendant la journée (anxiété de rebond) pendant un jour ou deux.

Efficacité des benzodiazépines somnifères: Les benzodiazépines somnifères sont des médicaments efficaces qui ne présentent relativement pas de problème sérieux quand on les prend pour le traitement à court terme de l'insomnie. Les symptômes de l'insomnie peuvent varier: difficulté à s'endormir, réveils fréquents au milieu de la nuit, réveil précoce le matin ou les trois.

L'insomnie peut ne durer que pendant une brève période et répondre à un traitement de courte durée. Les risques et les avantages d'un emploi prolongé doivent être discutés avec votre médecin.

Effets secondaires: Effets secondaires courants: Les benzodiazépines somnifères peuvent causer de la somnolence, des étourdissements, une sensation d'ébriété et des difficultés de coordination. Les personnes qui en prennent doivent user de prudence quand elles entreprennent des activités dangereuses nécessitant une pleine présence d'esprit, comme faire marcher une machine ou conduire un véhicule motorisé.

Évitez l'alcool pendant que vous prenez Mogadon. **Ne prenez pas** de benzodiazépines somnifères quand vous prenez d'autres médicaments sans en avoir discuté préalablement avec votre médecin.

La somnolence que vous éprouverez durant la journée après la prise de ce somnifère dépend de votre réponse individuelle et de la rapidité avec laquelle votre organisme élimine le médicament. Plus la dose est forte, plus vous risquez d'éprouver de la somnolence ou autres symptômes le lendemain. C'est pour cette raison qu'il est important que vous ne preniez que la plus faible dose efficace. Les benzodiazépines qui sont éliminées rapidement tendent à causer moins de somnolence le lendemain, mais peuvent entraîner des problèmes de sevrage le jour suivant.

Troubles particuliers: Troubles de la mémoire: Toutes les benzodiazépines somnifères peuvent causer une sorte particulière de perte de mémoire (amnésie): vous pourriez ne pas vous souvenir de ce qui s'est passé pendant habituellement les quelques heures suivant la prise du médicament. Ce trou de mémoire ne pose normalement pas de problème, puisque la personne qui prend un somnifère est censée dormir durant cette période critique. Par contre, des problèmes peuvent survenir si vous prenez le médicament pendant un voyage, comme un vol d'avion, car il est alors possible que vous vous réveilliez avant que l'effet du médicament ne soit passé. Ce phénomène est appelé «amnésie du voyageur».

Symptômes de tolérance et de sevrage: Après une prise quotidienne de plus de quelques semaines, les benzodiazépines peuvent perdre un peu de leur efficacité. Vous pourriez également développer une certaine dépendance.

L'effet de «sevrage» peut survenir chez des patients qui arrêtent de prendre des benzodiazépines somnifères. Cet effet peut survenir après l'arrêt d'un traitement d'une semaine ou deux seulement, mais peut être plus intense après de longues périodes d'usage continu. Un des symptômes de sevrage est connu sous le nom d'«insomnie de rebond», c'est-à-dire qu'au cours des quelques premières nuits suivant l'arrêt de la médication, l'insomnie peut être plus grave qu'avant la prise du somnifère.

Les autres symptômes de sevrage après l'arrêt brusque de la prise de somnifère vont de simples malaises à un grave syndrome de sevrage pouvant comporter des crampes abdominales et musculaires, des vomissements, des sueurs, des tremblements et, rarement, des convulsions. Les symptômes intenses sont rares.

Dépendance, abus: Toutes les benzodiazépines somnifères peuvent causer une dépendance (toxicomanie), surtout quand on en prend régulièrement pendant quelques semaines ou à de fortes doses. Certaines personnes peuvent développer le besoin de continuer de prendre ces médicaments, soit à la dose prescrite, soit à des doses plus fortes— et ce, non seulement pour obtenir l'effet thérapeutique, mais aussi pour éviter les symptômes de sevrage ou pour obtenir des effets non thérapeutiques.

Les personnes éprouvant ou ayant éprouvé une dépendance à l'alcool ou à d'autres médicaments ou drogues peuvent courir un risque particulier de devenir dépendantes aux médicaments de cette classe. Cependant, **tout le monde court un certain risque.** Considérez ceci avant de prendre ces médicaments pendant plus que quelques semaines.

Changements dans le comportement et les fonctions mentales: Diverses anomalies de la pensée et du comportement peuvent survenir à l'emploi de benzodiazépines somnifères. Certaines de ces anomalies peuvent comprendre de l'agressivité ou une extraversion qui ne semblent pas correspondre au caractère. D'autres changements, bien que rares, peuvent être plus étranges et exagérés: confusion, comportement bizarre, agitation, illusions, hallucination, sensation de ne pas être soi-même, dépression aggravée, y compris des pensées suicidaires.

Il est rare que l'on puisse déterminer si de tels symptômes sont causés par le médicament ou une maladie sous-jacente ou s'il s'agit d'une simple manifestation spontanée. D'ailleurs, l'aggravation de l'insomnie peut dans certains cas être associée à des maladies qui étaient déjà présentes avant la prise de médicament.

Important: Quelle qu'en soit la cause, si vous prenez ces médicaments, signalez rapidement à votre médecin tout changement de la fonction mentale ou du comportement.

Effet sur la grossesse: Certaines benzodiazépines somnifères ont été liées à des anomalies congénitales si elles sont prises pendant les premiers mois de grossesse. En outre, on sait que les benzodiazépines somnifères provoquent une sédation chez le bébé si elles sont prises durant les dernières semaines de grossesse. Donc, **évitez de prendre ce médicament pendant la grossesse.**

☐ MOTRIN® 🅿

Pharmacia & Upjohn

Ibuprofène

Analgésique—Anti-inflammatoire

Renseignements destinés aux patients: Qu'est-ce que Motrin? Chaque comprimé de Motrin contient de l'ibuprofène, médicament de la classe des anti-inflammatoires non stéroïdiens (AINS). Les comprimés de Motrin servent à traiter les symptômes de certains types d'arthrite en aidant à soulager la douleur, le gonflement, la raideur et l'inflammation articulaires. Motrin peut aussi soulager la douleur légère à modérée accompagnée d'inflammation, notamment dans les cas de blessures ou de foulures musculaires ou articulaires, et la douleur consécutive à l'extraction de dents. Il est également indiqué pour soulager les douleurs menstruelles.

Motrin contribue à soulager la douleur, le gonflement et la raideur des articulations ainsi que la fièvre en réduisant la production de certaines substances (les prostaglandines) et en aidant à maîtriser l'inflammation et d'autres réactions de l'organisme.

Comment prendre Motrin? Prendre Motrin conformément à la prescription du médecin. Ne pas en prendre davantage, plus souvent, ni plus longtemps que recommandé par le médecin ou le dentiste.

Veiller à prendre les comprimés de Motrin aussi régulièrement que prescrit. Dans certains types d'arthrite, le plein effet du médicament peut se faire attendre 2 semaines. En cours de traitement, le médecin peut décider de modifier la posologie en fonction de la réaction du patient au médicament.

Pour réduire les dérangements d'estomac, prendre le médicament immédiatement après les repas ou avec des aliments ou du lait. En cas de dérangements d'estomac persistants tels qu'indigestion, nausées, vomissement, douleur gastrique ou diarrhée, communiquer avec le médecin.

Pour le traitement de la polyarthrite rhumatoïde de l'arthrose, la dose adulte initiale est de 1 200 mg, divisée en 3 ou 4 doses égales.

Pour le traitement des douleurs légères à modérées accompagnées d'inflammation, notamment dans les cas de traumatismes musculo-squelettiques, de douleurs consécutives à l'extraction des dents ou associées aux menstruations, prendre un comprimé de 400 mg toutes les 4 à 6 heures, selon le besoin. Ne jamais dépasser 2 400 mg/jour, sauf sur instruction du médecin ou du dentiste.

Qui doit éviter Motrin? Ne pas utiliser ce médicament en cas d'allergie à l'ibuprofène ou à des produits contenant de l'acide acétylsalicylique (AAS), d'autres salicylates ou d'autres médicaments anti-inflammatoires, sauf sur instruction d'un médecin.

Les enfants de moins de 12 ans ne doivent pas prendre Motrin, sauf sur instruction d'un médecin.

Quelles précautions doit-on prendre lorsqu'on utilise Motrin? Consulter un médecin avant de prendre le médicament si on souffre d'ulcère gastro-duodénal, d'hypertension artérielle, d'insuffisance cardiaque, de maladie rénale ou hépatique, ou de toute autre maladie grave; en cas de grossesse ou d'allaitement; ou en association avec d'autres médicaments d'ordonnance ou en vente libre.

Prendre Motrin conformément à la prescription du médecin ou du dentiste. Ne pas en prendre davantage, plus souvent, ni plus longtemps que recommandé par le médecin ou le dentiste.

Si le patient doit prendre ce médicament pendant longtemps, le médecin doit vérifier ses progrès à intervalles réguliers afin de s'assurer que le médicament ne cause pas d'effets indésirables.

En plus de ses effets voulus, Motrin peut causer des effets indésirables. Les personnes âgées, fragiles ou affaiblies risquent des effets secondaires plus fréquents ou plus graves. Ces effets secondaires surviennent rarement, mais lorsqu'ils se produisent, il faut les signaler au médecin. Consulter un médecin immédiatement si on observe l'un des symptômes suivants: selles sanguinolentes ou noirâtres; éruption cutanée, urticaire ou démangeaisons; vision trouble, gonflement des pieds ou des jambes; problèmes auditifs, respiration sifflante ou oppression thoracique; indigestion, nausées, vomissements, douleurs gastriques ou diarrhée, jaunissement de la peau ou des yeux, avec ou sans fatigue; tout changement dans la quantité ou la couleur de l'urine (foncée; rouge ou brune).

Ne pas oublier: Avant de prendre ce médicament, avertir le médecin, le dentiste ou le pharmacien:

- en cas d'allergie aux comprimés de Motrin ou à d'autres médicaments du groupe des AINS tels que: acide acétylsalicylique, diclofénac, diflusinal, fénoprofène, flurbiprofène, ibuprofène, indométhacine, kétoprofène, acide méfénamique, piroxicam, sulindac, acide tiaprofénique ou tolmétine;
- en cas d'antécédents de troubles gastriques, d'ulcère ou de maladie rénale ou hépatique;
- en cas de grossesse ou si on songe à devenir enceinte tout en prenant ce médicament;
- en cas d'allaitement;
- si on prend d'autres médicaments (d'ordonnance ou en vente libre);
- en cas d'autres problèmes médicaux.

Lorsqu'on prend ce médicament:

- avertir tout médecin, dentiste ou pharmacien consulté que l'on prend ce médicament;
- si le médicament provoque de la somnolence ou des étourdissements, être prudent au volant et pour toute activité nécessitant de la vigilance;
- consulter le médecin si on ne ressent aucun soulagement ou si des problèmes surviennent;
- signaler toute réaction fâcheuse au médecin. Ce point est très important, car il facilite la découverte rapide des problèmes et la prévention d'éventuelles complications;
- les examens médicaux réguliers sont essentiels;
- pour de plus amples renseignements sur ce médicament, consulter le médecin ou le pharmacien.

□ MS CONTIN® Ⓝ

Purdue Frederick

Sulfate de morphine

Analgésique opioïde

Renseignements destinés aux patients: Qu'est-ce que la morphine? La morphine soulage la douleur et devrait vous permettre d'augmenter votre bien-être et de vivre de façon plus indépendante. Elle est efficace et sûre si vous l'utiliser selon les directives de votre médecin.

Votre douleur peut s'intensifier ou diminuer de temps en temps et votre médecin devra peut-être modifier la quantité de morphine que vous prenez (dose quotidienne).

Qu'est-ce que MS Contin? MS Contin est un comprimé oral ou un suppositoire rectal conçu de façon telle que la morphine est libérée lentement sur une période de 12 heures, vous permettant de ne prendre qu'une seule dose toutes les 12 heures pour contrôler votre douleur. Toutefois, pour plus de commodité, votre médecin pourra vous demander de prendre le médicament toutes les 8 heures.

Les comprimés MS Contin sont disponibles en 5 concentrations: 15 mg (vert), 30 mg (violet), 60 mg (orange), 100 mg (gris) et 200 mg (rouge). Les suppositoires MS Contin sont disponibles en concentrations de 30, 60, 100 et 200 mg. Vous devrez peut-être prendre plus d'une concentration de comprimés (comprimés de couleur différente) ou utiliser plus d'une concentration de suppositoires à la fois pour recevoir la dose quotidienne totale prescrite par le médecin.

Les comprimés MS Contin à **15, 30, 60 et 100 mg** doivent être avalés intacts, sans être mâchés, ni écrasés. Le comprimé à **200 mg** peut être fractionné en deux le long de la rainure, mais on ne doit pas écraser ni mâcher les comprimés entiers ni les demi-comprimés.

Comment utiliser votre médicament: Votre dose d'attaque de MS Contin est clairement indiquée sur l'étiquette du flacon ou du paquet. Ne manquez pas de suivre exactement les directives indiquées sur l'étiquette; ceci est très important. Si votre dose est modifiée, ne manquez pas de noter la nouvelle dose au moment où le médecin vous l'indique. Et suivez exactement les nouvelles directives.

Comprimés MS Contin: Les comprimés MS Contin doivent être pris de façon régulière toutes les 12 heures (avec 4 à 6 onces d'eau) ou selon les directives de votre médecin, pour prévenir la douleur toute la journée et toute la nuit. Si votre douleur s'intensifie et vous gêne, contactez immédiatement votre médecin qui décidera peut-être d'ajuster votre dose quotidienne de comprimés MS Contin.

Suppositoires MS Contin: On administre les suppositoires MS Contin en les introduisant dans le rectum sur la longueur d'un doigt (après avoir sorti le suppositoire de son emballage en plastique et en papier d'aluminium), alors qu'on est allongé sur son dos. Si vous avez envie d'aller à la selle, il vaut mieux y aller avant d'insérer le suppositoire. Si vous allez à la selle après l'insertion du suppositoire, n'insérez pas un autre suppositoire MS Contin avant l'heure prévue pour la dose suivante.

Les suppositoires MS Contin doivent être administrés de façon régulière toutes les 12 heures ou selon les directives de votre médecin, pour prévenir la douleur toute la journée et toute la nuit. Si votre douleur s'intensifie et vous gêne, contactez immédiatement votre médecin pour vérifier s'il faut ajuster votre dose quotidienne de suppositoires MS Contin.

Constipation: La morphine entraîne la constipation. Il faut s'y attendre et c'est pourquoi votre médecin vous prescrira peut-être un laxatif et un émollient des selles pour aider à soulager la constipation pendant le traitement avec MS Contin. Indiquez à votre médecin si ce problème se développe.

Médicaments concomitants: Vous devriez indiquer à votre médecin les autres médicaments que vous prenez, le cas échéant, y compris les produits en vente libre comme les antihistaminiques ou les somnifères, car ils peuvent influencer votre réponse à la morphine.

Conduite automobile: Vous devrez éviter la conduite automobile ou toute autre tâche nécessitant de la vigilance constante pendant les premiers jours de traitement avec MS Contin, étant donné qu'il peut entraîner la somnolence ou la sédation.

Renouvellement de l'ordonnance de MS Contin: Chaque fois que vous aurez besoin de plus de MS Contin, vous devrez obtenir une nouvelle ordonnance de votre médecin. Il est donc important que vous communiquiez avec votre médecin au moins 3 jours ouvrables avant l'épuisement de votre réserve du médicament. Il est très important que vous preniez toutes les doses prescrites.

Si votre douleur s'intensifie ou si vous développez d'autres symptômes suite à la prise de MS Contin, communiquez immédiatement avec votre médecin.

□ MSD® AAS À ENROBAGE ENTÉROSOLUBLE

Johnson & Johnson • Merck

AAS

Anti-inflammatoire non stéroïdien—Analgésique—Inhibiteur de l'agrégation plaquettaire

Renseignements destinés aux patients: Description: Contenu de MSD AAS à enrobage entérosoluble: Les comprimés MSD AAS à

MSD AAS à enrobage entérosoluble (suite)

enrobage entérosoluble renferment de l'acide acétylsalicylique, également connu sous le nom d'AAS.

Comment agit MSD AAS à enrobage entérosoluble: Les comprimés MSD AAS à enrobage entérosoluble possèdent les caractéristiques suivantes:

Action: Les comprimés MSD AAS à enrobage entérosoluble renferment de l'AAS. Les résultats cliniques ont démontré l'utilité de l'AAS pour soulager les douleurs musculaires et articulaires de nature bénigne, dont le mal de dos.

Enrobage entérosoluble spécial pour aider à prévenir l'irritation gastrique: L'enrobage entérosoluble spécial de MSD AAS à enrobage entérosoluble permet aux comprimés de traverser l'estomac, un milieu acide, sans se dissoudre, et d'atteindre la partie supérieure de l'intestin grêle, moins acide, où ils se dissolvent, diminuant ainsi le risque d'irritation gastrique parfois associé à l'AAS ordinaire ou tamponné.

Début d'action: Étant donné que les comprimés MSD AAS à enrobage entérosoluble ont un enrobage spécial qui réduit le risque d'irritation gastrique, l'AAS n'est pas absorbé par l'estomac et le début d'action du médicament s'en trouve quelque peu retardé.

Quand prendre MSD AAS à enrobage entérosoluble: MSD AAS à enrobage entérosoluble est indiqué pour soulager les douleurs musculaires et articulaires de nature bénigne, notamment le mal de dos, la bursite, les douleurs au genou, la douleur lombaire, l'épicondylite (tennis elbow), ainsi que les douleurs musculaires accompagnant les douleurs arthritiques et rhumatismales. Il est également utile pour soulager les douleurs causées par le rhume.

Comment prendre MSD AAS à enrobage entérosoluble: Adultes: Les comprimés doivent être avalés en entier avec un grand verre d'eau (250 mL); on ne doit ni les croquer ni les fractionner. Il est dangereux d'excéder la dose maximale recommandée (650 mg par dose ou 4 g par jour) sauf avis contraire du médecin. Consultez un médecin si les malaises nécessitent l'administration du produit pendant plus de 5 jours.

Précautions: Pour éviter le surdosage, lisez attentivement les étiquettes des autres médicaments que vous prenez afin de vous assurer qu'ils ne contiennent pas également de l'acide acétylsalicylique (AAS). Dans le doute, consultez votre médecin ou votre pharmacien.

Si vous devez subir une intervention chirurgicale ou dentaire, dans les 5 à 7 jours qui suivent la prise d'AAS ou de comprimés MSD AAS à enrobage entérosoluble, consultez votre médecin ou votre pharmacien.

Consultez votre médecin avant de prendre ce médicament au cours des 3 derniers mois de la grossesse ou si vous allaitez.

Ne pas administrer les comprimés MSD AAS à enrobage entérosoluble aux enfants et aux adolescents atteints de varicelle ou de symptômes de la grippe avant d'avoir consulté un médecin ou un pharmacien au sujet du syndrome de Reye, une maladie rare mais grave.

L'emballage contient une quantité de médicament suffisante pour nuire à la santé des enfants. Le conserver hors de leur portée.

Quand consulter un médecin ou un pharmacien au sujet de MSD AAS à enrobage entérosoluble: Consultez un médecin ou un pharmacien avant de prendre ce médicament dans les cas suivants:

- allergie aux salicylates ou asthme
- grossesse ou allaitement
- troubles d'estomac, ulcère gastro-duodénal, maladie grave du foie ou goutte
- antécédents de troubles de la coagulation ou prise d'anticoagulants (médicaments destinés à éclaircir le sang)
- intervention chirurgicale dans les 5 à 7 prochains jours ou en cas d'anémie grave
- prise d'autres médicaments renfermant des salicylates ou de l'acétaminophène, d'anti-inflammatoires, d'anticonvulsivants ou de médicaments contre le diabète ou la goutte

Effets indésirables possibles: Les comprimés MSD AAS à enrobage entérosoluble peuvent parfois causer certaines réactions indésirables. Communiquez avec un médecin si l'une des réactions suivantes se manifeste en cours de traitement.

- saignement ou irritation de l'estomac (nausées, vomissements, douleur)
- toute baisse de l'audition, incluant tintement ou bourdonnement d'oreilles
- éruptions cutanées, urticaire ou démangeaisons
- gêne respiratoire

Quoi faire en cas de surdosage: Dans les cas accidentels ou soupçonnés de surdosage, même en l'absence de symptômes, communiquez immédiatement avec un médecin, un centre antipoison ou le service d'urgence d'un hôpital.

Si vous ne pouvez obtenir d'assistance médicale, provoquez les vomissements immédiatement (dans les 30 minutes) avec un sirop d'ipéca; **les vomissements ne devraient jamais être provoqués chez les personnes inconscientes ou chez les enfants de moins d'un an sans assistance médicale.**

Les signes et les symptômes d'un surdosage surviennent habituellement dans les quelques heures qui suivent l'ingestion. Ils comprennent: irritation gastrique, convulsions, baisse de l'audition, confusion mentale, tintement ou bourdonnement d'oreilles, somnolence ou fatigue prononcées, grande agitation ou nervosité, respiration anormalement rapide ou profonde, hallucinations ou modification du comportement (particulièrement chez les enfants).

Description: Les comprimés MSD AAS à enrobage entérosoluble ne portent pas d'inscription.

Description des comprimés MSD AAS à enrobage entérosoluble

Numéro du produit	**490**	**491X**
Dosage (mg)	**325**	**650**
Forme/Couleur	**rond/brun**	**ovale/orange**
Ingrédients non médicinaux		
Acétophtalate de cellulose	x	x
Acétophtalate de polyvinyle	x	x
Amidon de maïs	x	x
Cellulose microcristalline	x	x
Gomme guar	x	x
Huile végétale hydrogénée	x	x
Hydroxypropylcellulose	—	x
Hydroxypropylméthylcellulose	x	x
Phtalate de diéthyle	x	x
Sucrose	x	—
Sulfate de lauryle sodique	x	x
Colorants		
Colorant jaune (Sunset yellow aluminum lake)	—	x
Dioxyde de titane	—	x
Oxyde ferrique rouge	x	—

Renseignements d'ordonnance offerts aux médecins et aux pharmaciens sur demande.

☐ MYLERAN® Ⓟ

Glaxo Wellcome

Busulfan

Antileucémique

Renseignements destinés aux patients: On doit informer les patients qui commencent un traitement au busulfan qu'il est important de procéder à une évaluation de la formule sanguine complète périodiquement et de signaler immédiatement un saignement ou une fièvre inhabituels. Mis à part l'effet toxique majeur de myélodépression, les patients doivent être avertis de signaler toute gêne respiratoire, toux persistante ou congestion. Ils doivent également être informés que la fibrose pulmonaire interstitielle diffuse constitue une complication rare mais grave et potentiellement mortelle du traitement de longue durée par le busulfan. Les patients doivent être vigilants et signaler tout signe de faiblesse soudaine, de fatigue inhabituelle, d'anorexie, de perte de poids, de nausée, de vomissements et de mélanodermie qui pourrait être associé à un syndrome semblable à l'insuffisance surrénale. Les patients ne doivent jamais prendre le médicament sans une surveillance médicale et on doit les informer que les autres effets toxiques observés comprennent l'infertilité, l'aménorrhée, l'hyperpigmentation cutanée, une hypersensibilité médicamenteuse, la sécheresse des muqueuses et, dans de rares cas, la formation de cataractes. On doit conseiller aux femmes en âge de procréer d'éviter de devenir enceintes. Le risque accru de cancer secondaire doit être expliqué au patient.

☐ NAPROSYN® ℞

Roche

Naproxen

Anti-inflammatoire—Analgésique

Renseignements destinés aux patients: Comment tirer le meilleur profit de Naprosyn: Votre médecin a décidé que Naprosyn (naproxen) était le meilleur traitement pour vous. En prenant vos comprimés Naprosyn, rappelez-vous que vos chances de maîtriser vos symptômes sont plus grandes si vous coopérez avec votre médecin et essayez d'en connaître davantage sur votre condition.

Cette brochure n'est pas aussi détaillée que la monographie officielle de Naprosyn (mise à la disposition des médecins et des pharmaciens) elle vise plutôt à compléter ce que votre médecin vous a dit. Celui-ci connaît et comprend votre condition aussi, assurez-vous de suivre attentivement ses recommandations et de lire toute la documentation qu'il vous remettra. **Si vous avez des questions après la lecture de cette brochure informative, veuillez les adresser à votre médecin.**

Qu'est-ce que Naprosyn: Naprosyn est la marque déposée du naproxen, un médicament utilisé pour soulager la douleur et l'inflammation associées à l'arthrite. Il appartient à une famille de médicaments connus sous le nom d'AINS (anti-inflammatoires non stéroïdiens) ou d'antiprostaglandines.

À quoi ressemble Naprosyn: Naprosyn est offert en comprimés faciles à avaler, en comprimés entérosolubles ainsi qu'en comprimés à libération progressive qui permettent une seule dose quotidienne. Un format liquide (suspension) à saveur d'orange et d'ananas ainsi que des suppositoires rectaux sont aussi disponibles.

Votre médecin a choisi la teneur (dose) qu'il croit être la plus efficace dans le soulagement de votre condition d'après son expérience de problèmes médicaux semblables.

Comment agit Naprosyn: Les conditions telle la vôtre s'accompagnent habituellement de 3 symptômes: la douleur, l'inflammation ou la raideur. Des recherches ont démontré que Naprosyn agit en réduisant la production de certaines substances (appelées prostaglandines) produites normalement par l'organisme pour aider à maîtriser les fonctions telles la contraction des muscles, l'inflammation ainsi que nombres d'autres processus biologiques.

Des études cliniques indiquent que lorsque les taux de prostaglandines sont réduits, l'intensité de la douleur, de la raideur et de l'inflammation est aussi diminuée.

Comment devriez-vous prendre Naprosyn afin qu'il soit le plus efficace pour vous: Habituellement on recommande de prendre les comprimés ou la suspension Naprosyn 2 fois/jour. Il n'est pas nécessaire de le prendre plus souvent. Vous n'avez pas à transporter constamment votre médicament—vous n'avez qu'à prendre une dose le matin et une autre le soir. Les comprimés Naprosyn SR à libération progressive ont été conçus pour offrir l'avantage d'une seule dose quotidienne, le matin ou le soir. La dose quotidienne maximale de Naprosyn SR ne doit pas être augmentée, et le comprimé doit être avalé entier. Pour un soulagement optimal, prenez votre Naprosyn à la même heure tous les jours.

Si on vous a prescrit les suppositoires Naprosyn, votre médecin ou votre pharmacien vous expliquera comment les utiliser.

Il est important de continuer à prendre Naprosyn, même si vous commencez à vous sentir mieux. Cela vous aidera à maîtriser les douleurs, la sensibilité ainsi que les raideurs matinales. Vous devriez prendre vos comprimés Naprosyn avec de la nourriture ou du lait.

Important: Votre médecin peut vous donner des instructions différentes, adaptées à vos besoins spécifiques. Si vous avez besoin de plus d'informations sur la posologie appropriée de Naprosyn, vérifiez auprès de votre médecin ou de votre pharmacien.

Combien de temps faut-il avant que le Naprosyn agisse: Naprosyn, est entièrement absorbé dans votre organisme en 2 à 4 heures. Certaines personnes peuvent commencer à sentir immédiatement une amélioration de leurs symptômes tandis que pour d'autres, cette amélioration peut prendre jusqu'à 2 semaines. Si après 2 semaines Naprosyn ne semble pas vous aider, communiquez avec votre médecin. Vous avez peut-être besoin d'une posologie différente ou bien votre médecin désirera peut-être vous prescrire un autre schéma thérapeutique.

Est-ce que la quantité de Naprosyn que vous prenez changera: La quantité peut changer. Votre condition, comme votre médecin vous l'a peut-être expliqué, a des hauts et des bas. Les niveaux de douleur, de raideur et d'inflammation dans vos articulations peuvent fluctuer d'une semaine à l'autre. Avec le temps, votre médecin peut décider s'il est recommandable d'apporter des ajustements à la dose de Naprosyn que vos utilisez. Il peut aussi vous suggérer d'augmenter ou de réduire la dose selon la gravité de vos symptômes ou vos activités. Suivez les instructions; votre médecin sait comment ajuster les limites maximales et minimales de la posologie afin que vous bénéficiiez le plus de Naprosyn.

Est-ce que Naprosyn occasionne des effets secondaires: Tout médicament peut causer des effets secondaires; ceci est vrai pour l'acide acétylsalicylique (AAS) et tous les AINS qui sont utilisés pour traiter les conditions comme la vôtre. Naprosyn a été prescrit à plus de 10 millions de personnes dans le monde depuis les 10 dernières années. Il a été bien toléré chez la plupart des patients alors vous aussi le tolérerez probablement très bien. Les effets secondaires sont significativement moindres que ceux survenant avec l'AAS aux doses antiarthritiques.

Ne prenez pas d'AAS (acide acétylsalicylique), de composés contenant de l'AAS ni aucun autre médicament utilisé pour soulager les symptômes d'arthrite tout en prenant Naprosyn, à moins d'avis contraire de votre médecin.

Les effets secondaires non désirés et relativement communs des AINS sont le pyrosis, les douleurs abdominales, les nausées, la constipation et ainsi de suite. Rappelez-vous de prendre Naprosyn avec les repas ou avec un verre de lait pour réduire ce genre de malaise.

Si vous avez une histoire de dérangement d'estomac ou si vous avez un ulcère, avisez-en votre médecin. Tous les AINS peuvent aggraver votre problème et même, quelquefois, causer des saignements ou des ulcères dans l'estomac ou dans les intestins. Ces complications peuvent parfois être graves et certains décès ont été rapportés avec tous les médicaments de cette classe thérapeutique.

Communiquez immédiatement avec votre médecin si vous éprouvez l'un de ces symptômes: selles sanguinolentes ou dures et noires; essoufflement, wheezing, tout trouble de la respiration ou oppression de la poitrine; rash, enflure, urticaire ou démangeaisons; indigestion, nausées, vomissements, douleurs abdominales ou diarrhée; décoloration jaune de la peau ou des yeux, avec ou sans fatigue; tout changement dans la quantité ou la couleur de votre urine (telle que foncée; rouge ou brune); enflure des pieds ou du bas des jambes; vue brouillée ou tout trouble visuel.

D'autres effets secondaires qui ont été rapportés peu fréquemment incluent: les maux de tête, les étourdissements, la somnolence, la dépression, et les bourdonnements d'oreilles. Ces réactions ne posent habituellement aucun problème sérieux et la plupart des gens peuvent continuer le traitement. Des troubles visuels et auditifs ainsi que des dérangements sanguins sont survenus plus rarement. **Communiquez avec votre médecin si vous avez des problèmes.** Presque tous les effets secondaires occasionnés avec l'usage de Naprosyn disparaissent à l'arrêt du traitement.

L'usage de suppositoires rectaux a causé, chez certains patients, une sensation de brûlure dans le rectum et rarement, des saignements rectaux.

Si vous êtes allergique à l'AAS ou à d'autres AINS (p. ex. le diclofénac, le diflunisal, le fénoprofène, le flurbiprofène, l'ibuprofène, l'indométhacine, le kétoprofène, le kétorolac, l'acide méfénamique, le piroxicam, le sulindac, l'acide tiaprofénique, la tolmétine) utilisés dans le traitement de l'arthrite ou d'autres conditions des muscles et des articulations, **ne prenez pas Naprosyn.** Vous pouvez y être aussi allergique. **De plus, vous ne devriez pas prendre Naprosyn si vous prenez déjà Anaprox (naproxen sodique), un médicament apparenté.**

Y a-t-il des recommandations à suivre avant de prendre Naprosyn: Informez votre médecin ainsi que votre pharmacien des autres médicaments que vous prenez soit des médicaments avec et sans ordonnance. Cela est important puisque certains médicaments peuvent exercer une interaction entre eux et produire des effets indésirables.

Informez votre médecin si vous avez un ulcère, une maladie du foie ou des reins ainsi qu'une histoire de problèmes à l'estomac.

Soyez prudent si vous ressentez de la somnolence, des étourdissements ou des vertiges au cours du traitement avec Naprosyn (naproxen), surtout si vous conduisez ou participez à des activités exigeant de la vigilance.

Consultez votre médecin: Si vous ne ressentez pas de soulagement ou si l'usage de Naprosyn vous cause des problèmes.

Informez votre médecin si vous êtes enceinte ou prévoyez le devenir.

Ne prenez pas Naprosyn si vous allaitez. Le médicament passe dans le lait des femmes qui allaitent.

Ne prenez pas Naprosyn si vous y êtes allergique ou si vous avez eu une réaction de type allergique à l'AAS ou à d'autres médicaments ▶

Naprosyn (suite)

utilisés pour le soulagement de la douleur ou de l'arthrite. Consultez votre médecin.

Coopérez avec votre médecin s'il veut que vous passiez certains tests de laboratoire pour vérifier l'efficacité du traitement ou des effets secondaires possibles.

□ NASACORT[MD] Ⓟ

Rhône-Poulenc Rorer

Acétonide de triamcinolone

Corticostéroïde

Renseignements destinés aux patients: Utiliser régulièrement selon les directives du médecin traitant.

—Ne pas dépasser la dose prescrite.

—Nasacort n'est pas conçu pour diminuer les symptômes nasaux de façon immédiate, et il peut s'écouler quelques jours (et jusqu'à 2 semaines) avant qu'une amélioration soit remarquée.

Communiquer avec son médecin si:

- aucune amélioration ne se produit au bout de 3 semaines;
- il se produit une irritation nasale;
- des sécrétions nasales colorées (jaunes ou vertes) apparaissent;
- il se produit des saignements de nez répétés.

Avant **chaque utilisation** de l'inhalateur nasal Nasacort, se moucher doucement, en s'assurant que les narines sont vides. Puis suivre les étapes ci-dessous: (voir le prospectus d'emballage pour les illustrations).

Étape 1. Retirer le capuchon protecteur blanc de l'inhalateur nasal.
Étape 2. Bien agiter l'inhalateur.
Étape 3. Tenir l'inhalateur entre le pouce et l'index.
Étape 4. Incliner légèrement la tête vers l'arrière et introduire l'adaptateur nasal dans une narine, en le dirigeant légèrement vers la paroi extérieure de la narine tout en se bouchant l'autre narine avec un doigt.
Étape 5. Appuyer sur la valve pour libérer 1 dose tout en inspirant doucement.
Étape 6. Retenir sa respiration pendant quelques secondes, puis expirer lentement par la bouche.
Étape 7. Retirer l'inhalateur de la narine.
Étape 8. **Répéter le processus dans l'autre narine.**
Note: Lorsque le médecin prescrit plus d'une pulvérisation par narine, répéter les étapes 4 à 8 pour chacune d'entre elles.
Étape 9. Replacer le capuchon protecteur blanc de l'inhalateur.
Note: Éviter de se moucher pendant les 15 minutes qui suivent.

Il faut nettoyer chaque semaine l'inhalateur Nasacort. Nettoyer **à fond** l'adaptateur nasal dans de l'eau tiède. Le laisser **sécher complètement** avant d'utiliser de nouveau l'inhalateur.

Contenu sous pression. Ne pas mettre dans l'eau chaude, ni près de radiateurs, de poêles ou d'autres sources de chaleur. Même lorsqu'elle est vide, ne pas percer la cartouche, la jeter au feu ou la conserver à des températures supérieures à 50 °C.

□ NASACORT® AQ Ⓟ

Rhône-Poulenc Rorer

Acétonide de triamcinolone

Corticostéroïde

Renseignements destinés aux patients: Nasacort AQ (solution aqueuse d'acétonide de triamcinolone en vaporisateur nasal): Veuillez lire ce dépliant attentivement avant de prendre votre médicament. Pour obtenir de plus amples renseignements ou des conseils, consultez votre médecin ou votre pharmacien.

Le nom de votre médicament: Le nom de votre médicament est Nasacort AQ (solution aqueuse d'acétonide de triamcinolone en vaporisateur nasal). Il fait partie d'un groupe de médicaments appelés les corticostéroïdes.

Nasacort AQ est un médicament délivré sur ordonnance.

Renseignements sur votre médicament: Nasacort AQ est utilisé pour traiter la rhinite allergique saisonnière (y compris le rhume des foins) et la rhinite apériodique. Les symptômes de ces affections sont les suivants: démangeaisons nasales, sensation d'obstruction nasale et éternuements excessifs. Nasacort AQ réduit l'irritation et l'inflammation des muqueuses et des voies nasales et soulage donc la sensation d'obstruction nasale, l'écoulement nasal, les démangeaisons nasales et les éternuements.

Avant d'utiliser ce médicament: Faites part à votre médecin ou à votre pharmacien (si vous ne l'avez pas déjà fait) des renseignements suivants avant de prendre ce médicament:

- Vous avez déjà pris Nasacort AQ ou un autre corticostéroïde et avez présenté une allergie ou une intolérance à ces médicaments;
- Vous êtes allergique à toute autre substance, telle que aliments, agents conservateurs ou colorants;
- Vous êtes enceinte ou allaitez, ou il est possible que vous deveniez enceinte ou que vous allaitiez. Dans ces cas, votre médecin peut décider de ne pas vous prescrire ce médicament;
- Vous prenez d'autres médicaments d'ordonnance ou médicaments vendus sans ordonnance (en vente libre);
- Vous souffrez d'autres problèmes médicaux ou avez récemment subi une intervention chirurgicale ou un traumatisme nasal.

Comment utiliser correctement votre vaporisateur: Suivez le **mode d'emploi** ci-dessous. Si vous avez des problèmes, consultez votre médecin ou votre pharmacien.

- Il est important que vous inhaliez chaque dose par le nez. Le nombre de doses que vous pouvez prendre est habituellement indiqué sur l'étiquette. Si cela n'est pas le cas, demandez-le à votre médecin ou à votre pharmacien.
- **Évitez** d'inhaler plus de doses ou d'utiliser votre vaporisateur nasal plus souvent que votre médecin ne vous l'a prescrit.
- Il peut s'écouler plusieurs jours avant que ce médicament ne fasse effet. **Il est donc très important que vous le preniez régulièrement. N'interrompez pas** le traitement même si votre état s'est amélioré, sauf avis contraire du médecin.
- Si aucune amélioration de vos symptômes ne se produit au bout de 3 semaines de traitement par Nasacort AQ, signalez-le à votre médecin.
- Adultes et enfants de 12 ans et plus: La dose habituelle est de 2 vaporisations dans chaque narine une fois par jour (220 μg).
- Enfants de 4 à 12 ans: La dose recommandée est de 110 μg/jour administrés sous forme d'une pulvérisation dans chaque narine 1 fois/jour.
- Nasacort AQ n'est pas recommandé chez les enfants de moins de 4 ans.

Mode d'emploi (voir le prospectus d'emballage pour les illustrations): Il est important de bien agiter le flacon avant chaque utilisation. En outre, vous devez jeter le flacon après 120 vaporisations. Ne transvasez pas la solution restante, le cas échéant, dans un autre flacon.

Avant chaque utilisation du vaporisateur nasal Nasacort AQ, mouchez-vous doucement et assurez-vous que vos narines sont vides. Puis suivez les étapes ci-dessous.

Avant usage:

1. Retirez le capuchon et la bague de serrage du vaporisateur-doseur. N'essayez pas d'agrandir le petit orifice à l'extrémité de la buse de vaporisation. Si la valve s'est détachée du corps du vaporisateur, réinserrez le corps du vaporisateur dans la valve.
2. Agitez bien le vaporisateur.

Préparation à la vaporisation:

3. Pour préparer le vaporisateur, il faut l'amorcer avant de l'utiliser pour la première fois. Pour l'amorcer, placez 2 doigts sur le «collet» du flacon. Avec le pouce, appuyez **fermement** et **rapidement** sur le flacon pour déclencher complètement la valve jusqu'à ce que le vaporisateur libère une fine vaporisation (appuyez 5 fois). Votre vaporisateur est maintenant amorcé et prêt à être utilisé.
4. On ne peut obtenir une fine vaporisation qu'en appuyant rapidement et fermement sur le vaporisateur.
5. Le réamorçage du vaporisateur n'est nécessaire que lorsqu'il n'a pas été utilisé pendant plus de 14 jours. Pour le réamorcer, agitez bien le flacon et appuyez 1 seule fois. Le vaporisateur est alors réamorcé.

Utilisation du vaporisateur:

6. Mouchez-vous doucement pour nettoyer vos narines, au besoin.
7. Retirez le capuchon et la bague de serrage du vaporisateur et agitez bien le flacon.
8. Tenez fermement le vaporisateur en plaçant l'index et le majeur des deux côtés de la buse de vaporisation nasale et le pouce sur le fond du flacon. Appuyer le dessus de l'index sur la lèvre supérieure. **Faites attention que vos doigts ne glissent pas du vaporisateur lorsque vous vaporisez le produit.**

9. Introduisez la buse de vaporisation dans une narine (l'extrémité ne doit pas être enfoncée trop profondément dans le nez). **Inclinez la tête vers l'avant** de façon que la vaporisation se dirige vers l'arrière du nez.
10. Dirigez la buse de vaporisation vers le fond du nez. Bouchez l'autre narine avec un doigt. Avec le pouce, appuyez **fermement** et **rapidement** sur le flacon tout en inspirant doucement. Répétez le processus dans l'autre narine.
11. Lorsque le médecin prescrit plus d'une vaporisation par narine, répétez les étapes 8 à 10 pour chacune d'entre elles.
12. Évitez de vous moucher pendant les 15 minutes qui suivent.
13. Replacez le capuchon et la bague de serrage après utilisation.

Nous avons inclus un tableau de contrôle commode qui vous aidera à faire le suivi des doses de médicament utilisées. Vous pourrez ainsi vérifier que vous avez pris les 120 doses. Veuillez noter que le flacon comprend une quantité supplémentaire de solution afin de tenir compte du produit utilisé lors de l'amorce initiale du vaporisateur.

Que faire si vous oubliez une dose? Si vous oubliez une dose, ne vous inquiétez pas, prenez votre médicament dans l'heure qui suit. Cependant, si vous ne vous en rappelez que plus tard, sautez la dose oubliée et prenez votre prochaine dose à l'heure habituelle. Ne prenez pas de doses doubles.

Que faire en cas de surdosage? Communiquez avec votre médecin si vous avez pris une dose plus élevée que celle prescrite.

Que faire s'il vous faut cesser votre traitement? Si votre médecin décide d'interrompre votre traitement, ne gardez pas ce médicament, sauf avis contraire du médecin.

Conservation de votre médicament: Gardez votre médicament hors de portée des enfants.

Conservez-le à la température ambiante normale (entre 15 et 30 °C).

Réactions indésirables: Outre ses effets bénéfiques, un médicament peut causer certaines réactions indésirables. Communiquez avec le médecin dès que possible si:

- des sécrétions nasales jaunes ou vertes apparaissent;
- vous ressentez un mauvais goût ou une mauvaise odeur dans la bouche;
- vous éprouvez une douleur au nez ou à la gorge ou il se produit un saignement de nez important après avoir utilisé le vaporisateur nasal;
- vous ne vous sentez pas bien ou avez d'autres problèmes.

D'autres réactions indésirables ne nécessitant habituellement pas une intervention médicale peuvent survenir. Elles peuvent disparaître lorsque votre organisme se sera adapté au médicament. Cependant, consultez votre médecin si les réactions indésirables suivantes se poursuivent et sont incommodantes:

- éternuements;
- céphalées;
- brûlures, sécheresse et autre irritation à l'intérieur du nez (ne durant que peu de temps après l'inhalation).

D'autres réactions indésirables non indiquées ci-dessus peuvent également se manifester chez certains patients. Si vous notez d'autres réactions, consultez votre médecin.

Rappel: N'oubliez pas: Ce médicament est pour **vous.** Seul un médecin peut vous le prescrire. N'en donnez jamais à d'autres, il peut leur être nocif même si leurs symptômes s'apparentent aux vôtres.

Gardez tous les médicaments hors de portée des enfants.

Si vous avez des questions ou des doutes, consultez votre médecin ou votre pharmacien.

Vous aurez peut-être à consulter de nouveau ce dépliant. **Ne le jetez donc pas** avant d'avoir fini de prendre votre médicament.

□ NEORAL® Ⓟ

Novartis Pharma

Cyclosporine

Immunosuppresseur

Renseignements destinés aux patients: Votre médecin vous a prescrit un médicament puissant appelé Neoral. On l'utilise à la suite d'une transplantation pour prévenir le rejet de l'organe greffé, ou pour traiter des maladies auto-immunes telles que le psoriasis, la polyarthrite rhumatoïde et le syndrome néphrotique.

Lisez bien le texte qui suit, même si vous prenez déjà Neoral ou Sandimmune. Il vous permettra de mieux connaître ce médicament et d'en tirer ainsi pleinement parti.

Les renseignements ci-après ne remplacent pas les conseils de votre médecin ni de votre pharmacien. Comme elles connaissent votre état, ces personnes vous ont peut-être transmis des instructions différentes ou complémentaires. Si vous vous posez des questions au sujet de l'information qui suit, parlez-en sans tarder à votre médecin ou à votre pharmacien.

Qu'est-ce que Neoral? Neoral est la marque de commerce d'un médicament appelé «cyclosporine». Celui-ci appartient à une famille de médicaments appelée «immunosuppresseurs», qui «suppriment» ou, plus exactement, freinent vos réactions immunitaires.

Peut-être prenez-vous déjà un médicament appelé Sandimmune: il s'agit là d'une autre formule de cyclosporine.

Neoral est le même médicament que Sandimmune, sauf qu'il est offert sous forme de «micro-émulsion». Grâce à cette dernière, l'estomac absorbe la cyclosporine de manière plus constante. Par conséquent, chaque dose amène dans l'organisme à peu près la même quantité de médicament, et les aliments ont moins d'effet sur l'absorption de la cyclosporine.

Quelle est la fonction de Neoral? Votre système immunitaire vous protège généralement contre les infections et les corps étrangers. Si vous recevez une greffe, il ne reconnaîtra pas votre nouvel organe et tentera par conséquent de le rejeter. Neoral atténue cette réaction afin d'aider votre organisme à accepter votre nouvel organe.

Neoral ne supprime pas complètement vos défenses immunitaires: votre organisme conservera donc un certain pouvoir de lutte contre les infections.

Neoral peut être administré seul, mais on le prescrit souvent avec d'autres médicaments capables de freiner votre système immunitaire. Ensemble, ces médicaments aident à prolonger la vie de l'organe greffé.

De plus en plus d'observations laissent supposer que le système immunitaire est en cause dans de nombreuses affections telles que le psoriasis, la polyarthrite rhumatoïde et le syndrome néphrotique. Aussi votre médecin vous a-t-il prescrit Neoral afin de neutraliser certaines fonctions de votre système immunitaire et de traiter ainsi votre affection.

Que dois-je faire avant de prendre Neoral? Avant de prendre Neoral, vous devez avoir parlé à votre médecin:

- des autres maladies dont vous êtes ou avez déjà été atteint;
- des médicaments et traitements que vous recevez, y compris les produits achetés à la pharmacie, au supermarché ou dans des magasins d'aliments naturels;
- des réactions inhabituelles ou allergiques, s'il y a lieu, qu'a provoquées chez vous la cyclosporine (Sandimmune ou Neoral);
- du fait vous êtes enceinte ou prévoyez le devenir, ou que vous allaitez un enfant.

Quelle dose de Neoral dois-je prendre?

- Prenez toujours la quantité exacte de Neoral prescrite par votre médecin. Si vous n'êtes pas certain de la dose ou du moment où vous devez la prendre, renseignez-vous auprès de votre médecin, de votre pharmacien ou d'un membre de personnel infirmier.
- La dose de ce médicament diffère d'une personne à l'autre. Votre médecin a établi la vôtre selon votre poids, les maladies dont vous souffrez et votre réponse au médicament. Prenez exactement la dose prescrite, ni plus, ni moins.
- Pour déterminer la dose de Neoral qui vous convient, votre médecin se fonde entre autres sur l'analyse de votre sang. Il pourra, à l'occasion, modifier votre dose en fonction de vos résultats sanguins et de votre réponse au médicament. Ne modifiez pas la dose vous-même, peu importe comment vous vous sentez.

Quand dois-je prendre Neoral?

- Échelonnez vos doses quotidiennes de Neoral le plus également possible. Par exemple, si vous prenez votre médicament 2 fois par jour, espacez vos doses d'environ 12 heures. Si vous le prenez plus de 2 fois par jour, demandez à votre médecin combien d'heures doivent séparer chacune de vos doses.
- Dans la mesure du possible, prenez votre (vos) dose(s) à la même heure. La quantité de médicament contenue dans votre organisme sera ainsi plus constante, si bien que votre organe sera mieux protégé. De plus, vous risquez moins d'oublier une dose si vous vous en tenez à un horaire fixe.
- Vous pouvez prendre Neoral avec ou sans aliments. Mais il est préférable d'être constant: si vous décidez de prendre votre médicament avec des aliments, prenez-le toujours ainsi.
- Ne prenez jamais Neoral **avec du jus de pamplemousse.** Cette boisson peut faire augmenter la quantité de cyclosporine pénétrant

dans votre organisme. Ce problème ne se pose pas avec d'autres types de boisson.

- Les vomissements ou la diarrhée peuvent empêcher Neoral de pénétrer dans votre organisme. Appelez **toujours** votre médecin si vous présentez l'un de ces symptômes. Peut-être devra-t-il modifier votre dose ou vous administrer le médicament sous une autre forme.
- **Patients prenant déjà une forme orale de Sandimmune:** Si vous passez de Sandimmune à Neoral, il se peut que votre dose soit modifiée. Comme on devra évaluer votre réponse au médicament, assurez-vous de ne manquer aucun examen pendant la période de transition.

Qu'arrivera-t-il si j'oublie de prendre une dose de Neoral?

- Si vous avez subi une greffe et si vous oubliez de prendre ne serait-ce que quelques doses de Neoral, votre organisme risque de rejeter votre nouvel organe. Voilà pourquoi vous devez absolument prendre toutes les doses prescrites par votre médecin.
- Si vous avez tendance à oublier des doses ou si vous vous posez des questions sur la façon de les prendre, parlez-en à votre médecin, à un membre du personnel infirmier ou à votre pharmacien. N'hésitez pas non plus à leur faire part de vos préoccupations relativement à la prise du médicament tel qu'il vous a été prescrit. Ces gens peuvent souvent vous aider à surmonter ce genre de difficultés.
- Vous devez toujours avoir une provision de médicaments suffisante sous la main. Faites renouveler votre ordonnance environ 1 semaine à l'avance: de cette manière, vous ne risquerez pas de vous trouver à court de médicaments un jour où la pharmacie est fermée ou a épuisé ses stocks. De même, assurez-vous d'apporter une quantité suffisante de médicaments lorsque vous partez en vacances.
- Si, malgré tout, vous omettez de prendre une dose de Neoral, n'essayez pas de rétablir vous-même la situation. Communiquez plutôt avec votre médecin ou avec votre pharmacien sans tarder pour lui demander conseil. Vous pouvez même demander tout de suite à votre médecin quoi faire si vous oubliez une dose.

Comment dois-je prendre Neoral? Neoral est offert sous 2 formes, soit en **capsules** et en **solution orale.**

Capsules:

- Les capsules Neoral contiennent 10, 25, 50 ou 100 mg de cyclosporine. Chaque capsule est contenue dans une plaquette d'aluminium alvéolée.
- Laissez la capsule dans son emballage d'origine jusqu'au moment de son emploi. Pour prendre votre médicament, retirez de l'emballage le nombre de capsules nécessaires pour constituer la dose prescrite par votre médecin.
- Avalez les capsules entières. Vous pouvez choisir n'importe quelle boisson, à l'exception du jus de pamplemousse.

Solution: La solution Neoral est présentée en flacons de 50 millilitres chacun. Vous devez, pour chaque dose, suivre à la lettre les instructions ci-après.

Ouverture d'un flacon neuf:

1. Soulever le bouchon en plastique.
2. Arracher la capsule métallique.
3. Enlever le bouchon noir, désormais inutile.
4. Enfoncer le tube dans le goulot du flacon.
5. Insérer la seringue dans le bouchon blanc.
6. Aspirer le volume de solution prescrit.
7. Éliminer les **grandes** bulles d'air qui peuvent se former en enfonçant le piston à plusieurs reprises avant de retirer la seringue contenant la dose prescrite. La présence de quelques petites bulles n'a aucune importance et n'a aucune influence sur la dose.

Retourner la seringue de manière que l'extrémité pointe vers le bas, la placer au-dessus d'une tasse remplie à moitié de la boisson de son choix† et y transférer la solution en pressant le piston. **La seringue ne doit pas toucher au liquide se trouvant dans la tasse.** Bien mélanger et **boire immédiatement.**

†La boisson doit être à la température ambiante. **Ne pas diluer le médicament dans du jus de pamplemousse.** La plupart des autres boissons, par exemple jus de pomme, jus d'orange ou boisson gazeuse, peuvent être utilisées. Cependant, la boisson choisie doit toujours demeurer la même.

8. Après utilisation, sécher l'extérieur de la seringue à l'aide d'une serviette en papier, puis la ranger dans son étui. Boucher le flacon à l'aide du capuchon prévu à cette fin. Le bouchon blanc et le tube doivent rester dans la flacon. Ne pas rincer la seringue avec de l'eau, de l'alcool ni tout autre liquide.

Une fois le flacon ouvert, suivre les directives à partir du numéro 5.

- Si vous vous demandez comment mesurer la solution, consultez votre médecin, un membre du personnel infirmier ou votre pharmacien.
- Si vous prenez accidentellement une trop grande quantité de médicament, informez-en votre médecin immédiatement ou communiquez avec le service des urgences ou le centre antipoison le plus près de chez vous.

Quelles précautions dois-je prendre si je reçois Neoral?

- Souvent, Neoral est administré avec d'autres médicaments. Informez-vous afin de savoir si vous devez continuer de prendre les autres immunosuppresseurs qui vous étaient prescrits auparavant.
- Dites à **tous** les professionnels de la santé que vous consultez (médecin, dentiste, membre du personnel infirmier, pharmacien) que vous prenez Neoral. Le port d'un bracelet Medic-Alert est recommandé.
- Ne prenez **aucun** autre médicament sans en parler d'abord à votre médecin ou à votre pharmacien. Cette interdiction vise tous les médicaments vendus sans ordonnnace (y compris les médicaments contenant de l'aspirine), tels que les remèdes à base d'herbes, de même que les remèdes maison. Ces produits peuvent modifier l'effet qu'a Neoral sur votre organisme.
- Neoral peut diminuer l'efficacité des vaccins ou accroître le risque de contracter une maladie suite à l'administration d'un vaccin vivant. Discutez-en toujours avec votre médecin avant une vaccination ou une immunisation.
- Présentez-vous à **tous** vos rendez-vous à la clinique. On profitera parfois de ces visites pour mesurer le taux de cyclosporine dans votre sang. Si vous avez subi une greffe, un taux trop faible peut entraîner le rejet de l'organe transplanté, alors qu'un taux trop élevé peut causer des lésions à d'autres organes. Il est donc très important de vous soumettre à toutes les épreuves et à tous les examens que votre médecin juge nécessaires.
- Si vous devenez enceinte pendant votre traitement par Neoral, informez-en votre médecin sans délai. Vous discuterez avec lui des bienfaits éventuels du traitement et des risques qui s'y rattachent.
- Comme tous les médicaments, Neoral provoque des effets secondaires chez certaines personnes. Ces réactions diffèrent toutefois selon le patient. Un effet peut survenir chez une personne et ne jamais se produire chez une autre. Si les effets secondaires vous préoccupent, parlez-en à votre médecin. Il pourra peut-être vous suggérer des mesures pour éviter les problèmes ou les réduire au minimum.
- **N'arrêtez pas de prendre Neoral de votre propre initiative, même si vous recevez ce médicament depuis plusieurs années. Patients ayant subi une greffe: il se peut que les symptômes de rejet ne se manifestent qu'au bout de plusieurs semaines, mais si vous omettez de prendre ne serait-ce que quelques doses de Neoral, votre organe risque d'être rejeté.**
- Neoral peut entraîner une sensibilité ou une enflure des gencives. Une bonne hygiène dentaire peut atténuer ce problème. Brossez-vous les dents souvent et soigneusement à l'aide d'une brosse souple et passez votre soie dentaire chaque jour. Un massage quotidien des gencives au moyen d'une brosse à dents souple peut se révéler utile. Passez régulièrement un examen dentaire. Si vos gencives deviennent sensibles, enflent ou rougissent, informez-en sans délai votre médecin ou votre dentiste.
- Les poils fins de votre corps peuvent augmenter. Vous pouvez remédier à la situation en vous rasant ou en vous épilant à l'aide d'une crème. Si vous avez des questions au sujet de ces produits, posez-les à votre médecin ou à votre pharmacien.
- Comme Neoral freine votre système immunitaire, vous serez plus exposé aux infections bactériennes, fongiques ou virales. Afin de réduire au minimum les complications découlant de ces infections, consultez **sans délai** votre médecin en présence des manifestations suivantes: rhume ou symptômes pseudogrippaux (par exemple, une fièvre ou un mal de gorge), furoncle ou douleurs lorsque vous urinez.
- L'affaiblissement de vos défenses immunitaires peut également accroître le risque de cancer. Des cancers des globules blancs (lymphomes) et d'autres types de cancers sont apparus, quoique rarement, chez des personnes traitées par la cyclosporine.

Vous trouverez ci-après des signes possibles de cancer. Afin que votre médecin puisse déceler le plus tôt possible un éventuel cancer, consultez-le sans tarder en présence de l'un des symptômes suivants: changement de vos habitudes d'élimination (selles ou urine), plaie qui ne guérit pas, saignements ou écoulements inhabituels, apparition d'une masse quelconque dans un sein ou toute autre partie de l'organisme, problèmes de digestion inexpliqués ou difficulté à avaler, modification évidente d'une verrue ou d'un grain de beauté, toux ou enrouement persistants, sueurs nocturnes.

- Ci-après figure une liste des autres effets secondaires signalés lors d'un traitement par Neoral. Si vous ressentez l'un des symptômes énumérés, ne manquez pas d'en parler à votre médecin, surtout si le problème persiste, vous dérange ou semble s'intensifier: perte d'appétit, nausées, vomissements ou diarrhée, acné ou peau grasse, légers tremblements des mains (cet effet disparaît souvent spontanément), fourmillements dans les doigts, les orteils ou la bouche, douleurs articulaires ou musculaires, crampes, faiblesse, anxiété, vue brouillée ou maux de tête, sueurs nocturnes, baisse de l'acuité auditive, enflure du visage, hypertension artérielle, augmentation du taux de cholestérol, troubles rénaux ou hépatiques, augmentation du taux de potassium, ulcères (rarement), convulsions (très rarement).
- Rappelez-vous que seul un médecin peut déterminer si vos symptômes sont liés à Neoral. Si vous croyez avoir des effets secondaires, parlez-en immédiatement à votre médecin. N'arrêtez pas de prendre ce médicament de votre propre initiative.
- **Remarque à l'intention des femmes:** Les femmes enceintes prenant de la cyclosporine risquent davantage (proportion pouvant atteindre 25 % des grossesses) de connaître une grossesse difficile. Ces grossesses difficiles se sont traduites par des risques plus élevés pour le bébé au cours de l'accouchement et immédiatement après la naissance. En outre, certains enfants présentaient des anomalies à la naissance. La plupart des données relatives à l'effet de la cyclosporine sur la grossesse proviennent de patients qui, souvent, recevaient d'autres immunosuppresseurs puissants en concomitance de la cyclosporine; par conséquent, nous ne savons pas dans quelle mesure les difficultés précitées sont imputables à la cyclosporine ou à d'autres facteurs. Pour ces raisons, il est préférable que vous ne preniez pas Neoral pendant une grossesse. Au cours de votre traitement par Neoral et durant les 2 mois suivant son interruption, vous devez utiliser une méthode de contraception sûre. Si vous devenez enceinte pendant votre traitement par Neoral, informez-en votre médecin sans délai.

  Si vous prenez Neoral, n'allaitez pas. Neoral passe dans le lait maternel et peut porter atteinte à votre enfant.

Où dois-je garder Neoral?

- **Gardez Neoral hors de la portée des enfants.** L'ingestion accidentelle de ce médicament peut faire beaucoup de tort à un enfant. Si vous avez de jeunes enfants, gardez le médicament sous clé, dans un tiroir ou une armoire.
- Conservez les **capsules** Neoral dans un endroit sec, à une température de 15 à 25 °C. Souvenez-vous que vous devez laisser la capsule dans son emballage d'origine jusqu'au moment de son emploi.
- Conservez la solution orale Neoral à la température ambiante (de 15 à 30 °C), mais ne la gardez pas trop longtemps à une température inférieure à 20 °C. Ne la conservez pas au réfrigérateur, et gardez-la à l'abri du gel. Une fois le flacon ouvert, la solution doit être utilisée dans un délai de 2 mois. Conservez le médicament dans le flacon d'origine.
- Une gelée peut se former si la **solution orale** est conservée à moins de 20 °C, mais elle devrait disparaître à une température plus élevée (d'au plus 30 °C). Toutefois, la solution peut ensuite contenir de petits flocons ou résidus. Ce phénomène n'altère en rien l'efficacité et la sûreté du produit, et la mesure de la dose au moyen de la seringue demeure exacte.

☐ NEOSPORIN®, Préparations

Glaxo Wellcome

Polymyxine B—Néomycine en association

Antibiotique

Renseignements destinés aux patients: Généralités: Si la rougeur, l'irritation, l'enflure ou la douleur persistent ou s'aggravent, cesser le traitement et consulter un médecin.

Solution oto-ophtalmique: Éviter de contaminer le compte-gouttes avec des matières provenant de l'œil, de l'oreille, des doigts ou de toute autre source. Cette mesure est nécessaire afin de préserver la stérilité de la solution.

Onguent ophtalmique: Éviter de contaminer l'embout de l'applicateur avec des matières provenant de l'œil, des doigts ou de toute autre source. Cette mesure est nécessaire afin de préserver la stérilité de la préparation.

☐ NEURONTIN^MC

Parke-Davis

Gabapentine

Antiépileptique

Renseignements destinés aux patients: Veuillez lire attentivement les renseignements suivants avant de commencer à prendre ce médicament, même si vous en avez déjà pris auparavant. Ne jetez pas ces feuilles avant d'avoir fini de prendre le médicament, car vous aurez peut-être besoin de les relire. Pour de plus amples renseignements ou d'autres conseils, veuillez consulter votre médecin ou votre pharmacien.

Qu'est-ce que Neurontin?

- Neurontin (gabapentine) est un des médicaments appelés antiépileptiques qui sont utilisés pour le traitement de l'épilepsie.
- Votre médecin vous a prescrit Neurontin pour faire diminuer la fréquence de vos crises.

Important: Avant de prendre votre médicament, vous devez indiquer à votre médecin:

- toute maladie dont vous souffrez, surtout s'il s'agit d'une maladie rénale;
- si vous êtes enceinte ou songez à le devenir, ou si vous allaitez votre enfant;
- tous les autres médicaments (prescrits ou non) que vous prenez;
- votre consommation habituelle d'alcool.

Comment prendre Neurontin?

- Il est très important que vous preniez Neurontin exactement comme votre médecin vous l'a prescrit.
- N'augmentez ou ne diminuez jamais la dose de Neurontin sans que votre médecin ne vous le demande.
- Ne cessez pas brusquement de le prendre, car la fréquence de vos crises pourrait augmenter.
- Si vous oubliez de prendre une dose, prenez une autre dose équivalente dès que possible. Cependant, si ceci se produit moins de 4 heures avant le moment de prendre la dose suivante, ne remplacez pas la dose oubliée et recommencez à prendre votre médicament suivant l'horaire habituel.
- Vous pouvez prendre Neurontin avec ou sans aliments.

Quand ne faut-il pas prendre Neurontin?

- Vous ne devez pas prendre Neurontin si vous êtes allergique à son principe actif ou à tout autre ingrédient qui entre dans sa composition (voir les ingrédients énumérés à la fin de ces feuilles de renseignements).

Précautions pendant le traitement par Neurontin:

- Appelez **immédiatement** votre médecin si vos crises s'aggravent.
- Consultez **immédiatement** votre médecin si vous faites une réaction grave, inhabituelle ou allergique.
- Au début du traitement par Neurontin, il se peut que vous subissiez des effets secondaires tels qu'une somnolence, des étourdissements ou de la fatigue. Si vous ressentez l'un de ces effets, consultez votre médecin, il devra peut-être modifier la dose.
- Si votre état épileptique n'est pas stabilisé, il est très important de vous abstenir de toute tâche comportant des risques, telle que conduire une automobile ou faire fonctionner des machines dangereuses. Si votre état épileptique est stabilisé, vous devez également vous abstenir de tâches dangereuses jusqu'à ce que vous soyez certain que le médicament n'a pas d'effet sur votre vigilance ou la coordination de vos mouvements.
- Évitez de consommer des boissons alcoolisées pendant le traitement par Neurontin.

Que faire en cas de surdosage?

- Appelez votre médecin ou le service d'urgence de l'hôpital le plus proche, même si vous ne vous sentez pas malade.

Comment conserver Neurontin?

- Gardez Neurontin à la température ambiante (entre 15 et 30 °C).
- Gardez Neurontin hors de la portée des enfants.

Que contient Neurontin?

- Les capsules de Neurontin contiennent 100 mg, 300 mg ou 400 mg de gabapentine, principe actif du médicament. Les ingrédients non médicamenteux qui entrent dans la composition du produit sont: du lactose, de l'amidon de maïs, du talc, de la gélatine, du bioxyde de

Neurontin (suite)

titane, de l'oxyde de silicium, du laurylsulfate de sodium, du FD&C bleu nº 2 et de l'oxyde de fer jaune ou rouge.

Qui fabrique Neurontin?

- Les capsules de Neurontin sont fabriquées par: Parke-Davis Division de Warner-Lambert Canada Inc., Scarborough, Ontario M1L 2N3.

Rappel: Ce médicament n'est prescrit que pour vous. N'en donnez à personne.

Pour tout autre renseignement, veuillez consulter votre médecin ou votre pharmacien.

□ NICODERM®

Hoechst Marion Roussel

Nicotine

Aide pour cesser de fumer

Renseignements destinés aux patients: Guide de l'utilisateur de Nicoderm: Important: Lisez attentivement les instructions suivantes avant d'utiliser Nicoderm. Conservez la boîte du produit de même que ce guide. Ils comportent des renseignements importants auxquels vous devrez peut-être vous reporter au cours de votre traitement.

Les clés du succès:

1. Vous devez être vraiment décidé à cesser de fumer pour que Nicoderm vous aide.
2. Appliquez un nouveau timbre chaque jour.
3. Vous devez suivre le programme de traitement par Nicoderm du début à la fin.
4. Le traitement par Nicoderm se révèle le plus efficace lorsqu'il est utilisé conjointement avec un programme de renoncement au tabac.
5. Consultez votre médecin ou votre pharmacien si vous éprouvez de la difficulté à utiliser Nicoderm ou à comprendre le programme de traitement par Nicoderm.

Félicitations! Vous venez de franchir une étape importante pour vous libérer du tabagisme. **À partir de maintenant, vous devez cesser de fumer complètement.** Votre force de caractère et votre volonté, jumelées à un usage approprié de Nicoderm vous aideront à vous sevrer graduellement de la nicotine, tout en réduisant les symptômes liés à la privation de nicotine.

Cesser de fumer, ce n'est pas facile: Si votre dernière démarche pour cesser de fumer s'est soldée par un échec, ne vous découragez pas. Il n'est pas du tout facile d'arrêter de fumer. Cela prend du temps, et la plupart des gens font quelques tentatives avant de réussir une fois pour toutes. L'important c'est d'essayer encore, jusqu'à ce que vous réussissiez. Ce guide vous apportera le soutien nécessaire pour devenir un non-fumeur. Vous y trouverez les réponses à vos questions sur Nicoderm ainsi que des conseils pour vous aider à cesser de fumer. Consultez-le régulièrement.

Qui peut vous aider: Utilisez Nicoderm conjointement avec un programme de renoncement au tabac. Votre médecin ou votre pharmacien pourra probablement vous recommander des groupes d'entraide dans votre région. Si vous désirez obtenir des renseignements supplémentaires sur Nicoderm, vous pouvez également nous téléphoner en tout temps au 1 800 265-7927.

Comprendre votre habitude: Dans bien des cas, vous fumez essentiellement par **habitude.** Ainsi, vous avez peut-être pris l'habitude de fumer à certains moments comme:

- après les repas
- lorsque vous parlez au téléphone
- en situation de stress
- avec le café du matin
- au volant
- quand vous prenez un verre avec des amis

Dans les autres cas, lorsque vous fumez, c'est parce que vous en ressentez le **besoin.** La nicotine est une substance chimique que votre organisme a appris à aimer et dont il en est venu à dépendre. Lorsque vous fumez, votre circuit sanguin absorbe la nicotine et «fait le plein». Après un certain temps, vos concentrations sanguines de nicotine baissent jusqu'à ce que vous soyez dans un état de manque qui vous signale de «refaire le plein».

Comment fonctionnent les timbres Nicoderm: Nicoderm produit des concentrations sanguines de nicotine inférieures à celles obtenues avec la cigarette, vous permettant de réduire graduellement les besoins en nicotine de votre organisme. Nicoderm constitue une aide temporaire pour cesser de fumer en réduisant les symptômes associés au sevrage de nicotine, comme l'irritabilité, la frustration, l'anxiété, la difficulté de concentration et l'agitation. Une fois que vous arrivez à vous passer des cigarettes que vous fumez par «besoin», il devient beaucoup plus facile d'abandonner les cigarettes que vous fumez par «habitude».

Nicoderm est le seul timbre doté d'une membrane régulatrice de la vitesse de libération de la nicotine; votre organisme reçoit donc une dose constante de nicotine, ce qui vous protège des états de manque. Cette caractéristique unique vous offre une protection 24 heures sur 24, même tôt le matin, moment auquel un grand nombre de personnes trouvent l'état de manque particulièrement difficile à vivre.

Le programme de traitement par Nicoderm:

1. **Premièrement, assurez-vous d'avoir acheté la bonne dose de départ.** La plupart des fumeurs devraient commencer par le timbre de la **Phase 1** (21 mg/jour). Vous devriez toutefois commencer par le timbre de la **Phase 2** (14 mg/jour) si **l'une ou plusieurs** des conditions suivantes s'appliquent à votre cas:
   - vous fumez moins de 10 cigarettes/jour;
   - vous pesez moins de 45 kg;
   - vous avez une maladie du cœur et votre médecin vous a recommandé Nicoderm.
2. **Deuxièmement, fixez-vous une date d'abandon.** Déterminez la date à laquelle vous cesserez de fumer et commencerez à utiliser Nicoderm pour réduire vos besoins irrésistibles de fumer.
3. **Suivez le programme de traitement de 10 semaines par Nicoderm qui vous convient.** Si vous:
   - fumez moins de 10 cigarettes/jour, ou
   - pesez moins de 45 kg, ou
   - avez une maladie du cœur et votre médecin vous a recommandé Nicoderm.

   Lisez et suivez le programme de 10 semaines décrit à la **section 3A.**

   Si aucune de ces conditions ne s'applique à votre cas, **lisez et suivez** le programme de 10 semaines décrit à la **section 3B.**

A. Programme de traitement de 10 semaines par Nicoderm pour les fumeurs qui:

- fument moins de 10 cigarettes/jour, ou
- pèsent moins de 45 kg, ou
- ont une maladie du cœur et dont le médecin a recommandé Nicoderm.

Phase 1: Allez directement à la phase 2.

Phase 2: Phase initiale: Pendant les 6 premières semaines, vous utilisez le timbre Nicoderm de la **Phase 2** (14 mg/jour). Assurez-vous de bien suivre les directives figurant à la section intitulée Comment fonctionnent les timbres Nicoderm.

Phase 3: Réduction de la dose: Pendant les 7ᵉ et 8ᵉ semaines, vous utilisez le timbre Nicoderm de la **Phase 3** (7 mg/jour). Pendant cette phase, vous recevez une dose plus faible de nicotine, ce qui vous prépare à cesser d'utiliser Nicoderm complètement. Au besoin, vous pouvez utiliser le timbre Nicoderm de la **Phase 3** (7 mg/jour) pendant 2 autres semaines (9ᵉ et 10ᵉ semaines).

B. Programme de traitement de 10 semaines par Nicoderm pour les fumeurs qui ne font pas partie du groupe décrit à la section 3A.

Phase 1: Phase initiale: Pendant les 6 premières semaines, vous utilisez la dose la plus forte, c.-à-d. le timbre Nicoderm de la Phase 1 (21 mg/jour), cette période étant celle où votre état de manque est le plus marqué. Assurez-vous de bien suivre les directives figurant à la section intitulée Comment fonctionnent les timbres Nicoderm.

Phase 2: Première réduction de la dose: Pendant les 7ᵉ et 8ᵉ semaines, vous utilisez le timbre Nicoderm de la **Phase 2** (14 mg/jour). En passant au timbre de la **Phase 2** après 6 semaines, vous commencez à réduire graduellement votre dose de nicotine.

Phase 3: Deuxième réduction de la dose: Pendant les 9ᵉ et 10ᵉ semaines, vous utilisez le timbre Nicoderm de la **Phase 3** (7 mg/jour). Cette dernière étape réduit davantage votre dose de nicotine et vous prépare à cesser d'utiliser Nicoderm complètement.

C. Remarque importante pour tous les fumeurs qui utilisent Nicoderm: Cessez d'utiliser Nicoderm à la fin de la 10ᵉ semaine. Si, après 10 semaines, vous ressentez encore le besoin de fumer ou avez recommencé à fumer et souhaitez refaire le programme, consultez votre médecin ou votre pharmacien pour déterminer le moment idéal de votre prochaine tentative. **N'utilisez pas Nicoderm de façon continue pendant plus de 3 mois.**

Il est important de suivre le programme de réduction des doses du début à la fin. Les différentes phases vous permettent de réduire graduellement votre dose de nicotine plutôt que de l'arrêter brusquement. Vous mettez ainsi toutes les chances de votre côté.

Comment utiliser les timbres Nicoderm: Lisez toutes les directives suivantes avant d'utiliser les timbres Nicoderm. Consultez-les souvent pour vous assurer que vous vous servez de Nicoderm de façon appropriée.

Important:

- **Cessez complètement de fumer avant de commencer à utiliser Nicoderm.**
- **N'appliquez pas plus de 1 timbre à la fois; cela pourrait entraîner un surdosage de nicotine.**
- **Retirez le timbre Nicoderm 2 heures avant d'entreprendre une activité physique vigoureuse et prolongée, car l'absorption transdermique de la nicotine peut s'en trouver augmentée et provoquer des symptômes de surdosage de nicotine.**

Application des timbres Nicoderm:

1. Ne sortez pas le timbre Nicoderm de son sachet protecteur scellé tant que vous n'êtes pas prêt à l'appliquer. Le timbre Nicoderm perd de la nicotine au contact de l'air s'il est gardé hors du sachet. Découpez le sachet à l'aide de ciseaux en suivant le pointillé.
2. Choisissez un endroit propre, sec et non velu sur votre abdomen ou votre dos, au-dessus de la taille, ou la face externe de votre bras. N'appliquez pas de timbre Nicoderm sur la peau brûlée, écorchée, coupée ou irritée de quelque façon que ce soit. Assurez-vous que votre peau n'est pas recouverte d'une pellicule de savon ou de lotion avant d'y appliquer un timbre.
3. Une pellicule protectrice transparente recouvre la surface argentée adhésive du timbre Nicoderm, cette surface étant celle qui est appliquée contre la peau. La pellicule est séparée en deux pour qu'elle soit plus facile à enlever. En tenant la surface argentée face à vous, tirez la moitié de la pellicule du milieu vers l'extérieur. En tenant le timbre Nicoderm par l'un de ses bords extérieurs (touchez le moins possible la surface argentée), tirez l'autre moitié de la pellicule protectrice. Jetez les deux moitiés de la pellicule protectrice.
4. Appliquez immédiatement la surface adhésive du timbre Nicoderm sur la peau. Appuyez fermement sur la peau avec le talon de la main, et gardez-y votre main appuyée pendant au moins 10 secondes. Assurez-vous que le timbre, en particulier le pourtour, colle bien à la peau.
5. Rincez vos mains à l'eau après avoir appliqué le timbre Nicoderm. N'utilisez pas de savon, car cela peut augmenter l'absorption de nicotine par la peau. La nicotine qui se dépose sur vos mains pourrait entrer en contact avec les yeux et le nez, et ainsi causer des picotements, des rougeurs ou des problèmes plus graves.
6. Après 24 heures, retirez le timbre Nicoderm que vous portiez (reportez-vous au paragraphe Élimination des timbres Nicoderm). Choisissez un **autre** endroit sur votre peau pour y appliquer le timbre suivant et répétez les étapes 1 à 5. Attendez au moins 1 semaine avant d'utiliser de nouveau un même endroit. Ne laissez pas le timbre en place pendant plus de 24 heures, d'une part parce que cela peut irriter votre peau, d'autre part parce qu'il perd de son efficacité après 24 heures.

Moment de l'application du timbre Nicoderm: Si vous appliquez le timbre Nicoderm à peu près à la même heure chaque jour (au lever, p. ex.), il vous sera plus facile de ne pas oublier de le changer. Si vous souhaitez changer l'heure à laquelle vous appliquez votre timbre, vous pouvez le faire. Il vous suffit d'enlever le timbre Nicoderm à la nouvelle heure et d'en appliquer un nouveau. Par la suite, appliquez le timbre Nicoderm à la nouvelle heure chaque jour.

Si le timbre Nicoderm se mouille: L'eau n'endommage pas le timbre Nicoderm que vous portez. Vous pouvez prendre un bain (même chaud) ou une douche, ou vous baigner pendant de courtes périodes pendant que vous portez le timbre Nicoderm.

Si le timbre Nicoderm se décolle: En général, le timbre Nicoderm colle bien à la peau chez la plupart des gens. Si, cependant, votre timbre se décolle, appliquez-en un nouveau; assurez-vous alors de choisir une partie du corps non velue et non irritée qui est à la fois propre et sèche. Retirez le timbre Nicoderm à l'heure habituelle si vous souhaitez conserver la même heure d'application ou après 24 heures si vous préférez changer l'heure de l'application de votre timbre.

Si le savon que vous utilisez contient de la lanoline ou un hydratant, il se peut que le timbre ne colle pas bien à votre peau. Il collera peut-être mieux si vous changez de savon. Les crèmes pour le corps, les lotions et les écrans solaires peuvent aussi nuire à la tenue du timbre. N'utilisez pas de crème ou de lotion à l'endroit où vous avez l'intention d'appliquer votre timbre. Si votre peau est grasse ou si vous avez du mal à y faire coller le timbre, essayer de commencer par la frotter avec de l'alcool à friction.

Si, après avoir bien suivi les directives, vous êtes toujours incapable de faire coller le timbre, essayez de fixer du ruban adhésif pour usage médical par-dessus le timbre.

Élimination du timbre Nicoderm: Repliez le timbre Nicoderm usagé en deux, les deux moitiés adhésives l'une contre l'autre. Après avoir appliqué un nouveau timbre Nicoderm sur votre peau, prenez le sachet protecteur ouvert du nouveau timbre et mettez-y le timbre Nicoderm usagé replié. Jetez le sachet aux ordures, hors de la portée des enfants. Les timbres usagés contiennent suffisamment de nicotine pour intoxiquer les enfants et les animaux de compagnie. Rincez-vous les mains à l'eau (sans savon).

Effets secondaires possibles: Le fait de cesser de fumer peut entraîner certains effets secondaires, notamment de l'irritabilité, de l'insomnie, une augmentation de l'appétit et des maux de tête. Ces effets devraient toutefois disparaître après quelques jours.

Le timbre Nicoderm peut entraîner les effets secondaires suivants: irritation mineure de la peau, maux de tête, sensation de tête légère, insomnie, dérangements d'estomac et rêves d'apparence réelle. Vous pouvez éliminer ces effets secondaires en changeant pour une dose moins forte du timbre Nicoderm.

Si votre peau réagit au timbre Nicoderm: Lorsque vous appliquez le timbre Nicoderm pour la première fois, il est normal que vous ressentiez de légers symptômes tels que des démangeaisons, une sensation de brûlure ou des picotements, mais ces symptômes devraient disparaître en moins de 1 heure. Après avoir enlevé le timbre Nicoderm, la peau qui était recouverte par le timbre peut être légèrement rougie. Votre peau ne devrait pas rester rouge pendant plus de 1 journée. Si vous présentez une éruption cutanée après avoir utilisé un timbre Nicoderm ou si la peau recouverte par le timbre devient enflée ou très rouge, enlevez le timbre, rincez la zone irritée à l'eau (sans savon) et appelez votre médecin. N'appliquez pas de nouveau timbre. Il se peut que vous soyez allergique à l'une des composantes du timbre Nicoderm.

Qui ne doit pas utiliser les timbres Nicoderm: Vous ne devez pas utiliser les timbres Nicoderm si:

- vous continuez de fumer, vous chiquez ou prisez du tabac, vous utilisez de la gomme à mâcher à base de nicotine ou d'autres produits contenant de la nicotine;
- vous êtes un fumeur occasionnel ou un non-fumeur;
- vous avez moins de 18 ans;
- vous êtes enceinte ou vous allaitez;
- vous souffrez d'une affection cutanée généralisée (p. ex., urticaire, éruptions cutanées);
- vous avez déjà souffert d'une réaction allergique à Nicoderm ou à la nicotine.

Avant d'utiliser les timbres Nicoderm, vérifiez auprès de votre médecin si vous souffrez ou avez déjà souffert de l'un des problèmes suivants:

- crise cardiaque (infarctus du myocarde)
- battements cardiaques irréguliers (arythmie)
- accident vasculaire cérébral
- diabète nécessitant l'administration d'insuline
- maladie du rein ou du foie
- réactions cutanées au ruban adhésif ou aux pansements
- allergies aux médicaments
- douleur à la poitrine (angine)
- haute pression (hypertension)
- problèmes de circulation sanguine
- ulcères d'estomac
- thyroïde trop active (hyperthyroïdie)
- maladies de peau

L'usage de la cigarette peut modifier l'effet de certains médicaments. Lorsque vous aurez cessé de fumer, il pourrait être nécessaire que votre médecin rajuste la dose des médicaments que vous prenez. Il est donc important que vous informiez votre médecin de tous les médicaments que vous prenez. Si vous avez des doutes sur quoi que ce soit, parlez-en à votre médecin ou à votre pharmacien.

Quelques précautions importantes: Les timbres Nicoderm sont conçus seulement pour les personnes qui veulent cesser de fumer. Si vous fumez, chiquez ou prisez du tabac, ou utilisez de la gomme à mâcher ou tout autre produit à base de nicotine pendant que vous portez un

Nicoderm (suite)

timbre Nicoderm, vous pourriez être victime d'un surdosage de nicotine. Les signes d'un surdosage sont les suivants: maux de tête intenses, étourdissements, nausées, douleurs abdominales, bave, vomissements, diarrhée, sueurs froides, vision embrouillée, troubles de l'ouïe, confusion mentale, faiblesse, évanouissements, battements cardiaques rapides et difficulté à respirer.

En cas de surdosage, ou si un enfant s'applique un timbre Nicoderm ou en avale un, communiquez d'abord avec un médecin ou avec le centre antipoison le plus près de chez vous. Décollez le timbre et rincez la peau à grande eau (sans savon). Les jeunes enfants sont particulièrement sensibles aux effets de la nicotine, même à très petites doses. La nicotine peut être mortelle pour les enfants.

Cessez d'utiliser Nicoderm et consultez votre médecin si:
- vous avez des douleurs à la poitrine, des battements cardiaques irréguliers, des palpitations ou des douleurs aux jambes;
- votre peau enfle ou vous présentez une éruption cutanée;
- le timbre a causé des rougeurs cutanées qui n'ont toujours pas disparu après 4 jours;
- vous croyez être enceinte. N'envisagez pas de grossesse pendant votre traitement par Nicoderm; la nicotine, sous toutes ses formes, peut causer des dommages au fœtus;
- vous présentez les symptômes d'un surdosage de nicotine mentionnés ci-dessus (voir Quelques précautions importantes).

Consultez votre médecin si vous avez de la difficulté à cesser d'utiliser les timbres Nicoderm à la fin de votre programme de traitement par Nicoderm.

Conservation des timbres Nicoderm: Conservez chaque timbre Nicoderm dans son sachet protecteur original tant que vous n'êtes pas prêt à l'appliquer sur votre peau, car le timbre perd de la nicotine au contact de l'air. Conservez les timbres Nicoderm à la température ambiante (entre 15 et 30 °C).

Les timbres Nicoderm sont des médicaments et doivent être tenus hors de la portée des enfants. Les timbres Nicoderm peuvent être très toxiques pour les enfants et les animaux de compagnie s'ils sont appliqués sur la peau ou avalés.

Demeurez un non-fumeur: Entreprenez une activité qu'il vous aurait été difficile—voire impossible—de faire lorsque vous fumiez. Abonnez-vous à un club de conditionnement physique ou commencez à faire de l'exercice à la maison. Vous vous sentirez doublement mieux d'avoir cessé de fumer. Voici quelques autres conseils utiles:
- Évitez la consommation d'alcool, de café et d'autres boissons que vous aviez l'habitude de boire en fumant.
- Si la sensation de tenir une cigarette vous manque, gardez vos mains occupées en jouant avec un crayon, un trombone, une bille, etc.
- Après les repas, au lieu de fumer, allez faire une promenade.
- Évitez les personnes ou les situations qui pourraient vous inciter à fumer—du moins pour quelque temps.
- Chaque mois, à l'anniversaire de votre date d'abandon, célébrez votre réussite.
- Il se peut que vous ayez besoin d'une aide supplémentaire. Votre médecin ou votre pharmacien pourra vous recommander un groupe d'entraide ou un programme individuel de renoncement au tabac dans votre région.

Surmontez les rechutes: Si vous recommencez à fumer, ne soyez pas embarrassé et n'ayez pas honte. La plupart des gens font plusieurs tentatives avant de parvenir à cesser de fumer pour de bon. La majorité des rechutes surviennent au cours de la première semaine ou des 3 premiers mois suivant l'abandon de l'usage du tabac, surtout dans des situations associées à l'habitude de fumer, p. ex., en présence de stress ou lors de la consommation d'alcool. En prenant conscience des situations qui peuvent déclencher votre envie de fumer, vous pourrez vous préparer à y faire face ou, mieux encore, éviter qu'elles ne se produisent. Le soutien de vos amis et de votre famille est un facteur essentiel à votre réussite.

Récompensez-vous régulièrement: Cesser de fumer n'est pas facile et vous devez être fier de vous. Offrez-vous une petite récompense de temps à autre pour vous féliciter de ce que vous avez accompli et pour vous rappeler que vous faites quelque chose de bien pour vous; cela vous encouragera à poursuivre vos efforts.

□ NICORETTE®

Hoechst Marion Roussel

Polacrilex de nicotine

Aide pour cesser de fumer

Renseignements destinés aux patients: Important: Lisez attentivement les instructions suivantes avant d'utiliser Nicorette. Conservez la boîte du produit de même que ce guide. Ils comportent des renseignements importants auxquels vous devrez peut-être vous reporter au cours de votre traitement.

Les clés du succès:
1. Vous devez vraiment vouloir arrêter de fumer pour que Nicorette puisse vous aider.
2. Vous augmentez considérablement vos chances de réussir si vous prenez le nombre de morceaux recommandé chaque jour (voir le tableau posologique).
3. Poursuivez votre traitement par Nicorette pendant 3 mois complets (voir le tableau posologique).
4. Le traitement par Nicorette se révèle le plus efficace lorsqu'il est utilisé conjointement avec un programme de renoncement au tabac.
5. Consultez votre médecin ou votre pharmacien si vous éprouvez de la difficulté à utiliser Nicorette ou si vous avez des questions.

Félicitations: Vous venez de franchir une étape importante pour vous libérer du tabagisme. **À partir de maintenant, vous devez cesser de fumer complètement.** Votre force et votre volonté, jumelées à un usage approprié de Nicorette vous aideront à vous sevrer graduellement de la nicotine, tout en réduisant les symptômes liés à la privation de nicotine.

Cesser de fumer, ce n'est pas facile: Si votre dernière démarche pour cesser de fumer s'est soldée par un échec, ne vous découragez pas. L'important c'est d'essayer encore, jusqu'à ce que vous réussissiez. Ce guide vous apportera le soutien nécessaire pour devenir un non-fumeur. Vous y trouverez les réponses à vos questions sur Nicorette ainsi que des conseils pour vous aider à cesser de fumer. Consultez-le régulièrement.

Qui peut vous aider: Vous avez plus de chances de réussir à cesser de fumer si vous utilisez Nicorette conjointement avec un programme de renoncement au tabac. Votre médecin ou votre pharmacien pourra probablement vous recommander des groupes d'entraide dans votre région. Si vous désirez obtenir des renseignements supplémentaires sur Nicorette, vous pouvez également nous téléphoner en tout temps au 1 800 265-7927.

Si vous faites une rechute après avoir utilisé Nicorette, rappelez-vous que la libération d'une telle dépendance ne se fait pas du jour au lendemain. Vous pouvez choisir de consulter un professionnel de la santé pour vous aider à accroître vos chances de réussite la prochaine fois que vous entreprendrez un traitement par Nicorette.

Quand fumez-vous? Dans bien des cas, vous fumez essentiellement par «**habitude**», surtout dans certaines situations précises, p. ex., après les repas, avec le café du matin, en parlant au téléphone, en conduisant, dans les situations de stress ou en prenant un verre avec des amis.

Dans les autres cas, lorsque vous fumez, c'est parce que vous en ressentez le «**besoin physique**». En effet, la nicotine est une substance chimique à laquelle votre organisme s'est habitué au fil du temps et dont il est dépendant. Lorsque vous fumez, la nicotine pénètre dans votre organisme. Après un certain temps, vos réserves diminuent, et votre organisme vous fait savoir qu'il a besoin de nicotine de nouveau.

Comment fonctionne Nicorette: Les morceaux à mastiquer sans saccharose Nicorette produisent des taux sanguins de nicotine inférieurs à ceux obtenus avec la cigarette, vous permettant de réduire graduellement les besoins en nicotine de votre organisme. Nicorette constitue une aide temporaire pour cesser de fumer en réduisant les symptômes associés au sevrage de nicotine, comme l'irritabilité, la frustration, l'anxiété, la difficulté de concentration et l'agitation. Une fois que vous arrivez à vous passer des **cigarettes que vous fumez par «besoin»**, il devient beaucoup plus facile d'abandonner les **cigarettes que vous fumez par «habitude»**.

Fixez-vous une date d'abandon: Vos chances de réussir augmenteront considérablement si vous vous fixez une **date d'abandon**. La date que vous choisirez ne doit pas être trop éloignée. Profitez des jours qui la précèdent pour vous rappeler toutes les raisons qui vous motivent à cesser de fumer, et pour vous imaginer dans votre nouvelle vie de non-fumeur.

Comment choisir les morceaux de Nicorette qui vous conviennent: Les morceaux à mastiquer Nicorette sont offerts en 2 teneurs. Nicorette

(2 mg) contient 2 mg de nicotine par morceau, et doit être utilisée par les fumeurs moyens, c.-à-d. ceux qui fument 25 cigarettes ou moins par jour. Nicorette Plus (4 mg) contient 4 mg de nicotine par morceau, et doit être utilisée par les grands fumeurs, c.-à-d. ceux qui fument plus de 25 cigarettes par jour.

Pour connaître la teneur qui vous convient, remplissez le questionnaire suivant (il faut souligner que les questions n'ont pas toutes une réponse à la colonne C). On recommande l'emploi de Nicorette (2 mg) chez les personnes dont le pointage final est de 6 ou moins. Nicorette Plus (4 mg) est plutôt indiquée chez les personnes dont le pointage final est de 7 ou plus.

Questionnaire de sélection de Nicorette*

	A=0 point	**B=1 point**	**C=2 points**	**Pointage**
Combien de temps après le réveil fumez-vous votre première cigarette?	Plus de 30 minutes	Moins de 30 minutes		
Combien de cigarettes fumez-vous par jour?	1 à 15	16 à 25	Plus de 26	
La marque de cigarettes que vous fumez a-t-elle une teneur faible, moyenne ou élevée en nicotine?	Faible, moins de 0,4 mg	Modérée, entre 0,5 et 0,8 mg	Élevée, plus de 0,9 mg	
Au cours de la journée, quelle cigarette est la plus satisfaisante pour vous?	N'importe laquelle sauf la première de la journée	La première de la journée		
Fumez-vous plus pendant la matinée que pendant le reste de la journée?	Non	Oui		
Fumez-vous lorsque vous êtes tellement malade que vous devez rester au lit pendant presque toute la journée?	Non	Oui		
Trouvez-vous difficile de vous abstenir de fumer lorsque cela est interdit, comme à la bibliothèque, au théâtre ou chez le médecin?	Non	Oui		
À quelle fréquence inhalez-vous la fumée de cigarettes?	Jamais	Parfois	Toujours	
			Pointage final	

*Échelle de tolérance à la nicotine de Fagerström.

Comment utiliser Nicorette: Il est très important que vous utilisiez Nicorette de façon appropriée. Nicorette est un médicament et non une gomme à mâcher ordinaire; elle peut donc causer de légers maux de tête, des nausées et le hoquet lorsque vous la mastiquez incorrectement. Allez-y doucement. Mastiquez-la une fois ou deux, puis placez-la entre votre joue et votre gencive. Attendez 1 minute, puis recommencez. **Mastiquez. Mastiquez. Arrêtez. Mastiquez. Mastiquez. Arrêtez.** Ralentissez si vous commencez à ressentir des malaises. Après environ 30 minutes, tout le médicament sera libéré. Jetez le morceau hors de la portée des enfants et prenez un nouveau morceau dès qu'un besoin irrésistible de fumer se fait sentir.

Ne mastiquez pas plus de 1 morceau de Nicorette à la fois.

Évitez de boire des boissons acides, comme le café, le thé, les boissons gazeuses, l'alcool ou les jus d'agrumes pendant que vous mastiquez Nicorette. Elles peuvent l'empêcher d'agir correctement.

Combien de temps devriez-vous utiliser Nicorette? Vous devez prendre un morceau de Nicorette chaque fois que le désir de fumer se fait sentir. Reportez-vous au tableau posologique suivant. **Ne prenez pas plus de 20 morceaux/jour.**

Tableau posologique

	1er mois		**2e mois**	**3e mois**	**4e au 6e mois**
	1re et 2e semaines	**3e et 4e semaines**			
Nbre de cigarettes/ jour	**Nbre de morceaux/ jour**	**Nbre de morceaux/ jour**	**Nbre de morceaux/ jour**	**Nbre de morceaux/ jour**	
20 et plus	20	15	10	5	Prenez 1 morceau de Nicorette chaque fois qu'un besoin irrésistible se fait sentir.
15 à 19	16	12	6	3	
11 à 14	12	9	5	3	
10 ou moins	10	8	4	2	

Lorsque le traitement par Nicorette commence à faire son effet et que votre désir de fumer diminue, vous pouvez réduire graduellement le nombre de morceaux que vous prenez. Finalement, lorsque vous en êtes à 1 ou 2 morceaux de Nicorette par jour, vous êtes prêt à abandonner complètement l'usage de Nicorette. Ne vous pressez pas. Pour la plupart des gens, ce traitement dure environ 3 mois, mais pour certaines personnes, il est préférable de le poursuivre pendant 6 mois.

N'utilisez pas Nicorette pendant plus de 6 mois sans consulter votre médecin.

Gardez toujours Nicorette sur vous pendant une période de 3 mois après avoir complètement cessé de fumer au cas où un besoin irrésistible de fumer se ferait sentir. Une cigarette suffit pour recommencer à fumer.

Effets indésirables: Le fait de cesser de fumer peut entraîner certains effets secondaires, notamment l'irritabilité, l'insomnie, l'augmentation de l'appétit et les maux de tête. **Ces effets disparaissent toutefois après quelques jours.**

Par ailleurs, l'utilisation de Nicorette peut entraîner les effets suivants: maux de tête, étourdissements, hoquet, dérangements d'estomac et autres problèmes gastriques, particulièrement si vous la mastiquez trop rapidement ou de façon inappropriée. Une douleur dans la bouche ou dans la gorge est également un effet secondaire fréquemment signalé par les patients.

Étant donné que Nicorette est un produit à base de gomme, son utilisation peut causer le détachement des obturations dentaires (plombages) et aggraver certains problèmes de la bouche, des dents et des mâchoires. Elle peut aussi coller aux prothèses dentaires.

Étant donné que Nicorette est conçue pour libérer de la nicotine seulement sous l'action de la mastication, aucun effet nocif ne peut se produire si vous avalez accidentellement un morceau à mastiquer.

En cas de surdosage, ou si un enfant mastique ou avale un morceau ou plus de Nicorette, communiquez d'abord avec un médecin ou avec le centre antipoison le plus près de chez vous. Les jeunes enfants sont particulièrement sensibles aux effets de la nicotine, même lorsqu'il s'agit de faibles doses. L'absorption de nicotine peut être mortelle pour les enfants et les animaux domestiques.

Qui ne devrait pas utiliser Nicorette? Vous ne devriez pas utiliser Nicorette si:

- vous continuez à fumer, vous chiquez ou prisez du tabac, vous utilisez des timbres de nicotine ou d'autres produits contenant de la nicotine;
- vous êtes un fumeur occasionnel ou un non-fumeur;
- vous êtes enceinte ou vous allaitez;
- vous avez moins de 18 ans;
- vous souffrez de troubles de la mâchoire, comme le syndrome de Costen.

Consultez votre médecin avant d'utiliser Nicorette si:

- vous souffrez ou avez souffert de problèmes cardiaques, thyroïdiens, circulatoires, gastriques, pharyngés ou buccaux, d'angine de poitrine,

Nicorette (suite)

de coronaropathie, d'affection vasculaire périphérique, d'arythmie ou d'hypertension;
- vous prenez de l'insuline ou tout autre médicament vendu sur ordonnance. Il sera peut-être nécessaire d'ajuster la posologie de votre médicament.

Précautions importantes: Cessez d'utiliser Nicorette et consultez votre médecin si:
- de l'arythmie, des douleurs thoraciques ou des douleurs aux jambes se manifestent, ou si des dérangements d'estomac (indigestion, brûlures d'estomac) graves ou persistants apparaissent;
- vous pensez être enceinte. N'envisagez pas de grossesse pendant votre traitement par Nicorette. La nicotine, sous toutes ses formes, peut causer des dommages au fœtus;
- vous présentez des symptômes de surdosage, comme de la nausée, des douleurs abdominales, des vomissements, des sueurs froides, des étourdissements, de la confusion, une sensation de faiblesse, une accélération de votre pouls ou de la difficulté à respirer.

Consultez votre dentiste ou votre médecin si des lésions ou de l'irritation buccales ou des troubles dentaires surviennent.

Consultez votre médecin si, en 3 mois, vous éprouvez de la difficulté à réduire le nombre de morceaux de Nicorette que vous utilisez.

Conservation de Nicorette: Conservez Nicorette dans son emballage d'origine à une température se situant entre 15 et 30 °C. Protégez de la lumière.

Nicorette est un médicament et doit être tenu hors de la portée des enfants.

Demeurez un non-fumeur: Entreprenez une activité qu'il vous aurait été difficile—voire impossible—de faire lorsque vous fumiez. Abonnez-vous à un club de conditionnement physique ou commencez à faire de l'exercice à la maison. Vous vous sentirez doublement mieux d'avoir cessé de fumer. Voici quelques autres conseils utiles:
- Essayez d'éviter la consommation d'alcool, de café et d'autres boissons que vous aviez l'habitude de boire en fumant.
- Si la sensation de tenir une cigarette vous manque, gardez vos mains occupées en jouant avec un crayon, un trombone, une bille, etc.
- Après les repas, au lieu de fumer, brossez-vous les dents ou allez faire une promenade.
- Essayez d'éviter les personnes ou les situations qui pourraient vous inciter à fumer—du moins pour quelque temps.
- Chaque mois, à l'anniversaire de votre **date d'abandon**, célébrez votre réussite.
- Il se peut que vous ayez besoin d'une aide supplémentaire. Vous n'avez pas à en avoir honte. Votre médecin ou votre pharmacien pourra vous recommander un groupe d'entraide ou un programme individuel de renoncement au tabac dans votre région.

Surmontez les rechutes: Si vous recommencez à fumer, ne soyez pas embarrassé et n'ayez pas honte. La plupart des gens font plusieurs tentatives avant de parvenir à cesser de fumer pour de bon.

La majorité des rechutes surviennent au cours de la première semaine ou des 3 premiers mois suivant l'abandon de l'usage du tabac, surtout dans des situations associées à l'habitude de fumer, p. ex., en présence de stress ou lors de la consommation d'alcool. En prenant conscience des situations qui peuvent déclencher votre envie de fumer, vous pourrez vous préparer à y faire face ou, mieux encore, éviter qu'elles ne se produisent. Le soutien de vos amis et de votre famille est un facteur essentiel à votre réussite.

Récompensez-vous régulièrement: Cesser de fumer n'est pas facile et vous devez être fier de vous. Offrez-vous une petite récompense de temps à autre pour vous féliciter de ce que vous avez accompli et pour vous rappeler que vous faites quelque chose de bien pour vous; cela vous encouragera à poursuivre vos efforts.

□ NICORETTE® PLUS

Hoechst Marion Roussel

Polacrilex de nicotine

Aide pour cesser de fumer

Renseignements destinés aux patients: Important: Lisez attentivement les instructions suivantes avant d'utiliser Nicorette Plus. Conservez la boîte du produit de même que ce guide. Ils comportent des renseignements importants auxquels vous devrez peut-être vous reporter au cours de votre traitement.

Les clés du succès:
1. Vous devez vraiment vouloir arrêter de fumer pour que Nicorette Plus puisse vous aider.
2. Vous augmentez considérablement vos chances de réussir si vous prenez le nombre de morceaux recommandé chaque jour (voir le tableau posologique).
3. Poursuivez votre traitement par Nicorette Plus pendant 3 mois complets (voir le tableau posologique).
4. Le traitement par Nicorette Plus se révèle le plus efficace lorsqu'il est utilisé conjointement avec un programme de renoncement au tabac.
5. Consultez votre médecin ou votre pharmacien si vous éprouvez de la difficulté à utiliser Nicorette Plus ou si vous avez des questions.

Félicitations: Vous venez de franchir une étape importante pour vous libérer du tabagisme. **À partir de maintenant, vous devez cesser de fumer complètement.** Votre force et votre volonté, jumelées à un usage approprié de Nicorette Plus vous aideront à vous sevrer graduellement de la nicotine, tout en réduisant les symptômes liés à la privation de nicotine.

Cesser de fumer, ce n'est pas facile: Si votre dernière démarche pour cesser de fumer s'est soldée par un échec, ne vous découragez pas. L'important c'est d'essayer encore, jusqu'à ce que vous réussissiez. Ce guide vous apportera le soutien nécessaire pour devenir un non-fumeur. Vous y trouverez les réponses à vos questions sur Nicorette Plus ainsi que des conseils pour vous aider à cesser de fumer. Consultez-le régulièrement.

Qui peut vous aider: Vous avez plus de chances de réussir à cesser de fumer si vous utilisez Nicorette Plus conjointement avec un programme de renoncement au tabac. Votre médecin ou votre pharmacien pourra probablement vous recommander des groupes d'entraide dans votre région. Si vous désirez obtenir des renseignements supplémentaires sur Nicorette Plus, vous pouvez également nous téléphoner en tout temps au 1 800 265-7927.

Si vous faites une rechute après avoir utilisé Nicorette Plus, rappelez-vous que la libération d'une telle dépendance ne se fait pas du jour au lendemain. Vous pouvez choisir de consulter un professionnel de la santé pour vous aider à accroître vos chances de réussite la prochaine fois que vous entreprendrez un traitement par Nicorette Plus.

Quand fumez-vous? Dans bien des cas, vous fumez essentiellement par «**habitude**», surtout dans certaines situations précises, p. ex., après les repas, avec le café du matin, en parlant au téléphone, en conduisant, dans les situations de stress ou en prenant un verre avec des amis.

Dans les autres cas, lorsque vous fumez, c'est parce que vous en ressentez le «**besoin physique**». En effet, la nicotine est une substance chimique à laquelle votre organisme s'est habitué au fil du temps et dont il est dépendant. Lorsque vous fumez, la nicotine pénètre dans votre organisme. Après un certain temps, vos réserves diminuent, et votre organisme vous fait savoir qu'il a besoin de nicotine de nouveau.

Comment fonctionne Nicorette Plus: Les morceaux à mastiquer sans saccharose Nicorette Plus produisent des taux sanguins de nicotine inférieurs à ceux obtenus avec la cigarette, vous permettant de réduire graduellement les besoins en nicotine de votre organisme. Nicorette Plus constitue une aide temporaire pour cesser de fumer en réduisant les symptômes associés au sevrage de nicotine, comme l'irritabilité, la frustration, l'anxiété, la difficulté de concentration et l'agitation. Une fois que vous arrivez à vous passer des **cigarettes que vous fumez par «besoin»**, il devient beaucoup plus facile d'abandonner les **cigarettes que vous fumez par «habitude»**.

Fixez-vous une date d'abandon: Vos chances de réussir augmenteront considérablement si vous vous fixez une **date d'abandon.** La date que vous choisirez ne doit pas être trop éloignée. Profitez des jours qui la précèdent pour vous rappeler toutes les raisons qui vous motivent à cesser de fumer, et pour vous imaginer dans votre nouvelle vie de non-fumeur.

Comment choisir les morceaux de Nicorette qui vous conviennent: Les morceaux à mastiquer Nicorette sont offerts en 2 teneurs. Nicorette (2 mg) contient 2 mg de nicotine par morceau, et doit être utilisée par les fumeurs moyens, c.-à-d. ceux qui fument 25 cigarettes ou moins par jour. Nicorette Plus (4 mg) contient 4 mg de nicotine par morceau, et doit être utilisée par les grands fumeurs, c.-à-d. ceux qui fument plus de 25 cigarettes par jour.

Pour connaître la teneur qui vous convient, remplissez le questionnaire suivant (il faut souligner que les questions n'ont pas toutes une réponse à la colonne C). On recommande l'emploi de Nicorette (2 mg) chez les personnes dont le pointage final est de 6 ou moins. Nicorette

Plus (4 mg) est plutôt indiquée chez les personnes dont le pointage final est de 7 ou plus.

Questionnaire de sélection de Nicorette*

	A=0 point	B=1 point	C=2 points	Pointage
Combien de temps après le réveil fumez-vous votre première cigarette?	Plus de 30 minutes	Moins de 30 minutes		
Combien de cigarettes fumez-vous par jour?	1 à 15	16 à 25	Plus de 26	
La marque de cigarettes que vous fumez a-t-elle une teneur faible, moyenne ou élevée en nicotine?	Faible, moins de 0,4 mg	Modérée, entre 0,5 et 0,8 mg	Élevée, plus de 0,9 mg	
Au cours de la journée, quelle cigarette est la plus satisfaisante pour vous?	N'importe laquelle sauf la première de la journée	La première de la journée		
Fumez-vous plus pendant la matinée que pendant le reste de la journée?	Non	Oui		
Fumez-vous lorsque vous êtes tellement malade que vous devez rester au lit pendant presque toute la journée?	Non	Oui		
Trouvez-vous difficile de vous abstenir de fumer lorsque cela est interdit, comme à la bibliothèque, au théâtre ou chez le médecin?	Non	Oui		
À quelle fréquence inhalez-vous la fumée de cigarettes?	Jamais	Parfois	Toujours	
			Pointage final	

*Échelle de tolérance à la nicotine de Fagerström.

Comment utiliser Nicorette Plus: Il est très important que vous utilisiez Nicorette Plus de façon appropriée. Nicorette Plus est un médicament et non une gomme à mâcher ordinaire; elle peut donc causer de légers maux de tête, des nausées et le hoquet lorsque vous la mastiquez incorrectement. Allez-y doucement. Mastiquez-la une fois ou deux, puis placez-la entre votre joue et votre gencive. Attendez 1 minute, puis recommencez. **Mastiquez. Mastiquez. Arrêtez. Mastiquez. Mastiquez. Arrêtez.** Ralentissez si vous commencez à ressentir des malaises. Après environ 30 minutes, tout le médicament sera libéré. Jetez le morceau hors de la portée des enfants et prenez un nouveau morceau dès qu'un besoin irrésistible de fumer se fait sentir.

Ne mastiquez pas plus de 1 morceau de Nicorette Plus à la fois. Évitez de boire des boissons acides, comme le café, le thé, les boissons gazeuses, l'alcool ou les jus d'agrumes pendant que vous mastiquez Nicorette Plus. Elles peuvent l'empêcher d'agir correctement.

Combien de temps devriez-vous utiliser Nicorette Plus? Vous devez prendre un morceau de Nicorette Plus chaque fois que le désir de fumer se fait sentir. Reportez-vous au tableau posologique suivant. Ne prenez pas plus de 20 morceaux par jour.

Tableau posologique

	1er mois		2e mois	3e mois	4e au 6e mois
	1re et 2e semaines	3e et 4e semaines			
Nbre de cigarettes/ jour	Nbre de morceaux/ jour	Nbre de morceaux/ jour	Nbre de morceaux/ jour	Nbre de morceaux/ jour	
20 et plus	20	15	10	5	Prenez 1 morceau de Nicorette Plus chaque fois qu'un besoin irrésistible se fait sentir.
15 à 19	16	12	6	3	
11 à 14	12	9	5	3	
10 ou moins	10	8	4	2	

Lorsque le traitement par Nicorette Plus commence à faire son effet et que votre désir de fumer diminue, vous pouvez réduire graduellement le nombre de morceaux que vous prenez. Finalement, lorsque vous en êtes à 1 ou 2 morceaux de Nicorette Plus par jour, vous êtes prêt à abandonner complètement l'usage de Nicorette Plus. Ne vous pressez pas. Pour la plupart des gens, ce traitement dure environ 3 mois, mais pour certaines personnes, il est préférable de le poursuivre pendant 6 mois.

N'utilisez pas Nicorette Plus pendant plus de 6 mois sans consulter votre médecin.

Gardez toujours Nicorette Plus sur vous pendant une période de 3 mois après avoir complètement cessé de fumer au cas où un besoin irrésistible de fumer se ferait sentir. Une cigarette suffit pour recommencer à fumer.

Effets indésirables: Le fait de cesser de fumer peut entraîner certains effets secondaires, notamment l'irritabilité, l'insomnie, l'augmentation de l'appétit et les maux de tête. **Ces effets disparaissent toutefois après quelques jours.**

Par ailleurs, l'utilisation de Nicorette Plus peut entraîner les effets suivants: maux de tête, étourdissements, hoquet, dérangements d'estomac et autres problèmes gastriques, particulièrement si vous la mastiquez trop rapidement ou de façon inappropriée. Une douleur dans la bouche ou dans la gorge est également un effet secondaire fréquemment signalé par les patients.

Étant donné que Nicorette Plus est un produit à base de gomme, son utilisation peut causer le détachement des obturations dentaires (plombages) et aggraver certains problèmes de la bouche, des dents et des mâchoires. Elle peut aussi coller aux prothèses dentaires.

Étant donné que Nicorette Plus est conçue pour libérer de la nicotine seulement sous l'action de la mastication, aucun effet nocif ne peut se produire si vous avalez accidentellement un morceau à mastiquer.

En cas de surdosage, ou si un enfant mastique ou avale un morceau ou plus de Nicorette Plus, communiquez d'abord avec un médecin ou avec le centre antipoison le plus près de chez vous. Les jeunes enfants sont particulièrement sensibles aux effets de la nicotine, même lorsqu'il s'agit de faibles doses. L'absorption de nicotine peut être mortelle pour les enfants et les animaux domestiques.

Qui ne devrait pas utiliser Nicorette Plus? Vous ne devriez pas utiliser Nicorette Plus si:

- vous continuez à fumer, vous chiquez ou prisez du tabac, vous utilisez des timbres de nicotine ou d'autres produits contenant de la nicotine;
- vous êtes un fumeur occasionnel ou un non-fumeur;
- vous êtes enceinte ou vous allaitez;
- vous avez moins de 18 ans;
- vous souffrez de troubles de la mâchoire, comme le syndrome de Costen.

Consultez votre médecin avant d'utiliser Nicorette Plus si:

- vous souffrez ou avez souffert de problèmes cardiaques, thyroïdiens, circulatoires, gastriques, pharyngés ou buccaux, d'angine de poitrine, de coronaropathie, d'affection vasculaire périphérique, d'arythmie ou d'hypertension;
- vous prenez de l'insuline ou tout autre médicament vendu sur ordonnance. Il sera peut-être nécessaire d'ajuster la posologie de votre médicament.

Nicorette Plus (suite)

Précautions importantes: Cessez d'utiliser Nicorette Plus et consultez votre médecin si:

- de l'arythmie, des douleurs thoraciques ou des douleurs aux jambes se manifestent, ou si des dérangements d'estomac (indigestion, brûlures d'estomac) graves ou persistants apparaissent;
- vous pensez être enceinte. N'envisagez pas de grossesse pendant votre traitement par Nicorette Plus. La nicotine, sous toutes ses formes, peut causer des dommages au fœtus;
- vous présentez des symptômes de surdosage, comme de la nausée, des douleurs abdominales, des vomissements, des sueurs froides, des étourdissements, de la confusion, une sensation de faiblesse, une accélération de votre pouls ou de la difficulté à respirer.

Consultez votre dentiste ou votre médecin si des lésions ou de l'irritation buccales ou des troubles dentaires surviennent.

Consultez votre médecin si, en 3 mois, vous éprouvez de la difficulté à réduire le nombre de morceaux de Nicorette Plus que vous utilisez.

Conservation de Nicorette Plus: Conservez Nicorette Plus dans son emballage d'origine à une température se situant entre 15 et 30 °C. Protégez de la lumière.

Nicorette Plus est un médicament et doit être tenu hors de la portée des enfants.

Demeurez un non-fumeur: Entreprenez une activité qu'il vous aurait été difficile—voire impossible—de faire lorsque vous fumiez. Abonnez-vous à un club de conditionnement physique ou commencez à faire de l'exercice à la maison. Vous vous sentirez doublement mieux d'avoir cessé de fumer. Voici quelques autres conseils utiles:

- Essayez d'éviter la consommation d'alcool, de café et d'autres boissons que vous aviez l'habitude de boire en fumant.
- Si la sensation de tenir une cigarette vous manque, gardez vos mains occupées en jouant avec un crayon, un trombone, une bille, etc.
- Après les repas, au lieu de fumer, brossez-vous les dents ou allez faire une promenade.
- Essayez d'éviter les personnes ou les situations qui pourraient vous inciter à fumer—du moins pour quelque temps.
- Chaque mois, à l'anniversaire de votre **date d'abandon,** célébrez votre réussite.
- Il se peut que vous ayez besoin d'une aide supplémentaire. Vous n'avez pas à en avoir honte. Votre médecin ou votre pharmacien pourra vous recommander un groupe d'entraide ou un programme individuel de renoncement au tabac dans votre région.

Surmontez les rechutes: Si vous recommencez à fumer, ne soyez pas embarrassé et n'ayez pas honte. La plupart des gens font plusieurs tentatives avant de parvenir à cesser de fumer pour de bon.

La majorité des rechutes surviennent au cours de la première semaine ou des 3 premiers mois suivant l'abandon de l'usage du tabac, surtout dans des situations associées à l'habitude de fumer, p. ex., en présence de stress ou lors de la consommation d'alcool. En prenant conscience des situations qui peuvent déclencher votre envie de fumer, vous pourrez vous préparer à y faire face ou, mieux encore, éviter qu'elles ne se produisent. Le soutien de vos amis et de votre famille est un facteur essentiel à votre réussite.

Récompensez-vous régulièrement: Cesser de fumer n'est pas facile et vous devez être fier de vous. Offrez-vous une petite récompense de temps à autre pour vous féliciter de ce que vous avez accompli et pour vous rappeler que vous faites quelque chose de bien pour vous; cela vous encouragera à poursuivre vos efforts.

□ NICOTROL®

Johnson & Johnson • Merck

Nicotine

Adjuvant au sevrage tabagique

Renseignements destinés aux patients: Introduction: Ce dépliant contient des renseignements d'ordre général sur la nicotine, et des données précises sur le traitement par Nicotrol. **Veuillez le lire attentivement, en vous concentrant tout particulièrement sur la partie intitulée «Précautions d'emploi» avant de commencer à utiliser les timbres.** Pour toute question à cet égard ou pour en savoir davantage, consultez votre médecin ou votre pharmacien ou composez le 1 888 730-INFO.

Échec au tabagisme: Nicotrol pourra vous aider à cesser de fumer. Il servira à appuyer votre démarche et favoriser la réalisation de votre objectif, mais ne constitue qu'un des éléments d'un programme de sevrage tabagique. Vos chances de succès sont intimement liées à la fermeté de votre décision de cesser de fumer, à votre degré d'accoutumance à la nicotine et à votre fidélité à un programme de sevrage tabagique tel le programme **«Cessez de fumer... maintenant!»**, auquel ont droit les utilisateurs du timbre Nicotrol. Pour en savoir davantage sur le programme **«Cessez de fumer... maintenant!»**, conçu par des professionnels de l'Institut de cardiologie de l'Université d'Ottawa ou pour vous inscrire à son service de consultations par téléphone Tél'aide, composez le 1 888 730-INFO. **Rappelez-vous que vos chances de réussir sont intimement liées à la fermeté de votre décision de cesser de fumer.**

Précautions importantes: Lorsque vous cessez de fumer, il en résulte immédiatement des effets bénéfiques pour votre santé. Cependant, si vous utilisez Nicotrol, il conviendra de prendre certaines mesures afin d'en bénéficier en toute sécurité.

Pouvez-vous fumer ou consommer de la nicotine sous toute autre forme durant votre traitement par Nicotrol? Aucun apport de nicotine, sous quelque forme que ce soit (cigarette, tabac à prise, gomme à mâcher p. ex.) n'est autorisé car cela pourrait entraîner un surdosage. Les signes d'un surdosage comprennent de gros maux de tête, des vertiges, des maux d'estomac, une hypersalivation, des vomissements, des diarrhées, des sueurs froides, des troubles de la vision et de l'audition, une confusion mentale et des faiblesses ou défaillances. En présence de l'un de ces signes, consultez immédiatement un médecin ou un Centre antipoison.

Avez-vous un problème de santé? Certaines affections pourraient interdire le recours à Nicotrol. Ne manquez pas d'informer votre médecin ou votre pharmacien de votre décision d'utiliser Nicotrol en présence de problèmes de santé suivants:

- une crise cardiaque (infarctus du myocarde) ou un accident vasculaire cérébral
- des battements de cœur irréguliers (trouble du rythme cardiaque)
- une douleur à la poitrine grave ou d'intensité croissante (angine de poitrine)
- une maladie du cœur
- une affection de l'estomac ou un ulcère gastro-duodénal
- des allergies à certains médicaments
- une réaction allergique aux produits entrant dans la composition des rubans ou pansements adhésifs
- une affection de la peau
- de l'hypertension
- une hyperthyroïdie
- un diabète insulino-dépendant
- une maladie du rein ou de foie
- un traitement instauré pour rétablir des troubles de la circulation sanguine
- un traitement instauré pour contrer une insuffisance circulatoire au cerveau

Prenez-vous d'autres médicaments? La consommation de tabac peut modifier l'effet de certains médicaments. Lors de votre sevrage tabagique, votre médecin devra peut-être faire un ajustement posologique du médicament que vous prenez. Il est par conséquent important de faire part à votre médecin ou à votre pharmacien de la liste **complète** des médicaments que vous prenez et de les consulter avant d'avoir recours à Nicotrol.

Grossesse et allaitement: La nicotine, sous toutes ses formes, peut être nocive pour le fœtus. Une femme enceinte ou celle qui allaite un nourrisson devra s'abstenir d'utiliser les timbres Nicotrol. Gardez-vous bien d'envisager une grossesse durant un traitement par Nicotrol. Si vous soupçonnez une grossesse, consultez votre médecin avant de recourir à Nicotrol.

Mode d'action du timbre Nicotrol: Nicotrol est un timbre à appliquer sur la peau qui contient de la nicotine et favorise le sevrage tabagique. Après l'application du timbre, la nicotine est absorbée à travers la peau vers la circulation sanguine. C'est la nicotine que contient la cigarette qui provoque l'accoutumance au tabac. Le timbre Nicotrol remplace en partie la nicotine, aide à compenser la chute de nicotine dans le sang, à satisfaire l'état de manque et à atténuer les symptômes dus à l'arrêt du tabac, dont l'irritabilité, l'anxiété, l'agitation, la colère, l'impatience et les troubles de la concentration.

Il faudra appliquer un timbre chaque jour au réveil, le porter pendant 16 heures et le retirer avant de vous mettre au lit, de sorte à passer la nuit sans qu'un timbre ne soit appliqué sur votre peau.

Le programme Nicotrol: Le programme Nicotrol comprend 3 étapes.

1re étape: Fixez votre point de départ et cessez de fumer avant de recourir à Nicotrol. Vous commencerez votre traitement par un timbre Nicotrol qui libère 15 mg de nicotine. Appliquez un timbre chaque jour pendant 6 semaines. Après cette première étape, si vous ne ressentez plus un besoin urgent de fumer, vous pourrez tout simplement mettre fin au traitement par Nicotrol. Toutefois, si vous éprouvez de la difficulté à cesser brusquement de fumer, vous pourrez passer par la deuxième puis par la troisième étape. Ainsi, vous diminuerez progressivement la quantité de nicotine que vous absorbez.

2e étape: Commencez votre deuxième période de sevrage en employant le timbre à 10 mg pendant 2 semaines.

3e étape: Terminez votre période de sevrage par l'emploi du timbre à 5 mg pendant 2 semaines.

Il faudra vous abstenir d'utiliser le timbre Nicotrol pendant plus de 10 semaines sans au préalable, consulter un médecin.

Comment utiliser le timbre Nicotrol?

1) Chaque jour, au réveil, appliquez un nouveau timbre Nicotrol sur une surface de peau propre, sèche et exempte de poils, soit la hanche ou le haut du bras. Ne rasez pas ce site, car la peau pourrait s'irriter lors de l'application du timbre. N'appliquez pas votre timbre Nicotrol sur une peau très grasse, brûlée, éraflée ou qui présente une coupure ou une irritation, car le rythme d'absorption du médicament risquerait d'être modifié.
2) Ne retirez pas le timbre Nicotrol de son sachet avant d'être prêt à l'appliquer, car un timbre trop longtemps hors de son sachet perd de sa teneur en médicament. À l'aide d'une paire de ciseaux, découpez le sachet en suivant les pointillés. Conservez le sachet car il vous servira à déposer le timbre usagé Nicotrol lorsque vous l'enlèverez avant de vous mettre au lit.
3) Une pellicule protectrice transparente recouvre la surface adhésive du timbre Nicotrol (celle qui collera à la peau). La pellicule transparente présente une fente pour vous aider à la séparer du timbre. Placez la partie adhésive du timbre face à vous et retirez la pellicule transparente du timbre Nicotrol. Évitez de toucher des doigts la surface adhésive du timbre.
4) Posez immédiatement la surface adhésive du timbre Nicotrol sur votre peau. Pressez le timbre Nicotrol sur la peau de la paume de la main pendant 10 à 20 secondes. Assurez-vous que le timbre adhère bien à la peau, surtout le long de ses bords.
5) Après avoir appliqué un timbre Nicotrol, lavez-vous les mains à l'eau (**n'utilisez pas de savon** car celui-ci augmente le rythme d'absorption de la nicotine par l'organisme). Cette observation revêt une importance particulière car si la nicotine vous restait sur les mains, elle pourrait, si elle entrait en contact avec les yeux ou le nez, provoquer des picotements, des rougeurs ou des réactions plus graves.
6) Retirez le timbre au coucher. Vous n'aurez pas à vous servir d'un timbre durant vos heures de sommeil. Pour jeter le timbre, repliez-le sur sa face adhésive, placez-le dans son sachet d'origine (que vous aurez conservé) ou dans un papier d'aluminium et mettez-le aux ordures, hors de la portée d'un enfant ou d'un animal domestique.
7) Le lendemain, choisissez un nouveau site d'application et appliquez un nouveau timbre Nicotrol en reprenant les étapes 1 à 6. Laissez s'écouler 1 semaine avant d'appliquer un timbre sur un même site.

Quand appliquer et quand retirer le timbre Nicotrol? Il faudra appliquer un nouveau timbre Nicotrol chaque jour au réveil, à la même heure; ainsi, vous risquerez moins de l'oublier. Il faudra enlever le timbre au coucher et passer la nuit sans timbre (sans nicotine). Ne le portez jamais plus de 16 heures/jour. Retirez-le au moins 2 heures avant d'accomplir **une longue séance d'exercices vigoureux, suivant laquelle il sera nécesaire d'appliquer un nouveau timbre Nicotrol.** Pliez le timbre usagé en deux de façon à ce qu'il se colle sur lui-même. Remettez-le dans son sachet (que vous aurez conservé depuis le matin) ou, à défaut, dans un morceau de papier d'aluminium. Jetez le timbre usagé aux rebuts, hors de la portée des enfants ou des animaux domestiques.

Et si le timbre Nicotrol se mouillait? Le timbre Nicotrol adhère très bien à la peau. Vous pourrez en toute confiance prendre un bain chaud ou une douche ou encore, faire une baignade.

Que faire si le timbre Nicotrol se décollait? Si le timbre Nicotrol s'enlevait, il faudrait appliquer un nouveau timbre sur une autre surface de peau propre et sèche. Il faudra enlever ce nouveau timbre comme d'habitude, le soir au coucher.

Et si votre peau réagissait au timbre? L'application d'un timbre Nicotrol pourrait s'accompagner d'une légère démangeaison et d'une sensation de brûlure ou de picotement passagères qui devraient disparaître en moins d'une heure. Après avoir enlevé le timbre, vous pourriez observer une rougeur de la peau qui était recouverte par le timbre; elle devrait disparaître dans la journée. Si une réaction cutanée survenait suivant l'emploi du timbre Nicotrol ou si la peau sous le timbre devenait enflée ou très rouge, enlevez le timbre et appelez le médecin. N'allez pas mettre un autre timbre car il se pourrait que vous soyez allergique à l'un des constituants du timbre.

Si vous développiez une réaction allergique au timbre Nicotrol vous pourriez réagir de façon similaire à tout autre dispositif contenant de la nicotine.

Quelles sont les conditions de conservation des timbres Nicotrol? Conservez vos timbres Nicotrol dans leur sachet protecteur jusqu'au moment de vous en servir car hors de leur sachet, les timbres pourraient perdre de leur teneur en nicotine.

Conservez-les à une température ambiante ne dépassant pas 30 °C car ils craignent les fortes températures et rappelez-vous bien que la température ambiante peut facilement dépasser ce seuil l'été, à l'intérieur d'une voiture.

Importantes mises en garde: Nicotrol peut être toxique et extrêmement dangereux pour les enfants ou les animaux domestiques suivant son application sur une surface cutanée ou son ingestion. Tenez les timbres Nicotrol propres ou utilisés hors de la portée des enfants et des animaux domestiques.

Abstenez-vous de fumer même lorsque vous n'utilisez pas de timbre. La nicotine présente dans votre peau continuera d'entrer dans votre circulation sanguine pendant plusieurs heures après le retrait du timbre.

Enlevez le timbre de nicotine et consultez votre médecin en cas de trouble du rythme cardiaque, de douleur à la poitrine, de palpitations ou de douleur à la jambe ou encore en présence de maux d'estomac (indigestion, brûlures d'estomac).

☐ NIDAGEL[MC] Ⓟ

Produits pharmaceutiques de 3M

Métronidazole

Antibactérien

Renseignements destinés aux patients: Mode d'emploi (voir le prospectus d'emballage pour les illustrations):
Contenu de la boîte: tube de NidaGel de 70 g et 5 applicateurs vaginaux en plastique.

1. **Remplissage de l'applicateur:**
   - Retirer le capuchon et perforer le sceau de métal du tube en utilisant le bout pointu à l'intérieur du capuchon.
   - Visser l'extrémité de l'applicateur sur le tube.
   - Appuyer lentement sur le tube pour faire passer le gel dans l'applicateur. Le piston arrête d'avancer quand l'applicateur est plein.
   - Dévisser l'applicateur et replacer le capuchon sur le tube.
2. **Introduction de l'applicateur:**
   - Pour introduire l'applicateur, il est préférable de se coucher sur le dos, les genoux pliés, ou de prendre toute autre position confortable.
   - Saisir le cylindre de l'applicateur plein et l'introduire délicatement dans le vagin aussi loin qu'il est possible de le faire sans éprouver d'inconfort.
   - Appuyer lentement sur le piston jusqu'à ce que tout le gel soit déposé dans le vagin, puis retirer l'applicateur.
3. **Entretien de l'applicateur** (si prescrit 2 fois/jour):
   - Enlever le piston du cylindre de l'applicateur après usage.
   - Laver le piston et le cylindre de l'applicateur dans de l'eau chaude savonneuse et bien rincer.
   - Réassembler les pièces en poussant délicatement le piston dans le cylindre de l'applicateur.

Important: Insérer le contenu d'un applicateur rempli (approximativement 5 g) de gel vaginal NidaGel (métronidazole) à 0,75 % dans le vagin 1 fois/jour, au coucher, pendant 5 jours ou 2 fois/jour, le matin et le soir, pendant 5 jours ou selon les prescriptions du médecin.

Précautions:
- Nidagel ne devrait pas être utilisé pendant le premier trimestre (les 3 premiers mois) de la grossesse.

NidaGel (suite)

L'utilisation de NidaGel pendant les deuxième et troisième trimestres de la grossesse (les 6 derniers mois) devrait se faire sous la surveillance d'un médecin.

- Si une irritation notable apparaît à l'emploi de ce médicament, cesser le traitement et consulter son médecin.
- Pour usage vaginal seulement.
- Éviter de consommer de l'alcool pendant le traitement au NidaGel et le jour suivant la fin du traitement.
- Il est préférable de ne pas avoir de relations sexuelles pendant un traitement au NidaGel.
- L'utilisation de NidaGel durant les menstruations n'est pas recommandée.
- Tenir tous médicaments hors de la portée des enfants.
- Conserver le médicament à une température comprise entre 15 et 25 °C. Ne pas l'exposer à une chaleur ou à un froid extrêmes. Le numéro de lot et la date de péremption sont indiqués sur l'extrémité de la boîte et du tube.

□ NITOMAN® Ⓟ

Roche

Tétrabénazine

Agent de déplétion des monoamines

Renseignements destinés aux patients: Ce feuillet vise à compléter les renseignements que votre pharmacien et votre médecin auraient pu vous donner sur Nitoman. D'ailleurs, votre pharmacien et votre médecin connaissent et comprennent le mieux votre état pathologique. Suivez scrupuleusement leurs instructions et lisez tout le matériel qu'on vous donne. Si vous avez encore des questions après avoir lu ce feuillet, posez-les à votre médecin et à votre pharmacien.

Emplois de Nitoman: Le nom chimique de Nitoman est la tétrabénazine. On le donne aux personnes présentant des états pathologiques qui entraînent des mouvements involontaires de différentes parties du corps, comme les bras, les pieds, la bouche et la langue. On emploie Nitoman dans les cas suivants: chorée de Huntington, hémiballisme, chorée sénile, tics, maladie de Gilles de la Tourette et dyskinésie tardive.

Nitoman **n'**est **pas** utilisé pour réduire les troubles du mouvement chez les personnes qui prennent certains médicaments contre la maladie de Parkinson (lévodopa/carbidopa, p. ex., Sinemet, Sinemet CR ou lévodopa/bensérazide, p. ex., Prolopa).

Précautions à prendre avec Nitoman:

- **Informez** immédiatement votre médecin si vous vous sentez triste, abattu(e) ou déprimé(e), ou si votre état s'aggrave pendant que vous prenez le médicament.
- **Informez** votre médecin si vous comptez devenir enceinte ou si vous êtes enceinte pendant que vous prenez Nitoman.
- **Informez** tout médecin ou dentiste que vous consultez que vous prenez Nitoman.
- **Ne** conduisez **pas** de véhicules et n'actionnez pas de machines jusqu'à ce que vous connaissiez l'effet du médicament.

Quels sont les effets secondaires possibles pendant la prise de Nitoman? Nitoman est généralement bien toléré. Toutefois, comme pour tout médicament, des effets secondaires peuvent survenir chez certaines personnes. Informez votre médecin de tout effet secondaire gênant.

Vous trouverez ci-dessous une liste des effets secondaires qui peuvent survenir avec Nitoman en commençant par les plus courants. Cette liste n'est pas exhaustive. Votre médecin et votre pharmacien peuvent vous donner toute autre information qui vous intéresse.

- Sentiment d'être abattu(e), triste, déprimé(e)
- Tremblements, rigidité ou réduction évidente de la mobilité
- Somnolence, fatigue, faiblesse
- Anxiété, nervosité
- Insomnie
- Sentiment d'agitation
- Écoulement de salive
- Irritabilité, énervement
- Nausées, vomissements, douleur à l'estomac
- Confusion, désorientation
- Diminution de la tension artérielle
- Étourdissements

Comment prendre Nitoman: Votre médecin commencera par vous prescrire une faible dose de Nitoman. Cette dose sera augmentée jusqu'à ce que l'on atteigne la dose qui vous convient. Votre médecin vous donnera un programme qui comprend le nombre de comprimés à prendre et leur fréquence. Il est important de suivre ce programme. N'oubliez pas de prendre Nitoman avec un verre d'eau. Vous pouvez prendre Nitoman à jeun ou après avoir mangé.

Que faire si je manque une dose? Si vous manquez une dose, prenez-la aussitôt que vous vous en souvenez, sauf s'il est presque temps de prendre la prochaine dose. **Ne prenez pas une dose double.** Continuez simplement à suivre le programme. Si vous ne savez pas quoi faire, communiquez avec votre médecin ou avec votre pharmacien.

Ce feuillet ne contient pas tous les renseignements sur Nitoman. Votre médecin ou votre pharmacien disposent d'une information complète.

Nitoman est une marque de commerce de Hoffmann-La Roche Limitée. Prolopa est une marque déposée de Hoffmann-La Roche Limitée. Sinemet et Sinemet CR sont des marques déposées de DuPont.

□ NITRO-DUR®

Key

Nitroglycérine

Antiangineux

Renseignements destinés aux patients: Ce dépliant renferme des renseignements que vous devez lire attentivement avant d'employer le timbre cutané Nitro-Dur.

Le timbre cutané de nitroglycérine Nitro-Dur: Résumé: Votre médecin vous a prescrit de la nitroglycérine afin de réduire la fréquence et la gravité de vos crises d'angine (douleurs thoraciques).

Comment fonctionne le timbre cutané de nitroglycérine Nitro-Dur: Nitro-Dur s'applique directement sur la peau. La nitroglycérine se dégage progressivement de la membrane adhésive pour pénétrer dans la peau et être absorbée dans la circulation sanguine. Elle provoque un relâchement des vaisseaux sanguins et permet au cœur de mieux s'approvisionner en sang et en oxygène, ce qui aide à prévenir les crises angineuses (douleurs thoraciques). Étant donné que la nitroglycérine se libère lentement du timbre cutané Nitro-Dur, **elle ne peut soulager une crise déjà en cours.**

La quantité de Nitro-Dur qu'il vous faut dépend des besoins de votre organisme. Veuillez donc vous en tenir aux instructions du médecin quant à la posologie du produit et l'aviser si des douleurs thoraciques continuent de se manifester.

Mode d'emploi: Lieu d'application: Coller le timbre cutané en un endroit où il y a peu de poils. **Éviter les régions sous le genou ou le coude, les plis cutanés, les cicatrices ou les surfaces brûlées ou irritées.**

Application: Se laver les mains avant l'application. Tenir le timbre de façon que les 2 lignes brunes soient face à soi dans le sens vertical. Plier les 2 côtés alternativement vers l'extérieur puis vers l'intérieur jusqu'à ce qu'un **petit craquement** se fasse entendre. Imprimer un léger mouvement de torsion au timbre cutané afin de soulever la pellicule de plastique. Détacher **l'une** des 2 moitiés de la pellicule de plastique. En se servant de la seconde moitié comme point d'appui, appliquer le côté adhésif du timbre sur la peau. Bien lisser l'adhésif sur la peau. Ramener le côté libre du timbre vers l'arrière. Pousser doucement la pellicule de plastique parallèlement à la peau jusqu'à ce que le timbre cutané soit bien en place. Lisser avec le doigt. Se laver les mains pour enlever tout reste de médicament.

Retrait: Appuyer sur le centre du timbre de manière à soulever le contour. Décoller le timbre en tirant lentement sur le bord. Laver le lieu d'application au savon et à l'eau. Bien essuyer. Se laver les mains. Changer de lieu d'application chaque jour.

Soins de la peau:

1. Une fois enlevé, Nitro-Dur peut laisser sur la peau une rougeur ou une sensation de chaleur, c'est tout à fait normal. La rougeur disparaîtra en peu de temps. Si la peau semble sèche, on peut y appliquer une lotion hydratante.
2. Toute rougeur ou éruption persistante doit être signalée au médecin.

Information pertinente: Avant d'employer Nitro-Dur, vous devez partager avec votre médecin certains renseignements utiles.

Si vous avez déjà souffert des affections suivantes, il importe d'en faire part à votre médecin: réaction allergique ou inhabituelle aux nitrates ou nitrites, crise cardiaque récente ou autre maladie cardiaque sérieuse, accident cérébro-vasculaire ou traumatisme crânien; anémie grave ou rétrécissement des valvules du cœur. Les femmes doivent, en outre, dire à leur médecin si elles allaitent leur enfant, si elles sont enceintes ou ont l'intention de le devenir pendant la prise de ce médicament. Les renseignements ci-dessus aideront le médecin à déterminer si Nitro-Dur vous convient et quelles sont les précautions supplémentaires à prendre. Certains médicaments peuvent influer sur l'action de Nitro-Dur. Il faut donc faire savoir au médecin tous les médicaments que vous prenez.

Si l'une des manifestations suivantes survenait, avisez votre médecin au plus tôt: angine de poitrine (douleurs thoraciques), surtout lorsque le timbre cutané a été enlevé, étourdissements ou évanouissement, sensation de pression crânienne, essoufflement, fatigue ou faiblesse inhabituelles, battements cardiaques faibles ou plus rapides qu'à l'habitude.

Réactions indésirables possibles: Comme tout médicament, Nitro-Dur peut entraîner, de pair avec ses effets bienfaisants, des réactions indésirables. Vous devez les connaître afin d'en aviser immédiatement le médecin s'ils venaient à survenir.

Au début du traitement Nitro-Dur, il se peut que vous ayez mal à la tête. Il s'agit là d'une réaction courante. Au besoin, prenez un analgésique léger pour vous soulager. Si la douleur persiste ou s'accentue, communiquez avec votre médecin. Une rougeur au visage survient parfois. Nitro-Dur peut également abaisser la pression sanguine et causer des étourdissements, des sensations de tête légère ou d'évanouissement, surtout lorsqu'on se lève brusquement de son siège ou de son lit. Il est préférable de le faire lentement. Si vous vous sentez étourdi, il vaut mieux vous asseoir ou vous étendre. Vous vous exposez à souffrir de maux de tête, d'étourdissements ou de sensation ébrieuse si vous consommez de l'alcool, restez debout longtemps ou si le temps est chaud. Lorsque vous utilisez Nitro-Dur, surveillez la quantité d'alcool que vous prenez. De plus, usez de prudence lors d'exercices physiques, de station debout prolongée ou lorsqu'il fait très chaud.

Autres renseignements:

1. Laisser Nitro-Dur sur la peau le temps que conseillera le médecin.
2. On peut garder Nitro-Dur pour prendre une douche.
3. Tenir Nitro-Dur hors de la portée des enfants et des animaux domestiques.
4. Conserver entre 15 et 30 °C. Ne pas réfrigérer.
5. La boîte de Nitro-Dur contient suffisamment de timbres pour 30 jours. Vérifier périodiquement la provision restante. Avant qu'elle ne soit épuisée, se rendre chez le pharmacien pour obtenir de nouveaux timbres, ou demander au médecin de renouveler l'ordonnance.
6. Il importe de ne pas sauter une journée d'application. Si un changement dans l'horaire devient nécessaire, votre médecin vous indiquera comment procéder.
7. Nitro-Dur a été prescrit pour vos besoins. Il ne faut pas laisser les autres s'en servir.
8. Nitro-Dur est un traitement préventif de l'angine de poitrine; il ne convient pas pour les crises aiguës.
9. Informer le médecin si les troubles d'angine s'aggravent.
10. Ne pas partager le timbre cutané pour n'en utiliser qu'une partie.
11. Ne pas se servir du timbre une seconde fois; le jeter après usage.

Pour tout complément d'information sur Nitro-Dur, consulter le médecin ou le pharmacien.

□ NITROLINGUAL®, Pompe

Rhône-Poulenc Rorer

Nitroglycérine

Antiangineux

Renseignements destinés aux patients: Nitrolingual Pompe, 0,4 mg/dose prémesurée.

Lire attentivement ce feuillet avant d'utiliser Nitrolingual Pompe et respecter les instructions.

Nitrolingual Pompe est un flacon aérosol qui libère une dose prémesurée de 0,4 mg de nitroglycérine chaque fois que l'on appuie sur la valve.

Comment utiliser Nitrolingual Pompe:

1. En tenant le flacon à la verticale, retirez le couvercle de plastique. **Ne pas agiter.**
2. Il faut amorcer le flacon avant de l'utiliser pour la première fois. Pour ce faire, le diriger ailleurs que vers le visage, appuyer fermement sur l'appui-doigt avec l'index pour libérer une pulvérisation. Répéter de façon à obtenir 3 pulvérisations. Le flacon est maintenant amorcé et prêt à l'emploi.

   Il ne faut réamorcer que lorsque le flacon n'a pas été utilisé pendant plus de 14 jours. Dans ce cas, libérer une pulvérisation en procédant de la façon indiquée ci-dessus. Il n'est pas nécessaire de réamorcer le flacon entre des utilisations plus fréquentes.
3. Tenir le flacon à la verticale, avec l'index sur l'appui-doigt nervuré. Il n'est pas nécessaire d'agiter le flacon.
4. Ouvrir la bouche et approcher l'aérosol le plus près possible.
5. Appuyer fermement sur l'appui-doigt avec l'index pour libérer la pulvérisation dans la bouche, de préférence sur ou sous la langue. **Ne pas inhaler.**
6. Relâcher la valve et fermer la bouche.
7. Si une deuxième dose est requise, répéter les étapes 4, 5 et 6.
8. Remettre le capuchon en plastique.

Avant d'utiliser l'aérosol pour la première fois, se familiariser avec la façon de s'en servir en pulvérisant le produit dans l'air (loin de soi et des autres personnes). Apprendre à bien placer l'index sur l'appui-doigt pour pouvoir utiliser le pulvérisateur pendant la nuit.

Posologie: Pendant une crise d'angine, vaporiser 1 ou 2 doses sur ou sous la langue, **sans inhaler.** On peut répéter la dose 2 fois à des intervalles de 5 à 10 minutes. Le médecin peut aider à établir la dose exacte optimale. Si la douleur persiste, consulter le médecin.

S'assurer de toujours avoir une pompe de rechange (pour éviter d'en manquer en cas de besoin).

Réactions indésirables: Les céphalées, parfois marquées et persistantes, constituent l'effet secondaire le plus fréquent de la nitroglycérine. Des épisodes passagers d'étourdissements et de faiblesse, des bouffées congestives, des palpitations et parfois des nausées et des vomissements peuvent suivre l'emploi de Nitrolingual Pompe. Si ces effets se produisent, consulter le médecin.

Mises en garde spéciales: Contient de l'alcool. Ne pas perforer le contenant ni le jeter au feu, même une fois vide. Ne pas pulvériser en direction de flammes.

Conserver dans un endroit sûr, hors de la portée des enfants à la température ambiante.

□ NIX®, Après-shampooing

Warner-Lambert, Santé grand public

Perméthrine

Agent pédiculicide—Ovicide topique

Renseignements destinés aux patients: Indications: L'après-shampooing Nix est indiqué pour le traitement des infestations par les poux de tête et leurs lentes (œufs). Cet après-shampooing unique en son genre rend les cheveux souples et faciles à peigner.

Que sont les poux de tête? Les poux de tête sont de petits insectes qui vivent en parasites sur le cuir chevelu des êtres humains et causent des démangeaisons et des irritations. Ils varient en couleur de beige à noir. Les poux déposent leurs œufs, ou lentes, sur le cheveu près du cuir chevelu. Les lentes sont minuscules et brillantes, de forme ovale, et varient en couleur de blanc crème à brun. L'éclosion se produit normalement entre 7 et 10 jours après la ponte. Le pou adulte ne peut survivre beaucoup plus de 24 heures en dehors de la tête.

Comment se répand l'infestation par les poux? Les poux de tête se propagent facilement, principalement par contact de la tête avec des personnes qui ont des poux et occasionnellement lorsque l'on utilise les mêmes articles personnels, vêtements, chapeaux, peignes, accessoires pour les cheveux, serviettes de toilette et literie, qu'une personne qui a des poux.

Que faire si vous-même ou un membre de votre famille avez des poux de tête? Des millions de gens servent d'hôtes chaque année aux poux de tête, particulièrement les enfants d'âge scolaire. Les poux **ne transmettent ni ne causent** de maladie et **ne sont pas** non plus un signe de mauvaise hygiène personnelle. Une infestation par des poux de tête peut se soigner efficacement avec un traitement pédiculicide et ovicide (un traitement qui détruit efficacement les poux et leurs œufs) comme l'après-shampooing Nix.

Mode d'emploi de l'après-shampooing Nix:

1. Se laver les cheveux avec un **shampooing ne contenant pas de revitalisant;** ne pas utiliser de revitalisant, se rincer les cheveux à l'eau claire et bien les sécher avec une serviette.

Nix, Après-shampooing (suite)

2. Bien agiter le flacon de Nix. Appliquer une quantité suffisante de l'après-shampooing (½ à 1 flacon) pour en saturer les cheveux et le cuir chevelu, particulièrement derrière les oreilles et sur la nuque.
3. Laisser agir Nix pendant **10 minutes.**
4. Rincer à l'eau claire pour débarrasser les cheveux de l'après-shampooing.
5. Sécher les cheveux avec une serviette.
6. Démêler avec un peigne ordinaire.
7. Enlever les lentes: Séparer les cheveux en sections; prendre un peigne à dents fines (pour lentes) ou se servir de ses doigts pour détacher les lentes en commençant aussi près du cuir chevelu que possible. Veiller à peigner le cheveu jusqu'au bout. Désinfecter le peigne en le faisant tremper dans de l'eau chaude après chaque utilisation. Bien inspecter toute la tête pour s'assurer de ne pas avoir laissé de lentes. Il faut enlever les lentes de cette manière quotidiennement pendant les 7 jours qui suivent le traitement.

Une seule application suffit généralement à éliminer une infestation par les poux de tête. L'ingrédient actif de Nix reste sur les cheveux pendant 10 jours, même si on se lave les cheveux en utilisant, après le traitement, un shampooing ne contenant pas de revitalisant. L'action résiduelle de Nix devrait permettre l'élimination des lentes ou des poux vivants que l'on peut encore voir après la première application. S'il en subsiste 7 jours (ou plus) après la première application, il faut répéter le traitement avec l'après-shampooing Nix, suivant les instructions données ci-dessus.

Comment prévenir une nouvelle infestation: Le nettoyage de effets personnels constitue une partie importante du traitement des poux de tête et peut contribuer à éviter une nouvelle infestation. Les effets personnels, notamment les vêtements que l'on a portés récemment, les serviettes de toilette et la literie devraient être lavés à la machine à l'eau chaude et séchés à l'air chaud dans une sécheuse pendant au moins 20 minutes. Faire nettoyer à sec ou mettre dans un sac en plastique, à garder scellé pendant environ 2 semaines, tous les effets personnels, les vêtements et la literie qui ne peuvent pas être lavés à la machine. Il faut désinfecter les peignes et les brosses en les trempant dans de l'eau chaude (au moins 54 °C) pendant 5 à 10 minutes.

Il faut aviser les enfants de ne pas emprunter de peigne ni de brosse à cheveux, ni d'utiliser les vêtements des autres, en particulier les chapeaux.

Inspecter la chevelure de tous les membres de la famille de temps à autre pour voir s'il n'y a pas une nouvelle infestation. Le cas échéant, traiter avec l'après-shampooing Nix.

Précautions: Générales: Une infestation par des poux de tête s'accompagne souvent de démangeaisons, de rougeurs et de gonflement. Le traitement par Nix peut aggraver momentanément ces symptômes. Ne pas employer Nix en cas d'allergie à l'un ou l'autre de ses composants, aux pyréthroïdes synthétiques, à la pyréthrine ou aux chrysanthèmes. Si une réaction se produit, cesser l'emploi.

Irritation des yeux: Nix n'irrite pas les yeux; cependant, s'il y a contact du produit avec les yeux, les rincer immédiatement à l'eau.

En cas d'ingestion: Consulter immédiatement votre médecin ou un centre antipoison.

Femmes enceintes ou qui allaitent: Aucune étude appropriée ou bien contrôlée n'a été menée chez des femmes enceintes ou qui allaitent. Consulter un médecin avant d'utiliser ce produit.

Utilisation pour les enfants: Nix est sans danger et efficace chez les enfants de 2 ans et plus. L'innocuité et l'efficacité du produit n'ont pas été établies chez les enfants de moins de 2 ans. Consulter un médecin avant de l'utiliser.

Garder hors de la portée des enfants. Afin d'éviter toute ingestion accidentelle du produit par les enfants, jeter au rebut toute portion inutilisée du flacon de Nix, après le traitement.

Réactions indésirables: Au cours des études cliniques, on a signalé des démangeaisons à l'occasion. Ce symptôme est généralement attribuable à l'infestation même, mais le traitement par Nix peut l'aggraver momentanément. Autres réactions moins fréquentes: picotement/brûlure, fourmillement, engourdissement ou gêne, rougeur, gonflement ou éruption au niveau du cuir chevelu. Toutes ces réactions sont légères et passagères.

Composants: L'ingrédient actif de l'après-shampooing Nix est la perméthrine à la concentration de 1 %. L'après-shampooing Nix contient également les composants inactifs suivants: baume du Canada, alcool cétylique, acide citrique, FD&C jaune n° 6, protéine animale hydrolysée, hydroxyéthylcellulose, alcool isopropylique, méthylparabène, parfum, polyoxyéthylène-10 céthyléther, propylèneglycol, propylparabène et chlorure de stéarylalkyl.

□ NIX®, Crème pour la peau

Glaxo Wellcome

Perméthrine

Scabicide topique

Renseignements destinés aux patients: Indications: La crème Nix pour la peau (perméthrine) à 5 % est indiquée pour le traitement de l'infestation par Sarcoptes scabiei (parasite de la gale).

Mode d'emploi:

1. Nettoyer la peau et l'essuyer.
2. Appliquer une quantité suffisante de crème Nix pour la peau (30 g) et faire pénétrer de la tête à la plante des pieds en accordant une attention particulière aux replis cutanés, aux mains, aux pieds, à la peau située entre les doigts et les orteils, aux aisselles et à l'aine. Mettre des vêtements propres. On doit mettre aux jeunes enfants une chemise à manches longues, un pantalon et des mitaines afin d'éviter tout contact avec la bouche.
3. Laisser agir la crème Nix pour la peau durant 12 à 14 heures.
4. Rincer en prenant un bain ou une douche.
5. Mettre à nouveau des vêtements propres.
6. Les parasites seront tués, mais les démangeaisons peuvent persister. Cette situation est normale et ne doit pas être interprétée comme un échec du traitement.
7. **Une seule application est suffisante** dans la plupart des cas. Au besoin, on peut faire une seconde application de 7 à 10 jours après la première, mais seulement si on peut démontrer la présence de parasites vivants ou si on note de nouvelles lésions.
8. Afin de réduire le risque de transmission et d'empêcher la réinfestation, on recommande que les membres de la famille et les personnes de l'entourage immédiat du sujet infesté, y compris ses partenaires sexuels, soient traités à l'aide de la crème Nix pour la peau.
9. Tous les vêtements, draps et serviettes utilisés dans les 2 jours précédant le traitement doivent, après ce dernier, être lavés à la machine à l'eau chaude et séchés à l'air chaud dans la sécheuse durant au moins 20 minutes, ou encore nettoyés à sec. On doit attendre 24 heures avant d'utiliser un matelas sur lequel s'est couchée une personne infestée. Les sièges de toilette doivent être désinfectés.
10. Interrompre l'emploi d'autres médicaments d'usage topique ou de cosmétiques durant le traitement.

À noter: Ne pas prendre de bain chaud avant le traitement.

Précautions: Généralités: L'infestation par Sarcoptes scabiei s'accompagne souvent de démangeaisons, de rougeurs et de tuméfaction. Le traitement à l'aide de la crème Nix pour la peau peut temporairement exacerber ces symtpômes. Ne pas utiliser le produit si on est allergique à l'un de ses ingrédients, aux pyréthroïdes synthétiques ou à la pyréthrine, ou encore au chrysanthème. Cesser l'emploi si une réaction se produit. Le prurit (démangeaisons) causé par une sensibilité acquise aux parasites de la gale et à leurs produits persiste souvent une à plusieurs semaines après le traitement. Une telle réaction n'est pas indicatrice d'un échec du traitement. Un nouveau traitement n'est nécessaire que si on observe la présence de parasites vivants ou si on note de nouvelles lésions.

Irritation oculaire: La crème Nix pour la peau n'est pas irritante pour les yeux; cependant, si elle vient en contact avec ces derniers, on doit les rincer immédiatement à l'eau.

En cas d'ingestion: Consulter un médecin ou communiquer avec un centre antipoison.

Grossesse: Des études effectuées sur des rats et des lapins n'ont révélé aucune atteinte à la fécondité ni au fœtus qui soit imputable à la perméthrine. Toutefois, aucune étude adéquate et bien contrôlée n'a été menée auprès de femmes enceintes. Comme les résultats des études de reproduction animale ne sont pas toujours représentatifs de la réaction humaine, on ne doit utiliser le produit durant la grossesse qu'après avoir consulté un médecin.

Allaitement: On ignore si la perméthrine est excrétée dans le lait humain. Cependant, comme de nombreux agents le sont, et compte tenu du potentiel tumorigène de la perméthrine mis en évidence chez

certaines espèces animales, on doit envisager d'interrompre temporairement l'allaitement durant le traitement, ou d'éviter l'emploi du produit durant la période où on allaite.
Enfants: La crème Nix pour la peau est sûre et efficace chez les enfants de 2 ans et plus. Avant de l'employer chez des enfants de moins de 2 ans, consulter un médecin.

Garder hors de la portée des enfants. Afin d'éviter qu'un enfant n'ingère le produit accidentellement, jeter au rebut toute portion inutilisée.

Réactions indésirables: Dans le cadre des études cliniques, on a noté quelques cas de démangeaisons. Un tel symptôme est normalement attribuable à l'infestation elle-même, mais le traitement à Nix peut l'aggraver temporairement. Les réactions suivantes ont aussi été observées, mais moins fréquemment: picotements/sensation de brûlure, fourmillements, engourdissement/gêne, rougeurs, tuméfaction et éruptions cutanées. Toutes ces réactions étaient légères et passagères.

□ NOLVADEX® ℞
□ NOLVADEX®-D ℞

Zeneca

Citrate de tamoxifène

Antinéoplasique

Renseignements destinés aux patients: Description: Nolvadex (citrate de tamoxifène) est un médicament qui bloque les effets de l'œstrogène dans l'organisme. Il est utilisé pour traiter le cancer du sein.

Le mécanisme d'action exact du tamoxifène sur le cancer reste inconnu, mais il pourrait être lié à la façon dont il inhibe les effets de l'œstrogène dans l'organisme.

Nolvadex est vendu uniquement sur ordonnance.

Avant de prendre ce médicament: Avant de prendre n'importe quel médicament, il faut bien mettre en balance les risques et les avantages. C'est à votre médecin et à vous que revient la décision.

Avant de prendre Nolvadex, avertissez votre médecin dans tous les cas suivants:

- Si vous avez déjà souffert de réaction inhabituelle ou allergique au tamoxifène.
- Si vous êtes enceinte ou si vous avez l'intention de le devenir. Il vaut mieux adopter une méthode contraceptive pendant que vous prenez Nolvadex ainsi que pendant les 2 mois qui suivent l'arrêt du traitement. Demandez à votre médecin quel genre de précautions contraceptives vous devriez prendre car certaines pourraient être affectées par Nolvadex. Avertissez immédiatement votre médecin si vous pensez être enceinte pendant que vous preniez du tamoxifène ou au cours des 2 mois qui ont suivi l'arrêt du traitement.
- Il est important d'avertir aussitôt votre médecin si vous avez des saignements vaginaux inhabituels ou d'autres symptômes gynécologiques (comme la douleur ou pression dans le bassin) pendant le traitement au Nolvadex ou par la suite. En effet, plusieurs changements peuvent s'opérer dans la paroi interne de l'utérus (l'endomètre), dont certains risquent d'être graves et aller jusqu'au cancer.
- Si vous allaitez ou avez l'intention de le faire.
- Si vous prenez d'autres produits d'ordonnance ou des médicaments en vente libre.
- Si vous avez d'autres problèmes de santé, en particulier une cataracte (ou d'autres troubles oculaires) ou une diminution du nombre de certains globules.
- Si vous êtes hospitalisée, avertissez le personnel médical que vous prenez Nolvadex.

Utilisation à bon escient de ce médicament: Ne prenez ce médicament que selon les directives de votre médecin. N'en prenez ni plus ni moins et ne le prenez pas plus souvent que ce que votre médecin vous a ordonné. Si vous en prenez trop vous risquez d'augmenter les effets secondaires, et si vous n'en prenez pas assez, votre état risque de ne pas s'améliorer.

Nolvadex occasionne quelquefois des nausées et des vomissements. Mais il faut parfois le prendre plusieurs semaines ou plusieurs mois avant qu'il soit efficace. Même si vous commencez à vous sentir mal, **n'arrêtez pas ce médicament sans en avoir parlé d'abord à votre médecin.** Demandez-lui comment vous pouvez diminuer ces effets.

Dose oubliée—Si vous sautez une dose, prenez-la dès que vous vous rendez compte de votre oubli. Ne prenez pas 2 doses en même temps.
Conservation du produit:

- **Garder hors de portée des enfants.**
- **Garder à l'abri de la chaleur et de la lumière directe.**
- **Garder à l'abri de l'humidité. La chaleur ou l'humidité risquent de décomposer le produit.**
- **Ne pas conserver les médicaments périmés et ceux qui ne servent plus.**

Précautions à prendre durant le traitement: Il est important que vous adoptiez une méthode contraceptive quand vous prenez Nolvadex. Demandez à votre médecin quelles précautions contraceptives vous devriez prendre car certaines pourraient être affectées par Nolvadex. Avertissez immédiatement votre médecin si vous pensez être tombée enceinte pendant que vous preniez ce médicament ou au cours des 2 mois qui ont suivi l'arrêt du traitement.

Effets secondaires du produit: Parallèlement aux effets recherchés, des effets indésirables peuvent être occasionnés par un médicament. Certains effets secondaires se manifestent par des signes ou des symptômes que vous pouvez voir ou sentir. Votre médecin surveillera les autres en effectuant certaines analyses.

Vu la façon dont ce produit agit sur l'organisme, il est possible aussi qu'il provoque d'autres effets indésirables susceptibles de ne survenir que plusieurs mois ou plusieurs années après son absorption.

Nolvadex aurait augmenté le risque de cancer de l'utérus et de fibromes (tumeurs non cancéreuses) de l'utérus chez certaines femmes qui en avaient pris. Il peut aussi faire baisser le nombre de certains globules. De plus, des cas de cataracte ou d'autres troubles oculaires ont été signalés avec Nolvadex. Discutez de ces effets possibles avec votre médecin.

Avertissez votre médecin ou votre pharmacien le plus tôt possible si vous éprouvez l'un des effets indésirables suivants:

Ne paniquez pas en lisant cette liste d'effets possibles. Vous pouvez très bien n'en n'avoir aucun.

- Bouffées de chaleur
- Perturbations de la fonction menstruelle
- Effets sur l'endomètre (paroi interne de l'utérus), susceptibles d'apparaître aussi sous forme de saignements vaginaux
- Fibromes (qui augmentent la taille de l'utérus), susceptibles de se manifester aussi par une sensation d'inconfort au bas-ventre ou par des saignements vaginaux
- Démangeaisons périvaginales
- Pertes vaginales
- Dérangement gastrique (avec nausées et vomissements)
- Sensation d'ébriété
- Rétention liquidienne (par exemple, œdème des chevilles)
- Tendance aux ecchymoses (thrombocytopénie)
- Éruptions cutanées transitoires
- Chute temporaire des cheveux ou des poils
- Certains troubles hépatiques comme la jaunisse (blanc des yeux jaune)
- Troubles de la vision
- Difficultés à voir correctement peut-être à cause d'une cataracte, de modifications de la cornée ou d'une rétinopathie
- Kystes de l'ovaire (poches de liquide sur les ovaires) chez les femmes en période préménopausique
- Risque accru de caillots sanguins
- Au début du traitement, il peut y avoir une aggravation des symptômes du cancer du sein, par exemple une intensification de la douleur ou un agrandissement du tissu malade, ou les deux. De plus, si vous ressentez violemment des nausées, des vomissements ou de la soif, mentionnez-le à votre médecin. Ceci indique peut-être des modifications possibles de la quantité de calcium dans votre sang et votre médecin devra peut-être vous faire certaines analyses de sang.

D'autres effets secondaires qui ne figurent pas sur cette liste peuvent survenir également chez certaines patientes. Si vous remarquez d'autres effets, parlez-en à votre médecin.

Si vous avez besoin de renseignements plus détaillés, adressez-vous à votre médecin ou à votre pharmacien.

□ NOROXIN® ℞

MSD

Norfloxacine

Antibactérien

Renseignements destinés aux patients: Comprimés Noroxin: Noroxin est la marque déposée de Merck Frosst Canada Inc. pour la substance appelée norfloxacine. Ce médicament **ne peut être obtenu que sur ordonnance du médecin.** La norfloxacine appartient au groupe des

Noroxin (suite)

antibactériens. Ces derniers sont utilisés pour traiter les infections causées par un type de microbes, les bactéries; la norfloxacine agit sur une grande variété de bactéries de différentes espèces, en les tuant ou en les empêchant de se développer.

La norfloxacine a été prescrite par votre médecin pour traiter une infection des voies génito-urinaires.

Avis important: Ce médicament vous est prescrit pour le traitement de l'infection dont vous êtes atteint actuellement. **Ne pas le donner à d'autres personnes ni l'utiliser pour traiter d'autres infections.**

Garder tous les médicaments hors de la portée des enfants.

Lire les informations suivantes avec attention. **Si vous désirez des explications ou de plus amples renseignements, vous pouvez vous adresser à votre médecin ou à votre pharmacien.**

Ce qu'il faut savoir avant de prendre ce médicament: Il est possible que ce médicament ne convienne pas à certaines personnes. Si vous croyez que l'une des situations suivantes s'applique à votre cas, faites-le savoir à votre médecin:

- Vous avez déjà pris de la norfloxacine ou un autre médicament de la même classe—par exemple, de la ciprofloxacine (Cipro) ou de l'acide nalidixique (NegGram)—et vous avez manifesté une allergie ou avez présenté des réactions défavorables.
- Vous êtes atteint d'une maladie des reins.
- Vous avez déjà fait des convulsions.
- Vous êtes enceinte ou avez l'intention de le devenir, ou encore vous allaitez ou avez l'intention de le faire.
- Informez votre médecin si vous prenez l'un des médicaments suivants: probénécide, nitrofurantoïne, théophylline, cyclosporine, médicaments qui éclaircissent le sang, multivitamines ou produits qui contiennent du fer, du zinc ou de la caféine.

Prévenez également votre médecin si vous prenez tout autre médicament (délivré sur ordonnance ou obtenu en vente libre).

Ce médicament n'est pas recommandé chez les enfants avant la puberté.

Mode d'emploi du médicament:

- Suivez rigoureusement les directives de votre médecin et prenez le médicament pendant le nombre de jours indiqués. **N'interrompez pas votre traitement avant la fin, même si vous vous sentez mieux. Si vous cessez le traitement trop tôt, les symptômes risquent de réapparaître.**
- Il est préférable de prendre ce médicament avec un **grand verre d'eau,** 1 heure **avant** ou 2 heures **après** un repas ou l'ingestion de lait. Il est recommandé de boire beaucoup de liquide, eau ou jus, tous les jours, sauf avis contraire de votre médecin. Noroxin ne doit pas être administré dans les 2 heures qui précèdent ou qui suivent la prise de fer, de suppléments de zinc ou d'une préparation de multivitamines contenant ces éléments.
- Le sucralfate (Sulcrate) et les antiacides (tels Diovol, Maalox et Amphojel) peuvent interagir avec la norfloxacine. Si vous devez prendre ces médicaments, faites-le au moins 2 à 3 heures avant ou après la prise de Noroxin.
- Si vous oubliez une dose de Noroxin, prenez la dose suivante normale à l'heure prévue. **Ne prenez jamais** 2 doses de médicament à la fois pour compenser un oubli. Si, par inadvertance, vous avez pris trop de comprimés, communiquez avec votre médecin ou votre pharmacien **le plus tôt possible.**
- Au cours du traitement, si des problèmes de santé apparaissent ou si vous désirez commencer un traitement avec un autre médicament, que ce soit un médicament délivré sur ordonnance ou obtenu en vente libre, consultez votre médecin ou votre pharmacien.
- Conservez les comprimés à la température de 15 à 30 °C dans un contenant hermétique, à l'abri de la chaleur et de la lumière; vous ne devez pas entreposer ce médicament dans une pièce humide telle que la salle de bain ou la cuisine.

Réactions défavorables au médicament—ce qu'il convient de faire: En plus de l'effet désiré, tout médicament, y compris la norfloxacine, peut provoquer des réactions défavorables. La plupart des personnes ne ressentent aucun effet indésirable à la prise de ce médicament; toutefois, consultez votre médecin ou votre pharmacien dès que vous notez l'une des réactions suivantes:

- Étourdissements ou mal de tête.
- Si vous éprouvez l'une des réactions mentionnées ci-dessus ou si vous présentez des troubles visuels, évitez de conduire un véhicule ou de participer à des activités nécessitant de la vigilance, de la coordination ou une bonne vision.

Les autres réactions défavorables possibles mais moins fréquentes sont les suivantes: confusion, convulsions (crise d'épilepsie), enflure ou inflammation des articulations ou des tendons, douleur abdominale ou gastrique accompagnée d'indigestion, de flatulence (gaz), de nausées, de vomissements, de diarrhée ou de perte d'appétit, brûlures d'estomac, éruption cutanée, somnolence et troubles du sommeil.

Cessez de prendre Noroxin et communiquez immédiatement avec votre médecin dans les cas suivants:

Réactions allergiques telles que gonflement du visage, des lèvres ou de la gorge (accompagné de difficultés à respirer et à avaler) ou urticaire.

Réactions cutanées, y compris des réactions graves au soleil telles que éruption cutanée, rougeur ou augmentation de la sensibilité de la peau ou des yeux aux rayons du soleil, gonflement ou formation de cloches. **Ne vous exposez pas directement aux rayons du soleil,** portez des vêtements pour vous protéger des rayons du soleil et utilisez un écran solaire.

Douleur aux tendons (tendinite, rupture de tendon).

Exacerbation des symptômes de myasthénie.

Signes de troubles psychiques, y compris modifications de l'humeur, telles anxiété ou dépression.

Certaines personnes peuvent présenter d'autres réactions défavorables. Si vous notez une manifestation inhabituelle, communiquez avec votre médecin ou votre pharmacien.

Certaines personnes peuvent présenter d'autres réactions défavorables. Si vous notez une manifestation inhabituelle, communiquez avec votre médecin ou votre pharmacien.

Ingrédients: Ingrédient actif: Le comprimé Noroxin renferme 400 mg de norfloxacine.

Ingrédients non médicinaux: cire de carnauba, croscarmellose sodique, hydroxypropylcellulose, hydroxypropylméthylcellulose, stéarate de magnésium, cellulose microcristalline et dioxyde de titane.

□ NORPLANT® Ⓟ

Wyeth-Ayerst

Lévonorgestrel

Implant contraceptif

Renseignements destinés aux patients: Ce produit est destiné à prévenir la grossesse. Il ne protège pas contre le virus du syndrome immunodéficitaire acquis (SIDA) et autres maladies sexuellement transmissibles.

Ce que vous devez savoir sur Norplant avant de décider de l'utiliser: Vous devez lire et comprendre cette brochure avant de décider d'utiliser Norplant. La brochure contient des renseignements très importants pour votre santé. Elle vous renseigne sur les avantages et les risques d'utiliser Norplant. Discutez-en avec votre médecin. Demandez-lui qu'il vous explique ce que vous ne comprenez pas.

Il existe une brochure plus technique sur Norplant qui a été écrite pour les médecins. Si vous désirez lire cette brochure, demandez à votre médecin ou à l'infirmier/infirmière qu'il/elle vous en remette une copie. Il pourra aussi répondre à vos questions.

Une vidéocassette est également à votre disposition pour de plus amples renseignements sur Norplant. Si vous désirez la visionner, vous n'avez qu'à le demander à votre médecin ou à l'infirmier/infirmière.

Avant que vous décidiez d'utiliser Norplant ou toute autre méthode contraceptive, comparez-le à d'autres contraceptifs. Si vous désirez en savoir davantage sur d'autres méthodes contraceptives, renseignez-vous auprès de votre médecin ou de l'infirmier/infirmière. Peut-être qu'une méthode contraceptive autre que Norplant peut mieux vous convenir.

Norplant est différent des autres méthodes contraceptives. Les capsules sont fabriquées en Silastic, un élastomère de silicone d'état solide. Il doit être inséré dans votre bras au cours d'une petite intervention chirurgicale. Cette intervention peut être faite dans le bureau du médecin. Vous devez savoir que certains médecins ont plus d'expérience que d'autres dans le procédé d'insertion de Norplant. Demandez à votre médecin s'il connaît bien les techniques d'insertion et de retrait de Norplant et s'il peut les appliquer en toute confiance.

Vous pouvez décider de retirer Norplant à n'importe quel moment. Vous devez savoir que le retrait de Norplant peut se révéler plus difficile que son insertion. Le retrait peut prendre plus de temps et être plus douloureux. Il peut aussi laisser une cicatrice. Ce risque n'existe pas avec d'autres méthodes contraceptives.

Certaines femmes ne devraient pas utiliser Norplant. Pour savoir si c'est votre cas, discutez-en avec votre médecin et lisez les sections ci-dessous intitulées «Qui doit s'abstenir d'utiliser Norplant» et «Autres facteurs à considérer avant de choisir Norplant».

Certaines femmes qui utilisent Norplant souffrent d'effets secondaires. Vous devez connaître les signes constituant un danger pour la santé. Pour les connaître, renseignez-vous auprès de votre médecin et lisez les sections ci-dessous intitulées «Les dangers entourant l'utilisation de Norplant», «Signes et symptômes graves», «Précautions» et «Effets secondaires de Norplant».

Ce que je sais de Norplant: J'ai lu cette brochure et j'ai discuté du système Norplant avec mon médecin. Il a répondu à toutes mes questions. Je comprends que l'utilisation de Norplant comporte des risques et des avantages. Je comprends qu'il existe d'autres méthodes contraceptives ne comportant pas les risques de Norplant, mais qui peuvent en présenter d'autres.

Je comprends aussi l'importance de ce formulaire. Il démontre que je prends une décision éclairée sur l'utilisation de Norplant. J'ai lu les affirmations ci-après avec lesquelles je suis d'accord:

- On m'a informée sur la façon dont Norplant agit pour prévenir la grossesse.
- On m'a indiqué que le risque de devenir enceinte tout en utilisant Norplant est de 1 %. (Ce qui signifie qu'environ une femme sur cent qui utilise Norplant peut devenir enceinte chaque année.)
- On m'a informée que je peux faire retirer Norplant à n'importe quel moment, pour n'importe quelle raison. Je sais aussi que, s'il m'est difficile de trouver un médecin pour le retrait de Norplant, je peux composer le (numéro de téléphone) pour obtenir de l'aide.
- Je sais que les capsules Norplant sont fabriquées en Silastic, un élastomère de silicone d'état solide.
- On m'a informée que les capsules Norplant sont implantées sous la peau, dans mon bras, au cours d'une intervention chirurgicale effectuée dans le bureau du médecin.
- On m'a informée que les capsules Norplant doivent être retirées après 5 ans. Le retrait est aussi une intervention chirurgicale effectuée dans le bureau du médecin et peut causer davantage un malaise et une cicatrice que le procédé d'insertion. On m'a informée des effets secondaires de Norplant, incluant les changements dans les menstruations qu'éprouvent la plupart des femmes. On m'a informée que la gravité des effets secondaires peut varier d'une femme à une autre.
- On m'a informée des signes et symptômes graves de Norplant et je sais que je devrais consulter un médecin si un de ces signes ou symptômes se présente.
- On m'a informée que je dois subir un examen médical annuel ou n'importe quand si des problèmes surviennent.
- On m'a informée que Norplant n'offre aucune protection contre le SIDA ou d'autres maladies sexuellement transmissibles.
- J'ai pris en considération tous les renseignements contenus dans cette brochure et je choisis de mon plein gré de me faire insérer le système Norplant par:

____
(Nom du médecin)

____
(Signature de la patiente) (Date)

Témoin:
La patiente ci-dessus a signé ce formulaire en ma présence, après que je l'ai conseillée et répondu à ses questions.

____
(Signature du médecin) (Date)

Introduction: Chaque femme envisageant l'emploi des implants contraceptifs Norplant doit comprendre les avantages et les risques de cette méthode de planification familiale, par rapport à d'autres méthodes contraceptives. Ce livret vous apportera la majorité des renseignements dont vous aurez besoin pour prendre cette décision; néanmoins, il ne remplace pas une discussion judicieuse avec votre médecin. Vous devrez discuter avec lui de l'information contenue dans ce livret, lorsque vous déciderez d'utiliser Norplant et durant vos visites ultérieures. Vous devrez aussi suivre les conseils de votre médecin quant aux examens physiques réguliers qui devront être effectués lorsque vous utilisez Norplant.

Norplant est composé de 6 capsules de Silastic, lesquelles sont insérées juste sous la peau, au milieu de la partie supérieure de votre bras, par une intervention chirurgicale effectuée lors d'une consultation externe. Ces capsules contiennent une hormone synthétique, le lévonorgestrel, lequel est aussi utilisé dans beaucoup de contraceptifs oraux comme l'un des ingrédients actifs. Immédiatement après l'insertion des implants Norplant, une faible dose est continuellement libérée dans votre organisme. La grossesse est prévenue par une combinaison de mécanismes. Les actions contraceptives les plus importantes sont l'inhibition de l'ovulation pour que les ovules ne soient pas régulièrement produits, et l'épaississement du mucus cervical pour entraver la trajectoire des spermatozoïdes vers l'ovule. D'autres mécanismes peuvent s'ajouter à ces effets contraceptifs. Lorsque les implants Norplant sont retirés, vous reprendrez votre niveau antérieur de fécondabilité.

Efficacité de Norplant: Norplant est l'une des méthodes contraceptives réversibles les plus efficaces. Aucun contraceptif n'est efficace à 100 %. Quant au produit Norplant, la moyenne du taux de grossesse sur une période de 5 ans est de moins de 1 % — moins d'une grossesse pour chaque groupe de 100 femmes durant la première année d'utilisation. Les taux de grossesse évalués par rapport à d'autres méthodes de planification familiale durant la première année d'utilisation sont les suivants:

Taux de grossesse par 100 femmes par année	
Norplant	moins de 1
Pilule combinée	moins de 1 à 2
Stérilet (DIU)	moins de 1 à 6
Condom avec spermicide (mousse ou gelée)	1 à 6
Mini-pilule	3 à 6
Condom	2 à 12
Diaphragme avec spermicide (mousse ou gelée)	3 à 18
Spermicide	3 à 21
Éponge avec spermicide	3 à 28
Capuchon cervical avec spermicide	5 à 18
Méthode rythmique, tout genre	2 à 20
Aucune contraception	60 à 85

À l'exception de Norplant, de la stérilisation et du DIU, l'efficacité de ces méthodes dépend en partie du niveau d'efficacité avec lequel elles sont utilisées.

Norplant offre 5 ans de protection mais peut être retiré n'importe quand. À la fin de la 5e année, les implants deviennent moins efficaces et doivent être retirés; un nouvel ensemble peut être inséré au moment même du retrait, si une protection contraceptive continue est désirée.

Qui doit s'abstenir d'utiliser Norplant? Chez certaines femmes, l'emploi de Norplant est à déconseiller. Par exemple, vous ne devez pas avoir une insertion d'implants si vous êtes enceinte ou si vous pensez l'être. Par ailleurs, vous ne devez pas employer Norplant si vous souffrez des conditions suivantes:

- affection hépatique aiguë; tumeurs hépatiques bénignes ou malignes;
- métrorragie de cause inconnue (jusqu'à ce qu'elle soit diagnostiquée par votre médecin);
- cancer du sein;
- caillots dans les jambes (thrombophlébite), les poumons (embolie pulmonaire), les yeux ou ailleurs. Les femmes ayant eu précédemment des caillots sanguins doivent consulter leur médecin pour savoir si elles peuvent utiliser Norplant;
- antécédents d'hypertension intracrânienne idiopathique (syndrome d'hypertension intracrânienne bénigne, hypertension intracrânienne bénigne);
- hypersensibilité au lévonorgestrel ou à tout autre composant de Norplant.

Autres facteurs à considérer avant de choisir Norplant: Il est essentiel d'informer votre médecin si vous ou tout autre membre de votre famille avez déjà souffert des conditions suivantes:

- nodules aux seins, maladie fibrokystique du sein, une radiographie anormale du sein ou d'un mammogramme;
- diabète;
- augmentation du cholestérol ou des triglycérides;
- hypertension artérielle;
- céphalées;
- maladie de la vésicule biliaire, du cœur ou des reins;
- antécédents de menstruations peu abondantes ou irrégulières;
- antécédents de caillots sanguins, de crise cardiaque ou d'accident cérébrovasculaire;
- dépression;
- migraine;
- grossesse ectopique.

Les femmes souffrant de ces conditions devraient être examinées plus souvent par leur médecin, si elles choisissent d'utiliser Norplant.

Norplant (suite)

Ne manquez pas d'informer votre médecin si vous fumez ou si vous prenez d'autres médicaments.

Les dangers entourant l'utilisation de Norplant:

1. **Menstruations irrégulières:** La plupart des femmes subissent un certain changement dans leur cycle menstruel habituel. Ces irrégularités menstruelles varient d'une femme à l'autre et comprennent:
   - saignement prolongé (plus de jours que d'habitude), généralement durant les premiers mois d'utilisation;
   - saignement irrégulier ou tachetures entre les menstruations;
   - aucun saignement durant plusieurs mois, ou
   - une combinaison de ces modes de saignement.

   Bien qu'il existe une incidence accrue de saignement chez certaines femmes, la perte de sang mensuelle est généralement inférieure à celle des menstruations normales.

   Il est impossible de prévoir les changements que vous pouvez subir. Si une fréquence accrue de saignements se produit, la quantité de sang perdu est rarement une cause suffisante d'anémie, mais certains cas ont nécessité un traitement. Les irrégularités de vos menstruations diminuent souvent graduellement avec une utilisation continue de Norplant.
2. **Disparition retardée de follicules/kystes ovariens:** Si les follicules (ovules et cellules environnantes) de l'ovaire se développent durant l'utilisation de Norplant, la désintégration ou la disparition des follicules est parfois retardée et les follicules peuvent continuer à se développer au-delà de la grandeur normalement atteinte. Ces follicules hypertrophiés, appelés parfois kystes, peuvent causer des malaises chez certaines femmes, bien que la plupart des utilisatrices n'en soient conscientes que lorsque cette affection est dépistée accidentellement lors d'un examen physique. Chez la majorité des femmes, les follicules hypertrophiés disparaîtront d'eux-mêmes et ne devraient pas, en principe, nécessiter d'intervention chirurgicale. Ils peuvent rarement se tordre ou se rupturer, ce qui requiert une intervention chirurgicale. Cette question devra être discutée avec votre médecin.
3. **Grossesses ectopiques:** Des études cliniques ont démontré que des grossesses ectopiques (développement de l'ovule fécondé en dehors de l'utérus, parfois appelé grossesse tubaire) se sont produites parmi des utilisatrices de Norplant, à des taux similaires à ceux de femmes qui n'utilisaient aucune méthode contraceptive ni de DIU. Les symptômes d'une grossesse ectopique se manifestent par des tachetures et des douleurs à type de crampe, et cela généralement peu après l'absence des premières menstruations. Consulter votre médecin s'il y a absence de menstruations ou si vous souffrez de douleur abdominale.
4. **Maladies du cœur et des vaisseaux sanguins:** Comme dans le cas des contraceptifs oraux, on a rapporté la présence de caillots sanguins et de blocage des vaisseaux sanguins chez les utilisatrices de Norplant. Les caillots sanguins et le blocage des vaisseaux sanguins peuvent être graves. En particulier, un caillot dans les veines des jambes peut causer une inflammation et provoquer d'autres caillots, et un caillot qui circule dans les poumons peut causer un blocage soudain du vaisseau transportant le sang aux poumons, entraînant un collapsus respiratoire et même la mort. Il est rare que des caillots se forment dans les vaisseaux sanguins de l'œil et puissent causer une vision double, une vision déficiente ou même la cécité. On a aussi rapporté des crises cardiaques et des accidents cérébrovasculaires lorsque le système Norplant a été mis en place. N'importe quelle de ces conditions peut causer une invalidité grave ou la mort. On devrait retirer les implants Norplant chez les patientes qui développent des caillots sanguins dans les jambes, les bras, les poumons ou les yeux. De plus, les patientes confinées au lit ou qui sont limitées dans leurs mouvements durant une période prolongée pour des raisons chirurgicales ou autres maladies peuvent être à risque élevé de développer des caillots sanguins. Ces types de patientes peuvent nécessiter le retrait des implants Norplant.
5. **Risques basés sur des expériences avec des contraceptifs oraux combinés:** Les pilules combinées contiennent un progestatif tel que le lévonorgestrel, et un œstrogène, lequel est un autre type d'hormone. Quelques effets secondaires rares mais graves ont été associés à l'utilisation de la pilule combinée. On ignore si les risques associés à l'utilisation du contraceptif oral combiné peuvent aussi s'appliquer aux contraceptifs contenant seulement un progestatif comme Norplant.
6. **Hypertension intracrânienne idiopathique (syndrome d'hypertension intracrânienne bénigne):** Une augmentation de la pression intracrânienne a été rapportée chez les utilisatrices de Norplant. Les symptômes peuvent inclure la céphalée (associée au changement dans la fréquence, le pattern, la gravité ou la persistence; la céphalée persistante revêt une importance particulière) et les troubles visuels. Contacter votre médecin ou un professionnel de la santé si vous éprouvez ces symptômes, particulièrement si vous êtes obèse ou avez récemment pris du poids. Votre médecin peut recommander que les implants Norplant soient retirés.

Signes et symptômes graves: Si l'un des effets indésirables suivants se manifeste après l'insertion de Norplant (lévonorgestrel sous-cutané), contactez immédiatement votre médecin:

- douleur thoracique aiguë, expectorations sanguines, ou manque de souffle soudain (pouvant indiquer la présence d'un caillot de sang dans les poumons)
- douleur au mollet (pouvant indiquer la présence d'un caillot de sang dans la jambe)
- douleur thoracique en étau ou serrement (pouvant indiquer une crise cardiaque)
- céphalée intense et soudaine ou persistante, ou vomissements, étourdissements ou perte de conscience, troubles de la vue ou de la parole, ou encore faiblesse ou insensibilité dans un bras ou une jambe (pouvant indiquer un accident cérébrovasculaire ou tout autre problème neurologique)
- céphalée persistante, particulièrement en présence d'obésité ou de récent gain pondéral (indiquant une hypertension intracrânienne idiopathique possible)
- perte soudaine de la vue, partielle ou complète (pouvant indiquer la présence d'un caillot de sang dans l'œil)
- nodules aux seins (possibilité d'un cancer du sein ou d'une maladie fibrokystique du sein; demandez à votre médecin de vous montrer comment pratiquer régulièrement un auto-examen des seins)
- douleur intense ou sensibilité dans la zone de l'estomac ou dans la zone abdominale basse (indiquant une grossesse ectopique, un follicule ovarien rupturé ou tordu, ou la possibilité d'une tumeur hépatique rupturée)
- difficulté à s'endormir, faiblesse, manque d'énergie, fatigue, ou changement d'humeur (pouvant indiquer une dépression grave)
- jaunisse ou jaunissement de la peau ou des globes oculaires, souvent accompagné de: fièvre, fatigue, manque d'appétit, urine de couleur foncée, ou selles de couleur claire (possibilité de troubles hépatiques)
- saignement vaginal abondant
- retard dans les cycles menstruels après un long intervalle de cycles réguliers
- douleur dans un bras
- pus ou saignement au site de l'implant
- expulsion d'un implant.

Effets secondaires de Norplant: Les effets secondaires les plus souvent rapportés sont des irrégularités du cycle menstruel. De tels changements varient d'une femme à l'autre et peuvent comprendre:

- saignement menstruel prolongé (durant plus de jours que d'habitude) généralement durant les premiers mois d'utilisation;
- saignement irrégulier ou tachetures entre les menstruations;
- débuts de saignements fréquents;
- saignements peu abondants;
- aucun saignement durant plusieurs mois, ou
- une combinaison de ces modes de saignement.

Il est impossible de prévoir avant l'insertion de Norplant le mode de saignement que vous pourrez avoir. Beaucoup de femmes peuvent s'attendre à un mode de saignement irrégulier qui se régularisera après une période de 9 à 12 mois. Malgré la fréquence accrue de saignement chez certaines femmes, la perte de sang mensuelle est habituellement inférieure à celle des menstruations normales. En fait, dans certaines études, on a constaté une amélioration de la numération globulaire de la patiente.

Si vous avez un saignement abondant, veuillez contacter votre médecin. Si votre cycle de menstruations est normal et que vous constatez une absence de menstruations, un test de grossesse devra être effectué. Si vous êtes enceinte, le système Norplant doit être retiré.

Des cas rares ont été rapportés concernant des malformations congénitales chez les enfants des femmes ayant utilisé Norplant sans le vouloir au début de la grossesse. Bien que l'association n'ait été ni confirmée ni réfutée, discutez avec votre médecin des risques, pour votre enfant qui n'est pas encore né, de tout médicament pris durant la grossesse.

Lors d'études cliniques, des femmes utilisant Norplant s'étaient plaintes des conditions suivantes, lesquelles pourraient être associées à Norplant:

- céphalée
- nervosité/anxiété
- nausées/vomissements
- étourdissements
- agrandissement des ovaires et/ou des trompes de Fallope
- dermatite (inflammation de la peau)/rash
- acné
- modification de l'appétit
- gain de poids
- mastalgie (sensibilité mammaire)
- hirsutisme (pilosité excessive au corps ou au visage) ou alopécie (perte de cheveux)
- décoloration de la peau au site de l'implantation (généralement réversible).

Les conditions préexistantes d'acné ou la pilosité excessive au corps ou au visage pourraient aussi empirer. Occasionnellement, il peut se produire une infection au site de l'implant, ou bien une douleur ou une démangeaison de courte durée. Dans certains cas, les retraits peuvent parfois être plus difficiles que les insertions.

Une augmentation de volume des follicules ovariens (parfois appelés kystes ovariens) peut se produire chez des utilisatrices de Norplant. Ceux-ci sont détectables durant un examen physique. Généralement, les follicules hypertrophiés disparaissent d'eux-mêmes, sans avoir recours à une intervention chirurgicale mais, dans de rares cas, ils peuvent se tordre ou se rupturer, ce qui requiert une intervention chirurgicale.

D'autres plaintes ont été rapportées par des utilisatrices de Norplant ou constatées par des médecins, mais leur association avec Norplant n'a été ni confirmée ni réfutée. Ces plaintes ont été les suivantes:

- écoulement mammaire
- cervicite (inflammation du col, dépistée par un médecin)
- douleur musculaire et squelettique
- malaise abdominal
- leucorrhée (écoulement blanchâtre du vagin et de la cavité utérine)
- vaginite (inflammation du vagin)
- hypertension intracrânienne idiopathique (syndrome)
- sautes d'humeur
- malformations congénitales
- purpura thrombocytopénique thrombotique
- caillots sanguins
- crise cardiaque
- accident cérébrovasculaire
- prurit (démangeaisons)
- urticaire (éruptions urticariennes)
- dysménorrhée (menstruations douloureuses)
- douleur au bras
- migraine
- engourdissement
- picotement
- fatigue/faiblesse
- dépression

Précautions générales:

1. **Absence de menstruations:** Durant l'utilisation de Norplant, il se peut qu'en certaines périodes vos menstruations ne soient pas régulières. Toutefois, si vous avez le moindre doute d'une grossesse, n'hésitez pas à contacter votre médecin.
2. **Pendant la période d'allaitement au sein:** Les femmes qui allaitent ou qui ont l'intention d'allaiter au sein devraient en discuter avec leur médecin lorsqu'elles envisagent d'utiliser Norplant. Des études n'ont démontré aucun effet significatif sur la croissance ou la santé des nourrissons dont les mères avaient utilisé Norplant 5 à 7 semaines après une naissance. Il n'existe aucune étude appuyant une utilisation de Norplant avant la 5e semaine postpartum.
3. **Infections:** Les infections aux sites de l'implantation de Norplant ne se produisent pas souvent. Norplant devrait être inséré par un médecin qui est familier avec les techniques d'insertion et de retrait, ce qui réduira la possiblité d'une infection. Si une infection survient, contactez votre médecin. Si une infection persiste, le retrait de Norplant peut être nécessaire.
4. **Tests de laboratoire:** Si vous devez vous présenter pour des tests de laboratoire, quels qu'ils soient, et que vous utilisez Norplant, ne manquez pas d'en informer votre médecin. Certains tests sanguins sont affectés par les hormones synthétiques.
5. **Interactions médicamenteuses:** Certains médicaments peuvent interagir avec l'hormone contenue dans Norplant, ce qui pourrait compromettre l'efficacité des implants dans la prévention de la grossesse. De tels médicaments comprennent des médicaments utilisés dans le traitement de l'épilepsie, tels que la phénytoïne (Dilantin) et la carbamazépine (Tégrétol). Certains médicaments peuvent aussi rendre Norplant moins efficace. Vous devrez peut-être utiliser une méthode auxiliaire de contraception lorsque vous prendrez des médicaments pouvant affecter l'efficacité de Norplant. Veuillez en discuter avec votre médecin.
6. **Maladies transmissibles sexuellement:** Norplant ne protège pas contre les maladies transmissibles sexuellement (MTS), y compris le virus du syndrome immunodéficitaire acquis/SIDA. Pour se protéger contre les MTS, il est recommandé d'utiliser des condoms en latex en plus du système Norplant.
7. **Maladies auto-immunes:** Il n'existe aucune preuve définitive appuyant ou écartant la possibilité du lien entre le développement de maladies autoimmunes et l'utilisation de dispositifs contenant de la silicone, mais certaines études ont soulevé la possibilité d'anticorps évolutifs contre la silicone.
8. **Métabolisme glucidique et lipidique:** Les niveaux glycémiques peuvent être augmentés par les contraceptifs progestatifs seuls comme Norplant. Les patientes diabétiques et prédiabétiques devraient être surveillées de près lorsqu'elles utilisent Norplant.

   Certains progestatifs peuvent augmenter les niveaux lipidiques (cholestérol, triglycérides, etc.). Les patientes traitées pour des niveaux lipidiques élevés devraient être suivies de près lorsqu'elles utilisent Norplant.
9. **Fonction hépatique:** Le retrait de Norplant peut être nécessaire si la peau ou le blanc des yeux devient jaune. Les hormones peuvent ne pas être suffisamment métabolisées chez les patientes souffrant de maladies reliées au foie.
10. **Troubles émotionnels:** Le retrait de Norplant peut être nécessaire si vous devenez gravement dépressive.
11. **Expulsion et déplacement des capsules (de la position initiale):** L'expulsion des capsules Norplant (c.-à-d. lorsqu'une capsule est expulsée du site d'insertion/de la peau) ne survient que rarement. Cependant, l'expulsion peut survenir si les capsules sont placées trop près de la peau, trop près de l'incision ou si une infection est présente. Si une capsule est expulsée, votre médecin devrait la remplacer par une nouvelle capsule qui n'a pas été utilisée. S'il y a présence d'infection, elle devrait être traitée et guérie avant que les capsules aient été remplacées. Pour éviter la grossesse, une méthode contraceptive auxiliaire devrait être utilisée si moins de 6 capsules sont en place.

    Après l'insertion des capsules Norplant, il arrive qu'elles se déplacent de leur position initiale. On a parfois rapporté un déplacement de capsule allant de quelques pouces à plusieurs pouces. Certaines utilisatrices de Norplant ont rapporté un déplacement de capsule accompagné de douleur ou d'un malaise. Si tel est le cas, contactez votre médecin.

Insertion de Norplant: L'insertion et le retrait de Norplant devraient être effectués par un médecin qui connaît bien ces techniques.

Avant de procéder à l'insertion de Norplant, votre médecin s'informera de vos antécédents médicaux et vous demandera de passer un examen physique. Pour écarter toute possibilité de grossesse, l'insertion de Norplant doit être pratiquée dans les 7 jours qui suivent le début des menstruations, ou immédiatement après un avortement. Si les capsules Norplant sont insérées à n'importe quel moment durant le cycle, la grossesse doit être exclue et une méthode non hormonale (comme les condoms, spermicides ou diaphragmes) doit être utilisée pour le reste de ce cycle suivant l'insertion.

Les implants Norplant sont insérés sous la peau dans la surface interne de la partie supérieure de votre bras, par une intervention chirurgicale mineure effectuée en consultation externe, dans des conditions d'asepsie. Une anesthésie locale est effectuée pour insensibiliser une petite zone de la partie supérieure du bras, suivie d'une petite incision d'environ 2 mm dans la même zone. Les 6 implants-capsules sont disposés un par un juste sous la peau, en forme d'éventail, à l'aide d'un instrument spécial. Le procédé d'insertion ne doit pas prendre

Norplant (suite)

plus de 10 à 15 minutes. L'incision est ensuite couverte d'une petite bande adhésive papillon et d'une gaze protectrice.

Grâce à l'application d'un anesthésique local, il ne devrait y avoir que peu ou pas de douleur durant l'insertion. Lorsque l'effet de l'anesthésique est passé, il est possible que vous ressentiez pendant 1 ou 2 jours une certaine sensibilité au site de l'insertion. Une certaine décoloration, ecchymose et inflammation peuvent aussi être présentes dans les quelques jours qui suivront l'intervention. Cependant, ceci ne devrait nullement nuire à vos activités habituelles. D'autres réactions cutanées qui ont été rapportées comprennent la formation d'ampoules, la formation d'escarre et l'ulcération.

Après l'insertion, vous pourrez reprendre votre travail et vaquer à vos activités habituelles. Toutefois, pendant au moins 3 jours, prenez soin de ne pas heurter le site de l'insertion ou de ne pas mouiller l'incision. Évitez aussi de lever des objets lourds durant 2 à 3 jours. La gaze protectrice doit rester en place pendant 24 heures, et la petite bande papillon, pendant 3 jours.

Si les implants sont insérés durant les menstruations, vous pouvez reprendre les relations sexuelles dès que vous le désirez. Si les capsules sont insérées plus de 7 jours après le début des menstruations, une méthode contraceptive non hormonale doit être utilisée pour le reste de ce cycle suivant l'insertion.

Tel que recommandé par votre médecin, assurez-vous de passer périodiquement des examens physiques lorsque les implants sont en place.

Retrait de Norplant: Les implants doivent être retirés à la fin de la période de 5 ans lorsque l'efficacité de la méthode commence à diminuer. Cependant, les implants peuvent être retirés avant cette date si, pour quelque raison que ce soit, vous désirez cesser d'utiliser la méthode.

Tel que pour le procédé d'insertion, votre médecin appliquera un anesthésique local. Dans des conditions d'asepsie, il faudra pratiquer une petite incision (4 mm) par laquelle tous les implants seront retirés. Le procédé de retrait prend généralement de 15 à 20 minutes, mais il peut aussi prendre plus de temps. Si le retrait de quelques-unes des capsules se révèle plus difficile, une autre visite nécessitant une incision sera peut-être requise. Une méthode contraceptive non hormonale (comme les condoms, spermicides ou diaphragmes) devrait être utilisée si moins de 6 capsules sont en place.

Tout comme après l'insertion, évitez de heurter le site de l'incision durant quelques jours. Cette zone doit être tenue propre, sèche et pansée jusqu'à ce qu'elle soit guérie (3 à 5 jours) pour éviter une infection. Une contusion peut apparaître au site de l'implantation après le retrait.

Si vous désirez continuer à utiliser Norplant, un autre ensemble d'implants peut vous être inséré au moment où l'ancien est retiré. Le second ensemble d'implants Norplant peut être inséré dans le même bras, et cela est souvent pratiqué dans l'incision par laquelle les premières capsules ont été retirées, ou dans l'autre bras. Si vous désirez cesser l'emploi de Norplant, mais ne voulez pas devenir enceinte, assurez-vous que votre médecin vous recommande une autre méthode contraceptive.

L'insertion et le retrait de Norplant devraient être effectués par un médecin qui connaît bien ces techniques.

Des douleurs, des engourdissements, des picotements et des cicatrices ont été rapportés à la suite de ces interventions.

Dès que les implants sont retirés, les effets contraceptifs cessent rapidement, et la femme peut devenir enceinte aussi rapidement que celle qui n'a pas utilisé cette méthode contraceptive. Pour plus de renseignements au sujet de Norplant, veuillez consulter votre médecin.

□ NORVIR® ℞

Abbott

Ritonavir

Inhibiteur de la protéase du virus de l'immunodéficience humaine (VIH)

Renseignements destinés aux patients: Il faut informer le patient que Norvir (ritonavir) ne guérit pas l'infection par le VIH et qu'il peut continuer à contracter des affections liées à l'infection par le VIH de stade avancé, notamment des infections opportunistes.

Il faut informer le patient que l'on ne connaît pas encore les effets à long terme du ritonavir. Le patient doit savoir qu'il n'a pas été démontré que le traitement par le ritonavir diminue le risque de transmission du VIH par voie sexuelle ou sanguine.

Il faut aviser le patient de prendre le ritonavir avec de la nourriture si possible.

Il faut informer le patient qu'il doit prendre le ritonavir tous les jours en respectant l'ordonnance. Il ne doit pas modifier la dose ou cesser de prendre le ritonavir sans consulter son médecin. Si le patient oublie une dose, il doit prendre la dose suivante le plus tôt possible. Toutefois, s'il saute une dose, le patient ne doit pas doubler la dose suivante.

En raison de l'existence connue d'interactions médicamenteuses avec le ritonavir, il faut avertir le patient qu'il doit signaler à son médecin l'emploi de tout autre médicament (médicaments d'ordonnance et en vente libre).

Il faut avertir le patient qui prend du ritonavir qu'il peut éprouver certains effets secondaires: faiblesse musculaire, nausées, diarrhée, vomissements, douleurs abdominales, perte d'appétit, engourdissement et fourmillements et/ou altération du goût.

La mesurette avec laquelle le patient prend le ritonavir en suspension buvable doit être lavée immédiatement après l'usage à l'eau chaude et au savon à vaisselle. Lorsqu'elle est lavée immédiatement, il n'y a pas de résidu de médicament. La mesurette doit être sèche avant l'usage.

□ NOVO-DIFENAC® ℞
□ NOVO-DIFENAC® SR ℞

Novopharm

Diclofénac sodique

Agent anti-inflammatoire—Analgésique

Renseignements destinés aux patients: Votre médecin vous a prescrit du diclofénac sodique. Ce médicament fait partie d'un groupe important d'agents appelés les anti-inflammatoires non stéroïdiens (AINS) et il est utilisé pour soulager les symptômes de certaines formes d'arthrite (rhumatismes). Il aide au soulagement de la douleur articulaire, de l'enflure, de la raideur et de la fièvre en diminuant la production de certaines substances (les prostaglandines) et en contribuant au contrôle de l'inflammation et autres réactions de l'organisme.

Vous devriez prendre le diclofénac sodique seulement selon les directives de votre médecin. Ne pas prendre plus que la dose prescrite, ne pas prendre ce médicament plus fréquemment que prescrit et ne pas prendre ce médicament plus longtemps que prescrit par votre médecin. Quelle que soit la forme posologique prescrite, la dose quotidienne ne doit pas dépasser 150 mg.

Assurez-vous de prendre le diclofénac sodique régulièrement comme prescrit. Dans certaines formes d'arthrite, les effets bénéfiques de ce médicament peuvent n'apparaître que 2 semaines après le début du traitement. Durant le traitement, votre médecin peut décider d'ajuster la posologie selon votre réponse à ce médicament.

Afin de réduire le malaise gastrique, prenez ce médicament immédiatement après un repas ou avec de la nourriture ou encore avec du lait. Si un malaise gastrique (indigestion, nausées, vomissements, douleurs gastriques ou diarrhée) survenait ou se prolongeait, consultez votre médecin.

Ce médicament n'est disponible que sur ordonnance médicale.

Rappelez-vous: Ce médicament vous a été prescrit seulement pour traiter votre problème médical actuel. Il ne devrait jamais être donné à une autre personne et il ne devrait pas être utilisé pour d'autres états sauf avis contraire de votre médecin.

Comment prendre votre médicament: Les comprimés à libération lente une prise par jour: Si vous prenez les comprimés Novo-Difenac SR de 75 mg ou de 100 mg 1 fois/jour, il est préférable de les prendre toujours à la même heure chaque jour, sauf avis contraire de votre médecin. Lorsque vous n'avez pas pris ce comprimé à l'heure régulière ou prescrite, vous pouvez le prendre sur-le-champ, mais vous devez attendre au moins 12 heures avant d'en prendre un autre. Par la suite, vous pourrez prendre votre comprimé à l'heure habituelle ou prescrite.

Les comprimés à libération lente 2 prises par jour: Les comprimés à libération lente de 100 mg ne doivent **pas** être pris plus d'une fois/jour. Si vous prenez les comprimés Novo-Difenac SR de 75 mg 2 fois/jour, il est préférable de prendre un comprimé le matin et un comprimé le soir, sauf avis contraire de votre médecin. Lorsque vous n'avez pas pris ce comprimé à l'heure régulière ou prescrite, vous pouvez le prendre sur-le-champ. Si vous devez prendre un autre comprimé le même jour, il serait préférable que vous attendiez 12 heures et pas moins de 6 heures avant de le prendre. Par la suite, vous pourrez prendre votre comprimé à l'heure habituelle ou prescrite.

Les comprimés Novo-Difenac SR doivent être avalés entiers avec un liquide, de préférence aux repas.

Les suppositoires Novo-Difenac (50 mg et 100 mg): Les suppositoires Novo-Difenac sont enveloppés d'aluminium. Avant d'insérer le suppositoire dans le rectum, s'assurer que tout le papier d'aluminium a été retiré. Ne jamais prendre les suppositoires par la bouche.

Quelle que soit la forme posologique prescrite (comprimés ou suppositoires), la dose quotidienne de Novo-Difenac ne doit pas dépasser 150 mg/jour.

Lorsque vous prenez du diclofénac sodique, vous ne devez pas prendre d'AAS (acide acétylsalicylique), des composés renfermant de l'AAS ou autres médicaments pour soulager les symptômes arthritiques, sauf avis contraire de votre médecin.

Si on vous a prescrit ce médicament pour une longue période de temps, votre médecin devra surveiller votre état lors de visites régulières afin d'évaluer vos progrès et de s'assurer que ce médicament ne produit pas d'effets indésirables.

Effets secondaires de ce médicament: Le diclofénac sodique, comme tout autre médicament du groupe des AINS, peut entraîner, en même temps que des effets bénéfiques, quelques effets indésirables. L'apparition d'effets secondaires ou l'apparition d'effets secondaires plus graves semble survenir plus fréquemment chez les personnes âgées affaiblies et les patients affaiblis. Même si la plupart de ces effets secondaires apparaissent peu fréquemment, ils peuvent nécessiter une surveillance médicale. Consultez votre médecin immédiatement si l'un de ces effets secondaires survenait:

- selles sanguinolentes ou noirâtres
- essouflement, respiration sifflante, gêne respiratoire ou troubles de la respiration
- éruptions cutanées, enflure, urticaire ou démangeaisons
- indigestion, nausées, vomissements, douleurs gastriques ou diarrhées
- coloration jaunâtre de la peau ou des yeux, accompagnée ou non de fatigue
- toute modification de la quantité ou de la couleur de l'urine (tel qu'une urine foncée, rouge ou brune)
- enflure des pieds ou des membres inférieurs
- vue embrouillée ou troubles visuels
- confusion mentale, dépression, étourdissements, vertige
- problèmes auditifs

Chez certains patients, l'usage de suppositoires rectaux peut causer une sensation de brûlure au rectum et, dans de rares occasions, un saignement rectal.

N'oubliez pas: Avant de prendre ce médicament, signalez à votre médecin ou à votre pharmacien:

- Si vous êtes allergique au diclofénac sodique ou à tout autre médicament du groupe des AINS tels que l'AAS, le diflunisal, le fénoprofène, le flurbiprofène, l'ibuprofène, l'indométhacine, le kétoprofène, l'acide méfénamique, le piroxicam, le sulindac, l'acide tiaprofénique ou la tolmétine.
- Si vous avez déjà eu des douleurs gastriques, un ulcère, une maladie hépatique ou une maladie rénale.
- Si vous êtes enceinte ou si vous avez l'intention de le devenir lors d'un traitement avec ce médicament.
- Si vous allaitez.
- Si vous prenez d'autres médicaments (avec ou sans ordonnance).
- Si vous avez d'autres problèmes médicaux.

Lorsque vous prenez ce médicament:

- Informez tout autre médecin, dentiste ou pharmacien que vous devez consulter ou que vous devez rencontrer, que vous prenez ce médicament.
- Soyez prudent si vous devez conduire ou si vous devez accomplir des tâches qui demandent de la vigilance car ce médicament peut produire de la somnolence, des étourdissements ou des vertiges. Les tranquillisants, les somnifères et certains antihistaminiques (antiallergiques) peuvent augmenter la fréquence et/ou la gravité de ces effets secondaires.
- Consultez votre médecin si ce médicament ne vous soulage pas ou si des problèmes surviennent.
- Signalez à votre médecin l'apparition de tout effet indésirable. Ceci est très important car on pourra détecter précocement et mieux prévenir les complications possibles.
- Les visites médicales régulières sont essentielles.
- Conserver entre 15 et 30 °C et protéger de l'humidité.
- Si vous désirez plus de renseignements sur ce médicament, consultez votre médecin ou votre pharmacien.

☐ NUTROPIN® Ⓟ
☐ NUTROPIN® AQ Ⓟ

Roche

Somatrophine

Hormone de croissance

Renseignements destinés aux patients/parents: Nutropin (somatrophine pour injection, poudre lyophilisée). Voir le prospectus d'emballage pour les illustrations: **Ne mélangez (reconstituez) pas le médicament et ne l'injectez pas avant que votre médecin ou votre infirmière ne vous ait enseigné la façon de procéder.**

Reconstituer signifie ajouter un liquide (solvant) à une poudre sèche. Dans ce cas-ci, Nutropin **doit** être mélangé avec de l'eau bactériostatique pour injection USP (conservée avec de l'alcool benzylique), le solvant stérile fourni, avant qu'il ne puisse être injecté.

Employez la technique aseptique que vous a enseignée votre médecin ou votre infirmière. Éliminez convenablement les seringues et les aiguilles après usage, hors de la portée des enfants. Reportez-vous au point 6 de la section Administration du médicament pour savoir comment vous débarrasser des aiguilles et des seringues.

Reconstitution du contenu de la fiole de Nutropin: Reconstituez la solution de Nutropin **uniquement** avec l'eau bactériostatique pour injection USP, **conservée avec de l'alcool benzylique**, fournie dans la boîte. N'employez aucune autre solution pour la reconstitution, à moins que votre médecin vous l'ait indiqué. Le reste d'une fiole de Nutropin reconstitué ne doit **jamais** être employé pour la reconstitution dans une fiole de Nutropin neuve.

Votre médecin ou votre infirmière vous indiquera le format de seringue et d'aiguille à utiliser, de même que la quantité de solvant à ajouter dans la fiole de Nutropin.

1. Lavez-vous toujours soigneusement les mains à l'eau et au savon avant de préparer le médicament, afin de prévenir les infections.
2. Enlevez l'embout de plastique protecteur de la fiole de solvant et de la fiole de Nutropin. Nettoyez le bouchon en caoutchouc de chaque fiole avec un tampon imbibé d'alcool. Après le nettoyage, ne touchez pas le dessus des fioles.
3. Introduisez de l'air dans la seringue en tirant le piston jusqu'au niveau indiqué par votre médecin.
4. Enlevez le capuchon en plastique de l'aiguille, puis mettez-le de côté. Insérez l'aiguille dans la fiole de solvant et injectez l'air dans la fiole.
5. Tournez la fiole à l'envers, en maintenant l'aiguille dedans, et tenez la fiole d'une main. Assurez-vous que le bout de l'aiguille est immergé dans le solvant. Prélevez la quantité de solvant devant être ajoutée à la fiole de Nutropin en tirant le piston jusqu'à la quantité exacte que vous a prescrite votre médecin. Assurez-vous que la bonne quantité de solvant se trouve dans la seringue. Sortez l'aiguille de la fiole de solvant et recouvrez l'aiguille de son capuchon en plastique.
6. Avant d'ajouter le solvant à la fiole de Nutropin, assurez-vous d'avoir bien prélevé la bonne quantité de solvant. Afin de préparer la solution de Nutropin, enlevez le capuchon en plastique de l'aiguille et piquez-la dans le bouchon nettoyé de la fiole de Nutropin. Placez délicatement le bout de l'aiguille contre la paroi en verre de la fiole. Injectez lentement le solvant en visant la paroi de la fiole. **Ne faites pas jaillir l'eau directement sur la poudre blanche** qui se trouve au fond de la fiole. Retirez l'aiguille et replacez le capuchon en plastique. Voyez le point 6 de la section **Administration du médicament** pour savoir comment vous débarrasser des aiguilles et des seringues.
7. Remuez délicatement la fiole de Nutropin d'un léger mouvement rotatif, jusqu'à dissolution complète du contenu. N'agitez jamais une fiole de Nutropin après la reconstitution. Comme l'hormone de croissance Nutropin est une protéine, la solution peut devenir trouble si on l'agite. La solution doit être limpide immédiatement après la reconstitution, sans aucune particule solide à la surface. Si vous remarquez des grumeaux qui flottent ou qui se collent à la paroi de la fiole, continuez de remuer délicatement la solution jusqu'à ce que toute la poudre soit dissoute. Si des bulles d'air se forment, attendez qu'elles montent à la surface de la solution et qu'elles disparaissent avant de continuer. Si la solution de Nutropin

Nutropin (suite)

est trouble ou laiteuse, ne l'injectez pas, mais retournez-la à votre pharmacien ou au médecin qui vous l'a prescrite.

8. Marquez la date sur la fiole de solvant et sur la fiole de Nutropin reconstitué. Ainsi, vous saurez quand vous avez utilisé la fiole de solvant pour la première fois et avez reconstitué la solution de Nutropin dans la fiole. Une fiole de solvant qui a déjà été utilisée peut se conserver pendant 14 jours. Une fiole de Nutropin reconstitué ne peut pas être employée après 14 jours; elle doit être jetée. Conservez toutes les fioles dans un coin propre et sécuritaire de votre réfrigérateur. **Ne les congelez pas.**

À noter: Si elles n'ont pas été utilisées, les fioles de solvant et de Nutropin peuvent être employées jusqu'à la date de péremption (EXP) imprimée sur l'étiquette de la fiole.

Mesure de la dose: Avant chaque utilisation, vérifiez la date de péremption imprimée sur l'étiquette de la fiole, ainsi que la date de reconstitution, puis assurez-vous que la solution de Nutropin est limpide. Après réfrigération, il se peut qu'il y ait de petites particules incolores de protéines dans la solution de Nutropin. Ce phénomène est assez courant avec les solutions contenant des protéines; cela ne signifie aucunement que le produit est moins efficace. Laissez la fiole atteindre la température ambiante et remuez-la délicatement d'un léger mouvement rotatif. Si la solution est trouble ou laiteuse, ne l'injectez pas; retournez la fiole de Nutropin à votre pharmacien ou au médecin qui vous l'a prescrite.

1. Lavez-vous soigneusement les mains à l'eau et au savon avant de prélever la dose, afin de prévenir les infections.
2. Vérifiez que la solution n'a pas plus de 14 jours, d'après la date que vous avez inscrite sur la fiole de Nutropin reconstitué.
3. Essuyez le bouchon de caoutchouc de la fiole de Nutropin avec un tampon imbibé d'alcool. Les mains ou les doigts ne doivent en aucun cas toucher le dessus de la fiole.
4. Introduisez de l'air dans la seringue en tirant sur le piston. La quantité d'air doit être égale à la dose de Nutropin. Mettez les doigts sur le bout du piston.
5. Enlevez le capuchon en plastique de l'aiguille et mettez-le de côté. Lentement, insérez l'aiguille verticalement dans le centre du bouchon de caoutchouc de la fiole contenant la solution de Nutropin.
6. Poussez doucement le piston pour faire entrer l'air dans la fiole.
7. Tournez la fiole à l'envers, en maintenant l'aiguille dedans, et tenez la fiole d'une main. Assurez-vous que le bout de l'aiguille est immergé dans la solution de Nutropin. De l'autre main, prélevez la solution en tirant lentement le piston d'un mouvement continu, jusqu'à ce que la bonne quantité de solution de Nutropin se trouve dans la seringue.
8. Enlevez l'aiguille de la fiole de Nutropin et replacez le capuchon de plastique jusqu'au moment d'administrer l'injection. Prenez garde de ne pas toucher l'aiguille. Une fois la seringue remplie, l'injection doit être administrée dès que possible. Ne conservez pas Nutropin dans la seringue.

Points d'injection: L'infirmière ou le médecin de votre enfant vous enseignera comment choisir un point d'injection. Il est important que vous changiez de point d'injection chaque fois que vous administrez le médicament. Même si votre enfant finit par préférer un point particulier—ce qui arrive à beaucoup d'enfants—vous devez utiliser les points à tour de rôle.

Les points d'injection les plus souvent recommandés pour les enfants sont:

- bras
- abdomen
- cuisse

Administration du médicament: Votre médecin ou votre infirmière vous montrera comment donner une injection. Les aiguilles et les seringues ne seront utilisées qu'une fois, afin d'assurer qu'elles demeurent stériles. Les données ci-dessous passent en revue les étapes à suivre pour administrer le médicament:

1. Nettoyez le point d'injection avec un tampon de coton ou d'ouate imbibé d'alcool.
2. Assurez-vous encore que la seringue contient la bonne quantité de solution de Nutropin. Enlevez le capuchon de l'aiguille remplie de solution, puis tenez la seringue comme vous tiendriez un crayon.
3. Pincez la peau entre le pouce et l'index avant et pendant l'injection. Piquez l'aiguille dans la peau fermement et rapidement, à un angle de 45 à 90°. Ainsi, vous infligerez moins de douleur que si vous insériez l'aiguille graduellement. Votre médecin ou votre infirmière vous indiquera l'angle à utiliser pour votre enfant.
4. Injectez lentement (en quelques secondes) la solution en poussant doucement le piston jusqu'à ce que la seringue soit vide.
5. Enlevez l'aiguille rapidement, en ligne droite, puis appliquez une pression sur le point d'injection avec un tampon de gaze sec ou une boule d'ouate sèche. Une goutte de sang pourrait apparaître. Appliquez un pansement adhésif sur le point d'injection, si vous le voulez.
6. Afin de prévenir les blessures, éliminez toutes les aiguilles et les seringues après un seul usage, comme votre médecin ou votre infirmière vous l'a montré, de la façon suivante:
   - Déposez toutes les aiguilles et seringues usées soit dans un contenant de plastique rigide muni d'un bouchon qui visse, soit dans un contenant de métal avec couvercle de plastique, p. ex. une boîte de café; indiquez clairement le contenu sur une étiquette. Si vous utilisez une boîte de métal, découpez un petit trou dans le couvercle de plastique et scellez le contenant de métal avec un ruban adhésif. Une fois que le contenant de métal est rempli, jetez-le après avoir bouché le trou du couvercle avec du ruban adhésif. Si vous utilisez un contenant de plastique, revissez toujours hermétiquement le couvercle après chaque usage. Quand le contenant de plastique est plein, jetez-le, après l'avoir scellé avec du ruban adhésif.
   - N'utilisez pas de contenant de verre ou de plastique transparent, ni un contenant qui peut être recyclé ou retourné à un magasin.
   - Conservez toujours le contenant hors de la portée des enfants.
   - Tenez compte de toute autre suggestion de votre médecin, de votre infirmière ou de votre pharmacien. Il pourrait exister des lois provinciales et municipales dont ils voudraient discuter avec vous.
7. À l'occasion, il est possible qu'un problème surgisse au point d'injection. Avertissez votre médecin ou votre infirmière si vous observez un des signes ou symptômes suivants:
   - Une bosse ou un gonflement qui ne disparaît pas;
   - Une contusion (un bleu) qui ne disparaît pas;
   - Tout signe d'infection ou d'inflammation au point d'injection (pus, rougeur persistante dans la peau avoisinante, qui est chaude, douleur persistante après l'injection).

Conservation: Nutropin **doit** être réfrigéré avant la reconstitution (poudre) et après la reconstitution (liquide).

Une fois reconstitué, Nutropin ne peut pas être employé après 14 jours; passé ce délai, retournez-le à votre médecin ou à votre pharmacien.

Les fioles d'eau bactériostatique pour injection USP (conservée avec de l'alcool benzylique) devraient également être réfrigérées (avant d'être utilisées et une fois qu'elles sont utilisées). Une fiole qui a été utilisée n'est bonne que pour 14 jours après la première utilisation.

Réfrigérer à une température de 2 à 8 °C.

Après la reconstitution, la fiole de Nutropin et la fiole d'eau bactériostatique pour injection USP (conservée avec de l'alcool benzylique) ne doivent pas être congelées.

Si vous avez des questions, communiquez avec votre médecin, votre infirmière ou votre pharmacien.

Renseignements destinés aux patients/parents: Nutropin AQ (somatrophine injectable). Voir le prospectus d'emballage pour les illustrations: **N'injectez pas le médicament avant que votre médecin ou votre infirmière ne vous ait enseigné la façon de procéder.**

Votre médecin ou votre infirmière vous indiquera le format de seringue et d'aiguille à utiliser pour administrer le médicament.

Employez la technique aseptique que vous a enseignée votre médecin ou votre infirmière. Éliminez convenablement les seringues et les aiguilles après usage, hors de la portée des enfants.

Préparation de la dose:

1. Lavez-vous toujours soigneusement les mains à l'eau et au savon avant de préparer le médicament, afin de prévenir les infections.
2. Marquez la date sur la fiole de Nutropin AQ. Ainsi, vous saurez quand vous avez utilisé pour la première fois la fiole de Nutropin AQ. La fiole de Nutropin AQ ne peut pas être employée 28 jours après la première utilisation; elle doit être jetée. Conservez toutes les fioles dans un coin propre et sécuritaire de votre réfrigérateur. **Ne les congelez pas.**
3. Enlevez l'embout de plastique protecteur de la fiole de Nutropin AQ. Nettoyez le bouchon en caoutchouc de la fiole avec un tampon imbibé d'alcool. Après le nettoyage, ne touchez pas le dessus de la fiole.

Mesure de la dose: Avant chaque utilisation, vérifiez la date de péremption imprimée sur l'étiquette de la fiole, ainsi que la date de la première utilisation, puis assurez-vous que la solution de Nutropin AQ est limpide. Après réfrigération, il se peut qu'il y ait de petites particules incolores de protéines dans la solution de Nutropin AQ. Ce phénomène est assez courant avec les solutions contenant des protéines; cela ne signifie aucunement que le produit est moins efficace. Laissez la fiole atteindre la température ambiante et remuez-la délicatement d'un léger mouvement rotatif. Si la solution est trouble ou laiteuse, ne l'injectez pas; retournez la fiole de Nutropin AQ à votre pharmacien ou au médecin qui vous l'a prescrite.

1. Lavez-vous soigneusement les mains à l'eau et au savon avant de prélever la dose, afin de prévenir les infections.
2. Vérifiez que la solution n'a pas plus de 28 jours, d'après la date que vous avez inscrite sur la fiole de Nutropin AQ.
3. Essuyez le bouchon de caoutchouc de la fiole de Nutropin AQ avec un tampon imbibé d'alcool. Les mains ou les doigts ne doivent en aucun cas toucher le dessus de la fiole.
4. Introduisez de l'air dans la seringue en tirant sur le piston. La quantité d'air doit être égale à la dose de Nutropin AQ. Mettez les doigts sur le bout du piston.
5. Enlevez le capuchon en plastique de l'aiguille et mettez-le de côté. Lentement, insérez l'aiguille verticalement dans le centre du bouchon de caoutchouc de la fiole contenant la solution de Nutropin AQ.
6. Poussez doucement le piston pour faire entrer l'air dans la fiole.
7. Tournez la fiole à l'envers, en maintenant l'aiguille dedans, et tenez la fiole d'une main. Assurez-vous que le bout de l'aiguille est immergé dans la solution de Nutropin AQ. De l'autre main, prélevez la solution en tirant lentement le piston d'un mouvement continu, jusqu'à ce que la bonne quantité de solution de Nutropin AQ se trouve dans la seringue.
8. Enlevez l'aiguille de la fiole de Nutropin AQ et replacez le capuchon de plastique jusqu'au moment d'administrer l'injection. Prenez garde de ne pas toucher l'aiguille. Une fois la seringue remplie, l'injection doit être administrée dès que possible. Ne conservez pas Nutropin AQ dans la seringue.

Points d'injection: L'infirmière ou le médecin de votre enfant vous enseignera comment choisir un point d'injection. Il est important que vous changiez de point d'injection chaque fois que vous administrez le médicament. Même si votre enfant finit par préférer un point particulier—ce qui arrive à beaucoup d'enfants—vous devez utiliser les points à tour de rôle.

Les points d'injection les plus souvent recommandés pour les enfants sont:

- bras
- abdomen
- cuisse

Administration du médicament: Votre médecin ou votre infirmière vous montrera comment donner une injection. Les aiguilles et les seringues ne seront utilisées qu'une fois, afin d'assurer qu'elles demeurent stériles. Les données ci-dessous passent en revue les étapes à suivre pour administrer le médicament:

1. Nettoyez le point d'injection avec un tampon de coton ou d'ouate imbibé d'alcool.
2. Assurez-vous encore que la seringue contient la bonne quantité de solution de Nutropin AQ. Enlevez le capuchon de l'aiguille remplie de solution, puis tenez la seringue comme vous tiendriez un crayon.
3. Pincez la peau entre le pouce et l'index avant et pendant l'injection. Piquez l'aiguille dans la peau fermement et rapidement, à un angle de 45 à 90°. Ainsi, vous infligerez moins de douleur que si vous insériez l'aiguille graduellement. Votre médecin ou votre infirmière vous indiquera l'angle à utiliser pour votre enfant.
4. Injectez lentement (en quelques secondes) la solution en poussant doucement le piston jusqu'à ce que la seringue soit vide.
5. Enlevez l'aiguille rapidement, en ligne droite, puis appliquez une pression sur le point d'injection avec un tampon de gaze sec ou une boule d'ouate sèche. Une goutte de sang pourrait apparaître. Appliquez un pansement adhésif sur le point d'injection, si vous le voulez.
6. Afin de prévenir les blessures, éliminez toutes les aiguilles et les seringues après un seul usage, comme votre médecin ou votre infirmière vous l'a montré, de la façon suivante:
   - Déposez toutes les aiguilles et seringues usées soit dans un contenant de plastique rigide muni d'un bouchon qui visse, soit dans un contenant de métal avec couvercle de plastique, p. ex. une boîte de café; indiquez clairement le contenu sur une étiquette. Si vous utilisez une boîte de métal, découpez un petit trou dans le couvercle de plastique et scellez le contenant de métal avec un ruban adhésif. Une fois que le contenant de métal est rempli, jetez-le après avoir bouché le trou du couvercle avec du ruban adhésif. Si vous utilisez un contenant de plastique, revissez toujours hermétiquement le couvercle après chaque usage. Quand le contenant de plastique est plein, jetez-le, après l'avoir scellé avec du ruban adhésif.
   - N'utilisez pas de contenant de verre ou de plastique transparent, ni un contenant qui peut être recyclé ou retourné à un magasin.
   - Conservez toujours le contenant hors de la portée des enfants.
   - Tenez compte de toute autre suggestion de votre médecin, de votre infirmière ou de votre pharmacien. Il pourrait exister des lois provinciales et municipales dont ils voudraient discuter avec vous.
7. À l'occasion, il est possible qu'un problème surgisse au point d'injection. Avertissez votre médecin ou votre infirmière si vous observez un des signes ou symptômes suivants:
   - Une bosse ou un gonflement qui ne disparaît pas;
   - Une contusion (un bleu) qui ne disparaît pas;
   - Tout signe d'infection ou d'inflammation au point d'injection (pus, rougeur persistante dans la peau avoisinante, qui est chaude, douleur persistante après l'injection).

Conservation: Nutropin AQ **doit** être réfrigéré et ne peut être utilisé 28 jours après sa première utilisation; il doit être jeté.

Réfrigérer à une température de 2 à 8 °C.

Les fioles de Nutropin AQ ne doivent pas être congelées.

Si vous avez des questions, communiquez avec votre médecin, votre infirmière ou votre pharmacien.

☐ NYTOL^MC
☐ NYTOL^MC Ultra-fort

Block Drug

Chlorhydrate de diphénhydramine

Somnifère

Renseignements destinés aux patients: Usage: Les comprimés Nytol sont destinés à soulager l'insomnie nocturne passagère dans les cas où la difficulté à s'endormir causée par la fatigue ou le surmenage est particulièrement agaçante. Il ne faut pas les prendre pendant plus de quelques nuits consécutives.

Il convient de ne pas perdre de vue que le fonctionnement normal de l'organisme est parfaitement compatible avec des heures de sommeil variables. Par ailleurs, le besoin de sommeil diminue normalement avec l'âge. Le fait d'être éveillé ne réclame ou ne justifie donc pas l'emploi de somnifères.

L'insomnie peut toutefois être un symptôme d'une maladie grave. Par conséquent, si elle se prolonge au-delà de 2 semaines, il est recommandé de consulter un médecin. Si votre sommeil est troublé par la douleur ou d'autres causes, il faut traiter ces affections et les somnifères ne sont pas indiqués.

Précautions: Il ne faut pas prendre de Nytol si vous consommez de l'alcool.

Si vous prenez actuellement un médicament sur ordonnance ou autre, ne prenez pas de Nytol sans consulter votre médecin ou votre pharmacien.

Ne prenez pas ce produit si vous êtes enceinte ou si vous allaitez.

Nytol ne doit pas être pris par les personnes âgées atteintes de confusion mentale nocturne. Il est contre-indiqué chez les patients qui souffrent de crises d'asthme, de glaucome à angle aigu ou de difficultés à uriner en raison d'une hypertrophie de la prostate. Chez les personnes âgées, ces médicaments peuvent stimuler au lieu de calmer; ils doivent donc être évités pour ce groupe d'âge.

Posologie: La dose habituelle pour adultes de Nytol de concentration ordinaire, à prendre au coucher, est de 50 mg (2 comprimés blancs à 25 mg). Chez certaines personnes, la dose de 50 mg peut produire une somnolence excessive; dans ce cas, il faut, par la suite, ne donner qu'un seul comprimé blanc de Nytol de 25 mg.

La dose habituelle pour adultes de Nytol ultra-fort, à prendre au coucher, est de 50 mg (1 comprimé bleu de 50 mg ou 1 caplet bleu de 50 mg). Chez certaines personnes, la dose de 50 mg peut produire une somnolence excessive; dans ce cas, il faut, par la suite, ne donner qu'un seul comprimé blanc de Nytol de 25 mg.

Pour usage occasionnel seulement.

Tenir hors de la portée des enfants.

□ NYTOL[MC] D'ORIGINE NATURELLE

Block Drug

Racine de valériane

Somnifère

Renseignements destinés aux patients: Usage: Nytol d'origine naturelle est un somnifère doux non synthétique, à base de plantes, approuvé au Canada pour le soulagement de l'insomnie (agitation, difficulté à s'endormir) due au surmenage ou à la fatigue.

La formule du produit est basée sur un extrait en poudre des racines séchées de la plante de valériane (Valeriana officinalis L.), native d'Europe et d'Asie. Populaire comme médicament dans l'Antiquité, en Grèce, à Rome, en Inde et en Chine, la valériane s'est fait une réputation en Occident depuis le XVIIe siècle.

Nytol d'origine naturelle est conçu pour le soulagement des insomnies passagères. L'insomnie peut être le symptôme d'une maladie grave. En conséquence, si elle se prolonge au-delà de 2 semaines, il est préférable de consulter un médecin.

□ OCUFLOX[MC] ℞

Allergan

Ofloxacine

Antibactérien

Renseignements destinés aux patients: L'administration de quinolones (y compris l'ofloxacine) par voie générale a été associée à des réactions d'hypersensibilité, même après une seule dose. Interrompre immédiatement l'emploi et consulter un médecin dès les premiers signes d'éruptions cutanées ou d'allergie.

Avertir les patients d'éviter de contaminer l'embout de la fiole.

Port de lentilles cornéennes: Aucune étude n'a été faite en ce qui concerne l'administration de la solution ophtalmique d'ofloxacine chez des personnes qui portent des lentilles cornéennes. On ne recommande donc pas d'utiliser ce médicament sans avoir au préalable enlevé ses lentilles.

□ ONCOTICE™

Organon Teknika

Bacille Calmette et Guérin (BCG), de souche TICE

Antinéoplasique

Renseignements destinés aux patients: OncoTICE [Bacille Calmette et Guérin (BCG), de souche TICE] est retenu dans la vessie pendant 2 heures puis évacué. Les patients doivent se vider la vessie en position assise pour des raisons de sécurité, après l'instillation de la suspension. L'urine éliminée au cours des 6 heures suivant l'instillation devra être désinfectée pendant 15 minutes avec un volume égal d'eau de javel avant de chasser l'eau de la cuve de toilette. On devrait recommander aux patients d'absorber davantage de liquide pour bien vider la vessie dans les heures suivant le traitement au BCG. Les patients peuvent éprouver une sensation de brûlure au cours de la première miction suivant le traitement. Les patients devraient être attentifs aux effets secondaires possibles comme la fièvre, les frissons, les malaises, les symptômes rappelant ceux de la grippe ou une fatigabilité accrue. Si le patient présente des effets secondaires graves aux voies urinaires tels que la miction avec sensation de brûlure, la douleur à la miction, la miction impérieuse, les mictions fréquentes, l'hématurie (sang dans l'urine), la douleur articulaire, la toux ou l'éruption cutanée, le médecin traitant devrait en être avisé.

□ OPTICROM®

Allergan

Cromoglycate sodique

Antiallergique

Renseignements destinés aux patients: Opticrom: Solution ophtalmique stérile de cromoglycate sodique à 2 % p/v. Aide à prévenir et à soulager les symptômes ophtalmiques de l'allergie tels que rougeurs, démangeaisons et larmoiements.

Qu'est-ce qu'une allergie? La plupart des réactions d'allergie sont causées par l'exposition à certaines substances de l'environnement, dont les pollens, les spores de moisissures, les poussières domestiques et les phanères animaux (squames).

Les symptômes ophtalmiques de l'allergie sont les suivants: irritation, sensation de poussière dans l'œil, rougeur et larmoiement excessif.

Les symptômes de l'allergie peuvent ne survenir qu'à certaines périodes de l'année en réaction à un pollen particulier. Il s'agit alors d'une allergie saisonnière.

Quelle est la cause de l'allergie? Des cellules spéciales (mastocytes) présentes dans les muqueuses du nez et des yeux réagissent aux allergènes tels que le pollen ou la poussière en libérant de l'histamine qui, à son tour, déclenche une série de symptômes d'allergie.

Comment savoir s'il s'agit bien d'une allergie? S'il s'agit de symptômes éprouvés pour la **première fois**, consulter un médecin afin qu'il puisse poser un diagnostic.

Il s'agit sans doute de symptômes de l'allergie si:
- Les deux yeux sont atteints
- Le nez coule et est congestionné
- La vue n'est pas touchée.

Mais si:
- Un seul œil est atteint
- Le nez ne présente aucun symptôme
- La vue est touchée
- L'œil ou les yeux sont douloureux

les symptômes pourraient ne pas être causés par une allergie, d'où l'importance de consulter un médecin avant d'utiliser Opticrom.

Comment agit Opticrom? Opticrom empêche les mastocytes de libérer de l'histamine et aide à **prévenir** les réactions allergiques et leurs symptômes: rougeur et démangeaisons des yeux et larmoiements. Commencer à utiliser Opticrom avant la saison habituelle des allergies afin d'accumuler le maximum d'effets préventifs. En cas d'exposition imprévue, commencer le traitement dès l'apparition des symptômes. Ce traitement devrait se poursuivre tout au long de la saison, même si les symptômes semblent avoir disparu.

Directives pour l'utilisation d'Opticrom: Adultes et enfants âgés de plus de 5 ans: Instiller 2 gouttes dans chaque œil 4 fois/jour. Ne pas dépasser la dose recommandée.

Opticrom est facile à utiliser. Premièrement, incliner la tête vers l'arrière et tirer délicatement la paupière inférieure vers le bas. Ensuite, instiller soigneusement 2 gouttes dans chaque œil en levant les yeux vers le front. Fermer doucement les yeux un instant.

Opticrom devrait être utilisé continuellement pendant votre saison habituelle des allergies, même si les symptômes semblent avoir disparu. Le traitement continu contribue à **prévenir** la réapparition des symptômes.

Pour garantir la stérilité, empêcher tout contact du compte-gouttes avec les yeux ou toute autre surface. Jeter le produit non utilisé 4 semaines après avoir ouvert le flacon. Tenir hors de la portée des enfants.

Mise en garde: Les personnes sensibles pourraient présenter une légère irritation de l'œil pendant les premiers jours de l'utilisation. Ces effets sont rares, bénins et réversibles.

Opticrom ne doit pas être utilisé en même temps qu'un autre traitement ophtalmique, sauf sur avis d'un médecin.

Avertissement: Opticrom doit être utilisé seulement pour les réactions d'allergie de l'œil. Dans certains cas, l'irritation et la rougeur peuvent être dues à une affection grave de l'œil telle qu'une infection, la présence d'un corps étranger ou autre lésion de la cornée de cause mécanique ou chimique exigeant des soins médicaux. Si l'œil devient douloureux ou présente des troubles de la vision, s'il est sensible à la lumière, s'il présente une rougeur intense ou un écoulement excessif ou laiteux (trouble), si les pupilles sont anormales, ou encore si l'état s'aggrave ou s'il n'y a aucune amélioration après 72 heures, consulter immédiatement un médecin.

Ne pas porter des lentilles cornéennes souples pendant le traitement à l'Opticorm.

Comme pour tous les médicaments, les femmes enceintes et les mères qui allaitent devraient consulter un médecin avant d'utiliser ce produit.

Ingrédients: Cromoglycate sodique à 2 %, édétate disodique et chlorure de benzalkonium à 0,01 % comme agent de conservation.

Garder entre 15 et 30 °C. Protéger de la lumière directe du soleil.

La monographie du produit est disponible sur demande pour les médecins ou les pharmaciens.

□ ORAFEN® Ⓟ

Technilab

Kétoprofène

Anti-inflammatoire non stéroïdien—Analgésique

Renseignements destinés aux patients: Orafen (kétoprofène), que votre médecin vous a prescrit, fait partie d'un groupe d'anti-inflammatoires non stéroïdiens (qu'on appelle également AINS) et sert à traiter les symptômes de certains types d'arthrite. Orafen peut être aussi prescrit pour soulager la douleur aiguë légère à modérée, incluant les crampes menstruelles. Ce produit aide à soulager la douleur articulaire, l'enflure, la raideur et la fièvre, en réduisant la production de certaines substances (prostaglandines) et en aidant à réduire l'inflammation. Les AINS ne guérissent pas l'arthrite, mais ils favorisent la suppression de l'inflammation et des effets dommageables sur les tissus, résultant de l'inflammation. Ce médicament vous apportera un soulagement tant que vous n'interromprez pas le traitement.

Vous devez prendre Orafen en vous conformant aux indications de votre médecin. Vous ne devez pas dépasser la dose, la fréquence et la durée prescrites. Si vous prenez une dose excessive de ce médicament, vous vous exposez à des effets indésirables, en particulier si vous êtes un patient âgé.

Assurez-vous de prendre Orafen régulièrement, en suivant les indications. Pour certains types d'arthrite, il peut falloir attendre jusqu'à 2 semaines avant de ressentir les effets complets du médicament. Durant le traitement, votre médecin peut décider d'ajuster la posologie en fonction de votre réaction au médicament.

Le dérangement gastrique est l'un des problèmes les plus courants causés par les AINS.

Pour atténuer le dérangement gastrique, prenez les comprimés de kétoprofène immédiatement après le repas, ou avec un aliment ou du lait. Par ailleurs, il est recommandé de rester debout ou assis (c.-à-d. de ne pas s'allonger) pendant 15 à 30 minutes après la prise du médicament, afin de prévenir une irritation qui pourrait entraîner une difficulté à avaler.

Utiliser le suppositoire au complet. Ne pas fendre ou utiliser quelques parties du suppositoire. S'assurer de retirer l'emballage avant d'insérer le suppositoire dans le rectum. Ne pas prendre les suppositoires par la bouche.

Ne pas prendre de l'acide acétylsalicylique (AAS), des composés contenant de l'AAS, ni d'autres médicaments indiqués pour soulager les symptômes de l'arthrite pendant un traitement avec Orafen, sauf sur avis contraire d'un médecin.

Si on vous a prescrit ce médicament pendant une période prolongée, votre médecin vous examinera régulièrement afin d'évaluer votre état de santé et de s'assurer que le médicament ne provoque pas d'effets indésirables.

Ce dont vous devez toujours vous rappeler: Il faut mettre en balance les risques et les avantages associés à la prise du médicament.

Avant de prendre ce médicament, vous devez indiquer à votre médecin et pharmacien si vous:

- ou un membre de votre famille êtes allergiques ou avez eu une réaction au kétoprofène ou à d'autres anti-inflammatoires (tels que acide acétylsalicylique (AAS), diclofénac, diflunisal, fénoprofène, flurbiprofène, ibuprofène, indométhacine, acide méfénamique, piroxicam, acide tiaprofénique, tolmétine, nabumétone ou ténoxicam), qui se manifeste par l'aggravation d'une sinusite, de l'urticaire, l'apparition ou l'aggravation de l'asthme ou une anaphylaxie (grave malaise soudain);
- ou un membre de votre famille avez eu de l'asthme, des polypes nasaux, de la sinusite chronique ou de l'urticaire chronique;
- avez des antécédents de dérangement gastrique, d'ulcères, d'affections hépatiques ou rénales;
- présentez des anomalies au niveau du sang ou des urines;
- faites de l'hypertension;
- faites du diabète;
- suivez un régime spécial, tel qu'un régime hyposodique ou à faible teneur en sucre;
- êtes enceinte ou avez l'intention de tomber enceinte pendant que vous prenez ce médicament;
- prenez d'autres médicaments (prescrits ou produits grand public) tel que d'autres AINS, des hypotenseurs, des anticoagulants, des corticostéroïdes, du méthotrexate, de la cyclosporine, du lithium, de la phénytoïne, probénécide, etc.;
- avez d'autres problèmes médicaux, tels que l'abus d'alcool, des saignements, etc.

Pendant que vous prenez ce médicament:

- Vous devez indiquer à tout autre médecin, au dentiste ou au pharmacien que vous consultez que vous prenez ce médicament;
- Certains AINS peuvent causer de la somnolence ou de la fatigue. Si, après avoir pris ce médicament, vous vous sentez somnolent, étourdi ou avez des vertiges, vous devez éviter de conduire ou de participer à des activités qui nécessitent de la vigilance;
- Consulter votre médecin si vous ne sentez aucun soulagement de votre arthrite ou si des problèmes apparaissent;
- Signalez à votre médecin tout effet secondaire indésirable. Il est très important que vous le fassiez, car cela permettra de détecter rapidement et de prévenir des complications potentielles;
- La consommation d'alcool favorise l'apparition de problèmes gastriques. Par conséquent, ne consommer pas de boissons alcoolisées lorsque vous prenez ce médicament.
- Consulter immédiatement votre médecin si vous ressentez de la faiblesse pendant que vous prenez ce médicament, si vous vomissez du sang ou si vos selles sont foncées ou sanguinolentes.
- Certaines personnes peuvent devenir plus sensibles à la lumière du soleil lorsqu'elles prennent ce médicament. Une exposition à la lumière du soleil ou de lampes solaires, même pendant de brèves périodes, peut provoquer un coup de soleil, des ampoules, une éruption cutanée, des rougeurs, des démangeaisons ou une décoloration; elle peut même entraîner des changements dans la vision. Si vous avez une réaction au soleil, consulter votre médecin.
- Si vous avez des frissons, de la fièvre, des douleurs musculaires ou d'autres douleurs, ou si d'autres symptômes s'apparentant à la grippe apparaissent, en particulier s'ils se produisent peu de temps avant, ou pendant, une éruption cutanée, consultez immédiatement votre médecin. Cela arrive très rarement, mais ces effets peuvent être les premiers signes d'une réaction grave au médicament.
- **Il est essentiel de subir régulièrement un examen médical.**

Effets secondaires de ce médicament: Outre ses effets bénéfiques, Orafen, tout comme d'autres AINS, peut causer des réactions indésirables, surtout lorsqu'on le prend pendant une longue période ou à de fortes doses.

Les effets secondaires semblent être plus fréquents ou plus graves chez les patients âgés, fragiles ou affaiblis.

Bien que ces effets secondaires n'aient pas été observés chez tous les patients, s'ils se manifestent, il faut en parler au médecin.

Consulter imédiatement votre médecin, si vous constatez l'un des effets suivants:

—selles contenant du sang ou selles noires;
—essoufflement, respiration sifflante, difficulté respiratoire ou sensation de serrement à la poitrine;
—éruption cutanée, urticaire, enflure, ou démangeaisons;
—vomissements ou indigestion persistante, nausée, douleur gastrique ou diarrhée;
—coloration jaune de la peau ou des yeux;
—tout changement dans la quantité ou la couleur de l'urine (rouge foncé ou brune);
—douleur au moment d'uriner ou difficulté à uriner;
—enflure des pieds ou de la partie inférieure des jambes;
—malaise, fatigue, perte d'appétit;
—vue brouillée ou tout autre trouble de la vision;
—confusion mentale, dépression, étourdissements, sensation de tête légère;
—problèmes d'ouïe.

D'autres effets secondaires non énumérés ci-dessus peuvent également se manifester chez certains patients. Si vous constatez d'autres effets, consultez votre médecin.

Posologie: Adultes: Polyarthrite rhumatoïde et arthrose: Voie orale: La posologie habituelle des capsules ou comprimés entérosolubles de kétoprofène est de 150 à 200 mg/jour en 3 ou 4 prises fractionnées.

Une fois établie la posologie d'entretien, on peut faire passer les patients à un régime de 2 prises/jour. Les essais cliniques ont cependant montré que chez certains patients atteints de polyarthrite rhumatoïde, on obtenait une meilleure réponse avec une posologie plus fractionnée. Dans l'ensemble, la dose d'entretien usuelle est de 100 mg 2 fois/jour.

Orafen (suite)

Voie rectale: Les suppositoires Orafen offrent une route alternative aux patients qui préfèrent cette voie d'administration. Donner un suppositoire matin et soir ou un suppositoire au coucher, auquel on ajoute, au besoin, des prises orales fractionnées.

Utiliser le suppositoire au complet. Ne pas fendre ou utiliser quelques parties du suppositoire. S'assurer de retirer l'emballage avant d'insérer le suppositoire dans le rectum. Ne pas prendre les suppositoires par la bouche.

La dose quotidienne totale de kétoprofène (capsules, comprimés et suppositoires) ne doit pas dépasser 200 mg/jour. Quand la dose du patient le justifie, la posologie peut être réduite au seuil minimum efficace.

Dans les cas graves, pendant une poussée de l'activité rhumatismale ou si la réponse obtenue n'est pas satisfaisante, on peut administrer une dose quotidienne dépassant 200 mg. Cependant, il ne faut pas aller au-delà de 300 mg/jour.

Dysménorrhée primaire et douleur bénigne à modérée: Voie orale: La dose habituelle de kétoprofène est de 25 à 50 mg 3 ou 4 fois/jour, au besoin.

On peut administrer une dose plus élevée si la réponse du patient à une dose plus faible n'était pas satisfaisante. Toutefois, les doses uniques supérieures à 50 mg n'ont pas démontré d'effet analgésique supérieur. La dose totale quotidienne ne doit pas dépasser 300 mg. Dans la plupart des types de douleur aiguë, un traitement de 3 à 7 jours a été suffisant.

Patients âgés et affaiblis: Chez les insuffisants rénaux, ainsi que chez les sujets âgés, il y a lieu de réduire de 1/3 ou de 1/2 la posologie initiale.

Enfants: Orafen n'est pas indiqué chez les enfants de moins de 12 ans, car l'expérience clinique dans ce groupe de patients est insuffisante.

Que faire si vous n'oubliez de prendre une dose: Si vous manquez une dose d'Orafen suppositoire, la prendre le plus tôt possible. Cependant, s'il est presque l'heure de votre prochaine dose, sauter la dose oubliée et retourner à votre horaire régulier. **Ne jamais doubler les doses.**

Conservation: Les suppositoires Orafen sont de couleur crème, et ont une forme de torpille et une surface lisse. Le plastique doit être enlevé complètement avant d'insérer dans le rectum. Lubrifier la pointe effilée du suppositoire pour faciliter l'insertion. Le suppositoire doit être inséré aussi loin que possible dans le rectum. S'il est ressenti que les intestins ont besoin d'être vidés, ceci doit être fait avant l'insertion du suppositoire.

Boîtes de 30 suppositoires. Garder loin de la chaleur excessive. Protéger de la lumière et de l'humidité élevée. Entreposer sous 30 °C.

Orafen suppositoires n'est pas recommandé chez les enfants de moins de 12 ans, puisque son innocuité et son efficacité n'ont pas été établies pour ce groupe d'âge.

Éliminer les médicaments périmés ou ceux dont vous n'avez plus besoin.

Gardez ce produit et tous les médicaments hors de la portée des enfants.

Ce médicament a été prescrit pour votre problème médical. Ne le donnez à personne d'autre.

Si vous voulez obtenir plus d'information sur ce médicament, consultez votre médecin ou votre pharmacien.

☐ ORAMORPH SR^MC Ⓝ

Boehringer Ingelheim

Sulfate de morphine

Analgésique narcotique

Renseignements destinés aux patients: Qu'est-ce que la morphine? La morphine sert à soulager la douleur et vous permet de mener vos activités de manière plus confortable et indépendante. Elle est efficace et sécuritaire lorsqu'elle est utilisée selon les directives de votre médecin.

Votre douleur peut empirer ou diminuer de temps à autre et votre médecin devra peut-être parfois modifier la quantité de morphine à prendre (posologie quotidienne).

En quoi consiste Oramorph SR? Oramorph SR est un comprimé conçu de façon à libérer la morphine lentement pendant une période de 12 heures, ce qui permet d'administrer une dose qu'aux 12 heures seulement pour maîtriser la douleur. Mais si votre médecin le juge nécessaire, il peut vous recommander de prendre le médicament aux 8 heures.

Oramorph SR est offert en 3 concentrations: 30 mg, 60 mg et 100 mg sous forme de comprimés blancs. Vous devrez peut-être prendre plus d'un comprimé d'une concentration à la fois en vue d'obtenir la posologie quotidienne totale prescrite par votre médecin.

Les comprimés Oramorph SR doivent être avalés en entier afin d'être efficaces. **Ne pas briser, croquer ni mâcher les comprimés.**

Directives d'administration: Les comprimés Oramorph SR devraient être pris selon les directives de votre médecin, habituellement aux 12 heures, avec 120 à 180 mL (4 à 6 oz) d'eau en vue de soulager la douleur durant toute la journée et toute la nuit. Si votre douleur empire et vous incommode, consultez immédiatement votre médecin qui décidera s'il est nécessaire d'ajuster votre posologie quotidienne d'Oramorph SR. La dose d'attaque d'Oramorph SR sera clairement indiquée sur l'étiquette du médicament. Il est très important de suivre exactement les directives indiquées sur cette étiquette. Si votre posologie est modifiée, veuillez prendre note des nouvelles directives au moment où le médecin vous appelle ou vous voit et veuillez suivre ces directives exactement. Ne pas changer la posologie sans consulter votre médecin.

Il est important de ne prendre aucune boisson alcoolique lorsque vous prenez Oramorph SR.

Veuillez garder ce médicament et tout autre médicament hors de la portée des enfants.

Constipation: La morphine provoque la constipation. Cette réaction est prévue et, par conséquent, votre médecin vous prescrira peut-être un laxatif et un laxatif émollient en vue de soulager la constipation associée à Oramorph SR. Consultez votre médecin si ce trouble se manifeste.

Médicaments concomitants: Vous devriez mentionner à votre médecin tout autre médicament d'ordonnance que vous prenez, y compris des antihistaminiques et des somnifères achetés sans ordonnance, car ces médicaments peuvent influencer votre réponse à la morphine.

Conduite d'un véhicule et fonctionnement de machines: La conduite d'un véhicule ou l'exécution d'autres tâches exigeant une vigilance complète devraient être évitées pendant les premiers jours suivant la prise d'Oramorph SR, étant donné que vous ressentirez peut-être une sensation de somnolence ou de sédation.

Nouvelle prescription d'Oramorph SR: Vous devez obtenir une nouvelle ordonnance de votre médecin chaque fois que vous avez besoin d'Oramorph SR. Par conséquent, il est important de consulter votre médecin au moins 3 journées ouvrables avant la fin de votre prescription actuelle. Il est très important pour vous de ne manquer aucune dose.

Si votre douleur s'aggrave ou si des réactions indésirables se manifestent après avoir pris Oramorph SR, veuillez consulter votre médecin immédiatement.

☐ ORUDIS® Ⓟ
☐ ORUDIS® E Ⓟ
☐ ORUDIS® SR Ⓟ

Rhône-Poulenc Rorer

Kétoprofène

Anti-inflammatoire—Analgésique

Renseignements destinés aux patients: Nom du produit et indications: Le produit que votre médecin vous a prescrit, Orudis, fait partie d'une vaste gamme d'anti-inflammatoires non stéroïdiens (AINS). Son emploi vise le soulagement des symptômes de certains types d'affections rhumatismales. Il contribue à soulager la douleur, l'enflure et la raideur articulaires et à réduire la fièvre par diminution de la production de certaines substances (les prostaglandines) et par atténuation de l'inflammation et d'autres réactions de l'organisme. Le traitement aux AINS ne permet pas de guérir les maladies rhumatismales, mais favorise la suppression de l'inflammation et des lésions tissulaires dues à l'inflammation. Ce médicament ne vous sera utile que si vous restez fidèle au traitement.

Orudis peut être aussi prescrit pour soulager la douleur aiguë légère à modérée, incluant les crampes mentruelles.

Comment prendre votre médicament: Vous devez prendre Orudis suivant les instructions de votre médecin. Vous ne devez pas prendre une dose plus forte, plus souvent ou plus longtemps. Si vous prenez une dose plus forte que la dose prescrite, vous risquez d'avoir des effets indésirables, surtout si vous êtes âgé.

Assurez-vous de prendre Orudis à heure fixe, suivant les instructions du médecin. En outre, l'effet du traitement peut mettre jusqu'à 2 semaines pour se faire sentir pleinement suivant le type d'affection rhumatismale dont vous êtes atteint. Votre médecin peut aussi décider d'adapter la posologie suivant votre réponse au traitement.

Si votre médecin vous a prescrit les comprimés entérosolubles Orudis (Orudis E) ou les comprimés à libération soutenue (Orudis SR), il est préférable de prendre votre médicament une heure ou deux avant un repas, ou au moins 2 heures après. Vous devez avaler le comprimé entier, sans le croquer, le pulvériser ou le diviser.

Si vous prenez les capsules Orudis, prenez-les immédiatement après un repas, ou en même temps que de la nourriture. Vous éviterez ainsi les problèmes d'estomac. Dans le cas où de tels problèmes (indigestion, nausées, vomissements, maux d'estomac ou diarrhée) surviennent et persistent, consultez votre médecin.

Que faire si vous oubliez de prendre votre médicament: Si vous avez oublié votre capsule ou votre comprimé entérosoluble Orudis, prenez-le dès que vous vous en apercevez. Toutefois, s'il est presque l'heure de votre prochaine dose, oubliez la dose manquée et reprenez votre horaire habituel.

Si vous prenez les comprimés Orudis SR 1 fois/jour, et que vous avez oublié votre médicament, prenez-le immédiatement si vous vous rendez compte de votre oubli dans les 8 heures de l'heure habituelle. Retournez ensuite à votre horaire normal.

Il ne faut jamais doubler la dose.

L'emploi d'Orudis est déconseillé chez l'enfant âgé de moins de 12 ans car l'innocuité et l'efficacité de ce produit n'ont pas été établies chez les patients de ce groupe d'âge.

Ne jamais conserver de médicament après la date de péremption ou dont on n'a plus besoin.

Conserver hors de la portée des enfants.

Important: Ne prenez pas d'acide acétylsalicylique (AAS), de produits contenant de l'AAS ou d'autres agents antirhumatismaux en même temps qu'Orudis, à moins que votre médecin ne vous le prescrive.

Si Orudis vous est prescrit sur une longue période, votre médecin vous examinera régulièrement afin d'évaluer l'efficacité du traitement et de vérifier l'absence d'effets indésirables.

Effets indésirables: Hormis l'effet thérapeutique, l'emploi d'Orudis peut comme celui d'autres AINS entraîner certaines réactions indésirables, surtout quand il comporte l'administration de fortes doses ou s'étend sur une longue période. Chez les patients âgés, frêles ou affaiblis, ces effets sont en général plus fréquents ou plus graves. Même si ces réactions ne sont pas toutes fréquentes, leur survenue peut exiger une surveillance médicale. Si un des problèmes suivants apparaît, vous devez consulter votre médecin sans tarder:

- selles noirâtres ou sanguinolentes;
- essoufflement, respiration sifflante, difficulté de respiration ou sensation d'avoir la poitrine serrée;
- éruptions cutanées, enflure, urticaire ou démangeaisons;
- indigestion, nausées, vomissements, douleurs d'estomac ou diarrhée persistants;
- coloration jaune de la peau ou des yeux, accompagnée ou non de fatigue;
- tout changement de la quantité ou de la couleur (coloration foncée, rouge ou brune) de vos urines;
- toute douleur ou difficulté ressentie pendant la miction;
- enflure des pieds ou des jambes;
- vision brouillée ou tout autre trouble visuel;
- confusion, dépression, étourdissements, sensation de tête légère ou troubles auditifs.

N'oubliez pas: Avant de commencer à prendre Orudis, avertissez votre médecin et votre pharmacien...

- si vous ou un membre de votre famille êtes allergique ou avez déjà eu une réaction à Orudis ou à d'autres produits de la classe des AINS comme l'acide acétylsalicylique, le diclofénac, le diflunisal, le fénoprofène, le flurbiprofène, l'ibuprofène, l'indométhacine, l'acide méfénamique, le nabumétone, le piroxicam, le ténoxicam, le sulindac, l'acide tiaprofénique ou la tolmétine. La réaction se manifeste par l'aggravation d'une sinusite existante, l'urticaire, le déclenchement ou l'aggravation d'une crise d'asthme, ou l'anaphylaxie (collapsus soudain);
- si un membre de votre famille a des antécédents d'asthme, de polypes nasaux, de sinusite chronique ou d'urticaire chronique;
- si vous avez des antécédents de dérangements d'estomac, d'ulcères ou de maladies rénales ou hépatiques;
- si vous avez des anomalies sanguines ou urinaires;
- si vous faites de l'hypertension artérielle;
- si vous avez le diabète;
- si vous suivez un régime alimentaire particulier, comme un régime hyposodé ou faible en sucres;
- si vous êtes enceinte ou souhaitez le devenir durant le traitement à Orudis;
- si vous allaitez;
- si vous prenez d'autres médicaments (d'ordonnance ou non) tels que d'autres AINS, des antihypertenseurs, des anticoagulants, des corticostéroïdes, de la cyclosporine, du méthotrexate, du lithium et de la phénytoïne;
- si vous avez tout autre problème de santé, tel que l'alcoolisme, un trouble de la coagulation, etc.

Pendant le traitement...

- avertissez tout médecin ou pharmacien consulté que vous prenez Orudis;
- l'emploi de certains AINS entraîne de la somnolence ou de la fatigue chez certaines personnes, aussi vous devez éviter de conduire un véhicule ou de vous livrer à des activités qui vous demandent d'être alerte si vous vous sentez somnolent, étourdi ou ivre;
- consultez votre médecin si votre état ne s'améliore pas ou si vous avez des effets indésirables;
- rapportez toute réaction défavorable à votre médecin. Ce dernier pourra ainsi rapidement détecter et prévenir toute complication possible;
- le risque de dérangements d'estomac est plus grand si vous consommez des boissons alcoolisées, aussi vous devez vous abstenir de boire de l'alcool;
- consultez immédiatement votre médecin si vous vous sentez faible sans raison, si vous vomissez du sang ou avez des selles noirâtres ou sanguinolentes;
- certaines personnes peuvent être plus sensibles aux rayons solaires qu'à l'habitude. L'exposition aux rayons du soleil ou d'une lampe solaire, aussi brève soit-elle, peut occasionner des brûlures, des cloques, des éruptions cutanées, des rougeurs, des démangeaisons, la décoloration de la peau ou des altérations de la vue. Si vous avez une réaction aux rayons solaires, consultez votre médecin;
- consultez votre médecin immédiatement en présence de frissons, de fièvre, de douleurs musculaires et de courbatures ou d'autres symptômes de type grippal, surtout si ces symptômes surviennent peu de temps avant une éruption cutanée ou simultanément à celle-ci. Ces effets peuvent être les premières manifestations d'une réaction grave au traitement, même s'ils sont très rares.

Il est essentiel que vous consultiez votre médecin régulièrement en vue d'un bilan de santé.

Pour obtenir tout autre renseignement sur le produit, consultez votre médecin ou votre pharmacien.

Ce médicament vous a été prescrit parce que vous êtes atteint d'une affection; vous ne devez en donner à personne d'autre.

Conserver ce produit ainsi que tout autre médicament hors de la portée des enfants.

□ ORUVAIL® Ⓟ

May & Baker Pharma

Kétoprofène

Anti-inflammatoire—Analgésique

Renseignements destinés aux patients: Nom du produit et Indications: Le produit que votre médecin vous a prescrit, Oruvail, fait partie d'une vaste gamme d'anti-inflammatoires non stéroïdiens (AINS). Son emploi vise le soulagement des symptômes de certains types d'affections rhumatismales. Il contribue à soulager la douleur, l'enflure et la raideur articulaires et à réduire la fièvre par diminution de la production de certaines substances (les prostaglandines) et par atténuation de l'inflammation et d'autres réactions de l'organisme. Le traitement aux AINS ne permet pas de guérir les maladies rhumatismales, mais favorise la suppression de l'inflammation et des lésions tissulaires dues à l'inflammation. Ce médicament ne vous sera utile que si vous restez fidèle au traitement.

Comment prendre votre médicament: Vous devez prendre Oruvail suivant les instructions de votre médecin. Vous ne devez pas prendre une dose plus forte, plus souvent ou plus longtemps. Si vous prenez une dose plus forte que la dose prescrite, vous risquez d'avoir des effets indésirables, surtout si vous êtes âgé.

Assurez-vous de prendre Oruvail à heure fixe, suivant les instructions du médecin. En outre, l'effet du traitement peut mettre jusqu'à

Oruvail (suite)

2 semaines pour se faire sentir pleinement suivant le type d'affection rhumatismale dont vous êtes atteint. Votre médecin peut aussi décider d'adapter la posologie suivant votre réponse au traitement.

Prenez les capsules Oruvail immédiatement après les repas ou avec des aliments, tôt le matin ou tard le soir. Avalez les capsules sans les mastiquer. Vous devez également rester debout ou assis pendant environ 15 à 30 minutes après avoir pris une dose d'Oruvail; ne vous étendez pas. Si vous avez des troubles d'estomac persistants (indigestion, nausées, vomissements, douleurs gastriques ou diarrhée), communiquez avec votre médecin.

Que faire si vous oubliez de prendre votre médicament: Vous devez prendre les capsules Oruvail 1 fois/jour. Si vous avez oublié une dose, prenez-la immédiatement si vous vous rendez compte de votre oubli dans les 8 heures qui suivent l'heure habituelle d'administration. Retournez ensuite au schéma posologique habituel.

Il ne faut jamais doubler la dose.

L'emploi d'Oruvail est déconseillé chez l'enfant âgé de moins de 12 ans car l'innocuité et l'efficacité de ce produit n'ont pas été établies chez les patients de ce groupe d'âge.

Ne jamais conserver de médicament après la date de péremption ou dont on n'a plus besoin.

Conserver hors de la portée des enfants.

Important: Ne prenez pas d'acide acétylsalicylique (AAS), de produits contenant de l'AAS ou d'autres agents antirhumatismaux en même temps qu'Oruvail, à moins que votre médecin ne vous le prescrive.

Si Oruvail vous est prescrit sur une longue période, votre médecin vous examinera régulièrement afin d'évaluer l'efficacité du traitement et de vérifier l'absence d'effets indésirables.

Effets indésirables: Hormis l'effet thérapeutique, l'emploi d'Oruvail peut comme celui d'autres AINS entraîner certaines réactions indésirables, surtout quand il comporte l'administration de fortes doses ou s'étend sur une longue période. Chez les patients âgés, frêles ou affaiblis, ces effets sont en général plus fréquents ou plus graves. Même si ces réactions ne sont pas toutes fréquentes, leur survenue peut exiger une surveillance médicale. Si un des problèmes suivants apparaît, vous devez consulter votre médecin sans tarder:

- selles noirâtres ou sanguinolentes;
- essoufflement, respiration sifflante, difficulté de respiration ou sensation d'avoir la poitrine serrée;
- éruptions cutanées, enflure, urticaire ou démangeaisons;
- indigestion, nausées, vomissements, douleurs d'estomac ou diarrhée persistants;
- coloration jaune de la peau ou des yeux, accompagnée ou non de fatigue;
- tout changement de la quantité ou de la couleur (coloration foncée, rouge ou brune) de vos urines;
- toute douleur ou difficulté ressentie pendant la miction;
- enflure des pieds ou des jambes;
- vision brouillée ou tout autre trouble visuel;
- confusion, dépression, étourdissements, sensation de tête légère ou troubles auditifs.

N'oubliez pas: Avant de commencer à prendre Oruvail, avertissez votre médecin et votre pharmacien...

- si vous ou un membre de votre famille êtes allergique ou avez déjà eu une réaction à Oruvail ou à d'autres produits de la classe des AINS comme l'acide acétylsalicylique, le diclofénac, le diflunisal, le fénoprofène, le flurbiprofène, l'ibuprofène, l'indométhacine, l'acide méfénamique, le nabumétone, le piroxicam, le ténoxicam, le sulindac, l'acide tiaprofénique ou la tolmétine. La réaction se manifeste par l'aggravation d'une sinusite existante, l'urticaire, le déclenchement ou l'aggravation d'une crise d'asthme, ou l'anaphylaxie (collapsus soudain);
- si un membre de votre famille a des antécédents d'asthme, de polypes nasaux, de sinusite chronique ou d'urticaire chronique;
- si vous avez des antécédents de dérangements d'estomac, d'ulcères ou de maladies rénales ou hépatiques;
- si vous avez des anomalies sanguines ou urinaires;
- si vous faites de l'hypertension artérielle;
- si vous avez le diabète;
- si vous suivez un régime alimentaire particulier, comme un régime hyposodé ou faible en sucres;
- si vous êtes enceinte ou souhaitez le devenir durant le traitement à Oruvail;
- si vous allaitez;
- si vous prenez d'autres médicaments (d'ordonnance ou non) tels que d'autres AINS, des antihypertenseurs, des anticoagulants, des corticostéroïdes, de la cyclosporine, du méthotrexate, du lithium et de la phénytoïne;
- si vous avez tout autre problème de santé, tel que l'alcoolisme, un trouble de la coagulation, etc.

Pendant le traitement...

- avertissez tout médecin ou pharmacien consulté que vous prenez Oruvail;
- l'emploi de certains AINS entraîne de la somnolence ou de la fatigue chez certaines personnes, aussi vous devez éviter de conduire un véhicule ou de vous livrer à des activités qui vous demandent d'être alerte si vous vous sentez somnolent, étourdi ou ivre;
- consultez votre médecin si votre état ne s'améliore pas ou si vous avez des effets indésirables;
- rapportez toute réaction défavorable à votre médecin. Ce dernier pourra ainsi rapidement détecter et prévenir toute complication possible;
- le risque de dérangements d'estomac est plus grand si vous consommez des boissons alcoolisées, aussi vous devez vous abstenir de boire de l'alcool;
- consultez immédiatement votre médecin si vous vous sentez faible sans raison, si vous vomissez du sang ou avez des selles noirâtres ou sanguinolentes;
- certaines personnes peuvent être plus sensibles aux rayons solaires qu'à l'habitude. L'exposition aux rayons du soleil ou d'une lampe solaire, aussi brève soit-elle, peut occasionner des brûlures, des cloques, des éruptions cutanées, des rougeurs, des démangeaisons, la décoloration de la peau ou des altérations de la vue. Si vous avez une réaction aux rayons solaires, consultez votre médecin;
- consultez votre médecin immédiatement en présence de frissons, de fièvre, de douleurs musculaires et de courbatures ou d'autres symptômes de type grippal, surtout si ces symptômes surviennent peu de temps avant une éruption cutanée ou simultanément à celle-ci. Ces effets peuvent être les premières manifestations d'une réaction grave au traitement, même s'ils sont très rares.

Il est essentiel que vous consultiez votre médecin régulièrement en vue d'un bilan de santé.

Pour obtenir tout autre renseignement sur le produit, consultez votre médecin ou votre pharmacien.

Ce médicament vous a été prescrit parce que vous êtes atteint d'une affection; vous ne devez en donner à personne d'autre.

Conserver ce produit ainsi que tout autre médicament hors de la portée des enfants.

□ OSTAC® ℞

Roche

Clodronate disodique

Régulateur du métabolisme osseux

Renseignements destinés aux patients: Voici ce que vous devez savoir au sujet de Ostac: Vous trouverez ci-après des renseignements sur votre médicament. Veuillez les lire attentivement. Si vous avez des questions, consultez votre médecin ou votre pharmacien.

Souvenez-vous:

1. Prenez votre médicament selon les instructions de votre médecin et lisez attentivement l'étiquette.
2. **Ne prenez pas** ce médicament avec du lait.
3. Ce médicament vous a été prescrit pour traiter votre état médical actuel. Ne le donnez pas à d'autres.
4. Gardez votre médicament hors de la portée des enfants.

Avant de prendre votre médicament, répondez aux questions suivantes:

- Avez-vous des problèmes rénaux?
- Êtes-vous enceinte ou allaitez-vous un enfant?
- Avez-vous des douleurs d'estomac ou des troubles intestinaux?
- Avez-vous déjà été allergique à un médicament semblable à Ostac?

Si vous répondez **oui** à l'une de ces questions, informez-en votre médecin avant de prendre le médicament.

Emploi de Ostac: Votre médicament s'appelle Ostac. Son ingrédient actif est le clodronate disodique.

Qu'est-ce que Ostac: Ostac appartient à une classe de composés connus sous le nom de bisphosphonates, dont l'action permet de ralentir la résorption et le renouvellement osseux. Dans certains types de cancers, la destruction du tissu osseux n'est pas compensée par le renouvellement osseux, c'est l'ostéolyse. Ce phénomène peut être accompagné d'une augmentation de la libération de calcium dans le sang, que l'on définit comme étant l'hypercalcémie. Ostac se lie de façon spécifique aux os pour ainsi prévenir efficacement l'ostéolyse. Dans les cas où il y a accélération de la destruction osseuse et augmentation de la libération de calcium dans le sang, Ostac permet de réduire la calcémie de façon efficace, et, par conséquent de prévenir, voire retarder, l'apparition de certaines manifestations de l'hypercalcémie. Bien que Ostac soit efficace dans le traitement de l'ostéolyse et de l'hypercalcémie des cancers, il n'offre aucun moyen de guérir le cancer.

Posologie de Ostac: Votre médecin vous prescrira la dose convenant à vos besoins. Il vous expliquera comment diviser votre dose quotidienne. Par exemple, il pourra vous prescrire une dose totale de 1 600 mg par jour, que vous prendrez en une seule fois ou que vous diviserez en deux prises égales. Vous devez prendre la dose exacte que le médecin vous a prescrite.

La réussite de votre traitement par Ostac repose en grande partie sur le **soin** et la régularité avec lesquels vous suivrez les instructions de votre médecin.

Suivez donc les instructions à la lettre et si vous avez des questions, posez-les à votre médecin ou au pharmacien de l'hôpital. Il est très important de vous soumettre à tous les examens prescrits par votre médecin, notamment les épreuves sanguines et celles qui visent à évaluer votre fonction rénale.

À partir de l'analyse de votre sang et d'autres épreuves, votre médecin pourra, au besoin, modifier la quantité de Ostac que vous devez prendre. **Ne modifiez jamais vous-même la dose.**

Prenez toujours votre médicament au moment recommandé et assurez-vous de ne pas en manquer, surtout si vous prévoyez partir en voyage.

Administration de Ostac: Ostac vous a peut-être été administré par voie intraveineuse à l'hôpital. Les instructions qui suivent portent sur la prise des gélules blanches Ostac à 400 mg. Vous devez les observer à la lettre, car la réussite de votre traitement dépend en grande partie du soin et de la régularité avec lesquels vous suivrez les instructions de votre médecin.

Gélules blanches: La forme orale de Ostac se présente en gélules blanches dosées à 400 mg. Les boîtes de 120 gélules renferment 12 plaquettes d'aluminium alvéolées de 10 gélules chacune. Pour prendre votre médicament, que ce soit 1 ou 2 fois par jour, vous n'avez qu'à retirer de l'emballage le nombre de gélules Ostac nécessaires pour obtenir la dose prescrite par votre médecin. Avalez-les intactes avec du liquide (mais pas avec du lait). Ne prenez pas vos gélules avec de la nourriture et abstenez-vous de manger et de boire du lait une heure avant et après la prise de votre médicament. Veuillez prendre vos gélules même si vous ne mangez pas à l'heure actuelle.

Ne prenez pas vos gélules avec du lait. Si vous prenez Ostac avec une boisson contenant du lait, le médicament pénétrera plus difficilement dans le sang et, par conséquent, ne sera pas aussi efficace. Pour cette même raison, **ne prenez pas** Ostac avec des comprimés d'antiacide ni avec des suppléments de minéraux: il pourrait se révéler moins efficace.

Autres substances et médicaments qui pourraient nuire à l'action de Ostac: Avant de débuter le traitement avec Ostac, informez votre médecin des autres médicaments que vous prenez ou avez l'intention de prendre. Il est essentiel que votre médecin soit au courant si vous prenez un autre bisphosphonate, de la calcitonine, des comprimés de calcium, ou des suppléments vitaminiques.

Quelles sont les réactions indésirables de Ostac? Comme tous les médicaments, en plus de ses effets bénéfiques, Ostac peut provoquer des réactions indésirables.

Les réactions indésirables les plus fréquentes affectent le système digestif et incluent la nausée et la diarrhée.

Les réactions allergiques au médicament telles des éruptions cutanées sont moins fréquentes. D'autres réactions indésirables non mentionnées ci-haut peuvent être observées chez certains patients. Si vous en notez, immédiatement en aviser votre médecin.

Conservation: Les gélules Ostac doivent être gardées à la température ambiante (de 15 à 30 °C) et à l'abri de l'humidité élevée.

Important: Votre médecin ou le personnel infirmier vous aidera à diviser votre dose quotidienne.

Surveillez attentivement la quantité de médicament que vous prenez. Assurez-vous qu'elle correspond bel et bien à la quantité prescrite par votre médecin.

En cas d'oubli d'une dose, la plupart des médecins recommandent à leurs patients de prendre leur médicament dès qu'ils constatent leur erreur, puis de retourner à la posologie normale. Assurez-vous toutefois que votre médecin trouve, lui-aussi, cette solution acceptable.

□ OXEZE® TURBUHALER® Ⓟ

Astra

Fumarate de formotérol dihydraté

Bronchodilatateur

Renseignements destinés aux patients: Renseignements importants sur Oxeze Turbuhaler (fumarate de formotérol dihydraté).

Prière de lire attentivement ce feuillet d'instructions avant d'utiliser Oxeze Turbuhaler. Il contient des renseignements généraux sur Oxeze Turbuhaler qui devraient s'ajouter aux conseils plus spécifiques du médecin, du pharmacien ou de la pharmacienne.

Veuillez conserver ce feuillet jusqu'à ce que Oxeze Turbuhaler soit vide.

À quoi sert Oxeze Turbuhaler et comment agit-il? (Voir le prospectus d'emballage pour les illustrations.) Oxeze Turbuhaler contient une poudre pour inhalation. Cette poudre est un mélange de formotérol et de lactose. (Il est peu probable que la très petite quantité de lactose contenue dans la poudre puisse causer des problèmes aux patients intolérants au lactose.) Le formotérol ouvre les voies respiratoires pour permettre de respirer plus facilement.

Turbuhaler est la marque de commerce d'un inhalateur multidose de poudre sèche. Quand vous inspirez par l'embout buccal, l'inspiration fournit la force requise pour amener le médicament aux poumons.

Oxeze Turbuhaler offre un soulagement prolongé (jusqu'à 12 heures) des symptômes comme l'essoufflement, ou prévient de tels symptômes chez les patients atteints d'asthme ou d'autres états semblables. Oxeze Turbuhaler doit être pris avec un médicament anti-inflammatoire, comme un corticostéroïde. Si vous avez des symptômes pendant le jour ou la nuit, un bronchodilatateur à action brève devrait être utilisé.

Que devrais-je dire à mon médecin avant d'utiliser Oxeze Turbuhaler? Vous devriez mentionner à votre médecin:

- tous les problèmes de santé que vous avez présentement ou avez eus dans le passé, en particulier un problème cardiaque ou thyroïdien (thyrotoxicose) ou le diabète;
- tous les médicaments que vous prenez, y compris les médicaments sans ordonnance. Certains types de médicaments comme les bêtabloquants (des médicaments pour le cœur ou gouttes pour les yeux) peuvent réduire ou bloquer l'effet d'Oxeze Turbuhaler quand ils sont pris en même temps;
- si vous avez déjà eu une mauvaise réaction, ou une réaction inhabituelle ou allergique au formotérol ou au lactose, ou à d'autres médicaments pour des troubles respiratoires;
- si vous êtes enceinte ou avez l'intention de le devenir, ou si vous allaitez.

Quelle est la bonne façon de prendre Oxeze Turbuhaler? Avant de prendre Oxeze Turbuhaler pour la première fois, il est important de lire les instructions ci-dessous et de les suivre attentivement.

Turbuhaler est un inhalateur multidose qui libère de très petites quantités de poudre. Quand vous inspirez par Turbuhaler, la poudre est acheminée dans les poumons. Par conséquent, vous devez inhaler vivement et profondément par l'embout buccal.

Oxeze Turbuhaler est très facile à utiliser.

Si vous suivez le mode d'emploi (voir le prospectus d'emballage pour les illustrations), **vous recevrez votre médicament.**

1. Dévisser et enlever le couvercle.
2. Pour charger, tenir l'inhalateur à la verticale, tourner la molette turquoise le plus loin possible dans une direction, puis la ramener à la position initiale. Le déclic que vous entendez signifie que la dose est prête à être inhalée.
3. Expirer.
   Remarque: Ne jamais expirer dans l'embout buccal.
4. Placer l'embout buccal entre les dents et refermer les lèvres. Ne **pas** mordiller l'embout buccal ni le serrer avec les dents. Inspirer vivement et profondément par l'embout buccal.
5. Éloigner l'inhalateur de la bouche. Si des doses additionnelles ont été prescrites, répéter les étapes 2 à 5.
6. Bien revisser le couvercle après chaque utilisation.

Si vous laissez tomber ou agitez Oxeze Turbuhaler après son chargement, ou si vous soufflez accidentellement dans le dispositif, la dose est perdue. Il faut alors en charger une deuxième et l'inhaler.

Nettoyage: Nettoyer la partie extérieure de l'embout buccal chaque semaine à l'aide d'un papier-mouchoir **sec.** Ne **jamais** utiliser d'eau ou

Oxeze Turbuhaler (suite)

d'autres liquides pour le nettoyer. Si du liquide entre dans l'inhalateur, cela peut nuire à son fonctionnement.

Étant donné que la quantité de poudre libérée est très petite, vous pouvez ne pas goûter le médicament après l'inhalation. Toutefois, si vous avez suivi les instructions, vous pouvez être certain qu'une dose a été inhalée.

Comment savoir si Oxeze Turbuhaler est vide? Oxeze Turbuhaler a un indicateur de doses. Un nouveau Turbuhaler contient 60 doses pour inhalation. Quand une marque rouge apparaît dans la fenêtre repère située en dessous de l'embout buccal, il reste environ **20** doses. Il est temps de renouveler votre prescription.

Quand la marque rouge atteint le bord inférieur de la fenêtre repère, Oxeze Turbuhaler est **vide.** Si vous agitez l'inhalateur quand il est vide, vous entendrez quand même le bruit du dessiccatif. Oxeze Turbuhaler ne peut être rempli de nouveau et on doit le jeter quand toutes les doses sont épuisées.

Quelle dose d'Oxeze Turbuhaler dois-je prendre? La dose requise d'Oxeze Turbuhaler varie d'une personne à l'autre.

Suivez attentivement les directives de votre médecin. Ces directives peuvent être différentes des renseignements contenus dans ce feuillet. **Adultes:** La dose habituelle est de 6 ou 12 μg, 2 fois/jour, à 12 heures d'intervalle. Certains adultes pourraient avoir besoin de 24 μg, 2 fois/jour. Chez les adultes, la dose maximale ne doit pas dépasser 48 μg/jour.

Adolescents (12 à 16 ans): La dose habituelle est de 6 μg, 2 fois/jour, à 12 heures d'intervalle. Certains adolescents pourraient avoir besoin de 12 μg, 2 fois/jour. Chez les adolescents, la dose maximale ne doit pas dépasser 24 μg/jour.

L'effet d'Oxeze Turbuhaler devrait se manifester en 1 à 3 minutes et durer jusqu'à 12 heures.

Vous devriez voir votre médecin si:

- votre dose habituelle ne vous soulage pas;
- les effets d'une dose durent moins de 12 heures.

Ces signes peuvent indiquer que votre asthme s'aggrave.

Ne pas dépasser la dose prescrite par votre médecin.

Que faire si j'oublie de prendre une dose? Si vous avez oublié de prendre une dose d'Oxeze Turbuhaler et vous vous en rendez compte moins de 6 heures après, prenez la dose le plus tôt possible. Retournez ensuite à l'horaire habituel. Mais s'il s'est écoulé plus de 6 heures, laissez faire la dose manquante et prenez la prochaine dose à l'heure habituelle.

Ne prenez jamais une double dose d'Oxeze Turbuhaler pour rattraper une dose oubliée. En cas de doute, demandez des conseils au médecin ou au pharmacien.

Que dois-je faire en cas de surdosage? Il n'y a pas de données cliniques sur le traitement du surdosage. Les signes et symptômes les plus fréquents qui peuvent survenir après un surdosage sont les tremblements, les maux de tête et des battements cardiaques rapides. **Téléphonez à votre médecin ou rendez-vous immédiatement à l'hôpital le plus proche si un de ces symptômes vous incommode ou si vous croyez avoir pris une dose trop forte d'Oxeze Turbuhaler.**

Y a-t-il des effets secondaires? Habituellement, vous ne devriez pas ressentir d'effets secondaires quand vous utilisez Oxeze Turbuhaler. Toutefois, comme tout autre médicament, Oxeze Turbuhaler peut causer des effets secondaires chez certaines personnes. Les effets secondaires les plus fréquents sont les tremblements, les maux de tête et des battements cardiaques rapides. Parmi les effets secondaires rares ou inhabituels, on note des crampes musculaires, des éruptions cutanées, de l'agitation, des douleurs thoraciques, de la nervosité et des troubles du sommeil, et dans les cas extrêmes, les médicaments pour inhalation peuvent provoquer un bronchospasme (crampes dans les voies respiratoires).

Quand des effets secondaires se produisent, ils sont généralement légers et disparaissent après 1 ou 2 semaines de traitement. Toutefois, vous devez dire à votre médecin si un de ces effets secondaires vous incommode ou persiste. Vous devez aussi communiquer avec votre médecin si un autre effet secondaire inhabituel vous incommode pendant un traitement avec Oxeze Turbuhaler.

Où dois-je garder Oxeze Turbuhaler? Il faut d'abord s'assurer de **garder Oxeze Turbuhaler hors de la portée des enfants.**

Revissez le couvercle après chaque utilisation d'Oxeze Turbuhaler. Gardez l'inhalateur à température ambiante (15 à 30 °C), **à l'abri de l'humidité.**

Comment utiliser Oxeze Turbuhaler avec d'autres médicaments contre l'asthme? Ne pas utiliser Oxeze Turbuhaler plus de 2 fois/jour.

On doit prendre Oxeze 2 fois/jour, régulièrement le matin et le soir. Cet agent devrait soulager les symptômes comme l'essoufflement en 1 à 3 minutes, et cet effet dure généralement jusqu'à 12 heures. Il faut prendre Oxeze Turbuhaler exactement selon les instructions de votre médecin. Ne dépassez **pas** le nombre d'inhalations prescrites par votre médecin et n'utilisez **pas** Oxeze Turbuhaler plus de 2 fois/jour.

Ne pas utiliser Oxeze Turbuhaler comme médicament de secours.

On ne doit pas prendre Oxeze Turbuhaler plus de 2 fois/jour. Cet agent ne doit **pas** être utilisé pour le soulagement immédiat des symptômes d'asthme qui pourraient survenir pendant le jour ou la nuit. Il faut plutôt prendre un bronchodilatateur à action brève (p. ex., terbutaline ou salbutamol) pour soulager les symptômes d'asthme comme l'essoufflement, l'oppression thoracique, la toux et la respiration sifflante qui pourraient se manifester entre les doses du matin et du soir d'Oxeze Turbuhaler.

Oxeze Turbuhaler doit être utilisé avec un agent anti-inflammatoire, tel un corticostéroïde, pour réduire l'inflammation dans les poumons causée par l'asthme.

Vous devez continuer de prendre régulièrement les médicaments anti-inflammatoires que votre médecin a prescrits. Les anti-inflammatoires et Oxeze Turbuhaler ont été conçus pour agir ensemble en vue de traiter efficacement votre état. Même si vous vous sentez mieux, vous **ne devez pas** arrêter le traitement ou réduire les doses des médicaments anti-inflammatoires ou d'Oxeze Turbuhaler sans avoir d'abord consulté votre médecin.

Comment identifier les différents médicaments contre l'asthme? On pourrait vous prescrire les médicaments Astra suivants pour aider à maîtriser votre asthme. Il est important de les distinguer l'un de l'autre et de savoir quand les utiliser.

Médicament	Concentration	Identification
Oxeze Turbuhaler (formotérol)	6 μg/dose	La molette est turquoise pâle. Inscription en braille sous la molette.
Oxeze Turbuhaler (formotérol)	12 μg/dose	La molette est turquoise foncée. Inscription en braille sous la molette.
Pulmicort Turbuhaler (budésonide)	100 μg/dose	La molette est brun pâle. Inscription Budesonide 100 en relief sous la molette.
Pulmicort Turbuhaler (budésonide)	200 μg/dose	La molette est brune. Inscription Budesonide 200 en relief sous la molette.
Pulmicort Turbuhaler (budésonide)	400 μg/dose	La molette est brun foncé. Inscription Budesonide 400 en relief sous la molette.
Bricanyl Turbuhaler (terbutaline)	0,5 mg/dose	La molette est bleue. Inscription Terbutaline sulfate 0.5 mg/dose en relief sous la molette.

Des renseignements précis sur l'identification du produit se trouvent sur l'étiquette du médicament. Consultez votre médecin ou pharmacien si vous n'êtes pas certain de comprendre à quel moment ou à quelle fréquence vous devez prendre vos médicaments.

Quand faut-il appeler le médecin? Si votre asthme n'est pas aussi bien soulagé que d'habitude ou que le soulagement ne dure pas aussi longtemps, **dites-le immédiatement à votre médecin.** Vous n'êtes plus soulagé «comme d'habitude», si vous notez une augmentation ou une aggravation des symptômes comme la respiration sifflante, la toux, l'oppression thoracique ou l'essoufflement.

Si un bronchospasme survient, cessez de prendre Oxeze Turbuhaler et communiquez immédiatement avec votre médecin.

Si vous utilisez votre bronchodilatateur à action brève plus souvent ou si vous sentez que cet agent est moins efficace, **dites-le immédiatement à votre médecin.** Ce dernier pourrait ajuster votre traitement.

Si vos symptômes vous réveillent la nuit, **dites-le immédiatement à votre médecin.** Ce dernier pourrait ajuster votre traitement.

Si vous avez pris tous vos médicaments selon les directives du médecin et qu'une heure de repos n'a pas soulagé vos symptômes, **vous pourriez avoir besoin d'un traitement d'urgence.**

Remarque importante: Ce feuillet mentionne certaines des situations où vous devez appeler le médecin, mais d'autres situations imprévisibles peuvent survenir. Rien dans ce feuillet ne vous empêche de communiquer avec votre médecin ou votre pharmacien pour lui poser des questions au sujet d'Oxeze Turbuhaler.

Renseignements: 1 800 461-3787. Astra Pharma Inc., Mississauga, Ontario L4Y 1M4.

□ OXIZOLE™ Ⓟ

Stiefel

Nitrate d'oxiconazole

Antifongique topique

Renseignements destinés aux patients: Crème et lotion Oxizole.

Oxizole (nitrate d'oxiconazole): La crème ou la lotion Oxizole sont des médicaments indiqués dans le traitement du pied d'athlète (tinea pedis). L'ingrédient actif d'Oxizole est le nitrate d'oxiconazole qui est un agent antifongique à large spectre.

Mode d'emploi:

1. Avant d'appliquer la crème ou la lotion Oxizole on doit bien nettoyer les régions affectées avec un savon doux (comme le savon Oilatum) et de l'eau et assécher délicatement.
2. Appliquer la crème ou la lotion Oxizole pour couvrir la région affectée et les régions avoisinantes 2 fois/jour le matin et le soir. Masser doucement le médicament sur la peau. Si le médicament est employé pour le traitement du pied d'athlète, on doit faire attention aux espaces entre les orteils, porter des souliers bien aérés et des chaussettes de coton. Si on emploie la lotion Oxizole on doit se souvenir de bien agiter le flacon avant l'usage.
3. On doit bien se laver les mains après une application.
4. Pour le traitement du pied d'athlète, la crème ou la lotion Oxizole doit être employée pendant 1 mois.
5. Employer la crème ou la lotion Oxizole pendant toute la durée du traitement même si les symptômes ont disparus. Ceci assurera la guérison et diminuera la possibilité de rechute.
6. Lors du traitement du pied d'athlète, si aucun effet ou aucune amélioration sont notés après 4 semaines, consulter votre médecin pour faire réviser le diagnostic.

Précautions:

1. La crème ou la lotion Oxizole doit être employée pour un traitement d'une durée maximale de 4 semaines consécutives.
2. Si une irritation ou une hypersensibilité se présente avec l'usage de la crème ou de la lotion Oxizole on doit interrompre le traitement et consulter un médecin.
3. Aviser le médecin, si le site de l'application montre les signes d'augmentation de l'irritation (rougeurs, démangeaisons, brûlures, inflammation ou suintement).
4. Éviter l'emploi de bandages ou d'enveloppes sur les régions du corps où sont appliquées la crème ou la lotion Oxizole sauf sur la recommandation contraire du médecin.
5. La crème et la lotion Oxizole doivent être maintenues loin des yeux, du nez, de la bouche et des autres membranes muqueuses. Si un contact avec les yeux survient, rincer abondamment avec de l'eau.
6. Ne pas utiliser la crème ou la lotion Oxizole pour des infections du cuir chevelu ou des ongles.

Utilisation durant la grossesse: Les préparations d'Oxizole ne doivent pas être utilisées durant la grossesse sauf sur la recommandation du médecin.

Utilisation chez les femmes qui allaitent: Les préparations d'Oxizole ne doivent pas être utilisées chez les femmes qui allaitent, sauf sur la recommandation du médecin.

Usage pédiatrique: Les préparations d'Oxizole ne doivent pas être utilisées chez les enfants de moins de 12 ans sauf sur la recommandation du médecin.

À noter: Conserver la crème Oxizole entre 15 et 30 °C. Conserver la lotion Oxizole entre 15 et 30 °C. **Protéger de la lumière.**

Mise en garde: La crème et la lotion Oxizole sont conçues pour l'usage externe seulement non pas pour un usage ophtalmique ou intravaginal.

□ OXYCONTIN® Ⓝ

Purdue Frederick

Chlorhydrate d'oxycodone

Analgésique opioïde

Renseignements destinés aux patients: Qu'est-ce que l'oxycodone? L'oxycodone soulage la douleur et devrait vous permettre d'augmenter votre bien-être et de vivre de façon plus indépendante. Elle est efficace et sûre si vous l'utilisez selon les directives de votre médecin. Votre douleur peut s'intensifier ou diminuer de temps en temps et votre médecin devra peut-être modifier la quantité d'oxycodone que vous prenez (posologie quotidienne).

Qu'est-ce qu'OxyContin? OxyContin est un comprimé conçu de façon telle qu'il libère l'oxycodone lentement sur une période de 12 heures, vous permettant de ne prendre qu'une dose toutes les 12 heures pour contrôler votre douleur.

Les comprimés d'OxyContin sont disponibles en 4 concentrations: 10 mg (blanc), 20 mg (rose), 40 mg (jaune) et 80 mg (vert). On doit parfois prendre plus d'une concentration (comprimés de couleurs différentes) à la fois pour recevoir la posologie quotidienne totale prescrite par le médecin.

Comment prendre votre médicament: Les comprimés OxyContin doivent être pris de façon régulière toutes les 12 heures (avec 4 à 6 onces d'eau) pour prévenir la douleur toute la journée et toute la nuit. Si votre douleur s'intensifie et vous gêne, contactez immédiatement votre médecin qui décidera peut-être d'ajuster votre posologie quotidienne d'OxyContin.

Votre dose d'OxyContin sera clairement indiquée sur l'étiquette du flacon de médicament. Ne manquez pas de suivre exactement les directives indiquées sur l'étiquette; ceci est très important. Si votre dose est modifiée, ne manquez pas de noter la nouvelle dose au moment où le médecin vous l'indique. Et suivez exactement les nouvelles directives.

On ne doit pas briser, mâcher ni écraser les comprimés OxyContin.

Constipation: L'oxycodone entraîne la constipation. Il faut s'y attendre et c'est pourquoi votre médecin vous prescrira peut-être un laxatif et un ramollisseur de selles pour aider à soulager la constipation pendant le traitement avec OxyContin. Indiquez à votre médecin si ce problème se développe.

Médicaments concomitants: Vous devriez indiquer à votre médecin les autres médicaments que vous prenez, le cas échéant, y compris les produits en vente libre comme les antihistaminiques ou les somnifères, car ils peuvent influencer votre réponse à l'oxycodone.

Conduite automobile: Vous devriez éviter la conduite automobile ou toute autre tâche nécessitant de la vigilance pendant les premiers jours du traitement avec OxyContin, étant donné qu'il peut entraîner la somnolence ou la sédation.

Renouvellement de l'ordonnance d'OxyContin: Chaque fois que vous aurez besoin de plus d'OxyContin, vous devrez obtenir une nouvelle ordonnance de votre médecin. Il est donc important que vous communiquiez avec votre médecin au moins 3 jours ouvrables avant l'épuisement de votre réserve du médicament. Il est très important que vous preniez toutes les doses prescrites.

Si votre douleur s'intensifie ou si vous développez d'autres symptômes suite à la prise d'OxyContin, communiquez immédiatement avec votre médecin.

□ PANTOLOC™ Ⓟ

Solvay Pharma/Byk Canada

Pantoprazole

Inhibiteur de l'H^+, K^+-ATPase

Renseignements destinés aux patients: Veuillez lire attentivement les renseignements suivants.

Ce (livret/dépliant/feuillet) contient des renseignements généraux sur Pantoloc. Si vous souhaitez obtenir des renseignements particuliers, veuillez consulter votre médecin ou votre pharmacien. Il est important que vous suiviez à la lettre les instructions que vous a données votre médecin concernant la façon et le moment appropriés de prendre Pantoloc.

Quelle est l'utilité de Pantoloc et comment agit-il? Pantoloc est la marque de commerce du médicament, pantoprazole.

Pantoloc (suite)

Pantoloc est utilisé pour traiter les troubles d'estomac liés à l'acide gastrique comme les ulcères d'estomac (également appelés ulcères gastriques), les ulcères duodénaux et l'œsophagite par reflux gastro-œsophagien (une grave forme de brûlures ou «brûlements» d'estomac). Pantoloc agit en réduisant la quantité d'acide produit dans votre estomac.

Que contient Pantoloc? Chaque comprimé de Pantoloc contient du pantoprazole comme ingrédient actif. Ses autres ingrédients non médicinaux sont les suivants: crospovidone, hydroxypropylméthylcellulose, oxyde ferrique jaune, mannitol, copolymère (d'acides éthylacrylate et méthacrylique) 1:1, propylèneglycol, carbonate de sodium anhydre, polyvidone K90, stéarate de calcium, citrate triéthylique, polyvidone K25, polysorbate 80, laurylsulfate de sodium et anhydride titanique.

Consultez votre médecin au moindre soupçon que vous êtes peut-être allergique à l'un des ingrédients mentionnés ci-dessus.

Que devez-vous vous assurer d'avoir mentionné à votre médecin avant de prendre Pantoloc? Assurez-vous d'avoir mentionné à votre médecin:

- tous les problèmes de santé que vous avez présentement ou avez eus dans le passé;
- tous les médicaments que vous prenez, y compris les médicaments sans ordonnance;
- si vous êtes allergique à des substances «non médicamenteuses» qui pourraient être présentes dans «Pantoloc» (voir la rubrique «Que contient Pantoloc?»);
- si vous êtes enceinte ou avez l'intention de le devenir; si vous allaitez.

Comment puis-je veiller de faire l'usage approprié de Pantoloc? Votre médecin vous a recommandé de prendre les comprimés de Pantoloc pendant un nombre spécifique de semaines. Continuez de prendre Pantoloc jusqu'à ce que vous ayez pris tous vos comprimés, tel que recommandé par votre médecin. N'arrêtez pas de le prendre même si vous commencez à vous sentir mieux. Si vous cessez trop tôt de prendre Pantoloc, vos symptômes peuvent recommencer à se manifester.

Si vous oubliez de prendre une dose de Pantoloc, prenez-la dès que vous vous apercevez de votre oubli, à condition que ce ne soit pas bientôt le moment de prendre votre prochaine dose. Si tel est le cas, ne prenez pas du tout la dose oubliée. Ne prenez jamais 2 doses du médicament en même temps pour rattraper une dose oubliée. Revenez ensuite à votre horaire habituel.

Vous pouvez prendre Pantoloc le matin, accompagné ou non d'aliments. Avalez chaque comprimé entier avec de l'eau. Il ne faut pas écraser ni croquer les comprimés.

Peut-il y avoir des effets secondaires? Comme tout médicament, Pantoloc peut entraîner des effets secondaires chez certaines personnes. Lorsque des effets secondaires se sont produits, ils étaient généralement bénins et relativement de courte durée. Les maux de tête et la diarrhée sont les effets secondaires les plus communs. Plus rarement, des éruptions cutanées, des démangeaisons et des étourdissements se sont produits. Si l'un de ces effets devenait gênant, consultez votre médecin. Si vous remarquez tout symptôme inhabituel ou inattendu durant votre traitement avec Pantoloc, parlez-en à votre médecin.

Que faire en cas de surdosage? Si vous, ou une personne que vous connaissez, avez fait une prise excessive (surdosage) ou accidentelle du médicament, vous devez vous adresser immédiatement à un médecin ou un pharmacien. Aucun symptôme grave n'a encore été observé dans les cas de surdosage. Des doses allant jusqu'à 240 mg d'une solution injectable de pantoprazole ont été administrées et elles furent bien tolérées.

Où conserver Pantoloc? Conservez vos comprimés de Pantoloc à la température ambiante (de 15 à 30 °C), dans un lieu sûr hors de la portée des enfants.

Avis important: Ces renseignements visent à vous sensibiliser sur quelques-unes des circonstances qui devraient vous inciter à communiquer avec votre médecin. D'autres situations que l'on ne peut prévoir peuvent se manifester durant tout traitement médicamenteux. Si vous avez des questions ou des préoccupations au sujet de l'usage de Pantoloc, n'hésitez pas à vous adresser à votre médecin.

□ PAXIL® ℞

SmithKline Beecham

Chlorhydrate de paroxétine

Antidépresseur—Antiobsessionnel—Antipanique

Renseignements destinés aux patients: Veuillez lire ce qui suit avant de commencer votre traitement. Gardez ce dépliant tant que vous n'aurez pas pris tous vos comprimés, au cas où vous auriez besoin de le relire. **Pour d'autres renseignements ou conseils, consultez votre médecin ou pharmacien.**

Ce que vous devriez savoir sur Paxil:

- Paxil (chlorhydrate de paroxétine) appartient à la famille des médicaments utilisés dans le traitement de la dépression, du trouble obsessionnel-compulsif et du trouble panique.
- Paxil vous a été prescrit par votre médecin pour soulager vos symptômes de dépression, de trouble obsessionnel-compulsif ou de trouble panique.

Ce que vous devriez dire à votre médecin avant de prendre Paxil:

- Toutes vos maladies, y compris vos antécédents de convulsions, de maladie du foie ou des reins, ou de problème cardiaque;
- Tous les médicaments (délivrés sur ordonnance ou non) que vous prenez, surtout s'il s'agit d'un antidépresseur inhibiteur de la monoamine oxydase (comme le sulfate de phénelzine ou le moclobémide) ou d'un autre antidépresseur, d'un médicament contre les convulsions (anticonvulsivant), d'un médicament pour la maladie de Parkinson, d'un médicament qui éclaircit le sang (anticoagulant) ou d'un médicament qui contient du tryptophane;
- Si vous êtes enceinte, si vous songez à le devenir ou si vous allaitez un bébé;
- Vos habitudes de consommation d'alcool.

Comment prendre Paxil:

- Il est très important que vous preniez Paxil exactement comme il vous a été prescrit. En général, les gens prennent entre 20 et 40 mg de Paxil par jour pour la dépression, le trouble obsessionnel-compulsif ou le trouble panique, quoique le traitement du trouble panique puisse commencer à raison de 10 mg par jour. Votre médecin peut augmenter la dose.
- N'augmentez jamais votre dose de Paxil, sauf si votre médecin vous le demande.
- Vous devriez continuer à prendre votre médicament même si vous ne vous sentez pas mieux, car il faut parfois quelques semaines avant que ce médicament n'agisse.
- Prenez vos comprimés le matin, de préférence avec de la nourriture. Avalez-les tout rond avec de l'eau, sans les mâcher.
- Poursuivez votre traitement jusqu'à ce que votre médecin vous demande de l'arrêter. Il est possible qu'il vous demande de le suivre pendant des mois. Observez ses directives.
- Si vous oubliez de prendre votre comprimé un matin, prenez-le dès que vous vous en rendez compte. Prenez la dose suivante à l'heure habituelle le lendemain matin et ainsi de suite.

Notez bien: Ce médicament a été prescrit pour vous. Ne le donnez à personne d'autre.

Quand ne pas prendre Paxil:

- Ne prenez pas Paxil si vous êtes allergique à ce produit ou à l'un de ses composants (voir plus loin la liste des ingrédients). Arrêtez de prendre ce médicament et communiquez immédiatement avec votre médecin si vous avez une réaction allergique ou des effets secondaires sévères ou inhabituels.

Précautions à prendre:

- Il est possible que vous éprouviez des effets secondaires, par exemple: nausées, bouche sèche, somnolence, faiblesse, étourdissements, transpiration, nervosité, troubles du sommeil ou problèmes sexuels. Une baisse de l'appétit, la constipation ou la diarrhée sont aussi possibles. Consultez votre médecin si vous ressentez ces effets secondaires ou d'autres, car il faut peut-être réduire votre dose.
- D'habitude, Paxil n'interfère pas avec les activités quotidiennes des gens, mais certains patients ont sommeil quand ils le prennent. Si tel est votre cas, vous ne devriez pas conduire ni faire fonctionner de machines.
- Éviter l'alcool pendant votre traitement par Paxil.

Que faire en cas de surdosage:

- Si vous avez pris un grand nombre de comprimés à la fois, communiquez immédiatement avec votre médecin ou le service des urgences de l'hôpital le plus près de chez vous, même si vous vous sentez bien. Montrez votre contenant de comprimés au médecin.

Conservation de Paxil:
- Conservez-le au sec, à la température de la pièce (15 à 30 °C).
- Tenez le contenant bien fermé.
- Gardez-le hors de portée des enfants.

Contenu de Paxil: Paxil (chlorhydrate de paroxétine) est offert sous forme de comprimé jaune à 10 mg, de comprimé rose à 20 mg et de comprimé bleu à 30 mg. La paroxétine est l'ingrédient actif. Parmi les excipients mentionnons: phosphate dicalcique dihydraté USP, glycolate sodique d'amidon NF, hydroxypropylméthylcellulose USP, stéarate de magnésium NF, jaune Opadry (10 mg), rose Opadry (20 mg), bleu Opadry (30 mg) et Opadry incolore (pour toutes les doses). Les comprimés ne contiennent ni sucrose, ni tartrazine ni aucun autre colorant azoïque.

Fabricant de Paxil:
- Les comprimés Paxil sont produits par: SmithKline Beecham Pharma Inc.

□ PEDIAPRED® Ⓟ

Rhône-Poulenc Rorer

Phosphate sodique de prednisolone

Glucocorticoïde—Anti-inflammatoire

Renseignements destinés aux patients: Les renseignements posologiques complets sont disponibles à l'intention des médecins et des pharmaciens.

Description du médicament: Pediapred est un produit breveté de Rhône-Poulenc Rorer pour le phosphate sodique de prednisolone, USP.

Pediapred est un corticostéroïde qui appartient à la famille générale de médicaments que l'on appelle les stéroïdiens. Ce genre de produit sert à de nombreux usages; par exemple, il peut aider à remplacer les substances analogues que produit normalement le corps humain et il peut être utile pour procurer un soulagement des réactions inflammatoires ou allergiques qui accompagnent un grand nombre d'affections telles que les problèmes de la peau, l'asthme ou l'arthrite. Votre médecin peut aussi vous le prescrire dans le cadre du traitement d'une affection particulière.

Pediapred est disponible uniquement sur présentation d'une ordonnance médicale.

Avant d'utiliser ce médicament: Si l'un ou l'autre des cas suivants s'applique à vous, veuillez en aviser votre médecin:

—Vous avez déjà pris Pediapred ou un autre médicament à base de corticostéroïde ou de corticotrophine et vous y avez fait une allergie ou vous ne l'avez pas toléré. Aussi, informez votre médecin de toute allergie que vous pouvez avoir à d'autres substances telles que aliments, agents de conservation et colorants.

—Vous êtes enceinte ou souhaitez le devenir, ou vous allaitez ou souhaitez allaiter.

—Vous prenez d'autres médicaments, en particulier des produits tels que antiacides, barbituriques, carbamazépine (p. ex., Tégrétol), phénytoïne (p. ex., Dilantin), antidiabétiques (par voie orale ou de l'insuline), digitale, diurétiques ou un médicament contenant du potassium ou du sodium.

—Vous souffrez d'autres problèmes médicaux, notamment du SIDA, d'une infection généralisée ou locale, de problèmes gastriques ou intestinaux, d'une maladie des os, du diabète, d'une maladie du cœur, d'hypertension, d'une maladie des reins ou de calcul rénal, de myasthénie grave, ou encore, si vous relevez d'une opération récente ou d'une blessure grave, ou si vous devez recevoir des injections lors de tests cutanés.

Durant votre traitement avec ce médicament et même une fois que vous avez cessé votre traitement, ne recevez pas d'agents immunisants sans consulter au préalable votre médecin. Aussi, les autres personnes vivant à votre domicile ne doivent pas recevoir le vaccin antipoliomyélitique oral à cause du risque de vous voir transmettre le virus poliomyélitique.

L'usage approprié de ce médicament: Pediapred est un médicament puissant; il est donc très important que vous suiviez les directives de votre médecin sur la façon de le prendre. N'en prenez pas de dose plus forte ou plus faible, ni plus souvent ou moins souvent qu'indiqué, et ne continuez pas à le prendre plus longtemps que vous l'a prescrit votre médecin.

Ne cessez pas de prendre Pediapred sans consulter votre médecin. Dans bien des cas, on doit réduire graduellement la posologie de Pediapred avant de cesser complètement le traitement, sinon de graves effets secondaires peuvent se produire.

Des problèmes gastriques sont plus susceptibles de se produire si vous consommez des boissons alcoolisées durant votre traitement avec ce médicament.

Votre médecin surveillera étroitement votre état de santé, et il se peut qu'il ordonne des analyses de sang à intervalles réguliers. Il est important que vous ne manquiez pas ces visites car votre médecin peut vouloir modifier la posologie du médicament et veiller à ce qu'aucun effet indésirable ne se produise.

Avisez votre médecin de toute maladie ou affection que vous pourriez contracter durant votre traitement avec Pediapred, ainsi que de tout autre nouveau médicament prescrit ou non prescrit que vous pourriez prendre. Si vous devez obtenir des soins médicaux pour quelque autre raison que ce soit, avisez le médecin traitant que vous prenez Pediapred.

On recommande aux patients qui reçoivent la forme orale de ce médicament de le prendre avec de la nourriture afin d'éviter des maux d'estomac. En cas de dérangement d'estomac, de sensation de brûlure ou de douleur, consultez votre médecin.

Omission de prendre une dose: Si vous avez oublié de prendre une dose du médicament, procédez selon le schéma posologique suivant qui correspond à la posologie qui vous a été prescrite:

Une dose aux deux jours—Prenez la dose omise dès que possible si vous vous en rendez compte durant la même matinée, puis recommencez la prise régulière du médicament. Si vous vous rendez compte plus tard dans la journée que vous avez omis une dose, attendez et prenez-la le lendemain matin. Puis, sautez une journée et recommencez la prise régulière du médicament.

Une dose par jour—Prenez la dose omise dès que possible, puis recommencez la prise régulière du médicament. Si vous ne vous en rendez compte que le lendemain, sautez la dose omise et ne doublez pas la suivante.

Quelques doses par jour—Prenez la dose omise dès que possible, puis recommencez la prise régulière du médicament. Si vous ne vous en rendez compte que le lendemain, doublez la dose suivante.

Pour toute question à ce sujet, consultez votre médecin ou pharmacien.

Avisez votre médecin de tout effet secondaire qui pourrait se produire (voir la prochaine section).

Conservation: Conserver entre 15 et 30 °C. Ne pas réfrigérer. Garder le flacon hermétiquement fermé entre les usages.

Ce médicament vous a été prescrit pour soigner un problème médical spécifique à votre cas et pour votre usage seulement. **Ne le donnez pas à une autre personne.**

Gardez tous les médicaments hors de la portée des enfants.

Les effets secondaires de ce médicament: Pediapred peut causer certains effets secondaires indésirables. Normalement, de tels effets ne se produiront pas si votre traitement ne dure que pendant une courte période. Cependant, consultez votre médecin si vous éprouvez, après une brève période de traitement avec Pediapred, l'un des effets suivants: vision diminuée ou brouillée, miction fréquente, augmentation de la soif, éruptions cutanées.

Si vous prenez Pediapred depuis longtemps, consultez votre médecin en cas de: acné ou autres problèmes cutanés, douleur au dos ou au niveau des côtes, selles sanguinolentes ou noirâtres, boursouflement ou gonflement du visage, battements irréguliers du cœur, troubles menstruels, dépression, sautes d'humeur ou changement de l'état mental, crampes ou douleurs ou faiblesse musculaires, vision de halos autour de sources lumineuses, mal de gorge et fièvre, maux ou brûlures d'estomac continus, enflure des pieds ou jambes inférieures, fatigue ou faiblesse inhabituelle, plaies qui ne guérissent pas.

Il peut se produire d'autres effets secondaires qui disparaîtront normalement durant le traitement, tels les suivants: indigestion, augmentation de l'appétit, nervosité ou agitation, trouble du sommeil ou gain de poids. Si ces symptômes persistent, consultez votre médecin.

Une fois que vous avez cessé le traitement avec Pediapred, surtout si vous avez pris pendant longtemps ce produit ou un médicament semblable, il se peut que votre corps nécessite du temps pour s'y adapter. Durant cette période, on vous recommande de consulter votre médecin si l'un ou l'autre des symptômes qui suivent se manifestent: ▶

Pediapred (suite)

douleur à l'abdomen, à l'estomac ou au dos, étourdissement ou évanouissement, fièvre, perte de l'appétit, douleur musculaire ou articulaire, nausées ou vomissements, essoufflement, fatigue ou faiblesse inhabituelle, perte de poids inhabituelle.

D'autres effets secondaires qui ne sont pas énumérés ici peuvent se produire chez certaines personnes. Si vous remarquez tout autre effet, consultez votre médecin.

Pour obtenir de plus amples renseignements, consultez votre médecin ou pharmacien.

□ PENTACARINAT® Ⓟ

Rhône-Poulenc Rorer

Iséthionate de pentamidine

Antiprotozoaire

Renseignements destinés aux patients: Pentacarinat (iséthionate de pentamidine) fait partie d'une famille de médicaments qu'on appelle antiprotozoaires. Ce médicament est donné par inhalation dans les poumons pour essayer de prévenir la pneumonie à Pneumocystis carinii (PPC), une forme de pneumonie grave mais courante chez les personnes dont le système immunitaire est défaillant. Les inhalations de pentamidine n'empêchent pas la maladie de se développer dans les parties de l'organisme autres que les poumons.

Avant de prendre ce médicament: Pour pouvoir décider quel est le meilleur traitement de votre problème médical, votre médecin doit savoir: si vous avez déjà eu des réactions inhabituelles ou allergiques à la pentamidine; si vous êtes allergique à d'autres substances, p. ex., à de la nourriture, à des agents de conservation ou à des teintures. **Si vous êtes enceinte** ou si vous risquez de le devenir. On n'a pas effectué d'études sur les malformations à la naissance chez les humains. **Si vous allaitez.** On ignore si la pentamidine passe dans le lait maternel. Toutefois, on n'a pas montré que la pentamidine entraînait des problèmes chez les nourrissons. Si vous souffrez d'asthme.

Bon usage du médicament: Pour aider à empêcher que la pneumonie à Pneumocystis carinii ne se développe ou qu'elle ne se reproduise, vous devez recevoir des inhalations de pentamidine régulièrement, même si vous vous sentez bien.

Si vous omettez de prendre une dose pendant plus de quelques jours, retournez voir votre médecin pour discuter d'un nouvel horaire de traitement.

Précautions à prendre pendant l'usage du médicament: Si vous utilisez aussi un bronchodilatateur, sous forme d'inhalation (médicament utilisé pour soulager les problèmes de respiration), laissez 5 à 10 minutes s'écouler entre l'usage de votre bronchodilatateur et l'inhalation de pentamidine, à moins d'instructions contraires de votre médecin. Cela contribuera à réduire le risque d'effets secondaires. Ne mélangez la pentamidine avec aucun autre médicament dans le nébuliseur.

Il se peut que vous remarquiez un goût amer ou métallique pendant l'usage du médicament. Vous pourrez réduire ce problème en mangeant un bonbon dur après chaque traitement.

L'usage de la cigarette peut accroître le risque de toux et les difficultés de respiration pendant le traitement de pentamidine par inhalation.

Effets secondaires de ce médicament: En même temps qu'un médicament procure les effets désirés, il peut entraîner des effets indésirables. Bien que tous les effets indésirables ci-dessous ne risquent pas de se manifester, s'ils se produisent, ils peuvent nécessiter des soins médicaux.

Consultez immédiatement votre médecin ou infirmière si vous ressentez un des effets suivants: Réactions plus courantes: sensation de brûlure, de sécheresse ou de boule dans la gorge; congestion ou douleur à la poitrine; toux; difficulté à respirer; difficulté à avaler; éruptions cutanées (rash); respiration sifflante. Réactions rares, avec doses quotidiennes seulement: anxiété, frissons, sueurs froides, peau froide et pâle, diminution de la quantité d'urine, maux de tête, augmentation de la faim, perte d'appétit, nausées et vomissements, nervosité, agitation, douleurs à l'estomac, fatigue inhabituelle.

D'autres effets secondaires ne figurant pas dans cette liste peuvent aussi se produire chez certains patients. Si vous notez d'autres effets, veuillez consulter votre médecin.

□ PEPCID AC®

Johnson & Johnson • Merck

Famotidine

Antagoniste des récepteurs histaminiques H_2

Renseignements destinés aux patients: Qu'est-ce que Pepcid AC? Le comprimé Pepcid AC, **un régulateur de l'acidité,** éprouvé en clinique, procure un soulagement rapide et efficace des brûlures d'estomac et des régurgitations acides. Pepcid AC contient de la famotidine, un ingrédient auparavant délivré sur ordonnance seulement. Pepcid AC réduit en fait la production d'acide gastrique qui cause les brûlures d'estomac, contrairement aux antiacides qui neutralisent l'acide déjà présent dans l'estomac. Un (1) comprimé Pepcid AC peut maîtriser l'acidité gastrique pendant 9 heures. Pepcid AC est présenté en petits comprimés enrobés par film faciles à avaler et en comprimés à croquer à saveur de menthe.

Quand doit-on prendre Pepcid AC? Pepcid AC soulage efficacement et rapidement les brûlures d'estomac, les régurgitations acides, les irritations ou les aigreurs dues à un excès d'acidité. Pepcid AC prévient également l'apparition de ces symptômes à la suite de l'ingestion d'aliments ou de liquides.

Comment doit-on prendre Pepcid AC? Adultes et enfants de 12 ans et plus: Pour soulager les symptômes, prendre un (1) comprimé. Pour prévenir les symptômes dus à l'acidité causée par l'ingestion d'aliments ou de liquides, prendre un (1) comprimé une heure avant les repas. Si les symptômes réapparaissent, prendre un autre comprimé. Ne pas prendre plus de 2 comprimés au cours d'une période de 24 heures. Si les symptômes persistent pendant plus de 2 semaines, consulter un médecin.

Quand doit-on consulter un médecin ou un pharmacien? Il est possible que ce médicament ne convienne pas à certaines personnes. Consultez un médecin ou un pharmacien si:

- vous êtes allergique à l'un des composants du médicament;
- vous êtes enceinte ou vous allaitez;
- vous avez de la difficulté à avaler ou souffrez de gêne abdominale persistante;
- vous souffrez d'une maladie rénale grave ou de toute autre maladie grave;
- vous avez plus de 40 ans et vous souffrez depuis peu de régurgitations acides ou de brûlures d'estomac, ou vous avez noté une modification de ces symptômes;
- vous prenez des anti-inflammatoires non stéroïdiens (AINS) (ces médicaments pourraient être la cause de vos symptômes);
- vous avez eu des complications dues à la maladie ulcéreuse;
- vous subissez une perte de poids non intentionnelle, en plus de vos symptômes de régurgitations acides ou de brûlures d'estomac.

Pepcid AC est généralement bien toléré. Si des symptômes inhabituels se manifestent, vous devez consulter un médecin.

Quoi faire pour éviter ces symptômes:

- Ne vous allongez pas immédiatement après un repas.
- Si vous souffrez d'embonpoint, perdez du poids.
- Si vous fumez, arrêtez ou diminuez.
- Évitez ou diminuez votre consommation d'aliments tels que la caféine, le chocolat, les aliments gras et l'alcool.
- Ne mangez pas immédiatement avant l'heure du coucher.

Description: Comprimés enrobés par film: Le comprimé ordinaire est rose, de forme carrée aux angles arrondis et il porte en relief l'inscription PEPCID AC d'un côté; il est enrobé par film pour être plus facile à avaler.

Comprimés à croquer: Le comprimé à croquer est rose, rond, à saveur de menthe et il porte en relief l'inscription PEPCID AC d'un côté.

Ingrédients: Ingrédient actif: Le comprimé ordinaire et le comprimé à croquer Pepcid AC renferment chacun 10 mg de famotidine.

Ingrédients non médicinaux: Comprimés enrobés par film: amidon, cellulose microcristalline, dioxyde de titane, hydroxypropylcellulose, hydroxypropylméthylcellulose, oxyde ferrique rouge, stéarate de magnésium et talc.

Comprimés à croquer: acétate de cellulose, acide citrique (aromatisants), amidon, amidon alimentaire traité, aspartame, cellulose microcristalline, hydroxypropylcellulose, hydroxypropylméthylcellulose, lactose, maltodextrine, mannitol, oxyde ferrique rouge et stéarate de magnésium.

Comment doit-on conserver Pepcid AC?

- Conserver les comprimés à la température ambiante (15 à 30 °C) et protéger de l'humidité.
- Il est préférable de conserver les emballages-coques dans la boîte jusqu'à ce que tous les comprimés aient été utilisés.
- Conserver tous les médicaments hors de la portée des enfants.

Pour obtenir de plus amples renseignements, consulter un médecin ou un pharmacien.

□ PEPCID®, Comprimés ℞

MSD

Famotidine

Antagoniste des récepteurs histaminiques H_2

Renseignements destinés aux patients: Le médecin et le pharmacien peuvent obtenir les renseignements d'ordonnance complets.

Pepcid est la marque déposée de Merck Frosst Canada Inc. pour la substance appelée famotidine. Ce médicament est délivré **sur ordonnance seulement.** La famotidine fait partie de la classe de médicaments connus sous le nom d'antagonistes des récepteurs histaminiques H_2. Ces composés permettent de réduire la quantité d'acide produite dans l'estomac. Ils sont donc utiles pour le traitement de certains ulcères de l'estomac ou du duodénum ou pour le traitement d'autres affections, comme le reflux gastro-œsophagien ou le syndrome de Zollinger-Ellison, caractérisées par une surproduction d'acide au niveau de l'estomac.

Important: Ce médicament est prescrit pour le traitement d'un problème de santé particulier et pour votre usage personnel seulement. **Ne pas le donner à d'autres personnes ni l'utiliser pour traiter d'autres affections.**

Ne plus utiliser un médicament après la date d'expiration indiquée sur le flacon.

Garder tous les médicaments hors de la portée des enfants.

Lire les informations suivantes avec attention. **Si vous désirez des explications ou de plus amples renseignements, vous pouvez vous adresser à votre médecin ou à votre pharmacien.**

Ce qu'il faut savoir avant de prendre ce médicament.

Il est possible que ce médicament ne convienne pas à certaines personnes. Si vous croyez que **l'une** des situations suivantes s'applique à votre cas, faites-le savoir à votre médecin:

- Vous avez déjà pris Pepcid ou un autre médicament de la même classe (c.-à-d. des antagonistes des récepteurs histaminiques H_2) et vous avez manifesté une allergie à l'un des composants du médicament ou subi des réactions défavorables.
- Vous êtes enceinte ou avez l'intention de le devenir.
- Vous allaitez ou avez l'intention de le faire.
- Vous souffrez d'une maladie du foie ou d'une maladie du rein confirmée.

Votre médecin doit également savoir si vous prenez d'autres médicaments, que ce soit un médicament délivré sur ordonnance ou obtenu en vente libre.

Mode d'emploi du médicament:

- Suivez **rigoureusement** les directives de votre médecin. Pour le traitement des ulcères, on recommande généralement une dose unique à prendre au moment du coucher, mais il peut arriver que la posologie soit différente. Quel que soit le cas, votre médecin ou votre pharmacien demeure la personne la mieux indiquée pour vous renseigner.
- S'il le juge nécessaire, votre médecin pourra également vous recommander de prendre un antiacide.
- Si vous oubliez de prendre un comprimé, prenez-le dès que vous vous apercevez de votre oubli, à moins que cette dose ne se trouve trop rapprochée de la suivante. Si tel est le cas, attendez et conformez-vous à l'horaire établi par votre médecin. **Ne prenez jamais deux doses du médicament à la fois.**
- **L'innocuité de Pepcid chez l'enfant n'a pas encore été établie.**
- Observez rigoureusement les directives établies par votre médecin concernant le régime alimentaire. Certains aliments ou boissons et certains médicaments, comme l'acide acétylsalicylique (AAS), peuvent avoir un effet irritant sur l'estomac et aggraver votre état.
- Même si vous commencez à vous sentir mieux, n'interrompez pas votre traitement, car il arrive souvent que la douleur s'estompe avant la guérison complète. **Ne modifiez pas la posologie et n'interrompez pas la prise de votre médicament sans en parler d'abord avec votre médecin.**
- Pepcid n'interagit généralement pas avec les autres médicaments que vous pourriez prendre. Toutefois, il est important que vous informiez votre médecin de tous les médicaments que vous prenez, y compris ceux que vous avez obtenus sans ordonnance.
- Conservez les comprimés à une température comprise entre 15 et 30 °C dans un contenant hermétiquement clos, à l'abri de la lumière.

Réactions défavorables au médicament—ce qu'il convient de faire: En plus de l'effet escompté, tout médicament peut parfois occasionner des réactions indésirables. La plupart des gens, toutefois, n'ont aucun problème lorsqu'ils **prennent** Pepcid.

Prévenez votre médecin dès l'apparition de l'une des réactions suivantes: maux de tête, étourdissements, constipation et diarrhée.

D'autres réactions peuvent également survenir. Si vous notez, en cours de traitement, des symptômes inhabituels, consultez votre médecin.

Ingrédients: Principe actif: Le comprimé Pepcid contient de la famotidine et est présenté en deux teneurs: 20 mg (beige) et 40 mg (brun orangé clair).

Ingrédients non médicinaux: amidon prégélifié, cellulose microcristalline, dioxyde de titane, hydroxypropylcellulose, hydroxypropylméthylcellulose, oxyde ferrique jaune, oxyde ferrique rouge, stéarate de magnésium et talc.

□ PERIDEX® ℞

Zila Pharmaceuticals

Gluconate de chlorhexidine

Antigingivite

Renseignements destinés aux patients: Effets secondaires à envisager à l'emploi de Peridex: Votre dentiste vous a prescrit le rince-bouche Peridex pour traiter votre gingivite pour aider à réduire la rougeur, le gonflement et le saignement de vos gencives. Utilisez Peridex régulièrement, tel qu'indiqué par votre dentiste, sans oublier de vous brosser les dents et d'utiliser la soie dentaire quotidiennement. Ne pas avaler le produit.

Peridex peut entraîner une décoloration des dents ou accroître la formation de tartre (calcul), surtout dans les endroits où le brossage ne suffit pas à éliminer la plaque. Il est important de porter une attention particulière à votre hygiène dentaire et de visiter votre dentiste au moins 2 fois par année, ou plus souvent si ce dernier le prescrit.

- Votre dentiste ou votre hygiéniste peuvent éliminer les taches et le tartre. Peridex peut entraîner une décoloration permanente de certains plombages des dents antérieures. Pour réduire au minimum cet effet secondaire, il est conseillé de se brosser les dents et d'utiliser la soie dentaire quotidiennement, en insistant sur les endroits où la décoloration est apparente. Cette décoloration peut être irréversible dans certains cas.
- Peridex ne doit pas être employé par les personnes ayant une sensibilité au gluconate de chlorhexidine.
- Chez certains patients, Peridex peut avoir un goût amer et peut changer le goût des aliments et des boissons. Dans la plupart des cas, l'emploi prolongé de Peridex réduira l'intensité du goût amer. Pour éviter l'altération de la perception gustative, utiliser le rince-bouche **après** les repas. Ne pas se rincer la bouche avec de l'eau après l'emploi de Peridex ou d'autres rince-bouche.
- Pour assurer une efficacité maximale de Peridex, éviter de se rincer la bouche, de se brosser les dents, de manger ou de boire pendant les 30 minutes suivant l'emploi.

Si vous avez des questions ou des commentaires sur le rince-bouche Peridex, consultez votre dentiste ou votre pharmacien.

□ PÉTHIDINE, Injection BP Ⓝ

Faulding

Chlorhydrate de mépéridine

Analgésique opioïde

Renseignements destinés aux patients: Mode d'utilisation de la seringue préremplie Rapiject:

1. Enlever les bouchons protecteurs de la fiole et de l'injecteur.
2. Insérer la fiole dans l'injecteur.
3. Faire tourner la fiole 3 fois dans le sens des aiguilles d'une montre jusqu'à ce que l'on rencontre une certaine résistance. Puis faire

Péthidine, Injection BP (suite)

tourner la fiole d'un ou deux tours supplémentaires. L'aiguille se trouve alors en contact avec la solution de mépéridine.
4. Enlever le capuchon de l'aiguille et expulser l'air.
5. La seringue Rapiject est prête à l'emploi.

☐ PHOTOFRIN®

Ligand

Porfimer sodique

Photosensibilisant antinéoplasique

Renseignements destinés aux patients: La thérapie photodynamique est un traitement contre le cancer qui utilise un médicament photosensible, appelé Photofrin, en conjonction avec un système d'émission de lumière laser. Lorsque Photofrin est administré par injection i.v., les cellules cancéreuses ont tendance à le retenir plus longtemps que la plupart des autres tissus, atténuant ainsi les effets sur les tissus sains. L'exposition du médicament à la lumière entraîne une réaction chimique qui provoque la destruction des cellules cancéreuses renfermant le médicament.

En plus des cellules cancéreuses, Photofrin est également retenu par la peau pendant une certaine période, normalement de 4 à 6 semaines. À cause de cette rétention par la peau, le principal effet secondaire de Photofrin est une photosensibilité cutanée. L'exposition de la peau non protégée au soleil ou à une lumière artificielle focalisée peut occasionner un érythème ou une vésication. Une gêne oculaire, généralement décrite comme une sensibilité au soleil, aux lumières vives ou aux phares de voitures, a également été signalée chez les patients qui ont reçu Photofrin. Par conséquent, après l'injection de Photofrin, il faut recommander aux patients de prendre des précautions pour protéger les yeux et leur peau, pendant une période de 30 jours, contre toute exposition aux rayons directs ou indirects du soleil ou à une lumière artificielle vive focalisée. La durée de la photosensibilité peut varier d'un patient à un autre. Il est donc important que chaque patient détermine sa propre réaction de photosensibilité au médicament en effectuant soigneusement ce test qui lui sera expliqué par son médecin traitant: après 30 jours, le patient peut exposer une petite surface de peau (doigt ou dos de la main) au soleil pendant 5 minutes, afin de vérifier s'il y a une photosensibilité résiduelle. Si cela provoque une vésication ou un érythème important, le patient devra continuer à éviter de s'exposer au soleil et à la lumière vive pendant 2 semaines supplémentaires avant de tester à nouveau les effets d'une exposition restreinte au soleil. Les écrans solaires filtrant les rayons UV sont inutiles, étant donné que la photoactivation est causée par la lumière visible. Bien qu'il soit nécessaire de prendre des précautions relatives à la photosensibilité, il faut également recommander aux patients d'éviter l'obscurité totale. L'exposition à une lumière ambiante normale est importante puisqu'elle favorise la clairance cutanée de Photofrin par le processus de photoblanchiment.

On doit conseiller aux patients de poser toute question supplémentaire concernant ce traitement à leur médecin.

☐ PHYLLOCONTIN® Ⓟ
☐ PHYLLOCONTIN®-350 Ⓟ

Purdue Frederick

Aminophylline

Bronchodilatateur

Renseignements destinés aux patients: Les comprimés Phyllocontin et Phyllocontin-350 sont conçus pour vous aider à mieux respirer. Les comprimés libèrent graduellement leur médication et sont conçus pour un usage régulier. On ne **doit pas s'en servir** pour mieux améliorer rapidement la respiration dans une situation d'urgence.

Prenez les comprimés:
1) entiers ou fractionnés en deux mais **ne pas écraser ni mâcher les comprimés;**
2) avec un grand verre d'eau en se tenant debout ou assis bien droit;
3) régulièrement et seulement en quantités et aux moments prescrits par votre médecin. **(Ne pas** doubler la dose pour compenser un oubli.)

Informez votre médecin:
a) au sujet de tous les médicaments que vous prenez présentement;
b) dès que vous commencez ou arrêtez de prendre n'importe quel médicament;
c) si vous allaitez, êtes enceinte ou désirez le devenir;
d) immédiatement si vos problèmes respiratoires s'aggravent;
e) immédiatement si vous avez mal à la tête, des nausées, des vomissements ou tout autre effet secondaire;
f) immédiatement si vous faites de la fièvre ou une infection virale (p. ex. la grippe);
g) si vous commencez ou arrêtez de fumer.

Votre posologie aura peut-être alors besoin d'un ajustement.

Conserver les comprimés à la température ambiante (inférieure à 30 °C).

☐ PLAVIX^MC Ⓟ

Sanofi/Bristol-Myers Squibb

Bisulfite de clopidogrel

Inhibiteur de l'agrégation plaquettaire

Renseignements destinés aux patients: Veuillez lire ce feuillet attentivement. Il contient de l'information importante sur le médicament qui vous a été prescrit et sur votre maladie. Si vous avez encore des questions après l'avoir lu, veuillez communiquer avec votre médecin ou pharmacien.

Que contiennent les comprimés de Plavix? Chaque comprimé de Plavix contient 75 mg d'un médicament nommé clopidogrel.

Que contiennent d'autre les comprimés de Plavix? En plus du clopidogrel, qui est l'ingrédient actif, les comprimés de Plavix contiennent quelques autres ingrédients non médicinaux. Certaines personnes peuvent être allergiques à un ou plusieurs de ces ingrédients, qui sont les suivants: lactose anhydre, cellulose microcristalline, amidon prégélatinisé, polyéthylèneglycol 6 000 et huile de ricin hydrogénée. L'enrobage rose contient de l'hydroxypropylméthylcellulose 2 910, du dioxyde de titane, du polyéthylèneglycol 6 000 et de l'oxyde ferrique (rouge). Les comprimés sont polis avec de la cire de carnauba.

À quoi ressemblent les comprimés de Plavix? Les comprimés de Plavix sont ronds, de couleur rose et portent le numéro 75 sur un côté. Ils sont fournis en boîtes contenant une plaquette alvéolée de 28 comprimés.

Quel genre de médicament est Plavix? Le clopidogrel, ingrédient actif des comprimés de Plavix, fait partie d'une famille de médicaments nommés antiagrégants plaquettaires. Les plaquettes sont de très petites cellules du sang, plus petites que les globules rouges et les globules blancs, qui se collent les unes aux autres pour former des amas lors de la coagulation sanguine. En les empêchant de s'agglutiner, les antiagrégants plaquettaires réduisent le risque que se forment des caillots dans le sang (ce processus est nommé thrombose).

À quoi sert Plavix? Votre médecin vous a prescrit Plavix parce que vous avez eu des symptômes d'une maladie nommée athérosclérose, au cours de laquelle les artères deviennent plus dures.

L'athérosclérose entraîne un rétrécissement des artères et un risque augmenté de caillots sanguins néfastes (thrombi). Ces caillots sanguins peuvent entraîner divers symptômes tels que l'accident vasculaire cérébral, la crise cardiaque ou la maladie vasculaire périphérique (douleur aux jambes au repos ou pendant la marche). Comme vous avez déjà eu une de ces affections, votre médecin vous a prescrit Plavix pour prévenir la formation d'autres caillots sanguins dans les artères durcies. En prenant Plavix, vous réduisez votre risque d'avoir un deuxième accident vasculaire cérébral ou crise cardiaque.

Ce médicament vous a été prescrit à vous personnellement; n'en donnez pas à d'autres personnes.

Qui ne doit pas prendre Plavix? Vous ne devez pas prendre Plavix:
- Si vous avez déjà eu des réactions allergiques à l'une ou l'autre des substances contenues dans les comprimés de Plavix. Veuillez lire les sections «Que contiennent les comprimés de Plavix?» et «Que contiennent d'autre les comprimés de Plavix?» ci-dessus.
- Si vous avez eu un problème médical qui s'accompagne de saignements (un ulcère de l'estomac, p. ex.).

Si vous croyez avoir un de ces problèmes, ou si vous n'êtes pas certain, consultez votre médecin avant de commencer à prendre Plavix.

Quelles sont les précautions à prendre avant de prendre Plavix? Si l'une ou l'autre des situations suivantes s'applique à votre cas, vous devez immédiatement en avertir votre médecin:

- Vous avez eu une blessure grave récemment.
- Vous avez eu une opération chirurgicale ou une chirurgie dentaire.
- Vous avez un problème sanguin qui vous prédispose aux saignements internes (saignements dans un tissu, un organe ou une articulation), ou vous tendez à saigner pendant plus de 10 minutes lorsque vous ne prenez pas de médicaments.
- Vous avez un problème médical qui fait augmenter votre risque de saignement interne (ulcère de l'estomac, p. ex.).
- Vous devrez subir une opération chirurgicale ou une chirurgie dentaire dans les 2 prochaines semaines.
- Vous prenez d'autres médicaments, **quels qu'ils soient,** même ceux que vous achetez directement au supermarché ou à la pharmacie.
- Vous avez une maladie ou un problème au foie.

Que se passe-t-il si vous avez des saignements prolongés lorsque vous prenez Plavix? Si vous vous coupez ou vous vous blessez, vous devrez probablement attendre plus longtemps avant que le saignement ne s'arrête. C'est à cause de l'effet du médicament que vous prenez. Pour les coupures ou les blessures mineures (si vous vous coupez en vous rasant, p. ex.), ce n'est pas grave. Cependant, si vous avez des doutes, consultez votre médecin sans tarder.

Que se passe-t-il si vous êtes enceinte ou que vous allaitez? Si vous êtes enceinte ou si vous allaitez un enfant, vous devez le dire à votre médecin avant de prendre Plavix. Si vous devenez enceinte pendant que vous prenez Plavix, informez-en votre médecin immédiatement.

Est-ce que Plavix affectera votre capacité de conduire ou de faire fonctionner des machines? Plavix ne devrait pas altérer votre capacité de conduire ou de faire fonctionner des machines compliquées.

Que se passe-t-il si vous prenez d'autres médicaments pendant le traitement avec Plavix? Certains autres médicaments, qu'ils soient prescrits par un médecin ou achetés directement à la pharmacie, peuvent interagir avec Plavix et produire des effets secondaires. Si vous ne savez pas si vous devez prendre d'autres médicaments pendant le traitement avec Plavix, consultez votre médecin ou votre pharmacien.

Médicaments qu'il n'est pas recommandé de prendre pendant le traitement avec Plavix:

- L'acide acétylsalicylique (AAS, ou aspirine), lorsqu'il est pris pendant de longues périodes, sauf s'il vous a été spécifiquement recommandé par votre médecin. Le fait d'en prendre 1 comprimé de temps à autre (sans dépasser 1 000 mg par 24 heures) ne devrait pas causer de problèmes.
- D'autres médicaments employés pour réduire la coagulation sanguine, tels que la warfarine et l'héparine.
- Les anti-inflammatoires non stéroïdiens (médicaments employés contre la douleur ou l'inflammation des muscles ou des articulations), s'ils sont pris pendant de longues périodes.

Comment doit-on prendre Plavix? Adultes (y compris les personnes âgées): Prenez 1 comprimé de 75 mg de Plavix/jour, par la bouche. Vous pouvez prendre Plavix avec ou sans nourriture. Il est important de prendre le médicament régulièrement et à la même heure du jour.

Enfants et adolescents: Plavix n'est pas recommandé pour les enfants et les adolescents de moins de 18 ans.

Pendant combien de temps faut-il continuer de prendre Plavix? Vous devez continuer de prendre Plavix aussi longtemps que vous l'a demandé votre médecin.

Que se passe-t-il si vous prenez trop de comprimés de Plavix à la fois? Si vous prenez une dose excessive de Plavix, dites-le immédiatement à votre médecin ou allez aux urgences de l'hôpital le plus proche. Si vous prenez une dose trop élevée de Plavix, vous risquez d'avoir des saignements graves nécessitant un traitement d'urgence.

Que se passe-t-il si vous oubliez une dose de Plavix? Si vous oubliez de prendre une dose de Plavix, mais que vous vous en souvenez moins de 12 heures après l'heure à laquelle vous le prenez habituellement, prenez votre comprimé immédiatement, puis prenez le comprimé suivant à l'heure habituelle. Si vous oubliez de prendre un comprimé et que plus de 12 heures sont passées depuis le dernier comprimé, prenez simplement le comprimé suivant à l'heure habituelle. Ne prenez pas 2 comprimés à la fois pour compenser la dose oubliée. Vous pouvez vérifier le jour où vous avez pris votre dernier comprimé en regardant le calendrier imprimé au dos de la plaquette de comprimés.

Quels sont les effets secondaires que peut entraîner Plavix? Les effets secondaires qui peuvent se produire parfois avec Plavix sont:

- les éruptions cutanées et les démangeaisons
- la diarrhée
- les douleurs au ventre
- l'indigestion ou les brûlures d'estomac
- la constipation
- le saignement à l'estomac, aux intestins ou dans l'œil

Des saignements dans la tête se sont produits dans un très faible nombre de cas. Si vous constatez un effet secondaire, quel qu'il soit, dites-le à votre médecin ou pharmacien.

Pendant combien de temps peut-on conserver les comprimés de Plavix? Il ne faut pas prendre les comprimés après la date d'expiration qui figure sur la boîte et la plaquette de comprimés.

Où faut-il garder les comprimés de Plavix? Gardez les comprimés de Plavix dans un endroit sûr, hors de la portée des enfants. Ne les laissez pas près d'un radiateur, d'un appui de fenêtre ou dans un endroit humide. Ne sortez pas les comprimés de la plaquette avant de les prendre.

□ PLENDIL® ℞

Astra

Félodipine

Antihypertenseur

Renseignements destinés aux patients: Ce que vous devriez savoir à propos de Plendil (félodipine en comprimés à libération prolongée): Plendil est la marque de commerce du médicament félodipine qui appartient au groupe de médicaments appelés «inhibiteurs calciques» ou «antagonistes du calcium».

Plendil est utilisé pour traiter l'hypertension (la haute pression). Il agit surtout en relâchant les artères, ce qui facilite la circulation du sang et par conséquent, diminue la pression sanguine.

Prière de lire ce dépliant avec attention. Il ne doit cependant pas remplacer les conseils du médecin, du pharmacien ou de la pharmacienne. En raison de votre état de santé, ils peuvent vous avoir donné des instructions différentes. Assurez-vous de bien suivre leurs conseils. Consultez votre médecin ou votre pharmacien si vous avez des questions. **Ne décidez pas vous-même comment vous allez prendre Plendil.**

Avant de commencer à prendre Plendil: Assurez-vous d'avoir mentionné à votre médecin:

- **si vous êtes enceinte ou avez l'intention de le devenir;**
- **si vous allaitez;**
- tous les problèmes de santé que vous avez présentement ou avez eus dans le passé;
- tous les médicaments que vous prenez, y compris les médicaments sans ordonnance;
- si vous consultez plus d'un médecin, assurez-vous d'informer chacun d'eux de tous les médicaments que vous prenez;
- si vous êtes allergique à des substances «non médicamenteuses» tels des aliments, des agents de conservation ou des colorants qui pourraient être présents dans les comprimés de Plendil (voir Composition de Plendil);
- si vous avez déjà subi une mauvaise réaction ou une réaction allergique ou inhabituelle à la «félodipine».

Composition de Plendil: La plupart des médicaments contiennent des substances autres que leur ingrédient actif. Ces substances sont nécessaires pour présenter les médicaments sous une forme facile à avaler. Vérifiez auprès de votre médecin si vous pensez être allergique à l'une de ces substances (par ordre alphabétique): cellulose microcristalline, cire de carnauba, dioxyde de titane, eau oxygénée, félodipine, gallate de propyle, huile de ricin, hydroxypropylcellulose, hydroxypropylméthylcellulose, lactose, oxyde de fer, polyéthylèneglycol, silicate d'aluminium, stéarylfumarate de sodium.

Comment utiliser la plaquette aide-mémoire de Plendil: Cet emballage de 30 comprimés a été conçu pour vous aider à vous rappeler si vous avez pris ou non votre médicament.

La plaquette contient 28 comprimés identifiés par un jour de la semaine et 2 comprimés non identifiés. En commençant à la première rangée, prenez le comprimé qui correspond au jour de la semaine où vous entamez la plaquette. Continuez ainsi pendant 28 jours, mais il faut prendre les 2 derniers comprimés non identifiés de la dernière rangée seulement après avoir fini les 28 autres.

N'oubliez pas d'obtenir une nouvelle ordonnance de votre médecin ou de faire renouveler votre ordonnance par le pharmacien quelques jours avant d'avoir terminé les 30 comprimés.

Comment prendre Plendil:

- Prenez Plendil exactement selon les instructions du médecin. Ne sautez pas de doses et ne prenez pas de doses supplémentaires à

Plendil (suite)

moins d'indication contraire de votre médecin. Si les instructions ne vous semblent pas claires, consultez votre médecin ou votre pharmacien.
- Il faut prendre Plendil une fois par jour. Si votre médecin vous a prescrit 2 comprimés par jour, il faut les prendre au même moment, à moins d'indication contraire.
- Essayez de prendre Plendil à un moment où vous faites quelque chose de régulier, par exemple, au lever ou au déjeuner. Cela vous aidera à ne pas oublier de dose.
- Plendil peut être pris avec des aliments ou à jeun.
- **Il faut éviter de prendre du jus de pamplemousse, car ce type de jus peut augmenter la quantité de Plendil dans l'organisme.**
- Avalez les comprimés de Plendil entiers avec de l'eau. Il ne faut pas écraser, croquer, fractionner ou sucer les comprimés.
- Ne transférez pas les comprimés dans un autre contenant. Pour protéger vos comprimés de Plendil, gardez-les dans la plaquette aide-mémoire d'origine.

Si vous oubliez de prendre une dose: Si vous oubliez de prendre une dose de Plendil et que vous vous en souvenez moins de 12 heures après, vous devez prendre la dose habituelle le plus tôt possible. Revenez ensuite à l'horaire habituel. Mais si vous vous rappelez avoir sauté une dose plus de 12 heures après la prise habituelle, ne prenez pas la dose oubliée. Attendez jusqu'à l'heure prévue pour la prochaine dose.

Ne prenez jamais une double dose de Plendil pour compenser les doses oubliées. Si vous n'êtes pas certain, consultez votre médecin ou votre pharmacien.

À propos des effets secondaires: En plus de son effet régulateur sur la pression sanguine, Plendil, comme tout médicament, peut aussi causer des effets secondaires.

Certains effets secondaires peuvent se produire au début du traitement ou lors d'une augmentation de la dose. Ces effets secondaires sont habituellement légers et devraient disparaître à mesure que l'organisme s'habitue à Plendil.

Il est important de tenir le médecin au courant de tous les effets secondaires, surtout si l'un des symptômes suivants dure plus d'une semaine:
- enflure des chevilles;
- rougeur ou sensation de chaleur;
- étourdissements;
- battements cardiaques rapides;
- maux de tête;
- fatigue inhabituelle.

Les médicaments n'affectent pas tout le monde de la même façon. Si d'autres personnes ont ressenti des effets secondaires, cela ne veut pas dire que vous en aurez aussi. Décrivez à votre médecin ou à votre pharmacien comment vous vous sentez quand vous prenez Plendil. **N'arrêtez pas de vous-même un traitement avec Plendil.**

Quelques patients ont signalé une légère sensibilité ou enflure des gencives pendant l'emploi de Plendil. Cet effet peut être évité par une bonne hygiène dentaire. Brossez-vous les dents soigneusement et souvent avec une brosse à poils souples et utilisez la soie dentaire tous les jours.

Un massage régulier des gencives avec une brosse à poils souples aidera aussi à diminuer leur sensibilité, mais si vos gencives deviennent sensibles, rouges ou enflées, informez-en votre médecin ou votre dentiste.

D'autres effets secondaires ont été rapportés dans quelques cas: picotements dans les mains, les bras, les pieds ou les jambes, maux d'estomac et diarrhée. Encore une fois, si ces effets vous incommodent, parlez-en à votre médecin.

Vous devrez communiquer immédiatement avec votre médecin si vous notez quelque chose d'inhabituel.

Précautions: Gardez Plendil hors de la vue et de la portée des enfants. Ne prenez jamais de médicaments en présence de jeunes enfants, car ils voudront vous imiter.

Tous les médicaments inutilisés dont vous n'aurez plus besoin doivent être jetés en prenant les précautions d'usage. Vous pouvez jeter les petites quantités restantes à la toilette, ou demander conseil à votre pharmacien.

La plaquette aide-mémoire est conçue pour protéger chaque comprimé. Si, en ouvrant l'emballage, vous remarquez que la pellicule de plastique ou la feuille d'aluminium sont endommagées au point d'exposer un comprimé, demandez au pharmacien d'inspecter l'emballage.

Consultez votre médecin si vous avez l'intention de consommer de l'alcool (y compris le vin avec les repas) pendant que vous prenez Plendil; l'alcool pourrait alors causer plus d'étourdissements qu'à l'habitude et entraîner une baisse incommodante de la tension artérielle.

N'oubliez pas que vous pouvez ne remarquer aucun signe d'hypertension. Par conséquent, **il est important de prendre Plendil même si vous vous sentez bien.** Votre organisme a besoin d'une quantité constante de médicaments pour maîtriser la tension artérielle. **N'arrêtez pas de vous-même un traitement avec Plendil.**

Entreposage: Bien que les comprimés de Plendil soient protégés par la plaquette aide-mémoire, il est préférable de conserver l'emballage à la température ambiante et dans un endroit sec. Ne gardez pas Plendil dans la salle de bain. **Gardez Plendil hors de la portée des enfants.** On ne doit pas conserver ni utiliser Plendil après la date limite d'utilisation indiquée sur la plaquette aide-mémoire.

Renseignements généraux: Tous les médicaments peuvent exercer à la fois des effets bénéfiques et des effets indésirables qui varient selon la personne et son état de santé. Ce dépliant vous indique dans quels cas vous devez appeler le médecin, mais d'autres situations imprévisibles peuvent survenir. Rien dans ce dépliant ne vous empêche de communiquer avec votre médecin ou votre pharmacien pour lui poser des questions ou lui soumettre vos problèmes ou vos inquiétudes au sujet de Plendil.

□ POTABA® 🄿

Glenwood

Aminobenzoate de potassium

Traitement contre la fibrose

Renseignements destinés aux patients: Qu'est-ce que Potaba? Potaba est un composé issu du complexe vitaminique B. Il s'agit d'une substance que l'on retrouve à l'état naturel et qui intervient dans un bon nombre de processus biologiques importants.

Pourquoi prescrit-on Potaba? Potaba est prescrit dans les cas de sclérodermie, de dermatomyosite, de sclérodermie circonscrite et en bandes, ainsi que dans la maladie de La Peyronie. On pense qu'il produit un assouplissement de la peau ou des plaques chez les patients que en reçoivent une posologie adéquate pendant une période suffisamment longue.

Comment agit-il? Bien qu'on n'ait pas encore élucidé le mécanisme d'action d'un grand nombre de médicaments au niveau des cellules, on pense que l'activité de Potaba contre la fibrose provient du fait qu'il augmente l'assimilation d'oxygène au niveau des tissus.

Comment s'administre-t-il? Par voie orale, selon le schéma posologique suivant:

Capsules Potaba (0,5 g): Prendre 6 capsules accompagnées d'un verre d'eau après avoir mangé.

Comprimés Potaba (0,5 g): Écraser 6 comprimés et verser le tout dans un verre d'eau ou de jus frais, bien remuer et boire après avoir mangé.

Envules Potaba (sachets de 2 g): Verser le contenu de 1½ enveloppe dans un verre d'eau ou de jus frais, remuer pour faire dissoudre et boire après avoir mangé.

S'il ne vous est pas possible de manger quelque chose, omettre la dose jusqu'à ce que cela soit possible.

La fidélité au traitement est un terme qui décrit la prise assidue ou sans interruption du médicament, de sorte que le patient puisse bénéficier des résultats escomptés du traitement.

Quel est l'avantage de prendre Potaba? Potaba est un agent non toxique dont l'usage comporte peu de risques. Il s'emploie généralement dans le cas d'affections nécessitant un traitement de longue durée. Il semble douer de la capacité d'assouplir les tissus durcis. Comme l'incidence de réactions médicamenteuses est très faible avec Potaba, vous pouvez le prendre sans devoir interrompre la prise de vos autres médicaments. De plus, il est très soluble dans l'eau; il sera donc facilement absorbé par votre corps.

Où puis-je me procurer Potaba? Potaba est disponible, sur ordonnance médicale, à votre pharmacie habituelle.

Y a-t-il des contre-indications à l'usage de Potaba? Si vous prenez déjà un sulfamide antibactérien, dites-le à votre médecin car Potaba pourrait annuler l'effet antibactérien de ce type de médicaments.

Potaba doit être administré avec prudence dans les cas suivants:
- diabète sucré
- hypoglycémie (taux de glucose sanguin chroniquement bas)
- allergie au Potaba ou au PABA
- maladie de rein

Pendant combien de temps devrais-je prendre Potaba? Et les résultats quand apparaissent-ils! La durée du traitement variera considérablement d'une personne à l'autre selon la gravité de l'affection à traiter. Dans certains cas, le traitement pourra durer pendant 2 à 3 mois avant que les résultats ne soient visibles.

Devrais-je éviter certains aliments, boissons ou activités quand je prends Potaba? Le traitement avec Potaba s'accepte plus aisément quand on le prend avec les repas ou une collation. Il n'y a ni aliments ni boissons particulières à éviter, mais il est sage de manger régulièrement afin de prévenir les troubles d'estomac ou l'hypoglycémie. Si vous suivez un régime particulier, pensez de le mentionner à votre médecin. Il est également recommandé de continuer à vaquer à ses activités habituelles. Si vous êtes enceinte ou escomptez le devenir, ou encore, si vous allaitez, parlez-en à votre médecin de sorte qu'il puisse prendre cela en considération avant de prescrire Potaba comme tout autre médicament.

Occasionne-t-il des effets secondaires? Bien que rares, des cas d'anorexie, de nausées, de fièvre et d'éruptions cutanées peuvent se produire.

Que devrais-je faire si ces symptômes surviennent? Signalez ces symptômes à votre médecin et cessez le traitement jusqu'à ce que les symptômes aient disparu. Le médecin pourra alors établir une cure de désensibilisation après quoi vous pourrez reprendre le traitement.

Y a-t-il d'autres considérations à tenir compte avant de commencer un traitement avec Potaba? Avec ce produit comme tout autre médicament sur ordonnance il est sage...
- de s'assurer que l'ordonnance rédigée est bien pour l'affection spécifique à traiter, et de veiller à ce que seule la personne pour qui il a été prescrit prenne le médicament;
- de veiller à ce qu'il soit conservé hors de la portée des enfants;
- de consulter votre médecin, un pharmacien ou une infirmière si vous avez des questions au sujet de l'information présentée ici.

□ PRANDASE® ℞

Bayer

Acarbose

Antidiabétique oral—Inhibiteur des alpha-glucosidases

Renseignements destinés aux patients: Pourquoi m'a-t-on prescrit Prandase? Le médecin vous a dit que vous souffrez de diabète non insulinodépendant (DNID), aussi appelé diabète de type 2. Le respect du régime alimentaire que vous a prescrit le professionnel de la santé est l'aspect le plus important de votre traitement. Pour équilibrer votre glycémie (taux de glucose dans le sang), le médecin vous a prescrit Prandase (acarbose) comme complément au régime alimentaire ou comme complément au régime alimentaire et à la prise d'un sulfamide hypoglycémiant (un antidiabétique oral). Prandase ralentit l'absorption intestinale du glucose, ce qui atténue la hausse de la glycémie qui survient après chaque repas.

Quand et comment dois-je prendre Prandase? Prenez les comprimés selon l'ordonnance du médecin. Il faut prendre les comprimés par voie orale, avec la première bouchée des repas. Il ne faut pas prendre Prandase entre les repas. Pendant le traitement par Prandase, vous devez vous conformer à la lettre à votre régime alimentaire et à votre programme d'activité physique.

Quand dois-je effectuer une épreuve de glycémie? Continuez à effectuer les épreuves de glycémie selon les directives du professionnel de la santé.

Prandase a-t-il des effets secondaires? Prandase peut produire certains effets secondaires. Les plus courants sont de nature gastro-intestinale, comme la flatulence (gaz) et les malaises abdominaux. Il se peut aussi que vos selles soient molles ou même que vous ayez la diarrhée, surtout après l'ingestion d'aliments contenant du sucrose (sucre blanc). Normalement, ces symptômes s'atténuent avec le temps. Ne prenez pas d'antiacides pour contrer les symptômes, car il est peu probable qu'ils soient efficaces. Si les symptômes ne disparaissent pas ou si le traitement a d'autres effets indésirables, consultez votre médecin.

En raison de son mode d'action, Prandase ne devrait pas entraîner une hypoglycémie. Toutefois, comme les sulfamides hypoglycémiants (des antidiabétiques oraux) peuvent causer une hypoglycémie, l'association de Prandase à un sulfamide hypoglycémiant peut aussi causer une hypoglycémie. Si une hypoglycémie survenait pendant le traitement par Prandase, ne prenez pas de sucre blanc (sucrose), mais plutôt des comprimés de glucose (aussi appelé dextrose).

Diabétiques présentant d'autres troubles médicaux: Si vous présentez un des troubles médicaux ci-dessous, vous ne devez pas prendre Prandase. Si vous souffrez d'un de ces troubles, informez-en votre médecin.
- inflammation ou ulcération intestinales (p. ex., colite ulcéreuse ou maladie de Crohn)
- occlusion intestinale partielle ou prédisposition à une telle occlusion
- maladie altérant la digestion ou l'absorption des aliments dans l'intestin
- maladie du rein ou hernie importante
- autres troubles médicaux

Ne prenez pas Prandase si vous avez déjà présenté une réaction allergique à un de ses ingrédients. Dans le doute, posez la question à votre médecin.

Les femmes enceintes ou qui allaitent ne doivent pas prendre Prandase. Les femmes qui prennent Prandase et qui croient être enceintes ou désirent le devenir doivent consulter leur médecin.

Quelles précautions dois-je prendre pour ranger les comprimés Prandase? Il est préférable de conserver les comprimés dans leur emballage d'origine. Les comprimés doivent être rangés dans un endroit sec, entre 15 °C et 25 °C.

Garder les comprimés hors de la portée des enfants.

Ne pas prendre les comprimés après la date de péremption.

Rappel: Le médecin vous a prescrit Prandase après un bilan minutieux de votre état de santé. Respectez son ordonnance et ne donnez de comprimés à personne. Si vous désirez de plus amples informations, consultez un professionnel de la santé.

□ PRAVACHOL® ℞

Squibb

Pravastatine sodique

Régulateur du métabolisme des lipides

Renseignements destinés aux patients: Le médecin et le pharmacien peuvent obtenir le guide thérapeutique complet sur demande.

Pravachol est le nom de marque déposée de la pravastatine sodique de Squibb Canada, division de Bristol-Myers Squibb Canada Inc.

Pravachol diminue les taux sanguins de cholestérol et particulièrement ceux du cholestérol lié aux lipoprotéines de basse densité (LDL). Pravachol réduit la production hépatique de cholestérol et produit certaines modifications dans le transport et la répartition du cholestérol dans le sang et les tissus.

Vous ne pouvez vous procurer Pravachol que sur ordonnance. Ce médicament est un adjuvant thérapeutique au régime alimentaire que votre médecin vous a recommandé et qu'il surveille attentivement, régime visant le traitement prolongé de l'hypercholestérolémie; il ne peut aucunement remplacer ce régime. Ce médicament peut aider à prévenir la cardiopathie si elle est causée par l'obstruction des vaisseaux sanguins par le cholestérol ou à ralentir l'évolution de l'athérosclérose (durcissement) des artères qui irriguent le cœur, c.-à-d. la coronaropathie. Par ailleurs, selon votre état, votre médecin peut vous recommander un programme approprié d'exercice et de perte de poids, ainsi que d'autres mesures.

Utilisez ce produit selon le mode d'emploi prescrit. Ne modifiez pas sa posologie, sauf sur recommandation du médecin. Consultez votre médecin avant d'interrompre la prise de ce médicament pour éviter le risque d'élévation des taux de lipides dans le sang.

Avant de prendre ce médicament, vous devez prévenir votre médecin si:

—vous avez déjà pris Pravachol ou un autre hypolipidémiant de la même classe et si l'agent a entraîné une allergie ou une intolérance;
—vous souffrez d'une maladie du foie;
—vous êtes enceinte, vous avez l'intention de le devenir, vous allaitez ou vous avez l'intention de le faire;
—vous prenez d'autres médicaments, particulièrement des corticostéroïdes, de la cyclosporine (Sandimmune), du gemfibrozil (Lopid) et des anticoagulants [p. ex. warfarine (Warfilone)], de l'érythromycine ou de la digoxine.

Pravachol (suite)

Usage approprié:
—Pravachol devrait être pris en 1 seule fois au coucher, comme votre médecin vous l'a prescrit.
—Votre médecin surveillera à des intervalles réguliers votre état clinique et les résultats des prises de sang et des examens oculaires périodiques. Il est important de vous soumettre à ces examens au moment prévu. Veuillez donc respecter vos rendez-vous.
—Évitez la consommation excessive d'alcool.
—Signalez à votre médecin toute maladie qui pourrait apparaître au cours de votre traitement par Pravachol ainsi que le nom de tous les médicaments de prescription ou en vente libre que vous prenez. Si vous avez besoin de consulter un autre médecin pour une quelconque raison, veuillez le prévenir que vous prenez Pravachol.
—Prévenez votre médecin si vous devez vous soumettre à une intervention chirurgicale importante ou si vous avez été victime d'un accident grave.
—Signalez à votre médecin toute douleur, sensibilité ou faiblesse musculaire qui pourrait se manifester au cours du traitement par Pravachol (voir Effets secondaires).
—L'innocuité de Pravachol chez les adolescents et les enfants n'a pas été établie.
—Pravachol est contre-indiqué pendant la grossesse étant donné que l'agent pourrait nuire au fœtus. Il ne sera administré aux femmes en âge de procréer que si l'éventualité d'une grossesse est très faible. Dans le cas où la grossesse survient pendant le traitement par Pravachol, il faut en interrompre l'administration et en avertir le médecin.

Effets secondaires: En dehors des effets visés, tous les médicaments peuvent avoir des effets secondaires indésirables.

Consultez votre médecin le plus rapidement possible si l'un des effets secondaires suivants se manifeste: douleurs musculaires, crampes musculaires, fatigue ou faiblesse, fièvre et vision trouble.

D'autres effets secondaires peuvent parfois se produire sans que cela impose l'arrêt du traitement. Ces effets peuvent apparaître et disparaître au cours du traitement sans qu'ils représentent un danger particulier. Cependant, vous devriez les mentionner au médecin sans trop de retard, s'ils deviennent persistants ou pénibles. Il s'agit de douleurs abdominales, constipation, diarrhée, nausées, céphalées, vertiges et éruptions cutanées.

Ce médicament vous a été expressément prescrit pour traiter votre affection et pour votre seul usage. N'en donnez pas à d'autres personnes.

Gardez tous les médicaments hors de la portée des enfants.

Si vous avez besoin de renseignements supplémentaires, adressez-vous à votre médecin ou pharmacien.

□ PREMARIN®, Comprimés

Wyeth-Ayerst

Œstrogènes conjugués

Hormones œstrogènes

Renseignements destinés aux patients: Premarin (œstrogènes conjugués) renferme un mélange d'œstrogènes de sources exclusivement naturelles. Ce feuillet vous indique quand et comment utiliser les œstrogènes et vous présente les risques associés au traitement. Veuillez le lire attentivement. **Si vous désirez des renseignements additionnels ou si vous avez des questions, veuillez consulter votre médecin ou votre pharmacien.**

Œstrogènes: Les œstrogènes sont utilisés pour le traitement de plusieurs troubles importants, mais leur emploi comporte certains risques. Vous devez discuter de ce sujet avec votre médecin et décider ensemble si l'utilisation des œstrogènes comporte pour vous plus d'avantages que de risques. Si vous décidez de prendre des œstrogènes, demandez à votre médecin s'il s'agit de la plus faible dose efficace. La durée du traitement aux œstrogènes dépend de la raison du traitement. Vous devriez également discuter de cet aspect avec votre médecin.

Utilisations des œstrogènes:

1. **Réduction des symptômes de la ménopause:** Les œstrogènes sont des hormones produites par les ovaires. La diminution de la production d'œstrogènes survient habituellement entre 45 et 55 ans chez les femmes et marque le début de la ménopause. Par ailleurs, lorsque les ovaires sont enlevés au cours d'une opération, il en résulte une ménopause chirurgicale. Quand la quantité d'œstrogènes produite commence à diminuer, certaines femmes ressentent des symptômes très incommodants tels que des sensations de chaleur au visage, au cou et à la poitrine, ou des épisodes soudains de chaleur et de transpiration intenses («bouffées de chaleur»).

   Chez certaines femmes, les symptômes sont légers mais, chez d'autres, ils peuvent être très marqués. Ils peuvent durer quelques mois seulement ou plus longtemps. Premarin peut soulager les symptômes de la ménopause. Si vous ne prenez pas Premarin pour d'autres raisons, pour la prévention de l'ostéoporose p. ex., continuez à en prendre seulement pendant la durée nécessaire au soulagement des symptômes de la ménopause.
2. **Prévention de l'ostéoporose (fragilité des os):** Certaines femmes de plus de 40 ans, et en particulier après la ménopause, sont atteintes d'ostéoporose. Cette maladie se caractérise par l'amincissement des os qui deviennent alors plus fragiles, d'où un risque plus élevé de fractures des vertèbres, des hanches et des poignets. Prendre des œstrogènes après la ménopause ralentit le processus de perte osseuse et peut contribuer à prévenir les fractures. La consommation d'aliments riches en calcium (tels les produits laitiers) ou la prise de suppléments de calcium (de 1 000 à 1 500 mg/jour) de même que la pratique de certains types d'activités physiques peuvent également contribuer à prévenir l'ostéoporose. Comme l'utilisation d'œstrogènes est associée à un certain risque, elle devrait être limitée, pour la prévention de l'ostéoporose, aux femmes qui semblent plus sujettes à cette maladie. Ces femmes présentent souvent les caractéristiques suivantes: race blanche ou asiatique, minceur, antécédents familiaux d'ostéoporose, manque d'activités physiques, consommation excessive de café, tabagisme, abus d'alcool, apport de calcium inférieur à la moyenne et ménopause précoce.

   Les femmes qui ont subi une ablation chirurgicale des ovaires alors qu'elles étaient relativement jeunes et qui, par conséquent, sont ménopausées sont de bonnes candidates pour un traitement de remplacement aux œstrogènes visant à prévenir l'ostéoporose.
3. **Traitement de certains types de saignements anormaux de l'utérus causés par un déséquilibre hormonal, lorsque le médecin n'a pas déterminé de cause grave à ces saignements.**
4. **Traitement de la vaginite atrophique (démangeaisons, sensation de brûlure, sécheresse autour ou à l'intérieur du vagin).**
5. **Traitement de l'atrophie de la vulve.**

Emploi des progestatifs: Les effets des progestatifs utilisés dans le traitement de remplacement hormonal sont semblables à ceux de la progestérone, une hormone sexuelle féminine. Pendant les années où une femme peut avoir des enfants, la progestérone est responsable de la régulation du cycle menstruel. Non seulement Premarin soulage-t-il les symptômes de la ménopause, mais, tout comme les œstrogènes fabriqués par votre corps, il peut stimuler la croissance de l'endomètre, cette membrane qui recouvre l'intérieur de l'utérus. Chez les femmes ménopausées et les femmes postménopausées qui ont encore leur utérus, la stimulation de la croissance de l'endomètre peut provoquer des saignements irréguliers. Dans certains cas, il peut en résulter un trouble appelé hyperplasie de l'endomètre (croissance exagérée de la membrane recouvrant l'intérieur de l'utérus). Le risque d'apparition de troubles de l'utérus causés par les œstrogènes peut être réduit si vous prenez régulièrement un progestatif, pendant un certain nombre de jours, en même temps que les œstrogènes.

Précautions: Bien que les œstrogènes procurent des avantages sur le plan de la santé, il convient de prendre certaines précautions avant de commencer à les utiliser et, dans certains cas, leur usage n'est pas approprié.

On a signalé que l'utilisation d'œstrogènes peut augmenter le risque de cancer de l'endomètre chez les femmes, après la ménopause. **L'emploi simultané d'œstrogènes et de progestatifs peut grandement réduire ce risque.** Si vous avez subi une hystérectomie (ablation chirurgicale de l'utérus), vous n'êtes donc pas exposée au risque de cancer de l'utérus et vous n'avez pas besoin de prendre de progestatifs.

La plupart des études n'ont pas révélé un risque plus élevé de cancer du sein chez les femmes qui ont déjà pris des œstrogènes. Cependant, d'après les résultats de certaines études épidémiologiques publiées, il y aurait un lien entre une légère augmentation du risque d'un cancer du sein et l'utilisation d'œstrogènes pendant plus de 10 ans pour le traitement hormonal de la ménopause. C'est pourquoi les femmes ayant des antécédents familiaux de cancer du sein, des nodules dans les seins, une maladie kystique des seins (bosses) ou présentant des résultats anormaux des mammographies devraient consulter un médecin avant de commencer un traitement hormonal de remplacement (œstrogènes). L'examen régulier des seins par un médecin et l'auto-examen des seins sont deux mesures recommandées à toutes les femmes.

On a signalé que les femmes prenant des œstrogènes par voie orale après la ménopause étaient plus susceptibles d'être atteintes d'une affection de la vésicule biliaire nécessitant un traitement chirurgical.

D'après les résultats de certaines études, des femmes recevant une œstrogénothérapie substitutive, seule ou en association avec des progestatifs, présenteraient un risque accru de thrombophlébite et/ou de maladie thromboembolique. Vous devriez aviser votre médecin si vous présentez l'un des symptômes suivants: modifications de la vision, sensation d'oppression dans la poitrine, essoufflement, douleur intense dans une jambe ou dans les deux, engourdissement touchant un côté ou une partie du corps et première migraine.

Restrictions quant à l'emploi: Les œstrogènes pouvant entraîner une aggravation des problèmes de santé dans certains cas particuliers, ils ne devraient pas être utilisés ou devraient l'être avec prudence dans ces cas.

Les œstrogènes ne devraient pas être utilisés durant la grossesse. Puisque vous pouvez devenir enceinte au début de la période de la préménopause, alors que vous avez encore des menstruations, vous devriez discuter avec votre médecin de l'utilisation d'une méthode contraceptive non hormonale durant cette période. Si vous prenez des œstrogènes sans savoir que vous êtes enceinte, il existe un faible risque que votre bébé présente des anomalies à la naissance.

Les œstrogènes ne devraient pas être utilisés pendant l'allaitement.

Vous ne devriez pas utiliser Premarin si vous avez présenté des réactions allergiques à l'un de ses ingrédients.

Avant de commencer à utiliser Premarin, veuillez aviser votre médecin si vous présentez l'un des problèmes de santé suivants, car alors vous ne devriez pas l'utiliser:

- Cancer du sein ou de l'utérus
- Saignements vaginaux inhabituels ou imprévus
- Accident vasculaire cérébral
- Maladie grave du foie
- Phlébite active

Afin d'aider votre médecin à déterminer si vous pouvez utiliser Premarin et les précautions à prendre durant son utilisation, veuillez discuter avec lui des sujets suivants:

- Prenez-vous d'autres médicaments, qu'ils soient prescrits ou vendus sans ordonnance? Certains médicaments nuisent à l'efficacité des œstrogènes.
- Avez-vous des allergies ou une hypersensibilité à des médicaments ou à d'autres substances?
- Avez-vous déjà présenté les problèmes de santé suivants?
  —Hypertension artérielle (pression sanguine élevée)
  —Maladie du cœur, des reins ou du foie
  —Asthme
  —Épilepsie ou autres troubles neurologiques
  —Diabète sucré
  —Dépression
  —Anomalies du sein ou de l'utérus, y compris le cancer
  —Maladie du sein, biopsie du sein
  —Fibromes de l'utérus
  —Phlébite (inflammation de varices)
  —Accident vasculaire cérébral, crise cardiaque ou caillot sanguin
  —Migraine
  —Niveaux élevés de triglycérides

Effets indésirables: Les effets suivants ont été signalés chez des femmes utilisant des œstrogènes (y compris des contraceptifs oraux contenant des œstrogènes). Si ces effets vous incommodent, parlez-en à votre médecin.

- Nausées
- Rétention d'eau
- Migraines
- Coloration foncée localisée de la peau
- Sensibilité des seins et sécrétions vaginales excessives (peuvent indiquer que la quantité d'œstrogènes que vous prenez est trop importante)
- Douleur abdominale haute persistante, nausées, vomissements, sensibilité de l'abdomen (peuvent être les signes d'une maladie de la vésicule biliaire)
- Ecchymoses («bleus») fréquentes, saignements du nez graves, menstruations très abondantes (possibilité de troubles de la coagulation du sang)
- Douleur abdominale basse ou gonflement abdominal, menstruations douloureuses et/ou abondantes (possibilité de fibromes de l'utérus)
- Coloration jaune de la peau ou du blanc des yeux (peuvent être des signes de jaunisse)
- Douleur abdominale haute ou gonflement abdominal (peuvent être des signes d'une tumeur du foie)

Consultez votre médecin dès que possible si vous présentez l'un des signes suivants:

- Saignements vaginaux irréguliers
- Sensibilité intolérable des seins
- Augmentation du volume des seins ou apparition de bosses
- Douleur ou sensation de lourdeur dans les jambes ou la poitrine
- Maux de tête graves
- Étourdissements
- Modifications de la vision
- Irritation de la peau grave ou persistante
- Rétention d'eau ou ballonnement pendant plus de 6 semaines
- Inflammation du pancréas

Consultez immédiatement votre médecin si vous présentez l'un des signes suivants:

- Essoufflement, difficulté à respirer
- Sensation d'oppression dans la poitrine
- Douleur intense dans une jambe ou dans les deux, ou engourdissement important touchant un côté ou une partie du corps
- Modifications soudaines de la vision
- Première migraine
- Tout symptôme inhabituel

Présentation: Voici diverses présentations des comprimés Premarin à prendre par voie orale: 0,3 mg (vert), 0,625 mg (marron), 0,9 mg (rose), 1,25 mg (jaune).

☐ PREVACID® Ⓟ

Abbott

Lansoprazole

Inhibiteur de l'H⁺, K⁺-ATPase

Renseignements destinés aux patients: Prendre les capsules de Prevacid (lansoprazole) à libération prolongée avant le petit déjeuner. Ne pas ouvrir, croquer ni écraser les capsules de Prevacid. Avaler les capsules entières avec suffisamment d'eau avant le petit déjeuner.

Infection à H. pylori: Éradication et observance: Afin d'assurer la réussite de votre traitement, vous devez, quand vous recevez une trithérapie ou une bithérapie visant l'éradication de H. pylori bien prendre tous vos médicaments pendant toute la durée du traitement. Prenez les doses quotidiennes avant les repas.

Si vous ne pouvez pas, pour une raison ou pour une autre, poursuivre votre traitement jusqu'à la fin, consultez votre médecin.

☐ PRINIVIL® Ⓟ

MSD

Lisinopril

Inhibiteur de l'enzyme de conversion de l'angiotensine

Renseignements destinés aux patients: Prinivil est la marque déposée de Merck Frosst Canada Inc. pour la substance appelée lisinopril. Ce médicament est délivré **sur ordonnance seulement.** Le lisinopril fait partie de la classe de médicaments connus sous le nom d'inhibiteurs de l'enzyme de conversion de l'angiotensine (ECA), généralement prescrits pour réduire une **tension artérielle élevée.**

Lorsque la tension artérielle est élevée, le travail du cœur et des artères augmente, de sorte qu'avec le temps, le fonctionnement de ces organes se trouve altéré. En conséquence, ce mauvais fonctionnement peut entraîner une détérioration des organes vitaux tels que le cerveau, le cœur et les reins, pouvant mener à un accident cérébrovasculaire, une insuffisance cardiaque, une crise cardiaque, une maladie vasculaire ou une maladie rénale.

Prinivil peut être utilisé également pour le traitement de **l'insuffisance cardiaque**, une affection dans laquelle le cœur se trouve dans l'incapacité de pomper la quantité de sang nécessaire aux besoins de l'organisme.

Important—Ce médicament est prescrit pour le traitement d'un problème de santé particulier et pour votre usage personnel seulement. **Ne pas le donner à d'autres personnes ni l'utiliser pour traiter d'autres affections.**

Prinivil (suite)

Ne plus utiliser un médicament après la date d'expiration indiquée sur l'emballage.

Garder tous les médicaments hors de la portée des enfants.

Lire les informations suivantes avec attention. **Si vous désirez des explications ou de plus amples renseignements, vous pouvez vous adresser à votre médecin ou à votre pharmacien.**

Ce qu'il faut savoir avant de prendre ce médicament: Il est possible que ce médicament ne convienne pas à certaines personnes. Si vous croyez que **l'une** des situations suivantes s'applique à votre cas, faites-le savoir à votre médecin:

- Vous avez déjà pris du lisinopril ou un autre médicament de la même classe—les inhibiteurs de l'enzyme de conversion de l'angiotensine (ECA)—dont les noms se terminent généralement par «pril» comme le lisinopril, l'énalapril, le captopril, etc., et vous avez manifesté une allergie à l'un des composants du médicament ou subi des réactions défavorables se manifestant en particulier par un gonflement du visage, des lèvres, de la langue ou de la gorge, ou une difficulté soudaine à respirer ou à avaler.
- **Vous êtes enceinte ou vous avez l'intention de le devenir.** Ce médicament **ne doit pas être pris durant la grossesse**, car il peut comporter des risques pour le fœtus.
- Vous allaitez ou vous avez l'intention de le faire.
- Vous êtes atteint de l'une des maladies suivantes:

—diabète,
—maladie cardiaque ou vasculaire,
—maladie du foie,
—maladie des reins.

Votre médecin doit également savoir si vous prenez d'autres médicaments, que ce soit un médicament délivré sur ordonnance ou obtenu en vente libre. Il est très important de l'informer de la prise des médicaments suivants:

- des diurétiques ou médicaments qui «éliminent l'eau»; tout autre médicament qui réduit la tension artérielle; des médicaments qui contiennent du potassium, des suppléments potassiques ou des succédanés du sel qui contiennent du potassium.

Vous devez aussi aviser votre médecin si vous avez des vomissements ou une diarrhée importante.

Ce médicament n'est pas recommandé chez les enfants.

Mode d'emploi du médicament:

- Suivez rigoureusement les directives de votre médecin.
- L'absorption de ce médicament n'est pas influencée par les aliments; il peut donc être pris avant, pendant ou après les repas.
- Faites en sorte de prendre ce médicament tous les jours à la même heure; c'est un bon moyen pour ne pas l'oublier.
- Si vous oubliez une dose de Prinivil, prenez-la dès que vous vous apercevez de votre oubli, à condition que le laps de temps écoulé ne dépasse pas 6 heures. Revenez ensuite à votre horaire habituel. **Ne prenez jamais deux doses de médicament à la fois.**
- En cas de surdosage, communiquez immédiatement avec votre médecin pour obtenir rapidement des soins médicaux. Les symptômes les plus probables seraient une sensation de tête légère ou des étourdissements dus à une baisse brusque ou excessive de la tension artérielle.
- Conservez les comprimés à la température de 15 à 30 °C, dans un flacon hermétiquement clos, à l'abri de la chaleur et de la lumière, et en évitant les endroits humides comme la salle de bain ou la cuisine.
- Si le médecin vous a recommandé un régime alimentaire précis—par exemple réduire votre consommation de sel—suivez rigoureusement ses directives. Votre médecin peut également vous demander de perdre du poids; suivez ses recommandations.
- Ce médicament ne guérit pas l'hypertension, ni l'insuffisance cardiaque, **mais il aide à maîtriser ces affections.** Il est donc important de continuer à prendre régulièrement vos comprimés. Il est possible que vous ayez à suivre un traitement contre l'hypertension toute votre vie.
- Allez régulièrement à vos rendez-vous chez le médecin, même si vous vous sentez bien. En effet, il se peut que vous ne ressentiez aucun symptôme d'hypertension artérielle car ceux-ci ne sont pas toujours évidents, mais votre médecin peut mesurer facilement votre tension artérielle et vérifier si le médicament agit efficacement.
- **Ne prenez pas d'autres médicaments,** à moins que vous en ayez discuté avec votre médecin. Certains médicaments tendent à augmenter votre tension artérielle, par exemple les produits vendus sans ordonnance pour diminuer l'appétit ou pour maîtriser l'asthme, les rhumes, la toux, le rhume des foins et la sinusite. D'autres médicaments peuvent également exercer une interaction défavorable avec Prinivil.
- Si vous devez subir une intervention chirurgicale dentaire ou autre, informez le dentiste ou le médecin traitant que vous prenez ce médicament.

Réactions défavorables au médicament—ce qu'il convient de faire: En plus de l'effet escompté, tout médicament, y compris le lisinopril, peut provoquer des réactions défavorables. La plupart des personnes ne ressentent aucun effet indésirable à la prise de ce médicament; toutefois, consultez votre médecin dès que vous notez l'une des réactions suivantes:

- difficulté soudaine à respirer ou à avaler;
- gonflement du visage, des yeux, des lèvres, de la langue, de la gorge, ou des deux à la fois, des mains ou des pieds;
- étourdissement, sensation de tête légère ou évanouissement après l'exercice, ou si vous avez perdu beaucoup d'eau à la suite d'une transpiration abondante due à la chaleur;
- symptômes de grippe tels que fièvre, malaise, douleur musculaire, éruption cutanée, démangeaisons, douleur abdominale, nausées, vomissements, diarrhée, jaunisse, perte d'appétit.

Cessez la prise du médicament et communiquez immédiatement avec votre médecin ou votre pharmacien. Ces réactions doivent être traitées sans tarder. Si elles s'aggravent, vous devez obtenir les soins médicaux qui s'imposent.

- La dose initiale peut entraîner une chute de la tension artérielle plus importante que la baisse qui se produit lors d'un traitement continu. Cette réaction peut se manifester par des malaises ou des étourdissements qui vous obligeront peut-être à vous allonger. Si ces manifestations vous préoccupent, consultez votre médecin.
- Si une perte de connaissance se produit, **cessez** la prise du médicament.
- Si vous vous sentez étourdi, **évitez** de conduire ou de participer à des activités nécessitant de la vigilance.
- **Redoublez de prudence** durant l'exercice ou par temps très chaud.
- Si vous avez une toux sèche ou des maux de gorge.
- Si vous éprouvez une faiblesse ou une fatigue inhabituelle, ou les deux à la fois.
- Si vous avez des maux de tête.
- Si l'émission d'urine diminue ou cesse complètement.

Si vous notez l'une des manifestations ci-dessus ou d'autres réactions défavorables, communiquez avec votre médecin ou votre pharmacien. Si la réaction persiste ou s'aggrave, vous devez obtenir les soins médicaux qui s'imposent.

Ingrédients: Principe actif: Le comprimé Prinivil renferme du lisinopril. Il est présenté en trois teneurs; 5 mg (blanc), 10 mg (jaune) et 20 mg (pêche).

Ingrédients non médicinaux: phosphate de calcium, amidon de maïs, stéarate de magnésium et mannitol. Les comprimés à 10 mg et à 20 mg renferment également de l'oxyde de fer.

□ PRINZIDE® Ⓟ

MSD

Lisinopril—Hydrochlorothiazide

Inhibiteur de l'enzyme de conversion de l'angiotensine—Diurétique

Renseignements destinés aux patients: Prinzide est la marque déposée de Merck Frosst Canada Inc. pour l'association des substances appelées lisinopril et hydrochlorothiazide. Le lisinopril fait partie de la classe de médicaments connus sous le nom d'inhibiteurs de l'enzyme de conversion de l'angiotensine, et l'hydrochlorothiazide est un diurétique thiazidique, un médicament qui ''élimine l'eau''. Cette association médicamenteuse est délivrée **sur ordonnance médicale seulement.** Elle est généralement prescrite pour réduire une **tension artérielle élevée.**

Lorsque la tension artérielle est élevée, le travail du cœur et des artères augmente, de sorte qu'avec le temps, le fonctionnement de ces organes peut se trouver altéré. En conséquence, ce mauvais fonctionnement peut entraîner une détérioration des organes vitaux tels que le cerveau, le cœur et les reins, pouvant mener à un accident cérébrovasculaire, une insuffisance cardiaque, une crise cardiaque, une maladie vasculaire ou une maladie rénale.

Important: Ce médicament est prescrit pour le traitement d'un problème de santé particulier et pour votre usage personnel seulement. **Ne pas le donner à d'autres personnes ni l'utiliser pour traiter d'autres affections.**

Ne plus utiliser un médicament après la date d'expiration indiquée sur l'emballage.

Garder tous les médicaments hors de la portée des enfants.

Lire les informations suivantes avec attention. **Si vous désirez des explications ou de plus amples renseignements, vous pouvez vous adresser à votre médecin ou à votre pharmacien.**

Ce qu'il faut savoir avant de prendre ce médicament: Il est possible que ce médicament ne convienne pas à certaines personnes. Si vous croyez que l'une des situations suivantes s'applique à votre cas, faites-le savoir à votre médecin:

- Vous avez déjà pris **l'un ou l'autre** des médicaments suivants et vous avez manifesté une allergie ou subi des réactions défavorables: hydrochlorothiazide ou tout diurétique ou médicament qui "élimine l'eau"; sulfamides; lisinopril ou tout autre médicament de la même classe—les inhibiteurs de l'enzyme de conversion de l'angiotensine (ECA)—dont les noms se terminent généralement par "pril" comme le lisinopril, l'énalapril, le captopril, etc., en particulier si ces réactions se sont manifestées par un gonflement du visage, des lèvres, de la langue ou de la gorge, ou une difficulté soudaine à respirer ou à avaler.
- **Vous êtes enceinte ou vous avez l'intention de le devenir.** Ce médicament **ne doit pas être pris durant la grossesse,** car il peut comporter des risques pour le fœtus.
- Vous allaitez ou vous avez l'intention de le faire.
- Vous êtes atteint de l'une des maladies suivantes:
  —diabète
  —maladie cardiaque ou vasculaire
  —maladie du foie
  —maladie des reins ou difficulté à uriner
  —asthme bronchique
  —lupus érythémateux ou des antécédents de cette maladie
  —goutte ou des antécédents de goutte

Votre médecin doit également savoir si vous prenez d'autres médicaments, que ce soit un médicament délivré sur ordonnance ou obtenu en vente libre. Il est très important de l'informer de la prise des médicaments suivants:

- des diurétiques ou des médicaments qui "éliminent l'eau"; tout autre médicament qui réduit la tension artérielle; des médicaments qui contiennent du potassium, des suppléments potassiques ou des succédanés du sel qui contiennent du potassium; de l'insuline pour le traitement du diabète; du lithium (un médicament qui traite un certain type de dépression) ou des anti-inflammatoires pour le traitement de l'arthrite.

Vous devez aussi aviser votre médecin si vous avez des vomissements ou une diarrhée importante.

Ce médicament n'est pas recommandé chez les enfants.

Mode d'emploi du médicament:

- Suivez rigoureusement les directives de votre médecin.
- L'absorption de ce médicament n'est pas influencée par les aliments; il peut donc être pris avant, pendant ou après les repas.
- Faites en sorte de prendre ce médicament tous les jours à la même heure; c'est un bon moyen pour ne pas l'oublier.
- Si vous oubliez une dose de ce médicament, prenez-la dès que vous vous apercevez de votre oubli, à condition que le laps de temps écoulé ne dépasse pas 6 heures. Revenez ensuite à votre horaire habituel. **Ne prenez jamais 2 doses de médicament à la fois.**
- En cas de surdosage, communiquez immédiatement avec votre médecin pour obtenir rapidement des soins médicaux. Les symptômes les plus probables seraient une sensation de tête légère ou des étourdissements dus à une baisse brusque ou excessive de la tension artérielle.
- Si votre médecin vous a recommandé un régime alimentaire précis, par exemple réduire votre consommation de sel, suivez rigoureusement ses directives. Ces mesures peuvent aider le médicament à baisser votre tension artérielle. Votre médecin peut également vous demander de perdre du poids; suivez ses recommandations.
- Ce médicament ne guérit pas l'hypertension, **mais il aide à la maîtriser.** Il est donc important de continuer à prendre régulièrement vos comprimés afin d'empêcher votre tension artérielle d'augmenter. Il est possible que vous ayez à suivre un traitement contre l'hypertension toute votre vie.
- Allez régulièrement à vos rendez-vous chez le médecin, même si vous vous sentez bien. En effet, il se peut que vous ne ressentiez aucun symptôme d'hypertension artérielle car ceux-ci ne sont pas toujours évidents, mais votre médecin peut mesurer facilement votre tension artérielle et vérifier si le médicament agit efficacement.
- **Ne prenez pas d'autres médicaments,** à moins que vous en ayez discuté avec votre médecin. Certains médicaments tendent à augmenter votre tension artérielle, par exemple les produits vendus sans ordonnance pour diminuer l'appétit ou pour maîtriser l'asthme, les rhumes, la toux, le rhume des foins et la sinusite.
- Si vous devez subir une intervention chirurgicale dentaire ou autre, informez le dentiste ou le médecin traitant que vous prenez ce médicament.
- Conservez les comprimés à une température de 15 °C à 30 °C, dans un flacon hermétiquement clos, à l'abri de la chaleur et de la lumière, et en évitant les endroits humides comme la salle de bain ou la cuisine.

Réactions défavorables au médicament—ce qu'il convient de faire: En plus de l'effet escompté, tout médicament, y compris l'association de lisinopril et d'hydrochlorothiazide, peut provoquer des réactions défavorables. La plupart des personnes ne ressentent aucun effet indésirable à la prise de ce médicament; toutefois, consultez votre médecin dès que vous notez l'une des réactions suivantes:

- difficulté soudaine à respirer ou à avaler;
- gonflement du visage, des yeux, des lèvres, de la langue, de la gorge ou des deux à la fois, des mains ou des pieds;
- étourdissements, sensation de tête légère ou évanouissement après l'exercice, ou si vous avez perdu beaucoup d'eau à la suite d'une transpiration abondante due à la chaleur;
- symptômes de grippe tels que fièvre, malaise, douleur musculaire, éruption cutanée, démangeaisons, douleur abdominale, nausées, vomissements, diarrhée, jaunisse et perte d'appétit.

Cessez la prise du médicament et communiquez avec votre médecin ou votre pharmacien au cas où il serait nécessaire de prendre des mesures immédiates. Si ces réactions s'aggravent, vous devez obtenir les soins médicaux qui s'imposent.

Si une perte de connaissance se produit, cessez la prise du médicament. Si vous vous sentez étourdi, évitez de conduire ou de participer à des activités nécessitant de la vigilance. Redoublez de prudence durant l'exercice ou par temps chaud.

Il se peut que votre peau devienne plus sensible au soleil. Évitez de vous exposer trop longtemps au soleil et n'utilisez pas de lampe solaire.

- Toux sèche, mal de gorge
- Faiblesse ou fatigue inhabituelle, ou les deux
- Douleur thoracique
- Impuissance
- Maux de tête
- Palpitations
- Picotements de la peau
- Diminution ou interruption complète de l'émission d'urine

Si vous notez l'une des manifestations ci-dessus ou d'autres réactions défavorables, communiquez avec votre médecin ou votre pharmacien. Si la réaction persiste ou s'aggrave, vous devez obtenir les soins médicaux qui s'imposent.

Ingrédients: Ingrédients actifs: Le comprimé Prinzide 10/12,5 est bleu et renferme 10 mg de lisinopril et 12,5 mg d'hydrochlorothiazide. Le comprimé Prinzide 20/12,5 est jaune et renferme 20 mg de lisinopril et 12,5 mg d'hydrochlorothiazide. Le comprimé Prinzide 20/25 est orange et renferme 20 mg de lisinopril et 25 mg d'hydrochlorothiazide.

Ingrédients non médicinaux: amidon de maïs, mannitol, phosphate de calcium et stéarate de magnésium. Les comprimés Prinzide à 10 mg/12,5 mg contiennent de l'indigotine combinée à de l'alumine. Les comprimés Prinzide à 20 mg/12,5 mg et à 20 mg/25 mg renferment de l'oxyde de fer.

□ PROBETA® 🅿

Allergan

Chlorhydrate de lévobunolol—Chlorhydrate de dipivéfrine

Thérapie pour le glaucome

Renseignements destinés aux patients: Un simple rappel: Vous pouvez contribuer à préserver votre vision en employant votre médicament pour le glaucome, exactement comme l'a prescrit votre médecin. Néanmoins, il est quelquefois difficile de se rappeler le moment de la

Probeta (suite)

médication. C'est pourquoi cette prescription vous a été remise. Ce flacon muni d'un bouchon spécial, appelé C Cap, a été conçu pour vous rappeler combien de fois dans la journée vous avez à utiliser votre médicament. Il existe différentes versions du C Cap pour les divers produits d'Allergan utilisés dans le traitement du glaucome. Votre médecin a prescrit celle qui correspond à la fréquence quotidienne d'utilisation de votre médicament.

Mode d'emploi du C Cap:

1. La première fois que vous prendrez votre médicament, et par la suite, à tous les matins, vérifiez si le numéro «1» apparaît dans le carreau du bouchon désigné à cet effet. Si un autre numéro est inscrit, tournez le bouchon dans le sens des aiguilles d'une montre jusqu'à ce que vous obteniez la position adéquate. Vous noterez un déclic en tournant le bouchon.
2. Retirez le bouchon et appliquez vos gouttes, tel que prescrit.
3. Refermez en tournant le bouchon dans le sens des aiguilles d'une montre. Continuez à visser lentement jusqu'à ce qu'un déclic se fasse entendre. Le numéro «2» apparaîtra dans le carreau. Ceci signifie: Si vous avez à administrer vos gouttes plus d'une fois par jour, le numéro «2» vous rappellera que la prochaine dose sera la deuxième de la journée.
4. Au moment de votre prochaine application, dévisser le bouchon et appliquez vos gouttes.
5. Replacer le bouchon et vissez jusqu'à ce que le déclic soit entendu.

Application: Si vous oubliez d'appliquer vos gouttes au moment où vous le faites habituellement, faites-le simplement au moment où vous y pensez. **N'essayez pas de rattraper les doses oubliées. Ne jamais administrer plus d'une dose à la fois.**

Rappel: Après chaque utilisation, vous devez replacer le bouchon en tournant dans le sens des aiguilles d'une montre, jusqu'à ce qu'un déclic se fasse entendre.

☐ PROCAN^MD SR

Parke-Davis

Chlorhydrate de procaïnamide

Antiarythmique

Renseignements destinés aux patients: Les médecins doivent donner à leurs patients qui prennent Procan SR les instructions et les renseignements suivants:

1. Ne pas écraser ni croquer ces comprimés. Les avaler en entier.
2. Prendre ce médicament en suivant rigoureusement les indications de son médecin. Ne pas cesser de prendre le médicament sans consulter au préalable son médecin.
3. Si l'on oublie une prise du médicament à l'heure dite et que l'on s'en rend compte dans l'heure qui suit, le prendre dès que possible. Recommencer ensuite à suivre l'horaire régulier. Ne pas prendre une double dose. Pour toute question à ce sujet, consulter son médecin.
4. Signaler à son médecin tout symptôme grippal tel que des malaises et des courbatures, des maux de bouche, de gencives ou de gorge, toute fièvre inexpliquée, une éruption cutanée, des saignements ou des ecchymoses inhabituels, Lui signaler également tout symptôme apparenté à l'arthrite ou à ceux d'une d'infection des voies respiratoires supérieures.
5. Ne pas s'inquiéter si l'on remarque parfois dans ses selles quelque chose qui ressemble à un comprimé. Dans un comprimé Procan SR, le médicament est contenu dans une matrice de cire conçu spécialement pour libérer le médicament lentement au fur et à mesure de son absorption par l'organisme. Une fois vide, la matrice de cire qui n'est pas absorbable se retrouve presque inchangée dans les selles.
6. Conserver le flacon hermétiquement fermé dans un endroit frais et sec.

☐ PROGRAF®

Fujisawa

Tacrolimus

Immunosuppresseur

Renseignements destinés aux patients: Votre médecin vous a prescrit un traitement avec Prograf sous forme de capsules. Comme vous le savez, vous devez prendre, chaque jour, une médication spéciale qui contribue à maintenir la santé et le bon fonctionnement de l'organe transplanté que vous avez reçu. Prograf est un médicament destiné à aider votre organisme à accepter votre nouvel organe.

Il est très important que vous lisiez attentivement les renseignements suivants. Votre médecin, infirmière ou pharmacien vous ont sans doute déjà parlé de Prograf. Le présent feuillet d'information vise à répondre à certaines questions que vous pourriez avoir au sujet de votre nouveau médicament. L'efficacité du traitement avec ce médicament dépend de la fidélité avec laquelle vous suivez les instructions de votre médecin. Au fur et à mesure que vous parcourez ce dépliant d'information, prenez note de toute question que vous pourriez avoir. Ensuite, parlez-en à votre médecin, infirmière ou pharmacien. L'information contenue dans ce feuillet n'est cependant pas destinée à remplacer les conseils de votre médecin ou pharmacien.

Pendant votre traitement avec Prograf, **vous devez éviter de devenir enceinte** car on ignore les effets qu'il peut avoir sur votre grossesse et sur le fœtus. De même, il n'est pas recommandé d'allaiter pendant votre traitement avec Prograf. Si vous devenez enceinte ou si vous engendrez un enfant pendant que vous prenez Prograf, il est important d'en aviser sans tarder votre médecin.

Qu'est-ce que Prograf? Prograf est la marque de commerce du tacrolimus. Vous l'avez peut-être connu sous le nom de FK506. Prograf est un immunosuppresseur qui s'emploie simultanément avec un corticostéroïde pour prévenir ou traiter le rejet de l'organe transplanté que vous avez reçu.

De quelle façon Prograf agit-il? Le système immunitaire de l'organisme est un système de défense. L'immunité est la façon dont l'organisme se protège contre les infections et d'autres matières étrangères. Après une transplantation d'organe, le système immunitaire perçoit le nouvel organe comme un corps étranger, et ainsi, tente de le rejeter. Prograf est un médicament antirejet qui favorise l'acceptation de l'organe ou des organes transplantés par l'organisme.

Que devrais-je signaler à mon médecin avant de prendre Prograf? Avant de commencer un traitement avec Prograf, assurez-vous d'avoir informé votre médecin de tout ce qui suit:

- vous avez déjà éprouvé des réactions indésirables, inhabituelles ou allergiques après avoir reçu Prograf, du FK506 ou du tacrolimus;
- vous êtes enceinte ou vous projetez de le devenir, ou encore, vous allaitez présentement;
- vous lui avez bien mentionné tous les autres médicaments ou traitements que vous prenez, y compris tous les médicaments achetés en vente libre et tous les remèdes maison ou de plantes médicinales;
- vous lui avez signalé tous vos problèmes de santé actuels et passés.

Quelle apparence Prograf a-t-il? Prograf est offert sous forme de capsules à 1 milligramme et de capsules à 5 milligrammes. Les capsules à 1 milligramme, de couleur blanche et de forme oblongue, portent l'inscription «1 mg» sur le dessus. Les capsules à 5 milligrammes, de couleur rouge grisâtre et de forme oblongue, portent l'inscription «5 mg» sur le dessus.

Quelle quantité de Prograf devrais-je prendre? Votre médecin vous donnera des instructions précises sur la quantité ou la dose de Prograf que vous devrez prendre tous les jours. Votre médecin établira la dose que vous devrez prendre en fonction de votre état de santé et de votre réponse au médicament. **On ne saurait trop insister sur l'importance de prendre la dose exacte de Prograf que votre médecin a prescrit.** Les analyses de sang sont l'une des façons qui permet à votre médecin de déterminer la dose de Prograf dont vous avez besoin. D'après ces analyses et selon votre réponse au médicament Prograf, il se peut que votre médecin modifie de temps à autre la dose de votre traitement. **Surtout, ne modifiez pas votre dose sans en parler d'abord à votre médecin.**

Y a-t-il des considérations particulières pour les femmes? Prograf peut causer des anomalies fœtales ainsi que des malformations congénitales. C'est la raison pour laquelle on recommande de ne pas prendre Prograf si vous êtes enceinte ou si vous projetez de le devenir. Vous devez utiliser une méthode de contraception fiable avant et durant votre traitement avec Prograf, de même que pendant une période de 6 semaines suivant l'arrêt de votre traitement. **Si vous devenez enceinte pendant votre traitement avec Prograf, vous devez en informer sur-le-champ votre médecin.** Cependant ne cessez jamais votre traitement avec Prograf sans en parler d'abord avec votre médecin.

Quand et comment dois-je prendre Prograf? Votre médecin vous indiquera quand prendre Prograf et combien de fois par jour.

- Essayez de prendre chacune des doses au même moment de la journée, tous les jours. Vous contribuerez ainsi à maintenir la même quantité de Prograf dans votre organisme qui permet de protéger l'organe transplanté que vous avez reçu.
- Espacez également les doses de Prograf prises au cours de la journée. Par exemple, si vous prenez Prograf 2 fois/jour, veillez à prendre les doses à 12 heures d'intervalle. Demandez à l'infirmière ou au pharmacien d'établir l'horaire de prises qui convient le mieux à votre style de vie.
- La prise de Prograf peut s'accompagner ou non d'un aliment, mais il convient de le prendre toujours de la même façon. Si vous décidez de le prendre avec de la nourriture, prenez chaque dose ainsi.
- Avalez la capsule tout entière. Il ne faut pas couper les capsules Prograf en deux, ni les écraser ou les mâcher.

Que faire si j'oublie une dose de Prograf? L'omission de quelques doses seulement de Prograf suffit pour que votre organisme se mette à rejeter votre nouvel organe. Voilà pourquoi il est très important de prendre chaque dose selon les directives de votre médecin. En cas de difficulté à vous rappeler les doses à prendre ou d'incertitude quant à la façon de les prendre, parlez-en à votre médecin, infirmière ou pharmacien et faites-lui part de toutes les inquiétudes que vous pouvez avoir concernant la prise de Prograf comme prescrit.

En cas d'omission d'une dose de Prograf, n'essayez pas de vous rattraper; plutôt, demandez immédiatement l'avis de votre médecin ou pharmacien. Nous vous recommandons vivement de discuter de cette éventualité avec votre médecin qui pourra établir au préalable les mesures à suivre dans pareil cas.

N'épuisez jamais votre réserve de Prograf entre les renouvellements d'ordonnance et veillez à toujours en avoir une quantité suffisante sous la main lors de tout séjour prolongé à l'extérieur de votre domicile.

Que devrais-je faire ou éviter de faire durant le traitement avec Prograf?

- Il arrive souvent que Prograf doive être pris avec d'autres médicaments. Assurez-vous qu'on vous informe si vous devez cesser ou continuer votre traitement avec le ou les autres médicaments immunosuppresseurs que vous prenez.
- Veillez à respecter tous vos rendez-vous à la clinique où vous avez votre transplantation. Cela est très important pour assurer que vous tiriez le maximum de bienfaits de vos médicaments.
- On ignore quel effet Prograf a sur l'efficacité des vaccinations ou sur les risques auxquels vous pourriez vous exposer en recevant un vaccin atténué vivant. Parlez-en à votre médecin avant de vous prêter à toute vaccination ou immunisation.
- Assurez-vous que vous prenez la bonne dose de Prograf que vous a prescrite votre médecin.
- Informez tous les professionnels de la santé que vous consultez du fait que vous prenez Prograf. Nous recommandons aussi le port d'un bracelet d'alerte médicale («Medic Alert»).
- Ne prenez pas Prograf conjointement avec un pamplemousse ou du jus de pamplemousse.

Quels sont les effets secondaires de Prograf? Comme tous les autres médicaments, Prograf peut causer des effets secondaires chez certaines personnes. Au moindre soupçon d'effets secondaires, consultez immédiatement votre médecin. **Ne cessez pas de prendre Prograf sans en parler à votre médecin.**

- Étant donné que Prograf diminue la fonction de votre système immunitaire, il se peut que vous soyez davantage susceptible aux infections. Consultez immédiatement votre médecin au moindre symptôme de rhume ou de grippe (tels que fièvre ou mal de gorge), de plaies dans la bouche ou de brûlure lorsque vous urinez.
- Consultez immédiatement votre médecin si vous remarquez l'un des symptômes qui suivent, surtout s'ils persistent, vous gênent de quelque façon que ce soit ou semblent s'aggraver: diarrhée, nausées, constipation, vomissements, perte de l'appétit, maux d'estomac; maux de tête, tremblements, convulsions, épuisement ou fatigue, troubles du sommeil, cauchemars; infections des voies urinaires, élévation du potassium sanguin; diminution ou augmentation du volume des urines, troubles des reins ou du foie; diabète/augmentation de la glycémie (taux de sucre sanguin); gonflement ou sensations de picotement dans les mains ou les pieds; dysfonction cardiaque, anomalie du rythme cardiaque, douleur thoracique, hypertension; fièvre, lombalgie; sautes d'humeur ou troubles de l'émotivité; respiration difficile.
- Les immunosuppresseurs, y compris Prograf, peuvent également accroître votre prédisposition à certains types de cancer. Les symptômes qui suivent sont des signes d'avertissement possibles de cancer que vous devez signaler à votre médecin sans tarder:
  —toute plaie qui ne guérit pas;
  —tout saignement ou écoulement inhabituel;
  —l'apparition de bosses ou de zones d'épaississement dans vos seins ou ailleurs sur votre corps;
  —des maux d'estomac inexpliqués ou tout trouble de déglutition (lorsque vous avalez);
  —tout changement visible de l'aspect d'une verrue ou d'un grain de beauté:
  —une toux ou un enrouement rebelles;
  —des sueurs nocturnes;
  —de graves et persistants maux de tête;
  —une enflure (tuméfaction) des ganglions lymphatiques;
  —un changement dans vos habitudes d'évacuation intestinales ou urinaires.

Il est important de faire part régulièrement à votre médecin de votre état de santé et de lui signaler l'apparition de tout nouveau symptôme durant le traitement avec Prograf.

De quelle manière dois-je ranger ou conserver Prograf?

- Gardez Prograf en lieu sûr, hors de la portée des enfants. Prograf peut causer un tort sérieux à l'enfant qui le prendrait accidentellement. Tous les médicaments devraient être gardés sous clef dans un tiroir ou une armoire, partout où des enfants risquent de les prendre accidentellement. En cas de prise accidentelle ou par inadvertance de Prograf, communiquez sur-le-champ avec un médecin.
- Prograf doit toujours être conservé à la température de la pièce (entre 15 et 30 °C), et ce, dans le contenant ou l'emballage dans lequel votre pharmacien vous l'a remis.

Quels autres médicaments puis-je prendre avec Prograf? Signalez à votre médecin, dentiste, infirmière et pharmacien tous les médicaments que vous prenez. Certains autres médicaments peuvent nuire à l'efficacité de Prograf, il est donc important que votre médecin et votre pharmacien sachent quels médicaments vous prenez. Ne prenez aucun autre médicament sans en parler d'abord avec votre médecin. Cela comprend tous les médicaments en vente libre ainsi que tous les remèdes maison et de plantes médicinales.

À qui dois-je m'adresser pour toute question au sujet de Prograf? Pour toute autre question ou explication au sujet de votre traitement, adressez-vous à votre médecin, infirmière, pharmacien ou à un membre de l'équipe médicale de l'établissement où vous avez reçu votre transplantation. Ces personnes constituent la meilleure source de conseils et d'information concernant votre cas.

☐ PROMETRIUM[MD] Ⓟ

Schering

Progestérone

Progestatif

Renseignements destinés aux patients: Veuillez lire ce feuillet attentivement avant de commencer à utiliser Prometrium. Consultez votre médecin ou votre pharmacien si vous avez des questions ou des préoccupations au sujet de ce produit.

Que contient Prometrium? Ingrédient actif: progestérone à 100 mg par capsule. Autres substances: huile d'arachide, gélatine, glycérine et lécithine. Le colorant est le dioxyde de titane.

Renseignements généraux sur Prometrium et sur son mode d'action: L'ingrédient actif contenu dans les capsules Prometrium est la progestérone, une hormone féminine naturelle. Chez les femmes en santé et en âge de procréer, la progestérone est sécrétée tous les mois par les ovaires pendant la deuxième partie du cycle menstruel. La progestérone joue un rôle dans l'élimination de la couche superficielle de la muqueuse de l'utérus (endomètre), qui se produit tous les mois et du saignement menstruel qu'elle entraîne.

La progestérone exerce une action importante sur la couche superficielle de la muqueuse utérine et elle est associée à l'œstrogénothérapie pendant et après la ménopause dans le but de protéger votre utérus contre toute prolifération exagérée de l'endomètre, un phénomène attribuable aux œstrogènes.

Quand et comment prendre Prometrium: Vous devez prendre Prometrium en respectant les directives de votre médecin ou de votre pharmacien.

Prometrium (suite)

Hormonothérapie substitutive pendant la ménopause: La dose recommandée est de 2 capsules Prometrium par jour (200 mg) pendant les 14 derniers jours de l'œstrogénothérapie et ce, pour chaque cycle, **ou** de 3 capsules par jour (300 mg) pendant les 12 à 14 derniers jours de l'œstrogénothérapie et ce, à chaque cycle. Si votre traitement consiste en 2 capsules (200 mg) par jour, vous devez prendre les 2 capsules au coucher. Si votre médecin vous a prescrit 3 capsules (300 mg) par jour, vous devez diviser la dose quotidienne totale en 2 prises, soit 1 capsule le matin et 2 capsules au coucher.

Habituellement, la couche superficielle de la muqueuse utérine se détache et est éliminée dans les quelques jours qui suivent la fin d'un traitement par Prometrium administré à raison de 3 capsules par jour. Ce phénomène s'accompagne d'un saignement vaginal (semblable à des menstruations normales). À la posologie de 2 capsules par jour, de nombreuses femmes **n'ont aucun** saignement vaginal, même si leur utérus **est** effectivement protégé contre toute prolifération exagérée de l'endomètre.

Que faire si vous oubliez une dose? Si votre médecin vous a prescrit 2 capsules par jour à prendre au coucher et qu'un soir, vous oubliez de le faire, vous devez alors prendre 1 capsule le lendemain matin et continuer à prendre les autres capsules comme d'habitude. En revanche, si votre médecin vous a prescrit 3 capsules par jour et que vous omettez de prendre une dose (le matin ou au coucher), ne prenez pas la dose oubliée.

Contre-indications: Ne prenez pas Prometrium si:
- vous souffrez d'une grave maladie du foie, comme la jaunisse (coloration jaune des yeux ou de la peau), une inflammation du foie (hépatite), une tumeur au foie, le syndrome de Rotor ou la maladie de Dubin-Johnson (ou si votre foie n'est pas complètement rétabli à la suite de telles affections);
- vous avez des saignements vaginaux imprévus;
- vous avez déjà souffert de l'un des troubles suivants lorsque vous étiez enceinte ou que vous preniez des hormones: démangeaisons graves, jaunisse, éruptions cutanées (herpes gestationis), porphyrie (une maladie métabolique du foie) ou une perte de l'audition (otospongiose);
- vous êtes atteinte d'un ictus apoplexique ou d'une thrombophlébite;
- vous soupçonnez que vous souffrez d'une pathologie mammaire ou d'un cancer du sein qui n'aurait pas encore été diagnostiqué;
- **vous êtes allergique aux arachides.**

Précautions à prendre et problèmes possibles: Une surveillance plus étroite de la part de votre médecin pourra parfois se révéler nécessaire. Par conséquent, si vous avez déjà souffert des affections suivantes, vous devriez en informer votre médecin:
- maladie du foie, comme la jaunisse;
- chloasma (taches brun rougeâtre qui apparaissent souvent sur les surfaces exposées de la peau pendant la grossesse);
- maladie du cœur ou troubles de la circulation sanguine (à l'exception des varices), bien que rien n'indique que Prometrium augmente les risques à ce chapitre;
- pathologie mammaire, obtention de résultats anormaux à la mammographie ou chirurgie mammaire antérieure.

Demandez à votre médecin de vous enseigner comment effectuer correctement l'auto-examen des seins. L'examen périodique des seins par un professionnel de la santé, ainsi que l'auto-examen des seins tous les mois, est recommandé à toutes les femmes.

Si vous êtes enceinte ou si vous croyez l'être, ou encore si vous allaitez votre enfant, ne prenez pas Prometrium.

Prometrium a tendance à provoquer, chez certaines personnes, de la somnolence ou des étourdissements et ce, de 1 à 4 heures après l'ingestion des capsules. Par conséquent, vous devez faire preuve de prudence lorsque vous conduisez un véhicule automobile ou que vous vous livrez à des activités exigeant de la vigilance.

Que faire en cas de prise excessive et accidentelle de Prometrium: Dans le cas où une personne prendrait plusieurs capsules de Prometrium à la fois, vous devriez consulter un médecin. Les symptômes pouvant survenir comprennent les nausées, les vomissements, la somnolence et les étourdissements.

Effets secondaires possibles de Prometrium: Selon la posologie utilisée et la sensibilité propre à chaque patiente, Prometrium peut provoquer les effets secondaires suivants: saignement vaginal ou microrragie (léger saignement vaginal) survenant entre les menstruations normales (surtout pendant les 2 premiers mois), menstruations irrégulières, douleurs aux seins, nausées, étourdissements, somnolence, fatigue, maux de tête (migraine).

D'autres effets secondaires ont été observés à la suite de l'administration de substances semblables à la progestérone et ils peuvent également survenir pendant le traitement par Prometrium. Ils comprennent notamment: troubles gastro-intestinaux (autres que les nausées), taches brun rougeâtre sur les surfaces exposées de la peau (chloasma), éruptions cutanées et démangeaisons, jaunisse (coloration jaune des yeux ou de la peau), dépression, diminution ou augmentation du désir sexuel.

Vous devriez consulter votre médecin si vous croyez souffrir d'effets secondaires graves ou gênants ou si ces derniers ne cessent de vous incommoder.

Au cours des 2 à 4 premiers mois de l'hormonothérapie substitutive, il se peut que vous ayez de légers saignements vaginaux imprévus (avant ou après la date prévue de vos menstruations). Il s'agit d'une réaction normale de votre organisme qui s'adapte à des taux d'œstrogènes et de progestérone qui reviennent progressivement aux niveaux où ils se trouvaient avant votre ménopause. Si ces saignements vaginaux persistent, vous devriez consulter votre médecin.

Comment conserver ce médicament: Conserver les capsules dans leur étui d'origine, hors de la portée des enfants. Vous trouverez sur l'étui les directives à suivre pour la conservation de ce médicament. La date limite d'utilisation des capsules est imprimée sur l'étiquette après les lettres «Exp.» (date d'expiration).

Renseignements généraux à ne pas oublier:
1. Ce médicament vous a été prescrit pour traiter votre état médical actuel. Vous ne devez pas l'utiliser pour soigner d'autres troubles médicaux.
2. Ne permettez pas à d'autres personnes de prendre vos médicaments et n'utilisez pas les médicaments qui ont été prescrits à quelqu'un d'autre.
3. Assurez-vous de dire à tous les médecins qui vous soignent quels sont les médicaments que vous prenez. Portez toujours sur vous une carte de renseignements médicaux indiquant le nom des médicaments que vous prenez. Cette carte peut se révéler très importante en cas d'accident.
4. Rapportez tous les médicaments inutilisés à votre pharmacien qui prendra les mesures nécessaires pour qu'ils soient détruits.
5. Assurez-vous que les personnes qui vivent avec vous ou qui prennent soin de vous lisent ce feuillet de renseignements.

□ PROPECIA® 🅿

MSD

Finastéride

Inhibiteur de la 5 alpha-réductase de type II

Renseignements destinés aux patients: Propecia est un médicament réservé aux hommes.

Qu'est-ce que Propecia? Le comprimé Propecia enrobé par film est de couleur ocre et de forme octogonale (8 côtés). Il renferme 1 mg de finastéride, l'ingrédient actif.

Propecia bloque l'action d'une enzyme importante (la 5 alpha-réductase de type II) qui intervient dans la régulation des follicules pileux.

Veuillez lire attentivement cette notice avant de commencer à prendre Propecia et chaque fois que vous renouvelez votre ordonnance au cas où des changements seraient survenus. Prenez note cependant que cette notice ne remplace pas les discussions plus élaborées que vous pourrez avoir avec votre médecin. Au moment de commencer votre traitement avec ce médicament, il est important de vous renseigner au sujet de Propecia auprès de votre médecin.

Pourquoi votre médecin vous a-t-il prescrit Propecia? Votre médecin vous a prescrit Propecia parce que vous êtes atteint de calvitie commune (connue aussi sous le nom d'alopécie androgénogénétique).
À noter: Propecia **n'est pas** indiqué chez les femmes et les enfants.

Comment les cheveux poussent-ils? Les cheveux allongent en moyenne d'environ 1 cm/mois. Les cheveux se développent à partir des follicules pileux qui sont situés sous la peau.

La croissance d'un cheveu s'effectue pendant 2 à 4 ans (phase de croissance) et cesse pendant une période de 2 à 4 mois (phase de repos). Par la suite, le cheveu tombe. Pour le remplacer, un nouveau cheveu sain commence sa croissance, renouvelant ainsi le cycle. Les cheveux se trouvant tous à des stades différents du cycle, il est normal de perdre des cheveux tous les jours.

Qu'est-ce que la calvitie commune chez l'homme? La calvitie commune est une situation courante où les hommes assistent à une raréfaction de leurs cheveux, laissant souvent un front dégarni ou une zone dégarnie au sommet du crâne. Cette situation pourrait être due à la fois à l'hérédité et à une hormone spécifique, la dihydrotestostérone (DHT).

La DHT contribue au raccourcissement de la phase de croissance et à la raréfaction des cheveux (voir le prospectus d'emballage pour les illustrations). Ce processus conduit à la calvitie commune. Chez certains hommes, ces transformations se produisent dans la vingtaine et la fréquence augmente avec l'âge. Lorsque la perte des cheveux s'échelonne sur une longue période, elle peut devenir permanente.

Comment Propecia agit-il? Propecia abaisse les concentrations de DHT dans le cuir chevelu et agit ainsi sur l'une des causes principales de la perte des cheveux chez l'homme.

Ce qu'il faut savoir avant de prendre Propecia: Chez qui Propecia peut-il être efficace? Les hommes atteints de perte de cheveux légère ou modérée, mais non complète, peuvent obtenir des effets bénéfiques en utilisant Propecia.

Dans la plupart des cas, Propecia a empêché la perte additionnelle de cheveux au cours d'un traitement de 2 ans. De plus, Propecia a augmenté le nombre de cheveux chez la majorité des hommes traités, contribuant ainsi à regarnir les régions du cuir chevelu où les cheveux étaient clairsemés ou absents. Bien que les résultats du traitement soient variables d'une personne à l'autre, les cheveux perdus ne sont pas tous remplacés, en général, par une nouvelle repousse.

Quelles personnes ne devraient pas prendre Propecia? Propecia ne devrait pas être administré à des femmes ou à des enfants.

Toute femme enceinte ou susceptible de l'être ne devrait pas prendre Propecia (voir Grossesse).

Ne prenez pas Propecia si vous croyez être allergique à l'un de ses composants.

Que doit-on signaler à son médecin avant de prendre Propecia? Informez votre médecin de tout problème médical passé ou présent et de toute allergie dont vous souffrez.

Grossesse: Propecia est un médicament réservé aux hommes pour traiter la calvitie commune. Les femmes ne doivent pas prendre Propecia et ne doivent pas manipuler de comprimés Propecia écrasés ou brisés lorsqu'elles sont enceintes ou susceptibles de l'être. Si l'ingrédient actif de Propecia est absorbé par la bouche ou à travers la peau par une femme enceinte d'un fœtus de sexe masculin, il existe un risque que le bébé présente des anomalies des organes génitaux à la naissance. Toute femme enceinte qui entre en contact avec l'ingrédient actif de Propecia devrait consulter un médecin. Les comprimés Propecia sont enrobés et assurent la prévention de tout contact avec l'ingrédient actif au cours de manipulations dans des conditions normales, pourvu que les comprimés ne soient ni écrasés ni brisés.

Si vous avez des questions à ce sujet, consultez votre médecin.

Peut-on prendre Propecia en même temps que d'autres médicaments? Il n'y a habituellement aucune interaction entre Propecia et d'autres médicaments. Vous devriez cependant toujours informer votre médecin de tout médicament que vous prenez ou que vous avez l'intention de prendre, y compris ceux que vous pouvez obtenir en vente libre.

Peut-on poursuivre un entretien normal des cheveux? Il n'est pas nécessaire de modifier la façon dont vous prenez soin de vos cheveux (p. ex., shampooing ou coupe).

Peut-on conduire un véhicule ou faire fonctionner des machines pendant un traitement avec Propecia? Propecia ne devrait pas avoir d'effet sur votre capacité de conduire un véhicule ou de faire fonctionner des machines.

Mode d'emploi de Propecia: Prenez 1 comprimé Propecia tous les jours, avec ou sans aliments, selon les directives de votre médecin.

- **Peut-on utiliser Propecia plus de 1 fois/jour?** L'effet ne sera pas meilleur ou plus rapide si vous prenez Propecia plus de 1 fois/jour. Vous ne devez prendre qu'un seul comprimé Propecia par jour.
- **Quelle sera la durée du traitement avec Propecia?** Vous devez prendre Propecia aussi longtemps que votre médecin le juge utile. Propecia n'est efficace à long terme que si vous le prenez sur une base régulière.
- **À quel moment peut-on constater les résultats d'un traitement avec Propecia?** La calvitie commune est une condition qui évolue sur une longue période. Les cheveux n'allongeant en moyenne que d'environ 1 cm par mois, les effets du traitement ne se font sentir qu'après un certain temps. Il est normalement nécessaire de poursuivre un traitement quotidien pendant au moins 3 mois avant de constater une repousse ou l'arrêt de la perte des cheveux.
- **Que se passe-t-il lorsqu'on cesse d'utiliser Propecia?** Il est recommandé de poursuivre l'utilisation de Propecia pour en tirer l'effet maximal. Si vous cessez de prendre Propecia, vous perdrez probablement au cours des 12 prochains mois les cheveux qui avaient repoussé grâce au traitement.

Que doit-on faire en cas de surdosage? Si vous prenez trop de comprimés, communiquez immédiatement avec votre médecin.

Que doit-on faire si on oublie de prendre une dose? Essayez de prendre Propecia tel que l'a prescrit votre médecin. Cependant, si vous oubliez une dose, ne prenez pas une dose supplémentaire le lendemain. Reprenez votre calendrier habituel, soit un comprimé, 1 fois/jour.

Quelles sont les réactions défavorables qui peuvent survenir au cours d'un traitement avec Propecia? Comme tout médicament, Propecia peut provoquer des réactions inattendues ou défavorables, appelées aussi effets secondaires. Ces réactions sont peu fréquentes et affectent peu d'hommes.

Une faible proportion des hommes peuvent ressentir une baisse du désir sexuel ou des difficultés à avoir une érection. Une proportion encore plus faible d'hommes peuvent constater une réduction du volume de l'éjaculat (qui ne semble pas nuire à l'activité sexuelle normale). Lors des études cliniques, ces effets secondaires ont disparu chez les hommes qui ont cessé de prendre Propecia, de même que chez la plupart des hommes (58 %) qui ont poursuivi le traitement.

Avertissez immédiatement votre médecin ou votre pharmacien si ces réactions ou d'autres symptômes inhabituels surviennent.

Propecia peut interférer avec votre taux sanguin d'APS (antigène prostatique spécifique) qui est utilisé pour dépister le cancer de la prostate. Si vous devez passer ce test, avisez votre médecin du fait que vous prenez Propecia.

- **L'utilisation de Propecia peut-elle avoir un effet sur les poils des autres parties du corps?** Au cours des études cliniques, Propecia n'a eu aucun effet sur la pilosité des autres parties du corps.

Que faire pour obtenir de plus amples renseignements concernant Propecia et la calvitie commune chez l'homme? Si, après la lecture de cette notice, vous avez d'autres questions ou des hésitations, consultez votre médecin ou votre pharmacien qui vous communiqueront de plus amples renseignements sur Propecia et la calvitie commune.

Ce médicament est prescrit pour le traitement d'un problème de santé particulier et pour votre usage personnel. Utilisez ce médicament seulement selon les directives du médecin. Ne le donnez pas à d'autres personnes.

Gardez tous les médicaments hors de la portée des enfants.

Entreposez Propecia dans un endroit sec à la température ambiante (15 à 30 °C) et à l'abri de l'humidité. Conservez la plaquette alvéolée dans l'emballage entre chaque utilisation.

Ingrédients non médicinaux: amidon prégélifié, cellulose microcristalline, dioxyde de titane, docusate sodique, glycolate sodique d'amidon, hydroxypropylcellulose, hydroxypropylméthylcellulose, monohydrate de lactose, oxyde ferrique jaune, oxyde ferrique rouge, stéarate de magnésium et talc.

Le médecin et le pharmacien peuvent obtenir les renseignements d'ordonnance complets.

□ PROSCAR® ℞

MSD

Finastéride

Inhibiteur de la 5 alpha-réductase

Renseignements destinés aux patients: Proscar est un médicament réservé aux hommes.

Le médecin et le pharmacien peuvent obtenir les renseignements d'ordonnance complets.

Le comprimé Proscar renferme 5 mg de finastéride. Ce médicament ne peut s'obtenir que sur ordonnance du médecin pour le traitement de l'hypertrophie bénigne de la prostate.

Veuillez lire attentivement cette notice avant de commencer à prendre Proscar et chaque fois que vous renouvelez votre ordonnance au cas où des changements seraient survenus. Prenez note cependant que cette notice ne remplace aucunement les entretiens que vous pourrez avoir avec votre médecin. Il est important de vous renseigner au sujet de Proscar auprès de votre médecin au moment de commencer votre traitement avec ce médicament et lors de vos examens de suivi.

Pourquoi votre médecin vous a-t-il prescrit Proscar? Votre médecin vous a prescrit Proscar parce que vous souffrez d'une maladie appelée

Proscar (suite)

hypertrophie bénigne de la prostate ou HBP. Cette maladie n'affecte que les hommes.

Qu'est-ce que l'HBP? L'HBP est une augmentation du volume de la prostate qui peut survenir chez la plupart des hommes à partir de 50 ans. Comme la prostate est située sous la vessie, elle risque, en devenant plus volumineuse, de réduire petit à petit le flux d'urine et de provoquer les symptômes suivants:

- jet urinaire faible ou interrompu
- sensation de ne pas pouvoir vider complètement la vessie
- retard ou difficulté à amorcer le jet urinaire
- besoins fréquents d'uriner, surtout la nuit
- sensation d'un besoin urgent d'uriner

Choix de traitements pour l'HBP: Il existe 3 principales options thérapeutiques dans les cas d'HBP:

- **«Protocole d'attente sous surveillance».** Lorsque la prostate est augmentée de volume, mais que le patient ne présente pas de symptômes ou n'est pas incommodé par ses symptômes, le médecin peut décider en accord avec le patient d'adopter un protocole d'attente sous surveillance, comportant des examens de suivi réguliers, plutôt qu'un traitement médicamenteux ou chirurgical.
- **Traitement médicamenteux.** Votre médecin peut vous prescrire Proscar pour le traitement de l'HBP. Lisez à ce sujet la section ci-dessous intitulée Comment Proscar agit-il?.
- **Traitement chirurgical.** Dans certains cas, il peut être nécessaire de recourir à la chirurgie. Votre médecin peut vous expliquer les différentes interventions chirurgicales indiquées pour le traitement de l'HBP. Le choix de la meilleure intervention est fondé sur vos symptômes et votre état de santé.

Comment Proscar agit-il? Proscar réduit la concentration d'une hormone clé appelée DHT (dihydrotestostérone), qui est en grande partie responsable de la croissance de la prostate. La diminution du taux de cette hormone entraîne une réduction du volume de la prostate hypertrophiée chez la plupart des patients, ce qui peut résulter en une amélioration graduelle du flux d'urine et un soulagement des symptômes au cours des quelques mois qui suivent. Cependant, ce ne sont pas tous les patients qui répondent au traitement, et comme chaque cas d'HBP est différent, voici quelques informations utiles qu'il est important de connaître:

- Avant d'instaurer le traitement avec Proscar, le médecin procédera à une évaluation urologique complète en vue de déterminer la gravité de votre maladie et d'exclure la nécessité de recourir immédiatement à la chirurgie ou d'écarter la présence d'un carcinome de la prostate.
- Même en présence d'une réduction du volume de la prostate, il est possible que vous ne constatiez **pas** une amélioration du flux d'urine ou un soulagement des symptômes.
- Un délai de 6 mois ou plus peut s'écouler avant que vous soyez en mesure de constater si le traitement avec Proscar est bénéfique. Cependant, de 85 % à 90 % des patients qui répondent au traitement ressentent les effets bénéfiques de Proscar dans les 12 premiers mois. Votre médecin décidera avec vous combien de temps vous devrez poursuivre le traitement.
- Même si vous prenez Proscar et que vous répondez au traitement, on ne sait pas encore si le traitement avec Proscar diminue la nécessité de recourir à la chirurgie.

Ce que vous devez savoir lorsque vous suivez un traitement avec Proscar:

- **Visites régulières chez le médecin.** Vous devez subir des examens de suivi régulièrement tout au long du traitement avec Proscar. Assurez-vous de respecter le calendrier des rendez-vous établi par votre médecin.
- **Effets secondaires.** Comme pour tout médicament délivré sur ordonnance, Proscar peut causer des effets secondaires. Les réactions défavorables attribuables à Proscar peuvent comprendre l'impuissance (incapacité d'avoir une érection) et une baisse de l'appétit sexuel. Ces effets secondaires ont été rapportés chez moins de 4 % des patients au cours des études cliniques. Dans certains cas, les effets secondaires ont disparu malgré la poursuite du traitement avec Proscar.
- Chez certains hommes qui suivent un traitement avec Proscar, le volume de sperme libéré à l'éjaculation peut être diminué. Ceci ne semble pas toutefois nuire à la fonction sexuelle normale.
- On a rapporté quelques rares cas où les hommes ont présenté de l'œdème ou une sensibilité au toucher ou encore une réaction allergique telle qu'un gonflement des lèvres ou une éruption cutanée.
- Vous devriez discuter des effets secondaires de Proscar avec votre médecin avant de commencer votre traitement et chaque fois que vous croyez avoir une réaction défavorable.
- **Dépistage du cancer de la prostate.** Votre médecin vous a prescrit Proscar pour le traitement d'une HBP symptomatique et non en raison d'un cancer de la prostate; cependant, une HBP et un cancer de la prostate peuvent survenir en même temps. Les médecins recommandent généralement à tous les hommes de passer un examen de dépistage du cancer de la prostate une fois par an à partir de l'âge de 50 ans (ou 40 ans lorsqu'il y a des cas de cancer de la prostate dans la famille). Vous devez continuer à passer les examens de dépistage pendant le traitement avec Proscar. Proscar n'est pas un médicament pour le traitement du cancer de la prostate.
- **Antigène prostatique spécifique (APS).** Votre médecin vous a peut-être fait passer un test pour déterminer votre taux sanguin d'APS. Proscar peut modifier les taux d'APS. Pour plus de renseignements à ce sujet, consultez votre médecin.

Mise en garde au sujet de Proscar et la grossesse: Proscar est un médicament réservé aux **hommes.**

Proscar est un médicament généralement bien toléré chez les hommes.

Les femmes ne doivent pas prendre Proscar et ne doivent pas manipuler de comprimés Proscar écrasés ou brisés lorsqu'elles sont enceintes ou susceptibles de le devenir. Si l'ingrédient actif de Proscar est absorbé par la bouche ou à travers la peau par une femme enceinte d'un fœtus de sexe masculin, il y aurait un risque que le bébé présente des anomalies des organes sexuels à la naissance. Les comprimés entiers sont enrobés afin de prévenir tout contact avec l'ingrédient actif au cours des manipulations dans des conditions normales. Les femmes enceintes ou susceptibles de le devenir ne devraient pas manipuler de comprimés Proscar dont l'enrobage est abîmé.

Toute femme enceinte qui est en contact avec l'ingrédient actif de Proscar devrait consulter un médecin.

Mode d'emploi de Proscar: Suivez les directives de votre médecin au sujet du mode d'emploi de Proscar. Vous devez prendre le médicament tous les jours. Proscar peut être pris pendant ou entre les repas. Pour éviter d'oublier une dose, il est recommandé de toujours prendre Proscar au même moment de la journée.

Ne donnez pas de comprimés Proscar à une autre personne; ce médicament vous est destiné exclusivement.

Informez le médecin de toute affection qui survient pendant le traitement avec Proscar ainsi que de la prise de tout nouveau médicament délivré sur ordonnance ou obtenu en vente libre. Si vous avez besoin de soins médicaux pour d'autres raisons, faites savoir au médecin traitant que vous prenez Proscar.

Ce médicament est prescrit pour le traitement d'un problème de santé particulier et pour votre usage personnel. Utiliser ce médicament seulement selon les directives du médecin. Ne le donnez pas à d'autres personnes.

Garder tous les médicaments hors de la portée des enfants.

Pour de plus amples renseignements sur Proscar et l'HBP, vous pouvez vous adresser à votre médecin ou à votre pharmacien.

Entreposer à la température ambiante (15 à 30 °C) et à l'abri de la lumière.

Ingrédients non médicinaux: amidon, cellulose et dérivés de la cellulose, dioxyde de titane, docusate sodique, AD&C bleu n° 2 sur substrat d'aluminium, glycolate sodique d'amidon, lactose, oxyde ferrique jaune, talc et stéarate de magnésium.

☐ PROTROPIN® 🄿

Roche

Somatrem

Hormone de croissance

Renseignements destinés aux patients: Ne mélangez (reconstituez) pas le médicament et ne l'injectez pas avant que votre médecin ou votre infirmière ne vous ait enseigné la façon de procéder.

Reconstituer signifie ajouter un liquide (solvant) à une poudre sèche. Dans ce cas-ci, Protropin **doit** être mélangé avec de l'eau bactériostatique pour injection USP (conservée avec de l'alcool benzylique), le solvant stérile fourni, avant qu'il ne puisse être injecté.

Employez la technique aseptique que vous a enseignée votre médecin ou votre infirmière. Éliminez convenablement les seringues et les aiguilles après usage, hors de la portée des enfants. Reportez-vous au point 6 de la section Administration du médicament.

Reconstitution de la solution de Protropin (voir le prospectus d'emballage pour les illustrations): Reconstituez la solution de Protropin **uniquement** avec l'eau bactériostatique pour injection USP, **conservée avec de l'alcool benzylique,** fournie dans la boîte. N'employez aucune autre solution pour la reconstitution, à moins que votre médecin vous l'ait indiqué. Le reste d'une fiole de Protropin reconstitué ne doit **jamais** être employé pour la reconstitution dans une fiole de Protropin neuve.

Votre médecin ou votre infirmière vous indiquera le format de seringue et d'aiguille à utiliser, de même que la quantité de solvant à ajouter dans la fiole de Protropin.

1. Lavez-vous toujours soigneusement les mains à l'eau et au savon avant de préparer le médicament, afin de prévenir les infections.
2. Enlevez l'embout de plastique protecteur de la fiole de solvant et de la fiole de Protropin. Nettoyez le bouchon en caoutchouc de chaque fiole avec un tampon imbibé d'alcool. Après le nettoyage, ne touchez pas le dessus des fioles.
3. Introduisez de l'air dans la seringue en tirant le piston jusqu'au niveau indiqué par votre médecin.
4. Enlevez le capuchon en plastique de l'aiguille, puis mettez-le de côté. Insérez l'aiguille dans la fiole de solvant et injectez l'air dans la fiole.
5. Tournez la fiole à l'envers, en maintenant l'aiguille dedans, et tenez la fiole d'une main. Assurez-vous que le bout de l'aiguille est immergé dans le solvant. Prélevez la quantité de solvant devant être ajoutée à la fiole de Protropin en tirant le piston jusqu'à la quantité exacte que vous a prescrite votre médecin. Assurez-vous que la bonne quantité de solvant se trouve dans la seringue. Sortez l'aiguille de la fiole de solvant et recouvrez l'aiguille de son capuchon en plastique.
6. Avant d'ajouter le solvant à la fiole de Protropin, assurez-vous d'avoir bien prélevé la bonne quantité de solvant. Afin de préparer la solution de Protropin, enlevez le capuchon en plastique de l'aiguille et piquez-la dans le bouchon nettoyé de la fiole de Protropin. Placez délicatement le bout de l'aiguille contre la paroi en verre de la fiole. Injectez lentement le solvant en visant la paroi de la fiole. **Ne faites pas jaillir l'eau directement sur la poudre blanche** qui se trouve au fond de la fiole. Retirez l'aiguille et replacez le capuchon en plastique. Voyez le point 6 de la section Administration du médicament pour savoir comment vous débarrasser des aiguilles et des seringues.
7. Remuez délicatement la fiole de Protropin d'un léger mouvement rotatif, jusqu'à dissolution complète du contenu. N'agitez jamais une fiole de Protropin après la reconstitution. Comme l'hormone de croissance Protropin est une protéine, la solution peut devenir trouble si on l'agite. La solution doit être limpide immédiatement après la reconstitution, sans aucune particule solide à la surface. Si vous remarquez des grumeaux qui flottent ou qui se collent à la paroi de la fiole, continuez de remuer délicatement la solution jusqu'à ce que toute la poudre soit dissoute. Si des bulles d'air se forment, attendez qu'elles montent à la surface de la solution et qu'elles disparaissent avant de continuer. Si la solution de Protropin est trouble ou laiteuse, ne l'injectez pas, mais retournez-la à votre pharmacien ou au médecin qui vous l'a prescrite.
8. Marquez la date sur la fiole de solvant et sur la fiole de Protropin reconstitué. Ainsi, vous saurez quand vous avez utilisé la fiole de solvant pour la première fois et avez reconstitué la solution de Protropin dans la fiole. Une fiole de solvant qui a déjà été utilisée peut se conserver pendant 14 jours. Une fiole de Protropin reconstitué ne peut pas être employée après 14 jours; elle doit être jetée. Conservez toutes les fioles dans un coin propre et sécuritaire de votre réfrigérateur. **Ne les congelez pas.**

Note: Si elles n'ont pas été utilisées, les fioles de solvant et de Protropin peuvent être employées jusqu'à la date de péremption (EXP) imprimée sur l'étiquette de la fiole.

Mesure de la dose (voir le prospectus d'emballage pour les illustrations): Avant chaque utilisation, vérifiez la date de péremption imprimée sur l'étiquette de la fiole, ainsi que la date de reconstitution, puis assurez-vous que la solution de Protropin est limpide. Après réfrigération, il se peut qu'il y ait de petites particules incolores de protéines dans la solution de Protropin. Ce phénomène est assez courant avec les solutions contenant des protéines; cela ne signifie aucunement que le produit est moins efficace. Laissez la fiole atteindre la température ambiante et remuez-la délicatement d'un léger mouvement rotatif. Si la solution est trouble ou laiteuse, ne l'injectez pas; retournez la fiole de Protropin à votre pharmacien ou au médecin qui vous l'a prescrite.

1. Lavez-vous soigneusement les mains à l'eau et au savon avant de prélever la dose, afin de prévenir les infections.
2. Vérifiez que la solution n'a pas plus de 14 jours, d'après la date que vous avez inscrite sur la fiole de Protropin reconstitué.
3. Essuyez le bouchon de caoutchouc de la fiole de Protropin avec un tampon imbibé d'alcool. Les mains ou les doigts ne doivent en aucun cas toucher le dessus de la fiole.
4. Introduisez de l'air dans la seringue en tirant sur le piston. La quantité d'air doit être égale à la dose de Protropin. Mettez les doigts sur le bout du piston.
5. Enlevez le capuchon en plastique de l'aiguille et mettez-le de côté. Lentement, insérez l'aiguille verticalement dans le centre du bouchon de caoutchouc de la fiole contenant la solution de Protropin.
6. Poussez doucement le piston pour faire entrer l'air dans la fiole.
7. Tournez la fiole à l'envers, en maintenant l'aiguille dedans, et tenez la fiole d'une main. Assurez-vous que le bout de l'aiguille est immergé dans la solution de Protropin. De l'autre main, prélevez la solution en tirant lentement le piston d'un mouvement continu, jusqu'à ce que la bonne quantité de solution de Protropin se trouve dans la seringue.
8. Enlevez l'aiguille de la fiole de Protropin et replacez le capuchon de plastique jusqu'au moment d'administrer l'injection. Prenez garde de ne pas toucher l'aiguille. Une fois la seringue remplie, l'injection doit être administrée dès que possible. Ne conservez pas Protropin dans la seringue.

Points d'injection: L'infirmière ou le médecin de votre enfant vous enseignera comment choisir un point d'injection. Il est important que vous changiez de point d'injection chaque fois que vous administrez le médicament. Même si votre enfant finit par préférer un point particulier – ce qui arrive à beaucoup d'enfants – vous devez utiliser les points à tour de rôle.

Les points d'injection les plus souvent recommandés pour les enfants sont les bras, l'abdomen et la cuisse (voir le prospectus d'emballage pour les illustrations).

Administration du médicament (voir le prospectus d'emballage pour les illustrations): Votre médecin ou votre infirmière vous montrera comment donner une injection. Les aiguilles et les seringues ne seront utilisées qu'une fois, afin d'assurer qu'elles demeurent stériles. Les données ci-dessous passent en revue les étapes à suivre pour administrer le médicament:

1. Nettoyez le point d'injection avec un tampon de coton ou d'ouate imbibé d'alcool.
2. Assurez-vous encore que la seringue contient la bonne quantité de solution de Protropin. Enlevez le capuchon de l'aiguille remplie de solution, puis tenez la seringue comme vous tiendriez un crayon.
3. Pincez la peau entre le pouce et l'index avant et pendant l'injection. Piquez l'aiguille dans la peau fermement et rapidement, à un angle de 45 à 90°. Ainsi, vous infligerez moins de douleur que si vous inséreriez l'aiguille graduellement. Votre médecin ou votre infirmière vous indiquera l'angle à utiliser pour votre enfant.
4. Injectez lentement (en quelques secondes) la solution en poussant doucement le piston jusqu'à ce que la seringue soit vide.
5. Enlevez l'aiguille rapidement, en ligne droite, puis appliquez une pression sur le point d'injection avec un tampon de gaze sec ou une boule d'ouate sèche. Une goutte de sang pourrait apparaître. Appliquez un pansement adhésif sur le point d'injection, si vous le voulez.
6. Afin de prévenir les blessures, éliminez toutes les aiguilles et les seringues après un seul usage, comme votre médecin ou votre infirmière vous l'a montré, de la façon suivante:
   - Déposez toutes les aiguilles et seringues usées soit dans un contenant de plastique rigide muni d'un bouchon qui visse, soit dans un contenant de métal avec couvercle de plastique, par exemple une boîte de café; indiquez clairement le contenu sur une étiquette. Si vous utilisez une boîte de métal, découpez un petit trou dans le couvercle de plastique et scellez le contenant

Protropin (suite)

de métal avec un ruban adhésif. Une fois que le contenant de métal est rempli, jetez-le après avoir bouché le trou du couvercle avec du ruban adhésif. Si vous utilisez un contenant de plastique, revissez toujours hermétiquement le couvercle après chaque usage. Quand le contenant de plastique est plein, jetez-le, après l'avoir scellé avec du ruban adhésif.
- N'utilisez pas de contenant de verre ou de plastique transparent, ni un contenant qui peut être recyclé ou retourné à un magasin.
- Conservez toujours le contenant hors de la portée des enfants.
- Tenez compte de toute autre suggestion de votre médecin, de votre infirmière ou de votre pharmacien. Il pourrait exister des lois provinciales et municipales dont ils voudraient discuter avec vous.

7. À l'occasion, il est possible qu'un problème surgisse au point d'injection. Avertissez votre médecin ou votre infirmière si vous observez un des signes ou symptômes suivants:
   - Une bosse ou un gonflement qui ne disparaît pas;
   - Une contusion (un bleu) qui ne disparaît pas;
   - Tout signe d'infection ou d'inflammation au point d'injection (pus, rougeur persistante dans la peau avoisinante, qui est chaude, douleur persistante après l'injection).

Conservation: Protropin **doit** être réfrigéré avant la reconstitution (poudre) et après la reconstitution (liquide).

Une fois reconstitué, Protropin ne peut pas être employé après 14 jours; passé ce délai, retournez-le à votre médecin ou à votre pharmacien.

Les fioles d'eau bactériostatique pour injection USP (conservée avec de l'alcool benzylique) devraient également être réfrigérées (avant d'être utilisées et une fois qu'elles sont utilisées). Une fiole qui a été utilisée n'est bonne que pour 14 jours après la première utilisation.

Réfrigérer à une température de 2 à 8 °C.

Après la reconstitution, la fiole de Protropin et la fiole d'eau bactériostatique pour injection USP (conservée avec de l'alcool benzylique) ne doivent pas être congelées.

Si vous avez des questions, communiquez avec votre médecin, votre infirmière ou votre pharmacien.

□ PULMICORT® NEBUAMP® Ⓟ

Astra

Budésonide

Glucocorticostéroïde—Traitement de l'asthme

Renseignements destinés aux patients: Ce que vous devriez savoir sur Pulmicort Nebuamp (budésonide): Prière de lire attentivement ce dépliant avant d'utiliser la solution pour nébulisation Pulmicort Nebuamp. Il contient des renseignements généraux sur Pulmicort Nebuamp qui devraient s'ajouter aux conseils plus spécifiques du médecin, du pharmacien ou de la pharmacienne.

Ne jetez pas le dépliant avant d'avoir utilisé toutes les ampoules de Pulmicort Nebuamp dans la boîte.

À quoi sert Pulmicort Nebuamp et comment agit-il? Pulmicort est la marque de commerce du budésonide, un médicament à prendre par inhalation. Il appartient à une famille de médicaments appelés corticostéroïdes que l'on utilise pour réduire l'inflammation. L'asthme est causé par l'inflammation des voies respiratoires. Pulmicort Nebuamp diminue ou prévient une telle inflammation. Dans certains cas, il faudra plusieurs semaines d'usage régulier avant de ressentir le plein effet thérapeutique.

Pulmicort Nebuamp ne soulagera pas une crise d'asthme déjà en cours. Il existe plusieurs bronchodilatateurs par inhalation capables de procurer un soulagement rapide. Si votre médecin vous en a prescrit un, suivez ses instructions quand vous faites une crise d'asthme aiguë.

Que contiennent les ampoules de Pulmicort Nebuamp? L'ingrédient actif de Pulmicort Nebuamp est le budésonide; il est offert à des concentrations de 0,125 mg/mL, de 0,25 mg/mL et de 0,5 mg/mL, dans des ampoules de 2 mL. Une ampoule de solution à 0,125 mg/mL contient donc 0,25 mg de médicament actif; une ampoule de solution à 0,25 mg/mL contient 0,5 mg de médicament actif et une ampoule à 0,5 mg/mL en contient 1,0 mg.

La plupart des médicaments contiennent des substances autres que l'ingrédient actif. Parlez à votre médecin si vous pensez être allergique à l'une des substances suivantes (énumérées par ordre alphabétique): acide citrique, budésonide, chlorure de sodium, citrate de sodium, édétate disodique et polysorbate 80.

Que faut-il dire au médecin avant de prendre Pulmicort Nebuamp? Mentionnez au médecin:
- **tous** les problèmes de santé présents ou passés, et surtout si vous avez souffert de tuberculose pulmonaire ou d'une infection récente;
- tous les médicaments que vous prenez, y compris les médicaments sans ordonnance;
- si vous prenez des médicaments à base de stéroïdes ou en avez pris au cours des derniers mois;
- si vous êtes enceinte, avez l'intention de le devenir, ou si vous allaitez;
- si vous êtes allergique à des ingrédients «non médicinaux» comme des aliments, des agents de conservation ou des colorants qui pourraient être contenus dans Pulmicort Nebuamp (voir Que contiennent les ampoules de Pulmicort Nebuamp?);
- si vous avez déjà eu une mauvaise réaction ou une réaction allergique ou inhabituelle à des médicaments contenant du budésonide.

Comment faut-il prendre Pulmicort Nebuamp? Pulmicort Nebuamp doit être inhalé à partir d'un nébuliseur ou d'un respirateur. **Ne pas utiliser un nébuliseur ultrasonique.** Il faut bien connaître le fonctionnement du nébuliseur ou du respirateur avant de commencer à prendre le médicament.

La nébulisation devrait se faire à un débit gazeux (oxygène ou air comprimé) de 6 à 10 L/minute. Un volume de 2 à 4 mL de solution convient à la majorité des nébuliseurs.

Il est important d'utiliser Pulmicort Nebuamp tous les jours selon les instructions du médecin, même si vous vous sentez bien. Ne prenez pas plus de doses que le nombre recommandé par le médecin, car cela pourrait augmenter le risque d'effets indésirables. **Si votre asthme semble empirer, dites-le immédiatement à votre médecin.**

Avant l'utilisation, assurez-vous que la concentration indiquée sur l'étiquette correspond à celle prescrite par le médecin.

Suivre les directives ci-dessous pour chaque dose de Pulmicort Nebuamp (voir le prospectus d'emballage pour les illustrations):
1. Détacher 1 Pulmicort Nebuamp de la bande de 5 ampoules. Remettre les autres ampoules dans l'enveloppe.
2. Agiter doucement l'ampoule.
3. Pour ouvrir l'ampoule, la tenir à la verticale, puis tourner et détacher la partie supérieure.
4. Verser le contenu dans le réservoir du nébuliseur en pressant doucement l'ampoule. Si vous n'avez besoin que de la moitié d'une ampoule, ajouter une solution salée stérile au réservoir selon les directives du médecin ou du pharmacien. Avant d'utiliser le reste de l'ampoule pour la prochaine dose, l'agiter doucement.
5. Raccorder un bout du réservoir au masque facial ou à l'embout buccal, et l'autre bout à la pompe à air.
6. Juste avant le traitement, agiter doucement, de nouveau, le contenu du réservoir. Puis commencer l'administration.
7. Respirer calmement et régulièrement pendant le traitement jusqu'à ce que l'appareil ne produise plus de brouillard (environ 10 à 15 minutes).
8. Bien se rincer la bouche et rejeter l'eau immédiatement après.
9. Si on utilise un masque, bien se laver le visage après le traitement.

Nettoyage: Il faut nettoyer le nébuliseur après chaque utilisation. Laver le réservoir et l'embout buccal ou le masque à l'eau chaude additionnée d'un détergent doux. Bien rincer et sécher en raccordant le réservoir du nébuliseur au compresseur ou à l'arrivée d'air. Consulter les instructions du fabricant pour plus de détails.

Quelle quantité de Pulmicort Nebuamp devrais-je prendre? La posologie de Pulmicort Nebuamp doit être adaptée aux besoins de chaque patient.

Suivez bien les directives du médecin. Elles peuvent être différentes des renseignements contenus dans ce dépliant.

Doses suggérées:

Dose initiale: Enfants (3 mois à 12 ans): 0,25 à 0,5 mg 2 fois/jour. Adultes: en général, 1 à 2 mg 2 fois/jour.

Dose d'entretien: Une fois l'effet désiré obtenu, le médecin peut réduire la dose à la plus petite quantité nécessaire pour maîtriser les symptômes d'asthme.

Tableau posologique

Dose (mg)	Volume de Pulmicort Nebuamp		
	0,125 mg/mL	**0,25 mg/mL**	**0,5 mg/mL**
0,125	1 mL* (½ ampoule)	—	—
0,25	2 mL (1 ampoule)	1 mL* (½ ampoule)	—
0,5	4 mL (2 ampoules)	2 mL (1 ampoule)	—
0,75	—	3 mL (1½ ampoule)	—
1	—	—	2 mL (1 ampoule)
1,5	—	—	3 mL (1½ ampoule)
2	—	—	4 mL (2 ampoules)

*Doit être mélangée avec une solution salée à 0,9 % jusqu'à un volume de 2 mL.

Que faire si j'oublie de prendre une dose? Si vous oubliez de prendre une dose de Pulmicort Nebuamp, prenez-la le plus tôt possible. Revenez ensuite à l'horaire habituel. Mais si c'est presque l'heure de la prochaine dose, laissez faire la dose manquante et prenez la prochaine dose à l'heure habituelle.

Ne prenez jamais une double dose de Pulmicort Nebuamp pour compenser les doses oubliées. Si vous n'êtes pas certain, consultez votre médecin ou votre pharmacien qui vous dira quoi faire.

Ne cessez pas un traitement avec Pulmicort Nebuamp brusquement. Le traitement doit être arrêté de façon graduelle.

Que faire en cas de surdosage? Appelez votre médecin ou allez immédiatement à l'hôpital le plus près si vous pensez que vous ou une autre personne avez pris trop de Pulmicort Nebuamp.

Y a-t-il des effets secondaires? Comme tout autre médicament, Pulmicort Nebuamp peut causer des effets secondaires chez certaines personnes.

Les effets secondaires les plus courants sont la toux, l'irritation de la gorge et l'enrouement. D'autres effets secondaires possibles incluent: sensations de mauvais goût, maux de tête, nausées, sécheresse de la gorge, fatigue, soif et diarrhée. On a rapporté quelques cas d'irritation de la peau du visage après l'emploi d'un nébuliseur avec un masque. On peut prévenir cet effet en se lavant le visage après le traitement avec un masque ou en appliquant une mince couche de vaseline sur le visage avant le traitement.

Il peut aussi y avoir de rares cas d'éruptions cutanées, de nervosité, d'agitation, de dépression, de troubles du comportement et de sensation de resserrement des voies respiratoires.

Les médicaments n'affectent pas tout le monde de la même façon. Même si d'autres personnes ont ressenti des effets secondaires, cela ne veut pas dire que vous en aurez aussi. Si vous avez des effets secondaires qui vous incommodent, consultez votre médecin.

Ne cessez pas de prendre Pulmicort Nebuamp sans l'accord de votre médecin. Il/elle voudra peut-être diminuer progressivement la dose, surtout si vous utilisez Pulmicort Nebuamp depuis longtemps. Bien que rares, les symptômes de sevrage des stéroïdes (p. ex. fatigue, douleurs musculaires ou articulaires) peuvent apparaître si le traitement avec Pulmicort Nebuamp est arrêté trop brusquement.

Où dois-je garder Pulmicort Nebuamp? Il est important de **garder Pulmicort Nebuamp hors de la portée des enfants** quand vous ne vous en servez pas.

Toujours garder les ampoules non ouvertes dans l'enveloppe d'aluminium pour les protéger de la lumière.

Ne pas utiliser les ampoules Pulmicort Nebuamp après la date limite d'utilisation imprimée sur l'enveloppe d'aluminium et sur la boîte.

- Écrire la date où l'enveloppe d'aluminium a été ouverte pour la première fois. Ne pas se servir d'ampoules provenant d'une enveloppe d'aluminium ouverte depuis 3 mois ou plus.
- Si vous n'avez besoin que de la moitié d'une ampoule, il faut utiliser le reste dans les 12 heures qui suivent l'ouverture initiale. Si vous n'utilisez pas toute l'ampoule pour chaque dose, gardez le reste à l'abri de la lumière.

Garder Pulmicort Nebuamp entre 5 et 30 °C, à l'abri de la lumière.

Remarque importante: Ce dépliant vous signale certaines situations où vous devez appeler le médecin. D'autres situations imprévisibles peuvent se produire. Rien dans ce dépliant ne vous empêche de communiquer avec votre médecin ou votre pharmacien pour lui poser des questions ou lui parler de vos inquiétudes au sujet de Pulmicort Nebuamp.

□ PULMICORT® TURBUHALER® Ⓟ

Astra

Budésonide

Glucocorticostéroïde pour le traitement de l'asthme bronchique

Renseignements destinés aux patients: Renseignements importants sur Pulmicort Turbuhaler: Prière de lire attentivement ce feuillet d'instructions avant d'utiliser l'inhalateur Pulmicort Turbuhaler. Il contient des renseignements généraux qui devraient s'ajouter aux conseils plus spécifiques du médecin, du pharmacien ou de la pharmacienne.

Conservez ce feuillet jusqu'à ce que votre Pulmicort Turbuhaler soit vide.

À quoi sert Pulmicort Turbuhaler et comment agit-il? (Voir le prospectus d'emballage pour les illustrations). Pulmicort est la marque de commerce du budésonide, un médicament à prendre par inhalation. Il appartient à une famille de médicaments appelés corticostéroïdes que l'on utilise pour réduire l'inflammation. L'asthme est causé par l'inflammation des voies respiratoires. Pulmicort Turbuhaler prévient une telle inflammation ou la diminue, si elle est présente. Dans certains cas, il faudra plusieurs semaines d'usage régulier avant de ressentir le plein effet thérapeutique.

Turbuhaler est la marque de commerce d'un inhalateur multidose de poudre sèche. Quand vous inspirez avec l'inhalateur, l'inspiration fournit la force requise pour amener le médicament aux poumons.

Pulmicort Turbuhaler ne doit pas être utilisé pour soulager une crise d'asthme déjà en cours. Il existe plusieurs bronchodilatateurs par inhalation capables de procurer un soulagement rapide. Si votre médecin vous en a prescrit un, suivez ses instructions quand vous faites une crise d'asthme grave.

Que contient l'inhalateur Pulmicort Turbuhaler? Pulmicort Turbuhaler contient du budésonide, comme ingrédient actif, à des concentrations de 100 μg, de 200 μg et de 400 μg par inhalation.

Si vous agitez l'inhalateur, le bruit que vous entendez n'est pas causé par le médicament, mais par le dessiccatif à l'intérieur de la molette brune. Cette substance n'est pas médicamenteuse et ne peut être inhalée. Pulmicort Turbuhaler ne contient aucun autre ingrédient.

Que dois-je dire à mon médecin avant d'utiliser Pulmicort Turbuhaler? Vous devez mentionner à votre médecin:

- **tous** les problèmes de santé présents ou passés, et surtout si vous avez souffert de tuberculose pulmonaire ou d'une infection récente;
- tous les médicaments que vous prenez, y compris les médicaments sans ordonnance;
- si vous prenez des médicaments à base de stéroïdes ou en avez pris au cours des derniers mois;
- si vous avez déjà eu une mauvaise réaction, ou une réaction inhabituelle ou allergique au budésonide;
- si vous êtes enceinte ou avez l'intention de le devenir, ou si vous allaitez.

Quelle est la bonne façon de prendre Pulmicort Turbuhaler? Il est important de prendre Pulmicort Turbuhaler tous les jours aux intervalles recommandés par le médecin. Vous ne devez pas changer la dose ou cesser de prendre le médicament sans avoir consulté votre médecin au préalable.

Remarque: Vous pouvez ne pas goûter le médicament ni en ressentir le contact lorsque vous inhalez avec Pulmicort Turbuhaler. C'est un phénomène normal.

Si vous suivez le mode d'emploi ci-dessous, vous recevrez une dose de médicament (voir le prospectus d'emballage pour les illustrations):

1. Dévisser et enlever le couvercle.
2. Pour charger, tenir l'inhalateur à la verticale, tourner la molette brune le plus loin possible dans une direction, puis la ramener à la position initiale. Le déclic que l'on entend signifie que la dose est prête à être inhalée.
3. Expirer.
   Remarque: Ne jamais expirer dans l'embout buccal.

Pulmicort Turbuhaler (suite)

4. Placer l'embout buccal entre les dents et refermer les lèvres. Ne **pas** mordiller l'embout buccal ni le serrer avec les dents. Inspirer vivement et profondément par la bouche.
5. Éloigner l'inhalateur de la bouche et retenir son souffle pendant 10 secondes.
6. Bien revisser le couvercle après chaque utilisation.
7. Se rincer la bouche et rejeter l'eau.

Si vous laissez tomber ou agitez le Pulmicort Turbuhaler après son chargement, ou si vous soufflez accidentellement dans l'inhalateur, la dose est perdue. Il faut alors en charger une deuxième et l'inhaler.

Nettoyage: Nettoyer l'extérieur de l'embout buccal chaque semaine à l'aide d'un linge **sec.** Ne **jamais** utiliser d'eau ou un autre liquide pour le nettoyer. Si du liquide entre dans l'inhalateur, cela peut nuire à son fonctionnement.

Comment savoir si l'inhalateur Pulmicort Turbuhaler est vide? (Voir le prospectus d'emballage pour les illustrations). Pulmicort Turbuhaler a une fenêtre repère, située en dessous de l'embout buccal. Quand une marque rouge apparaît dans la fenêtre repère, il reste environ **20** doses. Il est temps de renouveler votre prescription.

Quand la marque rouge atteint le bord inférieur de la fenêtre repère, l'inhalateur est **vide.** Si vous agitez l'inhalateur quand il est vide, vous entendrez quand même le bruit du dessiccatif. Pulmicort Turbuhaler ne peut être rempli de nouveau et on doit le jeter quand toutes les doses sont épuisées.

Quelle est la dose de Pulmicort Turbuhaler? La dose de Pulmicort Turbuhaler varie d'une personne à l'autre.

Suivez attentivement les directives de votre médecin. Ces directives peuvent être différentes des renseignements contenus dans ce feuillet.

Important: Ne dépassez pas la dose prescrite par le médecin. Si les difficultés respiratoires persistent, communiquez avec votre médecin.

Ne décidez pas vous-même de cesser de prendre Pulmicort Turbuhaler. Le médecin voudra peut-être réduire la dose lentement, surtout si vous prenez ce médicament depuis longtemps.

Voici les **doses** recommandées au **début** d'un traitement:

Adultes et enfants de 12 ans et plus: 400 à 2 400 μg par jour, répartis en 2 à 4 administrations.

Enfants de 6 à 12 ans: 200 à 400 μg par jour, répartis en 2 administrations.

Traitement d'entretien: Administrer la plus faible dose nécessaire pour maîtriser les symptômes.

Adultes et enfants de 12 ans et plus: 200 à 400 μg par jour, répartis en 2 administrations.

Enfants de 6 à 12 ans: Administrer la plus faible dose nécessaire pour maîtriser les symptômes.

Chez les adultes qui ont besoin de 400 μg par jour, Pulmicort Turbuhaler peut être pris 1 fois par jour, le matin ou le soir.

Que faire si j'oublie de prendre une dose? Si vous avez oublié de prendre une dose de Pulmicort Turbuhaler et vous vous en rappelez moins de 6 heures après, prenez la dose le plus tôt possible. Retournez ensuite à l'horaire habituel. Mais s'il s'est écoulé plus de 6 heures, laissez faire la dose manquante et prenez la prochaine à l'heure habituelle.

Ne prenez jamais une double dose de Pulmicort Turbuhaler pour rattraper une dose oubliée. En cas de doute, demandez des conseils à votre médecin ou à votre pharmacien.

Vous remarquerez peut-être une amélioration des symptômes après la première dose de Pulmicort Turbuhaler, mais il pourrait aussi s'écouler quelques semaines avant que vous ressentiez le plein effet thérapeutique. N'oubliez pas de prendre votre médicament, même si vous vous sentez bien.

Vous ne devez pas cesser de prendre Pulmicort Turbuhaler brusquement. Votre médecin vous donnera des directives sur la façon d'arrêter le traitement graduellement.

Si le médecin vous a prescrit Pulmicort Turbuhaler et que vous prenez encore des comprimés de «cortisone», il décidera peut-être de réduire graduellement la dose des comprimés (cela pourrait prendre quelques semaines ou même des mois). Il se pourrait même qu'à un moment donné, vous n'ayez plus besoin de prendre ces comprimés.

Remarque: Si vous preniez des comprimés de «cortisone» et que le médecin a changé votre traitement pour Pulmicort Turbuhaler, les symptômes que vous aviez l'habitude de ressentir pourraient revenir temporairement, tels écoulement nasal, éruptions cutanées, douleurs musculaires ou articulaires. Si ces symptômes vous dérangent ou si vous en avez d'autres comme maux de tête, fatigue, nausées ou vomissements, communiquez avec votre médecin.

Que dois-je faire en cas de surdosage? Téléphonez à votre médecin ou rendez-vous immédiatement à l'hôpital si vous croyez que vous ou une autre personne avez pris une dose trop forte de Pulmicort Turbuhaler.

Y a-t-il des effets secondaires? Comme tout autre médicament, Pulmicort Turbuhaler peut causer des effets secondaires chez certaines personnes.

Les effets secondaires les plus fréquents sont la toux, l'irritation de la gorge et l'enrouement. Parmi les autres effets possibles, mentionnons: mauvais goût, maux de tête, nausées et sécheresse de la gorge. On a aussi rapporté à l'occasion des cas de fatigue, de soif et de diarrhée.

Une infection dans la bouche ou la gorge peut se produire parfois. Les effets secondaires suivants sont rares: réactions cutanées, plus grande oppression thoracique, nervosité, agitation, dépression et troubles de comportement chez les enfants. Il se peut que dans votre cas ces effets ne soient pas dus à Pulmicort Turbuhaler, mais seul un médecin peut le confirmer.

Les médicaments n'affectent pas tout le monde de la même façon. Si d'autres personnes ont ressenti des effets secondaires, cela ne veut pas dire que vous en aurez aussi. Si vous avez des effets secondaires qui vous incommodent, consultez votre médecin.

Où dois-je garder l'inhalateur Pulmicort Turbuhaler? Il faut s'assurer de **garder le Pulmicort Turbuhaler hors de la portée des enfants.**

Revissez le couvercle après chaque utilisation de Pulmicort Turbuhaler. Gardez l'inhalateur à température ambiante (15 à 30 °C), dans un endroit sec et à l'abri de l'humidité.

Remarque importante: Ce feuillet vous indique dans quels cas vous devez appeler le médecin, mais d'autres situations imprévisibles peuvent survenir. Rien dans ce feuillet ne vous empêche de communiquer avec votre médecin ou votre pharmacien pour lui poser des questions au sujet de Pulmicort Turbuhaler.

□ PUREGON™ 🅿

Organon

Follitrophine bêta

Gonadotrophine humaine

Renseignements destinés aux patients: Les faits concernant le Puregon: Veuillez lire attentivement les renseignements qui suivent avant d'utiliser ce médicament. Si vous avez des questions ou si vous désirez de plus amples renseignements, veuillez consulter votre médecin.

Votre médicament: Puregon est le nom donné à ce médicament. Il contient une hormone folliculo-stimulante (FSH) à des quantités de 50 ou 100 unités internationales (UI) par ampoule. Le Puregon est produit par des cellules de mammifères dans lesquelles les gènes de la FSH humaine ont été insérés grâce à la technologie de l'ADN recombinant.

Ce produit est à toute fin pratique identique à la FSH humaine qui est normalement sécrétée par l'hypophyse (une petite glande) située au bas du cerveau. La FSH régit l'activité des glandes sexuelles (les ovaires chez la femme et les testicules chez l'homme) en association avec l'hormone lutéinisante (LH).

Chez la femme, la FSH joue un rôle important à tous les mois dans la maturation du follicule (développement d'un petit kyste de l'ovaire contenant l'ovule). Une production insuffisante de FSH par l'organisme peut entraîner l'infertilité. Dans ce cas, on peut utiliser le Puregon pour pallier à cette déficience. Une évaluation quotidienne peut être nécessaire pour définir la posologie adéquate. Le degré de maturation du follicule peut se mesurer par une échographie ou par la détermination de la quantité d'estradiol (hormone féminine) dans le sang ou l'urine. Une fois qu'un follicule a atteint une taille suffisante, une préparation contenant une forte activité de LH (hCG) est administrée pour provoquer l'ovulation (expulsion de l'ovule).

Il se peut souvent que, malgré une surveillance rigoureuse, que plus d'un ovule soit libéré. Ceci accroît les chances de grossesses multiples.

La production inadéquate de FSH n'est pas la seule cause de l'infertilité. Dans certains cas, on peut recourir à des programmes de reproduction assistée comme la fécondation in vitro (en éprouvette). Cette méthode requiert plusieurs ovules; le Puregon peut alors être utilisé pour provoquer le développement de plusieurs follicules.

Le Puregon n'est efficace que lorsqu'il est administré par injection. Il se présente sous forme d'une poudre qui doit être dissoute dans le solvant contenu dans une ampoule.

En plus de la FSH, la poudre contient du saccharose, du citrate de sodium et du polysorbate 20; le solvant contient du chlorure de sodium et de l'eau pour injection. Le Puregon fait partie d'un groupe de médicaments appelés «gonadotrophines».

Avant d'utiliser le Puregon: N'utilisez pas le Puregon si vous souffrez d'une tumeur du sein, de l'ovaire, de l'utérus, des testicules ou de l'hypophyse.

La surveillance étroite des patientes par un médecin est très importante. Le plus souvent, on effectue un échographie des ovaires, puis des prélèvements de sang et d'urine au moins 1 fois tous les 2 jours. Les résultats de ces examens permettent au médecin d'établir la posologie adéquate d'un jour à l'autre. Cela est d'une importance capitale étant donné qu'une dose trop élevée peut entraîner une stimulation ovarienne excessive et indésirable. Une stimulation ovarienne excessive se manifestera par l'apparition de douleurs abdominales, un gain de poids, des troubles respiratoires, des nausées ou une diarrhée. Si vous souffrez de l'un de ces malaises, consultez immédiatement votre médecin.

Grossesse: Les grossesses qui se présentent à la suite d'un traitement à base de préparations gonadotrophine comportent un risque accru de naissances gémellaires ou multiples.

Capacités diminuées pour la conduite ou l'utilisation d'appareils: À notre connaissance, le Puregon n'a aucun effet sur la concentration et ne cause pas de somnolence.

Utilisation adéquate du médicament: Quantité: La posologie est définie par le médecin. Le traitement débute habituellement avec des quantités de 75 à 150 UI de FSH par jour. On utilise une dose plus élevée de 150 à 225 UI de Puregon pour débuter la stimulation chez les femmes participant à un programme de reproduction médicalement assistée.

Chez la femme, les injections sont administrées chaque jour pour une période variant de 10 jours à 4 semaines.

Type d'injection: Il faut dissoudre la poudre dans le solvant liquide de l'ampoule. Les injections doivent être administrées lentement dans un muscle (fesse, cuisse, haut du bras, etc.) ou sous la peau (dans la paroi abdominale, p. ex.).

Personne pouvant donner l'injection: Les injections dans un muscle ne doivent être administrées que par un médecin ou une infirmière. Dans certains cas, il est possible pour vous et votre partenaire d'effectuer les injections sans aide extérieure. Dans ce cas, le Puregon doit être injecté sous la peau. Votre médecin pourra vous indiquer quand et comment le faire.

Effets secondaires du Puregon: Chez la femme, un traitement à l'aide de gonadotrophines peut entraîner une stimulation ovarienne excessive et indésirable. Les premiers symptômes d'une stimulation ovarienne peuvent se présenter sous forme de douleurs dans l'abdomen, de sensations d'être malade ou de diarrhée. Dans les cas les plus sévères, il y a accumulation de liquide dans l'abdomen et/ou le thorax, gain de poids et formation de caillots sanguins. Contactez votre médecin sans retard si vous percevez un de ces symptômes durant le traitement ou dans les jours suivants la dernière injection.

Conservation de votre médicament: Cette médication vous a été prescrite pour votre problème actuel. Elle ne doit pas être utilisée pour une autre condition médicale ou par une autre personne. Conserver Puregon dans sa boîte originale, dans un endroit sûr et hors de la portée des enfants. Les directives sur l'entreposage figurent sur la boîte. La date de péremption apparaît immédiatement après les lettres «exp.» sur l'étiquette. Ne pas utiliser le produit après cette date.

Renseignements à savoir sur la prise d'autres médicaments:

1. Mentionnez les médicaments dont vous faites usage au médecin qui vous dispense des soins. Ayez toujours avec vous une carte de renseignements médicaux sur laquelle figurent tous les médicaments dont vous faites usage. Ce peut être d'une importance vitale en cas d'accident.
2. Rapporter les médicaments inutilisés à votre pharmacien qui pourra en disposer.
3. Veillez à ce que les gens qui habitent avec vous ou qui vous prodiguent des soins lisent ces renseignements.

□ PYLORID®

Glaxo Wellcome

Ranitidine citrate de bismuth

Antagoniste des récepteurs H_2 de l'histamine doté d'un pouvoir suppressif à l'égard de H. pylori

Renseignements destinés aux patients: Ce que vous devez savoir sur les comprimés Pylorid. Veuillez lire ce dépliant attentivement avant de commencer à prendre votre médicament. Il vous donne un résumé des renseignements disponibles sur le produit. Pour obtenir de plus amples renseignements ou des conseils, consultez votre médecin ou votre pharmacien.

Nom de votre médicament: Votre médicament en comprimés s'appelle Pylorid. Son principe actif est la ranitidine citrate de bismuth.

Pylorid ne peut être obtenu que sur ordonnance.

À quoi sert votre médicament? Les comprimés Pylorid appartiennent à une nouvelle classe de médicaments qui combinent les propriétés des antagonistes H_2, l'action contre la bactérie Helicobacter pylori et la protection de la paroi de l'estomac.

L'antagoniste H_2, contenu dans votre médicament, réduit la quantité d'acide sécrétée par votre estomac. La bactérie Helicobacter pylori peut provoquer un retour de l'ulcère. Votre médicament agit contre cette bactérie dans votre estomac et empêche le retour de l'ulcère.

Utilisation de ce médicament durant la grossesse et l'allaitement: À titre de précaution, vous ne devez pas prendre ce médicament si vous êtes enceinte, si vous avez des chances de le devenir ou si vous allaitez. Cependant, il peut exister des circonstances où votre médecin vous conseillera d'utiliser ce médicament durant la grossesse.

Avant de prendre votre médicament: Si vous répondez «oui» à l'une ou l'autre des questions suivantes, informez-en votre médecin avant de prendre votre médicament.

- Vous a-t-on dit que vous étiez allergique aux comprimés Pylorid, à la ranitidine citrate de bismuth ou à l'un ou l'autre des ingrédients des comprimés Pylorid?
- Êtes-vous enceinte, essayez-vous de le devenir, ou allaitez-vous?
- Avez-vous des problèmes avec vos reins et votre foie?
- Souffrez-vous d'une maladie rare, appelée «porphyrie»?
- Avez-vous d'autres maladies ou prenez-vous d'autres médicaments, y compris ceux que vous achetez vous-même?
- Avez-vous récemment terminé un traitement à l'aide de ces comprimés?

Comment prendre votre médicament: Prenez votre médicament selon les directives de votre médecin. L'étiquette placée sur le flacon devrait vous dire combien de fois vous devez le prendre et combien de comprimés vous devez prendre chaque fois. Si l'étiquette ne contient aucun renseignement à cet effet, ou si vous êtes dans le doute, renseignez-vous auprès de votre médecin ou de votre pharmacien.

La posologie pour adulte est de 1 comprimé Pylorid, matin et soir. Prenez chaque comprimé avec de l'eau. Votre médecin vous prescrira également un antibiotique à prendre en même temps que les comprimés Pylorid pendant 2 semaines, afin de traiter votre ulcère provoqué par Helicobacter pylori. Votre médecin peut recommander de prolonger votre traitement à l'aide de Pylorid afin d'être sûr que votre ulcère est guéri.

Après avoir pris votre médicament: La plupart des personnes qui prennent ce médicament n'éprouvent aucun malaise. Cependant, comme avec tout médicament, un petit nombre de gens peuvent trouver qu'il provoque des effets indésirables. Certaines personnes sont allergiques à des médicaments. Si vous ressentez l'un ou l'autre des symptômes suivants peu de temps après la prise de votre médicament, **cessez** de prendre les comprimés et informez-en immédiatement votre médecin:

—éruptions cutanées papuleuses (urticaire) sur n'importe quelle partie du corps;
—enflure des paupières, du visage ou des lèvres;
—sifflements respiratoires soudains et douleurs ou oppression dans la poitrine.

Informez votre médecin dès que possible si vous avez une éruption cutanée (taches rouges) ou des démangeaisons.

Dites à votre médecin, lors de votre prochaine visite, si vous éprouvez l'une ou l'autre des réactions indésirables suivantes:

—diarrhée, indigestion, flatulence, crampes gastriques ou selles noirâtres d'aspect goudronneux;
—céphalées.

Pylorid (suite)

Ces comprimés rendent souvent les selles plus foncées. Votre médecin voudra peut-être vérifier que ceci n'est lié qu'à votre médicament. Vous pouvez également remarquer que votre langue devient plus foncée. Ces effets sont courants et sans danger et disparaîtront à la fin de votre traitement.

Votre médicament peut altérer les résultats de certains tests sanguins, y compris la numération globulaire.

Les comprimés Pylorid contiennent de la ranitidine citrate de bismuth. Les effets indésirables ci-dessous ont été signalés avec d'autres formes de ranitidine. Ils peuvent ou non se manifester avec votre médicament.

Informez votre médecin le plus tôt possible si vous ressentez l'un ou l'autre des effets suivants:

—nausées et perte d'appétit, pires que d'habitude, ou jaunisse (coloration jaunâtre de la peau ou du blanc des yeux);
—ralentissement ou irrégularité des battements du cœur, étourdissements, fatigue ou évanouissement;
—sensation de dépression, confusion ou hallucinations;
—graves douleurs gastriques, ou modification du type de douleur;
—fatigue inhabituelle, essoufflement ou tendance aux infections ou aux ecchymoses pouvant être provoquées par une altération de la formule sanguine.

Si vous ressentez des douleurs articulaires ou musculaires ou, si vous êtes un homme, une sensibilité ou une hypertrophie des seins, dites-le à votre médecin lors de votre prochaine visite.

Si vous ne vous sentez pas bien ou si vous éprouvez des malaises inhabituels dont vous ne comprenez pas la cause, veuillez en parler à votre médecin ou à votre pharmacien.

Que faire si vous oubliez une dose? Si vous oubliez de prendre un comprimé, ne vous inquiétez pas, prenez-en un autre dès que vous constatez cet oubli. Puis continuez comme auparavant, en prenant une dose matin et soir pour le reste du traitement.

Que faire en cas de surdosage? Si vous prenez accidentellement plus de comprimés qu'il a été prescrit, communiquez immédiatement avec votre médecin, avec le service d'urgence de l'hôpital ou encore avec le centre antipoison le plus proche.

Conservation de votre médicament: Conservez votre médicament dans un endroit sécuritaire hors de la portée des enfants, car il pourrait leur être nuisible.

Gardez vos comprimés loin de la chaleur qui pourrait les affecter.

Que contient votre médicament? Les comprimés Pylorid contiennent 400 mg de ranitidine citrate de bismuth. Ils contiennent également du carmin d'indigo/laque d'aluminium, du stéarate de magnésium, de la méthylhydroxypropylcellulose, de la cellulose microcristalline, du polyvidone K30, du carbonate de sodium (anhydre), du dioxyde de titane et de la triacétine.

N'oubliez pas que ce médicament est pour vous. Seul un médecin peut vous le prescrire. Ne le donnez jamais à quelqu'un d'autre. Il peut lui être nuisible, même si ses symptômes sont les mêmes que les vôtres.

Autres renseignements: Ce dépliant ne contient pas tous les renseignements sur votre médicament. Si vous avez des questions qui demeurent sans réponse ou que certains détails vous inquiètent, consultez votre médecin ou votre pharmacien.

Vous pourriez avoir besoin de relire ce dépliant plus tard. Alors **ne le jetez pas** avant d'avoir terminé votre traitement.

□ QUINTASA® 🅿

Ferring

Acide 5-aminosalicylique

Anti-inflammatoire des voies gastro-intestinales inférieures

Renseignements destinés aux patients: Quintasa pour lavement: Mode d'emploi (voir le prospectus d'emballage pour les illustrations): Les meilleurs résultats sont obtenus lorsque l'intestin est évacué immédiatement avant l'administration du lavement. Sauf indication contraire, 1 seul lavement est administré au coucher. Pour de meilleurs résultats, garder le lavement toute la nuit.

1. **Retrait de la bouteille de son emballage:** Retirer l'emballage métallique protecteur recouvrant la bouteille à l'aide de ciseaux. Prendre garde de ne pas perforer la bouteille.
2. **Préparation:**
   a) Immédiatement après avoir retiré la bouteille de son emballage métallique, bien l'agiter pour obtenir une suspension uniforme.
   b) Enlever en la tournant la petite section supérieure du flacon et la jeter.
   c) Lubrifier la pointe avec de la gelée de pétrole.
   d) Pour fins d'hygiène, le sac de plastique ci-joint sert à vous protéger la main pendant l'administration du lavement.
3. **Position du corps:**
   a) Les meilleurs résultats sont obtenus lorsque la personne est couchée sur le côté gauche, la jambe gauche en extension et la jambe droite vers l'avant pour garder son équilibre.
   b) La position «genou-poitrine» peut aussi être adoptée.
4. **Administration du lavement:**
   a) Insérer en douceur l'applicateur lubrifié dans le rectum en l'orientant légèrement vers le nombril.
   b) Tenir la bouteille fermement et l'incliner légèrement de façon à ce que la pointe de l'applicateur soit dirigée vers l'arrière; comprimer ensuite la bouteille lentement pour administrer le médicament. Maintenir une pression constante sur la bouteille et en administrer tout le contenu.
5. **Retrait de la pointe de l'applicateur:**
   a) Retirer l'applicateur pendant que la bouteille est toujours comprimée.
   b) Tirer sur le plastique et l'enrouler autour de l'applicateur.
   c) Garder la position pendant 5 à 10 minutes ou jusqu'à ce que le besoin d'évacuer le lavement ait disparu.
   d) Jeter la bouteille vide.

Suppositoires Quintasa: Les suppositoires ne doivent pas être pris par la bouche.

1. Il est souhaitable, dans la mesure du possible, que le suppositoire soit administré après une évacuation intestinale.
2. Retirer le suppositoire du sachet métallique et jeter l'emballage.
3. Après avoir placé un protecteur de caoutchouc sur votre index, insérer le suppositoire dans le rectum, la pointe en premier. Remarque: l'insertion du suppositoire peut se faire en position debout ou encore en position couchée avec une jambe repliée. Le suppositoire doit être inséré aussi loin que possible.
4. Pour de meilleurs résultats, garder le suppositoire le plus longtemps possible. Remarque: Si le suppositoire est évacué dans les 10 minutes qui suivent sa mise en place, il faut alors en insérer un autre.
5. Jeter le protecteur de caoutchouc pour le doigt.

□ RAXAR^MC 🅿

Glaxo Wellcome

Chlorhydrate de grépafloxacine

Antibactérien

Renseignements destinés aux patients: Ce que vous devez savoir au sujet de Raxar (chlorhydrate de grépafloxacine).

Veuillez lire attentivement ce feuillet avant de commencer à prendre le médicament. Pour obtenir des conseils ou de plus amples renseignements, communiquez avec votre médecin ou votre pharmacien.

Votre médicament: Votre médicament s'appelle Raxar. Il contient du chlorhydrate de grépafloxacine. Ce médicament est semblable à d'autres antibiotiques appelés quinolones.

Comment vous procurer votre médicament? Raxar peut être obtenu uniquement sur présentation d'une ordonnance d'un médecin.

Pourquoi prendre ce médicament? Votre médecin vous a prescrit Raxar parce que vous avez une infection. Raxar sert à tuer les bactéries, ou «germes», responsables des infections. L'infection pourra être guérie si vous prenez votre médicament selon les directives de votre médecin.

Points importants à noter avant de commencer le traitement: Vous ne devez pas prendre Raxar si vous êtes allergique aux quinolones.

Vous ne devez pas prendre de terfénadine (Seldane) pendant votre traitement par Raxar.

Vous ne devez pas prendre Raxar si vous prenez certains autres médicaments—vérifiez auprès de votre médecin ou de votre pharmacien pour savoir si les autres médicaments que vous prenez peuvent entraver les effets de Raxar.

Les personnes atteintes de certaines maladies ou affections cardiaques ne doivent pas prendre Raxar. Veuillez en aviser votre médecin si vous souffrez d'un trouble cardiaque, quel qu'il soit.

Vous ne devez pas prendre Raxar si vous souffrez d'une maladie du foie.

Si vous prenez de la théophylline, dites-le à votre médecin.

Vous ne devez pas prendre de multivitamines contenant du fer ou du zinc, des antiacides contenant du magnésium, du calcium ou de l'aluminium, ni du sucralfate dans les 4 heures précédant ou suivant la prise de Raxar.

Vous devez boire beaucoup pendant le traitement par Raxar.

Raxar peut amplifier les effets de la caféine. Vous devez donc limiter votre consommation de café, de thé et de chocolat pendant le traitement.

Raxar peut provoquer des étourdissements et des maux de tête. Si vous éprouvez l'un de ces effets secondaires, évitez de conduire et d'exercer toute autre activité professionnelle ou récréative qui exige vigilance ou coordination.

Vous devez éviter toute exposition excessive aux rayons du soleil ou à la lumière ultraviolette artificielle pendant que vous prenez de la grépafloxacine. Si des effets phototoxiques (p. ex., éruptions de la peau ou réaction semblable à un coup de soleil) se manifestent, vous devez cesser le traitement.

Utilisation du médicament pendant la grossesse ou l'allaitement: Si vous êtes enceinte ou si vous allaitez, votre médecin peut décider de ne pas vous prescrire ce médicament. Certaines circonstances peuvent toutefois justifier le traitement.

Comment prendre votre médicament? Vous devez prendre Raxar tel qu'il vous a été prescrit par votre médecin. Si vous ne savez pas exactement combien de comprimés vous devez prendre ou à quelle fréquence vous devez les prendre, consultez votre médecin ou votre pharmacien. **N'augmentez pas la dose prescrite, à moins que votre médecin ne vous l'indique.**

Raxar peut être pris avec ou sans nourriture.

La dose habituellement prescrite aux adultes est de 2 ou 3 comprimés à 200 mg 1 fois/jour.

Comme Raxar a un goût amer, il est conseillé de ne pas mâcher ni écraser le comprimé, mais plutôt de l'avaler tout rond avec de l'eau.

Le traitement dure habituellement entre 7 et 10 jours, mais le médecin peut en décider autrement selon les circonstances. Vous devez prendre tous les comprimés qui vous ont été remis, pour que toutes les bactéries soient tuées. **Même si vous commencez à vous sentir mieux, continuez de prendre les comprimés jusqu'à ce qu'il n'en reste plus.**

Après avoir pris votre médicament: Arrêtez de prendre votre médicament et appelez votre médecin au premier signe de réaction de la peau ressemblant à un coup de soleil, d'éruption de la peau ou d'urticaire, d'accélération de la fréquence cardiaque, de difficulté à respirer ou à avaler, ou de tout autre symptôme de réaction allergique. Ne prenez pas d'autre médicament à moins d'indication contraire de votre médecin. Votre médecin peut décider d'arrêter le traitement.

Au premier signe de douleur dans les tendons ou les articulations, avertissez immédiatement votre médecin et évitez toute activité physique.

Parmi les autres effets susceptibles de se manifester, on compte la diarrhée, les vomissements et les nausées. Certaines personnes peuvent présenter d'autres réactions. Si vous remarquez un effet inhabituel, parlez-en à votre médecin ou à votre pharmacien.

Si votre état s'aggrave ou si vous ne vous sentez pas mieux après avoir pris tous les comprimés, **avertissez votre médecin dans les plus brefs délais.**

Que faire en cas de surdosage: Il est important de suivre les indications sur la prise de votre médicament figurant sur l'étiquette. Si vous dépassez la dose recommandée, communiquez immédiatement avec votre médecin ou le service d'urgence de l'hôpital le plus proche.

Conservation de votre médicament: Conservez votre médicament en lieu sûr, hors de la portée des enfants. Raxar doit être conservé à la température ambiante (entre 15 et 30 °C) dans un contenant hermétiquement fermé, à l'abri de la chaleur et de la lumière directe.

Que faire si vous oubliez de prendre une dose: Si vous oubliez de prendre une dose, prenez-la aussitôt que vous vous en apercevez, et continuez le traitement selon l'horaire prévu le jour suivant. Ne prenez pas 2 doses dans une même journée.

Que faire si vous abandonnez le traitement: Si votre médecin vous dit de cesser le traitement, veillez à vous débarrasser de tous les comprimés Raxar qu'il vous reste, à moins d'avis contraire de votre médecin. Veuillez jeter tout comprimé Raxar inutilisé.

Qu'y a-t-il dans ce médicament? Un comprimé Raxar contient 200 mg de chlorhydrate de grépafloxacine. Il contient également les substances suivantes: cellulose microcristalline, dioxyde de titane, encre grise, hydroxypropylcellulose, hydroxypropylcellulose faiblement substituée, hydroxypropylméthylcellulose, stéarate de magnésium et talc.

Important: Ce médicament est pour vous. Seul un médecin peut vous le prescrire. N'en donnez jamais à une autre personne. Il peut lui être nocif, même si elle présente les mêmes symptômes que vous.

Autres renseignements: Ce feuillet ne contient pas toute l'information concernant votre médicament. Pour toute question, consultez votre médecin ou votre pharmacien.

Vous pourriez avoir besoin de relire ce feuillet. Veuillez le conserver jusqu'à ce que vous ayez pris tous vos comprimés.

☐ REACTINE^MC

Pfizer, Soins de la santé

Chlorhydrate de cétirizine

Inhibiteur des récepteurs H_1

Renseignements destinés aux patients: Indications: Reactine est un métabolite à action directe* indiqué pour le soulagement rapide et soutenu du larmoiement, des démangeaisons oculaires, des éternuements, et de l'écoulement nasal causés par les allergies saisonnières et apériodiques (toute l'année) (rhume des foins, allergies au pollen des arbres et des graminées, à la poussière, aux animaux, aux moisissures). Reactine soulage également les allergies cutanées comme l'urticaire.

Posologie: Adultes et enfants de 12 ans et plus: 1 à 2 comprimés 5 mg ou 1 comprimé 10 mg au 24 heures, selon la sévérité des symptômes. Ne pas dépasser la posologie recommandée. Consulter le médecin pour un traitement de longue durée.

Adultes âgés de 65 ans et plus: Prendre un comprimé de 5 mg ou un demi-comprimé de 10 mg (5 mg). Consulter le médecin en cas de doute sur la dose appropriée.

Précautions: Les personnes qui souffrent d'une maladie des reins ou du foie et les femmes enceintes ou qui allaitent ne doivent pas prendre Reactine, sauf sur les conseils d'un médecin. En présence de somnolence, ne pas conduire ou prendre les commandes d'une machine. Garder ce médicament, comme tout autre médicament, hors de la portée des enfants.

- Conserver à moins de 30 °C.
- La monographie est fournie sur demande aux médecins et aux pharmaciens.

* Un métabolite à action directe n'a pas besoin de subir une biotransformation pour faire effet.

Excipients: Amidon de maïs, hydroxypropylméthylcellulose, lactose, stéarate de magnésium, polyéthylèneglycol, povidone et dioxyde de titane.

Présentation: Les comprimés sécables de Reactine à 5 mg sont présentés sous plaquettes alvéolées de 14 et 21 comprimés et à 10 mg sous plaquettes alvéolées de 6, de 12, de 18 ou de 30 comprimés.

☐ REBIF^MD Ⓟ

Serono

Interféron bêta-1a

Immunomodulateur

Renseignements destinés aux patients: Votre médecin vous a prescrit Rebif comme traitement de la sclérose en plaques rémittente. Comme pour tous les médicaments d'ordonnance, il y a certaines choses que vous devriez savoir au sujet de votre traitement et de ce à quoi vous devriez vous attendre du traitement. Ce document informatif contient des renseignements importants pour le patient en ce qui concerne le mode d'administration de Rebif et les façons d'obtenir de plus amples renseignements si vous avez des questions.

Les renseignements contenus ici ne concernent que l'emploi de Rebif dans le traitement de la sclérose en plaques (SEP) rémittente. Si le médecin vous a prescrit un traitement pour la SEP autre que Rebif ou s'il vous a prescrit Rebif pour le traitement d'une autre affection, ces instructions ne s'appliquent alors pas.

Remarque: Rebif est présenté dans les deux formats suivants:

1. **Seringues préremplies, prêtes à l'administration;**
2. **Flacons de poudre lyophilisée à reconstituer avant l'injection.**

Rebif (suite)

Assurez-vous de suivre les instructions pour le format de Rebif qui vous a été prescrit.

Avec Rebif, suivez toujours les principes de base de l'injection:
- Respectez les normes de stérilité
- Vérifiez l'état du médicament
- Vérifiez la date de péremption
- Vérifiez la posologie et les instructions
- Soyez vigilant, pensez «sécurité»
- Faites les injections à des endroits différents

Les 6 étapes de l'injection sous-cutanée avec Rebif en seringue préremplie: Important: Conservez tout le matériel d'injection ainsi que Rebif hors de la portée des enfants en tout temps.

Étape 1: Hygiène: Avant de commencer, lavez-vous les mains à fond avec de l'eau et du savon. Il est essentiel que vos mains ainsi que tous les articles que vous utiliserez soient aussi propres que possible. Les aiguilles ne doivent entrer en contact avec aucun objet, sauf la peau qui est préalablement nettoyée à l'alcool. Laissez aux aiguilles leur capuchon jusqu'au moment de vous en servir. Afin de prévenir la contamination, utilisez une nouvelle seringue à chaque injection. Après usage, jeter les aiguilles dans le contenant prévu à cette fin.

Étape 2: Rassemblez tout ce dont vous avez besoin: Sur un plan de travail bien propre, rassemblez tout ce qu'il vous faut (tampons imbibés d'alcool, seringue préremplie, contenant-poubelle). Vous pourrez faire l'injection dans n'importe quelle pièce où vous serez à l'aise. Si vous êtes dans la cuisine, veillez à garder la nourriture loin du médicament et des aiguilles.

Étape 3: Préparation pour l'injection de Rebif: Enlevez le capuchon protecteur de l'aiguille et déposez-le à portée de la main sur votre plan de travail (ne le jetez pas tout de suite, vous en aurez besoin de nouveau).

Si vous voyez des bulles d'air dans la seringue, tenez la seringue à la verticale en veillant à ce que l'aiguille pointe vers le haut. À l'aide d'un doigt, donnez de légers coups sur la seringue jusqu'à ce que toutes les bulles aient remonté à la surface. Poussez délicatement sur le piston jusqu'à l'élimination des bulles d'air. Ne vous inquiétez pas si vous êtes incapable d'enlever les petites bulles, car elles ne représentent aucun danger pour les injections par voie sous-cutanée (sous la surface de la peau). Remettez en place le capuchon protecteur de l'aiguille pendant que vous préparez le point d'injection.

Étape 4: Sélection du site d'injection: Rebif s'injecte sous la peau, soit dans la couche de tissus sous-cutanés. Pour votre confort, évitez d'effectuer les injections trop souvent dans la même région. Vous pouvez effectuer les injections à plusieurs endroits de votre corps (p. ex., les bras, les cuisses, les fesses, l'abdomen)—reportez-vous au diagramme qui suit ces instructions. Comme il est difficile de s'auto-injecter dans l'arrière du bras, vous aurez probablement besoin d'assistance si vous choisissez ce site. C'est une bonne idée de préparer un plan d'administration des injections alternant les sites de piqûres et d'en prendre note dans un journal quotidien.

Remarque: N'effectuez pas les injections dans une région où vous sentiriez des bosses, une masse ferme ou de la douleur. Signalez toute anomalie de ce genre à votre médecin ou un professionnel de la santé.

Facultatif: Auto-injecteur: Si vous disposez d'un auto-injecteur, suivez le mode d'utilisation détaillé fourni avec le dispositif.

Étape 5: Préparation du site d'injection et injection de Rebif par voie sous-cutanée: Votre médecin ou l'infirmière vous ont sans doute indiqué les régions corporelles où il convient d'effectuer les injections (p. ex., l'abdomen, le dessus de la cuisse, l'arrière du bras, les fesses). Reportez-vous au diagramme des sites d'injection qui paraît dans le prospectus d'emballage (on recommande d'inscrire dans un carnet ou un journal quotidien le site corporel où l'on effectue chaque injection). Suivez les instructions détaillées données ci-dessous chaque fois que vous utilisez Rebif en seringue préremplie pour effectuer vos injections. Si vous avez des questions sur le mode d'injection avec Rebif, adressez-vous à un professionnel de la santé ou appelez le service de Soutien Personnalisé au 1 888 MS-REBIF (1 888 667-3243).

Remarque: Vous devriez effectuer votre première injection de Rebif sous la supervision de votre médecin ou d'un autre professionnel de la santé ayant les compétences requises.
- À l'aide d'un tampon imbibé d'alcool, nettoyez la peau au site d'injection choisi. Laissez la peau sécher complètement (15 à 20 secondes) pour éviter une sensation de brûlure, puis jetez le tampon d'alcool.
- Prenez la seringue et enlevez le capuchon protecteur de l'aiguille. Tenez la seringue comme un crayon ou une fléchette.
- Avec l'autre main, saisissez un repli de peau entre le pouce et l'index.
- Le poignet reposant sur la peau à proximité du site d'injection, d'un coup sec, enfoncez l'aiguille verticalement (90 degrés) dans la peau.
- Injectez Rebif en appuyant doucement sur le piston jusqu'au fond. Prenez tout le temps nécessaire pour vous assurer de bien injecter toute la solution.
- Retirez l'aiguille et à l'aide d'un tampon d'ouate sec ou de gaze, massez délicatement le site d'injection.
- Jetez la seringue utilisée, le capuchon protecteur de l'aiguille et le tampon d'alcool dans l'unité spéciale de mise au rebut.

Étape 6: Mise au rebut des articles utilisés: Une fois l'injection terminée, jetez immédiatement l'aiguille dans le contenant spécial fourni à cette fin. Lorsque ce contenant sera rempli, communiquez avec votre clinique pour obtenir des renseignements sur l'élimination appropriée des articles comportant des risques biologiques. On ne devrait pas les jeter avec les ordures ménagères.

Les six étapes de l'injection sous-cutanée avec Rebif en poudre lyophilisée à reconstituer en solution pour injection: Important: Conservez tout le matériel d'injection ainsi que Rebif hors de la portée des enfants en tout temps.

Remarque: Nous vous recommandons vivement d'effectuer votre première injection de Rebif sous la supervision de votre médecin ou d'un autre professionnel de la santé ayant les compétences requises.

Étape 1: Hygiène: Avant de commencer, lavez-vous les mains à fond avec de l'eau et du savon. Il est essentiel que vos mains ainsi que tous les articles que vous utiliserez soient aussi propres que possible. Les aiguilles ne doivent entrer en contact avec aucun objet, sauf la peau qui est préalablement nettoyée à l'alcool. Laissez aux aiguilles leur capuchon jusqu'au moment de vous en servir. Afin de prévenir la contamination, utilisez une nouvelle seringue à chaque injection. Après usage, jetez les aiguilles dans un récipient prévu à cette fin.

Étape 2: Rassemblez tout ce dont vous avez besoin: Rassemblez tout ce qu'il vous faut pour effectuer l'injection de Rebif: dégagez un plan de travail (dessus de comptoir ou table) et disposez-y le matériel nécessaire pour l'injection. Lors de chaque injection de Rebif, vous aurez besoin des articles suivants:
- tampons imbibés d'alcool;
- une ampoule de diluant;
- un flacon de Rebif;
- une seringue de 3 mL munie d'une longue aiguille pour effectuer le mélange;
- une aiguille de calibre 27 pour injection sous-cutanée; et
- votre seringue et l'unité de mise au rebut des aiguilles (p. ex., Vacutainer, contenant pour objets tranchants et pointus).

Étape 3: Reconstitution de Rebif et préparation de la solution à injecter: Ouverture de l'ampoule de diluant: Sur la partie supérieure de l'ampoule de diluant, vous remarquerez un petit point de couleur. Juste au-dessous de ce point, le goulot de l'ampoule a été traité pour qu'il se brise facilement. D'un léger coup d'ongle sur la partie supérieure de l'ampoule, faites tomber le liquide qui s'y trouve dans la partie renflée du bas. Ensuite, en tenant l'ampoule dans une main, placez le pouce de l'autre main sur la partie supérieure de l'ampoule, juste au-dessus du point de couleur et, l'index ou le majeur sur le côté opposé de la partie supérieure (et du point de couleur). Exercez une pression ferme dans le sens opposé du point de couleur pour briser l'ampoule. Déposez doucement l'ampoule ouverte sur le plan de travail et jetez la partie supérieure de l'ampoule dans le récipient prévu pour recueillir les objets tranchants et pointus.

Prélèvement du diluant: Sortez la seringue de 3 mL de son emballage. Retirez le capuchon protecteur de l'aiguille et jetez-le. En tenant la seringue d'une main et le diluant de l'autre main, insérez-y l'aiguille et aspirez la quantité voulue de diluant (voir tableau I) dans la seringue en tirant sur le piston. Déposez doucement la seringue remplie sur votre plan de travail en veillant à ne pas toucher à l'aiguille et à éviter que l'aiguille n'entre en contact avec une surface ou un objet quelconque. Jetez l'ampoule de verre vide dans le contenant prévu à cette fin.

Tableau I—Rebif

Tableau de reconstitution de Rebif

Concentration	Volume de diluant à ajouter au flacon	Volume approximatif obtenu	Concentration nominale/mL
11 μg (3 MUI)	0,5 mL	0,5 mL	22 μg (6 MUI)
44 μg (12 MUI)	0,5 mL	0,5 mL	88 μg (24 MUI)

Reconstitution de Rebif: Retirez le capuchon protecteur en aluminium du flacon de poudre de Rebif. Prenez la seringue de diluant. D'une main, tenez le flacon de Rebif fermement en place sur votre surface de travail et enfoncez lentement l'aiguille de la seringue directement au travers du bouchon de caoutchouc. Enfoncez doucement jusqu'au fond le piston dans la seringue afin d'en vider tout le diluant dans le flacon de Rebif. En maintenant l'aiguille à l'intérieur du flacon, attendez que la poudre soit complètement diluée (1 minute devrait suffire). Vous pouvez prendre le flacon et, d'un léger mouvement de rotation, en agiter délicatement le liquide—**ne pas secouer.** Une fois que la poudre est complètement dissoute, la solution de Rebif peut prendre une teinte jaunâtre, ce qui est normal.

Inversez le flacon de solution de Rebif (toujours en maintenant l'aiguille bien en place). En veillant à ce que la pointe de l'aiguille demeure immergée dans la solution, tirez sur le piston pour aspirer la solution de Rebif dans la seringue. Retirez l'aiguille du flacon. Jetez le flacon de Rebif dans le contenant prévu à cette fin. Dévissez l'aiguille de mélange de la seringue et jetez-la dans le contenant prévu à cette fin. Déposez la seringue sur votre surface de travail.

Préparation pour l'injection sous-cutanée de Rebif: Sortez l'aiguille de calibre 27 pour injection sous-cutanée de son emballage et vissez-la à la seringue. Retirez le capuchon protecteur de l'aiguille et déposez-le à portée de la main sur votre plan de travail (ne le jetez pas tout de suite, vous en aurez besoin de nouveau). Si vous voyez des bulles d'air dans la seringue, tenez la seringue à la verticale en veillant à ce que l'aiguille pointe vers le haut. À l'aide d'un doigt, donnez de légers coups sur la seringue jusqu'à ce que toutes les bulles aient remonté à la surface. Poussez délicatement sur le piston jusqu'à l'élimination des bulles d'air. Ne vous inquiétez pas si vous êtes incapable d'enlever les petites bulles, car elles ne représentent aucun danger pour les injections par voie sous-cutanée (sous la surface de la peau). Remettez en place le capuchon protecteur de l'aiguille pendant que vous préparez le point d'injection.

Étape 4: Sélection du site d'injection: Rebif s'injecte sous la peau, soit dans la couche de tissus sous-cutanés. Pour votre confort, évitez d'effectuer les injections trop souvent dans la même région. Vous pouvez effectuer les injections à plusieurs endroits de votre corps (p. ex., les bras, les cuisses, les fesses, l'abdomen)—reportez-vous au diagramme qui paraît dans le prospectus d'emballage. Comme il est difficile de s'auto-injecter dans l'arrière du bras, vous aurez probablement besoin d'assistance si vous choisissez ce site. C'est une bonne idée de préparer un plan d'administration des injections alternant les sites de piqûres et d'en prendre note dans un journal quotidien.

Remarque: N'effectuez pas les injections dans une région où vous sentiriez des bosses, une masse ferme ou de la douleur. Signalez toute anomalie de ce genre à votre médecin ou un professionnel de la santé.

Facultatif: Auto-injecteur: Si vous disposez d'un auto-injecteur, suivez le mode d'utilisation détaillé fourni avec le dispositif.

Étape 5: Préparation du site d'injection et injection de Rebif par voie sous-cutanée: Votre médecin ou l'infirmière vous ont sans doute indiqué les régions corporelles où il convient d'effectuer les injections (p. ex., l'abdomen, le dessus de la cuisse, l'arrière du bras, les fesses). Reportez-vous au diagramme des sites d'injection qui paraît au prospectus d'emballage (on recommande d'inscrire dans un carnet ou un journal quotidien le site corporel où l'on effectue chaque injection). Suivez les instructions détaillées données ci-dessous chaque fois que vous utilisez Rebif en seringue préremplie pour effectuer vos injections. Si vous avez des questions sur le mode d'injection avec Rebif, adressez-vous à un professionnel de la santé ou appelez le service de Soutien Personnalisé au 1 888 MS-REBIF (1 888 667-3243).

Remarque: Vous devriez effectuer votre première injection de Rebif sous la supervision de votre médecin ou d'un autre professionnel de la santé ayant les compétences requises.

- À l'aide d'un tampon imbibé d'alcool, nettoyez la peau au site d'injection choisi. Laissez la peau sécher complètement (15 à 20 secondes) pour éviter une sensation de brûlure, puis jetez le tampon d'alcool.
- Prenez la seringue et enlevez le capuchon protecteur de l'aiguille. Tenez la seringue comme un crayon ou une fléchette.
- Avec l'autre main, saisissez un repli de peau entre le pouce et l'index.
- Le poignet reposant sur la peau à proximité du site d'injection, d'un coup sec, enfoncez l'aiguille verticalement (90 degrés) dans la peau.
- Injectez Rebif en appuyant doucement sur le piston jusqu'au fond. Prenez tout le temps nécessaire pour vous assurer de bien injecter toute la solution.
- Retirez l'aiguille et à l'aide d'un tampon d'ouate sec ou de gaze, massez délicatement le site d'injection.
- Jetez la seringue utilisée, le capuchon protecteur de l'aiguille et le tampon d'alcool dans l'unité spéciale de mise au rebut.

Étape 6: Mise au rebut des articles utilisés: Une fois l'injection terminée, jetez immédiatement l'aiguille dans le contenant spécial fourni à cet effet. Lorsque ce contenant sera rempli, communiquez avec votre clinique pour obtenir des renseignements sur l'élimination appropriée des articles comportant des risques biologiques. On ne devrait pas les jeter avec les ordures ménagères.

Sites possibles où effectuer les injections de Rebif: Voir le prospectus d'emballage.

Voici d'autres conseils: Il est important de vous familiariser avec la bonne technique d'injection décrite dans ces instructions avant d'entreprendre votre traitement avec Rebif.

En cas de suintement au niveau du point d'injection immédiatement après en avoir retiré l'aiguille, appliquez-y un tampon d'ouate ou de gaze en exerçant une légère pression. Cela a pour effet habituellement d'empêcher le saignement.

Il ne se produira probablement aucune réaction cutanée locale si vous alternez les points d'injection et, si de telles réactions surviennent, elles disparaîtront en quelques jours. L'application de glace peut aider à réduire l'irritation. On peut également réduire l'enflure et l'irritation au point d'injection en massant délicatement pendant 5 minutes le site d'injection. Si un rash apparaît, vous devriez toujours le signaler au médecin ou à l'infirmière. Des ecchymoses (bleus) peuvent parfois se manifester au point d'injection et ce, même si l'injection a été effectuée correctement, mais elles disparaîtront.

Enfin, n'oubliez pas que chaque traitement est individualisé. Le vôtre a été soigneusement conçu pour vous par votre médecin selon vos besoins spécifiques. Il est très important que vous ne manquiez aucun rendez-vous et que vous suiviez les instructions de votre médecin, particulièrement pour la quantité de médicament à prendre et la fréquence des injections. Si vous oubliez ou manquez une injection, ne paniquez pas. Appelez votre médecin ou infirmière pour un conseil.

Rebif doit être conservé dans le réfrigérateur (2 à 8 °C) hors de la portée des enfants en tout temps.

Si vous avez des questions, appelez le service de Soutien personnalisé au 1 888 MS-REBIF (1 888 667-3243).

□ REJUVA-A® Ⓟ

Stiefel

Trétinoïne

Traitement de l'héliodermatose

Renseignements destinés aux patients: Rejuva-A (crème de trétinoïne 0,025 % USP): Sa nature, son activité et son mécanisme d'action.

La crème Rejuva-A renferme des agents émollients. La crème Rejuva-A améliore l'apparence de la peau endommagée par les rayons solaires (héliodermatose). La peau endommagée par le soleil a perdu son élasticité. On a démontré que la crème Rejuva-A augmente l'épaisseur de la peau et la quantité de collagène.

De plus l'activité exfoliante de la trétinoïne signifie que les couches cutanées externes peuvent se détacher pour laisser la place à une surface cutanée plus lisse, et d'apparence plus saine.

Il est important de comprendre que votre médecin vous a prescrit un médicament spécialement conçu pour vos besoins particuliers et votre type de peau. **Ne permettez pas que d'autres s'en servent.** De plus, l'application exagérée de Rejuva-A peut irriter votre peau et il est peu probable que le traitement sera moins long.

Il faut suivre soigneusement les directives de votre médecin pour minimiser les réactions ordinaires telles que: sensation légère de brûlure et de la rougeur.

Au cours des 3 premières semaines de traitement, votre médecin peut vous recommander l'application de Rejuva-A seulement à tous les 2 jours pour permettre à votre peau de s'habituer au médicament.

Les dermatologues informent habituellement leurs patients que des améliorations cliniques peuvent être obtenues après 6 mois ou 1 an lorsque le traitement est utilisé régulièrement. Soyez donc patients.

Votre médecin peut vous recommander une lotion hydratante pour le jour si votre peau est particulièrement sèche.

Si vous êtes une femme en âge d'enfanter, vous ne devez utiliser Rejuva-A qu'après avoir obtenu les conseils de votre médecin sur la contraception. Si vous êtes enceinte, vous devriez cesser l'emploi de Rejuva-A.

Rejuva-A (suite)

Mode d'emploi:
1. Laver les régions affectées au moyen d'un savon doux et avec de l'eau chaude et assécher délicatement avec un linge doux.
2. Appliquer Rejuva-A 1 fois/jour sur la région affectée, de préférence avant le coucher.
3. Votre médecin vous a probablement recommandé de commencer le traitement en appliquant une quantité grosse comme un pois sur le front et de l'étendre sur toute la figure. Lorsque la tolérance au médicament sera établie, la posologie pourra être doublée en appliquant la grosseur d'un pois sur chaque tempe.
4. Appliquer avec le bout des doigts pour étendre le médicament sur toute la figure avec un doux mouvement de massage.
5. On doit apporter un soin particulier pour traiter les rides autour des yeux (pattes d'oie) et de la bouche pour minimiser le contact avec les yeux, les lèvres et les muqueuses. Éviter les régions cutanées affectées par d'autres désordres tel que l'eczéma.
6. Si vous désirez traiter des régions sensibles où la peau est mince telle que la région du cou, on recommande de développer la tolérance graduellement envers le Rejuva-A en appliquant le médicament à toutes les 3 nuits pour commencer et ensuite à toutes les 2 nuits.
7. Le matin, lavez-vous la figure avec un savon doux.
8. Au tout début, vous pourrez remarquer une rougeur et éprouver une sensation de brûlure et de desquamation pendant que votre peau s'adapte au médicament. Pour réduire au minimum ces réactions, votre médecin peut vous conseiller d'utiliser le médicament à toutes les 2 ou 3 nuits pendant les premières semaines de traitement.

Précautions:
1. Ne pas appliquer Rejuva-A sur les régions de la peau qui présentent une autre affection, telle que l'eczéma, une inflammation grave ou d'autres lésions ouvertes.
2. Éviter les régions sensibles des muqueuses telles que les yeux, la bouche, les lèvres, les angles du nez et les coins des yeux et des lèvres.
3. Ne pas appliquer Rejuva-A de façon exagérée. Cette pratique n'accélère pas le traitement et peut seulement irriter votre peau.
4. Ne pas utiliser d'autres produits contre l'acné ou des médicaments topiques pour la peau en même temps que Rejuva-A sans l'avis de votre médecin.
5. L'exposition prolongée aux rayons solaires, aux lampes de bronzage, au vent et au froid doit être évitée durant le traitement. Si l'exposition au soleil ne peut être évitée, utiliser un écran solaire de FPS minimum de 15 ainsi que des vêtements protecteurs. L'écran solaire doit être rappliqué après chaque baignade.
6. En cas de coup de soleil, cesser l'utilisation de Rejuva-A et consulter le médecin.
7. Rejuva-A a été prescrit pour votre usage exclusif. Ne permettez pas à d'autres de l'utiliser.

□ RELAFEN™ Ⓟ

SmithKline Beecham

Nabumétone

Anti-inflammatoire non stéroïdien

Renseignements destinés aux patients: Relafen (nabumétone) est un anti-inflammatoire non stéroïdien (AINS). Votre médecin vous a prescrit ce médicament pour le traitement de symptômes arthritiques tels que le gonflement, la raideur et les douleurs articulaires.

Comment reconnaître votre médicament: Le comprimé à 500 mg, de couleur blanche, en forme de coussinet, porte la marque «Relafen» sur une face et «500» sur l'autre. Le comprimé à 750 mg, de couleur beige, en forme de coussinet, porte la marque «Relafen» sur une face et «750» sur l'autre. Si les inscriptions ou la couleur de vos comprimés ne correspondent pas à ces descriptions, consultez votre médecin ou votre pharmacien.

Avant de prendre Relafen: Vous devez informer votre médecin des états ou des circonstances énumérés ci-dessous, afin qu'il puisse juger si ce médicament vous convient:
- Réaction allergique (y compris éruption cutanée ou crise d'asthme) après avoir pris Relafen ou un autre médicament anti-inflammatoire (acide acétylsalicylique ou AAS, diclofénac, diflunisal, fénoprofène, flurbiprofène, ibuprofène, indométhacine, kétoprofène, acide méfénamique, naproxen, piroxicam, acide tiaprofénique et tolmétine).
- Antécédents (ou présence) de maux d'estomac, d'ulcère, de maladie du foie, des reins ou du coeur.
- Grossesse ou intention de devenir enceinte pendant le traitement par Relafen.
- Allaitement.
- Autres états médicaux.
- Prise d'autres médicaments contre l'arthrite ou d'autres états médicaux. Si vous prenez d'autres médicaments, il est important d'en avertir votre médecin, votre dentiste et votre pharmacien, car l'association de plusieurs médicaments peut parfois modifier les effets médicamenteux de façon inattendue ou provoquer des effets nocifs.

Comment prendre votre médicament: Vous devez prendre Relafen comme votre médecin vous l'a prescrit. N'en dépassez pas la dose et n'en prenez pas plus souvent ni plus longtemps qu'il ne vous l'a indiqué.

Assurez-vous de prendre Relafen régulièrement, en suivant les instructions du médecin. Essayez de prendre vos comprimés à la même heure chaque jour. L'effet de Relafen se manifeste rapidement au cours du traitement; dans certaines formes d'arthrite, une semaine peut cependant s'écouler avant qu'il ne procure un soulagement optimal. Il est important de continuer à prendre Relafen même lorsque vous vous sentirez mieux.

En général, les patients doivent prendre 2 comprimés Relafen (1 000 mg) 1 fois par jour. Selon le résultat obtenu, le médecin peut décider, en cours de traitement, d'augmenter la posologie jusqu'à 4 comprimés (2 000 mg) par jour. Dans ce cas, on peut diviser la dose en 2 prises par jour. Si vous oubliez de prendre une dose, sautez-la et prenez la suivante à l'heure habituelle.

Relafen agira, que vous le preniez avec ou sans aliments. Vous devez avaler les comprimés entiers, sans les mâcher, en buvant du lait ou de l'eau.

Remarque: Il se peut que le médecin vous ait donné des instructions différentes, mieux adaptées à votre cas. Si vous avez besoin d'autres renseignements sur le mode d'emploi de Relafen, consultez de nouveau votre médecin ou votre pharmacien.

Effets secondaires: Tout médicament peut causer des effets secondaires. La plupart des gens tolèrent bien ce médicament. Les effets indésirables les plus fréquemment associés à Relafen sont des troubles gastro-intestinaux tels que la diarrhée, l'indigestion, des douleurs abdominales, des nausées, la constipation, la flatulence. Des personnes prenant Relafen se sont aussi parfois plaintes de maux de tête, de fatigue, d'étourdissements, de somnolence et d'insomnie.

Consultez votre médecin si les symptômes suivants se présentent ou s'ils deviennent gênants:
- essoufflement, respiration sifflante, difficultés respiratoires ou sensation d'oppression à la poitrine;
- selles noires ou sanguinolentes;
- vision brouillée ou tintements d'oreilles;
- éruption cutanée, urticaire, enflure ou démangeaisons;
- enflure du visage, des pieds ou des jambes.

Si une éruption cutanée ou une crise d'asthme se manifeste pendant le traitement par Relafen, ne prenez pas d'autres comprimés et consultez votre médecin immédiatement.

Pendant le traitement par Relafen:
- Vous devez dire à tout autre médecin, dentiste ou pharmacien que vous consultez, que vous prenez Relafen.
- Il se pourrait que vous éprouviez des étourdissements après avoir pris Relafen. Si tel était le cas, vous ne devriez pas conduire ni faire fonctionner de machines.
- Si vous ressentez des malaises inhabituels, consultez votre médecin.
- Si vous êtes enceinte ou si vous allaitez votre enfant, vous ne devez pas prendre Relafen, à moins d'avis contraire de votre médecin.
- Ne prenez pas d'AAS (acide acétylsalicylique) ou d'autres médicaments pour le soulagement de l'arthrite, à moins que votre médecin ne vous l'ait prescrit.
- Ne donnez pas le médicament Relafen à d'autres, car il pourrait ne pas leur convenir.
- Conservez vos comprimés au sec et à la température ambiante, dans le contenant remis par le pharmacien.
- Gardez ce médicament hors de la portée des enfants.
- Lisez attentivement le mode d'emploi sur l'étiquette du pharmacien; consultez votre médecin ou votre pharmacien si vous avez des questions à poser ou si vous désirez d'autres renseignements.

☐ RENEDIL®

Hoechst Marion Roussel

Félodipine

Antihypertenseur

Renseignements destinés aux patients: Ce que vous devriez savoir sur Renedil (comprimés de félodipine à libération prolongée): Renedil est le nom de marque de la félodipine qui appartient au groupe de médicaments appelés «inhibiteurs calciques» ou «antagonistes du calcium».

Renedil est utilisé pour traiter l'hypertension (la haute pression). Il agit surtout en relâchant les artères, ce qui facilite la circulation du sang et par conséquent, diminue la pression sanguine.

Prière de lire ce dépliant avec attention. Les conseils qu'il contient ne doivent cependant pas remplacer ceux que vous a donné votre médecin ou votre pharmacien. En raison de votre état de santé, celui-ci peut vous avoir donné des instructions différentes. Assurez-vous de bien suivre ses conseils. Consultez votre médecin ou votre pharmacien si vous avez des questions. **Ne décidez pas vous-même comment vous allez prendre Renedil.**

Avant de commencer à prendre Renedil: Assurez-vous d'avoir mentionné à votre médecin:
- **Si vous êtes enceinte ou avez l'intention de le devenir;**
- **si vous allaitez;**
- tous les problèmes de santé que vous avez présentement ou avez eus dans le passé;
- tous les médicaments que vous prenez, y compris les médicaments sans ordonnance;
- si vous consultez plus d'un médecin, assurez-vous d'informer chacun d'eux de tous les médicaments que vous prenez;
- si vous êtes allergique à des substances «non médicamenteuses» comme des aliments, des agents de conservation ou des colorants qui pourraient être présents dans les comprimés Renedil (voir Composition de Renedil);
- si vous avez déjà éprouvé une mauvaise réaction ou une réaction allergique ou inhabituelle à la «félodipine».

Composition de Renedil: La plupart des médicaments contiennent des substances autres que leur ingrédient actif. Ces substances sont nécessaires pour présenter les médicaments sous une forme facile à avaler. Vérifiez auprès de votre médecin si vous pensez être allergique à l'une de ces substances: cellulose microcristalline, cire de carnauba, dioxyde de titane, félodipine, fumarate de stéaryl sodique, gallate de propyle, huile de ricin, hydroxypropylcellulose, hydroxypropylméthylcellulose, lactose, oxyde de fer, peroxyde d'hydrogène, polyéthylèneglycol, silicate d'aluminium.

Comment utiliser votre emballage fidélité Renedil: Cet emballage unique pour 30 jours de traitement a été conçu pour vous aider à ne pas oublier de prendre vos comprimés.

Vous remarquerez que 28 alvéoles de la plaquette correspondent à un jour de la semaine. Prenez d'abord le comprimé de l'alvéole du jour où vous commencez votre traitement dans la première rangée. Prenez ensuite les comprimés suivants dans l'ordre des jours de la semaine jusqu'à ce que vous ayez pris les comprimés des 28 alvéoles marquées. Prenez les comprimés des 2 alvéoles non marquées seulement lorsque vous avez pris tous les autres comprimés de la plaquette.

N'oubliez pas de vous procurer une nouvelle ordonnance auprès de votre médecin ou de faire renouveler votre ordonnance actuelle à la pharmacie quelques jours avant d'avoir fini de prendre les 30 comprimés.

Comment prendre Renedil:
- Prenez Renedil exactement selon les instructions du médecin. Ne sautez pas de doses et ne prenez pas de doses supplémentaires à moins d'indication contraire de votre médecin. Si les instructions ne vous semblent pas claires, consultez votre médecin ou votre pharmacien.
- Il faut prendre Renedil 1 fois/jour. Si votre médecin vous a prescrit 2 comprimés/jour, il faut les prendre au même moment, à moins d'indication contraire.
- Essayez de prendre Renedil à un moment où vous faites quelque chose de régulier, p. ex., au lever ou au déjeuner. Cela vous aidera à ne pas oublier de dose.
- Renedil peut être pris au moment des repas ou à jeun.
- Évitez de boire du jus de pamplemousse pendant que vous prenez Renedil, car ce type de jus peut augmenter la quantité du médicament dans l'organisme.
- Prenez votre comprimé Renedil entier avec un verre d'eau. Il ne faut pas broyer, croquer, briser ni sucer le comprimé.
- Ne transférez pas les comprimés dans un autre contenant. Pour protéger vos comprimés Renedil, conservez-les dans la plaquette d'origine.

Si vous oubliez de prendre une dose: Si vous oubliez de prendre une dose de Renedil et que vous vous en rappelez moins de 12 heures plus tard, prenez-la dès que possible. Revenez ensuite à l'horaire habituel. Si plus de 12 heures se sont écoulées, ne prenez pas le comprimé oublié. Prenez le comprimé suivant à l'heure habituelle.
- **Ne doublez jamais une dose de Renedil pour compenser l'oubli d'un comprimé.** Si vous n'êtes pas certain, consultez votre médecin ou votre pharmacien.

À propos des effets secondaires: En plus de son effet régulateur sur la pression sanguine, Renedil, comme tout médicament, peut aussi causer des effets secondaires.

Certains de ces effets peuvent se produire au début du traitement ou à la suite d'une augmentation de la dose. Ces effets secondaires sont habituellement légers et devraient disparaître à mesure que l'organisme s'habitue à Renedil.

Il est important de tenir le médecin au courant de tous les effets secondaires, surtout si l'un des symptômes suivants dure plus de 1 semaine:
- enflure des chevilles;
- rougeur ou sensation de chaleur;
- étourdissements;
- battements cardiaques rapides;
- maux de tête;
- fatigue inhabituelle.

Les médicaments n'affectent pas tout le monde de la même façon. Si d'autres personnes ont ressenti des effets secondaires, cela ne veut pas dire que vous en aurez aussi. Décrivez à votre médecin et à votre pharmacien comment vous vous sentez quand vous prenez Renedil. **Ne cessez pas de prendre vos comprimés Renedil sans avoir d'abord consulté votre médecin.**

Quelques patients ont signalé une légère sensibilité ou enflure des gencives pendant l'emploi de Renedil. Cet effet peut être évité par une bonne hygiène dentaire. Brossez-vous les dents soigneusement et souvent avec une brosse à poils souples et utilisez la soie dentaire tous les jours.

Un massage régulier des gencives avec une brosse à poils souples aidera aussi à diminuer leur sensibilité, mais si vos gencives deviennent sensibles, rouges ou enflées, informez-en votre médecin ou votre dentiste.

D'autres effets secondaires ont été rapportés dans quelques cas: picotements dans les mains, les bras, les pieds ou les jambes, maux d'estomac et diarrhée. Encore une fois, si ces effets vous incommodent, parlez-en à votre médecin.

Vous devrez communiquer immédiatement avec votre médecin si vous notez quelque chose d'inhabituel.

Précautions: Tenez Renedil hors de la vue et de la portée des enfants. Ne prenez jamais de médicaments en présence de jeunes enfants, car ils voudront vous imiter.

Tous les médicaments inutilisés dont vous n'aurez plus besoin doivent être jetés en prenant les précautions d'usage. Vous pouvez jeter les petites quantités restantes à la toilette, ou demander conseil à votre pharmacien.

Les plaquettes alvéolées sont conçues pour protéger chaque comprimé. Si, en ouvrant l'emballage, vous remarquez qu'une alvéole ou le papier métallique sont brisés au point d'exposer un comprimé, demandez au pharmacien d'inspecter l'emballage.

Consultez votre médecin si vous avez l'intention de consommer de l'alcool (y compris le vin avec les repas) pendant que vous prenez Renedil; l'alcool pourrait alors causer plus d'étourdissements qu'à l'habitude et entraîner une baisse incommodante de la tension artérielle.

N'oubliez pas que vous pouvez ne remarquer aucun signe d'hypertension. Par conséquent, **il est important de prendre Renedil même si vous vous sentez bien.** Il faut que la concentration du médicament dans votre organisme soit constante pour que votre tension artérielle se maintienne à un niveau normal. **Ne cessez pas de prendre vos comprimés Renedil sans avoir d'abord consulté votre médecin.**

Conservation: Bien que les comprimés Renedil soient protégés par la plaquette alvéolée, il est préférable de conserver l'emballage au sec, à une température ambiante. Ne gardez pas Renedil dans la salle de bain. **Tenez Renedil hors de la portée des enfants.** Ne prenez ni ne gardez jamais les comprimés d'une plaquette dont la date limite d'utilisation est passée.

Renedil (suite)

Renseignements généraux: Tous les médicaments peuvent exercer à la fois des effets bénéfiques et des effets indésirables qui varient selon la personne et son état de santé. Ce dépliant vous indique dans quels cas vous devez appeler le médecin, mais d'autres situations imprévisibles peuvent survenir. Rien dans ce dépliant ne doit vous empêcher de communiquer avec votre médecin ou votre pharmacien pour lui poser des questions ou lui soumettre vos problèmes ou vos inquiétudes au sujet de Renedil.

Questions? 1 800 265-7927.

☐ RENOVA[MC] ℞

Janssen-Ortho

Trétinoïne

Agent destiné au traitement des photolésions cutanées

Renseignements destinés aux patients: La crème émolliente Renova à la trétinoïne est une crème de couleur jaune, dotée d'un parfum léger et agréable. Elle contient 0,05 % de trétinoïne et est disponible en tubes de 20 g.

La crème émolliente Renova à 0,05 % améliore les ridules, la pigmentation en taches et la rugosité observées parfois au niveau de la peau qui a été surexposée de façon chronique au soleil. C'est parce que votre peau présente au moins l'un de ces signes que votre médecin vous a prescrit la crème émolliente Renova à 0,05 %.

La crème émolliente Renova à 0,05 % n'est disponible que sur ordonnance de votre médecin. Elle ne doit être utilisée que sous surveillance médicale et faire partie d'un programme complet de protection de la peau comprenant le recours à un écran solaire et le port de vêtements protecteurs.

Respectez scrupuleusement les directives d'utilisation. Ne changez ni la dose, ni la fréquence d'application sans l'avis de votre médecin.

Si vous êtes une femme en âge de procréer, n'utilisez la crème émolliente Renova à 0,05 % de trétinoïne qu'après avoir demandé des conseils de contraception à votre médecin. Arrêtez l'application de la crème émolliente Renova à 0,05 % si vous êtes enceinte.

N'utilisez pas ce médicament si: Vous avez déjà présenté une allergie ou une intolérance à la trétinoïne lors de la prise de produits qui en contenaient.

Utilisation correcte de ce médicament: La crème émolliente Renova à 0,05 % de trétinoïne doit être appliquée le soir au moment du coucher, de la façon suivante:

- Lavez-vous le visage délicatement à l'aide d'un savon doux et non médicamenteux. Séchez-vous ensuite en vous tamponnant à l'aide d'une serviette. **Ne** vous frictionnez **pas**. Le frottement abraserait la peau.
- Laissez sécher votre visage pendant 20 à 30 minutes avant d'appliquer la crème émolliente Renova à 0,05 % afin de réduire le risque d'irritation de la peau.
- En exerçant une pression sur le tube, prélevez une petite quantité, de la taille d'un petit «pois», de crème émolliente Renova à 0,05 % sur le bout du doigt.
- Étalez délicatement la crème émolliente Renova à 0,05 % sur tout le visage jusqu'à pénétration complète. Évitez les applications trop généreuses de crème émolliente Renova à 0,05 %. Un petit «pois» de crème suffit au traitement de la peau altérée par le soleil. L'utilisation d'une plus grande quantité de crème émolliente Renova à 0,05 % peut augmenter le risque d'irritation de la peau, sans nécessairement accélérer le processus de guérison.
- N'appliquez pas de crème émolliente Renova à 0,05 % sur les yeux, la bouche, les bords du nez ou les muqueuses. En cas de contact accidentel des yeux avec la crème émolliente Renova à 0,05 %, rincez-les plusieurs fois à l'eau tiède. Si l'irritation persiste, consultez votre médecin.
- N'appliquez pas de crème émolliente Renova à 0,05 % par touches isolées.
- Ne vous lavez pas le visage après avoir appliqué la crème émolliente Renova à 0,05 %. Laissez reposer les régions traitées par la crème émolliente Renova à 0,05 % durant toute la nuit.
- Vous pourrez vous laver le visage à l'aide d'un savon doux et non médicamenteux le matin suivant.
- Évitez ou réduisez à un minimum l'exposition au soleil, car la crème émolliente Renova à 0,05 % augmente la sensibilité de la peau aux effets défavorables des rayons solaires.
- En cas d'exposition au soleil pendant l'utilisation de la crème émolliente Renova à 0,05 %, votre médecin vous conseillera, dans le cadre d'un programme de protection de la peau, d'appliquer un écran solaire présentant un FPS d'au moins 15 et de porter des vêtements protecteurs en cas d'impossibilité d'éviter les rayons solaires. Il faut répéter l'application d'écran solaire après chaque baignade.
- Au cours du traitement par la crème émolliente Renova à 0,05 %, évitez d'utiliser des préparations à effet abrasif, desséchant ou desquamant, qu'il s'agisse de savons, de shampooings, de cosmétiques, de parfums ou de substances astringentes (en particulier si ces produits contiennent de l'alcool, de la lime ou des épices).
- Il sera peut-être nécessaire d'attendre entre 3 et 6 mois avant de voir apparaître les effets bénéfiques du traitement.

Effets secondaires: Tout médicament peut avoir des effets indésirables en plus de l'action qu'on en attend. Les effets secondaires suivants peuvent survenir: sécheresse ou desquamation de la peau, brûlure, sensation de piqûre, rougeur ou démangeaison.

La sécheresse et la desquamation de la peau exceptées, ces effets surviennent habituellement en cours de traitement. Ils sont ordinairement bien tolérés et finissent généralement par diminuer avec le temps.

L'utilisation d'un agent humidifiant non alcoolisé peut réduire le risque d'effets secondaires.

Ce médicament vous a été prescrit pour traiter un problème médical qui vous est propre, et il ne doit être utilisé que par vous. Ne le partagez pas avec d'autres personnes.

Gardez tous les médicaments hors de la portée des enfants.

Si vous avez besoin de renseignements complémentaires, adressez-vous à votre médecin ou pharmacien.

☐ REQUIP[TM] ℞

SmithKline Beecham

Chlorhydrate de ropinirole

Antiparkinsonien—Agoniste dopaminergique

Renseignements destinés aux patients: Veuillez lire les présents renseignements avant de commencer à prendre votre médicament. Gardez le dépliant jusqu'à ce que vous ayez pris tous vos comprimés, au cas où vous auriez besoin de vous y reporter. Si vous aidez quelqu'un à prendre Requip, veuillez lire ces renseignements avant de lui donner le premier comprimé. Le dépliant ne comprend pas toute l'information sur le médicament. **Pour de plus amples renseignements ou pour des conseils, veuillez consulter votre médecin ou votre pharmacien.**

Ce qu'il faut savoir à propos de Requip:

- Requip, aussi appelé ropinirole, sert au traitement de la maladie de Parkinson.
- Requip peut vous avoir été prescrit seul, mais il se peut aussi que vous ayez à le prendre avec un autre médicament contre la maladie de Parkinson (la lévodopa) pour que celui-ci agisse mieux.

Ce qu'il faut dire au médecin avant de prendre Requip:

- Si vous avez déjà pris Requip et avez ressenti des malaises ou si vous êtes allergique au produit ou à tout ingrédient non médicinal qu'il contient (voir la liste complète des ingrédients sous la question «Que contient Requip?»), dites-le au médecin avant de prendre ces comprimés.
- Si vous souffrez de troubles du cœur, du foie ou des reins, dites-le au médecin avant de prendre les comprimés Requip.
- Si vous avez pris tout autre médicament récemment ou continuez à en prendre, dites-le au médecin avant de commencer à prendre les comprimés. Certains médicaments peuvent modifier les propriétés de Requip. Si vous prenez un médicament nommé théophylline parce que vous éprouvez des difficultés respiratoires, si vous prenez un antibiotique nommé ciprofloxacine ou si vous suivez une hormonothérapie substitutive, vous devez aviser votre médecin si vous changez la quantité du médicament que vous prenez ou si vous cessez d'en prendre.
- Quand un médecin doit vous prescrire un autre médicament, dites-lui que vous prenez Requip.
- Si vous êtes enceinte ou pensez que vous pourriez l'être ou si vous allaitez un bébé, il est important de le dire au médecin. Vous ne devriez pas prendre Requip pendant la grossesse ou l'allaitement.

Comment prendre Requip:
- Vous devez suivre les instructions de votre médecin et prendre votre médicament aux heures et de la manière prescrites. Le médecin décide du nombre de comprimés que vous devez prendre par jour et vous devez toujours respecter cette posologie. Au début du traitement par Requip, le médecin augmentera graduellement la dose à prendre.
- Le médecin peut augmenter ou diminuer la posologie du médicament de manière à ce que vous en profitiez le plus. Habituellement, il vous dira de prendre Requip 3 fois/jour.
- Si vous prenez d'autres médicaments pour la maladie de Parkinson, il se peut que le médecin réduise la dose de ces médicaments pendant le traitement par Requip.
- Les comprimés doivent être avalés entiers avec de l'eau, sans les mâcher. Il est préférable de prendre les comprimés Requip avec des aliments.
- Il faut continuer à prendre Requip même si vous ne vous sentez pas mieux, car plusieurs semaines peuvent s'écouler avant qu'il n'agisse.

Attention: Ce médicament est destiné à la personne nommée sur l'ordonnance. Il ne faut en donner à personne d'autre.

Effets secondaires possibles de Requip:
- Requip peut provoquer des hallucinations, des mouvements nerveux indésirables (dyskinésies) ou une confusion mentale. Si vous éprouvez de tels symptômes, dites-le immédiatement à votre médecin.
- Requip peut causer des étourdissements ou des sensations de vertige qui peuvent indiquer une baisse de tension artérielle, surtout au début du traitement.
- Les effets secondaires de Requip sont généralement légers et peuvent diminuer après une courte période. Certaines personnes peuvent éprouver des nausées, des vomissements ou des maux d'estomac. Le médicament peut aussi provoquer la somnolence.
- Requip ne gêne généralement pas les gens dans leurs occupations habituelles. Toutefois, certaines personnes ressentent une somnolence ou des étourdissements, surtout au début du traitement. Vous devez donc vous abstenir de conduire un véhicule ou de faire fonctionner des machines avant d'être raisonnablement certain(e) que Requip ne diminue pas votre capacité d'exécuter de telles tâches.
- Si ces symptômes deviennent gênants, dites-le à votre médecin. Si des malaises inhabituels surviennent, avisez le médecin dès que possible.

Que faire en cas de surdosage?
- Si vous avez pris un grand nombre de comprimés à la fois, il faut consulter un médecin immédiatement. Montrez-lui les comprimés qui restent.

Entreposage de Requip:
- L'étiquette porte la date de péremption du médicament. C'est la date limite d'utilisation; n'en prenez pas après cette date.
- Les comprimés Requip doivent être gardés dans leur conditionnement d'origine, en lieu sec à l'abri de la lumière, à une température ambiante de 15 à 30 °C.
- Les garder hors de la portée des enfants.

Que contient Requip?
- Requip (ropinirole sous forme de chlorhydrate de ropinirole) se présente en comprimés dosés à 0,25 mg (blancs), 0,5 mg (jaunes), 1 mg (verts), 2 mg (roses) et 5 mg (bleus). Leur principe actif est le chlorhydrate de ropinirole. Les ingrédients non médicinaux sont: lactose hydraté, cellulose microcristalline, croscarmellose sodique, stéarate de magnésium, hydroxypropylméthylcellulose, polyéthylèneglycol, dioxyde de titane, oxyde de fer jaune (comprimés à 1 mg et 2 mg), oxyde de fer rouge (comprimés à 2 mg), laque d'aluminium FD&C bleu n° 2 (comprimés à 1 mg et 5 mg), polysorbate 80 (comprimés à 0,25 mg), talc (comprimés à 5 mg). Les comprimés Requip ne contiennent pas de sucre, ni de tartrazine, ni aucun autre colorant azoïque.

Qui fabrique Requip?
- Les comprimés Requip sont fabriqués par: **SmithKline Beecham Pharma.**

☐ RESTORIL® ℞

Novartis Pharma

Témazépam

Hypnotique

Renseignements destinés aux patients: Données sur Restoril (témazépam): Introduction: Restoril (témazépam) a pour but de vous aider à dormir. Il compte parmi les somnifères de la classe de benzodiazépines, qui ont généralement des propriétés en commun.

Si votre médecin vous a prescrit l'un de ces médicaments, vous devez prendre en considération les avantages et les risques qu'il comporte. Les principaux risques et désavantages sont les suivants:

- **Plus vous utilisez ce médicament longtemps, plus il risque de perdre de son efficacité.**
- **Ce médicament comporte un risque de dépendance.**
- **Ce médicament peut altérer votre capacité de réaction mentale ou votre mémoire, surtout si vous ne le prenez pas tel qu'il vous a été prescrit.**

La présente notice vise à vous fournir des renseignements généraux sur cette classe de médicaments, en particulier sur le témazépam, afin que vous puissiez faire un usage sûr de Restoril.

La présente notice ne doit pas remplacer l'entretien que vous pourriez avoir avec votre médecin au sujet des risques et des bienfaits de Restoril.

Utilisation sûre des somnifères Restoril: Restoril est un médicament d'ordonnance destiné à vous aider à dormir. Vous devez suivre les directives de votre médecin en ce qui concerne la façon de prendre Restoril, le moment où vous devez le prendre et la durée du traitement.

Ne prenez pas Restoril si ce médicament n'a pas été prescrit pour vous.

Ne prenez pas Restoril pendant plus de 7 à 10 jours consécutifs sans consulter votre médecin au préalable.

Ne prenez pas Restoril si vous ne disposez pas d'une nuit complète de sommeil avant de reprendre vos activités (par exemple, durant un vol de nuit de moins de 8 heures). En effet, vous risqueriez d'avoir des pertes de mémoire. Il faut laisser le temps à votre organisme d'éliminer le médicament.

Ne prenez pas Restoril à quelque moment que ce soit durant la grossesse. Si vous prévoyez devenir enceinte ou l'êtes déjà, ou si vous devenez enceinte pendant que vous prenez ce médicament, informez-en votre médecin.

Informez votre médecin de votre consommation (présente ou passée) d'alcool ou de tout médicament que vous prenez à l'heure actuelle, y compris ceux qui sont vendus sans ordonnance. **Ne consommez pas d'alcool durant votre traitement par Restoril.**

N'augmentez pas la dose prescrite.

Ne conduisez pas et ne faites pas fonctionner de machines dangereuses avant de connaître l'effet qu'exerce ce médicament sur vous.

Si, en cours de traitement, vous constatez que vous avez des pensées ou des comportements inhabituels et troublants, consultez votre médecin sans délai.

Il est possible que vous éprouviez plus de difficulté à dormir (insomnie de rebond) ou d'anxiété le jour (anxiété de rebond) pendant 1 ou 2 jours après avoir cessé de prendre Restoril.

Efficacité des somnifères de la classe des benzodiazépines: Les somnifères de la classe des benzodiazépines sont des médicaments efficaces qui n'entraînent relativement pas de problèmes graves lorsqu'ils sont utilisés pour le traitement à court terme de l'insomnie. Les symptômes de l'insomnie sont divers: il se peut que vous ayez de la difficulté à vous endormir, que vous vous réveilliez souvent durant la nuit ou tôt le matin, ou que vous éprouviez ces trois symptômes à la fois.

Il est possible que l'insomnie ne dure que très peu de temps et réponde à un traitement de courte durée. Vous devriez discuter avec votre médecin des risques et des bienfaits de l'utilisation prolongée de somnifères.

Effets secondaires: Effets secondaires courants: Les somnifères de la classe de benzodiazépines peuvent causer de la somnolence, des étourdissements, une sensation de tête légère et des troubles de la coordination. Les personnes qui prennent ces médicaments doivent éviter d'accomplir des activités dangereuses exigeant de la vigilance, comme faire fonctionner des machines ou conduire un véhicule motorisé.

Évitez de consommer de l'alcool lorsque vous prenez Restoril. N'utilisez pas de somnifères de la classe des benzodiazépines en association avec d'autres médicaments avant d'en discuter avec votre médecin.

Le degré de somnolence que vous pourriez éprouver le lendemain de la prise de l'un de ces somnifères dépend de la réponse particulière de votre organisme au médicament et de la rapidité avec laquelle il l'élimine.

Plus la dose est élevée, plus vous risquez d'éprouver, le lendemain, des symptômes tels que de la somnolence. Il est donc très important que vous utilisiez la plus petite dose efficace possible.

Les benzodiazépines qui s'éliminent rapidement ont tendance à causer moins de somnolence le lendemain, mais peuvent entraîner des

Restoril (suite)

problèmes de sevrage le jour qui suit la prise de ces médicaments (voir ci-dessous).

Considérations particulières: Troubles de la mémoire: Tous les somnifères de la classe des benzodiazépines peuvent causer un type particulier de perte de mémoire (amnésie); vous pourriez ne pas vous rappeler certains événements pendant quelque temps, généralement plusieurs heures après la prise du somnifère. Cet effet ne constitue habituellement pas un problème, puisque la personne qui prend un somnifère a l'intention de dormir durant cette période critique. Cependant, si vous prenez un somnifère pour dormir durant un voyage, notamment un voyage en avion, et que vous vous réveilliez avant que l'effet du médicament se soit dissipé, vous pouriez éprouver une perte de mémoire. On appelle ce problème «amnésie du voyageur».

Tolérance/Symptômes de sevrage: Lorsque ces médicaments sont utilisés tous les soirs pendant plus de quelques semaines, ils peuvent perdre de leur efficacité et, de surcroît, engendrer un certain degré de dépendance.

En ce qui concerne les somnifères de la classe des benzodiazépines qui s'éliminent rapidement, ils peuvent causer un état de manque dans l'intervalle qui sépare 2 doses prises le soir. Ce «sevrage» peut 1) occasionner le réveil durant le dernier tiers de la nuit et 2) augmenter l'anxiété ou la nervosité le jour.

Des symptômes de sevrage peuvent se manifester lorsque les patients cessent de prendre des somnifères de la classe des benzodiazépines. Ils peuvent apparaître même après seulement 1 ou 2 semaines d'utilisation, mais ils sont plus fréquents et plus aigus après un emploi continu pendant des périodes prolongées. L'«insomnie de rebond» constitue l'un des symptômes de sevrage; elle se manifeste par le retour d'une insomnie parfois plus marquée qu'avant le traitement, au cours des premières nuits qui suivent l'arrêt de la prise du médicament.

Les autres symptômes de sevrage qui suivent l'arrêt brusque du traitement vont de sensations désagréables à un important syndrome de sevrage qui peut comprendre des crampes abdominales et musculaires, des vomissements, de la sudation, des tremblements et, dans de rares cas, des convulsions. Les symptômes graves sont peu fréquents.

Dépendance/Abus: Tous les somnifères de la classe des benzodiazépines peuvent créer un état de dépendance (toxicomanie), en particulier si on les prend régulièrement pendant plus de quelques semaines ou qu'on emploie des doses élevées. Certaines personnes éprouvent le besoin de continuer de prendre leur médicament, à la dose prescrite ou à une dose plus élevée, non seulement pour maintenir l'effet thérapeutique, mais aussi pour éviter les symptômes de sevrage ou pour obtenir des effets non thérapeutiques.

Les personnes qui souffrent ou ont déjà souffert d'une dépendance vis-à-vis de l'alcool, des drogues ou des médicaments sont particulièrement susceptibles de présenter une dépendance similaire aux médicaments de cette classe. Cependant, avant de décider de poursuivre votre traitement pendant plus de quelques semaines, vous devez savoir que **personne n'est à l'abri de ce risque.**

Modifications psychiques et comportementales: Divers troubles de la pensée et du comportement peuvent se manifester lorsque vous utilisez des somnifères de la classe des benzodiazépines. Ces modifications se traduisent notamment par de l'agressivité et par une extraversion qui ne semblent pas caractéristiques de la personne. D'autres changements, quoique rares, peuvent être plus insolites et extrêmes comme la confusion, le comportement étrange, l'hyperactivité, les illusions, les hallucinations, la sensation de ne pas être soi-même, l'aggravation d'un état dépressif, y compris les idées suicidaires.

On peut rarement déterminer avec certitude si les symptômes sont causés par le médicament ou par une maladie sous-jacente ou s'ils sont simplement des manifestations spontanées.

En fait, l'aggravation de l'insomnie peut, dans certains cas, être liée à une maladie qui était présente avant l'utilisation du médicament.

Important: Si vous prenez des somnifères de la classe des benzodiazépines, veuillez signaler à votre médecin toute modification psychique ou comportementale, quelle qu'en soit la cause.

Effet sur la grossesse: Certains somnifères de la classe des benzodiazépines ont été associés à des malformations congénitales, notamment lorsqu'ils ont été utilisés dans les premiers mois de la grossesse. On a également constaté que s'ils sont pris au cours des dernières semaines de la grossesse, ils peuvent avoir des effets sédatifs sur le nouveau-né. Par conséquent, **évitez de prendre ce médicament durant la grossesse.**

□ RETIN-A® Ⓟ

Janssen-Ortho

Trétinoïne

Agent comédolytique

Renseignements destinés aux patients: Qu'est-ce que l'acné? L'acné vulgaire est une maladie courante. Elle affecte d'une façon ou d'une autre 90 % des gens à un moment quelconque de leur vie. Il ne s'agit pas seulement d'une maladie de l'adolescence. Certains sujets peuvent en être atteints pour la première fois dans la vingtaine, voire même plus tard. Chez certains, elle se prolonge jusqu'à l'âge adulte. Chez la plupart des personnes, l'acné disparaît toutefois avec le temps.

L'acné est une maladie des glandes sébacées. On trouve le plus grand nombre de glandes sébacées sur le visage, la poitrine et le dos; l'acné peut donc siéger dans toutes ces régions ou dans l'une ou l'autre d'entre elles.

L'acné se manifeste d'abord par la formation d'un bouchon à l'embouchure de la glande sébacée, appelé comédon. Le comédon est formé de cellules cutanées superficielles, de sébum et de bactéries. Il n'est nullement dû à la saleté ou au manque de propreté. Il peut prendre l'aspect d'un point noir ou d'un point blanc.

Après la formation du comédon, une partie du sébum sécrété par la glande s'échappe par la peau avoisinante. Ceci entraîne une inflammation qui prend la forme d'une enflure rouge appelée papule, pustule ou kyste.

Quelles sont les causes de l'acné? L'acné est causée par différents facteurs.

L'hérédité est le plus important. Que vos parents aient souffert ou non d'acné, vos glandes sébacées peuvent quand même être sensibles à l'acné.

L'acné n'est pas due à un déséquilibre **hormonal**. Vos hormones normales stimulent les glandes sébacées et contribuent à l'acné.

Les **bactéries** jouent aussi un rôle important. L'acné n'est pas une infection. Toutefois, les bactéries au niveau des glandes sébacées produisent des substances qui, à leur tour, causent l'inflammation caractéristique de l'acné.

Pour obtenir d'autres renseignements sur les causes de l'acné, consultez votre médecin.

Conseils utiles: Régime alimentaire: La plupart des dermatologistes s'entendent pour dire que l'acné n'est pas causée par le régime alimentaire. Il est toutefois sage d'éviter les iodures (sel excessif, varech, algues) qui peuvent aggraver l'acné.
Produits de beauté: Éviter les crèmes de beauté, les crèmes hydratantes, les crèmes solaires et le maquillage à base d'huile: tous peuvent aggraver l'acné. Utiliser de la poudre ou du maquillage liquide à base d'eau, sans huile.
Lavage: Éviter de trop laver ou de frotter trop vigoureusement la peau pour ne pas aggraver l'acné. Laver doucement et fréquemment pour garder la peau sèche, mais non irritée.
Ne pas toucher: Éviter de gratter ou de toucher les régions affectées, afin de ne pas aggraver l'acné.

Précisions sur le gel et la crème Retin-A: De quoi s'agit-il? Le gel et la crème Retin-A contiennent de la vitamine A acide. Ils sont efficaces contre les points noirs, les points blancs et les lésions inflammatoires acnéiques bénignes, telles que les papules et les pustules.

Effets secondaires: La desquamation, des démangeaisons, une sensation de brûlure ou de piqûre, une rougeur cutanée et une irritation oculaire peuvent se manifester durant les 2 premières semaines de traitement chez certaines personnes. On peut facilement réduire ces réactions en suivant bien les instructions. Si les effets deviennent très gênants, suspendre le traitement et consulter un médecin.

Règles de sécurité:

1. **On utilisera la trétinoïne topique chez les femmes en âge de procréer uniquement après avoir discuté de contraception. Les femmes enceintes doivent arrêter d'utiliser la trétinoïne topique.**
2. Le gel ou la crème Retin-A a été prescrit(e) par le médecin exclusivement pour votre usage personnel. Ne pas laisser d'autres personnes l'utiliser.
3. Le gel et la crème Retin-A sont réservés à l'usage topique.
4. Ne pas appliquer le gel ou la crème Retin-A sur les régions de la peau présentant d'autres affections comme l'eczéma, une inflammation cutanée grave ou des lésions ouvertes.
5. Le gel et la crème Retin-A peuvent rendre la peau plus sensible et accroître la possibilité de coup de soleil. Durant le traitement, éviter autant que possible d'exposer les régions traitées avec le gel ou la

crème Retin-A au soleil ou aux lampes solaires. Porter des vêtements protecteurs pour sortir au soleil, même les jours couverts. Utiliser aussi un écran solaire sur les régions traitées avec le gel ou la crème Retin-A.
6. Éviter l'exposition excessive au vent ou au froid, car la peau traitée avec le gel ou la crème Retin-A peut y être plus sensible.
7. N'utiliser d'autres médicaments contre l'acné que sur les conseils de votre médecin et bien suivre ses instructions.
8. Essayer d'éviter l'utilisation de produits topiques à concentration élevée d'alcool, d'épices ou de lime, qui pourraient piquer et brûler inutilement la peau traitée.
9. L'application excessive de médicament ne donne pas de meilleurs résultats, et peut entraîner une rougeur, une desquamation et de l'inconfort. Chaque matin, après la toilette, il est recommandé d'appliquer un hydratant avec ou sans écran solaire qui ne risque pas d'aggraver l'acné (non comédogène).
10. **Les gels sont inflammables.** Il est à noter que le gel Retin-A doit être tenu à l'écart de la chaleur et de toute flamme. Le tube doit rester hermétiquement fermé.

Mode d'emploi:

1. Laver la peau avec un savon doux et sécher délicatement.
2. Attendre 20 minutes avant d'appliquer le médicament, pour laisser à la peau le temps de bien sécher.
3. Appliquer le gel ou la crème Retin-A 1 fois/jour, au coucher (ou selon les indications du médecin).
4. En mettre une petite quantité (environ la grosseur d'un pois) sur le bout du doigt. L'étendre sur les lésions d'acné (en appliquer suffisamment pour couvrir légèrement toute la région affectée).
5. Éviter d'appliquer le médicament sur les angles du nez, la bouche, les yeux ou les muqueuses ou tout autre endroit ne devant pas être traité. Étaler le médicament en s'éloignant de ces régions.
6. Garder le contenant fermé quand il n'est pas utilisé.
7. Le médicament devrait devenir invisible presque immédiatement. S'il est toujours visible ou s'écaille après 1 minute, c'est qu'on en applique trop.
8. Ne pas appliquer le gel ou la crème Retin-A au même moment de la journée qu'un autre produit de traitement topique contre l'acné prescrit par le médecin (ex.: peroxyde de benzoyle ou antibiotique topique).
9. Après 3 à 6 semaines de traitement, une nouvelle apparition de l'acné peut se produire chez certains patients. À ce stade, il est très important de poursuivre l'usage du gel ou de la crème Retin-A. Ne pas espérer une guérison du jour au lendemain. On note une amélioration graduelle durant 8 à 12 semaines d'application du gel ou de la crème Retin-A.

☐ RETISOL-A® Ⓟ

Stiefel

Trétinoïne

Traitement de l'acné

Renseignements destinés aux patients: Retisol-A (trétinoïne): Sa nature, son activité et son mécanisme d'action: Retisol-A est une crème qui est prescrite depuis longtemps par les dermatologues pour le traitement de l'acné. Les crèmes Retisol-A sont présentées dans une base émolliente dotée de filtres solaires ayant un FPS de 15. Le produit agit en pénétrant profondément dans la peau pour déboucher les pores, rétablissant ainsi le flot naturel et éliminant les surplus d'huiles produits par les glandes sébacées. De plus, Retisol-A a une activité desquamante, ce qui signifie que la couche externe de la peau est enlevée pour faire place à une surface cutanée plus lisse et d'apparence plus saine. Votre médecin vous informe habituellement qu'avec l'utilisation de Retisol-A, une amélioration visible devrait être remarquée en dedans de 6 à 8 semaines. Aussi, soyez patient.

Il est important de comprendre que votre médecin vous a prescrit un médicament spécialement conçu pour vos besoins particuliers et votre type de peau. **Ne permettez pas que d'autres s'en servent.** De plus, l'application exagérée de Retisol-A peut irriter votre peau et il est peu probable que le traitement soit moins long.

Il faut suivre soigneusement les directives de votre médecin pour minimiser les réactions ordinaires telles que: sensation légère de brûlure et de la rougeur.

Au cours des 3 premières semaines de traitement, votre médecin peut vous recommander l'application de Retisol-A seulement à tous les 2 jours pour permettre à votre peau de s'habituer au médicament.

Vous devez interrompre l'usage des autres médicaments topiques ou contre l'acné quand vous utilisez Retisol-A sauf selon l'avis contraire de votre médecin. Il est préférable d'utiliser uniquement des cosmétiques à base aqueuse et d'éviter les lotions à base d'alcool. Votre médecin peut vous recommander une lotion hydratante pour le jour si votre peau est particulièrement sèche.

Mode d'emploi:

1. Laver les régions affectées au moyen d'un savon doux et avec de l'eau chaude et assécher délicatement. Attendre 20 à 30 minutes pour que la peau soit parfaitement sèche.
2. Appliquer Retisol-A modérément et uniformément, 1 fois/jour. Du bout des doigts, appliquer suffisamment pour couvrir la région affectée et masser doucement afin de faire pénétrer le médicament. Retisol-A avec sa base émolliente et ses filtres solaires peut être appliqué le matin.
3. Éviter les endroits sensibles, tels que les yeux, les lèvres et les membranes muqueuses. Éviter aussi les régions de la peau qui présentent une autre affection, telle que l'eczéma.
4. Au tout début, vous pourrez remarquer une rougeur et éprouver une sensation de brulûre et de desquamation pendant que votre peau s'adapte au médicament qui évacue les huiles existantes et les impuretés accumulées dans vos pores.
5. Pour réduire au minimum ces réactions, votre médecin peut vous conseiller d'utiliser la teneur la plus faible de Retisol-A 0,01 % pour ensuite augmenter graduellement jusqu'à ce qu'il ait trouvé la teneur la mieux adaptée à votre type de peau.
6. Étant donné que Retisol-A agit sur les couches inférieures de la peau, il peut se passer plusieurs semaines d'utilisation régulière avant qu'une amélioration soit constatée.

Précautions à prendre:

1. Ne pas appliquer Retisol-A sur les régions de la peau qui présentent une autre affection, telle que l'eczéma, une inflammation grave ou d'autres lésions ouvertes.
2. Éviter les régions sensibles des muqueuses telles que les yeux, la bouche, les lèvres, les angles du nez et les coins des yeux et de la bouche.
3. Ne pas appliquer de façon exagérée. Cette pratique n'accélère pas le traitement et peut irriter la peau.
4. Ne pas utiliser d'autres produits contre l'acné ou des médicaments topiques pour la peau en même temps que Retisol-A, sauf avis contraire de votre médecin.
5. L'exposition prolongée aux rayons solaires, aux lampes solaires, au vent et au froid doit être évitée pendant le traitement.
6. En cas de coup soleil, cesser l'utilisation de Retisol-A et consulter votre médecin.
7. Retisol-A a été prescrit pour votre usage exclusif. Ne permettez pas à d'autres de l'utiliser.
8. Si vous êtes une femme en âge d'enfanter, vous devez utiliser la crème Retisol-A après avoir consulté votre médecin et obtenu les informations relatives à la contraception. Si vous êtes enceinte, vous devez interrompre l'utilisation de la crème Retisol-A et consulter votre médecin.

☐ RETROVIR® (AZT™) Ⓟ

Glaxo Wellcome

Zidovudine

Agent antirétroviral

Renseignements destinés aux patients: Les patients doivent recevoir l'information nécessaire sur leur traitement au moyen de Retrovir (AZT). Le texte qui suit peut servir de guide.

Retrovir (AZT) est prescrit dans le but de ralentir les effets du VIH; ce médicament ne guérit pas. Les maladies associées au VIH, y compris d'autres infections, peuvent tout de même se manifester pendant le traitement. Pour cette raison, vous devez respecter vos rendez-vous chez le médecin et mettre ce dernier au courant de tout changement dans votre état de santé.

Retrovir (AZT) a fait l'objet de vastes études de durée limitée chez l'humain. Ces études ont démontré que le traitement par Retrovir (AZT) est bénéfique. Toutefois, l'efficacité et l'innocuité globale de Retrovir (AZT), au-delà de la période pendant laquelle le médicament a été étudié, ne sont pas connues.

L'efficacité et l'innocuité globale de Retrovir (AZT) chez les femmes, les utilisateurs de substances injectables par voie intraveineuse et chez

Retrovir (suite)

les minorités ethniques sont les mêmes que chez les hommes de race blanche.

Le traitement par Retrovir (AZT) peut provoquer un effet indésirable important, mais réversible, notamment chez les patients gravement atteints par la maladie. En effet, une baisse du nombre de globules rouges (qui transportent l'oxygène) et une réduction du nombre de globules blancs (qui combattent l'infection) peuvent survenir. Comme une diminution du nombre de cellules sanguines peut influer directement sur votre santé, il est important que vous vous soumettiez aux analyses de sang que votre médecin vous a prescrites. Dans certains cas, il pourra être nécessaire d'ajuster la dose du médicament, d'interrompre temporairement le traitement, de pratiquer une transfusion sanguine ou encore d'arrêter complètement le traitement.

Il est important de savoir que même si des effets sanguins peuvent se produire en tout temps, ils sont beaucoup plus courants aux stades avancés de la maladie et lorsque le traitement par Retrovir (AZT) est amorcé tard au cours de la maladie.

Retrovir (AZT) provoque aussi d'autres effets indésirables, tels que des nausées et des vomissements. Veuillez donc communiquer avec votre médecin si vous présentez de la faiblesse musculaire, des essoufflements, des symptômes d'hépatite ou de pancréatite (que votre médecin vous décrira) ou tout autre effet indésirable inattendu pendant votre traitement par Retrovir (AZT).

La prise d'autres médicaments en même temps que Retrovir (AZT) peut nuire à son efficacité et à son innocuité. Il est donc essentiel que vous informiez votre médecin des autres médicaments que vous prenez. Consultez-le aussi avant de commencer à prendre un nouveau médicament, même si ce dernier n'exige pas d'ordonnance.

Il est important de prendre Retrovir (AZT) exactement tel que votre médecin l'a prescrit. Il est imprudent de modifier la dose sans qu'il vous l'ait directement recommandé ou de partager votre médicament avec d'autres personnes.

Si vous êtes enceinte et si vous avez l'intention de prendre Retrovir (AZT) pour prévenir la transmission du VIH à votre enfant, il est important de savoir que la transmission peut se produire dans certains cas, même pendant un traitement par Retrovir (AZT) (8 % des cas). L'innocuité à long terme chez le fœtus, les nouveau-nés et les nourrissons traités n'est pas connue. Les femmes infectées par le VIH ne doivent pas allaiter afin de ne pas transmettre le VIH à leur nourrisson qui pourrait ne pas avoir encore été infecté.

Le VIH est habituellement transmis par contacts sexuels ou par le partage d'aiguilles contaminées. Les risques de transmission existent même pendant un traitement par Retrovir (AZT); vous devez donc absolument adopter un «comportement sexuel sans risque» et ne pas partager vos aiguilles.

Il importe de savoir que la neuropathie périphérique est la principale manifestation de toxicité de la zalcitabine chez les patients recevant un traitement concomitant au moyen de Retrovir (AZT) et de la zalcitabine. La pancréatite représente un autre risque sérieux et potentiellement mortel de toxicité qui a été rapporté chez moins de 1 % des patients traités par la zalcitabine en monothérapie. Des picotements, une sensation de brûlure, de la douleur ou un engourdissement au niveau des mains ou des pieds comptent parmi les symptômes de la neuropathie périphérique tandis que les douleurs abdominales, les nausées et les vomissements comptent parmi ceux de la pancréatite. Ces symptômes doivent être rapidement signalés au médecin. Comme le développement d'une neuropathie périphérique semble lié à la dose de zalcitabine administrée, vous devez vous conformer à la posologie recommandée par le médecin. Les effets à long terme de la zalcitabine administrée en association avec Retrovir (AZT) ne sont pas encore connus. Les femmes en âge de procréer doivent utiliser des moyens de contraception médicalement reconnus pendant la prise de zalcitabine.

☐ REVIA® Ⓟ

Du Pont Pharma

Chlorhydrate de naltrexone

Antagoniste des opiacés

Renseignements destinés aux patients: Veuillez lire attentivement le présent feuillet avant de commencer à prendre ReVia. Si vous avez des questions à poser ou que quelque chose ne vous paraît pas claire, consultez votre médecin ou votre pharmacien.

Emploi: ReVia est destiné à être employé conjointement avec d'autres formes de traitement, comme l'assistance socio-psychologique, pour vous aider à vous libérer de votre dépendance à l'alcool, à l'héroïne, à la méthadone ou à d'autres opiacés analogues.

Mode d'action: Les opiacés sont des drogues qui agissent sur certaines parties du cerveau, plus spécifiquement les récepteurs, produisant l'euphorie et d'autres effets. ReVia, antagoniste des opiacés, bloque ces mêmes récepteurs et empêche ainsi les opiacés ainsi que les endorphines d'exercer leurs effets. Le cerveau produit naturellement des opioïdes, les endorphines, qui joueraient un rôle dans l'alcoolisme. Bien que l'on n'ait pas complètement élucidé le mécanisme d'action de ReVia dans le traitement de l'alcoolisme, il semble que ce médicament empêche les patients qui ont cessé de consommer de l'alcool d'en abuser de nouveau. ReVia ne vous rendra pas malade si vous buvez de l'alcool. Il ne provoque pas non plus l'accoutumance.

Prise du médicament: La dose de médicament recommandée pour le traitement de l'alcoolisme est de 50 mg. Si vous êtes traité pour la dépendance aux stupéfiants, vous devez avoir cessé de consommer des opiacés depuis au moins 7 à 10 jours. Votre médecin effectuera un test pour confirmer que vous n'êtes plus sous l'effet de ces drogues avant d'entreprendre le traitement par ReVia. Il vous donnera une dose initiale de 25 mg, après quoi vous devrez prendre un comprimé à 50 mg 1 fois/jour; il sera peut-être plus commode pour vous de prendre 2 comprimés (100 mg) le lundi et le mercredi et 3 comprimés (150 mg) le vendredi. Ce sera à vous et à votre médecin de décider du programme de traitement qui vous convient le mieux.

Que faire si vous oubliez une dose: Il est important que vous continuiez à prendre ReVia pour lui permettre de demeurer efficace contre l'alcool et les opiacés. Si vous oubliez de prendre une dose, cela n'aura pas de conséquences à long terme étant donné que l'effet de ReVia dure jusqu'à 2 jours, mais prenez votre comprimé le plus tôt possible. Cependant, vous ne devez pas doubler la dose ni dépasser la dose prescrite.

Si vous arrêtez de prendre ReVia et recommencez à consommer des opiacés ou de l'alcool, vous risquez de rechuter et de devenir à nouveau dépendant de ces drogues.

Si vous avez recommencé à faire usage des opiacés, ne prenez pas ReVia avant d'avoir vu votre médecin, afin que celui-ci puisse s'assurer que vous êtes à nouveau «abstinent».

Si vous prenez ReVia tout de suite après avoir consommé une substance opiacée, vous souffrirez de symptômes de sevrage (crise de manque), tels que nausées, vomissements, tremblements, transpiration excessive et anxiété, qui peuvent être graves.

Durée du traitement: Vous devez continuer à prendre ReVia aussi longtemps que votre médecin vous le prescrit, ce qui veut dire 3 mois ou plus. ReVia n'entraîne pas l'état d'euphorie et ne crée pas non plus l'accoutumance.

Qu'arrivera-t-il si vous buvez de l'alcool pendant que vous prenez ReVia: Vous ne devriez pas éprouver de réaction désagréable si vous buvez de l'alcool pendant que vous prenez ReVia. Cependant, cela fera augmenter encore le taux d'alcool dans votre sang, et vous serez incommodé physiquement et mentalement.

Avertissements: Si vous consommez de grandes quantités d'un opiacé pour essayer d'annuler l'effet bloquant de ReVia, vous courez un sérieux risque. Les opiacés à fortes doses peuvent causer une difficulté à respirer et même la mort.

Ne donnez pas vos comprimés à d'autres personnes, surtout si elles sont dépendantes des opiacés, car elles pourront elles aussi être victimes d'un syndrome de sevrage ou d'une crise de manque. Les signes et symptômes de sevrage (tels que nausées, vomissements, tremblements, transpiration excessive et anxiété) peuvent être graves et survenir en moins de 5 minutes: si cela se produit, appelez un médecin.

Vous ne devez pas prendre ReVia si vous êtes allergique à ce produit ou que vous souffrez d'hépatite aiguë ou d'insuffisance hépatique. Toutefois, votre médecin vous conseillera à ce sujet lorsqu'il abordera la question du traitement par ReVia.

Votre médecin demandera qu'une prise de sang soit effectuée avant le début du traitement et de façon périodique durant le traitement. ReVia étant métabolisé par le foie, ces prises de sang ont pour but de déterminer si votre foie fonctionne bien.

Ne buvez pas d'alcool pendant que vous suivez un traitement par ReVia, car cela pourrait porter atteinte à votre foie. Si vous souffrez de douleurs abdominales persistant plus de quelques jours, que vos selles sont blanches, que votre urine est de couleur foncée ou que vos yeux jaunissent, vous devez cesser immédiatement de prendre ReVia et consulter votre médecin dès que possible.

Avertissez votre médecin si vous êtes enceinte ou que vous allaitez, parce que l'on n'a pas encore étudié les effets de ReVia chez le nourrisson.

Si vous éprouvez toute sensation anormale ou ne vous sentez pas bien après avoir commencé à prendre ReVia, faites-en part à votre médecin.

Certains médicaments renferment des substances opiacées, tels les préparations contre la toux, les antidiarrhéiques (comme le kaolin avec morphine) et les analgésiques (médicaments antidouleur). ReVia peut neutraliser les effets de ces produits. Si vous êtes malade et avez besoin de prendre un médicament, vous devez prévenir le médecin ou le pharmacien que vous recevez déjà ReVia. Ils pourront alors vous recommander un produit qui n'interagit pas avec ReVia.

Surdosage: En cas de surdosage accidentel, rendez-vous à l'urgence de l'hôpital le plus proche ou avertissez immédiatement votre médecin, même si vous ne vous sentez pas malade.

Rangement de votre médicament: Gardez vos comprimés dans un endroit sûr, hors d'atteinte des enfants. Ce médicament peut être nocif pour les enfants.

Si votre médecin décide de mettre fin au traitement, retournez tous les comprimés inutilisés au pharmacien.

□ RHEUMATREX[MD] ℞

Wyeth-Ayerst

Méthotrexate sodique

Antirhumatismal

Renseignements destinés aux patients: Vous pouvez obtenir tous les renseignements relatifs au produit auprès de votre médecin ou pharmacien.

Rheumatrex est le nom de marque des comprimés de 2,5 mg de méthotrexate, de la compagnie Wyeth-Ayerst Canada Inc.

Rheumatrex, prescrit par votre médecin, est un médicament puissant et très efficace dans le traitement de la polyarthrite rhumatoïde grave. Ses bienfaits se font sentir en général de 3 à 6 semaines après le début du traitement.

Cependant, il peut entraîner des réactions indésirables qui, à l'occasion, peuvent être graves. La plupart des réactions indésirables sont détectables avant qu'elles ne deviennent graves et c'est pourquoi votre médecin vous surveillera de près, fixera des visites régulières et fera des tests périodiques en laboratoire. Pour un traitement sûr de votre polyarthrite rhumatoïde, il importe de suivre fidèlement les directives de votre médecin et de rapporter immédiatement tout effet secondaire ou symptôme pouvant se développer.

Avant de prendre ce médicament, vous devez informer votre médecin si les faits suivants s'appliquent à vous:

—Vous avez déjà pris Rheumatrex et y avez développé une allergie ou une intolérance.
—Vous souffrez d'une maladie du foie.
—Vous êtes enceinte ou vous avez l'intention de le devenir; vous allaitez ou avez l'intention d'allaiter.
—Vous prenez un autre médicament, en particulier de l'AAS, un médicament apparenté à l'AAS ou tout médicament contre l'arthrite (comme les anti-inflammatoires non stéroïdiens) ou tout antibiotique.
—Vous souffrez d'un ulcère gastroduodénal.
—Vous êtes atteint d'une maladie pulmonaire grave.
—On vous traite en ce moment ou on vous a déjà traité pour une maladie sanguine comme l'anémie.

Comment prendre Rheumatrex:

—La posologie de Rheumatrex est hebdomadaire plutôt que quotidienne; en cela, elle diffère de celle de tout autre médicament. On ne saurait dire assez l'importance de ce schéma posologique **hebdomadaire.** La dose hebdomadaire peut être prise en une seule fois ou en prises fractionnées. La posologie hebdomadaire que vous allez recevoir dépendra de vos analyses de sang. Après que votre sang a été analysé, vérifiez la dose à prendre auprès de votre médecin **avant** de prendre la dose suivante. Vous devez absolument vous conformer aux directives inscrites sur l'étiquette de l'ordonnance.
—Le fait de prendre Rheumatrex de façon incorrecte peut entraîner des réactions indésirables graves. Si les doses sont prises trop souvent, prévenez **immédiatement** votre médecin. Si, par accident, un surdosage se produit, l'antidote est nécessaire et doit être administré dès que possible.
—Prévenez **immédiatement** votre médecin si vous faites de la fièvre, vous toussez et/ou éprouvez des difficultés respiratoires.
—Un état pathologique sans lien, en particulier la déshydratation (perte excessive des liquides organiques), augmente également le risque de toxicité causée par Rheumatrex. L'irritation abdominale, surtout si elle s'accompagne de vomissements importants, de diarrhée, et d'une baisse de l'apport hydrique peuvent mener à la déshydratation. Une soif intense serait un symptôme de déshydratation. Prévenez immédiatement votre médecin si ces symptômes surviennent.
—Le fait de prendre d'autres médicaments peut intensifier les effets secondaires ou diminuer l'efficacité de Rheumatrex. Faites part à votre médecin de **tous** les médicaments que vous prenez, ceux nécessitant une ordonnance et les autres. **Ne prenez aucun nouveau médicament ni ne changez la posologie d'un médicament** sans demander au préalable l'avis de votre médecin. Cette règle vaut en particulier pour l'acide acétylsalicylique (AAS), les médicaments apparentés à l'AAS ou les autres médicaments contre l'arthrite (les anti-inflammatoires non stéroïdiens) ou les antibiotiques.
—Puisque la consommation de boissons alcoolisées (y compris la bière et le vin) peut aggraver certains effets secondaires, augmenter le risque de détérioration du foie entre autre chose, elle doit être très limitée ou parfois même exclue.

Renseignements sur les effets secondaires: Les effets secondaires peuvent survenir à tout moment au cours du traitement. Des tests périodiques effectués en laboratoire et parfois même d'autres tests, prévus par votre médecin, peuvent s'avérer nécessaires pour que l'utilisation de Rheumatrex soit sans danger. Votre coopération est essentielle.

Une perte d'appétit, des nausées (rarement accompagnées de vomissement), de la diarrhée, des résultats anormaux aux tests de la fonction hépatique (les tests sanguins périodiques servent à cela), ou des lésions ou ulcères dans la bouche, font partie des effets secondaires le plus souvent associés à l'emploi de Rheumatrex. Si ces effets secondaires ou toute autre réaction sont pour vous des sources d'inquiétude, ou si vous manifestez des signes d'infection ou si un saignement anormal se produit, prévenez votre médecin **immédiatement.** En général, ces effets secondaires sont temporaires, mais ils nécessitent souvent des changements dans la posologie.

Des éruptions cutanées et autres affections de la peau sont un effet secondaire peu fréquent de l'utilisation de Rheumatrex. Si vous développez une éruption cutanée inhabituelle, veuillez contacter **immédiatement** votre médecin.

Rheumatrex est reconnu pour entraîner des malformations congénitales et peut provoquer des fausses couches ou la naissance d'un mort-né, en particulier dans les 3 premiers mois de la grossesse. Les femmes enceintes **ne doivent pas** prendre Rheumatrex et les femmes en âge de procréer **ne doivent pas** devenir enceinte pendant ou peu de temps après un traitement par Rheumatrex. Des mesures adéquates de contraception sont essentielles. Les hommes tout comme les femmes doivent prendre des mesures pour éviter toute conception pendant le traitement avec Rheumatrex et plusieurs mois après son interruption.

L'apparition de fibrose (tissu cicatriciel) dans le foie constitue un effet secondaire rare survenant à la suite d'un traitement à long terme. Parfois, il faut, à l'aide d'une aiguille, enlever un petit morceau de foie (biopsie hépatique) pour confirmer la présence de tissu cicatriciel. Vous devrez discuter avec votre médecin de la nécessité d'une biopsie hépatique et le cas échéant, du moment le plus opportun de la pratiquer.

Autre effet secondaire rare, Rheumatrex peut causer une réaction pulmonaire semblable à la pneumonie. Les symptômes sont d'ordinaire la fièvre, la toux (souvent sèche et opiniâtre) et l'essouflement (qui peut s'aggraver). En présence de ces symptômes, avisez promptement votre médecin.

Dans de très rares cas, une tumeur des ganglions lymphatiques a été rapportée chez des patients recevant chaque semaine des doses de méthotrexate. Dans un tel cas, les choix de traitements devraient être discutés avec votre médecin.

Souvenez-vous toujours de:

1. Suivre **à la lettre** les recommandations de votre médecin.
2. Prendre des doses **hebdomadaires** de Rheumatrex et non quotidiennes.
3. Prévenir **aussitôt** votre médecin si vous soupçonnez un surdosage accidentel.
4. Prévenir **immédiatement** votre médecin si vous constatez la présence de symptômes tels que fièvre, toux et/ou essoufflement.
5. Prévenir **immédiatement** votre médecin si vous développez une éruption cutanée inhabituelle.
6. Prévenir **immédiatement** votre médecin si vous croyez être atteint d'une infection.

Rheumatrex (suite)

7. Aviser votre médecin si des effets secondaires ou des symptômes de déshydratation surviennent **avant** la dose suivante de Rheumatrex.
8. Ne pas commencer à prendre un médicament ni ne substituer un médicament à un autre, sans avoir au préalable demandé l'avis du médecin.
9. Éviter les boissons alcoolisées.
10. Vous soumettre aux tests demandés par votre médecin.
11. Éviter la grossesse pendant le traitement avec Rheumatrex et quelque temps après.

Gardez ce médicament hors de la portée des enfants et rappelez-vous qu'il a été prescrit pour traiter votre maladie actuelle. Vous ne devez pas distribuer ce médicament à d'autres.

□ RHINOCORT® AQUA Ⓟ

Astra

Budésonide

Glucocorticostéroïde

Renseignements destinés aux patients: Renseignements importants sur Rhinocort Aqua (budésonide). Prière de lire attentivement ce dépliant avant d'utiliser Rhinocort Aqua. Il contient des renseignements généraux sur Rhinocort Aqua qui devraient s'ajouter aux conseils plus spécifiques du médecin, du pharmacien ou de la pharmacienne.

Conservez le dépliant jusqu'à ce que le flacon de Rhinocort Aqua soit vide.

À quoi sert Rhinocort Aqua et comment agit-il? Rhinocort est la marque de commerce d'un médicament appelé budésonide. Rhinocort est une forme de budésonide à prendre par inhalation. Il appartient à une famille de médicaments appelés corticostéroïdes que l'on utilise pour réduire l'inflammation. Rhinocort Aqua permet de prévenir ou de diminuer l'inflammation.

Vous devez utiliser Rhinocort Aqua quand vous avez des symptômes comme le nez bouché (congestion nasale), le nez qui coule, des éternuements et des démangeaisons nasales. Vous pouvez ressentir ces symptômes à la suite d'une exposition au pollen comme l'herbe à poux ou les graminées (rhume des foins) ou à la poussière dans la maison.

On peut aussi utiliser Rhinocort Aqua pour traiter les polypes nasaux. Ce médicament peut empêcher la formation de nouveaux polypes et faire disparaître ceux que vous avez déjà.

Que contient Rhinocort Aqua? Rhinocort Aqua contient comme ingrédient actif du budésonide à une concentration de 64 μg par vaporisation.

La plupart des médicaments contiennent des substances autres que leur ingrédient actif. Vérifiez auprès de votre médecin si vous pensez être allergique à l'une des substances suivantes (par ordre alphabétique): acide chlorhydrique, budésonide, carboxyméthylcellulose de sodium, cellulose microcristalline, eau purifiée, édétate disodique, glucose anhydre, polysorbate 80 et sorbate de potassium.

Que dire à mon médecin avant d'utiliser Rhinocort Aqua? Vous devriez mentionner à votre médecin:

- **tous** les problèmes de santé présents ou passés, et surtout si vous avez souffert de tuberculose pulmonaire ou d'une infection récente;
- tous les médicaments que vous prenez, y compris les médicaments sans ordonnance;
- si vous prenez des médicaments à base de stéroïdes ou en avez pris au cours des derniers mois;
- si vous avez déjà eu une mauvaise réaction, ou une réaction inhabituelle ou allergique au budésonide;
- si vous êtes enceinte ou avez l'intention de le devenir, ou si vous allaitez.

Quelle est la bonne façon d'utiliser Rhinocort Aqua? Il est important d'utiliser Rhinocort Aqua tous les jours aux intervalles recommandés par le médecin. Vous ne devez pas changer la dose ni cesser le traitement sans avoir consulté votre médecin.

Si vous suivez les instructions ci-dessous, vous recevrez une dose de médicament (voir le prospectus d'emballage pour les illustrations).

1. Avant l'emploi, tourner le flacon à l'envers 3 ou 4 fois. Enlever le capuchon protecteur de l'embout nasal.
2. Quand on utilise le vaporisateur pour la première fois, il faut charger la pompe en pressant sur l'appuie-doigts. Utiliser l'index et le majeur, la base du flacon reposant sur le pouce. Presser de 5 à 10 fois jusqu'à ce qu'une fine vaporisation apparaisse. Le vaporisateur est maintenant prêt à utiliser. Si l'on ne se sert pas du vaporisateur tous les jours, il faut recharger la pompe. Mais alors, il suffit de faire gicler une seule fois.
3. Se moucher doucement. Tenir le flacon comme sur l'illustration. Pencher légèrement la tête en avant, boucher une narine en appuyant avec un doigt, et insérer **délicatement** l'embout dans l'autre narine.
4. Pour chaque vaporisation prescrite par le médecin, presser fermement une fois sur l'appuie-doigts. Inspirer lentement par la narine et expirer par la bouche.
5. Procéder de la même façon pour l'autre narine.
6. Replacer le capuchon protecteur sur l'embout nasal. Garder le flacon debout. Conserver entre 15 et 30 °C.

Nettoyage: Nettoyer régulièrement l'embout nasal et le capuchon protecteur. Pour nettoyer l'embout nasal, ôter le capuchon et tirer sur l'appuie-doigts pour enlever l'embout nasal. Laver l'embout et le capuchon à l'eau tiède. Laisser sécher à l'air et remettre l'embout et le capuchon sur le flacon, puis recharger selon les instructions en 2.

Quelle dose de Rhinocort Aqua faut-il prendre? La dose de Rhinocort Aqua varie d'une personne à l'autre. Suivez les instructions du médecin attentivement. Elles peuvent être différentes des renseignements contenus dans ce dépliant.

Attention: Rhinocort Aqua ne procure pas le soulagement immédiat des symptômes nasaux. Cela peut prendre quelques jours (et jusqu'à 2 semaines) avant de constater une amélioration. Consultez votre médecin dans les cas suivants:

- aucune amélioration après 3 semaines;
- irritation à l'intérieur du nez;
- sécrétions nasales jaunâtres ou verdâtres;
- saignements de nez fréquents.

Adultes et enfants de plus de 6 ans: Rhinite: Voici les **doses** suggérées au **début** du traitement: Dose quotidienne totale de 4 vaporisations (256 μg). Ne pas dépasser cette dose chez les enfants. On peut utiliser Rhinocort Aqua 1 ou 2 fois/jour.

Une fois par jour: 2 vaporisations (128 μg) dans chaque narine, une fois le matin.

Deux fois par jour: 1 vaporisation (64 μg) dans chaque narine, le matin et le soir.

Dose d'entretien: Utiliser la plus faible dose efficace.

Polypes nasaux: 1 vaporisation (64 μg) dans chaque narine, le matin et le soir (dose quotidienne totale de 256 μg).

Important: Utiliser régulièrement selon les directives du médecin. **Ne pas dépasser la dose prescrite par le médecin.**

Que faire si j'oublie de prendre une dose? Si vous avez oublié de prendre une dose de Rhinocort Aqua, prenez-la le plus tôt possible. Retournez ensuite à l'horaire habituel. S'il est presque temps pour la prochaine dose, laissez faire la dose manquante et prenez la prochaine dose à l'heure habituelle.

Ne prenez jamais une double dose de Rhinocort Aqua pour rattraper une dose oubliée. En cas de doute, demandez des conseils au médecin ou au pharmacien.

Vous remarquerez peut-être une amélioration des symptômes après la première dose de Rhinocort Aqua, mais il pourrait aussi s'écouler quelques semaines avant que vous ressentiez le plein effet thérapeutique. N'oubliez pas de prendre Rhinocort Aqua, même si vous vous sentez bien.

Il ne faut pas mettre fin brusquement au traitement avec Rhinocort Aqua; il faut le cesser graduellement.

Que faire en cas de surdosage? Téléphonez à votre médecin ou rendez-vous immédiatement à l'hôpital le plus proche si vous croyez que vous ou une autre personne avez pris trop de Rhinocort Aqua.

Y a-t-il des effets secondaires? Comme tout autre médicament, Rhinocort Aqua peut causer des effets secondaires chez certaines personnes.

Les effets secondaires les plus fréquents sont l'irritation du nez et de la gorge, les saignements de nez, la formation de croûtes et la sécheresse. Les autres effets secondaires incluent: éternuements (au début du traitement), démangeaisons dans la gorge, mal de gorge, toux, fatigue, nausées/étourdissements et maux de tête.

Dans de rares cas, des réactions allergiques comme l'asthme ou des éruptions cutanées peuvent se produire. Elles peuvent ne pas avoir été causées par Rhinocort Aqua, mais seul un médecin peut le confirmer. Très peu de gens ayant utilisé des stéroïdes nasaux ont constaté la présence de petits trous ou d'ulcères dans le nez. Les probabilités que cela vous arrive sont minimes. Si vous observez quelque chose d'inhabituel dans le nez, dites-le à votre médecin.

Les médicaments n'affectent pas tout le monde de la même façon. Si d'autres personnes ont ressenti des effets secondaires, cela ne veut pas dire que vous en aurez aussi. Si vous avez des effets secondaires qui vous incommodent, consultez votre médecin.

Ne décidez pas vous-même d'arrêter de prendre Rhinocort Aqua. Votre médecin voudra peut-être diminuer lentement la dose, surtout si vous prenez Rhinocort Aqua depuis longtemps. Même si cela est rare, des symptômes de sevrage des stéroïdes (p. ex. fatigue, douleurs aux articulations ou douleurs musculaires) peuvent apparaître si l'on met fin trop rapidement à un traitement avec Rhinocort Aqua.

Où faut-il garder Rhinocort Aqua? Garder Rhinocort Aqua hors de la portée des enfants.

Garder le flacon à température ambiante (15 à 30 °C) dans un endroit sec, à l'abri de l'humidité.

Ne pas conserver ou utiliser Rhinocort Aqua après la date limite d'utilisation indiquée sur l'étiquette.

Remarque importante: Ce dépliant vous indique certains des cas où vous devez appeler le médecin, mais d'autres situations imprévisibles peuvent survenir. Rien dans ce dépliant ne vous empêche de communiquer avec votre médecin ou votre pharmacien pour lui poser des questions ou lui faire part de vos inquiétudes sur Rhinocort Aqua.

□ RHINOCORT® TURBUHALER® ℞

Astra

Budésonide

Glucocorticostéroïde

Renseignements destinés aux patients: Renseignements importants sur Rhinocort Turbuhaler (Budésonide). Prière de lire attentivement ce dépliant avant d'utiliser Rhinocort Turbuhaler. Il contient des renseignements généraux sur Rhinocort Turbuhaler qui devraient s'ajouter aux conseils plus spécifiques du médecin, du pharmacien ou de la pharmacienne.

Conservez le dépliant jusqu'à ce que votre Rhinocort Turbuhaler soit vide.

À quoi sert Rhinocort Turbuhaler et comment agit-il? Rhinocort est la marque de commerce d'un médicament appelé budésonide. Rhinocort est une forme de budésonide à prendre par inhalation. Il appartient à une famille de médicaments appelés corticostéroïdes que l'on utilise pour réduire l'inflammation. La rhinite est causée par l'inflammation de la muqueuse nasale. Rhinocort Turbuhaler prévient une telle inflammation ou la diminue, si elle est présente. Dans certains cas, il faudra plusieurs semaines d'usage régulier avant de ressentir le plein effet.

Turbuhaler est la marque de commerce d'un inhalateur multidose de poudre sèche. Quand vous inspirez avec l'inhalateur, l'inspiration fournit la force requise pour amener le médicament dans vos passages nasaux.

Que contient Rhinocort Turbuhaler? Rhinocort Turbuhaler contient comme ingrédient actif du budésonide à une concentration de 100 μg par inhalation.

Si vous agitez l'inhalateur, le bruit que vous entendez n'est pas causé par le médicament, mais par le dessiccatif à l'intérieur de la molette. Cette substance n'est pas médicamenteuse et ne peut être inhalée. Rhinocort Turbuhaler ne contient aucun autre ingrédient.

Que dire à mon médecin avant d'utiliser Rhinocort Turbuhaler? Vous devriez mentionner à votre médecin:

- **tous** les problèmes de santé présents ou passés, et surtout si vous avez souffert de tuberculose pulmonaire ou d'une infection récente;
- tous les médicaments que vous prenez, y compris les médicaments sans ordonnance;
- si vous prenez des médicaments à base de stéroïdes ou en avez pris au cours des derniers mois;
- si vous avez déjà eu une mauvaise réaction, ou une réaction inhabituelle ou allergique au budésonide;
- si vous êtes enceinte ou avez l'intention de le devenir, ou si vous allaitez.

Quelle est la bonne façon d'utiliser Rhinocort Turbuhaler? Il est important d'utiliser Rhinocort Turbuhaler tous les jours aux intervalles recommandés par le médecin. Vous ne devez pas changer la dose ni cesser le traitement sans avoir consulté votre médecin.

Remarque: Vous pouvez ne pas goûter le médicament ni en ressentir le contact lorsque vous inhalez avec Rhinocort Turbuhaler. C'est un phénomène normal.

Si vous suivez les instructions ci-dessous, vous recevrez une dose de médicament (voir le prospectus d'emballage pour les illustrations).

1. Se moucher. Dévisser et enlever le couvercle.
2. Pour charger, tenir Rhinocort Turbuhaler à la verticale, tourner la molette grise le plus loin possible dans une direction, puis la ramener à la position initiale. Le déclic que l'on entend signifie que la dose est prête à être inhalée.
3. Expirer. Remarque: Ne jamais expirer dans l'adaptateur nasal.
4. Placer l'adaptateur nasal pour qu'il s'ajuste bien dans la narine et boucher l'autre narine en appuyant avec un doigt. Inspirer vivement (0,5 s) et profondément par le nez.
5. Avant d'expirer, retirer Rhinocort Turbuhaler de la narine.
6. Répéter les étapes 2 à 4 pour l'autre narine.
7. Revisser le couvercle.

Si vous laissez tomber ou agitez Rhinocort Turbuhaler après son chargement, ou si vous soufflez accidentellement dans l'inhalateur, la dose est perdue. Il faut alors en charger une deuxième et l'inhaler.

Nettoyage: Nettoyer l'extérieur de l'embout buccal chaque semaine à l'aide d'un linge sec. Ne **jamais** utiliser d'eau ou un autre liquide pour le nettoyer. Si du liquide entre dans Rhinocort Turbuhaler, cela peut nuire à son fonctionnement.

Comment savoir si l'inhalateur Rhinocort Turbuhaler est vide (voir le prospectus d'emballage pour les illustrations)? Rhinocort Turbuhaler a une fenêtre repère. Quand une marque rouge apparaît dans la fenêtre repère, il reste environ **20** doses. Il est temps de renouveler votre ordonnance.

Quand la marque rouge atteint le bord inférieur de la fenêtre repère, Rhinocort Turbuhaler est **vide**. Si vous agitez l'inhalateur quand il est vide, vous entendrez quand même le bruit du dessiccatif. Rhinocort Turbuhaler ne peut être rempli de nouveau et on doit le jeter quand toutes les doses sont épuisées.

Quelle dose de Rhinocort Turbuhaler faut-il prendre? La dose de Rhinocort Turbuhaler varie d'une personne à l'autre.

Suivez attentivement les directives de votre médecin. Elles peuvent être différentes des renseignements contenus dans ce dépliant.

Important: Ne dépassez pas la dose prescrite par le médecin.

Il est important d'utiliser Rhinocort Turbuhaler tous les jours aux intervalles recommandés par le médecin. Ne pas arrêter ou changer la posologie sans l'avis du médecin.

Rhinite: Dose initiale: **Adultes:** 2 inhalations dans chaque narine le matin (dose quotidienne totale: 400 μg). **Enfants** (6 ans et plus): 2 inhalations dans chaque narine le matin (dose quotidienne totale: 400 μg). Ne pas dépasser cette dose chez les enfants.
Dose d'entretien: Adultes et enfants (6 ans et plus): Utiliser la plus faible dose efficace pour maîtriser les symptômes.

Polypes nasaux: 1 inhalation (100 μg) dans chaque narine, le matin et le soir (dose quotidienne totale: 400 μg).

Attention: Rhinocort Turbuhaler ne procure pas le soulagement immédiat des symptômes nasaux. Cela peut prendre quelques jours (jusqu'à 2 semaines) avant de constater une amélioration. Consultez votre médecin dans les cas suivants:

- aucune amélioration après 3 semaines;
- irritation à l'intérieur du nez;
- sécrétions nasales jaunâtres ou verdâtres;
- saignements de nez fréquents.

Que faire si j'oublie de prendre une dose? Rhinite: Si vous avez oublié de prendre une dose de Rhinocort Turbuhaler et vous vous en rappelez moins de 12 heures après, prenez-la le plus tôt possible. Retournez ensuite à l'horaire habituel. Mais s'il s'est écoulé plus de 12 heures, laissez faire la dose manquante et prenez la prochaine à l'heure habituelle.

Polypes nasaux: Si vous avez oublié de prendre une dose de Rhinocort Turbuhaler et vous vous en rappelez moins de 6 heures, prenez-la le plus tôt possible. Retournez ensuite à l'horaire habituel. Mais s'il s'est écoulé plus de 6 heures, laissez faire la dose manquante et prenez la prochaine à l'heure habituelle.

Ne prenez jamais une double dose de Rhinocort Turbuhaler pour rattraper une dose oubliée. En cas de doute, demandez des conseils au médecin ou au pharmacien.

Vous remarquerez peut-être une amélioration des symptômes après la première dose de Rhinocort Turbuhaler, mais il pourrait aussi s'écouler quelques semaines avant que vous ressentiez le plein effet ▶

Rhinocort Turbuhaler (suite)

thérapeutique. N'oubliez pas de prendre Rhinocort Turbuhaler, même si vous vous sentez bien.

Il ne faut pas mettre fin brusquement au traitement avec Rhinocort Turbuhaler; suivez les directives du médecin pour le cesser graduellement.

Si votre médecin vous a prescrit Rhinocort Turbuhaler et que vous prenez encore des comprimés de «cortisone», il décidera peut-être de réduire graduellement votre dose de comprimés (cela pourrait prendre quelques semaines ou même des mois). Il se pourrait même un jour que vous n'ayez plus besoin de prendre ces comprimés.

Remarque: Si vous preniez des comprimés de «cortisone» et que le médecin a changé votre traitement pour Rhinocort Turbuhaler, les symptômes que vous aviez l'habitude de ressentir pourraient revenir temporairement, tels écoulement nasal, éruptions cutanées, douleurs musculaires ou articulaires. Si ces symptômes vous dérangent ou si vous en avez d'autres comme maux de tête, fatigue, nausées ou vomissements, communiquez avec votre médecin.

Que faire en cas de surdosage? Téléphonez à votre médecin ou rendez-vous immédiatement à l'hôpital le plus proche si vous croyez que vous ou une autre personne avez pris trop de Rhinocort Turbuhaler.

Y a-t-il des effets secondaires? Comme tout autre médicament, Rhinocort Turbuhaler peut causer des effets secondaires chez certaines personnes.

Les effets secondaires les plus fréquents sont l'irritation du nez et de la gorge, les saignements de nez, la formation de croûtes et la sécheresse. Les autres effets secondaires incluent: éternuements (au début du traitement), démangeaisons dans la gorge, mal de gorge, toux, fatigue, nausées/étourdissements et maux de tête.

Dans de rares cas, des réactions cutanées comme les rougeurs peuvent se produire avec un traitement local aux corticostéroïdes. Un très petit nombre de personnes ont constaté la présence de petits trous ou d'ulcères dans le nez à la suite d'un traitement avec des stéroïdes oraux. Les probabilités que cela vous arrive sont minimes. Si vous observez quelque chose d'inhabituel dans le nez, dites-le à votre médecin.

Les médicaments n'affectent pas tout le monde de la même façon. Si d'autres personnes ont ressenti des effets secondaires, cela ne veut pas dire que vous en aurez aussi. Si vous avez des effets secondaires qui vous incommodent, consultez votre médecin.

Où faut-il garder Rhinocort Turbuhaler? Garder Rhinocort Turbuhaler hors de la portée des enfants.

Revissez le couvercle après chaque utilisation de Rhinocort Turbuhaler. Garder le flacon à température ambiante (15 à 30 °C) dans un endroit sec, à l'abri de l'humidité.

Gardez l'inhalateur à température ambiante (15 à 30 °C), dans un endroit sec et à l'abri de l'humidité.

Ne pas conserver ou utiliser Rhinocort Turbuhaler après la date limite d'utilisation indiquée sur l'étiquette.

Remarque importante: Ce dépliant vous indique dans quels cas vous devez appeler le médecin, mais d'autres situations imprévisibles peuvent survenir. Rien dans ce dépliant ne vous empêche de communiquer avec votre médecin ou votre pharmacien pour lui poser des questions au sujet de Rhinocort Turbuhaler.

□ RIDAURA® ℞

Pharmascience

Auranofine

Antirhumatismal

Renseignements destinés aux patients: Le fabricant fournit de l'information sur demande aux patients qui commencent à prendre Ridaura. En voici le texte: «La polyarthrite rhumatoïde et le rhumatisme psoriasique».

«Votre médecin vous a prescrit Ridaura (or pris par la bouche) dans le cadre de votre programme thérapeutique. Vous et votre famille aimeriez sûrement en savoir plus sur votre maladie et son traitement. C'est pourquoi SmithKline Beecham a produit ce livret instructif et la cassette qui l'accompagne. Ils complètent les renseignements que votre médecin vous a donnés et vous sont offerts gratuitement avec les capsules Ridaura de votre premier mois de traitement.

Votre médecin juge que Ridaura est un médicament qui vous convient, mais il ne convient pas nécessairement à tous. **Ne donnez donc PAS de capsules Ridaura à des membres de votre famille ou à des amis qui présentent des symptômes semblables aux vôtres.** Conseillez-leur plutôt de consulter leur propre médecin.

La **polyarthrite rhumatoïde** est une maladie qui s'attaque surtout aux articulations (ou jointures). Elle provoque un gonflement, des douleurs et de la raideur articulaires.

Il s'agit d'une maladie assez courante, qui touche environ 1 % de la population. Elle peut se développer à tout âge, mais elle apparaît le plus souvent à l'âge adulte (entre 20 et 60 ans). Elle est 3 fois plus fréquente chez les femmes que chez les hommes.

Le **rhumatisme psoriasique** est une maladie qui affecte surtout les articulations, causant gonflement, douleurs et raideur articulaires. Il s'accompagne des lésions du psoriasis au niveau de la peau ou des ongles.

Le rhumatisme psoriasique atteint 1 à 2 % de la population. Il apparaît le plus souvent chez des adultes de 30 à 50 ans. Le psoriasis se manifeste avant le rhumatisme dans environ 75 % des cas et en même temps dans environ 15 % des cas. Chez une petite fraction de patients, le rhumatisme précède les lésions cutanées.

Pour comprendre la nature de votre maladie, il est utile de connaître la structure normale d'une articulation.

Articulation normale: Une articulation, c'est un endroit où 2 os s'unissent bout à bout. Les articulations peuvent être considérées comme des charnières qui nous permettent de marcher, de soulever des objets, de nous pencher, de nous retourner et de nous asseoir. Des muscles et des ligaments supportent l'articulation et maintiennent les os alignés à l'intérieur de la capsule articulaire. Ils permettent les mouvements et protègent l'articulation contre les blessures.

Les bouts des os sont recouverts d'une gaine élastique et résistante de cartilage, et sont séparés par une poche de liquide synovial, qui est produit par la membrane synoviale (la couche interne de la capsule articulaire). Le liquide synovial remplit 2 fonctions principales: lubrifier le cartilage et réduire ainsi le stress mécanique produit par le mouvement et fournir les éléments nutritifs aux tissus environnants. Les troubles qui, comme la polyarthrite rhumatoïde, altèrent la membrane ou le liquide synoviaux altèrent également l'architecture délicate de l'articulation et risquent ainsi d'en perturber la fonction et le mouvement.

Articulation arthritique: On ne connaît pas la cause de la polyarthrite rhumatoïde ni celle du rhumatisme psoriasique.

Quelle qu'en soit la cause, ces maladies provoquent une inflammation articulaire et les symptômes qui l'accompagnent, et elles finissent par endommager les articulations. L'inflammation attire les éléments du sang qui libèrent des enzymes capables d'attaquer la membrane synoviale. Une fois irritée et enflammée, la membrane synoviale produit trop de liquide, ce qui crée une pression douloureuse sur les tissus environnants. Les débris cellulaires du processus inflammatoire s'accumulent sur les surfaces cartilagineuses, où ils forment le pannus. Ils libèrent des enzymes qui peuvent détruire les tissus articulaires et, à la longue, l'os. De tels dommages sont irréversibles et finissent par limiter la mobilité de l'articulation.

Symptômes et diagnostic: D'habitude, les premiers symptômes de la polyarthrite rhumatoïde sont un état de fatigue générale, des courbatures, de la raideur et des douleurs. L'inflammation articulaire est caractérisée par la douleur, le gonflement, la chaleur et la sensibilité au niveau d'une ou de plusieurs articulations des mains ou des pieds. Elle peut aussi se présenter au niveau des poignets, des épaules, des coudes, des hanches et des genoux.

Une fois qu'elle est apparue, la polyarthrite rhumatoïde peut évoluer sur une période de plusieurs mois, voire de plusieurs années. Ses symptômes peuvent varier beaucoup de jour en jour ou de mois en mois. Il peut y avoir certaines périodes de temps où les symptômes disparaissent et le mal diminue beaucoup (rémission apparente) et d'autres périodes où les symptômes s'intensifient et le mal augmente (poussée).

Le diagnostic de la polyarthrite rhumatoïde repose sur les antécédents du patient et l'examen de l'atteinte articulaire. Les résultats des radiographies et des examens sanguins à la recherche de marqueurs de l'inflammation et de la polyarthrite rhumatoïde peuvent également contribuer au diagnostic.

Le diagnostic du rhumatisme psoriasique repose sur la présence de symptômes d'un rhumatisme inflammatoire et de lésions typiques du psoriasis au niveau de la peau ou des ongles.

Programmes thérapeutiques: Bien qu'il n'existe actuellement aucun moyen de guérir la polyarthrite rhumatoïde ou le rhumatisme psoriasique, il est possible d'en faire beaucoup pour soulager la douleur, améliorer le fonctionnement des articulations et, dans certains cas, retarder les dommages. Étant donné la nature imprévisible de la polyarthrite rhumatoïde, son traitement nécessite habituellement plusieurs mesures thérapeutiques. De tels programmes thérapeutiques comprennent du repos, des exercices physiques spécifiques et des médicaments.

Mode de vie: Votre médecin vous recommandera peut-être de modifier votre mode de vie pour y inclure des périodes de repos et d'exercice. Avec l'aide de votre médecin, de votre famille et vos amis, ces périodes vous aideront à vous sentir mieux et à maintenir une vie active.

Comme la polyarthrite rhumatoïde entraîne de la fatigue, le repos fait partie intégrante du traitement. Votre médecin vous recommandera probablement de vous réserver de brèves périodes de repos durant le jour et de prendre une bonne nuit de sommeil. D'habitude, l'alitement n'est nécessaire que durant les poussées graves. En fait, le repos excessif risque d'aggraver la raideur et la faiblesse.

Il est important que vous ne forciez pas les parties de votre corps atteintes par la maladie. Dans certains cas, il peut s'avérer nécessaire de changer sa routine à la maison ou au travail pour prévenir un excès de fatigue.

Votre médecin vous conseillera peut-être de faire des exercices précis. Ces exercices réguliers et spécifiques visent à prévenir la raideur articulaire et à maintenir la mobilité. Les médecins recommandent aussi parfois des bains massants, l'utilisation d'appareils ou d'attelles, et l'application de compresses chaudes ou froides.

Un mode de vie sain doit comprendre une alimentation bien équilibrée (**pas** de régimes à la mode du jour).

Si efficaces que soient ces mesures, on leur associe habituellement des médicaments pour soulager les symptômes. Dans certains cas graves, le programme thérapeutique comporte des médicaments qui peuvent influer sur l'évolution de la maladie.

Traitement médicamenteux: Dans la plupart des cas de rhumatisme psoriasique, une crème ou une pommade réussissent à traiter le psoriasis. Certains patients ne nécessitent aucun traitement contre le psoriasis. Il arrive qu'un contrôle adéquat des lésions cutanées donne lieu à une amélioration des troubles articulaires.

Certains patients atteints de rhumatisme psoriasique souffrent d'une forme progressive de maladie articulaire et doivent être traités comme les patients atteints de polyarthrite rhumatoïde progressive.

La polyarthrite rhumatoïde et le rhumatisme psoriasique étant chroniques, le traitement médicamenteux doit être à long terme. Il vise à soulager la douleur et, si possible, à ralentir la progression de la maladie. On peut diviser en 2 groupes les médicaments utilisés pour traiter la polyarthrite rhumatoïde et le rhumatisme psoriasique léger à modéré.

Il y a premièrement les anti-inflammatoires non stéroïdiens (AINS), comme l'acide acétylsalicylique (AAS, comme Aspirin), qui luttent contre l'inflammation et soulagent les douleurs et les autres symptômes de la polyarthrite rhumatoïde. Vous prenez un de ces médicaments depuis une certaine période de temps déjà mais, comme vous n'y répondez pas suffisamment et étant donné la nature de votre maladie, votre médecin a décidé qu'un autre genre de médicament, un agent qui peut modifier l'évolution de la maladie, serait peut-être bénéfique.

Les médicaments de ce second groupe sont destinés à ralentir la progression de la polyarthrite rhumatoïde. Mentionnons, par exemple, l'or injectable, Ridaura, la pénicillamine et certains médicaments qui suppriment le système immunitaire. Ces médicaments sont efficaces, mais ils ne soulagent pas immédiatement la douleur et la raideur. C'est pourquoi on les prescrit normalement avec de l'AAS ou un autre AINS.

Tous ces médicaments produisent quelques effets secondaires graves. Vous devez donc respecter vos rendez-vous avec votre médecin, pour qu'il vous suive de près.

Ce que vous devriez savoir sur Ridaura: Dans le cadre de votre programme thérapeutique global, votre médecin vous a prescrit Ridaura, qui renferme de l'or. La posologie initiale recommandée est de deux capsules par jour.

L'expérience clinique a démontré que Ridaura est un traitement efficace de la polyarthrite rhumatoïde et du rhumatisme psoriasique: il soulage la douleur, la raideur matinale et la fatigue; il diminue le nombre d'articulations sensibles ou gonflées, et il facilite les activités de tous les jours. Il est aussi possible que Ridaura change l'évolution de la maladie, mais son mode d'action reste, pour le moment, inconnu.

Les effets bénéfiques de Ridaura ne se manifestent pas tout de suite. Il peut se passer de 3 à 4 mois, voire 6 mois, avant qu'on puisse voir une réponse. Votre médecin vous demandera de continuer à prendre de l'AAS ou un autre AINS pour soulager vos symptômes actuels.

Comme votre maladie est chronique et qu'elle a pris de nombreux mois, voire des années, à se développer, il ne faut pas que vous vous découragiez si vous ne remarquez pas une amélioration notable dès le début de votre traitement. La patience est la clé du succès. Vous devez continuer à prendre Ridaura et vos autres médicaments comme l'a prescrit votre médecin, et ce, même si vous ne ressentez pas de douleurs. Votre médecin surveillera votre traitement en vous faisant subir des examens de laboratoire et en vous rencontrant souvent. Si nécessaire, il modifiera votre traitement.

Ridaura peut entraîner des effets secondaires. La réaction indésirable la plus fréquente à Ridaura est un changement de selles: des selles molles ou la diarrhée. On a également signalé des douleurs à l'estomac, des nausées, des éruptions cutanées, des picotements, une inflammation des yeux (conjonctivite) et une inflammation de la bouche (stomatite). Ces réactions apparaissent généralement au début du traitement. D'habitude, on peut les soulager sans interrompre l'utilisation de Ridaura, mais il arrive que l'arrêt du traitement soit nécessaire.

Dans de rares cas, Ridaura produit des réactions plus graves, comme des changements au niveau du sang ou des reins. On peut les faire régresser si on les découvre assez tôt. Communiquez **immédiatement** avec votre médecin si vous remarquez un symptôme inhabituel ou désagréable, comme de la fièvre, un mal de gorge, des ulcères dans la bouche, des bleus spontanés, des selles noires ou goudronneuses, des problèmes cutanés, ou des problèmes de digestion persistants ou graves.

Résumé: Des millions de patients s'en sortent bien malgré leur polyarthrite rhumatoïde ou leur rhumatisme psoriasique. Comme vous, ils ont dû modifier leur mode de vie en changeant leurs activités de tous les jours.

Votre médecin vous a recommandé un programme thérapeutique pour que vous demeuriez actif et que vous vous sentiez bien. Suivez attentivement ses directives au sujet de périodes de repos, d'exercices précis et de médicaments.

Prenez Ridaura et vos autres médicaments exactement comme votre médecin vous les a prescrits. Informez-le de tout symptôme inhabituel ou désagréable.

Pour terminer, si vous vous posez des questions sur la polyarthrite rhumatoïde ou sur Ridaura, notez-les à la page suivante pour en discuter avec votre médecin lors de votre prochain rendez-vous. Vous trouverez peut-être utile de remplir le questionnaire suivant pour vous aider à suivre les directives de votre médecin.»

Un feuillet donnant une forme abrégée de ces renseignements accompagne les flacons (voir Présentation). En voici le texte:

«Votre médecin vous a prescrit Ridaura (or pris par la bouche) dans le cadre de votre programme thérapeutique. Pour que vous et votre famille disposiez de renseignements utiles sur votre maladie et son traitement, SmithKline Beecham a mis au point un programme instructif spécialement à l'intention des patients qui commencent à prendre Ridaura.

Ce programme comprend un livret intitulé «La polyarthrite rhumatoïde et le rhumatisme psoriasique» ainsi qu'une cassette. Pour vous procurer ce matériel, envoyez vos nom et adresse à: Programme instructif Ridaura, Service médical, SmithKline Beecham Pharma Inc., 2030 Bristol Circle, Oakville, Ontario L6H 5V2.Quand vous recevrez la cassette et le livret, n'oubliez pas de remplir l'agenda du livret pour pouvoir suivre votre traitement d'un mois à l'autre.

Ridaura est un médicament à base d'or, pris par la bouche. Cela fait plusieurs années qu'on utilise l'or sous forme injectable dans le traitement de la polyarthrite rhumatoïde grave. L'expérience clinique a démontré que Ridaura est utile dans le traitement de la polyarthrite rhumatoïde qui n'est pas maîtrisée de façon satisfaisante par des médicaments comme l'acide acétylsalicylique (AAS, comme Aspirin) ou un autre anti-inflammatoire non stéroïdien. Prenez bien Ridaura et vos autres médicaments exactement comme ils vous ont été prescrits. **N'augmentez PAS la posologie** à moins que votre médecin ne vous le demande.

Ridaura peut entraîner des effets secondaires. Les réactions indésirables les plus fréquentes sont des selles molles et la diarrhée. Certains patients se sont aussi plaints de douleurs à l'estomac, de nausées, d'éruptions cutanées, de picotements, d'inflammation des yeux (conjonctivite) et d'inflammation des tissus de la bouche (stomatite). Ces effets apparaissent généralement au début du traitement; on peut habituellement les soulager sans interrompre l'utilisation de Ridaura, mais il arrive que l'arrêt du traitement soit nécessaire.

Dans de rares cas, Ridaura produit des réactions plus graves, comme des changements au niveau des globules sanguins ou du fonctionnement des reins. On peut les faire régresser si on les découvre assez tôt. C'est pourquoi votre médecin surveillera votre traitement en vous faisant subir des examens de laboratoire et en vous rencontrant souvent. Si nécessaire, il modifiera votre traitement. Communiquez **immédiatement** avec lui si vous éprouvez des symptômes inhabituels ou désagréables, comme de la fièvre, un mal de gorge, des ulcères dans la bouche, des bleus spontanés, des selles noires ou goudronneuses,

Ridaura (suite)

des problèmes de peau, ou des troubles de digestion persistants ou graves.

Remarquez bien que, même si, votre médecin juge que Ridaura vous convient, ce médicament ne convient pas nécessairement à tous. **Ne donnez donc PAS de capsules Ridaura à des membres de votre famille ou à des amis** qui présentent des symptômes semblables aux vôtres. Conseillez-leur plutôt de consulter leur propre médecin.

Votre médecin vous a recommandé un programme thérapeutique pour que vous demeuriez actif et que vous vous sentiez bien. Suivez attentivement ses directives au sujet de périodes de repos, d'exercices précis et de médicaments.

☐ RISPERDAL®, Solution orale Ⓟ

Janssen-Ortho

Tartrate de rispéridone

Agent antipsychotique

Renseignements destinés aux patients: Solution orale à 1 mg/mL: Mode d'emploi pour ouvrir le flacon et pour l'utilisation de la pipette (voir le prospectus d'emballage pour les illustrations):

1. Poussez le bouchon en plastique à vis en tournant en sens inverse des aiguilles d'une montre. Enlevez le bouchon.
2. Retirez la pipette graduée de son emballage de rangement en plastique et insérez-la dans le flacon.
3. En tenant l'extérieur du baril de la pipette, tirez sur le piston jusqu'au niveau (voir les marques sur le côté) équivalant à la posologie prescrite par votre médecin.
4. En tenant l'extérieur du baril de la pipette, retirez-la entièrement du flacon, en faisant attention de ne pas appuyer sur le piston prématurément.
5. Videz le contenu de la pipette dans 100 mL de n'importe laquelle des boissons non alcoolisées énumérées ci-dessous en appuyant sur le piston dans le baril de la pipette. Mélangez soigneusement avant de prendre. Les tests effectués indiquent que la solution orale Risperdal est compatible avec les boissons suivantes: eau, café, jus d'orange et lait à faible teneur en matières grasses; cependant, elle **n'est pas** compatible avec les boissons au cola ou le thé.
6. Rincez la pipette graduée avec de l'eau et remettez-la dans son emballage de rangement en plastique. Revissez le bouchon de plastique sur le flacon.

Posologie: Suivez les instructions de votre médecin.

Entreposage: Entreposez le flacon à une température ambiante contrôlée (15 à 30 °C) loin des enfants. Évitez le gel et protégez de la lumière.

☐ RITALIN® ◈
☐ RITALIN® SR ◈

Novartis Pharma

Chlorhydrate de méthylphénidate

Stimulant du SNC

Renseignements destinés aux patients: Introduction: Ritalin est utilisé pour combattre deux affections médicales différentes: 1) l'hyperactivité avec déficit de l'attention (HDA) chez l'enfant, et 2) la narcolepsie. Des renseignements sur son emploi dans chacune de ces deux affections sont fournis séparément. Selon le cas qui vous concerne, veuillez vous reporter à la section intitulée «Ritalin dans le traitement de l'hyperactivité avec déficit de l'attention chez l'enfant—Renseignements destinés aux parents» ou à celle intitulée «Ritalin dans le traitement de la narcolepsie—Renseignements destinés aux patients».

Ritalin dans le traitement de l'hyperactivité avec déficit de l'attention chez l'enfant—Renseignements destinés aux parents: Le médecin a prescrit Ritalin pour traiter un trouble de comportement de votre enfant connu sous le nom d'hyperactivité avec déficit de l'attention. Les renseignements qui suivent vous fourniront des explications sur cette affection et sur l'emploi de Ritalin pour la traiter. Si vous avez besoin d'autres renseignements ou si vous avez des questions à poser, adressez-vous à votre médecin ou à votre pharmacien.

Qu'est-ce que l'hyperactivité avec déficit de l'attention? L'hyperactivité avec déficit de l'attention est un trouble de comportement chez les enfants et les adolescents. On a aussi désigné cette affection sous d'autres termes: déficit de l'attention, dysfonctionnement cérébral minime, syndrome hyperkinétique infantile, atteinte cérébrale minime, dysfonctionnement cérébral mineur.

Les enfants qui souffrent d'hyperactivité avec déficit de l'attention présentent des difficultés de comportement telles que des difficultés à se concentrer, de l'impulsivité et de l'agitation. Leurs résultats scolaires peuvent être faibles même si leur degré d'intelligence est tout à fait normal. Étant donné leur maladresse, leur comportement envahissant et leur incapacité de se plier aux règles des jeux, ces enfants sont parfois mal acceptés par leurs camarades du même âge. Pour cette raison, un grand nombre d'entre eux préfèrent la compagnie d'enfants plus jeunes. Souvent, les parents de ces enfants pensent qu'ils nécessitent, dans la plupart des activités quotidiennes, plus d'aide et de supervision que leurs frères ou sœurs. La discipline ne change habituellement rien au comportement de ces enfants. À l'école, les enseignants se plaignent qu'ils dérangent la classe et qu'ils ont sans cesse besoin d'attention. Et pourtant, la plupart des enfants atteints d'hyperactivité avec déficit de l'attention ne se plaignent pas d'avoir des problèmes, de sorte qu'ils ne reçoivent pas l'aide médicale nécessaire à moins que leur(s) enseignant(s) ou parent(s) ne soient conscients de la nature de leurs difficultés. Le diagnostic de l'hyperactivité avec déficit de l'attention repose à la fois sur des examens médicaux et sur des tests psychologiques et pédagogiques.

Emploi de Ritalin dans le traitement de l'hyperactivité avec déficit de l'attention: Ritalin appartient à une classe de médicaments que l'on désigne sous le nom de stimulants du système nerveux central. L'emploi de Ritalin dans le traitement de l'hyperactivité accompagnée de déficit de l'attention a pour effet d'améliorer le comportement en diminuant l'agitation et en favorisant la capacité de concentration. Ritalin ne peut toutefois pas guérir le trouble lui-même. Le traitement par Ritalin (ou par d'autres stimulants) doit toujours être accompagné d'autres mesures correctives, comme la consultation d'un psychologue et les interventions orthopédagogiques par des thérapeutes qualifiés et expérimentés.

Aucune donnée ne confirme que les enfants atteints d'HDA développent une accoutumance à Ritalin ou qu'ils tendent à faire un usage abusif de drogues plus tard dans la vie. Les stimulants du système nerveux central, dont Ritalin, ne doivent être administrés sous surveillance médicale étroite qu'aux enfants dont le trouble a été correctement diagnostiqué.

Comment faut-il prendre Ritalin? Ritalin est présenté en comprimés à prendre par la bouche. C'est le médecin qui établit la dose dont votre enfant a besoin et la fréquence d'administration. Pour que votre enfant puisse bénéficier au maximum des effets de Ritalin, il est important de vous conformer strictement aux instructions du médecin: donner la dose prescrite, à la fréquence prescrite et seulement durant la période recommandée. Votre enfant ne devra pas recevoir plus de 60 mg de Ritalin par jour. Si le médecin a prescrit Ritalin SR (comprimés à libération prolongée), votre enfant devra avaler ces comprimés entiers, sans les écraser ou les mâcher.

Ce qu'il faut savoir: Il arrive, pour des raisons médicales, que l'usage de Ritalin ne soit pas approprié ou qu'il nécessite une surveillance spéciale. Avisez le médecin si votre enfant a déjà présenté une allergie à Ritalin ou à l'un de ses ingrédients, ou s'il a manifesté l'un des troubles suivants: hypertension artérielle, trouble cardiaque, trouble de la glande thyroïde, glaucome (augmentation de la pression oculaire), épilepsie, agitation, tension, tics moteurs, antécédents familiaux ou diagnostic de syndrome de Gilles de la Tourette, dépression ou antécédents de dépression majeure, psychose, anxiété, abus de drogues ou d'alcool, ou autres problèmes médicaux. Ne pas consommer d'alcool durant le traitement. Chez certains patients ayant des antécédents de crises convulsives, Ritalin peut en faire augmenter le nombre.

Ritalin ne doit pas être administré à des enfants de moins de 6 ans.

Si votre enfant prend d'autres médicaments que Ritalin, il est important d'en informer le médecin et le pharmacien parce que le fait de prendre plusieurs médicaments en même temps peut parfois modifier leur effet escompté ou avoir des effets nocifs.

En cas de surdosage, obtenir immédiatement de l'aide médicale.

Effets indésirables possibles: Consultez votre médecin si votre enfant manifeste l'un des effets indésirables suivants: pouls rapide, difficultés à respirer, douleur dans la poitrine, sueurs, vomissements, ecchymoses, secousses musculaires, tics, mal de gorge et fièvre, confusion, hallucinations ou convulsions. D'autres effets secondaires, non cités ci-dessus, peuvent se manifester chez certains patients. Si vous remarquez un autre effet quelconque, appelez votre médecin immédiatement.

En prenant Ritalin, votre enfant peut éprouver des maux d'estomac, avoir des nausées ou perdre l'appétit. Ces problèmes peuvent cependant disparaître avec le temps.

On peut réduire les maux d'estomac en prenant Ritalin avec de la nourriture.

Ritalin peut aussi entraver la croissance ou la prise de poids chez l'enfant. Pour réduire ce problème au minimum, votre médecin pourra décider de ne pas administrer le médicament durant les fins de semaine et les vacances.

Ritalin peut causer de l'insomnie si on l'administre trop près de l'heure du coucher.

Comment conserver Ritalin: Ritalin doit être conservé à l'abri de l'humidité et de la chaleur. Garder hors de la portée des enfants.

Autres renseignements: Date de péremption: Les comprimés Ritalin ne doivent pas être administrés après la date de péremption indiquée sur l'étiquette de l'emballage. N'oubliez pas de rapporter tous les médicaments non utilisés à votre pharmacien.

Avis important: Prendre le médicament selon les directives du médecin. Ne pas en prendre plus ou plus souvent, et ne pas prolonger la durée du traitement sans avoir obtenu l'approbation du médecin.

Les comprimés Ritalin SR doivent être avalés entiers; ne jamais les casser en morceaux avant de les prendre.

Ritalin dans le traitement de la narcolepsie—Renseignements destinés aux patients: Le médecin vous a prescrit Ritalin pour traiter une affection connue sous le nom de narcolepsie, dont vous souffrez. Les renseignements qui suivent vous fourniront des explications sur cette affection et sur l'emploi de Ritalin pour la traiter. Si vous avez besoin d'autres renseignements ou si vous avez des questions à poser, adressez-vous à votre médecin ou à votre pharmacien.

Qu'est-ce que la narcolepsie? Les personnes qui souffrent de narcolepsie ont des attaques brusques de sommeil durant la journée, même si elles dorment suffisamment durant la nuit. Ces attaques surviennent habituellement à des moments inattendus: lorsqu'on est debout, durant un repas ou au milieu d'une conversation. Certaines personnes atteintes de cette affection sentent leur tête tomber vers l'avant, leur mâchoire se desserrer, leurs genoux fléchir ou même leur corps se dérober sous elles, alors qu'elles sont parfaitement conscientes. Ces attaques peuvent être déclenchées par des émotions telles que le rire, l'excitation, la tristesse ou la colère.

Emploi de Ritalin dans le traitement de la narcolepsie: Ritalin appartient à une classe de médicaments que l'on désigne sous le nom de stimulants du système nerveux central. L'emploi de Ritalin dans le traitement de la narcolepsie peut aider à soulager les attaques importunes de sommeil durant la journée mais dans bien des cas, d'autres traitements sont également nécessaires pour soigner les autres aspects de cette affection.

Comment faut-il prendre Ritalin? Ritalin est présenté en comprimés à prendre par la bouche. C'est le médecin qui établit la dose dont vous avez besoin et la fréquence d'administration. Pour que vous puissiez bénéficier au maximum des effets de Ritalin, il est important de vous conformer strictement aux instructions du médecin: prendre la dose prescrite, à la fréquence prescrite et seulement durant la période recommandée. Si le médecin vous a prescrit Ritalin SR (comprimés à libération prolongée), avaler les comprimés entiers, sans les écraser ou les mâcher.

Ce qu'il faut savoir: Ritalin ne doit pas être utilisé pour supprimer la fatigue normale.

Il arrive, pour des raisons médicales, que l'usage de Ritalin ne soit pas approprié ou qu'il nécessite une surveillance spéciale. Avisez le médecin si vous avez déjà présenté une allergie à Ritalin ou à l'un de ses ingrédients, ou si vous avez manifesté l'un des troubles suivants: hypertension artérielle, trouble cardiaque, trouble de la glande thyroïde, glaucome (augmentation de la pression oculaire), épilepsie, agitation, tension, tics moteurs, antécédents familiaux ou diagnostic de syndrome de Gilles de la Tourette, dépression ou antécédents de dépression majeure, psychose, anxiété, abus de drogues ou d'alcool, ou autres problèmes médicaux. Ne pas consommer d'alcool pendant le traitement. Chez certains patients ayant des antécédents de crises convulsives, Ritalin peut en faire augmenter le nombre.

Avisez votre médecin si vous êtes enceinte ou si vous allaitez.

Ritalin ne doit pas être administré durant la grossesse. Les femmes qui prennent Ritalin ne doivent pas allaiter leur nourrisson.

Si vous prenez d'autres médicaments que Ritalin, il est important d'en informer le médecin et le pharmacien parce que le fait de prendre plusieurs médicaments en même temps peut parfois modifier leur effet escompté ou avoir des effets nocifs. Ne pas consommer d'alcool pendant le traitement.

Ritalin peut entraver la capacité de conduire un véhicule ou de manœuvrer des machines.

En cas de surdosage, obtenir immédiatement de l'aide médicale.

Effets indésirables possibles: En prenant Ritalin, vous pourrez éprouver des maux d'estomac, avoir des nausées ou perdre l'appétit. Ces problèmes peuvent cependant disparaître avec le temps. On peut réduire les maux d'estomac en prenant Ritalin avec de la nourriture.

Le traitement à long terme par Ritalin peut entraîner une perte de poids.

Ritalin peut causer de l'insomnie si l'on prend le médicament trop près de l'heure du coucher.

Consultez immédiatement votre médecin si vous constatez l'un des effets indésirables suivants: pouls rapide, difficultés à respirer, douleur dans la poitrine, sueurs, vomissements, ecchymoses, secousses musculaires, tics, mal de gorge et fièvre, confusion, hallucinations ou convulsions. D'autres effets secondaires, non cités ci-dessus, peuvent se manifester chez certains patients. Si vous remarquez un autre effet quelconque, appelez votre médecin immédiatement.

Comment conserver Ritalin: Ritalin doit être conservé à l'abri de l'humidité et de la chaleur. Garder hors de la portée des enfants.

Autres renseignements: Date de péremption: Les comprimés Ritalin ne doivent pas être administrés après la date de péremption indiquée sur l'étiquette de l'emballage. N'oubliez pas de rapporter tous les médicaments non utilisés à votre pharmacien.

Avis important: Prendre le médicament selon les directives du médecin. Ne pas en prendre plus ou plus souvent, et ne pas prolonger la durée du traitement sans avoir obtenu l'approbation du médecin.

Les comprimés Ritalin doivent être avalés entiers; ne jamais les casser en morceaux avant de les prendre.

☐ ROFERON®-A ℞

Roche

Interféron alpha-2a

Modificateur de réponse biologique

Renseignements destinés aux patients (voir le prospectus d'emballage pour les illustrations): **Directives d'auto-administration:** Roferon-A est injecté dans le tissu situé directement sous la peau. On appelle cela une injection sous-cutanée (ou hypodermique). Roferon-A est habituellement injecté 3 fois/semaine. À chaque fois, les injections doivent être faites environ au même moment de la journée. Les meilleurs points d'injection sont le haut des cuisses et l'abdomen, à l'exception de la région autour du nombril.

Alterner les points d'injection afin d'éviter qu'un endroit ne devienne endolori.

1. **Avant de préparer la seringue:**
   - Ne pas utiliser Roferon-A après la date d'expiration inscrite sur l'étiquette de la seringue.
   - Vérifier la dose prescrite.
   - Vérifier que le liquide n'a pas changé de couleur, est toujours bien limpide et ne contient pas de particules.
   - Laisser la seringue reposer 30 minutes à la température ambiante.
   - Se laver soigneusement les mains.
   - Mettre tout le matériel à portée de la main: seringue, aiguille et tampons d'alcool.
2. **Comment préparer la seringue:**
   - Des deux mains, prendre l'aiguille dans son enveloppe protectrice et faire craquer le collet orange en le pliant vers l'arrière. Enlever le collet orange. **Ne pas enlever** l'embout protecteur en plastique de l'aiguille (étapes 1 et 2).
   - Enlever le bout en caoutchouc de la seringue (étape 3).
   - Raccorder solidement l'aiguille à la seringue, toujours avec son embout protecteur en plastique (étape 4).
   - Enlever l'embout protecteur en plastique de l'aiguille, en maintenant le raccord orange sur la seringue. Éviter de pousser le piston (étape 5).

   La seringue est maintenant prête à utiliser.
3. **Comment injecter Roferon-A:**
   - Désinfecter la peau avec un tampon d'alcool et pincer la peau entre la pouce et l'index, sans appuyer fort.

Roferon-A (suite)

- Insérer complètement l'aiguille dans la peau à un angle d'environ 45°. Tirer légèrement sur le piston afin de vérifier qu'aucun vaisseau sanguin n'a été percé. Si du sang s'introduit dans la seringue, sortir l'aiguille de la peau et l'insérer ailleurs.
- Injecter le liquide lentement et sans arrêt, tout en pinçant la peau.
- Après l'injection, sortir l'aiguille et lâcher la peau. Désinfecter la peau avec un tampon d'alcool propre.

À noter: La plupart des gens parviennent à se faire une injection sous-cutanée, mais en cas de difficulté, demander sans hésiter l'aide et les conseils d'un médecin, d'une infirmière ou d'un pharmacien.

4. **Comment éliminer les seringues usées: Ne jamais jeter** des seringues usées dans la poubelle qui sert normalement aux ordures ménagères. **Consulter un médecin ou un pharmacien** pour savoir comment vous débarrasser convenablement des seringues Roferon-A.

□ ROGAINE® ℞

Pharmacia & Upjohn

Minoxidil

Stimulant pour la pousse des cheveux

Renseignements destinés aux patients: Qu'est-ce que Rogaine? La solution Rogaine renferme un médicament appelé minoxidil. Il a été démontré que cette formule spéciale fait pousser les cheveux chez les hommes chauves ou en voie de le devenir. C'est une solution transparente, incolore ou légèrement jaunâtre. La couleur de la solution n'affecte pas l'efficacité du produit.

Qui peut utiliser Rogaine? La solution Rogaine ne peut-être utilisée que par les hommes de 18 à 65 ans, pour traiter la calvitie.

Qui ne peut pas utiliser Rogaine? Toute personne sensible ou allergique au minoxidil, au propylèneglycol ou à l'alcool. Si vous croyez que vous avez, ou que vous avez eu, un problème cardiaque quelconque ou une maladie cardiaque, veuillez consulter votre médecin avant d'utiliser la solution topique Rogaine.

Mises en garde:

1) Cesser les applications et avertir le médecin si vous avez une des réactions suivantes:
   - cœur bat trop vite ou palpitations
   - gain de poids rapide et inexpliqué de 2,5 kg ou plus
   - bouffissure du visage ou gonflement des mains, des chevilles ou de l'estomac
   - vertige, étourdissement ou évanouissement
   - vue brouillée
   - douleur ou aggravation d'une douleur dans la poitrine, le bras ou l'épaule
   - signe d'indigestion sévère
   - irritation grave du cuir chevelu.
2) Éviter le contact avec les yeux et avec la peau irritée. En cas de contact, bien laver la région à l'eau fraîche. Si une réaction (locale) persiste, consulter votre médecin.
3) Ce médicament doit être pris conformément aux instructions du médecin.
   (a) **Ne pas** l'utiliser plus souvent que stipulé
   (b) **Ne pas** l'appliquer sur des surfaces étendues du corps
   (c) **Ne pas** utiliser une plus grande quantité de solution qu'indiqué.
   Tout ceci peut éventuellement causer des réactions secondaires.
4) Ne pas avaler cette solution. Rogaine est destiné uniquement à l'usage externe. Toute ingestion accidentelle doit immédiatement être rapportée à votre médecin.
5) Garder ce médicament, ainsi que tous les autres médicaments hors de la portée des enfants.

Mode d'emploi de Rogaine:

1) Se laver la tête tous les jours avec un shampooing doux.
2) Appliquer 1 mL de produit deux fois par jour, à 12 heures d'intervalle, au centre de la région dégarnie, et l'étendre pour recouvrir toute la zone impliquée. Ne pas dépasser la dose totale de 2 mL par jour, à moins d'indication contraire de votre médecin. Ne pas appliquer Rogaine sur d'autres parties du corps.
   Éviter le contact avec les yeux et les régions sensibles.
   Bien se laver les mains après chaque application.
3) Appliquer Rogaine lorsque les cheveux et le cuir chevelu sont complètement secs. (Ne pas utiliser un séchoir à cheveux pour faire sécher plus rapidement la solution appliquée sur la tête; l'air chaud risque de diminuer l'efficacité du produit.)
4) Ne pas appliquer un autre médicament sur le cuir chevelu durant le traitement avec Rogaine.

Modes d'application: Le mode d'application dépend du type d'applicateur (jetable) utilisé.

Pulvérisateur: Convient le mieux pour appliquer Rogaine sur des régions étendues du cuir chevelu.

Rallonge de pulvérisateur: Ceci est très utile pour appliquer Rogaine sur des petites zones du cuir chevelu, ou sous les cheveux.

Tampon applicateur: Convient le mieux pour étaler Rogaine sur des petites régions du cuir chevelu.

Pour éviter de renverser le flacon en changeant d'applicateur, garder celui que vous avez choisi jusqu'à ce que le flacon soit vide.

Pulvérisateur (voir le prospectus d'emballage pour les illustrations): Convient le mieux pour appliquer Rogaine sur des régions étendues du cuir chevelu.

1) Enlever le capuchon extérieur du flacon et le garder.
2) Dévisser et jeter le bouchon intérieur.
3) Insérer le pulvérisateur dans le flacon, le visser fermement et enlever le petit capuchon transparent.
4) Pointer le pulvérisateur vers le centre de la partie chauve, presser une seule fois et étendre la solution avec le bout des doigts sur toute la zone dégarnie. Répéter cette procédure en faisant 6 applications au total, pour appliquer la dose requise de 1 mL.
   Se retenir de respirer durant la pulvérisation, pour ne pas inhaler le produit.
5) Replacer le capuchon extérieur sur le flacon avant de le ranger.

Rallonge de pulvérisateur (voir le prospectus d'emballage pour les illustrations): Ceci est très utile pour appliquer Rogaine sur des petites zones du cuir chevelu, ou sous les cheveux.

1) Enlever le capuchon extérieur du flacon et le garder.
2) Dévisser et jeter le bouchon intérieur.
3) Insérer le pulvérisateur dans le flacon et le visser fermement.
4) Enlever le petit capuchon transparent.
5) Insérer la tige du pulvérisateur dans le trou de la rallonge et pousser à fond.
6) Retirer enfin le petit capuchon de l'extrémité de la rallonge et le garder.
7) Pointer le pulvérisateur vers le centre de la partie chauve, presser une seule fois et étendre la solution avec le bout des doigts sur toute la zone dégarnie. Répéter cette procédure en faisant 6 applications au total, pour appliquer la dose requise de 1 mL.
   Se retenir de respirer durant la pulvérisation, pour ne pas inhaler le produit.
8) Vous pouvez replacer le petit capuchon transparent sur l'extrémité de la rallonge, avant de ranger le flacon.

Tampon applicateur (voir le prospectus d'emballage pour les illustrations): Convient le mieux pour étaler Rogaine sur des petites régions du cuir chevelu.

1) Enlever le capuchon extérieur du flacon et le garder.
2) Dévisser et jeter le bouchon intérieur.
3) Insérer le tampon applicateur dans le flacon et le visser fermement.
4) Tenant le flacon en position verticale, presser le flacon **une seule fois** pour remplir le compartiment supérieur jusqu'à la ligne noire. Ce compartiment contient alors une dose (1 mL) de solution.
5) Tenant le flacon la tête en bas, frotter la région affectée avec le tampon applicateur jusqu'à ce que le compartiment de 1 mL soit complètement vide.
6) Replacer le capuchon extérieur sur le flacon avant de le ranger.

Quand peut-on s'attendre à des résultats? Un minimum de 4 mois d'applications continues peut être nécessaire pour observer des résultats. Le degré de croissance varie d'un individu à un autre.

D'après les rapports, les cheveux qui ont repoussé peuvent disparaître 3 ou 4 mois après la cessation des applications de Rogaine, c'est-à-dire que le processus de calvitie reprendra.

□ SABRIL® ℞

Hoechst Marion Roussel

Vigabatrine

Antiépileptique

Renseignements destinés aux patients: Renseignements à l'intention du patient ou de la personne soignante: Veuillez lire attentivement la présente notice avant de commencer à prendre votre médicament, même si vous avez déjà pris ce produit auparavant. Cette notice contient une brève description de Sabril et un résumé des renseignements nécessaires au bon emploi de ce produit. Si vous avez des questions ou des doutes, n'hésitez pas à vous adresser à votre médecin ou à votre pharmacien. Veuillez conserver cette notice jusqu'à ce que vous ayez pris tous les comprimés prescrits par votre médecin. Il se pourrait que vous vouliez la relire.

1. **Nom du médicament:** Votre médicament s'appelle Sabril (vigabatrine). Il ne peut être obtenu que sur ordonnance de votre médecin.
2. **Utilité du médicament:** Votre médecin vous a prescrit Sabril pour faire baisser la fréquence des crises d'épilepsie.
3. **Mécanisme d'action du médicament:** On pense que l'épilepsie pourrait être due à l'absence d'un produit chimique se trouvant normalement dans le cerveau. Le traitement par Sabril entraîne une augmentation du taux cérébral de ce produit.
4. **Points importants à noter avant de prendre le médicament:** Il est recommandé de passer un examen de la vue avant de commencer un traitement par Sabril, et environ tous les 3 mois pendant le traitement. Vous devez aviser votre médecin si vous notez un changement de votre vision, comme la réduction de votre champ visuel ou une vue brouillée.

   Si vous avez déjà eu une maladie neurologique ou mentale dans le passé, vous devriez en informer votre médecin.

   Si vous avez des troubles rénaux, ou que vous en avez déjà eu, assurez-vous que votre médecin le sait.

   Dans certains cas, Sabril peut occasionner des effets indésirables. Vous trouverez plus de renseignements à ce sujet au point 7.
5. **Usage pendant la grossesse et l'allaitement:** Si vous êtes enceinte ou que vous allaitez, vous ne devez pas prendre Sabril. Avant de commencer à prendre ce médicament, informez votre médecin de votre état si vous êtes enceinte, croyez ou prévoyez l'être.

   Si, en cours de traitement, vous devenez enceinte ou croyez l'être, avisez-en immédiatement votre médecin.
6. **Comment prendre le médicament:** Vous devez suivre les instructions de votre médecin à la lettre. Ne modifiez jamais la dose de votre propre chef.

   N'interrompez jamais le traitement de façon soudaine. L'arrêt du traitement devrait s'échelonner sur quelques semaines, une fois que vous aurez consulté votre médecin à ce sujet. Assurez-vous que vous avez toujours une réserve suffisante de médicament, de façon à ne pas en manquer.

   Si vous oubliez une dose, prenez-la dès que vous vous en rappelez, puis suivez la posologie normale. Cependant, si vous vous rappelez avoir oublié une dose et qu'il est presque temps de prendre la suivante, omettez la dose oubliée et suivez la posologie normale.

   On peut prendre les comprimés et les sachets Sabril avec ou sans aliments.

   Si vous prenez Sabril en sachets, dissolvez tout le contenu du ou des sachets dans un verre d'eau, de jus de fruits ou de lait, froids ou à la température ambiante, immédiatement avant de prendre le médicament.

   Pour administrer Sabril à votre nourrisson, dissolvez tout le contenu d'un sachet dans 10 mL d'eau, de jus de fruits, de lait ou de lait maternisé, en utilisant une seringue pour administration orale afin de mesurer les 10 mL de liquide. Donnez à votre nourrisson la quantité appropriée du médicament reconstitué en utilisant la seringue afin de mesurer le volume avec précision. Votre médecin vous aura expliqué quelle quantité de médicament il faut donner à votre enfant. Chaque dose doit être préparée juste avant de l'administrer.
7. **Effets indésirables éventuels:** Sabril peut occasionner des effets indésirables.

   Votre médecin surveillera votre réaction à Sabril régulièrement; toutefois, si un des effets suivants se manifestait, vous devez l'en avertir immédiatement:
   - troubles visuels
   - confusion
   - somnolence
   - fatigue
   - maux de tête
   - troubles digestifs
   - étourdissements

   Votre médecin veillera à vous apporter les soins et l'attention nécessaires.

   Si votre épilepsie n'est pas stabilisée, vous ne devez pas effectuer de tâches éventuellement dangereuses, comme conduire un véhicule ou manœuvrer une machine. Si vous prenez déjà des médicaments qui stabilisent votre épilepsie, vous devez vous abstenir de conduire ou de faire fonctionner des machines tant que vous ne serez pas sûr que ces médicaments ne vous rendent pas somnolent ou ne nuisent pas à votre capacité de vous livrer à de telles activités.

   Si vous éprouvez tout autre malaise ou des symptômes inhabituels, consultez immédiatement votre médecin.
8. **Marche à suivre en cas de surdosage:** Si vous prenez accidentellement une dose trop élevée de médicament, avertissez-en votre médecin immédiatement ou rendez-vous à l'hôpital le plus proche, au besoin.
9. **Conservation du médicament:** Conservez vos comprimés et vos sachets dans leur emballage d'origine et en lieu sûr, hors de la portée des enfants.

   Conservez votre médicament dans un endroit sec et frais (à une température se situant entre 15 et 30 °C).

   Si votre médecin décide d'interrompre le traitement, rendez toute portion inutilisée du médicament au pharmacien. Ne conservez le médicament que sur les instructions de votre médecin.
10. **Composition du médicament: Comprimés:** Chaque comprimé Sabril de forme ovale est blanc ou blanchâtre et contient 500 mg de vigabatrine. **Sachets:** Les sachets Sabril contiennent une poudre granulaire blanche ou blanchâtre, et leur teneur en vigabatrine est de 0,5 g, 1 g, 2 g, ou 3 g. Ni les comprimés ni les sachets Sabril ne contiennent de lactose.
11. **Classe du médicament:** Votre médicament appartient au groupe des produits antiépileptiques.
12. **Qui fabrique votre médicament?** Hoechst Marion Roussel Canada Inc. Laval (Québec) H7L 4A8.
13. **Rappel:** Ce médicament a été prescrit pour **vous exclusivement.** N'en donnez jamais à quelqu'un d'autre.
14. **Renseignements supplémentaires:** Cette notice contient une brève description de votre médicament et un résumé des renseignements importants. Si vous avez des questions, n'hésitez pas à vous adresser à votre médecin ou à votre pharmacien.

□ SALAGEN® Ⓟ

Pharmacia & Upjohn

Chlorhydrate de pilocarpine

Agent cholinomimétique

Renseignements destinés aux patients: Veuillez lire attentivement cette brochure. Elle est conçue pour vous aider à obtenir les meilleurs résultats possibles de ce médicament. Elle contient des renseignements généraux concernant ce médicament, qui s'ajoutent aux conseils de votre médecin ou de votre pharmacien.

Cette brochure ne remplace pas les conseils de votre médecin ou de votre pharmacien. En fonction de votre état de santé, ceux-ci peuvent vous donner des instructions différentes. Dans ce cas, suivez leurs conseils. De plus, si vous avez des questions ou des inquiétudes après avoir lu cette brochure, n'hésitez pas à en discuter avec votre médecin ou votre pharmacien.

Qu'est-ce que Salagen? Salagen comprimés contient un produit appelé pilocarpine qui est une substance naturelle obtenue à partir des feuilles d'une plante d'Amérique du Sud. Salagen comprimés contient aussi des ingrédients inactifs comme l'acide stéarique et la cellulose.

Comment agit Salagen comprimés? Votre médecin vous a prescrit Salagen comprimés pour lutter contre la gêne causée par la sécheresse de la bouche et/ou des yeux, en fonction de votre maladie. Salagen comprimés agit en stimulant la sécrétion de salive et de larmes par les glandes salivaires et lacrymales. Si vous souffrez de sécheresse de la bouche, Salagen comprimés diminuera cette sécheresse, vous ressentirez moins de douleur dans la bouche, vous aurez plus de facilité à parler, à mastiquer, à avaler et à porter une prothèse dentaire et vous n'aurez pas à boire autant pour garder la bouche humide. Si vous souffrez de sécheresse des yeux, Salagen comprimés diminuera cette sécheresse, vous aurez moins de sensation de brûlure, de démangeaisons et de rougeur des yeux, et vous n'aurez pas besoin aussi souvent de larmes artificielles ou d'autres liquides pour maintenir l'humidité de vos yeux.

Salagen (suite)

Pourquoi a-t-on besoin de salive? La salive n'est pas de l'eau. La plus grande partie de la salive est produite par les 3 glandes salivaires principales, toutes situées dans la bouche. Elle contient de nombreux ingrédients importants comme des protéines, des enzymes et des minéraux qui protègent vos dents, vos gencives et votre bouche. On a besoin de la quantité appropriée de salive pour:

- maîtriser la croissance des bactéries, des virus et des champignons qui provoquent des infections et la carie dentaire
- éliminer les aliments de la bouche
- rincer en permanence les dents avec des minéraux afin de les maintenir en bon état et d'éviter les caries
- lubrifier la bouche et la gorge afin de faciliter la parole, la mastication et la déglutition
- dissoudre les aliments pour mieux les goûter
- fournir les enzymes qui aident à digérer les aliments

Pourquoi a-t-on besoin de larmes? Comme la salive, les larmes ne sont pas de l'eau. La majeure partie des larmes sont produites par les glandes lacrymales principales se trouvant sous la paupière supérieure. Les larmes contiennent de nombreux ingrédients importants tels que des protéines et des enzymes qui protègent les yeux et les tissus mous qui les entourent. Nous avons tous besoin d'une certaine quantité de larmes pour:

- éviter et maîtriser la prolifération des bactéries, des virus et des levures qui entraînent des infections
- lubrifier et protéger la surface de l'œil
- rincer l'œil et éliminer les corps étrangers

Que doit savoir votre médecin avant de vous prescrire Salagen comprimés?

- si vous avez un des problèmes suivants:
  - asthme
  - allergie à la pilocarpine
  - cardiaque (p. ex., rythme cardiaque anormal, insuffisance cardiaque)
  - tension artérielle (p. ex., hypertension ou hypotension artérielle)
  - poumons (p. ex., difficulté à respirer, bronchite, emphysème)
  - foie (p. ex., hépatite, maladie du foie)
  - yeux ou vision (p. ex., vision floue, difficulté à voir la nuit, glaucome, iritis)
  - estomac (p. ex., fréquentes brûlures et mauvaise digestion, ulcère)
  - reins (p. ex., difficulté à uriner, insuffisance rénale, calculs rénaux)
  - vésicule biliaire (p. ex., calculs de la vésicule)
  - système nerveux (p. ex., confusion mentale, tremblements, maladie psychiatrique)

  Certains problèmes médicaux peuvent s'aggraver pendant que vous suivez le traitement par Salagen comprimés. Votre médecin vous dira si c'est un traitement qui vous convient.
- si vous êtes enceinte, ou si vous tombez enceinte ou si vous allaitez votre bébé: votre médecin vous dira si c'est un traitement qui vous convient.
- Si vous prenez d'autres médicaments, ou si vous commencez à en prendre, même s'il s'agit de médicaments en vente libre. Certains médicaments peuvent interférer dans l'organisme.

Comment et quand faut-il prendre Salagen comprimés? Prenez Salagen comprimés en suivant exactement les conseils de votre médecin.

La plupart des gens prennent Salagen 3 ou 4 fois/jour. On peut prendre Salagen avec ou sans nourriture. En général, on prend 1 comprimé plus ou moins à la même heure tous les jours en même temps qu'on fait quelque chose de régulier—p. ex., 1 comprimé à l'heure du petit déjeuner, un autre à l'heure du déjeuner et un autre à l'heure du dîner ou au coucher. Cela aide à penser à prendre chaque dose. Si on prend le dernier comprimé au coucher, il est possible que le sommeil soit moins souvent interrompu par la sécheresse de la bouche pendant la nuit.

Ne mastiquez pas ou ne croquez pas les comprimés.

Ne prenez pas plus de 2 comprimés à la fois ou plus de 6 par jour, à moins que votre médecin ne vous l'ait prescrit.

Que faire en cas d'oubli d'une dose de Salagen comprimés? Si vous oubliez de prendre une dose de Salagen, prenez tout simplement la dose suivante au moment prévu.

Combien de temps faut-il pour que Salagen comprimés agisse? L'importance de l'action de Salagen comprimés et son délai d'action varient d'une personne à l'autre. Cela dépend de l'affection dont vous souffrez et de l'ancienneté de la sécheresse de la bouche et/ou des yeux. Vous pouvez commencer à ressentir un soulagement dans la semaine suivant le début du traitement, mais cela peut aussi prendre 3 mois ou plus.

Pour obtenir les meilleurs résultats possibles:

- aidez votre médecin à trouver la bonne dose pour vous;
- donnez au médicament le temps d'agir.

Si vous ne ressentez pas de soulagement de la sécheresse de la bouche et/ou des yeux au bout de 1 semaine, n'arrêtez pas le traitement, mais faites-le savoir à votre médecin. Il pourra décider d'adapter votre posologie. Suivez exactement les conseils du médecin. Demandez-lui quand il désire vous revoir pour un examen. Si, à ce moment-là, vous ne ressentez toujours pas de soulagement de la sécheresse de la bouche et/ou des yeux, dites-le lui. Il pourra à nouveau décider de modifier votre posologie.

Combien de temps faudra-t-il prendre Salagen? Cela dépend de votre état. Vous devrez peut-être prendre Salagen pendant longtemps pour éviter la sécheresse de la bouche et/ou des yeux.

Quelles précautions faut-il prendre? Certaines personnes ressentent des effets secondaires en prenant ce médicament. Il faut savoir que les médicaments ont des effets différents selon les gens. Si quelqu'un ressent des effets secondaires, cela ne signifie pas qu'il en sera de même pour vous.

Salagen comprimés affecte la vue de certaines personnes. Assurez-vous donc de bien connaître les effets qu'il a sur vous avant d'entreprendre des activités dangereuses la nuit ou lorsque l'éclairage est mauvais (p. ex., conduire une voiture ou utiliser des machines).

Avertissez votre médecin immédiatement si vous ressentez l'un des effets ci-dessous. Il se peut que cela ne soit pas dû à Salagen comprimés dans votre cas, mais seul votre médecin pourra vous le dire.

- vous vous sentez faible ou avez besoin de vous allonger
- vous vous sentez désorienté, agité ou très déprimé
- vous avez les yeux très rouges, gonflés ou douloureux
- vous ressentez des douleurs à la poitrine, vous avez des palpitations ou votre pouls s'accélère
- vous avez des difficultés à respirer
- vous avez une éruption cutanée
- vous ressentez de fortes douleurs dans l'estomac ou le ventre
- vous perdez connaissance
- l'un des signes suivants persiste, vous dérange ou n'est pas facilement explicable par une autre cause: transpiration légère ou modérée, frissons, nausées et vomissements, diarrhée, besoin fréquent d'uriner, constipation, problèmes de digestion, anomalies de la vision, étourdissements, larmoiement, écoulement nasal, maux de tête, bouffées de chaleur (visage rouge).

Consultez immédiatement votre médecin ou votre pharmacien si vous ressentez un **quelconque** effet gênant ou inhabituel pendant que vous prenez Salagen comprimés.

Comment conserver Salagen comprimés? Gardez Salagen comprimés hors de la portée des enfants.

Conservez-le à température ambiante (15 à 30 °C).

Ne le conservez pas dans la salle de bain, car il peut s'altérer à la chaleur et à l'humidité.

Rappelez-vous que ce médicament vous a été prescrit personnellement. Seul votre médecin peut vous le prescrire. Ne le donnez jamais à une autre personne, même si elle a les mêmes symptômes que vous.

☐ SALAZOPYRIN® ℞
☐ SALAZOPYRIN EN-TABS® ℞

Pharmacia & Upjohn

Sulfasalazine

Anti-inflammatoire

Renseignements destinés aux patients: Pour toutes les présentations: Lire d'abord les renseignements en caractères gras, ensuite lire le reste. Si vous ne reconnaissez pas les noms des maladies ou des produits pharmaceutiques cités dans ces renseignements, n'hésitez pas à vous informer auprès de votre médecin, de votre infirmière ou de votre pharmacien. Les noms de marque des produits génériques énumérés ci-dessous se trouvent aussi dans l'index. Il est bon d'apprendre les noms de marque et les noms génériques de vos médicaments et de les inscrire quelque part pour pouvoir vous y référer.

La sulfasalazine, un sulfonamide ou un sulfamide, fait partie de la catégorie générale des médicaments qu'on appelle des anti-infectieux. Ce médicament se prend par voie orale et son effet est d'aider à maîtriser la polyarthrite rhumatoïde et les maladies inflammatoires de l'intestin (p. ex. entérite, colite) lors des poussées de la maladie. La sulfasalazine n'est disponible que sur prescription médicale.

N'oubliez pas que:

- Ce médicament n'est prescrit que pour le traitement de votre problème de santé actuel. Même si d'autres personnes présentent des symptômes analogues aux vôtres, il pourrait s'agir d'une maladie différente. Il se peut que votre médicament ne soit pas efficace pour eux et même leur fasse du mal. **Aussi, vous ne devez pas donner votre médicament à d'autres personnes, ni l'utiliser pour traiter d'autres symptômes,** à moins que votre médecin ne vous le recommande.
- Ce médicament n'agit efficacement que si vous le prenez selon les indications de votre médecin.
- Mettez tous les médicaments hors de la portée des enfants.
- Si vous désirez obtenir de plus amples renseignements sur ce médicament, n'hésitez pas à les demander à votre médecin ou à votre pharmacien.
- Si l'un des renseignements ci-dessous vous inquiète, ne prenez pas la décision d'arrêter votre traitement sans en avoir parlé avec votre médecin.

Avant d'utiliser ce traitement: Pour que votre médecin puisse décider du traitement qui convient le mieux à votre problème de santé, il faut que vous lui disiez:

- Si vous avez déjà eu une réaction inhabituelle ou allergique à un sulfonamide, au furosémide ou à un diurétique thiazidique (pilules pour éliminer l'eau), à la dapsone, à la sulfoxone, à un hypoglycémiant oral (médicament contre le diabète qu'on prend par voie orale), à un médicament contre le glaucome que vous prenez par voie orale (p. ex. l'acétazolamide, le dichlorphénamide, le méthazolamide), ou à l'acide acétylsalicylique (p. ex l'aspirine).
- Si vous êtes enceinte ou si vous prévoyez l'être pendant la durée de votre traitement, bien qu'on n'ait pas démontré que la sulfasalazine provoque des malformations ou d'autres problèmes chez le fœtus.
- Si vous allaitez. Les sulfonamides passent dans le lait maternel en petite quantité et peuvent provoquer des effets indésirables chez le nourrisson s'il souffre d'un déficit en glucose-6-phosphate déshydrogénase (G-6-PD).
- Si vous êtes un homme, si vous et votre partenaire souhaitez avoir un bébé (oligospermie).
- Si vous souffrez de l'une des affections suivantes: un blocage de l'estomac, des intestins ou des voies urinaires; des problèmes sanguins; un déficit en glucose-6-phosphate déshydrogénase (G-6-PD); une maladie rénale; une maladie du foie; de la porphyrie.
- Si vous prenez l'un des médicaments suivants, ou un médicament de la même catégorie: anthraline; antibiotiques; anticoagulants, de la catégorie de la coumarine ou de l'indandione (qui fludifient le sang); antidiabétiques oraux (médicaments contre le diabète qu'on prend par voie orale); coal tar; dapsone; glucosides digitaliques (médicament pour le cœur); dipyrone; diurétiques (médicaments pour éliminer l'eau ou pour l'hypertension artérielle); éthotoïne; acide folique; furazolidone; méphénytoïne; méthénamine; méthotrexate; méthoxsalen; acide nalidixique; nitrofurantoïne; autres sulfonamides; oxyphénbutazone; phénothiazines (tranquillisants); phénylbutazone; phénytoïne; primaquine; probénécide; sulfinpyrazone; sulfoxone; tétracyclines; trioxsalen; vitamine K.

Comment prendre correctement ce médicament: Il est préférable de prendre les comprimés Salazopyrin (sulfasalazine) après les repas ou avec des aliments afin de diminuer les troubles gastriques. Si, malgré tout, cela vous cause des problèmes digestifs, n'hésitez pas à consulter votre médecin.

Chaque dose de sulfasalazine doit être prise avec un verre d'eau plein (240 mL). Il faut par ailleurs boire plusieurs verres d'eau au cours de la journée, à moins que votre médecin ne vous le déconseille. Cet apport supplémentaire d'eau vous permettra d'éviter certains effets indésirables des sulfonamides.

Pour les patients qui prennent ce médicament sous forme de comprimés entérosolubles: Avaler le comprimé d'un seul coup. Ne pas le casser, ni l'écraser. Adressez-vous à votre médecin si vous remarquez que des comprimés non désintégrés sont passés dans vos selles.

Poursuivez votre traitement tel qu'il vous a été indiqué même si vous ressentez une amélioration de votre état de santé au bout de quelques jours; n'oubliez jamais de prendre toutes les doses qui vous ont été prescrites.

Si vous oubliez de prendre une dose du médicament, prenez-la aussitôt que possible. Mais si c'est le moment de prendre la dose suivante, ne prenez pas la dose oubliée, c'est-à-dire ne doublez pas la dose suivante. Continuez comme si rien ne s'était passé.

Ne donnez pas de la sulfasalazine à des enfants de moins de 2 ans, sauf sur instruction de votre médecin.

Méthode de conservation du médicament: Rangez ce médicament à l'abri de la chaleur et de la lumière directe; conservez-le hors de la portée des enfants. Ne conservez pas ce médicament dans une armoire à pharmacie se trouvant dans la salle de bains, car l'humidité pourrait le détériorer. Mettez ce médicament au rebut après la date d'expiration ou si vous n'en avez plus besoin. Jetez-le dans les toilettes.

Précautions à prendre lors de l'utilisation de ce médicament: Si vos symptômes (notamment la diarrhée) ne s'améliorent pas ou s'aggravent après 1 ou 2 mois de traitement, n'hésitez pas à consulter à nouveau votre médecin.

Il est important que votre médecin vérifie régulièrement l'évolution de votre maladie.

Avant toute sorte d'intervention chirurgicale (même dentaire) sous anesthésie générale, avertissez votre médecin ou votre dentiste que vous êtes traité par un sulfonamide.

Chez certaines personnes, la prise d'un sulfonamide provoque une plus grande sensibilité aux rayons du soleil. Dès le début de votre traitement par ce médicament, évitez de trop vous exposer au soleil ou à des lampes à UV tant que vous n'avez pas vérifié quel effet cela a sur vous, notamment si vous avez une peau déjà sensible au soleil. Même après avoir arrêté le traitement, vous pourrez rester sensible au soleil ou aux lampes à UV. Si vous souffrez d'une réaction intense à un tel rayonnement, n'hésitez pas à consulter votre médecin.

Effets indésirables de ce médicament: À côté des effets souhaités d'un médicament, il existe des effets indésirables. Bien que tous ceux-ci ne surviennent pas très fréquemment, leur apparition pourrait nécessiter un examen médical. **Arrêtez immédiatement le traitement et consultez votre médecin,** si vous observez l'un des effets indésirables suivants:

Plus fréquents: maux de tête continus, démangeaisons, éruptions cutanées.

Moins fréquents: douleurs dans les articulations et les muscles, difficulté à avaler, fièvre, pâleur de la peau, rougeur, cloques, desquamation ou relâchement de la peau, mal de gorge, saignements ou ecchymoses inhabituels, fatigue ou faiblesse inhabituelles, coloration jaune des yeux ou de la peau.

Rares: sang dans l'urine, douleurs au bas du dos, douleur ou sensation de brûlure quand on urine, gonflement de la partie avant du cou.

Consultez également votre médecin aussitôt que possible si vous constatez l'un des effets indésirables suivants:

Plus fréquents: Augmentation de la sensibilité de la peau aux rayons de soleil.

Il existe d'autres effets secondaires qui ne nécessitent généralement pas un examen médical. Ils disparaissent au fur et à mesure que votre corps s'adapte au traitement. Cependant, consultez votre médecin si les réactions ci-dessous persistent ou si elles vous gênent:

Plus fréquents: diarrhée, somnolence, perte d'appétit, nausées ou vomissements.

Chez certains patients, ce médicament peut provoquer une coloration jaune-orange de l'urine. Cette réactions ne nécessite pas d'examen médical.

D'autres effets indésirables non mentionnés ci-dessus peuvent survenir chez certaines personnes. Le cas échéant, veuillez en avertir votre médecin.

□ SALBUTAMOL NEBUAMP®

Astra

Sulfate de salbutamol

Bronchodilatateur

Renseignements destinés aux patients: Ce que vous devriez savoir sur Salbutamol Nebuamp (sulfate de salbutamol).

Chaque solution de Salbutamol Nebuamp est prédiluée dans une solution salée normale (chlorure de sodium à 0,9 %).

Prière de lire attentivement ce dépliant avant d'utiliser Salbutamol Nebuamp. Il contient des renseignements généraux sur Salbutamol Nebuamp qui devraient s'ajouter aux conseils plus particuliers de votre médecin ou de votre pharmacien.

Conservez ce dépliant pour le consulter jusqu'à ce que vous ayez utilisé toutes les ampoules de Salbutamol Nebuamp dans cet emballage.

Salbutamol Nebuamp (suite)

À quoi sert Salbutamol Nebuamp et comment agit-il? Salbutamol Nebuamp est un bronchodilatateur. Il est utilisé pour traiter le bronchospasme associé à l'asthme bronchique, à la bronchite chronique ou aux autres maladies entraînant des difficultés à respirer. Il ouvre les voies aériennes des personnes atteintes d'asthme ou d'autres problèmes respiratoires. Il soulage les symptômes comme la respiration sifflante, la toux et le souffle court. Salbutamol Nebuamp agit en soulageant le spasme dans les petits conduits d'air des poumons et aide ainsi à améliorer les problèmes de respiration.

Que contiennent les ampoules de Salbutamol Nebuamp? Chaque ampoule de Salbutamol Nebuamp contient du sulfate de salbutamol et du salbutamol base comme ingrédient actif. Il est offert en concentrations de 0,5 mg/mL, 1 mg/mL ou 2 mg/mL. Chaque ampoule contient 2,5 mL de solution; par conséquent, la concentration de 0,5 mg/mL contient 1,25 mg de médicament actif; celle de 1 mg/mL contient 2,5 mg de médicament actif et celle de 2 mg/mL contient 5 mg de médicament actif.

La plupart des médicaments contiennent plus d'ingrédients que seulement le médicament actif. Vérifiez auprès de votre médecin si vous pensez être allergique à un des composés suivants (par ordre alphabétique): acide sulfurique, chlorure de sodium, hydroxyde de sodium, sulfate de salbutamol.

Que faut-il dire au médecin avant de prendre Salbutamol Nebuamp? Mentionnez à votre médecin:

- tous vos problèmes de santé présents et passés;
- si vous suivez un traitement pour la glande thyroïde;
- si vous êtes traité pour l'hypertension ou un problème cardiaque;
- les médicaments que vous prenez, y compris les médicaments sans ordonnance;
- si vous êtes enceinte, avez l'intention de le devenir, ou si vous allaitez. Votre médecin peut décider de ne pas prescrire ce médicament pendant les 3 premiers mois de la grossesse ni pendant que vous allaitez. Toutefois, il existe peut-être des circonstances où le médecin vous conseillera autrement.
- si vous avez déjà eu une mauvaise réaction ou une réaction allergique ou inhabituelle au sulfate de salbutamol.

Comment faut-il prendre Salbutamol Nebuamp? Salbutamol Nebuamp est utilisé dans un nébuliseur électrique et un masque facial. Il faut bien connaître le fonctionnement du nébuliseur avant de commencer à prendre ce médicament.

La nébulisation devrait se faire à un débit gazeux (oxygène ou air comprimé) de 6 à 10 L/minute. La plupart des nébuliseurs sont suffisamment remplis avec 2 à 5 mL. Il faut jeter toute solution restante dans le nébuliseur.

Ne pas prendre plus de doses que celles prescrites par le médecin.

Avant l'utilisation, assurez-vous que la concentration indiquée sur l'étiquette correspond à celle prescrite par le médecin.

Suivre les instructions suivantes pour chaque dose de Salbutamol Nebuamp:

1. Détacher 1 ampoule de Salbutamol Nebuamp de la bande de 10 ampoules. Replacer les autres ampoules dans la boîte.
2. Secouer légèrement l'ampoule.
3. Pour ouvrir, tenir l'ampoule à la verticale, puis tourner et détacher la partie supérieure.
4. Verser le contenu dans le réservoir du nébuliseur en pressant doucement l'ampoule.
5. Raccorder un bout du réservoir au masque facial ou à l'embout buccal et l'autre bout à la pompe à air.
6. Juste avant de commencer, secouer légèrement le contenu du réservoir, puis procéder au traitement.
7. Respirer calmement et régulièrement jusqu'à ce qu'il n'y ait plus de brouillard (5 à 10 minutes).
8. Se laver le visage après le traitement.

Nettoyage: Il faut nettoyer le nébuliseur après chaque utilisation. Laver le réservoir et l'embout buccal ou le masque à l'eau chaude additionnée d'un détergent doux. Bien rincer. Sécher en raccordant le réservoir du nébuliseur au compresseur ou à l'arrivée d'air. Consulter les instructions du fabricant pour plus de détails.

Quelle quantité de Salbutamol Nebuamp devrais-je prendre? Le médecin vous a expliqué pourquoi vous devez prendre Salbutamol Nebuamp et à quelle dose. Suivez bien ses directives. Elles peuvent être différentes des renseignements contenus dans ce dépliant.

Un traitement efficace avec Salbutamol Nebuamp peut durer jusqu'à 6 heures et devrait durer au moins 4 heures. **Appelez immédiatement le médecin si l'effet de la dose habituelle dure moins de 3 heures ou si vous remarquez que l'essoufflement et la respiration sifflante empirent soudainement après avoir utilisé Salbutamol Nebuamp. Si vous utilisez régulièrement Salbutamol Nebuamp 2 fois ou plus par jour et si vous ne prenez pas d'autres médicaments contre l'asthme, vous devriez parler au médecin car il voudra peut-être réévaluer votre plan de traitement. Si vous n'êtes pas soulagé avec 3 ou 4 traitements par jour, communiquez avec votre médecin.** N'augmentez pas la dose ou la fréquence de l'administration sans en informer votre médecin. Si vos symptômes s'aggravent, parlez-en au médecin le plus tôt possible.

Doses suggérées: Adultes: On peut administrer le contenu d'une seule ampoule de Salbutamol Nebuamp (solution à 0,1 % ou 0,2 %, respectivement) aux patients qui ont besoin d'une dose de 2,5 mg à 5,0 mg de salbutamol. Le traitement peut être répété 4 fois par jour, au besoin.

Enfants: Salbutamol Nebuamp doit être administré sous la supervision d'un adulte qui sait comment se servir adéquatement du nébuliseur, et uniquement selon la prescription du médecin.

On peut administrer le contenu d'une seule ampoule de Salbutamol Nebuamp (solution à 0,05 % ou 0,1 %, respectivement) aux enfants (5 à 12 ans) qui ont besoin d'une dose de 1,25 mg à 2,5 mg de salbutamol. On peut administrer une seule ampoule de 5 mg de salbutamol (solution à 0,2 %) dans les cas rebelles.

Tableau posologique

Dose de salbutamol base en mg	**Volume de Salbutamol Nebuamp**		
	0,05 % (0,5 mg/mL)	**0,1 % (1,0 mg/mL)**	**0,2 % (2,0 mg/mL)**
1,25	2,5 mL (1 ampoule)	—	—
2,5	5,0 mL (2 ampoules)	2,5 mL (1 ampoule)	—
5,0	—	5,0 mL (2 ampoules)	2,5 mL (1 ampoule)

Si vous oubliez de prendre une dose: Si vous oubliez de prendre une dose de Salbutamol Nebuamp, prenez-la le plus tôt possible. Revenez ensuite à l'horaire habituel. Si c'est presque le moment de prendre la prochaine dose, laissez faire la dose oubliée et prenez la prochaine dose à l'heure habituelle.

Ne prenez jamais une double dose de Salbutamol Nebuamp pour compenser les doses oubliées. Si vous n'êtes pas certain, consultez votre médecin ou votre pharmacien qui vous dira quoi faire.

Que faire en cas de surdosage? Si vous avez pris par erreur une **dose plus forte que celle prescrite,** vous remarquerez peut-être que votre cœur bat plus rapidement qu'à l'ordinaire et que vous avez des tremblements. Ces effets disparaissent habituellement en quelques heures, mais vous devriez en parler au médecin le plus tôt possible.

Appelez votre médecin ou votre pharmacien sans tarder ou allez immédiatement à l'hôpital ou au centre antipoison le plus proche si vous pensez que vous ou une autre personne avez pris trop de Salbutamol Nebuamp.

Y a-t-il des effets secondaires? Comme tout autre médicament, Salbutamol Nebuamp peut causer des effets secondaires chez certaines personnes.

À l'occasion, certaines personnes peuvent se sentir un peu tremblantes ou avoir un mal de tête après avoir utilisé Salbutamol Nebuamp. Des crampes musculaires peuvent se manifester, bien que ce soit rare.

Ces effets disparaissent habituellement avec le traitement continu. Parlez-en à votre médecin mais n'arrêtez pas de prendre le médicament à moins qu'il/elle vous dise de le faire. Ces réactions ne sont peut-être pas causées par Salbutamol Nebuamp, mais seul un médecin peut le dire.

Les médicaments n'affectent pas tout le monde de la même façon. Même si d'autres personnes ont ressenti des effets secondaires, cela ne veut pas dire que vous en aurez aussi. Si vous avez des effets secondaires qui vous incommodent, consultez votre médecin.

Si vous remarquez que votre souffle est court et que votre respiration sifflante empire peu de temps après avoir pris le médicament, dites-le à votre médecin le plus tôt possible. Si le soulagement de la respiration sifflante ou de l'oppression thoracique n'est pas aussi efficace qu'à l'habitude, consultez sans tarder votre médecin. Il se peut que votre état respiratoire empire et que vous ayez besoin d'ajouter un autre type de médicament à votre traitement.

Si vous avez des réactions incommodantes ou inhabituelles pendant le traitement avec Salbutamol Nebuamp, consultez votre médecin ou votre pharmacien.

Où doit-on garder Salbutamol Nebuamp? Il faut s'assurer de garder Salbutamol Nebuamp hors de la portée des enfants quand on ne s'en sert pas.

Conservez toutes les ampoules dans la boîte jusqu'au moment de vous en servir. Autrement, la lumière pourrait endommager la solution.

N'utilisez pas les ampoules de Salbutamol Nebuamp après la date limite d'utilisation imprimée sur l'emballage.

Gardez les ampoules à la température ambiante (15 à 25 °C). N'utilisez pas la solution si elle contient des particules.

Sans agent de conservation.

Remarque importante: Ce dépliant vous signale certaines situations où vous devez appeler le médecin. D'autres situations imprévisibles peuvent se produire. Rien dans ce dépliant ne vous empêche de communiquer avec votre médecin ou votre pharmacien pour lui poser des questions ou lui parler de vos inquiétudes au sujet de Salbutamol Nebuamp.

☐ SALOFALK® ℞

Axcan Pharma

Acide 5-aminosalicylique

Anti-inflammatoire entérocolique

Renseignements destinés aux patients: On obtient de meilleurs résultats avec la suspension rectale de Salofalk si les selles sont évacuées avant l'administration du lavement de rétention Salofalk. La suspension rectale de Salofalk contient du benzoate de sodium comme agent de conservation et du métabisulfite de potassium en tant qu'agent antioxydant.

1. **Préparation du lavement:**
   a) Bien agiter le flacon avant l'utilisation afin d'assurer l'homogénéité de la suspension.
   b) Enlever le bouchon protecteur. Tenir le flacon par le goulot en ayant soin de ne pas en déverser le contenu.
2. **Position à adopter en vue de l'administration:**
   a) Pour de meilleurs résultats, couchez sur le côté gauche avec la jambe gauche complètement étendue. La jambe droite, fléchie vers l'avant, sert à maintenir le corps en position stable.
   b) La position genoux-poitrine peut également être utilisée.
3. **Administration de la suspension rectale:**
   a) L'applicateur est prélubrifié. L'insérer délicatement dans le rectum en le pointant légèrement vers le nombril.
   b) Tenir le flacon fermement. Diriger maintenant l'embout légèrement vers le dos et exercer une pression graduelle et soutenue afin d'instiller la plus grande quantité possible de la suspension. Après l'administration, retirer et jeter le flacon.
   c) Demeurer dans la même position environ 30 minutes de façon à permettre au médicament de se distribuer à l'intérieur. Garder la suspension rectale toute la nuit, si possible.

☐ SANDOSTATIN® ℞

Novartis Pharma

Acétate d'octréotide

Octapeptide synthétique analogue de la somatostatine

Renseignements destinés aux patients: L'information qui suit vise à guider les patients qui doivent s'administrer eux-mêmes Sandostatin pour maîtriser les symptômes associés aux tumeurs carcinoïdes, aux VIPomes ou à l'acromégalie.

Qu'est-ce qu'une tumeur endocrine gastro-entéro-pancréatique (GEP)? Les tumeurs endocrines GEP sont des néoplasmes qui sont formés à partir de cellules endocriniennes dans les voies gastro-intestinales (estomac, intestins, appendice) ou le pancréas.

Les tumeurs endocrines GEP se développent très lentement. Elles sont souvent asymptomatiques et ne laissent donc pas deviner leur existence. Cependant, il peut arriver qu'elles causent des symptômes très manifestes. Certains symptômes sont attribuables à la production par les tumeurs endocrines GEP de substances chimiques appelées **peptides.** Ces derniers sont de petites protéines.

L'organisme produit naturellement ces mêmes peptides, mais en très petites quantités, juste assez pour assurer les fonctions auxquelles ils sont destinés. Les peptides ne s'accumulent pas dans l'organisme et ils n'entrent pas dans l'appareil circulatoire. Ils jouent leur rôle, se dégradent et quittent l'organisme sans entraîner de symptômes ni d'effets nocifs.

Cependant, les tumeurs endocrines GEP produisent et sécrètent ces mêmes peptides en quantités excessives, surchargeant ainsi l'organisme qui ne peut en disposer de façon normale. Ces peptides entrent dans l'appareil circulatoire. Ils circulent dans l'organisme en causant diverses réactions anormales dont la diarrhée et les rougeurs du visage. Le peptide particulier sécrété par la tumeur et le siège de la tumeur déterminent les réactions ou les symptômes éprouvés par le patient.

Tumeurs carcinoïdes: Les tumeurs carcinoïdes sont les tumeurs endocrines GEP les plus courantes. Ces tumeurs peuvent apparaître dans l'œsophage, l'estomac, les intestins, l'appendice ainsi que les poumons.

La plupart des tumeurs carcinoïdes ne produisent que de faibles quantités de peptides, qui ne causent habituellement pas de symptômes. Cependant, dans certains cas, des cellules carcinoïdes se propagent dans la circulation sanguine et atteignent le foie, où elles forment d'autres tumeurs. Le cas échéant, les peptides sécrétés par les nouvelles tumeurs ont facilement accès à l'appareil circulatoire à partir du foie. La quantité excessive de peptides qui circule dans l'organisme peut provoquer un certain nombre de réactions ou de symptômes. On appelle ce groupe de symptômes le syndrome carcinoïde.

Les symptômes les plus courants du syndrome carcinoïde sont la diarrhée et les rougeurs du visage. Une respiration sifflante ou d'autres symptômes évoquant l'asthme ainsi que des symptômes associés aux affections cardiaques, tels que l'essoufflement, ont également été signalés.

VIPomes: Les VIPomes sont des tumeurs endocrines GEP qui sécrètent une quantité excessive de peptides vasoactifs intestinaux (VIP). Ils se développent presque toujours dans le pancréas, une grosse glande située derrière l'estomac qui produit de l'insuline et d'autres substances nécessaires à la digestion.

Une sécrétion normale de VIP favorise l'humidification des matières fécales et leur passage dans les intestins. Cependant, les VIPomes produisent des quantités excessives de VIP, ce qui se traduit par un excès de liquide dans les intestins. Cette charge liquidienne accrue dans les intestins entraîne des diarrhées très aqueuses qui peuvent se manifester jusqu'à 15 fois par jour ou même plus.

L'organisme ne peut tolérer longtemps ces diarrhées. En effet, une perte de liquide aussi importante provoque une **déshydratation.** En plus de perdre une quantité considérable d'eau, l'organisme perd également d'importantes substances chimiques (**électrolytes**), telles que le sodium et le potassium.

Il est donc très important de supprimer la diarrhée et de remplacer aussitôt que possible l'eau et les électrolytes perdus.

Qu'est-ce que l'acromégalie? L'acromégalie est une maladie rare, débilitante et qui dure toute la vie. Elle se caractérise par une modification de la structure des os de la face et par des troubles hormonaux particuliers.

Une peau grasse, de l'acné, une transpiration abondante, des maux de tête, de la dépression, des troubles visuels, des douleurs articulaires, une modification de la structure des os de la face, de la faiblesse musculaire de même que des troubles menstruels comptent au nombre des signes et des symptômes de l'acromégalie imputable à une sécrétion hormonale excessive. Cette affection peut également se manifester par une augmentation de l'activité de la glande thyroïde, du diabète, des problèmes respiratoires et de la somnolence pendant le jour.

Elle s'associe fréquemment à de l'arthrite de même qu'à des troubles cardiaques et neurologiques.

L'acromégalie est provoquée par une hypersécrétion d'hormone de croissance par l'hypophyse ce qui entraîne une production hépatique excessive de somatomédine C (IGF-I).

Environ 20 à 30 % des patients acromégales présentent également de l'hypertension.

Quelle est l'action de Sandostatin (acétate d'octréotide)? Tumeurs endocrines GEP: La **somatostatine** est un autre peptide produit naturellement par l'organisme. Elle joue le rôle de régulateur en favorisant le maintien de concentrations adéquates de beaucoup d'autres peptides, y compris des peptides endocrines GEP, de l'hormone de croissance et de l'IGF-I (somatomédine C). Sandostatin (acétate d'octréotide) est un peptide synthétique qui a été créé pour imiter les effets régulateurs de la somatostatine. Sandostatin a notamment comme avantage d'exercer une action plus puissante et plus longue que celle de la

Sandostatin (suite)

somatostatine, ce qui le rend plus utile sur le plan clinique. Ainsi, une injection de Sandostatin administrée 2 ou 3 fois/jour, ce que le patient peut facilement apprendre à faire, assure la maîtrise des symptômes pendant 24 heures chez les personnes souffrant de tumeurs endocrines GEP ou d'acromégalie.

Sandostatin favorise le ralentissement de la libération des peptides qui causent la diarrhée et les rougeurs du visage. Il stimule l'absorption des liquides et des électrolytes et prolonge le transit des aliments dans l'intestin grêle. L'ensemble de ces activités contribue à diminuer considérablement les diarrhées et le risque de déshydratation. Le nombre de selles peut être ramené de 10 à 20 qu'il était, à 2 ou 3 par jour.

Chez un grand nombre de personnes, les rougeurs du visage disparaissent complètement. Chez d'autres, elles diminuent considérablement en nombre et en intensité. Les crises qui pouvaient se prolonger durant des heures ne durent plus que quelques minutes par jour.

Acromégalie: Il a été démontré que Sandostatin diminue le taux sanguin d'hormone de croissance et de somatomédine C.

Ces hormones étant principalement responsables des signes et des symptômes de l'acromégalie, la normalisation de leur taux améliore les symptômes de céphalées, d'œdème des tissus mous, de douleurs articulaires, de transpiration excessive, de dépression, de fatigue, d'acné kystique et de somnolence.

Quelques directives concernant l'emploi de Sandostatin: Quelle dose de Sandostatin faut-il utiliser? Votre médecin vous indiquera quelle dose de Sandostatin vous devez prendre tous les jours. La dose qui vous est prescrite correspond à vos besoins particuliers. Votre médecin vous indiquera également comment vous devez diviser votre dose au cours de la journée. Ainsi, il se peut qu'il vous prescrive une dose totale de 450 μg/jour à utiliser en 3 injections égales de 150 μg chacune. Très souvent, on administre une dose assez faible pendant quelques jours, puis on l'augmente lentement.

Comment administre-t-on Sandostatin? À l'heure actuelle, Sandostatin est administré par injection sous-cutanée, ce qui signifie que le médicament doit être injecté sous la peau, de la même façon que l'insuline utilisée par les diabétiques. Le procédé est facile à apprendre et à exécuter. La préparation et l'exécution des injections (en général 2 ou 3/jour) ne prendront que très peu de temps, soit pas plus de 15 minutes/jour.

Comment préparer une injection de Sandostatin? Ce médicament est présenté en ampoules ou en flacons multidoses.

a) Ampoules:

1. Avant de rompre l'ampoule, tapoter le col de celle-ci afin que le médicament s'écoule complètement dans la partie renflée.
2. Lorsque l'ampoule est ouverte, y introduire l'aiguille et tirer sur le piston pour remplir la seringue de la quantité requise de médicament. (Votre médecin ou l'infirmière vous expliquera comment interpréter les graduations sur la seringue, afin que vous puissiez la remplir de la dose exacte qui vous a été prescrite). Jeter toute quantité de médicament non utilisée.
3. S'assurez que la seringue ne contient pas de bulles d'air. Si c'est le cas, tenir la seringue verticalement (l'aiguille pointant vers le haut) et tapoter légèrement le cylindre de la seringue pour amener les bulles d'air vers le haut. Appuyer doucement sur le piston pour pousser les bulles hors de la seringue.

b) Flacons multidoses:

1. Retirer le sceau d'aluminium.
2. Essuyer le bouchon de caoutchouc à l'aide d'un tampon imbibé d'alcool.
3. Retirer le capuchon qui recouvre l'aiguille et introduire celle-ci dans le bouchon de caoutchouc du flacon.
4. Laisser l'aiguille dans le flacon.
5. Tourner le flacon et la seringue à l'envers. Garder la pointe de l'aiguille dans le liquide. Tirer doucement sur le piston pour remplir la seringue de la quantité prescrite de Sandostatin. (Votre médecin ou l'infirmière vous expliquera comment interpréter les graduations sur la seringue, afin que vous puissiez la remplir de la dose exacte qui vous a été prescrite.)
6. Remettre le flacon et la seringue à l'endroit.
7. Retirer l'aiguille du flacon.
8. S'assurer que la seringue ne contient pas de bulles d'air. Si c'est le cas, tenir la seringue verticalement (l'aiguille pointant vers le haut) et tapoter légèrement le cylindre de la seringue pour amener les bulles d'air vers le haut. Appuyer doucement sur le piston pour pousser les bulles hors de la seringue.

Comment injecter une dose de Sandostatin:

1. Choisir un point sur la hanche, la cuisse ou l'abdomen pour faire l'injection.
2. Nettoyer l'endroit choisi avec un tampon imbibé d'alcool et garder ce dernier à portée de la main.
3. Tenir la seringue comme un crayon et retirer le capuchon qui recouvre l'aiguille.
4. À l'aide du pouce et de l'index de l'autre main, pincer légèrement la peau de façon à former un pli au niveau du point d'injection. Ce pli permet de détacher le tissu sous-cutané du muscle qu'il recouvre.
5. Tenir la seringue à un angle de 45° et introduire rapidement toute l'aiguille dans le pli cutané.
6. Après y avoir inséré l'aiguille, lâcher le pli.
7. Tirer légèrement le piston pour vérifier si l'aiguille n'a pas touché de vaisseau sanguin (ce qu'il faut éviter). Si un peu de sang apparaît dans la seringue, l'endroit choisi n'est pas propice à l'injection. Retirer alors l'aiguille, jeter la seringue et l'aiguille, et recommencer l'opération à un autre endroit.
8. Lorsque l'aiguille a été bien insérée, injecter lentement tout le médicament.
9. Lorsque le médicament a été injecté, placer le tampon imbibé d'alcool sur le point d'injection. Presser légèrement.
10. Retirer l'aiguille en la tenant dans le même angle qu'à l'injection.
11. Presser légèrement le tampon imbibé d'alcool sur la peau pendant environ 5 secondes.
12. Remettre le capuchon sur l'aiguille et déposer la seringue et l'aiguille dans un contenant sûr. Ne pas les réutiliser. Les seringues et les aiguilles à usage unique permettent de diminuer le risque d'infection. Conserver les seringues et les aiguilles qui ont déjà servi dans une boîte métallique (une boîte à café vide par exemple). Lorsque cette dernière est pleine, la jeter dans une poubelle munie d'un couvercle. Ces précautions préviendront les blessures (surtout chez les enfants).

Points importants dont il faut se souvenir: S'assurer que la seringue contient bien la dose de médicament prescrite par le médecin.

Si l'on oublie de faire une injection au moment prévu, la plupart des médecins recommandent d'administrer le médicament lorsque l'oubli est remarqué, puis de revenir à l'horaire établi. (Demandez à votre médecin s'il est de cet avis.) L'oubli d'une dose n'aura pas de conséquences graves, mais favorisera le retour passager des symptômes (p. ex.: diarrhées ou rougeurs du visage). Ils disparaîtront avec la reprise de l'horaire normal.

Effet secondaire possible: Sensation de brûlure au point d'injection: Certains patients affirment qu'ils ressentent une sensation de brûlure au point d'injection. D'autres ne ressentent pas de gêne locale du tout. Cette sensation est en partie attribuable à l'importance de la dose administrée, mais aussi à la formule du médicament. La sensation de brûlure ne dure que quelques instants chez la plupart des patients. En massant légèrement la zone de l'injection pendant quelques secondes, cette sensation disparaîtra.

Les personnes incommodées par la sensation de brûlure peuvent l'atténuer en utilisant le médicament à la température ambiante au lieu de l'employer à la sortie du réfrigérateur. On peut sortir le médicament du réfrigérateur 20 minutes avant son utilisation, afin que la solution se réchauffe. Il ne faut cependant pas oublier que les ampoules de Sandostatin doivent être **conservées au réfrigérateur;** la chaleur détruit le principe actif du médicament.

À quel moment doit-on injecter Sandostatin? Votre médecin ou l'infirmière vous expliquera comment diviser votre dose quotidienne de médicament. Les symptômes sont mieux maîtrisés lorsque les doses sont réparties également sur une période de 24 heures.

Conservation: Pour une conservation prolongée, Sandostatin doit être gardé à une température variant de 2 à 8 °C, c'est-à-dire à la température du réfrigérateur. Cependant, les doses quotidiennes de Sandostatin en **ampoules** peuvent être conservées à une température ambiante inférieure à 30 °C, pendant 2 semaines. Si le médicament est conservé à la température ambiante pendant plus de 2 semaines, il risque de se dégrader et de perdre son efficacité. Ouvrir les ampoules juste avant l'administration et jeter toute quantité de médicament non utilisée.

Les **flacons multidoses** peuvent être conservés à la température ambiante pendant 2 semaines, même une fois entamés. Si le médicament est conservé à la température ambiante pendant plus de 2 semaines, il risque de se dégrader et de perdre son efficacité.

Une provision de Sandostatin peut être conservée au réfrigérateur jusqu'à 3 ans sans que l'agent ne se détériore, à condition toutefois qu'il ne soit jamais congelé. En effet, les peptides étant des substances très fragiles, la congélation et la décongélation peuvent les altérer et leur faire perdre leur efficacité. Sandostatin doit être gardé à l'abri de la lumière.

☐ SER-AP-ES®

Novartis Pharma

Réserpine—Chlorhydrate d'hydralazine—Hydrochlorothiazide

Antihypertenseur

Renseignements destinés aux patients: Avant de prendre Ser-Ap-Es, veuillez lire attentivement ces directives importantes. Si elles ne répondent pas à toutes vos questions, adressez-vous au médecin ou au pharmacien.

Qu'est-ce que Ser-Ap-Es? Ser-Ap-Es est un médicament contenant 3 ingrédients médicinaux qui abaissent la tension artérielle: la réserpine, le chlorhydrate d'hydralazine et l'hydrochlorothiazide. Il est offert sous forme de comprimé contenant 0,1 mg de réserpine, 25 mg d'hydralazine et 15 mg d'hydrochlorothiazide.

Comme la plupart des médicaments, Ser-Ap-Es contient aussi des ingrédients non médicinaux. Si vous suivez un régime particulier ou si vous avez des allergies, le médecin ou le pharmacien vous diront si l'un de ces ingrédients peut vous causer des problèmes. Les ingrédients non médicinaux sont les suivants: acacia, acide stéarique, amidon de maïs, érythrosine laquée, AD&C vert n° 3, jaune orangé S, lactose, polyéthylèneglycol et sucre.

L'hydralazine appartient à un groupe de médicaments qui élargit les vaisseaux sanguins, ce qui abaisse la tension artérielle. La réserpine abaisse aussi la tension artérielle, mais par un mécanisme différent. Elle s'oppose à la hausse indésirable de la fréquence cardiaque que l'hydralazine peut causer. L'hydrochlorothiazide est un diurétique qui abaisse la quantité de sel et d'eau dans l'organisme en augmentant le débit d'urine, ce qui, avec le temps, contribue à réduire et à maîtriser la tension artérielle. De plus, l'hydrochlorothiazide s'oppose à l'accumulation indésirable de liquides dans l'organisme que pourrait entraîner l'hydralazine.

Quel est l'effet de Ser-Ap-Es? Ser-Ap-Es est administré pour abaisser la tension artérielle. L'hypertension accroît le travail du cœur et des artères. Si l'hypertension dure longtemps, elle peut léser les vaisseaux du cerveau, du cœur et des reins, et entraîner un accident vasculaire cérébral, une insuffisance cardiaque ou une insuffisance rénale. L'hypertension augmente le risque de crise cardiaque. Ces problèmes sont moins susceptibles de survenir si Ser-Ap-Es est utilisé pour maîtriser la tension artérielle.

Ser-Ap-Es abaisse la tension artérielle selon 3 mécanismes différents, mais complémentaires (voir ci-dessus).

Avant de prendre Ser-Ap-Es: Vous ne pouvez prendre Ser-Ap-Es qu'après un examen médical. Ser-Ap-Es ne convient pas à tous les patients.

Vous ne devez pas prendre Ser-Ap-Es:
- si vous avez déjà eu des réactions inhabituelles ou allergiques à l'hydralazine, à la réserpine, à l'hydrochlorothiazide ou à des substances apparentées;
- si vous êtes atteint d'une maladie cardiaque grave, surtout d'une maladie touchant les valvules du cœur;
- si vous souffrez de dépression (ou si vous avez des antécédents de dépression), ou si vous avez récemment pris un antidépresseur;
- si vous souffrez de la maladie de Parkinson ou d'épilepsie;
- si vous avez des ulcères de l'estomac ou une maladie grave du foie ou des reins;
- si vous avez de la fièvre, une éruption cutanée et des douleurs articulaires, qui peuvent être des signes de lupus érythémateux aigu disséminé;
- si vous souffrez de goutte (ou si vous avez des antécédents de goutte);
- si vous êtes enceinte ou si vous allaitez.

Avant de prendre Ser-Ap-Es, dites à votre médecin si vous avez:
- une maladie du foie ou des reins;
- des troubles circulatoires;
- des antécédents de troubles gastro-intestinaux (ulcères, gastrite, p. ex.);
- un diabète;
- une hypercholestérolémie (concentration élevée de cholestérol dans le sang).

Informez également votre médecin de tout médicament que vous prenez (voir ci-dessous).

Médicaments ou substances pouvant entraver l'action de Ser-Ap-Es: Avant de prendre tout médicament pendant le traitement par Ser-Ap-Es, parlez-en au médecin ou au pharmacien. Il pourrait être nécessaire de changer la dose de certains médicaments ou de cesser de les prendre. Cette recommandation s'applique aussi bien aux médicaments délivrés sur ordonnance qu'aux médicaments en vente libre (sans ordonnance), surtout:
- médicaments qui abaissent la tension artérielle;
- médicaments pour le traitement de la dépression, particulièrement les inhibiteurs de la monoamine oxydase;
- médicaments pour le traitement des troubles mentaux (neuroleptiques);
- médicaments pour le traitement de l'insuffisance cardiaque et des troubles du rythme cardiaque;
- médicaments contenant de l'adrénaline ou des substances semblables, tels que gouttes pour les yeux ou le nez et médicaments pour la toux ou le rhume;
- lithium, médicament servant au traitement de certains troubles psychologiques;
- médicaments qui soulagent la douleur ou l'inflammation, surtout les anti-inflammatoires non stéroïdiens;
- médicaments comparables à la cortisone et corticostéroïdes;
- digoxine (médicament pour le cœur);
- insuline ou antidiabétique oral;
- cholestyramine et colestipol, résines utilisées surtout pour abaisser les taux de lipides sanguins.

Évitez de prendre de l'alcool avant d'en avoir parlé au médecin. L'alcool peut accentuer la baisse de la tension artérielle ou augmenter les risques d'étourdissements ou d'évanouissements. Il peut aussi entraîner les deux.

Autres mesures de sécurité: Puis-je prendre Ser-Ap-Es si je suis enceinte ou si j'allaite? Ne prenez pas Ser-Ap-Es si vous êtes enceinte ou si vous allaitez. Ser-Ap-Es passe dans le lait maternel. Si vous êtes enceinte, si vous allaitez ou si vous avez l'intention de devenir enceinte, il est important d'en informer le médecin.

Ser-Ap-Es convient-il aux enfants et aux personnes âgées? Ser-Ap-Es ne doit pas être administré aux enfants. Si vous avez 65 ans ou plus, vous pourriez être plus sensible aux effets de Ser-Ap-Es.

Puis-je conduire un véhicule ou me servir de machines? Comme de nombreux autres médicaments contre l'hypertension, Ser-Ap-Es peut causer des étourdissements et nuire à la concentration. Avant de conduire un véhicule, de vous servir de machines ou d'entreprendre toute autre activité qui nécessite de bons réflexes, assurez-vous de savoir comment vous réagissez à Ser-Ap-Es.

Comment faut-il prendre Ser-Ap-Es? Souvent, l'hypertension n'entraîne pas de symptômes. Vous pouvez vous sentir tout à fait bien. Il est donc très important que vous preniez votre médicament selon les directives du médecin et que vous vous présentiez à vos rendez-vous même si vous vous sentez bien. N'oubliez pas que ce médicament ne guérit pas l'hypertension, mais qu'il peut contribuer à la maîtriser. Vous devez continuer de le prendre selon les directives si vous voulez que votre tension artérielle baisse et qu'elle ne remonte pas.

Quelle est la posologie habituelle? La traitement commence par la plus faible dose possible, puis la dose est augmentée graduellement. Chez la plupart des personnes, 1 à 2 comprimés par jour suffisent et vous ne devez pas en prendre davantage. Normalement, il faut prendre les comprimés 1 ou 2 fois par jour avec un liquide au moment des repas. Certaines personnes doivent prendre un antihypertenseur le reste de leur vie. Pour vous rappeler de prendre votre médicament, essayez de toujours le prendre au même moment de la journée.

Que dois-je faire si j'oublie une prise? Si vous n'avez pas pris votre médicament à l'heure prévue, prenez-le aussitôt que possible. S'il est presque l'heure de la prise suivante, ne prenez pas le comprimé que vous avez oublié de prendre.

Que se passe-t-il si je prends une dose trop élevée? Les symptômes de surdosage suivants peuvent se manifester:
- étourdissements graves, évanouissements, coma ou collapsus;
- convulsions;
- essoufflements;
- battements de cœur irréguliers et douleurs à la poitrine;
- grande fatigue, faiblesse ou crampes musculaires.

Ser-Ap-Es (suite)

Que dois-je faire pendant que je prends Ser-Ap-Es? Il est important de consulter régulièrement le médecin pour qu'il vérifie l'évolution de votre état et s'assure que le médicament est efficace.

De temps à autre, le médecin voudra peut-être faire des épreuves pour mesurer la concentration de potassium et d'autres minéraux dans le sang, surtout si vous avez plus de 65 ans, si vous présentez certaines maladies du cœur, du foie ou des reins ou si vous prenez des suppléments de potassium. Le médecin vous informera des épreuves nécessaires.

Quels sont les effets secondaires possibles de Ser-Ap-Es? Comme tout médicament, Ser-Ap-Es peut avoir des effets indésirables en plus de ses effets favorables. Ces effets indésirables ne sont pas tous courants, mais s'ils se manifestent, il est possible qu'ils doivent être traités.

Consultez le médecin dès que possible si vous présentez un des effets secondaires qui suivent: Occasionnellement: dépression ou troubles de la concentration; battements de cœur irréguliers ou lents. Rarement ou exceptionnellement: mal de gorge, fièvre ou frissons (signe d'un trouble sanguin); coloration jaune des yeux ou de la peau (jaunisse); douleur abdominale accompagnée de nausées, de vomissements ou de fièvre (signe de pancréatite ou d'un trouble hépatique ou d'une inflammation); engourdissements ou picotements dans les mains, les pieds ou les lèvres; éruptions cutanées ou démangeaisons; douleur dans la poitrine; présence de sang dans les vomissements ou selles noires; essoufflements; tremblements des mains et des doigts; douleurs au moment d'uriner ou difficulté à uriner; présence de sang dans l'urine, avec ou sans douleur aux reins (signe de glomérulonéphrite); saignements ou ecchymoses inhabituels (signe de thrombocytopénie); fièvre, éruptions cutanées et douleurs articulaires (signe d'un syndrome évoquant un lupus érythémateux aigu disséminé); gonflement des seins, sécrétion de lait; vue brouillée, problèmes d'audition; problèmes respiratoires (signe de pneumopathie inflammatoire ou d'œdème pulmonaire); ballonnement accompagné de problèmes respiratoires (signes d'iléus paralytique).

De nombreux effets secondaires disparaissent sans qu'il soit nécessaire d'interrompre le traitement. Consultez le médecin si l'un des effets qui suit persiste ou est difficile à supporter: Fréquemment: maux de tête, battements de cœur rapides.
Occasionnellement: étourdissements ou vertiges lorsque vous vous levez; nausées, vomissements, diarrhée, troubles digestifs; sécheresse de la bouche; aigreurs ou douleurs à l'estomac (signe d'ulcère); grande fatigue ou faiblesse (parfois un signe de perte de potassium), rêves impressionnants ou cauchemars; congestion nasale; perte de l'appétit ou gain de poids; vue brouillée; larmoiement ou irritation des yeux; enflure des mains et des pieds; tremblements; accroissement de la sensibilité de la peau au soleil; difficulté à avoir une érection ou perte d'intérêt pour les rapports sexuels.
Rarement: nervosité; anxiété; rougeurs du visage; troubles du sommeil; augmentation de l'appétit ou perte de poids; douleurs musculaires; saignements de nez; rougeurs de la peau (purpura).

Si vous remarquez tout autre effet, dites-le au médecin.

Renseignements supplémentaires: Date d'expiration: Ne pas prendre Ser-Ap-Es après la date d'expiration qui figure sur le flacon.

Conservation de Ser-Ap-Es: Conserver à moins de 30 °C (de 2 à 30 °C), à l'abri du soleil et de l'humidité.

Garder le médicament hors de la portée des enfants, car il peut être nocif pour eux.

Autres renseignements importants: Le médicament vous a été prescrit pour votre problème de santé actuel seulement. Ne le donnez pas à d'autres personnes. Ne le prenez pas pour d'autres problèmes de santé à moins que le médecin ne vous dise de le faire.

Il est très important que vous vous conformiez exactement aux directives du médecin pour obtenir les meilleurs résultats possibles et pour réduire le risque d'effets secondaires.

□ SEREVENT® Ⓟ

Glaxo Wellcome

Xinafoate de salmétérol

Bronchodilatateur—Stimulant β_2-adrénergique

Renseignements destinés aux patients: Serevent Aérosol-doseur pour inhalation/Disque et Diskhaler/Diskus: Veuillez lire ce dépliant attentivement avant de prendre votre médicament. Pour obtenir de plus amples renseignements ou des conseils, consultez votre médecin ou votre pharmacien.

Serevent doit être pris seulement 2 fois par jour.

Serevent est un médicament qui appartient à la famille des bronchodilatateurs. L'effet de Serevent dure 12 heures; donc il est très important que vous utilisiez Serevent 2 fois par jour, le matin et le soir. C'est ce qui aidera à vous protéger des épisodes symptomatiques qui peuvent survenir le jour comme la nuit.

Serevent n'est pas un médicament destiné au soulagement immédiat des symptômes.

Serevent n'agit pas assez rapidement pour soulager les symptômes immédiats. Il ne faut pas l'utiliser dans les cas de crise soudaine ou d'essoufflement. Si vous éprouvez subitement une sibilance respiratoire ou un essoufflement dans l'intervalle de temps qui sépare vos doses de Serevent, vous devriez prendre 1 ou 2 bouffées d'un médicament à action rapide (Ventolin, p. ex.), que votre médecin vous a prescrit.

Si vous prenez plusieurs médicaments en inhalation, assurez-vous de bien les différencier et de savoir à quel moment les utiliser. Au cas où vous seriez atteint d'une crise qui ne cède pas à la prise d'un médicament à action rapide, consultez immédiatement votre médecin. Peut-être aurez-vous alors besoin d'un traitement d'urgence.

Si vous éprouvez des essoufflements, une sibilance respiratoire ou une oppression thoracique plus souvent qu'auparavant, ou si vous prenez une dose plus forte de votre médicament à action rapide, informez-en votre médecin dès que possible. Également, si vous vous éveillez pendant la nuit à cause de l'oppression thoracique, de la sibilance respiratoire ou des essoufflements, informez-en votre médecin le plus tôt possible.

Administration chez les adolescents: Serevent peut être utilisé chez les enfants de 12 ans et plus. La gravité de l'asthme varie avec l'âge. Par conséquent, les adolescents devraient consulter régulièrement leur médecin pour que leur état de santé soit évalué. Il est important de s'assurer qu'ils comprennent et suivent correctement le traitement contre l'asthme qui leur a été prescrit. Les médicaments prescrits dans le cadre de ce traitement comprennent, à part Serevent, un médicament qui réduit l'inflammation causée par l'asthme à l'intérieur des poumons (médicament préventif) et un bronchodilatateur (médicament qui soulage rapidement les symptômes).

Comment agit votre médicament: Serevent agit en soulageant les bronchospasmes qui provoquent un rétrécissement des petits conduits aériens des poumons, rétrécissement à l'origine des symptômes d'oppression thoracique et de sibilance respiratoire. Il ne doit cependant pas être utilisé lors d'une crise d'asthme, car son action n'est pas assez rapide. Serevent ne remplace pas votre médicament à action rapide (Ventolin, p. ex.) ni un traitement à l'aide d'anti-inflammatoires par inhalation (Beclovent ou Becloforte, p. ex.). Le surdosage peut être grave.

Points importants à retenir avant de prendre votre médicament: Avez-vous déjà cessé de prendre un autre médicament pour vos troubles respiratoires à cause d'une allergie ou autres effets indésirables?

Êtes-vous actuellement traité pour la thyroïde, le diabète, l'hypertension ou le cœur?

Si vous avez répondu **oui** à une de ces questions, avertissez votre médecin ou votre pharmacien le plus tôt possible, à moins que vous ne l'ayez déjà fait.

Assurez-vous que votre médecin sait quels autres médicaments vous prenez (contre les allergies, la nervosité, la dépression, la migraine, p. ex.).

Grossesse et allaitement: Ne prenez pas ce médicament durant la grossesse ou l'allaitement sans en avoir discuté au préalable avec votre médecin.

Prise du médicament: Suivez les directives décrites ci-dessous. Il est important d'inhaler chaque dose comme votre médecin vous l'a montré. Si vous avez de la difficulté à prendre votre médicament, consultez votre médecin ou votre pharmacien.
Adultes et enfants âgés de 12 ans ou plus: **Aérosol-doseur pour inhalation:** La dose habituelle est de 2 inhalations (2×25 µg), 2 fois par jour (2 le matin, et 2 le soir). **Disque:** La dose habituelle est de 1 coque (1×50 µg), 2 fois par jour (1 coque le matin et 1 coque le soir). **Diskus:** La dose habituelle est de 1 coque (1×50 µg), 2 fois par jour, soit 1 coque le matin et 1 coque le soir.

N'oubliez pas que le contenu des coques Serevent doit être inhalé uniquement au moyen d'un dispositif particulier, l'inhalateur Diskhaler. Vous devez avoir cet inhalateur et savoir l'utiliser. Si vous avez des problèmes ou ne comprenez pas les renseignements fournis dans l'emballage, consultez votre médecin ou votre pharmacien.

Serevent ne doit pas être utilisé plus de 2 fois par jour.

Si vous éprouvez des essoufflements ou une sibilance respiratoire dans l'intervalle de temps qui sépare vos doses de Serevent, vous aurez peut-être besoin d'un médicament à action rapide (Ventolin, p. ex.) que votre médecin a pu vous prescrire déjà.

Après avoir commencé à prendre Serevent, vous n'aurez probablement plus besoin d'utiliser un médicament à action rapide aussi souvent pour soulager vos symptômes. Si vous avez plus d'un médicament, ayez soin de ne pas les confondre.

Vous devez continuer de prendre régulièrement vos anti-inflammatoires (corticostéroïdes en inhalation, p. ex.) pour traiter votre affection pulmonaire. Ces médicaments agissent de concert avec Serevent pour favoriser une plus grande maîtrise ou une meilleure protection de vos essoufflements ou de votre sibilance respiratoire. Il est important de continuer à les prendre régulièrement et de ne pas diminuer la dose même si vous vous sentez mieux, à moins d'avis contraire de votre médecin.

Comment utiliser correctement votre aérosol-doseur Serevent (voir le prospectus d'emballage pour les illustrations): Avant d'utiliser votre nouvel aérosol-doseur Serevent pour la première fois, vaporisez 2 fois le produit en l'air.

1. Retirez le capuchon de l'embout; la courroie du capuchon restera attachée au dispositif. Assurez-vous que l'embout est propre à l'intérieur et à l'extérieur.
2. Agitez bien l'aérosol-doseur.
3. Tenez l'aérosol-doseur bien droit entre vos doigts, votre pouce à la base, sous l'embout buccal. Expirez profondément sans que cela vous incommode.
4. Pour la prochaine étape, il existe deux possibilités (4a ou 4b). Tout dépend de la technique que votre médecin préfère.
   4a. Placez l'embout dans la bouche entre les dents et serrez les lèvres, sans mordre l'embout. Commencez à inhaler par l'embout buccal, puis appuyez immédiatement sur la partie supérieure de l'aérosol-doseur afin de libérer le médicament, tout en continuant de respirer régulièrement et profondément.
   ou
   4b. Placez l'aérosol-doseur à deux doigts de la bouche. Commencez à inspirer lentement et profondément, bouche grande ouverte, tout en appuyant fermement sur la cartouche.
5. Retenez votre respiration pendant que vous retirez l'embout de votre bouche et enlevez votre doigt de l'extrémité supérieure de l'aérosol-doseur. Continuez à retenir votre respiration aussi longtemps que possible.
6. Si vous devez prendre une seconde inhalation, vous devez garder l'aérosol-doseur bien droit durant environ 30 secondes avant de répéter les étapes 2 à 5.
7. Après utilisation, remettez toujours le capuchon en place afin de protéger la cartouche de la poussière.

Important: Effectuez les étapes 4 et 5 sans hâte. Il est important que vous commenciez à inspirer aussi lentement que possible juste avant de déclencher votre aérosol-doseur. Exercez-vous devant un miroir les toutes premières fois. Si vous voyez apparaître de la «buée» à la partie supérieure de l'aérosol-doseur ou de chaque côté de la bouche, recommencez à partir de l'étape 2 (se rapporte à l'étape 4b seulement).

Si votre médecin vous a donné d'autres directives d'utilisation, veuillez les suivre attentivement et communiquer avec lui si vous éprouvez des difficultés.

Entretien: Vous devez nettoyer votre aérosol-doseur au moins une fois par semaine.

1. Retirez la cartouche de métal de son étui de plastique et enlevez le capuchon.
2. Rincez l'étui de plastique et le capuchon à l'eau tiède. Vous pouvez ajouter à l'eau un détergent doux (consultez votre pharmacien à ce sujet). Rincez abondamment à l'eau claire avant de faire sécher. **Ne mettez pas la cartouche dans l'eau.**
3. Laissez l'étui et le capuchon sécher à l'air chaud en évitant toute chaleur excessive.
4. Replacez la cartouche dans son étui et le capuchon sur l'embout buccal.
5. Après chaque nettoyage, envoyez une inhalation d'aérosol en l'air, afin de vérifier le bon état du dispositif.

Comment utiliser correctement votre inhalateur Diskhaler (voir le prospectus d'emballage pour les illustrations): L'inhalation de Serevent se fait au moyen du dispositif d'inhalation Diskhaler, qui s'utilise avec le disque de traitement Serevent.

Le Diskhaler est composé des éléments suivants:

- un boîtier extérieur muni d'un couvercle à charnières et d'une aiguille;
- une brosse qui se trouve sous le couvercle arrière;
- un capuchon de couleur pour l'embout buccal;
- une cartouche blanche amovible munie d'un embout buccal;
- un disque rotatif blanc qui soutient le disque de traitement Serevent.

Le disque de traitement Serevent comprend 4 coques. Chaque coque contient une dose précise de poudre.

Mise en garde: Évitez de percer le disque de traitement Serevent s'il n'est pas chargé dans le dispositif Diskhaler.

Mise en place du disque Serevent dans le dispositif Diskhaler:

1. Retirez le capuchon de l'embout buccal et assurez-vous que l'embout est propre à l'intérieur et à l'extérieur.
2. En tenant la cartouche blanche par les coins exposés, tirez doucement jusqu'à ce que vous voyiez les côtés ondulés de la cartouche.
3. Retirez la cartouche du Diskhaler en pressant sur les côtés ondulés de la cartouche.
4. Placez le disque de traitement sur la roulette blanche, le côté numéroté tourné vers vous. Glissez la cartouche complètement dans le boîtier du Diskhaler.

Préparation de la première dose:

5. En tenant la cartouche blanche par les coins exposés, tirez et poussez délicatement la cartouche pour faire tourner le disque de traitement. Répétez le processus jusqu'à ce que le chiffre «4» apparaisse dans la fénêtre indicatrice. Le disque de traitement est maintenant prêt à être utilisé.

Le chiffre qui apparaît dans la fenêtre correspond toujours au nombre de doses qui restent sur le disque de traitement.

Préparation à l'inhalation:

6. Levez le couvercle pleine grandeur, jusqu'à ce qu'il soit en position verticale. La coque doit être percée sur ses deux faces. Vous sentirez une certaine résistance au moment où l'aiguille percera la face supérieure de la coque et particulièrement, lorsque l'aiguille percera la face inférieure. Refermez ensuite le couvercle.

Mise en garde: Ne tentez jamais de relever le couvercle à moins qu'il n'y ait pas de cartouche dans le Diskhaler (p. ex. lorsque vous nettoyez le Diskhaler) ou que la cartouche y soit bien placée.

Inhalation à l'aide du dispositif Diskhaler:

7. Expirez à fond sans que cela vous incommode. En gardant le Diskhaler bien à plat, portez-le à votre bouche. Placez délicatement l'embout entre vos dents et vos lèvres, sans toutefois le mordre. Ne recouvrez pas les orifices pratiqués sur les côtés de l'embout. Respirez par la bouche régulièrement et le plus profondément possible. Retenez votre respiration pendant que vous retirez de votre bouche l'embout du Diskhaler. Continuez de retenir votre respiration sans toutefois que cela vous incommode.

Préparation du Diskhaler pour l'inhalation suivante:

8. Tirez et poussez délicatement la cartouche pour faire tourner le disque du Diskhaler. Ne percez la coque que lorsque vous êtes prêt à inhaler votre médicament.
9. Remettez toujours le capuchon sur l'embout buccal.

Remplacement du disque Serevent:

10. Chaque disque de traitement comprend 4 coques renfermant votre médicament. Quand le chiffre «4» réapparaît dans la fenêtre indicatrice, cela signifie que le disque de traitement est vide. Pour le remplacer, répétez les étapes 2 à 5.

Mise en garde: Ne jetez pas le disque rotatif avec le disque de traitement vide.

Entretien du Diskhaler: Pour enlever les résidus de poudre dans le Diskhaler, utilisez la brosse qui se trouve à l'arrière du boîtier. Enlever la cartouche et le disque blanc avant d'utiliser la brosse et de remplacer le disque de traitement.

Il peut être nécessaire de remplacer le Diskhaler tous les 6 mois.

Après avoir utilisé votre aérosol-doseur, votre Diskhaler ou votre Diskus Serevent: Si vous remarquez que l'essoufflement ou la sibilance respiratoire s'aggrave peu de temps après avoir inhalé votre médicament, dites-le à votre médecin le plus tôt possible.

Si le soulagement de votre sibilance respiratoire ou de votre oppression thoracique n'est plus satisfaisant ou ne dure plus aussi longtemps que d'habitude, dites-le à votre médecin le plus tôt possible. Une modification de l'état «habituel» comporte une fréquence

Serevent (suite)

plus élevée de sibilance respiratoire, de toux et d'oppression thoracique ou l'utilisation accrue d'un médicament à action rapide (Ventolin, p. ex.). Si ces symptômes vous réveillent la nuit, consultez votre médecin le plus tôt possible. Cela peut être un signe d'aggravation de votre état et votre médecin voudra peut-être ajouter un autre type de médicament à votre traitement.

Même si vous vous sentez beaucoup mieux après avoir commencé un traitement avec Serevent, vous devez continuer de prendre les autres médicaments contre l'asthme, selon les prescriptions de votre médecin.

Il peut arriver, quoique très rarement, que certaines personnes éprouvent de légers tremblements, une céphalée ou des battements cardiaques accélérés, qui s'atténuent habituellement à mesure que le traitement se poursuit. Le cas échéant, consultez votre médecin, mais n'interrompez pas votre traitement à moins d'avis contraire.

Si vous vous sentez mal ou éprouvez des symptômes inexplicables, communiquez immédiatement avec votre médecin.

Que faire en cas de surdosage: Si, par mégarde, vous prenez une **dose plus élevée que la dose recommandée,** il se peut que vous sentiez votre cœur battre plus vite que d'habitude, que vous ayez mal à la tête ou que vous trembliez. Le cas échéant, consultez votre médecin le plus tôt possible.

En cas de surdosage excessif, communiquez immédiatement avec votre médecin ou avec le service d'urgence de votre hôpital, ou encore avec le centre antipoison le plus proche.

Que faire si vous oubliez une dose: Si vous oubliez d'inhaler une dose, ne vous inquiétez pas, prenez la dose manquée au moment où vous vous en rappelez. **Toutefois,** si l'heure de votre prochaine dose habituelle arrive bientôt, attendez ce moment. Ne prenez pas de doubles doses et continuez de prendre votre médicament au moment habituel.

Que faire si vous cessez de prendre ce médicament: Si votre médecin décide d'interrompre votre traitement, ne gardez pas ce médicament à moins d'avis contraire du médecin.

Conservation de votre médicament: Conservez votre médicament dans un endroit sûr, hors de la portée des enfants. Il peut leur être nocif.

Aérosol-doseur: Conserver entre 15 et 30 °C. Craint le gel, la lumière directe et les températures élevées (plus de 30 °C).

Si votre aérosol-doseur est très froid, retirez la cartouche de métal et réchauffez-la **dans vos mains** durant quelques minutes avant de l'utiliser. **Ne jamais** utiliser d'autres sources de chaleur.

Mise en garde: La cartouche est sous pression. Ne jamais la perforer ni la jeter au feu, même lorsqu'elle est vide.

Disque: Craint la lumière directe du soleil et les températures élevées (plus de 25 °C). Conservez dans un endroit sec.

Diskus: Conserver à moins de 30 °C, dans un endroit sec.

Que contient votre aérosol-doseur: Une inhalation libère 25 μg de salmétérol. L'aérosol-doseur renferme également de la lécithine, du dichlorofluorométhane et du trichlorofluorométhane. Une cartouche contient assez de médicament pour 60 ou 120 bouffées selon le format.

Que contient votre disque de traitement Serevent Diskhaler: Les disques de traitement Serevent Diskhaler sont en aluminium et contiennent chacun 4 coques disposées à la périphérie. Chaque coque équivaut à une dose et contient du salmétérol (50 μg) et du lactose sous forme de poudre fine à inhaler au moyen du dispositif d'inhalation Diskhaler de Serevent.

Que contient votre Serevent Diskus: Serevent Diskus est un dispositif d'inhalation en plastique qui renferme une bande d'aluminium de 60 coques. Chaque coque contient 50 μg de salmétérol comme principe actif (sous forme de sel de xinafoate) et du lactose comme véhicule.

N'oubliez pas: Ce médicament est pour **vous.** Seul le médecin peut vous le prescrire. N'en donnez jamais à d'autres personnes, il peut leur être nocif, même si leurs symptômes s'apparentent aux vôtres.

Renseignements complémentaires: Si vous avez des questions à poser, consultez votre médecin ou votre pharmacien.

Vous aurez peut-être à consulter de nouveau ce dépliant. **Ne le jetez donc pas** avant d'avoir fini de prendre votre médicament.

□ SEROPHENE®

Serono

Citrate de clomifène

Agent ovulatoire

Renseignements destinés aux patients: Il faut envisager d'informer la patiente des points suivants: avant d'utiliser le médicament: possibilité de grossesse multiple.

Utilisation appropriée du médicament: Fidélité au traitement, explication du schéma posologique, prendre le médicament au même moment tous les jours pour aider à se rappeler de chaque dose.

Dose oubliée: La prendre le plus tôt possible, doubler la dose si on oublie de la prendre jusqu'à temps de prendre la suivante, consulter le médecin si on oublie de prendre plus d'une dose.

Précautions à prendre durant le traitement: Il est important de ne pas prendre le médicament si on est enceinte; il est important que le médecin surveille étroitement la patiente. Il est important de suivre les directives du médecin en ce qui concerne le fait de noter la température et le moment des rapports sexuels. Il faut être prudent si l'on conduit une auto ou que l'on exécute un travail qui demande de la vigilance, à cause des troubles visuels et des étourdissements qui peuvent se manifester.

□ SEROQUEL®

Zeneca

Fumarate de quétiapine

Antipsychotique

Renseignements destinés aux patients: Qu'est-ce que Seroquel? Seroquel (fumarate de quétiapine) est un médicament qui peut vous aider à mener une vie normale. Il a prouvé qu'il peut traiter efficacement les symptômes de la schizophrénie.

Seroquel appartient à une nouvelle catégorie de médicaments appelés «antipsychotiques atypiques».

Grâce à ces médicaments, vous risquez moins de ressentir les effets secondaires engendrés par les anciens médicaments. Il est plus facile de continuer son traitement lorsque les effets secondaires sont moindres. Et plus vous poursuivrez votre traitement, mieux vous vous sentirez.

Comment Seroquel agit-il? «Des images abstraites, des idées non fondées sur la réalité.» Il se peut que vous décriviez ainsi les effets de votre maladie, et avec raison.

La schizophrénie, les troubles bipolaires et les troubles schizo-affectifs peuvent être attribuables à un déséquilibre de certaines substances chimiques du cerveau. C'est ce qui est à l'origine de nombreux symptômes que vous éprouvez.

On croit que Seroquel agit en régularisant les substances chimiques du cerveau. Il ne peut pas guérir votre état mais il peut certes vous aider à mieux contrôler vos symptômes. Mieux vous contrôlez vos symptômes, mieux vous contrôlez votre vie.

Il est important de prendre Seroquel régulièrement de façon continue, même lorsque vous commencez à vous sentir mieux.

Comment dois-je pendre Seroquel? Si vous ne savez trop par où commencer, poursuivez votre lecture.

Seroquel se présente sous forme de comprimé qu'il faut avaler. Pour en retirer pleinement les avantages, vous devez prendre Seroquel tous les jours tel qu'on vous l'a prescrit. Peu importe comment vous vous sentez, n'arrêtez pas de prendre Seroquel sans en parler d'abord avec votre médecin.

Il peut se passer quelque temps avant que vous ressentiez un soulagement de vos symptômes. D'ici là, la meilleure chose à faire est de suivre à la lettre votre posologie. Vos symptômes s'amélioreront progressivement au cours des premières semaines de traitement et, éventuellement, Seroquel aidera à prévenir leur manifestation.

Que faire si j'oublie une dose? La prise régulière de votre médicament est ce qui compte le plus. Si vous oubliez de prendre une dose, prenez-la dès que possible. Cependant, si c'est l'heure de votre prochaine dose, ne prenez pas la pilule que vous avez oubliée et reprenez votre posologie habituelle. Ne prenez jamais 2 doses en même temps.

Voici certains conseils sur la façon de prendre votre médicament:

- Prenez vos doses aux mêmes heures tous les jours.

- Choisissez des moments de la journée qui vous aideront à vous rappeler de prendre votre médicament, comme un repas ou le coucher.
- Utilisez une dosette pour répartir vos comprimés en fonction des jours de la semaine.
- Notez sur un calendrier les jours et les heures de prise de votre médicament.
- Affichez une note, sur un miroir ou sur le réfrigérateur, p. ex. que vous pourrez facilement voir, pour vous rappeler de prendre votre Seroquel.
- Demandez à un(e) ami(e) ou un membre de votre famille de vous rappeler de prendre votre médicament.

Dois-je prendre Seroquel avec de la nourriture? Si vous avez faim, n'hésitez surtout pas à manger. La nourriture n'influence pas les effets de Seroquel.

Quels sont les effets secondaires possibles de Seroquel? Tout le monde réagit différemment aux médicaments. Certaines personnes prenant Seroquel peuvent ressentir des effets secondaires, d'autres pas.

Les effets secondaires les plus courants de Seroquel sont les maux de tête, les vertiges, la somnolence et les étourdissements lorsqu'on se lève trop vite. Les vertiges et la somnolence sont habituellement légers et passagers.

Même si Seroquel ne vous crée pas de problème, n'hésitez pas à téléphoner à votre médecin, à un professionnel de la santé ou à votre responsable de cas (chargé de dossier) pour obtenir réponse à toute question ou inquiétude.

Quels sont les principaux éléments que je devrais savoir sur mon traitement au Seroquel?

- Au cours des 3 à 5 premiers jours de votre traitement au Seroquel, ou après une augmentation de la dose, il se peut que vous ressentiez des vertiges ou des étourdissements, surtout lorsque vous vous relevez ou levez trop vite. Vous devez donc prendre votre temps.
- Au cours des 3 à 5 premiers jours suivant le début de votre traitement au Seroquel, ou une augmentation de dose, il se peut que vous ressentiez de la somnolence. Vous devrez donc faire preuve de prudence si vous devez conduire, opérer de la machinerie ou faire quoi que ce soit d'autre qui requiert de la vigilance.
- Vous ne devez pas consommer de boissons alcoolisées pendant votre traitement au Seroquel.
- Évitez le surchauffement et la déshydratation pendant votre traitement au Seroquel.

Quelles sont les questions importantes à discuter avec mon médecin?

- Tenez votre médecin au courant de votre état. N'hésitez pas à l'appeler en tout temps pour lui poser des questions ou lui parler de vos inquiétudes.
- Discutez des effets secondaires ou des symptômes que vous ressentez dans le cadre de votre traitement au Seroquel.
- Indiquez à votre médecin ou à votre pharmacien tous les autres médicaments que vous prenez, juste au cas où ils pourraient être conflictuels.
- Avisez votre médecin si vous êtes enceinte ou planifier de l'être pendant votre traitement au Seroquel.
- Prévenez votre médecin si vous comptez allaiter car vous ne devriez pas prendre Seroquel pendant ce temps.

Rappelez vous de prendre Seroquel tous les jours tel qu'on vous l'a prescrit, et ne cessez pas de le prendre sans en parler d'abord avec votre médecin.

Lorsqu'on le prend conformément à son ordonnance, Seroquel est aussi favorable pour le corps que pour l'esprit.

Les gens à votre disposition pour vous venir en aide. Il y a toujours quelqu'un sur qui compter. En plus de votre famille et de vos amis, des médecins, des infirmiers, des pharmaciens, des travailleurs sociaux et d'autres prestateurs de soins de santé sont là pour répondre à vos questions ou vous aider en cas de problème.

La Société canadienne de schizophrénie et l'Association canadienne pour la santé mentale (ACSM) sont des organismes nationaux qui collaborent avec des sections locales afin d'assurer un soutien aux personnes et aux familles vivant avec des maladies mentales. Ils sont toujours là pour donner un coup de main:

La Société canadienne de schizophrénie: 75 The Donway West, bureau 814, Don Mills (Ontario) M3C 2B9, Téléphone: (416) 445-8204, Télécopieur: (416) 445-2270.

Association canadienne pour la santé mentale—Québec: 550, rue Sherbrooke West, bureau 310, Montréal (Québec) H3A 1B9, Téléphone (514) 849-3291, Télécopieur (514) 849-3292.

□ SERZONE® Pr

Bristol-Myers Squibb

Chlorhydrate de néfazodone

Antidépresseur

Renseignements destinés aux patients: Qu'est-ce que Serzone?

- Serzone (chlorhydrate de néfazodone) fait partie d'un groupe de médicaments appelés antidépresseurs.
- Votre médecin vous a prescrit Serzone pour soulager vos symptômes de dépression.

Données importantes que vous devez communiquer à votre médecin avant de prendre Serzone:

- tous vos antécédents médicaux, y compris vos antécédents de maladies convulsives, hépatiques et cardiaques et vos problèmes de tension artérielle;
- tous les médicaments que vous prenez (sur ordonnance ou en vente libre), particulièrement les antidépresseurs du type inhibiteur de la monoamine-oxydase, comme Nardil (phénelzine), Parnate (tranylcypromine) ou Manerix (moclobémide); certaines benzodiazépines, comme le somnifère Halcion (triazolam) ou l'anxiolytique Xanax (alprazolam); l'agent gastro-intestinal Prepulsid (cisapride); les antihistaminiques tels que Hismanal (astémizole) et Seldane (terfénadine); ou les hypolipidémiants comme Mevacor (lovastatine), Zocor (simvastatine), Lipitor (atorvastatine) ou Baycol (cérivastatine);
- le fait d'être enceinte ou de planifier une grossesse ainsi que celui de nourrir votre enfant au sein;
- vos habitudes concernant la consommation d'alcool.

Comment prendre Serzone:

- Vous devez prendre Serzone en suivant scrupuleusement les instructions de votre médecin.
- Vous ne devez jamais augmenter la dose de Serzone sans recommandation expresse de votre médecin.
- Vous pourrez ne pas noter les effets antidépresseurs de Serzone avant 4 semaines ou plus.
- Vous pouvez prendre Serzone avec ou sans aliments.

Quand ne pas prendre Serzone:

- Vous ne devez pas prendre Serzone si vous êtes allergique à cet agent ou à l'un des ingrédients de la formulation (la liste des ingrédients est donnée à la fin de cette rubrique). Arrêtez de prendre le médicament et appelez sans tarder votre médecin si vous manifestez une réaction allergique ou un effet secondaire inhabituel ou grave.

Précautions à prendre lors du traitement par Serzone:

- Vous pourrez ressentir certains effets secondaires comme la sécheresse de la bouche, des nausées, de la somnolence, des étourdissements, de la constipation, des faiblesses, une sensation de tête légère ou une vision trouble. Contactez votre médecin si ces effets secondaires ou d'autres se manifestent, car une adaptation de la dose pourrait s'avérer nécessaire.
- Ne vous engagez pas dans des activités qui pourraient être risquées, par exemple, conduire une automobile ou faire fonctionner des machines dangereuses, jusqu'au moment où vous avez déterminé avec certitude que ce médicament n'affecte pas votre vigilance ou votre coordination physique.
- Évitez les boissons alcoolisées pendant que vous prenez Serzone.
- Les patients présentant des érections prolongées ou inappropriées doivent cesser immédiatement la prise de Serzone et consulter leur médecin. Si l'érection persiste pendant plus de 24 heures, ils doivent consulter un urologue.
- Lorsque vous prenez Serzone, consultez votre médecin avant de prendre tout autre médicament (sur ordonnance ou en vente libre), puisqu'il existe des interactions médicamenteuses possibles.

Que faire en cas de surdosage:

- Contactez votre médecin ou rendez vous au service d'urgence du centre hospitalier le plus proche, même si vous ne vous sentez pas malade.

Comment entreposer Serzone?

- Conservez votre médicament à la température ambiante (15 à 30 °C).
- Gardez le flacon bien fermé.
- Rangez le médicament hors de la portée des enfants.

Quels sont les ingrédients de Serzone?

- Serzone est présenté sous forme de comprimés contenant 50, 100, 150 ou 200 mg de chlorhydrate de néfazodone, qui en est l'ingrédient actif. Les ingrédients non médicinaux sont la cellulose microcristalline, la polyvidone, le glycolate d'amidon sodique, le bioxyde de

Serzone (suite)

silice colloïdal, le stéarate de magnésium, l'oxyde ferrique rouge (comprimés à 50 et à 150 mg) et l'oxyde ferrique jaune (comprimés à 150 et à 200 mg).

Attention: Ce médicament vous a été prescrit pour votre usage personnel. N'en donnez à personne d'autre. Pour tout renseignement supplémentaire, veuillez vous adresser à votre médecin ou à votre pharmacien.

□ SH-206
Pharmascience

Acide acétique—Camphre—Huile essentielle de citronnelle—Lauryl éther sulfate de sodium

Pédiculicide

Renseignements destinés aux patients: Dans le but d'éviter une recontamination, il est important que le consommateur prenne conscience que le traitement de la pédiculose ne devrait pas se limiter à l'élimination des poux trouvés sur la personne parasitée. Les autres membres de la communauté devraient également être traités s'il y a le moindre risque de contamination.

Les poux de la tête vivent dans la chevelure et pondent de petits oeufs blanchâtres (lentes) près du cuir chevelu. Les poux et les lentes peuvent être observés plus facilement à la base du cou ou derrière les oreilles. Tous les bonnets, écharpes, manteaux et le linge doivent être désinfectés par lavage en machine (à l'eau chaude) et par séchage en utilisant le cycle le plus chaud de la sécheuse, durant au moins 20 minutes. Tout le linge personnel et la literie qui ne peuvent être lavés doivent être nettoyés à sec ou scellés dans un sac de plastique pendant environ deux semaines. Les peignes et les brosses peuvent être désinfectés par trempage dans l'eau chaude à une température supérieure à 55 °C pendant 10 minutes. Un bon nettoyage de la chambre du patient à l'aide de l'aspirateur est recommandé.

□ SINGULAIR® Ⓟ
MSD

Montélukast sodique

Antagoniste des récepteurs des leucotriènes

Renseignements destinés aux patients: Veuillez lire attentivement cette notice avant que vous ou votre enfant commenciez à prendre le médicament, et chaque fois que vous renouvelez votre ordonnance, au cas où des changements auraient été apportés.

N'oubliez pas que le médecin vous a prescrit ce médicament pour votre usage personnel ou celui de votre enfant. Vous ne devez pas le donner à d'autres personnes.

Qu'est-ce que Singulair? Singulair est un antagoniste des récepteurs des leucotriènes qui bloque l'activité de substances appelées leucotriènes. Les leucotriènes provoquent un rétrécissement des voies respiratoires et une enflure de la membrane qui tapisse les voies aériennes. Le blocage des leucotriènes atténue ces symptômes et aide à prévenir les crises d'asthme.

Pourquoi votre médecin vous a-t-il prescrit Singulair? Votre médecin a prescrit Singulair, à vous ou à votre enfant, pour le traitement de l'asthme, et notamment, pour la prévention des symptômes durant la journée et la nuit. Lorsqu'il est pris selon les directives, Singulair prévient également le rétrécissement des voies aériennes (bronchoconstriction) provoqué par l'exercice.

Qu'est-ce que l'asthme? L'asthme est une maladie pulmonaire chronique qu'on ne peut guérir mais qu'il est possible de maîtriser.

Caractéristiques de l'asthme: L'asthme est dû à un rétrécissement des voies aériennes qui rend la respiration difficile. Ce rétrécissement augmente ou diminue en réponse à différents stimuli; une inflammation des voies aériennes qui occasionne de l'enflure au niveau de la membrane qui tapisse les voies aériennes; une sensibilité des voies aériennes qui provoque une réaction à de nombreux facteurs déclenchants comme la fumée de cigarette, le pollen ou l'air froid.

Symptômes de l'asthme: Les symptômes de l'asthme sont les suivants: toux, respiration sifflante et sensation d'oppression au niveau de la poitrine. Les asthmatiques ne présentent pas tous une respiration sifflante. Chez certains, la toux est le seul symptôme. Les symptômes surviennent souvent au cours de la nuit ou après l'exercice.

Comment pouvez-vous savoir si vous faites de l'asthme? Votre médecin peut savoir si vous faites de l'asthme en notant la présence de symptômes ou encore en mesurant le volume d'air que vous pouvez expulser de vos poumons. Il pourra évaluer votre fonction pulmonaire au moyen d'un appareil appelé débitmètre de pointe ou spiromètre.

Le traitement permet de maîtriser l'asthme. Il est important de traiter même les formes légères d'asthme afin d'éviter que la maladie ne s'aggrave.

Comment doit-on traiter l'asthme? Pour prévenir les symptômes reliés à l'asthme et améliorer votre respiration, il est important qu'avec l'aide de votre médecin, vous trouviez:

—des moyens d'éviter le plus possible les facteurs ou les situations susceptibles de déclencher des crises d'asthme (p. ex., le tabac ou la fumée de cigarette [y compris celle d'autres personnes], la poussière de maison, les blattes, les moisissures, le pollen, les phanères d'animaux [petits débris provenant des poils, des plumes, etc.], les changements de temps et de température et les infections des voies respiratoires supérieures, comme les rhumes);

—le plan de traitement le plus approprié pour maîtriser votre asthme.

Comment Singulair permet-il de maîtriser l'asthme? Singulair bloque l'activité de substances appelées leucotriènes qui se trouvent dans les poumons et qui sont responsables du rétrécissement et de l'inflammation des voies aériennes.

Pourquoi est-il important de prendre régulièrement le médicament, tel qu'il est prescrit? Le fait de prendre votre médicament selon les directives du médecin ou de la personne qui vous soigne peut aider à réduire la gravité de l'asthme et la fréquence des crises.

Ce qu'il faut savoir avant de prendre Singulair et au cours du traitement: Il est important que vous ou votre enfant **continuiez de prendre chaque jour le médicament tel qu'il a été prescrit par le médecin, même en l'absence de symptômes ou à la survenue d'une crise.**

Si les symptômes de l'asthme s'aggravent, vous devez communiquer immédiatement avec votre médecin.

Les comprimés Singulair ne peuvent traiter les crises d'asthme aigu. En cas de crise, vous devez, ainsi que votre enfant, suivre les directives que le médecin vous a données pour une telle situation.

Dans quel cas Singulair est-il contre-indiqué? Vous ne devez pas prendre Singulair si vous ou votre enfant êtes allergiques à l'un des composants du médicament.

Ce que vous devez signaler au médecin (ou à la personne qui vous soigne) avant de prendre Singulair: Avisez votre médecin ou la personne qui vous soigne de tout problème médical passé ou présent et des allergies que vous ou votre enfant présentez actuellement ou avez présentées par le passé.

Utilisation chez les enfants: Les comprimés à croquer Singulair sont indiqués pour les enfants de 6 à 14 ans. L'innocuité et l'efficacité de Singulair chez les enfants de moins de 6 ans n'ont pas encore été établies.

Phénylcétonurie: Le comprimé à croquer Singulair contient 0,842 mg de phénylalanine.

Utilisation pendant la grossesse: Les femmes enceintes ou qui ont l'intention de le devenir doivent consulter leur médecin avant de prendre Singulair.

Utilisation pendant l'allaitement: On ignore si Singulair est excrété dans le lait maternel. Si vous allaitez ou si vous avez l'intention de le faire, consultez votre médecin avant de prendre Singulair.

Pouvez-vous prendre Singulair en même temps que d'autres médicaments? En général, Singulair ne cause pas d'interactions avec les autres médicaments que vous ou votre enfant pourriez prendre. Toutefois, il est important d'informer votre médecin des médicaments que vous prenez ou que vous avez l'intention de prendre, y compris les produits vendus sans ordonnance.

Pouvez-vous conduire un véhicule ou faire fonctionner une machine pendant un traitement avec Singulair? Singulair ne devrait pas affecter votre capacité de conduire un véhicule ou de faire fonctionner une machine.

Mode d'emploi de Singulair: Prenez Singulair tous les jours au coucher, avec ou sans aliments, en suivant les directives de votre médecin. La dose pour adultes et adolescents de 15 ans et plus est de 1 comprimé à 10 mg, 1 fois/jour. La dose pour enfants de 6 à 14 ans est de 1 comprimé à croquer à 5 mg, 1 fois/jour.

Il est important que vous ou votre enfant continuiez à prendre Singulair durant toute la période prescrite par votre médecin en vue d'assurer la maîtrise de votre asthme. Singulair n'est efficace dans le traitement de l'asthme que si l'on poursuit régulièrement le traitement.

Que devez-vous faire en cas de surdosage? En cas de surdosage, communiquez immédiatement avec votre médecin.

Que devez-vous faire si vous oubliez une dose? Essayez de prendre Singulair conformément aux directives de votre médecin. Cependant, si vous ou votre enfant oubliez une dose, reprenez le calendrier habituel de 1 dose/jour dès le lendemain.

Quelles sont les réactions défavorables qui peuvent survenir avec la prise de Singulair? Tout médicament peut provoquer des réactions inattendues ou indésirables, appelées effets secondaires. Singulair est généralement bien toléré. Dans les études, les réactions les plus fréquemment rapportées ont été des douleurs abdominales et des maux de tête. Dans la plupart des cas, ces réactions ont été légères et sont survenues à la même fréquence chez les patients traités avec Singulair et chez ceux qui avaient reçu un placebo (une substance non médicamenteuse). Avertissez votre médecin ou votre pharmacien si des symptômes inhabituels surviennent ou si des symptômes connus persistent ou s'aggravent.

Que pouvez-vous faire pour obtenir plus d'information concernant Singulair et l'affection pour laquelle il vous a été prescrit? Vous pouvez demander plus d'information à votre médecin ou à votre pharmacien qui vous communiqueront des renseignements plus complets sur le produit et sur l'asthme.

Combien de temps pouvez-vous garder le médicament? Vous ne devez plus utiliser ce médicament après la date indiquée par les quatre chiffres inscrits sur le contenant à la suite des lettres EX (ou EXP). Les deux premiers chiffres indiquent le mois et les deux derniers indiquent l'année.

Entreposage de Singulair: Conservez Singulair à la température ambiante (15 à 30 °C) dans un endroit sec.

Gardez tous les médicaments hors de la portée des enfants.

Ingrédients: Singulair (montélukast sodique) contient du montélukast sodique comme ingrédient actif. Il est présenté sous forme de comprimé à 10 mg pour les adultes et les adolescents de 15 ans et plus, **ou** sous forme de comprimé à croquer à 5 mg pour les enfants de 6 à 14 ans.

Le comprimé à 10 mg, enrobé par film, renferme les ingrédients non médicinaux suivants: cellulose microcristalline, croscarmellose de sodium, hydroxypropylcellulose, lactose hydrique et stéarate de magnésium. L'enrobage par film est composé de cire de carnauba, de dioxyde de titane, d'hydroxypropylméthylcellulose, d'hydroxypropylcellulose, d'oxyde de fer jaune et d'oxyde de fer rouge.

Le comprimé à croquer à 5 mg renferme les ingrédients non médicinaux suivants: aspartame, cellulose microcristalline, croscarmellose de sodium, hydroxypropylcellulose, mannitol, oxyde de fer rouge, stéarate de magnésium et arôme de cerise.

□ 692®, COMPRIMÉS Ⓝ

Frosst

Chlorhydrate de propoxyphène
AAS—Caféine—Chlorhydrate de propoxyphène

Analgésique

Renseignements destinés aux patients: Comprimés 692: Ce médicament contient deux analgésiques: le propoxyphène et l'acide acétylsalicylique (AAS). Il est utilisé pour soulager la douleur et ne peut être obtenu que sur ordonnance médicale.

Mode d'emploi du médicament: Prendre ce médicament seulement tel que prescrit par votre médecin. N'en prenez pas une dose plus forte, n'en prenez pas plus souvent ni plus longtemps que la période prescrite par votre médecin. Si vous en prenez trop longtemps, vous pourriez vous y habituer et développer une accoutumance mentale ou physique ou entraîner des problèmes d'ordre médical. Ce médicament a spécifiquement été prescrit pour vous. N'en donnez pas à qui que ce soit même si la personne semble présenter les mêmes symptômes que les vôtres.

Si vous oubliez de prendre une dose, ne la doublez pas. Reprenez plutôt votre mode de traitement habituel.

Garder ce médicament hors de la portée des enfants puisqu'un surdosage s'avère très dangereux chez les jeunes enfants. Le propoxyphène n'est pas recommandé pour les enfants de moins de 12 ans.

Précautions à prendre en cours de médication: Ce médicament accentue les effets de l'alcool et d'autres médicaments qui ralentissent le système nerveux (dépresseurs du système nerveux central). Les dépresseurs du SNC comprennent les antihistaminiques ou médicaments contre le rhume des foins, les autres allergies et le rhume ordinaire; les sédatifs, les tranquillisants ou les narcotiques; les barbituriques; les médicaments utilisés en cas de convulsions; les antidépresseurs tricycliques (contre la dépression); ou les anesthésiques dont certains anesthésiques dentaires. **Consultez votre médecin avant d'utiliser l'une des substances susmentionnées en même temps que ce médicament. Avant de subir une chirurgie, avisez votre médecin ou votre dentiste que vous prenez du propoxyphène.**

Avis important: Évitez de consommer des boissons alcoolisées lorsque vous prenez du propoxyphène. Il est dangereux de consommer beaucoup d'alcool lorsque vous prenez du propoxyphène car il peut produire des symptômes de surdosage.

Ne prenez pas ce médicament si vous êtes enceinte à moins que votre médecin sache que vous l'êtes. Si vous le devenez, avisez votre médecin.

Ne prenez pas de propoxyphène si vous avez déjà eu une réaction allergique à celui-ci.

Avisez votre médecin **avant** de prendre ce médicament si vous souffrez d'allergies, du rhume des foins ou d'asthme **ou** si vous avez manifesté une allergie à l'AAS (Aspirin) ou au propoxyphène.

Ce médicament peut rendre certaines personnes somnolentes, étourdies ou prises de vertiges. Elles peuvent ressentir un faux sentiment de bien-être. **Assurez-vous de bien connaître votre réaction à ce médicament avant de conduire, d'opérer des machines ou d'entreprendre des tâches qui requièrent de la vigilance et de la lucidité.**

Parmi les autres effets secondaires, on retrouve les nausées et les vomissements. Les effets secondaires moins communs sont la constipation, les crampes abdominales, les démangeaisons, les éruptions de la peau, les vertiges, les maux de tête, la faiblesse, les troubles mineurs de la vue, les sensations d'exaltation ou de malaise, la difficulté à respirer, l'enflure des paupières et du visage, le bourdonnement d'oreilles, la perte de l'ouïe.

Si vous ressentez n'importe lequel de ces effets secondaires, contactez votre médecin.

Surdosage: Si vous croyez être victime d'un surdosage, obtenez de l'aide immédiatement. Un surdosage de propoxyphène, l'ingestion d'alcool ou de dépresseurs du SNC et de propoxyphène peuvent entraîner des symptômes de surdosage y compris la perte de conscience et la mort. Les symptômes du surdosage comprennent les convulsions, la confusion mentale, la nervosité grave, l'agitation, les crises, les étourdissements graves, la somnolence grave, l'essoufflement ou la respiration trouble et la grande faiblesse. Si l'un ou plusieurs de ces troubles se manifestent, **obtenez de l'aide immédiatement.**

À retenir: Informez votre médecin et votre pharmacien de la prise de tout autre médicament. Certains médicaments pris en même temps que le propoxyphène peuvent **augmenter les effets indésirables.** Pour de plus amples renseignements, consultez votre médecin ou votre pharmacien.

□ SLO-BID® Ⓟ

Rhône-Poulenc Rorer

Théophylline

Bronchodilatateur

Renseignements destinés aux patients: Votre médecin vous a prescrit les capsules Slo-Bid qui renferment de la théophylline dans une formule à libération progressive. La théophylline maintient vos voies aériennes libres pour que vous puissiez respirer plus facilement. Les capsules Slo-Bid libèrent la théophylline de façon progressive, ce qui permet à la plupart des patients de ne prendre que 2 doses/jour.

On a observé des interactions entre la théophylline et de nombreux médicaments; il est donc important que votre médecin soit mis au courant de tous les médicaments que vous prenez.

Il est important que vous preniez vos capsules Slo-Bid de façon régulière, aux moments et aux doses indiqués par votre médecin. Si vous oubliez des doses, vos symptômes d'asthme et de bronchite peuvent réapparaître; si vous prenez plus de doses que prescrites, vous pouvez développer des effets secondaires, comme maux de tête,

Slo-Bid (suite)

nausées ou vomissements. Si ces effets secondaires apparaissent pendant le traitement avec Slo-Bid, communiquez avec votre médecin avant de continuer le traitement. Si vos symptômes s'aggravent bien que vous preniez vos médicaments de façon régulière, vous devriez également communiquer avec votre médecin. Toutefois, n'augmentez **pas** votre dose de Slo-Bid sans que votre médecin ne vous l'ait spécifiquement recommandé.

Pour avaler les capsules Slo-Bid plus facilement et assurer qu'elles atteignent rapidement votre estomac, chaque dose devrait être prise avec un verre d'eau (120 à 180 mL), que vous boirez en position debout ou assise avec le dos droit. Prenez les capsules telles quelles. N'écrasez ni ne mâchez les capsules, car cela modifierait leur système de libération prolongée. Sauf avis contraire de votre médecin, prenez Slo-Bid avec des aliments ou peu de temps après un repas.

Méthode d'administration par saupoudrage: L'administration de Slo-Bid par saupoudrage ne modifie ni la vitesse ni le taux d'absorption du médicament. Cette méthode peut donc être particulièrement utile chez les patients qui ne peuvent pas avaler de capsules entières.

Directives pour administration par saupoudrage:

1. Tenir la capsule à l'horizontale au-dessus d'une cuillère remplie d'un aliment semi-solide, tiède ou froid et facile à avaler comme de la compote de pommes, du pouding, de la purée de fruits ou de la crème glacée.
2. Tourner légèrement les deux parties de la capsule en directions opposées pour les séparer et saupoudrer le contenu sur la cuillère.
3. Avaler immédiatement le mélange sans le mâcher.
4. Ne conserver ni réutiliser le médicament qui a déjà été saupoudré sur de la nourriture.
5. Si une partie du contenu de la capsule s'est renversée pendant cette opération, recommencer depuis le début afin de s'assurer de prendre une dose complète.

Si vous vous apercevez que vous avez manqué une dose et que moins de 3 heures se sont écoulées depuis l'horaire prévu, prenez votre dose immédiatement. Si plus de 3 heures se sont écoulées depuis l'horaire prévu, reprenez votre horaire régulier à partir de la dose suivante prévue.

Les capsules Slo-Bid, une formule à libération progressive, ne conviennent pas pour le traitement d'urgence, quand on recherche le soulagement rapide du bronchospasme.

En cas d'infection virale, la posologie de Slo-Bid peut devoir être ajustée. Si vous développez des effets secondaires pendant cette infection, ne prenez pas la dose suivante prévue de Slo-Bid, mais appelez votre médecin.

Si vous avez d'autres problèmes, appelez votre médecin.

□ SOLGANAL® ℞

Schering

Aurothioglucose

Agent antirhumatismal

Renseignements destinés aux patients: La polyarthrite rhumatoïde est une maladie inflammatoire chronique de nature systémique, c.-à-d. que l'inflammation peut apparaître dans divers organes et tissus de l'organisme. Cependant, la polyarthrite rhumatoïde est habituellement caractérisée par une inflammation des articulations qui peut endommager ou déformer l'articulation.

On utilise les sels d'or pour traiter des troubles médicaux depuis 1890 et la polyarthrite rhumatoïde, en particulier, depuis 1935. Son utilité a été confirmée à maintes reprises par des études cliniques. Bien qu'elle ne soit pas bénéfique pour tous les patients, l'aurothérapie peut réduire graduellement l'activité de la maladie et, chez certains sujets, amener une rémission.

En début de traitement, l'or est administré par injection i.m. d'après un programme hebdomadaire. Il peut s'écouler de 3 à 4 mois avant qu'une amélioration sensible soit mesurable. Lorsque l'état s'améliore, le programme posologique peut être ajusté de façon à réduire la fréquence des injections et les établir à toutes les 2 à 4 semaines. Un diagnostic initial approfondi ainsi qu'un suivi sont nécessaires pour prévenir les effets secondaires indésirables ou pour les dépister.

Ces effets secondaires sont présents chez 30 à 50 % des patients. Ils apparaissent généralement au cours des 6 premiers mois de traitement mais ils peuvent se manifester en tout temps. Lors de vos visites, votre médecin s'informera des effets secondaires qui peuvent comprendre de la démangeaison ou des éruptions cutanées, des ulcérations dans la bouche ou sur la langue, une hausse temporaire de la douleur de l'articulation reliée aux injections de sels d'or ainsi que des brûlures ou ulcérations vaginales. Les éruptions peuvent se manifester sous diverses formes et apparaître presque partout sur le corps; il vaut mieux signaler à votre médecin tout changement au niveau de la peau. La plupart des effets secondaires ne sont pas importants, mais il peut être nécessaire de modifier ou de cesser le traitement à cause de ces effets.

Avant le début du traitement, et régulièrement ensuite, des échantillons sanguins et urinaires seront prélevés afin de dépister d'autres effets secondaires inhabituels. Il peut s'agir d'une diminution des leucocytes ou des plaquettes, de même qu'une perte de protéines dans les urines. Bien que ce phénomène soit rare, les plaquettes (cellules sanguines qui aident à la coagulation) peuvent diminuer rapidement en nombre, provoquant des ecchymoses ou des hémorragies. Tout saignement anormal doit être signalé à votre médecin.

□ SORIATANE™ ℞

Roche

Acitrétine

Traitement des troubles de la kératinisation

Renseignements destinés aux patients: Patients des deux sexes: Soriatane est un médicament utilisé pour traiter certaines formes graves d'affections cutanées. Pour votre santé, votre sécurité et votre bien-être, il est **important** que vous lisiez les renseignements suivants.

Les femmes qui prennent Soriatane avant ou pendant leur grossesse risquent d'avoir des enfants difformes. Votre médecin a le dessin d'un enfant né avec de telles malformations. Vous devriez lui demander de vous le montrer.

Renseignements importants pour les femmes fertiles:

- **Ne prenez pas Soriatane si vous êtes enceinte ou pouvez le devenir pendant votre traitement ou pendant une période indéterminée d'au moins 2 ans après la fin de votre traitement (veuillez discuter de ce sujet avec votre médecin).**
- **Vous devez éviter de devenir enceinte pendant que vous prenez Soriatane et pendant une période indéterminée d'au moins 2 ans après avoir cessé de prendre Soriatane (veuillez discuter de ce sujet avec votre médecin).**
- **Vous devez discuter avec votre médecin de contraception efficace avant de commencer à prendre Soriatane et vous devez prendre des mesures contraceptives efficaces:**
  - **Pendant au moins 1 mois avant de commencer à prendre Soriatane,**
  - **Aussi longtemps que vous prenez Soriatane et**
  - **Pendant une période indéterminée d'au moins 2 ans après avoir cessé de prendre Soriatane (veuillez discuter de ce sujet avec votre médecin),**
    Gardant à l'esprit qu'aucune méthode contraceptive n'est sûre à cent pour cent.
- **Il est recommandé soit que vous vous absteniez de relations sexuelles, soit que vous utilisiez simultanément 2 méthodes efficaces de contraception.**
- **Ne prenez pas Soriatane tant que vous n'êtes pas certaine de ne pas être enceinte.**
  - **Vous devez passer un test de grossesse (prise de sang ou d'urine) au cours des 2 semaines précédant le début de votre traitement par Soriatane.**
  - **Vous devez attendre le deuxième ou le troisième jour de votre prochain cycle menstruel avant de commencer à prendre Soriatane.**

- **Communiquez immédiatement avec votre médecin si vous devenez enceinte pendant que vous prenez Soriatane ou après la fin de votre traitement, vous devez discuter avec votre médecin du risque élevé de graves malformations congénitales pour votre enfant** du fait que vous prenez ou avez pris Soriatane. Vous devriez aussi discuter avec lui pour savoir s'il est souhaitable de poursuivre votre grossesse.

- **N'allaitez pas au sein pendant que vous prenez Soriatane ni pendant une période indéterminée d'au moins 2 ans après avoir cessé de prendre Soriatane (veuillez discuter de ce sujet avec votre médecin).**

Renseignements importants pour les patients des deux sexes: Toutes les femmes qui prennent Soriatane doivent éviter de devenir enceintes car Soriatane risque de provoquer des difformités chez les enfants (voir Renseignements importants pour les femmes fertiles).

- Femmes: Ne buvez pas d'alcool pendant que vous prenez Soriatane, ni pendant 2 mois après avoir arrêté le traitement.
- Hommes: Évitez ou limitez la consommation d'alcool pendant que vous prenez Soriatane et pendant 2 mois après avoir arrêté le traitement.
- **Soyez fidèle à tout rendez-vous que vous donne votre médecin.** Il est important que votre médecin vous examine régulièrement, de préférence chaque mois, durant votre traitement par Soriatane. Des analyses de sang et d'autres tests permettront à votre médecin de vérifier votre réponse à Soriatane. Parlez à votre médecin de vos progrès et de toutes vos préoccupations.
- **Ne donnez Soriatane à aucune autre personne qui présente des symptômes semblables aux vôtres.** Soriatane doit être prescrit pour chaque cas individuellement à cause des effets indésirables possibles (voir ci-dessous).

Important: Toute femme risque d'avoir un enfant difforme si elle prend Soriatane avant ou pendant sa grossesse.

- **Ne donnez pas de sang pendant que vous prenez Soriatane** ni pendant une période indéterminée d'au moins 2 ans après avoir cessé de prendre Soriatane, car votre sang ne doit pas être transfusé à une femme enceinte.

Veuillez poursuivre votre lecture

Autres renseignements pour les patients des deux sexes: Ce que vous devez dire à votre médecin avant de commencer à prendre Soriatane:

- **Signalez à votre médecin si vous ou un membre de votre famille avez un des troubles suivants: diabète, maladie du foie, maladie cardiaque, dépression, alcoolisme ou obésité.**

Progrès du traitement:

- Une aggravation temporaire de l'affection cutanée peut se produire durant le premier mois du traitement par Soriatane. Au début du traitement, on note parfois davantage de rougeur ou de démangeaison, mais ces réactions devraient disparaître au fur et à mesure que se poursuit le traitement. Il peut s'écouler 2 ou 3 mois avant que les effets bénéfiques de Soriatane ne se remarquent pleinement.
- **Si vous remarquez une aggravation de l'état de votre peau, consultez votre médecin.** Il est possible que cela survienne dans les premiers mois suivant l'arrêt de Soriatane. Une deuxième cure produit généralement la même réponse que la première.

Réactions indésirables:

- Durant les premières semaines de traitement, peut-être avant que vous notiez une amélioration, **vous pourrez présenter des réactions indésirables. Les plus courantes sont entre autres:** lèvres gercées, desquamation de la peau du bout des doigts ainsi que celle de la paume des mains et de la plante des pieds, chute de cheveux (voir ci-dessous), démangeaison, peau moite, sécheresse ou écoulement nasal. **Demandez à votre médecin s'il est nécessaire de modifier la posologie, surtout si ces effets deviennent incommodants.**
- La plupart des patients perdent des cheveux; l'ampleur de cette réaction varie d'un patient à l'autre. On ne peut prédire dans quelle mesure vous perdrez vos cheveux ou si votre chevelure redeviendra normale après le traitement.
- Si vous portez des verres de contact, vous aurez peut-être plus de difficulté à les tolérer pendant et après votre traitement, car Soriatane peut assécher les yeux.
- **Dites à votre médecin si une ou plusieurs réactions indésirables ne disparaissent pas dans les semaines suivant la fin de votre traitement par Soriatane.**

Précautions spéciales:

- **Ne prenez pas de préparations vitaminiques ni de suppléments nutritifs naturistes qui contiennent de la vitamine A.** Soriatane est apparenté à la vitamine A. La vitamine A contenue dans ces produits peut accroître les effets indésirables de Soriatane. Vérifiez auprès de votre médecin ou de votre pharmacien en cas de doute sur la composition d'un produit que vous prenez.
- **Évitez toute exposition prolongée au soleil.** Soriatane peut augmenter la sensibilité de votre peau au soleil.
- La vision nocturne a été réduite chez quelques patients prenant Soriatane. Comme ce problème peut survenir soudainement, vous devez faire preuve de prudence lorsque vous conduisez ou opérez un véhicule la nuit. S'il vous arrive d'avoir un trouble visuel, arrêtez de prendre Soriatane et consultez votre médecin.

Symptômes spéciaux dont vous devriez parler à votre médecin:

- **Si vous avez des douleurs aux os ou aux articulations, ou si vous avez de la difficulté à vous mouvoir, dites-le à votre médecin.** Des modifications osseuses ont été décelées par radiographies chez des patients prenant Soriatane. On ne connaît pas actuellement l'ampleur des dommages que ces modifications peuvent causer.
- **Si vous présentez l'un des symptômes énumérés ci-dessous, parlez-en à votre médecin dans les plus brefs délais, car ces réactions indésirables pourraient entraîner des effets permanents. Ces symptômes peuvent être les premiers signes d'effets indésirables rares, mais plus graves, que votre médecin voudra enrayer le plus tôt possible:**
  - **maux de tête, nausées, vomissements, vision brouillée, autres troubles visuels, sautes d'humeur;**
  - **sensation persistante de sécheresse oculaire, baisse de la vision nocturne;**
  - **douleurs aux os ou aux articulations, ou difficulté à se mouvoir;**
  - **jaunissement de la peau ou des yeux, urine foncée, symptômes pseudo-grippaux.**
  - **Parlez à votre médecin de tout symptôme inhabituel ou important apparaissant au cours du traitement.**

Directives générales à suivre pendant que vous prenez Soriatane:

- **Appelez votre médecin si vous avez des questions ou si vous présentez des symptômes importants ou incommodants.**
- **Gardez Soriatane hors de la portée des enfants.**
- **Lisez attentivement l'étiquette de votre prescription** et assurez-vous de prendre la quantité exacte de médicament prescrite par votre médecin. Il se peut que votre médecin modifie votre dose de temps en temps; il faut donc vérifier l'étiquette chaque fois que vous faites renouveler votre prescription de Soriatane. Si vous avez des questions, appelez votre médecin.
- **Prenez Soriatane avec des aliments ou immédiatement après un repas.** Si vous oubliez de prendre une dose de Soriatane, vous pouvez la prendre plus tard dans la journée, mais ne dépassez pas la dose quotidienne de Soriatane prescrite par votre médecin.
- **Gardez les gélules de Soriatane à l'abri du soleil et de la chaleur.** Il n'est pas nécessaire de conserver Soriatane au réfrigérateur.

Ce résumé ne contient pas tous les renseignements connus au sujet de Soriatane. Si vous avez des questions, consultez votre médecin.

□ STADOL NS MD ◈

Bristol-Myers Squibb

Tartrate de butorphanol

Analgésique

Renseignements destinés aux patients: Veuillez lire attentivement ces renseignements avant de commencer à prendre votre médicament même si on vous l'a déjà prescrit auparavant. Conservez ce document jusqu'à ce que vous ayez fini toute la quantité de médicament qui vous a été prescrite puisqu'il se pourrait que vous ayez besoin de le lire de nouveau. Si vous avez besoin de renseignements ou de conseils supplémentaires, veuillez vous adresser à votre médecin ou à votre pharmacien.

Qu'est-ce que Stadol NS?

- Stadol NS (tartrate de butorphanol) appartient à une classe de médicaments appelés analgésiques opiacés.
- Stadol NS vous a été prescrit par votre médecin pour soulager vos symptômes de douleur.

Points à noter: Avant de prendre Stadol NS, vous devez communiquer à votre médecin les données suivantes:

- Tous vos troubles médicaux, par exemple vos antécédents de pharmacodépendance, de traumatisme crânien, de maladies du système nerveux central, d'altération de la fonction respiratoire, de maladies hépatiques, de maladies rénales ou de troubles cardiaques ainsi que vos problèmes de tension artérielle.
- Tous les médicaments vendus sur ordonnance ou en vente libre que vous prenez, particulièrement les dépresseurs du système nerveux central, comme l'alcool, les barbituriques, les tranquillisants et les antihistaminiques, les agents qui modifient la capacité du foie de

Stadol NS (suite)

métaboliser les médicaments comme l'érythromycine et la théophylline, ou les antidépresseurs de type inhibiteurs de la monoamine oxydase, comme la phénelzine, la trancyclopromine ou le moclobémide.
- Le fait d'être enceinte ou de souhaiter le devenir ou d'allaiter.
- Vos habitudes concernant la consommation d'alcool.

Directives pour l'utilisation de Stadol NS: Prenez le médicament en respectant les recommandations de votre médecin. Pour utiliser adéquatement le vaporisateur nasal, veuillez lire attentivement les instructions qui suivent.

Instructions (voir le prospectus d'emballage pour les illustrations):
1. Veuillez vous moucher.
2. Retirez le bouchon transparent du flacon. Retirez la pince protectrice.
3. Avant la première utilisation, amorcez le vaporisateur en pompant **fermement** et **rapidement** jusqu'au moment où vous voyez apparaître un jet fin.
4. Introduisez la canule d'environ 1 cm, dans **une narine,** bouchez l'autre narine avec l'index et pompez fermement et rapidement.
5. Votre médecin vous dira si vous devez vaporiser 2 fois. Au besoin, administrez une deuxième vaporisation dans l'autre narine.

La dose habituelle est de 1 vaporisation: Utilisez 1 fois seulement et dans 1 seule narine. Ne vaporisez pas dans les deux narines à moins que votre médecin ne vous le recommande expressément. Ne répétez pas l'administration plus fréquemment que le médecin ne l'a indiqué.

Si vous n'utilisez pas votre flacon pendant 48 heures ou plus, vous devez réamorcer le flacon en le pompant 1 ou 2 fois.

Remarque: Chaque amorce réduit le nombre de doses qui se trouvent dans le flacon.

Stadol NS ne devrait être utilisé que par la personne à laquelle le médicament a été prescrit. Pour qu'une autre personne ne puisse utiliser ce médicament et pour prévenir le risque qu'un enfant puisse en prendre, jetez le flacon de Stadol NS dès que vous n'en avez plus besoin.

La meilleure façon de mettre au rebut votre flacon est la suivante: dévissez le bouchon, rincez le flacon et la pompe sous l'eau courante et jetez les composantes dans une poubelle hors de la portée des enfants.

Quand ne doit-on pas utiliser Stadol NS?
- Vous ne devez pas utiliser Stadol NS si vous êtes allergique au médicament ou à tout autre ingrédient entrant dans sa composition (voir la liste des ingrédients à la fin de cette section). Arrêtez de prendre le médicament et appelez immédiatement votre médecin en cas de réaction allergique ou d'effets secondaires graves ou inhabituels.

Précautions à prendre pendant un traitement par Stadol NS:
- Vous pouvez éprouver certains effets secondaires comme la torpeur, les étourdissements, la somnolence et les nausées. Consultez votre médecin si ces effets secondaires ou d'autres se manifestent.
- Ne vous engagez pas dans des tâches qui pourraient se révéler dangereuses, par exemple conduire une automobile ou faire fonctionner des machines dangereuses, jusqu'au moment où vous êtes sûr que ce médicament n'affectera pas votre vigilance ou votre coordination physique.
- Évitez la consommation de boissons alcoolisées et d'autres dépresseurs du système nerveux central comme les barbituriques, les tranquillisants et les antihistaminiques pendant que vous prenez Stadol NS.

Quoi faire en cas de surdosage:
- Appelez votre médecin ou le service d'urgence du centre hospitalier le plus près de chez vous.

Comment conserver Stadol NS:
- Gardez le flacon à la température ambiante (entre 15 et 30 °C).
- Conservez le flacon dans le contenant de sécurité.
- Rangez le flacon hors de la portée des enfants.

Quels sont les ingrédients de Stadol NS?
- Stadol NS est présenté dans une solution aqueuse contenant 10 mg/mL de tartrate de butorphanol en tant qu'ingrédient actif. Les ingrédients non médicinaux sont les suivants: chlorure de sodium, acide citrique, 0,2 mg/mL de chlorure de benzéthonium comme agent de conservation, eau purifée. L'ajustement du pH se fait par l'ajout d'hydroxyde de sodium ou d'acide chlorhydrique.

N'oubliez pas: Ce médicament vous a été prescrit pour votre seul usage. N'en donnez pas à une autre personne. Si vous voulez poser des questions supplémentaires, veuillez vous adresser à votre médecin ou à votre pharmacien.

Stadol NS est un médicament qui doit être administré avec prudence selon les directives pour soulager la douleur. Si vous croyez que vous utilisez Stadol NS plus souvent qu'il ne vous a été prescrit, consultez immédiatement votre médecin.

□ STIEVAMYCIN®, Préparations ℞

Stiefel

Érythromycine—Trétinoïne

Traitement topique de l'acné

Renseignements destinés aux patients: Les gels topiques Stievamycin (trétinoïne et érythromycine): Leur nature, leur activité et leur mécanisme d'action:

Les gels topiques Stievamycin sont une association d'érythromycine et de trétinoïne qui est prescrite depuis longtemps par les dermatologues pour le traitement de l'acné.

Le produit agit en pénétrant profondément dans la peau pour déboucher les pores, rétablissant ainsi le flot naturel et éliminant les surplus d'huiles produits par les glandes sébacées.

De plus, les gels topiques Stievamycin ont une activité desquamante, ce qui signifie que la couche externe de la peau est enlevée pour faire place à une surface cutanée plus lisse et d'apparence plus saine.

Le composant d'érythromycine produit une réduction plus rapide des lésions inflammatoires de votre acné et diminue la sensation de brûlure qui peut être ressentie lorsque la trétinoïne est employée seule.

Votre médecin vous informe habituellement qu'avec l'utilisation des gels topiques Stievamycin, une amélioration visible devrait être remarquée en dedans de 6 à 8 semaines. Aussi, soyez patient.

Il est important de comprendre que votre médecin vous a prescrit un médicament spécialement conçu pour vos besoins particuliers et votre type de peau. **Ne permettez pas que d'autres s'en servent.** De plus, l'application exagérée des gels topiques Stievamycin peut irriter votre peau et il est peu probable que le traitement soit moins long.

Il faut suivre soigneusement les directives de votre médecin pour minimiser les réactions ordinaires telles que: sensation légère de brûlure et de la rougeur. Au cours des 3 premières semaines de traitement, votre médecin peut vous recommander l'application des gels topiques de Stievamycin seulement à tous les 2 jours pour permettre à votre peau de s'habituer au médicament.

Vous devez interrompre l'usage des autres médicaments topiques contre l'acné lorsque vous utilisez les gels topiques Stievamycin sauf selon l'avis contraire de votre médecin. Il est préférable d'utiliser uniquement des cosmétiques à base aqueuse et d'éviter les lotions à base d'alcool. Votre médecin peut vous recommander une lotion hydratante pour le jour si votre peau est particulièrement sèche.

Si vous êtes une femme en âge d'enfanter, vous devez utiliser le gel Stievamycin après avoir consulté votre médecin et obtenu les informations relatives à la contraception. Si vous êtes enceinte, vous devez interrompre l'utilisation du gel Stievamycin et consulter votre médecin.

Mode d'emploi:
1. Laver les régions affectées au moyen d'un savon doux et avec de l'eau chaude, et assécher délicatement. Attendre 20 à 30 minutes pour que la peau soit parfaitement sèche.
2. Appliquer les gels topiques Stievamycin modérément et uniformément, 1 fois/jour, de préférence avant le coucher. Du bout des doigts, appliquer suffisamment pour couvrir la région affectée et masser doucement. Bien se laver les mains **avant** et **après** l'application des gels topiques Stievamycin.
3. Éviter les endroits sensibles, tels que les yeux, les lèvres et les membranes muqueuses. Éviter aussi les régions de la peau qui présentent une autre affection, telle que l'eczéma.
4. Le matin, se laver le visage avec un savon doux.
5. Au tout début, vous pourrez remarquer une rougeur et éprouver une sensation de brûlure et une desquamation pendant que votre peau s'adapte au médicament qui évacue les huiles existantes et les impuretés accumulées dans vos pores.
6. Pour réduire au minimum ces réactions, votre médecin peut vous conseiller d'utiliser la plus faible teneur de Stievamycin en augmentant graduellement jusqu'au moment où il trouvera la teneur la mieux adaptée pour votre type de peau. Votre médecin peut aussi vous

conseiller d'utiliser les gels topiques Stievamycin moins fréquemment qu'une fois par jour.

7. Parce que les gels topiques Stievamycin agissent sur les couches inférieures de la peau, il peut se passer plusieurs semaines d'utilisation régulière avant qu'une amélioration ne soit constatée.

Précautions:

1. Ne pas appliquer les gels topiques Stievamycin sur les régions de la peau qui présentent une autre affection, telle que l'eczéma, une inflammation grave ou d'autres lésions ouvertes.
2. Éviter les régions sensibles des muqueuses telles que les yeux, la bouche, les lèvres, les angles du nez et les coins des yeux et des lèvres.
3. Ne pas appliquer de façon exagérée les gels topiques Stievamycin. Cette pratique n'accélère pas le traitement et peut irriter la peau.
4. Ne pas utiliser d'autres produits contre l'acné ou des médicaments topiques pour la peau en même temps que les gels topiques Stievamycin, sauf avis contraire de votre médecin.
5. L'exposition prolongée aux rayons solaires, aux lampes de bronzage, au vent et au froid doit être évitée durant le traitement. Si l'exposition au soleil est inévitable, on doit employer un écran solaire ayant un FPS minimum de 15.
6. En cas de coup de soleil, cesser l'utilisation des gels topiques Stievamycin et consulter votre médecin.
7. Les gels topiques Stievamycin ont été prescrits pour votre usage exclusif. Ne permettez pas à d'autres de les utiliser.
8. **Attention: Éviter d'exposer à la flamme nue.**
9. **Communiquer avec votre médecin si vous avez des réactions anormales en utilisant les gels topiques Stievamycin.**

☐ SUPREFACT® Ⓟ
☐ SUPREFACT® DEPOT Ⓟ

Hoechst Marion Roussel

Acétate de buséréline

Analogue de l'hormone de libération de la gonadotropine

Renseignements destinés aux patients: À l'instar de tout autre médicament, conserver ce médicament hors de la portée des enfants. Le médecin vous a prescrit Suprefact (acétate de buséréline pour administration par injection et par voie nasale) ou Suprefact Depot (implant d'acétate de buséréline) et les renseignements qui suivent ont pour but de vous aider à utiliser ce produit de façon sûre et efficace. Ces conseils ne doivent pas remplacer ceux que vous a donnés le médecin et que vous devez suivre consciencieusement. Vous devez parler à votre médecin ou à votre pharmacien de tout problème pouvant être associé à ce traitement.

Suprefact: Injection: Ce médicament doit être conservé à une température ambiante inférieure à 25 °C. Il faut éviter de le congeler ou de l'exposer à des sources de chaleur. N'utilisez pas Suprefact après la date de péremption imprimée sur l'étiquette.

Il est important que vous suiviez attentivement les directives du médecin et que celui-ci évalue périodiquement votre traitement.

L'objectif du traitement par Suprefact est de supprimer la sécrétion des hormones sexuelles. Il se peut donc que vous éprouviez des effets indésirables associés à cette suppression. Ainsi, vous pourrez ressentir des bouffées de chaleur et une perte de la libido (ou pulsions sexuelles). Bien que cela se produise rarement, le traitement peut parfois aggraver l'état du malade, ce qui se traduit alors par l'apparition ou l'intensification de la douleur ou encore par des difficultés accrues à uriner. Si ces problèmes se manifestaient, communiquez sans délai avec votre médecin. De la rougeur, de la démangeaison ou de l'enflure peuvent parfois survenir au point d'injection de Suprefact. Il est possible d'atténuer ces inconvénients en faisant la rotation des points d'injection. Si des problèmes de cette nature persistent, consultez votre médecin. Vous ne devez pas modifier votre programme thérapeutique sans avoir d'abord parlé du changement souhaité avec votre médecin.

Administration: Le flacon de Suprefact est offert avec un capuchon de plastique qui s'enlève en exerçant une pression vers le haut avec le pouce. Ce capuchon permet de s'assurer que le flacon n'a pas été manipulé. Son retrait (le capuchon est jetable) expose la membrane de caoutchouc du flacon. Voici le mode d'emploi:

1. Lavez-vous les mains à l'eau et au savon et asséchez-les avec une serviette propre.
2. Nettoyez la membrane de caoutchouc du flacon de Suprefact avec un tampon imbibé d'alcool. Laissez sécher.
3. Choisissez la seringue et l'aiguille stériles et jetables qui conviennent (votre médecin ou votre pharmacien vous aideront à choisir une seringue dont le calibre et les graduations sont appropriés) et retirez-les de l'empaquetage stérile.
4. Tirez le piston jusqu'à ce que sa base soit au niveau du volume que vous désirez retirer du flacon (voyez les graduations sur le corps de pompe de la seringue).
5. Retirez la gaine de l'aiguille (capuchon protecteur).
6. En évitant de toucher l'aiguille, insérez-la dans le flacon au centre de la membrane de caoutchouc.
7. Poussez sur le piston de la seringue afin d'injecter la quantité d'air choisie dans le flacon.
8. Tout en laissant l'aiguille dans le flacon, inversez ce dernier à la verticale et ajustez la pointe de l'aiguille pour qu'elle soit sous la surface de la solution du flacon.
9. Aspirez la quantité requise de solution en tirant sur le piston de la seringue.
10. Retirez soigneusement du flacon l'aiguille raccordée à la seringue.
11. Choisissez le point d'injection (faites la rotation des points d'injection après en avoir parlé à votre médecin ou à votre pharmacien) et nettoyez la peau avec un tampon imbibé d'alcool.
12. Si vous le désirez, saisissez la peau entre le pouce et l'index, puis inclinez l'aiguille et enfoncez-la rapidement sous la peau aussi loin que possible.
13. Retirez le piston légèrement et, en l'absence de sang dans la seringue, enfoncez alors régulièrement le piston pour injecter la solution.
14. Après avoir terminé l'injection, placez le tampon sur le point d'injection et retirez l'aiguille. Laissez le tampon sur le point d'injection pendant quelques secondes, puis jetez-le.
15. Jetez aussi l'aiguille et la seringue dans un endroit sûr. Rangez ensuite le flacon de Suprefact à l'endroit choisi.

Si vous devez vous donner 3 injections de Suprefact par jour, essayez de le faire à intervalle de 8 heures. Si vous devez vous donner une seule injection par jour, essayez de le faire à la même heure chaque jour. Si vous oubliez une injection, donnez-vous la dès que vous vous en rappelez.

Suprefact Solution pour administration par voie nasale: Il doit être conservé à une température ambiante inférieure à 25 °C. Il faut éviter de le congeler ou de l'exposer à des sources de chaleur. N'utilisez pas Suprefact après la date de péremption imprimée sur l'étiquette.

Il est important que vous suiviez attentivement les directives de votre médecin et que celui-ci évalue périodiquement votre traitement.

L'objectif du traitement par Suprefact est de supprimer la sécrétion des hormones sexuelles. Il se peut donc que vous éprouviez des effets indésirables associés à cette suppression. Ainsi, vous pouvez ressentir des bouffées de chaleur et une perte de la libido (ou pulsions sexuelles). Bien que cela se produise rarement, le traitement peut parfois aggraver l'état du malade, ce qui se traduit alors par l'apparition ou l'intensification de la douleur ou encore par des difficultés accrues à uriner. Si ces problèmes se manifestaient, communiquez sans délai avec votre médecin. Il peut arriver que des maux de tête incommodants apparaissent ainsi que de l'irritation ou de la sécheresse nasale. Si des problèmes de cette nature persistent, consultez votre médecin. Vous ne devez pas modifier votre programme thérapeutique sans avoir d'abord parlé du changement souhaité avec votre médecin.

Femmes en préménopause: Le fait de supprimer la production des hormones sexuelles peut également entraîner une légère diminution de la densité minérale de vos os, laquelle peut ne pas être complètement réversible. Au cours de la période de traitement de 6 mois, cette diminution devrait toutefois être minime.

Certains facteurs peuvent accroître le risque d'amincissement osseux lors d'un traitement par Suprefact, soit:

—des antécédents familiaux d'ostéoporose grave (amincissement osseux et fractures);

—la prise d'autres médicaments pouvant causer un amincissement osseux.

Vous devez discuter du risque d'ostéoporose, ou d'amincissement osseux, avec votre médecin avant d'entreprendre un traitement par Suprefact. Vous devez également savoir qu'il n'est pas recommandé de répéter le traitement car le risque d'amincissement osseux est susceptible de s'accroître, surtout en présence d'un des facteurs mentionnés précédemment.

Le traitement par Suprefact entraîne l'arrêt des menstruations. Si vous continuez à avoir vos menstruations de façon régulière, consultez votre médecin. Des saignements utérins survenant en dehors de la ▶

Suprefact (suite)

période des règles peuvent se produire si le traitement par Suprefact est interrompu.

Vous ne devez pas utiliser Suprefact si vous êtes enceinte, si vous allaitez ou si vous avez des saignements vaginaux anormaux dont la cause n'a pas été diagnostiquée. Vous devez cesser de prendre des contraceptifs oraux avant d'entreprendre un traitement par Suprefact. Par conséquent, vous devez éviter de devenir enceinte en utilisant une méthode contraceptive non hormonale. Si vous devenez enceinte, cessez immédiatement le traitement par Suprefact et communiquez avec votre médecin.

Administration (voir le prospectus d'emballage pour les illustrations): Le flacon de Suprefact est offert dans sa boîte avec le doseur aérosol (nébuliseur) à action mécanique (effet ressort). La pompe ne contient aucun agent de propulsion. Pour administrer Suprefact à l'aide de cette pompe, suivez le mode d'emploi ci-dessous. Les instructions données ici ne doivent cependant pas remplacer celles du médecin.

1. Lavez-vous les mains à l'eau et au savon et asséchez-les avec une serviette propre.
2. Retirez le doseur aérosol du contenant de plastique transparent; ôtez délicatement les capuchons protecteurs en haut et à la base du dispositif.
3. Sortez le flacon de Suprefact de la boîte. Dévissez le capuchon et jetez-le. Vissez solidement le doseur aérosol au flacon de verre. L'intérieur du flacon est plus étroit à la base. Cette caractéristique, ainsi que la base concave du tube du flacon, permettent au doseur aérosol de continuer à fonctionner même s'il ne reste que très peu de solution (médicament) dans le flacon. N'inclinez pas le flacon lorsque vous l'utilisez.
4. Avant la première application, tenez le flacon surmonté du doseur aérosol à la verticale et pompez à plusieurs reprises jusqu'à ce qu'un brouillard uniforme soit libéré.

   Il peut être nécessaire d'amorcer de nouveau la pompe après son rangement entre 2 utilisations.
5. En gardant la pompe et le flacon à la verticale, placez l'ouverture de la pompe (ou injecteur) dans la narine (au besoin, se moucher avant de vaporiser Suprefact dans les voies nasales). Une inspiration légère par le nez assurera une distribution uniforme de Suprefact dans les voies nasales d'où il est absorbé. La congestion nasale n'empêche pas l'absorption ou l'emploi de Suprefact.
6. Après usage, laissez la pompe, recouverte de son capuchon protecteur, dans le flacon. Conservez le flacon à la verticale et à la température ambiante (inférieure à 25 °C) et évitez de l'exposer aux sources de chaleur.
7. Suivez consciencieusement les conseils de votre médecin. Ne modifiez d'aucune façon le traitement avant d'en avoir d'abord parlé au médecin.

Suprefact Depot (implant): Ce médicament doit être conservé dans son emballage original à une température se situant entre 15 et 30 °C. Protégez-le du gel et de la chaleur. N'utilisez pas Suprefact après la date de péremption imprimée sur l'étiquette.

Votre médecin vous administrera Suprefact Depot toutes les 8 semaines. Il est important que vous suiviez attentivement les directives de votre médecin et que celui-ci évalue périodiquement votre traitement.

Suprefact Depot est un médicament qui renferme 6,3 mg de buséréline dans des implants cylindriques en forme de tige, de couleur ivoire. L'objectif du traitement par Suprefact Depot est de supprimer la sécrétion des hormones sexuelles. Il se peut donc que vous éprouviez des effets indésirables associés à cette suppression. Ainsi, vous pourrez ressentir des bouffées de chaleur et une perte de la libido (ou pulsions sexuelles). Bien que cela se produise rarement, le traitement peut parfois aggraver l'état du malade, ce qui se traduit alors par l'apparition ou l'aggravation de la douleur ou encore par des difficultés accrues à uriner. Si ces problèmes se manifestaient, communiquez sans délai avec votre médecin. Il peut arriver qu'une réaction locale se produise au point d'injection comme une rougeur, des démangeaisons, une sensation de brûlure et un gonflement. Ces réactions sont bénignes et disparaissent en quelques jours. Si jamais elles persistaient, consultez le médecin.

Vous ne devez pas modifier votre programme thérapeutique sans avoir d'abord parlé du changement souhaité avec votre médecin. Si vous avez oublié de vous présenter le jour prévu pour recevoir votre injection, à intervalle de 8 semaines, vous devez la recevoir dans les plus brefs délais. Communiquez avec le médecin si vous avez besoin de plus amples renseignements.

□ SURFAK®

Hoechst Marion Roussel

Docusate de calcium

Émollient fécal

Renseignements destinés aux patients: Ne pas utiliser en présence de douleurs abdominales, de nausées ou de vomissements. Si un changement soudain survient dans les habitudes de défécation et persiste pendant plus de 2 semaines, consulter un médecin avant de prendre des laxatifs. Ne pas utiliser aucun laxatif pour plus de 1 semaine sans avis de votre médecin. Si un laxatif ne produit aucun effet après 1 semaine de traitement tel que recommandé ou si des saignements rectaux sont observés, cesser le traitement et consulter un médecin. Ne pas prendre le docusate de calcium en même temps que d'autres médicaments prescrits par votre médecin sans le consulter au préalable.

Grossesse et allaitement: Si vous êtes enceinte ou si vous allaitez ne prenez aucun médicament, le docusate de calcium y compris, sans consulter un professionnel de la santé. Ne pas utiliser simultanément avec l'huile minérale; ceci peut causer une augmentation de l'absorption de l'huile.

Conservation: Les capsules doivent être conservées dans leur contenant d'origine. Ne pas exposer le contenant ou son contenu à l'humidité ou à une source de chaleur. Conserver le contenant à température ambiante contrôlée à moins de 25 °C. Ne pas utiliser le produit après la date de péremption inscrite sur l'étiquette.

□ SURGAM® Ⓟ
□ SURGAM® SR Ⓟ

Hoechst Marion Roussel

Acide tiaprofénique

Anti-inflammatoire—Analgésique

Renseignements destinés aux patients: Comment tirer le meilleur profit de Surgam ou de Surgam SR? Votre médecin a décidé que Surgam, ou Surgam SR (acide tiaprofénique), est le meilleur traitement pour vous. En prenant vos comprimés Surgam ou vos capsules Surgam SR, rappelez-vous que vous avez de meilleures chances de maîtriser vos symptômes si vous collaborez pleinement avec votre médecin et essayez d'en connaître davantage sur votre état.

Le présent feuillet a pour objet de compléter les renseignements que vous ont donnés votre médecin et votre pharmacien. Votre médecin connaît et comprend bien votre état de santé; assurez-vous donc de respecter soigneusement ses instructions et de lire toute la documentation qu'il vous remet. Si vous avez des questions après avoir lu ce feuillet, n'hésitez pas à les poser à votre médecin ou à votre pharmacien.

Qu'est-ce que Surgam, ou Surgam SR, et comment agit-il? Surgam, ou Surgam SR, est le nom de commerce de l'acide tiaprofénique, un médicament utilisé pour soulager la douleur et l'inflammation associées à certains types d'arthrite. Il appartient à une famille de médicaments qui sont connus sous le nom d'anti-inflammatoires non stéroïdiens (AINS). Il aide à soulager la douleur aux articulations, l'enflure, la raideur et la fièvre en réduisant la production de certaines substances, les prostaglandines, et en contribuant à maîtriser l'inflammation. Les AINS ne guérissent pas l'arthrite, mais ils favorisent la disparition de l'inflammation et les dommages causés aux tissus que provoque cette inflammation. Ce médicament vous aidera seulement si vous continuez à le prendre.

À quoi ressemble Surgam ou Surgam SR? Surgam se présente sous forme de comprimés blancs, ronds. Surgam SR se présente sous forme de capsules à libération prolongée, roses et bordeaux contenant des particules rondes blanc cassé. Ces comprimés et capsules sont clairement marqués du logo de Roussel et du nom du produit.

Comment devez-vous prendre Surgam, ou Surgam SR, pour qu'il soit le plus efficace pour vous? Votre médecin a choisi la teneur (la dose) qu'il croit être la plus efficace pour améliorer votre état, selon l'expérience acquise auprès d'autres cas semblables.

Si vous prenez Surgam: La dose habituelle des comprimés Surgam est de 600 mg/jour, à raison de 1 comprimé de 300 mg le matin et le soir, ou de 1 comprimé de 200 mg, 3 fois/jour.

Si vous prenez Surgam SR: Les capsules Surgam SR ont été préparées de façon à assurer une libération prolongée du médicament et à offrir ainsi la commodité d'une posologie uniquotidienne (1 fois/jour). La dose habituelle de Surgam SR est de 2 capsules, 1 fois/jour. Les particules blanc cassé contenues dans la capsule Surgam SR doivent être avalées entières (il ne faut pas les écraser ou les mâcher) afin d'obtenir les meilleurs résultats. Pour un meilleur soulagement, prenez vos capsules de Surgam SR à la même heure chaque jour.

Vous devez prendre Surgam, ou Surgam SR, selon les directives de votre médecin. Ne prenez pas plus ni moins de comprimés ou de capsules, ne les prenez pas non plus souvent ou plus longtemps que votre médecin vous l'a indiqué. Le fait de dépasser la dose pour l'un ou l'autre de ces médicaments peut augmenter le risque d'effets indésirables, surtout si vous êtes une personne âgée.

Prenez Surgam ou Surgam SR de la façon prescrite par votre médecin. Il est important de continuer à prendre Surgam ou Surgam SR même lorsque vous commencez à vous sentir mieux. Cela vous aidera à diminuer la douleur, la sensibilité et la raideur. Dans certains types d'arthrite, il peut se passer jusqu'à 2 semaines avant que vous ne ressentiez tous les effets bénéfiques du médicament. Toutefois, certaines personnes peuvent éprouver une diminution des symptômes dès le début du traitement. Si ce médicament ne vous soulage pas suffisamment, parlez-en à votre médecin avant d'arrêter de le prendre. Pendant le traitement, le médecin peut décider d'ajuster la posologie selon votre réponse au médicament.

Les dérangements d'estomac constituent un des problèmes fréquents causés par les AINS.

Pour diminuer les dérangements d'estomac, prenez Surgam immédiatement après un repas ou avec des aliments ou du lait. Restez debout ou asseyez-vous droit (ne vous étendez pas) pendant 15 à 30 minutes après l'avoir pris. Cela aidera à prévenir les irritations qui peuvent faire en sorte que vous aurez de la difficulté à avaler. Si vous ressentez des dérangements d'estomac (indigestion, nausées, vomissements, douleurs ou diarrhée) et que ces dérangements persistent, communiquez avec votre médecin.

Que faire si vous oubliez une dose? Si vous avez oublié de prendre un comprimé de Surgam, prenez-le le plus tôt possible. Toutefois, s'il est presque le temps de prendre le prochain comprimé, ne prenez pas le comprimé oublié et continuez de prendre votre médicament comme à l'habitude.

Si vous avez oublié de prendre une capsule de Surgam SR à prendre 1 fois/jour, et que vous y pensiez dans les 8 heures qui suivent, prenez-la immédiatement et continuez de prendre votre médicament comme à l'habitude.

Ne doublez jamais les doses.

L'Association de Surgam ou de Surgam SR à d'autres médicaments: Ne prenez pas d'AAS (acide acétylsalicylique, Aspirin), de médicaments contenant de l'AAS ni d'autres médicaments utilisés pour soulager les symptômes de l'arthrite en même temps que vous prenez Surgam ou Surgam SR, à moins que votre médecin ne vous l'ait recommandé.

Surgam ou Surgam SR ont-ils des effets indésirables? Outre leurs effets bénéfiques, Surgam ou Surgam SR, comme tous les autres AINS, peuvent parfois causer des effets indésirables, surtout si on les utilise de façon prolongée ou à des doses importantes. Les effets secondaires non désirés et relativement communs des AINS sont les brûlures d'estomac, les douleurs gastriques, l'indigestion, les nausées, les vomissements ou la diarrhée. Si ces effets surviennent et persistent, communiquez avec votre médecin.

Il semble que les personnes âgées, fragiles ou affaiblies éprouvent des effets indésirables plus fréquents ou plus graves.

Bien que tous les effets indésirables suivants ne soient pas nécessairement courants, ils peuvent, lorsqu'ils surviennent, nécessiter des soins médicaux.

Vérifiez immédiatement auprès de votre médecin si vous ressentez l'un des effets suivants:

- des selles contenant du sang ou des selles noires de consistance goudronneuse;
- de l'essoufflement, une respiration sifflante, toute difficulté à respirer ou serrement de la poitrine;
- des éruptions cutanées, de l'enflure, de l'urticaire ou des démangeaisons;
- indigestion, nausées, vomissements, diarrhée, douleurs à l'estomac ou au bas de l'abdomen qui persistent, surtout si vous avez des antécédents de dérangements ou d'ulcères d'estomac;
- une coloration jaunâtre de la peau ou des yeux, avec ou sans fatigue;
- tout changement dans la quantité, la fréquence ou la couleur de vos urines (couleur foncée, rouge ou brune);
- une enflure des pieds ou du bas des jambes;
- malaise, fatigue ou perte d'appétit;
- vision brouillée ou tout autre trouble de la vision;
- confusion mentale, dépression, étourdissements, sensation de tête légère;
- difficulté à entendre;
- toute douleur éprouvée en urinant ou difficulté à uriner.

D'autres effets indésirables non énumérés ci-dessus peuvent aussi survenir chez certains patients. Si vous ressentez tout autre effet indésirable, communiquez avec votre médecin.

Si ce médicament vous a été prescrit pour un usage prolongé, votre médecin vérifiera votre état de santé à l'occasion de visites régulières afin d'évaluer vos progrès et de s'assurer que ce médicament ne vous cause pas d'effets indésirables.

Ce dont vous devez toujours vous souvenir: Il faut évaluer les risques associés à l'usage de ce médicament en fonction des bienfaits qu'il peut apporter.

Avant de prendre ce médicament, prévenez votre médecin et votre pharmacien si:

- vous, ou un membre de votre famille, êtes allergique ou avez déjà eu une réaction à Surgam ou à Surgam SR ou à d'autres médicaments du groupe des AINS—acide acétylsalicylique (Aspirin), acide méfénamique, diclofénac, diflunisal, fénoprofène, flurbiprofène, ibuprofène, indométhacine, kétoprofène, nabumétone, naproxen, piroxicam, sulindac, ténoxicam ou tolmétine—se manifestant par une aggravation de la sinusite, de l'urticaire, le déclenchement de l'asthme ou son aggravation, l'anaphylaxie (réaction allergique grave);
- vous, ou un membre de votre famille, est atteint d'asthme, de polypes nasaux, de sinusite chronique ou d'urticaire chronique;
- vous avez des antécédents de maladies du foie ou des reins;
- vous avez des antécédents de dérangements ou d'ulcères d'estomac, parce que tous les anti-inflammatoires non stéroïdiens (AINS) peuvent aggraver votre problème et même parfois causer des saignements ou des ulcères dans votre estomac ou vos intestins;
- votre sang ou vos urines sont anormaux;
- votre tension artérielle est élevée;
- vous faites du diabète;
- vous suivez un régime particulier, p. ex. faible en sel ou en sucre;
- vous êtes enceinte ou avez l'intention de le devenir pendant que vous prendrez ce médicament;
- vous allaitez ou avez l'intention de le faire pendant que vous prendrez ce médicament;
- vous prenez tout autre médicament (prescrit ou en vente libre), comme un autre AINS, un médicament pour diminuer la pression artérielle, un médicament pour éclaircir le sang, un corticostéroïde (cortisone), du méthotrexate, de la cyclosporine, du lithium ou de la phénytoïne. C'est important de le mentionner parce que certains médicaments peuvent interagir entre eux et provoquer des effets indésirables;
- vous avez d'autres problèmes médicaux, comme une consommation excessive d'alcool, des saignements, etc.

Pendant que vous prenez ce médicament:

- prévenez tout autre médecin, dentiste ou pharmacien que vous consulterez, que vous prenez ce médicament;
- certains AINS peuvent provoquer de la somnolence ou de la fatigue chez certaines personnes. Si vous êtes somnolent, étourdi ou avez l'impression d'avoir la tête légère lorsque vous prenez ce médicament, soyez prudent lorsque vous conduisez ou que vous participez à des activités qui demandent de la vigilance;
- vérifiez auprès de votre médecin si vous n'obtenez aucun soulagement ou si tout autre problème se manifeste;
- signalez toute réaction indésirable à votre médecin. Cela est très important afin de déceler le plus tôt possible d'éventuelles complications et de les prévenir.
- des problèmes d'estomac sont plus susceptibles de se produire si vous buvez de l'alcool. Par conséquent, ne prenez pas de boissons alcoolisées lorsque vous prenez ce médicament.
- pendant que vous prenez ce médicament, si vous ressentez une faiblesse inhabituelle, si vous vomissez du sang ou si vos selles sont

Surgam (suite)

foncées ou contiennent du sang, communiquez immédiatement avec votre médecin;

- certaines personnes peuvent devenir plus sensibles à la lumière du soleil qu'elles ne le sont normalement; l'exposition au soleil ou aux lampes solaires, même pour de courtes périodes, peut provoquer des brûlures, des cloques, des éruptions cutanées, de la rougeur, des démangeaisons, un changement de coloration de la peau ou des troubles de la vision. Si vous avez une réaction causée par le soleil, communiquez avec votre médecin;
- communiquez immédiatement avec votre médecin si vous avez des frissons, de la fièvre, des douleurs musculaires ou d'autres symptômes semblables à ceux de la grippe, surtout s'ils surviennent peu de temps avant ou en même temps qu'une éruption cutanée; ces effets peuvent être les signes d'une grave réaction au médicament, mais cela se produit très rarement.
- **Des examens médicaux réguliers sont essentiels.**

Comment conserver Surgam ou Surgam SR? Conservez Surgam ou Surgam SR à une température se situant entre 15 et 30 °C. Protégez-les de la chaleur, de la lumière et de l'humidité excessives.

La sûreté d'emploi et l'efficacité de Surgam n'ont pas été établies pour les enfants et son usage dans ce groupe d'âge n'est donc pas recommandé.

Ne conservez pas de médicament dont la date de péremption est dépassée ou dont vous n'avez plus besoin.

Ce médicament vous a été prescrit pour traiter votre problème médical, ne le partagez avec personne d'autre.

Tenez ce médicament hors de la portée des enfants.

Si vous avez besoin de plus amples renseignements au sujet de ce médicament, consultez votre médecin ou votre pharmacien.

□ SYNAREL® ℞

Searle

Acétate de nafaréline

Analogue de l'hormone de libération de la gonadotrophine (GnRH)

Renseignements destinés aux patients: Votre médecin vous a prescrit la Solution nasale Synarel pour soulager vos symptômes d'endométriose. Ce dépliant vise 2 objectifs: 1. passer en revue l'information sur Synarel que vous a donnée votre médecin; et 2. vous renseigner sur la façon appropriée d'utiliser Synarel.

Veuillez lire ce dépliant attentivement. Nous vous invitons à consulter votre médecin si vous avez encore des questions après votre lecture, ou encore si vous désirez des renseignements supplémentaires au cours de votre traitement par Synarel.

Synarel est utilisé pour soulager les symptômes de l'endométriose. On appelle endomètre la muqueuse qui tapisse l'utérus. Une partie de cette muqueuse est expulsée pendant la menstruation. Dans l'endométriose, le tissu endométrial croît aussi à l'extérieur de l'utérus (on parle alors de tissu ectopique) et comme le tissu endométrial normal, il peut saigner pendant le cycle menstruel. C'est en partie cette activité mensuelle qui est à l'origine des symptômes que vous éprouvez. La plupart du temps, ce tissu endométrial ectopique est décelé autour de l'utérus, des ovaires, de l'intestin et des autres organes du bassin. Bien que certaines femmes souffrant d'endométriose n'éprouvent aucun symptôme, de nombreuses autres femmes ont des problèmes tels que des crampes menstruelles aiguës, des relations sexuelles douloureuses, des douleurs lombaires et des douleurs à la défécation.

Le tissu endométrial réagit aux sollicitations hormonales, en particulier à celles des œstrogènes produites par les ovaires. Lorsque les taux œstrogéniques sont faibles, le tissu endométrial s'atrophie (et peut même disparaître), et les symptômes d'endométriose s'atténuent. Synarel inhibe temporairement la production d'œstrogènes et procure un soulagement temporaire des symptômes d'endométriose.

Renseignements importants sur Synarel:

1. Vous **ne** devriez **pas** prendre Synarel si:
   - vous êtes enceinte;
   - vous allaitez;
   - vous avez des saignements vaginaux anormaux dont la cause n'a pas été évaluée par votre médecin;
   - vous êtes allergique à l'un ou à plusieurs des ingrédients de Synarel (nafaréline base, chlorure de benzalkonium, acide acétique, hydroxyde de sodium, acide chlorhydrique, sorbitol, eau distillée).
2. Synarel est un médicament d'ordonnance qui devrait être utilisé selon les instructions de votre médecin. Synarel est disponible en vaporisateur nasal spécial qui délivre une quantité mesurée de médicament. Pour être efficace, Synarel doit être pris tous les jours, 2 fois/jour, pendant toute la durée du traitement.
3. Il est important d'avoir recours à une méthode contraceptive non hormonale (comme le diaphragme avec une gelée contraceptive, un stérilet, un condom) pendant le traitement au Synarel. **Vous ne devriez pas prendre de contraceptifs oraux pendant que vous prenez Synarel.** Si vous omettez plusieurs doses successives de Synarel et n'avez pas eu recours à l'un des moyens de contraception énumérés ci-dessus, un ovule pourrait être libéré par un ovaire (ovulation) et vous pourriez devenir enceinte. Dans ce cas, vous devez consulter votre médecin afin de vous assurer que vous n'êtes pas enceinte. Synarel n'a encore jamais été administré à une femme enceinte.
4. Il est possible que des saignements vaginaux (souvent appelés saignements intermenstruels) surviennent pendant les 2 premiers mois d'emploi de Synarel. Cela peut aussi se produire si vous omettez une ou plusieurs doses de Synarel.
5. Synarel agissant par la réduction de la production d'œstrogène, vous pourriez ressentir certains des changements qui surviennent normalement au moment de la ménopause, période à laquelle la production d'œstrogène diminue naturellement. L'œstrogène est une hormone féminine produite par les ovaires. Vous éprouverez d'abord une diminution du flux menstruel, puis vos menstruations cesseront tout à fait. Si vos règles persistent après 2 mois de traitement, informez-en votre médecin. Parmi les autres changements causés par la diminution du taux d'œstrogène, notons les bouffées de chaleur, la sécheresse vaginale, les maux de tête, les changements d'humeur et une diminution de l'appétit sexuel. Certaines patientes peuvent aussi avoir de l'acné, des douleurs musculaires, une diminution de la taille des seins ainsi qu'une irritation des tissus internes du nez. Ces symptômes devraient toutefois disparaître à la cessation du traitement.
6. Chez environ 0,2 % des patientes adultes prenant Synarel, des symptômes suggérant une sensibilité au médicament, tels qu'essoufflement, douleur thoracique, urticaire, éruptions et prurit, peuvent survenir. Si vous éprouvez l'un de ces symptômes, cessez de prendre Synarel et contactez immédiatement votre médecin.
7. Lorsque vous prenez Synarel, vos taux d'œstrogène sont faibles, ce qui pourrait occasionner une légère décalcification qui pourrait n'être qu'en partie réversible. Cependant, cette légère perte de minéraux des os ne devrait pas être importante pendant un traitement de 6 mois.

   Certains états peuvent accroître le risque d'amincissement des os lorsque vous prenez un médicament comme Synarel. Ce sont:
   - des antécédents familiaux d'ostéoporose grave (amincissement des os avec fractures);
   - la prise d'autres médicaments qui peuvent aussi causer une déminéralisation des os.

   Vous devriez discuter avec votre médecin de la possibilité d'ostéoporose ou d'amincissement des os avant d'entreprendre le traitement au Synarel. Vous devriez aussi savoir que des traitements répétés ne sont pas recommandés car ils peuvent vous exposer à un risque accru d'amincissement des os, en particulier si vous présentez les conditions énumérées ci-dessus.
8. Pendant les essais cliniques avec Synarel, la menstruation a habituellement recommencé dans les 2 à 3 mois suivant l'arrêt de la prise du médicament.

   La distribution des patientes, traitées par 400 μg/jour, selon la gravité des symptômes à l'admission, à la fin du traitement et 6 mois après le traitement était la suivante:

		Cotation de gravité des symptômes			
		0	**1-2**	**3-5**	**6-9**
	N	**Aucun**	**Léger**	**Modéré**	**Grave**
À l'admission	73	6 (8 %)	26 (36 %)	28 (38 %)	13 (18 %)
À la fin du traitement	73	44 (60 %)	23 (32 %)	5 (7 %)	1 (1 %)
6 mois après le traitement	73	37 (51 %)	24 (33 %)	12 (16 %)	—

9. La sécurité d'un second traitement par Synarel n'a pas encore été établie.
10. Vous pouvez utiliser un décongestif nasal pendant le traitement au Synarel si vous suivez les quelques simples conseils suivants. Utilisez d'abord Synarel. Attendez ensuite au moins 30 minutes avant d'utiliser le décongestif nasal.

Usage approprié de Synarel:

1. Lorsque vous commencez à utiliser Synarel, vous devriez prendre votre première dose entre la 2e et la 4e journée suivant le début de vos menstruations. Ensuite, vous continuez à prendre Synarel chaque jour, tel que prescrit. **N'omettez aucune dose.**
2. À moins d'instructions spéciales de votre médecin, suivez les étapes ci-après pour la prise de Synarel **2 fois/jour,** à intervalles de 12 heures:
   - une vaporisation le matin dans une narine (ex.: à 7 heures);
   - une vaporisation le soir dans l'autre narine (ex.: à 19 heures).

   À moins d'avis contraire du médecin, le traitement dure habituellement 6 mois.
3. Comme il est très important que vous n'omettiez aucune dose de Synarel, voici quelques sugestions pour vous aider à ne pas oublier de prendre votre médicament:
   - conserver votre Synarel dans un endroit où vous le verrez le matin et le soir—près de votre brosse à dents par exemple;
   - noter chacune de vos doses sur un calendrier;
   - indiquer sur votre calendrier la date à laquelle vous commencez un nouveau flacon de Synarel. Vous pouvez aussi noter cette date sur le flacon même. Assurez-vous de renouveler votre ordonnance avant de finir votre flacon pour toujours avoir un nouveau flacon sous la main.
4. Un flacon de Synarel ne devrait pas être utilisé pendant plus longtemps qu'il n'est indiqué sur le contenant. Le flacon de 10 mL contient assez de solution pour 60 vaporisations, donc suffisamment de médicament pour 30 jours à raison de 2 vaporisations/jour. Le flacon de 6,5 mL contient suffisamment de solution pour 30 vaporisations, donc assez de médicament pour 15 jours. Après le nombre de vaporisations indiqué, il restera une petite quantité de liquide dans le flacon. Ne tentez pas d'utiliser ce liquide restant car vous pourriez obtenir une dose insuffisante, ce qui nuirait à l'efficacité du traitement. Jetez le flacon terminé; ne le réutilisez pas.
5. Si le médecin augmente votre dose quotidienne de Synarel, votre flacon ne durera pas 15 jours ou 30 jours comme prévu. Veuillez discuter de cette question avec votre médecin afin de vous assurer d'avoir suffisamment de médicament pour compléter sans interruption votre traitement au Synarel.

Emploi du vaporisateur nasal Synarel: Pour amorcer la pompe: Précautions: Éviter de respirer la vaporisation pendant l'amorçage. Avant d'utiliser un vaporisateur nasal Synarel pour la première fois, vous devez amorcer la pompe en procédant de la façon suivante:

1. Enlevez la bande d'inviolabilité.
2. Enlevez le petit étrier de sécurité ainsi que le capuchon en plastique.
3. Placez 2 doigts sur les «épaules» du vaporisateur et votre pouce sous le flacon.
4. Éloignez le gicleur, dirigez le vaporisateur vers l'extérieur et appuyez de 7 à 10 fois avec votre pouce, fermement et rapidement, jusqu'à ce qu'une fine vaporisation apparaisse. Généralement, cela se produit après 7 poussées.
5. La pompe est alors amorcée. Cet amorçage ne doit se faire qu'à la première utilisation d'un nouveau flacon de Synarel. Si vous amorcez la pompe à chaque utilisation, vous gaspillez du médicament et vous n'en aurez pas suffisamment pour le nombre de vaporisations indiqué sur le flacon.

Conseils importants pour utiliser Synarel:

1. Votre pompe doit produire un fin nuage, qui ne peut être engendré que par un pompage rapide et ferme. Si vous obtenez un mince jet de liquide plutôt qu'un fin nuage, Synarel peut ne pas avoir toute son efficacité et vous devez consulter votre pharmacien.
2. **N'essayez pas d'élargir l'orifice du vaporisateur.** Sinon, vous ne recevrez pas la dose appropriée de Synarel.
3. La pompe est faite pour donner seulement une quantité fixe de médicament quelle que soit la force avec laquelle vous poussez.

Pour utiliser Synarel:

1. Mouchez-vous doucement pour dégager les 2 narines avant d'utiliser le vaporisateur.
2. Enlevez l'étrier de sécurité, ainsi que le capuchon.
3. Penchez légèrement la tête et introduisez l'extrémité du vaporisateur dans une narine (pas trop profondément). Dirigez le gicleur vers l'**arrière** et vers la **paroi externe de la narine.**
4. Bouchez l'autre narine avec le doigt.
5. Appuyez **uniformément** sur les 2 «épaules» du vaporisateur **une fois, rapidement et fermement,** tout en inspirant légèrement.
6. Retirez le vaporisateur et renversez la tête pendant quelques secondes afin de permettre à la vaporisation de passer dans l'arrière-nez.
7. Ne vaporisez pas dans l'autre narine, à moins que votre médecin vous ait prescrit de le faire.
8. Essuyez le gicleur à l'aide d'un papier mouchoir ou d'un linge doux après chaque utilisation. Replacez l'étrier de sécurité et le capuchon sur le vaporisateur.

Pour nettoyer la pompe:

1. Ne manquez pas de nettoyer le gicleur après chaque emploi, sinon le gicleur risquerait d'être bouché et de ne pas émettre la dose correcte.
2. Tenez le flacon en position horizontale. Rincez le bout du vaporisateur à l'eau **assez chaude** tout en l'essuyant avec le bout du doigt ou avec un linge doux pendant 15 secondes.
3. Asséchez le gicleur à l'aide d'un linge doux ou d'un papier mouchoir. Replacez l'étrier de sécurité et le capuchon sur le vaporisateur.

N'essayez pas de nettoyer le gicleur à l'aide d'un objet pointu, ni de démonter la pompe.

Important: Pour être efficace, le traitement au Synarel doit être ininterrompu—ne sautez pas de doses. Utilisez bien Synarel une fois tous les matins et tous les soirs. Notez la date à laquelle vous commencez votre traitement pour que vous puissiez renouveler votre ordonnance assez tôt. De cette façon, vous suivrez régulièrement votre traitement sans sauter de doses.

Rangement: Rangez le flacon debout à la température ambiante. Évitez les températures supérieures à 30 °C. Craint la lumière. Ne pas congeler.

□ SYNTHROID® Ⓟ

Knoll

Lévothyroxine sodique

Hormone thyroïdienne

Renseignements destinés aux patients:

1. Synthroid est destiné à remplacer une hormone qui est normalement produite par la thyroïde. C'est un médicament qu'on doit prendre à vie, sauf dans les cas d'hypothyroïdie reliée à une inflammation de la thyroïde.
2. Avant de prendre Synthroid, ou en tout temps pendant que vous en prenez, vous devez avertir votre médecin si vous êtes allergique à un aliment ou médicament quelconque, si vous êtes enceinte ou avez l'intention de le devenir, si vous allaitez, si vous prenez ou commencez à prendre toute autre médication d'ordonnance ou en vente libre, ou si vous avez d'autres problèmes médicaux (surtout un durcissement des artères, une maladie cardiaque, de l'hypertension artérielle, ou des antécédents de problèmes thyroïdiens, surrénaliens ou hypophysaires).
3. N'utilisez Synthroid que selon l'ordonnance du médecin. Vous ne devez pas arrêter de prendre Synthroid ou changer la quantité que vous prenez ou sa fréquence, sauf selon les directives du médecin.
4. Synthroid, comme tous les médicaments obtenus de votre médecin, ne doit servir qu'à vous seul et pour traiter le problème identifié par votre médecin.
5. Cela peut prendre quelques semaines avant que Synthroid commence à agir. Tant qu'il n'aura pas commencé à agir, vous n'observerez peut-être aucun changement de vos symptômes.
6. Vous devez avertir votre médecin si vous éprouvez un des symptômes suivants, ou si vous éprouvez tout autre problème médical inhabituel: douleur thoracique, essoufflement, urticaire ou démangeaisons, pouls rapide ou irrégulier, maux de tête, irritabilité, nervosité, insomnie, diarrhée, sudation excessive, intolérance à la chaleur, changement de l'appétit, vomissements, gain ou perte de poids, changements du cycle menstruel, fièvre, tremblement des mains, crampes aux jambes.
7. Vous devez informer votre médecin ou votre dentiste que vous prenez Synthroid avant de subir toute forme de chirurgie.
8. Vous devez avertir votre médecin si vous devenez enceinte pendant que vous prenez Synthroid. La dose de votre médicament devra probablement augmenter pendant votre grossesse.

Synthroid (suite)

9. Si vous faites du diabète, votre dose d'insuline ou d'antidiabétique pourrait changer, une fois que vous prendrez Synthroid. Vous devez surveiller votre taux de glucose urinaire ou sanguin selon les directives du médecin et lui signaler immédiatement tout changement à votre médecin.
10. Si vous prenez un anticoagulant oral comme de la warfarine, votre dose pourrait changer une fois que vous prendrez Synthroid. Votre état de coagulation devrait être vérifié souvent pour déterminer si un changement posologique s'impose.
11. Une perte partielle de cheveux peut survenir, quoique rarement, au cours des premiers mois de traitement sous Synthroid, mais elle est habituellement temporaire.
12. Synthroid est la marque de commerce des comprimés de l'hormone thyroïdienne lévothyroxine sodique fabriqués par Knoll Pharma Inc. D'autres fabricants font aussi des comprimés contenant de la lévothyroxine. Ni vous, ni votre pharmacien ne devez passer au produit d'un autre fabricant sans en discuter au préalable avec votre médecin. Plusieurs épreuves sanguines et un changement de la quantité de lévothyroxine que vous prenez pourraient s'imposer.
13. Garder Synthroid hors de la portée des enfants. Conserver Synthroid loin de la chaleur, de la lumière et de l'humidité.

☐ TAMOFEN® Ⓟ

Rhône-Poulenc Rorer

Citrate de tamoxifène

Antinéoplasique

Renseignements destinés aux patients: Description: Le tamoxifène est un médicament qui inhibe les effets de l'œstrogène, une des hormones de l'organisme. Il est utilisé pour traiter le cancer du sein.

On ignore de quelle façon exactement le tamoxifène agit contre le cancer, mais son action pourrait être liée à la façon dont il inhibe les effets de l'œstrogène dans l'organisme.

Le tamoxifène n'est offert que sur ordonnance.

Avant d'utiliser ce médicament: Au moment de décider de prendre un médicament, il faut en mesurer les avantages et les risques. Cette décision vous revient à vous et à votre médecin.

Avant de prendre du tamoxifène, avisez votre médecin si l'une ou l'autre des conditions suivantes s'appliquent à vous:

- Vous avez déjà manifesté une réaction inhabituelle ou une réaction allergique au tamoxifène.
- Vous êtes enceinte ou vous avez l'intention de le devenir. Il est préférable que vous utilisiez une méthode contraceptive pendant que vous prenez du tamoxifène et pendant environ 2 mois après la fin du traitement. Veuillez consulter votre médecin pour des conseils sur les méthodes contraceptives à adopter car certaines d'entre elles peuvent être affectées par le tamoxifène. Avisez votre médecin immédiatement si vous pensez être devenue enceinte alors que vous preniez du tamoxifène ou dans les 2 mois suivant la fin du traitement.
- Il est important que vous avisiez votre médecin immédiatement si vous présentez des saignements vaginaux inhabituels lorsque vous prenez du tamoxifène ou à n'importe quel moment par la suite parce que des changements affectent parfois la paroi interne de l'utérus (l'endomètre) et certains peuvent être graves. Il peut, p. ex., s'agir de cancer.
- Vous allaitez ou vous avez l'intention de le faire.
- Vous prenez d'autres médicaments qu'ils soient ou non vendus sur ordonnance.
- Vous avez d'autres problèmes de santé, surtout des cataractes (ou autres problèmes oculaires) ou une formule sanguine basse.
- Vous êtes hospitalisée, avisez le personnel médical que vous prenez du tamoxifène.

Emploi approprié de ce médicament: Prenez ce médicament comme votre médecin vous l'a prescrit. N'en utilisez pas plus, ni moins, et ne le prenez pas plus souvent qu'il vous a été prescrit. En prendre trop pourrait exacerber les risques d'effets secondaires et en prendre trop peu risque de ne pas améliorer votre état de santé.

Le tamoxifène provoque parfois des nausées et des vomissements. Dans certains cas, il faut le prendre pendant plusieurs semaines ou plusieurs mois avant qu'il n'agisse. Même si vous commencez à vous sentir malade, **ne cessez pas de prendre votre médicament avant d'avoir vérifié avec votre médecin au préalable.** Demandez aux professionnels de la santé de quelle façon atténuer ces effets.

Dose omise: Si vous oubliez de prendre une dose, prenez-la dès que vous vous êtes rendue compte de votre oubli. Ne prenez pas 2 doses à la fois.

Pour conserver ce médicament:

- **Gardez-le hors de la portée des enfants.**
- Conservez-le à l'abri de la chaleur et de toute lumière directe.
- Ne le conservez pas dans un endroit humide. La chaleur ou l'humidité peuvent l'endommager.
- Ne gardez pas le médicament s'il est périmé et ne le gardez pas plus que nécessaire.

Précautions en cours de traitement: Il est important d'utiliser une forme de contraception pendant que vous prenez du tamoxifène. Consultez votre médecin pour savoir quelle méthode contraceptive utiliser, car certaines peuvent être affectées par le tamoxifène. Avisez immédiatement votre médecin si vous pensez être devenue enceinte alors que vous preniez ce médicament ou dans les 2 mois qui suivent la fin du traitement.

Effets secondaires de ce médicament: Outre ses effets bienfaisants, un médicament peut entraîner des réactions indésirables. Certains effets secondaires se manifesteront par des signes ou des symptômes que vous pourrez voir ou ressentir. Votre médecin procédera à certains tests pour vérifier l'apparition d'autres types d'effets.

Également, à cause de la façon dont ce médicament agit sur l'organisme, il risque de provoquer des effets secondaires qui n'apparaîtront peut-être pas avant des mois ou des années une fois le traitement cessé. On a signalé que le tamoxifène augmentait les risques de cancer de l'utérus (matrice) et de fibromes (tumeurs non cancéreuses) de l'utérus chez certaines femmes qui le prennent. Il peut également provoquer une baisse des taux de cellules sanguines. De plus, certains rapports font état de cataractes et autres problèmes oculaires causés par le tamoxifène. Abordez la question des effets secondaires avec votre médecin.

Avisez votre médecin ou votre pharmacien le plus tôt possible si vous constatez l'apparition d'un des effets secondaires ci-dessous.

Ne soyez pas alarmée par cette liste d'effets secondaires possibles. Vous pouvez aussi n'en présenter aucun.

- Bouffées de chaleur
- Troubles menstruels
- Effets sur l'endomètre (paroi interne de l'utérus) qui peuvent prendre la forme de saignements vaginaux
- Fibromes (provoquant un grossissement de l'utérus) qui peuvent également se manifester par de l'inconfort au niveau du bassin ou par des saignements vaginaux
- Démangeaisons au pourtour du vagin
- Écoulements vaginaux
- Malaises gastriques (y compris nausées et vomissements)
- Vertiges
- Rétention liquidienne (pouvant se manifester par une enflure des chevilles)
- Tendance plus marquée aux «bleus» ou ecchymoses (thrombocytopénie)
- Éruptions cutanées
- Chute des cheveux
- Certains problèmes de foie, comme la jaunisse (yeux jaunes)
- Troubles de la vision
- Difficultés à bien voir, probablement dues à des cataractes, à des anomalies de la cornée ou à une maladie de la rétine
- Kystes ovariens (excroissances contenant du liquide qui se forment sur les ovaires) chez les femmes préménopausées
- Risque accru de caillots sanguins

Au début du traitement, on observe parfois une aggravation des symptômes de cancer du sein, comme une exacerbation de la douleur ou une augmentation de la taille de la lésion tissulaire, ou les deux. Si vous manifestez des nausées, des vomissements et une soif excessifs, avisez votre médecin. Ils peuvent être des signes d'anomalies possibles affectant la quantité du calcium qui circule dans votre sang et votre médecin pourrait devoir procéder à certaines analyses sanguines.

D'autres effets secondaires qui ne sont pas énumérés ici peuvent survenir chez certaines patientes. Si vous remarquez quelque autre effet secondaire, consultez votre médecin.

Pour plus de renseignements, consultez votre médecin ou votre pharmacien.

□ TAXOTERE® ℞

Rhône-Poulenc Rorer

Docetaxel

Antinéoplasique

Renseignements destinés aux patients: Qu'est-ce que Taxotere et comment agit-il? Taxotere est un médicament utilisé pour traiter les gens qui souffrent de certains types de cancer. Comme toutes les formes de chimiothérapie, Taxotere agit en s'attaquant aux cellules cancéreuses de votre organisme. Les différentes chimiothérapies s'attaquent aux cellules cancéreuses de façons diverses.

Voilà comment agit Taxotere. Chaque cellule de votre organisme renferme une structure portante (une sorte de «squelette»). Si ce squelette vient à changer ou à s'endommager, la cellule ne peut plus croître ou se reproduire. Taxotere fait durcir de façon artificielle le «squelette» des cellules cancéreuses. Les cellules n'arrivent plus à croître ou à se reproduire.

À quelle fréquence devrais-je être traité par Taxotere? Taxotere est généralement administré tous les 21 jours, au moyen d'une perfusion intraveineuse (i.v.) d'une durée d'une heure. Chaque patient est différent; votre médecin déterminera la dose de Taxotere qui vous convient et de quelle façon elle devra vous être administrée.

Que dois-je faire avant chaque traitement par Taxotere? Si l'on vous administre Taxotere, il faut que vous preniez un médicament avant chaque séance de chimiothérapie. Chaque fois que vous recevez Taxotere, votre médecin vous demandera de prendre une forme de **prémédication.** Cette prémédication vise à atténuer la rétention liquidienne que vous pourriez connaître durant le traitement. Habituellement, la prémédication se compose de comprimés de corticostéroïdes pris par voie orale, la veille, le jour même de chaque séance de chimiothérapie par Taxotere, et les 3 jours suivants. Votre médecin ou votre infirmière vous diront exactement quelle prémédication vous devez prendre et à quel moment.

Vous trouverez au dos de cette brochure des formules pour vous aider à vous rappeler à quel moment prendre votre prémédication.

Si vous oubliez de prendre une prémédication qui vous a été prescrite, assurez-vous d'en aviser votre médecin ou votre infirmière avant que l'on vous administre votre traitement par Taxotere.

Est-ce que j'aurai des effets secondaires durant le traitement par Taxotere? La plupart des effets secondaires associés à Taxotere peuvent être traités. Il est rare de devoir interrompre le traitement d'un patient par Taxotere à cause des effets secondaires et souvenez-vous que, **si** vous manifestez des effets secondaires, votre médecin et votre infirmière peuvent vous administrer des médicaments et vous expliquer des techniques pour améliorer votre confort.

Quels effets secondaires peuvent survenir? Diminution du nombre de globules blancs: Vos globules blancs vous protègent de l'infection. Il en existe 3 types. Les globules blancs les plus importants pour la prévention de l'infection sont appelés neutrophiles. De nombreux médicaments antinéoplasiques, y compris Taxotere, peuvent provoquer une baisse temporaire des neutrophiles (affection connue sous le nom de neutropénie). Toutefois, la plupart des gens qui reçoivent Taxotere ne présentent pas d'infections, même lorsqu'ils font de la neutropénie. Votre médecin vérifiera périodiquement vos globules blancs et vous avisera si leur nombre a baissé.

Fièvre: La fièvre est l'un des signes les plus courants de l'infection; si vous en faites, assurez-vous d'en aviser votre médecin ou votre infirmière sur-le-champ.

Perte de poils: La chute des poils (y compris la chute des sourcils, des cils, des poils pubiens, des poils des aisselles et des cheveux), que l'on connaît sous le nom d'alopécie, survient chez la plupart des patients qui prennent Taxotere. Elle peut débuter peu de temps après l'amorce du traitement. Toutefois, vos cheveux et vos poils devraient repousser une fois le traitement terminé. Entre-temps, votre médecin ou votre infirmière pourront probablement vous orienter vers un établissement spécialisé où l'on trouve des turbans ou des perruques à l'intention des patients atteints de cancer.

Faiblesse: Beaucoup de patients qui reçoivent Taxotere éprouvent une sensation de faiblesse durant leur traitement. Si cette faiblesse s'accompagne de douleurs articulaires ou musculaires, avisez votre médecin ou votre infirmière. Votre médecin vous prescrira des analgésiques pour vous aider à vous sentir plus à l'aise.

Éruptions cutanées: Les patients qui prennent Taxotere peuvent présenter des éruptions cutanées. Cela survient habituellement aux pieds et aux mains, mais aussi parfois sur les bras, au visage ou sur le corps. L'éruption cutanée apparaît généralement dans la semaine qui suit chaque traitement par Taxotere et disparaît avant le traitement suivant. L'éruption cutanée est rarement grave et peu de patients ont dû abandonner le traitement par Taxotere pour cette raison ou à cause d'autres problèmes dermatologiques.

Névralgie: Les patients qui prennent Taxotere peuvent éprouver des névralgies. Certains ressentent ces névralgies sous forme d'engourdissements, de picotements ou de sensation de brûlure aux mains et aux pieds. Elles sont rarement graves et rentrent habituellement dans l'ordre une fois le traitement cessé. Toutefois, si vous êtes incommodé par les névralgies, assurez-vous d'en parler à votre médecin ou à votre infirmière. Votre médecin peut vous prescrire des analgésiques pour vous aider à vous sentir mieux.

Rétention liquidienne: De la rétention liquidienne peut survenir chez les patients qui prennent Taxotere. Cela peut commencer sous la forme d'une enflure aux jambes. Votre médecin vous prescrira des médicaments que vous devrez prendre fidèlement afin de réduire les risques que cette rétention liquidienne ne s'aggrave ou ne vous oblige à interrompre votre traitement.

Autres effets secondaires possibles: Les effets secondaires énumérés plus haut sont les plus fréquents chez les patients qui prennent Taxotere, mais ce ne sont pas les seuls à pouvoir survenir. Les autres effets secondaires possibles sont notamment: malaises gastriques, ulcères de la bouche, battements cardiaques rapides ou irréguliers, étourdissements ou faiblesses, rougeur ou sécheresse de la peau, changement de l'aspect des ongles et enflure au point d'injection. Ces effets secondaires sont rarement graves au point de justifier l'interruption du traitement par Taxotere. Assurez-vous de signaler tout symptôme inhabituel à votre médecin ou à votre infirmière.

Quand s'abstiendra-t-on de m'administrer Taxotere? Taxotere ne sera pas utilisé dans les cas suivants:

- si vous avez déjà manifesté de graves réactions allergiques à Taxotere, ou au polysorbate 80 que renferme le produit
- si le nombre de vos globules blancs est faible
- si vous souffrez d'une grave maladie du foie
- si vous êtes enceinte ou si vous allaitez.

Taxotere peut-il être pris avec d'autres médicaments? Il n'est pas à conseiller d'utiliser d'autres traitements médicamenteux simultanément sans en aviser votre médecin en raison du risque d'interactions médicamenteuses entre Taxotere et d'autres médicaments.

Avisez votre médecin si vous prenez un autre médicament, qu'il vous ait été prescrit ou que vous l'ayez acheté sans ordonnance.

Et si j'ai d'autres questions? Votre médecin et votre infirmière demeurent vos meilleures sources de renseignements au sujet de votre maladie et de votre traitement. Si vous avez d'autres questions ou préoccupations, n'hésitez pas à leur en faire part.

□ TAZORAC[MC] ℞

Allergan

Tazarotène

Antipsoriasique—Antiacné

Renseignements destinés aux patients: Renseignements sur le traitement du psoriasis: Si la personne est de sexe féminin et en âge de concevoir, elle ne doit utiliser le gel au tazarotène Tazorac qu'après avoir envisagé une solution contraceptive avec le médecin. Si la personne est enceinte, elle doit interrompre le traitement avec Tazorac.

Avant d'utiliser ce médicament: Informer le médecin des situations éventuelles suivantes:

1. Si la personne est enceinte ou envisage de le devenir, elle doit communiquer immédiatement avec le médecin lorsqu'elle devient enceinte tout en utilisant ce médicament.
2. Si elle allaite un enfant.
3. Si la personne est allergique à l'un des ingrédients de ce médicament.
4. Si la personne utilise déjà d'autres produits qui dessèchent la peau.
5. Si elle souffre d'eczéma. Tazorac rique de provoquer une grave irritation de la peau s'il est appliqué sur une peau eczémateuse.

Comment utiliser ce produit: Le médecin a peut-être conseillé d'utiliser Tazorac d'une façon différente de celle indiquée dans ce document. Si oui, suivre les directives du médecin pour savoir quand et comment utiliser le gel. Lire attentivement les directives de l'ordonnance. Poser

Tazorac (suite)

toutes les questions nécessaires au médecin ou au pharmacien si certains détails restent obscurs.

Si l'on utilise une crème ou une lotion pour hydrater la peau, l'appliquer avant Tazorac.

Retirer le bouchon du produit et vérifier si le sceau n'est pas rompu avant d'utiliser le gel pour la première fois. Pour rompre le sceau, visser le bouchon à l'envers.

Après l'application de Tazorac certaines personnes ressentent des démangeaisons ou des sensations de brûlure ou de piqûre. La fréquence de ces sensations peut diminuer au fur et à mesure que la peau s'habitue au médicament. Si l'irritation devient problématique, communiquer avec le médecin.

Éviter l'exposition excessive au soleil ou à la lumière ultraviolette. En cas d'exposition au soleil, utiliser un écran solaire et des vêtements de protection.

Les zones traitées ne doivent pas être recouvertes de pansements ou de bandages.

Un usage excessif de Tazorac ne donne pas des résultats meilleurs ou plus rapides, mais peut provoquer une grave irritation et de l'inconfort.

Se laver les mains après l'application de Tazorac à moins que les mains ne soient atteintes de psoriasis. Si le gel est accidentellement appliqué sur une zone non psoriasique, retirer le produit et laver la zone en question.

Si Tazorac entre en contact avec les yeux, laver avec beaucoup d'eau froide et communiquer avec le médecin si l'irritation des yeux persiste.

Doses oubliées: En cas d'oubli d'une dose de Tazorac, ne pas essayer de «compenser» en doublant la posologie. Retourner au régime posologique normal le plus tôt possible.

Directives d'utilisation: Après un bain ou une douche, bien sécher la peau avant d'appliquer Tazorac. Appliquer une mince couche de gel sur les lésions psoriasiques, 1 fois/jour au moment du coucher.

Éviter d'appliquer le produit sur la peau saine. Tazorac est parfois plus irritant sur la peau non psoriasique.

Si l'on doit traiter les mains, éviter tout contact avec les yeux.

Généralement, on constate une amélioration du psoriasis après 1 semaine environ. Poursuivre l'utilisation de Tazorac selon les directives du médecin. Communiquer avec le médecin si le psoriasis s'aggrave.

Remarques spéciales: En cas d'ingestion accidentelle de Tazorac, communiquer immédiatement avec le médecin ou un centre antipoison.

Ne pas utiliser Tazorac après la date d'expiration du produit indiquée sur le pli du tube.

Ce médicament a été prescrit pour le traitement d'un problème médical particulier. Il ne doit être utilisé que par la personne en question. Ne pas partager ce produit avec d'autres personnes. Il pourrait être nocif pour d'autres même si leur problème de peau semble similaire.

Conserver le tube bien fermé lorsqu'il n'est pas utilisé, dans un endroit sûr, hors de la portée des enfants.

Renseignements sur le traitement de l'acné: Si la personne est de sexe féminin et en âge de concevoir, elle ne doit utiliser le gel au tazarotène Tazorac qu'après avoir envisagé une solution contraceptive avec le médecin. Si la personne est enceinte, elle doit interrompre le traitement avec Tazorac.

Avant d'utiliser ce médicament: Informer le médecin des situations éventuelles suivantes:

1. Si la personne est enceinte ou envisage de le devenir, elle doit communiquer immédiatement avec le médecin lorsqu'elle devient enceinte tout en utilisant ce médicament.
2. Si elle allaite un enfant.
3. Si la personne est allergique à l'un des ingrédients de ce médicament.
4. Si la personne utilise déjà d'autres produits qui dessèchent la peau.
5. Si elle souffre d'eczéma. Tazorac risque de provoquer une grave irritation de la peau s'il est appliqué sur une peau eczémateuse.

Comment utiliser ce produit: Le médecin a peut-être conseillé d'utiliser Tazorac d'une façon différente de celle indiquée dans ce document. Si oui, suivre les directives du médecin pour savoir quand et comment utiliser le gel.

Lire attentivement les directives de l'ordonnance. Poser toutes les questions nécessaires au médecin ou au pharmacien si certains détails restent obscurs.

Si la personne utilise une crème ou une lotion pour hydrater la peau, l'appliquer avant Tazorac. Retirer le bouchon du produit et vérifier si le sceau n'est pas rompu avant d'utiliser le gel pour la première fois. Pour rompre le sceau, visser le bouchon à l'envers.

Après l'application de Tazorac, certaines personnes ressentent des démangeaisons ou des sensations de brûlure ou de piqûre. La fréquence de ces sensations peut diminuer au fur et à mesure que la peau s'habitue au médicament. Si l'irritation devient problématique, communiquer avec le médecin.

Éviter l'exposition excessive au soleil ou à la lumière ultraviolette. En cas d'exposition au soleil, utiliser un écran solaire et des vêtements de protection.

Les zones traitées ne doivent pas être recouvertes de pansements ou de bandages.

Un usage excessif de Tazorac ne donne pas des résultats meilleurs ou plus rapides, mais peut provoquer une grave irritation et de l'inconfort.

Se laver les mains après l'application de Tazorac à moins que les mains ne soient atteintes de psoriasis. Si le gel est accidentellement appliqué sur une zone non psoriasique, retirer le produit et laver la zone en question.

Si Tazorac entre en contact avec les yeux, laver avec beaucoup d'eau froide et communiquer avec le médecin si l'irritation des yeux persiste.

Doses oubliées: En cas d'oubli d'une dose de Tazorac, ne pas essayer de «compenser» en doublant la posologie. Retourner au régime posologique normal le plus tôt possible.

Directives d'utilisation: Laver délicatement la peau. Une fois qu'elle est sèche, appliquer Tazorac 1 fois/jour, au moment du coucher, sur les lésions acnéiques. Utiliser suffisamment de gel pour recouvrir d'une **mince couche** la totalité de la zone affectée.

Suivre les directives du médecin à propos des autres soins quotidiens de la peau et de l'utilisation du maquillage. Discuter avec le médecin de l'utilisation des produits cosmétiques et particulièrement des produits qui dessèchent la peau.

Généralement, la personne constate une amélioration de l'acné en 4 semaines environ. Poursuivre l'utilisation de Tazorac selon les directives du médecin.

Communiquer avec le médecin si l'acné s'aggrave.

Remarques spéciales: En cas d'ingestion accidentelle de Tazorac, communiquer immédiatement avec le médecin ou un centre antipoison.

Ne pas utiliser Tazorac après la date d'expiration du produit indiquée sur le pli du tube.

Ce médicament a été prescrit pour le traitement d'un problème médical particulier. Il ne doit être utilisé que par la personne en question. Ne pas partager ce produit avec d'autres personnes. Il pourrait être nocif pour d'autres même si leur problème de peau semble similaire.

Conserver le tube bien fermé lorsqu'il n'est pas utilisé, dans un endroit sûr, hors de la portée des enfants.

Présentation: Le gel Tazorac (tazarotène) est disponible en concentrations de 0,1 et 0,05 %. Il vient en tubes d'aluminium enroulables, avec un site d'ouverture visible et un bouchon, de 10, 30 et 100 g. Des tubes échantillons de 3,5 g sont disponibles pour les médecins.

□ TEGRETOL® 🅿

Novartis Pharma

Carbamazépine

Anticonvulsivant—Soulagement symptomatique de la névralgie du trijumeau—Antimaniaque

Renseignements destinés aux patients: Veuillez lire attentivement ce qui suit avant de commencer votre traitement, même si vous avez déjà pris ce médicament auparavant. Ne jetez pas ces renseignements avant la fin de votre traitement parce que vous devrez peut-être les relire. Pour en connaître davantage, consultez votre médecin ou votre pharmacien.

Qu'est-ce que Tegretol?

- Tegretol (carbamazépine) est un médicament qui appartient à la classe des anticonvulsivants et qui sert à traiter l'épilepsie. Tegretol est également utilisé dans le traitement de la douleur associée à la névralgie du trijumeau, et dans le traitement de la manie.
- Tegretol vous a été prescrit par votre médecin soit pour réduire le nombre de vos crises épileptiques, soit pour soulager la douleur provoquée par la névralgie du trijumeau, ou pour traiter votre manie aiguë ou votre trouble bipolaire.

Avant de prendre Tegretol, il y a des points importants que vous devez signaler à votre médecin:

- votre état de santé, surtout si vous souffrez d'une maladie du foie, du cœur ou du sang;
- si vous êtes enceinte ou si vous avez l'intention de le devenir, ou si vous allaitez;
- si vous prenez d'autres médicaments (avec ou sans ordonnance);
- la quantité d'alcool que vous consommez habituellement;
- les allergies dont vous souffrez.

Comment faut-il prendre Tegretol?

- Il est très important de prendre Tegretol selon les directives de votre médecin.
- Ne jamais augmenter ou diminuer la quantité de Tegretol que vous prenez, sauf si votre médecin vous en avise.
- Ne pas arrêter brusquement de prendre votre médicament parce que les crises pourraient augmenter.
- Si vous avez oublié de prendre Tegretol, prenez votre dose dès que possible. Cependant, s'il est presque temps de prendre la prochaine dose, ne prenez pas celle que vous avez oublié et continuez votre traitement tel que prescrit.
- Les comprimés Tegretol ordinaires et à mâcher (Chewtabs) devraient être pris en 2 à 4 doses fractionnées par jour, avec les repas quand cela est possible. Les comprimés Tegretol CR doivent être avalés entiers avec un peu de liquide, pendant ou après les repas.
- Bien agiter la suspension Tegretol avant l'usage parce qu'autrement, vous pourriez ne pas prendre la dose exacte.

Quand ne faut-il pas prendre Tegretol?

- Ne pas prendre Tegretol si vous êtes allergique à l'un des ingrédients des comprimés ou de la suspension (voir la liste des ingrédients à la fin de ce feuillet).

Précautions durant le traitement avec Tegretol:

- Appeler immédiatement le médecin en cas d'aggravation des crises.
- Appeler immédiatement le médecin en cas de réaction grave, inhabituelle ou allergique.
- Consulter le médecin en cas d'apparition des réactions indésirables suivantes: somnolence, maux de tête, manque d'équilibre, vision double, étourdissements, nausées ou vomissements.
- Ne pas conduire de véhicule ou manœuvrer des machines à moins d'avoir la certitude que Tegretol n'affecte pas votre vigilance.
- Ne pas consommer d'alcool durant le traitement avec Tegretol.

Que faire en cas de surdosage avec Tegretol?

- Appeler le médecin ou le service des urgences de l'hôpital le plus proche, même si vous ne vous sentez pas malade.

Comment entreposer Tegretol?

- Garder à la température ambiante (en dessous de 30 °C). Protéger de l'humidité (salle de bain où vous prenez souvent des douches, par exemple).
- Protéger les comprimés à mâcher (Chewtabs) et la suspension de la lumière.
- Garder hors de la portée des enfants.

De quoi est composé Tegretol?

- Comprimés Tegretol 200 mg: composés de cellulose, stéarate de magnésium, silice.
- Comprimés à mâcher Tegretol Chewtabs 100 et 200 mg: saveur de cerise et de menthe, fécule de maïs, érythrosine, gélatine, glycérine, stéarate de magnésium, silice, glycolate d'amidon sodique, acide stéarique, sucre.
- Tegretol CR 200 et 400 mg: esters acryliques, composés de cellulose, oxydes de fer, stéarate de magnésium, silice, talc, anhydride titanique, dérivé d'huile de castor.
- Suspension Tegretol 100 mg/cuiller à thé (5 mL): acide citrique, saveur de vanille et de citron, colorant nº 6 de FD&C, polyol pluronique, sorbate de potassium, propylèneglycol, sucrose, sorbitol, eau, gomme xanthane.

Qui fabrique Tegretol? Les comprimés Tegretol, Chewtabs et Tegretol CR sont fabriqués par: Geigy, Spécialités pharmaceutiques, Ciba-Geigy Canada Ltée, Dorval (Québec), H9S 1B1, ou Mississauga (Ontario), L5N 2W5.

Rappel: Ce médicament vous a été prescrit à vous seulement. Ne le donnez à personne d'autre!

Si vous souhaitez recevoir d'autres renseignements ou des conseils, veuillez vous adresser à votre médecin ou à votre pharmacien.

□ TERAZOL® Ⓟ

Janssen-Ortho

Terconazole

Antifongique

Renseignements destinés aux patients: Terazol 3 Duopak: Terazol 3 Duopak contient 3 ovules vaginaux Terazol 3 (terconazole à 80 mg) et un tube de 9 g de crème vaginale Terazol 3 (terconazole à 0,8 %).

Terazol 3 Duopak vous a été prescrit comme traitement local de la candidose (moniliase) vulvovaginale et devrait être employé sous surveillance médicale seulement.

N'employez pas ce médicament si vous avez déjà présenté une réaction allergique ou une intolérance à un produit renfermant du terconazole.

Ce médicament ne doit pas être employé durant le premier trimestre de la grossesse. Si vous êtes enceinte ou pensez l'être, consultez votre médecin avant d'employer ce médicament.

Emploi indiqué du médicament: Employez ce médicament uniquement suivant le mode d'emploi. Ne modifiez pas la posologie ni la fréquence d'application sauf sur indication de votre médecin.

Ce médicament vous a été prescrit pour une affection médicale précise et ne doit être employé que par vous. Ne le partagez pas avec d'autres.

Allez jusqu'au bout du traitement prescrit pour réduire les risques de réinfection.

Évitez de porter des vêtements serrés (sous-vêtements, pantalons, collants, etc.).

Gardez tout médicament hors de la portée des enfants.

À noter: Les ovules vaginaux Terazol 3 agissent sur le caoutchouc naturel et ne doivent pas être employés avec des produits comme les condoms et les diaphragmes.

Posologie et mode d'emploi (voir le prospectus d'emballage pour les illustrations): **Les ovules et la crème doivent être employés 1 fois/jour au coucher pendant 3 jours consécutifs.**

Insertion de l'ovule:

- Retirez un ovule de l'emballage. Placez l'ovule dans le logement de l'applicateur tel qu'illustré. L'applicateur et l'ovule sont maintenant prêts pour l'insertion.
- En tenant le cylindre, insérez doucement l'applicateur renfermant l'ovule dans le vagin le plus loin possible sans inconfort. Poussez le piston et libérez l'ovule. En gardant le piston enfoncé, retirez l'applicateur du vagin.

Après l'insertion de l'ovule:

- Étendre une mince couche de crème directement sur la vulve pendant 3 jours consécutifs.

Entretien de l'applicateur:

- Après chaque emploi, lavez l'applicateur en tenant le cylindre d'une main et en enlevant le piston en direction opposée. Lavez-le à l'eau et au savon. Pour l'assembler, replacez le piston dans l'applicateur en le poussant jusqu'au bout.

Effets secondaires: En plus de l'action prévue, tout médicament peut occasionner des effets indésirables. Les effets secondaires signalés comprennent:

- des maux de tête, une sensation de brûlure, de la douleur, des démangeaisons et de l'irritation.

Si vous ressentez les effets secondaires mentionnés ou tout autre effet secondaire, consultez votre médecin.

Si vous désirez de plus amples renseignements, consultez votre médecin ou pharmacien.

□ TES-TAPE®

Lilly

Ruban pour test glycosurique enzymatique

Agent de diagnostic

Renseignements destinés aux patients (voir le prospectus d'emballage pour les illustrations): Tes-Tape est le test glycosurique le plus pratique qui soit. Ce test décèle la présence de glucose dans l'urine. Il est spécifique au glucose (sucre présent chez les diabétiques); les autres sucres ne réagissent pas avec le ruban. La comparaison du ruban et de l'échelle colorimétrique indique un résultat positif ou négatif.

1. **Soulever le couvercle** et tirer environ 4 cm (1½ pouce) de ruban.

Tes-Tape (suite)

2. **Tenir le ruban tendu, bien fermer le couvercle et couper le ruban en tirant tout droit.**
3. **Tremper 1 cm (1/4 de pouce) de ruban dans le spécimen d'urine et retirer immédiatement.** Le ruban doit être mouillé uniformément mais le bout du ruban tenu entre les doigts doit demeurer sec. Ne pas poser le ruban sur le lavabo ou sur du papier, ni toucher le bout du ruban mouillé avec les doigts.
4. **Attendre 2 minutes.** La coloration du ruban mouillé se développe en 2 minutes.
5. **Comparer aussitôt la zone la plus foncée du ruban en le plaçant devant la zone blanche au-dessus de l'échelle colorimétrique.** Une coloration jaune indique l'absence de sucre (glucose) dans l'urine et doit être inscrite comme un résultat négatif. Si la couleur du ruban correspond à une couleur de l'échelle colorimétrique, il y a du sucre dans l'urine et le résultat est positif.

Important: La précision d'un rouleau de Tes-Tape peut être vérifiée facilement en trempant un bout de ruban dans une solution de glucose correctement préparée*. Retirer immédiatement le ruban du liquide comme on procède avec un spécimen d'urine. Après 2 minutes, la couleur du ruban comparée à l'échelle colorimétrique devrait correspondre à un résultat positif. Si ce n'est pas le cas, le ruban s'est détérioré et ne doit pas être utilisé.

Précautions:
1. **Ne pas utiliser le ruban s'il est devenu jaune foncé ou brun.**
2. **Tenir à l'abri de la lumière directe, de l'humidité excessive et de la chaleur. Ne pas conserver dans un endroit très chaud ou humide tel que la cuisine ou la salle de bain.**
3. **L'activité du ruban Tes-Tape doit être vérifiée périodiquement surtout s'il est utilisé au cours d'une période prolongée, si les tests sont régulièrement négatifs ou si le médecin se base sur des résultats négatifs pour prescrire une diminution de la dose d'insuline. Le test au Coca Cola décrit ci-dessous devrait être effectué afin de confirmer l'activité du Tes-Tape.**

Ce qu'il faut faire si le ruban se déchire (voir le prospectus d'emballage pour les illustrations):
1. Soulever le couvercle. Insérer la pointe d'un couteau sous le bord du porte-ruban à l'endroit indiqué par le point noir.
2. Relever le couteau afin de dégager le porte-ruban de la boîte. Enlever le porte-ruban en le faisant glisser comme un tiroir.
3. Placer le bout libre du ruban **par-dessus** le guide du porte-ruban. Remettre le porte-ruban dans la boîte.

* Si on ne peut se procurer une solution de glucose correctement préparée, du Coca Cola d'une bouteille que l'on vient d'ouvrir peut servir. Le Coca Cola est un produit bien contrôlé et standardisé avec soin qui donnera la même réaction qu'une solution de glucose correctement préparée.

Pour obtenir une fiche des tests urinaires avec Tes-Tape, consulter le fabricant.

□ THEO-DUR® 🅿

Astra

Théophylline

Bronchodilatateur

Renseignements destinés aux patients: Ce que vous devez savoir sur Theo-Dur (comprimés de théophylline anhydre): Theo-Dur est le nom commercial d'un médicament appelé «théophylline». On l'utilise pour traiter des troubles respiratoires comme l'asthme, la bronchite et l'emphysème. Theo-Dur aide à ouvrir les voies aériennes dans les poumons et à prévenir la respiration sifflante et l'essoufflement.

Theo-Dur est une préparation de théophylline «à libération progressive». Cela signifie que ses effets durent plus longtemps que d'autres présentations de ce médicament. D'autres marques de théophylline «à libération progressive» sont disponibles. En général, elles agissent de façon semblable à Theo-Dur et présentent les mêmes effets secondaires.

Lisez le feuillet avec attention. Il a été préparé par le fabricant pour mieux vous renseigner sur Theo-Dur. Il contient des informations générales sur ce médicament et a pour but de compléter les conseils plus spécifiques fournis par votre médecin ou pharmacien.

Ce feuillet ne doit pas remplacer l'information donnée par votre médecin ou votre pharmacien. En raison de **votre** propre état de santé, ces professionnels peuvent vous avoir donné des renseignements additionnels ou différents. Dans ce cas, assurez-vous de suivre leurs conseils. Pour toute question ou préoccupation après la lecture de ce feuillet, ou si quelque renseignement vous semble différent, parlez-en à votre médecin ou pharmacien aussitôt que possible. **Ne cessez pas de prendre Theo-Dur sans consulter votre médecin.**

Avant de prendre Theo-Dur: Avant de commencer à prendre Theo-Dur, assurez-vous d'avoir informé votre médecin:
- de tout autre problème de santé, présent ou passé;
- de tout autre médicament que vous prenez, y compris ceux qu'on peut acheter sans ordonnance;
- de toute allergie ou mauvaise réaction, présente ou passée, à certains aliments ou certains médicaments;
- si vous êtes enceinte ou prévoyez le devenir;
- si vous allaitez;
- si vous suivez un régime quelconque;
- si vous fumez, ou avez fumé régulièrement au cours des deux dernières années.

Comment prendre Theo-Dur:
- **Prenez Theo-dur exactement comme votre médecin l'a prescrit.** Ne sautez pas de prises et ne prenez pas de comprimés additionnels sans obtenir l'avis de votre médecin. Si le mode d'emploi ne vous paraît pas clair, consultez votre médecin ou votre pharmacien.
- **Il est important de prendre toutes les doses de Theo-Dur, même lorsque vous vous sentez bien.** Cela maintient une quantité constante de Theo-Dur dans votre organisme pour faciliter la prévention des problèmes respiratoires.
- Prenez Theo-Dur à des intervalles réguliers pendant la journée. Par exemple, si vous devez prendre 2 comprimés par jour, faites-le à environ 12 heures d'intervalle. Vous devriez aussi avoir l'habitude de prendre chaque dose à la même heure tous les jours.
- Il serait bon de demander à l'avance à votre médecin ou pharmacien que faire en cas d'oubli. En général, si vous vous rappelez avoir oublié une dose après quelques heures, prenez-la aussitôt que possible; retournez ensuite à votre horaire régulier. Cependant s'il est presque temps de prendre la dose suivante, laissez faire la dose oubliée. Il suffit de poursuivre votre horaire posologique habituel. **Ne prenez jamais une double dose de Theo-Dur pour compenser les comprimés oubliés.**
- Il ne faut **pas** croquer, écraser ou briser en plusieurs morceaux les comprimés de Theo-Dur. Si vous éprouvez des difficultés à avaler les comprimés de Theo-Dur, votre pharmacien peut vous montrer comment les sectionner en deux.
- **Theo-Dur ne doit pas être utilisé pour soulager les crises respiratoires soudaines** parce qu'il prendra trop de temps à faire effet.

Précautions spéciales:
- Theo-Dur a été prescrit pour **votre présent état seulement.** Ne l'utilisez pas pour résoudre un autre problème, à moins de directives spéciales de votre médecin. N'en donnez **pas** à d'autres personnes.
- Ne changez pas de marque ou de forme de Theo-Dur sans consulter votre médecin. Assurez-vous que le nom Theo-Dur est inscrit sur l'étiquette et si, au renouvellement, votre ordonnance semble différente, vérifiez auprès de votre pharmacien.
- **Ne prenez pas d'autre(s) médicament(s) sans consulter un médecin ou un pharmacien.** Certains médicaments, comme les vaccins (p. ex. antigrippal) et les médicaments vendus sans ordonnance, **peuvent** affecter la façon dont Theo-Dur agit dans votre cas.
- Dans certaines circonstances, votre dose de Theo-Dur pourra être changée. Consultez immédiatement votre médecin si: vous avez la diarrhée, une infection respiratoire, de la fièvre ou la grippe (influenza); vous avez l'intention de devenir enceinte; vous commencez à fumer ou cessez; vous mangez beaucoup d'aliments grillés sur charbon de bois; vous désirez entreprendre un régime riche en protéines et pauvre en hydrates de carbone ou pauvre en protéines et riche en hydrates de carbone.
- **Gardez Theo-Dur hors de la portée des enfants.** Étant donné que la chaleur et l'humidité peuvent provoquer la dégradation du médicament, ne laissez pas le flacon dans la pharmacie de la salle de bain ou des endroits de ce genre.

Effets secondaires possibles: Theo-Dur est très efficace contre les troubles respiratoires, mais comme tous les médicaments, il peut provoquer des effets secondaires chez certaines personnes. Ces effets peuvent survenir avec tout médicament à base de théophylline.

La théophylline provoque des réactions différentes d'un sujet à l'autre. Ce n'est pas parce que certaines personnes ont des réactions que vous allez en avoir aussi.

Les signes suivants peuvent vous avertir qu'il y a trop de théophylline dans votre organisme. Si vous remarquez un de ces symptômes, dites-le immédiatement à votre médecin. Il est possible que, dans votre cas, Theo-Dur **ne soit pas** responsable de ces problèmes, mais seul un médecin peut en faire l'évaluation. N'oubliez pas que si vous êtes préoccupé par les renseignements présentés dans ce feuillet, **ne cessez pas de prendre Theo-Dur de votre propre chef.** Parlez-en plutôt à votre médecin dans les plus brefs délais.

- problèmes digestifs inexplicables, comme nausées, vomissements, brûlures d'estomac;
- perte d'appétit, douleurs à l'estomac, diarrhée, selles noires ou sanguinolentes;
- changements inexplicables de l'état général, comme changements d'humeur (agitation, nervosité, irritabilité, troubles du sommeil), confusion, troubles de mémoire;
- étourdissements, fatigue ou faiblesse inhabituelles, tremblements ou spasmes musculaires;
- convulsions;
- tout symptôme énuméré ci-dessous à moins qu'il ne soit facilement expliqué par autre chose: troubles de l'audition (p. ex.: tintement ou bourdonnement d'oreilles); troubles visuels (p. ex. éclairs); respiration anormalement rapide; battements de cœur anormalement rapides, forts ou irréguliers; maux de tête;
- fièvre; rougeur ou rougeur extrême; soif extrême; augmentation ou réduction anormale de la miction («quantité d'urine»).

D'autres effets secondaires imprévisibles peuvent apparaître chez certaines personnes. Si vous remarquez quelque effet ennuyeux ou inhabituel pendant le traitement avec Theo-Dur, consultez un médecin (ou un pharmacien) sans attendre.

Renseignements généraux: N'oubliez pas que ce feuillet ne doit pas remplacer une conversation avec le médecin. Tous les médicaments peuvent avoir des effets utiles et des effets nocifs. Ils dépendent tous deux de la personne et de son état de santé particulier. Votre médecin a décidé que les avantages dépassent les inconvénients dans votre cas. Ce feuillet vous indique quand appeler votre médecin, mais d'autres situations imprévisibles peuvent se présenter. Rien dans ce feuillet ne devrait vous empêcher de parler à votre médecin de toute question ou préoccupation au sujet de Theo-Dur.

Des renseignements plus détaillés sur Theo-Dur sont rédigés à l'intention des professionnels de la santé. Cette information peut être obtenue auprès de votre médecin ou de votre pharmacien.

☐ THEO-SR® ℞

Rhône-Poulenc Rorer

Théophylline

Bronchodilatateur

Renseignements destinés aux patients: Votre médecin vous a prescrit Theo-SR, une forme retard de théophylline.

Propriétés du produit retard: le Theo-SR contient de la théophylline, un bronchodilatateur, dans une formule à libération prolongée, c.-à-d. que le produit est libéré lentement dans votre sang et que son effet se maintient plus longtemps. Theo-SR donne une concentration maximale de théophylline entre 4 et 6 heures après le moment où vous avez pris votre médicament et, dans la plupart des cas, les niveaux thérapeutiques se maintiennent pendant 12 heures.

Theo-SR est réservé au traitement d'entretien. **Il ne doit donc pas être utilisé dans les situations d'urgence qui exigent un soulagement rapide du bronchospasme.**

Quelle est l'action de la théophylline? La théophylline est administrée par voie orale, en vue de traiter des symptômes de l'asthme bronchique, de la bronchite asthmatique et autres maladies respiratoires. Elle permet de réduire la toux, la respiration sifflante, l'essoufflement et les difficultés respiratoires. Elle agit en dilatant les voies respiratoires, c.-à-d. les bronches, et en augmentant le débit de l'air.

Il existe de nombreuses interactions médicamenteuses avec la théophylline, et c'est pourquoi il est important que votre médecin soit au courant de tous les médicaments que vous prenez.

Comment devez-vous prendre Theo-SR? Sauf avis contraire de votre médecin, vous devez prendre Theo-SR toutes les 12 heures, de préférence à jeun, avec un verre d'eau, c.-à-d. 30 minutes ou 1 heure avant les repas, ou encore 2 heures après.

Dans certains cas, votre médecin vous demandera de prendre Theo-SR en même temps que les repas ou aussitôt après, afin de diminuer les troubles gastriques.

Que vous preniez Theo-SR au moment des repas ou après, faites-le de façon constante, c.-à-d. ne changez pas de méthode.

Importance de la dose et de la régularité des prises: pour que Theo-SR agisse avec efficacité, il est indispensable que vous preniez chaque jour la dose recommandée à intervalles réguliers, de façon à maintenir constante la quantité du produit dans votre sang.

Pour garder constante la concentration du produit dans votre sang, vous ne devez jamais oublier de prendre votre médicament.

Que faire si vous avez oublié de prendre Theo-SR? Si vous avez oublié de prendre votre médicament, prenez-le dès que possible, sauf si vous êtes presque au moment de la prochaine dose; en ce cas, sautez la dose oubliée et revenez à votre horaire normal. **Vous ne devez pas prendre de double dose.**

Conséquences des doses excessives: **Prenez Theo-SR exactement de la façon qui vous est indiquée.** N'en prenez pas plus, n'en prenez pas plus souvent que ne vous le recommande votre médecin. Sinon, vous augmentez le risque d'éprouver des effets secondaires sérieux.

Parmi les effets secondaires enregistrés avec des doses excessives, on note une irritation gastrique, des nausées et vomissements, des douleurs gastriques et des tremblements. Ces effets secondaires peuvent se dissiper en cours de traitement, à mesure que votre organisme s'adapte au produit. Toutefois, si l'un de ces symptômes persiste ou s'aggrave, consultez votre médecin.

Avertissement: les comprimés sécables Theo-SR peuvent être pris par moitié tout en conservant leurs propriétés retard. Il est cependant recommandé de **ne pas les croquer ni de les écraser avant de les avaler.**

Au cours d'une infection virale, il peut être nécessaire de réajuster la posologie de Theo-SR. Si pendant cette infection vous ressentez des effets secondaires, consultez votre médecin avant de prendre la dose suivante.

Pour toute autre difficulté, consultez votre médecin.

☐ TIAZAC® ℞

Crystaal

Chlorhydrate de diltiazem

Antihypertenseur—Antiangineux

Renseignements destinés aux patients: Dans cette information, vous trouverez ce qu'il vous faut savoir sur les capsules Tiazac (chlorhydrate de diltiazem). Tiazac est le nom de marque du diltiazem, en capsules à libération prolongée, à prendre 1 fois/jour. Il appartient au groupe de médicaments nommé «inhibiteurs calciques» ou «antagonistes du calcium». Votre médecin vous a prescrit Tiazac, une médication qui aide à maîtriser l'hypertension artérielle et/ou les symptômes de l'angine associés à l'effort. Tiazac décontracte les artères, ce qui entraîne une baisse de la pression artérielle.

Veuillez lire attentivement cette notice. Elle ne remplace pas l'avis de votre médecin ou de votre pharmacien, qui peuvent vous avoir donné des instructions différentes, en raison de votre état de santé individuel. L'essentiel est de suivre leurs recommandations. Pour toute question, adressez-vous à votre médecin ou à votre pharmacien.

Avant de prendre Tiazac, vous devrez donner à votre médecin les indications suivantes:

- Êtes-vous enceinte ou projetez-vous de le devenir?
- Êtes-vous en période d'allaitement?
- Quels sont tous les problèmes de santé que vous avez actuellement ou que vous aviez précédemment?
- Quels sont tous les médicaments que vous prenez, sans oublier ceux que vous pouvez acheter sans ordonnance?
- Si vous consultez plusieurs médecins, faites en sorte que chacun d'eux soit au courant de tous les médicaments que vous prenez.
- Êtes-vous allergique à des substances «non médicinales», comme certains produits alimentaires, agents de conservation ou colorants qui pourraient être présents dans les capsules Tiazac (voir Ingrédients de Tiazac).
- Avez-vous déjà eu une réaction mauvaise, inhabituelle ou allergique à un médicament contenant du diltiazem?

Ingrédients de Tiazac: Diltiazem, cellulose microcristalline, stéarate de sucrose, agent de dispersion polyacrylate (30 %), povidone, talc, stéarate de magnésium, hydroxypropylméthylcellulose, dioxyde de titane, ▶

Tiazac (suite)

polysorbate, siméthicone, gélatine, FD&C bleu nº 1, FD&C rouge nº 40, D&C rouge nº 28, FD&C vert nº 3, noir oxyde de fer.

Comment prendre Tiazac: Prenez votre Tiazac **exactement** comme vous l'a dit votre médecin. Ne manquez pas de doses, ne prenez pas de doses supplémentaires à moins que le médecin ne vous l'ait dit. Si vous avez besoin d'un conseil, demandez à votre médecin ou à votre pharmacien.

- Tiazac se prend 1 fois/jour.
- Il est important de toujours prendre Tiazac à peu près au même moment de la journée.
- Si vous manquez une dose, demandez à votre médecin ou à votre pharmacien ce que vous devez faire.
- Les capsules de Tiazac ne doivent pas être croquées, ni écrasées.

Effets secondaires: Comme toute médication, Tiazac peut avoir certains effets secondaires. Il est important que vous teniez votre médecin au courant de tous les effets secondaires, en particulier si l'un des effets suivants dure plus de 1 semaine: céphalées, étourdissements, œdème périphérique (gonflement des chevilles), nausées (envie de vomir), bouffées congestives ou sensation de chaleur inhabituelle, battements de cœur précipités et fatigue anormale.

Discutez avec votre médecin ou avec votre pharmacien de votre expérience personnelle avec Tiazac. **Ne prenez pas seul la décision d'arrêtez votre traitement ou de le reprendre.**

Certaines précautions sont à observer:

- Gardez Tiazac hors de la vue et de la portée des enfants.
- Ne donnez pas de Tiazac à d'autres patients, car il pourrait ne pas leur convenir.
- Conservez vos capsules dans un endroit sec à température ambiante.
- Lisez soigneusement l'étiquette. Si vous avez des questions, posez-les à votre médecin ou à votre pharmacien.

□ TICLID® ℞

Roche

Chlorhydrate de ticlopidine

Agent antiplaquettaire

Renseignements destinés aux patients: On prescrit habituellement Ticlid à des patients qui ont déjà eu un accident vasculaire cérébral ou qui ont connu des états avant-coureurs indicateurs d'un risque accru d'accident vasculaire cérébral, tels un accident ischémique transitoire cérébral, des changements neurologiques secondaires à une ischémie ou des accidents vasculaires cérébraux mineurs. Au cours des essais cliniques, Ticlid a démontré un pouvoir d'abaisser à la fois le taux de mortalité due à un accident vasculaire cérébral et la survenue d'un premier accident ou des accidents répétés chez de tels patients.

Ticlid renferme de la ticlopidine, médicament qui restreint la capacité des plaquettes sanguines de se coller les unes contre les autres ou contre les parois des vaisseaux sanguins. Cette restriction atténue à son tour la tendance du sang à se coaguler dans des endroits non désirés comme des vaisseaux sanguins dont le calibre a diminué.

On vous a prescrit Ticlid et vous devez **l'employer selon les directives strictes de votre médecin.** Comme certains effets secondaires risquent de se produire chez quelques patients (voir ci-après), **on vous demandera de subir un test sanguin** (afin de mesurer votre numération globulaire et certains indicateurs biochimiques) **avant le début du traitement et ensuite toutes les 2 semaines pendant les 3 premiers mois du traitement au Ticlid.** Si vous cessez de prendre Ticlid pour quelque raison que ce soit au cours des 3 premiers mois, vous devrez quand même subir un test sanguin additionnel dans les 2 semaines suivant l'arrêt de votre traitement au Ticlid. Également, il est très important que vous signaliez immédiatement à votre médecin l'apparition de:

- **tout signe d'infection** tels la fièvre, des frissons, un mal de gorge, des ulcérations dans la bouche, etc.;
- **toute ecchymose ou saignement anormaux;**
- des signes de **jaunisse** (yeux ou peau jaunes, urine foncée ou selles de couleur claire);
- **une éruption cutanée;**
- une **diarrhée** persistante.

Si vous ne pouvez voir immédiatement le médecin, cessez de prendre le médicament jusqu'à votre prochain rendez-vous chez le médecin.

De plus, **consultez votre médecin avant de prendre tout autre médicament** dont l'emploi serait nécessaire (on sait que Ticlid entrave l'action d'autres médicaments).

Si vous devez subir une intervention chirurgicale ou une extraction de dents, **avisez le chirurgien ou le dentiste que vous prenez Ticlid,** médicament qui peut provoquer un saignement prolongé.

Effets secondaires: Environ 20 % des patients souffriront d'effets secondaires occasionnés par l'emploi de Ticlid. La plupart des effets secondaires surviennent pendant les 3 premiers mois de traitement et ils disparaissent 1 à 2 semaines après que le patient a cessé de prendre Ticlid. Les effets secondaires qui pourraient être plus sérieux sont:

- Une baisse du nombre de globules blancs se produit chez environ 2 % des patients traités au Ticlid. Cet état entraînera une moins grande résistance à l'infection. Par des tests sanguins réguliers, on peut déceler cet effet secondaire le plus tôt possible et cesser la médication. Chez moins de 1 % des patients, le nombre de globules blancs peut chuter radicalement à des concentrations très faibles, mais l'arrêt du traitement par Ticlid aboutit presque toujours à un rétablissement complet.
- Une tendance accrue au saignement qui se manifeste par un saignement prolongé à la suite d'un traumatisme ou d'une plaie chirurgicale, de contusions, de saignement dans le tube digestif (présence de selles noires), etc. survient très rarement, dans moins de 1 % des cas, mais on doit en surveiller l'apparition surtout si vous avez des antécédents de troubles hémorragiques, d'ulcères gastro-duodénaux, etc. (parlez à votre médecin de vos antécédents) ou si vous êtes sur le point de subir une intervention chirurgicale (n'oubliez pas d'informer le chirurgien ou le dentiste de votre traitement par Ticlid).
- Exceptionnellement, une jaunisse ou une insuffisance hépatique, habituellement réversible dès l'abandon du traitement par Ticlid, ont été signalées.

Les effets secondaires les plus courants sont l'estomac dérangé—pour minimiser cette éventualité, **prenez toujours Ticlid aux repas**—la diarrhée et les éruptions cutanées.

Comme pour tout médicament, on ne peut vraiment écarter la possibilité d'un effet secondaire inattendu, auparavant inconnu, qui risque d'être sérieux.

Si vous ne comprenez pas l'information qui vient de vous être transmise, ou si des doutes persistent dans votre esprit, parlez-en à votre médecin.

Avertissement: Employer tel que prescrit. Garder hors de la portée des enfants.

□ TILADE® ℞

Rhône-Poulenc Rorer

Nédocromil sodique

Anti-inflammatoire bronchique

Renseignements destinés aux patients: Veuillez lire attentivement le présent encart avant d'entreprendre le traitememt par Tilade (nédocromil sodique) et chaque fois que vous renouvelez votre ordonnance.

Observations sur votre maladie: L'asthme est une maladie se manifestant par des accès d'essoufflement, de respiration sifflante (c'est-à-dire audible) et, parfois, de toux. Lorsqu'une crise survient, vous avez beaucoup de difficulté à respirer. L'asthme peut perturber votre vie professionnelle, votre sommeil et votre alimentation de même que vous empêcher de faire du sport. Les répercussions de la maladie varient d'une personne à l'autre.

Au cours d'une crise d'asthme, les muscles de l'extérieur des voies respiratoires sont pris de spasmes par suite de la libération de certaines substances, si bien que les conduits se rétrécissent. Résultat: l'inspiration est difficile et l'expiration, encore plus laborieuse.

L'intérieur des voies aériennes n'est pas épargné pendant la crise. En effet, les parois internes enflent et sécrètent une quantité anormale de mucus, lequel entrave la respiration.

Causes possibles du bronchospasme et de l'asthme:

1. Substances allergènes (herbe à poux, pollen, poussière, certains aliments et médicaments);
2. Infections respiratoires (rhume, grippe);
3. Effort physique exigeant;
4. Variations soudaines de la température ou du taux d'humidité;
5. Irritants chimiques (chlore, parfum).

Tilade: Tilade n'est offert que sur ordonnance du médecin.

Tilade est un médicament pour inhalation. «Tilade» est le nom commercial d'un médicament appelé «nédocromil sodique». Le nédocromil sodique est un anti-inflammatoire. Après son inhalation, Tilade pénètre directement dans les poumons, où il empêche certaines cellules de sécréter des substances provoquant de l'inflammation et, de ce fait, entraînant des symptômes d'asthme ou un bronchospasme (respiration sifflante ou laborieuse). Tilade est utilisé dans le traitement de l'inflammation et en prévention des symptômes de l'asthme. Comme Tilade atténue l'inflammation pulmonaire, son emploi régulier se traduira par une diminution du nombre et de l'intensité des crises d'asthme.

Tilade peut également être utilisé à titre occasionnel pour prévenir le bronchospasme (respiration sifflante ou laborieuse) causé par des facteurs déclenchants tels que les substances allergènes, l'air froid, l'effort et les polluants atmosphériques.

Tilade peut être employé seul ou en association avec d'autres antiasthmatiques.

On ne doit pas utiliser Tilade pour venir à bout d'une crise d'asthme ou d'un bronchospasme installé. Tilade ne procure pas de soulagement immédiat des symptômes.

Utilisation de Tilade: Suivez à la lettre les instructions de votre médecin. Tenez-vous en à la dose et à la fréquence d'administration prescrites. Une consommation excessive peut accroître les risques de survenue de réactions indésirables.

Les bienfaits du médicament peuvent prendre 1 semaine, voire davantage, à se manifester.

Important: Si vous répondez par l'affirmative à l'une des questions ci-après, soulignez-le à votre médecin ou à votre pharmacien avant de commencer à prendre Tilade.

- Êtes-vous allergique à Tilade (nédocromil sodique) ou avez-vous déjà réagi défavorablement à ce médicament ou à l'une de ses composantes?
- Êtes-vous enceinte ou avez-vous l'intention de le devenir?
- Allaitez-vous ou avez-vous l'intention d'allaiter?
- Prenez-vous d'autres médicaments, que ce soit des produits sur ordonnance ou en vente libre?
- Souffrez-vous d'autres maladies?

Précautions à prendre pendant un traitement par Tilade:

- Lorsque vous consultez un médecin, un dentiste ou un pharmacien, n'oubliez pas de lui dire que vous prenez Tilade.
- Assurez-vous que vous maîtrisez bien la technique d'administration. Pour ce faire, vous pouvez inhaler le médicament devant votre médecin ou votre pharmacien. Si vous avez de la difficulté à utiliser l'inhalateur, votre médecin peut vous recommander le Syncroner Tilade, appareil faisant office de tube d'espacement et de dispositif d'apprentissage.
- Même si vous vous sentez mieux, vous **ne devez pas** cesser de prendre les autres antiasthmatiques qui vous ont été prescrits sans en parler d'abord à votre médecin.
- Nous vous conseillons de vous gargariser ou de vous rincer la bouche après avoir utilisé Tilade: vous pourrez ainsi atténuer ou prévenir toute irritation de la gorge ou perturbation du goût.
- Si vous n'obtenez aucun soulagement, parlez-en à votre médecin.
- Il est important de signaler toute réaction indésirable à votre médecin: vous l'aiderez ainsi à déceler rapidement et à prévenir d'éventuelles complications.
- **Ne manquez pas de vous soumettre à un examen de santé périodique.**

Enfants: L'efficacité de Tilade (nédocromil sodique) est fonction de la capacité de l'enfant d'utiliser le dispositif d'administration. L'inhalation devrait se dérouler sous la surveillance d'un adulte connaissant le mode d'emploi de l'inhalateur Tilade.

Effets secondaires: Comme c'est le cas lors de tout traitement, les bienfaits de Tilade peuvent s'obtenir au prix de certaines réactions indésirables. Les effets secondaires ci-après ne surviendront peut-être pas tous; s'ils se manifestent, toutefois, ils nécessiteront peut-être des soins médicaux.

Consultez votre médecin en présence de l'une des réactions suivantes:

- goût désagréable;
- céphalées;
- nausées;
- vomissements;
- dyspepsie;
- douleurs abdominales.

Tilade peut déclencher une toux ou un bronchospasme chez certaines personnes.

Des effets secondaires non mentionnés ci-dessus peuvent également survenir. Le cas échéant, consultez votre médecin.

Posologie: La posologie de Tilade est adaptée aux besoins de chaque patient. Suivez les instructions de votre médecin. Les modalités de traitement habituelles figurent ci-après.

Adulte et enfant de plus de 6 ans: 2 pulvérisations 4 fois/jour. Il se peut que votre médecin modifie cette posologie pour l'adapter à vos besoins.

Le recours à une dose unique de Tilade, à savoir 2 pulvérisations, 30 minutes au plus avant l'exposition à un facteur déclenchant tel que les substances allergènes, l'air froid, l'effort et les polluants atmosphériques, pourrait prévenir le bronchospasme déclenché par l'un de ces éléments.

Oubli d'une dose: Si vous utilisez Tilade régulièrement et sautez une dose, prenez-là dès que vous constatez votre oubli. Vous prendrez ensuite les autres doses de la journée à intervalles réguliers.

Votre cartouche est-elle vide?: Votre cartouche Tilade (nédocromil sodique) renferme environ 112 pulvérisations. Nous vous conseillons de noter le nombre de pulvérisations effectuées: vous aurez ainsi une idée du contenu restant de votre cartouche. **On ne peut pas vérifier si la cartouche Tilade est vide en la plaçant dans l'eau, comme on peut généralement le faire avec les générateurs d'aérosol.**

Tilade: Mode d'emploi: Après une longue période d'inutilisation, mettez l'aérosol à l'épreuve en exerçant une pression avant l'inhalation. Assurez-vous que la cartouche est insérée correctement dans l'inhalateur.

Vous devez absolument suivre les instructions ci-après pour que la dose correcte de Tilade pénètre dans vos poumons (voir le prospectus d'emballage pour les illustrations).

1. Agitez bien l'inhalateur.
2. Retirez le capuchon de l'inhalateur.
3. Tenez l'inhalateur loin de votre bouche et expirer légèrement (sans expulser tout l'air de vos poumons). Afin d'éviter la formation de condensation et l'obstruction du dispositif, **n'expirer pas dans l'inhalateur.**
4. **Penchez la tête vers l'arrière**, placez l'inhalateur dans votre bouche et serrez les lèvres autour de l'embout.
5. Dès que vous commencez à inspirer lentement et profondément par la bouche, exercez une forte pression sur la cartouche métallique tout en continuant d'inspirer.
6. Retirez l'inhalateur de votre bouche et retenez votre souffle pendant 10 secondes, ou aussi longtemps que vous le pouvez, puis expirez lentement.

Répétez les étapes 3, 4, 5 et 6. Quand vous avez terminé, remettez le capuchon sur l'inhalateur.

Remarque: De temps à autre, inhalez votre médicament devant un miroir. Si une brume s'échappe pendant l'inhalation, vous devez parfaire votre technique: vos lèvres ne scellent peut-être pas convenablement l'embout buccal; il se peut aussi que vous n'inspiriez pas assez profondément lorsque vous exercez une pression sur la cartouche.

7. **Nettoyage de l'embout buccal: L'embout buccal doit absolument être nettoyé** afin que la poudre ne s'y accumule pas. Pour nettoyer le dispositif, retirez la cartouche métallique et le capuchon.

   Au moins 2 fois/semaine, lavez soigneusement l'embout de plastique à l'**eau chaude.** Secouez-le et laissez-le **sécher à l'air libre** toute la nuit. Le lendemain, replacez la cartouche et le capuchon.

   Vous pouvez nettoyer l'embout buccal chaque jour.

   Remarque: Ne retirez pas le couvercle de plastique de la cartouche métallique.
   - Lavez l'extrémité supérieure de l'embout.
   - Lavez l'extrémité inférieure de l'embout.
   - Ne retirez pas le couvercle de plastique.

Conservation:

- Conservez le médicament à l'abri de la chaleur et de la lumière directe du soleil.
- Tilade craint le gel.
- Ne perforez pas, ne brisez pas et ne brûlez pas la cartouche, même si elle est vide.
- Placez toujours le capuchon sur l'embout buccal avant de ranger l'inhalateur.

Ne conservez pas de médicaments périmés ou dont vous n'avez plus besoin. Gardez les médicaments hors de la portée des enfants.

Ce médicament a été prescrit à votre intention. Ne laissez personne d'autre que vous l'utiliser.

Pour obtenir de plus amples renseignements sur ce médicament, consultez votre médecin ou votre pharmacien.

□ TIMPILO® ℞

MSD

Maléate de timolol—Chlorhydrate de pilocarpine

Traitement de l'hypertension oculaire

Renseignements destinés aux patients: Directives pour l'utilisation du collyre: Préparation et administration de Timpilo (voir le prospectus d'emballage pour les illustrations):

1. Enlever la gaine protectrice en plastique transparent qui entoure entièrement le flacon en tirant sur la languette près du sommet du bouchon. Enlever le bouchon inférieur blanc pour avoir accès au compartiment inférieur contenant la solution médicamenteuse. **Ne pas** enlever le bouchon supérieur à ce moment-là.
2. Presser le flacon sur une surface dure, tel le dessus d'une table. On peut généralement entendre un léger «click» lorsque l'obturateur interne qui sépare les 2 solutions est déplacé. Les 2 solutions peuvent alors être mélangées.
3. Inverser le flacon plusieurs fois pour mélanger les 2 solutions.
4. Dévisser le bouchon supérieur.
5. Tenir le flacon à l'envers et presser délicatement sur la base du flacon pour éliminer les 2 premières gouttes. Le collyre est alors prêt à être administré.
6. Instiller le collyre dans l'œil atteint selon les directives du médecin.
7. Replacer les 2 bouchons après l'instillation.

Il n'est pas nécessaire de répéter les étapes 1 à 5 ni de mélanger le contenu du flacon à chaque administration de Timpilo.

□ TOLECTIN® ℞

Janssen-Ortho

Tolmétine sodique

Anti-inflammatoire—Analgésique—Antipyrétique

Renseignements destinés aux patients: La tolmétine sodique Tolectin que votre médecin vous a prescrite fait partie d'un vaste groupe d'agents anti-inflammatoires non stéroïdiens (AINS) et sert à traiter les symptômes de certains types d'arthrite ou de spondylite. Elle aide à soulager les douleurs articulaires, l'enflure, la raideur et la fièvre, en réduisant la production de certaines substances (prostaglandines) et en contribuant à maîtriser l'inflammation et d'autres réactions de l'organisme.

Vous ne devez prendre Tolectin que conformément aux indications de votre médecin. N'en prenez pas plus qu'on ne vous en a prescrit, ni plus souvent, ni plus longtemps.

Veillez à prendre Tolectin régulièrement, telle qu'elle vous a été prescrite. Dans certains types d'arthrite, vous devrez attendre 2 semaines avant d'en sentir pleinement les effets. Au cours du traitement, il se peut que votre médecin modifie la posologie d'après votre réponse à la médication.

Afin atténuer les dérangements d'estomac, prenez le médicament pendant les repas, après les repas ou avec du lait. Si les dérangements d'estomac se produisent et persistent (indigestion, nausées, vomissements, douleurs abdominales, diarrhée), communiquez avec votre médecin.

Ne prenez ni AAS ni composés à base d'AAS, ni d'autres médicaments utilisés pour soulager les symptômes de l'arthrite, pendant que vous êtes en traitement à la tolmétine, à moins d'avis contraire de votre médecin.

Si votre médecin vous a prescit ce médicament pour une période prolongée, il vous demandera de lui rendre visite régulièrement afin d'examiner votre état de santé et de s'assurer que le médicament n'entraîne pas d'effets indésirables. Malgré ses bienfaits, la tolmétine, comme les autres AINS, peut causer certaines réactions indésirables. Les effets indésirables de ce groupe de médicaments semblent souvent plus fréquents ou plus prononcés chez les personnes âgées, fragiles ou affaiblies. Bien qu'ils ne soient pas tous courants, ils doivent faire l'objet de l'attention d'un médecin lorsqu'ils font leur apparition. Consultez votre médecin immédiatement si l'un des symtpômes énumérés ci-dessous se manifeste.

—selles sanglantes ou noires d'aspect goudronneux;
—essoufflement, respiration sifflante, toute difficulté à respirer ou serrement dans la poitrine;
—éruption cutanée, enflure, urticaire ou démangeaison;
—indigestion, nausées, vomissements, douleurs abdominales ou diarrhée;
—coloration jaunâtre de la peau ou des yeux, avec ou sans fatigue;
—modification dans la couleur ou le volume des urines (urine rouge foncée ou brune);
—enflure dans les pieds ou le bas des jambes;
—vue brouillée ou autrement perturbée;
—confusion mentale, dépression, étourdissements, vertiges, difficultés auditives.

N'oubliez jamais: Avant de prendre ce médicament, indiquez à votre médecin ou à votre pharmacien:

—si vous êtes allergique à la tolmétine ou à d'autres AINS, comme l'AAS, le diclofénac, le diflunisal, le fénoprofène, le flurbiprofène, l'ibuprofène, l'indométhacine, le kétoprofène, l'acide méfénamique, le piroxicam, le sulindac ou l'acide tiaprofénique;
—si vous avez déjà souffert d'ulcères ou de dérangements d'estomac, de maladies du rein ou du foie;
—si vous êtes enceinte ou si vous comptez le devenir, pendant que vous prenez ce médicament;
—si vous allaitez;
—si vous prenez tout autre médicament (vendu avec ou sans ordonnance);
—si vous êtes atteint d'autres maladies.

Pendant que vous prenez ce médicament:

—indiquez que vous le prenez à tout autre médecin, pharmacien ou dentiste que vous consultez;
—soyez prudent en voiture ou dans les activités nécessitant de la vigilance, car ce médicament peut entraîner de la somnolence, des étourdissements ou des vertiges;
—consultez votre médecin si ce médicament ne vous soulage pas ou si un problème quelconque se développe;
—signalez à votre médecin tout effet secondaire fâcheux. Il importe que vous le fassiez, car il pourra dépister précocement les complications possibles et les prévenir;
—il est essentiel de faire établir régulièrement votre bilan de santé.

Si vous avez besoin de plus amples renseignements au sujet de ce médicament, consultez votre médecin ou votre pharmacien.

□ TOPAMAX® ℞

Janssen-Ortho

Topiramate

Antiépileptique

Renseignements destinés aux patients: Veuillez lire cette notice attentivement avant de commencer à prendre Topamax (topiramate), même si vous avez déjà pris ce médicament auparavant. Veuillez conserver cette notice, car vous pourriez avoir besoin de la relire. Si vous avez des questions sur ce médicament, n'hésitez pas à vous adresser à votre médecin ou votre pharmacien.

Qu'est-ce que Topamax? Topamax, la marque de commerce du topiramate, vous a été prescrit pour maîtriser votre épilepsie. Veuillez respecter attentivement les recommandations de votre médecin.

Avant de prendre Topamax: Mentionnez à votre médecin tout problème médical et toute allergie dont vous souffrez ou avez souffert.

Vous ne devriez pas utiliser Topamax si vous êtes allergique à l'un ou l'autre de ses ingrédients (voir De quoi Topamax est-il composé?).

Mentionnez à votre médecin si vous souffrez ou avez déjà souffert de calculs rénaux ou de maladie rénale. Votre médecin pourrait vous demander d'augmenter la quantité de liquides que vous ingérez pendant que vous prenez ce médicament.

Mentionnez à votre médecin si vous êtes enceinte ou si vous avez l'intention de le devenir.

Mentionnez à votre médecin si vous allaitez votre enfant.

Topamax peut atténuer le niveau de vigilance chez certains sujets. Assurez-vous de bien savoir comment vous réagissez à ce médicament avant de conduire un véhicule, de faire fonctionner des machines ou de faire quoi que ce soit qui requiert de la vigilance.

Mentionnez à votre médecin tous les médicaments que vous prenez, y compris les médicaments que vous avez obtenus sans ordonnance et tout autre remède ou supplément diététique. Il est particulièrement important que votre médecin sache si vous prenez de la digoxine, des contraceptifs oraux ou un autre agent antiépileptique, comme la phénytoïne ou la carbamazépine. Avisez-le de votre consommation habituelle d'alcool ou dites-lui si vous prenez des médicaments qui ralentissent le système nerveux (des dépresseurs du SNC).

Comment dois-je prendre Topamax? Respectez les directives de votre médecin sur le moment et la façon de prendre ce médicament.

La posologie habituelle est de 200 à 400 mg/jour. On prend habituellement Topamax en 2 prises/jour, mais votre médecin peut vous le prescrire en 1 seule dose/jour ou à une posologie supérieure ou inférieure à la posologie mentionnée plus haut.

Votre médecin commencera par vous prescrire une dose faible qu'il augmentera progressivement jusqu'à obtention de la dose la plus faible qui maîtrise votre épilepsie.

Avalez toujours les comprimés avec une bonne quantité d'eau. Vous pouvez prendre ces comprimés avec ou sans nourriture.

Si vous oubliez une dose, prenez-la dès que vous y pensez. Mais si vous vous rapprochez de l'heure de la dose suivante, ne prenez pas la dose que vous avez oubliée. Retournez à l'horaire habituel.

N'arrêtez pas de prendre ce médicament de façon soudaine sans en parler d'abord avec votre médecin.

Vérifiez toujours que vous avez suffisamment de comprimés en réserve pour ne pas vous trouver à court de médicament.

Quels sont les effets indésirables que peut causer Topamax? Tous les médicaments peuvent avoir des effets indésirables. Mentionnez à votre médecin ou votre pharmacien tout signe ou symptôme inhabituel, qu'il figure dans la liste suivante ou non.

Les effets secondaires le plus souvent signalés sont: troubles de la coordination, changements dans la pensée, avec difficulté à se concentrer, ralentissement de la pensée, confusion mentale et manque de mémoire, étourdissements, sensation de fatigue, picotements et somnolence. Les effets suivants sont signalés moins fréquemment: agitation, baisse d'appétit, troubles de la parole, dépression, troubles de la vue, sautes d'humeur, nausées, altérations du goût, perte de poids, calculs rénaux qui peuvent se traduire par la présence de sang dans les urines, ou une douleur dans la région lombaire ou la région génitale.

Que faire en cas de surdosage? Si vous prenez accidentellement un surdosage de Topamax, contactez votre médecin ou le service d'urgence de l'hôpital le plus proche, même si vous ne vous sentez pas malade.

Comment devrais-je entreposer Topamax? N'utilisez pas ce produit au-delà de la date de péremption indiquée sur l'emballage.

Entreposez le produit dans un endroit sec et frais.

Conservez ce médicament comme tous les médicaments dans un endroit sûr, hors de la portée des enfants.

De quoi Topamax est-il composé? Topamax contient du topiramate comme ingrédient actif. Il renferme également les agents suivants comme ingrédients inactifs: monohydrate de lactose, amidon prégélifié, amidon (modifié) prégélifié, eau purifiée, cire de carnauba, cellulose microcristalline, glycolate d'amidon sodique et stéarate de magnésium. Selon sa couleur, Topamax peut également renfermer: hydroxypropylméthylcellulose, dioxyde de titane, polyéthylèneglycol, oxyde de fer synthétique et polysorbate 80.

☐ TORADOL® ℞
☐ TORADOL® IM ℞

Roche

Kétorolac trométhamine

Analgésique AINS

Renseignements destinés aux patients: Comprimés Toradol: Comment favoriser l'effet optimal de Toradol: Votre médecin a jugé que Toradol (kétorolac trométhamine) constituait le meilleur traitement pour vous. Lorsque vous prenez les comprimés Toradol, rappelez-vous que vos chances de maîtriser vos symptômes seront meilleures si vous collaborez pleinement avec votre médecin et tentez de bien vous renseigner sur votre état.

Les renseignements qui suivent ne sont pas aussi détaillés que ceux qui figurent dans la monographie officielle de Toradol (que votre médecin ou votre pharmacien peuvent recevoir sur demande); ils se veulent un complément d'information à ce que vous a dit votre médecin. Celui-ci connaît votre état et le comprend bien. Veuillez suivre ses directives avec soin et lire tous les documents qu'il vous a remis. **Si vous avez des questions après avoir lu le présent dépliant, adressez-vous à votre médecin.**

Qu'est-ce que Toradol?

- Les comprimés Toradol renferment du kétorolac trométhamine, médicament de la classe des anti-inflammatoires non stéroïdiens (AINS).
- Les comprimés Toradol sont administrés pour le soulagement **de courte durée** de la douleur, y compris la douleur consécutive à une intervention chirurgicale (telle qu'une opération générale, orthopédique ou dentaire) et les crampes utérines suivant l'accouchement. Ils servent également au soulagement des douleurs post-traumatiques.

Comment Toradol agit-il? Toradol contribue au soulagement de la douleur en diminuant la production de certaines substances appelées prostaglandines, qui jouent un rôle dans le processus de la douleur. Des études cliniques montrent qu'en abaissant les concentrations de prostaglandines, on diminue l'intensité de la douleur.

Comment doit-on prendre Toradol? Vous devez prendre les comprimés Toradol conformément aux instructions de votre médecin. Ne dépassez pas la quantité prescrite et ne prenez pas ce médicament plus souvent ni plus longtemps que ne vous l'a indiqué votre médecin ou votre dentiste.

La dose orale habituelle de Toradol chez l'adulte est de 10 mg (1 comprimé) toutes les 4 à 6 heures pour le soulagement de la douleur selon les besoins. Il n'est pas recommandé de prendre plus de 40 mg/jour (4 comprimés).

Vous pouvez prendre Toradol après un repas ou avec des aliments ou du lait, si vous le désirez, mais la présence d'aliments dans l'estomac peut retarder le soulagement de la douleur. En cas de malaises digestifs (indigestion, nausées, vomissements, douleur gastrique ou diarrhée), communiquez avec votre médecin.

On recommande de ne prendre les comprimés Toradol que pendant une brève période (jusqu'à 5 jours, tout au plus, après une intervention chirurgicale, ou jusqu'à 7 jours en cas de douleur résultant d'une foulure, d'une entorse ou d'une blessure musculaire).

Important! Votre médecin vous a peut-être donné d'autres directives mieux adaptées à vos propres besoins. Pour de plus amples renseignements sur le mode d'emploi adéquat de Toradol, veuillez consulter votre médecin ou votre pharmacien.

Combien de temps faut-il à Toradol pour commencer à agir? Chez certaines personnes, l'amélioration des symptômes est immédiate, tandis que chez d'autres, elle peut prendre une journée. Si au bout d'une journée la prise de Toradol ne semble pas vous procurer de soulagement, consultez votre médecin. Il modifiera peut-être la dose du médicament ou vous prescrira un autre traitement.

Qui ne doit pas prendre Toradol?

- Ne prenez pas Toradol si vous êtes hypersensible ou allergique au kétorolac (Toradol) ou aux produits renfermant de l'acide acétylsalicylique (AAS), d'autres salicylés ou d'autres anti-inflammatoires non stéroïdiens (AINS). Les réactions allergiques peuvent inclure un écoulement nasal, une respiration difficile et sifflante, de l'enflure, des éruptions cutanées ou de l'urticaire. Les AINS comprennent des produits comme le diclofénac, le diflunisal, le fénoprofène, la floctafénine, le flurbiprofène, l'ibuprofène, l'indométhacine, le kétoprofène, l'acide méfénamique, la nabumétone, le naproxen, le naproxen sodique, l'oxyphenbutazone, la phénylbutazone, le piroxicam, le sulindac, le ténoxicam, l'acide tiaprofénique et la tolmétine.

  Veuillez consulter votre médecin ou votre pharmacien si vous ne connaissez pas exactement la composition du produit que vous prenez.

  Vous trouverez une liste partielle des noms commerciaux des produits qui renferment de l'AAS, des AINS ou de l'ibuprofène à la fin de ce dépliant.
- Ne prenez pas Toradol si vous êtes atteint d'un ulcère ou d'une maladie gastro-intestinale inflammatoire en phase évolutive. Si vous avez des antécédents de troubles digestifs, mentionnez-le à votre médecin. Les AINS peuvent tous aggraver vos troubles et parfois même être à l'origine de saignements ou d'ulcères au niveau de l'estomac ou des intestins. Ces complications sont parfois graves et quelques rares décès ont été signalés après la prise de l'un ou l'autre des médicaments de cette classe.
- Toradol ne doit pas être administré aux enfants de moins de 16 ans, sauf en cas de recommandation par un médecin ou un dentiste.
- Ne prenez pas Toradol si vous désirez devenir enceinte, si vous êtes enceinte ou si vous allaitez.
- Ne prenez pas Toradol en même temps que de l'AAS, des produits renfermant de l'AAS ou d'autres AINS, p. ex des médicaments pour soulager les symptômes d'arthrite.

Consultez votre médecin avant de prendre Toradol si:

- vous êtes allergique (voir la définition plus haut) aux comprimés Toradol ou à d'autres médicaments apparentés du groupe des AINS comme l'AAS, le diclofénac, le diflunisal, le fénoprofène, la floctafénine, le flurbiprofène, l'ibuprofène, l'indométhacine, le kétoprofène,

Toradol (suite)

l'acide méfénamique, la nabumétone, le naproxen, le naproxen sodique, l'oxyphenbutazone, la phénylbutazone, le piroxicam, le sulindac, le ténoxicam, l'acide tiaprofénique et la tolmétine;
- vous avez des antécédents de troubles digestifs, d'ulcères ou de maladies hépatique ou rénale;
- vous êtes atteint d'hypertension ou d'insuffisance cardiaque;
- vous êtes enceinte ou désirez le devenir pendant que vous prenez ce médicament;
- vous allaitez;
- vous prenez tout autre médicament (qu'il ait été prescrit ou non par le médecin);
- vous présentez tout autre trouble médical.

Toradol cause-t-il des réactions indésirables? Tous les médicaments peuvent causer des réactions indésirables, aussi bien l'acide acétylsalicylique (AAS) que tous les anti-inflammatoires non stéroïdiens. Les personnes âgées (de plus de 65 ans, en général) peuvent être plus sensibles aux effets de l'un ou l'autre des AINS, y compris Toradol.

Parmi les réactions indésirables relativement courantes attribuables aux anti-inflammatoires non stéroïdiens, on trouve les aigreurs d'estomac, les douleurs abdominales, les nausées, la diarrhée, la constipation et ainsi de suite. Afin de diminuer ce genre de malaises, vous pouvez prendre Toradol aux repas ou avec une collation, mais cela peut retarder le soulagement de la douleur.

Tous les AINS peuvent aggraver les troubles gastro-intestinaux et parfois même être à l'origine de saignements ou d'ulcères au niveau de l'estomac ou des intestins. Ces complications sont parfois graves et quelques rares décès ont été signalés après la prise de l'un ou l'autre des médicaments de cette classe.

Communiquez immédiatement avec votre médecin si vous éprouvez l'un ou l'autre des symptômes suivants:
- selles teintées de sang ou de couleur noir foncé;
- essoufflement, respiration sifflante et troubles respiratoires ou oppression thoracique;
- éruption cutanée, enflure, urticaire ou démangeaisons;
- indigestion, nausées, vomissements, douleurs gastriques ou diarrhée;
- coloration jaune de la peau ou des yeux, accompagnée de fatigue ou non;
- toute modification de la quantité ou de la couleur de vos urines (p. ex. urines rouge foncé ou brunes);
- enflure des pieds ou des chevilles;
- vision brouillée ou tout trouble visuel.

D'autres réactions ont été signalées à l'occasion, dont les maux de tête, la somnolence, les étourdissements, la dépression et le tintement d'oreilles. Ces réactions ne sont habituellement pas graves et permettent la poursuite du traitement dans la majorité des cas. Des troubles de la vue ou de l'ouïe ou des anomalies sanguines ont été observées en de rares occasions. **Communiquez avec votre médecin si une réaction indésirable survient.** Presque toutes les réactions indésirables reliées à la prise de Toradol disparaissent à l'arrêt du traitement.

Points à retenir concernant la prise de Toradol: Avisez votre médecin et votre pharmacien de tout autre médicament que vous prenez, qu'il vous ait été prescrit ou non. Cela est important parce que certains médicaments peuvent interagir les uns avec les autres et produire des réactions indésirables.

Si vous souffrez d'un ulcère, d'une maladie du foie ou des reins, ou si vous avez des antécédents de troubles gastriques, dites-le aussi à votre médecin.

Si vous éprouvez de la somnolence, des étourdissements ou une sensation de tête légère après avoir pris Toradol, faites preuve de prudence en ce qui concerne la conduite d'un véhicule ou la participation à des activités nécessitant de la vigilance.

Veuillez consulter votre médecin si: vous n'obtenez pas de soulagement ou la prise de Toradol entraîne une réaction indésirable.

Veuillez avertir votre médecin si vous êtes enceinte ou si vous avez l'intention de le devenir.

Ne prenez pas Toradol si vous allaitez, car ce médicament passe dans le lait maternel.

Ne prenez pas d'AAS (acide acétylsalicylique), de produits renfermant de l'AAS ou d'autres AINS, comme des médicaments pour soulager les symptômes d'arthrite, lorsque vous prenez Toradol, sauf avis contraire du médecin. Veuillez consulter votre médecin ou votre pharmacien si vous ne connaissez pas exactement la composition du produit que vous prenez. Vous trouverez une liste partielle des noms commerciaux des produits qui renferment de l'AAS, des AINS et de l'ibuprofène au tableau suivant:

Noms commerciaux des médicaments en vente libre contenant de l'AAS	Noms commerciaux des médicaments contenant des AINS	Noms commerciaux des médicaments contenant de l'ibuprofène
Anacin, Bufferin, Aspirin, Alka-Selzer, C2 Entrophen, 222, Midol, Robaxisal, Coricidin D, comprimés Dristan	Voltaren, Arthrotec, Dolobid, Nalfon, Froben, Ansaid, Indocid, Orudis, Ponstan, Naprosyn, Feldene, Clinoril, Mobiflex, Surgam, Tolectin, Idarac, Motrin, Anaprox, Relaten	Advil, Actiprofen, Nuprin, Medipren, Motrin IB

Ne prenez pas Toradol si vous êtes allergique à ce médicament ou si vous avez déjà présenté une réaction de type allergique à l'AAS ou à tout autre médicament destiné à soulager la douleur ou l'arthrite.

Ne prenez pas Toradol si vous souffrez d'un ulcère de l'estomac ou d'une maladie gastro-intestinale inflammatoire en phase évolutive.

□ TRANSDERM-NITRO®

Novartis Pharma

Nitroglycérine

Antiangineux transdermique

Renseignements destinés aux patients: Transderm-Nitro et son mode d'emploi: Introduction: Votre médecin vous a prescrit Transderm-Nitro afin de réduire la fréquence et la gravité de vos crises douloureuses d'angine (douleurs thoraciques). La présente brochure vous donne des renseignements sur Transderm-Nitro et son mode d'emploi. **Veuillez la lire attentivement.**

Comment agit Transderm-Nitro: En application sur la peau, Transderm-Nitro libère de petites quantités de nitroglycérine à une vitesse constante. Celles-ci passent directement dans la circulation sanguine, à travers la peau. Transderm-Nitro agit en relâchant et en dilatant les vaisseaux sanguins, ce qui augmente l'approvisionnement de sang et d'oxygène au cœur. Transderm-Nitro contribue ainsi à prévenir d'autres crises douloureuses d'angine (douleurs thoraciques). Cependant, comme il ne libère que lentement la nitroglycérine, Transderm-Nitro **ne peut soulager une crise d'angine déjà amorcée.** Dans ces cas, vous aurez peut-être besoin de nitrates à action plus rapide (comprimés sublingaux ou pulvérisateur), tel que recommandé par votre médecin.

La dose de Transderm-Nitro que vous devez recevoir dépend des besoins de votre organisme. Vous suivrez attentivement la posologie que vous prescrira votre médecin. Si malgré le traitement, vous continuez à ressentir des douleurs angineuses, vous devrez en avertir votre médecin.

Le patch Transderm-Nitro est conçu comme unité de traitement et ne doit pas être coupé.

Ce que vous devez savoir: Il y a certaines choses que vous et votre médecin devez savoir avant d'utiliser Transderm-Nitro.

Si vous avez déjà présenté l'un ou l'autre des problèmes médicaux suivants, vous devrez en informer votre médecin:
- réactions anormales ou allergiques aux nitrates, aux nitrites ou à d'autres substances;
- mauvaise circulation accompagnée de pression artérielle très basse;
- augmentation de la pression intracrânienne (état que votre médecin pourra vous expliquer);
- crise cardiaque récente ou toute autre maladie cardiaque grave, accident cérébro-vasculaire ou traumatisme à la tête;
- rétrécissement des valves cardiaques;
- trouble des vaisseaux sanguins autre que l'angine;
- anémie grave;
- maladie pulmonaire.

Pour aider votre médecin à décider si vous pouvez utiliser Transderm-Nitro et les précautions que vous devrez prendre pendant son emploi, vous devrez dire à votre médecin:
- si vous allaitez ou si vous êtes enceinte ou avez l'intention de le devenir pendant le traitement avec Transderm-Nitro;

- quels autres médicaments ou remèdes vous prenez, le cas échéant. Certains médicaments peuvent modifier les effets de Transderm-Nitro.

Vous consulterez votre médecin **aussitôt que possible** si vous notez l'un ou l'autre des signes suivants:

- angine (douleurs thoraciques) surtout lorsque vous ne portez pas votre patch;
- lèvres, ongles ou paumes des mains de couleur gris bleu;
- étourdissements ou évanouissements;
- sensation de pression dans la tête;
- essouflement;
- fatigue ou faiblesse inhabituelle;
- battements cardiaques faibles ou inhabituellement rapides.

Effets indésirables possibles: Comme tout autre médicament, Transderm-Nitro peut occasionnner des réactions indésirables parallèlement à ses effets bénéfiques. Les personnes âgées peuvent être plus sensibles aux effets des nitrates. Vous devez donc être au courant de ces phénomènes secondaires afin de pouvoir les signaler rapidement à votre médecin au cas où ils se produiraient.

Au début de votre traitement, il est possible que vous éprouviez des maux de tête, ce qui est un effet secondaire fréquent. Au cas où cela serait nécessaire, vous pourrez prendre un analgésique léger pour soulager ces douleurs. Toutefois, si les maux de tête persistaient ou s'aggravaient, vous consulterez votre médecin. Des rougeurs du visage peuvent également survenir. Transderm-Nitro peut aussi abaisser la pression artérielle, ce qui peut vous occasionner des étourdissements, une sensation de tête légère ou d'évanouissement, surtout lorsque vous vous levez rapidement après avoir été allongé ou assis. Dans ces cas, vous devrez essayer de vous lever plus lentement. Si vous éprouvez des étourdissements, vous devrez vous asseoir ou vous allonger. Les maux de tête, étourdissements ou la sensation de tête légère sont plus susceptibles de se produire si vous buvez de l'alcool, si vous restez debout pendant de longues périodes ou si le temps est chaud. Durant votre traitement avec Transderm-Nitro, vous devrez limiter la quantité d'alcool que vous consommez. Vous prendrez également des précautions supplémentaires lorsque vous faites de l'exercice, lorsque vous restez debout pendant un certain temps, lorsque vous conduisez, lorsque vous accomplissez d'autres tâches nécessitant votre attention ou lorsque le temps est chaud.

Dans certains cas, Transderm-Nitro peut occasionner des démangeaisons légères au site d'application du patch et des rougeurs après son retrait. Les rougeurs disparaissent habituellement en quelques heures. Si nécessaire, vous pouvez utiliser une crème légère pour les adoucir. Il est également important de choisir un site différent à chaque application. Vous devrez consulter votre médecin si une rougeur ou une éruption cutanée persiste.

Mode d'emploi de Transderm-Nitro (voir le prospectus d'emballage pour les illustrations):

1. **Choix du site d'application:** Pour l'application du patch, vous choisirez l'endroit vous convenant le mieux, **sauf** la partie inférieure des jambes (au-dessous des genoux) ou les avant-bras (au-dessous des coudes). De nombreux patients ont une préférence pour la poitrine. L'application à un endroit où il n'y a pas de poils est préférable. Éviter les plis cutanés. La peau ne doit pas non plus comporter de cicatrices, de brûlures, d'irritations ou d'égratignures étant donné que cela peut modifier la dose de médicament que vous recevez. Vous devrez changer de site d'application chaque jour et attendre quelques jours avant d'appliquer de nouveau le patch à un endroit déjà utilisé. Pour vous aider à ne pas oublier de changer régulièrement de site d'application, vous désirerez peut-être utiliser le même endroit un certain jour de la semaine.
2. **Préparer la peau:** Pour assurer une bonne adhérence du patch Transderm-Nitro, la peau doit être propre et sèche et n'être enduite ni de crème, lotion, huile ou poudre. Au cas où la présence de poils pourrait gêner l'adhérence du patch ou son retrait, on peut les couper—ne pas les raser, ce qui pourrait irriter la peau.
3. **Retirer le patch de son enveloppe:** Chaque patch Transderm-Nitro est scellé individuellement dans une enveloppe protectrice. Pour le retirer de l'enveloppe, déchirer celle-ci à l'endroit marqué par l'encoche. Ne pas utiliser de ciseaux car vous pourriez faire une incision dans le patch (voir le prospectus d'emballage, figures 2 et 3).
4. **Identifier le patch et enlever la pellicule protectrice: Le patch lui-même est de couleur beige rosé.** Une pellicule en plastique recouvre le côte adhésif (collant) du patch pendant sa conservation, et doit être enlevée et jetée avant l'application. **La pellicule en plastique est blanche des deux côtés ou transparente,** selon la taille du patch.

   Prenez le patch dans sa longueur, la languette vers le haut et la pellicule en plastique en face de vous (voir le prospectus d'emballage, figure 4). Si vous êtes gaucher, il sera peut-être plus facile de commencer avec la languette vers le bas et le côté beige rosé vers vous. Soulevez fermement la languette vers vous avec la pouce. À l'aide des deux pouces, retirez soigneusement la pellicule protectrice en plastique du patch en commençant par la languette (voir le prospectus d'emballage, figure 5). Continuer à retirer la pellicule en plastique du patch permettant de coucher le patch sur l'extérieur de vos doigts (voir le prospectus d'emballage, figure 6).

   En retirant la pellicule en plastique, vous avez exposé le côté adhésif. Le côté adhésif du patch semble avoir un rebord de couleur argentée. De ce côté, vous pourrez aussi voir la crème blanche contenant la nitroglycérine à l'intérieur du patch.

   Évitez de toucher l'adhésif. Si votre patch vous est appliqué par quelqu'un d'autre, il/elle devra prendre les mêmes précautions et éviter de toucher la surface adhésive. Appliquez le patch de couleur beige rosé aussitôt que la pellicule protectrice en plastique est retirée. Jetez la pellicule en plastique.
5. **Application du patch:** Appliquez le côté adhésif (exposé) du patch (c.-à-d. côté du rebord argenté) sur l'endroit que vous avez choisi, tel qu'expliqué ci-dessus, en vous rappelant que la peau à cet endroit doit être propre et sèche, et n'être enduite ni de crème, de lotion, d'huile ou de poudre. Pressez **fermement** en appuyant avec le creux de la main pendant 10 à 20 secondes (voir le prospectus d'emballage, figure 7), puis passez un doigt sur le pourtour du patch en appuyant. Une fois que le patch est en place, évitez de tirer pour voir s'il colle bien. Appliqué correctement, le côté de couleur beige rosé sera exposé lorsqu'on aperçoit le patch sur la peau.
6. **Pour changer le patch:** Vous devez changer de patch selon le schéma posologique que vous a prescrit votre médecin. Il est important de respecter la période de retrait recommandée par votre médecin. Si par hasard vous oubliez de changer votre patch au moment voulu, vous le changez dès que possible, en continuant à suivre votre schéma posologique habituel. Retirez le patch en tirant sur la languette. Chaque patch ne peut être appliqué qu'une seule fois. Les patchs utilisés doivent être pliés en deux du côté adhésif et jetés dans un endroit sûr, hors de la portée des enfants. Pour enlever les traces d'adhésif sur la peau, il suffit de frotter avec de l'alcool à friction ou de l'huile minérale légère.
7. **Si Transderm-Nitro se décolle:** L'adhérence du patch n'est pas compromise au contact de l'eau (p. ex. lorsque vous prenez un bain, une douche ou que vous vous baignez en piscine) ni lorsque vous vous livrez à des activités physiques. Il est peu probable que le patch se détache de lui-même, mais si cela arrivait, vous le jetterez et le remplacerez par un autre que vous appliquerez à un autre endroit. Vous continuerez ensuite à suivre votre schéma posologique habituel.

Conservation: Transderm-Nitro doit être conservé à une température inférieure à 25 °C. Ne pas congeler. Le patch doit toujours être conservé dans son enveloppe scellée.

Transderm-Nitro doit être placé dans un endroit hors de la portée des enfants et des animaux domestiques avant son utilisation et au moment de jeter le patch usagé. Si votre patch colle à la peau d'un enfant ou d'une autre personne, retirez-le immédiatement et contactez un médecin.

Ce que vous devez toujours vous rappeler: Votre médecin vous a prescrit Transderm-Nitro après avoir fait une évaluation soigneuse de vos besoins médicaux. Vous utiliserez donc ce médicament uniquement selon ses prescriptions et vous ne devrez le donner à personne d'autre étant donné que les besoins peuvent être différents d'une personne à l'autre. Si vous avez d'autres questions à ce sujet, veuillez consulter votre médecin ou votre pharmacien.

□ TRANSDERM-V®

Novartis Pharma

Scopolamine

Agent de prévention du mal des transports

Renseignements destinés aux patients: Transderm-V (scopolamine) et son mode d'emploi: Système thérapeutique transdermique. **Introduction:** Ce dépliant contient toutes les explications voulues sur Transderm-V et sur son mode d'action dans la prévention des nausées et vomissements dus au mal des transports chez l'adulte. **Veuillez le lire attentivement.** Au cas où d'autres renseignements vous seraient

Transderm-V (suite)

nécessaires ou si vous aviez des questions à poser, vous voudrez bien consulter votre médecin ou votre pharmacien.

Comment Transderm-V aide à prévenir le mal des transports: Le mouvement d'un véhicule dans lequel on se déplace—bateau, avion, train, voiture, autobus—occasionne chez certaines personnes une activité accrue des fibres nerveuses de l'oreille interne, qui s'intègrent dans le mécanisme assurant l'équilibre corporel. Il en résulte des troubles que l'on appelle mal des transports et qui se caractérisent par du vertige, des nausées et des vomissements. Chez une personne qui souffre du mal des transports, ces symptômes peuvent se manifester simultanément ou séparément. La scopolamine exerce une action préventive efficace contre les nausées et les vomissements du fait qu'elle réduit l'activité des fibres nerveuses dans l'oreille interne et agit sur les centres de déclenchement du mal des transports dans le cerveau.

Transderm-V est un petit disque souple qui s'applique derrière l'oreille et délivre la scopolamine sur la surface cutanée d'où elle est absorbée dans le courant sanguin durant une période prolongée allant jusqu'à 3 jours.

Ce que l'utilisateur doit savoir: Si Transderm-V offre des effets bénéfiques, son emploi n'en nécessite pas moins certaines précautions préalables. Dans certains cas, son emploi est même à éviter.

Restrictions d'emploi: Vous ne devez pas utiliser Transderm-V si vous êtes allergique à la scopolamine ou si vous souffrez de glaucome.

Transderm-V ne doit pas être utilisé chez l'enfant, sa sécurité thérapeutique n'ayant pas été établie chez cette catégorie de patients. Les enfants sont particulièrement sensibles aux effets de la scopolamine.

Précautions: Vous demanderez l'avis de votre médecin avant d'utiliser Transderm-V:

- si vous allaitez, ou si vous êtes enceinte ou pourriez le devenir pendant que vous utilisez le produit.
- si vous souffrez d'obstruction gastrique ou intestinale.
- si vous éprouvez des difficultés à uriner à cause d'une hypertrophie de la prostate ou si vous souffrez d'obstruction vésicale.
- si vous souffrez (ou avez déjà souffert) de maladie métabolique, hépatique ou rénale.
- si vous avez déjà souffert ou que vous souffrez de douleurs oculaires, de vision brouillée ou que vous voyez des halos aux couleurs d'arc-en-ciel autour des lumières.
- si vous avez des antécédents d'allergie cutanée ou d'hypersensibilité à d'autres substances.
- si vous avez déjà souffert de crises épileptiques ou que vous en souffrez actuellement.
- si vous prenez d'autres médicaments ou remèdes, étant donné que certains de ces produits peuvent modifier les effets de Transderm-V.

L'emploi de Transderm-V pourrait être déconseillé dans les cas énumérés ci-dessus.

Les personnes âgées peuvent être particulièrement sensibles aux effets de la scopolamine. Elles doivent donc consulter leur médecin avant d'utiliser Transderm-V.

On doit s'abstenir de boire de l'alcool pendant l'utilisation de Transderm-V.

Comme le médicament contenu dans Transderm-V peut provoquer de la somnolence, son emploi nécessite de la prudence lorsque vous conduisez ou que vous manœuvrez des machines.

Effets secondaires éventuels: Comme c'est le cas pour tous les médicaments, Transderm-V peut occasionner des réactions indésirables en même temps que ses effets bénéfiques. Il est donc utile d'en être averti afin de pouvoir signaler ces effets à votre médecin au cas où ils se produiraient. Ils comprennent les manifestations suivantes:

- sécheresse buccale temporaire
- somnolence
- difficulté à uriner
- irritation cutanée localisée; dans des cas isolés, rash cutané généralisé
- légère baisse de la tension artérielle
- troubles de la mémoire ou de la concentration, agitation, sensation ébrieuse, vertige, désorientation, confusion, hallucinations

Au cas où ces manifestations vous incommoderaient, vous devrez retirer immédiatement le disque Transderm-V et avertir un médecin.

Manifestations oculaires: Il se pourrait que vous ayez temporairement la vue brouillée, avec dilatation des pupilles, surtout si des traces du médicament subsistent sur vos mains et que celles-ci entrent en contact avec vos yeux. On a signalé, bien que peu fréquemment, de la sécheresse, de la démangeaison ou une rougeur oculaire, ainsi que des douleurs oculaires. Au cas, toutefois peu probable, où vous éprouveriez des douleurs oculaires ou que vous constateriez une rougeur dans les yeux pouvant s'accompagner de dilatation de la pupille et de brouillard visuel, vous enlèverez le disque et consulterez rapidement votre médecin. La dilatation des pupilles et la vue brouillée non accompagnées de douleur ou de rougeur de l'œil sont habituellement temporaires et sans gravité.

Effets pouvant survenir lors du retrait du disque: Certains patients se sont plaints d'étourdissements temporaires, de nausées, de vomissements, de céphalées et de troubles de l'équilibre après le retrait du disque Transderm-V. Si vous éprouviez des symptômes de ce genre, vous devrez consulter un médecin.

Posologie: N'utiliser à chaque fois qu'un seul disque. La durée d'application de chaque disque est de 3 jours au maximum, et le traitement au Transderm-V ne doit pas dépasser 6 jours; autrement dit, une fois que l'on a utilisé le premier disque pour une première application de 3 jours, on peut en utiliser un deuxième pour une nouvelle période de 3 jours au maximum.

Appliquer le disque Transderm-V sur la peau glabre derrière l'oreille environ 12 heures avant que son effet préventif contre les symptômes du mal des transports ne soit nécessaire. On peut laisser le disque en place pendant une durée de 3 jours au maximum, après quoi il doit être retiré. S'il ne doit être utilisé que pour une période plus courte, on le retire simplement à la fin du voyage.

Pour prévenir les nausées pendant plus de 3 jours, il suffit de remplacer le premier disque par un second que vous placerez derrière l'autre oreille. Ce second disque pourra rester également appliqué pendant 3 jours au maximum, si besoin est.

On doit cesser d'utiliser Transderm-V après le retrait du second disque.

Mode d'emploi du disque Transderm-V (voir le dépliant pour les illustrations):

1. Le disque doit être appliqué derrière l'oreille, là où il n'y a pas de cheveux, en vous assurant que la peau à cet endroit n'est ni écorchée, ni irritée. Avant l'application, vous essuierez la surface cutanée avec un papier-mouchoir propre et sec.
2. Chaque disque Transderm-V est scellé dans une enveloppe protectrice individuelle aluminisée. Avant de retirer le disque de son enveloppe, il est recommandé de bien se savonner les mains.
3. Ouvrir l'enveloppe en la séparant en deux et retirer le disque beige rosé recouvert de sa feuille de protection transparente hexagonale.
4. Saisir le disque par son bord et en évitant de toucher la surface adhésive (la face argentée du disque), vous détachez la feuille de protection transparente.
5. Appliquer le côté adhésif du disque (face argentée) derrière l'oreille, sur la peau sèche, de sorte que le côté beige rosé soit visible, en appuyant bien pour assurer une parfaite adhérence, particulièrement sur le pourtour. Une fois que le disque est en place, vous éviterez de le toucher pendant toute la durée de son application.
6. **Important: Après chaque manipulation du disque Transderm-V, il est important de bien se savonner les mains pour enlever toute trace de médicament et éviter ainsi un contact éventuel avec les yeux (voir Effets secondaires éventuels).**
7. Retirer le disque au bout de 3 jours et le jeter dans un endroit sûr (il peut être retiré plus tôt lorsque vous n'avez besoin de ses effets que pour une période plus courte).
   Avoir soin de bien se savonner les mains ainsi que la région où a été appliqué le disque après le retrait de celui-ci.
8. Pour prévenir les nausées pendant plus de 3 jours, il suffit de remplacer le premier disque après 3 jours par un second que vous placerez derrière l'autre oreille en vous conformant aux directives et précautions à prendre décrites ci-dessus. Vous devez cesser d'utiliser Transderm-V après le retrait du second disque au bout de 3 jours au maximum.
9. Le contact limité avec l'eau, comme par exemple lorsque vous vous baignez ou que vous nagez, ne nuira pas à l'efficacité du disque. Il est cependant préférable que celui-ci reste sec afin de prévenir le décollement. Au cas, toutefois peu probable, où votre disque se détacherait, vous le jetterez dans un endroit sûr et le remplacerez par un autre que vous appliquerez derrière l'autre oreille.

Conservation: Transderm-V doit être conservé à une température inférieure à 25 °C. Éviter le gel. Ne pas conserver le disque hors de son enveloppe.

Transderm-V doit être conservé hors de la portée des enfants et des animaux domestiques. Les disques doivent être jetés dans un endroit sûr après avoir été utilisés. S'il arrivait qu'un disque utilisé se colle accidentellement à un enfant ou à une autre personne, vous l'enlèverez immédiatement et consulterez un médecin.

☐ TRILISATE® ℞

Purdue Frederick

Trisalicylate de choline et de magnésium

Anti-inflammatoire—Analgésique

Renseignements destinés aux patients: Trilisate, qui vous a été prescrit par votre médecin, fait partie de l'important groupe des anti-inflammatoires non stéroïdiens (AINS) qui servent à traiter les symptômes de certains types d'arthrite. Il aide à soulager les douleurs articulaires, l'enflure, la raideur et la fièvre en diminuant la production de certaines substances (prostaglandines) et en favorisant la maîtrise de l'inflammation et autres réactions de l'organisme.

Vous devez prendre Trilisate tel que vous l'a prescrit votre médecin. N'en prenez pas plus, ni plus souvent, ni plus longtemps que votre médecin vous l'a dit.

Assurez-vous de prendre Trilisate régulièrement tel que prescrit. Dans certains types d'arthrite, plus de 2 semaines peuvent s'écouler avant de ressentir le plein effet de ce médicament. Pendant le traitement, votre médecin peut décider d'ajuster la posologie selon votre réponse au médicament.

Pour atténuer les dérangements gastriques, prenez ce médicament immédiatement après un repas, ou avec un aliment ou du lait. En cas de dérangement d'estomac qui se prolonge (indigestion, nausées, vomissements, douleur gastrique ou diarrhée), contactez votre médecin.

Pour les adultes, la posologie de Trilisate varie habituellement entre 1 à 2 comprimés 3 fois/jour ou 2 ou 3 comprimés 2 fois/jour. Vous ne devriez pas modifier la posologie sans consulter votre médecin et ne devriez pas prendre plus de 6 comprimés/jour à moins d'avis contraire de votre médecin. Il ne faut pas prendre Trilisate en cas de grossesse ou en allaitant, à moins d'avis contraire de votre médecin. Trilisate n'est pas recommandé pour les patients de moins de 12 ans et les enfants de plus de 12 ans ne doivent pas le prendre s'ils font une varicelle ou une grippe, à moins d'avoir au préalable consulté le médecin au sujet du syndrome de Reye, une maladie rare mais sérieuse.

On doit garder ce médicament hors de la portée des enfants. En cas de surdosage, consultez immédiatement votre médecin, l'hôpital ou un centre antipoison. Les signes suivants de surdosage surviennent habituellement quelques heures après l'ingestion: dérangement gastrique, tintements ou bourdonnements d'oreilles, perte de l'ouïe, confusion mentale, hallucinations ou modifications du comportement (surtout chez les enfants), nervosité ou surexcitation grave, respiration inhabituellement rapide ou profonde, somnolences graves, convulsions. Si aucune aide d'urgence n'est immédiatement disponible, faites vomir aussitôt, mais jamais chez une personne inconsciente ou un enfant de moins d'un an sans secours médical.

Ne prenez pas d'AAS (acide acétylsalicylique), de substances contenant de l'AAS ou autres médicaments servant au soulagement des symptômes de l'arthrite pendant que vous prenez Trilisate, à moins de l'avis contraire de votre médecin.

Si ce médicament vous a été prescrit pour un traitement prolongé, votre médecin vérifiera votre état de santé au cours de visites régulières pour évaluer votre progrès et s'assurer que ce médicament ne provoque pas d'effets indésirables.

De pair avec ses effets bénéfiques, Trilisate, comme tout autre AINS, peut entraîner certaines réactions défavorables. Les personnes âgées, fragiles, ou affaiblies semblent souvent éprouver des effets secondaires plus fréquents ou plus sérieux. Même si ces effets secondaires ne sont pas tous fréquents, il peuvent nécessiter une attention médicale lorsqu'ils surviennent.

Vérifiez immédiatement avec votre médecin si vous notez un des problèmes suivants:
- selles sanguinolentes ou noires et goudronneuses;
- souffle court, sifflement, tout trouble respiratoire ou oppression thoracique;
- éruption cutanée, enflure, urticaire ou démangeaison;
- indigestion, nausées, vomissements, douleur gastrique ou diarrhée;
- coloration jaunâtre de la peau ou des yeux;
- tout changement de la quantité ou de la couleur de votre urine (p. ex. foncée, rouge ou brune);
- enflure des pieds ou du bas des jambes;
- vision brouillée ou tout autre problème de la vue;
- confusion mentale, dépression, étourdissements, vertiges, problèmes d'ouïe (y compris tintements ou bourdonnements d'oreilles).

Rappelez-vous toujours: Avant de prendre ce médicament, avertissez votre médecin ou pharmacien en cas de:
- allergie à Trilisate ou autre médicament du groupe de AINS comme AAS, diclofénac, diflusinal, fénoprofène, flurbiprofène, floctafénine, ibuprofène, indométhacine, kétoprofène, acide méfénamique, naproxen, piroxicam, sulindac, acide tiaprofénique ou tolmétine;
- antécédents de dérangements gastriques, ulcères ou maladie rénale ou hépatique;
- grossesse, ou intention de devenir enceinte pendant que vous prenez ce médicament;
- allaitement;
- prise de tout autre médicament (de prescription ou en vente libre);
- tout autre maladie.

Pendant que vous prenez ce médicament:
- dites à tout autre médecin, dentiste ou pharmacien que vous consultez que vous prenez ce médicament;
- soyez prudent en conduisant ou en participant à des activités qui exigent d'être alerte si vous éprouvez une sensation de somnolence, d'étourdissement ou de vertige après avoir pris ce médicament;
- vérifiez avec votre médecin si vous n'obtenez aucun soulagement ou en cas de problème;
- signalez toute réaction indésirable à votre médecin. Ceci est très important pour l'aider à dépister et prévenir rapidement toute complication possible;
- vos visites régulières à votre médecin sont essentielles;
- si vous avez besoin de plus de renseignements sur ce médicament, consultez votre médecin ou votre pharmacien.

☐ TRINIPATCH^{MC} 0,2
☐ TRINIPATCH^{MC} 0,4
☐ TRINIPATCH^{MC} 0,6

Sanofi

Nitroglycérine

Antiangineux

Renseignements destinés aux patients: Comment utiliser Trinipatch (dispositif transdermique de nitroglycérine) dans la prévention de l'angine: Introduction: Votre médecin vous a prescrit Trinipatch afin de diminuer la fréquence et la gravité de vos crises douloureuses d'angine (douleurs thoraciques). Ce dépliant vous donne des renseignements sur Trinipatch et son mode d'emploi. **Veuillez le lire attentivement.**

Comment agit Trinipatch: Appliqué sur la peau, Trinipatch libère à une vitesse constante de petites quantités de nitroglycérine qui passe directement dans la circulation sanguine, à travers la peau. Trinipatch augmente l'approvisionnement de sang et d'oxygène au cœur en relâchant et en dilatant les vaisseaux sanguins. Trinipatch contribue ainsi à prévenir d'autres crises douloureuses d'angine (douleurs thoraciques). Cependant, Trinipatch **ne peut pas soulager une crise d'angine déjà amorcée** parce qu'il libère lentement la nitroglycérine.

La dose de Trinipatch que vous devez recevoir dépend des besoins de votre organisme. Suivez attentivement la posologie prescrite par votre médecin. Si malgré le traitement, vous continuez à ressentir des douleurs angineuses, avertissez votre médecin.

Trinipatch est conçu comme unité de traitement et **ne doit pas être coupé.**

Renseignements importants: Avant que vous utilisiez Trinipatch, vous et votre médecin devez connaître certains renseignements.

Avant d'employer Trinipatch, vous devez informer votre médecin si vous avez déjà présenté des réactions anormales ou allergiques aux nitrates ou aux nitrites, une crise cardiaque récente ou une autre maladie cardiaque grave, un accident cérébro-vasculaire, un traumatisme à la tête, une anémie grave ou un rétrécissement des valves cardiaques. Par ailleurs, votre médecin doit savoir si vous allaitez, si vous êtes enceinte ou avez l'intention de le devenir pendant le traitement par Trinipatch afin de pouvoir décider si vous devez ou non utiliser Trinipatch et quels autres soins doivent être adoptés pendant le traitement. Certains médicaments peuvent modifier les effets de Trinipatch. Si vous prenez d'autres médicaments, dites-le à votre médecin.

Trinipatch (suite)

Consultez votre médecin le plus vite possible si vous notez l'un ou l'autre des signes suivants: angine (douleurs thoraciques), surtout lorsque vous ne portez pas de patch; étourdissements ou évanouissements; sensation de pression dans la tête; essoufflement; fatigue ou faiblesse inhabituelles; battements cardiaques faibles ou anormalement rapides.

Effets indésirables possibles: Comme tout autre médicament, Trinipatch peut occasionner à la fois des réactions indésirables et des effets bénéfiques. Vous devez donc connaître ces manifestations secondaires afin de pouvoir les signaler immédiatement à votre médecin si elles se produisent.

Au début de votre traitement, il est possible que vous éprouviez des maux de tête parce que c'est un effet secondaire fréquent. Au besoin, vous pouvez prendre un léger analgésique. Toutefois, si les maux de tête persistent ou s'aggravent, consultez votre médecin. Des rougeurs du visage peuvent également survenir. En outre, Trinipatch peut abaisser la pression artérielle et ainsi occasionner des étourdissements, une sensation de tête légère ou d'évanouissement, surtout lorsque vous vous levez rapidement après avoir été allongé ou assis. Dans ce cas-là, vous devez vous lever lentement. Si vous éprouvez des étourdissements, vous devez vous asseoir ou vous allonger. Vous risquez davantage d'éprouver des maux de tête, des étourdissements ou une sensation de tête légère si vous buvez de l'alcool ou restez debout pendant de longues périodes, ou si le temps est chaud. Durant votre traitement par Trinipatch, vous devez limiter votre consommation d'alcool. Soyez plus prudent lorsque vous faites de l'exercice, restez debout pendant un certain temps ou conduisez, ou lorsque le temps est chaud.

Dans certains cas, Trinipatch peut occasionner de légères démangeaisons au site d'application et des rougeurs après son retrait. Les rougeurs disparaissent habituellement en quelques heures. Si nécessaire, vous pouvez appliquer une crème légère pour les atténuer. Il est aussi important de choisir un site différent à chaque application.

Mode d'emploi de Trinipatch: Le dispositif transdermique Trinipatch libérant de la nitroglycérine est facile à utiliser. Il se compose d'un fond clair en plastique et d'un adhésif particulier qui maintient fermement en place le dispositif. L'adhésif en contact direct avec la peau contient la nitroglycérine active.

1. Choix du site d'application: Pour l'application du patch, choisissez l'endroit qui vous convient le mieux, **sauf** la partie inférieure des jambes (en bas des genoux) ou les avant-bras. De nombreux patients préfèrent l'appliquer sur la poitrine. Le site d'application doit être propre, sec et glabre. Si la pilosité risque de gêner l'adhérence du patch ou son retrait, on peut couper les poils, mais non les raser. Évitez les endroits qui comportent une coupure ou sont irrités. N'appliquez **pas** le dispositif immédiatement après avoir pris une douche ou un bain. Il est préférable d'attendre que votre peau soit tout à fait sèche.

2. Application du patch (voir le prospectus d'emballage pour les illustrations): a) Déchirez le sachet à l'endroit marqué par la petite encoche. Veillez à tenir le dispositif de façon à ce que la double languette soit face à vous. b) Retirez une des bandes de la double languette et exposez la couche adhésive sur un des côtés du dispositif. c) Appliquez la partie du dispositif où l'adhésif est exposé sur le site d'application que vous avez choisi. d) Pliez doucement le dispositif en deux, puis déroulez le patch sur le site d'application choisi pour appliquer l'autre moitié du dispositif. Vous pouvez jeter la double languette. e) Pressez fermement toute la surface du patch afin qu'il adhère bien à votre peau.

3. Changement du patch: Au moment recommandé par votre médecin, enlevez le patch. Vous pouvez l'enlever en décollant le bord, puis en tirant le patch. Vous pouvez essuyer doucement le site d'application à l'aide d'un mouchoir en papier.

4. Décollement de Trinipatch: Le dispositif ne se décolle pas au contact de l'eau (p. ex., lorsque vous prenez un bain ou une douche, ou que vous vous baignez dans une piscine). Dans l'éventualité peu probable où un patch se détache, jetez-le et mettez-en un autre à un autre endroit.

Conservation: Trinipatch doit être conservé à une température ambiante contrôlée (entre 15 et 30 °C). Le patch doit toujours être conservé dans son sachet scellé.

Il faut conserver Trinipatch dans un endroit **hors de la portée des enfants avant et après son utilisation.**

À ne pas oublier: Votre médecin vous a prescrit Trinipatch après avoir évalué soigneusement vos besoins médicaux. Utilisez donc ce médicament selon les indications de votre médecin et ne le donnez pas à quelqu'un d'autre étant donné que les besoins peuvent varier d'une personne à l'autre. Si vous avez des questions à ce sujet, consultez votre médecin ou votre pharmacien.

□ 3TC® 🄿

Glaxo Wellcome

Lamivudine

Agent antirétroviral

Renseignements destinés aux patients: Veuillez lire ce dépliant attentivement avant de prendre votre médicament. Pour obtenir de plus amples renseignements ou conseils, consultez votre médecin ou votre pharmacien.

Le 3TC (lamivudine) est administré en association avec la zidovudine. Avant de le prendre, veuillez lire les renseignements qui accompagnent la zidovudine.

Votre médicament: Votre médicament s'appelle 3TC (lamivudine). La lamivudine n'est obtenue que sur ordonnance.

Comment agit votre médicament: Le virus de l'immunodéficience humaine (VIH) est un rétrovirus. L'infection au VIH endommage le système immunitaire et peut conduire au syndrome d'immunodéficience acquise (SIDA) et à d'autres maladies connexes (le syndrome associé au SIDA, ou SA, par exemple).

Le 3TC (lamivudine) est un médicament antirétroviral. Il est utilisé en association avec la zidovudine (AZT) pour retarder la progression de l'infection au VIH. La lamivudine ne guérit pas le SIDA ni ne tue le VIH, mais elle contribue à prévenir une détérioration plus avancée du système immunitaire en ralentissant la production de nouveaux virus.

Points importants à retenir avant de prendre votre médicament:

- Avez-vous déjà cessé de prendre ce médicament ou d'autres médicaments contre cette maladie à cause d'une allergie ou d'un effet indésirable?
- Avez-vous eu, ou avez-vous actuellement une maladie rénale?
- Avez-vous eu, ou avez-vous actuellement une maladie du foie, particulièrement une infection au virus de l'hépatite B?

Si la réponse est **oui** à l'une de ces questions, avertissez votre médecin ou votre pharmacien le plus tôt possible, à moins que vous ne l'ayez déjà fait.

Il est important que votre médecin connaisse tous les médicaments que vous prenez, de façon que vous receviez le meilleur traitement possible. Dites à votre médecin quels sont ces médicaments, y compris les suppléments vitaminiques, les remèdes homéopathiques ou à base de plantes médicinales, ou ceux que vous avez achetés vous-même sans ordonnance.

N'oubliez pas que le traitement à l'aide du 3TC (lamivudine) ne réduit pas le risque de transmettre l'infection à d'autres. Vous pouvez transmettre le VIH par contact sexuel ou par transfusion sanguine. Vous devez donc prendre les précautions appropriées.

En prenant le 3TC (lamivudine), ou tout autre médicament contre le VIH, vous pouvez continuer à souffrir d'autres infections et d'autres complications. Par conséquent, il vous faut demeurer en contact constant avec votre médecin traitant.

Comme votre médicament contribue à maîtriser votre état sans le guérir, il faut l'utiliser quotidiennement. Ne cessez pas de le prendre sans d'abord en parler à votre médecin.

Il est important que votre médecin connaisse tous vos symptômes, même si vous pensez qu'ils n'ont aucun rapport avec l'infection au VIH. Il se peut qu'il soit nécessaire de modifier la dose de votre médicament.

Le 3TC (lamivudine) en solution buvable renferme une petite quantité d'alcool, ce qui vraisemblablement n'aura aucun effet. Si vous êtes diabétique, notez que chaque dose pour adultes (150 mg = 15 mL) de lamivudine en solution buvable renferme 3 g de sucre. Étant donné ce contenu en sucre, les personnes qui utilisent la lamivudine en solution buvable doivent se brosser les dents régulièrement pour réduire le risque de caries.

Grossesse et allaitement: Si vous êtes enceinte, si vous allez peut-être le devenir bientôt, ou encore si vous allaitez, veuillez en informer votre médecin avant de prendre quelque médicament que ce soit, y compris le 3TC (lamivudine).

Prise de votre médicament: Prenez votre médicament comme vous l'a indiqué votre médecin. L'étiquette vous donnera généralement la posologie. Si tel n'est pas le cas, ou si vous avez des doutes, demandez à votre médecin ou à votre pharmacien.

Adultes et adolescents (au moins 12 ans): En général, la dose est de 1 comprimé (150 mg) ou de 3 cuillerées à thé (15 mL) de solution buvable 2 fois/jour. La dose habituelle de zidovudine est de 600 mg/jour, en 3 prises fractionnées.

Si vous souffrez d'insuffisance rénale, votre posologie peut être modifiée. Veuillez suivre les instructions de votre médecin.

Enfants (au moins 3 mois): Si vous donnez le 3TC (lamivudine) à un enfant, suivez attentivement les instructions de votre médecin.

Après avoir pris votre médicament: Plusieurs personnes sont allergiques à certains médicaments. Si vous avez un des symptômes suivants peu de temps après avoir pris le 3TC (lamivudine), vous devez **cesser** de le prendre et en parler **immédiatement** à votre médecin:

- sifflement respiratoire soudain et douleur ou oppression thoracique;
- gonflement des paupières, du visage ou des lèvres;
- éruptions cutanées ou urticaire sur une partie du corps;
- crampes gastriques très fortes qui pourraient être dues à une maladie appelée pancréatite.

Consultez votre médecin **lors de votre prochaine visite** si un de ces effets indésirables se produit: maux de tête, nausées, vomissements, diarrhée, fièvre, éruptions cutanées, fatigue, sensation généralisée de malaise, engourdissement, sensation de fourmillement ou de faiblesse des membres.

Le 3TC (lamivudine) peut aussi provoquer une diminution dans certains types de numérations globulaires (y compris des globules rouges, des globules blancs, des plaquettes), ainsi qu'une augmentation de certaines enzymes hépatiques.

Il faut toujours informer votre médecin ou votre pharmacien de tout effet indésirable que vous avez ressenti, même s'il n'est pas mentionné dans ce dépliant.

Si vous ne vous sentez pas bien d'une façon ou d'une autre, ou si vous avez des symptômes que vous ne comprenez pas, vous devez immédiatement entrer en contact avec votre médecin.

Surdosage: Si vous prenez accidentellement une trop forte dose de votre médicament, il est peu probable que cela ait de graves conséquences. Cependant, vous devez **immédiatement** entrer en contact avec votre médecin, l'urgence à l'hôpital ou le centre antipoison le plus proche.

Si vous oubliez une dose: Si vous oubliez de prendre votre médicament, prenez-le dès que vous constatez cet oubli. Puis, continuez comme auparavant.

Conservation de votre médicament: Conservez les comprimés 3TC (lamivudine) entre 2 et 30 °C, et la solution buvable de lamivudine entre 2 et 25 °C.

Comme avec tout autre médicament, placez le 3TC (lamivudine) hors de portée des enfants.

Ne prenez pas votre médicament après la date de péremption figurant sur le flacon et sur la boîte.

Que contient votre médicament? Chaque comprimé 3TC (lamivudine) renferme 150 mg de lamivudine. Il contient également de la cellulose microcristalline, du glycolate d'amidon sodique, du stéarate de magnésium, de l'hydroxypropylméthylcellulose, du dioxyde de titane, du polyéthylèneglycol et du polysorbate. Chaque flacon renferme 60 comprimés.

La solution buvable de 3TC (lamivudine) renferme 50 mg de lamivudine par cuillerée à thé (10 mg/mL). Elle contient également de l'alcool (6 % d'éthanol v/v), des arômes artificiels de fraise et de banane, de l'acide citrique (anhydre), de l'édétate disodique, du méthylparabène, du propylparabène, du propylèneglycol et du sucrose. Chaque flacon renferme 240 mL de solution buvable de lamivudine.

N'oubliez pas que ce médicament est pour vous. N'en donnez jamais à d'autres. Il peut leur être nocif, même si leurs symptômes s'apparentent aux vôtres.

Renseignements complémentaires: Ce dépliant ne vous dit pas tout sur votre médicament. Si vous avez des questions ou des doutes, voyez votre médecin ou votre pharmacien. Vous aurez peut-être à consulter de nouveau ce dépliant. Ne le jetez donc pas avant d'avoir fini de prendre votre médicament.

□ TROSYD^MC AF
□ TROSYD^MC J

Pfizer, Soins de la santé

Tioconazole

Antifongique

Renseignements destinés aux patients: Indications: Trosyd AF ou Trosyd J (crème à 1 % (p/p) de tioconazole) est un antifongique indiqué pour le traitement topique du pied d'athlète (tinea pedis), de l'eczéma marginé de l'aine (tinea cruris) et d'autres mycoses cutanées (tinea corporis); il fait disparaître les symptômes associés à ces affections, tels que démangeaisons, desquamation, sensation de brûlure, fendillement, rougeur et douleur.

Forme posologique et administration: Forme posologique: Trosyd AF ou Trosyd J, sous forme d'une crème évanescente à 1 % (p/p), contient 10 mg de tioconazole par gramme de crème.

Mode d'emploi: Nettoyer la peau à l'eau et au savon et bien assécher. Appliquer une mince couche de crème sur les régions atteintes, matin et soir, durant 2 semaines pour traiter l'eczéma marginé de l'aine et durant 4 semaines pour traiter le pied d'athlète et les autres mycoses cutanées. Pour prévenir le pied d'athlète ou le traiter, prendre soin de bien appliquer le produit entre les orteils et porter des bas de coton et des chaussures aérées bien ajustées.

Mises en garde:

1. Réservé à l'usage externe.
2. Ne pas utiliser sans l'avis du médecin si vous êtes enceinte ou pensez l'être, ou si vous allaitez.
3. Ne pas utiliser sans l'avis ni la surveillance du médecin chez les enfants de moins de 2 ans.
4. Éviter tout contact avec les yeux; en cas de contact, rincer les yeux à grande eau.
5. Si une nouvelle irritation survient ou s'il n'y a aucune amélioration durant le plein traitement de 2 semaines pour l'eczéma marginé de l'aine de 4 semaines pour le pied d'athlète et d'autres mycoses cutanées, cesser l'emploi de ces produits et consulter un médecin.
6. En surveiller l'application chez les enfants de moins de 12 ans.
7. Les personnes qui sont allergiques au tioconazole ou à d'autres antifongiques de la classe des imidazoles ne doivent pas utiliser ces produits.
8. Ne pas appliquer ces produits pour traiter les infections du cuir chevelu et des ongles.

Précautions: Garder ces produits et tout autre médicament hors de la portée des enfants. En cas d'ingestion accidentelle, consulter immédiatement un professionnel de la santé.

Conserver entre 15 et 30 °C; ne pas congeler.

Monographie fournie sur demande aux médecins et aux pharmaciens.

Ingrédients non médicinaux: Alcool benzylique, alcool éthoxylaté (cétostéaryl), acide stéarique, alcool stéarylique, eau purifiée, huile minérale, propylèneglycol et vaseline blanche.

Présentation: Trosyd AF et Trosyd J, à 1 % (p/p) de tioconazole, sont présentés sous forme d'une crème blanche homogène dans des tubes de 5, 15 et 30 g.

□ TRUSOPT® Ⓟ

MSD

Chlorhydrate de dorzolamide

Traitement d'une pression intra-oculaire élevée—Inhibiteur topique de l'anhydrase carbonique

Renseignements destinés aux patients: Trusopt (chlorhydrate de dorzolamide); Collyre stérile à 2 %.

Trusopt est la marque déposée de Merck Frosst Canada Inc. pour la substance appelée chlorhydrate de dorzolamide. Ce médicament est offert **sur ordonnance** du médecin **seulement**. Trusopt est un inhibiteur de l'anhydrase carbonique. Trusopt est prescrit pour réduire une pression intra-oculaire trop élevée au niveau d'un œil ou des 2 yeux en raison d'une hypertension oculaire (hausse de la pression intra-oculaire) ou d'un glaucome.

Important—Ce médicament est prescrit pour le traitement d'un problème de santé particulier et pour votre usage personnel seulement.

Trusopt (suite)

Ne pas le donner à d'autres personnes ni l'utiliser pour traiter d'autres affections.

Ne pas utiliser le médicament après la date d'expiration indiquée sur l'emballage.

Ne pas utiliser Trusopt si vous êtes allergique à l'un de ses composants.

Ne pas utiliser Trusopt si vous avez des troubles rénaux graves.

Ne pas utiliser Trusopt si vous prenez actuellement des inhibiteurs de l'anhydrase carbonique par voie orale.

Garder tous les médicaments hors de la portée des enfants.

Lire les informations suivantes avec attention. **Si vous désirez des explications ou de plus amples renseignements, vous pouvez vous adresser à votre médecin ou à votre pharmacien.**

Avant d'administrer Trusopt: Il est possible que ce médicament ne convienne pas à certaines personnes. Si vous croyez que l'**une** des situations suivantes s'applique à votre cas, faites-le savoir à votre médecin:

- vous souffrez actuellement d'une autre maladie ou avez eu des problèmes médicaux dans le passé;
- vous êtes allergique à certains médicaments;
- vous portez des verres de contact; dans ce cas, vous devriez consulter votre médecin avant d'utiliser Trusopt;
- vous êtes enceinte ou avez l'intention de le devenir;
- vous allaitez ou avez l'intention de le faire;
- vous avez ou avez eu des troubles rénaux ou hépatiques.

Votre médecin doit aussi savoir si vous prenez ou avez l'intention de prendre d'autres médicaments (y compris des gouttes pour les yeux), qu'ils soient obtenus sur ordonnance ou en vente libre, en particulier de fortes doses d'AAS.

L'utilisation de Trusopt n'est pas recommandée chez les enfants.

Mode d'emploi du médicament:

- Il est important d'administrer Trusopt tel que l'a prescrit votre médecin. Si vous oubliez une dose, administrez-la dès que vous vous apercevez de votre oubli. Cependant, s'il est presque temps d'administrer la dose suivante, omettez les gouttes oubliées et revenez à votre horaire habituel.
- Ne commencez pas à prendre d'autres médicaments sans en avoir d'abord discuté avec votre médecin.
- Si vous croyez que vous faites une réaction allergique à Trusopt (p. ex., éruption cutanée ou démangeaisons), cessez de prendre le médicament et communiquez avec votre médecin aussitôt que possible.
- À l'apparition d'une irritation de l'œil ou de tout autre trouble oculaire nouveau, tels une rougeur des yeux ou un gonflement des paupières, communiquez immédiatement avec votre médecin.
- Votre médecin établira la posologie et la durée appropriées de votre traitement.
- Lorsque Trusopt est utilisé seul, la posologie est de 1 goutte administrée dans l'œil atteint le matin, l'après-midi et le soir.
- Si votre médecin a recommandé l'utilisation de Trusopt en même temps que celle d'un bêta-bloquant sous forme de gouttes ophtalmiques pour réduire la pression intra-oculaire, la posologie de Trusopt consiste alors en une dose administrée dans l'œil atteint le matin et le soir.
- Ne modifiez pas la posologie de votre médicament sans consulter d'abord votre médecin. Si vous devez cesser votre traitement, consultez votre médecin immédiatement.

Directives d'utilisation:

1. Lavez-vous d'abord les mains.
   Enlevez le bouchon et déposez-le sur une surface propre. Pour éviter tout risque de contamination, assurez-vous que l'embout ne touche aucune surface.
2. Penchez la tête vers l'arrière et regardez le plafond. À l'aide de l'index, tirez doucement sur la paupière inférieure de manière à former une poche.
   Administrez 1 goutte de Trusopt dans la poche formée par la paupière, mais évitez que l'embout du flacon distributeur ne touche l'œil ou les régions avoisinantes de l'œil.
3. Pressez le coin intérieur de l'œil avec l'index pendant 1 à 2 minutes afin d'empêcher que la goutte ne s'écoule dans le canal lacrymal.
   Répétez pour l'autre œil, si telle est la prescription du médecin.
   Si vous utilisez Trusopt en même temps que d'autres gouttes ophtalmiques, il faut attendre au moins 10 minutes entre l'administration de chaque médicament.
4. Lavez-vous les mains de nouveau pour enlever toute trace du médicament.

Réactions défavorables au médicament—ce qu'il convient de faire:

- Tout médicament peut avoir des effets indésirables ou inattendus.
- Vous pouvez présenter des symptômes oculaires, tels une sensation de brûlure et des picotements, une vision brouillée, une démangeaison, un larmoiement, une rougeur des yeux ou un gonflement des paupières. Vous pouvez aussi avoir un goût amer dans la bouche après l'administration des gouttes.
- Les autres réactions défavorables possibles sont, entre autres, des céphalées, des nausées, de la fatigue et, quoique rarement, une éruption cutanée.
- Votre médecin ou votre pharmacien ont une liste complète des réactions défavorables qui peuvent survenir avec l'utilisation de ce médicament. Avertissez sans délai votre médecin ou votre pharmacien de tout symptôme inhabituel.
- Des réactions défavorables possibles, tels des troubles de la vision, peuvent affecter votre capacité de conduire un véhicule ou de faire fonctionner une machine.
- Si une personne avale le contenu d'un flacon, communiquez avec votre médecin immédiatement.

Ne pas utiliser le collyre pendant plus de 28 jours, une fois le flacon distributeur ouvert.

Conserver à une température entre 15 et 25 °C. Craint la lumière.

Garder tous les médicaments hors de la portée des enfants.

Ingrédients: Ingrédient actif: Le collyre Trusopt (chlorhydrate de dorzolamide) à 2 % se présente sous forme de gouttes ophtalmiques stériles. Il contient 2 % de dorzolamide sous forme de chlorhydrate (sel); c'est un composé apparenté aux sulfamides.

Ingrédients non médicinaux: hydroxyéthylcellulose, mannitol, citrate de sodium dihydraté, hydroxyde de sodium et eau pour injection. Du chlorure de benzalkonium est ajouté comme préservateur.

□ T-STAT® 🄿

Westwood-Squibb

Érythromycine—Alcool éthylique

Traitement topique contre l'acné

Renseignements destinés aux patients: Votre médecin vous a prescrit la lotion topique T-Stat (Érythromycine: alcool éthylique) pour traiter votre acné. Il est important de lire et de suivre le Mode d'emploi concernant l'usage de ce produit:

1. Lavez d'abord les régions affectées avec un savon doux (non médicamenteux), rincez bien et asséchez en tapotant.
2. Appliquez la lotion topique T-Stat sur les régions affectées par l'acné à l'aide de l'applicateur, avec le bout des doigts ou selon les recommandations de votre médecin en prenant soin d'éviter les yeux, le nez, la bouche et les autres muqueuses.

Si vous utilisez les tampons préhumidifiés, appliquez T-Stat sur l'acné et sur les régions avoisinantes, utilisant le même mouvement large qu'avec tout tampon nettoyant.

3. Lavez vos mains à fond après chaque application.
4. N'appliquez pas la lotion plus souvent que votre médecin vous l'a prescrit.

Pour installer l'applicateur:

1. Enlever et jetez le bouchon d'expédition temporaire.
2. Poussez fermement l'applicateur à l'intérieur du flacon en utilisant le bouchon comme support.
3. Vissez le bouchon pour fixer l'applicateur.

Précautions:

1. Gardez ce médicament en lieu sûr, hors de portée des enfants.
2. La lotion topique T-Stat est réservée à l'usage externe seulement.
3. Évitez tout contact avec les yeux, les narines, la bouche et les autres muqueuses.
4. S'il arrive que la lotion vienne en contact avec vos yeux, rincez à grande eau pendant au moins 5 minutes. Si le malaise persiste, consultez votre médecin.
5. N'utilisez aucun autre médicament contre l'acné, sauf sur avis de votre médecin.
6. Gardez la lotion topique T-Stat loin de la flamme nue.
7. Entreposez le flacon ou le pot, hermétiquement fermé, dans un endroit frais et sec.
8. Afin de prévenir toute fuite, garder le flacon ou le pot debout.

En cas de problèmes:
1. S'il y a desquamation, rougeur, sensibilité, sécheresse, démangeaison ou irritation excessives, consultez votre médecin.
2. Lorsque vous appliquez T-Stat pour la première fois, vous pouvez éprouver une sensation de peau huileuse. Cela disparaîtra après quelques minutes et ne rendra pas votre peau plus huileuse.
3. Il ne faut pas s'attendre à une amélioration immédiate de l'acné; soyez patient et poursuivez le traitement tel que le médecin vous l'a recommandé.

N'oubliez pas: La lotion topique T-Stat vous a été prescrite personnellement et ne doit être employée par personne d'autre.

☐ ULTRADOL^MC ℞

Procter & Gamble, Compagnie pharmaceutique

Étodolac

Anti-inflammatoire non stéroïdien—Analgésique

Renseignements destinés aux patients: Ultradol, que vous a prescrit votre médecin, appartient à un vaste groupe de médicaments anti-inflammatoires non stéroïdiens (AINS). Il est utilisé pour traiter la douleur légère ou modérée de même que les symptômes de certains types d'arthrite. Il contribue à soulager la douleur, l'enflure, la raideur et la fièvre en réduisant la production de certaines substances (prostaglandines) et en aidant à maîtriser l'inflammation. Les AINS ne guérissent pas l'arthrite, mais ils promouvoient la suppression de l'inflammation et des effets d'endommagement résultant de cette inflammation. Ce médicament ne vous aidera qu'aussi longtemps que vous continuerez de le prendre.

Vous ne devez prendre Ultradol que selon les instructions de votre médecin. N'en prenez pas plus, ni plus souvent que prescrit, et n'en prenez pas au-delà de la période prescrite par votre médecin. Prendre trop de ces médicaments peut accroître le risque d'effets indésirables, surtout si vous êtes un patient âgé.

Assurez-vous de prendre Ultradol régulièrement, tel que prescrit. Dans certains types d'arthrite, il pourra s'écouler jusqu'à 2 semaines avant que vous ne ressentiez les effets complets de ce médicament. Durant le traitement, votre médecin pourra décider d'ajuster la posologie en fonction de votre réaction au médicament.

Les troubles gastriques sont l'un des problèmes communs attribuables aux AINS: Pour atténuer les troubles gastriques, prenez ce médicament immédiatement après un repas ou avec des aliments ou du lait. De plus, vous devriez rester debout ou assis (c.-à-d. ne pas vous coucher) pendant 15 à 30 minutes après avoir pris le médicament. Ceci contribue à prévenir l'irritation qui peut donner lieu à des difficultés d'avaler. Si des troubles gastriques (indigestion, nausée, vomissement, douleur stomacale ou diarrhée) se produisent et subsistent, contactez votre médecin.

Ne prenez pas d'AAS (acide acétylsalicylique), de composés en contenant, ou d'autres médicaments utilisés pour soulager les symptômes de l'arthrite, pendant que vous prenez Ultradol, à moins d'instruction de votre médecin à cet effet.

Si ce médicament vous a été prescrit pour utilisation sur une longue période de temps, votre médecin surveillera votre santé au cours de visites régulières pour évaluer la réussite du traitement et s'assurer qu'il ne cause pas d'effets indésirables.

À ne jamais oublier: Les risques de prendre ce médicament doivent être évalués en fonction des avantages qu'il procurera.

Avant de prendre ce médicament, dites à votre médecin et pharmacien si:
- vous ou un membre de votre famille êtes allergique à ou avez eu une réaction à Ultradol ou à d'autres médicaments anti-inflammatoires (tels qu'acide acétylsalicylique, diclofénac, diflunisal, fénoprofène, flurbiprofène, ibuprofène, indométhacine, kétoprofène, acide méfénamique, piroxicam, sulindac, acide tiaprofénique, tolmétine, trométhamine de kétorolac, ténoxicam, naproxen, choline trisalicylate de magnésium, floctafénine, nabumétone, salsalate ou phénylbutazone) se manifestant par une sinusite accrue, urticaire, le déclenchement ou l'aggravation d'asthme ou d'anaphylaxie (affaissement soudain);
- vous ou un membre de la famille avez été atteint d'asthme, polypes nasaux, sinusite chronique ou urticaire chronique;
- vous avez des antécédents de dérangements d'estomac, ulcères ou maladie du foie ou des reins;
- vous avez des anormalités sanguines ou urinaires;
- vous avez une haute tension artérielle;
- vous êtes diabétique;
- vous suivez un régime spécial tel qu'un régime à faible teneur en sodium ou en sucre;
- vous êtes enceinte ou avez l'intention de le devenir pendant que vous prenez ce médicament;
- vous allaitez au sein ou avez l'intention d'allaiter au sein pendant que vous prenez ce médicament;
- vous prenez tout autre médicament (sur ordonnance ou non) tels que d'autres AINS, un médicament pour haute tension artérielle, des produits de dilution sanguine, corticostéroïdes, méthotrexate, cyclosporine, lithium, phénytoïne;
- vous avez tout autre problème médical tel que l'abus d'alcool, troubles de saignement, etc.

Pendant que vous prenez ce médicament:
- avisez tout autre médecin, dentiste ou pharmacien que vous consultez ou contactez, que vous prenez ce médicament;
- certains AINS peuvent causer de la somnolence ou de la fatigue chez certaines personnes qui les prennent. Prenez garde lorsque vous conduisez ou participez à des activités qui nécessitent de la vigilance, si vous ressentez une sensation de somnolence, d'étourdissement ou de vertige après avoir pris ce médicament;
- consultez votre médecin s'il n'y a aucun signe de soulagement ou si des problèmes surviennent;
- signalez toute réaction fâcheuse à votre médecin. Cela est très important afin de permettre une détection précoce et la prévention de complications possibles;
- des troubles gastriques sont plus susceptibles de se produire si vous buvez des boissons alcooliques. Par conséquent, ne consommez pas de boissons alcooliques pendant que vous prenez ce médicament;
- consultez immédiatement votre médecin si vous ressentez une faiblesse pendant que vous prenez ce médicament ou si vous vomissez du sang ou que vos selles sont sanguinolentes ou foncées;
- certaines personnes peuvent devenir plus sensibles à la lumière solaire qu'elles ne le sont normalement. L'exposition à la lumière solaire ou à des lampes solaires, même pour de courtes périodes, peut causer un coup de soleil, des ampoules sur la peau, des éruptions, rougeurs, démangeaisons ou décoloration; ou des changements de vision. Si vous réagissez à une exposition au soleil, vérifiez auprès de votre médecin;
- vérifiez auprès de votre médecin immédiatement si des frissons, fièvres, douleurs musculaires ou autres symptômes pseudo-grippaux se produisent, surtout s'ils se produisent peu avant ou en même temps qu'une éruption cutanée. Très rarement, ces effets peuvent être les signes annonciateurs d'une réaction grave à ce médicament;
- **vos examens de santé réguliers sont essentiels.**

Effets secondaires de ce médicament: Parallèlement à ses effets bénéfiques, Ultradol, comme les autres médicaments anti-inflammatoires non stéroïdiens, peut causer certains effets secondaires.

Les patients âgés, frêles ou débilités semblent souvent éprouver des effets secondaires plus fréquents ou plus graves.

Bien que ces effets secondaires ne soient pas tous communs, ils peuvent quand ils se produisent nécessiter une attention médicale.

Consultez votre médecin immédiatement si vous notez les symptômes suivants:
- selles sanguinolentes ou noires;
- essoufflement, respiration sifflante et tout trouble respiratoire ou oppression thoracique;
- éruption cutanée, enflure, urticaire ou démangeaison;
- vomissement ou indigestion persistante, nausée, douleurs stomacales ou diarrhée;
- coloration jaune de la peau ou des yeux;
- tout changement dans la quantité ou la couleur de l'urine (tel qu'urine foncée, rouge ou brune);
- toute douleur ou difficulté éprouvée en urinant;
- enflure des pieds ou de la partie inférieure des jambes;
- malaise, fatigue, perte d'appétit;
- vision brouillée ou tout trouble visuel;
- confusion mentale, dépression, étourdissement, vertige, problèmes auditifs.

D'autres effets secondaires non mentionnés ci-dessus peuvent également survenir chez certains patients. Si vous remarquez d'autres effets, vérifiez auprès de votre médecin.

Posologie: Prenez Ultradol avec des aliments ou de l'eau.

Arthrite: Si vous avez des questions sur la quantité d'Ultradol à prendre ou quand prendre le médicament parlez-en à votre médecin ou pharmacien. La plupart des patients prendront 1 comprimé 2 fois/jour. Certaines personnes prendront 2 comprimés en soirée.

Ultradol (suite)

Douleur: Prenez 1 ou 2 comprimés de 200 mg aux 6 ou 8 heures. Chez certaines personnes, la douleur ne disparaîtra que lorsque les comprimés sont pris aux 12 heures. Ne prenez pas Ultradol pendant plus de 7 jours. Si vous éprouvez encore des symptômes de douleur, parlez-en à votre médecin.

Tous les patients: Ne prenez pas plus de 1 000 mg/jour sans en discuter avec votre médecin ou pharmacien.

Rangement: Rangez le médicament à la température ambiante (25 °C) et protégez-le contre l'humidité.

Ultadol n'est pas recommandé pour les enfants parce que sa sécurité et son efficacité n'ont pas été établies.

Ne pas conserver de médicaments périmés ou de médicaments dont vous n'avez plus besoin.

Tenir hors de portée des enfants.

Ce médicament a été prescrit pour votre affection médicale. Ne le donnez pas à quiconque d'autre.

Si vous avez besoin de plus de renseignements à propos de ce médicament, consultez votre médecin ou pharmacien.

□ ULTRAVATE[MD], Préparations Ⓟ

Westwood-Squibb

Propionate d'halobétasol

Corticostéroïde topique

Renseignements destinés aux patients:

1. Ce médicament doit être utilisé selon les recommandations du médecin et ne doit pas être administré pour une période plus longue que celle prescrite. Pour usage externe seulement. Évitez le contact avec les yeux.
2. Ce médicament ne doit pas être utilisé pour une affection autre que celle pour laquelle il a été prescrit.
3. La région traitée ne doit pas être recouverte d'un bandage ou enveloppée.
4. Tous les signes d'effets adverses locaux doivent être signalés à votre médecin.

□ UNIPHYL® Ⓟ

Purdue Frederick

Théophylline

Bronchodilatateur

Renseignements destinés aux patients: Votre médecin vous a prescrit les comprimés Uniphyl, contenant de la théophylline incorporée à un système de libération prolongée. La théophylline dégage les voies aériennes pour vous permettre de mieux respirer, et le mode de libération prolongée d'Uniphyl permet la diffusion graduelle de la théophylline; ainsi, la plupart des patients n'ont besoin que d'une seule dose quotidienne d'Uniphyl.

Puisque de nombreux médicaments interagissent avec la théophylline, il est important que votre médecin sache quels sont tous les médicaments que vous prenez et quand vous arrêtez de les prendre. Vous devriez aussi informer votre médecin si vous commencez ou arrêtez de fumer, ou si vous allaitez, êtes enceinte ou désirez le devenir. Dans ces cas, il faudrait peut-être ajuster votre posologie.

Il est essentiel que vous preniez votre Uniphyl régulièrement, à la quantité exacte et au moment prescrits par votre médecin. L'oubli de doses peut faire réapparaître les symptômes d'asthme et de bronchite, tandis que prendre plus que la dose prescrite d'Uniphyl peut entraîner des effets secondaires tels que maux de tête, nausées et vomissements. Si ces effets secondaires se manifestent au cours du traitement avec Uniphyl, contactez votre médecin avant de prendre toute dose supplémentaire. Si vos symptômes s'aggravent et que vous avez pris votre médicament régulièrement, vous devriez aussi contacter votre médecin. **Toutefois, n'augmentez PAS votre dose d'Uniphyl avant d'en avoir reçu l'autorisation de votre médecin.**

Afin de mieux avaler les comprimés Uniphyl et pour vous assurer qu'ils atteignent rapidement l'estomac, vous devez prendre chaque dose en position debout ou assise avec un grand verre d'eau (120 à 180 mL). Les comprimés doivent être avalés en entier ou fractionnés en deux (si la posologie établie par votre médecin comprend des demi-comprimés), mais **sans les écraser ni les mâcher,** car cela pourrait perturber le mode de libération prolongée. À moins d'avis contraire de votre médecin, **Uniphyl doit être pris au repas du soir ou peu de temps après.**

Si vous vous rendez compte que vous avez manqué une dose, et qu'il s'est écoulé moins de 6 heures depuis le moment prévu de la prise, prenez immédiatement votre dose habituelle. Si une période de 6 à 18 heures s'est écoulée, prenez immédiatement la moitié de votre dose habituelle, puis à la dose suivante, reprenez le schéma posologique établi. Enfin, si plus de 18 heures se sont écoulées depuis que vous avez manqué votre dose, attendez votre prochaine prise selon votre schéma posologique habituel.

Les comprimés Uniphyl, une formule à libération prolongée, ne conviennent pas dans une situation d'urgence pour soulager rapidement un bronchospasme.

Si vous faites de la fièvre ou souffrez d'une infection virale (p. ex. la grippe), on devra peut-être ajuster votre posologie d'Uniphyl. S'il survient certains effets secondaires, au cours d'une telle infection, abstenez-vous de prendre la dose suivante d'Uniphyl et consultez votre médecin.

Si vous éprouvez tout autre malaise, appelez votre médecin.

□ URSOFALK® Ⓟ

Axcan Pharma

Ursodiol

Agent litholytique—Maladies hépatiques cholestatiques

Renseignements destinés aux patients: Le guide thérapeutique complet est envoyé sur demande aux médecins et aux pharmaciens.

- Votre médecin vous a prescrit Ursofalk pour le traitement de votre maladie.
- Ursofalk est administré aux patients ayant refusé de se soumettre à une chirurgie de la vésicule biliaire ou chez qui il est préférable d'éviter une intervention chirurgicale à cause d'autres troubles médicaux. Il est aussi utilisé pour le traitement des maladies hépatiques cholestatiques, telle la cirrhose biliaire primitive.
- Ursofalk est un médicament vendu uniquement sur ordonnance.

Veuillez lire attentivement les instructions qui suivent afin que vous puissiez bénéficier pleinement de ce médicament.

- Ce médicament ne devrait être utilisé que selon les instructions de votre médecin. Suivez rigoureusement les termes de sa prescription. Ne modifiez la dose ni n'abandonnez le traitement sauf avis contraire du médecin. Votre médecin vous demandera de vous soumettre à des examens médicaux réguliers, il est important de respecter les dates qu'on vous propose.
- Prévenez votre médecin avant de commencer à prendre un nouveau médicament (sur ordonnance ou en vente libre) ou si un nouveau trouble médical survient pendant que vous prenez ce médicament.
- Avant de commencer le traitement avec ce médicament (Ursofalk), votre médecin doit savoir:
  - si vous avez déjà pris Ursofalk et si vous ne l'avez pas bien toléré ou s'il a causé une allergie;
  - si vous êtes enceinte, si vous avez l'intention de le devenir, si vous allaitez ou si vous avez l'intention de le faire;
  - si vous prenez d'autres médicaments sur ordonnance ou en vente libre.
- Utilisation adéquate du médicament: Il faut prendre Ursofalk en deux doses séparées, normalement, une gélule le matin, avec le petit déjeuner, et 2 ou 3 gélules, avant le coucher, avec de la nourriture.
- Prenez Ursofalk pendant la durée totale du traitement, même si vous commencez à mieux vous sentir.
- On pense que le poids corporel et le genre de régime alimentaire que le patient présentant des lithiases biliaires suit peuvent influencer la vitesse de dissolution des lithiases biliaires tout comme la formation possible de nouvelles lithiases. Toutefois, avant de décider de suivre un quelconque régime alimentaire, consultez votre médecin.
- Si un autre médecin vous prescrit un autre traitement médical, prévenez-le que vous prenez Ursofalk.
- Signalez à votre médecin tout malaise qui peut survenir pendant que vous prenez Ursofalk (voir Effets indésirables).
- L'innocuité d'Ursofalk chez les enfants n'a pas été établie.
- L'utilisation d'Ursofalk au cours de la grossesse doit être décidée par votre médecin. Si la grossesse survient au cours du traitement avec

Ursofalk, votre médecin peut décider d'interrompre l'administration du médicament.

- Le traitement avec Ursofalk n'est pas recommandé pendant l'allaitement.

Effets indésirables: Outre son effet souhaité, tout médicament peut causer des effets indésirables.

Ces effets peuvent se manifester chez certains patients. Ils peuvent apparaître et disparaître sans comporter de risque particulier. Cependant, si un effet indésirable persiste ou commence à vous gêner, vous devez en aviser votre médecin sans délai. Ces effets peuvent être la diarrhée, la dyspepsie ou les crampes abdominales, ou la perte de cheveux.

Ce médicament est prescrit pour un trouble en particulier et il est destiné à votre usage exclusif. N'en donnez pas à une autre personne.

Gardez ce médicament et tout autre hors de la portée des enfants.

Si vous désirez avoir des renseignements supplémentaires, consultez votre médecin ou votre pharmacien.

☐ VACCIN ANTIPOLIOMYÉLITIQUE VIVANT ORAL TRIVALENT

Connaught

Poliovirus de types 1, 2 et 3

Produit immunisant actif

Renseignements destinés aux patients: Les parents devraient être pleinement informés des avantages et des risques que présente l'immunisation avec un vaccin antipoliomyélitique oral, et notamment du risque de paralysie consécutive à l'administration du vaccin.

Il conviendrait de souligner à quel point il est important qu'ils se lavent les mains immédiatement après avoir changé les couches du nourrisson, en particulier pendant la période d'excrétion fécale du virus, qui dure de 6 à 8 semaines après l'administration du vaccin.

☐ VALTREX® Ⓟ

Glaxo Wellcome

Chlorhydrate de valacyclovir

Antiviral

Renseignements destinés aux patients: Zona: Ce que vous devez savoir au sujet des caplets Valtrex pour le traitement du zona. Veuillez lire ce feuillet attentivement avant de commencer à prendre votre médicament. Pour de plus amples renseignements ou conseils, consultez votre médecin ou votre pharmacien.

Votre médicament: Le nom de votre médicament est Valtrex. Il renferme du chlorhydrate de valacyclovir qui en est l'ingrédient actif. Valtrex ne peut être obtenu que sur ordonnance de votre médecin.

Comment agit votre médicament? Valtrex est un médicament antiviral. Il est utilisé pour traiter le zona. Le zona est causé par le virus varicelle-zona qui crée des dommages aux nerfs et à la peau. Valtrex empêche la multiplication du virus et, par le fait même, réduit ses dommages.

Points importants à noter avant de prendre votre médicament: Vous ne devez pas utiliser Valtrex si vous êtes allergique ou si vous avez de mauvaises réactions au valacyclovir ou à l'acyclovir. Si vous avez déjà eu une réaction allergique à un de ces ingrédients, parlez-en à votre médecin.

Utilisation de ce médicament durant la grossesse et l'allaitement: Si vous êtes enceinte ou allez le devenir sous peu, ou si vous allaitez votre enfant, veuillez en informer votre médecin avant de prendre quelque médicament que ce soit, y compris Valtrex. Si vous êtes enceinte ou si vous allaitez, votre médecin peut décider de ne pas prescrire ce médicament bien que dans certaines circonstances, il puisse vous conseiller différemment.

Comment prendre votre médicament: Vous devez prendre Valtrex selon la prescription de votre médecin. Si vous ne savez pas combien de caplets vous devez prendre ou combien de fois vous devez les prendre, consultez votre médecin ou votre pharmacien.

Pour le maximum d'efficacité, commencez à prendre les caplets Valtrex dès que vous pouvez.

Vous ne devez ni augmenter ni diminuer la dose prescrite à moins que votre médecin ne vous en avise.

La dose habituelle est de 2 caplets Valtrex 3 fois/jour. La plupart des gens prennent une dose lorsqu'ils se lèvent le matin, une dose au milieu de l'après-midi et une dose avant de se coucher le soir. Si vous étalez les doses de façon homogène pendant la journée, vous contribuerez à réduire les éruptions cutanées et les malaises. Le traitement dure 7 jours.

Après avoir pris votre médicament: Valtrex n'a pas souvent d'effets secondaires. Certaines personnes peuvent se sentir malades ou avoir une légère céphalée. Avertissez-votre pharmacien ou votre médecin si vous remarquez d'autres effets secondaires lors de la prise de votre médicament qui ne sont pas mentionnés ici.

Si vous sentez que votre état s'aggrave ou si vous avez pris tous les caplets et que vous n'allez pas mieux, **avertissez votre médecin dès que possible.**

Que faire en cas de surdosage? Il est important de suivre les instructions posologiques indiquées sur l'étiquette de votre médicament. En cas de surdosage, vous devez **immédiatement** entrer en contact soit avec votre médecin, avec l'urgence de l'hôpital ou le centre antipoison le plus proche.

Que faire si vous sautez une dose? Si vous oubliez de prendre une dose, prenez-en une autre dès que possible. Puis continuez avec la prochaine dose au moment indiqué.

Conservation de votre médicament: Conservez les caplets Valtrex entre 15 et 25 °C. Évitez les sources de chaleur directes et le soleil. Placez les caplets Valtrex dans un endroit sûr où les enfants ne peuvent avoir accès. Ne prenez pas les caplets après la date limite indiquée sur l'emballage.

Que faire lorsque vous cessez de prendre votre médicament? Si votre médecin décide que vous devez cesser le traitement, ne gardez pas les caplets qui restent à moins que votre médecin ne vous dise de le faire. Jetez tous les caplets Valtrex non utilisés.

Qu'y a-t-il dans votre médicament? Un caplet Valtrex renferme 500 mg de valacyclovir (sous forme de chlorhydrate de valacyclovir). En outre, il renferme de la cire de carnauba, de la cellulose, de la crospovidone, de l'hydroxypropylméthylcellulose, de l'indigotine Aluminum Lake, du stéarate de magnésium, du polyéthylèneglycol, du polysorbate 80, de la povidone, de la silice et du dioxyde de titane.

N'oubliez pas: Ce médicament est pour vous. Seul un médecin peut vous le prescrire. Ne le donnez jamais à quelqu'un d'autre. Il peut lui être nocif, même si ses symptômes sont les mêmes que les vôtres.

Renseignements complémentaires: Ce feuillet ne contient pas tous les renseignements sur votre médicament. Si vous avez des questions à poser, posez-les à votre médecin ou à votre pharmacien. Vous pouvez avoir à lire ce feuillet de nouveau. Ne le jetez donc pas avant d'avoir fini votre traitement.

Ce que vous devez savoir sur l'emploi des caplets Valtrex dans le traitement de l'herpès génital récurrent: Votre médicament: Le nom commercial de votre médicament est Valtrex. L'ingrédient actif des caplets Valtrex est le chlorhydrate de valacyclovir. Valtrex ne peut être obtenu que sur ordonnance d'un médecin.

Comment agit votre médicament: Valtrex est un médicament antiviral. Il sert à traiter l'herpès génital, maladie causée par le virus de l'herpès simplex (HSV).

Le HSV entraîne la formation de petites vésicules remplies de liquide qui se transforment en ulcères ou lésions pouvant entraîner douleur et démangeaisons. Les vésicules contiennent de nombreuses particules infectieuses de HSV. Valtrex empêche la multiplication de HSV, ce qui contribue à abréger la période pendant laquelle le virus est libéré de la peau et des muqueuses. De plus, il réduit le nombre de vésicules douloureuses et en accélère la guérison. Si vous commencez à prendre Valtrex dès que vous ressentez les premiers signes d'infection, vous pouvez prévenir la formation des vésicules.

Points importants à noter avant de prendre votre médicament: Vous ne devez pas prendre Valtrex si vous êtes allergique ou réagissez fortement au valacyclovir ou à l'acyclovir. Si vous avez déjà eu une réaction allergique à l'un ou l'autre de ces produits, dites-le à votre médecin.

Utilisation du médicament durant la grossesse ou l'allaitement: Si vous êtes enceinte, si vous êtes susceptible de le devenir bientôt ou si vous allaitez, veuillez consulter votre médecin avant de prendre quelque médicament que ce soit, y compris Valtrex. Si vous êtes enceinte ou si vous allaitez, votre médecin peut décider de ne pas vous prescrire ce médicament, bien qu'il puisse le faire dans certaines circonstances.

Comment prendre votre médicament: Vous devez prendre Valtrex selon les directives de votre médecin. Si vous hésitez sur la quantité

Valtrex (suite)

de caplets à prendre ou sur la fréquence à laquelle vous devez les prendre, consultez votre médecin ou votre pharmacien.

Vous ne devez pas augmenter ni réduire la dose prescrite, à moins que votre médecin ne vous en avise.

Habituellement, Valtrex doit être pris à raison d'un caplet, 2 fois/jour, pendant 5 jours. On prend un caplet le matin, et l'autre en soirée.

Après avoir pris votre médicament: Valtrex entraîne rarement des effets indésirables. Certaines personnes peuvent avoir la nausée ou éprouver un léger mal de tête. Si vous ressentez un effet indésirable autre que ceux mentionnés ici, parlez-en à votre médecin ou à votre pharmacien.

Si vous sentez que votre état s'aggrave ou si vous n'observez aucune amélioration après avoir pris tous les caplets selon la posologie prescrite, **Avertissez votre médecin dans les plus brefs délais.**

Que faire en cas de surdosage: Vous devez absolument suivre les directives posologiques figurant sur l'étiquette. Si vous prenez une dose excessive, appelez **immédiatement** votre médecin, l'urgence de l'hôpital le plus près de chez vous ou le centre antipoison.

Si vous oubliez de prendre une dose: Si vous oubliez de prendre votre médicament, prenez le caplet omis dès que vous vous en rendez compte, et prenez la dose suivante à l'heure prévue.

Pour conserver votre médicament: Conservez les caplets Valtrex à une température de 15 à 25 °C. Évitez les sources de chaleur directe et le soleil.

Gardez vos caplets Valtrex en lieu sûr, hors de la portée des enfants. Ne prenez aucun caplet après la date limite indiquée sur l'emballage.

Que faire si vous devez abandonner le traitement: Si votre médecin décide de cesser le traitement, ne conservez pas les caplets restants, à moins qu'il ne vous dise de le faire. Veuillez jeter tous les caplets Valtrex inutilisés.

Ce que contient votre médicament: Chaque caplet Valtrex contient 500 mg de valacyclovir (sous forme de chlorhydrate de valacyclovir). Il se compose également des ingrédients suivants: cire de carnauba, cellulose, crospovidone, hydroxypropylméthylcellulose, indigotine Aluminum Lake, stéarate de magnésium, polyéthylèneglycol, polysorbate 80, povidone, silice et dioxyde de titane.

Rappel: Ce médicament est pour vous. Seul un médecin peut vous le prescrire. N'en donnez jamais à une autre personne. Il peut lui être nocif, même si ses symptômes sont les mêmes que les vôtres.

Herpès génital: Qu'est-ce que l'herpès génital? L'herpès génital est une maladie transmissible sexuellement causée par le virus de l'herpès simplex, virus appartenant à la même famille que les virus à l'origine des «feux sauvages», ou boutons de fièvre. Vous pouvez contracter l'herpès génital en ayant des relations sexuelles (par contact génital, anal ou oral de votre peau avec celle de votre partenaire) avec une personne atteinte de la maladie. L'herpès génital ne se manifeste pas toujours au niveau des organes génitaux. Les lésions peuvent apparaître sur les fesses ou sur les cuisses.

Y a-t-il des signes avant-coureurs d'infection d'herpès génital? De nombreuses personnes sont atteintes d'herpès génital sans même le savoir. Voici certains des signes pouvant annoncer une récurrence d'herpès génital:

- Enflure, douleur, démangeaison ou sensation de brûlure dans la région génitale
- Rougeur, petites vésicules ou ulcères
- Sensation de brûlure au moment d'uriner
- Écoulement génital
- Courbatures, fatigue ou maux de tête

Les herpèsvirus présentent une caractéristique commune: une fois qu'ils pénètrent dans l'organisme, ils y restent pour la vie et y sont parfois réactivés. Personne ne sait vraiment ce qui cause les récurrences. Certaines personnes savent ce qui déclenche la réactivation de leur infection d'herpès génital, d'autres non. Parmi les facteurs déclenchants, on compte le manque de sommeil, la mauvaise alimentation, le stress et les menstruations.

Portez attention à ce qui semble favoriser la réactivation de votre infection, de façon à éviter certains de ces facteurs déclenchants si cela est possible. Vous pouvez prévenir la formation des vésicules en commençant à prendre vos caplets Valtrex dès que vous remarquez les signes avant-coureurs.

Comment ai-je contracté l'herpès génital? L'herpès génital se transmet par contact intime. Il est souvent transmis sexuellement, en général par contact direct avec les vésicules ou les ulcères. Les vésicules contiennent de nombreuses particules infectieuses. La présence de petites coupures ou d'écorchures sur la peau ou les muqueuses facilite l'entrée du virus dans l'organisme. Ces petites coupures ou écorchures peuvent être invisibles à l'oeil nu. Certaines personnes peuvent transmettre l'herpès génital sans même le savoir. Elles ne se rendent pas compte de leur état, car l'infection est à ce point bénigne qu'il n'y a ni signe ni symptôme.

L'herpès génital ne peut se transmettre par une poignée de main, sur un siège de toilette, ni dans une piscine, un sauna ou des glissades d'eau.

Puis-je transmettre l'herpès génital à d'autres personnes? Oui. Vous devez vous rappeler que des particules virales peuvent parfois être libérées en l'absence de vésicules ou d'ulcères. Il est donc plus prudent d'agir comme si vous pouviez transmettre l'infection à votre partenaire même quand vous ne présentez aucune lésion. Ce phénomène est plus courant durant la première année suivant l'infection initiale ainsi que chez les personnes qui souffrent de récurrences fréquentes.

Comment puis-je réduire le risque de transmettre l'herpès génital à d'autres parties de mon corps ou à d'autres personnes? Vous n'avez pas à vous priver de relations sexuelles si vous souffrez d'herpès génital. Cependant, pour diminuer le risque de transmission:

- Évitez tout contact sexuel quand l'infection d'herpès génital est active.
- Utilisez un condom avec spermicide chaque fois que vous avez des relations sexuelles, même si vous ne percevez aucun signe d'infection.
- Évitez de toucher ou de percer les vésicules ou les ulcères, et n'enlevez pas les croûtes lorsqu'elles se forment.
- Lavez-vous toujours les mains après avoir touché aux vésicules, aux ulcères ou aux croûtes.
- Si vous ou votre partenaire êtes atteint d'une infection active d'herpès génital (ou même si vous en éprouvez les signes avant-coureurs), évitez tout contact cutané direct avec les vésicules ou les ulcères.
- Discutez avec votre médecin des solutions qui vous conviennent le mieux, à vous et à votre partenaire.

Herpès génital et grossesse: Il n'existe aucune preuve indiquant que l'herpès génital affecte la fertilité de l'homme ou de la femme, et il est peu probable qu'il puisse compliquer la grossesse. Les mesures décrites ci-dessus vous aideront à réduire le risque de transmission de l'herpès génital durant la grossesse. Des précautions particulières doivent cependant être prises durant la grossesse afin d'éviter que la femme enceinte ne contracte l'herpès de son partenaire. Il faut également faire preuve de prudence au moment de la naissance si la mère présente une infection active. Discutez avec votre médecin des options qui s'offrent à vous.

Renseignements complémentaires: Ce livret ne contient pas toute l'information existant au sujet de votre médicament. Si vous avez des questions, posez-les à votre médecin ou à votre pharmacien. Vous pourriez avoir besoin de lire ce livret à nouveau. Ne le jetez donc pas avant d'avoir terminé le traitement.

Vous pouvez également obtenir de l'information sur l'herpès génital en communiquant avec le Réseau national de soutien aux patients au: 1-888-426-9555. Ce service, mis sur pied avec la collaboration d'experts canadiens reconnus dans le domaine de l'herpès génital, offre:

- un service sans frais 24 heures sur 24;
- un système téléphonique interactif;
- la confidentialité et l'anonymat assurés;
- des informations régulièrement mises à jour.

□ VASERETIC® ℞

Frosst

Maléate d'énalapril—Hydrochlorothiazide

Inhibiteur de l'enzyme de conversion de l'angiotensine—Diurétique

Renseignements destinés aux patients: Vaseretic est la marque déposé de Merck Frosst Canada Inc. pour l'association des substances appelées maléate d'énalapril et hydrochlorothiazide. L'énalapril fait partie de la classe de médicaments connus sous le nom d'inhibiteurs de l'enzyme de conversion de l'angiotensine, et l'hydrochlorothiazide est un diurétique thiazidique, un médicament qui «élimine l'eau». Cette association médicamenteuse est délivrée **sur ordonnance médicale**

seulement. Elle est généralement prescrite pour réduire une **tension artérielle élevée.**

Lorsque la tension artérielle est élevée, le travail du cœur et des artères augmente, de sorte qu'avec le temps, le fonctionnement de ces organes se trouve altéré. Ce mauvais fonctionnement peut alors entraîner une détérioration des organes vitaux tels que le cerveau, le cœur et les reins, et mener à un accident cérébro-vasculaire, une insuffisance cardiaque, une crise cardiaque, une maladie vasculaire ou une maladie rénale.

Important: Ce médicament est prescrit pour le traitement d'un problème de santé particulier et pour votre usage personnel seulement. **Ne pas le donner à d'autres personnes ni l'utiliser pour traiter d'autres affections.**

Ne plus utiliser un médicament après la date d'expiration indiquée sur l'emballage.

Garder tous les médicaments hors de la portée des enfants.

Lire les informations suivantes avec attention. **Si vous désirez des explications ou de plus amples renseignements, vous pouvez vous adresser à votre médecin ou à votre pharmacien.**

Ce qu'il faut savoir avant de prendre ce médicament: Il est possible que ce médicament ne convienne pas à certaines personnes. Si vous croyez que **l'une** des situations suivantes s'applique à votre cas, faites-le savoir à votre médecin:

- Vous avez déjà pris **l'un** des médicaments suivants et vous avez manifesté une allergie ou subi des réactions défavorables: hydrochlorothiazide ou tout autre diurétique ou médicament qui élimine l'eau; sulfamidés; énalapril ou tout autre médicament de la même classe—les inhibiteurs de l'enzyme de conversion de l'angiotensine (ECA)—dont les noms se terminent généralement par «pril» comme l'énalapril, le lisinopril, le captopril, en particulier si cette réaction s'est manifestée par un gonflement du visage, des lèvres, de la langue ou de la gorge, ou une difficulté soudaine à respirer ou à avaler.
- **Vous êtes enceinte ou vous avez l'intention de le devenir.** Ce médicament **ne doit pas être pris durant la grossesse,** car il peut comporter des risques pour le fœtus.
- Vous allaitez ou vous avez l'intention de le faire.
- Vous êtes atteint de l'une des maladies suivantes:
  —diabète,
  —maladie cardiaque ou vasculaire,
  —maladie du foie,
  —maladie des reins ou difficulté à produire une quantité suffisante d'urine,
  —asthme bronchique,
  —lupus érythémateux ou antécédents de cette maladie,
  —goutte ou antécédents de goutte.

Votre médecin doit également savoir si vous prenez d'autres médicaments, que ce soit un médicament délivré sur ordonnance ou obtenu en vente libre. Il est très important de l'informer de la prise des médicaments suivants:

- des diurétiques ou médicaments qui «éliminent l'eau»; tout autre médicament qui réduit la tension artérielle; des médicaments qui contiennent du potassium, des suppléments potassiques ou des succédanés du sel qui contiennent du potassium; de l'insuline pour le traitement du diabète; du lithium (un médicament qui traite un certain type de dépression); des anti-inflammatoires pour le traitement de l'arthrite.

Vous devez aussi aviser votre médecin si vous avez des vomissements ou une diarrhée importante.

Ce médicament n'est pas recommandé chez les enfants.

Mode d'emploi du médicament:

- Suivez rigoureusement les directives de votre médecin.
- L'absorption de ce médicament n'est pas influencée par les aliments; il peut donc être pris avant, pendant ou après les repas.
- Faites en sorte de prendre ce médicament tous les jours à la même heure; c'est un bon moyen pour ne pas l'oublier.
- Si vous oubliez une dose de Vaseretic, prenez-la dès que vous vous apercevez de votre oubli, à condition que le laps de temps écoulé ne dépasse pas 6 heures. Revenez ensuite à votre horaire habituel. **Ne prenez jamais 2 doses de médicament à la fois.**
- En cas de surdosage, communiquez immédiatement avec votre médecin pour recevoir rapidement des soins médicaux. Les symptômes les plus probables seraient une sensation de tête légère ou des étourdissements dus à une baisse brusque ou excessive de la tension artérielle.
- Si le médecin vous a recommandé un régime alimentaire précis—par exemple réduire votre consommation de sel—suivez rigoureusement ses directives. Ceci peut aider le médicament à maîtriser votre tension artérielle. Votre médecin peut également vous demander de perdre du poids; suivez ses recommandations.
- Ce médicament ne guérit pas l'hypertension, **mais il aide à maîtriser cette affection.** Il est donc important de continuer à prendre régulièrement vos comprimés afin d'empêcher votre tension artérielle d'augmenter. Il est possible que vous ayez à suivre un traitement contre l'hypertension toute votre vie.
- Allez régulièrement à vos rendez-vous chez le médecin, même si vous vous sentez bien. En effet, il se peut que vous ne «ressentiez aucun symptôme» d'hypertension artérielle car ceux-ci ne sont pas toujours évidents, mais votre médecin peut mesurer facilement votre tension artérielle et vérifier si le médicament agit efficacement.
- **Ne prenez pas d'autres médicaments,** à moins que vous en ayez discuté avec votre médecin. Certains médicaments tendent à augmenter votre tension artérielle, par exemple les produits vendus sans ordonnance pour diminuer l'appétit ou pour maîtriser l'asthme, les rhumes, la toux, le rhume des foins et la sinusite.
- Si vous devez subir une intervention chirurgicale dentaire ou autre, informez le dentiste ou le médecin traitant que vous prenez ce médicament.
- Conservez les comprimés à une température de 15 à 30 °C, dans un flacon hermétiquement clos, à l'abri de la chaleur et de la lumière, et en évitant les endroits humides comme la salle de bain ou la cuisine.

Réactions défavorables au médicament—ce qu'il convient de faire: En plus de l'effet escompté, tout médicament, y compris l'association d'énalapril et d'hydrochlorothiazide, peut provoquer des réactions défavorables. La plupart des personnes ne ressentent aucun effet indésirable à la prise de ce médicament; toutefois, consultez votre médecin dès que vous notez l'une des réactions suivantes:

- difficulté soudaine à respirer ou à avaler;
- gonflement du visage, des yeux, des lèvres, de la langue, de la gorge ou des deux à la fois, des mains ou des pieds;
- étourdissements, sensation de tête légère ou évanouissement après l'exercice, ou si vous avez perdu beaucoup d'eau à la suite d'une transpiration abondante due à la chaleur;
- symptômes de grippe tels que fièvre, malaise, douleur musculaire, éruption cutanée, démangeaisons, douleur abdominale, nausées, vomissements, diarrhée, jaunisse et perte d'appétit.

Cessez la prise du médicament et communiquez avec votre médecin ou votre pharmacien au cas où il serait nécessaire de prendre des mesures immédiates. Si ces réactions s'aggravent, vous devez obtenir les soins médicaux qui s'imposent.

Si une perte de connaissance se produit, cessez la prise du médicament. Si vous vous sentez étourdi, évitez de conduire ou de participer à des activités nécessitant de la vigilance. Redoublez de prudence durant l'exercice ou par temps très chaud.

- **Il se peut que votre peau devienne plus sensible au soleil. Évitez de vous exposer trop longtemps au soleil et n'utilisez pas de lampe solaire.**
- Toux sèche, maux de gorge
- Faiblesse ou fatigue inhabituelle, ou les deux
- Douleur thoracique
- Impuissance
- Maux de tête
- Palpitations
- Picotements de la peau

Si vous notez l'une des manifestations ci-dessus ou d'autres réactions défavorables, communiquez avec votre médecin ou votre pharmacien. Si la réaction persiste ou s'aggrave, vous devez obtenir les soins médicaux qui s'imposent.

Ingrédients: Ingrédient actif: Le comprimé Vaseretic 10/25 est rouge et renferme 10 mg de maléate d'énalapril et 25 mg d'hydrochlorothiazide.

Ingrédients non médicinaux: amidon de maïs, bicarbonate de sodium, lactose, oxyde de fer rouge et stéarate de magnésium.

□ VASOTEC® Ⓟ

Frosst

Maléate d'énalapril

Inhibiteur de l'enzyme de conversion de l'angiotensine

Renseignements destinés aux patients: Comprimés Vasotec: Vasotec est la marque déposée de Merck Frosst Canada Inc. pour la substance appelée énalapril. Ce médicament est délivré **sur ordonnance médicale**

Vasotec (suite)

seulement. L'énalapril fait partie de la classe de médicaments connus sous le nom d'inhibiteurs de l'enzyme de conversion de l'angiotensine, généralement prescrits pour réduire une **tension artérielle élevée.**

Lorsque la tension artérielle est élevée, le travail du cœur et des artères augmente, de sorte qu'avec le temps, le fonctionnement de ces organes se trouve altéré. Ce mauvais fonctionnement peut alors entraîner une détérioration des organes vitaux tels que le cerveau, le cœur et les reins, et mener à un accident cérébro-vasculaire, une insuffisance cardiaque, une crise cardiaque, une maladie vasculaire ou une maladie rénale.

L'énalapril peut être utilisé également pour le traitement de **l'insuffisance cardiaque,** une affection dans laquelle le cœur se trouve dans l'incapacité de pomper la quantité de sang nécessaire aux besoins de l'organisme.

Important: Ce médicament est prescrit pour le traitement d'un problème de santé particulier et pour votre usage personnel seulement. **Ne pas le donner à d'autres personnes ni l'utiliser pour traiter d'autres affections.**

Ne plus utiliser un médicament après la date d'expiration indiquée sur l'emballage.

Garder tous les médicaments hors de la portée des enfants.

Lire les informations suivantes avec attention. **Si vous désirez des explications ou de plus amples renseignements, vous pouvez vous adresser à votre médecin ou à votre pharmacien.**

Ce qu'il faut savoir avant de prendre ce médicament: Il est possible que ce médicament ne convienne pas à certaines personnes. Si vous croyez que **l'une** des situations suivantes s'applique à votre cas, faites-le savoir à votre médecin:

- Vous avez déjà pris de l'énalapril ou un autre médicament de la même classe—les inhibiteurs de l'enzyme de conversion de l'angiotensine (ECA)—dont les noms se terminent généralement par «pril» comme l'énalapril, le lisinopril, le captopril, etc., et vous avez manifesté une allergie à l'un des composants du médicament ou subi des réactions défavorables se manifestant en particulier par un gonflement du visage, des lèvres, de la langue ou de la gorge, ou une difficulté soudaine à respirer ou à avaler.
- **Vous êtes enceinte ou vous avez l'intention de le devenir.** Ce médicament **ne doit pas être pris durant la grossesse,** car il peut comporter des risques pour le fœtus.
- Vous allaitez ou vous avez l'intention de le faire.
- Vous êtes atteint de l'une des maladies suivantes:
  —diabète,
  —maladie cardiaque ou vasculaire,
  —maladie du foie,
  —maladie des reins.

Votre médecin doit également savoir si vous prenez d'autres médicaments, que ce soit un médicament délivré sur ordonnance ou obtenu en vente libre. Il est très important de l'informer de la prise des médicaments suivants:

- des diurétiques ou médicaments qui «éliminent l'eau»; tout autre médicament qui réduit la tension artérielle; des médicaments qui contiennent du potassium, des suppléments potassiques ou des succédanés du sel qui contiennent du potassium.

Vous devez aussi aviser votre médecin si vous avez des vomissements ou une diarrhée importante.

Ce médicament n'est pas recommandé chez les enfants.

Mode d'emploi du médicament:

- Suivez rigoureusement les directives de votre médecin.
- L'absorption de ce médicament n'est pas influencée par les aliments; il peut donc être pris avant, pendant ou après les repas.
- Faites en sorte de prendre ce médicament tous les jours à la même heure; c'est un bon moyen pour ne pas l'oublier.
- Si vous oubliez une dose de Vasotec, prenez-la dès que vous vous apercevez de votre oubli, à condition que le laps de temps écoulé ne dépasse pas 6 heures. Revenez ensuite à votre horaire habituel. **Ne prenez jamais 2 doses de médicament à la fois.**
- En cas de surdosage, communiquez immédiatement avec votre médecin pour recevoir rapidement des soins médicaux. Les symptômes les plus probables seraient une sensation de tête légère ou des étourdissements dus à une chute soudaine ou excessive de la tension artérielle.
- Conservez les comprimés à la température de 15 à 30 °C, dans un flacon hermétiquement clos, à l'abri de la chaleur et de la lumière, et en évitant les endroits humides comme la salle de bain ou la cuisine.

Pour les patients dont la tension artérielle est élevée:

- Si le médecin vous a recommandé un régime alimentaire précis—par exemple réduire votre consommation de sel—suivez rigoureusement ses directives. Ceci peut aider le médicament à maîtriser votre tension artérielle. Votre médecin peut également vous demander de perdre du poids; suivez ses recommandations.
- Ce médicament ne guérit pas l'hypertension, **mais il aide à maîtriser cette affection.** Il est donc important de continuer à prendre régulièrement vos comprimés afin d'empêcher votre tension artérielle d'augmenter. Il est possible que vous ayez à suivre un traitement contre l'hypertension toute votre vie.
- Allez régulièrement à vos rendez-vous chez le médecin, même si vous vous sentez bien. En effet, il se peut que vous ne ressentiez aucun symptôme d'hypertension artérielle car ceux-ci ne sont pas toujours évidents, mais votre médecin peut mesurer facilement votre tension artérielle et vérifier si le médicament agit efficacement.

Remarque pour tous les patients:

- **Ne prenez pas d'autres médicaments,** à moins que vous en ayez discuté avec votre médecin. Certains médicaments tendent à augmenter votre tension artérielle, par exemple les produits vendus sans ordonnance pour diminuer l'appétit ou pour maîtriser l'asthme, les rhumes, la toux, le rhume des foins et la sinusite, ou peuvent également exercer une interaction défavorable avec Vasotec.
- Si vous devez subir une intervention chirurgicale dentaire ou autre, informez le dentiste ou le médecin traitant que vous prenez ce médicament.

Réactions défavorables au médicament—ce qu'il convient de faire: En plus de l'effet escompté, tout médicament, y compris l'énalapril, peut provoquer des réactions défavorables. La plupart des personnes ne ressentent aucun effet indésirable à la prise de ce médicament; toutefois, consultez votre médecin dès que vous notez l'une des réactions suivantes:

- difficulté soudaine à respirer ou à avaler;
- gonflement du visage, des yeux, des lèvres, de la langue, de la gorge ou les deux à la fois, des mains ou des pieds;
- étourdissements, sensation de tête légère ou évanouissement après l'exercice, ou si vous avez perdu beaucoup d'eau à la suite d'une transpiration abondante due à la chaleur;
- symptômes de grippe tels que fièvre, malaise, douleur musculaire, éruption cutanée, démangeaisons, douleur abdominale, nausées, vomissements, diarrhée, jaunisse, perte d'appétit.

Cessez la prise du médicament et communiquez avec votre médecin ou votre pharmacien au cas où il serait nécessaire de prendre des mesures immédiates. Si ces réactions s'aggravant, vous devez obtenir les soins médicaux qui s'imposent.

Si une perte de connaissance se produit, cessez la prise du médicament. Si vous vous sentez étourdi, évitez de conduire ou de participer à des activités nécessitant de la vigilance. Redoublez de prudence durant l'exercice ou par temps très chaud.

- Toux sèche ou maux de gorge
- Faiblesse ou fatigue inhabituelle, ou les deux
- Maux de tête

Si vous notez l'une des manifestations ci-dessus ou d'autres réactions défavorables, communiquez avec votre médecin ou votre pharmacien. Si la réaction persiste ou s'aggrave, vous devez obtenir les soins médicaux qui s'imposent.

Ingrédients: Ingrédient actif: Le comprimé Vasotec renferme du maléate d'énalapril. Il est présenté en quatre teneurs: 2,5 mg (jaune), 5 mg (blanc), 10 mg (rouille) et 20 mg (pêche).

Ingrédients non médicinaux: amidon de maïs, lactose, stéarate de magnésium, amidon prégélifié et bicarbonate de sodium. Les comprimés à 2,5, 10 et 20 mg renferment également de l'oxyde de fer rouge ou jaune, ou les deux.

☐ VEXOL[MC] 🄿

Alcon

Rimexolone

Corticostéroïde

Renseignements destinés aux patients: Bien agiter le contenant avant l'emploi du médicament. Éviter tout contact avec l'embout compte-gouttes afin de ne pas contaminer la suspension.

□ VIOFORM®
Novartis Pharma

Clioquinol
Antibactérien—Antifongique

Renseignements destinés aux patients: Veuillez lire ce document attentivement avant de commencer le traitement par Vioform.

Qu'est-ce que Vioform? L'ingrédient actif de Vioform est le clioquinol; ce produit est un anti-infectieux. Le clioquinol empêche la croissance des bactéries et des champignons qui sont responsables de certains types d'infections de la peau.

Avant de commencer le traitement par Vioform: Avertissez votre médecin:
- si vous avez une maladie du rein ou du foie;
- si vous avez déjà eu des réactions inhabituelles ou allergiques secondaires à la prise d'iode ou de préparations à base d'iode, de clioquinol ou d'hydroxyquinoléines;
- si vous êtes allergique à toute autre substance, y compris les aliments et les colorants;
- si vous êtes enceinte ou si vous allaitez.

Dans ces cas, votre médecin décidera si vous pouvez utiliser Vioform.

Comment utiliser Vioform: Appliquez une mince couche de Vioform 2 ou 3 fois/jour sur les régions atteintes ou selon les directives de votre médecin.

Ne mettez aucun pansement sur les surfaces traitées sauf si votre médecin vous a recommandé de le faire.

Vioform est réservé à un **usage externe.** Il ne doit pas être pris par la bouche.

Quels sont les effets secondaires possibles de Vioform? Comme tous les médicaments, Vioform peut entraîner des réactions indésirables en plus des effets souhaités. Consultez votre médecin ou votre pharmacien si vous constatez l'apparition ou l'aggravation des signes suivants pendant le traitement par Vioform: rougeur, sensation de brûlure, démangeaisons ou autres.

Si vous ne constatez aucune amélioration de votre affection de la peau ou si cette dernière s'aggrave après l'application de Vioform pendant 1 semaine, veuillez consulter votre médecin.

Autres précautions: Ne vous mettez pas de Vioform dans les yeux, et soyez très prudent lorsque vous appliquez ce produit près des yeux. En cas d'application accidentelle de ce produit dans les yeux, rincez-les immédiatement à grande eau.

Vioform peut jaunir s'il est exposé à l'air. Vioform peut tacher les cheveux, les tissus, la peau, les ongles et les vêtements.

Pendant l'allaitement, évitez que la peau du nourrisson n'entre en contact avec la surface traitée.

Vioform ne convient pas au traitement de grandes surfaces de peau. N'appliquez pas Vioform sur des lésions ouvertes relativement étendues.

Vioform ne doit pas être utilisé chez l'enfant de moins de 2 ans.

Conservation: Craint la chaleur (doit être conservé entre 15 et 30 °C). Vioform peut jaunir s'il est exposé à l'air et tacher la peau, les ongles, les cheveux et les vêtements.

Gardez ce produit hors de la portée des enfants.

□ VIOFORM® HYDROCORTISONE Ⓟ
Novartis Pharma

Clioquinol—Hydrocortisone
Antibactérien—Antifongique—Corticostéroïde topique

Renseignements destinés aux patients: Veuillez lire ce document attentivement avant de commencer le traitement par Vioform Hydrocortisone.

Qu'est-ce que Vioform Hydrocortisone? Les ingrédients actifs de Vioform Hydrocortisone sont le clioquinol et l'hydrocortisone. Le clioquinol est un anti-infectieux, et l'hydrocortisone appartient à une classe de médicaments appelés corticostéroïdes.

À quoi sert Vioform Hydrocortisone? Dans les affections inflammatoires et infectieuses de la peau, Vioform Hydrocortisone soulage les symptômes, comme les démangeaisons et la rougeur. Il empêche également la croissance des bactéries et des champignons qui sont responsables de certains types d'infections de la peau.

Avant de commencer le traitement par Vioform Hydrocortisone: Avertissez votre médecin:
- si vous avez une maladie du rein ou du foie;
- si vous avez déjà eu des réactions inhabituelles ou allergiques secondaires à la prise de corticostéroïdes, d'iode ou de préparations à base d'iode, de clioquinol ou d'hydroxyquinoléines, ou de toute autre substance, y compris les aliments et les colorants;
- si vous êtes enceinte ou avez l'intention de le devenir pendant le traitement par Vioform Hydrocortisone, ou si vous allaitez.

Dans ces cas, votre médecin décidera si vous pouvez utiliser Vioform Hydrocortisone.

Comment utiliser Vioform Hydrocortisone: Vioform Hydrocortisone doit être utilisé selon les directives de votre médecin. N'en mettez pas une plus grande quantité, ni plus souvent ni pendant plus longtemps que la prescription de votre médecin.

Appliquez une mince couche de Vioform Hydrocortisone sur les régions atteintes seulement. Ne mettez aucun pansement sur les surfaces traitées sauf si votre médecin vous a recommandé de le faire.

Vioform Hydrocortisone est réservé à un **usage externe.** Il ne doit pas être pris par la bouche.

Vioform Hydrocortisone n'est pas recommandé chez l'enfant de moins de 2 ans.

Quels sont les effets secondaires possibles de Vioform Hydrocortisone? Comme tous les médicaments, Vioform Hydrocortisone peut entraîner des réactions indésirables en plus des effets souhaités. Consultez votre médecin ou votre pharmacien si le produit occasionne de la rougeur, des brûlures, des démangeaisons ou d'autres effets qui n'étaient pas là avant le traitement et cessez d'utiliser le produit.

Autres précautions: Si vous ne constatez aucune amélioration de votre affection de la peau ou si cette dernière s'aggrave après l'application de Vioform Hydrocortisone pendant 1 semaine, veuillez consulter votre médecin.

N'oubliez pas que Vioform Hydrocortisone a été prescrit pour traiter votre problème médical actuel seulement. N'utilisez pas la crème pour traiter d'autres affections de la peau sans consulter d'abord votre médecin.

Ne vous mettez pas de Vioform Hydrocortisone dans les yeux, et soyez très prudent lorsque vous appliquez ce produit près des yeux. En cas d'application accidentelle de ce produit dans les yeux, rincez-les immédiatement à grande eau.

Conservation: Craint la chaleur et le gel (conserver entre 15 et 30 °C). Vioform Hydrocortisone peut jaunir s'il est exposé à l'air et tacher la peau, les ongles, les cheveux et les vêtements.

Gardez ce produit hors de la portée des enfants.

□ VITAMIN A ACID Ⓟ
Dermik Laboratories Canada

Trétinoïne
Traitement de l'acné

Renseignements destinés aux patients: Ce à quoi vous devriez vous attendre: Votre médecin vous a recommandé le gel ou la crème Vitamin A Acid en application topique pour traiter l'acné dont vous souffrez.

Vitamin A Acid est un médicament très efficace. Il ne faut cependant pas s'attendre à obtenir une guérison rapide. Vous devez envisager de suivre le traitement de 6 à 12 semaines; il faut compter quelques semaines avant l'obtention de résultats optimaux.

Vitamin A Acid agit sous la surface de la peau. La disparition de l'acné prend habituellement de 6 à 12 semaines.

Ce traitement donne d'excellents résultats chez la plupart des personnes. Durant les premières semaines, son objectif principal est de permettre à la peau d'acquérir progressivement une tolérance au médicament, qui peut être irritant. Par la suite, la peau s'adapte au produit, et l'acné s'estompe. Pour tirer le meilleur parti de ce produit, n'oubliez pas qu'il donne de bons résultats à long terme, suivez les directives de votre médecin et poursuivez le traitement pendant 6 à 12 semaines.

- **Si vous êtes une femme en âge de procréer, vous ne devez utiliser Vitamin A Acid qu'après avoir reçu de votre médecin des conseils en matière de contraception. Si vous êtes enceinte, vous devez cesser d'employer Vitamin A Acid.**
- **Le médecin n'a prescrit Vitamin A Acid qu'à vous. Ne laissez personne d'autre l'utiliser.**

Vitamin A Acid (suite)

Veuillez lire ce qui suit:

1. Début du traitement: Avant de commencer le traitement à Vitamin A Acid, il est recommandé d'arrêter tout autre traitement médicamenteux topique de l'acné, sauf indication contraire de votre médecin. Durant le traitement à Vitamin A Acid, il est aussi conseillé d'éviter d'employer les savons et les nettoyants médicamenteux ou abrasifs, les savons et les cosmétiques très desséchants et les produits contenant une forte concentration d'alcool ou des astringents, comme les lotions de rasage.
2. Application: Lavez la zone affectée à l'eau tiède et séchez-la sans frotter. **Attendez au moins 20 minutes avant d'appliquer le produit**. Appliquez une **petite** quantité de Vitamin A Acid du bout des doigts sur la zone affectée 1 fois/jour avant le coucher. Étalez le produit doucement du bout des doigts, en évitant de frotter pour le faire pénétrer dans la peau. Prenez garde de ne pas l'appliquer près des yeux, des lèvres et des narines, parties du visage très sensibles à l'irritation, ni près de plaies ouvertes.
3. Précaution: Vous n'obtiendrez pas de résultats plus rapides ni meilleurs en appliquant une couche épaisse du médicament. Il vaut mieux commencer par une couche mince et en augmenter progressivement la quantité, plutôt que de procéder de la façon inverse. Une couche mince et uniforme donne de bons résultats après un certain temps.
4. Sensibilité: Votre peau peut devenir plus sensible au soleil, au vent et au froid. Évitez donc l'exposition directe ou prolongée aux rayons du soleil et aux lampes solaires. Si l'exposition au soleil est inévitable, utilisez une crème solaire pour vous protéger la peau.
5. Points à considérer: Pendant les premières semaines d'utilisation du produit, la peau peut présenter de la rougeur, une desquamation ou donner une sensation de brûlure, jusqu'à ce qu'elle se soit adaptée au médicament. En outre, l'acné peut sembler s'être aggravée au bout d'une semaine ou deux de traitement, car Vitamin A Acid s'attaque aux lésions acnéiques encore invisibles. Cet effet est normal et indique que le médicament est efficace. Informez votre médecin de ces changements.

Si la rougeur, la sensation de brûlure ou la desquamation s'aggravent ou persistent, réduisez la fréquence d'application selon les directives de votre médecin.

Vous devez cesser l'utilisation de ce produit si une réaction inhabituelle se produit et informer votre médecin de la situation.

Une fois que vous avez obtenu une amélioration notable de l'état de votre peau, vous pouvez, avec l'autorisation de votre médecin, poursuivre le traitement en réduisant la fréquence des applications du produit, ce qui empêchera l'apparition de nouvelles lésions acnéiques.

□ VIVELLE® Ⓟ

Novartis Pharma

Estradiol-17β

Œstrogène

Renseignements destinés aux patients: Mode d'emploi de Vivelle:
Introduction: Vivelle est un système thérapeutique transdermique (timbre cutané) contenant de l'estradiol, une hormone œstrogène naturelle. Vivelle peut soulager les symptômes de la ménopause.

Ce feuillet traite de l'utilité des œstrogènes et des progestatifs, des précautions nécessaires lorsqu'on prend ces hormones et de l'emploi de Vivelle. Veuillez le lire attentivement. **Si vous avez besoin de renseignements complémentaires, veuillez consulter votre médecin ou votre pharmacien.**

Les décisions relatives à l'hormonothérapie substitutive et à la durée du traitement œstrogénique doivent être individualisées et faire l'objet d'une discussion entre la patiente et son médecin.

Usages des œstrogènes:

1. Réduction des symptômes modérés ou sévères de la ménopause: Votre corps produit normalement des œstrogènes et des progestatifs (hormones femelles) principalement dans les ovaires. Entre l'âge de 45 et 55 ans, les ovaires cessent peu à peu de produire des œstrogènes, ce qui entraîne une diminution du taux d'œstrogènes dans l'organisme et donc, la ménopause naturelle (c.-à-d. la fin des règles ou des menstruations). Lorsqu'on enlève les ovaires par intervention chirurgicale avant la ménopause naturelle, la baisse subite du taux d'œstrogènes entraîne ce qu'on appelle la «ménopause chirurgicale».

   La ménopause n'est pas une maladie; c'est un phénomène naturel et chaque femme vit cette période et ses manifestations de façon différente. Toutes les femmes ne présentent pas des symptômes évidents de carence en œstrogènes. Lorsque le taux d'œstrogènes commence à diminuer, certaines femmes présentent des symptômes incommodants tels qu'une sensation de chaleur subite au visage, au cou et à la poitrine, ou des épisodes subits et intenses de chaleur et de transpiration (bouffées de chaleur). La prise d'œstrogènes peut aider le corps à s'adapter à la baisse du taux d'œstrogènes et à réduire ces symptômes.
2. Traitement de l'atrophie vulvaire et vaginale: Certaines femmes peuvent également présenter une atrophie vulvaire ou vaginale (démangeaison, brûlure ou sécheresse à l'intérieur ou autour du vagin, difficultés ou brûlures à la miction) liée à la ménopause. L'œstrogénothérapie peut améliorer ces symptômes.

Usages des progestatifs: Les effets des progestatifs utilisés dans l'hormonothérapie substitutive sont semblables à ceux de la progestérone, hormone sexuelle féminine. La progestérone est responsable de la régulation du cycle menstruel pendant la durée de vie reproductive de la femme. L'estradiol libéré par Vivelle soulage non seulement les symptômes de la ménopause, mais il peut également stimuler la croissance de la muqueuse interne de l'utérus (l'endomètre) comme le faisaient les œstrogènes produits par votre corps avant la ménopause. Chez les femmes ménopausées et postménopausées dont l'utérus est intact, la stimulation de la croissance de l'endomètre peut entraîner des saignements irréguliers et provoquer, dans certains cas, une affection de l'utérus connue sous le nom d'hyperplasie de l'endomètre (croissance exagérée de la muqueuse de l'utérus). Les troubles de l'utérus dus aux œstrogènes peuvent être réduits lorsqu'un progestatif est administré régulièrement pendant un certain nombre de jours, conjointement à l'œstrogénothérapie substitutive. Chaque cycle d'administration du progestatif doit déclencher des saignements périodiques. Ces saignements permettent l'élimination régulière de la muqueuse interne de l'utérus, assurant ainsi une protection contre l'hyperplasie de l'endomètre.

Si votre utérus a été enlevé chirurgicalement, il n'y a pas de risque d'hyperplasie de l'endomètre et l'administration cyclique d'un progestatif n'est donc pas nécessaire.

Précautions: Si les œstrogènes et les progestatifs offrent des avantages pour la santé, il faut user de prudence et il est, dans certains cas, préférable de ne pas en prendre.

On a signalé que les œstrogènes font augmenter le risque de cancer de la muqueuse de l'utérus (cancer de l'endomètre) chez la femme après la ménopause. **Ce risque est cependant réduit de façon significative lorsque l'œstrogène est administré conjointement avec un progestatif.** Toutefois, si vous avez subi une hystérectomie, le risque de cancer utérin n'existe pas pour vous et l'administration cyclique d'un progestatif est superflue.

Certaines études scientifiques ont documenté le fait qu'il existait un lien entre une augmentation modeste du risque de cancer du sein et l'administration d'une hormonothérapie substitutive pendant plus de 5 ans, durant la ménopause. Par conséquent, les femmes qui ont des antécédents familiaux de cancer du sein, celles qui présentent des nodules aux seins ou une maladie fibrokystique du sein (petits grumeaux dans les seins), ou celles dont les mammographies sont anormales, doivent consulter leur médecin avant de suivre une hormonothérapie substitutive. Les avantages globaux et les risques possibles de l'hormonothérapie substitutive doivent faire l'objet d'une discussion avec votre médecin. On recommande à toutes les femmes de se faire examiner régulièrement les seins par un professionnel de la santé et de pratiquer un auto-examen tous les mois.

On a signalé que la prise d'œstrogènes par voie orale après la ménopause fait augmenter le risque de maladie de la vésicule biliaire nécessitant une intervention chirurgicale.

Quelques restrictions: Les œstrogènes peuvent causer une aggravation de certaines affections et il faut, dans ces cas-là, éviter d'en prendre ou les prendre avec prudence.

La prise d'œstrogènes n'est pas recommandée durant la grossesse. Comme la grossesse est toujours possible au début de la ménopause, puisque les menstruations se produisent encore spontanément, vous devrez demander à votre médecin de vous renseigner sur les contraceptifs non hormonaux à utiliser durant cette période. Si vous prenez des œstrogènes pendant la grossesse, le fœtus court un faible risque de présenter des malformations congénitales.

La prise d'œstrogènes n'est pas recommandée si vous allaitez.

Vous ne devriez pas prendre Vivelle si vous avez déjà eu la moindre réaction allergique inhabituelle aux œstrogènes ou à l'un des composants du timbre cutané (voir Que contient Vivelle).

Avant de prendre Vivelle, vous devez avertir votre médecin si vous avez déjà souffert de l'une ou l'autre des affections ci-dessous. Vivelle ne doit pas être utilisé dans l'un ou l'autre des cas suivants:
- cancer du sein ou de l'utérus
- saignements vaginaux inattendus ou inhabituels
- coagulation anormale du sang
- migraines
- accident cérébrovasculaire
- maladie hépatique grave
- phlébite évolutive (varices enflammées)
- porphyrie

Pour aider votre médecin à décider si vous pouvez prendre Vivelle et quelles précautions vous devriez prendre, faites-lui savoir:
- si vous prenez, le cas échéant, d'autres médicaments (sur ordonnance ou non) parce qu'il y a des médicaments qui influencent les effets des œstrogènes;
- si vous êtes allergique ou sensible à un ou plusieurs médicaments, ou à toute autre substance;
- si vous devez subir une intervention chirurgicale ou être alitée durant une longue période;
- si vous avez déjà souffert de l'une ou l'autre des affections suivantes:

—hypertension (tension artérielle élevée)
—maladie du cœur, des reins ou du foie
—asthme
—épilepsie ou autres troubles neurologiques
—diabète sucré
—dépression
—anomalies des seins ou de l'utérus
—endométriose
—maladie des seins, biopsies des seins
—fibrome utérin
—phlébite (varices enflammées)
—coagulation anormale du sang
—hyperlipidémie
—ictère ou prurit liés à l'emploi d'œstrogènes ou à une grossesse

Effets indésirables: Les effets ci-dessous ont été signalés chez des femmes prenant des œstrogènes (y compris les œstrogènes que l'on trouve dans les contraceptifs). Consulter le médecin dès que possible si ces symptômes deviennent incommodants:
- nausées
- rétention d'eau
- migraines
- pigmentation locale foncée de la peau
- sensibilité des seins et sécrétions vaginales excessives (signes éventuels que la dose d'œstrogène est trop forte)
- douleur abdominale persistante, nausée, vomissements, sensibilité abdominale (signes éventuels d'une maladie de la vésicule biliaire)
- enclin aux ecchymoses, saignements de nez excessifs, flux menstruel excessif (signes éventuels d'une coagulation anormale du sang)
- douleur ou gonflement des voies abdominales basses, règles abondantes ou douloureuses—ou les deux—(signes éventuels d'une croissance de fibrome utérin)
- jaunissement des yeux ou de la peau (signe éventuel d'une jaunisse)
- douleur ou gonflement des voies abdominales hautes (signes éventuels de tumeurs du foie)

Consulter le médecin dès que possible si vous notez l'une ou l'autre des manifestations suivantes:
- saignement vaginal anormal
- sensibilité mammaire intolérable
- augmentation de volume des seins ou présence de nodules dans les seins
- maux de tête graves
- modifications de la vue
- irritation cutanée persistante ou grave
- rétention d'eau ou ballonnements persistant pendant plus de 6 semaines

Consulter immédiatement le médecin si vous présentez l'un ou l'autre des manifestations suivantes:
- difficulté à respirer ou sensation de serrement à la poitrine
- inflammation veineuse sensible ou douloureuse
- douleurs ou lourdeurs dans les jambes ou au niveau de la poitrine
- essoufflement soudain
- expectoration de sang
- pouls rapide ou étourdissements
- tout autre symptôme inhabituel

En outre, Vivelle peut causer, chez certaines femmes, une certaine rougeur ou une irritation en dessous ou autour du timbre (voir Conseils utiles).

Comment administrer Vivelle: Votre médecin vous dira quand il faut commencer à utiliser Vivelle. Les timbres cutanés Vivelle doivent être appliqués 2 fois par semaine, les mêmes jours de la semaine. Il faut porter chaque timbre continuellement pendant 3 ou 4 jours.

Les œstrogènes sont habituellement administrés de façon cyclique (quoique votre médecin puisse les prescrire autrement en fonction de votre situation personnelle). En d'autres termes, vous prendrez des œstrogènes durant les 21 ou 25 premiers jours de votre cycle, puis resterez 5 ou 7 jours sans en prendre. Le prochain cycle commencera à partir de l'application suivante.

Chaque boîte contient 8 timbres Vivelle. Si vous suivez un traitement œstrogénique de moins de 28 jours (traitement cyclique), il vous restera 1 ou 2 timbres que vous pourrez utiliser le mois suivant.

Il est important de prendre le médicament tel que prescrit par le médecin. Ne pas arrêter ou changer le traitement sans avoir consulté le médecin au préalable.

Comment agit Vivelle: Le principal œstrogène produit par les ovaires avant la ménopause est l'estradiol, et c'est cette même hormone que contient Vivelle. Quand on l'applique sur la peau, le timbre Vivelle libère de façon continue et contrôlée de petites quantités d'estradiol qui passent à travers la peau pour se rendre dans la circulation sanguine. La dose d'hormone qui vous sera prescrite dépendra des besoins de votre corps. Votre médecin pourra ajuster la dose en vous prescrivant un timbre d'une autre dimension.

La libération de l'estradiol contenu dans Vivelle permet de soulager les symptômes de la ménopause.

Mode d'application de Vivelle et choix du site d'application (voir le prospectus d'emballage pour les illustrations): Il est recommandé de changer de site d'application chaque fois, mais de toujours appliquer le timbre sur la même partie du corps (p. ex., si le timbre est appliqué sur les fesses, alterner entre la fesse droite et la fesse gauche, 2 fois par semaine ou plus souvent si vous constatez une rougeur sous le timbre).

1. **Préparation de la peau:** Pour que le timbre colle bien, la peau doit être propre et sèche, et ne pas être enduite ni de crème, de lotion ou d'huile. Si vous le désirez, vous pourrez utiliser une lotion pour le corps seulement après avoir appliqué le timbre. La peau ne doit pas non plus être irritée ou égratignée, car cela pourrait modifier la dose d'hormone libérée dans le corps. Le contact avec l'eau (bain, piscine ou douche) n'aura pas d'effet sur le timbre, mais l'eau très chaude ou la vapeur pourrait le faire décoller et il faut donc l'éviter (voir Conseils utiles).
2. **Sites d'application des timbres Vivelle**: Les fesses sont l'endroit préféré pour appliquer les timbres, mais on peut les appliquer ailleurs: côtés, hanches, bas du dos ou bas de l'abdomen. Changez de site d'application chaque fois que vous changez le timbre. Le timbre peut être appliqué plusieurs fois au même endroit, mais **pas 2 fois de suite.**

   Éviter d'appliquer le timbre là où le frottement des vêtements pourrait le faire décoller ou à des endroits où la peau est velue ou plissée. Éviter également de l'appliquer sur une surface exposée au soleil parce que cela pourrait nuire à son mode d'action.

   Les timbres Vivelle ne doivent pas être appliqués sur les seins parce que cela pourrait provoquer des effets indésirables et des malaises.
3. **Sortir le timbre de son enveloppe**: Chaque timbre Vivelle est scellé individuellement dans une enveloppe protectrice. **Déchirer** l'enveloppe à l'endroit marqué par une encoche et retirer le timbre de son enveloppe. Ne pas utiliser de ciseaux, car vous pourriez couper et détruire le timbre par accident.
4. **Enlever la pellicule protectrice**: L'un des côtés du timbre est enduit de l'adhésif qui sera en contact avec la peau. Cette substance adhésive est recouverte d'une pellicule protectrice qu'il faut retirer avant d'appliquer le timbre.

   Pour séparer le timbre de la pellicule protectrice, le tenir de manière à ce que la pellicule protectrice soit tournée vers vous. Détacher une moitié de la pellicule et la jeter. Essayer de ne pas toucher la surface collante du timbre avec les doigts.

   En tenant le timbre par l'autre moitié de la pellicule protectrice, appliquer le côté collant du timbre sur une partie sèche du corps. Appuyer ensuite sur cette partie du timbre en la lissant.

   Tirer sur l'autre moitié de la pellicule protectrice tout en aplatissant le reste du timbre sur la peau. Ne pas toucher la substance adhésive.

   Ne vous inquiétez pas si le timbre se replie un peu, car vous pourrez l'aplatir une fois la pellicule protectrice retirée. Appliquer le

Vivelle (suite)

timbre dès qu'il a été sorti de son enveloppe et que la pellicule protectrice a été détachée.

5. **Comment appliquer les timbres Vivelle:** Appliquer le côté collant du timbre à l'endroit que vous avez choisi. Appuyer fermement avec la paume de la main pendant environ 10 secondes. Vérifier si le timbre colle bien à la peau en passant un doigt sur les bords.
6. **Quand et comment changer le timbre:** Les timbres Vivelle doivent être remplacés 2 fois par semaine, toujours les mêmes jours. Si vous oubliez de changer le vôtre le jour prévu, il n'y a pas de quoi s'alarmer. Changez-le dès que possible et **continuez** à suivre votre calendrier habituel.

   Après avoir retiré le timbre usagé, pliez-le en deux de manière à ce que le côté collant soit à l'intérieur. **Ensuite, jetez-le dans un endroit hors de la portée des enfants ou des animaux domestiques.**

   Toute trace de substance adhésive sur la peau devrait s'enlever facilement en frottant. Appliquer ensuite un nouveau timbre Vivelle sur la peau, à un endroit propre et sec.

Entreposage: Vivelle doit être conservé à la température ambiante (moins de 25 °C). Ne pas congeler. **Ne pas entreposer le timbre hors de son enveloppe.**

Les timbres Vivelle doivent être gardés hors de la portée des enfants et des animaux domestiques avant et après leur utilisation.

Que contient Vivelle? Comme c'est le cas pour la plupart des médicaments, les timbres Vivelle contiennent, outre un œstrogène, des ingrédients non médicinaux: copolymères acryliques, bentonite, butylène, dipropylèneglycol et propylèneglycol, copolymère d'alcool éthylène-vinyle, huile minérale, acide oléique, phosphatidylcholine, polyester, polysobutylène, polyuréthane, caoutchouc synthétique et résine d'acétate de vinyle.

Conseils utiles pour l'utilisation de Vivelle: Que faire si le timbre se décolle: Si le timbre se décolle de lui-même lorsque vous prenez un bain très chaud ou une douche, appliquez-le à nouveau (à un autre endroit) quand vous serez bien séchée, en ayant soin de secouer le timbre pour bien faire égoutter l'eau. Si le timbre ne colle pas suffisamment, utilisez un **nouveau** timbre. Dans les deux cas, continuez à suivre le calendrier de traitement habituel.

Si vous aimez les bains chauds, le sauna ou les bains tourbillon et remarquez que votre timbre ne résiste pas à l'eau chaude, vous pourrez envisager de le retirer **temporairement.** Si vous retirez votre timbre au moment du bain, replacez la partie collante sur la pellicule protectrice que vous avez ôtée au moment de l'application. Vous pouvez aussi utiliser du papier ciré au lieu de cette pellicule. De cette manière, vous éviterez que le médicament ne s'évapore parce que le timbre n'est plus en contact avec la peau.

Outre l'exposition à l'eau très chaude, le timbre peut se décoller pour d'autres raisons. Si vous constatez par exemple que vos timbres se détachent régulièrement, cela pourrait être dû à l'une des causes suivantes:

- utilisation d'une huile de bain
- utilisation de savons riches en crème
- utilisation de lotions hydratantes avant l'application du timbre

Vous pourrez améliorer l'adhérence de votre timbre en évitant d'utiliser ces produits et en nettoyant le site d'application avec de l'alcool à friction avant d'appliquer le timbre.

Que faire si vous constatez une rougeur ou une irritation de la peau en dessous ou autour du timbre: Comme tout autre produit qui recouvre la peau pendant un certain temps (comme les pansements, par exemple), le timbre Vivelle peut causer une irritation de la peau chez certaines femmes, qui varie selon la sensibilité de chacune.

Cette irritation de la peau ne pose habituellement aucun problème de santé. Toutefois, vous pourrez diminuer ce risque en suivant ces quelques conseils:

- Choisissez les fesses comme site d'application.
- Changez de site d'application chaque fois que vous utilisez un nouveau timbre Vivelle, soit habituellement 2 fois par semaine.

L'expérience acquise a démontré que si vous exposez Vivelle à l'air libre pendant environ 10 secondes après avoir retiré le film protecteur, cela peut permettre d'éviter les rougeurs de la peau.

Si la rougeur ou la démangeaison (ou les deux) persiste, consultez le médecin.

À ne pas oublier: Votre médecin vous a prescrit Vivelle après avoir fait une évaluation détaillée de vos besoins médicaux. Vous devez utiliser ce médicament strictement selon les directives du médecin et ne le donner à personne d'autre. Votre médecin devrait vous faire passer un examen médical complet au moins 1 fois par an.

Si vous avez la moindre question à ce sujet, veuillez consulter votre médecin ou votre pharmacien.

☐ VOLTAREN® Pr

Novartis Pharma

Diclofénac sodique

Anti-inflammatoire—Analgésique

Renseignements destinés aux patients: Votre médecin a décidé de vous prescrire Voltaren (diclofénac sodique) pour traiter votre problème. Voici des renseignements importants que vous devriez connaître au sujet de Voltaren afin de le prendre en toute sécurité et de profiter au maximum de ses bienfaits.

Voltaren appartient à la classe de médicaments connus sous le nom d'anti-inflammatoires non stéroïdiens (AINS). Ils sont prescrits pour traiter les symptômes (inflammation) causés par l'arthrite, c'est-à-dire la douleur articulaire, les enflures, la rigidité, la douleur, l'inflammation et la fièvre.

On vous a prescrit l'une des présentations suivantes: comprimés entérosolubles, comprimés à libération lente ou suppositoires.

Identification de votre médicament: Comprimé entérosoluble Voltaren à 25 mg: jaune, rond, avec l'inscription Voltaren d'un côté et 25 de l'autre.

Comprimé entérosoluble Voltaren à 50 mg: brun clair, rond, avec l'inscription Voltaren d'un côté et 50 de l'autre.

Comprimé à libération lente Voltaren à 75 mg: rose pâle, triangulaire, avec l'inscription Voltaren d'un côté et SR/75 de l'autre.

Comprimé à libération lente Voltaren à 100 mg: rose, rond, avec l'inscription Voltaren SR d'un côté et 100 de l'autre.

Suppositoires Voltaren à 50 mg et 100 mg: blanc jaunâtre, lisses et en forme de torpille.

Si votre médicament ne correspond pas à la description fournie, signalez-le à votre pharmacien.

Prendre Voltaren en toute sécurité: Que l'on vous ait prescrit des comprimés ou des suppositoires, veillez bien à ne pas prendre plus de 150 mg/jour.

Quels renseignements devez-vous fournir à votre médecin, pharmacien ou dentiste? Afin d'évaluer si vous pouvez prendre Voltaren en toute sécurité, votre médecin doit obtenir certains renseignements sur votre état de santé. Avant de commencer à prendre Voltaren, avisez votre médecin:

- si vous avez déjà une allergie à Voltaren (diclofénac sodique), à l'aspirine (AAS ou acide acétylsalicylique), à l'ibuprofène, à d'autres analgésiques ou à d'autres anti-inflammatoires (AINS);
- si vous avez eu des réactions indésirables après avoir pris des médicaments contre l'arthrite, le rhumatisme ou la douleur articulaire;
- si vous avez des antécédents de douleurs d'estomac ou d'ulcère;
- si vous souffrez d'une maladie du foie;
- si vous souffrez d'une maladie des reins;
- si vous souffrez d'une autre maladie.

Si vous consultez un autre médecin ou un dentiste, et que vous prenez Voltaren, n'oubliez pas de le lui dire.

Que faire si vous êtes enceinte ou si vous allaitez? Si vous êtes enceinte ou si vous avez l'intention de le devenir, informez-en votre médecin. Il n'est généralement pas recommandé de prendre Voltaren durant la grossesse, plus particulièrement durant les 3 derniers mois. Il en est de même si vous allaitez parce que Voltaren peut passer dans le lait maternel. Votre médecin jugera cependant s'il doit vous prescrire Voltaren.

Peut-on prendre d'autres médicaments en même temps? Il est important de signaler à votre médecin, pharmacien ou dentiste si vous prenez d'autres médicaments parce que le fait de prendre plusieurs médicaments en même temps peut parfois entraîner des effets nocifs ou changer les effets que ces médicaments devraient normalement produire.

Quand vous prenez Voltaren, ne prenez pas d'aspirine (AAS ou acide acétylsalicylique), des médicaments contenant de l'AAS, de l'ibuprofène, Voltaren Rapide ou autres analgésiques, antiarthritiques ou anti-inflammatoires, sauf avis contraire du médecin.

Quels sont les effets secondaires? Tout comme les autres médicaments, Voltaren peut entraîner des effets secondaires. Il est bon de les connaître, surtout si vous êtes une personne âgée. Les effets secondaires les plus courants avec les AINS, y compris Voltaren, sont les troubles d'estomac. Il est conseillé de prendre les comprimés avec de la nourriture pour réduire ces problèmes au minimum. Chez certaines personnes, Voltaren peut causer de la somnolence, des étourdissements ou une sensation de tête légère. Si vous éprouvez de tels symptômes, évitez de conduire une automobile ou d'entreprendre une activité qui demande de la vigilance, et ne prenez pas, sans avoir obtenu l'approbation de votre médecin, de sédatifs comme des tranquillisants, des somnifères et certains antihistaminiques.

Certains effets secondaires ne causent qu'un léger malaise mais il est important de les signaler à votre médecin. Avisez-le dès que possible si vous éprouvez l'un des effets suivants:

- selles sanguinolentes ou noires;
- douleurs d'estomac, nausées, vomissements, indigestion, diarrhée, démangeaison rectale ou saignements;
- coloration jaunâtre de la peau ou des yeux;
- symptômes faisant penser à la grippe;
- sensibilité sous les côtes, du côté droit;
- démangeaisons, rash, urticaire, gonflement;
- essoufflement, sifflement, troubles respiratoires ou oppression de la poitrine;
- enflure des pieds ou du bas des jambes;
- vue brouillée ou tout autre trouble de la vue ou de l'ouïe;
- changements dans la quantité ou la couleur de l'urine (foncée, rouge ou brune);
- confusion mentale, dépression, maux de tête, étourdissements, sensation de tête légère;
- tout autre effet inhabituel.

Il ne s'agit là que d'une liste **partielle** des effets indésirables qui peuvent se produire lorsqu'on prend Voltaren ou d'autres AINS. Une liste plus détaillée est fournie dans la monographie (disponible sur demande).

Visites chez le médecin: Les personnes qui prennent Voltaren pendant plus de 2 à 3 semaines doivent rendre visite régulièrement à leur médecin pour s'assurer qu'aucun effet indésirable ne passe inaperçu.

Comment prendre Voltaren? Pour profiter au maximum des bienfaits de Voltaren, il faut le prendre régulièrement, tel que votre médecin vous l'a prescrit. Prenez seulement la dose prescrite, aux intervalles spécifiés et pendant toute la durée du traitement. La dose quotidienne **maximale** de Voltaren est de 150 mg, quelle que soit la présentation ou la combinaison de plusieurs présentations, mais il se peut toutefois que votre médecin vous ait prescrit une plus faible dose. Si vous ne suivez pas les directives de votre médecin, le médicament pourrait ne pas avoir les effets escomptés ou avoir des effets nocifs.

Si le médicament ne vous procure pas un soulagement suffisant, parlez-en à votre médecin avant d'arrêter le traitement parce qu'il est possible qu'il faille jusqu'a 2 semaines pour que son effet se fasse sentir.

Pour permettre de réduire les troubles d'estomac qui accompagnent parfois la prise de Voltaren, prenez le médicament avec de la nourriture ou au moment des repas.

Comprimés à libération lente à prendre 1 fois/jour: Si vous prenez des comprimés à libération lente Voltaren SR à 75 ou 100 mg, 1 fois/jour, il est préférable de les prendre tous les jours à la même heure, sauf avis contraire de votre médecin. Si vous avez oublié de prendre votre médicament à l'heure prescrite ou à l'heure habituelle, vous pouvez le prendre tout de suite mais vous devrez attendre au moins 12 heures avant de prendre le suivant. Vous pourrez ensuite reprendre votre horaire habituel.

Comprimés à libération lente à prendre 2 fois/jour: On ne **peut pas** prendre les comprimés à libération lente Voltaren SR à 100 mg plus d'une fois/jour. Par contre, si vous prenez les comprimés à libération lente Voltaren SR à 75 mg **2 fois/jour,** il vaut mieux prendre un comprimé le matin et un autre le soir, sauf avis contraire de votre médecin. Si vous avez oublié de prendre votre médicament à l'heure prescrite ou à l'heure habituelle, vous pouvez le prendre tout de suite mais si vous devez en prendre un autre le même jour, il serait préférable d'attendre 12 heures avant de prendre le suivant et de ne pas le prendre à moins de 6 heures d'intervalle. Vous pourrez ensuite reprendre votre horaire habituel.

Les comprimés Voltaren à libération lente doivent être avalés entiers, avec du liquide, de préférence au moment des repas.

Les suppositoires Voltaren (50 et 100 mg) sont enveloppés d'aluminium. Assurez-vous que tout le papier d'aluminium a été retiré avant d'insérer le suppositoire dans le rectum. Ne pas prendre les suppositoires par la bouche.

Conservation: Protégez les comprimés de la chaleur (conserver à une température inférieure à 30 °C) et de l'humidité. Protéger les suppositoires de la chaleur (conserver à une température inférieure à 30 °C). Comme avec tous vos médicaments, gardez celui-ci hors de la portée des enfants.

Ne jamais oublier: Votre médecin vous a prescrit Voltaren après un examen minutieux de vos symptômes. Prenez le médicament tel que prescrit et ne le donnez jamais à quelqu'un d'autre. Pour obtenir de plus amples renseignements, consultez votre médecin ou votre pharmacien. Si vous pensez éprouver des effets secondaires, arrêtez de prendre les comprimés et avertissez immédiatement votre médecin.

☐ VOLTAREN OPHTHA® ℞

Ciba Vision

Diclofénac sodique

Anti-inflammatoire—Analgésique

Renseignements destinés aux patients: Votre médecin vous a prescrit le Voltaren Ophtha, un anti-inflammatoire non stéroïdien (AINS) utilisé dans le traitement des symptômes de l'inflammation oculaire. Voltaren Ophtha Gouttes oculaires soulage la douleur et l'inflammation en inhibant la production de certaines substances appelées prostaglandines.

Utilisez les gouttes oculaires Voltaren Ophtha seulement selon les directives de votre médecin.

Comment prendre votre médication: Afin d'obtenir le maximum de bénéfices de Voltaren Ophtha, il est essentiel d'utiliser les gouttes oculaires régulièrement et tel que votre médecin vous l'a prescrit (3 à 5 fois par jour).

Unité à dose unique: Couper le sac le long de la ligne pointillée et retirer la bande d'unités à dose unique. Détachez une seule unité à dose unique. La tenir par l'attache en dirigeant l'embout vers le bas et tapoter doucement l'unité jusqu'à ce que les bulles d'air se retrouvent au-dessus de la solution. Retirer l'attache de l'unité à dose unique. S'assurer que le bout de l'unité ne touche rien. Tenir l'unité à dose unique avec la main, entre le pouce et l'index. La tête penchée en arrière, écarter la paupière inférieure de l'œil avec l'index de l'autre main. Placer l'embout de l'unité à dose unique près de l'œil, mais sans toucher l'œil ni la paupière, et presser légèrement de manière à ne laisser tomber une seule goutte. Fermer l'œil et appuyer délicatement avec l'index sur le coin de l'œil interne pendant une minute. Jeter l'unité à dose unique et la solution restante.

Si vous vous rétablissez à la suite d'une opération chirurgicale de la cataracte, instillez une goutte dans le sac conjonctival 3 fois/jour.

Il peut arriver que vous éprouviez une sensation légère à modérée de brûlure à l'instillation de Voltaren Ophtha dans l'œil. Ce symptôme disparaît rapidement d'habitude, mais si ce symptôme ou tout autre persiste, consultez votre médecin.

Si votre vision devient embrouillée, vous devez vous abstenir de conduire une automobile ou d'utiliser des machines.

Important: Rappelez-vous: Avant de prendre cette médication, avertissez votre médecin et votre pharmacien si:

- vous êtes allergique au Voltaren Ophtha ou tout autre médicament de la classe des AINS tels que l'AAS, le diflusinal, l'ibuprofène, le flurbiprofène, le kétoprofène, le fénoprofène, l'indométhacine, l'acide méfénamique, le piroxicam, le sulindac, l'acide tiaprofénique ou la tolmétine;
- vous êtes enceinte ou avez l'intention de le devenir tout en prenant cette médication;
- vous allaitez;
- vous prenez d'autres médicaments (sous ordonnance ou non);
- vous souffrez d'un trouble de santé quelconque.

Lorsque vous prenez cette médication:

- dites à tout médecin, dentiste ou pharmacien que vous consultez que vous prenez le Voltaren Ophtha Gouttes ophtalmiques;
- consultez votre médecin si vous n'éprouvez pas de soulagement ou s'il se développe un trouble quelconque;
- signalez toutes réactions défavorables à votre médecin. Ceci est très important pour aider à dépister et prévenir toutes complications qui pouraient survenir.

Il est essentiel de subir un examen médical périodiquement.

Conservation: Conserver les bouteilles à doses multiples contenant un agent de conservation à la température de la pièce à l'abri de la lumière. Conserver les unités à dose unique entre 15 et 25 °C; le flacon doit

Voltaren Ophtha (suite)

être hermétiquement fermé après l'usage. Tenir ce médicament et tout médicament hors de la portée des enfants.

Si vous avez besoin de plus d'informations sur ce médicament, consultez votre médecin ou pharmacien.

□ VOLTAREN RAPIDE® ℞

Novartis Pharma

Diclofénac potassique

Anti-inflammatoire—Analgésique

Renseignements destinés aux patients: Votre médecin a décidé de vous prescrire Voltaren Rapide (diclofénac potassique) pour traiter votre problème. Voici des renseignements importants que vous devriez connaître au sujet de Voltaren Rapide afin de l'utiliser en toute sécurité et de profiter au maximum de ses bienfaits.

Voltaren Rapide appartient à la classe des médicaments connus sous le nom d'anti-inflammatoires non stéroïdiens (AINS). L'ibuprofène et l'aspirine (AAS) appartiennent également à cette classe. Les AINS soulagent la douleur, l'inflammation et la fièvre. Voltaren Rapide agit vite pour soulager la douleur et l'enflure dues aux entorses de la cheville, à l'extraction dentaire et aux douleurs menstruelles (dysménorrhée).

Prendre Voltaren Rapide en toute sécurité: Quels renseignements devez-vous fournir à votre médecin, pharmacien ou dentiste? Afin d'évaluer si vous pouvez prendre Voltaren Rapide en toute sécurité, votre médecin doit obtenir certains renseignements sur votre état de santé. Avant de commencer à prendre Voltaren Rapide, avisez votre médecin:

— si vous avez déjà été allergique à l'aspirine (AAS ou acide acétylsalicylique), à l'ibuprofène ou à d'autres analgésiques;
— si vous avez eu des réactions indésirables après avoir pris des médicaments contre l'arthrite, le rhumatisme ou la douleur articulaire;
— si vous avez des antécédents de douleurs d'estomac ou d'ulcère;
— si vous souffrez d'une maladie du foie;
— si vous souffrez d'une maladie des reins;
— si vous souffrez d'une autre maladie.

Si vous consultez un autre médecin ou un dentiste, et que vous prenez Voltaren Rapide, n'oubliez pas de le lui dire.

Que faire si vous êtes enceinte ou si vous allaitez? Si vous êtes enceinte ou si vous avez l'intention de le devenir, informez-en votre médecin. Il n'est généralement pas recommandé de prendre Voltaren Rapide durant la grossesse, plus particulièrement durant les 3 derniers mois. Il en est de même si vous allaitez parce que Voltaren Rapide passe dans le lait maternel. Votre médecin jugera cependant s'il doit vous prescrire Voltaren Rapide.

Quels sont les effets secondaires? Tout comme les autres médicaments, Voltaren Rapide peut entraîner des effets secondaires. Il est bon de les connaître, surtout si vous êtes une personne âgée. Les effets secondaires les plus courants avec les AINS, y compris Voltaren Rapide, sont les troubles d'estomac. Il est conseillé de prendre les comprimés avec de la nourriture pour réduire ces problèmes au minimum. Chez certaines personnes, Voltaren Rapide peut causer de la somnolence, des étourdissements ou une sensation de tête légère. Si vous éprouvez de tels symptômes, évitez de conduire une automobile ou d'entreprendre toute autre activité qui demande de la vigilance.

Certains effets secondaires peuvent ne causer qu'un léger malaise mais il est important de les signaler à votre médecin. Avisez-le dès que possible si vous éprouvez l'un des effets suivants:

— selles sanguinolentes ou noires;
— douleurs d'estomac, nausées, vomissements, indigestion, diarrhée, démangeaison rectale ou saignements;
— coloration jaunâtre de la peau ou des yeux;
— symptômes faisant penser à la grippe;
— sensibilité sous les côtes, du côté droit;
— démangeaisons, rash, urticaire, gonflement;
— essoufflement, sifflement, troubles respiratoires ou oppression de la poitrine;
— enflure des pieds ou du bas des jambes;
— vue brouillée ou tout autre trouble de la vue ou de l'ouïe;
— changements dans la quantité ou la couleur de l'urine (foncée, rouge ou brune);
— confusion mentale, dépression, maux de tête, étourdissements, sensation de tête légère;
— tout autre effet inhabituel.

Peut-on prendre d'autres médicaments en même temps? À moins d'un avis contraire de votre médecin, il ne faut pas prendre de médicaments pour soulager la douleur ou l'enflure, comme l'aspirine (AAS), les composés renfermant de l'AAS ou des médicaments comme l'ibuprofène, quand on prend Voltaren Rapide. Si vous prenez d'autres médicaments, n'oubliez pas d'en aviser votre médecin.

Avez-vous obtenu les bons comprimés? Les comprimés Voltaren Rapide à 50 mg sont d'un brun rougeâtre, ronds, biconvexes et dragéifiés. Le nom VOLTAREN est imprimé en blanc sur un côté et RAPIDE 50, sur l'autre.

Comment prendre Voltaren Rapide? La dose habituelle est de 1 comprimé 2 ou 3 fois par jour à prendre avec de la nourriture. La dose quotidienne totale ne doit pas dépasser 3 comprimés. Dans le cas de dysménorrhée, cependant, il se peut que votre médecin vous prescrive 2 comprimés comme première dose. Dans ce cas, vous prendrez 4 comprimés le premier jour. Toujours prendre la dose exacte prescrite: pas plus, pas moins, et pas plus souvent.

Conservation: Protégez les comprimés de la chaleur (conserver à une température inférieure à 30 °C) et de l'humidité.

À ne jamais oublier: Votre médecin vous a prescrit Voltaren Rapide après un examen minutieux de vos symptômes. Prenez le médicament tel que prescrit et ne le donnez jamais à quelqu'un d'autre. Pour obtenir de plus amples renseignements, consultez votre médecin ou votre pharmacien. Garder ce médicament (comme tous les autres) hors de la portée des enfants. Si vous pensez éprouver des effets secondaires, arrêtez de prendre les comprimés et avertissez immédiatement votre médecin.

□ WELLBUTRIN® SR ℞

Glaxo Wellcome

Chlorhydrate de bupropion

Antidépresseur

Renseignements destinés au patients: Veuillez lire attentivement les renseignements ci-après avant de prendre les comprimés Wellbutrin SR (chlorhydrate de bupropion). Ne jetez pas ce feuillet avant d'avoir terminé de prendre votre médicament. Vous pouvez avoir à le lire de nouveau. Il ne vous donne qu'un résumé des renseignements sur Wellbutrin SR. Pour obtenir de plus amples détails, ou des conseils, consultez votre médecin ou votre pharmacien.

Renseignements sur votre médicament: Le nom de votre médicament est Wellbutrin SR, sous forme de comprimés. Ce médicament appartient à la classe thérapeutique des antidépresseurs. La décision d'utiliser les comprimés Wellbutrin SR doit être prise conjointement avec votre médecin, en tenant compte de vos préférences et du contexte médical. Ce médicament ne peut être obtenu que sur ordonnance médicale.

Rappel: Ce médicament vous est destiné. Ne le donnez jamais à une autre personne. Il peut lui être nocif, même si ses symptômes semblent être similaires aux vôtres.

Importante mise en garde: Vous ne devez pas utiliser les comprimés Wellbutrin SR si vous prenez Zyban ou tout autre médicament renfermant du chlorhydrate de bupropion, car cela augmentera le risque de crise convulsive.

À la dose maximale recommandée de 300 mg/jour, il est possible qu'environ 1 patient sur 1 000 prenant du bupropion, principe actif de Wellbutrin SR, soit atteint de convulsions. Ce risque peut augmenter dans les cas suivants:

- si vous avez des troubles convulsifs (épilepsie, par exemple);
- si vous avez ou avez eu un trouble nutritionnel (boulimie ou anorexie mentale, par exemple);
- si vous dépassez la dose recommandée de Wellbutrin SR.

La consommation d'alcool peut également altérer votre seuil de convulsions. Par conséquent, celle-ci devrait être réduite au minimum, ou même être éliminée si c'est possible.

Si vous éprouvez une convulsion, cessez de prendre Wellbutrin SR et communiquez avec votre médecin immédiatement.

Importantes questions à envisager avant de prendre les comprimés Wellbutrin SR: Si la réponse à l'une des questions suivantes est **oui**, ou si vous n'en connaissez pas la réponse, veuillez en parler à votre médecin **avant** d'utiliser les comprimés Wellbutrin SR.

- Êtes-vous enceinte? Pensez-vous que vous pourriez l'être? Essayez-vous de le devenir? Allaitez-vous?

- Prenez-vous des médicaments sur ordonnance ou des médicaments en vente libre? Avez-vous l'intention de prendre ce genre de médicaments durant votre traitement?
- Souffrez-vous d'autres troubles de santé? Avez-vous déjà eu des crises convulsives ou des troubles de l'alimentation? Êtes-vous allergique à un des ingrédients présents dans votre médicament (consulter la section «Que contient votre médicament»).

Comment prendre les comprimés Wellbutrin SR: Les comprimés Wellbutrin SR sont spécialement conçus pour libérer le médicament graduellement dans votre organisme pendant plusieurs heures. Pour que ce médicament soit efficace, il est important de ne pas mâcher, ni diviser ni écraser les comprimés. Avalez entiers les comprimés Wellbutrin SR, avec un breuvage, de façon que la vitesse de libération des comprimés ne soit pas altérée.

Ne prenez que la dose prescrite par le médecin. Il se peut que les effets de votre médicament ne se fassent pas sentir dans les premiers jours du traitement et il faut parfois attendre plusieurs semaines avant d'obtenir une nette amélioration. Les antidépresseurs exigent souvent un tel délai. Si vous avez des doutes concernant l'efficacité de votre médicament, parlez-en à votre médecin. N'augmentez pas la dose de votre médicament à moins que votre médecin vous demande de le faire. Si vous oubliez une dose, ne prenez pas un comprimé supplémentaire pour «vous rattraper». Attendez et prenez le prochain comprimé au moment prévu habituellement.

Effets indésirables à surveiller: Comme tout médicament, Wellbutrin SR peut provoquer des réactions indésirables. Les effets indésirables les plus fréquents de Wellbutrin SR sont la perte d'appétit, la sécheresse de la bouche, les éruptions cutanées, la transpiration, les tintements d'oreille et les tremblements. Les effets indésirables de Wellbutrin SR sont généralement légers et disparaissent souvent après quelques semaines. Si vous avez des nausées, vous pouvez prendre votre médicament avec des aliments. Si vous avez de la difficulté à dormir, évitez de prendre votre médicament trop près de l'heure du coucher. Communiquez avec votre médecin ou avec un professionnel de la santé si des éruptions cutanées ou autres réactions indésirables incommodantes se produisent au cours du traitement.

Wellbutrin SR peut vous gêner dans les activités nécessitant du jugement ou des aptitudes motrices et cognitives. Par conséquent, jusqu'à ce que vous soyez raisonnablement certain que Wellbutrin SR n'altère pas votre rendement, vous devez éviter de conduire une automobile ou de faire fonctionner une machinerie complexe et dangereuse.

Que faire en cas de surdosage? Si vous avez dépassé la dose prescrite, entrez immédiatement en contact avec votre médecin, l'urgence d'un hôpital ou le centre antipoison le plus proche.

Conservation de votre médicament: Conservez votre médicament à la température de la pièce, loin des rayons solaires directs. Gardez-le dans un contenant hermétiquement fermé et placez-le dans un endroit sûr, hors de portée des enfants, car il peut être nocif pour eux. Si votre médecin décide de cesser le traitement, ne gardez pas les médicaments restants à moins qu'il ne vous le dise.

Que contient votre médicament? Les comprimés Wellbutrin SR sont présentés pour administration orale sous forme de comprimés enrobés, à libération prolongée, à 100 mg (bleus) et à 150 mg (violets). Chaque comprimé, imprimé à l'aide d'une encre noire comestible, renferme la quantité de chlorhydrate de bupropion indiquée sur l'étiquette, ainsi que les excipients suivants: cire de carnauba, chlorhydrate de cystéine, hydroxypropylméthylcellulose, stéarate de magnésium, cellulose microcristalline, polyéthylèneglycol et dioxyde de titane. En outre, le comprimé à 100 mg renferme la laque bleue FD&C numéro 1 et du polysorbate 80; le comprimé à 150 mg renferme la laque bleue FD&C numéro 2, la laque rouge FD&C numéro 40 et du polysorbate 80.

Les comprimés Wellbutrin SR ont une légère odeur. Cette odeur est normale.

Qui fabrique votre médicament? Glaxo Wellcome Inc., 7333, Mississauga Road North, Mississauga (Ontario) L5N 6L4

□ WELLFERON® 🅿

Glaxo Wellcome

Interféron alpha-n1 (lns)

Modificateur de réponse biologique

Renseignements destinés aux patients: Veuillez lire attentivement ce qui suit avant de prendre votre médicament.

Ce feuillet renferme d'importants renseignements sur votre traitement. Si vous avez des doutes ou des questions à poser, ou si vous avez quelque incertitude, consultez votre médecin ou votre pharmacien.

Que contient votre médicament? Le nom de votre médicament est Wellferon. Il contient de l'interféron alpha humain. L'interféron est utilisé pour contribuer au maintien du mécanisme de défense de votre organisme contre certaines maladies.

Wellferon est présenté en flacons renfermant 3, 5 ou 10 méga-unités d'interféron alpha lymphoblastoïde humain dans une solution saline tamponnée avec du trométanol-glycine. Wellferon contient également de l'albumine humaine en solution.

Gardez votre médicament ainsi que le matériel d'administration hors de la portée des enfants.

Avant de prendre votre médicament: Avant de prendre Wellferon, posez-vous les questions suivantes:
- Avez-vous déjà eu une allergie ou une mauvaise réaction à Wellferon ou à un autre interféron?
- Avez-vous pris récemment, êtes-vous en train de prendre ou pensez-vous prendre **d'autres** médicaments pendant que vous utilisez Wellferon?
- Êtes-vous asthmatique?
- Êtes-vous enceinte, essayez-vous de le devenir ou allaitez-vous?
- Avez-vous une maladie du cœur, des reins, du foie ou du système nerveux central (épilepsie, p. ex.)?
- Souffrez-vous, ou avez-vous déjà souffert de troubles mentaux?
- Souffrez-vous de troubles sanguins ?

Si la réponse est **oui** à une ou à plusieurs des questions précédentes, et si vous n'avez pas eu de discussion à ce sujet avec votre médecin, parlez-lui en avant de prendre votre médicament.

Comment prendre votre médicament?
- Il est important de prendre votre médicament au bon moment. Vous devez l'utiliser selon les indications de votre médecin. L'étiquette vous indiquera la quantité de médicament à prendre et la fréquence à laquelle vous devez le prendre. Si vous n'êtes pas sûr, demandez à votre médecin.
- La posologie est extrêmement variable et peut être modifiée de temps en temps par votre médecin. Si vous avez des doutes ou si la posologie figurant sur l'étiquette a été modifiée sans raison apparente, consultez votre médecin. La durée de votre traitement variera également.
- Durant votre traitement, le médecin vous fera passer de temps en temps des tests sanguins pour vérifier le nombre de vos globules sanguins et pour ajuster la posologie si nécessaire.
- Ne conduisez pas et ne faites pas fonctionner de machine lorsque vous utilisez ce médicament.
- Votre médecin ou votre infirmière vous montrera comment faire votre injection. Si vous n'êtes pas certain de la façon de procéder, vérifiez avec votre médecin ou une personne de la clinique.
- L'injection se fait juste en dessous de la surface de la peau. Les injections peuvent être faites dans l'abdomen, dans la partie supérieure du bras, dans la cuisse, ou dans la fesse.
- Les vaisseaux sanguins visibles doivent être évités.
- Utilisez chaque jour ou pour chaque injection un endroit différent.
- Assurez-vous de noter l'endroit où vous avez fait votre injection, le numéro du lot de Wellferon et la date.

Après avoir pris votre médicament: Ce médicament peut provoquer des effets indésirables. Si tel est le cas, entrez en contact avec votre médecin ou avec une personne de l'hôpital.

Certains de ces effets indésirables auxquels on peut s'attendre, ainsi que les mesures qu'on peut prendre pour les apaiser, sont indiqués ci-dessous:

Effets indésirables courants:
- Symptômes pseudo-grippaux: frissons, fièvre, malaises, douleurs musculaires et maux de tête, p. ex.
- Afin de réduire ces symptômes, faites votre injection le soir; votre médecin peut aussi vous conseiller de prendre des comprimés d'acétaminophène. Le fait de boire beaucoup de liquides peut aussi vous aider. Des douches ou des bains, froids ou tièdes, peuvent être utiles si votre température est très élevée. C'est aussi une bonne idée de planifier moins d'activités et de vous permettre une période de repos le jour de votre injection. Demandez l'aide de votre famille et de vos amis; limitez le nombre de visiteurs, et évitez les situations stressantes.
- Manque d'appétit: évitez les aliments qui vous donnent des troubles d'estomac. Choisissez la nourriture que vous aimez, et mangez au moins 3 fois/jour.

Wellferon (suite)

- Perte de poids.
- Augmentation du besoin de sommeil.
- Effets psychologiques: irritabilité, anxiété et dépression légère, p. ex.
- Perte des cheveux.

Effets indésirables peu courants:
- Anémie, laquelle entraîne la fatigue.
- Diminution du nombre des globules blancs, augmentant le risque d'infection. Si vous avez mal à la gorge ou de nombreux ulcères dans la bouche, entrez en contact avec votre médecin.
- Diminution du nombre des plaquettes, augmentant le risque d'ecchymoses (bleus) et de saignements (saignement de nez, p. ex.).

Afin de déceler la présence de ces effets dès qu'ils se manifestent, on vérifiera régulièrement le nombre de vos globules sanguins à la clinique. Ces effets sont entièrement réversibles lorsque l'on cesse le traitement à l'aide de Wellferon.

- Étourdissements, sensation de perte de connaissance, battements de cœur plus rapides (palpitations).
- Diarrhée.
- Enflure inexpliquée des mains, des pieds et du visage.
- Sang dans l'urine ou passage des urines moins fréquent.
- Froideur des doigts ou des orteils.

Si l'un ou l'autre de ces effets ou tout autre effet inhabituel se produisent, ou si vous commencez à vous sentir plus mal lorsque vous prenez Wellferon, entrez en contact avec votre médecin.

Conservation de votre médicament: Placez Wellferon dans le réfrigérateur (2 à 8 °C). Vérifiez la date limite d'utilisation sur le flacon. Si cette date est dépassée, ne prenez pas votre médicament et consultez votre pharmacien.

Sortez les flacons une demi-heure avant votre injection, pour que la solution soit à la température de la pièce.

Qui fabrique votre médicament? Fabricant: The Wellcome Foundation Ltd., Londres
Distributeur: Glaxo Wellcome Inc., 7333 Mississauga Road North, Mississauga (Ontario) L5N 6L4.

N'oubliez jamais que ce médicament vous est destiné. Seul un médecin peut vous le prescrire. Ne le donnez jamais à une autre personne. Il peut lui être nocif, même si ses symptômes semblent similaires aux vôtres.

□ XALATAN® Ⓟ

Pharmacia & Upjohn

Latanoprost

Analogue de la prostaglandine $F_{2\alpha}$

Renseignements destinés aux patients: À lire attentivement avant d'utiliser Xalatan. Vous trouverez ici des renseignements utiles sur ce médicament et sur les effets que vous pouvez ressentir. Si vous avez des questions ou souhaitez obtenir des explications, n'hésitez pas à en parler à votre médecin ou à votre pharmacien. Remarque importante: Ce médicament vous a été prescrit spécifiquement pour votre maladie. N'en donnez jamais à personne d'autre. Ne l'utilisez pas pour traiter une autre maladie.

À quel type de médicaments appartient Xalatan et comment agit-il? Xalatan est une solution qui ne doit être utilisée que pour les yeux. L'ingrédient actif de Xalatan appartient à un groupe de médicaments appelé prostaglandines. Il aide à diminuer la pression de l'œil en augmentant le débit naturel d'élimination du liquide se trouvant dans l'œil. On a montré que Xalatan utilisé seul peut faire diminuer la pression de l'œil.

À quoi sert Xalatan? On utilise Xalatan pour traiter le glaucome dit à angle ouvert, ainsi qu'une affection appelée hypertension oculaire. Ces deux affections sont dues à une augmentation de la pression de l'œil et peuvent à la longue affecter la vue.

Que contient Xalatan? Ingrédient actif: Chaque mL contient 50 microgrammes de latanoprost.
Autres ingrédients: chlorure de benzalkonium, chlorure de sodium, phosphate monobasique de sodium, phosphate disodique anhydre, eau pour injection.

Chaque flacon contient 2,5 mL de solution correspondant environ à 80 gouttes.

Avant d'utiliser Xalatan, vous devez avertir votre médecin si:
- Vous êtes allergique à l'un des ingrédients de Xalatan.
- Vous utilisez d'autres gouttes oculaires ou vous prenez d'autres médicaments, quels qu'ils soient.
- Vous êtes enceinte, vous pensez l'être ou vous prévoyez de l'être.
- Vous allaitez.

Xalatan contient un agent de conservation qui peut être absorbé par les verres de contact et les colorer en brun. Vous pouvez remettre les verres de contact 15 minutes après l'instillation des gouttes oculaires. Si vous utilisez plus d'une sorte de gouttes oculaires, laissez passer 5 minutes entre l'instillation de chaque type de goutte.

Comment utiliser Xalatan? Instiller 1 goutte de Xalatan dans l'œil ou les yeux affectés **1 fois/jour.** Il est préférable de faire cette instillation **le soir.**

Faire attention à ce que le compte-gouttes du flacon n'entre pas en contact avec l'œil ou les structures adjacentes, afin d'éviter de contaminer l'extrémité par des bactéries courantes qui causent habituellement des infections des yeux. L'utilisation d'une solution contaminée peut entraîner des lésions graves des yeux suivies d'une perte de la vue. Si vous souffrez d'une affection quelconque des yeux ou devez subir une opération, demandez immédiatement conseil à votre médecin pour savoir si vous devez continuer d'utiliser le flacon en cours.

Si vous oubliez d'instiller la ou les gouttes à l'heure habituelle, attendez l'heure de la dose suivante. Si vous instillez trop de gouttes, vous risquez de ressentir une légère irritation dans l'œil.

Xalatan n'est pas indiqué pour les enfants.

Voici comment administrer Xalatan correctement:
1. Se laver les mains et s'installer dans une position confortable. Si l'on porte des verres de contact, les retirer avant d'instiller les gouttes oculaires.
2. Ouvrir le flacon puis, en le tenant dans une main, reposer le pouce contre le sommet ou le bord du nez.
3. Utiliser l'index de l'autre main pour tirer doucement la paupière inférieure vers le bas, afin de créer une poche pour la goutte oculaire.
4. Presser ou tapoter doucement le flacon, pour faire tomber une goutte dans la poche créée par la paupière inférieure. Ne pas laisser l'extrémité du flacon entrer en contact avec l'œil.
5. Fermer l'œil pendant 2 ou 3 minutes.
6. Si le médecin a prescrit le traitement pour les 2 yeux, répéter la même procédure pour l'autre œil. Continuer le traitement pendant la durée prescrite par le médecin.

Quelles réactions peut-on avoir pendant le traitement par Xalatan? Chez certains patients, Xalatan peut provoquer une modification progressive de la couleur de l'œil en augmentant la quantité de pigment brun dans l'iris (partie colorée de l'œil). Ce changement peut n'apparaître clairement qu'au bout de plusieurs mois ou années. Il se remarque davantage chez les patients ayant des yeux de couleur mixte (vert-brun, bleu-gris et brun ou jaune-brun). Le pigment brun peut s'étendre progressivement de l'intérieur vers le bord externe de l'iris. Toutefois, l'ensemble ou des parties de l'iris peuvent apparaître plus bruns. Cette modification peut être plus notable si vous traitez un seul œil. Votre médecin vous examinera régulièrement pour s'assurer que le médicament est efficace et observer les modifications de la couleur de vos yeux. S'il observe un changement de couleur, il pourra interrompre le traitement. Il faut savoir néanmoins que les modifications survenues peuvent être irréversibles, même après l'arrêt du traitement.

L'utilisation de Xalatan, peut également provoquer l'assombrissement, l'épaississement et l'allongement des cils palpébraux. Un nombre restreint de personnes, qui utilisent Xalatan pendant une certaine période, pourraient noter un assombrissement des paupières. Ces changements sont plus notoires lorsqu'on traite uniquement un œil.

Lorsque vous utilisez Xalatan, vous pourriez avoir la sensation d'avoir quelque chose dans l'œil. Vous pouvez avoir l'œil ou les yeux larmoyants et rouges. Comme avec les autres gouttes oculaires, si vous voyez trouble lorsque vous venez d'instiller les gouttes, attendez que votre vision redevienne claire avant de conduire ou de faire fonctionner une machine. Quelques personnes traitées par Xalatan ont présenté une éruption cutanée.

Quelques personnes pourraient présenter à la fois des troubles de l'acuité visuelle et des yeux rouges et douloureux. Ces changement ne surviennent pas toujours immédiatement après l'instillation des gouttes mais, le cas échéant, vous pourriez éprouver de la difficulté à lire ou à voir des petits détails. Quoique peu probable, si de tels changements survenaient, arrêtez le traitement et contactez immédiatement votre médecin.

Avertissez votre médecin (ou votre pharmacien) si vous constatez d'autres effets indésirables, quels qu'ils soient.

Comment conserver Xalatan? Avant l'ouverture du flacon, conserver Xalatan au réfrigérateur (entre 2 et 8 °C), à l'abri de la lumière directe. Une fois le flacon ouvert, le conserver au frais (au réfrigérateur si possible). Xalatan doit être utilisé dans les 6 semaines suivant l'ouverture du flacon. Mettre au rebut le flacon et/ou le contenu non utilisé au bout de 6 semaines. Ne pas utiliser Xalatan au-delà de la date d'expiration inscrite sur le flacon.

Conserver tous les médicaments en lieu sûr, hors de la portée des enfants.

□ XANAX® Ⓟ

Pharmacia & Upjohn

Alprazolam

Anxiolytique—Antipanique

Renseignements destinés aux patients: Les crises de panique.

Qu'est-ce que c'est? Nous nous sentons tous parfois tendus, anxieux ou craintifs. Toutefois, ces expériences assez courantes n'ont rien à voir avec les crises de panique.

Les crises de panique apparaissent tout d'un coup. Sans aucune raison apparente, la personne se sent soudain très mal et présente en fait des symptômes physiques.

Ces symptômes physiques peuvent être:

- Sensation d'essoufflement ou d'étouffement
- Étourdissement, ou impression que l'on va s'évanouir
- Accélération du rythme cardiaque
- Tremblements ou secousses musculaires
- Transpiration
- Sensation d'étranglement
- Nausée ou gêne abdominale
- Douleur ou gêne thoracique
- Sensation d'engourdissement ou de picotements
- Bouffées de chaleur ou frissons

Les symptômes tels que troubles respiratoires, douleurs thoraciques et étourdissements peuvent ressembler aux symptômes de l'asthme, à une maladie cardiaque ou à une affection neurologique. Outre la gêne, la peur ou la panique intenses et les symptômes physiques ressentis, les patients ont souvent une impression de détachement ou d'irréalité; ils ont peur de mourir, de devenir fous ou de perdre le contrôle de soi.

Les crises de panique ne durent généralement que quelques minutes, mais elles peuvent parfois durer des heures. Leur fréquence varie de plusieurs fois par mois ou par semaine à plusieurs fois par jour.

Qu'est-ce que le trouble panique? La différence entre la **crise de panique** et le **trouble panique** est la fréquence des crises. Pour que l'on puisse poser un diagnostic de **trouble panique**, une personne doit avoir eu au moins 4 crises en l'espace de 4 semaines, ou avoir eu moins de 4 crises suivies d'au moins 1 mois durant lequel elle vit dans la crainte constante d'avoir une nouvelle crise.

Qu'est-ce que l'évitement phobique? De façon typique, la personne qui souffre de **trouble panique** se souvient de tous les détails de sa première crise de panique, y compris l'absence de raison pour cette soudaine crainte intense. Lorsque d'autres crises se produisent, apparemment sans raison, les victimes commencent à en chercher les causes ainsi que les moyens de les prévenir.

La conséquence de crises répétées est que la victime se met généralement à éviter les situations qu'elle associe à ses crises précédentes. Par exemple, une femme qui a eu sa première crise de panique dans un grand magasin commence maintenant à faire ses achats par correspondance, parce qu'elle craint que le magasin soit la cause de ses crises.

On appelle **évitement phobique** le comportement qui consiste à éviter certaines situations, par crainte qu'elles ne déclenchent une crise de panique. Cette crainte inexpliquée de lieux et d'activités ordinaires empêche une personne de mener une vie normale.

Qu'est-ce que la peur d'avoir peur? Les crises de panique répétées ont tendance à provoquer une réaction qu'on appelle **anxiété d'anticipation** et qui désigne tout simplement la peur d'avoir une autre crise ou l'inquiétude à ce sujet. L'anxiété d'anticipation peut provoquer presque autant de comportements d'évitement phobique qu'une véritable crise.

Qu'est-ce que l'agoraphobie? L'agoraphobie est un terme couramment utilisé pour désigner tous les comportements d'évitement phobique. Ce n'est pas uniquement la crainte de sortir de son domicile. C'est la crainte de se trouver dans n'importe quelle situation d'où il pourrait être difficile de s'échapper en cas de crise de panique. Le trouble panique non traité peut provoquer l'agoraphobie.

Quelles sont les causes du trouble panique? Les crises ne sont pas dues à une faiblesse mentale ou à un échec personnel.

On ignore encore les causes exactes du trouble panique. Selon les données scientifiques, des facteurs biologiques ou psychologiques (ou les deux) joueraient un rôle dans le déclenchement ou le maintien du trouble panique et de l'agoraphobie.

Quelles qu'en soient les causes (biologiques ou psychologiques), le trouble panique peut entraîner de graves complications, telles que dépression, alcoolisme, toxicomanie et même tentatives de suicide.

La maladie touche les deux sexes: Le trouble panique touche les hommes et les femmes. Les meilleures recherches effectuées jusqu'à maintenant semblent indiquer que le trouble panique accompagné d'agoraphobie touche deux fois plus de femmes que d'hommes. Cependant, certains spécialistes émettent l'hypothèse qu'il est possible que les hommes ne signalent pas leurs crises de panique à leur médecin.

D'importantes études médicales révèlent que 1 à 2 % des adultes souffriront de trouble panique à un moment de leur vie. De plus, 4 à 5 % des adultes signalent avoir des crises de panique et des symptômes agoraphobiques mais n'ont pas tous les symptômes répondant aux critères du trouble panique.

Le trouble panique se déclare surtout pendant la vingtaine et la trentaine, mais parfois aussi à l'adolescence ou à un âge avancé. En général, les traitements actuels peuvent réduire ou prévenir complètement les symptômes du trouble panique, de sorte que les patients peuvent mener une vie plus normale, voire même tout à fait normale.

Où peut-on obtenir de l'aide? Des groupes d'entraide constitués de personnes souffrant de trouble panique fournissent un appui en renseignant les patients et leur famille sur le trouble panique et l'agoraphobie. On trouve ces groupes un peu partout au Canada. Pour connaître ceux de votre région, communiquez avec la Fondation canadienne pour les Agoraphobes (dont le numéro se trouve dans l'annuaire téléphonique). Cependant, il est important que le soutien fourni par ces groupes complémente bien le traitement psychologique ou pharmacologique.

Peut-on traiter le trouble panique? Oui. Les méthodes suivantes, utilisées seules ou combinées, se sont avérées efficaces.

Le traitement cognitif fait intervenir des techniques d'apprentissage qui aident les patients à comprendre les attitudes et les perceptions qui peuvent entraîner une crise de panique et leur permettent de mieux faire face aux crises.

Le traitement comportemental consiste à exposer progressivement les patients (seuls ou accompagnés d'un thérapeute ou d'une autre personne de soutien) à des situations qu'ils craignent, selon une série d'étapes progressives planifiées. Cette exposition progressive aide les patients à mieux faire face aux situations de craintes et aux sentiments qu'elles provoquent.

On peut traiter le trouble panique au moyen de **médicaments.** Xanax est le premier et le seul médicament approuvé au Canada pour le traitement du trouble panique.

D'autres médicaments se sont aussi avérés efficaces. Ce sont les agents anxiolytiques, comme Xanax, et les antidépresseurs.

Étant donné que les médicaments offrent des avantages spécifiques, le traitement doit être adapté aux besoins de chaque individu.

Qu'est-ce que Xanax? Xanax est un médicament anti-anxiété et antipanique. Votre médecin ajustera lentement votre posologie pour l'adapter exactement à vos besoins. Une posologie de 2 à 6 mg par jour permet généralement de prévenir les crises de panique chez la plupart des personnes souffrant de trouble panique. Celles-ci voient leur anxiété d'anticipation et leur évitement phobique diminuer de façon marquée. Des doses inférieures peuvent suffire, mais d'autres plus fortes peuvent être nécessaires, car il y a des différences dans la façon dont l'organisme de chacun absorbe et élimine les médicaments et donc dans la façon dont on réagit.

Il est important de ne pas augmenter ou diminuer votre posologie, ni d'interrompre votre traitement, sans consulter le médecin.

Combien de temps dois-je prendre Xanax? Votre médecin déterminera la durée du traitement. Un traitement d'une durée de 8 mois, accompagné d'autres thérapies, est souvent recommandé.

Prenez vos médicaments tel qu'indiqué par le médecin. Le traitement médicamenteux ne suffira peut-être pas à soulager votre état. Suivez à la lettre tous les traitements prescrits par votre médecin. Lorsque vous n'aurez plus eu de crise de panique pendant un bon moment, votre médecin pourra envisager une **réduction très lente de la posologie.** Cette réduction ne devra pas dépasser 10 % de la dose initiale, toutes les 2 à 3 semaines.

Xanax (suite)

Le trouble panique peut réapparaître. Dans ce cas, le médecin choisira le traitement le mieux approprié.

Le traitement a-t-il des effets secondaires? Les effets secondaires les plus courants avec Xanax sont la somnolence et la perte d'équilibre et de coordination. On observe généralement ces effets dans les premiers jours du traitement, après quoi ils diminuent et disparaissent parfois complètement.

Les effets secondaires comportementaux comme excitation, agitation, troubles du sommeil et spasticité musculaire accrue sont rares. Toutefois, si vous développez ces symptômes, consultez immédiatement votre médecin.

Quelles précautions dois-je prendre?
- Prenez votre médicament à intervalles réguliers, en respectant la dose et l'horaire prescrits par votre médecin.
- N'interrompez pas le traitement brusquement car ceci peut aggraver votre maladie ou même déclencher une crise. **La posologie de Xanax doit être réduite très lentement** et seulement sous l'étroite surveillance du médecin.
- Il vaut mieux éviter de boire de l'alcool si vous prenez Xanax. L'effet combiné de l'alcool et du Xanax peut rendre la somnolence plus intense que si l'un et l'autre étaient pris seuls.
- **Ne prenez aucun médicament vendu sans ordonnance** (pris sur les tablettes des pharmacies) avec Xanax sans en parler d'abord à votre médecin ou au pharmacien; la combinaison de plusieurs médicaments peut être dangereuse.
- Dites à tous les médecins, pharmaciens ou dentistes que vous consultez que vous prenez du Xanax.
- Ne conduisez pas une voiture ou n'utilisez pas une machine avant de connaître les effets du médicament sur votre organisme.
- Ne donnez pas ce médicament à quelqu'un d'autre, pas même à un parent ou un ami.
- Ne prenez pas Xanax si ce médicament n'a pas été prescrit pour vous.
- Si vous êtes enceinte (ou pensez l'être), consultez votre médecin avant de prendre Xanax ou n'importe quel autre médicament.

□ XYLOCAINE®, Gelée à 2 %

Astra

Chlorhydrate de lidocaïne

Anesthésique topique

Renseignements destinés aux patients: Ce que vous devriez savoir sur Xylocaine en gelée à 2 %: Prière de lire ce dépliant avec attention, avant d'utiliser Xylocaine en gelée. Ce dépliant contient des renseignements généraux sur ce médicament qui devraient s'ajouter aux conseils plus spécifiques du médecin ou du pharmacien.

Garder ce dépliant à titre de référence jusqu'à ce que le tube de Xylocaine en gelée soit vide.

Quand utilise-t-on Xylocaine en gelée et comment agit-elle? Xylocaine en gelée est la marque de commerce d'un anesthésique topique qui contient de la lidocaïne. Les anesthésiques topiques agissent en causant une perte de sensibilité ou un engourdissement temporaires dans la région où ils sont appliqués.

On utilise Xylocaine en gelée en vue de produire une perte temporaire de sensibilité dans une partie du corps avant que le médecin effectue certains examens. On peut aussi l'utiliser pour aider à soulager la douleur associée à l'inflammation de la vessie et de l'urètre. Xylocaine en gelée devrait commencer à agir environ 5 à 15 minutes après l'application, et son effet dure habituellement de 20 à 30 minutes.

Que contient Xylocaine en gelée? Xylocaine en gelée contient du chlorhydrate de lidocaïne, qui est l'ingrédient actif, de l'hydroxypropylméthylcellulose, de l'hydroxyde de sodium et/ou de l'acide chlorhydrique.

Xylocaine en gelée présentée en tube contient aussi du méthylparabène et du propylparabène.

Vérifiez auprès de votre médecin si vous pensez être sensible à l'une de ces substances.

Que dire au médecin ou au pharmacien avant d'utiliser Xylocaine en gelée? Assurez-vous d'avoir mentionné à votre médecin ou à votre pharmacien:
- tous les problèmes de santé que vous avez présentement ou avez eus dans le passé;
- tous les autres médicaments que vous prenez, y compris les médicaments sans ordonnance;
- si vous avez déjà eu une mauvaise réaction ou une réaction allergique ou inhabituelle à Xylocaine en gelée ou à tout autre médicament dont le nom finit par «caïne»;
- si vous pensez être allergique ou sensible à des ingrédients de Xylocaine en gelée (voir la liste plus haut);
- si vous avez une infection, une éruption cutanée, une coupure ou une blessure dans la région où vous désirez appliquer Xylocaine en gelée ou près de celle-ci;
- si vous avez une maladie de peau qui est grave ou qui couvre une grande surface;
- si vous avez une maladie grave du cœur, des reins ou du foie;
- si vous êtes enceinte ou avez l'intention de le devenir, ou si vous allaitez.

Comment utiliser Xylocaine en gelée correctement? Si ce médicament est recommandé par votre médecin, il est important de suivre ses instructions. Si vous décidez vous-même d'utiliser ce médicament, suivez les instructions ci-dessous. Si vous avez des questions, consultez votre médecin ou votre pharmacien.

Xylocaine en gelée est présentée dans des tubes de 30 mL munis d'un sceau protecteur spécial. Si le sceau est déjà brisé au moment de l'achat, demandez au pharmacien de vous donner un autre tube de Xylocaine en gelée. Pour briser le sceau protecteur la première fois que vous utilisez le produit, appuyez fermement sur le sceau à l'aide de l'extrémité pointue du capuchon blanc.

Les directives générales suivantes concernent la quantité maximale de Xylocaine en gelée qui peut être utilisée sans consulter un médecin. Elles ne s'appliquent qu'aux personnes en bonne santé, sauf pour l'état à traiter. Si vous avez des problèmes de peau ou d'autres troubles qui exigent une supervision médicale, demandez à votre médecin de vous indiquer la quantité maximale de Xylocaine en gelée à utiliser.
- Si possible, bien nettoyer la région affectée avant d'appliquer la gelée.
- Utiliser la plus petite quantité permettant de maîtriser les symptômes.

Dose pour adultes: La dose de gelée dépend du lieu d'application. Une dose de Xylocaine en gelée de 20 mL (⅔ du tube) est habituellement sûre pour une administration orale. Une dose de 5 à 20 mL (environ ⅔ du tube) est habituellement suffisante pour une administration dans l'urètre (c.-à-d. avant l'insertion d'une sonde ou une intervention en urologie). Une dose de 40 mL (1⅓ du tube) est sûre pour une administration dans l'urètre et la vessie. Il ne faut pas administrer plus de 4 doses par 24 heures.

Dose pour enfants de moins de 12 ans: La dose est établie selon le poids de l'enfant. Ne pas utiliser plus de 3 mL de gelée par 10 kg de poids corporel par dose. Il ne faut pas administrer plus de 4 doses par 24 heures.
- Si vous ne savez pas comment mesurer les quantités mentionnées plus haut, consultez votre pharmacien.
- Si vous décidez vous-même d'utiliser Xylocaine en gelée et que votre état ne semble pas s'améliorer après 3 à 5 jours, demandez à votre médecin si vous devez poursuivre le traitement.

Ne pas utiliser Xylocaine en gelée plus souvent ni plus longtemps que ne le recommande le médecin ou le présent dépliant.

Y a-t-il des effets secondaires? Comme tout médicament, Xylocaine en gelée peut produire des effets secondaires chez certaines personnes. Les symptômes suivants pourraient vouloir dire que vous êtes hypersensible à Xylocaine en gelée: rougeur, démangeaison ou enflure de la peau, urticaire, sensation de brûlure, de picotement, ou tout autre problème de peau, enflure au niveau du cou ou difficulté à respirer, qui ne s'étaient pas manifestés avant l'utilisation de ce médicament.

L'application d'une trop grande quantité de Xylocaine en gelée peut causer des effets secondaires sérieux, comme: somnolence, engourdissement de la langue, sensation de tête légère, bourdonnement d'oreilles, vision brouillée, vomissements, étourdissements, ralentissement inhabituel des battements cardiaques, évanouissement, nervosité, transpiration inhabituelle, tremblements ou convulsions.

Ces réactions sont extrêmement rares et supposent généralement l'utilisation de grandes quantités de Xylocaine en gelée pendant de longues périodes.

Faites preuve de prudence si vous utilisez Xylocaine en gelée dans la bouche ou la gorge, puisqu'il pourrait être difficile d'avaler en raison de l'engourdissement dû au médicament. L'engourdissement de la langue ou des gencives peut également accroître le risque de morsure.

Les médicaments n'affectent pas tout le monde de la même façon. Même si d'autres personnes ont ressenti des effets secondaires, cela ne veut pas dire que vous en aurez aussi. Si des effets secondaires vous incommodent, ou si vous subissez une réaction inhabituelle au cours d'un traitement avec Xylocaine en gelée, cessez d'utiliser ce médicament et consultez votre médecin ou votre pharmacien dans les plus brefs délais.

Quoi faire en cas de surdosage? En cas de surdosage avec Xylocaine en gelée, ou si vous ou toute autre personne croyez ressentir un des signes énumérés ci-dessus, appelez votre médecin ou rendez vous immédiatement à l'hôpital le plus proche.

Où faut-il garder Xylocaine en gelée? Il faut toujours **garder Xylocaine en gelée hors de la portée des enfants.**

Garder Xylocaine en gelée à la température ambiante. Éviter le gel. Ne pas garder Xylocaine en gelée dans la pharmacie de la salle de bains ou dans un endroit chaud et humide.

Ne pas utiliser Xylocaine en gelée passé la date d'expiration figurant sur la boîte.

Remarque importante: Ce dépliant vous signale certaines situations où vous devez appeler le médecin. D'autres situations imprévisibles peuvent se produire. Rien dans ce dépliant ne vous empêche de communiquer avec votre médecin pour lui poser des questions ou lui parler de vos inquiétudes au sujet de Xylocaine en gelée.

□ XYLOCAINE®, Pommade à 5 %

Astra

Lidocaïne

Anesthésique topique

Renseignements destinés aux patients: Ce que vous devriez savoir sur Xylocaine en pommade à 5 %: Prière de lire ce dépliant avec attention, avant d'utiliser Xylocaine en pommade. Il contient des renseignements généraux sur ce médicament qui devraient s'ajouter aux conseils plus spécifiques du médecin ou du pharmacien.

Garder ce dépliant à titre de référence jusqu'à ce que le tube de Xylocaine en pommade soit vide.

Quand utilise-t-on Xylocaine en pommade et comment agit-elle? Xylocaine en pommade est la marque de commerce d'un anesthésique topique qui contient de la lidocaïne. Les anesthésiques topiques agissent en causant une perte de sensibilité ou un engourdissement temporaires dans la région où ils sont appliqués. On utilise Xylocaine en pommade en vue de produire une perte temporaire de sensibilité dans une partie du corps avant que le médecin effectue certains examens. Ce produit peut aussi aider à soulager la douleur causée par les éraflures, les coups de soleil ou autres brûlures mineures, les mamelons sensibles, les piqûres d'insectes et les hémorroïdes.

Xylocaine en pommade devrait commencer à agir environ 5 minutes après l'application.

Que contient Xylocaine en pommade? Xylocaine en pommade contient de la lidocaïne, qui est l'ingrédient actif, du polyéthylèneglycol et du propylèneglycol.

Vérifiez auprès de votre médecin si vous pensez être sensible à l'une de ces substances.

Que dire au médecin ou au pharmacien avant d'utiliser Xylocaine en pommade? Assurez-vous d'avoir mentionné à votre médecin ou à votre pharmacien:

- tous les problèmes de santé que vous avez présentement ou avez eus dans le passé;
- tous les autres médicaments que vous prenez, y compris les médicaments sans ordonnance;
- si vous avez déjà eu une mauvaise réaction ou une réaction allergique ou inhabituelle à Xylocaine en pommade ou à tout autre médicament dont le nom finit par «caïne»;
- si vous pensez être allergique ou sensible à des ingrédients de la Xylocaine en pommade (voir la liste plus haut);
- si vous avez des hémorroïdes sanglantes et désirez utiliser la pommade dans cette région;
- si vous avez une infection, une éruption cutanée, une coupure ou une blessure dans la région où vous désirez appliquer Xylocaine en pommade ou près de celle-ci;
- si vous avez une maladie de peau qui est grave ou qui couvre une grande surface;
- si vous avez une maladie grave du cœur, des reins ou du foie;
- si vous êtes enceinte ou avez l'intention de le devenir, ou si vous allaitez.

Comment utiliser Xylocaine en pommade correctement? Si ce médicament est recommandé par votre médecin, il est important de suivre ses instructions. Si vous décidez vous-même d'utiliser ce médicament, suivez les instructions ci-dessous. Pour toutes questions, consultez votre médecin ou votre pharmacien.

Xylocaine en pommade est présentée dans des tubes de 15 ou 30 g munis d'un sceau protecteur. Si le sceau est déjà brisé au moment de l'achat, demandez au pharmacien de vous donner un autre tube de Xylocaine en pommade. Pour briser le sceau protecteur la première fois que vous utilisez le produit, appuyez fermement sur le sceau à l'aide de l'extrémité pointue du capuchon blanc.

Les directives générales suivantes concernent la quantité maximale de Xylocaine en pommade qui peut être utilisée sans consulter un médecin. Elles ne s'appliquent qu'aux personnes en bonne santé, sauf pour l'état à traiter. Si vous avez des problèmes de peau ou d'autres troubles qui exigent une supervision médicale, demandez à votre médecin de vous indiquer la quantité maximale de Xylocaine en pommade à utiliser.

- Si possible, bien nettoyer la région affectée avant d'appliquer la pommade.
- Utiliser la plus petite quantité de pommade permettant de maîtriser les symptômes.
- Appliquer une mince couche de façon à couvrir la région affectée et appliquer à nouveau la pommade au besoin.
- Pour la peau éraflée ou écorchée: éviter de toucher à la région affectée avec les doigts, appliquer la pommade sur une compresse de gaze stérile. Ensuite, bien fixer la compresse de gaze sur la région affectée.
- Si la pommade est utilisée sur des mamelons sensibles, il est essentiel de bien nettoyer le mamelon avant chaque allaitement pour s'assurer que le nourrisson ne recevra pas de médicament.

Dose pour adultes: Ne pas appliquer plus de 20 g de pommade sur une période de 24 heures.

Dose pour enfants de moins de 12 ans: La dose est établie selon le poids de l'enfant. Ne pas utiliser plus de 1 g de pommade par 10 kg de poids corporel. Ne pas donner plus de 3 doses par période de 24 heures.

- Si vous ne savez pas comment mesurer les quantités mentionnées plus haut, consultez votre pharmacien.
- Si vous décidez vous-même d'utiliser Xylocaine en pommade et que votre état ne semble pas s'améliorer après 3 à 5 jours, demandez à votre médecin si vous devez poursuivre le traitement.

Ne pas utiliser Xylocaine en pommade plus souvent ni plus longtemps que ne le recommande le médecin ou le présent dépliant.

Y a-t-il des effets secondaires? Comme tout médicament, Xylocaine en pommade peut produire des effets secondaires chez certaines personnes. Les symptômes suivants pourraient vouloir dire que vous êtes hypersensible à Xylocaine en pommade: rougeur, démangeaison ou enflure de la peau, urticaire, sensation de brûlure, de picotement, ou tout autre problème de peau, enflure au niveau du cou ou difficulté à respirer, qui ne s'étaient pas manifestés avant l'utilisation de ce médicament.

L'application d'une trop grande quantité de Xylocaine en pommade peut causer des effets secondaires sérieux, comme: somnolence, engourdissement de la langue, sensation de tête légère, bourdonnement d'oreilles, vision trouble, vomissements, étourdissements, ralentissement inhabituel des battements cardiaques, évanouissement, nervosité, transpiration inhabituelle, tremblements ou convulsions.

Ces réactions sont extrêmement rares et supposent généralement l'utilisation de grandes quantités de Xylocaine en pommade pendant de longues périodes.

Faites preuve de prudence si vous utilisez Xylocaine en pommade dans la bouche ou la gorge, puisqu'il pourrait être difficile d'avaler en raison de l'engourdissement dû au médicament. L'engourdissement de la langue ou des gencives peut également accroître le risque de morsure.

Les médicaments n'affectent pas tout le monde de la même façon. Même si d'autres personnes ont ressenti des effets secondaires, cela ne veut pas dire que vous en aurez aussi. Si des effets secondaires vous incommodent, ou si vous subissez une réaction inhabituelle au cours d'un traitement avec Xylocaine en pommade, cessez d'utiliser ce médicament et consultez votre médecin ou votre pharmacien dans les plus brefs délais.

Quoi faire en cas de surdosage? En cas de surdosage avec Xylocaine en pommade, ou si vous ou toute autre personne croyez ressentir un des signes énumérés ci-dessus, appelez votre médecin ou rendez-vous immédiatement à l'hôpital le plus proche.

Où faut-il garder Xylocaine en pommade? Il faut toujours **garder Xylocaine en pommade hors de la portée des enfants.**

Xylocaine, Pommade (suite)

Garder Xylocaine en pommade à la température ambiante. Éviter le gel. Ne pas garder Xylocaine en pommade dans la pharmacie de la salle de bains ou dans un endroit chaud et humide.

Ne pas utiliser Xylocaine en pommade passé la date d'expiration figurant sur la boîte.

Remarque importante: Ce dépliant vous signale certaines situations où vous devez appeler le médecin. D'autres situations imprévisibles peuvent se produire. Rien dans ce dépliant ne vous empêche de communiquer avec votre médecin pour lui poser des questions ou lui parler de vos inquiétudes au sujet de Xylocaine en pommade.

□ XYLOCAINE® VISQUEUSE à 2 %

Astra

Chlorhydrate de lidocaïne

Anesthésique topique

Renseignements destinés aux patients: Ce que vous devriez savoir sur Xylocaine visqueuse à 2 %: Prière de lire ce dépliant avec attention, avant d'utiliser Xylocaine visqueuse. Ce dépliant contient des renseignements généraux sur ce médicament qui devraient s'ajouter aux conseils plus spécifiques du médecin ou du pharmacien.

Garder ce dépliant à titre de référence jusqu'à ce que le flacon de Xylocaine visqueuse soit vide.

Quand utilise-t-on Xylocaine visqueuse et comment agit-elle? Xylocaine visqueuse est la marque de commerce d'un anesthésique topique qui contient de la lidocaïne. Les anesthésiques topiques agissent en causant une perte de sensibilité ou un engourdissement temporaires dans la région où ils sont appliqués. On utilise Xylocaine visqueuse en vue de produire une perte temporaire de sensibilité dans une partie du corps avant que le médecin effectue certains examens.

Xylocaine visqueuse peut également:

- soulager la douleur et les malaises associés à une irritation de la gorge, comme après l'ablation des amygdales;
- soulager d'autres états douloureux affectant la bouche, la gorge ou l'œsophage;
- produire une perte de sensibilité dans la gorge avant que le médecin effectue certains examens.

Xylocaine visqueuse devrait commencer à agir environ 5 minutes après l'application, et son effet dure habituellement de 20 à 30 minutes.

Que contient Xylocaine visqueuse? Xylocaine visqueuse contient du chlorhydrate de lidocaïne, qui est l'ingrédient actif, de la carboxyméthylcellulose sodique, du méthylparabène, du propylparabène, de l'amaranthe, de l'hydroxyde de sodium et/ou de l'acide chlorhydrique.

Vérifiez auprès de votre médecin si vous pensez être sensible à l'une de ces substances.

Que dire au médecin ou au pharmacien avant d'utiliser Xylocaine visqueuse? Assurez-vous d'avoir mentionné à votre médecin ou à votre pharmacien:

- tous les problèmes de santé que vous avez présentement ou avez eus dans le passé;
- tous les autres médicaments que vous prenez, y compris les médicaments sans ordonnance;
- si vous avez déjà eu une mauvaise réaction ou une réaction allergique ou inhabituelle à Xylocaine visqueuse ou à tout autre médicament dont le nom finit par «caïne»;
- si vous pensez être allergique ou sensible à des ingrédients de Xylocaine visqueuse (voir la liste plus haut);
- si vous avez une infection, une éruption cutanée, une coupure ou une blessure dans la région où vous désirez appliquer Xylocaine visqueuse ou près de celle-ci;
- si vous avez une maladie de peau qui est grave ou qui couvre une grande surface;
- si vous avez une maladie grave du cœur, des reins ou du foie;
- si vous êtes enceinte ou avez l'intention de le devenir, ou si vous allaitez.

Comment utiliser Xylocaine visqueuse correctement? Si ce médicament est recommandé par votre médecin, il est important de suivre ses instructions. Si vous décidez vous-même d'utiliser ce médicament, suivez les instructions ci-dessous. Si vous avez des questions, consultez votre médecin ou votre pharmacien.

Xylocaine visqueuse est présentée dans des flacons de 50 et de 100 mL.

Les directives générales suivantes concernent la quantité maximale de Xylocaine visqueuse qui peut être utilisée sans consulter un médecin. Elles ne s'appliquent qu'aux personnes en bonne santé, sauf pour l'état à traiter. Si vous avez des problèmes de peau ou d'autres troubles qui exigent une supervision médicale, demandez à votre médecin de vous indiquer la quantité maximale de Xylocaine visqueuse à utiliser.

Bien agiter le flacon afin d'obtenir une dose uniforme de médicament à chaque utilisation.

- Utiliser la plus petite quantité permettant de maîtriser les symptômes.
- Lorsqu'on utilise le produit dans la bouche ou la gorge, tenter de prolonger le contact de Xylocaine visqueuse avec la région affectée. Par exemple, pour le traitement d'une lésion dans la bouche, se rincer la bouche avec la solution, puis la cracher. Cependant, pour une irritation de la gorge, se rincer le fond de la gorge avec la solution ou se gargariser, puis l'avaler.
- Éviter de boire de l'eau ou toute autre boisson immédiatement après avoir utilisé Xylocaine visqueuse, car cela atténuera l'effet du médicament.

Dose pour adultes: La dose efficace habituelle pour adultes est de 5 à 10 mL à la fois. Ne pas utiliser cette quantité plus de 6 fois par période de 24 heures. En général, il n'y a pas de risque à prendre une dose orale de 15 mL de Xylocaine visqueuse.

Dose pour enfants de moins de 12 ans: La dose est établie selon le poids de l'enfant. Ne pas utiliser plus de 1 mL par 5 kg de poids corporel par dose. L'enfant doit cracher tout excès de solution. Ne pas donner plus de 4 doses par période de 12 à 24 heures.

Dose pour enfants de moins de 3 ans: Les enfants de moins de 3 ans peuvent faire l'objet de considérations particulières. Chez les enfants de ce groupe d'âge, l'utilisation de Xylocaine visqueuse **exige** la supervision d'un médecin. Appliquer la solution sur la région à traiter à l'aide d'un coton-tige. Ne pas donner plus de 4 doses par période de 12 à 24 heures.

- Si vous ne savez pas comment mesurer les quantités mentionnées plus haut, consultez votre pharmacien.
- Si vous décidez vous-même d'utiliser Xylocaine visqueuse et que votre état ne semble pas s'améliorer après 3 à 5 jours, demandez à votre médecin si vous devez poursuivre le traitement.

Ne pas utiliser Xylocaine visqueuse plus souvent ni plus longtemps que ne le recommande le médecin ou le présent dépliant.

Y a-t-il des effets secondaires? Comme tout médicament, Xylocaine visqueuse peut produire des effets secondaires chez certaines personnes. Les symptômes suivants pourraient vouloir dire que vous êtes hypersensible à Xylocaine visqueuse: rougeur, démangeaison ou enflure de la peau, urticaire, sensation de brûlure, de picotement, ou tout autre problème de peau, enflure au niveau du cou ou difficulté à respirer, qui ne s'étaient pas manifestés avant l'utilisation de ce médicament.

L'utilisation excessive de Xylocaine visqueuse peut causer des effets secondaires sérieux, dont: somnolence, engourdissement de la langue, sensation de tête légère, bourdonnement d'oreilles, vision brouillée, vomissements, étourdissements, ralentissement inhabituel des battements cardiaques, évanouissement, nervosité, transpiration inhabituelle, tremblements ou convulsions.

Ces réactions sont extrêmement rares et supposent généralement l'utilisation de grandes quantités de Xylocaine visqueuse pendant de longues périodes.

Faites preuve de prudence si vous utilisez Xylocaine visqueuse dans la bouche ou la gorge, puisqu'il pourrait être difficile d'avaler en raison de l'engourdissement dû au médicament. L'engourdissement de la langue ou des gencives peut également accroître le risque de morsure.

Les médicaments n'affectent pas tout le monde de la même façon. Même si d'autres personnes ont ressenti des effets secondaires, cela ne veut pas dire que vous en aurez aussi. Si des effets secondaires vous incommodent, ou si vous subissez une réaction inhabituelle au cours d'un traitement avec Xylocaine visqueuse, cessez d'utiliser ce médicament et consultez votre médecin ou votre pharmacien dans les plus brefs délais.

Quoi faire en cas de surdosage? En cas de surdosage avec Xylocaine visqueuse, ou si vous ou toute autre personne croyez ressentir un des signes énumérés ci-dessus, appelez votre médecin ou rendez vous immédiatement à l'hôpital le plus proche.

Où faut-il garder Xylocaine visqueuse? Il faut toujours **garder Xylocaine visqueuse hors de la portée des enfants.**

Garder Xylocaine visqueuse à la température ambiante. Éviter le gel. Ne pas garder Xylocaine visqueuse dans la pharmacie de la salle de bains ou dans un endroit chaud et humide.

Ne pas utiliser Xylocaine visqueuse passé la date de péremption figurant sur la boîte.

Remarque importante: Ce dépliant vous signale certaines situations où vous devez appeler le médecin. D'autres situations imprévisibles peuvent se produire. Rien dans ce dépliant ne vous empêche de communiquer avec votre médecin pour lui poser des questions ou lui parler de vos inquiétudes au sujet de Xylocaine visqueuse.

□ ZADITEN® Ⓟ

Novartis Pharma

Fumarate de kétotifène

Agent prophylactique de l'asthme infantile— Agent antiallergique

Renseignements destinés aux patients ou à leurs parents: Zaditen est un nouveau type de médicament contre l'asthme qui, administré chaque jour par voie orale, peut diminuer la fréquence, la gravité et la durée des symptômes ou des crises d'asthme chez les enfants.

Si votre médecin a prescrit Zaditen à votre enfant, c'est pour mieux maîtriser son asthme ou encore pour diminuer la quantité des autres médicaments antiasthmatiques qu'il prend quotidiennement.

Zaditen est administré par voie orale, 2 fois/jour. **Zaditen ne soulage pas la crise d'asthme aiguë;** en cas de crise grave, le recours aux bronchodilatateurs par inhalation demeurera donc nécessaire afin d'obtenir un soulagement rapide des symptômes.

Important:

- Si les symptômes de la maladie s'aggravent, communiquez immédiatement avec votre médecin.
- Ce médicament est destiné à soulager uniquement le problème de santé actuel de votre enfant. Il ne doit pas être administré à d'autres personnes ni être utilisé à d'autres fins, à moins que le médecin n'en décide autrement.
- Comme tous les médicaments, Zaditen doit être gardé hors de la portée des jeunes enfants.
- N'abandonnez pas le traitement par Zaditen sans consulter votre médecin. Pour obtenir de plus amples renseignements sur Zaditen, adressez-vous à votre médecin, à un membre du personnel infirmier ou à votre pharmacien.

Précautions: Afin d'être en mesure d'opter pour le meilleur traitement possible, votre médecin doit savoir si votre enfant:

- a déjà eu une réaction allergique ou inhabituelle à Zaditen, aux benzoates ou à tout autre composant du produit (voir la rubrique «Ingrédients»);
- prend actuellement un antidiabétique oral.

Zaditen ne devrait pas être administré à la femme enceinte ni à celle qui allaite.

Utilisation judicieuse du médicament: Zaditen agit progressivement sur la chaîne des événements aboutissant à la crise d'asthme. Aussi, vous devez prévoir au moins 10 semaines **d'emploi continu** avant de pouvoir constater, de concert avec votre médecin, que le médicament atténue effectivement les symptômes de l'asthme.

Avec le temps, les symptômes de votre enfant devraient s'atténuer et l'utilisation des bronchodilatateurs par inhalation devrait être moins fréquente, car Zaditen agit de façon continue afin de prévenir les crises d'asthme. Cependant, le traitement par Zaditen doit se poursuivre même si les symptômes s'améliorent. Si vous estimez qu'une diminution de la dose des autres antiasthmatiques serait opportune, vous devez en discuter avec votre médecin.

Effets secondaires de Zaditen: Aux bienfaits de Zaditen viennent parfois se greffer des manifestations indésirables. Cela dit, les effets secondaires éventuels ne nécessitent habituellement pas l'intervention d'un médecin. Parmi ces réactions, on trouve la somnolence, le gain de poids, les éruptions cutanées, la sécheresse de la bouche, les étourdissements, les nausées et les maux de tête. Si l'un de ces effets secondaires devient trop gênant, consultez votre médecin.

La somnolence parfois ressentie au début du traitement par Zaditen est habituellement temporaire et s'atténue au fur et à mesure que l'enfant s'adapte au médicament. La prise simultanée de Zaditen et de sédatifs, d'hypnotiques, d'antihistaminiques ou d'alcool peut accentuer la somnolence. L'enfant somnolent peut éprouver de la difficulté à mener à bien des activités nécessitant de l'attention; les enfants plus âgés prenant Zaditen ne devraient pas conduire de véhicule ni utiliser de machines dangereuses.

Ingrédients: Comprimés: phosphate de calcium hydrogéné, fumarate de kétotifène hydrogéné, stéarate de magnésium, amidon de maïs.

Sirop: alcool, acide citrique, fumarate de kétofitène hydrogéné, p-hydroxybenzoate de méthyl, p-hydroxybenzoate de propyle, phosphate de sodium, sorbitol en solution, saccharose, parfum de fraise, eau.

□ ZANTAC® 75

Glaxo Wellcome

Chlorhydrate de ranitidine

Antagoniste des récepteurs H_2 de l'histamine

Renseignements destinés aux patients: Qu'est-ce que Zantac 75? Zantac 75 est un nouveau produit qui contient de la ranitidine à une teneur qui en permet la vente sans ordonnance. Prescrite plus de 200 millions de fois par des médecins du monde entier, la ranitidine constitue le réducteur d'acide le plus vendu au monde.

Zantac 75 traite et apaise les sensations de brûlure et de malaise associées aux brûlures d'estomac, à l'indigestion acide ainsi qu'aux dérangements et aux aigreurs d'estomac, procurant un soulagement rapide et efficace. Zantac 75 réduit et maîtrise l'acidité gastrique pendant une période allant jusqu'à 12 heures, aussi bien le jour que la nuit.

Zantac 75 peut également prévenir efficacement les symptômes associés aux brûlures d'estomac et à l'indigestion acide lorsqu'on le prend de 30 à 60 minutes avant de manger ou de boire.

Zantac 75 agit en réduisant la production excessive d'acide gastrique, qui cause les sensations de brûlure et de malaise associées aux brûlures d'estomac et à l'indigestion acide. Voilà ce qui fait la différence entre Zantac 75 et les antiacides, qui ne font que neutraliser l'acide de l'estomac. Les antiacides ne réduisent pas la production excessive d'acide gastrique.

Quels symptômes Zantac 75 peut-il soulager, traiter et prévenir? Zantac 75 soulage rapidement, traite et prévient les symptômes suivants, aussi bien le jour que la nuit:

- Brûlures d'estomac
- Indigestion acide
- Dérangements et aigreurs d'estomac

Devriez-vous prendre Zantac 75? Veuillez consulter votre médecin ou votre pharmacien avant de prendre Zantac 75:

- si vous êtes allergique à la ranitidine ou à tout autre ingrédient des comprimés Zantac 75;
- si vous souffrez d'ulcère gastrique ou duodénal;
- si vous avez de la difficulté à avaler ou éprouvez un malaise abdominal persistant;
- si vous prenez des anti-inflammatoires non stéroïdiens (AINS), car ces médicaments peuvent être à l'origine de vos symptômes;
- si vous êtes enceinte ou si vous allaitez;
- si vous avez des troubles rénaux;
- si vous souffrez de porphyrie (trouble sanguin rare);
- si vous perdez du poids de façon non intentionnelle par suite d'une indigestion acide;
- si vous avez plus de 40 ans et que vous éprouvez de nouveaux symptômes de brûlures d'estomac ou d'indigestion acide ou avez observé une modification récente de vos symptômes;
- si vous souffrez de tout autre trouble et prenez des médicaments d'ordonnance ou voyez un médecin régulièrement;
- si vous avez moins de 16 ans.

Comment prendre les comprimés Zantac 75? Adultes et enfants de 16 ans et plus: prenez 1 comprimé au besoin. Prenez un second comprimé si les symptômes réapparaissent. Ne prenez pas plus de 2 comprimés en 24 heures. Si les symptômes persistent pendant plus de 2 semaines consécutives, consultez votre médecin.

Pour la prévention des symptômes déclenchés par la consommation d'aliments ou de boissons, prenez 1 comprimé de 30 à 60 minutes avant de prendre un repas susceptible de provoquer ces symptômes.

Zantac 75 et les antiacides vendus sur ordonnance doivent être pris à 1 heure d'intervalle.

Que pouvez-vous faire pour contribuer à réduire vos symptômes?

- évitez de vous allonger peu de temps après avoir mangé;
- si vous avez un surplus de poids, tentez de perdre du poids;
- si vous fumez, arrêtez complètement ou diminuez le nombre de cigarettes que vous fumez;
- interrompez ou réduisez votre consommation d'aliments tels que: caféine (café, thé et cola), chocolat, aliments frits, gras ou épicés et alcool.

Zantac 75 (suite)

Comment devez-vous conserver Zantac 75? Conservez ce médicament dans un endroit sûr, hors de la portée des enfants. Conservez-le à la température ambiante (entre 2 et 30 °C).

Que contient Zantac 75? Chaque comprimé contient 75 mg de ranitidine, sous forme de chlorhydrate de ranitidine. Il contient également les excipients suivants: cellulose microcristalline, stéarate de magnésium, hydroxypropylméthylcellulose, bioxyde de titane, oxyde de fer et triacétine. Zantac 75 ne contient ni sodium ni sucre.

Questions? Si vous avez des questions concernant Zantac 75, consultez votre pharmacien ou votre médecin, ou encore, composez le 1 800 661-4659.

□ ZESTRIL® Ⓟ

Zeneca

Lisinopril

Inhibiteur de l'enzyme de conversion de l'angiotensine

Renseignements destinés aux patients: Zestril (principe actif: lisinopril) appartient à une classe de médicaments appelés inhibiteurs de l'enzyme de conversion de l'angiotensine (ou inhibiteurs de l'ECA).

Zestril est utilisé pour le traitement de l'hypertension artérielle, de l'insuffisance cardiaque et des patients ayant subi une crise cardiaque. Ce médicament et sa posologie vous ont été prescrits pour soigner la maladie dont vous souffrez.

Zestril agit sur l'angiotensine II présente dans votre organisme, et relâche vos vaisseaux sanguins pour améliorer le débit sanguin, ce qui a pour effet d'alléger le travail du cœur et de réduire la pression exercée sur les artères. Ces 2 effets sont encore plus importants chez les patients qui sont traités pour une crise cardiaque ou une insuffisance cardiaque.

Il est important de traiter l'hypertension artérielle, car cette anomalie peut entraîner des lésions de divers organes, en particulier le cœur, les reins, les yeux et le cerveau. Zestril est également proposé pour le traitement de l'insuffisance cardiaque. Ce syndrome reflète l'incapacité du cœur à satisfaire les besoins de l'organisme. Les patients qui ont subi une crise cardiaque récente peuvent eux aussi bénéficier des effets favorables de Zestril, qui a démontré sa capacité à réduire les complications associées à la crise cardiaque.

L'hypertension artérielle est un mal invisible, il est donc important de prendre Zestril régulièrement, en suivant attentivement les indications de votre médecin. N'oubliez pas que le traitement de l'hypertension est un processus à long terme et que seul un traitement régulier et des modifications de votre hygiène de vie pourront être bénéfiques.

Avant de commencer à prendre Zestril: Votre médecin devrait avoir tenu compte de nombreux facteurs avant de vous prescrire Zestril. Si un ou plusieurs des cas suivants s'appliquent à vous, il est important d'en informer votre médecin ou votre pharmacien.

- Vous ou un membre de votre famille avez déjà fait une réaction allergique à un médicament (sur ordonnance ou non).
- Vous–ou même un membre de votre famille–avez déjà fait une réaction allergique à Zestril ou à l'un de ses ingrédients ou encore à un autre inhibiteur de l'ECA.
- Vous êtes enceinte, vous allaitez ou vous envisagez de tomber enceinte (tous les inhibiteurs de l'ECA peuvent avoir des effets néfastes sur le fœtus/bébé).
- Vous avez eu des problèmes cardiaques (sténose aortique ou cardiomyopathie hypertrophique).
- Vous prenez d'autres médicaments pour l'hypertension ou d'autres problèmes de santé–même sans ordonnance (il est important de le signaler à votre médecin car certains médicaments peuvent interagir avec Zestril et atténuer l'efficacité recherchée).
- Votre pression artérielle est basse. Cela se manifeste par des vertiges ou des étourdissements.
- Vous prenez des succédanés du sel.
- Vous avez des problèmes rénaux (sténose de l'artère rénale, p. ex.).
- Lorsque vous avez commencé le traitement par Zestril, prévenez toujours votre médecin ou votre dentiste avant une opération chirurgicale. Informez toujours votre pharmacien des médicaments que vous prenez.

Comment dois-je prendre Zestril? Zestril a une longue durée d'action, il se prend donc une fois par jour. Il est important que vous preniez votre médicament à la même heure tous les jours. Vous vous en souviendrez plus facilement si vous le prenez à l'heure des repas. Prenez la dose prescrite avec un verre d'eau.

Si vous sautez une dose, prenez-la dès que vous vous en serez rendu compte. Mais s'il est déjà temps de prendre la dose suivante, sautez le comprimé oublié et retournez à votre calendrier normal. **Ne doublez jamais les doses.**

N'arrêtez pas le traitement, sauf sur avis de votre médecin. En raison des risques d'effets néfastes, Zestril **ne convient pas aux enfants**. Ne laissez jamais vos médicaments à la portée des enfants.

Comment dois-je conserver Zestril? Conserver Zestril dans un endroit sec à la température ambiante. Évitez de conserver vos médicaments dans la cuisine ou la salle de bains. Rangez Zestril et tous vos médicaments hors de portée des enfants. **Chaque comprimé contient suffisamment de produit actif pour nuire à un enfant.**

Quels sont les effets secondaires possibles? Comme c'est le cas pour tous les médicaments, Zestril peut s'accompagner d'effets secondaires. Il est important que vous sachiez à quoi vous attendre. Il est possible que vous n'en ressentiez aucun, mais vous devez tout de même être à l'écoute de votre corps et être informé.

Certains effets sont courants et légers–ils disparaissent généralement avec la poursuite du traitement.

- il est possible que la première dose provoque une chute plus importante de la pression artérielle que la poursuite du traitement. Vous éprouverez peut-être des vertiges ou des étourdissements, en particulier après vous être redressé ou avoir grimpé des escaliers trop rapidement.
- maux de tête
- diarrhée
- chez certains patients, Zestril peut provoquer somnolence ou fatigue. **Ne pas conduire d'automobile ou travailler sur des machines avant de connaître votre réaction au médicament.**
- nausées
- toux

Si l'un de ces effets devient gênant, signalez-le à votre médecin. Il existe des moyens d'en atténuer l'intensité.

D'autres effets moins fréquents sont possibles, parmi lesquels:

- sensation de faiblesse
- vomissements
- éruption cutanée
- sensation de fatigue excessive pendant la journée ou difficulté à trouver le sommeil la nuit
- engourdissement ou picotement dans les doigts et les orteils
- vertige–vous avez l'impression d'avoir la tête qui tourne

Les effets suivants sont plus rares et aussi plus longs à se manifester. Signalez-les immédiatement à votre médecin.

- jaunisse (coloration jaune des yeux ou de la peau)
- fortes douleurs abdominales
- production d'urine réduite ou nulle
- indigestion
- symptômes grippaux (douleurs musculaires, douleurs, mal de gorge, fièvre, malaise) persistant pendant de longues périodes

Exceptionnellement, certains patients ne supportent pas les inhibiteurs de l'ECA, même lorsque le médecin a pris en compte de nombreux facteurs. Arrêtez immédiatement le traitement par Zestril et consultez un médecin dans les cas suivants:

- gonflement du visage, des mains, des pieds, des chevilles, de la langue ou de la gorge
- difficulté respiratoire **avec ou sans** gonflement du visage, des mains, des pieds, des chevilles, de la langue ou de la gorge
- éruption cutanée grave avec saillies sur la peau

Quels sont les ingrédients contenus dans les comprimés Zestril? Chaque comprimé de Zestril contient du lisinopril (principe actif) et divers ingrédients inactifs: amidon de maïs, amidon de maïs prégélifié, mannitol, oxyde de fer rouge, phosphate acide de calcium et stéarate de magnésium.

Qui fabrique votre médicament? Votre médicament est fabriqué par Zeneca Pharmaceuticals, 2505 Meadowvale Blvd., Mississauga, ON L5N 5R7.

Les informations contenues sur ce feuillet concernent votre médicament, Zestril. **Si vous avez des questions ou si vous avez besoin d'éclaircissements, n'hésitez pas à vous adresser à votre médecin ou votre pharmacien.**

□ ZOCOR® 🄿

Frosst

Simvastatine

Régulateur du métabolisme lipidique

Renseignements destinés aux patients: Seuls le médecin et le pharmacien peuvent obtenir sur demande la monographie du médicament.

Zocor est la marque déposée utilisée par Merck Frosst Canada Inc. pour la substance appelée simvastatine. **Zocor ne peut s'obtenir que sur ordonnance du médecin.** La simvastatine fait partie de la classe de médicaments connus sous le nom **d'inhibiteurs** de l'HMG-CoA réductase. Ces composés **inhibent** ou, en d'autres mots, bloquent une enzyme dont l'organisme a besoin pour produire le cholestérol. De cette façon, le foie fabrique moins de cholestérol.

Lorsqu'il est nécessaire d'abaisser le taux de cholestérol, le médecin tente habituellement de maîtriser l'affection appelée hypercholestérolémie en prescrivant d'abord un régime alimentaire et en suivant le patient de près. Votre médecin vous recommandera peut-être de faire des exercises physiques et de maîtriser votre poids. Des médicaments comme Zocor sont prescrits **en plus et non en remplacement** du régime alimentaire et d'autres mesures. La simvastatine abaisse les taux sanguins de cholestérol (en particulier le cholestérol lié aux lipoprotéines de basse densité [LDL]).

Un taux élevé de cholestérol peut causer une maladie coronarienne en obstruant les vaisseaux sanguins qui transportent l'oxygène et les produits nutritifs au cœur. Si vous souffrez d'une maladie coronarienne et que votre taux de cholestérol est élevé, votre médecin vous a prescrit Zocor pour prolonger votre vie, réduire le risque de crise cardiaque et réduire le risque d'avoir à subir une intervention chirurgicale visant à assurer une meilleure irrigation du cœur. Cependant, on ne connaît pas encore exactement les effets de Zocor sur la prévention des crises cardiaques ou des maladies des vaisseaux sanguins et du cœur **chez les patients qui n'ont jamais souffert de ces affections**. Toutefois, des études et des travaux de recherche sont en cours sur ce sujet.

Important—Ce médicament est prescrit pour un problème de santé particulier et pour votre usage personnel seulement. **Ne pas le donner à d'autres personnes ni l'utiliser pour traiter d'autres affections.**

Ne pas prendre le médicament après la date d'expiration indiquée sur l'emballage. Conserver les comprimés Zocor dans un contenant hermétiquement clos, à l'abri de la chaleur et de la lumière directe. Garder tous les médicaments hors de la portée des enfants.

Lire attentivement les informations qui suivent. **Si vous désirez obtenir des explications ou de plus amples renseignements, vous pouvez vous adresser à votre médecin ou à votre pharmacien.**

Avant de prendre ce médicament: Il est possible que ce médicament ne convienne pas à certaines personnes. Informez donc votre médecin si **l'un ou l'autre** des énoncés suivants vous concernent:

- Si vous avez déjà pris de la simvastatine ou un autre médicament de la même classe, par exemple la fluvastatine (Lescol), la lovastatine (Mevacor) ou la pravastatine (Pravachol), et si vous avez fait une allergie à l'un de ces produits ou encore si vous les tolérez mal.
- **Si vous êtes enceinte ou si vous envisagez de le devenir.** Ce médicament **ne doit pas** être pris durant la grossesse.
- Si vous allaitez ou si vous avez l'intention de le faire.
- Si vous souffrez d'une maladie du foie.

Votre médecin doit aussi savoir si vous prenez d'autres médicaments, qu'il s'agisse de médicaments délivrés sur ordonnance ou obtenus en vente libre. Vous devez l'informer si vous prenez l'un des médicaments suivants:

- de la cyclosporine (Sandimmune), du gemfibrozil (Lopid), de la niacine (acide nicotinique) utilisée à des doses hypolipidémiantes, des corticostéroïdes, des anticoagulants (médicaments qui éclaircissent le sang, p. ex. de la warfarine [Warfilone]), de la digoxine, de l'érythromycine ou un antifongique (itraconazole) ou de la néfazodone (Serzone).

On n'a pas encore établi l'innocuité de Zocor chez les adolescents et les enfants.

Mode d'emploi du médicament:

- Zocor doit être pris **exactement** selon les directives du médecin. On recommande habituellement de le prendre en une seule dose, avec le repas du soir.
- Si vous oubliez de prendre un comprimé, prenez-le dès que vous vous apercevez de votre oubli, à moins que cette dose ne se trouve trop rapprochée de la suivante; ne prenez alors que la dose prescrite au moment indiqué. **Ne prenez pas une double dose de Zocor.**
- Conformez-vous rigoureusement aux recommandations du médecin en matière de régime alimentaire, d'exercice physique et de maîtrise du poids.
- Il importe de toujours prendre les comprimés selon les directives du médecin. **Ne modifiez pas la posologie et n'interrompez pas le traitement sans consulter le médecin.**
- Respectez le calendrier des visites établi par le médecin afin que les analyses de laboratoire nécessaires soient effectuées et que le médecin puisse juger de l'amélioration de votre état aux intervalles appropriés.
- Évitez la consommation excessive d'alcool.
- **Ne prenez pas d'autres médicaments,** sans en avoir d'abord discuté avec votre médecin.
- Prévenez votre médecin si vous souffrez d'une blessure ou d'une infection graves.
- Prévenez votre médecin dans le cas où vous devez subir une intervention chirurgicale, de quelque type qu'elle soit. Faites aussi savoir au médecin traitant que vous prenez Zocor.
- Conservez les comprimés à la température ambiante (15 à 30 °C), dans un contenant hermétiquement clos, à l'abri de la chaleur et de la lumière directe. Évitez aussi de les garder dans un endroit humide, telles la salle de bain et la cuisine.

Effets secondaires—Ce qu'il faut faire: En plus de l'effet escompté, tout médicament est susceptible de produire des effets secondaires. Pour la plupart des gens, un traitement médicamenteux n'entraîne pas de problème, mais si l'une des réactions suivantes survenait, **consultez votre médecin le plus tôt possible:** douleur ou crampe musculaire, fatigue ou faiblesse, fièvre, vision brouillée.

D'autres effets seccondaires peuvent se manifester dans certains cas, mais ils n'exigent généralement pas que vous consultiez votre médecin. Ces réactions peuvent apparaître et disparaître au cours du traitement. Cependant si elles persistent ou deviennent incommodantes, **vous devez les signaler à votre médecin ou à votre pharmacien.** Ces réactions comprennent: constipation, diarrhée, flatulence, troubles digestifs, nausées, douleur abdominale, maux de tête, éruptions cutanées.

Certaines personnes peuvent éprouver d'autres effets secondaires. Consultez votre médecin ou votre pharmacien dès l'apparition de **toute réaction inhabituelle.**

Ingrédients: Ingrédient actif: Les comprimés Zocor renferment de la simvastatine et sont offerts en 4 teneurs: 5 mg (chamois), 10 mg (pêche), 20 mg (ocre) et 40 mg (rouge brique).

Ingrédients non médicinaux: acide ascorbique, acide citrique, amidon prégélifié, butylhydroxyanisol, cellulose microcristalline, dioxyde de titane, hydroxypropylcellulose, lactose, méthylcellulose, oxyde ferrique jaune (5, 10 et 20 mg seulement), oxyde ferrique rouge (10, 20 et 40 mg seulement), stéarate de magnésium et talc.

□ ZOFRAN® 🄿

Glaxo Wellcome

Chlorhydrate d'ondansétron dihydraté

Antiémétique

Renseignements destinés aux patients: Ce que vous devez savoir sur les comprimés et la solution orale Zofran: Veuillez lire ce feuillet attentivement avant de commencer à prendre votre médicament.

Vous y trouverez un résumé des caractéristiques du produit. Pour de plus amples renseignements, consultez votre médecin ou votre pharmacien.

Comment s'appelle votre médicament? Votre médicament en comprimés s'appelle Zofran (chlorhydrate d'ondansétron dihydraté). Il fait partie des antiémétiques.

Zofran ne peut être obtenu que sur ordonnance.

À quoi sert votre médicament? Zofran est destiné à prévenir les nausées (sensation de malaise) et les vomissements qui peuvent se produire au cours d'une chimiothérapie anticancéreuse ou d'une radiothérapie ou après une anesthésie générale au cours d'une chirurgie.

On croit que ces traitements entraînent la libération d'une substance naturelle (sérotonine), qui peut provoquer des nausées et des vomissements. Zofran empêche la libération de cette substance et aide à prévenir les nausées et les vomissements.

Zofran (suite)

Vous êtes enceinte ou vous allaitez? Normalement, il est préférable de s'abstenir de prendre ce médicament si vous êtes enceinte, que vous prévoyez le devenir ou que vous allaitez. Cependant, dans certains cas, il peut arriver que votre médecin vous recommande de le prendre même si vous êtes enceinte.

Comment prendre votre médicament: Sur l'étiquette du contenant de votre médicament, vous devriez trouver des renseignements sur le nombre de comprimés ou de cuillerées à thé à prendre en une ou plusieurs fois, pendant la journée. Si tel n'est pas le cas ou si vous avez des doutes, consultez votre médecin ou votre pharmacien.

Ne prenez **pas** vos comprimés ou votre solution orale plus souvent que le médecin vous l'a prescrit. Si cependant, vous vomissez dans l'heure qui suit la prise du médicament, vous devriez en prendre une autre dose. Si vous continuez à vomir, consultez votre médecin.

Après avoir pris votre médicament: Si vous éprouvez une respiration sifflante, une oppression dans la poitrine, des palpitations, un gonflement des lèvres, de la figure ou des paupières, une éruption cutanée, des boursouflures sur le corps ou de l'urticaire, **consultez votre médecin immédiatement. Cessez de prendre votre médicament, sauf si votre médecin vous le prescrit.**

Quand vous prenez Zofran, il est possible que vous éprouviez des maux de tête, une sensation de chaleur à la figure ou à l'estomac, des bouffées de chaleur ou de la constipation. Si tel est le cas, il n'est pas nécessaire de cesser de prendre votre médicament, mais vous devriez en informer votre médecin à votre prochaine visite.

Si vos nausées (sensations de malaise) ou vos vomissements persistent après avoir pris Zofran, consultez votre médecin.

Si vous ne vous sentez pas bien ou que vous présentez des symptômes que vous ne comprenez pas, vous devriez consulter votre médecin immédiatement.

Que faire en cas de surdosage? Si, par accident, vous ingérez davantage de comprimés ou de cuillerées à thé qu'il a été prescrit, communiquez immédiatement avec votre médecin, le service d'urgence de l'hôpital ou le centre antipoison le plus près de chez vous.

Pour conserver votre médicament: Gardez votre médicament hors de la portée des enfants, car il peut leur être nuisible.

Vos comprimés Zofran doivent être conservés à la température ambiante, dans un contenant bien fermé et à l'abri de la lumière. Ne pas réfrigérer ni congeler.

Votre solution orale Zofran doit être conservée dans son flacon, en position verticale à la température ambiante. Ne pas réfrigérer ni congeler. Ne pas renverser le flacon sur le côté.

Que faire si vous oubliez de prendre votre médicament? Si vous avez oublié de prendre une dose et que vous n'avez pas de nausées, prenez la dose suivante au moment prévu.

Par contre, si vous vous sentez mal ou que vous vomissez, prenez une dose aussitôt que possible.

Que faire si vous arrêtez de prendre votre médicament? Si votre médecin décide d'interrompre le traitement, ne conservez pas vos comprimés, sauf si le médecin vous le demande.

Que contient votre médicament? Les comprimés Zofran sont offerts en 2 concentrations: 4 mg et 8 mg d'ondansétron. Votre médecin décidera laquelle des 2 concentrations convient le mieux à votre état. Ces comprimés contiennent également du lactose, de la cellulose microcristalline, de l'amidon prégélatinisé, du stéarate de magnésium, de l'hydroxypropylméthylcellulose et une petite quantité de colorant jaune Opaspray ou Opadry.

La solution orale Zofran est offerte en flacons dans une concentration, soit 4 mg d'ondansétron par cuillerée à thé. Votre médecin décidera du nombre de cuillerées à thé que vous devez prendre. La solution orale contient aussi de l'acide citrique, du benzoate de sodium, du citrate de sodium dihydraté et un arôme de fraise. Sans sucre, la solution orale Zofran est édulcorée avec du sorbitol.

N'oubliez pas: C'est à vous que ce médicament a été prescrit. Seul un médecin peut vous le prescrire. Il peut être dangereux de donner vos comprimés à quelqu'un d'autre, même si ses symptômes ressemblent aux vôtres.

Pour plus de renseignements: Ce feuillet ne contient pas tous les renseignements sur votre médicament. Si vous avez des questions qui demeurent sans réponse ou que certains détails vous inquiètent, consultez votre médecin ou votre pharmacien.

Vous pourriez avoir besoin de relire ce feuillet plus tard. Alors **ne le jetez pas** tant que vous n'aurez pas fini de prendre tous vos comprimés.

☐ ZOLADEX® Ⓟ

Zeneca

Acétate de goséréline

Analogue de la LH-RH

Renseignements destinés aux patients: Gardez tout médicament hors de la portée des enfants.

Zoladex (acétate de goséréline) est un médicament contenant 3,6 mg de goséréline sous la forme d'un dépôt dur, de couleur crème et en forme de bâtonnet. Votre médecin vous a prescrit Zoladex et les renseignements ci-dessous sont destinés à vous aider à bien profiter du traitement. Ces renseignements ne sont pas destinés à remplacer ceux que votre médecin vous a donnés, parce que chaque cas est unique; c'est pourquoi vous devez suivre ses directives avec soin. Si vous avez des problèmes, contactez votre médecin ou votre pharmacien.

Le traitement Zoladex, donné tous les 28 jours, entraîne la suppression de vos hormones sexuelles. Cette action suppressive de Zoladex peut causer des problèmes comme des bouffées de chaleur et une diminution de la libido. S'ils persistent à vous gêner, consultez votre médecin.

La suppression de vos hormones sexuelles peut également entraîner une petite diminution de la teneur minérale de vos os, perte qui peut être en partie irréversible. Pour le traitement de l'endométriose, cette petite perte osseuse ne devrait pas être importante.

Toutefois, il existe certains facteurs qui risquent d'augmenter la possibilité de perte osseuse lorsque vous prenez un médicament comme Zoladex. Ces facteurs sont:

- Antécédents familiaux d'ostéoporose grave (affaiblissement des os et fractures)
- Autres médicaments susceptibles de causer un affaiblissement des os.

Vous devriez discuter de la possibilité d'ostéoporose ou d'affaiblissement de vos os avec votre médecin avant d'entreprendre un traitement avec Zoladex. Sachez également qu'il n'est pas recommandé de répéter le traitement, puisque cela peut augmenter le risque d'affaiblissement des os, particulièrement en présence des facteurs mentionnés ci-dessus.

Parfois, une réaction cutanée locale peut survenir au point d'injection, comme démangeaison, rougeur, brûlure et enflure. Ces réactions sont généralement légères et disparaissent au bout de quelques jours. Si elles s'aggravent ou qu'elles ne disparaissent pas, dites-le à votre médecin.

Femmes en préménopause: Les menstruations s'arrêtent avec l'injection mensuelle de Zoladex. Si des menstruations régulières persistent, avisez votre médecin. Si une injection de Zoladex a été sautée, il y a risque d'hémorragies utérines secondaires à l'œstrogénothérapie.

Ne pas prendre de Zoladex, si vous avez déjà fait une réaction allergique à Zoladex, si vous êtes enceinte, si vous allaitez ou avez des saignements vaginaux anormaux non diagnostiqués. La contraception n'est pas garantie pendant le traitement au Zoladex. Il faut donc éviter la grossesse en suivant une méthode contraceptive autre qu'hormonale. Après l'injection du dernier dépôt de Zoladex, la contraception non hormonale doit être continuée jusqu'au retour des règles ou pendant au moins 12 semaines (voir Contre-indications).

Cancéreux: Voyez votre médecin dès l'apparition d'une douleur grave ou qui s'aggrave, un engourdissement ou une faiblesse des membres ou une difficulté persistante à uriner (cancer de la prostate).

Toujours se rappeler:

1. Vérifiez avec votre médecin ou votre pharmacien avant de prendre tout autre médicament, y compris les médicaments en vente libre (pour le rhume, les nausées, etc.).
2. Si vous oubliez de vous faire injecter Zoladex au jour prescrit, c'est-à-dire à tous les 28 jours, faites-vous le administrer le plus tôt possible.
3. Il est très important que votre médecin vérifie votre progrès au cours de visites régulières. N'arrêtez pas votre traitement au Zoladex si vous vous sentez mieux, consultez d'abord votre médecin avant de décider de modifier votre traitement.
4. Si vous avez besoin d'autres renseignements, consultez votre médecin.

☐ ZOLADEX® LA ℞

Zeneca

Acétate de goséréline

Analogue de l'hormone de libération de la lutéinostimuline (Analogue de la LH-RH)

Renseignements destinés aux patients: Gardez tout médicament hors de la portée des enfants.

Zoladex LA (acétate de goséréline) est un médicament contenant 10,8 mg de goséréline sous la forme d'un dépôt dur, de couleur crème et en forme de bâtonnet. Votre médecin vous a prescrit Zoladex LA et les renseignements ci-après doivent vous permettre d'utiliser correctement ce médicament. Ils ne doivent en aucun cas se substituer aux recommandations de votre médecin, car chaque cas est unique. C'est pourquoi le respect de la prescription et des conseils du médecin est indispensable. En cas de problème, demandez conseil à votre médecin ou pharmacien.

Administré toutes les 12 semaines, le traitement Zoladex LA provoque l'inhibition des hormones sexuelles. Il est possible que les symptômes dont vous pourrez vous plaindre soient liés à cette action inhibitrice de Zoladex LA. Les principaux symptômes associés à l'inhibition des hormones sexuelles sont les bouffées de chaleur, la sensibilité et l'augmentation du volume mammaire, et la baisse de la libido.

Comme les autres médicaments, Zoladex LA peut avoir d'autres effets indésirables:

- Éruption cutanée
- Douleurs articulaires

Au tout début du traitement, vous ressentirez peut-être des douleurs osseuses. Dans ce cas, prévenez votre médecin, afin qu'il puisse vous prescrire un traitement adéquat. Exceptionnellement, vous pourrez éprouver de la difficulté à uriner ou ressentir des douleurs du bas du dos. Dans ce cas, prévenez votre médecin, afin qu'il puisse vous prescrire un traitement adéquat.

Si ces symptômes persistent, consultez votre médecin.

Parfois, une réaction cutanée locale peut survenir au point d'injection, comme démangeaison, rougeur, brûlure et enflure. Ces réactions sont généralement légères et disparaissent au bout de quelques jours. Si elles s'aggravent ou qu'elles ne disparaissent pas, dites-le à votre médecin.

Voyez votre médecin dès l'apparition d'une douleur grave ou qui s'aggrave, un engourdissement ou une faiblesse des membres ou une difficulté persistante à uriner.

Toujours se rappeler:

1. Vérifiez avec votre médecin ou votre pharmacien avant de prendre tout autre médicament, y compris les médicaments en vente libre (pour le rhume, les nausées, etc.).
2. Si vous oubliez de vous faire injecter Zoladex LA au jour prescrit, c'est-à-dire à toutes les 12 semaines, faites-le vous administrer le plus tôt possible.
3. Il est très important que votre médecin vérifie votre progrès au cours de visites régulières. N'arrêtez pas votre traitement par Zoladex LA si vous vous sentez mieux, consultez d'abord votre médecin avant de décider de modifier votre traitement.
4. Si vous avez besoin d'autres renseignements, consultez votre médecin.

☐ ZOLOFT^MD ℞

Pfizer

Chlorhydrate de sertraline

Antidépresseur—Antipanique—Antiobsessionnel

Renseignements destinés aux patients: Au patient: Veuillez lire ce qui suit avant de prendre votre médicament, même si ce n'est pas la première fois qu'on vous le prescrit.

Ce que vous devriez savoir au sujet de Zoloft: Zoloft (chlorhydrate de sertraline) appartient à une classe de médicaments appelés ISRS, ou inhibiteurs sélectifs du recaptage de la sérotonine.

Il vous a été prescrit pour soulager vos symptômes de dépression, de trouble panique ou de trouble obsessionnel-compulsif.

Ce que vous devez rapporter à votre médecin avant de prendre Zoloft:

- Toutes les maladies dont vous souffrez; dites-lui également si vous avez déjà eu des crises d'épilepsie ou une maladie du foie ou des reins.
- Tous les médicaments (d'ordonnance ou en vente libre) que vous prenez présentement, en particulier, les antidépresseurs, surtout ceux de la classe des inhibiteurs de la monoamine oxydase (sulfate de phénelzine ou de tranylcypromine, moclobémide, etc.), les médicaments prescrits pour le diabète ou pour éclaircir le sang (anticoagulant) et les médicaments contenant du tryptophane.
- Si vous êtes enceinte ou avez l'intention de le devenir ou si vous allaitez.
- Vos habitudes en matière de consommation d'alcool.

Comment prendre Zoloft: Il est très important que vous suiviez à la lettre les directives de votre médecin lorsque vous prenez Zoloft. La dose de départ habituelle pour le traitement de la dépression et du trouble obsessionnel-compulsif est de 50 mg/jour. Si vous prenez Zoloft pour le traitement du trouble panique, il se peut que votre médecin vous fasse commencer par une dose de 25 mg/jour.

Au cours du traitement, votre médecin peut également augmenter la dose s'il le juge nécessaire; celle-ci pourrait atteindre 200 mg/jour.

N'augmentez jamais la dose de Zoloft sans que votre médecin vous l'ait conseillé.

Vous devez continuer à prendre votre médicament, même si vous ne sentez aucune amélioration, car Zoloft peut prendre environ 4 semaines avant d'agir.

Vous devez prendre Zoloft avec de la nourriture, le matin ou le soir. Avalez la capsule tout rond; ne la mâchez pas.

Continuez à prendre Zoloft jusqu'à ce que votre médecin vous dise d'arrêter. Il se peut que votre médecin vous fasse prendre Zoloft pendant plusieurs mois. Suivez ses directives.

Si vous omettez une dose, ne vous en faites pas; vous n'avez qu'à prendre la prochaine, à l'heure habituelle; ne prenez pas 2 doses à la fois. Par contre, si vous omettez plusieurs doses, il est important que vous consultiez votre médecin.

Quand ne pas prendre Zoloft: Ne prenez pas Zoloft si vous êtes allergique à ce produit ou à n'importe quelle substance qui entre dans sa composition (voyez la liste des ingrédients à la fin de cette section). Cessez de prendre Zoloft et contactez votre médecin sans tarder si vous avez une réaction allergique ou des effets indésirables graves ou inhabituels.

Précautions à prendre: Il se peut que vous éprouviez certains effets secondaires comme des nausées, des maux de tête, une sécheresse de la bouche, de la diarrhée, des troubles du sommeil ou une perte d'appétit. Vous pourriez aussi éprouver de la somnolence (envie de dormir), des difficultés d'ordre sexuel, de la nervosité ou des tremblements. Consultez votre médecin si cela vous arrive ou si vous avez d'autres effets secondaires, car il se peut que l'on doive modifier la dose. **Zoloft ne devrait pas nuire à vos activités normales. Cependant, certains patients qui prennent Zoloft** éprouvent de la somnolence; si c'est votre cas, vous ne devriez pas conduire, ni faire fonctionner des machines qui peuvent être dangereuses. Évitez de prendre des boissons alcooliques durant le traitement par Zoloft.

Que faire en cas de surdose: Si vous avez pris beaucoup de capsules d'un coup, appelez tout de suite votre médecin, le service d'urgence d'un hôpital ou le centre antipoison le plus près de chez vous, même si vous ne vous sentez pas malade.

Comment conserver Zoloft: Conservez Zoloft dans un endroit sec, à la température ambiante (de 15 à 30 °C). Gardez le contenant hermétiquement fermé. Tenez-le hors de la portée des enfants. Si votre médecin décide d'interrompre le traitement par Zoloft, retournez à la pharmacie toutes les capsules qui vous restent, afin qu'on puisse les éliminer en toute sécurité. Gardez-les seulement si votre médecin vous le recommande.

Liste des ingrédients: Zoloft est offert en capsules à 25 mg (jaunes), à 50 mg (jaunes et blanches) et à 100 mg (orange). La sertraline est le principe actif. Les ingrédients non médicinaux comprennent: de l'amidon de maïs, du lactose (anhydre), du stéarate de magnésium et du laurylsulfate de sodium. Les capsules mêmes se composent de gélatine, de dioxyde de titane et de jaune n° 10 (D.C.). Les capsules à 25 et à 50 mg renferment également du jaune n° 6 (F.D.C.), et les capsules à 100 mg, du rouge n° 40 (F.D.C.). Elles ne renferment ni tartrazine ni gluten.

Qui fabrique Zoloft: Les capsules Zoloft sont fabriquées par Pfizer Canada Inc.

Rappel: Ce médicament vous a été prescrit personnellement. N'en donnez pas à qui que ce soit. Si vous avez d'autres questions, adressez-vous à votre médecin ou à votre pharmacien(ne).

□ ZOVIRAX® ORAL

Glaxo Wellcome

Acyclovir

Agent antiviral

Renseignements destinés aux patients: Zona et herpès génital: Traitement: Si votre médecin vous prescrit Zovirax pour le traitement de l'herpès ou du zona, il est important que vous compreniez que ce médicament doit être pris le plus tôt possible après le début de la maladie parce que l'herpèsvirus se multiplie dans les cellules cutanées atteintes et, par la suite, les détruit. Zovirax stoppe la multiplication du virus et empêche sa propagation dans les cellules saines avoisinantes. Il ne peut remplacer une cellule endommagée par la multiplication virale, mais il facilite le processus de guérison.

Suppression des récurrences: Si votre médecin vous a suggéré l'emploi continu de Zovirax afin de prévenir les récurrences fréquentes d'herpès génital, vous devez suivre à la lettre les directives posologiques, afin de maintenir en tout temps une quantité suffisante de médicament dans l'organisme, et ce, pour empêcher la multiplication virale. Votre médecin tentera de vous prescrire la dose minimale qui pourra entraver cette multiplication chez vous. Il pourra par conséquent soit augmenter ou diminuer la dose qu'il vous administre durant les premières semaines du traitement. Pour un traitement optimal, vous devez suivre les directives de votre médecin à la lettre.

Innocuité: À court terme: On a bien étudié l'innocuité de Zovirax dans le cadre du traitement à court terme. Comme pour tous les agents largement prescrits, on signale parfois des effets secondaires associés à utilisation du médicament. Les plus courants, énumérés ci-après, se sont rarement manifestés à des degrés assez importants pour justifier l'arrêt du traitement: maux de tête, nausées, diarrhée, éruptions cutanées et troubles gastriques.

Vous devez signaler à votre médecin toute manifestation anormale observée durant votre traitement à Zovirax.

La monographie du produit fournie à votre médecin donne la liste complète des effets secondaires rapportés jusqu'à maintenant.

À long terme: Votre médecin peut interrompre l'administration du médicament à intervalles périodiques afin de déterminer si le traitement continu est justifié. Comme pour tout nouveau médicament, on n'a pas totalement établi l'innocuité à long terme de Zovirax chez les humains. Il faut donc être prudent lorsqu'on prescrit le traitement continu à long terme avec Zovirax. C'est pourquoi on recommande le traitement suppressif des récurrences d'herpès génital seulement chez les patients gravement atteints.

Grossesse: Si, durant votre traitement à Zovirax, vous tombez enceinte ou prévoyez le devenir, ou encore si vous comptez allaiter, veuillez consulter votre médecin.

Toxicité-reproduction: On a observé une diminution de la numération des spermatozoïdes chez les animaux ayant reçu des doses élevées du médicament, ainsi que des fragmentations chromosomiques in vitro à des concentrations élevées. Cependant, ces réactions ne se sont pas manifestées chez les humains ayant reçu des doses de 800 à 1 000 mg/jour pendant au moins 6 mois.

Renseignements généraux: Les infections d'herpès entraînent la formation de boutons de fièvre douloureux sur la peau et les muqueuses. Le virus à l'origine de l'infection est présent dans le liquide se trouvant à l'intérieur de ces boutons. L'infection se transmet facilement à d'autres parties du corps non atteintes ou à d'autres personnes. Par conséquent, lorsque vous touchez à vos lésions cutanées, lavez-vous les mains immédiatement et ne touchez à aucune autre partie de votre corps avant d'avoir pris cette mesure de précaution. Évitez particulièrement tout contact intime avec d'autres personnes durant les périodes de manifestation de la maladie, c.-à-d. lorsqu'il y a présence de lésions. Ne partagez pas vos médicaments avec d'autres. Ne dépassez pas la posologie prescrite. Zovirax n'élimine pas les virus latents. Après l'arrêt du traitement, certains patients ont connu une aggravation de leur première récurrence d'herpès génital.

Pour de plus amples renseignements sur Zovirax et les infections d'herpès, veuillez consulter votre médecin ou votre pharmacien.

Varicelle—Renseignements destinés aux patients: Fréquente chez les enfants et contagieuse: La varicelle est l'une des infections les plus **fréquemment** rencontrées chez les enfants autrement en bonne santé. Elle survient habituellement avant l'âge de 10 ans, mais toute personne n'ayant jamais eu la varicelle peut être infectée—peu importe son âge.

La varicelle est causée par un virus appelé «Herpesvirus varicellae» et est **très contagieuse.** Les membres d'une même famille se transmettent souvent la maladie. Pour des raisons encore inconnues, il arrive souvent que le deuxième ou le troisième enfant atteint d'une famille soit plus durement éprouvé que le premier enfant de cette famille. En outre, la maladie tend à frapper plus durement les adolescents que les jeunes enfants.

La varicelle peut être une affection légère, les lésions étant peu nombreuses ou les symptômes peu marqués; elle peut aussi être marquée, le nombre de lésions atteignant plusieurs centaines. Ces lésions peuvent apparaître sur la peau ou sur les muqueuses. **On ne peut prédire la gravité de la varicelle d'aucune façon.**

Pour reconnaître la maladie: Les premiers symptômes de la varicelle peuvent être non spécifiques: fièvre, démangeaisons, maux de tête, douleurs articulaires et musculaires, maux de gorge, troubles généraux (perte de l'appétit, apathie et irritabilité). Ces symptômes sont suivis par l'apparition de petites taches rouges entraînant des démangeaisons; ces taches se transforment ensuite en vésicules dans les quelques heures. D'autres taches et vésicules continuent à apparaître durant environ 5 jours. Les vésicules finissent par s'assécher et, dans les 6 ou 7 jours, forment une croûte.

Incubation: Les personnes exposées au virus causant la varicelle ne contractent pas toutes cette maladie. La période d'incubation du virus varie entre 1 et 3 semaines après exposition. Ce dernier se transmet dans l'air dans les situations suivantes: (1) lorsqu'une personne qui souffre de varicelle gratte ses vésicules, ce qui permet au virus de se retrouver dans l'air; (2) lorsqu'une personne qui souffre de varicelle et qui se trouve près de d'autres personnes tousse ou éternue. La varicelle est la plus contagieuse peu avant l'éruption, puis durant les premiers stades de celle-ci, et enfin jusqu'à ce que toutes les vésicules se soient asséchées. Une personne **n'est plus** contagieuse à partir du moment ou toutes les vésicules ont formé une croûte.

Consultation du médecin dans les plus brefs délais: Si vous croyez que votre enfant a été exposé au virus de la varicelle, surveillez l'apparition des symptômes mentionnés précédemment. **Au premier signe d'éruption, appelez votre médecin.** Les traitements possibles sont plus nombreux lorsqu'on agit rapidement. Votre médecin peut prescrire un médicament qui pourra peut-être soulager l'enfant et lui permettre de se rétablir plus rapidement.

Conseils utiles: Il est important d'administrer tout médicament prescrit selon les directives du médecin—même lorsque le patient semble aller mieux. **Ne donnez jamais de médicaments contenant de l'acide acétylsalicylique (AAS) à un enfant souffrant de fièvre et de varicelle.** Pour réduire la fièvre, on peut donner de l'acétaminophène.

On peut soulager la démangeaison en recouvrant les lésions de calamine, ou de tout autre médicament contre les démangeaisons recommandé par le médecin. On peut calmer temporairement la démangeaison par un bain ou par l'application de compresses humides. Le bain quotidien à l'eau et au savon peut aussi aider à prévenir l'infection. **N'utilisez pas d'antiseptique** sur les plaies; **consultez plutôt votre médecin**, qui prescrira un antibiotique au besoin. Comme les lésions peuvent s'infecter ou laisser une cicatrice si elles sont grattées, il est important d'encourager la personne atteinte à ne pas se gratter et à ne pas favoriser la propagation des particules virales dans l'air. On doit garder les lésions propres et sèches. Dans la mesure du possible, on doit garder les ongles de l'enfant courts, et couvrir ses mains et ses pieds avec des gants, des mitaines ou des chaussettes de coton, pour l'empêcher de se gratter dans son sommeil.

Complications possibles: Les complications de la varicelle sont rares chez les enfants en bonne santé. Les personnes qui risquent le plus de connaître des complications sont les suivantes: femmes enceintes, nouveau-nés, personnes faisant l'objet d'un traitement contre le cancer, l'arthrite, l'asthme, ou ayant subi une greffe d'organe—car elles prennent des médicaments qui agissent contre leur système immunitaire. Si quelqu'un dans votre famille entre dans une de ces catégories, **informez-en votre médecin** afin que les mesures préventives adéquates puissent être prises.

□ ZYPREXA®

Lilly

Olanzapine

Antipsychotique

Renseignements destinés aux patients: Pourquoi dois-je prendre Zyprexa? Votre médecin vous a prescrit un médicament: Zyprexa. Un traitement continu par Zyprexa aide à calmer les symptômes pénibles de votre maladie, mais ne la guérit pas. Zyprexa réduit également les risques de rechute.

Vous trouverez ci-dessous les réponses à certaines questions que vous vous posez peut-être sur ce traitement. On vous explique également comment prendre Zyprexa pour obtenir les meilleurs résultats possibles. Renseignez-vous auprès de votre médecin ou de votre pharmacien si vous avez des questions au sujet de la prise de ce médicament.

Conservez ces renseignements à proximité du médicament au cas où vous auriez besoin de les relire.

Qu'est-ce que Zyprexa? Zyprexa contient un ingrédient actif qui s'appelle olanzapine. Ce médicament appartient à la classe thérapeutique des antipsychotiques. On l'emploie dans le traitement des symptômes de la schizophrénie et des troubles psychotiques apparentés. La schizophrénie est caractérisée par des symptômes tels que hallucinations (perception de voix, bruits, choses, etc, alors qu'il n'y a rien à percevoir), idées délirantes, méfiance excessive et désintérêt affectif. Dépression, anxiété et tension peuvent également être présentes.

Votre médecin vous a peut-être prescrit Zyprexa pour d'autres raisons. Si vous voulez savoir pour quelle raison il vous l'a prescrit, demandez-lui.

Que dois-je faire avant de commencer à prendre Zyprexa? Avant de commencer à prendre Zyprexa et afin d'obtenir les meilleurs résultats possibles, vous devez avertir votre médecin si:
- vous êtes enceinte ou allaitez;
- vous avez eu des réactions allergiques à tout médicament déjà pris pour traiter votre maladie;
- vous fumez;
- vous avez une intolérance au lactose;
- vous avez déjà perdu connaissance ou avez eu des crises convulsives;
- vous prenez d'autres médicaments (vendus avec ou sans ordonnance);
- vous buvez de l'alcool ou prenez de la drogue;
- vous faites des exercices physiques intenses ou travaillez dans un endroit ensoleillé ou chaud;
- vous avez déjà eu un problème de foie, une hépatite ou une jaunisse;
- vous avez un problème de prostate;
- vous avez un blocage intestinal (iléus paralytique);
- vous avez une tension élevée dans l'œil (glaucome).

Il est important pour votre médecin de connaître ces renseignements avant qu'il vous prescrive un médicament et en détermine la posologie (dose et fréquence des prises).

Comment dois-je prendre Zyprexa? Vous devez prendre Zyprexa comme votre médecin l'a prescrit, en fonction de votre situation particulière. Votre médecin peut augmenter ou diminuer la dose selon l'effet obtenu.

Zyprexa ne guérit pas votre maladie mais en soulage les symptômes. Si vos symptômes diminuent ou disparaissent, c'est sans doute parce que votre traitement est efficace. Cependant, des études ont démontré qu'après avoir arrêté le traitement, environ 2 patients sur 3 ont rechuté, soit plus du double des patients ayant continué leur traitement. C'est pourquoi il est si important de continuer à prendre Zyprexa même si les symptômes ont diminué ou disparu. Le traitement par Zyprexa doit donc être poursuivi aussi longtemps que vous et votre médecin croyez qu'il est efficace.

Arrêtez de prendre Zyprexa si vous avez eu une réaction allergique à ce médicament ou à ses ingrédients énumérés à la fin de ces renseignements. Les réactions allergiques possibles sont: éruption cutanée, démangeaisons, essoufflement ou enflure du visage, des lèvres ou de la langue.

On doit avaler sans croquer les comprimés de Zyprexa avec un verre d'eau. On peut les prendre avec ou sans nourriture.

La dose prescrite doit être prise à la même heure chaque jour. Si vous la manquez de quelques heures, prenez-la quand même. Et si presque toute la journée est passée, attendez le lendemain pour prendre votre dose à l'heure habituelle. **Ne doublez pas votre dose.** Essayez plutôt de ne plus sauter de jour. Si vous prenez une surdose, avertissez votre médecin ou allez à l'urgence du centre hospitalier le plus proche. Montrez au médecin votre flacon de comprimés, même si vous n'avez pas de malaise ni de signes d'intoxication. Les signes les plus courants d'une surdose sont somnolence et empâtement de la parole.

Est-ce que je peux prendre d'autres médicaments avec Zyprexa? Vous devez avertir tous les médecins, dentistes et pharmaciens consultés que vous prenez Zyprexa.

Avant qu'un médecin ou un pharmacien vous donne tout autre médicament, avertissez-le que vous prenez Zyprexa.

La prise simultanée de Zyprexa et des médicaments suivants peut causer de la somnolence:
- médicaments traitant l'anxiété ou aidant à dormir;
- médicaments traitant la dépression.

L'effet de l'alcool peut être accentué si on en prend pendant le traitement par Zyprexa. On recommande donc de **ne pas** prendre de l'alcool pendant le traitement par Zyprexa.

Ne donnez pas Zyprexa à d'autres personnes. C'est à vous qu'il a été prescrit.

Est-ce que Zyprexa entraîne des effets secondaires? Zyprexa, comme d'autres médicaments, peut entraîner des effets secondaires. Ils sont dans l'ensemble peu graves et temporaires, mais certains peuvent nécessiter une intervention médicale. Un grand nombre d'effets secondaires dépendent de la dose prise. D'où l'importance de ne pas dépasser la dose prescrite. Les plus courants sont:
- somnolence
- prise de poids
- étourdissements
- appétit accru
- rétention d'eau
- constipation
- sécheresse de la bouche
- difficulté à rester immobile (acathisie)

Avertissez immédiatement votre médecin en cas d'apparition de secousses musculaires ou de mouvements anormaux du visage ou de la langue. Avertissez-le également en cas de tout symptôme qui vous inquiète, même si ce symptôme ne vous semble pas être dû au médicament ou n'apparaît pas dans la liste ci-dessus.

En raison du risque de somnolence lié à la prise de Zyprexa, vous devriez éviter de conduire un véhicule ou d'utiliser des machines jusqu'à ce que vous sachiez quels effets Zyprexa produit sur vous. Une somnolence survient parfois en début de traitement, surtout lorsqu'on se lève d'une position couchée ou assise. Cet effet disparaît habituellement après quelques jours.

Zyprexa fait partie d'une classe de médicaments qui, employés à long terme chez la femme, peuvent causer une sécrétion de lait ou une irrégularité des menstruations. L'emploi à long terme chez l'homme a donné lieu, dans de rares cas, à un développement exagéré des glandes mammaires (seins). Des résultats anormaux aux examens du foie ont également été signalés à l'occasion.

Ces effets secondaires potentiels ne doivent pas vous mettre dans l'inquiétude. Le risque est faible et, lorsque ces effets se manifestent, ils sont habituellement légers et temporaires.

À quel endroit dois-je conserver Zyprexa? Tous les médicaments doivent être tenus hors de la portée des enfants. Conservez Zyprexa dans son contenant d'origine à la température ambiante dans un endroit sec et à l'abri de la lumière directe. La date de péremption (date limite d'utilisation) est indiquée sur l'étiquette du contenant. Après cette date, n'utilisez plus ce médicament. Retournez le restant à votre pharmacien et faites de même lorsque vous arrêtez de prendre Zyprexa sur ordre du médecin.

Qu'est-ce que Zyprexa contient? Chaque comprimé contient un ingrédient actif appelé olanzapine. On y retrouve également les ingrédients inactifs suivants: carmin d'indigo, cellulose microcristalline, cire de carnauba, crospovidone, hydroxypropylcellulose, hydroxypropylméthylcellulose, lactose, laque d'aluminium, un mélange chromatique blanc (hydroxypropylméthylcellulose, anhydride titanique, polyéthylèneglycol et polysorbate 80) et stéarate de magnésium.

☐ ZYRTEC®

UCB Pharma

Chlorhydrate de cétirizine

Inhibiteur des récepteurs H_1

Renseignements destinés aux patients: Indications: Zyrtec est un métabolite à action directe* indiqué pour le soulagement rapide et soutenu du larmoiement, des démangeaisons oculaires, des éternuements, et de l'écoulement nasal causés par les allergies saisonnières et apériodiques (toute l'année) (rhume des foins, allergies au pollen des arbres et des graminées, à la poussière, aux animaux, aux moisissures). Zyrtec soulage également les allergies cutanées comme l'urticaire.

Posologie: Adulte et adolescent de 12 ans et plus: 1 comprimé (10 mg) toutes les 24 heures. Ne pas administrer aux enfants de moins de

Zyrtec (suite)

12 ans. Ne pas dépasser la posologie recommandée. Consulter un médecin pour un traitement de longue durée.
Personnes âgées: 1 demi-comprimé (5 mg). Consulter un médecin en cas de doute sur la dose appropriée.

Précautions: Les personnes qui souffrent d'une maladie des reins ou du foie et les femmes enceintes ou qui allaitent ne doivent pas prendre Zyrtec, sauf sur les conseils d'un médecin. Les personnes qui conduisent un véhicule ou font fonctionner des machines potentiellement dangereuses doivent faire preuve de prudence. Garder ce médicament, comme tout autre médicament, hors de la portée des enfants.
• Conserver à moins de 30 °C.
• La monographie est fournie sur demande aux médecins et aux pharmaciens.
*Un métabolite à action directe n'a pas besoin de subir une biotransformation pour faire effet.

Excipients: amidon de maïs, hydroxypropylméthylcellulose, lactose, stéarate de magnésium, polyéthylèneglycol, povidone et dioxyde de titane.

Présentation: Les comprimés sécables de Zyrtec à 10 mg sont présentés sous plaquettes alvéolées de 6, 12 ou de 18 comprimés.

CONTRACEPTIFS ORAUX*

Classification des contraceptifs oraux selon leur type pharmacologique (monophasique, biphasique et triphasique)

Type/produit	Concentration	
	Œstrogène	**Progestatif**
Monophasique:		
Œstrogène 50 µg		
Demulen® 50	50 µgEE	1 mgDAE
Norinyl® 1/50	50 µgM	1 mgNE
Ortho-Novum® 1/50	50 µgM	1 mgNE
Ovral®	50 µgEE	0,5 mgNG
Œstrogène <50 µg		
Alesse^MC	20 µgEE	0,1 mgLNG
Brevicon® 0,5/35	35 µgEE	0,5 mgNE
Brevicon® 1/35	35 µgEE	1 mgNE
Cyclen®	35 µgEE	0,25 mgNGS
Demulen® 30	30 µgEE	2 mgDAE
Loestrin^MD 1,5/30*	30 µgEE	1,5 mgANE
Marvelon®	30 µgEE	0,15 mgD
Minestrin^MD 1/20*	20 µgEE	1 mgANE
Min-Ovral®	30 µgEE	0,15 mgLNG
Ortho® 0,5/35	35 µgEE	0,5 mgNE
Ortho® 1/35	35 µgEE	1 mgNE
Ortho-Cept^MD	30 µgEE	0,15 mgD
Select™ 1/35	35 µgEE	1 mgNE
Sans œstrogène		
Micronor®		0,35 mgNE
Biphasique:		
Ortho® 10/11	35 µgEE ×21j	0,5 mgNE × 10j
		1 mgNE × 11j

Type/produit	Concentration	
	Œstrogène	**Progestatif**
Triphasique:		
	35 µgEE × 21j	0,5 mgNE × 7j
		0,75 mgNE × 7j
Ortho® 7/7/7		1 mgNE × 7j
	35 µgEE × 21j	0,5 mgNE × 7j
		1 mgNE × 9j
Synphasic®		0,5 mgNE × 5j
	35 µgEE × 21j	0,18 mgNGS × 7j
		0,215 mgNGS × 7j
Tri-Cyclen^MC		0,25 mgNGS × 7j
Triphasil®	30 µgEE × 6j	0,05 mgLNG × 6j
	40 µgEE × 5j	0,075 mgLNG × 5j
	30 µgEE × 10j	0,125 mgLNG × 10j
Triquilar®	30 µgEE × 6j	0,05 mgLNG × 6j
	40 µgEE × 5j	0,075 mgLNG × 5j
	30 µgEE × 10j	0,125 mgLNG × 10j

Signification des abréviations:

ANE: Acétate de noréthindrone
D: Désogestrel
DAE: Diacétate d'éthynodiol
EE: Éthinylœstradiol
LNG: Lévonorgestrel
M: Mestranol
NE: Noréthindrone
NG: Norgestrel
NGS: Norgestimate

*Directives sur le mode d'emploi des contraceptifs oraux à base d'œstrogène et de progestatif. Santé Canada, Ottawa, ON, 1994.

BROCHURE D'INFORMATION ADDITIONNELLE À L'INTENTION DES FUTURES UTILISATRICES DE CONTRACEPTIFS ORAUX (PILULE ANTICONCEPTIONNELLE)

Introduction

La présente brochure contient l'information nécessaire pour vous permettre de faire un choix éclairé en ce qui a trait à l'utilisation des contraceptifs oraux. Les contraceptifs oraux sont aussi appelés pilules anticonceptionnelles, anovulants ou, tout simplement, «la pilule».

Vous devriez lire la présente brochure si vous envisagez de recourir à une méthode de contraception. Si vous avez déjà opté pour les contraceptifs oraux, la brochure vous aidera à mieux comprendre les risques et les avantages de cette méthode. Elle vous renseignera également sur la façon d'utiliser les contraceptifs oraux.

Lorsqu'ils sont utilisés selon le mode d'emploi, les contraceptifs oraux constituent un moyen très efficace d'empêcher la grossesse. Seule la stérilisation est plus efficace. Les contraceptifs oraux sont pratiques, comportent de nombreux avantages non reliés à la contraception et, pour la plupart des femmes, sont dénués d'effets secondaires sérieux ou désagréables.

Les contraceptifs oraux procurent des avantages importants par rapport aux autres méthodes de contraception. Ils comportent toutefois des risques qui ne sont pas associés aux autres méthodes. Votre médecin est la personne tout indiquée pour vous informer des risques possibles et de leurs conséquences.

Vous pouvez aider votre médecin à vous prescrire des contraceptifs oraux de la manière la plus sécuritaire possible en lui donnant toute l'information nécessaire à votre sujet et en étant à l'affût des premiers signes d'un problème éventuel.

Veuillez lire attentivement la présente brochure et discutez de son contenu avec votre médecin.

Types de contraceptifs oraux

Il existe deux types de contraceptifs oraux:

1. La «pilule combinée», qui est le type le plus courant, contient deux hormones sexuelles féminines—un œstrogène et un progestatif. La quantité et le type d'œstrogène et de progestatif diffèrent d'une préparation à l'autre. C'est la quantité d'œstrogène qui est le facteur le plus important. L'efficacité ainsi que certains des dangers des contraceptifs oraux sont liés principalement à la quantité d'œstrogène.
2. La «minipilule». Elle ne contient qu'une seule hormone sexuelle féminine—un progestatif.

Mode d'action des contraceptifs oraux

Les contraceptifs oraux agissent de deux façons:

1. Ils inhibent la libération mensuelle d'un ovule par les ovaires.
2. Ils modifient le mucus produit par le col de l'utérus, ce qui a pour effet de ralentir la progression des spermatozoïdes à travers ce mucus pour atteindre l'utérus.

Efficacité des contraceptifs oraux

Les contraceptifs oraux combinés ont un taux d'efficacité de 99 % pour ce qui est de prévenir la grossesse lorsque:

- la pilule est prise **de la façon indiquée,** et
- la quantité d'œstrogène est de 20 µg ou plus.

Un taux d'efficacité de 99 % signifie que si 100 femmes prenaient des contraceptifs oraux pendant 1 an, une femme du groupe deviendrait enceinte.

La minipilule (progestatif seulement) est légèrement moins efficace que les contraceptifs oraux combinés.

Autres moyens de prévenir la grossesse

Il existe d'autres méthodes de contraception. Elles sont généralement moins efficaces que les contraceptifs oraux, mais lorsqu'elles sont bien appliquées, elles peuvent être suffisamment efficaces pour de nombreuses femmes.

Le tableau I donne le taux de grossesse observé pour différentes méthodes de contraception, y compris l'absence de contraception. Les taux indiqués représentent le nombre de femmes sur 100 qui deviennent enceintes en un an.

Tableau I—Brochure d'information additionnelle

Taux de grossesse par 100 femmes par année	
Pilule combinée	moins de 1 à 2
Dispositif intra-utérin (DIU)	moins de 1 à 6
Condom avec spermicide (gelée ou mousse)	1 à 6
Minipilule	3 à 6
Condom	2 à 12
Diaphragme avec spermicide (gelée ou mousse)	3 à 18
Spermicide	3 à 21
Éponge avec spermicide	3 à 28
Cape cervicale avec spermicide	5 à 18
Continence périodique ou toute autre méthode rythmique	2 à 20
Aucune contraception	60 à 85

Les taux de grossesse varient grandement parce que toutes les personnes ne pratiquent pas une méthode de contraception avec la même attention et la même régularité. (Cette observation ne s'applique pas aux DIU puisqu'ils sont implantés dans l'utérus.) Les femmes qui font preuve de rigueur peuvent s'attendre à des taux de grossesse se situant vers le bas de la fourchette. D'autres peuvent s'attendre à des taux de grossesse qui se situent davantage vers le milieu de la fourchette.

L'utilisation efficace des méthodes de contraception autres que les contraceptifs oraux et les DIU nécessite un peu plus d'effort que le simple fait de prendre un comprimé par jour, mais il s'agit d'un effort que de nombreux couples parviennent à accomplir avec succès.

Qui doit s'abstenir de prendre des contraceptifs oraux?

Ne prenez pas de contraceptifs oraux si vous avez actuellement, ou avez eu dans le passé, une des affections suivantes:

- des pertes sanguines anormales de cause inconnue,
- des caillots de sang dans les jambes, les poumons, les yeux ou ailleurs,
- une embolie cérébrale, une crise cardiaque ou des douleurs précordiales (angine de poitrine),
- un cancer connu ou présumé des seins ou des organes génitaux,
- une tumeur du foie liée à l'utilisation de la pilule anticonceptionnelle ou à d'autres produits contenant de l'œstrogène,
- une jaunisse ou une maladie du foie encore active.

Ne prenez pas de contraceptifs oraux si vous êtes enceinte ou croyez l'être.

Il y a d'autres facteurs que le médecin voudra suivre de près ou qui pourraient l'amener à vous recommander une méthode de contraception autre que les contraceptifs oraux.

- seins:
  - — antécédents familiaux très marqués de cancer du sein
  - — anomalies touchant le sein telles que douleur, écoulement mamelonnaire, induration ou masse. Dans certaines circonstances, il peut y avoir des avantages à prendre des contraceptifs oraux et dans d'autres, il peut y avoir des complications.
- diabète
- hypertension
- taux anormal de lipides dans le sang (cholestérol ou triglycérides élevés)
- tabagisme
- migraines
- maladie cardiaque ou rénale
- épilepsie
- dépression
- fibromes utérins
- affection de la vésicule biliaire ou du pancréas
- intervention chirurgicale prévue
- antécédents de jaunisse ou autre affection du foie

Vous devez également informer votre médecin de vos antécédents familiaux en ce qui a trait aux caillots de sang, aux crises cardiaques et à l'embolie cérébrale.

Risques associés aux contraceptifs oraux

1. Troubles circulatoires (y compris les caillots dans les jambes, les poumons, le cœur, les yeux et le cerveau)

Les caillots de sang constituent l'effet secondaire grave le plus courant des contraceptifs oraux. Ils peuvent se produire dans plusieurs parties du corps.

- Dans le cerveau, la caillot peut causer une embolie cérébrale.
- Dans un vaisseau sanguin du cœur, il peut entraîner une crise cardiaque.
- Dans les jambes et le bassin, il peut se détacher et se loger dans les poumons où il provoque une embolie pulmonaire.
- Dans un vaisseau sanguin qui alimente un bras ou une jambe, il peut causer des lésions et même entraîner la perte de ce membre.

N'importe laquelle de ces manifestations peut entraîner la mort ou l'invalidité. Des caillots peuvent également se former, bien que rarement, dans les vaisseaux sanguins de l'œil, ce qui peut provoquer la cécité ou une dégradation de la vue.

L'incidence des caillots de sang est plus élevée chez les utilisatrices de contraceptifs oraux. Le risque de formation de caillots semble augmenter avec la dose d'œstrogène dans la préparation. **Il est donc important d'utiliser la plus petite dose d'œstrogène possible.**

> La cigarette augmente le risque d'effets secondaires graves au niveau du cœur et des vaisseaux sanguins. Le risque augmente avec l'âge et devient important chez les utilisatrices de contraceptifs oraux âgées de plus de 35 ans. Les femmes ne devraient pas fumer.

2. Cancer du sein

Les principaux facteurs de risque du cancer du sein sont l'âge et des antécédents très marqués de cancer du sein dans la famille (mère ou sœur). Parmi les autres facteurs de risque établis figurent l'obésité, le fait de ne jamais avoir eu d'enfant et le fait d'avoir eu une première grossesse à terme à un âge avancé.

Certaines utilisatrices des contraceptifs oraux peuvent courir un risque plus élevé d'avoir un cancer du sein avant la ménopause, laquelle survient vers l'âge de 50 ans. Ces femmes peuvent être des utilisatrices de longue date des contraceptifs oraux (plus de 8 ans) ou des femmes qui ont commencé à les utiliser à un âge précoce. Chez un petit nombre de femmes, l'utilisation des contraceptifs oraux peut accélérer la croissance d'un cancer du sein existant, mais non diagnostiqué. Un diagnostic précoce peut toutefois réduire l'effet du cancer du sein sur l'espérance de vie d'une femme. Les risques liés aux contraceptifs oraux semblent toutefois faibles.

Les femmes qui présentent les caractéristiques suivantes doivent être examinées chaque année par leur médecin et ce, quelle que soit la méthode de contraception qu'elles utilisent:

- des antécédents très marqués de cancer du sein dans la famille,
- nodules (masses) ou induration dans les seins,
- écoulement mamelonnaire.

3. Dangers pour le fœtus des contraceptifs oraux utilisés par la mère durant la grossesse

La femme enceinte ne doit pas prendre de contraceptifs oraux. Toutefois, rien n'indique que les contraceptifs oraux ont des effets néfastes sur le fœtus.

Rien n'indique non plus que l'utilisation des contraceptifs oraux immédiatement avant la grossesse nuira au développement du fœtus. Lorsqu'une femme cesse de prendre des contraceptifs oraux pour devenir enceinte, son médecin peut lui recommander une autre méthode de contraception jusqu'à ce qu'elle ait eu une première menstruation sans l'intervention des contraceptifs. De cette façon, il est plus facile de déterminer à quelle date la grossesse a commencé.

4. Affection de la vésicule biliaire et tumeurs du foie

Les utilisatrices de contraceptifs oraux courent plus de risques d'avoir une affection de la vésicule biliaire nécessitant une intervention chirurgicale au cours de la première année d'utilisation. Le risque peut doubler après 4 ou 5 ans d'utilisation.

L'utilisation à court et à long termes des contraceptifs oraux a également été liée à la croissance de tumeurs du foie. Ces tumeurs sont **extrêmement** rares.

5. Autres effets secondaires des contraceptifs oraux

Certaines utilisatrices peuvent ressentir des effets secondaires désagréables, mais ces effets sont temporaires et ne constituent aucunement une menace pour la santé.

Il peut s'agir d'une sensibilité des seins, de nausées et de vomissements. Certaines peuvent perdre du poids, d'autres en gagner. Beaucoup de ces effets étaient observés avec les contraceptifs oraux combinés à forte teneur en œstrogène. Ils sont maintenant moins fréquents avec les contraceptifs oraux à faible teneur en œstrogène prescrits aujourd'hui.

On peut également observer des pertes sanglantes inattendues et une modification du cycle menstruel habituel, mais ces effets disparaissent habituellement après les premiers cycles. Ils **ne** constituent **pas** une indication qu'il faut cesser de prendre des contraceptifs oraux. À moins de complications plus graves, la décision de cesser de prendre des contraceptifs oraux ou de changer de marque ne devrait être prise qu'après 3 mois consécutifs d'utilisation. Parfois, les utilisatrices font de l'hypertension qui peut les obliger à cesser d'utiliser les contraceptifs oraux.

Parmi les autres effets secondaires figurent:

- la croissance de tumeurs (fibromes) préexistantes dans l'utérus,
- la dépression,
- une affection du foie accompagnée de jaunisse,
- l'augmentation ou la diminution de la croissance des poils, de la libido et de l'appétit,
- la pigmentation de la peau,
- les maux de tête,
- les éruptions cutanées,
- les infections vaginales.

Il arrive, mais très rarement, que l'on doive renouveler l'ordonnance des lentilles cornéennes ou que l'on doive cesser d'en porter.

Les menstruations peuvent être retardées une fois que l'utilisatrice cesse de prendre des contraceptifs oraux. Rien n'indique que l'utilisation des contraceptifs oraux réduit la fécondité. Comme on l'a indiqué plus haut, il est sage de retarder la grossesse jusqu'à ce qu'il se soit produit une menstruation après que l'on a cessé d'utiliser les contraceptifs oraux.

Avantages non contraceptifs des contraceptifs oraux

On a signalé plusieurs bienfaits pour la santé liés à l'utilisation des contraceptifs oraux.

- Les contraceptifs oraux combinés (œstrogène-progestatif) réduisent l'incidence du cancer de l'utérus et des ovaires.
- Les contraceptifs oraux réduisent la probabilité de lésions bénignes (non cancéreuses) du sein et de kystes ovariens.
- Les utilisatrices de contraceptifs oraux perdent moins de sang au cours de leurs menstruations et ont des cycles plus réguliers, ce qui réduit les risques d'anémie ferriprive (causée par une carence en fer).
- L'utilisation des contraceptifs oraux peut réduire la gravité des menstruations douloureuses et du syndrome prémenstruel.
- L'utilisation des contraceptifs oraux peut réduire la gravité de l'acné, de l'hirsutisme (croissance excessive des poils) et d'autres affections liées aux hormones masculines.

> Les contraceptifs oraux **ne protègent pas** contre les maladies transmises sexuellement (MTS), y compris le VIH/sida. Pour obtenir une protection contre les MTS, il est recommandé d'utiliser des condoms de latex **en même temps** que les contraceptifs oraux.

Examen périodique

Un examen médical complet avec antécédents familiaux doit être effectué avant que l'on prescrive des contraceptifs oraux. L'examen médical doit comprendre une lecture de la tension artérielle et un examen des seins, de l'abdomen, des organes reproducteurs et des membres.

Une deuxième consultation du médecin doit avoir lieu après 3 mois d'utilisation. Au cours de cette consultation, il faut évaluer les effets secondaires possibles et vérifier la tension artérielle. Par la suite, un examen annuel semblable à la consultation initiale est recommandé. Habituellement, on procède à l'examen d'un frottis cervical («test Pap») avant que la femme ne commence à prendre des contraceptifs oraux, puis on répète l'examen selon l'intervalle recommandé par le médecin.

Ce que vous devez savoir si vous décidez de prendre des contraceptifs oraux

Si vous et votre médecin décidez que, pour vous, les avantages des contraceptifs oraux l'emportent sur les risques, vous devriez savoir ce qui suit.

> 1. La cigarette augmente le risque d'effets secondaires graves au niveau du cœur et des vaisseaux sanguins. Le risque augmente avec l'âge et devient important chez les utilisatrices de contraceptifs oraux âgées de plus de 35 ans. Les femmes ne devraient pas fumer.

2. Prenez la pilule uniquement sur l'avis du médecin et suivez attentivement toutes les directives de ce dernier. Vous devez suivre le mode d'emploi à la lettre, sinon vous pourriez devenir enceinte.
3. Consultez votre médecin dans les 3 mois suivant l'examen initial. Par la sute, visitez votre médecin au moins 1 fois l'an.
4. Soyez à l'affût des signes et symptômes des effets secondaires graves suivants et consultez immédiatement votre médecin s'ils se manifestent.
   - Douleur thoracique aiguë, expectorations sanglantes, manque soudain de souffle. Ces symptômes pourraient indiquer la présence d'un caillot de sang dans les poumons.

- Douleur dans un mollet. Ce symptôme pourait indiquer la présence d'un caillot de sang dans la jambe.
- Douleur thoracique en étau ou serrement. Ce symptôme pourait indiquer une crise cardiaque.
- Mal de tête intense et soudain ou aggravation d'un mal de tête, vomissements, étourdissements ou évanouissements, troubles de la vue ou de la parole, ou encore faiblesse ou insensibilité du bras ou de la jambe. Ces symptômes pourraient indiquer une embolie cérébrale.
- Perte soudaine de la vue, partielle ou complète. Ce symptôme pourrait indiquer la présence d'un caillot de sang dans l'œil.
- Douleur intense ou masse dans l'abdomen. Ces symptômes pourraient indiquer une tumeur du foie.
- Dépression grave.
- Jaunissement de la peau (jaunisse ou ictère).
- Enflure inhabituelle des membres.
- Masses dans les seins. **Demandez conseil à votre médecin sur la façon de pratiquer l'auto-examen des seins et faites cet examen régulièrement.**

5. Ne prenez jamais de contraceptifs oraux si vous croyez être enceinte. Ils n'empêcheront pas la grossesse de se poursuivre.
6. Vous serez menstruée lorsque vous cesserez de prendre des contraceptifs oraux. Vous devriez retarder la grossesse jusqu'à la prochaine menstruation, 4 à 6 semaines plus tard. Demandez conseil à votre médecin sur les autres méthodes de contraception que vous pourriez utiliser pendant cette période.
7. Après un accouchement ou après un avortement spontané ou thérapeutique, votre médecin vous indiquera quel est le bon moment pour commencer à utiliser des contraceptifs oraux.
8. On sait que les hormones contenues dans les contraceptifs oraux se retrouvent dans le lait maternel. Ces hormones peuvent réduire le débit de lait. Cependant, si l'on attend que la lactation soit établie avant de recommencer à prendre des contraceptifs oraux, il ne semble pas que la quantité ni la qualité du lait maternel soit affectée. Rien n'indique que les contraceptifs oraux aient des effets néfastes sur le nourrisson allaité.
9. Si vous devez subir une intervention chirurgicale **majeure,** informez votre chirurgien que vous prenez des contraceptifs oraux.
10. **Si vous consultez un autre médecin, dites-lui que vous prenez des contraceptifs oraux** en précisant la marque *(nom du produit)*.
11. **Si vous prenez déjà des médicaments ou si vous commencez à prendre un autre médicament, il faut en aviser votre médecin.** Cette directive s'applique aussi bien aux médicaments d'ordonnance qu'aux médicaments en vente libre. Ces médicaments peuvent modifier l'efficacité des contraceptifs oraux ou la régulation qu'ils exercent sur le cycle menstruel. **Vous pourriez alors avoir besoin d'une méthode contraceptive supplémentaire.**
12. **Il n'est pas nécessaire d'arrêter de prendre des contraceptifs oraux pour se donner une période de repos.**
13. Les contraceptifs oraux **ne protègent pas** contre les maladies transmises sexuellement (MTS), y compris le VIH/sida. Pour obtenir une protection contre les MTS, il est recommandé d'utiliser des condoms de latex **en même temps** que les contraceptifs oraux.

COMMENT PRENDRE LES CONTRACEPTIFS ORAUX

1. **Lisez les instructions**
   - Avant de commencer à prendre la pilule.
   - Chaque fois que vous n'êtes pas sûre de savoir quoi faire.
2. **Regardez votre distributeur de pilules** pour voir s'il contient 21 ou 28 pilules:

   Distributeur de 21 pilules: 21 pilules actives (avec hormones) à prendre chaque jour pendant 3 semaines et aucune pilule à prendre pendant 1 semaine.

   ou

   - **Distributeur de 28 pilules:** 21 pilules actives (avec hormones) à prendre chaque jour pendant 3 semaines et 7 pilules inactives «pour garder l'habitude» à prendre chaque jour pendant 1 semaine.

   Vérifier également: *Il y a ici une illustration du distributeur de pilules indiquant 1) où commencer, 2) dans quelle direction continuer et 3) le numéro de chacune des semaines.*
3. Il pourrait être préférable d'utiliser une deuxième méthode de contraception (p. ex. des condoms de latex et un spermicide en mousse ou en gelée) pour les 7 premiers jours du premier cycle d'utilisation de la pilule. Il s'agit là d'une méthode auxiliaire au cas où vous oublieriez de prendre vos pilules, le temps de vous habituer.
4. **En cas de traitement médical quelconque, assurez-vous de dire à votre médecin que vous prenez des contraceptifs oraux.**
5. **De nombreuses femmes ont de légères pertes sanglantes ou «spotting» ou ont la nausée au cours des 3 premiers mois.** Si vous vous sentez malade, n'arrêtez pas de prendre la pilule; habituellement, la situation se corrige d'elle-même. Si la situation ne s'améliore pas, consultez votre médecin ou votre clinique.
6. **Le fait d'omettre de prendre votre pilule peut également causer de légères pertes sanglantes,** même si vous prenez éventuellement les pilules manquantes. Vous pouvez également avoir la nausée les jours où vous prenez 2 pilules pour rattraper les pilules omises.
7. **Si vous négligez de prendre vos pilules, à quelque moment que ce soit, vous pouvez devenir enceinte. Vous courez le plus grand risque de devenir enceinte:**
   - Lorsque vous commencez un distributeur en retard.
   - Lorsque vous négligez de prendre des pilules au début ou à la toute fin du distributeur.
8. **Assurez-vous de toujours avoir sous la main:**
   - **Une méthode de contraception auxiliaire** (comme des condoms de latex et un spermicide en mousse ou en gel) que vous pourrez utiliser si vous omettez de prendre vos pilules.
   - **Un autre distributeur plein.**
9. **Si vous avez des vomissements ou de la diarrhée, ou si vous prenez des médicaments,** notamment des antibiotiques, vos pilules pourraient ne pas être aussi efficaces qu'elles le devraient. Utilisez une méthode auxiliaire, comme des condoms de latex et un spermicide en mousse ou en gel, jusqu'à ce que vous puissiez consulter votre médecin ou votre clinique.
10. **Si vous oubliez plus d'une pilule 2 mois de suite,** discutez avec votre médecin, ou le personnel de votre clinique, des moyens qui pourraient faciliter la prise de la pilule ou encore de l'utilisation d'une autre méthode de contraception.
11. **Si vous ne trouvez pas ici la réponse à vos questions, consultez votre médecin ou votre clinique.**

QUAND COMMENCER LE PREMIER DISTRIBUTEUR DE PILULES

Lisez ces instructions (voir le prospectus de conditionnement pour les illustrations):

- Avant de commencer à prendre la pilule.
- Chaque fois que vous n'êtes pas sûre de savoir quoi faire.

Décidez avec votre médecin, ou le personnel de votre clinique, quel est le meilleur jour pour commencer votre premier distributeur de pilules. Ce dernier peut contenir 21 pilules (régime de 21 jours) ou 28 pilules (régime de 28 jours).

A. Contraceptif combiné—régime de 21 jours

Avec ce type de contraceptif, vous prenez la pilule pendant 21 jours et vous n'en prenez pas pendant 7 jours. Vous ne devez pas passer plus de 7 jours de suite sans prendre de pilule.

1. **Le premier jour de vos menstruations (saignement) est le premier jour de votre cycle.** Votre médecin peut vous conseiller de commencer à prendre la pilule le premier jour, le cinquième jour ou le premier dimanche qui suit le début de vos menstruations. Si vos menstruations commencent un dimanche, commencez à prendre vos pilules ce jour-là.
2. Prenez une pilule à peu près à la même heure tous les jours pendant 21 jours; **ensuite, ne pas prendre de pilules pendant 7 jours.** Commencez un nouveau distributeur le huitième jour. Vous allez probablement être menstruée pendant les 7 jours que vous ne prenez pas la pilule. (Cette menstruation peut être plus légère et de plus courte durée que vos menstruations habituelles.)

B. Contraceptif combiné—régime de 28 jours

Avec ce type de contraceptif, vous prenez 21 pilules qui contiennent des hormones et 7 pilules que n'en contiennent pas.

1. **Le premier jour de vos menstruations (saignement) est le premier jour de votre cycle.** Votre médecin peut vous conseiller de commencer à prendre la pilule le premier jour, le cinquième jour ou le premier dimanche qui suit le début de vos menstruations. Si vos menstruations commencent un dimanche, commencez à prendre vos pilules ce jour-là.
2. Prenez une pilule à peu près à la même heure tous les jours pendant 28 jours. Commencer un nouveau distributeur le jour suivant en **prenant soin de ne pas sauter de jours.** Vos menstruations devraient survenir au cours des 7 derniers jours d'utilisation de ce distributeur.

QUE FAIRE DURANT LE MOIS

1. **Prenez 1 pilule à peu près à la même heure tous les jours jusqu'à ce que le distributeur soit vide.**
   - Essayez d'associer la prise de votre pilule à une activité régulière comme un repas ou le fait d'aller au lit.
   - Ne sautez pas de pilules même si vous avez des saignements entre les menstruations ou si vous avez la nausée.
   - Ne sautez pas de pilules même si vous n'avez pas de relations sexuelles fréquentes.
2. **Lorsque vous avez terminé un distributeur**
   - **21 pilules**
     Attendez 7 jours avant d'en commencer un autre. Vous aurez vos menstruations durant cette semaine-là.
   - **28 pilules**
     Commencez le nouveau distributeur **le jour suivant.** Prenez 1 pilule tous les jours. Ne sautez pas de journée entre les deux distributeurs.

QUE FAIRE SI VOUS OMETTEZ DE PRENDRE VOS PILULES

Le tableau II vous indique ce que vous devez faire s'il vous arrive d'oublier une ou plusieurs de vos pilules anticonceptionnelles. Faites correspondre le nombre de pilules omises et le moment où vous commencez à prendre la pilule pour le type de distributeur de pilules que vous avez (21 ou 28 pilules).

Tableau II—Brochure d'information additionnelle

Cycle débutant un dimanche	Cycle débutant un autre jour
Omission d'une pilule	**Omission d'une pilule**
Prenez-la aussitôt que vous vous apercevez de l'omission et prenez la pilule suivante à l'heure habituelle. Cela signifie que vous pourriez prendre 2 pilules le même jour.	Prenez-la aussitôt que vous vous apercevez de l'omission et prenez la pilule suivante à l'heure habituelle. Cela signifie que vous pourriez prendre 2 pilules le même jour.
Omission de 2 pilules de suite	**Omission de 2 pilules de suite**
Deux premières semaines 1. Prenez 2 pilules le jour où vous constatez l'omission et 2 pilules le jour suivant. 2. Ensuite prenez 1 pilule par jour jusqu'à ce que vous ayez fini le distributeur. 3. Utilisez une méthode de contraception auxiliaire si vous avez des relations sexuelles moins de 7 jours après l'omission. **Troisième semaine** 1. Continuez à prendre 1 pilule par jour jusqu'au dimanche. 2. Le dimanche, jetez de façon sécuritaire le reste du distributeur et commencez-en un nouveau le même jour. 3. Utilisez une méthode de contraception auxiliaire si vous avez des relations sexuelles moins de 7 jours après l'omission. 4. Vous pourriez ne pas être menstruée ce mois-là. **Si vous n'êtes pas menstruée 2 mois de suite, communiquez avec votre médecin ou votre clinique.**	**Deux premières semaines** 1. Prenez 2 pilules le jour où vous constatez l'omission et 2 pilules le jour suivant. 2. Ensuite prenez 1 pilule par jour jusqu'à ce que vous ayez fini le distributeur. 3. Utilisez une méthode de contraception auxiliaire si vous avez des relations sexuelles moins de 7 jours après l'omission. **Troisième semaine** 1. Jetez de façon sécuritaire le reste du distributeur et commencez-en un nouveau le même jour. 2. Utilisez une méthode de contraception auxiliaire si vous avez des relations sexuelles moins de 7 jours après l'oubli. 3. Vous pourriez ne pas être menstruée ce mois-là. **Si vous n'êtes pas menstruée 2 mois de suite, communiquez avec votre médecin ou votre clinique.**
Omission de 3 pilules de suite ou plus	**Omission de 3 pilules de suite ou plus**
N'importe quand au cours du cycle 1. Continuez à prendre 1 pilule par jour jusqu'au dimanche. 2. Le dimanche, jetez de façon sécuritaire le reste du distributeur et commencez-en un nouveau le même jour. 3. Utilisez une méthode de contraception auxiliaire si vous avez des relations sexuelles moins de 7 jours après l'omission. 4. Vous pourriez ne pas être menstruée ce mois-là. **Si vous n'êtes pas menstruée 2 mois de suite, communiquez avec votre médecin ou votre clinique.**	**N'importe quand au cours du cycle** 1. Jetez de façon sécuritaire le reste du distributeur et commencez-en un nouveau le même jour. 2. Utilisez une méthode de contraception auxiliaire si vous avez des relations sexuelles moins de 7 jours après l'omission. 3. Vous pourriez ne pas être menstruée ce mois-là. **Si vous n'êtes pas menstruée 2 mois de suite, communiquez avec votre médecin ou votre clinique.**

Nota: Distributeur de 28 jours: S'il vous arrive d'oublier l'une des 7 pilules inactives (sans hormones, servant simplement à vous faire garder l'habitude de prendre vos pilules) au cours de la quatrième semaine, vous n'avez qu'à jeter de manière sécuritaire la pilule omise. Puis, continuez à prendre une pilule chaque jour jusqu'à ce que le distributeur soit vide. Vous n'avez pas besoin de recourir à une méthode de contraception auxiliaire.	Assurez-vous de toujours avoir sous la main: • une méthode de contraception auxiliaire (comme des condoms de latex et un spermicide en mousse ou en gel) que vous pourrez utiliser si vous oubliez de prendre vos pilules; • un autre distributeur plein. **Si vous oubliez plus d'une pilule 2 mois de suite,** discutez avec votre médecin, ou le personnel de votre clinique, des moyens qui pourraient faciliter la prise de la pilule ou encore de l'utilisation d'une autre méthode de contraception.